Guia Rápido para Uso do
Dorland
Dicionário Médico

Elemento de palavra — **ab-** [L.] – elemento de palavra, *de; a partir de; longe de; fora de.*

Plural

Termo principal — **ac·i·nus** (as'ĭ-nus) pl. *acini* [L.] – ácino; pequena dilatação

Pronúncia — sacular, particularmente encontrada em várias glândulas; (ver também *alveolus.*)

Etimologia

Entrada principal — **back** (bak) – costas; dorso; parte posterior do tronco do pescoço até a pelve. **angry b.** – costas irritadas; síndrome da excitação da pele.

Referência cruzada de termos correlatos

Subentrada —

Referência cruzada de termos definidos (ver entradas abaixo)

fi·broid (fi'broid) – fibróide: 1. que tem uma estrutura fibrosa; semelhante ao fibroma; 2. fibroma; 3. leiomioma; 4. no plural, um termo clínico coloquial para o leiomioma uterino.

Termo definido — **fi·bro·ma** (fi-bro'mah) pl. *fibromas, fibromata* – fibroma; tumor composto principalmente de tecido conjuntivo fibroso ou completamente desenvolvido.

Definições

Termo definido — **leio·myo·ma** (-mi-o'mah) – leiomioma; tumor benigno derivado da musculatura lisa, mais freqüentemente do útero.

Sinônimo — **pin·na** (pin'ah) – pina; aurícula; pavilhão auricular; a parte da orelha externa à cabeça. **pin'nal** – adj. pinal.

Forma adjetiva

Abreviações — **SGOT** – serum glutamic-oxaloacetic transaminase (transaminase glutâmico-oxaloacética sérica); (ver *aspartate transaminase.*)

Referência cruzada de termo definido

SLE – systemic lupus er~~yth~~ matoso sist
syn·drome (si~~r~~ que ocorrem quer estado **excited skin** cutânea inesp vezes quando ~~queiram~~ reações positivas múltiplas no procedimento de rastreamento do teste do emplastro com uma bateria de substâncias.

Termo definido

Definição

Dorland

(Pocket)

Dicionário Médico

Edição
25

Dorland
(Pocket)
Dicionário
Médico

Resumido de **Dorland's Illustrated Medical Dictionary**
apresentando 16 pranchas coloridas:
O Corpo Humano – Destaques da Estrutura e Funções

ROCA

Traduzido do Original: Dorland's Pocket Medical Dictionary
25th Edition

Copyright © 1995, 1989, 1982, 1977, 1968, 1959 by W.B. Saunders Company.
Copyright 1953, 1946, 1942, 1938, 1934, 1930, 1926, 1922, 1919, 1917, 1915, 1913, 1911, 1909, 1906, 1903, 1900, 1899, 1898 by W.B. Sauders Company.
Copyright renewed 1987, 1974, 1970, 1966, 1962, 1958, 1954, 1950, 1947, 1945, 1943, 1941, 1939 by W.B. Saunders Company.
ISBN: 0-7216-5738-9

Copyright © 1997 da 1ª Edição pela Editora Roca Ltda.
ISBN: 85-7241-198-4

Tradução
Dr. Paulo Marcos Agria de Oliveira

Dados Internacionais de Catalogação na Publicação (CIP)
(Câmara Brasileira do Livro, SP, Brasil)

Dorland : Dicionário Médico/ Tradução de Paulo Marcos
  Agria de Oliveira I. — 25. ed. — São Paulo : Roca,
  1997.

Título original: Dorland's pocket.
"Resumido do Dorland's Illustrated Medical Dictionary
  apresentando 16 pranchas coloridas o corpo humano –
  destaques da estrutura e funções".
ISBN 85-7241-198-4

1. Medicina – Dicionários

97-2363   CDD-610.3

Índices para catálogo sistemático:

1. Medicina : Dicionário   610.3
2. Dicionário médico   610.3

1997

Todos os direitos para a língua portuguesa são reservados pela

EDITORA ROCA LTDA.
Rua Dr. Cesário Mota Jr., 73
CEP 01221-020 – São Paulo – SP
Tel.: (011) 221-8609 – FAX: (011) 220-8653

Impresso no Brasil
Printed in Brazil

APRESENTAÇÃO

William Alexander Newmann Dorland nasceu em 1864 ou 1865, nos Estados Unidos e aí faleceu em 1956, com 92 anos.

Aliás, diga-se de passagem que festejada longevidade destas raras aves benfazejas, os dicionaristas, é benesse que a Mãe Natureza dá a eles, e, *pari passu*, a nós outros leitores, ávidos da lição sucinta, concisa e segura do Léxico.

Webster, por exemplo, foi aos 85 anos. Nosso decano da Lexicografia de Língua Portuguesa, o teatino londrinense Bluteau, foi macróbio que chegou aos provectos 96 anos. Stedman viveu 85 anos, e Littré, 83 anos.

Dorland, cuja biografia se consegue com extrema dificuldade[1], foi obstetra e ginecologista, área onde foi professor (em Chicago) e publicou trabalhos especializados sobre mola hidatiforme, corioepitelioma, embriologia, e assuntos correlatos.

Além destes nobilitantes trabalhos, polímata e lexicógrafo, nos presenteou com um léxico médico substancioso e policréstico, que produziu *ex nihilo* (do nada), e por isto mesmo mantém doutrina única, sem as enfermidades dos outros léxicos, que padecem de incoerências, contradições e outros óbices de obra feita sobre outra preexistente, de outra lavra.

Explico-me: seus contemporâneos e antecessores deram na verdade continuidade a obras já maturadas e consagradas de lexicografia iatronímica preexistente.

Dorland criou seu Léxico, que veio a lume, em sua primeira edição em 1900, e depois, já contando com competentes equipes, nem sempre iguais, mas judiciosamente escolhidas, proveu o leitor interessado com 28 edições, sendo póstumas a partir da 22ª (1957).[3]

O número de edições e o curto interregno entre elas é expressão eloqüente do acatamento dado e do merecido prestígio conseguido.

Quanto a títulos e graus, o insigne dicionarista Dorland é:

1. A.M. – "*Artium Magister*" ou "*Master of Arts*", título dado a quem domina e é capacitado a ensinar em Teologia, Leis e Medicina.[4] Esta sigla é registada em seu rico dicionário mas não mereceu registo nos léxicos médicos de língua inglesa nem nos bilíngües inglês-português, aliás lastimável silêncio.
2. M.D. – "*Medicinae Doctor*", "*Doctor of Medicine*". Aduza-se a pertinente explicação dos latinistas espanhóis Miguel e De Morante[2]: "doctor se dice de aquél que hace profesión de conocer una ciencia y de enseñarla".
3. F.A.C.S. – "*Fellow of American College of Surgeons*": membro, sócio do Colégio Americano de Cirurgiões. Ensina-nos a Enciclopédia Britânica que "fellow" é "by origin a partner or associate, hence a companion comrade or mate. The word was, therefore, the natural equivalent for *socius*, a member of the foundation of an incorporated college"... e "in U.S. the word first appeared in 1650 charter of Harvard University which provided for five fellows among the officials of the governing body".[4]

Pelo cotejo é fácil perceber-se (e não caberia aqui alongar-me com casuísmos) que esta edição resumida do "Dorland's Medical Dictionary" nem por isto é lacunosa sendo antes, além de bem atualizada homogeneamente nas diferentes áreas médicas, de uso prático, e por isto, mais proveitosa, é menos onerosa. A judiciosa seleção dos termos mais procurados pelo médico interessado é digna de felicitar-se, dado que selecionar (entre o preferir e o preterir) é operação mental laboriosa e dignificante. Assim é que Vieira (nosso maior orador sacro e epistolário tece este saboroso comentário, trazido pela memória e não pelo texto: "peço a escusa pois alonguei-me aqui *ad nauseam* por não contar com o tempo e vagar que exige a concisão de um resumo".

São Paulo, 7 de junho de 1997

DR. CÁSSIO GALVÃO MONTEIRO
Médico e Filólogo
Consultor da Equipe de Revisão

Fontes de consulta:

1. Cattel, Jaques: American Men of Science: a Biographical Directory. The Science Press. Lancaster P.A.
2. De Miguel, Raimundo e De Morante (marquês): Nuevo Diccionario Latino-Español Etimológico. Agustín Jubera. Madri. 2ª edição. 1867. Sinónimos Latinos: sv. Doctor, ductus, p. 18.
3. Dorland's Illustrated Medical Dictionary. W.B. Saunders. Filadélfia, Londres,Toronto. 2ª edição. s.d.
4. Encyclopaedia Britannica: William Benton, Publisher. Chicago, Londres, Toronto. Vols. VII (p. 967) e IX (p. 152). 1957.

PREFÁCIO

Nos 97 anos desde a publicação da primeira edição do *Dorland – Dicionário Médico* (então intitulado *Dicionário Médico de Bolso Americano*), os princípios que orientam cada edição permaneceram os mesmos: proporcionar um guia compacto, conciso e claro com relação à silabação, à pronúncia (ambas em inglês) e ao significado do vocabulário de medicina. O objetivo tem sido o de incorporar o espírito de pesquisa cuidadosa, de precisão acadêmica e de atualização e abrangência de conhecimento encontrado no *Dorland – Dicionário Médico Ilustrado*, hoje em sua 28ª edição, através do aproveitamento extensivo do trabalho feito para essa obra e das informações nela contidas.

O desenvolvimento do conhecimento médico e científico, e conseqüentemente de sua terminologia, continua com uma rapidez crescentemente explosiva. Nessa nova edição do Dicionário, fez-se todo o esforço para incluir o maior número possível de palavras novas, com enfoque particular nos campos de alteração rápida como: cardiologia, genética, neurologia, oncologia e farmacologia, porém incluindo os avanços em todo o espectro de especialidades, e especificamente palavras de grande interesse geral. Com esse objetivo, cada uma das 9.500 palavras recém-acrescentadas na 28ª edição do *Dorland – Dicionário Médico Ilustrado* foi cuidadosamente considerada para a inclusão, sendo definitivamente escolhidas mais de 3.000. Além disso, os termos anteriormente existentes foram revisados extensivamente e aproximadamente 7.000 foram reformulados, de modo que os termos novos e atualizados somam mais de 10.000 dentre 30.000. Para abrir espaço a nova terminologia, analisaram-se cuidadosamente os termos anteriores e eliminaram-se muitos termos arcaicos e demasiadamente especializados. Na reformulação das definições das entradas existentes, também se obteve espaço valioso eliminando-se informações, como as que se referem a determinadas fórmulas químicas, de fato muito específicas para constarem de uma referência geral compacta.

Várias características foram reconsideradas para tornar o Dicionário ao mesmo tempo mais útil e mais fácil de manusear. Mais importante, acrescentou-se (no inglês) um sistema de silabação, indicado por traços que denotam os lugares aceitáveis para a divisão das palavras nas entradas principais. Além disso, reformulou-se a tipografia para tornar os termos mais claros, definidos e fáceis de ler.

As tabelas foram revisadas e recompostas quanto à clareza, sendo em muitos casos, substancialmente corrigidas, como as tabelas anatômicas que incorporam as últimas atualizações da nomenclatura oficial.

O resultado é um guia autorizado, abrangente, porém compacto, do vocabulário médico, preservando a tradição de sua longa linhagem de predecessores; esperamos que continue com seu bom exemplo.

Patricia D. Novak, PhD
Lexicógrafa

Conteúdo

Conteúdo

Como Usar este Dicionário

ORGANIZAÇÃO DAS PRINCIPAIS ENTRADAS E SUBENTRADAS

Os termos são localizados como entradas ou subentradas. Os termos compostos por uma ou mais palavras geralmente se encontram como subentradas da entrada principal (isto é, do substantivo). Desta forma, os termos *Addison's disease, collagen disease* e *Raynaud's disease* podem ser localizados como subentradas do tópico principal *disease*. Os nomes específicos de ácidos (por exemplo, *sulfuric acid*) e enzimas (por exemplo, *acetyl-CoA carboxylase*) constituem exceções a esta regra e são localizados como entradas principais em ordem alfabética.

Os compostos químicos que incorporam na denominação o nome de um elemento são localizados como subentradas do respectivo elemento, que é tópico principal, de modo que *sodium chloride* se encontra como uma subentrada de *sodium*. Compostos cuja denominação indica estado de oxidação do elemento (por exemplo, *cupric, cuprous*) serão localizados como entradas principais pelo nome do sal ou éster, desse modo, *cupric sulfate* será encontrado como subentrada de *sulfate*.

Em todas as subentradas, repete-se o substantivo (entrada principal) de forma abreviada (por exemplo, *humoral i.*, em *immunity*). Se a subentrada estiver no plural, isto é indicado acrescentando-se *'s* à abreviação do termo principal. Assim, em *body* a subentrada *Aschoff b's* significa *Aschoff bodies* e a entrada *ketone b's* significa *ketone bodies*. Plurais irregulares e plurais do Latim constam por extenso como, por exemplo, o termo *vasa afferentia* será encontrado como subentrada de *vas*.

As formas adjetivas estão em negrito e são localizadas ao final da entrada do substantivo (por exemplo, **allele** ... **alle'lic; allergen** ....**aller'genic**). Da mesma forma, o plural e os termos latinos irregulares são localizados no singular (por exemplo, **epiphysis** ... pl. *epiphyses*). Quando, entretanto, essas formas não forem reconhecíveis, serão encontradas como entradas individuais (por exemplo, **viscera** ... plural de *viscus*).

SILABAÇÃO

A silabação aceitável para a palavra é indicada com um ponto em cada termo de entrada. Nem todas as divisões da palavra são fornecidas (por exemplo, a vogal de início ou final de palavra não será separada desta). Em muitos casos, uma palavra poderá ser dividida de forma diferente da apresentada, pois diferentes pronúncias implicam em diferentes divisões silábicas.

PRONÚNCIA

A pronúncia das palavras é indicada pela grafia fonética, fornecida entre parênteses, logo após cada entrada principal. Apresentamos esta grafia fonética com um mínimo de marcas diacríticas, para que seja de fácil interpretação.

O código de pronúncia é bastante simples. Uma vogal sem marca ao final de uma sílaba é curta. Uma vogal longa em uma sílaba que termina em consoante é indicada por mácron (ā, ē, ī, ō, ū), e uma vogal curta é indicada por breve (ă, ĕ, ĭ, ŏ, ŭ). Emprega-se o símbolo *ah* para representar uma vogal de som apagado que ocorre em um grande número de palavras átonas (como *sofa*); é usado também para representar o extenso som *ah* em *father*.

Indica-se a tônica principal de uma palavra por um apóstrofo ('), e a tônica secundária por aspas ("). Sílabas átonas são seguidas de hífens na grafia fonética. Os monossílabos não apresentam marcas fonéticas de tonicidade.

A pronúncia nativa de muitas palavras estrangeiras e nomes próprios não pode, certamente, ser indicada neste sistema simplificado. Apresentamos a forma mais aproximada possível da fonética britânica.

Quando, em palavras sucessivas, as primeiras sílabas têm a mesma pronúncia, só consta na grafia fonética a próxima seqüência dos termos. Caso a tônica seja diferente ou outra alteração ocorra na pronúncia dessas sílabas, indica-se toda a pronúncia na grafia fonética. Por exemplo:

ich·thy·oid (ik'the-oid)
ich·thy·ol·o·gy (ik"the-ol'ah-je)
ich·thyo·sar·co·tox·in (ik'the-o-sahr"ko-tok'sin)
ich·thyo·sar·co·tox·ism (-sahr"ko-tok"sizm)
ich·thy·o·sis (ik'the-o"sis)

CÓDIGO DE PRONÚNCIA

O código de pronúncia de vogais é dado a seguir (quanto ao emprego de breves e mácrons, observar as regras anteriores):

ah	sof*a*	ĕ	m*e*t	ŏ	g*o*t	oi	b*oi*l
ā	m*a*te	ī	b*i*te	ū	f*ue*l	ōō	b*oo*m
ă	b*a*t	ĭ	b*i*t	ŭ	b*u*t	ŏŏ	b*oo*k
ē	b*ea*m	ŏ	h*o*me	aw	*a*ll	ou	f*ow*l

O código de pronúncia de consoantes é:

b	*b*ook	m	*m*ouse	ch	*ch*in
d	*d*og	n	*n*ew	ks	si*x*
f	*f*og	p	*p*ark	kw	*qu*ote
g	*g*et	r	*r*at	ng	si*ng*
h	*h*eat	s	*s*igh	sh	*sh*ould
j	*j*ewel, *g*em	t	*t*in	th	*th*in, *th*an
k	*c*art, pi*ck*	w	*w*ood	zh	mea*s*ure
l	*l*ook	z	*s*ize, pha*s*e		

ABREVIAÇÕES USADAS NESTE DICIONÁRIO

a.	artéria (L.*arteria*)	n.	nervo (L. *nervus*)
aa.	artérias (L. *arteriae*)	nn.	nervos (L. *nervi*)
Al.	alemão	o.	osso (L. *os*)
cf.	confronte (L. *confer*)	oss.	ossos (L. *ossa*)
Esp.	espanhol	pl.	plural
Fr.	francês	q.v.	queira ver
Gr.	grego	sing.	singular
L.	latim	v.	veia (L. *vena*)
m.	músculo (L. *musculus*)	vv.	veias (L. *venae*)
mm.	músculos (L. *musculi*)		

Formas Combinantes da Terminologia Médica*

A seguir, apresentamos uma lista de formas combinantes encontradas freqüentemente na terminologia médica. Acrescenta-se um hífen ou hífens para indicar se a forma geralmente precede (como ante-) ou segue (como -agra), ou geralmente aparece entre os outros elementos do composto (como -em-). Após cada radical, o primeiro item de informação é a palavra grega ou latina, ou uma palavra grega ou latina, da qual deriva. As palavras gregas foram transliteradas em caracteres romanos. As palavras latinas são identificadas por [L.], as palavras gregas por [Gr.]. As informações necessárias à compreensão do radical aparecem entre parênteses. Depois, dá-se o significado ou significados das palavras, seguidos, quando necessário, de referência à forma combinante sinonímica. Finalmente, dá-se um exemplo para ilustrar o uso da forma combinante em um derivado composto em português.

a-	a- [L.] (acrescenta-se *n* antes de palavras que comecem com vogal) prefixo negativo. Cf. in-³. a*metria*	-agra	agra [Gr.] ataque, acesso, crise. pod*agra*
ab-	ab [L.] longe de, fora de. Cf. apo-. *ab*ducente	alb-	albus [L.] branco. Cf. leuk-. *alb*ocinéreo
abdomin-	abdomen, abdominis [L.] abdome. *abdomin*oscopia	alg-	algos [Gr.] dor. neur*alg*ia
		all-	allos [Gr.] outro, diferente. *al*ergia
ac-	Ver ad-. a*c*resção	alve-	alveus [L.] sulco, canal, cavidade. *alve*olar
acet-	acetum [L.] vinagre. a*cet*ômetro		
acid-	acidus [L.] ácido. a*cid*úrico	amph-	Ver amphi-. a*nf*eclexe
acou-	akouõ [Gr.] ouvir. a*cu*estesia (também se grafa acu-)	amphi-	amphi [Gr.] (o *i* cai antes de palavras que comecem com vogal) ambos, duplamente. a*nfi*celo
acr-	akron [Gr.] extremidade, pico. a*cr*omegalia	amyl-	amylon [Gr.] amido. a*mil*ossíntese
act-	ago, actus [L.] levar, conduzir, agir. re*aç*ão	an-¹	Ver ana-. a*n*agógico
		an-²	Ver a-. a*n*ômalo
actin-	aktis, aktinos [Gr.] raio, feixe. Cf. radi-. a*ctin*ogênese	ana-	ana [Gr.] (o *a* final cai antes de palavras que comecem com vogal) para cima, positivo. a*na*forese.
acu-	Ver acou-. osteoa*cu*sia	ancyl-	Ver ankyl-. a*nci*lostomíase
ad-	ad [L.] (*d* muda para c, f, g, p, s ou t antes de palavras que comecem com essas consoantes). a*d*renal.	andr-	anẽr, andros [Gr.] homem. gin*andró*ide
		angi-	angeion [Gr.] vaso. Cf. vas-. *angi*enfraxe
aden-	adẽn [Gr.] glândula. Cf. gland-. a*den*oma	ankyl-	ankylos [Gr.] curvado, inclinado. a*nquil*odactilia. (Também se grafa ancyl-)
adip-	adreps, adipis [L.] gordura. Cf. lip- e stear-. a*dip*ocelular		
		ant-	Ver anti-. a*nt*oftálmico
aer-	aẽr [Gr.] ar. an*aer*obiose	ante-	ante [L.] antes. a*nte*flexão
aesthe-	Ver esthe-. est*esi*oneurose	anti-	anti [Gr.] (o *i* cai antes de palavras que comecem com vogal) contra. Cf. contra-*anti*piogênico
af-	Ver ad-. a*f*erente		
ag-	Ver ad-. a*g*lutinante	antr-	antron [Gr.] caverna. a*ntro*dinia
-agogue	agõgos [Gr.] que leva, que induz, induc- ing. galact*agogo*	ap-¹	Ver apo-. a*f*eter

* Compilado por Lloyd, W., Daly, A.M., Ph.D. e Litt, D., Professores Eméritos de Grego do Memorial Allen, Universidade da Pensilvânia.

ap-²   Ver ad-. *ap*êndice

-aph-   *haptō, haph-* [Gr.] toque. dis*a*fia. (Ver também hapt-)

apo-   *apo* [Gr.] (o *o* cai antes de palavras que comecem com vogal) fora de, destacado. Cf. ab-. *apo*fisário

arachn-   *arachnē* [Gr.] aranha. *arac*nodactilia

arch-   *archē* [Gr.] começo, princípio, origem. *arqu*entério

arter(i)-   *arteria* [Gr.] traquéia, artéria. *arterio*esclerose, peri*arterite*

arthr-   *arthron* [Gr.] articulação. Cf. articul-. sin*arthr*ose

articul-   *articulus* [L.] articulação, juntura, junção. Cf. arthr-. des*articul*ação

as-   Ver ad-. *as*similação

at-   Ver ad-. *at*rito

aur-   *auris* [L.] orelha, ouvido. Cf. ot-. *auri*culotemporal

aux-   *auxō* [Gr.] aumento, fortalecimento. *aux*ocardia

ax-   *axōn* [Gr.] ou *axis* [L.] eixo. *ax*ófugo

axon-   *axōn* [Gr.] eixo. *axon*ômetro

ba-   *baino, ba-* [Gr.] ir, andar, caminhar. hipno*batia*

bacill-   *bacillus* [L.] bastão, pequeno bastão. Cf. bacter-. actino*bacil*ose

bacter-   *bactērion* [Gr.] bastão, pequeno bastão. Cf. bacill-. *bacter*iófago

ball-   *ballō, bol-* [Gr.] arremessar. *bal*ística. (Ver também bol-)

bar-   *baros* [Gr.] peso, pedo*bar*ômetro

bi-¹   *bios* [Gr.] vida. Cf. vit-. aéro*bi*co

bi-²   *bi-* [L.] dois (ver também di-¹). *bi*lobado

bil-   *bilis* [L.] bile. Cf. chol-. *bil*iar

blast-   *blastos* [Gr.] brotamento, criança, nos primeiros estágios de crescimento. Cf. germ-. *blast*oma, zigoto*blasto*

blep-   *blepō* [Gr.] ver, olhar, vista. hemia*blep*sia

blephar-   *blepharon* [Gr.] (de *blepō*; ver blep-) pálpebra. Cf. cili-. *blefar*onco

bol-   Ver ball-. em*bol*ia

brachi-   *brachiōn* [Gr.] braço. *braqui*cefálico

brachy-   *brachys* [Gr.] pequeno. *braqui*cefálico

brady-   *bradys* [Gr.] lentidão. *bradi*cardia

brom-   *brōmos* [Gr.] odor pútrido. podo*bromi*drose

bronch-   *bronchos* [Gr.] traquéia. *bronc*oscopia

bry-   *bryō* [Gr.] estar cheio de vida. em*briô*nico

bucc-   *bucca* [L.] bochecha. disto*buc*al

cac-   *kakos* [Gr.] mal, anormal. Cf. mal-. *cac*odontia, artro*cace*. (Ver também dys-)

calc-¹   *calx, calcis* [L.] pedra, cálculo (cf. lith-), calcário, cal. *calci*pexia

calc-²   *calx, calcis* [L.] calcanhar, *calc*aneotibial

calor-   *calor* [L.] calor. Cf. therm-. *calori*metro

cancr-   *cancer, cancri* [L.] caranguejo, tumor maligno. Cf. carcin-. *cancr*ologia. (Também se grafa chancr-)

capit-   *caput, capitis* [L.] cabeça, extremidade de uma estrutura. Cf. cephal-. de*capit*ador

caps-   *capsa* [L.] (de capio; ver cept-) recipiente. en*caps*ulação

carbo(n)-   *carbo, carbonis* [L.] carvão, carbono. *carbo*idrato, *carbon*úria

carcin-   *karkinos* [Gr.] caranguejo, tumor maligno. Cf. cancr-. *carcin*oma

cardi-   *kardia* [Gr.] coração. lipo*cardí*aco

cary-   Ver kary-. *cari*ocinese

cat-   Ver cata-. *cat*odo

cata-   *kata* [Gr.] (o *a* final cai antes de palavras que comecem com vogal) embaixo, negativo. *cata*bático

caud-   *cauda* [L.] cauda. *caud*al

cav-   *cavus* [L.] depressão. Cf. coel-. côncavo. *cav*o

cec-   *caecus* [L.] cego. Cf. typhl-. *cec*opexia

cel-¹   Ver coel-. anfi*cel*o

cel-²   Ver -cele. *cel*éctomo

-cele   *kēlē* [Gr.] tumor, hérnia. gastro*cele*

cell-   *cella* [L.] depósito, câmara, sala, célula. Cf. cyt-. *cell*ícola

cen-   *koinos* [Gr.] comum. *cen*estesia

cent-   *centum* [L.] cem. Cf. hect-. Indica fração no Sistema Métrico. [Isso exemplifica o uso, no Sistema Métrico, de identificar frações de unidades por meio de radicais latinos, como centímetro, decímetro, milímetro e múltiplos de unidades através de radicais similares do grego como: hectômetro, decâmetro e quilômetro.] centímetro, centípede

cente-   *kenteō* [Gr.] puncionar. Cf. punct-. entero*cente*se

centr-   *kentron* [Gr.] ou *centrum* [L.] ponto, centro. neuro*centr*al

cephal-   *kephalē* [Gr.] cabeça. Cf. capit-. en*cefal*ite

cept- capio, -cipientis, -ceptus [L.] tomar, receber. receptor

cer- kēros[Gr.] ou cera[L.] cera. ceroplastia

cerat- Ver kerat-. aceratose

cerebr- cerebrum [L.] cérebro. cerebroespinhal

cervic- cervix, cervicis [L.] pescoço. Cf. trachel-. cervicite

chancr- Ver cancr-. cancriforme

cheil- cheilos[Gr.] lábio. Cf. labi-. quilosquise

cheir- cheir[Gr.] mão. Cf. man-. macroquiria. (Também se grafa chir-)

chir- Ver cheir-. quiromegalia

chlor- chlōros [Gr.] verde. acloropsia

chol- cholē [Gr.] bile. Cf. bil-. hepatocolangeíte

chondr- chondros[Gr.] cartilagem. condromalacia

chord- chordē [Gr.] corda, vísceras, intestinos. pericordal

chori- chorion [Gr.] membrana que protege o feto, secundina. corioalantóide

chro- chrōs [Gr.] cor. policromático

chron- chronos [Gr.] tempo. síncrono

chy- cheō, chy- [Gr.] verter. equimose

-cid(e) caedo, -cisus [L.] cortar, matar. infanticídio, germicida.

cili- cilium [L.] pálpebra. Cf. blephar-. superciliar

cine- Ver kine-. autocinese

-cipient Ver cept-. incipiente

circum- circum [L.] en torno de. Cf. peri-. circunferencial

-cis- caedo, -cisus [L.] cortar, matar. excisão

clas- klaō [Gr.] romper, ser quebrado. cranioclasto

clin- klinō [Gr.] curvar, reclinar. clinômetro

clus- claudo, -clusus [L.] fechar. má-oclusão

co- Ver con-. coesão

cocc- kokhos[Gr.] semente, grão. gonococo

coel- koilos [Gr.] depressão, cavidade. Cf. cav-. celêntero. (Também se grafa cel-)

col-¹ Ver colon-. cólico

col-² Ver con-. colapso

colon- kolon [Gr.] intestino inferior. cólico

colp- kolpos[Gr.] cavidade, vagina. Cf. sin-. endocolpite

com- Ver con-. comensalismo

con- con- [L.] (torna-se co- diante de vogais ou h; col- antes de l; com- diante de b, m ou p; cor- diante de r) com, em associação com. Cf. sin-. contração

contra- contra [L.] contrário, contra, oposto. Cf. anti-. contra-indicação

copr- kopros [Gr.] excremento. Cf. sterco-. coproma

cor-¹ korē [Gr.] boneca, donzela, pupila, pequena imagem na pupila. isocoria

cor-² Ver con-. corrugador

corpor- corpus, corporis[L.] corpo. Cf. somat-. intracorporal

cortic- cortex, corticis [L.] córtex, casca, cortiça. corticosterona

cost- costa [L.] costela. Cf. pleur-. intercostal

crani- kranion [Gr.] ou cranium [L.] crânio. pericrânio

creat- kreas, kreato- [Gr.] carne, tecido muscular. creatorréia

-crescent cresco, crescentis, cretus [L.] crescer, levantar, aumentar. excrescente

cret-¹ cerno, cretus [L.] separar, distinguir, discernir. Cf. crin-. secretar

cret-² Ver -crescent. acresção

crin- krinō[Gr.] separar, distinguir, selecionar. Cf. cret-¹. endocrinologia

crur- crus, cruris [L.] perna, canela. braquicrural

cry- kryos [Gr.] frio. criestesia

crypt- kryptō[Gr.] esconder, ocultar. criptorquidismo

cult- colo, cultus [L.] cultivar. cultura

cune- cuneus [L.] cunha. Cf. sphen-. cuneiforme

cut- cutis [L.] pele. Cf. derm(at)-. subcutâneo

cyan- kyanos [Gr.] azul. antocianina

cycl- kyklos [Gr.] círculo, ciclo. cicloforia

cyst- kystis [Gr.] bexiga, cisto. Cf. vesic-. nefrocistite

cyt- kytos [Gr.] célula. Cf. cell-. plasmocitoma

dacry- dakry [Gr.] lágrima. dacriocisto

dactyl- daktylos [Gr.] dedo, artelho. Cf. digit-. hexadactilia

de- de [L.] baixo. decomposição

dec-¹ deka [Gr.] dez. Indica múltiplos no Sistema Métrico. Cf. dec-². decagrama

dec-²   *decem* [L.] dez. Indica fração no Sistema Métrico. Cf. dec-¹. *deci*para, *deci*metro

dendr-   *dendron* [Gr.] árvore. neuro*dendri*te

dent-   *dens, dentis* [L.] dente. Cf. odont-. inter*dent*ário

derm(at)-   *derma, dermatos* [Gr.] pele. Cf. cut-. endo*derma, derm*atite

desm-   *desmos* [Gr.] faixa, ligadura. sin*desm*opexia

dextr-   *dexter, dextr-* [L.] direito. ambi*destro*

di-¹   *di-* [Gr.] dois. *di*mórfico. (Ver também bi-²)

di-²   Ver dia-. *di*urese

di-³   Ver dis-. *di*vergente

dia-   *dia* [Gr.] (o *a* cai antes de palavras que comecem com vogais) através, separado. Cf. per-. *dia*gnóstico

didym-   *didymos* [Gr.] gêmeos, dobro, duas vezes. Cf. gemin-. epi*didimo*

digit-   *digitus* [L.] dedo, artelho. Cf. dactyl-. *digiti*grado

diplo-   *diploos* [Gr.] duplo. *diplo*mielia

dis-   *dis-* [L.] (o *s* pode cair antes de palavras que comecem com consoante) separado, distante de. *des*locamento

disc-   *diskos* [Gr.] ou *discus* [L.] disco. *dis*coplacenta

dors-   *dorsum* [L.] dorso, costas. ventro*dor*sal

drom-   *dromos* [Gr.] curso. hemo*dromô*metro

-ducent   Ver duct-. a*ducent*e

-duct   *duco, ducentis, ductus* [L.] levar a, conduzir. ovi*ducto*

dur-   *durus* [L.] duro. Cf. scler-. in*dur*ação

dynam(i)-   *dynamis* [Gr.] força. *dinam*ogênese, neuro*dinâmico*

dys-   *dys-* [Gr.] mau, impróprio. Cf. mal-. *dis*trófico. (Ver também cac-)

e-   *e* [L.] fora de. Cf. ec- and ex-. *e*missão

ec-   *ek* [Gr.] fora Cf. e-. *ex*cêntrico

-ech-   *echô* [Gr.] ter, segurar, reter. sin*e*quiotomia

ect-   *ektos* [Gr.] externo. Cf. extra-. *ect*oplasma

ede-   *oideô* [Gr.] inchar. *ede*matoso

ef-   Ver ex-. *ef*lorescente

-elc-   *helkos* [Gr.] úlcera, ferimento. enter*elc*ose (Ver também helc-)

electr-   *ēlectron* [Gr.] âmbar. *eletr*oterapia

em-   Ver en-. *em*bolia, *em*patia, ên*fl*ise

-em-   *haima* [Gr.] sangue. an*em*ia. (Ver também hem(at)-)

en-   *en* [Gr.] (o *n* transforma-se em *m* antes de *b, p* ou *ph*) em, sobre. Cf. in-². *en*celite

end-   *endon* [Gr.] interno, dentro. Cf. intra-. *end*angiite

enter-   *enteron* [Gr.] intestino. dis*enter*ia

ep-   Ver epi-. *ep*axial

epi-   *epi* [Gr.] (o *i* cai antes de palavras que comecem com vogais) após, sobre, adicional. *epi*glote

erg-   *ergon* [Gr.] trabalho. en*erg*ia

erythr-   *erythros* LGr.] vermelho. Cf. rub(r)-. *eritr*ocromia

eso-   *esō* [Gr.] para dentro. Cf. intra-. *eso*filático

esthe-   *aisthanomai, aisthō-* [Gr.] perceber, sentir. Cf. sens-. an*esthe*sia

eu-   *eu* [Gr.] bom, normal. *eu*pepsia

ex-   *ex* [Gr.] ou *ex* [L.] fora. Cf. e-. *ex*creção

exo-   *exo* [Gr.] externo. Cf. extra-. *exo*pático

extra-   *extra* [L.] exterior, fora de, sem. Cf. ect- e exo-. *extra*celular

faci-   *facies* [L.] face, aparência. Cf. prosop-. braqui*faci*al

-facient   *facio, facientis, Cactus, -fectus* [L.] fazer. Cf. poie-. cale*facient*e

-fact-   Ver facient-. arte*fato*

fasci-   *fascia* [L.] faixa, filete, bandagem. *fasci*orrafia

febr-   *febris* [L.] febre. Cf. pyr-. *febri*cida

-fect-   Ver -facient. de*fei*tuoso

-ferent   *fero, ferentis, latus* [L.] conduzir através de. Cf. phor-. e*ferent*e

ferr-   *ferrum* [L.] ferro. *ferro*proteína

fibr-   *fibra* [L.] fibra. Cf. in-¹. condro*fibr*oma

fil-   *filum* [L.] fio. *fili*forme

fiss-   *findo, fissus* [L.] clivar, partir, dividir. Cf. schis-. *fiss*ão

flagell-   *flagellum* [L.] chicote, ramo novo ou rebento. *flagel*ação

flav-   *flavus* [L.] amarelo. Cf. xanth-. ribo*flav*ina

-flect-   *flecto, flexus* [L.] curvar. de*flex*ão

-flex-   Ver -flect-. re*flex*ômetro

flu-   *fluo, fluxus* [L.] fluxo. Cf. rhe-. *flu*ido

flux-   Ver flu-. a*flux*o

for-   *foris* [L.] porta, abertura, orifício. per*fur*ação

-form   *forma* [L.] forma. Cf. -oid. ossi*forme*
fract-   *frango, fractus* [L.] romper em peda-
             ços. re*frativo*
front-   *frons, frontis* [L.] testa, fronte. naso-
             frontal
-fug(e)   *fugio* [L.] fugir, evitar. vermí*fugo,*
             centrí*fugo*
funct-   *fungor, functus* [L.] desempenhar,
             servir, funcionar. dis*função*
fund-   *fundo, fuses* [L.] verter, derramar.
             in*fundíbulo*
fus-   Ver fund-. di*fusível*
galact-   *gala, galactos* [Gr.] leite. Cf. lact-.
             poli*galactia*
gam-   *gamos* [Gr.] união, reprodução, casa-
             mento. a*gamonte*
gangli-   *ganglion* [Gr.] tumefação ou nódulo.
             neuro*ganglite*
gastr-   *gastēr, gastros* [Gr.] estômago.
             colangio*gastrostomia*
gelat-   *gelo, gelatus* [L.] congelar, gelar.
             gelatina
gemin-   *geminus* [L.] duplo, gêmeo. Cf. didym-.
             quadri*gêmeo*
gen-   *gignomai, gen-, gon-* [Gr.] tornar-se,
             vir a ser, produzir, originar, ou *gennaō*
             [Gr.] nascer. cito*gênico*
germ-   *germen, germinis* [L.] broto, cresci-
             mento em estágios iniciais. Cf. blast-.
             germinal
gest-   *gero, gerentis, gestus* [L.] conduzir,
             produzir. con*gestão*
gland-   *glans, glandis* [L.] bolota, noz. Cf.
             aden-. intra*glandular*
-glia   *glia* [Gr.] cola. neuró*glia*
gloss-   *glōssa* [Gr.] língua. Cf. lingu-. trico-
             glossia
glott-   *glōtta* [Gr.] língua, linguagem. gló*fico*
gluc-   Ver glyc(y)-. *glicoamilase*
glutin-   *gluten, glutinis* [L.] cola. a*glutinação*
glyc(y)-   *glykys* [Gr.] doce. *glicemia, glicirrizina.*
             (Também se grafa gluc-)
gnath-   *gnathos* [Gr.] maxilar, mandíbula.
             orto*gnático*
gno-   *gignōsiō, gnō-* [Gr.] discernir, conhe-
             cer. dia*gnóstico*
gon-   Ver gen-. anfi*gonia*
grad-   *gradior* [L.] andar, ir. retró*grado*
-gram   *gramma* [Gr.] escrever, desenhar.
             cardio*grama*
gran-   *granum* [L.] grão, partícula. lipo*granu-
             loma*

graph-   *graphō* [Gr.] arranhar, escrever, re-
             gistrar. histo*grafia*
grav-   *gravis* [L.] pesado. multi*grávida*
gyn(ec)-   *gynē, gynaikos* [Gr.] mulher, esposa.
             andro*ginia,* gine*cológico*
gyr-   *gyros* [Gr.] anel, círculo. giro*spasmo*
haem(at) -   Ver hem(at)-. *hemorragia, hematoxi-
             lina*
hapt-   *haptō* [Gr.] toque, tocar. *haptômetro*
hect-   *hekt-* [Gr.] cem. Cf. cent-. Indica múl-
             tiplo no Sistema Métrico. *hectômetro*
helc-   *helkos* [Gr.] úlcera. *helcose*
hem(at)-   *haima, haimatos* [Gr.] sangue. Cf.
             sanguin-. *hemangioma, hematocitú-
             ria.* (Ver também -em-)
hemi-   *hēmi-* [Gr.] metade. Cf. semi-. *hemia-
             geusia*
hen-   *heis, henos* [Gr.] um. Cf. un-. *henogê-
             nese*
hepat-   *hēpar, hēpatos* [Gr.] fígado. gastro-
             hepático
hept(a)-   *hepta* [Gr.] sete. Cf. sept-[2] *heptatômi-
             co, hepta*valente
hered-   *heres, heredis* [L.] herdeiro, heredita-
             riedade. *heredoimunidade*
hex-[1]   *hex* [Gr.] seis. Cf. sex-. *hexyl-.* Acres-
             centa-se *a* em algumas combinações
hex-[2]   *echō, hech-* [Gr.] (acrescido de *s* o
             radical transforma-se em hex-) ter,
             reter, segurar. ca*quexia*
hexa-   Ver hex-[1] *hexacrômico*
hidr-   *hidros* [Gr.] suor. hipe*ridrose*
hist-   *histos* [Gr.] teia de aranha, tecido.
             histodiálise
hod-   *hodos* [Gr.] via, caminho, modo.
             hodoneurômero. (Ver também od- e -
             ode[1])
hom-   *homos* [Gr.] um, único, comum.
             homomórfico
horm-   *ormē* [Gr.] ímpeto, impulso. *hormônio*
hydat-   *hydōr, hydatos* [Gr.] água. *hidatismo*
hydr-   *hydōr, hydr-* [Gr.] água. Cf. lymph-.
             hidroterapia
hyp-   Ver hypo-. *hipaxial*
hyper-   *hyper* [Gr.] acima, sobre, extremo. Cf.
             super-. *hipertrofia*
hypn-   *hypnos* [Gr.] sono. *hipnótico*
hypo-   *hypo* [Gr.] (o *o* final cai antes de pala-
             vras que comecem com vogal) sob,
             abaixo. Cf. sub-. *hipometabolismo*
hyster-   *hystera* [Gr.] útero. colpo-*histeropexia*

iatr-   *iatros* [Gr.] médico, cirurgião. ped*ia*tria

idi-   *idios* [Gr.] peculiar, separado, distinto. *idi*ossincrasia

il-   Ver in-²,³. *il*inição (em, sobre), *il*egível (prefixo negativo)

ile-   Ver ili- [ile- geralmente empregado para referir-se à porção dos intestinos conhecida como íleo]. *ile*ostomia

ili-   *ilium* (*ileum*) [L.] abdome inferior, intestinos [ili- geralmente empregado para referir-se à porção avermelhada do osso ilíaco conhecida como ílio]. *ili*ossacro

im-   Ver in-²,³. *im*ersão (em, sobre), *im*perfuração (prefixo negativo)

in-¹   *is, inos* [Gr.] fibra. Cf. fibr-. *in*osteatoma

in-²   *in* [L.] (o *n* transforma-se *l, m,* ou *r* antes de palavras que comecem com consoantes) em, sobre. Cf. en-. *in*serção

in-³   *in-* [L.] (o *n* transforma-se *l, m,* ou *r* antes de palavras que comecem com consoantes) prefixo negativo. Cf. a-. *in*válido

infra-   *infra* [L.] abaixo. *infra*-orbitário

insul-   *insula* [L.] ilha. *insul*ina

inter-   *inter* [L.] entre. *inter*cárpico

intra-   *intra* [L.] interno. Cf. end- and eso-. *intra*venoso

ir-   Ver in-²,³. *ir*radiação (em, sobre) *ir*redutível (prefixo negativo)

irid-   *iris, iridos* [Gr.] arco-íris, círculo colorido e brilhante. cerato*irid*ociclite

is-   *isos* [Gr.] igual. *is*ótopo

ischi-   *ischion* [Gr.] quadril, anca. *isquio*púbico

jact-   *iacio, iactus* [L.] arremessar, atirar. *jact*ação

-ject   *iacio, -iectus* [L.] arremessar, atirar. in*jeção*

jejun-   *ieiunus* [L.] faminto, em jejum. gastro*jejun*ostomia

jug-   *iagum* [L.] jugo, juntar. con*jug*ação

junct-   *iungo, iunctus* [L.] ligar, juntar. con*junt*iva

kary-   *karyon* [Gr.] núcleo, cerne. Cf. nucle-. mega*cari*ócito. (Também se grafa cary-)

kerat-   *keras, keratos* [Gr.] corno, chifre. *cerat*ólise. (Também se grafa cerat-)

kil-   *chilioi* [Gr.] mil. Cf. mill-. Indica múltiplos no Sistema Métrico. *quil*ograma

kine-   *kineõ* [Gr.] movimento. *cine*mômetro. (Também se grafa cine-)

labi-   *labium* [L.] lábio. Cf. cheil-. gengivo*labi*al

lact-   *lac, lactis* [L.] leite. Cf. galact-. glico*lact*ona

lal-   *laleõ* [Gr.] conversar, tagarelar, balbuciar. glosso*lal*ia

lapar-   *lapara* [Gr.] flanco, lombo. *lapar*otomia

laryng-   *larynx, laryngos* [Gr.] traquéia. *laring*endoscópio

lat-   *fero, latus* [L.] conduzir através, transportar. Ver -ferent. trans*lat*ção

later-   *latus, lateris* [L.] lado. ventro*later*al

lent-   *lens, lentis* [L.] lentilha. Cf. phac-. *lent*icone

lep-   *lambanõ. lēp-* [Gr.] convulsão, apoderar-se. cata*lép*tico

leuc-   Ver leuk-. *leuc*inúria

leuk-   *leukos* [Gr.] branco. Cf. alb-. *leuc*orréia. (Também se grafa leuc-)

lien-   *lien* [L.] baço. Cf. splen-. *lien*ocele

lig-   *ligo* [L.] amarrar, unir. *lig*ar

lingu-   *lingua* [L.] língua. Cf. gloss-. sub*lingu*al

lip-   *lipos* [Gr.] gordura. Cf. adip-. glico*lip*ídeo

lith-   *lithos* [Gr.] pedra, cálculo. Cf. calc-¹. nefro*lit*otomia

loc-   *locus* [L.] local, lugar. Cf. top-. *loc*omoção

log-   *legõ, log-* [Gr.] palavra, discurso, razão. *log*orréia, embrio*log*ia

lumb-   *lumbus* [L.] lombo, flanco. dorso*lomb*ar

lute-   *luteus* [L.] amarelo. Cf. xanth-. *lute*oma

ly-   *lyõ* [Gr.] afrouxar, relaxar, libertar, dissolver, romper, destruir. Cf. solut-. cerató*lise*

lymph-   *lympha* [Gr.] água. Cf. hydr-. *linf*adenose

macr-   *makros* [Gr.] longo, grande. *macro*mieloblasto

mal-   *malus* [L.] mal, anormal. Cf. cac- and dys-. *mal*formação

malac-   *malakos* [Gr.] amolecimento, suave. osteo*malac*ia

mamm-   *mamma* [L.] mama. Cf. mast-. *mam*ário

man-   *manus* [L.] mão. Cf. cheir-. *man*ifalange

mani-   *mania* [Gr.] aberração mental. *mani*grafia, clepto*mania*

mast-   *mastos* [Gr.] mama. Cf. mamm-. hiper*mastia*

medi-   *medius* [L.] médio, mediano, no meio. Cf. mes-. *medi*ofrontal

mega-   *megas* [Gr.] grande, forte. Também indica múltiplos (1.000.000) no Sistema Métrico. *mega*cólon, *mega*dina. (Ver também megal-)

megal-   *megas, megalou* [Gr.] grande, forte. acro*megalia*

mel-   *melos* [Gr.] membro. si*melia*

melan-   *melas, melanos* [Gr.] negro. hipo*melanina*

men-   *mēn* [Gr.] mês. dis*men*orréia

mening-   *mēninx, mēningos* [Gr.] membrana. encefalo*mening*ite

ment-   *mens, mentis* [L.] mente. Cf. phren-, psych- e thym-. de*mência*

mer-   *meros* [Gr.] parte. poli*mérico*

mes-   *mesos* [Gr.] médio, mediano, no meio. Cf. medi-. *mes*oderma

met-   Ver meta-. *met*alergia

meta-   *meta* [Gr.] (o *a* cai antes de palavras que comecem com vogal) depois, entre, sobre, que acompanha. *meta*cárpico

metr-¹   *metron* [Gr.] medida. estereo*metria*

metr-²   *metra* [Gr.] útero. endo*metr*ite

micr-   *mikros* [Gr.] pequeno. foto*micr*ógrafo

mill-   *mille* [L.] mil. Cf. kil-. Indica fração no Sistema Métrico. *mili*grama, *mili*pede

miss-   Ver -mittent. intro*miss*ão

-mittent   *mitto, mittentis, missus* [L.] enviar. inter*mitent*e

mne-   *mimnērcō, mnē-* [Gr.] recordar, lembrar. pseudo*mnésia*

mon-   *monos* [Gr.] único. *mon*oplegia

morph-   *morphē* [Gr.] forma, formato. poli*morfo*nuclear

mot-   *moveo, motus* [L.] mover. vaso*mot*or

my-   *mys, myos* [Gr.] músculo. leio*mi*oma

-myces   *mykēs, mykētos* [Gr.] fungo, cogumelo. estrepto*micina*

myc(et)-   Ver -myces. asco*micetos*, actinomicetos

myel-   *myelos* [Gr.] medula, cerne. polio*miel*te

myx-   *myxa* [Gr.] muco. *mix*edema

narc-   *narkē* [Gr.] torpor. topo*narc*ose

nas-   *nasus* [L.] nariz. Cf. rhin-. palato*nasal*

ne-   *neos* [Gr.] novo, jovem. *neo*córtex

necr-   *nekros* [Gr.] cadáver. *necr*ocitose

nephr-   *nephros* [Gr.] rins. Cf. ren-. para*néfrico*

neur-   *neuron* [Gr.] nervo. estesio*neur*ose

nod-   *nodus* [L.] nó. *nod*osidade

nom-   *nomos* [Gr.] (de *nemō* ordem, distribuição) lei, uso, costume. taxo*nomia*

non-   *nona* [L.] nove. *non*ípara

nos-   *nosos* [Gr.] doença. *nos*ologia

nucle-   *nucleus* [L.] (de noz, cerne) semente. Cf. kary-. *nucle*ocapsídeo

nutri-   *nutrio* [L.] nutrir. des*nutrição*

ob-   *ob* [L.] (o *b* transforma-se em *c* antes de palavras que comecem com consoante) contra, em direção a. *ob*tuso

oc-   Ver ob-. *oc*luir

ocul-   *oculus* [L.] olho. Cf. ophthalm-. *ocul*omotor

-od-   Ver -ode¹. cat*ód*ico

-ode¹   *hodos* [Gr.] caminho, via. cát*odo*. (Ver também hod-)

-ode²   Ver -oid. nemat*ódeo*

odont-   *odus, odontos* [Gr.] dente. Cf. dent-. ort*odont*ia

-odyn-   *odynē* [Gr.] dor, sofrimento. gastr*odinia*

-oid   *eidos* [Gr.] forma. Cf. -form-. hy*oid*

-ol   Ver ole-. coleste*rol*

ole-   *oleum* [L.] óleo. *ole*orresina

olig-   *oligos* [Gr.] poucos, pequeno. *olig*ospermia

omphal-   *omphalos* [Gr.] umbigo. ex*onfalia*

onc-   *onkos* [Gr.] volume, massa de um corpo. *onc*ometria

onych-   *onyx, onychos* [Gr.] unha, garra. an*oniquia*

oo-   *ōon* [Gr.] ovo. Cf. ov-. peri*oo*forite

op-   *horaō, op-* [Gr.] ver. eritr*opsia*

ophthalm-   *ophthalmos* [Gr.] olho. Cf. ocul-. ex*oftálmico*

or-   *os, oris* [L.] boca. Cf. stom(at)-. intra*oral*

orb-   *orbis* [L.] círculo. sub*orb*itário

orchi-   *orchis* [Gr.] testículo. Cf. test-. *orqui*opatia

organ-   *organon* [Gr.] implemento, instrumento, órgão. *organ*oléptico

orth-   *orthos* [Gr.] reto, normal, direto. *orto*pedia

oss-   *os, ossis* [L.] osso. Cf. ost(e)-. *oss*ífero

ost(e)-   *osteon*[Gr.] osso. Cf. oss-. en*ost*osis, *oste*anáfise

ot-   *ous, ōtos*[Gr.] orelha, ouvido. Cf. aur-. par*ót*ida

ov-   *ovum* [L.] ovo. Cf. oo-. sin*óv*ia

oxy-   *oxys* [Gr.] aguçado, cortante. *oxi*cefálico

pachy(n)-   *pachynō* [Gr.] espesso. *paqui*dermia, mio*paqui*nse

pag-   *pēgnymi, pag-* [Gr.] fixar, firmar. toracó*pago*

par-¹   *pario* [L.] levar, conduzir, produzir. prim*ípara*

par-²   Ver para-. *par*enteral

para-   *para* [Gr.] (o *a* final cai antes de palavras que comecem com vogal) ao longo de, perto de. *para*mastóide

part-   *pario, partus* [L.] levar, dar à luz, produzir. *par*turição

path-   *pathos* [Gr.] sofrimento, doença. psico*pata*

pec-   *pēgnymi, pēg-* [Gr.] (*pēk-* antes de *t*) fixar, firmar. *pect*ina. (Ver também pex-)

ped-   *pais, paidos* [Gr.] criança. *ped*iatria

pell-   *pellis* [L.] pele, couro. *pel*agra

-pellent   *pello, pellentis, pulsus* [L.] repelir, impulso. re*pelent*e

pen-   *penomai* [Gr.] deficiência, falta, pobreza. eritrocito*pen*ia

pend-   *pendeo* [L.] pendente, suspenso sobre. a*pênd*ice

pent(a)-   *pente*[Gr.]cinco. Cf. quin-que-. *pent*ose, *penta*valente

peps-   *peptō, peps-* [Gr.] digerir. bradi*peps*ia

pept-   *peptō* [Gr.] digerir. dis*pépt*ico

per-   *per* [L.] através de. Cf. dia-. *peri*nasal

peri-   *peri* [Gr.] em torno de. Cf. circum-. *peri*feria

pet-   *peto* [L.] procurar, tender a. centr*ípeto*

pex-   *pēgnumi, pēg-* [Gr.] (acrescido de *s* transforma-se em *pēx*) fixar, firmar. hepato*pexi*a

pha-   *phēmi, pha-* [Gr.] dizer, falar. dis*fasia*

phac-   *phakos* [Gr.] lentilha, lente. Cf. lent-. *faco*sclerose. (Também se grafa phak-)

phag-   *phagein* [Gr.] eat. lipo*fágico*

phak-   Ver phac-. *faq*uite

phan-   Ver phen-. dia*fan*oscopia

pharmac-   *pharmakon* [Gr.] droga, remédio. *farmac*ognosia

pharyng-   *pharynx, pharyng-* [Gr.] garganta. glosso*faríng*eo

phen   *phalnō, phan-* [Gr.] mostrar, aparecer. fos*feno*

pher-   *pherō, phor-* [Gr.] em torno de. peri*férico*

phil-   *phileō* [Gr.] amigo, amar, afinidade por. eosino*fil*ia

phleb-   *phleps, phlebos* [Gr.] veia. peri*flebi*te

phleg-   *phlogō, phlog-* [Gr.] queimar, inflamar, arder. adeno*flegm*ão

phlog-   Ver phleg-. anti*flog*ístico

phob-   *phobos* [Gr.] medo, temor. claustro*fobi*a

phon-   *phōne* [Gr.] som. eco*fon*ia

phor-   Ver pher-. Cf. -ferent. exo*for*ia

phos-   Ver phot-. *fós*foro

phot-   *phōs, phōtos* [Gr.] luz. *fot*ogênese

phrag-   *phrassō, phrag-* [Gr.] cercar, murar, vedar. Cf. step-¹. dia*fragma*

phrax   *phrassō, phrag-* [Gr.] (acrescido de *s* transforma-se em *phrax*-) cercar, murar, vedar. en*frax*e

phren-   *phrēn* [Gr.] mente: Cf. ment-. meta*frenia*, esquizo*frenia*

phthi-   *phthinō*[Gr.]declinar, perder-se, desgaste, consunção. *tís*ica

phy-   *phyō* [Gr.] produzir, dar à luz, provocar, ser por natureza. nos*ófit*o

phyl-   *phylon* [Gr.] tribo, espécie. *fil*ogenia

-phyll   *phyllon* [Gr.] folha. xanto*fil*a

phylac-   *phylax* [Gr.] tomar precaução, guardar antes de. pro*fil*ático

phys(a)-   *physaō* [Gr.] inspiração, sopro, inflar, distender. *fis*ocele, *fis*álide

physe   *physaō, physē-* [Gr.] distender, inflar. en*fis*ema

pil-   *pilus* [L.] cabelo, pêlo. de*pil*ação

pituit-   *pituita* [L.] flegma, reuma. *pituit*oso

placent-   *placenta* [L.] (de *plakous* [Gr.]) bolo. extra*placent*ário

plas-   *plassō* [Gr.] moldar, formar, modelagem. cine*plastia*

platy-   *platys* [Gr.] plano, amplo. *plat*irrinia

pleg-   *plēssō* [Gr.] bater, golpear. di*pleg*ia

plet-   *pleo, -pletus* [L.] encher. de*pleç*ão

pleur-   *pleura* [Gr.] costela, lado. Cf. cost-. peri*pleural*

plex-   *plēssō, plēg-* (acrescido de *s* transforma-se em *plēx-*) bater, golpear. apo*plex*ia

plic- — *plico* [L.] dobrar, envolver. com*plica*ção

pne- — *pneuma, pneumatos* [Gr.] soprar, inspirar, respirar. traumato*pné*ia

pneum(at)- — *pneuma, pneumatos* [Gr.] ar, respiração. *pneum*odinâmica, *pneumat*otórax

pneumo(n)- — *pneumōn* [Gr.] pulmão. Cf. pulmo(n)-. *pneumo*centese, *pneumon*otomia

pod- — *pous, podos* [Gr.] pé. *pod*iatria

poie- — *poieō* [Gr.] fazer, produzir. Cf. -facient. sarco*poié*tico

pol- — *polos* [Gr.] eixo de uma esfera. peri*pol*ar

poly- — *polys* [Gr.] muitos, vários. *poli*spermia

pont- — *pons, pontis* [L.] ponte. *pont*ocerebelar

por-¹ — *poros* [Gr.] passagem, através de, poro. *por*otomia

por-² — *pōros* [Gr.] calo. *por*ocele

posit- — *pono, positus* [L.] pôr, colocar. re*posit*or

post- — *post* [L.] após, depois no tempo ou no espaço. *pós*-natal, *pós*-oral

pre- — *prae* [L.] antes no tempo ou no espaço. *pré*-natal, *pré*-vesical

press- — *premo, pressus* [L.] comprimir. *press*orreceptivo

pro- — *pro* [Gr.] ou *pro* [L.] antes no tempo ou no espaço. *pro*lábio, *pro*lapso

proct- — *prōktos* [Gr.] ânus. entero*proct*ia

prosop- — *prosōpon* [Gr.] face, rosto. Cf. faci-. di*prosopo*

pseud- — *pseudēs* [Gr.] falso. *pseudo*paraplegia

psych- — *psychē* [Gr.] alma, mente. Cf. ment-. *psic*ossomático

pto- — *piptō, ptō* [Gr.] queda. nefro*ptose*

pub- — *pubes* and *puber, puberis* [L.] adulto. isquio*púb*ico. (Ver também puber-)

puber- — *puber* [L.] adulto. *puber*dade

pulmo(n)- — *pulmo, pulmonis* [L.] pulmões. Cf. pneumo(n)-. *pulm*ólito, cardio*pulmo*nar

puls- — *pello, pellentis, pulsus* [L.] impulsionar. pro*puls*ão

punct- — *pungo, punctus* [L.] puncionar, perfurar, picar. Cf. cente-. *punct*iforme

pur- — *pus, puris* [L.] pus. Cf. py-. supu*ração*

py- — *pyon* [Gr.] pus. Cf. pur-. nefro*pi*ose

pyel- — *pyelos* [Gr.] bandeja, bacia, pelve. nefro*piel*ite

pyl- — *pylē* [Gr.] porta, orifício. *pil*eflebite

pyr- — *pyr* [Gr.] fogo. Cf. febr-. galacto*pira*nose

quadr- — *quadr-* [L.] quatro. Cf. tetra-. *quadri*gêmeo

quinque- — *quinque* [L.] cinco. Cf. pent(a)-. *qüinque*valente

rachi- — *rachis* [Gr.] coluna vertebral. Cf. spin-. encefalo*rraqui*diano

radi- — *radius* [L.] raio. Cf. actin-. ir*radi*ação

re- — *re-* [L.] novamente, atrás. *re*tração

ren- — *renes* [L.] rins. Cf. nephr-. ad*ren*al

ret- — *rete* [L.] rede. *ret*otélio

retro- — *retro* [L.] para trás. *retro*desvio

rhag- — *rhēgnymi, rhag-* [Gr.] quebrar, bater, romper. hemor*rág*ico

rhaph- — *rhaphē* [Gr.] sutura. gastror*rafia*

rhe- — *rheos* [Gr.] fluxo. Cf. flu-. diar*réia*

rhex- — *rhēgnymi, rhēg-* [Gr.] (acrescido de *s* transforma-se em *rhēx*) quebrar, bater, romper. metror*rexe*

rhin- — *rhis, rhinos* [Gr.] nariz. Cf. nas-. *rino*traqueíte

rot- — *rota* [L.] resolver, rodar. *rot*ador

rub(r)- — *ruber, rubri* [L.] vermelho. Cf. erythr-. bilir*rubina*, *rubro*espinhal

salping- — *salpinx, salpingos* [Gr.] trompa, tuba. *salping*ite

sanguin- — *sanguis, sanguinis* [L.] sangue. Cf. hem(at)-. *sangüíne*o

sarc- — *sarx, sarkos* [Gr.] carne. *sarc*oma

schis- — *schizō, schid-* [Gr.] (antes de *t* ou acrescido de *s* transforma-se em *schis-*) partir, clivar, separar. Cf. fiss-. esqui*storraque*, raqui*squise*

scler- — *sklēros* [Gr.] duro. Cf. dur-. es*cler*ose

scop- — *skopeō* [Gr.] observar, examinar. endo*scópio*

sect- — *seco, sectus* [L.] cortar. Cf. tom-. *sect*il

semi- — *semi* [L.] metade. Cf. hemi-. *semi*flexão

sens- — *sentio, sensus* [L.] perceber, sentir. Cf. esthe-. *sens*ório

sep- — *sepō* [Gr.] deteriorar, putrefação. *sep*se

sept-¹ — *saepio, saeptus* [L.] cercar, murar, vedar. Cf. phrag-. *sept*onasal

sept-² — *septem* [L.] sete. Cf. hept(a)-. *sept*ã

ser- — *serum* [L.] soro, substância aquosa. *ser*ossinovial

sex- — *sex* [L.] seis. Cf. hex-¹. *sex*digitado

sial- — *sialon* [Gr.] saliva. *sial*ocele

sin- — *sinus* [L.] curva, reentrância, dobra, cavidade. Cf. colp-. *sin*opulmonar sit-   *sitos* [Gr.] alimento. para*sit*ário

solut-   *solvo, solventis, solutus* [L.] liberar, dissolver. Cf. ly-. dis*solução*

-solvent   Ver solut-. dis*solvente*

somat-   *sōma, somatos*[Gr.] corpo. Cf. corpor-. psico*ssomá*fico

-some   Ver somat-. dictio*ssoma*

spas-   *spaō, spas-* [Gr.] contração, convulsão. e*spasmo*, e*spás*tico

spectr-   *spectrum* [L.] imagem, o que se vê. micro*espectr*oscópio

sperm(at)-   *sperma, spermatos* [Gr.] semente, semear, disseminar. e*sperma*tozóide

spers-   *spargo, -spersus* [L.] dispersar. dis*persão*

sphen-   *sphēn*[Gr.] cunha. Cf. cune-. e*sfen*óide

spher-   *sphaira*[Gr.] globo, esfera. hemi*sfér*io

sphygm-   *sphygmos* [Gr.] pulsação. e*sfigmo*manômetro

spin   *spina* [L.] espinha. Cf. rachi-. cerebro*espin*hal

spirat   *spiro, spiratus* [L.] respiração, respirar. in*spirat*ório

splanchn-   *splanchna* [Gr.] entranhas, vísceras. e*splancn*omegalia

splen-   *splēn*[Gr.] baço. Cf. lien-. e*splen*omegalia

spor-   *sporos* [Gr.] semente. e*spor*óforo, zigo*sporo*

squam-   *squama* [L.] escama. de*scam*ação

sta-   *histēmi, sta-* [Gr.] estagnação, parada. e*stasi*morfia

stal-   *stellō, stal-*[Gr.] constrição. peri*stal*se. (Ver também stol-)

staphyl-   *staphylē* [Gr.] cacho de uvas, úvula. e*stafilo*coco, e*stafil*ectomia

stear-   *stear, steatos*[Gr.] gordura, sebo. Cf. adip-. e*stear*réia

steat-   Ver stear-. e*steat*opígeo

sten-   *stenos* [Gr.] estreitamente. e*steno*cardia

ster-   *stereos* [Gr.] sólido. cole*ster*ol

sterc-   *stercus* [L.] excremento. Cf. copr-. e*sterc*oroma

sthen-   *sthenos* [Gr.] força. a*steni*a

stol-   *stellō, stol-* [Gr.] dilatação. diá*stole*

stom(at)-   *stoma, stomatos* [Gr.] boca, orifício. Cf. or-. ana*stom*ose, e*stoma*tognático

strep(h)-   *strephō, strep-* (antes de *t*) [Gr.] torcer, girar. Cf. tors-. e*strefo*ssimbolia, e*strep*tomicina. (Ver também stroph-)

strict-   *stringo, stringentis, strictus* [L.] apertar, comprimir, causar dor. con*strição*

-stringent   Ver strict-. ad*stringent*e

stroph-   *strephō, stroph-* [Gr.] torção. e*strof*ossomia. (Ver também strep[h]-)

struct-   *struo, structus* [L.] construir (contra). ob*strução*

sub-   *sub* [L.] (o *b* transforma-se em *f* ou *p* antes de palavras que comecem com consoantes) sob, abaixo. Cf. hypo-. *sub*lombar

suf-   Ver sub-. *suf*usão

sup-   Ver sub-. *sup*ositório

super-   *super* [L.] acima, além, extremo. Cf. hyper-. *super*motilidade

sy-   Ver syn-. *sí*stole

syl-   Ver syn-. *sil*epsiologia

sym-   Ver syn-. *simb*iose, *sim*etria, *simpáti*co, *sín*fise

syn-   *syn* [Gr.] (o *n* desaparece ante de *s*, transforma-se *l* antes de *l*, e em *m* antes de *b, m, p,* e *ph*) com, junto. Cf. con-. mio*ssin*izese

ta-   Ver ton-. e*ctasia*

tac-   *tassō, tag-* [Gr.] (*tak-* antes de *t*) dispor em, ordem, distribuir, arranjar. a*táxi*co

tact-   *tango, tactus*[L.] toque, tocar. con*tato*

tax-   *tassō, tag-* [Gr.] (acrescido de *s* transforma-se em *tax-*) ordem, arranjo. a*taxi*a

tect-   Ver teg-. pro*tetor*

teg-   *tego, tectus* [L.] revestimento. in*tegu*mento

tel-   *telos* [Gr.] extremidade. *telo*dendro

tele   *tēle* [Gr.] à distância, distante. *tele*rreceptor

tempor-   *tempus, temporis* [L.] tempo, oportuno, o ponto fatal, o lugar certo, têmpora. *temporo*malar

ten(ont)-   *tenōn, tenontos*[Gr.] (de *teinō* esticar, estender) faixa fortemente esticada, tendão, ligamento. *teno*dinia, *tenoni*te, *tenont*ografia

tens-   *tendo, tensus* [L.] esticar, estender. Cf. ton-. e*xtensor*

test-   *testis* [L.] testículo. Cf. orchi-. *tesfi*te

tetra-   *tetra-*[Gr.] quatro. Cf. quadr-. *tetrá*gono

the-   *tithēmi, thē-*[Gr.] colocar, pôr. sín*tese*

thec-   *thēkē*[Gr.] recipiente, caixa, cápsula. *teco*stegnosia

thel-   *thēlē*[Gr.] mamilo. *telalgia*

therap-   *therapeia* [Gr.] tratamento. hidro*tera*pia

therm-   *thermē* [Gr.] calor. Cf. calor-. dia*termia*

thi-   *theion* [Gr.] enxofre. *tio*ácido

thorac-   *thōrax, thōrahos* [Gr.] tórax. *to*raco*plastia

thromb-   *thrombos* [Gr.] coágulo. *tromb*ocitopenia

thym-   *thymos* [Gr.] alma, mente. Cf. ment-. dis*timia*

thyr-   *thyreos* [Gr.] escudo (em forma de porta *thyra*). *tire*óide

tme-   *temnō, tmē-* [Gr.] cortar. axono*tme*se

toc-   *tokos* [Gr.] parto. dis*tocia*

tom-   *temnō, tom-* [Gr.] cortar, corte. Cf. sect-. apendicec*tomia*

ton-   *teino, ton-* [Gr.] esticar, distender, pôr sob tensão. Cf. tens-. peri*tônio*

top-   *topos* [Gr.] lugar, tópico. Cf. loc-. *to*poanestesia

tors-   *torqueo, torsus* [L.] torcer, girar, virar. Cf. strep-. *tors*iversão

tox-   *toxicon* [Gr.] (de *toxon* arco) seta envenenada. *tox*emia

trache-   *tracheia* [Gr.] traquéia, artéria irregular. *traque*ostomia

trachel-   *trachēlos* [Gr.] pescoço, colo, garganta. Cf. cer- vic-. *traquel*opexia

tract-   *traho, tractus* [L.] protrair, alongar. pro*tração*

traumat-   *trauma, traumatos* [Gr.] ferimento, lesão. *traum*ático

tri-   *treis, tria* [Gr.] ou *tri-* [L.] três. *tri*gônide

trich-   *thrix, trichos* [Gr.] cabelo, pêlo. *tric*óide

trip-   *tribō* [Gr.] esfregar. *trip*se

trop-   *trepō, trop-* [Gr.] volta, reação. sito*trop*ismo

troph-   *trepō, troph-* [Gr.] nutrição. a*trofia*

tuber-   *tuber* [L.] tumefação, nódulo. *tubér*culo

typ-   *typos* [Gr.] (de *typto* golpe) tipo. a*típico*

typh-   *typhos* [Gr.] fumaça, vapor, torpor. *tifo*

typhl-   *typhlos* [Gr.] cego. Cf. cec-. *tifl*ectasia

un-   *unus* [L.] um. Cf. hen-. *uni*oval

ur-   *ouron* [Gr.] urina. poli*úria*

vacc-   *vacca* [L.] vaca. *vac*ina ou *vac*ínia

vagin-   *vagina* [L.] bainha, cobertura. in*vagi*nado

vas-   *vas* [L.] vaso. Cf. angi-. *vas*cular

vers-   Ver vert-. in*vers*ão

vert-   *verto, versus* [L.] versão, virar, girar. di*vert*ículo

vesic-   *vesica* [L.] bexiga. Cf. cyst-. *vesic*ovaginal

vit-   *vita* [L.] vida. Cf. bi-[1]. des*vit*alizar

vuls-   *vello, vulsus* [L.] rasgar, arrancar, apanhar. con*vuls*ão

xanth-   *xanthos* [Gr.] amarelo, amarelado. Cf. flav- and lute-. *xant*ofila

-yl-   *hyte* [Gr.] substância. cacod*il*

zo-   *zoë* [Gr.] vida, *zōon* [Gr.] animal. micro

zyg-   *zygon* [Gr.] jugo, união. *zig*odactilia

zym-   *zymē* [Gr.] fermento, levedura. en*zima*

A

A – accommodation; adenine or adenosine; ampere; anode; anterior (acomodação; adenina ou adenosina; ampère; ânodo; anterior).

A – absorbance; area; mass number (absorvência; área; número de massa).

A₂ – aortic second sound (segunda bulha aórtica).

Å – ångström; Ångström, Anders J. (ångström).

a – accommodation; atto- (acomodação; ato-).

a. [L.] – *annum* (ano); *aqua* (água); *arteria* (artéria).

a- – elemento de palavra; 1. [Gr.] *sem; não; 2.* [L.] *separação; fora de.*

α – (alfa; a primeira letra do alfabeto grego) – cadeia pesada de IgA; cadeia α de hemoglobina.

α- – prefixo que designa (1) a posição de um átomo ou grupo substituinte em um composto químico; (2) rotação específica de um composto opticamente ativo; (3) orientação de um átomo ou grupo exocíclico; (4) proteína plasmática que migra com a faixa α em eletroforese; (5) primeira em uma série de entidades ou compostos químicos relacionados.

AA – achievement age; Alcoholics Anonymous; amino acid (padrão de idade pela proficiência; Alcoólicos Anônimos; aminoácido).

aa. [L. pl.] – *arteriae* (artérias).

ĀĀ – ana (*de cada;* utilizado na prescrição de receitas).

AAA – American Association of Anatomists (Associação Americana de Anatomistas).

AAAS – American Association for the Advancement of Science (Associação Americana para o Avanço da Ciência).

AABB – American Association of Blood Banks (Associação Americana de Bancos de Sangue).

AACP – American Academy of Child Psychiatry (Academia Americana de Psiquiatria Infantil).

AAD – American Academy of Dermatology (Academia Americana de Dermatologia).

AADP – American Academy of Denture Prosthetics (Academia Americana de Prótese Dentária).

AADR – American Academy of Dental Radiology (Academia Americana de Radiologia Dentária).

AADS – American Association of Dental Schools (Associação Americana de Escolas Odontológicas).

AAE – American Association of Endodontists (Associação Americana de Endodontistas).

AAFP – American Academy of Family Physicians (Academia Americana de Médicos de Família).

AAI – American Association of Immunologists (Associação Americana de Imunologistas).

AAID – American Academy of Implant Dentistry (Academia Americana de Implantes Odontológicos).

AAIN – American Association of Industrial Nurses (Associação Americana de Enfermeiras Industriais).

AAMA – American Association of Medical Assistants (Associação Americana de Assistentes de Serviços Médicos).

AAMT – American Association for Medical Transcription (Associação Americana de Transcrição Médica).

AAO – American Association of Orthodontists; American Academy of Ophthalmology; American Academy of Otolaryngology (Associação Americana de Ortodontistas; Academia Americana de Oftalmologia; Academia Americana de Otolaringologia).

AAOP – American Academy of Oral Pathology (Academia Americana de Patologia Oral).

AAOS – American Academy of Orthopaedic Surgeons (Academia Americana de Cirurgiões Ortopédicos).

AAP – American Academy of Pediatrics; American Academy of Pedodontics; American Academy of Periodontology; American Association of Pathologists; (Academia Americana de Pediatria; Academia Americana de Pedodontia; Academia Americana de Periodontologia; Associação Americana de Patologistas).

AAPA – American Academy of Physician Assistants (Academia Americana de Médicos Auxiliares).

AAPMR – American Academy of Physical Medicine and Rehabilitation (Academia Americana de Medicina e Reabilitação Física).

AARC – American Association for Respiratory Care (Associação Americana de Cuidado Respiratório).

AB [L.] – *Artium Baccalaureus* (Bacharel em Artes).

Ab. – antibody (anticorpo).

ab [L.] – adj. *de; a partir de.*

ab- [L.] – elemento de palavra , *de; a partir de; longe de; fora de.*

abar·og·nos·is (a"bar-og-no'sis) – abarognose; baragnosia. (q.v. *barognosis*).

ab·ar·thro·sis (ab"ahr-thro'sis) – abartrose; abarticulação; diartrose.

ab·ar·tic·u·la·tion (-ahr-tik"u-la-'shun) – abarticulação: 1. articulação sinovial; 2. deslocamento de articulação; diartrose; luxação.

aba·sia (ah-ba' zhah) – abasia; incapacidade de andar. **aba'sic, aba'tic** – adj. abásico; abático. **a. asta'sia** – a.-astasia; astasia-abasia. **a. atac'tica** – a. atática; atáxica; abasia com movimentos incertos, devida a defeito de coordenação (ataxia). **choreic a.** – a. coréica; abasia devida a coréia das pernas. **paralytic a.** – a. paralítica; abasia devida a paralisia de músculos da perna. **paroxysmal trepidant a.** – a. paroxística trepidante; abasia devida a enrijecimento espástico das pernas na tentativa de ficar em pé. **spastic a.** – espástica; a. paroxística agitante. **trembling a., trep'idans a.** – a. agitante; a. trepidante; abasia devida a tremor das pernas.

abate·ment (ah-bāt'mint) – atenuação; redução na severidade de uma dor ou sintoma.

ABC – aspiration biopsy cytology (CBA; citologia por biópsia de aspiração).

ab·do·men (ab'dah-men, ab-do'men) – abdômen; a parte do corpo situada entre o tórax e a pelve e que contém a cavidade dita abdominal e as vísceras. **abdom'inal** – adj. abdominal. **acute a.** – a. agudo; afecção intra-abdominal aguda de início abrupto, geralmente associada à dor devida a inflamação, perfuração, obstrução, infarto ou ruptura dos órgãos abdominais e que geralmente exige intervenção cirúrgica de emergência. **carinate a., navicular a.** – a. carinado; – a. navicular; a. escafóide. **a. obstipum** – a. inclinado; distorcido por encurtamento congênito do músculo reto abdominal. **scaphoid a.** – a. escafóide; a. navicular; abdômen cuja parede anterior é oca, que ocorre em crianças com encefalopatia. **surgical a.** – a. cirúrgico; a. agudo. **abdomin(o)-** [L.] – elemento de palavra, *abdome* ou *abdômen*.

ab·dom·i·no·cen·te·sis (ab-dom"ĭ-no-sen-te'sis) – abdominocentese; punção cirúrgica do abdômen.

ab·dom·i·no·cys·tic (-sis'tik) – abdominocístico; relativo ao abdômen e à vesícula biliar.

ab·dom·i·no·hys·ter·ec·to·my (-his"ter-ek'tah-me) – histerectomia abdominal; histerectomia através de incisão abdominal.

ab·dom·i·nos·co·py (ab-dom"ĭ-nos'-kah-pe) – abdominoscopia; exame endoscópico da cavidade abdominal.

ab·dom·i·no·vag·i·nal (ab-dom"ĭ-no-vaj'ĭ-nil) – abdominovaginal; relativo ao abdômen e à vagina.

ab·du·cens (ab-doo'senz) [L.] – abducente; que afasta ou gira para fora.

ab·duct (ab-duk-t') – abduzir; afastar do plano mediano, ou (os dedos) a partir da linha do eixo de um membro. **abdu'cent** – adj. abducente.

aber·ran·cy (ah-ber'an-se) – aberração (3).

ab·er·ra·tio (ab"er-a'she-o) [L.] – aberração; ver *aberration* (1).

ab·er·ra·tion (ab"er-a'shun) – aberração: 1. desvio do normal ou do comum; 2. refração ou focalização desiguais de uma lente; 3. em cardiologia, condução aberrante. **chromatic a.** – a. cromática; refração desigual dos raios luminosos de comprimento de onda diferente, produzindo uma imagem borrada com orlas coloridas. **chromosome a.** – a. cromossômica; irregularidade de número ou estrutura dos cromossomas, geralmente aumento, perda, troca ou alteração da seqüência do material genético, que freqüentemente altera o desenvolvimento embrionário. **intraventricular a.** – a. intraventricular; condução aberrante, dentro dos ventrículos, de um impulso gerado na região supraventricular, excluindo as anormalidades devidas a defeitos orgânicos fixos na condução. **mental a.** – a. mental; insanidade mental de grau leve, não afetando a inteligência.

abeta·lipo·pro·tein·emia (a-ba"tah-lip"o-pro"-te-ne'me-ah) – abetalipoproteinemia; síndrome hereditária marcada pela falta de lipoproteínas que contenham a polipoproteína B (quilomícrons, lipoproteínas de densidade muito baixa e lipoproteínas de densidade baixa) no sangue e por acantocitose, hipocolesterolemia, neuropatia atáxica progressiva, retinite pigmentosa atípica e má-absorção. **normotriglyceridemic a.** – a.

normotrigliceridêmica; forma variante na qual se encontra presente a apolipoproteína (apo) B-48, mas ausente a apo B-100; formam-se quilomícrons, e pode ocorrer um pouco de absorção de gorduras.

abi·os·is (a"bi-o'sis) – abiose; ausência ou deficiência de vida. **abiot'ic** – adj. abiótico.

abi·otro·phy (a"bi-ot'rah-fe) – abiotrofia; perda progressiva da vitalidade de determinados tecidos, levando a distúrbios; aplicado em doenças hereditárias degenerativas de início tardio como, por exemplo, a coréia de Huntington.

ab·ir·ri·tant (ab-ir'ĭ-tint) – abirritante: 1. irritação em diminuição; suavizante; 2. agente que alivia uma irritação.

ab·lac·ta·tion (ab"lak-ta'shun) – ablactação; desmame ou término da secreção láctea.

ab·la·tio (ab-la'she-o) [L.] – ablação.

ab·la·tion (ab-la'shun) – ablação: 1. separação ou descolamento; extirpação; erradicação; 2. remoção ou destruição, especialmente por corte.

ableph·ar·ia (a"blĕ-far'e-ah) – ablefaria; criptoftalmia. **ableph'arous** – adj. abléfaro.

ablep·sia (a-blep'se-ah) – ablepsia; cegueira.

ab·lu·ent (ab'loo-ent) – abluente: 1. detergente; limpador; 2. agente de limpeza.

ab·nor·mal·i·ty (ab"nor-mal'ĭ-te) – anormalidade: 1. estado de ser anormal; 2. má-formação.

ab·oma·sum (ab"o-ma'sum) – abomaso; o quarto estômago dos ruminantes.

ab·orad (ab-or'ad) – aboral afastada da boca.

ab·oral (ab-or'al) – aboral; oposto a, ou distante da boca.

abort (ah-bort') – abortar; interromper prematuramente uma doença ou um processo de desenvolvimento; expelir os produtos da concepção antes de o feto encontrar-se viável.

abor·ti·fa·cient (ah-bor"tĭ-fa'shunt) – abortifaciente; abortivo; abortígeno: 1. que causa aborto; 2. agente que induz a abortamento; 3. abortado; malogrado.

abor·tion (ah-bor'shun) – aborto; abortamento: 1. expulsão do útero dos produtos da concepção antes de o feto se encontrar viável; 2. interrupção prematura de um processo natural ou mórbido. **artificial a.** – a. artificial; a. induzido. **complete a.** – a. completo; aborto em que todos os produtos da concepção são expelidos do útero e identificados. **contagious a.** – a. contagioso; a. infeccioso. **enzootic a.** – a. enzoótico; aborto infeccioso dos bovinos (a. dos contrafortes) e dos ovinos causado por microrganismos do gênero *Chlamydia*. **equine virus a.** – a. viral eqüino; ver *rhinopneumonitis*. **foothill a.** – a. dos contrafortes; a. enzoótico dos bovinos. **habitual a.** – a. habitual; aborto espontâneo que ocorre em três ou mais gestações sucessivas aproximadamente no mesmo nível de desenvolvimento. **incomplete a.** – a. incompleto; aborto com retenção de partes dos produtos de uma concepção. **induced a.** – a. induzido; aborto realizado intencionalmente por meio de medicação ou instrumentação. **inevitable a.** – a. inevitável; situação em que o sangramento vaginal é abundante e a cérvix encontra-se dilatada, e invariavelmente ocorrerá um aborto. **infected a.** – a. infectado; aborto associado a infecção do trato genital. **infectious a.** – a. infeccioso: 1. doença dos bovinos devida à *Brucella abortus*, que causa a perda prematura do bezerro em desenvolvimento; 2. doença infecciosa dos eqüinos devida à *Salmonella abortusequi* e dos ovinos devida à *S. abortusovis*. **missed a.** – a. perdido; retenção no útero de um feto morto há pelo menos oito semanas. **septic a.** – a. séptico; aborto associado a infecção séria do útero, levando à infecção generalizada. **spontaneous a.** – a. espontâneo; aborto que ocorre naturalmente. **therapeutic a.** – a. terapêutico; interrupção da gravidez por meios artificiais após considerações médicas. **threatened a.** – ameaça de aborto; situação em que o sangramento vaginal é menor que em um aborto inevitável e a cérvix não se encontra dilatada, podendo ou não ocorrer aborto.

abor·tion·ist (ah-bor'shun-ist) – abortador; aborteiro; pessoa que mantém um negócio de indução a abortos ilegais.

abor·tus (ah-bor'tus) – aborto; feto morto ou inviável (que pese menos de 500g, ao nascimento); qualquer produto, ou todos, de um aborto.

abras·io (ah-bra'se-o) [L.] – abrasão; raspadura. **a. cor'neae** – a. corneal; raspagem de excrescências corneais.

abra·sion (ah-bra'zhun) – abrasão: 1. escarificação ou raspagem incomum ou anormal; ver também *planing*; 2. área escarificada ou raspada na pele ou em mucosa.

ab·re·ac·tion (ab"reak'shun) – ab-reação; catarse; o reavivamento de uma experiência de tal forma que se liberem emoções anteriormente reprimidas e a ela associadas.

ab·rup·tio (ab-rup'she-o) [L.] – ab-rupção; separação; rotura **a. placen'tae** – a. placentária; descolamento prematuro da placenta.

ab·scess (ab'ses) – abscesso; coleção localizada de pus em uma cavidade formada pela desintegração de tecidos. **amebic a.** – a. amebiano; abscesso causado pela *Entamoeba histolytica*, ocorrendo geralmente no fígado, mas também nos pulmões, cérebro e baço. **apical a.** – a. apical; reação inflamatória supurativa que envolve os tecidos que circundam a porção apical de um dente, ocorrendo nas formas aguda e crônica. **appendiceal a., appendicular a.** – a. apendicular; abscesso que resulta de perfuração de um apêndice agudamente inflamado. **Bezold's a.** – a. de Bezold; abscesso profundo no pescoço resultante de complicação de mastoidite aguda. **brain a.** – a. cerebral; abscesso que afeta o cérebro como resultado da extensão de uma infecção (como por exemplo, otite média) a partir de área adjacente ou de infecção sangüínea. **Brodie's a.** – a. de Brodie; região aproximadamente esférica de destruição óssea, preenchida com pus ou tecido conjuntivo, geralmente na região metafisária dos ossos longos causado por *Staphylococcus aureus* ou *S. albus*. **cold a.** – a. frio: 1. abscesso de desenvolvimento lento e com pouca inflamação; 2. a. tuberculoso. **diffuse a.** – a. difuso; coleção de pus não-contido por cápsula. **gas a.** – a. gasoso; abscesso que contém gás, causado por bactérias formadoras de gás, tais como a *Clostridium perfringens*. **miliary a.** – a. miliar; um dentre um grupo de pequenos abscessos múltiplos. **Pautrier's a.** – a. de Pautrier; coleções focais de células reticulares na epiderme. **peritonsillar a.** – a. peritonsilar; um abscesso no tecido conjuntivo da cápsula tonsilar, resultando de uma supuração da tonsila. **phlegmonous a.** – a. flegmônico; abscesso associado à inflamação aguda do tecido conjuntivo subcutâneo. **ring a.** – a. anelar; infiltração purulenta anelar na periferia da córnea. **shirt-stud a.** – a. em botão de colarinho ou abotoadura; abscesso separado em duas cavidades conectadas por um canal estreito. **stitch a.** – a. do ponto; abscesso desenvolvido ao redor de um ponto ou sutura. **strumous a.** – a. escrofuloso; a. tuberculoso. **thecal a.** – a. tecal; abscesso que surge em uma bainha como na bainha tendínea. **tuberculous a.** – a. tuberculoso; também chamado a. frio; abscesso devido a infecção por bacilos da tuberculose. **vitreous a.** – a. vítreo; abscesso do humor vítreo devido a infecção, traumatismo ou corpo estranho no olho. **wandering a.** – a. migratório; abscesso que escava tecidos e finalmente emerge em um ponto distante do local de origem. **Welch's a.** – a. de Welch; a. gasoso.

ab·scise (ab-sī z') – abscisar; excisar; seccionar ou remover por corte ou incisão.

ab·scis·sa (-sis'ah) – abscissa; linha horizontal em um gráfico ao longo da qual se configuram as unidades de um dos fatores considerados no estudo. Símbolo *x*.

ab·scis·sion (-sī 'zhun) – discissão; remoção por corte.

ab·scop·al (-sko'p'l) – abscopal; relativo ao efeito em um tecido não-irradiado, diretamente resultante de irradiação de outro tecido do organismo.

Ab·sid·ia (-sid'e-ah) – *Absidia*; gênero de fungos da família Mucoraceae, ordem Mucorales; absídeos; *A. corymbifera* e várias outras espécies podem causar micose nos humanos. A espécie *A. ramosa* cresce no pão e na vegetação em apodrecimento e causa otomicose e, algumas vezes, mucormicose.

ab·sorb (-sorb') – absorver: 1. introduzir ou assimilar, assim como sorver substâncias para o interior ou através de tecidos como, por exemplo, a pele ou o intestino; 2. deter partículas de radiação de forma que sua energia seja totalmente transferida para o material absorvente.

ab·sor·bance (-sor'bans) – absorbância: 1. em Química Analítica, medida de luz que uma solução não transmite comparada a uma solução pura. Símbolo *A*; 2. em radiologia, medida de capacidade de um meio em realizar a absorção da radiação, expressa como logaritmo de proporção da intensidade da radiação que penetra no meio em relação àquela que dele sai.

ab·sor·bent (-sor'bent) – absorvente; absorbente; absortivo: 1. com a capacidade de penetração, sugar e incorporar; 2. estrutura tecidual envolvida na absorção; 3. substância que absorve ou que promove absorção.

ab·sorp·tion (-sorp'shun) – absorção: 1. captação de substâncias para o interior ou através dos tecidos; 2. em Psicologia, devoção do pensamento a um único objeto ou atividade; 3. em radiologia, captação de energia pela matéria com a qual a radiação interage. **intestinal a.** – a. intestinal; captação de fluidos, solutos, proteínas, gorduras e outros nutrientes a partir do lúmen intestinal para o interior das células epiteliais intestinais, sangue, linfa ou fluidos intersticiais.

ab·sorp·tiv·i·ty (ab"sorp-tivˉ'-te) – absortividade; medida de quantidade de luz absorvida por uma solução.

ab·ster·gent (ab-ster'-jint) – abstergente: 1. agente de limpeza ou detergente; 2. agente de limpeza.

ab·sti·nence (ab'sti-nins) – abstinência; abstenção de uso ou contenção relativa à comida, estimulantes ou sexo.

ab·strac·tion (ab-strak'shun) – abstração: 1. a retirada de qualquer ingrediente de um composto; 2. má-oclusão, ou seja, o plano oclusal ultrapassa o plano oculoauricular causando alongamento da face; cf. *attraction* (2).

abu·lia (ah-boo'le-ah) – abulia; perda ou deficiência da força de vontade, iniciativa ou impulso. **abu'lic** – adj. abúlico.

abuse (ah-būs') – abuso; mau uso; mau tratamento ou uso excessivo. **child a.** – a. infantil; ver *syndrome, battered-chield*. **drug a.** – a. de drogas; uso de drogas ilegais ou mau uso de drogas prescritas. Ver também *dependence*. **psychoactive substance a.** – a. de substâncias psicoativas; uso de substância que modifica o humor ou o comportamento de maneira caracterizada por um padrão mal-adaptativo de uso. Ver também *dependence*.

abut·ment (ah-but'mint) – pivô; apoio; suporte; estrutura que sustenta uma pressão lateral ou horizontal como o dente de ancoragem de uma dentadura parcial fixa ou removível.

AC – acromioclavicular; air conduction; alternating current; anodal closure; aortic closure; axiocervical (acromioclavicular; axiocervical; CA, condução aérea; corrente alternada; FA, fechamento anódico; fechamento aórtico).

Ac – Símbolo químico actínio *(ver actinium)*.

a.c. [L.] – *ante cibum* (antes das refeições).

ACA – American College of Angiology; American College of Apothecaries; (Associação Americana de Angiologia; Associação Americana de Farmacêuticos).

aca·cia (ah-ka'shah) – acácia; goma arábica; exsudação viscosa e seca proveniente de caules e ramos de espécies de *Acacia* preparados como mucilagem ou xarope, e utilizada como auxílio farmacêutico.

acal·ci·co·sis (ah-kal"sīˉ-ko'sis) – acalcicose; condição devida à deficiência de cálcio na dieta.

acamp·sia (ah-kamp'se-ah) – acampsia; rigidez de uma articulação ou membro; ancilose.

acanth(o)- [Gr.] – acant(o)-, elemento de palavra; *espinho afiado*.

acan·tha (ah-kan'thah) – acanta: 1. a espinha; 2. processo espinhoso de uma vértebra.

acan·tha·me·bi·a·sis (ah-kan"thah-me-bi'ah-sis) – acantamebíase; infecção por *Acanthamoeba castellani*.

Acan·tha·moe·ba (ah-kan"thah-me'bah) – *Acanthamoeba*; gênero de amebas da ordem Amoebida, incluindo a *A. castellani*, que habita comumente o solo úmido ou a água, mas é encontrada como parasita oportunista do homem, causando meningoencefalite fatal.

acan·thes·the·sia (a-kan"thes-the'zhah) – acantestesia; sensação perversa de picada de agulha no corpo.

acan·thi·on (ah-kan'the-on) – acanto; acântion; ponto na base da espinha nasal anterior.

Acan·tho·ceph·a·la (ah-kan"tho-sef'ah-lah) – Acanthocephala; filo de organismos alongados e predominantemente cilíndricos (vermes de cabeça espinhosa) parasitários dos intestinos de todas as classes de vertebrados; em algumas classificações, são considerados como uma classe do filo Nemathelminthes.

Acan·tho·ceph·a·lus (-sef'ah-lus) – *Acanthocephalus*; gênero de vermes parasitas (filo Acanthocephala).

Acan·tho·chei·lo·ne·ma (-ki"lo-ne'mah) – *Acanthocheilonema*; gênero de vermes longos e filamentosos. **A. per'stans** – *A. perstans*; *Dipetalonema perstans*.

acan·tho·cyte (ah-kan'tho-sīˉt) – acantócito; hemácia distorcida com projeções protoplasmáticas que lhe dão aparência "espinhosa"; observada na abetalipoproteinemia.

acan·tho·cy·to·sis (ah-kan"tho-si-to'sis) – acantocitose; presença de acantócitos no sangue, característica da abetalipoproteinemia, e algumas vezes empregada como sinônimo desta.

acan·thol·y·sis (ak"an-tholˉ'-sis) – acantólise; dissolução de pontes intercelulares da camada de células espinhosas da epiderme. **acantholyt'ic** – adj. acantolítico.

ac·an·tho·ma (ak"an-tho'mah, a"kan-tho'-mah) pl. *acanthomas, acanthomata* – acantoma; tumor composto de células epidérmicas ou escamosas.

ac·an·tho·sis (ak"an-tho'sis) – acantose; hiperplasia e espessamento difusos da camada de células espinhosas da epiderme. **acanthot'ic** – adj. acantótico. **a. ni'gricans** – a. nigricante; a. nígrica; a. enegrescente; acantose aveludada difusa com uma pigmentação escura, predominantemente nas axilas; em forma adulta ocorre freqüentemente associada a carcinoma interno (*acantose nigricante maligna*), e de forma nevóide benigna, mais ou menos generalizada. Uma forma juvenil benigna, associada à obesidade, que algumas vezes se deve a um distúrbio endócrino, é chamada de *pseudoacantose nigricante*.

acan·thro·cy·to·sis (ah-kan"thro-si-to'sis) – acantrocitose; acantocitose (*acanthocytosis*).

acap·nia (ah-kap'ne-ah) – acapnia; redução de dióxido de carbono no sangue; hipocapnia. **acap'nic** – adj. acapnéico.

acar·bia (ah-kahr'be-ah) – acarbia; redução de bicarbonato no sangue.

acar·dia (ah-kahr'de-ah) – acardia; ausência congênita de coração.

ac·a·ri·a·sis (ak"ah-ri'-ah-sis) – acaríase; infestação por ácaros; acaridíase.

acar·i·cide (ah-kar'ĭ-sīd) – acaricida: 1. que extermina ácaros; 2. agente que extermina ácaros.

ac·a·rid (ak'-ah-rid) – acarídeo; ácaro; carrapato ou ácaro da ordem Acarina.

acar·i·di·a·sis (ah-kar"ĭ-di'ah-sis) – acaridíase; acaríase.

Ac·a·ri·na (ak"ah-ri'nah) – Acarina; ordem de artrópodes (classe Arachnida), que inclui ácaros e carrapatos; acarinos.

acar·i·no·sis (ah-kar"ĭ-no'sis) – acarinose; acaríase; escabiose; sarna.

ac·a·ro·der·ma·ti·tis (ak"ah-ro-der"mah-ti'tis) – acarodermatite; qualquer inflamação cutânea causada por ácaros (acarídeos). **a. urticarioi'des** – a. urticarióide; erupção cutânea observada em fazendeiros e manipuladores de cereais.

ac·a·rol·o·gy (ak"ah-rol'ah-je) – acarologia; estudo científico dos ácaros e carrapatos.

Ac·a·rus (ak'ah-rus) – *Acarus*; gênero de pequenos ácaros. **A. folliculo'rum** – *A. folliculorum; Demodex folliculorum*. **A. scabie'i** – *A. scabiei; Sarcoptes scabiei. A. si'ro** – *A. siro*; ácaro que causa baunilhismo nos manipuladores de vagem de baunilha.

acar·y·ote (ah-kăr'e-ōt) – acariota (q.v. *akaryote*).

acat·a·la·se·mia (a"kat-ah-la-se'me-ah) – acatalasemia; acatalasia.

acat·a·la·sia (a"kat-ah-la'zhah) – acatalasia; doença hereditária rara, observada predominantemente no Japão e na Suíça, caracterizada pela ausência de catalase; pode associar-se a infecções das estruturas orais.

ac·a·thex·ia (ak"ah-thek'se-ah) – acatexia; incapacidade reter as secreções corporais. **acathec'tic** – adj. acatéctico.

ac·a·thex·is (-sis) – acatexia; distúrbio mental em que determinadas coisas, como objetos, idéias e memórias, que comumente são de grande importância não suscitam nenhuma resposta emocional no indivíduo.

acau·date (a-kaw'dāt) – acaudado; sem cauda.

ACC – American College of Cardiology (Associação Americana de Cardiologia).

ac·cel·er·ator (ak-sel"er-a'tor) [L.] – acelerador: 1. agente ou aparelho que aumenta a velocidade com que algo ocorre ou progride; 2. qualquer nervo ou músculo que acelera o desempenho de uma função. **serum prothrombin conversion a. (SPCA)** – a. da conversão da protrombina sérica; Fator VII da coagulação. **serum thrombotic a.** – a. trombótico sérico; um fator no soro que tem propriedades procoagulantes e capacidade de induzir a coagulação sangüínea.

ac·cep·tor (ak-sep'ter) – aceptor; substância que se une a outra; especificamente, a substância que se une ao hidrogênio ou oxigênio em reação de oxirredução e assim permite que ocorra a reação.

ac·ces·so·ry (ak-ses'o-re) – acessório; suplementar; que proporciona auxílio a outra coisa semelhante e geralmente mais importante.

ac·ci·dent prone (ak'sĭ-dent prŏn) – propenso a acidentes; especialmente suscetível a acidentes devido a fatores psicológicos.

ac·cli·ma·tion (ak"lĭ-ma'shun) – aclimatação; processo de se acostumar a um novo ambiente.

ac·com·mo·da·tion (ah-kom"ah-da'shun) – acomodação; ajuste ou adaptação, especialmente do olho para ver objetos a distâncias variadas. Símbolo A ou **a. negative** – a. negativa; adaptação do olho para ver a longa distância por meio de relaxamento dos músculos ciliares. **positive a.** – a. positiva; ajuste do olho para ver a curta distância através de contração dos músculos ciliares.

ac·com·mo·dom·e·ter (ah-kom"ah-dom'ě-ter) – acomodômetro; instrumento para medir a capacidade acomodativa do olho.

ac·couche·ment (ah-kōōsh-maw') [Fr.] – parto; trabalho de parto; nascimento. **forcé a.** – p. forçado; parto forçado e rápido por meio de um dos métodos empregados; originalmente a dilatação rápida da cérvix feita com as mãos, seguida de anteversão e extração do feto.

ac·cre·men·ti·tion (ak"rĕ-men-tish'un) – acrementação; reprodução por meio de crescimento adicional de tecido semelhante.

ac·cre·tion (ah-kre'shin) – acreção: 1. crescimento por adição de material; 2. acúmulo; 3. aderência de partes normalmente separadas.

ac·e·dap·sone (as"ah-dap'sŏn) – acedapsona; dapsona derivada com atividades antimaláricas e leprostáticas.

acel·lu·lar (a-sel'u-ler) – acelular; não-celular em estrutura; anisto.

ace·lo·mate (ah-se'lo-māt) – acelomado; desprovido de celoma ou cavidade geral.

acen·tric (a-sen'trik) – acêntrico: 1. não-central; não-localizado no centro; 2. desprovido de centrômero de tal forma que o cromossomo não sobrevive a divisões celulares.

ACEP – American College of Emergency Physicians (Associação Americana de Médicos de Emergência).

aceph·a·lo·cyst (ah-sef'ah-lo-sist") – acefalocisto; cisto estéril.

aceph·a·lous (ah-sef'ah-lus) – acéfalo; sem cabeça.

aceph·a·lus (ah-sef'ah-lus) – acéfalo; malformação do feto caracterizada pela ausência de cabeça.

ac·e·pro·ma·zine (as"ah-pro'mah-zen) – acepromazina; tranqüilizante fenotiazínico utilizado em Medicina Veterinária como o sal de maleato para imobilizar grandes animais.

acer·vu·line (ah-ser'vu-līn) – acervulino; agregado; diz-se de determinadas glândulas.

ac·e·tab·u·lec·to·my (as"ě-tab"u-lek'tah-me) – acetabulectomia; excisão do acetábulo.

ac·e·tab·u·lo·plas·ty (as"ě-tab'u-lo-plas"te) – acetabuloplastia; reparo plástico do acetábulo.

ac·e·tab·u·lum (as"ě-tab'u- lum) [L.] pl. *acetabula* – acetábulo; cavidade em forma de copo na superfície lateral do osso ilíaco, que recebe a cabeça do fêmur. **acetab'ular** – adj. acetabular. **sunken a.** – a. afundado; pelve de Otto.

ac·e·tal (as'ě-tal) – acetal; composto orgânico formado pela combinação de aldeído com álcool.

ac·et·al·de·hyde (as"ě-tal'dě-hīd") – acetaldeído; aldeído acético; líquido inflamável, volátil e incolor utilizado na fabricação de ácido acético, perfumes e aromatizantes. Também é um intermediário no metabolismo do álcool.

acet·ami·no·phen (ah-set"ah-me'no-fen) – *p*-acetaminofenol; paracetamol; analgésico e antipirético com efeitos semelhantes à aspirina, porém com ação antiinflamatória branda.

ace·tate (as'ĕ-tat) – acetato; qualquer sal do ácido acético. **cellulose a.** – a. de celulose; celulose acetilada utilizada como membrana hemodialisante.

ac·et·a·zol·a·mide (as"it-ah-zol'ah-mĭ d) – acetazolamida; inibidor da anidrase carbônica renal com usos que incluem o tratamento do glaucoma, epilepsia, paralisia periódica familiar, enfermidade aguda das montanhas e cálculos renais de ácido úrico.

Ace·test (as'ĕ-test) – Acetest, marca registrada de comprimidos reagentes que contêm nitroprussiato de sódio, ácido aminoacético, fosfato dissódico e lactose. Coloca-se uma gota de urina em um comprimido sobre uma folha de papel branco; se estiver presente uma quantidade significativa de acetona, o comprimido muda da cor roxa (1+) para lavanda (2+), roxo moderado (3+) ou para roxo escuro (4+).

ace·tic (ah-se'tik, ah-set'ik) – acético; relativo ao vinagre ou ao seu ácido; ácido.

ace·tic ac·id (ah-se'tik) – ácido acético; ácido carboxílico de dois carbonos, componente característico do vinagre; mênstruo, utilizado como solvente, e em Farmacêutica. O *ácido acético glacial* (99,5 a 100,5%) é utilizado como solvente, vesicante e cáustico e em Farmacêutica.

ace·to·ace·tic ac·id (ah-se"to-ah-se'tik) – ácido acetoacético; ácido β-cetobutírico; um dos corpos cetônicos produzidos no fígado e que ocorrem em excesso no sangue e na urina no caso de cetose.

Ace·to·bac·ter (ah-se"to-bak'ter) – *Acetobacter*; gênero de esquizomicetos (família Pseudomonadaceae) importante na conclusão do ciclo carbônico e produção de vinagre.

ac·e·to·hex·a·mide (as"ĕ-to-hek'sah-mĭ d) – acetoexamida; hipoglicêmico oral utilizado no tratamento do diabetes não-dependente de insulina.

ac·e·tone (as'ĕ'tōn) – acetona; líquido volátil, incolor e inflamável com propriedades solventes e odor característico, que é um solvente e um dos corpos cetônicos produzidos em caso de cetoacidose.

ac·e·to·ni·trile (as"ĕ-to-ni'trĭ l) – acetonitrila; líquido incolor com odor semelhante ao éter utilizado em extratos, como solvente e intermediário; ingestão ou inalação produz cianeto como um produto metabólico.

ac·e·ton·uria (as"ĕ-to-nu're-ah) – acetonúria; cetonúria (*ketonuria*).

ac·e·to·phen·a·zine (as"ĕ-to-fen'ah-zēn) – acetofenazina; substância levemente sedativa cujo sal de maleato é utilizado como antipsicótico.

ace·tous (as'ĕ-tus) – acetoso; relativo, que produz ou semelhante ao ácido acético.

ac·e·tu·rate (ah-set'u-rāt) – aceturato; contração da USAN para o *N*-acetilglicinato.

ac·e·tyl (as'ĕ-til, as'ĕ-tĕl") – acetil; radical monovalente CH₃CO; forma combinante do ácido acético. **a. sulfisoxazole** - a. sulfisoxazol; sulfanilamida utilizada como antimicrobiano.

acet·y·la·tion (ah-set"ĭ -la'shun) – acetilação; introdução de um radical acetil em uma molécula orgânica.

acet·y·la·tor (ah-set'ĭ -la"ter) – acetilador; organismo capaz de acetilação metabólica. Indivíduos que diferem na capacidade herdada de metabolizar determinadas drogas como, por exemplo, a isoniazida, são chamados de acetiladores rápidos ou lentos.

ac·e·tyl·cho·line (as"ĕ-til-, as"ĕ-tĕl-ko'lēn) – acetilcolina; éster de ácido acético de colina, atua como neurotransmissor nas sinapses colinérgicas nos sistemas nervosos central simpático e parassimpático; utilizado em forma de sal de cloreto como miótico. Abreviação: ACh.

ac·e·tyl·cho·lin·es·ter·ase (-ko"lĭ -nes'ter-ās) – acetilcolinesterase; colinesterase, enzima presente no sistema nervoso central, particularmente no tecido nervoso, músculo e hemácias, que catalisa a hidrólise da acetilcolina em colina e ácido acético. Abreviação: AChE.

ac·e·tyl CoA (as"ĕ-til-, as"ĕ-tĕl"-ko-a') – acetil-CoA; acetilcoenzima A.

ac·e·tyl-CoA car·box·yl·ase (kahr-bok'sĭ -lās) – acetil-CoA carboxilase; ligase que catalisa a fase limitadora de velocidade na síntese de ácidos graxos a partir de grupos acetil.

ac·e·tyl co·en·zyme A (as'ĕ-til, as"ĕ-tĕl'ko-en'zĭ m) – acetilcoenzima A; acetil-CoA; um intermediário importante no ciclo do ácido tricarboxílico e precursor principal dos lipídeos e dos esteróides; é formado pela coligação da coenzima A a um grupo acetil durante a oxidação dos carboidratos, ácidos graxos ou aminoácidos.

ac·e·tyl·cys·te·ine (as"ĕ-til-, as"ĕ-tĕl-sis'tē-en) – acetilcisteína; derivado da cisteína utilizado como mucolítico em vários distúrbios broncopulmonares, como antídoto para o envenenamento com *p*-acetaminofenol e para dissolver cálculos de cistina no caso de cistinúria.

acet·y·lene (ah-set'ĭ -lēn) – acetileno; gás explosivo, volátil e incolor, o mais simples alcino (hidrocarboneto insaturado de ligação tripla).

***N*-ac·e·tyl·ga·lac·to·sa·mine** (as"ĕ-til-, as"ĕ-tĕl-gal"ah-tōs'ah-mēn) – *N*-acetilgalactosamina; derivado acetílico da galactosamina; é um componente dos glicosaminoglicanos estruturais, dos glicolipídios e das glicoproteínas da membrana.

***N*-ac·e·tyl·glu·co·sa·mine** (-gloo-kōs'ash-mēn) – *N*-acetilglicosamina; derivado acetílico da glicosamina; é um componente dos glicosaminoglicanos estruturais, dos glicolipídios e glicoproteínas da membrana.

***N*-ac·e·tyl·neu·ra·min·ic ac·id** (-noor"ah-min'-ik) – ácido *N*-acetilneuramínico; derivado acetílico do ácido neuramínico glicosamina; ocorre em muitas glicoproteínas, glicolipídios e polissacarídios.

ac·e·tyl·sal·i·cyl·ic ac·id (ah-se"til-sal"ĭ -sil'ik) – ácido acetilsalicílico; aspirina. Abreviação: ASA (AAS).

ac·e·tyl·trans·fer·ase (as"ĕ-til, as"ĕ-tĕl-trans'fer-ās) – acetiltransferase; qualquer enzima de um grupo que catalisa a transferência de um grupo acetil de uma substância a outra.

ACG – American College of Gastroenterology (Associação Americana de Gastroenterologia); angiocardiografia; apicecardiograma.

AcG – accelerator globulin (coagulation Factor V) (GAc, globulina aceleradora [Fator V de coagulação]).

ACh – acetylcholine (AC, acetilcolina).

ACHA – American College of Hospital Administrators (Associação Americana de Administradores de Hospital).

ach·a·la·sia (ak"ah-la'zhah) – acalasia; impossibilidade de relaxar as fibras de músculo liso em qualquer junção de uma porção do trato gastrointestinal e outra, especialmente incapacidade do esfíncter esofagogástrico relaxar na deglutição, devido à degeneração das células ganglionares na parede do órgão.

Ach·a·ti·na (ak"ah-ti'nah) – *Achatina*; gênero de caracóis terrestres muito grandes, incluindo a *A. fulica*, que serve como hospedeiro intermediário da *Angiostrongylus cantonensis*.

AChE – acetylcholinesterase (acetilcolinesterase).

achei·ria (ah-ki're-ah) – aqueiria; aquiria; sensação de perda das mãos, observada na histeria.

achil·lo·bur·si·tis (ah-kil"o-ber-si'tis) – aquilobursite; inflamação das bursas ao redor do tendão do calcâneo (de Aquiles).

achil·lo·dy·nia (-din'e-ah) – aquilodinia; dor no tendão do calcâneo (de Aquiles) ou em sua bursa.

ach·il·lor·rha·phy (ak"ĭ-lor'ah-fe) – aquilorrafia; sutura do tendão do calcâneo (de Aquiles).

achil·lo·te·not·o·my (ah-kil"o-tĕ-not'ah-me) – aquilotenotomia; divisão cirúrgica do tendão do calcâneo (de Aquiles).

achlor·hy·dria (a"klor-hi'dre-ah) – acloridria; ausência de ácido clorídrico a partir das secreções gástricas. **achlorhy'dric** – adj. acloridrico.

acho·lia (a-ko'le-ah) – acolia; falta ou ausência de secreção biliar. **acho'lic** – adj. acólico.

achol·uria (ak-ol-u're-ah) – acolúria; ausência de pigmentos biliares na urina.

achon·dro·gen·e·sis (a-kon"dro-jen'ĭ-sis) – acondrogênese; distúrbio hereditário caracterizado por hipoplasia óssea, resultando em membros acentuadamente encurtados; a cabeça e o tronco permanecem normais.

achon·dro·pla·sia (-pla'zhah) – acondroplasia; distúrbio congênito hereditário de formação de cartilagem, que leva a um tipo de nanismo. **achondroplas'tic** – adj. acondroplásico.

achro·ma·sia (ak"ro-ma'zhah) – acromasia: 1. ausência de pigmentação cutânea normal; 2. incapacidade de tecidos ou células serem corados.

achro·mat (ak'ro-mat) – acromático: 1. objetiva acromática; 2. monocromático.

achro·mat·ic (ak"ro-mat'ik) – acromático: 1. que não produz nenhuma descoloração; 2. que se cora com dificuldade; 3. relativo à acromatina; 4. que refrata a luz sem decompô-la em suas cores componentes; 5. monocromático; ver *monochromatic* (2).

achro·ma·tin (ah-kro'mah-tin) – acromatina; base fracamente corável de um núcleo celular.

achro·ma·tol·y·sis (ah-kro"mah-tol'ĭ-sis) – acromatólise; dissolução da acromatina celular.

achro·ma·to·phil (ah-kro"mat'o-fil) – acromatófilo; acromófilo: 1. não é facilmente corável; 2. organismo ou tecido que não se cora facilmente.

achro·ma·top·sia (ah-kro"mah-top'se-ah) – acromatopsia; monocromatismo.

achro·ma·to·sis (ah-kro"mah-to'sis) – acromatose: 1. deficiência de pigmentação nos tecidos; 2. falta de poder corante em uma célula ou tecido.

achro·ma·tous (ah-kro'mah-tus) – acromatoso; incolor.

achro·ma·tu·ria (a-kro"mah-tu're-ah) – acromatúria; estado incolor da urina.

achro·mia (ah-kro'me-ah) – acromia; falta ou ausência de cor normal ou pigmentação como da pele.

achro'mic – adj. acrômico.

achro·mo·cy·te (ah-kro'mah-sī t) – acromócito; artefato de hemácia em forma de meia-lua que se cora mais fracamente que as hemácias intactas.

Achro·my·cin (ak"ro-mi'sin) – Acromicina, marca registrada de preparações de tetraciclina.

achy·lia (ah-ki'le-ah) – aquilia; ausência de ácido clorídrico e pepsinógenos (pepsina) no suco gástrico (*a. gástrica*).

achy·mia (ah-ki'me-ah) – aquimia; formação imperfeita, insuficiência ou ausência de quimo.

acic·u·lar (ah-sik'u-ler) – acicular; em forma de agulha.

acic·u·lum (ah-sik'u-lum) – acículo; estrutura encurvada e digitiforme observada em determinados flagelados.

ac·id (as'id) – ácido: 1. azedo; 2. composto químico que se dissocia em solução, liberando íons de hidrogênio e abaixando o pH da solução (doador de prótons). Uma solução ácida tem um pH abaixo de 7. Cf. *base* (3). Para ácidos particulares, ver nos nomes específicos. **amino a.** – aminoácido; ver em *amino*. **carboxylic a.** – a. carboxílico; qualquer composto orgânico que contenha o grupo carboxila (–COOH), incluindo aminoácidos e ácidos graxos. **fatty a.** – a. graxo; ver em *fatty acid*. **a. fuchsin** – fucsina; ver em *fuchsin*. **haloid a.** – a. halóide; ver em *halogen*. **hydroxy a.** – a. hidroxiácido; ácido orgânico que contém um grupo hidroxila adicional. **inorganic a.** – a. inorgânico; qualquer ácido que não contenha átomo de carbono. **nucleic a.** – a. nucleico; ver em *nucleic*. **organic a.** – a. orgânico; qualquer ácido cujo radical seja derivado do carbono; um composto no qual o radical hidrocarboneto une-se ao COOH ou SO₃H.

ac·i·de·mia (as'ĭ-de'me-ah) – acidemia; aumento da acidez no sangue. Quanto às acidemias caracterizadas pelo aumento da concentração de um ácido específico, ver *acid*. **organic a.** – a. orgânica; aumento da concentração de um ou mais ácidos orgânicos no sangue.

acid-fast (as'id-fast) – a prova de ácido; acidorresistente; não é facilmente descorado por ácidos após ter sido corado.

acid·i·fi·a·ble (ah-sid'ĭ-fi'ah-b'l) – acidificável; capaz de se tornar ácido.

acid·i·fier (ah-sid'i- fi- er) – acidificador; agente que causa acidez; substância utilizada para aumentar a acidez gástrica.

acid·i·ty (-ĭ -te) – acidez; qualidade do que é ácido; capacidade de unir-se a íons positivamente carregados ou a substâncias básicas.

ac·id li·pase (as'id li'pās) – lipase ácida; colesterolesterase.

ac·id mal·tase (mawl'tās) – maltase ácida; hidrolase que catalisa a degradação de glicogênio em glicose nos lisossomas; deficiência da atividade enzimática resultando em doença de armazenamento de glicogênio do tipo II.

acid·o·phil (ah-sid'o-fil'') – acidófilo: 1. estrutura histológica, célula ou outro elemento que se cora facilmente com corantes ácidos; 2. célula alfa da adeno-hipófise ou das ilhotas pancreáticas; 3. organismo que cresce bem em meios altamente ácidos; 4. acidofílico.

ac·i·do·phil·ic (as''ĭ -do-fil'ik) – acidófilo: 1. facilmente corado com corantes ácidos; 2. que se desenvolve bem em meios ácidos.

ac·i·do·sis (as''ĭ -do'sis) – acidose; estado patológico que resulta do acúmulo de ácido no corpo, ou da perda de base do corpo; cf. *alkalosis*. **acidot'ic** – adj. acidótico. **compensated a.** – a. compensada; estado patológico em que os mecanismos compensatórios devolveram o pH ao normal. **diabetic a.** – a. diabética; acidose metabólica produzida pelo acúmulo de cetonas no caso de diabetes melito não-controlado. **hypercapnic a.** – a. hipercapnéica; acidose respiratória. **hyperchloremic a.** – a. hiperclorêmica; acidose metabólica acompanhada da elevação do cloro plasmático. **lactic a.** – a. láctica; acidose metabólica decorrente do excesso de ácido láctico no sangue, devido a afecções que causam distúrbios na respiração celular. **metabolic a.** – a. metabólica; distúrbio no qual o estado ácido-básico movimenta-se em direção ao ácido devido à perda de base ou retenção de ácidos não-carbônicos ou fixos (não-voláteis). **nonrespiratory a.** – a. não-respiratória; a. metabólica. **renal hyperchloremia a.** – a. hiperclorêmica renal; a. tubular renal. **renal tubular a. (RTA)** – a. tubular renal; acidose metabólica que resulta de distúrbio da função renal. **respiratory a.** – a. respiratória; estado devido à retenção excessiva de dióxido de carbono no corpo. **starvation a.** – a. por inanição; acidose metabólica devida ao acúmulo de corpos cetônicos que pode acompanhar déficit calórico. **uremic a.** – a. urêmica; distúrbio metabólico em nefropatia crônica na qual a capacidade de excretar ácido fica reduzida, causando acidose.

acid·u·lous (ah-sid'u-lis) – acídulo; um pouco ácido.

ac·i·d·u·ria (as''ĭ -du're-ah) – acidúria; excesso de ácido na urina. Quanto à acidúria caracterizada pelo aumento da concentração de um ácido específico; ver *acid*. **organic a.** – a. orgânica; excreção excessiva de um ou mais ácidos orgânicos na urina.

ac·id·uric (as''ĭ -du'rik) – acidúrico; capaz de crescer em meios extremamente ácidos; diz-se de bactérias.

acin·i·form (ah-sin'ĭ -form) – aciniforme; em forma de ácino ou da uva.

acin·i·tis (as''ĭ -ni'tis) – acinite; inflamação dos ácinos de uma glândula.

ac·i·nose (as'ĭ - nōs) – acinoso; constituído de ácinos.

ac·i·nous (as'ĭ -nus) – acinoso; estrutura em forma de cacho.

ac·i·nus (as'ĭ -nus) [L.] pl.*acini* – ácino; pequena dilatação sacular, particularmente encontrada em várias glândulas; ver também *alveolus*. **liver a.** – a. hepático; a menor unidade funcional do fígado, massa de parênquima hepático suprida pelos ramos terminais da veia porta e da artéria hepática e drenado por um ramo terminal do ducto biliar. **pulmonary a.** – a. pulmonar; unidade respiratória terminal.

ac·i·vi·cin (as''ĭ -vi'sin) – acivicina; antagonista glutamínico utilizado no tratamento de vários tumores sólidos.

aclad·i·o·sis (ah-klad''e-o'sis) – acladiose; dermatomicose ulcerativa causada por *Acladium castellani*.

Acla·di·um (ah-kla'de-um) – *Acladium*; gênero de fungos que algumas vezes infecta o homem.

acla·sis (ak'lah-sis) – aclasia; continuidade patológica de uma estrutura, como no caso da encondromatose. **diaphyseal a.** – a. diafisária; encondromatose.

acleis·to·car·dia (ah-klī s''to-kahr'de-ah) – aclistocardia; estado aberto do forame oval do coração fetal.

ac·me (ak'me) – acme; estádio crítico ou crise de uma moléstia.

ac·ne (ak'ne) – acne; moléstia inflamatória da pele com erupção de pápulas ou pústulas; mais particularmente acne vulgar. **bromide a.** – a. do brometo; erupção acneiforme sem cravos, um dos sintomas mais constantes do bromismo. **common a.** – a. comum; a. vulgar. **a. conglo·ba'ta, conglobate a.** – a. conglobada; acne severa com muitos cravos, marcada por supuração, cistos, seios e formação de cicatriz **a. cosme'tica** – a. cosmética; acne de baixo grau persistente que geralmente afeta o queixo e as bochechas de uma mulher que usa cosméticos. **a. deter'gicans** – a. por detergente; agravação de lesões de acne existentes por meio de lavagens muito freqüentes e severas com sabões cravogênicos e panos ou almofadas ásperos. **a. ful'minans** – a. fulminante; forma rara que afeta homens adolescentes, marcada pelo início súbito com febre e erupção de lesões altamente inflamatórias, sensíveis, ulcerativas e crostas nas costas, peito e face. **halogen a.** – a. dos halógenos; erupção acneiforme devido à ingestão de sais simples de bromo e iodo presentes em remédios para resfriado, sedativos, analgésicos e vitaminas. **a. indura'ta** – a. indurada; progressão de acne papular, com lesões profundamente instaladas e destrutivas que podem produzir cicatrizes severas. **keloid a.** – a. quelóide; foliculite quelóide. **a. mecha'nica, mechanical a.** – a. mecânica; agravação das lesões de acne existentes devido a fatores mecânicos como escarificação ou estiramento, provocados por correias no queixo, roupas, mochilas nas costas, pensos e assentos. **a. necro'tica milia'ris** – a. necrótica miliar; forma rara e crônica de foliculite do couro cabeludo, que ocorre principalmente em adultos, com formação de pequeninas pústulas superficiais, que são destruídas ao serem coçadas; ver também *a. varioliformis*. **a. papulo'sa** – a. papular; acne vulgar com a formação de pápulas. **pomade a.** – a. por pomada; acne vulgar em negros que penteiam o couro cabeludo e pêlos faciais com lubrificantes gordurosos, marcada por cravos fechados na testa, têmporas, bochechas e queixo. **premenstrual a.** – a. pré-menstrual; acne de natureza cíclica, aparecendo imediatamente antes (raramente depois) do início da menstruação. **a. rosa'cea** – a. rosácea; rosácea. **tropical a., a. tropicalis** – a. tropical; forma severa e extensa de acne que ocorre em climas úmidos e quentes, com lesões nodulares, císticas e pustulares, principalmente nas costas, nádegas e coxas; freqüentemente formam-se abscessos conglobados, especialmente nas costas. **a. variolifor'mis** – a. varioliforme; afecção rara com lesões umbilicadas papulopustulares e marrom-avermelhadas, geralmente na testa e couro cabeludo; provável variação profunda da acne necrótica miliar. **a. venena'ta** – a. venenosa; acne produzida através do contato com grande variedade de produtos químicos acnegênicos, incluindo os utilizados em cosméticos e produtos para cabelos e na indústria. **a. vulgaris** – a. vulgar; acne crônica, que geralmente ocorre na adolescência, com cravos, pápulas, nódulos e pústulas na face, pescoço e parte superior do tronco. Têm-se sugerido muitos fatores, incluindo determinados alimentos, estresse, fatores hereditários, hormônios, drogas e bactérias das espécies *Corynebacterium acnes, Staphylococcus albus* e *Ptyrosporum ovale* como agentes causadores.

ac·ne·gen·ic (ak"nĕ-jen'ik) – acnegênico; que produz acne.

ac·ni·tis (ak-ni'tis) – acnite; forma de tubercúlide papulonecrótica que ocorre na face.

ACNM – American College of Nurse-Midwives (Associação Americana de Enfermeiras-Parteiras); ver *nurse-midwife* e *nurse-midwifery*.

acoe·lom·ate (a-sĕl'o-māt) – acelomado; sem celoma ou cavidade corporal; animal que não tem cavidade corporal.

ACOG – American College of Obstetricians and Gynecologists (Associação Americana de Obstetras e Ginecologistas).

ac·o·nite (ak'o-nīt) – acônito; droga venenosa proveniente da raiz tuberosa, seca, da *Aconitum napellus*, que contém vários alcalóides intimamente relacionados, cujo principal é a aconitina.

acon·i·tine (ah-kon-'ĭ-tin) – aconitina; alcalóide venenoso, princípio ativo do acônito.

aco·rea (ah-kor'-e-ah) – acoria; ausência da pupila.

aco·ria (ak-kor'e-ah) – acoria; ingestão excessiva de alimentos, não por fome, mas devido à perda da sensação de saciedade.

ACOS – American College of Osteopathic Surgeons (Associação Americana de Cirurgiões Osteopáticos).

acous·tic (ah-kōos'tik) – acústico; que se relaciona ao som ou à audição.

acous·tics (-tiks) – Acústica; ciência do som ou audição.

acous·to·gram (-tah-gram) – acustograma; traçado gráfico das curvas dos sons produzido pelo movimento de uma articulação.

ACP – American College of Physicians; acid phosphatase (Associação Americana de Médicos; fosfatase ácida).

ac·quired (ah-kwīrd') – adquirido; que resulta de fatores que agem a partir do organismo ou se originam fora dele; não-herdado.

ac·qui·si·tion (ak"wĭ-zi'shun) – aquisição; em Psicologia, período de aprendizado durante o qual podem-se mensurar aumentos progressivos na força de resposta. Também corresponde ao processo envolvido nesse aprendizado.

ACR – American College of Radiology (Associação Americana de Radiologia).

ac·ral (ak'ral) – acral; relativo ou que afeta as extremidades.

A·cre·mo·nium (ak"-rĕ-mo'ne-um) – *Acremonium*; gênero de fungos imperfeitos raramente isolado em uma infecção humana. A espécie *A. alabamensis* causa infecção oportunista em pacientes com distúrbios de imunodeficiência e *A. kiliense* é agente do micetoma eumicótico.

ac·ri·dine (ak'rĭ-dēn) – acridina; alcalóide do antraceno utilizado na síntese de corantes e drogas.

ac·ri·fla·vine (ak"rĭ-fla'vēn) – acriflavina, pó granular laranja-escuro, utilizado como anti-séptico tópico e urinário.

ac·ri·sor·cin (ak"-rĭ-sor'sin) – acrisorcina; agente antifúngico tópico utilizado no tratamento da tinha versicolor.

acr(o)- [Gr.] – elemento de palavra, *extremo; topo; extremidade.*

ac·ro·ag·no·sis (ak"ro-ag-no'sis) – acroagnose; acroagnosia; ausência de reconhecimento sensorial de um membro; falta de acrognose.

ac·ro·an·es·the·sia (-an"es-the'zhah) – acroanestesia; anestesia das extremidades.

ac·ro·ar·thri·tis (-ahr-thri'tis) – acroartrite; artrite das extremidades.

ac·ro·blast (ak'ro-blast) – acroblasto; complexo de Golgi na espermátide a partir do qual o acrossoma surge.

ac·ro·brachy·ceph·a·ly (ak"ro-brak"ĕ-sef'ah-le) – acrobraquicefalia; altura anormal do crânio, com encurtamento de sua dimensão ântero-posterior. **acrobrachycephal'ic** – adj. acrobraquicefálico.

ac·ro·cen·tric (-sen'trik) – acrocêntrico; que tem o centrômero em direção a uma extremidade do cromossoma replicante, de forma que um braço é muito mais longo que o outro.

ac·ro·ce·pha·lia (-sĕ-fa'le-ah) – acrocefalia; oxicefalia (*oxycephaly*).

ac·ro·ce·phal·ic (-sĕ-fal'ik) – acrocefálico; oxicefálico.

ac·ro·ceph·a·lo·poly·syn·dac·ty·ly (ACPS) (-sef"ah-lo-pol"e-sin-dak'tĭ-le) – acrocefalopolissindactilia; acrocefalossindactilia com polidactilia como característica adicional. Conhecem-se quatro tipos: *tipo I* (síndrome de Noack), *tipo II* (síndrome de Carpenter), *tipo III* (síndrome de Sakati-Nyhan) e *tipo IV* (síndrome de Goodman).

ac·ro·ceph·a·lo·syn·dac·ty·ly (-sin-dak'tĭ-le) – acrocefalossindactilia; uma das síndromes de um grupo de síndromes dominantes autossômicas nas quais a cranioestenose associa-se à acrocefalia e sindactilia. Também chamada de *a. do tipo I, síndrome de Apert (disease, Apert-Crouzon), síndrome de Chotzen* (a. do tipo III); ver *Chotzen syndrome,* em *syndrome,* ou *síndrome de Peiffer (disease, Pfeiffer)* (a. do tipo V).

ac·ro·chor·don (-kor'don) – acrocórdon; verruga pediculada, que ocorre principalmente no pescoço, pálpebras, tórax superior e axilas em mulheres idosas.

ac·ro·con·trac·ture (-kon-trak'cher) – acrocontratura; contratura dos músculos da mão ou do pé.

ac·ro·cy·a·no·sis (-si"ah-no'sis) – acrocianose; cianose das extremidades com descoloração da pele dos dedos, punhos e tornozelos, inchaço difuso e resfriamento dos dedos.

ac·ro·der·ma·ti·tis (-der"mah-ti'tis) – acrodermatite; inflamação da pele das mãos ou dos pés. **a. chro'nica atro'phicans** – a. crônica atrofiante; inflamação crônica da pele, geralmente das extremidades, levando à esclerose e atrofia da pele; é causada pelo espiroqueta *Borrelia burgdorferi.* **a. conti'nua** – a. contínua; variante da psoríase pustular caracterizada pela inflamação crônica das extremidades, em alguns casos tornando-se generalizada. **a. enteropa'thica** – a. enteropática; distúrbio hereditário associado a defeito no consumo de zinco, com dermatite vesiculopustular, preferencialmente localizada ao redor de orifícios, cabeça, cotovelos, joelhos, mãos e pés, associada a distúrbios gastrointestinais (principalmente os manifestados por diarréia) e alopecia total. **Hallopeau's a.** – a. de Hallopeau; a. contínua. **infantile a., papular a. of childhood** – a. infantil; a. papular da infância; síndrome de Gianotti-Crosti. **a. per'stans** – a. contínua.

ac·ro·der·ma·to·sis (-der"mah-to'sis)   pl. *acrodermato'es* – acrodermatose; qualquer doença da pele das mãos e dos pés.

ac·ro·dol·i·cho·me·lia (-dol"ĭ-ko-me'le-ah) – acrodolicomelia; alongamento anormal das mãos e dos pés.

ac·ro·dyn·ia (-din'e-ah) – acrodinia; doença infantil caracterizada por dor, tumefação e coloração rosada nos dedos e inquietação, irritação, dificuldade em se desenvolver, transpiração abundante e algumas vezes coloração escarlate das bochechas e ponta do nariz. A maioria dos casos é de neuropatias tóxicas causadas por exposição ao mercúrio.

ac·ro·es·the·sia (-es-the'zhah) – acroestesia: 1. sensibilidade exagerada; 2. dor nas extremidades.

ac·ro·hy·po·ther·my (-hi'po-ther"me) – acroipotermia; resfriamento anormal das mãos e dos pés.

ac·ro·ker·a·to·sis (-ker"ah-to'sis) – acroceratose; afecção que envolve a pele das extremidades, com proliferação de protuberâncias verrucosas.

ac·ro·ki·ne·sia (-kĭ-ne'zhah) – acrocinesia; motilidade ou movimento anormal das extremidades.

acrokinet'ic – adj. acrocinético.

acro·le·in (ak-ro'le-in) – acroleína; líquido volátil e altamente tóxico proveniente da decomposição da glicerina; é um dos produtos da degradação da ciclofosfamida.

ac·ro·meg·a·ly (ak"ro-meg'ah-le) – acromegalia; aumento anormal do volume das extremidades do esqueleto causada pela hipersecreção do hormônio do crescimento hipofisário após a maturidade.

ac·ro·meta·gen·e·sis (-met"ah-jen'ĭ-sis) – acrometagênese; crescimento desordenado das extremidades.

ac·ro·mi·cria (-mik're-ah) – acromicria; hipoplasia anormal das extremidades do esqueleto – nariz, mandíbulas e dedos.

acromi(o)- [Gr.] – acrom-, elemento de palavra, acrômio.

acro·mio·cla·vic·u·lar (ah-kro"me-o-klah-vik'- u-ler) – acromioclavicular; relativo ao acrômio e à clavícula.

acro·mi·on (ah-kro'me-on) – acrômio; extremidade lateral da espinha da escápula que forma o ponto mais alto do ombro. **acro'mial** – adj. acromial.

acro·mio·nec·to·my (ah-kro"me-on-ek'tah-me) – acromionectomia; ressecção do acrômio.

acro·mio·plas·ty (ah-kro'me-o-plas"te) – acromioplastia; remoção cirúrgica do gancho anterior do acrômio para aliviar a compressão mecânica da bainha rotadora durante o movimento da articulação glenoumeral.

acrom·pha·lus (ah-krom'fah-lus) – acrônfalo: 1. umbigo protuberante; algumas vezes sinal de hérnia umbilical; 2. centro do umbigo.

ac·ro·mio·to·nia (ak"ro-mi"o-to'ne-ah) – acromiotonia; contratura da mão ou do pé, resultando em deformidade espástica.

ac·ro·neu·ro·sis (-nŏŏ-ro'sis) – acroneurose; qualquer neuropatia das extremidades.

ac·ro·nym (ak'ro-nim) – acrônimo; palavra formada pelas letras iniciais dos componentes principais de um termo composto como *rad,* de *radiation absorbed dose* (dose absorvida de radiação).

ac·ro·os·te·ol·y·sis (ak"ro-os"te-ol'ĭ-sis) – acrosteólise; osteólise que envolve as falanges distais dos dedos.

ac·ro·pachy (ak'ro-pak"e) – acropaquia; baqueteamento dos dedos.

ac·ro·pachy·der·ma (ak"-pak"e-der'mah) – acropaquidermia; espessamento da pele da face, couro cabeludo e extremidades, reunião das extremidades e deformidades dos ossos longos; geralmente associada à acromegalia.

ac·ro·pa·ral·y·sis (-parah-ral'ĭ-sis) – acroparalisia; paralisia das extremidades.

ac·ro·par·es·the·sia (-par"es-the'zhah) – acroparestesia: 1. parestesia dos dedos; 2. doença marcada pela presença de zunidos, entorpecimento e rigidez principalmente nos dedos, mãos e antebraços, algumas vezes com dor, palidez de pele ou cianose leve.

ac·ro·pa·thol·o·gy (-pah-thol'ah-je) – acropatologia; patologia das doenças das extremidades.

acrop·a·thy (ak-krop'ah-the) – acropatia; qualquer doença das extremidades. **ulcerative mutilating a.** – a. mutilante ulcerativa; neuropatia radicular sensorial hereditária.

ac·ro·pho·bia (ak"ro-fo'be-ah) – acrofobia; medo mórbido de altura.

ac·ro·pos·thi·tis (-pos-thi'tis) – acropostite; inflamação do prepúcio.

ac·ro·scle·ro·der·ma (-skler"o-der'mah) – acroscle-rodermia; acrosclerose.

ac·ro·scle·ro·sis (skler-o'sis) – acrosclerose; combinação da doença de Raynaud e esclerodermia das partes distais das extremidades, especialmente dos dedos, pescoço e face, particularmente do nariz.

ac·ro·some (ak'ro-sōm) – acrossoma; estrutura semelhante a um capuz e ligada à membrana que recobre a porção anterior da cabeça de um espermatozóide; contém enzimas que possibilitam penetrar no óvulo.

ac·ro·spi·ro·ma (ak"ro-spĭ-ro'mah) – acrospiroma; tumor da porção distal de glândula sudorípara.

ac·ro·tism (ak'rah-tizm) – acrotismo; ausência ou imperceptibilidade do pulso. **acrot'ic** – adj. acrótico.

ac·ro·tropho·neu·ro·sis (ak"ro-trof"o-nŏŏ-ro'sis) – acrotrofoneurose; distúrbio trofoneurótico das extremidades.

acryl·am·ide (ah-kril'ah-mid) – acrilamida; monômero vinílico utilizado na produção de polímeros com muitos usos industriais e de pesquisa; a forma monomérica é uma neurotoxina.

ACS – American Cancer Society; American Chemical Society; American College of Surgeons (Sociedade Americana do Câncer; Sociedade Química Americana; Associação Americana de Cirurgiões).

ACSM – American College of Sports Medicine (Associação Americana de Medicina Esportiva).

ACTH – adrenocorticotropic hormone (hormônio adrenocorticotrófico); ver *corticotropin*.

ac·tin (ak'tin) – actina; proteína muscular localizada na faixa I das miofibrilas; agindo em conjunto com a miosina, é responsável pela contração e relaxamento dos músculos. Ocorre nas formas globular (*actina-G*) e fibrosa (*actina-F*).

act·ing out (ak'ting out) – atuação; expressão comportamental de conflitos emocionais escondidos, como sentimentos hostis, em alguns tipos de comportamento neurótico, como padrão de defesa análogo à conversão somática.

ac·tin·ic (ak-tin'ik) – actínico; que produz ação química; diz-se dos raios de luz além da extremidade violeta do espectro.

ac·tin·ium (ak-tin'e-im) – actínio; elemento químico (*ver tabela*), número atômico 89, símbolo Ac.

actin(o)- [Gr.] – actino-, elemento de palavra, *raio; em forma de raio; radiação.*

ac·ti·no·bac·il·lo·sis (ak"tĭ-no-bas"ĭ-lo'sis) – actinobacilose; doença semelhante à actinomicose dos animais domésticos causada pela *Actinobacillus lignieresii*, em que os bacilos formam estruturas radiadas nos tecidos; algumas vezes observada no homem.

Ac·ti·no·bac·il·lus (-bah-sil'us) – *Actinobacillus*; gênero de esquizomicetos (família Brucellaceae) capaz de infectar os bovinos, mas raramente o homem. **A. ligniere'sii** – *A. lignieresii*; o agente causador da actinobacilose. **A. mae'lei** – *A. màelei; Pseudomonas mallei.*

ac·ti·no·der·ma·ti·tis (-der"mah-tīt'is) – actinodermatite; radiodermatite ou radiodermite.

Ac·ti·no·ma·du·ra (-mah-doo'rah) – *Actinomadura*; gênero de esquizomicetos (família Actinomyceta-ceae), incluindo a *A. madurae*, causa da maduromicose com grânulos brancos no pus drenado, e a *A. pelletierii*, agente da maduromicose com grânulos vermelhos.

Ac·ti·no·my·ces (-mi'sēz) – *Actinomyces*; gênero de esquizomicetos (família Actinomycetaceae). **A. bo'vis** – *A. bovis*; microrganismo Gram-positivo que causa actinomicose nos bovinos. **A. israe'lli** – *A. israelli*; espécie parasita da boca que prolifera em tecido necrosado; é a causa de alguns casos de actinomicose humana. **A. naeslun'dii** – *A. naeslundi*; espécie anaeróbica que habita normalmente a cavidade oral e constitui a causa da actinomicose e periodontite humanas.

Ac·ti·no·my·ce·ta·ceae (-mi"sah-ta'se-e) – Actinomycetaceae; família de esquizomicetos (ordem Actinomycetales).

Ac·ti·no·my·ce·ta·les (-mi"sah-ta'lēz) – Actinomycetales; ordem de esquizomicetos composta de células alongadas com tendência definida a ramificar-se.

ac·ti·no·my·cin (-mi'sin) – actinomicina; família de antibióticos provenientes de várias espécies de *Streptomyces*, ativos contra bactérias e fungos; inclui agentes antineoplásicos cactinomicina (actinomicina C) e dactinomicina (actinomicina D).

ac·ti·no·my·co·sis (-mi-ko'sis) – actinomicose; doença infecciosa causada pelo *Actinomyces*, caracterizada por lesões inflamatórias indolentes dos linfonodos que drenam a boca, por abscessos intraperitoneais ou pulmonares devidos à aspiração. **actinomico'tic** – adj. actinomicótico.

ac·ti·no·ther·a·py (-ther'ah-pe) – actinoterapia; fototerapia (*phototherapy*).

ac·tion (ak'shun) – ação; consecução de um efeito, seja mecânico ou químico, ou produzido dessa forma. **ac'tive** – adj. ativo. **cumulative a.** – a. cumulativa; ação súbita e acentuadamente aumentada de uma droga após a administração de várias doses. **reflex a.** – a. reflexa; resposta freqüentemente involuntária, resultante da passagem do potencial de excitação de um receptor de um músculo ou glândula através de um arco reflexo.

ac·ti·va·tion (ak"tĭ-va'shun) – ativação: 1. ato ou processo de tornar ativo; 2. transformação de uma proenzima em enzima ativa pela ação de uma cinase ou de outra enzima; 3. processo pelo qual o sistema nervoso central é estimulado a uma atividade através da mediação do sistema de ativação reticular; 4. indução deliberada de um padrão de atividade elétrica no cérebro. **allosteric a.** – a. alostérica; aumento na atividade enzimática por meio da conjugação de um efetor em um sítio alostérico que afeta a conjugação ou a rotatividade no sítio catalítico. **contact a.** – a. de contato; iniciação do trajeto intrínseco de coagulação através da interação do fator de coagulação XII com várias superfícies eletronegativas.

ac·ti·va·tor (ak'tĭ-va"ter) – ativador: 1. substância que torna ativa outra substância ou que torna uma enzima inativa capaz de exercer seu efeito apropriado; 2. substância que estimula o desenvolvimento de uma estrutura específica no embrião. **plasminogen a.** – a. de plasminogênio; qualquer substância de um grupo de substâncias que tenha a capacidade de fender o plasminogênio e convertê-lo à forma ativa plasmina; ver *plasminogen activator*. **prothrombin a.** – a. da pro-trombina; qualquer das substâncias dos trajetos extrínseco e intrínseco de coagulação. **single chain urokinase-type plasminogen a. (scu-PA)** – a. de plasminogênio do tipo urocinase de cadeia única; prourocinase. **tissue plasminogen a. (t-PA, TPA)** – a. de plasminogênio tecidual. **urinary plasminogen a.** – a. de plasminogênio urinário.

ac·ti·vin (ak'tĭ -vin) – ativina; regulador não-esteróide sintetizado nas glândulas hipofisárias e nas gônadas, que estimula a secreção do hormônio folículo-estimulante.

ac·tiv·i·ty – (ak-tiv'ĭ -te) – atividade: 1. qualidade ou processo de emprego de energia ou de realização de um efeito; 2. quantidade termodinâmica que representa a concentração efetiva de um soluto em solução não-ideal. Símbolo *a.*; 3. o número de desintegrações de um material radioativo por unidade de tempo. Símbolo *A.*; 4. presença de energia elétrica registrável em um músculo ou nervo; 5. a. óptica. **end-plate a.** – a. da placa final; atividade espontânea registrada no músculo normal próxima às placas motoras finais. **enzyme a.** – a. enzimática; efeito catalítico exercido por uma enzima expresso em unidades por miligrama de enzima (*a. específica*) ou em moléculas de substrato transformadas, por minuto, por molécula de enzima (*a. molecular*). **intrinsic sympathomimetic a. (ISA)** – a. simpatomimética intrínseca; capacidade de um β-bloqueador de estimular fracamente receptores β-adrenérgicos durante um β-bloqueio. **optical a.** – a. óptica; a capacidade de um composto químico girar o plano de polarização de luz polarizada plana.

ac·to·my·o·sin (ak''to-mi'o-sin) – actomiosina; complexo de actina e miosina que ocorre nas fibras musculares.

acu·i·ty (ah-ku'ĭ -te) – acuidade; agudeza ou clareza, especialmente de visão.

acu·mi·nate (ah-ku'mĭ -nāt) – acuminado; pontiagudo.

acu·punc·ture (ak'u-punk''cher) – acupuntura; prática chinesa de perfurar áreas específicas do corpo ao longo dos nervos periféricos com agulhas finas para aliviar a dor, induzir anestesia cirúrgica e para propósitos terapêuticos.

acus (a'kus) – agulha ou processo em forma de agulha.

acute (ah-kūt') – agudo; que tem sintomas severos e de evolução curta.

acy·a·not·ic (a-si''ah-not'ik) – acianótico; caracterizado pela ausência de cianose.

acy·clo·vir (a-si'klo-vir) – aciclovir; nucleosídeo purínico, sintético, com atividade seletiva contra o vírus do herpes simples; utilizado no tratamento de infecções virais mucocutâneas e por herpes genitais.

ac·yl·ase (a'sĭ -lās) – acilase; amidase; ver *amidase*(1).

ac·yl-CoA de·hy·dro·gen·ase (a''sil-ko-a' de-hi'dro-jen-ās) – acil-CoA desidrogenase; qualquer das várias enzimas que catalisam a oxidação dos tioésteres da acilcoenzima A como uma fase na degradação dos ácidos graxos. As enzimas individuais são específicas para determinadas variações de comprimentos de cadeia acílica: *a-CoA d. de cadeia longa (LCAD)*, *a-CoA d. de cadeia média (MCAD)* e *a-CoA d. de cadeia curta (SCAD)*.

ac·yl·glyc·er·ol (-glis'er-ol) – acilglicerol; glicerídio (*glyceride*).

N-ac·yl·sphin·go·sine (-sfing'go-sēn) – N-acilesfingosina; ceramida (*ceramide*).

ac·yl·trans·fer·ase (-trans'fer-ās) – aciltransferase; qualquer substância de um grupo de enzimas que catalisam a transferência de um grupo acil de uma substância para outra.

acys·ti·ner·via (a-sis''tĭ -ner've-ah) – acistinervia; paralisia da bexiga.

A.D. [L.] – *auris dextra* (orelha direita).

ad [L.] – preposição; *para*.

ADA – American Dental Association (Associação Dentária Americana); American Diabetes Association (Associação Americana do Diabetes); American Dietetic Association (Associação Dietética Americana).

adac·ty·ly (a-dak'tĭ -le) – adactilia; ausência congênita de dedos. **adac'tilous** – adj. adáctilo.

ad·a·man·tine (ad''ah-man'tin) – adamantino; relativo ao esmalte dos dentes.

ad·a·man·ti·no·ma (ad''ah-man''tĭ -no'mah) – adamantinoma; ameloblastoma. **a. of long bones** – a. dos ossos longos; tumor raro que geralmente ocorre na tíbia; semelhante ao ameloblastoma da mandíbula, mas acredita-se que não tenha relação.

ad·a·man·to·blast (ad''ah-man'to-blast) – adamantoblasto; ameloblasto (*ameloblast*).

ad·a·man·to·ma (ad''ah-man-to'mah) – adamantoma; ameloblastoma (*ameloblastoma*).

ad·ap·ta·tion (ad''ap-ta'shun) – adaptação: 1. ajustamento de um organismo ao seu ambiente ou processo pelo qual ele potencializa esse condicionamento; 2. capacidade normal do olho em se ajustar à intensidade da luz; ajustamento a tais variações; 3. declínio na freqüência de disparos de um neurônio, particularmente de um receptor, sob condições de estímulo constante; 4. em Odontologia, (*a*) encaixe apropriado de uma dentadura, (*b*) grau de proximidade e entrelaçamento do material restaurador de uma preparação dentária, (*c*) ajustamento exato de faixas aos dentes; 5. em microbiologia, o ajustamento da fisiologia bacteriana a um novo ambiente. **color a.** – a. de cor: 1. alterações na percepção visual da cor sob estímulo prolongado; 2. adaptação da visão a um grau de clareza ou tom de iluminação colorida. **dark a.** – a. à escuridão; adaptação do olho à visão no escuro ou à iluminação reduzida. **genetic a.** – a. genética; seleção natural da progênie de um mutante mais bem-adaptado a um novo ambiente; especialmente observada no desenvolvimento de micróbios resistentes a agentes quimioterápicos ou outros inibidores de crescimento (resistência a drogas). **light a.** – a. à luz; ajustamento do olho à visão sob luz solar ou iluminação clara (fotopia), com redução na concentração dos pigmentos fotossensíveis do olho. **phenotypic a.**

– a. fenotípica; alteração nas propriedades de um organismo em resposta a uma mutação genética ou alteração no ambiente.

ad·ap·tom·eter (ad"ap-tom'ĕ-ter) – adaptômetro; instrumento para medir o tempo exigido à adaptação retiniana, ou seja, para a regeneração da orla visual; utilizado na detecção de cegueira noturna, deficiência de vitamina A e retinose pigmentar. **color a.** – a. de cor, instrumento para demonstrar a adaptação do olho à cor ou à luz.

ad·der (ad'er) – cobra: 1. *Vipera berus; 2.* uma das muitas cobras venenosas da família Viperidae como um tipo de víbora africana e a víbora européia.

ad·dic·tion (a-dik'shun) – vício; dependência física ou psicológica de algum agente (por exemplo, álcool, drogas), com tendência a aumentar seu uso.

ad·di·son·ism (adĭ -son-izm") – addisonismo; sintomas observados na tuberculose pulmonar, que consistem de debilidade e pigmentação, semelhante à doença de Addison.

ad·duct (ah-dukt') – aduzir: 1. tracionar; impelir em direção ao plano mediano ou (nos dedos) à linha do eixo de um membro; 2. complexo de inclusão.

ad·duc·tion (ah-duk'shun) – adução; ato de aduzir; estado de ser aduzido.

adelo·mor·phous (ah-del"o-mor'fis) – adelomorfo; com forma indefinida.

ad·e·nal·gia (ad"ĕ-nal'jah) – adenalgia; dor em uma glândula.

aden·drit·ic (a"den-drit'ik) – adendrítico; desprovido de dendritos.

ad·e·nec·to·my (ad"ĕ-nek'tah-me) – adenectomia; excisão de uma glândula.

ad·en·ec·to·pia (ad"ĕ-nek-to'pe-ah) – adenectopia; distopia, ou deslocamento de uma glândula.

ade·nia (ah-de'-ne-ah) – adenia; aumento de volume crônico dos gânglios linfáticos; ver também *lymphoma.*

ad·e·nine (ad'ĕ-nēn) – adenina; base purínica que ocorre geralmente em um complexo com ribose ou desoxirribose nas células vegetais e animais para formar adenosina e desoxiadenosina, componentes dos ácidos nucleicos, nucleotídeos e coenzimas. É utilizada para melhorar a preservação do sangue completo. Símbolo A. **a. arabinoside** – a. arabinosiladenina; vidarabina.

ad·e·ni·tis (ad"ĕ-ni'tis) – adenite; inflamação de glândula. **cervical a.** – a. cervical; afecção caracterizada pelo aumento de volume, inflamação e sensibilidade dos linfonodos do pescoço; observada em determinadas doenças infecciosas infantis, como as infecções agudas da garganta. **mesenteric a.** – a. mesentérica; linfadenite mesentérica.

aden(o)- [Gr.] – elemento de palavra, *glândula.*

ad·e·no·ac·an·tho·ma (ad"ĕ-no-ak"an-tho'-mah) – adenoacantoma; adenocarcinoma no qual algumas células exibem diferenciação escamosa.

ad·e·no·am·e·lo·blas·to·ma (-ah-mel"o-blas- to'mah) – adenoameloblastoma; tumor odontogênico adenomatóide.

ad·e·no·blast (ad'ĕ-no-blast") – adenoblasto; precursor embrionário do tecido glandular.

ad·e·no·car·ci·no·ma (ad"ĕ-no-kahr"sĭ -no'-mah) – adenocarcinoma; carcinoma derivado de tecido glandular ou no qual as células tumorais formam estruturas glandulares reconhecíveis. **acinar a.** – a. acinar: 1. carcinoma acinar; 2. neoplasia mais comum da próstata, geralmente surgindo nos ácinos periféricos. **acinic cell a., acinous a.** – a. de celular acinar; a. acinoso; ver em *carcinoma*; **gastric a.** – a. gástrico; câncer de um grupo de cânceres gástricos comuns, geralmente localizados no antro; ocorre particularmente no Japão, Islândia, Chile e Finlândia e pode estar associado a determinadas substâncias dietéticas como as nitrosaminas e o benzopireno. **a. of the lung** – a. pulmonar; um tipo de carcinoma broncogênico constituído de células cubóides ou colunares em discreta massa, geralmente na periferia dos pulmões. **a. of the prostate** – a. prostático; a. acinar. (2)

ad·e·no·ce·le (ad'ĕ-no-sēl") – adenocele; tumor adenomatoso cístico.

ad·e·no·cel·lu·li·tis (ad"ĕ-no-sel"u-li'tis) – adenocelulite; inflamação de uma glândula e do tecido adjacente.

ad·e·no·cys·to·ma (-sis-to'mah) – adenocistoma; cistadenoma. **papillary a. lymphomatosum** – a. papilar linfomatoso; adenolinfoma.

ad·e·no·cyte (ad'ĕ-no-sī t") – adenócito; célula secretora madura de uma glândula.

ad·e·no·ep·i·the·li·o·ma (ad"e-no-ep"i-the"le-o'mah) – adenoepitelioma; tumor composto de elementos glandulares e epiteliais.

ad·e·no·fi·bro·ma (-fi-bro'mah) – adenofibroma; tumor composto de tecido conjuntivo que contém estruturas glandulares.

ad·e·nog·e·nous (ad"ĕ-noj'ĕ-nus) – adenógeno; que se origina do tecido glandular.

ad·e·no·gra·phy (-nog'rah-fe) – adenografia; radiografia das glândulas.

ad·e·no·hy·poph·y·sec·to·my (ad"ĕ-no-hi-pof''ĭ -sek'tah-me) – adeno-hipofisectomia; excisão da porção glandular (adeno-hipófise) da hipófise.

ad·e·no·hy·poph·y·sis (-hi-pof''ĭ -sis) – adeno-hipófise; lobo anterior (ou glandular) da hipófise. **adenohypophys'eal** – adj. adeno-hipofisário.

ad·enoid (ad'ĕ-noid) – adenóide: 1. semelhante a uma glândula; 2. (pl.) hipertrofia do tecido adenóide (tonsila faríngea) que normalmente existe na nasofaringe das crianças.

ad·e·noid·i·tis (ad"ĕ-noid-i'tis) – adenoidite; inflamação das tonsilas faríngeas.

ad·e·no·li·po·ma (ad"ĕ-no-lī -po'mah) – adenolipoma; tumor composto de elementos teciduais tanto glandulares como gordurosos.

ad·e·no·lym·phi·tis (-lim-fi'tis) – adenolinfite; linfadenite (*lymphadenitis*).

ad·e·no·lym·pho·ma (-lim-fo'mah) – adenolinfoma; tumor benigno de glândula parótida, caracterizado por espaços císticos revestidos por células epiteliais eosinófilas, colunares, altas, sobrepondo-se a tecido linfóide – que contém estroma.

ad·e·no·ma (ad"ĕ-no'mah) – adenoma; tumor epitelial benigno no qual as células formam estruturas glandulares reconhecíveis ou as células derivam do epitélio glandular. **basal cell a.** – a. de célula basal; tumor de glândula salivar indolor, benigno, encapsulado e de crescimento lento originário das células intercaladas ou de reserva que ocorre principalmente em homens, na glândula parótida ou no lábio superior; podem-se distinguir histologicamente os tipos *sólido, canalicular, trabecular-tubular* e *membranoso*. **bronchial a's.** – adenomas brônquicos; adenomas situados nos tecidos da submucosa dos grandes brônquios; algumas vezes compostos de células bem-diferenciadas e geralmente circunscritas, esses tumores têm duas formas histológicas: carcinóide e cilindroma. Embora denominados "adenomas", esses tumores são hoje reconhecidos como de malignidade de baixo grau. **carcinoma ex pleomorphic a.** – a. carcinoma ex-pleomórfico; ver em *carcinoma*. **chromophobe a., chromophobic a.** – a. cromófobo; adenoma hipofisário cujas células não têm grânulos acidofílicos ou basofílicos. **Hürthle cell a.** – a celular de Hürthle; ver em *tumor*. **mixed-cell a.** – a. celular misto; adenoma hipofisário que contém mais de um tipo celular, geralmente tornando-o pluriormonal. **monomorphic a.** – a. monomórfico; um dentre um grupo de tumores de glândulas salivares benignos que não têm alterações do tecido conjuntivo e cada um deles é composto predominantemente de um único tipo celular. **nephrogenic a.** – a. nefrogênico; neoplasia benigna rara da mucosa da bexiga ou da uretra que consiste de estruturas tubulares semelhantes ao néfron. **null-cell a.** – a. celular nulo; adenoma hipofisário cujas células dão resultados negativos em testes para corar e de secreção hormonal, embora alguns possam conter células funcionais e associar-se a um estado hiper-hipofisário. **oncocytic a.** – a. oncocítico: 1. oncocitoma; 2. a. celular de Hürtle; **pituitary a.** – a. hipofisário; neoplasia benigna da hipófise anterior; alguns contêm células secretoras de hormônios (*adenomas endócrino-ativos)*, mas algumas não são secretoras (*adenomas endócrino-inativos)*. **pleomorphic a.** – a. pleomórfico; tumor epitelial benigno e de crescimento lento da glândula salivar, geralmente da glândula parótida, algumas vezes servindo como local para o desenvolvimento de uma neoplasia epitelial maligna (*a. pleomórfico maligno)*.

ad·e·no·ma·la·cia (ad"ĕ-no-mah-la'shah) – adenomalacia; amolecimento indevido de uma glândula.

ad·e·no·ma·toid (ad"ĕ-no'mah-toid) – adenomatóide; semelhante ao adenoma.

ad·e·no·ma·to·sis (ad"ĕ-no"mah-to'sis) – adenomatose; desenvolvimento de vários crescimentos adenomatosos.

ad·e·no·mere (ad'ĕ-no-mēr") – adenômero; porção terminal cega da cavidade glandular de uma glândula em desenvolvimento, tornando-se a porção funcional do órgão.

ad·e·no·myo·fi·bro·ma (ad"ĕ-no-mi"o-fi-bro'mah) – adenomiofibroma; fibroma que contém tanto elementos glandulares como musculares.

ad·e·no·my·o·ma (-mi-o'mah) – adenomioma; ver *adenomyosis*.

ad·e·no·my·o·ma·to·sis (-mi"o-mah-to'sis) – adenomiomatose; formação de nódulos adenomi-

matosos múltiplos nos tecidos adjacentes ao útero ou no útero.

ad·e·no·myo·me·tri·tis (-mi"o-me-tri'tis) – adenomiometrite; adenomiose.

ad·e·no·myo·sar·co·ma (-mi"o-sahr-ko'mah) – adenomiossarcoma; tumor mesodérmico misto que contém células musculares estriadas.

ad·e·no·my·o·sis (-mi-o'sis) – adenomiose; crescimento interno e benigno do endométrio no interior da musculatura uterina, algumas vezes com supercrescimento da última; se a lesão formar um nódulo circunscrito semelhante a um tumor, é chamado de adenomioma (*adenomyoma)*.

ad·e·non·cus (ad"ĕ-nong'kus) – adenonco; aumento de volume de uma glândula.

ad·e·nop·a·thy (ad"ĕ-nop'ah-the) – adenopatia; aumento de volume dos glânglios linfáticos, especialmente dos linfonodos.

ad·e·no·phar·yn·gi·tis (ad"ĕ-no-far"in-j'tis) – adenofaringite; inflamação das adenóides e faringe, geralmente envolvendo as tonsilas.

ad·e·no·sar·co·ma (-sahr-ko'mah) – adenossarcoma; tumor misto composto tanto de elementos glandulares como de sarcomatosos.

ad·e·no·scle·ro·sis (-sklĕ-ro'sis) – adenosclerose; endurecimento de uma glândula.

aden·o·sine (ah-den'o-sēn) – adenosina; nucleosídeo purínico composto de adenina e ribose; é um componente do RNA. Também é um depressivo cardíaco utilizado em Farmácia como antiarrítmico. Símbolo A. **cyclic a. monophosphate (cyclic AMP, cAMP, 3'5'-AMP)** – monofosfato de a. cíclico (AMP cíclico, AMPc, 3',5'-AMP); nucleotídeo cíclico; o 3',5'-monofosfato de adenosina cíclico serve como um "segundo mensageiro" intracelular (e algumas vezes extracelular) que media a ação de muitos hormônios peptídicos ou aminas. **a. diphosphate (ADP)** – difosfato de a. (ADP); um nucleotídeo; o 5'-pirofosfato de adenosina participa do metabolismo energético; é produzido pela hidrólise do trifosfato de adenosina (ATP) e é convertido novamente em ATP pelos processos metabólicos da fosforilação oxidativa e fosforilação ao nível do substrato. **a. monophosphate (AMP)** – monofosfato de a. (AMP); nucleotídeo; o 5'-fosfato de adenosina participa do metabolismo energético e da síntese de nucleotídeos. Também chamado de ácido adenílico (*adenylic acid)*. **a. triphosphate (ATP)** – trifosfato de a. (ATP); um nucleotídeo; o 5'-trifosfato de adenosina participa do metabolismo energético e é necessário na síntese de RNA; ele existe em todas as células e é utilizado para armazenar energia na forma de ligações de fosfato de alta energia. A energia livre derivada de sua hidrólise é utilizada para conduzir reações metabólicas, transportar moléculas contra gradientes de concentração e produzir a movimentação mecânica.

aden·o·sine·de·am·i·nase (de-am'ĭ-nās) – adenosina-desaminase (ADA); enzima que catalisa a desaminação hidrolítica da adenosina para formar a inosina, reação do metabolismo purínico. Descobriu-se ausência de atividade enzimática em muitos indivíduos com síndrome de imunodeficiência severa combinada.

ad·e·no·sis (ad"ĕ-no'-sis) – adenose: 1. qualquer doença de uma glândula; 2. desenvolvimento anormal de uma glândula. **mammary sclerosing a., sclerosing a. of breast** – a. esclerosante mamária; a. esclerosante da mama; a. fibrosante; uma forma de doença da mama; caracterizada por nódulos sensíveis firmes e múltiplos, tecido fibroso, mastodinia e algumas vezes cistos pequenos.

ad·e·no·syl·co·ba·la·min (ah-den''-o-sil-ko-bal'ah-min) – adenosilcobalamina (AdoCbl); uma de duas formas metabolicamente ativas de cobalamina sintetizadas com a ingestão de vitamina B_{12}; é a forma predominante no fígado.

ad·e·no·tome (ad'ĕ-no-tōm") – adenótomo; instrumento para a excisão das tonsilas faríngeas.

Ad·e·no·vi·ri·dae (ad'ĕ-no-vir'ĭ de) – Adenoviridae; adenovírus: família de vírus do DNA com genoma de filamento duplo, geralmente com variação estreita de hospedeiros, e transferido por transmissão direta ou indireta; inclui o gênero *Mastadenovirus*.

ad·e·no·vi·rus (ad'ĕ-no-vi''rus) – adenovírus; vírus pertencente à família Adenoviridae. **adenovi'ral** – adj. adenoviral. **mammalian a's.** – a. das mamas; *Mastadenovirus*.

ad·e·nyl (ad'-ĕ-nil) – adenil: 1. radical da adenina; 2. algumas vezes (incorretamente) utilizado por adenilil.

aden·yl·ate (ah-den'ĭ -lāt) – adenilato; forma dissociada do ácido adenílico.

aden·ylate ki·nase (ki'nās) – cinase do ácido adenílico; miocinase; enzima que catalisa a conversão de duas moléculas de ADP em AMP e ATP; ocorre predominantemente nos músculos, proporcionando energia para a contração muscular.

ad·e·nyl cy·clase (ad'ĕ-nil si'klās) – adenilciclase; enzima que catalisa a conversão do trifosfato de adenosina (ATP) a monofosfato de adenosina cíclico (AMPc) e pirofosfato inorgânico (PFi). É ativada pela ligação de um hormônio ou neurotransmissor a um receptor específico conjugado à membrana.

ad·e·nyl·ic ac·id (ad'ĕ-nil'ik) – ácido adenílico; adenosina fosforilada, geralmente monofosfato de adenosina.

aden·yl·yl (ah-den'il-il) – adenilil; radical do monofosfato de adenosina com um íon de OH removido.

ad·e·qua·cy (ad'ĭ -kwah-se) – adequação; estado de suficiência com propósito específico. **velopharyngeal a.** – a. velofaríngea; fechamento funcional suficiente do véu palatino contra a parede posterior da faringe, de forma que o ar (e a partir daí o som) não possa entrar nas cavidades nasofaríngea e nasal.

ader·mo·gen·e·sis (ah-der''mo-jen'ĭ -sis) – adermogênese; desenvolvimento imperfeito da pele.

ADH – antidiuretic hormone (hormônio antidiurético).

ad·her·ence (ad-hēr'ĭ ns) – aderência, ato ou qualidade de fixar-se em alguma coisa. **immune a.** – a. imune; fenômeno dependente de complemento em que os complexos antígeno-anticorpo ou os antígenos parciais recobertos com anticorpos (por exemplo, bactérias recobertas com anticorpos) aderem-se a hemácias quando se liga o componente de complemento C3. É um detector sensível de anticorpos que fixam complemento.

ad·he·sion (ad-he'zhun) – adesão: 1. propriedade de permanecer em estreita proximidade; 2. junção estável de determinadas partes com outras, o que pode ocorrer anormalmente; 3. faixa fibrosa ou estrutura cujas partes aderem-se anormalmente. **interthalamic a.** – a. intertalâmica; faixa de substância cinzenta que se junta aos tálamos ópticos; desenvolve-se como aderência secundária e encontra-se freqüentemente ausente. **primary a.** – a. primária; cicatrização por primeira intenção; **secondary a.** – a. secundária; cicatrização por segunda intenção.

ad·he·si·ot·o·my (ad-he"ze-ot'ah-me) – adesiotomia; secção cirúrgica das adesões.

adi·a·do·cho·ki·ne·sia (ah-di''ah-do''ko-kĭ -ne'zhah) – adiadococinesia; discinesia que consiste na incapacidade de realizar movimentos coordenados, alinhados e repetidos rapidamente (diadococinesia).

adi·a·pho·ria (a''di-ah-for'e-ah) – adiaforia; incapacidade de resposta a estímulos como resultado de exposição anterior a estímulos semelhantes; ver também *period, refractory*.

adi·a·spi·ro·my·co·sis (ad''e-ah-spi''ro-mi-ko'-sis) – adiaspiromicose; doença pulmonar de muitas espécies de roedores através do mundo e raramente do homem, decorrente da inalação de esporos produzidos pelos fungos das espécies *Emmonsia parva* e *E. crescens*, e caracterizada pela presença de esférulas volumosas (adiasporos) sem endosporos nos pulmões.

adi·a·spore (ad'e-ah-spor'') – adiasporo; esporo produzido pelos fungos do solo das espécies *Emmonsia parva* e *E. crescens;* ver *adiaspiromycosis*.

adip(o)- [L.] – elemento de palavra, *gordura*.

ad·i·po·cele (ad'ĭ -po-sēl'') – adipocele; hérnia que contém gordura.

ad·i·po·cel·lu·lar (ad''ĭ -po-sel'u-ler) – adipocelular; composto de gordura e tecido conjuntivo.

ad·i·po·cere (ad'ĭ -po-sēr'') – adipócera; substância cérea formada durante a decomposição de cadáveres de animais, que consiste principalmente de sais insolúveis de ácidos graxos.

ad·i·po·cyte (-sī t) – adipócito; célula de gordura.

ad·i·po·gen·ic (ad''ĭ -po-jen'ik) – adipogênico; lipogênico.

ad·i·po·ki·ne·sis (-kĭ -ne'sis) – adipocinese; mobilização da gordura no corpo. **adipokinet'ic** – adj. adipocinético.

ad·i·po·ki·nin (-ki'nin) – adipocinina; hormônio proveniente da hipófise anterior que acelera a mobilização de gordura armazenada.

ad·i·pol·y·sis (ad''ĭ -pol'i-sis) – adipólise; lipólise. **adipolyt'ic** – adj. adipolítico.

ad·i·po·ne·cro·sis (ad''ĭ -po-nah-kro'sis) – adiponecrose; necrose de tecido gorduroso.

ad·i·po·pex·is (-pek'sis) – adipopexia; fixação ou armazenamento de gorduras. **adipopec'tic** – adj. adipopéctico.

ad·i·po·sis (ad''ĭpo'sis) – adipose: 1. obesidade; acúmulo excessivo de gorduras; 2. alteração adiposa em um órgão ou tecido. **a. cerebra'lis** – a. cerebral; adiposidade cerebral. **a. doloro'sa** – a. dolorosa; doença (geralmente de mulheres) caracterizada por tumefações localizadas, gordurosas e dolorosas bem como por várias lesões nervosas; pode ocorrer morte por complicações pulmonares. **a. hepat'ica** – a. hepática; alteração gordurosa do fígado.

ad·i·po·si·tis (ad''ĭ-po-si'tis) – adiposite; paniculite; ver *panniculitis*.

ad·i·pos·i·ty (ad''ĭ-pos'ĭ-te) – adiposidade; estado de ser gordo; obesidade. **cerebral a.** – a. cerebral; obesidade decorrente de cerebropatia, especialmente do hipotálamo.

ad·i·po·su·ria (ad''ĭ-po-su're-ah) – adiposúria; ocorrência de gordura na urina.

adip·sia (a-dip'se-ah) – adipsia; ausência de sede ou abstenção anormal de beber.

ad·i·tus (ad'ĭ-tus) [L.] pl. *aditus* – ádito; na nomenclatura anatômica, acesso ou entrada em um órgão ou parte.

ad·ju·vant (aj''oo-vant, ă-joo'vant) – adjuvante: 1. assistente ou auxiliar; 2. substância que reforça a ação de outra, como remédio auxiliar; 3. veículo estimulador inespecífico de resposta imune. **Freund's a.** – a. de Freund; emulsão de água em óleo que na fase aquosa incorpora antígenos, em óleo de parafina de peso leve com o auxílio de agente emulsificante. Na injeção, essa mistura (*a. de Freund incompleto*) induz a forte formação persistente de anticorpos. A adição de micobactérias mortas e ressecadas, na fase oleosa, como por exemplo, a *Mycobacterium butyricum* (*a. de Freund completo*) dispara a imunidade mediada por células (hipersensibilidade de retardada), bem como a formação de anticorpos humorais.

ad·ju·van·tic·i·ty (aj''oo-van-tis-ĭ-te, ă-joo''van-tis'ĭ-te) – adjuvanticidade; capacidade de modificar a resposta imune.

ad·ner·val (ad-ner'vil) – adneural: 1. situado próximo a um nervo; 2. em direção a um nervo, diz-se de uma corrente elétrica que passa através de um músculo em direção ao ponto de entrada de um nervo.

ad·neu·ral (ad-noor'al) – adneural; adjacente ao nervo.

ad·nexa (ad-nek'sah) [L., pl.] sing. *adnexum* – anexos; apêndices ou estruturas acessórias de um órgão como os anexos oculares (*a. oculares*), incluindo as pálpebras e o aparelho lacrimal, ou uterinos (*a. uterinos*), incluindo as tubas e ligamentos uterinos e os ovários. **adnex'al** - adj. anexos; relativo aos anexos.

ad·o·les·cence (ad''o-les'ins) – adolescência; período entre a puberdade e o término do crescimento físico, de modo geral, dos 11 aos 19 anos de idade. **adolesce'nt** – adj. adolescente.

ad·or·al (ad-o'ral) – adoral; em direção ou próximo à boca.

ADP – adenosine diphosphate (difosfato de adenosina).

ad·re·nal (ah-dre'nil) – adrenal: 1. próximo ao rim; 2. glândula supra-renal.

Adren·a·lin (ah-dren'ah-lin) – Adrenalina, marca registrada da adrenalina.

adren·a·line (ah-dren'ah-lin) – adrenalina; epinefrina.

adren·a·lin·uria (ah-dren''ah-lin-u're-ah) – adrenalinúria; presença de adrenalina na urina.

adren·al·ism (ah-dren'al-izm) – adrenalismo; estado mórbido devido à disfunção adrenal.

adre·na·li·tis (ah-dre''nal-i'tis) – adrenalite; inflamação das glândulas supra-renais.

ad·ren·er·gic (ad''ren-er'jik) – adrenérgico: 1. ativado por, característico de, ou que secreta adrenalina ou substâncias relacionadas, particularmente as fibras nervosas simpáticas que liberam noradrenalina em sinapse quando um impulso nervoso passa; 2. qualquer agente que produza tal efeito. Ver também sob *receptor*.

adren(o)- [L.] – elemento de palavra, *glândula adrenal*.

adre·no·ceptor (ah-dre''no-sep'ter) – adrenoceptor; receptor adrenérgico. **adrenocep'tive** – adj. adrenoceptivo.

adre·no·cor·ti·co·hy·per·pla·sia (-kor''tĭ-ko-hi''-perpla-'zhah) – adrenocórtico-hiperplasia; hiperplasia cortical adrenal.

adre·no·cor·ti·coid (-kor'tĭ-koid'') – adrenocorticóide; um dos hormônios esteróides sintetizados no córtex adrenal; ver *corticosteroid*.

adre·no·cor·ti·co·mi·met·ic (-kor''tĭ-ko-mimet'ik) – adrenocorticomimético; com efeitos semelhantes aos dos hormônios do córtex adrenal.

adre·no·cor·ti·co·troph·ic (-trof'ik) – adrenocorticotrófico; corticotrófico.

adre·no·cor·ti·co·troph·in (-trof'in) – adrenocorticotrofina; corticotrofina.

adre·no·cor·ti·co·tro·pin (-trŏp'in) – adrenocorticotropina; corticotropina (*corticotropin*).

adre·no·dox·in (ah-dre''no-dok'sin) – adrenodoxina; proteína ferrossulfúrica do córtex adrenal que serve como transportadora de elétrons na biossíntese dos esteróides adrenais do colesterol.

adre·no·leu·ko·dys·tro·phy (-loo''ko-dis'tro-fe) – adrenoleucodistrofia; distúrbio associado ao cromossoma X caracterizado pela anormalidade difusa da substância branca cerebral e atrofia adrenal.

adre·no·lyt·ic (-lit'ik) – adrenolítico; que inibe a ação dos nervos adrenérgicos ou a resposta à adrenalina.

adre·no·meg·a·ly (-meg'ah-le) – adrenomegalia; aumento de volume de uma ou ambas as glândulas supra-renais.

adre·no·mi·met·ic (-mi-met'ik) – adrenomimético; simpatomimético.

adre·no·my·elo·neu·rop·a·thy (-mi''ĕ-lo-nŏo-rop'ah-the) – adrenomieloneuropatia; afecção hereditária relacionada à adrenoleucodistrofia mas que inclui degeneração da medula espinhal e neuropatia periférica.

adre·no·re·cep·tor (-re-sep'ter) – adrenorreceptor; receptor adrenérgico.

adre·no·tox·in (-tok'sin) – adrenotoxina; qualquer substância que seja tóxica às glândulas supra-renais.

Adri·a·my·cin (a''dre-ah-mi'sin) – Adriamicina, marca registrada de preparações de cloridrato de doxorrubicina.

ad·sorb (ad-sorb') – adsorver; atrair e reter outro material na superfície.

ad·sor·bent (ad-sor'bent) – adsorvente: 1. relativo a ou caracterizado pela adsorção; 2. substância que atrai outros materiais ou partículas à sua superfície.

ad·sorp·tion (ad-sorp'shun) – adsorção; ação de uma substância na atração e manutenção de outros materiais ou partículas em sua superfície.

ad·tor·sion (ad-tor'-shun) – adtorção; torção para dentro (intorção).

adult (ah-dult') – adulto; que atingiu crescimento ou maturidade completos, ou organismo que sofreu este processo.

adul·te·ra·tion (ah-dul"ter-a'shun) – adulteração; adição de ingrediente impuro, barato ou desnecessário para fraudar, baratear ou falsificar uma preparação; na terminologia legal, rotulação incorreta, incluindo dosagem em desacordo com o rótulo.

ad·vance·ment (ad-vans'ment) – avançamento; descolamento cirúrgico como o que ocorre em músculo ou tendão, seguido de recolamento em ponto avançado.

ad·ven·ti·tia (ad"ven-tish'e-ah) – adventícia: camada externa de um órgão ou estrutura, especialmente a camada externa de uma artéria.

ad·ven·ti·tious (ad"ven-tish'is) – adventício: 1. acidental ou adquirido; não-natural ou hereditário; 2. encontrado fora do local normal ou comum.

ady·na·mia (a''di-na'me-ah) – adinamia; ausência ou perda das forças normais ou vitais; astenia.

adynam'ic – adj. adinâmico.

Ae·des (a-e'dēz) – Aedes; gênero de mosquitos, incluindo aproximadamente 600 espécies; alguns são vetores de doenças, e outros são pragas. Inclui a espécie A. aegypti, vetor da febre amarela e da dengue.

aer·ation (ār-a'shun) – aeração; arejamento: 1. troca de dióxido de carbono por oxigênio no sangue nos pulmões; 2. saturação de um líquido com ar ou gás.

aero- [Gr.] – elemento de palavra, ar; gás.

Aero·bacter (ār'o-bak'ter) – Aerobacter; nome antigo de um gênero de bactérias hoje conhecidas como a família Enterobacteriaceae; as espécies individuais estão entre os gêneros Enterobacter e Klebsiella.

aer·obe (ār'ōb) – aeróbio; microrganismo que vive e cresce na presença de oxigênio livre. **aero'bic** – adj. aeróbico. **facultative a's** – aeróbios facultativos; microrganismos que podem viver na presença ou ausência de oxigênio. **obligate a's** – aeróbios obrigatórios; microrganismos que requerem oxigênio para o crescimento.

aero·bi·ol·o·gy (ār'o-bi-ol'o-je) – aerobiologia; estudo da distribuição dos microrganismos pelo ar.

aero·bi·o·sis (-bi-o'sis) – aerobiose; vida que exige oxigênio livre.

aero·cele (ār'o-sēl'') – aerocele; tumor formado pelo preenchimento de ar em bolsa adventícia. **epidural a.** – a. epidural; coleção de ar entre a dura-máter e a parede da coluna espinhal.

aero·der·mec·ta·sia (ār''o-der''mek-ta'zhah) – aerodermectasia; enfisema subcutâneo, que pode ser espontâneo, traumático ou cirúrgico quanto à origem.

aer·odon·tal·gia (-don-tal'je-ah) – aerodontalgia; dor nos dentes causada pela redução da pressão atmosférica em regiões altas.

aero·em·bo·lism (-em'bo-lizm) – aeroembolia; obstrução de vaso sangüíneo por ar ou gás.

aero·em·phy·se·ma (-em''fí -ze'mah) – aeroenfisema; enfisema e edema pulmonares com coleção de bolhas de nitrogênio nos tecidos pulmonares; devido à descompressão atmosférica excessivamente rápida.

aero·gen (ār'o-jen'') – aerógeno; bactéria produtora de gás.

Aero·mo·nas (ār''o-mo'nas) – Aeromonas; gênero de esquizomicetos (família Pseudomonadaceae) geralmente encontrado na água, sendo algumas espécies patogênicas aos peixes, anfíbios, répteis e ao homem.

aero·oti·tis (-o-ti'tis) – aerotite; barotite (barotitis).

aer·op·a·thy (ār-op'ah-the) – aeropatia; qualquer doença decorrente de alteração na pressão atmosférica como, por exemplo, a enfermidade da descompressão.

aero·peri·to·nia (ār''o-per''ĭ -to'ne-ah) – aeroperitônio; pneumoperitônio.

aero·phil·ic (-fil'ik) – aeróbio; requer ar para crescimento apropriado.

aero·ple·thys·mo·graph (-plĕ-thiz'mo-graf) – aeropletismógrafo; aparelho para medir volumes respiratórios registrando alterações no volume corporal.

aero·si·nu·si·tis (-si''nus-i'tis) – aerossinusite; barossinusite.

aer·o·sol (ār'o-sol) – aerosol; sistema coloidal em que partículas sólidas ou líquidas ficam suspensas em gás, especialmente a suspensão de uma droga ou outra substância dispersa no ar em spray ou névoa fina.

aero·tax·is (a'ro-tak'sis) – aerotaxia; movimento de um organismo em resposta à presença de oxigênio molecular.

aer·oti·tis (-ti'tis) – aerotite; barotite (barotitis).

aero·tol·er·ant (-tol'er-int) – aerotolerante; que sobrevive e cresce em pequenas quantidades de ar; diz-se dos microrganismos anaeróbicos.

aes- – consulte também es-, et-

Aescu·la·pi·us (es''ku-la'pe-us) [L.] – Esculápio; deus da cura na mitologia romana; ver também caduceus e staff.

afe·brile (a-feb'ril) – afebril; sem febre.

af·fect (af'ekt) – afeto; expressão externa da emoção associada a idéias ou representações mentais de objetos.

af·fec·tion (ah-fek'shun) – afeição: 1. estado de emoção ou sentimento; 2. situação ou estado mórbido.

af·fec·tive (ah-fek'tiv) – afetivo; relativo a afetar.

af·fer·ent (af'er-ent) – aferente: 1. que conduz a um centro ou local de referência específico; 2. agente que conduz desta forma.

af·fin·i·ty (ah-fin''í -te) – afinidade: 1. atração; tendência a procurar ou unir-se a outro objeto ou substância; 2. em Química, tendência de duas substâncias formarem ligações químicas fortes ou fracas, constituindo moléculas ou complexos; 3. em imunologia, a força de ligação termodinâmica de um complexo antígeno-anticorpo, cf. *avidity*.

afi·brin·o·gen·emia (a-fi"brin-o-jĭ-ne'me-ah) – afibrinogenemia; deficiência ou ausência de fibrinogênio no sangue. **congenital a.** – a. congênita, distúrbio de coagulação hemorrágico incomum, provavelmente autossômico recessivo e caracterizado por completa incoagulabilidade do sangue.

af·la·tox·in (af'lah-tok"sin) – aflatoxina; toxina produzida pela *Aspergillus flavus* e *A. parasiticus*, bolores que contaminam brotos de tubérculos comestíveis; produz aflatoxicose (doença x), com altas taxas de mortalidade em galinhas e outros animais de fazenda alimentados com ração de tubérculos comestíveis infectada e está implicada como causa de carcinoma hepático nos humanos.

AFP – alpha-fetoprotein (alfa-fetoproteína).

af·ter·birth (af'ter-birth") – secundina; placenta e membranas expelidas do útero após o parto.

af·ter·brain (-bran) – metencéfalo (*metencephalon*).

af·ter·de·po·lar·iza·tion (af"ter-de-po"lar-ĭ-za'shun) – pós-despolarização; despolarização pós-potencial, freqüentemente uma de uma série, que ocorre algumas vezes em tecidos não normalmente excitáveis. Pode ocorrer antes (*p. precoce*) ou depois (*p. retardada*) de repolarização completa.

af·ter·im·age (-im"ij) – pós-imagem; impressão retiniana que permanece após a cessação do estímulo que a causou.

af·ter·load (af'ter-lōd") – pós-carga; em fisiologia cardíaca, força contra a qual o músculo cardíaco encurta-se; em músculo isolado, a força de resistência ao encurtamento após estímulo para contração do músculo; no coração intacto, pressão contra a qual o ventrículo ejeta sangue.

af·ter·pains (-pānz") – dores pós-parto; dores semelhantes a câimbras que se seguem à expulsão da placenta, devido às contrações uterinas.

af·ter·po·ten·tial (-po·ten"shul) – pós-potencial; pequeno potencial de ação gerado após término de bloqueio ou potencial principal; possui fases negativa e (paradoxalmente nomeada) positiva, sendo a última de fato mais negativa que o potencial de repouso.

af·ter·taste (-tāst") – paladar tardio; gosto que continua após remoção de substância que o produziu.

AG – atrial gallop (GA; galope atrial).

Ag [L., *argentum*] Ag, símbolo químico, prata (*silver*); antigen (antígeno).

AGA – American Gastroenterological Association (Associação Gastroenterológica Americana).

aga·lac·tia (a"gah-lak'she-ah) – agalactia; ausência ou falha de secreção de leite.

agam·ma·glob·u·lin·emia (a-gam"ah-glob"u-lĭ-ne'me-ah) – agamaglobulinemia; ausência de todas as classes de imunoglobulinas no sangue. **Swiss type a.** – a. do tipo suíço; forma letal associada à alinfocitose e aplasia do timo, reconhecida primeiro na Suíça.

agan·gli·on·o·sis (a-gang"gle-on-o'sis) – aganglionose; ausência congênita de células ganglionares parassimpáticas.

agar (a'ahr) – ágar; substância coloidal hidrofílica seca, extraída de várias espécies de algas vermelhas; utilizada em meios de cultura sólidos para bactérias e outros microrganismos, como laxante de volume, na confecção de emulsões e como meio de suporte para imunodifusão e imunoeletroforese.

agar·ic (ah-gar'ik, ag'ah-rik) – agárico; ácido agaricínico: 1. qualquer cogumelo, mais especificamente qualquer espécie do gênero *Agaricus*; 2. isca ou pavio preparados a partir de cogumelos tratados.

agas·tric (a-gas'trik) – agástrico; que não tem canal alimentar.

age (āj) – idade; 1. duração ou medida de tempo da existência de pessoa ou objeto; 2. mensuração de um atributo relativo à idade cronológica de um indivíduo normal médio. **achievement a.** – i. de aproveitamento; relação entre a idade cronológica de uma pessoa normal e sua competência escolar. **chronological a.** – i. cronológica; medida do tempo transcorrido desde o nascimento de uma pessoa. **mental a.** – i. mental; o nível etário de capacidade mental de uma pessoa aferido por testes de inteligência padrão.

agen·e·sia (a" jĕ-ne'zhah) – agenesia: 1. desenvolvimento imperfeito; 2. esterilidade ou impotência.

agen·e·sis (a-jen'ĭ-sis) – agenesia; ausência de um órgão devido ao não-aparecimento do seu primórdio no embrião; desenvolvimento imperfeito de uma parte qualquer. **gonadal a.** – a. gonadal; falha completa de desenvolvimento gonadal; ver *syndrome, Turner*. **nuclear a.** – a. nuclear; síndrome de Möbius. **ovarian a.** – a. ovariana; desenvolvimento insuficiente dos ovários; ver *syndrome, Turner*.

agen·i·tal·ism (a-jen'ĭ-til-izm") – agenitalismo; ausência dos órgãos genitais, ou afecção decorrente de falta de secreção dos testículos ou ovários.

ageno·so·mia (ah-jen"ah-so'me-ah) – agenossomia; ausência congênita ou desenvolvimento imperfeito dos genitais e eventração da parte inferior do abdômen.

agent (a'jint) – agente; alguma coisa capaz de produzir um efeito. **adrenergic blocking a.** – a. bloqueador adrenérgico, agente que inibe a resposta a impulsos simpáticos ao bloquear os sítios α ou β-receptores dos órgãos efetores. **adrenergic neuron blocking a.** – a. bloqueador neuronal adrenérgico; agente que inibe a liberação de noradrenalina a partir das terminações nervosas adrenérgicas pós-ganglionares. **alkylating a.** – a. alcilante; agente citotóxico, por exemplo, a mostarda nitrogenada, altamente reativa e que pode doar um grupo alcil a outro composto. Os agentes alcilantes inibem a divisão celular ao reagirem com o DNA e são utilizados como agentes antineoplásicos. **blocking a.** – a. bloqueador; agente que inibe a resposta dos órgãos efetores a impulsos nervosos do sistema nervoso autônomo; pode ser agente bloqueador adrenérgico ou anticolinérgico. **chelating a.** – a. quelante; composto que se combina a metais para formar complexos fracamente dissociados nos quais o metal é parte de um anel; utilizado para extrair determinados elementos de um sistema. **cholinergic blocking a.** – a. bloqueador colinérgico; agente que bloqueia a ação da acetilcolina nos receptores nicotínicos ou muscarínicos dos nervos ou órgãos efetores. **ganglionic blocking a** – a. bloqueador ganglionar; agente que bloqueia a transmissão nas sinapses ganglionares autônomas. **inotropic a.** – a. inotrópico; um dos agentes de uma classe que afeta a força da contração muscular, particularmente uma droga que afeta a força de contração cardíaca; agentes inotrópicos positivos aumentam e negativos reduzem a força da contração do músculo cardíaco. **neuromuscular blocking a.** – a. bloqueador neuromuscular; composto que causa paralisia do músculo esquelético através do bloqueio da transmissão neural na junção mioneural. **A. Orange** – A. Laranja; herbicida que contém 2,4,5-T,2,4-D e o contaminante dioxina, e que se suspeita seja carcinogênico e teratogênico. **oxidizing a.** – a. oxidante; substância capaz de aceitar elétrons de outra substância, oxidando, portanto, a segunda substância e tornando-se reduzida. **progestational a's** – agentes progestacionais; grupo de hormônios secretado pelo corpo lúteo e pela placenta e, em pequenas quantidades, pelo córtex adrenal, incluindo a progesterona, o Δ^4-3-cetopregneno-20(α)-ol e Δ^4-3-cetopregneno-20(β)-ol; agentes que têm atividade progestacional também são produzidos sinteticamente. **reducing a.** – a. redutor; substância que age como doadora de elétrons em reação química de oxidação-redução.

ageu·sia (ah-goo'ze-ah) – ageusia; ausência do sentido do gosto. **ageu'sic** – adj. agêusico.

ag·ger (aj'er) [L.] pl. *aggeres* – eminência; saliência ou elevação.

ag·glu·ti·nant (ah-gloo'tĭ -nant) – aglutinante: 1. que promove união por adesão; 2. substância adesiva ou pegajosa que mantém partes unidas durante o processo de cura.

ag·glu·ti·na·tion (ah-gloo''tĭ -na'shun) – aglutinação: 1. agregação de células suspensas em agregados ou massas, especialmente agregados de bactérias expostos a soro imune específico; 2. processo de união na cicatrização de ferimento. **agglu'tinative** – adj. aglutinativo. **group a.** – a. de grupo; aglutinação de membros de um grupo de organismos ou corpúsculos biologicamente relacionados por meio de aglutinina específica para tal grupo. **intravascular a.** – a. intravascular; reunião em agregados de elementos particulados dentro dos vasos sangüíneos; expressão utilizada convencionalmente para denotar a agregação de hemácias.

ag·glu·ti·na·tor (ah-gloo'tĭ -na''ter) – aglutinador; aglutinina.

ag·glu·ti·nin (ah-gloo'ti-nin) – aglutinina; anticorpo no soro, que quando combinado ao seu antígeno homólogo, provoca a aderência entre elementos antigênicos em agregados. Também, qualquer outra substância (como por exemplo a lecitina) capaz de causar aglutinação. **anti-RH a.** – a. anti-Rh; aglutinina que normalmente não está presente no plasma humano, e pode ser produzida em mães com fator Rh-negativo que portam um feto Rh-positivo ou após transfusão de sangue Rh-positivo em paciente Rh-negativo. **chief a.** – a. principal **cold a.** – a. fria; aglutinina que age somente em temperaturas relativamente baixas (0-20°C). **group a.** – a. de grupo; aglutinina que tem ação específica em um grupo particular de microrganismos. **H a.** – a. H; aglutinina específica para antígenos flagelados da cepa mótil de um microrganismo. **immune a.** – a. imune; aglutinina específica encontrada no sangue após recuperação de uma doença ou injeção com os microrganismos que causam a doença. **incomplete a.** – a. incompleta; aglutinina que em concentrações apropriadas não consegue aglutinar o antígeno homólogo. **leukocyte a.** – a. leucocitária; aglutinina que se orienta contra neutrófilos e outros leucócitos. **major a.** – a. maior; aglutinina presente no maior título em um anti-soro. **minor a.** – a. parcial. **partial a.** – a. parcial; aglutinina presente em soro aglutinante que age em organismos e células intimamente relacionados ao antígeno específico, mas em diluição mais baixa.

ag·glu·tin·o·gen (ag''loo-tin'o-jen) – aglutinógeno; qualquer substância que estimula a produção de aglutinina.

ag·glu·ti·no·phil·ic (ah-gloo''tĭ -no-fil'ik) – aglutinofílico; que se aglutina facilmente.

ag·gre·ga·tion (ag''rĕ-ga'shun) – agregação: 1. massa ou material aglutinado; 2. massa concentrada de material. **familial a.** – a. familiar; ocorrência de maior número de casos de determinado distúrbio em parentes próximos de pessoa portadora do distúrbio do que nas famílias de controle. **platelet a.** – a. plaquetária; concentração de plaquetas induzidas por vários agentes (por exemplo, a trombina) como parte do mecanismo que leva à formação de um trombo.

ag·gres·sion (ah-gresh'in) – agressão; comportamento que leva à auto-afirmação, e pode advir de impulsos internos e/ou de resposta a uma frustração; pode-se manifestar por meio de comportamento destrutivo e de ataque, hostilidade e obstrucionismo ou por impulso auto-expressivo de domínio.

ag·ing (āj'ing) – envelhecimento; alterações estruturais graduais que ocorrem com a passagem do tempo, que se devem a doença ou acidente, e que finalmente levam à morte.

aglu·ti·tion (a''gloo-tish'un) – aglutição; disfagia (*dysphagia*).

agly·ce·mia (a''gli-se'me-ah) – aglicemia; ausência de açúcar no sangue.

agly·con, agly·cone (a-gli'kon; a-gli'kōn) – aglicona; grupo de não-carboidratos de uma molécula de glicosídeo.

ag·no·gen·ic (ag-no-jen'ik) – agnogênico; de origem desconhecida.

ag·no·sia (ag-no'zhah) – agnosia; incapacidade de reconhecer a recepção de impressões sensoriais; as variedades correspondem aos vários sentidos e se distinguem como *auditivas (acústicas)*, *gustativas*, *olfatórias*, *táteis* e *visuais*. **face a., facial a.** – a. da face; a. facial; prosopagnosia. **finger a.** – a. digital; perda da capacidade de indicar a si mesmo com os dedos ou a outra pessoa. **visual a.** – a. visual; incapacidade de reconhecer objetos familiares pela visão, geralmente devido à lesão em uma das áreas de associação visual. **time a.** – a. do tempo; perda da compreensão da sucessão e duração dos eventos.

-agogue [Gr.] – elemento de palavra, agogo; *alguma coisa que leva ou induz.*

ago·na·dism (ah-go'nah-dizm) – agonadismo; condição de não ter glândulas sexuais.

ag·o·nal (ag'ŏ-n'l) – agônico: 1. relativo à agonia que ocorre no momento da morte ou a antecede; 2. relativo a uma infecção terminal.

ag·o·nist (ag'o-nist) – agonista: 1. em Anatomia, elemento movimentador importante; 2. em Farmacologia, droga que tem afinidade pelos receptores celulares e estimula nos mesmos a atividade fisiológica normalmente levada a efeito por substâncias naturalmente ocorrentes.

ag·o·ny (ag'o-ne) – agonia: 1. luta contra a morte; 2. sofrimento extremo.

ag·o·ra·pho·bia (ag''o-rah-fo'be-ah) – agorafobia; pavor mórbido de espaços abertos.

-agra [Gr.] – -agra, elemento de palavra, *ataque; convulsão.*

agran·u·lo·cyte – (a-gran'u-lo-sī t'') – agranulócito; leucócito não-granular.

agran·u·lo·cy·to·sis (a-gran''u-lo-si-to'sis) – agranulocitose; complexo de sintomas caracterizado pela granulação acentuada no número de granulócitos e por lesões na garganta e outras membranas mucosas, no trato gastrointestinal e na pele.

agran·u·lo·plas·tic (-plas'tik) – agranuloplástico; que só forma células não-granulares; que não forma células granulares.

agraph·ia (ah-graf'e-ah) – agrafia; distúrbio ou perda da capacidade de escrever. **agraph'ic** – adj. agráfico.

AGS – American Geriatrics Society (Sociedade Americana de Geriatria).

ague (a'gu) – ágüe: 1. febre malárica ou qualquer sintoma recorrente severo de origem malárica; 2. calafrio.

agy·ria (ah-ji're-ah) – agiria; má-formação em que as convoluções do córtex cerebral não se desenvolvem normalmente e o cérebro fica geralmente pequeno.

AHA – American Heart Association; American Hospital Association (Associação Cardíaca Americana; Associação Americana de Hospitais).

AHF – antihemophilic factor, coagulation Factor VIII (FAH; fator anti-hemofílico; Fator de coagulação VIII; ver em *factor).*

AHG – antihemophilic globulin; coagulation Factor VIII (GAH; globulina anti-hemofílica; Fator de coagulação VIII; ver em *factor).*

AHP – Assistant House Physician (Auxiliar Médico Residente).

AHS – Assistant House Surgeon (Cirurgião Residente Assistente).

AI – aortic incompetence; aortic insufficiency; apical impulse; artificial insemination (IA, incompetência aórtica; insuficiência aórtica; impulso apical; inseminação artificial).

AIC – Association des Infermières Canadiennes (Associação das Enfermeiras Canadenses).

AICD – automatic implantable cardioverterdefibrilator (CDIA; cardioversodesfibrilador implantável automático).

AID – donor insemination (IAD, inseminação do doador).

aid (ād) – auxílio; ajuda ou assistência; por extensão, aplicado a qualquer instrumento pelo qual se pode melhorar ou aumentar uma função, como um aparelho auditivo. **first a.** – primeiros socorros; assistência e tratamento de emergência a uma pessoa lesionada ou doente antes de uma terapia cirúrgica ou médica regular. **pharmaceutic a., pharmaceutical a.** – a. farmacêutico.

AIDS – acquired immunodeficiency syndrome (SIDA, síndrome de imunodeficiência adquirida).

AIH – American Institute of Homeopathy; homologous insemination (Instituto Americano de Homeopatia; IAH, inseminação homóloga).

AIHA – American Industrial Hygiene Association; autoimmune hemolytic anemia (Associação Americana de Higiene Industrial; anemia hemolítica auto-imune).

ai·lu·ro·pho·bia (i-loor''o-fo-'be-ah) – ailurofobia; medo mórbido de gatos.

air (ār) – ar; mistura gasosa que compõe a atmosfera. **alveolar a.** – a. alveolar; ar nos pulmões que varia em volume (durante a respiração normal) da capacidade residual funcional no final da expiração à capacidade residual funcional acrescida do volume periódico no fim da inspiração. **residual a.** – a. residual; ver em *volume.* **tidal a.** – a. tidal; ver em *volume.*

air·borne (ār'born) – aerógeno; suspenso, transportado ou espalhado pelo ar.

air·way (ār'wa) – via aérea: 1. passagem pela qual o ar entra e deixa os pulmões; 2. sonda aérea; tubo para manter a respiração não-obstruída. **esophageal obturator a.** – sonda aérea obturadora esofágica; tubo oco inserido no esôfago para manter a desobstrução da via aérea em pessoas inconscientes e permitir a ventilação de pressão positiva através da máscara facial conectada ao tubo. **nasopharyngeal a.** – sonda aérea nasofaríngica; tubo oco inserido em uma narina e orientado ao longo do assoalho do nariz até a nasofaringe para impedir que a língua bloqueie a passagem de ar em pessoas inconscientes. **oropharingeal a.** – sonda aérea orofaríngica; tubo oco inserido no interior da boca e atrás da garganta para impedir que a língua bloqueie a passagem de ar em pessoas inconscientes.

AIUM – American Institute of Ultrasound in Medicine (Instituto Americano de Ultra-som na Medicina).

akaryo·cyte (ah-kar'e-osī t'') – acariócito; célula não-nucleada, como, por exemplo, a hemácia.

akar·y·ote (ah-kar'e-ōt) – acariota; acariócito.

ak·a·this·ia (ak''ah-thī 'zhah) – acatisia; condição caracterizada pela inquietação motora, que varia da ansiedade à incapacidade de sentar-se quietamente ou dormir, observada em caso de reações tóxicas às fenotiazinas.

aki·ne·sia (a''kī -ne'zhah) – acinesia; perda total ou parcial de movimentos. **akinet'ic** – adj. acinético.

al'gera a. – a. álgica; síndrome de Möbius.

akin·es·the·sia (ah-kin"es-the'zhah) – acinestesia; ausência ou perda do sentido de movimento ou cinestesia.

Al – símbolo químico; alumínio *(aluminium)*.

Ala – alanine (Ala; alanina).

ala (a'lah) [L.] pl. *alae* – asa; processo aliforme. **a'late** – adj. alado.

alac·ri·ma (a-lak'rĭ -mah) – alacrimia; deficiência ou ausência de secreção de lágrimas.

alac·ta·sia (a"-lak-ta'zhah) – alactasia; afecção geneticamente determinada, caracterizada pela máabsorção da lactose decorrente da deficiência de lactase; é muito rara em crianças de qualquer raça, mas é comum em adultos não-brancos.

al·a·nine (al'ah-nēn) – alanina; aminoácido nãoessencial que ocorre em proteínas e também livre no plasma. Abreviação: Ala.

β**-al·a·nine** (al'ah-nēn) – β-alanina; aminoácido nãoencontrado nas proteínas, mas que ocorre livre em alguns peptídeos; é precursor da acetil-CoA e intermediário no catabolismo do uracil e da citosina.

al·a·nine trans·am·i·nase (trans-amĭ -nās) – alanina transaminase; enzima normalmente presente no soro e tecidos corporais, especialmente no fígado; é liberada no soro como resultado de lesão tecidual, e conseqüentemente sua concentração sérica pode se elevar em pacientes com danos agudos aos hepatócitos.

alar (a'lar) – alar; relativo a uma asa.

alba (al'bah) [L.] – alba; branca.

al·be·do (al-be'do) [L.] – albedo; brancura. **a. re'tinae** – a. retiniana; opacidade da retina decorrente de edema causado pela transudação de fluido dos capilares retinianos.

al·bi·cans (al'bĭ -kans) [L.] – albicante; branco.

al·bi·du·ria (al"bĭ -du're-ah) – albidúria; eliminação de urina branca ou esbranquiçada; albinúria.

al·bi·nism (al'bĭ -nizm) – albinismo; ausência congênita, total ou parcial, de pigmentação normal no corpo (pêlos, pele e olhos) decorrente de defeito na síntese de melanina. **ocular a.** – a. ocular; albinismo no qual a pigmentação da pele e dos pêlos é virtual ou completamente normal, com anormalidades oculares variando com o tipo. **oculotaneous a. (OCA)** – a. oculocutâneo; albinismo humano que ocorre em dez tipos, todos tendo em comum a redução da pigmentação melanótica dos pêlos, pele e olhos, hipoplasia das fóveas, fotofobia, nistagmo e redução da acuidade visual.

al·bi·no (al-bi'no) – albino; pessoa afetada de albinismo.

al·bi·noi·dism (al-bĭ -noid'izm) – albinoidismo; deficiência pigmentar nos pêlos, pele e olhos, mas em grau diferente do observado no albinismo.

al·bin·uria (al"bĭ -nu're-ah) – albinúria; albidúria.

al·bu·gin·ea (al"bu-jin'e-ah) – albugínea: 1. camada branca e resistente de tecido fibroso que reveste um órgão ou parte dele; 2. túnica albugínea. **a. o'culi** – a. ocular; esclera. **a. ova'rii** – a. ovárica; camada externa do estroma ovariano. **a. pe'nis** – a. peniana; o invólucro externo dos corpos cavernosos.

al·bu·min (al-bu'min) – albumina: 1. qualquer proteína solúvel em água e também em soluções salinas moderadamente concentradas; 2. a. sérica. **egg a.** – a. do ovo; albumina da clara do ovo.

iodinated I 125 serum a. – seroalbumina iodada I^{125}; albumina radiofarmacêutica utilizada nas determinações do volume plasmático e do débito cardíaco que consiste em albumina humana marcada com iodo 125. **iodinated I 131 serum a.** – a. seroalbumina iodada I^{131}; albumina radiofarmacêutica utilizada na obtenção de imagens da coleção sangüínea e nas determinações do volume plasmático que consiste de albumina humana marcada com iodo 131. **a. human** – a. humana; preparação de seroalbumina humana, utilizada como expansor do volume plasmático em casos de choque ou hemorragia e para aumentar a ligação de bilirrubina em caso de hiperbilirrubinemia e de eritroblastose fetal.

al·bu·mi·no·cho·lia (al-bu"mĭ -no-ko'le-ah) – albuminocolia.

al·bu·mi·noid (al-bu'mĭ -noid") – albuminóide: 1. semelhante à albumina; 2. escleroproteína.

al·bu·mi·nop·ty·sis (al-bu"mĭ -nop'tĭ -sis) – albuminoptise; albumina no escarro.

al·bu·min·uret·ic (al-bu"mĭ -nu-ret'ik) – albuminurético; relativo, caracterizado ou que promove albuminúria; também agente que promove albuminúria.

al·bu·mi·nu·ria (al-bu"mĭ -nu're-ah) – albuminúria; presença de albumina sérica na urina; ver *proteinuria*. **albuminu'ric** – adj. albuminúrico.

Al·ca·lig·e·nes (al"kah-lij'ĭ -nēz) – *Alcaligenes;* gênero de esquizomicetos (família Achromobacteriaceae) encontrado no trato intestinal dos vertebrados ou em produtos lácteos. **A. faeca'lis** – *A. fecalis* espécie que é a causa da septicemia hospitalar, que surge a partir de fluido de hemodiálise ou endovenoso contaminado em pacientes imunocomprometidos.

al·clo·met·a·sone (al-klo-met'ah-sōn") – alclometasona; corticosteróide sintético utilizado topicamente em forma de dipropionato para o alívio de inflamações e prurido.

al·co·hol (al'kah-hol) – álcool: 1. qualquer substância de uma classe de compostos orgânicos que contém o grupo funcional hidroxila (–OH), exceto as substâncias em que o grupo OH se prende a um anel aromático, e são chamadas *fenóis*. Os alcoóis são classificados em *primários, secundários* ou *terciários* dependendo do átomo de carbono ao qual o grupo OH está ligado, estar ligado a um, dois ou três outros átomos de carbono, e em *monoídrico, diídrico* e *triídrico* se contêm um, dois ou três grupos OH; os dois últimos são chamados de *dióis* e *trióis*, respectivamente; 2. etanol. **absolute a.** – a. absoluto; a. desidratado. **benzyl a.** – a. benzílico; líquido incolor utilizado como bacteriostático em soluções para injeção; também aplicado topicamente como anestésico local. **cetostearyl a.** – a. cetoestearílico; mistura de álcool estearílico e álcool cetílico utilizada como emulsificante. **cetyl a.** – a. cetílico; álcool sólido utilizado como emulsificante e agente enriquecedor. **dehydrated a.** – a. desidratado; líquido volátil, incolor, transparente e extremamente higroscópico utilizado como solvente e injetado nos nervos e gânglios para alívio da dor. **denatured a.** – a. desnaturado; álcool inadequado para consumo humano. **ethyl a.** – a. etílico; etanol. **grain a.** – a. de cereal; etanol. **isopropyl a.** – a. isopropílico; líquido volátil, incolor e transparente, utilizado como solvente e desinfetante e aplicado topicamente como anti-séptico. **isopropyl rubbing a.** – a. isopropílico de fricção; preparação que contém entre 68 e 72% de álcool isopropílico em água, utilizado como rubefaciente. **methyl a.** – a. metílico; metanol. **nicotinyl a.** – a. nicotílico; álcool (C_6H_7NO) utilizado como vasodilatador periférico em condições vasoespásticas. **phenylethyl a.** – a. feniletílico; líquido incolor utilizado como agente antimicrobiano em preparações farmacêuticas. **polyvinyl a.** – a. polivinílico; polímero sintético hidrossolúvel utilizado como agente de aumento de viscosidade em Farmacêutica e como lubrificante e protetor em preparações oftálmicas. ***n*-propyl a.** – a. *n*-propílico; líquido incolor de gosto alcoólico e odor de fruta; utilizado como solvente. **rubbing a.** – a. de fricção; preparação de acetona, metilisobutilcetona e etanol a 68,5 a 71,5%; utilizada como rubefaciente. **stearyl a.** – a. estearílico; álcool sólido, preparado a partir do ácido esteárico e utilizado em preparações farmacêuticas e cosméticas. **wood a.** – a. de madeira; metanol.

al·co·hol·ism (-izm) – alcoolismo; distúrbio caracterizado pelo padrão patológico de ingestão de álcool que causa prejuízo sério no funcionamento social e profissional (abuso de álcool). Se há intolerância e quadro de abstinência é chamado de dependência de álcool.

al·co·hol·y·sis (al"kah-hol'ĭ -sis) – alcoólise; decomposição de um composto decorrente de incorporação e divisão do álcool.

Al·dac·ta·zide (al-dak'tah-zĭ d) – Aldactazide, marca registrada de preparação de espironolactona com cloridrotiazida.

Al·dac·tone (al-dak'tōn) – Aldactone, marca registrada de preparação de espironolactona.

al·dar·ic ac·id (al-dar'ik) – ácido aldárico; ácido dicarboxílico que resulta da oxidação de ambos os grupos terminais de aldose em grupos carboxila.

al·de·hyde (al'dĕ-hī d) – aldeído: 1. qualquer substância de uma classe de compostos orgânicos que contêm o grupo CHO, ou seja, substância com um grupo carbonila ($C=O$) localizado em uma extremidade da cadeia carbônica; 2. sufixo utilizado para denotar composto que ocorre em conformação de aldeído; 3. acetaldeído.

al·de·hyde·ly·ase (-li'ās) – aldeído-liase; qualquer substância de um grupo de liases que catalisam a clivagem de uma ligação C–C em uma molécula que tenha um grupo carbonila e um grupo hidroxila formando duas moléculas, um aldeído ou uma cetona.

al·de·hyde re·duc·tase (re-duk'tās) – aldeído redutase; enzima que cataliza a redução de aldoses; em uma forma de galactosemia, sua catalisação da redução do excesso de galactose no cristalino do olho resulta em formação de catarata.

al·des·leu·kin (al"des-loo'kin) – aldesleucina; produto de interleucina-2 recombinante utilizado como

antineoplásico e modificador de resposta biológica no tratamento do carcinoma de célula renal metastático.

al·do·lase (al'do-lās) – aldolase; enzima do extrato muscular que age como catalisador na produção de fosfato de diidroxiacetona e fosfato de gliceraldeído a partir do 1,6-difosfato de frutose.

al·don·ic ac·id (al-don'ik) – ácido aldônico; ácido carboxílico que resulta da oxidação do grupo aldeído de uma aldose com um grupo carboxila.

al·do·pen·tose (al"do-pen'tōs) – aldopentose; qualquer cetose que contenha cinco átomos de carbono.

Al·do·ril (al'do-ril) – Aldoril; marca registrada de preparação da combinação fixa de metildopa e cloridrotiazida.

al·dose (al'dōs) – aldose; substância de dois subgrupos de monossacarídeos que contêm o grupo aldeído (—CHO).

al·dos·ter·one (al-dos'ter-ōn) – aldosterona; o principal hormônio mineralocorticóide secretado pelo córtex adrenal, cuja principal atividade biológica é a regulação do equilíbrio eletrolítico e hídrico por promover a retenção de sódio e a excreção de potássio.

al·dos·ter·on·ism (al-dos'tĕ-ro-nizm) – aldosteronismo; hiperaldosteronismo; anormalidade do equilíbrio eletrolítico causada pelo excesso de secreção de aldosterona. **primary a.** – a. primário; aldosteronismo decorrente da supersecreção de aldosterona por meio de adenoma adrenal, caracterizado tipicamente por hipocalemia, alcalose, fraqueza muscular, poliúria, polidipsia e hipertensão. Também chamado de síndrome de Conn (*syndrome, Conn*). **pseudoprimary a.** – a. pseudoprimário; aldosteronismo causado pela hiperplasia adrenal bilateral e que apresenta os mesmos sinais e sintomas do aldosteronismo primário. **secondary a.** – a. secundário; aldosteronismo devido à estimulação extra-adrenal da secreção de aldosterona; associa-se comumente aos estados edematosos, como no caso de síndrome nefrótica, cirrose hepática, insuficiência cardíaca e hipertensão de fase acelerada.

alec·ithal (a-les'ĭ -thal) – alécito; sem gema; aplicado a ovos com muito pouca gema; ver *ovum*.

aleu·ke·mia (a"loo-ke'me-ah) – aleucemia: 1. ausência ou deficiência de leucócitos no sangue; 2. leucemia aleucêmica.

aleu·kia (a-loo'ke-ah) – aleucia; leucopenia; ausência de leucócitos no sangue. **alimentary a.** – a. tóxica alimentar; forma de micotoxicose associada à ingestão de grãos que invernaram no campo; Abreviação: ATA.

aleu·ko·cy·to·sis (a-loo"ko-si-to'sis) – aleucocitose; deficiência na proporção de leucócitos no sangue; leucopenia.

alex·ia (ah-lek'se-ah) – alexia; forma de afasia receptiva na qual se perde a capacidade de compreender a linguagem escrita como resultado de lesão cerebral. **cortical a.** – a. cortical; forma de afasia sensorial decorrente de lesões de convolução esquerda angular. **motor a.** – a. motora; alexia na qual o paciente entende o que vê escrito ou impresso, mas não pode lê-lo em voz alta. **musical a.** – a. musical; perda da capacidade de ler notação musical. **optical a.** – a. óptica; cegueira para palavras.

alex·ic (-sik) – aléxico: 1. relativo à alexia; 2. que tem as características da alexina.

aley·dig·ism (a-li'dig-izm) – aleidigismo; ausência de secreção das células intersticiais de Leydig.

al·fen·ta·nil (al-fen'tah-nil) – alfentanil; analgésico opiáceo de início rápido e duração curta, derivado de fentanil, utilizado como sal de cloridrato na indução e, como adjuvante na manutenção da anestesia geral.

ALG – antilymphocyte globlulin (GAL; globulina antilinfocitária).

al·ga (al'gah) [L.] – alga; organismo individual do grupo das algae.

al·gae – (al'je) – algas; grupo de plantas, incluindo algas-marinhas e muitas plantas unicelulares marinhas e de água doce, a maioria das quais contendo clorofila e respondendo por cerca de 90% da atividade fotossintética da terra. **al'gal** – adj. algáceo; algal.

al·ge·fa·cient (al"jĕ-fa'shint) – algefaciente; refrescante ou refrigerante.

al·ge·sia (al-je'ze-ah) – algesia: 1. sensação de dor; 2. sensibilidade excessiva à dor, tipo de hiperestesia. **alge'sic, alget'ic** – adj. algésico; algético.

al·ge·sim·e·ter (al"-jĕ-sim'ĕ-ter) – algesímetro; instrumento utilizado na mensuração da sensibilidade à dor.

al·ge·sio·ge·nic (al-je"ze-o-jen'ik) – algesiogênico; que produz dor.

al·ges·the·sis (al"jes-the'sis) – algestesia; algesia:1. sensação de dor; 2. sensibilidade excessiva à dor, um tipo de hiperestesia.

-algia [Gr.] – -algia, elemento de palavra, dor.

al·gi·cide (al'jĭ-sĭd) – algicida: 1. que extermina algas; 2. agente exterminador algas.

al·gid (al'jid) – álgido; friorento; frio.

al·gi·nate (al'jĭ-nāt) – alginato; sal de ácido algínico; têm-se utilizado determinados alginatos como espuma, coágulo ou gaze para curativos cirúrgicos absorvíveis, e outros são úteis como materiais para impressões dentárias.

al·gin·ic ac·id (al-jin'ik) – ácido algínico; carboidrato coloidal hidrofílico obtido a partir de algas marinhas, e utilizado como coligador de comprimidos e agente emulsificante.

algo(a)- [Gr.] – algo(o)-, elemento de palavra, dor; frio.

al·go·dys·tro·phy (al"go-dis'tro-fe) – algodistrofia; distrofia simpática reflexa.

al·go·gen·ic (-jen'ik) – algogênico; algesiogênico.

al·go·rithm (al'go-rith'm) – algoritmo; procedimento mecânico de solução de determinado tipo de problema matemático; método passo a passo de resolução de um problema, como a elaboração de um diagnóstico.

ali·as·ing (a'le-as-ing) – alteração: 1.introdução de artefato ou erro em amostragem de um sinal periódico quando a freqüência de amostragem é muito baixa para capturar o sinal apropriadamente; 2. em ultra-sonografia de pulso Doppler, artefato que ocorre quando a velocidade do objeto amostrado é demasiadamente grande para que a

freqüência Doppler seja determinada pelo sistema; 3. na obtenção de imagem por ressonância magnética, artefato que ocorre quando a parte a ser examinada sai do campo de visão, mas aparece no mesmo.

ali·enia (a"li-e'ne-ah) – alienia; ausência do baço.

ali·form (al'ĭ-form) – aliforme; forma semelhante a uma asa.

al·i·men·ta·tion (al"ĭ-men-ta'shun) – alimentação; que dá ou recebe nutrição. **rectal a.** – a. retal; alimentação por injeção de nutrientes no reto. **total parenteral a.** – a. parenteral total; ver em nutrition.

ali·na·sal (al"ĭ-na'z'l) – alinasal; relativo a qualquer das asas do nariz.

al·i·phat·ic (al"ĭ-fat'ik) – alifático: 1. gorduroso ou oleoso; 2. relativo ao hidrocarboneto que não contém anel aromático.

ali·sphe·noid (al-ĭ-sfe'noid) – alisfenóide; 1. relativo à asa maior do esfenóide; 2. cartilagem do condrocrânio fetal em qualquer lado do basiesfenóide; posteriormente no desenvolvimento, ela forma a maior parte da asa maior do esfenóide.

aliz·a·rin (ah-liz'ah-rin) – alizarin; corante cristalino vermelho preparado sinteticamente ou obtido a partir da garança; seus compostos são utilizados como indicadores.

al·ka·le·mia (al"kah-le'me-ah) – alcalemia; aumento do pH (alcalinidade anormal) do sangue.

al·ka·li (al'kah-li) – álcali; qualquer substância de uma classe de compostos que formam sabões solúveis com ácidos graxos, tornam azul o tornassol vermelho e formam carbonatos solúveis como, por exemplo, os hidróxidos ou carbonatos de sódio ou potássio.

al·ka·line (al'kah-līn, -lin) – alcalino; que tem reações de álcali.

al·ka·lin·uria (al"kah-lĭ-nu're-ah) – alcalinúria; alcalinidade da urina.

al·ka·liz·er (al'kah-li"zer) – alcalinizante; agente causador de alcalinização.

al·ka·loid (al'kah-loid") – alcalóide; substância de um grupo de substâncias-base orgânicas encontrada nas plantas, muitas das quais farmacologicamente ativas como, por exemplo, atropina, cafeína, morfina, nicotina, quinina e estricnina. **vinca a's** – alcalóides da pervinca; alcalóides produzidos pela planta pervinca comum (*Vinca rosea*); dois deles (vincristina e vimblastina) são utilizados como agentes antineoplásicos.

al·ka·lo·sis (al"kah-lo'sis) – alcalose; afecção patológica decorrente de acúmulo de base ou perda de ácido no corpo, cf. *acidosis*. **alkalot'ic** – adj. alcalótico. **altitude a.** – a. de altitude; aumento da alcalinidade no sangue e nos tecidos devido à exposição a grandes altitudes. **compensated a.** – a. compensada; condição na qual os mecanismos compensatórios fazem com que o pH volte ao normal. **hypokalemic a.** – a. hipocalêmica; alcalose metabólica associada ao baixo nível sérico de potássio. **metabolic a.** – a. metabólica; distúrbio em que o estado ácido-básico desvia-se para o lado alcalino devido à retenção de base ou à perda de ácidos não-carbônicos ou fixos (não-voláteis).

al·kane (al'kān) – alcano; hidrocarboneto saturado, ou seja, hidrocarboneto que não tem ligações múltiplas de carbono-carbono; antigamente chamado de parafina (*paraffina*).

al·ka·ver·vir (al"kah-ver'vir) – alcavervir; mistura amarela, em pó, de alcalóides extraídos do *Veratrum viride;* utilizada para abaixar a pressão sangüínea.

al·kyl (al'k'l) – alcil; radical monovalente formado quando um hidrocarboneto alifático perde um átomo de hidrogênio.

al·kyl·a·tion (al"kĭ-la'shun) – alcilação; alquilação; substituição de um grupo alcil por um átomo de hidrogênio ativo em composto orgânico.

ALL – acute lymphoblastic leukemia (LLA; leucemia linfoblástica aguda).

all(o)- [Gr.] – al(o)-, elemento de palavra, *outro; que se desvia do normal.*

al·la·ches·the·sia (al"ah-kes-the'zhah) – alaquestesia; alestesia. **optical a.** – a. óptica; alestesia visual.

al·lan·ti·a·sis (al"an-ti'ah-sis) – alantíase; envenenamento com salsicha; botulismo provocado por salsichas inadequadamente preparadas.

al·lan·to·cho·ri·on (ah-lan"to-kor'e-on) – alantocório; alatóide e cório como apenas uma estrutura.

al·lan·toid (ah-lan'toid) – alantóide: 1. semelhante à alantóide; 2. em forma de salsicha.

al·lan·to·in (ah-lan'to-in) – alantoína; substância cristalina encontrada no fluido alantóide, na urina fetal e em muitas plantas, e como produto da excreção urinária do metabolismo purínico na maioria dos mamíferos, exceto nos humanos ou antropóides superiores; utilizada topicamente para promover a cicatrização de ferimentos.

al·lan·to·is (ah-lan'to-is) – alantóide; excrescência ventral dos embriões de répteis, aves e mamíferos. No homem é vestigial, no que tange aos seus vasos sangüíneos que dão origem aos do cordão umbilical. **allanto'ic** – adj. alantóico.

al·lele (ah-lēl') – alelo; uma de duas ou mais formas alternativas de um gene em locais correspondentes *(loci)* em cromossomas homólogos, que determina as características alternativas na hereditariedade. **allel'ic** – adj. alélico. **multiple a's** – a. múltiplos; alelos que existem em mais de duas formas alternativas possíveis para cada *locus.*

al·le·lo·chem·ics (al-le"lo-kem'iks) – aleloquímica; interações químicas entre as espécies, envolvendo a liberação de substâncias químicas ativas, como odores, feromonas e toxinas.

al·le·lo·tax·is (-tak'sĭs) – alelotaxia; desenvolvimento de um órgão a partir de várias estruturas embrionárias.

al·ler·gen (al'er-jen) – alérgeno; substância antigênica capaz de produzir hipersensibilidade imediata (alergia). **allergen'ic** – adj. alergênico. **pollen a.** – a. polínico; qualquer antígeno proteico do pólen de ervas, árvores ou grama capaz de causar asma ou rinite alérgicas; os extratos de antígenos polínicos são utilizados em testes cutâneos quanto à sensibilização do pólen e em imunoterapia (dessensibilização) quanto à alergia a pólen.

al·ler·gy (al'er-je) – alergia; estado hipersensível adquirido através de exposição a um alérgeno

particular, com a reexposição revelando a capacidade alterada de reação. Ver *hypersensitivity* **aller'gic** – adj. alérgico. **atopic a.** – a. atópica; atopia. **bacterial a.** – a. bacteriana; hipersensibilidade específica a um antígeno bacteriano particular. **bronchial a.** – a. brônquica; ver *asthma.* **cold a.** – a. fria; afecção manifestada por reações locais e sistêmicas, mediadas pela histamina liberada pelos mastócitos e basófilos como resultado de exposição ao frio. **contact a.** – a. de contato; ver em *dermatitis.* **delayed a.** – a. tardia; ver em *hypersensitivity.* **drug a.** – a. a medicamentos; reação alérgica que ocorre como resultado da sensibilidade incomum a uma droga. **food a., gastrointestinal** – a. alimentar; a. gastrointestinal; alergia, geralmente manifestada pela reação cutânea, na qual os antígenos ingeridos incluem tanto alimentos como medicamentos. **hereditary a.** – a. hereditária; atopia. **immediate a.** – a. imediata; ver em *hypersensitivity.* **latent a.** – a. latente; alergia que não se manifesta por sintomas, mas pode ser detectada por testes. **physical a.** – a. física; afecção na qual o paciente fica sensível aos efeitos de agentes físicos, tais como calor, frio, luz etc. **pollen a.** – a. polínica; febre do feno. **polyvalent a.** – a. polivalente; ver *pathergy* (2). **spontaneous a.** – a. espontânea; atopia.

al·les·the·sia (al"es-the'zhah) – alestesia; experiência de uma sensação, por exemplo, dor ou toque, como se ocorresse em um ponto remoto daquele onde o estímulo foi aplicado realmente.

al·lo·an·ti·bo·dy (al"o-an'tĭ-bod-e) – aloanticorpo; isoanticorpo.

al·lo·an·ti·gen (-an'tĭ-jen) – aloantígeno; isoantígeno.

al·lo·bar·bi·tal (-bahr'bĭ-tal) – alobarbital; sedativo hipnótico e analgésico.

al·lo·chei·ria (-ki're-ah) – aloquiria; alestesia.

al·lo·chro·ism (-kro'izm) – alocroísmo; alteração ou variação de cor como ocorre em determinados minerais.

al·lo·chro·ma·sia (-kro-ma'zhah) – alocromasia; alteração na cor dos pêlos ou da pele.

al·lo·cor·tex (-kor'teks) – alocórtex; parte mais velha e original do córtex cerebral que compreende o arqueocórtex e o paleocórtex.

al·lo·dyn·ia (-din'e-ah) – alodinia; dor produzida por estímulo não-nocivo.

al·lo·erot·i·cism (-ĕ-rot'ĭ-sizm) – aloerotismo; sexualidade direcionada a outra pessoa.

al·lo·ge·ne·ic (-je-ne'ik) – alogênico: 1. que tem tipos celulares antigenicamente distintos; 2. em biologia do transplante, denota indivíduos (ou tecidos) da mesma espécie, mas antigenicamente distintos, cf. *syngeneic* e *xenogeneic.*

al·lo·gen·ic – (-jĕn'ik) – alogênico.

al·lo·graft (al'o-graft) – aloenxerto; enxerto entre animais da mesma espécie, mas de genótipos diferentes.

al·lo·group (-grōōp) – alogrupo; grupo de ligação alotípica, especialmente de alótipos para as quatro subclasses de IgG, que são estreitamente ligadas e herdadas como uma unidade.

al·lo·im·mune (al"o-ĭ-mūn') – aloimune; especificamente imune a um antígeno alogênico.

al·lom·er·ism (ah-lom'er-izm) – alomerismo; alteração na constituição química sem alteração na forma cristalina.

al·lo·mor·phism (al''o-mor'fizm) – alomorfismo; alteração na forma cristalina sem alteração na constituição química.

al·lo·pla·sia (-pla'ze-ah) – aloplasia; heteroplasia.

al·lo·plast (al'o-plast) – aloplasto; corpo estranho inerte utilizado para implantação em um tecido. **alloplas'tic** – adj. aloplástico.

al·lo·psy·chic (-si'kik) – alopsíquico; relativo à mente em sua relação com o mundo exterior.

al·lo·pur·i·nol (-pūr'ĭ -nol) – alopurinol; isômero da hipoxantina, capaz de inibir a xantina oxidase e, conseqüentemente, reduzir os níveis séricos e urinários de ácido úrico; utilizado no tratamento da hiperuricemia da gota e da secundária às discrasias sangüíneas ou à quimioterapia do câncer e profilaxia da recorrência de cálculo renal.

al·lo·rhyth·mia (-rith'me-ah) – alorritmia; irregularidade do batimento cardíaco ou do pulso que se repete regularmente.

all or none (awl or nun) – tudo ou nada; o músculo cardíaco, sob qualquer estímulo, contrair-se-á na maior extensão ou não se contrairá absolutamente; em outros músculos ou nervos, a estimulação de uma fibra causa um potencial de ação para percorrer fibra inteira, ou não se movimentar em absoluto.

al·lo·sen·si·ti·za·tion (al''o-sen''sĭ -tĭ -za'shun) – alossensibilização; sensibilização a aloantígenos (isoantígenos) como os antígenos do Rh durante a gravidez.

al·lo·some (al'o-sōm) – alossoma; constituinte estranho do citoplasma que penetrou do exterior da célula.

al·lo·sterism (al''o-ster'izm) – alosterismo; alosteria.

al·los·te·ry (-ster'e) – alosteria; condição em que a ligação de um substrato, produto ou outro efetor com uma subunidade de uma enzima de subunidades múltiplas em um sítio (sítio alostérico), além do sítio funcional, altera sua conformação e propriedades funcionais. **alloste'ric** – adj. alostérico.

al·lo·therm (al'o-therm'') – alotermo: 1. pecilotermo; 2. heterotermo.

al·lo·tope (-tōp) – alótopo; local na porção constante ou não-variável de uma molécula de anticorpo que pode ser reconhecido pelo sítio combinante de outros anticorpos.

al·lotrop·ic (al''o-trop'ik) – alotrópico: 1. que exibe alotropismo; 2. que se preocupa com as outras pessoas; diz-se de um tipo de personalidade que se preocupa mais com os outros do que consigo própria.

al·lot·ro·pism (ah-lot'rah-pizm) – alotropismo; existência de determinado elemento em duas ou mais formas distintas como, por exemplo, a grafite e o diamante.

al·lo·type (al'o-tĭp) – alótipo; marcador alótipo uma das diversas variantes alélicas de uma proteína que se caracteriza por diferenças antigênicas. **allotyp'ic** – adj. alotípico.

al·lox·an (ah-lok'san) – aloxana; produto oxidado do ácido úrico que tende a destruir as células das ilhotas pancreáticas, causando conseqüentemente diabetes. É obtido do muco intestinal no caso de diarréia e é utilizado em experimentos nutricionais e como antineoplásico.

al·loy (al'oi) – liga; mistura sólida de dois ou mais metais ou metalóides mutuamente solúveis em fusão.

al·lyl (al''il) – alila; radical monovalente, CH_2=CH–CH_2.

al·oe (al'o) – aloés; suco dessecado de folhas de várias espécies de *Aloe,* utilizado em preparações farmacêuticas.

al·o·pe·cia (al''o-pe'she-ah) – alopecia; calvície; ausência de pêlos em áreas cutâneas onde normalmente estes encontrar-se-iam presentes. **androgenetic a.** – a. androgênica; perda simétrica, difusa e progressiva dos cabelos do couro cabeludo que se acredita se deva à combinação de predisposição genética e ao aumento da resposta dos folículos pilosos aos androgênios nos homens, começando ao redor dos 30 anos com perda de cabelos nas regiões do vértice e frontoparietais (*male pattern baldness,* em *baldness*), e nas mulheres, começando mais tarde com perda de cabelos menos severa na área frontocentral do couro cabeludo. **a. area'ta** – a. em áreas; perda de pêlos, geralmente reversível, em áreas precisamente definidas, quase sempre envolvendo a barba ou o couro cabeludo. **cicatricial a., cicatrisa'ta** – a. cicatricial; perda de pêlos irreversível associada à formação de cicatriz, geralmente no couro cabeludo. **male pattern a.** – a. de padrão masculino; ver *androgenetic.* **a. tota'lis** – a. total; perda de cabelos em todo o couro cabeludo. **universalis a.** – a. universal; perda de pêlos em todo o corpo.

ALP – alkaline phosphatase (FA, fosfatase alcalina).

al·pha (al'fah) – α; alfa; primeira letra do alfabeto grego; ver também α-.

al·pha·fe·to·pro·tein (AFP) (al''fah-fe''to'pro'ten) – alfafetoproteína (AFP); proteína plasmática produzida pelo fígado fetal, saco vitelino e trato gastrointestinal e também por carcinoma hepatocelular, neoplasias de células germinais, outros cânceres e algumas hepatopatias benignas nos adultos. O nível sérico de AFP é utilizado para monitorar a efetividade do tratamento do câncer, e o nível de AFP no fluido amniótico é utilizado no diagnóstico pré-natal de defeitos do tubo neural.

Al·pha·her·pes·vi·ri·nae (-her''pēz-vir-i'ne) – Alphaherpesvirinae; vírus semelhantes aos do herpes simples; subfamília dos Herpesviridae que contém os gêneros *Simplexvirus* e *Varicellavirus.*

al·pha₁-an·ti·tryp·sin (-an''tĭ -trip'sin) – alfa₁-antitripsina; proteína plasmática (a_1-globulina) produzida no fígado, que inibe a atividade da tripsina e de outras enzimas proteolíticas. A deficiência dessa proteína associa-se ao desenvolvimento de enfisema. Também com a grafia $\alpha1$-*antitripsina.*

al·pha·lyt·ic (-lit'ik) – alfalítico; que bloqueia os receptores α-adrenérgicos do sistema nervoso simpático; também agente que atua dessa forma.

al·pha·mi·met·ic (-mi-met'ik) – alfamimético; que estimula ou mimetiza a estimulação dos receptores a-adrenérgicos do sistema nervoso simpático; também, agente que atua dessa forma.

Al·pha·vi·rus (al'fah-vi''rus) – *Alphavirus;* arbovírus do tipo A; gênero de vírus da família Togaviridae, que causa encefalite ou enfermidade febril, com exantemas ou artralgias.

al·pha·vi·rus (al'fah-vi''rus) – alfavírus; qualquer vírus do gênero *Alphavirus.*

ALS – antilymphocyte serum (SAL, soro antilinfocitário).

al·ser·ox·y·lon (al''sĕ-rok'sĭ -lon) – alseroxilona; extrato purificado da *Rauwolfia serpentina,* que contém reserpina e outros alcalóides amorfos; utilizada como anti-hipertensivo e sedativo.

alteplase (al'tĕ-plăs) – alteplase; ativador plasminogênico tecidual produzido através da tecnologia do DNA recombinante; utilizado na terapia fibrinolítica para infartos agudos do miocárdio.

al·ter·nans (awl-ter'nanz) [L.] – alternância; que se alterna ou alternação, como no caso de pulso alternante (força alternante do pulso). **pul'sus a.** – a. do pulso; ver em *pulsus.* **electrical a.** – a. elétrica; variações alternantes na amplitude de ondas eletrocardiográficas específicas por ciclos cardíacos sucessivos. **mechanical a.** – a. mecânica; alternância do coração, particularmente em contraste com o alternante elétrico. **total a.** – a. total; pulso alternante no qual os batimentos alternantes são muito fracos para serem detectados, razão porque aparenta metade da freqüência cardíaca.

al·ter·na·tion (awl''ter-na'shun) – alternação; alternância, sucessão regular de dois eventos opostos ou diferentes em sucessão. **a. of generation** – a. de geração; reprodução sexuada e assexuada alternadas, ou seja, uma geração reproduzindo-se sexuadamente e a próxima assexuadamente. **a. of the heart** – a. do coração; alternante mecânico; variação alternante na intensidade do batimento cardíaco ou do pulso por ciclos cardíacos sucessivos de ritmo regular.

al·tret·amine (al-tret'ah-mēn) – altretamina; agente antineoplásico utilizado para tratar o câncer ovariano e outros tumores sólidos.

al·um (al'um) – alume; alúmen: 1. adstringente ou estíptico local, preparado como um composto de amônio (a. amônico) ou potássio (a. potássico); também utilizado como adjuvante nas vacinas e toxóides adsorvidos; 2. qualquer membro de uma classe de sulfatos duplos formados dessa maneira; 3. qualquer membro de uma classe de compostos que contêm alumínio duplo.

alu·mi·na (ah-loo'mĭ -nah) – alumina; óxido de alumínio.

alu·mi·no·sis (ah-loo''mĭ -no'sis) – aluminose; pneumoconiose decorrente da presença de pó de alumínio nos pulmões.

alu·mi·num (ah-loo'mĭ -num) – alumínio; elemento químico (ver *tabela*), número atômico 13, símbolo Al. **a. chlorhydrate, a. chlorhydrate** – cloridrato de a.; anidrótico. **a. chloride** – cloreto de a.; solução adstringente tópica e antitranspirante. **a. hydroxide** – hidróxido de a.; Al(OH)$_3$, utilizado como antiácido gástrico. **a. nicotinate** – nicotinato de a.; complexo de nicotinato de alumínio, hidró-

xido de alumínio e ácido nicotínico utilizado como anticolesterolêmico, antilipoproteinêmico e vasodilatador periférico. **a. phosphate** – fosfato de a.; sal de alumínio utilizado como adjuvante em vacinas e toxóides adsorvidos, com sulfato de cálcio e silicato de sódio em cimentos dentários e como antiácido.

al·ve·o·li·tis (al've''o-li-tis) – alveolite; inflamação do alvéolo. **allergic a., extrinsic allergic a.** – a. alérgica; a. alérgica extrínseca; pneumonite por hipersensibilidade, causada pela exposição repetida a um alérgeno; como, por exemplo, pulmão de fazendeiro, bagaçose e pulmão de criador de pombos.

al·ve·o·lo·cla·sia (al-ve''o-lo-kla'zhah) – alveoloclasia; desintegração ou reabsorção da parede interna do alvéolo dentário.

al·ve·o·lo·plas·ty (al-ve'o-lo-plas''te) – alveoloplastia; alteração cirúrgica da forma e da situação do processo alveolar na preparação cirúrgica para a recepção de prótese.

al·ve·o·lus (al-ve'o-lus) [L.] pl. *alveoli* – alvéolo; pequena dilatação sacular; ver também *acinus.* **alve'olar** – adj. alveolar. **dental a.** – a. dentário; cavidades ou encaixes de cada maxila, onde se incrustam as raízes dos dentes. **pulmonary alveoli** – alvéolos pulmonares; pequenas saliências dos ductos alveolares e bronquíolos terminais em cujas paredes ocorre a troca de dióxido de carbono e oxigênio entre o ar alveolar e o sangue capilar; ver Prancha VII.

al·ve·us (al've-us) [L.] pl. *alvei* – álveo; canal ou cavidade.

alym·pho·cy·to·sis (a-lim''fo-si-to'sis) – alinfocitose; deficiência ou ausência de linfócitos no sangue; linfopenia.

alym·pho·pla·sia (-pla'zhah) – alinfoplasia; desenvolvimento insuficiente do tecido linfóide.

AM [L.] – *artium magister;* mestre de artes (master of arts).

AMA – Aerospace Medical Association; American Medical Association; Australian Medical Association (Associação Médica Aeroespacial; Associação Médica Americana; Associação Médica Australiana).

Am – símbolo químico, américio *(americium).*

am·a·crine (am'ah-krēn) – amacrina: 1. sem processos longos; 2. qualquer estrutura de um grupo de estruturas retinianas ramificadas, consideradas células nervosas modificadas.

amal·gam (ah-mal'gam) – amálgama; liga de dois ou mais metais, sendo um deles o mercúrio.

Am·a·ni·ta (am''ah-ni'tah) – *Amanita;* gênero de cogumelos, alguns dos quais venenosos e outros comestíveis; a intoxicação por *A. phalloides, A. muscaria, A. pantherina, A. verna* e outras espécies manifesta-se por vômito, dor abdominal e diarréia, seguida de período de melhora, e culminando com sinais de danos hepáticos, renais e nervosos centrais severos.

aman·ta·dine (ah-man'tah-dēn) – amantadina; agente antiviral utilizado como cloridrato contra o vírus da influenza A; também é utilizado como antidiscinético no tratamento da paralisia com agitação (parkinsonismo).

amas·tia (ah-mas'te-ah) – amastia; ausência congênita de uma ou ambas as glândulas mamárias.

amas·ti·gote (ah-mas'tĭ -gōt) – amastigota; estádio morfológico intracelular não-flagelado no desenvolvimento de determinados hemoflagelados, semelhante à forma adulta típica do *Leishmania.*

am·au·ro·sis (am"aw-ro'sis) – amaurose; cegueira, especialmente a que ocorre sem lesão aparente do olho. **amaurot'ic** – adj. amaurótico. **a. conge'nita of Leber, congenital a.** – a. congênita de Leber; a. congênita; forma de cegueira hereditária que ocorre no nascimento ou imediatamente antes, associada a forma atípica de pigmentação difusa e comumente com atrofia óptica e redução dos vasos retinianos.

am·be·no·ni·um (am"bě-no'ne-um) – ambenônio; colinérgico; sal clorado utilizado para tratar os sintomas de fraqueza muscular e fadiga da miastenia grave.

am·bi·dex·trous (am"bĭ -dek'strus) – ambidestro; capaz de usar qualquer das mãos com igual destreza.

am·bi·lat·er·al (-lat'er-il) – ambilateral; relativo ou que afeta ambos os lados.

am·bi·le·vous (-le'vus) – ambílevo; incapaz de usar as mãos com destreza.

am·bi·o·pia (am"be-o'pe-ah) – ambiopia; diplopia; ver *diplopia.*

am·bi·sex·u·al (am"bĭ -sek'shoo-il) – ambissexual; denota características sexuais comuns a ambos os sexos como, por exemplo, pêlos púbicos.

am·biv·a·lence (am-biv'ah-lins) – ambivalência; existência simultânea de atitudes emocionais conflitantes, em relação a um objetivo, objeto ou pessoa. **ambiv'alent** – adj. ambivalente.

Am·bly·om·ma (am"ble-om'ah) – *Amblyomma;* gênero de carrapatos de corpo duro de distribuição mundial. **A. america'num** – *A. americanum;* espécie de carrapato-estrela-solitária; encontrado no sul e sudoeste dos Estados Unidos, América Central e Brasil; vetor da febre maculosa das Montanhas Rochosas. **A. cajennen'se** – *A. cajennense;* espécie de carrapato de Caiena peste comum dos animais domésticos e do homem no sul dos Estados Unidos, nas Américas Central e do Sul e nas Índias Ocidentais; vetor da febre maculosa das Montanhas Rochosas. **A. macula'tum** – *A. maculatum;* espécie de carrapato da costa do Golfo que infesta os bovinos no sudoeste dos Estados Unidos e nas Américas Central e do Sul; sua picada causa feridas dolorosas que servem como locais de infecções da larva da *Callitroga hominivorax* e infecções bacterianas e fúngicas secundárias.

am·bly·o·pia (-o'pe-ah) – ambliopia; imprecisão da visão sem lesões orgânicas detectáveis dos olhos. **amblyop'ic** – adj. amblíopico. **alcoholic a.** – a. alcoólica; a. nutricional; a. tóxica. **a. ex anop'sia** – a. de anopsia; ambliopia que resulta de longo desuso. **color a.** – a. cores; imprecisão da visão colorida decorrente de influências tóxicas ou outras. **nocturnal a.** – a. noturna; imprecisão anormal da visão à noite. **nutritional a.** – a. nutricional; escotoma devido à má-nutrição; observada nos alcoólicos, malnutridos e indivíduos com deficiência de vitamina B$_{12}$ ou anemia perniciosa. **tobacco a.**, – a. pelo fumo; nutritional; a. tóxica **toxic a.** – a. tóxica; ambliopia devida a envenenamento por álcool ou tabaco.

am·blyo·scope (am'ble-o-skōp") – amblioscópio; instrumento para treinar a visão de olho ambliópico e aumentar o sentido de fusão das imagens.

ambo (am'bo) – ambo; ambom (*ambon*).

am·bo·cep·tor (am'bo-sep"ter) – ambiceptor; hemolisina, particularmente seus receptores duplos, um que combina com a célula sangüínea e outro com o complemento.

am·bon (am'bon) – ambom; anel fibrocartilagíneo que forma a borda do encaixe no qual a cabeça de um osso longo se aloja.

am·bu·la·to·ry (am'bu-lah-tor"e) – ambulatório; que anda ou é capaz de andar; não-confinado ao leito.

am·di·no·cil·lin (am-de'no-sil"lin) – andinocilina; penicilina semi-sintética efetiva contra muitas bactérias Gram-negativas e utilizada no tratamento de infecções do trato urinário.

ame·ba (ah-me'bah) [L.] pl. *amebae, amebas* – ameba; protozoário diminuto (classe Rhizopoda, subfilo Sarcodina) que ocorre como massa nucleada unicelular de protoplasma que altera sua forma estendendo processos citoplasmáticos (pseudópodos) por meio dos quais se move e absorve o alimento; a maioria das amebas é de vida-livre, mas algumas parasitam o homem. **ame'bic** – adj. amébico.

ame·bi·a·sis (am"e-bi'ah- sis) – amebíase; infecção por amebas, especialmente a *Entamoeba hystolytica,* agente causador da disenteria amebiana. **a. cu'tis** – a. cutânea; úlceras dolorosas com bordas distintas e margens eritematosas, observadas nos indivíduos com hepatopatia ou enteropatia ativas. **hepatic a.** – a. hepática; hepatite amebiana. **intestinal a.** – a. intestinal; disenteria amébica. **pulmonary a.** – a. pulmonar; infecção do espaço torácico secundária à amebíase intestinal e associada a abscessos hepáticos amébicos.

ame·bi·ci·de (ah-me'bĭ -sĭ d) – amebicida; agente que extermina amebas.

ame·bo·cyte (ah-me-bo-sĭ t") – amebócito; qualquer célula que demonstre movimentos amebóides.

ame·boid (ah-me'boid) – amebóide; semelhante à ameba no tipo de movimento.

am·e·bo·ma (am"e-bo'mah) – ameboma; massa semelhante a um tumor causada por reação granulomatosa nos intestinos no caso de amebíase.

ame·bu·la (ah-me'bu-lah) – amébula; estádio amebóide mótil dos esporos de determinados esporozoários.

ame·lia (ah-me'le-ah) – amelia; ausência congênita de um ou mais membros.

amel·i·fi·ca·tion (ah-mel'ĭ -fĭ -ka'shun) – amelificação; desenvolvimento de células de esmalte originando-do esmalte.

amelo·blast (ah-mel'o-blast) – ameloblasto; célula que toma parte na formação do esmalte dentário.

amelo·blas·to·ma (ah-mel"o-blas-to"mah) – ameloblastoma; neoplasia geralmente benigna, mas localmente invasiva de tecido do tipo característico do órgão de esmalte, mas que não se diferencia no ponto de formação do esmalte. **melanotic**

a. – a. melanótico; tumor neuroectodérmico melanótico. **pituitary a.** – a. hipofisário; craniofaringioma.

amelo·gen·e·sis (am"ĕ-lo-jen'ĭ-sis) – amelogênese; formação do esmalte dentário. **a. imperfec'ta** – a. imperfeita; condição hereditária que resulta em desenvolvimento defeituoso do esmalte dentário, caracterizado pela cor marrom do dente, decorrente de diferenciação inadequada dos ameloblastos.

am·e·lo·gen·in (-jen'in) – amelogenina; qualquer das várias proteínas secretadas pelos ameloblastos e que formam a matriz orgânica do esmalte dental.

am·e·lus (am'-ĭ-lus) – amelo; indivíduo que exibe amelia.

amen·or·rhea (a-men"o-re'ah) – amenorréia; ausência ou cessação anormal da menstruação. **amenorrhe'al** – adj. amenorréico. **dietary a., nutritional a.** – a. dietética; a. nutricional; cessação da menstruação que acompanha perda de peso devido a restrição dietética, sendo as perdas de peso e apetite menos extremas que na anorexia nervosa e não se associando a problemas psicológicos. **primary a.** – a. primária; deficiência de menstruação que ocorre na puberdade. **secondary a.** – a. secundária; cessação da menstruação após seu estabelecimento definitivo na puberdade.

amen·sal·ism (a-men'sil-izm) – amensalismo; simbiose em que uma população (ou um indivíduo) é adversamente afetada e outra não.

amen·tia (ah-men'shah) – amentia; estádio terminal da demência degenerativa.

am·er·ic·i·um (am"er-is'e-um) – amerício; elemento químico (ver *tabela*), número atômico 95, símbolo Am.

ame·tria (a-me'tre-ah) – ametria; ausência congênita do útero.

am·e·tro·pia (am"ĭ-tro'pe-ah) – ametropia; condição visual em que as imagens não se produzem no foco apropriado na retina, decorrente de discrepância entre o tamanho e os poderes refrativos do olho. **ametrop'ic** – adj. ametrópico.

AMI – acute myocardial infarction (IAM; infarto agudo do miocárdio).

amic·u·lum (ah-mik'u-lum) [L.] pl. *amicula* – amículo; revestimento circundante, denso, de fibras brancas como a bainha dos núcleos olatoráceo inferior e dentado.

am·i·dase (am'ĭ-dās) – amilase: 1. qualquer substância de um grupo de enzimas que catalisam a clivagem das ligações de carbono-nitrogênio em amidas; 2. enzima que catalisa a clivagem da ligação de carbono-nitrogênio em amida do ácido monocarboxílico para formar um ácido monocarboxílico e amônia.

am·i·de (am'ĭ d) – amida; qualquer composto derivado da amônia por meio de substituição de um radical ácido por hidrogênio, ou de um ácido substituindo o grupo –OH por um –NH$_2$.

am·i·dine (am'ĭ-dĕn) – amidina; qualquer composto que contenha o grupo amidino (–C(=NH)–NH$_2$).

am·i·dine·ly·ase (-li'ās) – amidinoliíase; enzima que catalisa a remoção de um grupo amidino como o

L-argininossuccinato, para formar fumarato e L-arginina.

am·i·do·li·gase (ah-me"do-, am"ĭ -do-li'gãs) – amidoligase; qualquer substância de um grupo de enzimas que catalisam a transferência do nitrogênio amídico da glutamina para molécula aceptora.

am·i·ka·cin (am"ĭ -ka'sin) – amicacina; antibiótico aminoglicosídeo semi-sintético derivado da canamicina e utilizado como base ou sal de sulfato no tratamento de grande variedade de infecções por bacilos Gram-negativos aeróbicos e algumas bactérias Gram-positivas.

amim·ia (a-mim'e-ah) – amimia; perda do poder de expressão através de sinais ou gestos.

am·in·a·crine (am-in-ak'rin) – aminacrina; corante anti-séptico eficaz contra muitas bactérias Gram-negativas e Gram-positivas; utilizado como anti-séptico tópico.

am·i·na·tion (am"ĭ -na'shun) – aminação; criação de amina, seja por adição de grupo amina a um composto aceptor orgânico, seja pela redução de um composto nitrogenado.

amine (ah-mēn', am'in) – amina; composto orgânico que contém nitrogênio; qualquer substância de um grupo de compostos formados a partir da amônia pela substituição de um ou mais átomos de hidrogênio por radicais orgânicos. **biogenic a.** – a. biogênica; tipo de amina sintetizada por plantas e animais e freqüentemente envolvido na sinalização (como, por exemplo, neurotransmissores como acetilcolina, catecolaminas e serotonina); outras são hormônios ou componentes de vitaminas, fosfolipídios, bactérias e ribossomos (como cadaverina, colina, histamina e espermina). **sympathomimetic a's** – aminas simpatomiméticas; aminas que mimetizam as ações do sistema nervoso simpático, compreendendo catecolaminas e drogas que mimetizam suas ações.

am·in·er·gic (am"ĭ -ner'jik) – aminérgico; ativado por uma das aminas biogênicas, característico desta ou que a secreta.

ami·no (ah-me'no, am'ĭ -no") – amino; radical monovalente NH$_2$, quando não unido a um radical ácido.

ami·no ac·id (ah-me'no) – aminoácido; um dos compostos orgânicos de uma classe que contém os grupos amina (NH$_2$) e carboxila (COOH); ocorrem naturalmente nos tecidos vegetais e animais e formam os constituintes principais das proteínas. **branched-chain a.a's** – aminoácidos de cadeia ramificada; leucina, isoleucina e valina. **essential a.a's** – aminoácidos essenciais; nove α-aminoácidos que não podem ser sintetizados pelo homem, mas devem ser obtidos a partir da dieta. **nonessential a.a's** – aminoácidos não-essenciais; onze α-aminoácidos que podem ser sintetizados pelo homem e não são especificamente exigidos na dieta.

ami·no·ac·idemia (ah-me"no-as"ĭ -de'me-ah) – aminoacidemia; excesso de aminoácidos no sangue.

ami·no·ac·i·dop·a·thy (-as"ĭ -dop'ah-the) – aminoacidopatia; qualquer dos distúrbios de um grupo devido a um defeito em uma fase enzimática no trajeto metabólico de um ou mais aminoácidos ou em mediador protéico necessário ao transporte de determinados aminoácidos para dentro ou para fora das células.

ami·no·ac·id·u·ria (-as''ĭ -du're-ah) – aminoacidúria; excesso de aminoácidos na urina.

ami·no·acy·lase (-a'sĭ -lās) – aminoacilase; enzima que catalisa a clivagem hidrolítica do grupo acil a partir dos L-aminoácidos acilados.

ami·no·ben·zo·ate (-ben'zo-āt) – aminobenzoato; *p*-aminobenzoato; qualquer sal ou éster do ácido *p*-aminobenzóico; utilizado na forma de sais de potássio e de monossódio em preparações analgésicas e na forma de sal de potássio como antifibrótico em alguns distúrbios dermatológicos.

p-ami·no·ben·zo·ic ac·id (-ben-zo'ik) – ácido *p*-aminobenzóico; substância exigida para a síntese do ácido fólico por muitos organismos; ele também absorve a luz ultravioleta e é utilizado (também chamado de *ácido aminobenzóico*) como filtro solar tópico. Abreviação: PABA.

γ-ami·no·bu·ty·rate (ah-me''no-bu'tĭ -rāt) – γ-amino-butirato; ânion do ácido γ-aminobutírico.

γ-ami·no·bu·tyr·ic ac·id (GABA) (-bu-tēr'ik) – ácido γ-aminobutírico; principal neurotransmissor inibitório no cérebro mas que também ocorre em vários tecidos extranervosos, incluindo o rim e as células β das ilhotas pancreáticas. Liberado das células pré-sinápticas pela despolarização, ele modula a permeabilidade da membrana ao cloreto e inibe o disparo celular pós-sináptico.

ϵ-ami·no·ca·pro·ic ac·id (-kah-pro'ik) – ácido ϵ-aminocapróico; aminoácido não-essencial que é um inibidor da plasmina e dos ativadores do plasminogênio e, indiretamente, da fibrinólise; utilizado no tratamento de síndromes hemorrágicas agudas decorrentes de fibrinólise e para a prevenção e tratamento de hemorragias pós-cirúrgicas.

ami·no·glu·teth·i·mide (-gloo-teth'ĭ -mĭ d) aminoglutetimida; inibidor do metabolismo do colesterol, reduzindo, portanto, a síntese de esteróides adrenocorticais; utilizada no tratamento da síndrome de Cushing.

ami·no·gly·co·side (-gli'ko-sĭ d) – aminoglicosídeo; qualquer substância de um grupo de antibióticos antibacterianos (como, por exemplo, estreptomicina e gentamicina) derivados de várias espécies de *Streptomyces* ou produzidos sinteticamente; interferem na função dos ribossomas bacterianos.

p-ami·no·hip·pu·rate (-hip'u-rāt) – *p*-amino-hipurato; qualquer sal do ácido amino-hipúrico.

p-ami·no·hip·pu·ric ac·id (PAH, PAHA) (-hĭ'-pūr'ik) – ácido *p*-amino-hipúrico; amidaglicina do ácido *p*-aminobenzóico; sal de sódio (amino-hipurato de sódio) é utilizado como auxílio diagnóstico na determinação do fluxo plasmático renal efetivo.

δ-ami·no·lev·u·lin·ate (-lev''u-lin'āt) – δ-aminolevulinato; ânion do ácido δ-aminolevulínico.

δ-ami·no·lev·u·lin·ic ac·id (ALA) (-lev''u-lin'-ik) – ácido δ-aminolevulínico; intermediário na síntese da heme; níveis sangüíneos e urinários elevam-se no envenenamento com chumbo e os níveis urinários elevam-se no caso de algumas porfirias.

am·i·nol·y·sis (am''ĭ -nol'ĭ -sis) – aminólise; reação com amina, resultando na adição de (ou na substituição por) um grupo imino –NH–.

6-ami·no·pen·i·cil·lan·ic ac·id (ah-me''no-pen''-ĭ -sil-an'ik) – ácido 6-aminopenicilânico; núcleo ativo comum a todas as penicilinas; pode ser substituído na posição 6-amino para formar as penicilinas semi-sintéticas.

p-ami·no·phe·nol (-fe'nol) – *p*-aminofenol; corante intermediário e revelador fotográfico e o composto original do acetaminofeno; é um alérgeno potente que causa dermatite, asma e metemoglobinemia.

am·i·noph·yl·line (am''ĭ -nof'ĭ -lin) – aminofilina; sal da teofilina, utilizado como broncodilatador.

am·i·nop·ter·in (am''ĭ -nop'ter-in) – aminopterina; antagonista do ácido fólico antigamente utilizado como antineoplásico.

ami·no·quin·o·line (ah-me''no-kwin'o-lēn) – aminoquinolina; composto heterocíclico derivado da quinolina através da adição de grupo amino; derivados *4-aminoquinolina* e *8-aminoquinolina* compreendem classes de antimaláricos.

ami·no·sa·lic·y·late (-sah-lis'ĭ -lāt) – aminossalicilato; qualquer sal do ácido *p*-aminossalicílico; são antibacterianos efetivos contra micobactérias e o sal de sódio é utilizado como um tuberculostático.

ami·no·sal·i·cyl·ic ac·id (-sal-ĭ -sil'ik) – ácido aminossalicílico; ver *p-aminosalicylic acid.*

5-ami·no·sal·i·cyl·ic ac·id (5-ASA) (-sal-ĭ -sil'ik) – ácido 5-aminossalicílico (5-ASA); mesalamina; ver *mesalamine.*

p-ami·no·sal·i·cyl·ic ac·id (PAS) (-sal-ĭ -sil'ik) – ácido *p*-aminossalicílico (PAS); análogo do ácido p-aminobenzóico (PABA) com propriedades antibacterianas; utilizado para inibir o crescimento e a multiplicação dos bacilos da tuberculose.

ami·no·trans·fer·ase (-trans'fer-ās) – aminotransferase; transaminase (*transaminase*).

am·in·uria (am''ĭ -nu're-ah) – aminúria; excesso de aminas na urina.

ami·o·da·rone (ah-me'o-dah-rōn'') – amiodarona; bloqueador de canal de potássio utilizado no tratamento de arritmias ventriculares.

ami·to·sis (am''ĭ -to'sis) – amitose; divisão celular direta, ou seja, a célula divide-se por clivagem simples do núcleo sem a formação das figuras do fuso ou cromossomos de espirema. **amitot'ic** – adj. amitótico.

am·i·trip·ty·line (am''ĭ -trip'tĭ -lēn) – amitriptilina; antidepressivo tricíclico que também tem efeitos sedativos; utilizado sob forma de cloridrato.

AML – acute myelogenous leukemia (LMA, leucemia mielogênica aguda).

am·lo·di·pine (am-lo'dĭ -pēn'') – amlodipina; bloqueador de canal de cálcio administrado oralmente no tratamento da hipertensão e angina vasoespástica e crônica estável.

am·me·ter (am'me-ter) – amperômetro; instrumento para medir em ampères ou subdivisões destes, a força da corrente que flui em um circuito.

am·mo·ac·id·uria (am''o-as''ĭ -du're-ah) – amoacidúria; excesso de amônia e aminoácidos na urina.

am·mo·ni·a (ah-mōn'yah) – amônia; gás alcalino incolor com odor pungente e sabor acre; NH_3.

am·mo·ni·um (ah-mo'ne-um) – amônio; radical hipotético NH_4, que forma sais análogos aos dos metais alcalinos. **a. carbonate** – carbonato de a.; mistura de bicarbonato de amônio e carbamato de amônio utilizada como estimulante (como no caso de sais aromáticos) e expectorante. **a. chloride** – cloreto de a.; agente acidificante sistêmico e urinário e diurético, também utilizado oralmente como expectorante. **a. lactate** – lactato de a; ácido láctico neutralizado pelo hidróxido de amônio, aplicado topicamente no tratamento da ictiose vulgar e da xerose.

am·mo·ni·uria (ah-mo"ne-u're-ah) – amoniúria; excesso de amônia na urina.

am·mo·nol·y·sis (am"o-nol'ĭ -sis) – amoniólise; processo análogo à hidrólise no qual a amônia toma o lugar da água.

am·ne·sia (am-ne'zhah) – amnésia; enfraquecimento patológico da memória. **amnes'tic** – adj. amnésico. **anterograde a.** – a. anterógrada; amnésia com relação aos eventos subseqüentes ao episódio que precipitou o distúrbio. **psychogenic a.** – a. psicogênica; distúrbio dissociativo caracterizado pela perda súbita de memória quanto a informações pessoais importantes, não devida a qualquer distúrbio mental orgânico. **retrograde a.** – a. retrógrada; amnésia com relação aos eventos ocorridos antes do episódio que precipitou o distúrbio. **transient global a.** – a. global transitória; episódio temporário de perda de memória de curta duração sem outro prejuízo neurológico. **visual a.** – a. visual; alexia.

am·nio·cele (am'ne-o-sēl") – amniocele; onfalocele.

am·nio·cen·te·sis (am"ne-o-sen-te'sis) – amniocentese; perfuração cirúrgica transabdominal ou transcervical do útero para aspiração de líquido amniótico.

am·nio·gen·e·sis (-jen'ĭ -sis) – amniogênese; desenvolvimento do âmnio.

am·ni·on (am'ne-on) – âmnio; membrana extra-embrionária das aves, répteis e mamíferos que reveste o córion e contém o feto e o fluido amniótico. **amnion'ic** – adj. amniótico. **a. nodo'sum** – a. nodoso; afecção nodular da superfície fetal do âmnio, observada no caso de oligoidrâmnio associado à ausência de rins no feto.

am·ni·or·rhex·is (am"ne-o-rek'sis) – amniorrexe; ruptura do âmnio.

am·nio·scope (am'ne-o-scōpe") – amnioscópio; endoscópio passado pela cérvix uterina para visibilizar o feto e o líquido amniótico.

am·ni·ot·o·my (am"ne-ot'ah-me) – amniotomia; secção cirúrgica das membranas fetais para induzir o parto.

amo·bar·bi·tal (am"o-bahr'bĭ -tal) – amobarbital; hipnótico e sedativo de ação intermediária; também utilizado como sal de sódio.

am·o·di·a·quine (-di'ah-kwin) – amodiaquina; antiinflamatório utilizado no tratamento da malária, giardíase, amebíase extra-intestinal, lúpus eritematoso e artrite reumatóide.

Amoe·ba (ah-me'bah) – *Amoeba*; gênero de amebas.

amorph (a'morf) – amorfo; gene mutante que não produz nenhum efeito fenotípico detectável.

amor·phia (ah-mor'fe-ah) – amorfia; fato ou qualidade de ser amorfo.

amor·pho·syn·the·sis (a-mor"fo-sin'thĕ-sis) – amorfossíntese; percepção defeituosa de sensações somáticas em um lado do corpo, que pode ser acompanhada de consciência falha generalizada das relações espaciais e constitui sinal de lesão do lobo parietal.

amor·phous (ah-mor'fus) – amorfo: 1. que não tem forma definida; sem forma; 2. que não tem orientação de átomos específica; 3. em Farmácia, não-cristalizado.

amo·tio (ah-mo'she-o) [L.] – descolamento; separação. **a. re'tinae** – a. retiniana; descolamento da retina.

amox·a·pine (ah-moks'ah-pēn) – amoxapina; droga quimicamente relacionada aos agentes antipsicóticos dibenzoxazepínicos que têm usos e atividades semelhantes aos dos antidepressivos tricíclicos.

amox·i·cil·lin (ah-mok"sĭ -sil'in) – amoxicilina; derivado semi-sintético da ampicilina, eficaz contra amplo espectro de bactérias Gram-positivas e Gram-negativas.

AMP – adenosine monophosphate (AMP, monofosfato de adenosina. **3',5'-AMP, cyclic AMP** – 3',5'-AMP; AMP cíclico; monofosfato de adenosina cíclico.

amp – amp; ampère.

am·pere (am'pēr) – ampère; unidade de força da corrente elétrica definida em termos da força de atração entre dois condutores paralelos que transportam uma corrente. Símbolo A.

am·phet·a·mine (am-fet'ah-mēn) – anfetamina: 1. amina simpatomimética com efeito estimulatório tanto no sistema nervoso central como no periférico, mais comumente utilizada como sal de sulfato ou aspartato. O abuso pode levar à dependência; 2. qualquer droga estreitamente relacionada à anfetamina e com ações semelhantes como, por exemplo, a metanfetamina.

amph(i)- [Gr.] – anf(i)-, elemento de palavra, *ambos; em ambos os lados.*

am·phi·ar·thro·sis (am"fe-ahr-thro'sis) – anfiartrose; articulação que permite poucos movimentos, com as superfícies opostas unidas por uma fibrocartilagem, como entre as vértebras.

Am·phib·ia (am-fib'e-ah) – Amphibia; classe de vertebrados, que inclui rãs, sapos, tritões e salamandras, capaz de viver tanto em terra como na água.

am·phi·bol·ic (am"fĭ -bol'ik) – anfibólico: 1. incerto; ver em *stage*; 2. ver em *pathway*.

am·phi·cen·tric (-sen'trik) – anficêntrico; que começa e termina no mesmo vaso.

am·phi·di·ar·thro·sis (-di"ahr-thro'sis) – anfidiartrose; articulação que tem natureza tanto de gínglimo como de artródia, como a da maxila inferior.

am·phi·gon·a·dism (-gon'ah-dizm) – anfigonadismo; condição de possuir tecidos tanto ovarianos como testiculares.

am·phis·tome (am-fis'tōm) – anfistoma; trematódeo que apresenta a ventosa ventral próxima à extremidade posterior, geralmente encontrada no rúmen ou no intestino dos mamíferos herbívoros.

am·phit·ri·chous (am-fit'rĭ -kus) – anfítrico; que tem flagelos em cada uma das extremidades.

am·pho·cyte (am'fo-sīt) – anfócito; célula que se cora tanto com corantes ácidos como básicos.

am·pho·lyte (-līt) – anfólito; substância orgânica ou inorgânica, capaz de agir como ácido ou base.

am·pho·phil·ic (am''fo-fil'ik) – anfofílico; anfólico; que se cora tanto com corantes ácidos como básicos.

am·phor·ic (am-for'ik) – anfórico; relativo a uma garrafa; semelhante ao som produzido pelo sopro através do gargalo de uma garrafa.

ampho·ter·ic (am''fo-ter'ik) – anfotérico; que tem características opostas; capaz de agir como ácido ou base; capaz de neutralizar tanto ácidos como bases.

am·pho·ter·i·cin B (-terʹĭ-sin) – anfotericina B; antibiótico derivado de cepas da *Streptomyces nodosus*; eficaz contra ampla variedade de fungos e algumas espécies de *Leishmania*.

am·phot·o·ny (am-fot'o-ne) – anfotonia; tonicidade dos sistemas nervosos simpático e parassimpático.

amp·i·cil·lin (amp''ĭ-sil'in) – ampicilina; penicilina semi-sintética, acidorresistente e sensível à penicilinase, utilizada como antibacteriano contra grande número de bactérias Gram-negativas e Grampositivas; também utilizada como sal de sódio.

am·pli·fi·ca·tion (am''plĭ-fĭ-ka'shun) – amplificação; processo de tornar maior como o aumento de um estímulo auditivo como um meio de melhorar a sua percepção. **gene a.** – a. gênica; processo pelo qual aumenta-se o número de cópias de um gene em determinadas células; no homem, é mais freqüentemente observada em células malignas.

am·pli·tude (am'plĭ-tōōd) – amplitude: 1. grandeza, plenitude; larguras em variação ou extensão; 2. em um fenômeno que ocorre em ondas, o desvio máximo de onda da linha basal. **a. of accommodation** – a. de acomodação; quantidade de poder acomodativo do olho.

am·pule (am'pūl) – ampola; pequeno frasco de vidro hermeticamente fechado como, por exemplo, um frasco fechado de vidro que contenha medicação para administração parenteral.

am·pul·la (am-pul'ah) [L.] pl. *ampullae* – ampola; dilatação em forma de frasco de uma estrutura tubular, especialmente das extremidades expandidas dos canais semicirculares do ouvido. **ampul'lar** – adj. ampular. **a. chy'li** – a. do quilo; cisterna do quilo. **a. duc'tus deferen'tis** – a. do ducto deferente ou canal deferente; extremidade distal aumentada de volume e retorcida do ducto deferente. **hepatopancreatic a., a. hepatopan·crea'tica** – a. hepatopancreática; dilatação formada pela junção dos ductos biliar comum e pancreático proximal à sua abertura no interior do lúmen do duodeno. **ampul'lae lacti'ferae** – ampolas lactíferas; seios lactíferos. **Lieberkühn's a.** – a. de Lieberkühn; terminação cega dos vasos lácteos nos vilos intestinais. **ampul'lae membrana'ceae** – ampolas membranosas; dilatações em cada extremidade de cada um dos três ductos semicirculares, anterior, lateral e posterior. **ampul'lae os'seae** – ampolas ósseas; dilatações em cada uma das extremidades dos ca-

nais semicirculares: anterior, lateral e posterior. **phrenic a.** – a. frênica; dilatação na extremidade inferior do esôfago. **rectal a., a. rec'til** – a. do reto; porção dilatada do reto imediatamente proximal ao canal anal. **a. of Thoma** – a. de Thoma; uma das pequenas expansões terminais da artéria interlobular na polpa do baço. **a. of uterine tube** – a. da trompa uterina; região média da parede fina e quase sem músculos da tuba uterina; sua mucosa é bastante pregueada. **a. of vas deferens** – a. do vaso deferente; a. do ducto ou canal deferente.

am·pu·ta·tion (am''pu-ta'shun) – amputação; remoção de membro ou outro apêndice do corpo. **above-knee (A-K) a.** – a. acima do joelho; amputação na qual se secciona o fêmur na região supracondilar, a meia-altura, ou na altura da coxa. **below-knee (B-K) a.** – a. abaixo do joelho; amputação na qual se faz a secção óssea poucos centímetros distalmente à tuberosidade tibial. **Chopart's a.** – a. de Chopart; amputação do pé através de desarticulação médio-társica. **closed a.** – a. fechada; amputação em que se fazem retalhos de pele e tecido subcutâneo e suturam-se os mesmos na extremidade do osso. **a. in contiguity** – a. em contigüidade; amputação em uma articulação. **a. in continuity** – a. em continuidade; amputação de membro em qualquer lugar exceto em uma articulação. **double-flap a.** – a. com retalho duplo; amputação na qual se formam dois retalhos. **Dupuytren's a.** – a. de Dupuytren; amputação do braço na articulação do ombro. **a. elliptic a.** – a. elíptica; articulação na qual o corte tem contorno elíptico. **flap a.** – a. com retalho; a. fechada. **flapless a.** – a. sem retalho; a. em guilhotina. **Gritti-Stokes a.** – a. de Gritti-Stokes; amputação da perna ao nível do joelho utilizando um retalho anterior oval. **guillotine a.** – a. em guilhotina; amputação realizada rapidamente por meio de um giro circular de bisturi e de corte de serra, deixando-se aberta toda a secção transversal para curativo. **Hey's a.** – a. de Hey; amputação do pé entre o tarso e o metatarso. **interpelviabdominal a.** – a. interpelviabdominal; amputação da coxa com excisão da metade lateral da pelve. **interscapulothoracic a.** – a. interescapulotorácica; amputação do braço com excisão da porção lateral da cintura escapular. **Larrey's a.** – a. de Larrey; amputação na articulação escapular. **Lisfranc's a.** – a. de Lisfranc: 1. a. de Dupuytren; 2. amputação do pé entre o tarso e o metatarso. **oblique a.** – a. oblíqua; a. oval. **open a.** – a. aberta; em guilhotina. **oval a.** – a. oval; amputação na qual a incisão consiste em duas espirais reversas. **Pirogoff's a.** – a. de Pirogoff; amputação do pé no calcanhar deixando-se parte do calcâneo no coto. **pulp a.** – a. da polpa; pulpotomia. **racket a.** – a. em raquete; amputação em que ocorre uma única incisão longitudinal contínua abaixo, com uma incisão espiral em cada lado do membro. **root a.** – a. da raiz; remoção de uma ou mais raízes dentárias de um dente multirradiculado deixando pelo menos uma raiz para sustentar a coroa; quando só se envolve o ápice de uma raiz, chama-se apicectomia (*apicectomy*). **spontaneous**

a. – a. espontânea; perda de uma parte sem intervenção cirúrgica como no caso do diabetes melito. **Stokes' a.** – a. de Stokes; a. de Gritti-Stokes. **subperiosteal a.** – a. subperióstea; amputação na qual a extremidade cortada do osso fica recoberta por retalhos de periósteo. **Syme's a.** – a. de Syme; desarticulação do pé com remoção de ambos os maléolos. **Teale's** – a. de Teale; amputação com retalhos retangulares curtos e longos.

AMRL – Aerospace Medical Research Laboratories (Laboratórios de Pesquisa Médica Aeroespacial).

am·sa·crine (am'sah-krēn) – amsacrina; antineoplásico que inibe a síntese de DNA; utilizado para tratar algumas formas de leucemia.

amu – atomic mass unit (unidade de massa atômica).

amu·sia (ah-mu'ze-ah) – amusia; forma de agnosia auditiva na qual o paciente perdeu a capacidade de reconhecer ou produzir música.

AMWA – American Medical Women's Association; American Medical Writers' Association (Associação das Médicas Americanas; Associação dos Escritores Médicos Americanos).

amy·e·lin·ic (a-mi''ĕ-lin'ik) – amielínico; nãomielinizado.

amy·e·lon·ic (a-mi''ĕ-lon'ik) – amielônico; amielóico: 1. que não tem medula espinhal; 2. ausência de medula.

amyg·da·la (ah-mig'dah-lah) – amígdala: 1. amêndoa; 2. estrutura em forma de amêndoa; 3. corpo amidalóide; 4. tonsila.

amyg·da·lin (-lin) – amigdalina; glicosídeo encontrado nas amêndoas e em outros membros da mesma família; é dividida enzimaticamente em glicose, benzoaldeído e ácido cianídrico. Ver também *Laetrile*.

amyg·da·line (-lēn'') – amigdalina: 1. semelhante à amêndoa; 2. relativo à tonsila; tonsilar.

am·yl (am'il) – amila; radical C_5H_{11}. **a. nitrite** – nitrito de a.; líquido inflamável e volátil com odor etéreo e pungente. É administrado por inalação para o tratamento da angina do peito (agindo como vasodilatador coronário) ou do envenenamento com cianeto (produzindo metemoglobina, que se liga com o cianeto). É usado abusivamente para produzir euforia e como estimulante sexual.

am·y·la·ceous (am''ĭ -la'shis) – amiláceo; composto de ou semelhante ao amido.

am·y·lase (am'i-lās) – amilase; enzima que catalisa a hidrólise do amido em compostos mais simples. As α-*amilases* ocorrem nos animais e incluem as amilases pancreática e salivar; as β-*amilases* ocorrem nas plantas superiores.

amy(o)- [Gr.] – amil(o)-, elemento de palavra, *amido.*

am·y·lo-1,6-glu·co·si·dase (am''ĭ -lo-gloo-ko'sĭ -dās) – amilo-1,6-glicosidase; hidrolase que catalisa a clivagem das ligações terminais de α-1,6-glicosídeos em glicogênio e em moléculas semelhantes; a deficiência causa a doença do armazenamento do glicogênio do tipo III.

am·y·loid (am'ĭ -loid) – amilóide: 1. semelhante ao amido; amiláceo; 2. substância amorfa, cérea, extracelular e patológica depositada na amiloidose, composta de fibrilas ou uma rede de cadeias polipeptídicas; os dois tipos proteicos principais são a *proteína de cadeia leve amilóide (LA),* que

ocorre na amiloidose primária, e a *proteína A amilóide (AA),* que ocorre na amiloidose sistêmica reativa.

am·y·loi·do·sis (am''ĭ -loi-do'sis) – amiloidose; grupo de afecções caracterizadas pelo acúmulo de proteínas fibrilares insolúveis (amilóides) em vários órgãos e tecidos, comprometendo a função vital. Os estados patológicos associados podem ser inflamatórios, hereditários ou neoplásicos, e a deposição pode ser local, generalizada ou sistêmica. A classificação mais amplamente utilizada baseia-se na química das fibrilas de amilóide e inclui as formas derivadas de imunócitos (primária ou LA) e a sistêmica reativa (secundária ou AA).

am·y·lo·pec·tin (am''ĭ -lo-pek'tin) – amilopectina; glicano insolúvel em água altamente ramificada, que é o constituinte insolúvel do amido; o constituinte solúvel é a amilose.

am·y·lo·pec·ti·no·sis (-pek'tĭ -no''sis) – amilopectinose; doença do armazenamento de glicogênio do tipo IV.

am·y·lor·rhea (-re'ah) – amilorréia; presença de amido excessivo nas fezes.

am·y·lose (am'ĭ -lōs) – amilose; glicano hidrossolúvel linear; constituinte solúvel do amido, em oposição à amilopectina.

am·y·lu·ria (am''il-u're-ah) – amilúria; amilosúria; excesso de amido na urina.

amyo·es·the·sia (a''mi-o-es-the'zhah) – amioestesia; anestesia muscular.

amyo·pla·sia (-pla'zhah) – amioplasia; ausência de formação ou desenvolvimento muscular. **a. conge'nita** – a. congênita; ausência generalizada de desenvolvimento e crescimento musculares no recém-nascido, com contraturas e deformidades na maioria das articulações.

amyo·sta·sia (-sta'zhah) – amiostasia; tremor dos músculos.

amyo·to·nia (a''mi-o-to'ne-ah) – amiotonia; atonia muscular.

amy·ot·ro·phy (a''mi-ot'rah-fe) – amiotrofia; atrofia muscular. **amyotro'phic** – adj. amiotrófico. **diabetic a.** – a. diabética; afecção dolorosa, associada ao diabetes, com emaciação e enfraquecimento progressivo dos músculos, geralmente limitada aos músculos da cintura pélvica e da coxa. **neuralgic a.** – a. nevrálgica; atrofia e paralisia dos músculos da cintura escapular através do ombro e do membro superior.

amyx·ia (ah-mik'se-ah) – amixia; ausência de muco.

amyx·or·rhea (a-mik''sah-re'ah) – amixorréia; ausência de fluxo de muco.

An – anode (ânodo).

ANA – American Nurses' Association; antinuclear antibodies (Associação das Enfermeiras Americanas; anticorpos antinucleares).

ana (an'ah) [Gr.] – ana, de cada.

ana- [Gr.] – ana-, elemento de palavra, *para cima; novamente; para trás; excessivamente.*

ana·bi·o·sis (an''ah-bi-o'sis) – anabiose; restauração dos processos vitais após sua aparente cessação; trazer de volta à consciência. **anabiot'ic** – adj. anabiótico.

anab·o·lism (ah-nab'o-lizm) – anabolismo; processo construtivo pelo qual as células vivas convertem substâncias simples em compostos mais complexos, especialmente em matéria viva. **anabol'ic** – adj. anabólico.

anab·o·lite (ah-nab'o-līt") – anabólito; qualquer produto de anabolismo.

ana·cho·re·sis (an"ah-kah-re'sis) – anacorese; concentração ou depósito preferencial de partículas em um lugar como de bactérias ou metais que tenham se localizado fora da corrente sangüínea em áreas de inflamação. **anachoret'ic** – adj. anacorético.

an·acid·i·ty (an"ah-sid'ĭ-te) – anacidez; falta de acidez normal. **gastric a.** – a. gástrica; acloridria.

an·a·cli·sis (an"ah-kli'sis) – anáclise; condição de apoiar-se em ou depender de alguma coisa; em Psicanálise, desenvolvimento do amor da criança pela mãe a partir da dependência original de seus cuidados. **anaclit'ic** – adj. anaclítico.

anac·ro·tism (ah-nak'rah-tizm) – anacrotismo; anomalia de pulso evidenciada pela presença de chanfradura proeminente no ramo ascendente do traçado do pulso. **anacrot'ic** – adj. anacrótico.

an·a·dip·sia (an"ah-dip'se-ah) – anadipsia; sede intensa.

an·ad·re·nal·ism (an"ah-dre'nil-izm) – anadrenalismo; ausência ou falha de função adrenal.

an·aer·obe (an'ĕ-rōb) – anaeróbio; microrganismo que vive e cresce na ausência de oxigênio molecular. **anaero'bic** – adj. anaeróbico. **facultative a's** – anaeróbios facultativos; microrganismos que podem viver e crescer com ou sem oxigênio molecular. **obligate a's** – anaeróbios obrigatórios; microrganismos que só podem crescer na ausência completa de oxigênio molecular; alguns são exterminados pelo oxigênio.

an·aer·o·bi·o·sis (an-ār"o-bi-o'sis) – anaerobiose: processos metabólicos que ocorrem na ausência de oxigênio molecular.

an·aero·gen·ic (-jen'ik) – anaerogênico: 1. que produz pouco ou nenhum gás; 2. que suprime a formação de gás pelas bactérias produtoras de gás.

an·a·gen (an'ah-jen) – anagenia; primeira fase do ciclo piloso, durante a qual ocorre a síntese do pêlo.

an·aku·sis (an"ah-koo'sis) – anacusia; surdez total.

anal (a'n'l) – anal; relativo ao ânus.

an·al·bu·min·emia (an"al-bu"mĭ-ne'me-ah) – analbuminemia; ausência ou deficiência de albuminas séricas.

an·a·lep·tic (an"ah-lep'tik) – analéptico; droga que age como restaurador como a cafeína etc.

an·al·ge·sia (an"al-je'ze-ah) – analgesia: 1. ausência de sensibilidade à dor; 2. alívio da dor sem perda da consciência. **audio a.** – analgesia auditiva; audioanalgesia. **continuous epidural a.** – a. epidural contínua; injeção contínua de solução anestésica no interior dos plexos sacral e lombar dentro do espaço epidural para aliviar a dor do parto; também utilizada em cirurgia geral para bloquear os trajetos de dor abaixo do umbigo. **epidural a.** – a. epidural; analgesia induzida pela introdução do agente analgésico no interior do espaço epidural do canal vertebral. **infiltration a.** – a. por infiltração; paralisia das terminações nervosas no local de operação por meio de inje-

ção subcutânea de anestésico. **paretic a.** – a. parética; perda da sensação de dor acompanhada de paralisia parcial. **relative a.** – a. relativa; em anestesia dentária, nível mantido de sedação consciente, tipo de anestesia geral, pela qual se eleva o limiar da dor; geralmente induzida por inalação de óxido nitroso e oxigênio. **surface a.** – a. de superfície; analgesia local produzida por anestésico aplicado na superfície de membranas mucosas como as do olho, do nariz, da uretra etc.

an·al·ge·sic (-je'zik) – analgésico: 1. que alivia a dor; 2. relativo à analgesia; 3. agente que alivia a dor sem causar perda da consciência. **narcotic a.** – a. narcótico; a. opióideo. **nonsteroidal antiinflammatory a. (NSAIA)** – a. antiinflamatório não-esteróide; ver em *drug*. **opioid a.** – a. opióideo; qualquer substância de uma classe de compostos que se ligam com os receptores opióideos no sistema nervoso central para bloquear a percepção da dor ou afetar a resposta emocional a dor, incluindo o ópio e seus derivados.

an·al·gia (an-al'jah) – analgia; analgesia; ver *analgesia* (1). **anal'gic** – adj. análgico.

anal·o·gous (ah-nal'ah-gus) – análogo; que lembra ou é semelhante em alguns aspectos, como função ou aparência, mas não em origem ou desenvolvimento.

an·a·logue (an'ah-log) – análogo: 1. uma parte ou um órgão com a mesma função de outro, mas com origem evolutiva diferente; 2. composto químico com estrutura semelhante a de outro, mas diferindo com relação a determinado componente; pode ter ação metabólica semelhante ou oposta.

anal·o·gy (ah-nal'o-je) – analogia; qualidade de ser análogo; com semelhança em função ou aparência, mas não em origem ou desenvolvimento.

anal·y·sand (ah-nal'ĭ-sand) – analisando; pessoa que se submete à psicanálise.

anal·y·sis (ah-nal'ĭ-sis) – análise: 1. separação nas partes componentes; ato de determinação das partes componentes de uma substância; 2. Psicanálise; **analyt'ic** – adj. analítico. **bite a.** – a. de mordida; a. oclusal. **blood gas a.** – a. de gás sangüíneo; determinação das concentrações de oxigênio e dióxido de carbono e pH do sangue por meio de testes laboratoriais; podem-se fazer as seguintes medições: PO_2, pressão parcial de oxigênio no sangue arterial; PCO_2, pressão parcial de dióxido de carbono no sangue arterial; SO_2, saturação percentual de hemoglobina com oxigênio no sangue arterial; o teor total de CO_2 no plasma (venoso) e o pH. **gasometric a.** – a. gasométrica; análise por medição do gás emitido. **gravimetric a.** – a. gravimétrica; análise quantitativa em que o analisado ou o derivado são determinados por pesagem após a purificação. **occlusal a.** – a. oclusal; estudo das relações das superfícies oclusais dos dentes opostos. **qualitative a.** – a. qualitativa; análise química na qual se determina a presença ou a ausência de determinados compostos em uma amostra. **quantitative a.** – a. quantitativa; determinação das quantidades proporcionais dos constituintes de um composto. **pulse-chase a.** – a. de acompanhamento de pulso; método para examinar um processo celular que ocorre com o tempo por meio de exposição sucessiva das células a um composto radioativo (pulso) e depois ao mesmo composto em forma não-radioativa (acompanhamento). **spectroscopic a.**, **spectrum a.** – a. espectroscópica; a. do espectro; análise que se faz por determinação do(s) comprimento(s) de onda no(s) qual(is) a amostra absorve energia eletromagnética. **transactional a.** – a. transacional; tipo de psicoterapia que envolve a compreensão das interações interpessoais entre os componentes das personalidades dos participantes (indivíduos ou membros de um grupo). **vector a.** – a. do vetor; análise da força em movimento para determinar tanto sua magnitude como sua direção, por exemplo, análise do eletrocardiograma escalar para determinar a magnitude e a direção da força eletromotriz de um ciclo cardíaco completo.

an·a·ly·zer (an'ah-li"zer) – analisador: 1. prisma de Nicol conectado a um polariscópio que extingue o raio de luz polarizado pelo polarizador; 2. o nome dado por Pavlov para uma parte especializada do sistema nervoso que controla as reações do organismo a condições externas em alteração; 3. receptor nervoso e suas conexões centrais por meio do qual se diferencia a sensibilidade às estimulações.

an·am·ne·sis (an"am-ne'sis) – anamnese: 1. capacidade da memória; 2. antecedentes de um paciente e sua família.

ana·phase (an'ah-fāz) – anáfase; terceiro estádio da divisão do núcleo tanto na meiose como na mitose.

an·a·phia (an-a'fe-ah) – anafia; anestesia tátil.

an·a·pho·ria (an"ah-for'e-ah) – anaforia; tendência a inclinar a cabeça para baixo, desviando o eixo visual para cima para olhar em frente.

an·aph·ro·dis·iac (an"af-ro-diz'e-ak) – anafrodisíaco: 1. repressão do desejo sexual; 2. droga que reprime o desejo sexual.

ana·phy·lac·to·gen·e·sis (an"ah-fĭ -lak"to-jen'ĕ-sis) – anafilactogênese; produção de anafilaxia.

anaphylactogen'ic – adj. anafilactogênico.

ana·phy·la·tox·in (-fi"lah-tok'sin) – anafilatoxina; substância produzida no soro sangüíneo durante a fixação do complemento, que serve como mediadora da inflamação por induzir a desgranulação dos mastócitos e a liberação de histamina; na injeção em animais, causa choque anafilático.

ana·phy·lax·is (-fĭ -lak'sis) – anafilaxia; choque anafilático; manifestação de hipersensibilidade imediata em que a exposição de um indivíduo sensibilizado a um antígeno específico ou hapteno resulta em distúrbio respiratório de risco de vida, geralmente seguido de colapso vascular e choque e acompanhado de urticária, prurido e angioedema. **anaphylac'tic** – adj. anafilático. **active a.** – a. ativa; anafilaxia produzida por injeção de proteína estranha. **antiserum a.** – a. anti-soro; a. passiva. **local a.** – a. local; anafilaxia confinada a uma área limitada, por exemplo, anafilaxia cutânea. **passive a.** – a. passiva; anafilaxia que ocorre em pessoa normal a partir de injeção de soro de

pessoa sensibilizada. **passive cutaneous a. (PCA)** – a. cutânea passiva; anafilaxia localizada passivamente transferida por injeção intradérmica de um anticorpo e, depois de um período latente (cerca de 24 a 72), injeção endovenosa de antígeno homólogo e corante azul de Evans; se a pele tornar-se azul no local da injeção intradérmica é uma evidência de reação de permeabilidade. Utilizada em estudos de anticorpos que causam reação de hipersensibilidade imediata. **reverse a.** – a. inversa; anafilaxia que acompanha a injeção de um antígeno, seguida de injeção de anti-soro.

an·a·pla·sia (-pla'zhah) – anaplasia; perda de diferenciação e orientação das células (desdiferenciação) entre si e com relação à sua estrutura axial e os vasos sangüíneos, é característica de um tecido tumoral. **anaplas'tic** – adj. anaplástico.

An·a·plas·ma (-plaz'mah) – Anaplasma; gênero de microrganismos (família Anaplasmataceae) que inclui a *A. marginale*, agente etiológico da anaplasmose.

An·a·plas·ma·ta·ce·ae (-plaz"mah-ta'se-e) – Anaplasmataceae; família de microrganismos (ordem Rickettsiales).

an·a·plas·mo·da·stat (-plaz-mŏd'ah-stat") – anaplasmodastático; qualquer substância de um grupo de agentes químicos utilizados para controlar a anaplasmose em animais.

an·a·plas·mo·sis (-plaz-mo'sis) – anaplasmose; doença dos bovinos e ruminantes relacionados, caracterizada pela alta temperatura, anemia e icterícia, causada pela infecção por *Anaplasma marginale*. Também chamada doença hepática.

an·apoph·y·sis (-pofĭ -sis) – anapófise; processo vertebral acessório.

an·ap·tic (an-ap'tik) – anáptico; caracterizado pela anafia.

an·ar·thria (an-ahr'thre-ah) – anartria; disartria severa que resulta em mudez.

an·as·to·mo·sis (ah-nas"tah-mo'sis) [Gr.] – anastomose: 1. comunicação entre vasos através de canais colaterais; 2. formação cirúrgica, traumática ou patológica de uma abertura entre dois espaços ou órgãos normalmente distintos. **anastomot'ic** – adj. anastomótico. **arteriovenous a.** – a. arteriovenosa; anastomose entre uma artéria e uma veia. **crucial a.** – a. crucial; anastomose arterial na parte superior da coxa. **heterocladic a.** – a. heterocládica; anastomose entre ramos de artérias diferentes. **ileorectal a.** – a. ileorretal; anastomose cirúrgica do íleo e reto após colectomia total, como é algumas vezes realizada no tratamento da colite ulcerativa. **intestinal a.** – a. intestinal; estabelecimento de comunicação entre duas porções anteriormente distantes do intestino. **a. of Riolan** – a. de Riolan; anastomose das artérias mesentéricas superior e inferior. **Roux-en-Y a.** – a. de Roux-en-Y; qualquer anastomose em forma de Y na qual se inclui o intestino delgado.

anat. – anat.; anatomia.

anat·o·my (ah-nat'ah-me) – anatomia; ciência da estrutura dos organismos vivos. **applied a.** – a. aplicada; anatomia aplicada ao diagnóstico e tratamento. **clinical a.** – a. clínica; anatomia aplicada à prática clínica. **comparative a.** – a. comparada; estudo comparativo da estrutura de diferentes plantas e animais. **developmental a.** – a. do desenvolvimento, embriologia estrutural. **gross a.** – a. macroscópica; anatomia que lida com as estruturas visíveis a olho nu. **histologic a.** – a. histológica; histologia. **homologic a.** – a. homológica; estudo das partes relacionadas do corpo em diferentes animais. **macroscopic a.** – a. macroscópica; a. geral. **microscopic a.** – a. microscópica, histologia. **morbid a., pathological a.** – a. mórbida; a. patológica; anatomia de tecidos doentes. **physiological a.** – a. fisiológica; estudo dos órgãos com relação às suas funções normais. **radiological a.** – a. radiológica; estudo da anatomia dos tecidos com base em sua visibilização em chapas de raio X. **special a.** – a. especial, estudo de órgãos ou partes deles. **topographic a.** – a. topográfica; estudo de áreas com relação às partes adjacentes. **veterinary a.** – a. veterinária; anatomia dos animais domésticos. **x-ray a.** – a. por raio X; a. radiológica.

ana·tro·pia (an''ah-tro'pe-ah) – anatropia; desvio do eixo visual ascendente de um olho enquanto o outro olho está fixo. **anatrop'ic** – adj. anatrópico.

an·chor·age (ang'ker-ij) – ancoragem; por exemplo, a fixação cirúrgica de uma víscera deslocada ou, em Odontologia cirúrgica, fixação de obturações, coroas artificiais ou pontes. Em Ortodontia, suporte utilizado para regular o aparelho.

anchyl(o)- – ver também *ankyl(o)-*.

an·cip·i·tal (an-sipĭ-t'l) – ancipital; que tem duas bordas ou duas cabeças.

anco·nad (ang'ko-nad) – ancôneo; em direção ao cotovelo ou olecrânio.

an·con·ag·ra (ang''kon-ag'rah) – anconagra; gota do cotovelo.

an·co·ne·al (ang-ko'ne-il) – ancôneo; relativo ao cotovelo.

an·co·ni·tis (ang''ko-ni'tis) – anconite; inflamação da articulação do cotovelo.

an·crod (an'krod) – proteinase obtida a partir do veneno da crotalídea malaia *Agkistrodon rhodostoma*, que age especificamente no fibrinogênio; utilizado como anticoagulante no tratamento da oclusão da veia retiniana e na trombose de veia profunda e para evitar retrombose pós-operatório.

ancyl (o)- – ver também *ankyl(o)-*.

An·cy·los·to·ma (an''kĭ-los'tah-mah, an''sĭ-) – *Ancylostoma*; gênero de vermes (família Ancylostomatidae) ancilóstomo. **A. america'num** – *A. americanum; Necator americanus*. **A. brazilien'se** – *A. braziliense*; espécie que parasita cães e gatos nas áreas tropicais; suas larvas podem causar uma erupção serpiginosa no homem. **A. cani'num** – *A. caninum*; ancilóstomo comum dos cães e gatos; suas larvas também podem causar erupção serpiginosa no homem. **A. ceylo'nicum** – *A. ceylonicum; A. braziliense*. **A. duodena'le** – *A. duodenale;* ancilóstomo comum europeu ou do Velho Mundo, que parasita o intestino delgado, produzindo a afecção conhecida como ancilostomíase *(disease, hookworm)*.

an·cy·los·to·mi·a·sis (an''kĭ -los''to-mi'ah-sis, an''sĭ) – ancilostomíase; infestação por ancilóstomos; ver *disease, hookworm*.

An·cy·lo·sto·mi·dae (an''kĭ -lo-sto'mĭ -de, an''sĭ -lo-) – Ancylostomidae; família de parasitas nematódeos que apresentam duas placas cortantes ventrolaterais na entrada para uma grande cápsula bucal e dentes pequenos em sua base; ancilóstomos.

an·cy·roid (an'sĭ -roid) – anciróide; em forma de gancho.

andr(o)- [Gr.] – andro-, elemento de palavra, *macho; masculino.*

an·dro·blas·to·ma (an''dro-blas-to'mah) – androblastoma: 1. tumor benigno raro do testículo, semelhante histologicamente ao testículo fetal; existem três variedades: estromal difuso, misto (estromal e epitelial) e tubular (epitelial). Os elementos epiteliais contêm células de Sertoli, que podem produzir estrogênios, e conseqüentemente causar feminização; 2. arrenoblastoma.

an·dro·gen (an'dro-jen) – androgênio; qualquer substância, por exemplo, a testosterona, que promove a masculinização. **androgen'ic** – adj. androgênico; **adrenal a's** – androgênios supra-renais; esteróides de 19 carbonos sintetizados pelo córtex supra-renal, que funcionam como esteróides fracos ou precursores de esteróides; por exemplo, a desidroepiandrosterona.

an·dro·stane (an'dro-stān) – androstano; núcleo de hidrocarboneto ($C_{19}H_{32}$) de onde se derivam os androgênios.

an·dro·stane·di·ol (an''dro-stān'de-ol) – androstanediol; androgênio implicado na regulação da secreção de gonadotropina; *glicuronato de a.,* metabólito da desidroxitestosterona formado nos tecidos periféricos e utilizado para estimar a atividade androgênica periférica.

an·dro·stene (an'dro-stēn) – androsteno; hidrocarboneto cíclico ($C_{19}H_{30}O_2$), que forma o núcleo da testosterona e de determinados outros androgênios.

an·dro·stene·di·ol (an''dro-stēn'de-ol) – androstenediol; esteróide androgênico cristalino ($C_{19}H_{30}O_2$).

an·dro·stene·di·one (-stēn'de-ōn) – androstenediona; hormônio esteróide androgênico, menos potente que a testosterona, secretado pelo testículo, ovário e córtex adrenal.

an·dros·ter·one (an-dros'ter-ōn) – androsterona; hormônio androgênico ($C_{19}H_{30}O_2$), que ocorre na urina ou é preparado sinteticamente.

-ane – -ano, terminação de palavra que denota um hidrocarboneto de cadeia aberta saturado (CnH_{2n+2}).

an·ec·do·tal (an''ek-do't'l) – inédito; não-registrado; baseado apenas em histórias e não em fichas de casos registrados.

an·echo·ic (an-ĕ-ko'ik) – anecóico; sem ecos; diz-se de uma câmara para medir os efeitos do som.

an·ec·ta·sis (an-ek'tah-sis) – anectasia; atelectasia congênita devida à imaturidade de desenvolvimento.

ane·mia (ah-ne'me-ah) – anemia; redução abaixo do normal do número de hemácias, quantidade de hemoglobina ou volume do hematócrito no sangue; sintoma de várias doenças e distúrbios.

ane'mic – adj. anêmico. **achrestic a.** – a. acréstica; anemia megaloblástica semelhante morfologicamente à anemia perniciosa, mas com múltiplas outras causas. **aplastic a.** – a. aplásica; grupo diverso de distúrbios da medula óssea caracterizados por pancitopenia decorrente de redução das células medulares hematopoiéticas e sua substituição por gordura, freqüentemente acompanhados de granulocitopenia e trombocitopenia. **aregenerative a.** – a. arregenerativa; anemia caracterizada por falha da medula óssea, de forma que as células funcionais da medula regeneram-se lentamente ou não se regeneram absolutamente. **autoimmune hemolytic a. (AIHA)** – a. hemolítica auto-imune; termo genérico que abrange um grande grupo de anemias que envolvem auto-anticorpos contra os antígenos das hemácias; elas podem ser idiopáticas ou ter várias outras causas, incluindo auto-imunopatia, neoplasias hematológicas, infecções virais ou distúrbios de imunodeficiência. **Blackfan-Diamond a.** – a. de Diamond- Blackfan; a. hipoplásica congênita. (1). **congenital hypoplastic a.** – a. hipoplásica congênita: 1. anemia progressiva de etiologia desconhecida, encontrada no primeiro ano de vida, caracterizada pela deficiência de precursores de hemácias em uma medula óssea de outra forma normalmente celular; responde a hematínicos; 2. síndrome de Fanconi; ver *Fanconi s.*, em *syndrome* (1). **congenital nonspherocytic hemolytic a.** – a. hemolítica não-esferocítica congênita; anemia de um grupo heterogêneo de anemias herdadas, caracterizadas pela diminuição da sobrevivência das hemácias, ausência de esferocitose e fragilidade osmótica normal associada a defeitos da membrana das hemácias, deficiências enzimáticas intracelulares múltiplas, outros defeitos ou hemoglobinas instáveis. **hypochromic a.** – a. hipocrômica; anemia caracterizada pela redução desproporcional de hemoglobina das hemácias e aumento da área de palidez central nas hemácias. **Cooley's a.** – a. de Cooley; talassemia maior; ver *β-thalassemia*, em *thalassemia*. **drug-induced immune hemolytic a.** – a. hemolítica imune induzida por drogas; anemia hemolítica imune produzida por drogas, e classificada por: *tipo de penicilina* (na qual a droga induz à formação de anticorpos específicos), *tipo de metildopa* (em que a droga induz à formação de anticorpos anti-Rh) e *tipo de estibofeno* (em que os complexos droga-anticorpo circulantes ligam-se às hemácias). **equine infectious a.** – a. eqüina infecciosa; doença viral de eqüinos, com indisposição recorrente e elevações de temperatura abruptas, perda de peso, edema e anemia; tem-se sugerido a transmissão para o homem, no qual causa anemia, neutropenia e linfocitose relativa. **hemolytic a.** – a. hemolítica; anemia de um grupo de anemias agudas ou crônicas, herdadas ou adquiridas, e caracterizadas pelo encurtamento da sobrevivência das hemácias adultas e incapacidade da medula óssea em compensar a redução da expectativa de vida. **hereditary iron-loading a., hereditary sideroachrestic a., hereditary**

sideroblastic a. – a. sideroacréstica congênita; a. congênita por acúmulo de ferro; a. sideroblástica congênita; anemia ligada ao cromossomo X, caracterizada por sideroblastos anelados, hemácias hipocrômicas e microcíticas, pecilocitose, fraqueza e mais tarde, por excesso de ferro. **hookworm a.** – a. por ancilóstomo; anemia microcítica hipocrômica resultante de infecção por *Ancylostoma* ou *Necator;* ver também em *disease.* **hypoplastic a.** – a. hipoplásica; anemia decorrente de graus variáveis de hipoplasia eritrocítica, sem leucopenia ou trombocitopenia. **iron deficiency a.** – a. por deficiência de ferro; forma caracterizada por depósitos de ferro deficientes ou ausentes, baixa concentração sérica de ferro, baixa saturação de transferrina, baixa concentração hemoglobínica ou baixo hematócrito e hemácias microcíticas e hipocrômicas. **macrocytic a.** – a. macrocítica; um grupo de anemias de etiologias variadas, caracterizadas por hemácias maiores que as normais, ausência da área de palidez central costumeira e aumento de volume corpuscular médio e da hemoglobina corpuscular média. **Mediterranean a.** – a. do mediterrâneo; talassemia maior; ver *β-thalassemia*, em *thalassemia*. **megaloblastic a.** – a. megaloblástica; anemia caracterizada pela presença de megaloblastos na medula óssea. **microcytic a.** – a. microcítica; anemia caracterizada pela redução no tamanho das hemácias. **myelopathic a., myelophthisic a.** – a. mielopática; mielotísica; leucoeritroblastose. **normochromic a.** – a. normocrômica; anemia na qual o teor de hemoglobina das hemácias (conforme medido pelo CHCM) encontra-se dentro da variação normal. **normocytic a.** – a. normocítica; anemia caracterizada pela redução proporcional no teor de hemoglobina, volume de hematócritos e número de hemácias por milímetro cúbico de sangue. **pernicious a.** – a. perniciosa; anemia megaloblástica, que afeta mais comumente adultos idosos, devido à incapacidade da mucosa gástrica secretar um fator intrínseco adequado e potente, resultando em má-absorção de vitamina B_{12}. **polar a.** – a. polar; afecção anêmica que ocorre durante exposição à baixa temperatura; inicialmente microcítica, mas subseqüentemente torna-se normocítica. **pure red cell a.** – a. de hemácias puras; anemia caracterizada pela ausência de precursores de hemácias na medula óssea; a forma congênita é chamada de *a. hipoplásica congênita.* **refractory normoblastic a.** – a. normoblástica refratária. **refractory sideroblastic a.** – a. sideroblástica refratária; anemia sideroblástica clinicamente semelhante à forma sideroblástica hereditária, mas que ocorre em adultos e com freqüência progride lentamente. Não responde a hematínicos ou à remoção de agentes tóxicos ou drogas e pode ser pré-leucêmica. **sickle cell a.** – a. de células falciformes; defeito geneticamente determinado da síntese de hemoglobina, que ocorre quase exclusivamente em negros, e caracteriza-se pela presença de hemácias em forma de foice no sangue, artralgia, dor abdominal aguda, ulceração das pernas e, na expressão clínica total, pela homozigosidade para a hemoglobina S. **sideroachrestic a.**, **sideroblastic a.** – a. sideroblástica; anemia de um grupo heterogêneo de anemias com manifestações clínicas diversas, comumente caracterizada por grandes números de sideroblastos anelados na medula óssea, eritropoiese ineficiente, proporções variáveis de hemácias hipocrômicas no sangue periférico e níveis geralmente elevados de ferro tecidual. **sideropenic a.** – a. sideropênica; um grupo de anemias caracterizadas por baixos níveis de ferro no plasma; inclui anemia por deficiência de ferro e anemia dos distúrbios crônicos. **toxic hemolytic a.** – a. hemolítica tóxica; anemia devido a agentes tóxicos, incluindo drogas, lisinas bacterianas e venenos de cobra. **spur-cell a.** – a. espiculiforme; anemia na qual as hemácias apresentam forma espiculada bizarra e são destruídas prematuramente, primariamente no baço; é uma forma adquirida que ocorre no caso de hepatopatia severa e representa uma anomalia no teor de colesterol da membrana da hemácia.

an·en·ceph·a·ly (an''en-sef'ah-le) – anencefalia; ausência congênita da caixa cranial, com os hemisférios cerebrais completamente ausentes ou reduzidos a pequenas massas. **anencephal'ic** – adj. anencefálico.

an·er·gy (an'er-je) – anergia; redução da reatividade a um antígeno específico. **aner'gic** – adj. anérgico.

an·eryth·ro·pla·sia (an''ĕ-rith''ro-pla'zhah) – aneritroplasia; ausência de formação de hemácias. **anerythroplas'tic** – adj. aneritroplásico.

an·eryth·ro·poi·e·sis (-poi-e'sis) – aneritropoiese; produção deficiente de hemácias.

an·es·the·sia (an''es-the'zhah) – anestesia: 1. ausência de sensação, geralmente decorrente de danos a um nervo ou receptor; 2. perda da capacidade de sentir dor, causada pela administração de droga ou intervenção médica. **basal a.** – a. basal; narcose produzida por medicação preliminar, de forma que a inalação de anestésico necessária para produzir anestesia cirúrgica seja bastante reduzida. **block a.** – a. de bloqueio; ver *regional a.* e *block* (2). **bulbar a.** – a. bulbar; anestesia decorrente de lesão na ponte. **caudal a.** – a. caudal; anestesia produzida por injeção de anestésico local no interior do canal caudal ou sacral. **closed circuit a.** – a. em circuito fechado; anestesia produzida sob respiração contínua de pequena quantidade de gás anestésico em sistema fechado com aparelho para remover dióxido de carbono. **crossed a.** – a. cruzada; ver em *hemianesthesia*. **a. doloro'sa** – a. dolorosa; dor em uma área ou região anestésica. **electric a.** – a. elétrica; anestesia induzida pela passagem de corrente elétrica. **endotracheal a.** – a. endotraqueal; anestesia produzida pela introdução de mistura gasosa através de uma sonda inserida no interior da traquéia. **epidural a.** – a. epidural; anestesia produzida por injeção de anestésico entre as cristas vertebrais e por baixo do ligamento amarelo no interior do espaço extradural. **frost a.** – a. por congelamento; abolição da sensação como resultado de refrigeração tópica produzida por jato de líquido altamente volátil. **general a.** – a.

geral; estado de inconsciência e insuscetibilidade à dor produzido por meio da administração de agentes anestésicos por inalação, endovenosamente, intramuscularmente, retalmente ou introdução no trato gastrointestinal. **infiltration a.** – a. por infiltração; anestesia local produzida por injeção da solução anestésica na área das terminações nervosas. **inhalation a.** – a. por inalação; anestesia produzida pela inalação de vapores de líquido volátil ou agente anestésico gasoso. **insufflation a.** – a. por insuflação; anestesia produzida através da introdução de uma mistura de gases ou vapores no interior do trato respiratório por sonda. **local a.** – a. local; anestesia produzida em uma área limitada, tanto por injeção de anestésico local como por congelamento com cloreto etílico. **lumbar epidural a.** – a. epidural lombar; anestesia produzida por injeção de anestésico no interior do espaço epidural no segundo ou terceiro interespaço lombar. **muscular a.** – a. muscular; perda ou ausência de sensação muscular. **open a.** – a. aberta; anestesia geral de reinalação que utiliza um cone; não ocorre re-respiração significativa dos gases expirados. **peripheral a.** – a. periférica; anestesia devido a alterações nos nervos periféricos. **refrigeration a.** – a. por refrigeração; anestesia local produzida pela aplicação de garrote e resfriamento da parte a uma temperatura próxima do congelamento. **regional a.** – a. regional; insensibilidade de uma parte induzida pela interrupção da condutividade nervosa sensorial dessa região do corpo; pode ser produzida por (1) *bloqueio de campo*, que circunda o campo operatório por meio de injeções de um anestésico local; ou (2) *bloqueio nervoso (block, nerve)*, que realiza injeções na proximidade dos nervos que suprem uma área. **saddle block a.** – a. de bloqueio em sela; ver em *block, saddle*. **spinal a.** – a. espinhal: 1. anestesia produzida por injeção de anestésico local no interior do espaço subaracnóide ao redor da medula espinal; 2. perda de sensação devida a uma lesão espinhal. **surgical a.** – a. cirúrgica; grau de anestesia em que se pode realizar seguramente uma operação. **tactile a.** – a. tátil; perda ou deficiência do sentido do tato. **topical a.** – a. tópica; anestesia produzida pela aplicação de anestésico local diretamente na área envolvida, como na mucosa oral ou córnea. **transsacral a.** – a. transacral; anestesia espinhal produzida pela injeção de anestésico no interior do canal sacral e ao redor dos nervos sacrais através de cada um dos forames sacrais posteriores.

an·es·the·si·ol·o·gy (an''es-the''ze-ol'ah-je) – anestesiologia; ramo da Medicina que estuda a anestesia e os anestésicos.

an·es·thet·ic (an''es-thet'ik) – anestésico: 1. caracterizado pela anestesia; entorpecido; 2. relativo ou que produz anestesia; 3. agente que produz anestesia. **local a.** – a. local; agente como por exemplo, lidocaína, procaína ou tetracaína, produtor de anestesia através da paralisação das terminações nervosas sensoriais ou das fibras nervosas no local da aplicação. A condução dos impulsos nervosos é bloqueada pela interrupção da entrada do sódio nas células nervosas. **topical a.** – a.

tópica; anestesia local aplicada diretamente na área a ser anestesiada, geralmente as membranas mucosas ou a pele.

anes·the·tist (ah-nes'thĕ-tist) – anestesista; enfermeiro ou médico especializado na administração de anestésicos.

an·e·to·der·ma (an''ĕ-to-der'mah) – anetodermia; elastólise localizada que produz áreas circunscritas de pele macia, fina e enrugada, que freqüentemente protrai-se em pequenas saliências. **perifollicular a.** – a. perifolicular; anetoderma que ocorre ao redor dos folículos pilosos não precedida por foliculite; pode ser causada por estafilococos produtores de elastase, drogas ou fatores endócrinos. **postinflammatory a.** – a. pós-inflamatória, afecção que ocorre geralmente durante a infância, caracterizada pelo desenvolvimento de pápulas eritematosas que aumentam de volume formando placas, seguidas de frouxidão da pele semelhante à cútis flácida.

an·eu·ploi·dy (an''u-ploi'de) – aneuplóide; qualquer desvio de um múltiplo exato de número haplóide de cromossomas, para mais ou menos.

an·eu·rysm (an'u-rizm) – aneurisma; saco formado pela dilatação localizada da parede de uma artéria, veia ou do coração. **aneurys'mal** – adj. aneurismático. **aortic a.** – a. aórtico; aneurisma da aorta. **arteriovenous a.** – a. arteriovenoso; comunicação anormal entre uma artéria e uma veia, em que o sangue flui diretamente no interior de uma veia vizinha ou é transportado no interior da veia por um saco conector. **atherosclerotic a.** – a. aterosclerótico; aneurisma que surge como resultado do enfraquecimento da túnica média em uma aterosclerose severa. **berry a.** – a. saculado; pequeno aneurisma sacular de uma artéria cerebral, geralmente na junção dos vasos no círculo de Willis, apresentando uma abertura estreita no interior da artéria. **compound a.** – a. composto; aneurisma no qual algumas das camadas da parede do vaso rompem-se e algumas apenas se dilatam. **dissecting a.** – a. dissecante; dissecção aórtica. **false a.** – a. falso; aneurisma em que toda a parede lesiona-se e o sangue fica retido nos tecidos circundantes; eventualmente forma-se um saco comunicante com a artéria (ou coração). **infected a.** – a. infectado; aneurisma produzido pelo crescimento de microrganismos (bactérias ou fungos) na parede do vaso, ou infecção que surge dentro de aneurisma arteriosclerótico preexistente. **mycotic a.** – a. micótico; aneurisma infectado causado por fungos. **racemose a.** – a. racemoso; dilatação e alongamento tortuoso dos vasos sangüíneos. **saccular a., sacculated a.** – a. saculado; saco distendido que afeta somente parte da circunferência arterial. **varicose a.** – a. varicoso; aneurisma no qual um saco interposto une a artéria às veias contíguas.

an·eu·rys·mo·plas·ty (an''u-riz'mo-plas''te) – aneurismoplastia; reparo plástico da artéria afetada no tratamento de um aneurisma.

an·eu·rys·mor·rha·phy (an''u-riz-mor'ah-fe) – aneurismorrafia; sutura de um aneurisma.

angi(o)- [Gr.] – angi(o)-, elemento de palavra, *vaso (canal).*

an·gi·as·the·nia (an''je-as-the'ne-ah) – angiastenia; perda do tônus no sistema vascular.

an·gi·ec·ta·sis (-ek'tah-sis) – angiectasia; dilatação macroscópica e, freqüentemente, o alongamento de um vaso sangüíneo. **angiectat'ic** – adj. angiectático.

an·gi·ec·to·my (-ek'tah-me) – angiectomia; excisão ou ressecção de um vaso sangüíneo.

an·gi·ec·to·pia (-ek-to'pe-ah) – angiectopia; posição ou curso anormal de um vaso sangüíneo.

an·gi·tis (-i'tis) pl. *angiitides* – angiíte; inflamação das túnicas de um vaso, principalmente vasos sangüíneos e linfáticos; vasculite. **allergic granulomatous a.** – a. alérgica granulomatosa; forma de granulite necrosante sistêmica na qual ocorre um envolvimento pulmonar proeminente.

an·gi·na (an-ji'nah, an'ji'-nah) – angina; dor espasmódica, constritora ou sufocante; termo empregado quase exclusivamente para denotar angina peitoral. **an'ginal** – adj. anginal. **agranulocytic a.** – a. agranulocítica; agranulocitose. **intestinal a.** – a. intestinal; dor abdominal generalizada com câimbra, decorrente de isquemia da musculatura lisa intestinal que ocorre imediatamente após uma refeição e persiste por uma a três horas. **a. inver'sa** – a. inversa; a. Prinzmetal. **Ludwig's a.** – a. de Ludwig; forma severa de celulite do espaço submaxilar e envolvimento secundário dos espaços sublingual e submental, geralmente resultando de infecção ou lesão penetrante no assoalho da boca. **a. pec'toris** – a. de peito; dor paroxística no peito, freqüentemente irradiando-se para os braços, particularmente o esquerdo, geralmente devido à interferência no suprimento de oxigênio para o músculo cardíaco, e precipitada por excitação ou esforço. **Plaut's a., pseudomembranous a.** – a. de Plaut; a. pseudomembranosa; gengivoestomatite ulcerativa necrosante. **Prinzmetal's a.** – a. de Prinzmetal; variante da angina de peito na qual o ataque ocorre durante o repouso, preserva-se bem a capacidade de exercício e os ataques associam-se eletrocardiograficamente à elevação do segmento ST. **a. tonsilla'ris** – a. tonsilar; abscesso peritonsilar. **a. trachea'lis** – a. traqueal; crupe. **variant a. pectoris** – a. de peito variante; a. de Prinzmetal.

an·gi·nose (an'ji'-nōs) – anginoso; caracterizado por angina.

an·gio·blast (an'je-o-blast'') – angioblasto: 1. primeiro tecido formador a partir do qual surgem as células e os vasos sangüíneos: 2. célula formadora de vaso individual. **angioblast'ic** – adj. angioblástico.

an·gio·blas·to·ma (an''je-o-blas-to'mah) – angioblastoma: 1. hemangioblastoma; 2. meningioma angioblástico.

an·gio·car·di·og·ra·phy (-kahr''de-og'rah-fe) – angiocardiografia; radiografia do coração e grandes vasos após a introdução de um meio de contraste opaco no interior de um vaso sangüíneo ou de uma câmara cardíaca. **equilibrium radionuclide a.** – a. com radionuclídeo em equilíbrio; forma de angiocardiografia com radionuclídeo em que as imagens são obtidas em fases específicas do ciclo cardíaco em uma série de centenas de ciclos com um aparelho de registro de imagens calibrado para formas eletrocardiográficas de onda específicas. **first pass radionuclide a.** – a. com radionuclídeo de primeira passagem; uma forma de angiocardiografia com radionuclídeo na qual se obtém rápida seqüência de imagens imediatamente após a administração de um volume de radioatividade para registrar somente o trânsito inicial através da circulação central. **radionuclide a.** – a. com radionuclídeo; forma na qual o material de contraste é um radionuclídeo, geralmente um composto de tecnécio Tc 99m.

an·gio·car·dio·ki·net·ic (-kahr'de-o-kĭ-net'ik) – angiocardiocinético; contração ou dilatação do coração e dos vasos sangüíneos; também, agente que afeta tais movimentos.

an·gio·car·di·tis (-kahr-di'tis) – angiocardite; inflamação do coração e dos vasos sangüíneos.

an·gio·cen·tric (-sen'trik) – angiocêntrico; relativo a lesões que se originam nos vasos sangüíneos.

an·gio·dys·pla·sia (-dis-pla'zhah) – angiodisplasia; pequenas anormalidades vasculares, especialmente do trato intestinal.

an·gio·ede·ma (-ĕ-de'mah) – angioedema; reação vascular que envolve a derme profunda ou os tecidos subcutâneos ou submucosos, representando um edema localizado causado pela dilatação e aumento de permeabilidade dos capilares e caracterizado pelo desenvolvimento de pústulas gigantes. *A. hereditário*, transmitido como característica autossômica dominante, tende a envolver mais lesões viscerais que a forma esporádica.

an·gio·en·do·the·li·o·ma (-en"do-the"le-o'mah) – angioendotelioma; hemangioendotelioma.

an·gio·en·do·the·lio·ma·to·sis (-en"do-the"le-o-mah-to'sis) – angioendoteliomatose; proliferação intravascular de tumores derivados de células endoteliais.

an·gio·fi·bro·ma (-fi-bro'mah) – angiofibroma; lesão caracterizada pela proliferação vascular e de tecido fibroso. **juvenile nasopharyngeal a.** – a. nasofaríngico juvenil; tumor relativamente benigno do nasofaringe, composto de tecido conjuntivo fibroso com espaços vasculares revestidos por endotélio, geralmente ocorrendo durante a puberdade, mais comumente em rapazes. É caracterizado pela obstrução nasal, que pode ser total, fala afetada pela adenóide, causar desconforto na deglutição ou obstrução da tuba auditiva.

an·gio·fol·lic·u·lar (-fŏl-lik'u-ler) – angiofolicular; relativo a um folículo linfóide e seus vasos sangüíneos.

an·gio·gen·e·sis (-jen'ĭ -sis) – angiogênese; desenvolvimento de vasos sangüíneos no embrião.

an·gio·gen·ic (-jen'ik) – angiogênico: 1. relativo à angiogênese; 2. de origem vascular.

an·gi·og·ra·phy (an"je-og'rah-fe) – angiografia; radiografia dos vasos sangüíneos após a introdução de um meio de contraste. **intra-arterial digital subtraction a.** – a. digital por subtração intra-arterial; técnica de obtenção de imagens radiológicas para a arteriografia que utiliza um circuito eletrônico para subtrair o segundo plano dos ossos e tecidos moles da imagem das artérias,

que foram injetadas com material de contraste. **intravenous digital subtraction a.** – a. com subtração digital endovenosa; técnica de obtenção de imagens fluoroscópicas na qual se utiliza um circuito eletrônico para subtrair o segundo plano dos ossos e tecidos moles e proporcionar uma imagem útil dos vasos após a injeção de um meio de contraste.

an·gio·he·mo·phil·ia (an"je-o-he"mo-fil'e-ah) – angioemofilia; doença de von Willebrand.

an·gio·hy·a·li·no·sis (-hi"ah-lĭ -no'sis) – angioialinose; degeneração hialina das paredes dos vasos sangüíneos.

an·gi·oid (an'je-oid) – angióide; semelhante aos vasos sangüíneos.

an·gio·ker·a·to·ma (an"je-o-ker"ah-to'mah) – angioceratoma, cutaneopatia na qual as telangiectasias ou crescimentos verrucosos ocorrem em grupos, juntamente com espessamento epidérmico. **a. circumscrip'tum** – a. circunscrito, forma rara com pápulas e nódulos discretos, geralmente localizados em uma pequena área na perna ou no tronco.

an·gio·ki·net·ic (-kĭ -net'ik) – angiocinético; vasomotor.

an·gio·leio·my·o·ma (-li"o-mi-o'mah) – angioleiomioma; leiomioma que surge a partir da musculatura lisa vascular, geralmente ocorrendo como um tumor subcutâneo nodular solitário e algumas vezes doloroso na extremidade inferior, particularmente em mulheres de meia-idade.

an·gio·lipo·leio·my·o·ma (-lip"o-li"o-mi-o'mah) – angiolipoleiomioma; tumor benigno composto de vasos sangüíneos, tecido adiposo e elementos de musculatura lisa, como ocorre no rim em associação à esclerose tuberosa, quando é geralmente chamado angiomiolipoma (*angiomyolipoma*).

an·gio·li·po·ma (-lĭ -po'mah) – angiolipoma; lipoma freqüentemente doloroso que contém grupos de vasos sangüíneos de parede fina em proliferação.

an·gi·ol·o·gy (an"je-ol'ah-je) – angiologia; estudo dos vasos do corpo; também, a soma do conhecimento relativo aos vasos sangüíneos e linfáticos.

an·gio·lu·poid (an"je-o-loo'poid) – angiolupóide; manifestação rara de sarcoidose cutânea localizada na região malar, ponte do nariz ou ao redor dos olhos, e que consiste de regiões nodulares lívidas que coalescem formando placas.

an·gi·ol·y·sis (an"je-ol'ĭ -sis) – angiólise; degeneração ou destruição dos vasos sangüíneos, como no desenvolvimento embrionário.

an·gi·o·ma (an"je-o'mah) – angioma; tumor cujas células tendem a formar vasos sangüíneos (hemangioma) ou vasos linfáticos (linfangioma); tumor constituído de vasos sangüíneos ou linfáticos. **angiom'atous** – adj. angiomatoso. **a. caveno'sum, cavernous a.** – a. cavernoso; ver em *hemangioma*. **cherry a's** – angiomas em morango; hemangiomas circunscritos, redondos ou ovais, e vermelho-brilhantes, com 2 a 6mm de diâmetro, e que contêm muitas alças vasculares devido a distúrbio vascular telangiectásico, geralmente observado no tronco, mas algumas vezes aparecendo em outras áreas do corpo como no caso do angioma serpiginoso, e ocorrendo na maioria das pessoas de meia-idade e idosas. **senile a's** – angiomas senis; angiomas em morango. **a. serpigino'sum** – a. serpiginoso; cutaneopatia caracterizada por pontos vasculares diminutos distribuídos em anéis na pele.

an·gi·o·ma·to·sis (an"je-o-mah-to'sis) – angiomatose; estado patológico dos vasos com formação de angiomas múltiplos. **bacillary a.** – a. bacilar; afecção observada em pacientes com a síndrome de imunodeficiência adquirida, com características variáveis que vão de lesões cutâneas angiomatosas eritematosas a uma doença mais amplamente difundida que se acredita ser uma infecção oportunista por rickéttsia. **cerebroretinal a.** – a. retinocerebral; doença de von Hippel-Lindau. **encephalofacial a., encephalotrigeminal a.** – a. encefalofacial; a. encefalotrigeminal; síndrome de Sturge-Weber. **a. of retina** – a. retiniana; doença de von Hippel. **retinocerebral a.** – a. retinocerebral; doença de von Hippel-Lindau.

an·gio·myo·li·po·ma (-mi"o-lĭ-po'mah) – angiomiolipoma; tumor benigno que contém elementos vasculares, adiposos e musculares, que ocorre mais freqüentemente como tumor renal que contém elementos de musculatura lisa mais corretamente chamado de angiolipoleiomioma (*angiolipoleiomyoma*), geralmente em associação com esclerose tuberosa, e é considerado um hamartoma.

an·gio·my·o·ma (-mi-o'mah) – angiomioma; angioleiomioma.

an·gio·myo·sar·co·ma (-mi"o-sahr-ko'mah) – angiomiossarcoma; tumor composto de elementos de angioma, mioma e sarcoma.

an·gio·neu·rop·a·thy (-nōō-rop'ah-the) – angioneuropatia: 1. neuropatia angiopática; 2. qualquer neuropatia que afete os vasos sangüíneos; distúrbio do sistema vasomotor, como angioespasmo ou paralisia vasomotora. **angioneuropath'ic** – adj. angioneuropático.

an·gio·no·ma (-no'mah) – angionoma; ulceração dos vasos sangüíneos.

an·gio·pa·ral·y·sis (-pah-ral'ĭ-sis) – angioparalisia; paralisia vasomotora.

an·gio·pa·re·sis (-pah-re'sis) – angioparesia; vasoparesia.

an·gi·op·a·thy (an"je-op'ah-the) – angiopatia; qualquer doença dos vasos.

an·gio·plas·ty (an'je-o-plas"te) – angioplastia; procedimento angiográfico para eliminação de áreas de estreitamento nos vasos sangüíneos, como pela inflação de um balão dentro do vaso ou pela vaporização a laser de uma oclusão dentro de um vaso. **percutaneous transluminal a., transluminal coronary a.** – a. percutânea transluminal; a. coronária transluminal; dilatação de um vaso sangüíneo por meio de um cateter de balão inserido através da pele e do lúmen do vaso até o local do estreitamento, onde a inflação do balão achata a placa contra a parede do vaso.

an·gio·poi·e·sis (an"je-o-poi-e'sis) – angiopoiese; formação de vasos sangüíneos. **angiopoiet'ic** – adj. angiopoiético.

an·gio·pres·sure (an'je-o-presh"er) – angiopressão; aplicação de pressão em um vaso sangüíneo para controlar hemorragia.

an·gi·or·rha·phy (an"je-or'ah-je) – angiorrafia; sutura de um vaso ou mais vasos.

an·gio·sar·co·ma (an"je-o-sahr-ko'mah) – angiossarcoma; neoplasia maligna que surge a partir de células endoteliais vasculares; o termo pode ser utilizado genericamente ou denotando um subtipo, como o hemangiossarcoma.

an·gio·scle·ro·sis (-sklĕ-ro'sis) – angioesclerose; endurecimento das paredes dos vasos sangüíneos. **angiosclerot'ic** – adj. angioesclerótico.

an·gio·scope (an'je-o-skōp") – angioscópio; microscópio para observar os capilares.

an·gi·os·co·py (an"je-os'kah-pe) – angioscopia; visualização dos vasos sangüíneos capilares através de angioscópio.

an·gio·sco·to·ma (an"je-o-sko-to'mah) – angioscotoma; escotoma cecocentral causado por traços de vasos sangüíneos retinianos.

an·gio·sco·tom·e·try (-sko-tom'ĭ-tre) – angioscotometria; traçado ou mapeamento de um angioescotoma; feito particularmente no caso do diagnóstico de glaucoma.

an·gio·spasm (an'je-o-spazm") – angioespasmo; contração espasmódica das paredes de um vaso sangüíneo. **angiospas'tic** – adj. angioespástico.

an·gio·ste·no·sis (an"je-o-stĕ-no'sis) – angiostenose; estreitamento do calibre de um vaso.

an·gi·os·te·o·sis (an"je-o"te-o'sis) – angiosteose; ossificação ou calcificação de um vaso.

an·gio·stron·gy·li·a·sis (an"je-o-stron"jĭ-li'ah-sis) – angiostrongiliáse; infecção por *Angiostrongylus cantonensis*.

An·gio·stron·gy·lus (-stron'jĭ-lus) – angiostrongylus; gênero de parasitas nematódeos. **A. cantonen'sis** – *A. cantonensis*; verme pulmonar dos ratos da Austrália e de muitas ilhas do Pacífico, incluindo o Havaí; infecção humana – acredita-se que se deva à ingestão de larvas em hospedeiros intermediários, por exemplo, caranguejos de água doce – resulta da migração das larvas para o sistema nervoso central, onde provocam meningoencefalite eosinofílica. **A. vaso'rum** – *A. vasorum*; espécie parasita das artérias pulmonares dos cães.

an·gi·os·tro·phe (an"je-os'trah-fe) – angióstrofo; retorcimento de um vaso a fim de estancar uma hemorragia.

an·gi·os·tro·phy (an"je-os'trah-fe) – angiostrofia; angióstrofo.

an·gio·te·lec·ta·sis (an"je-o-tah-lek'tah-sis) pl. *angiotelectases* – angiotelectasia; dilatação de artérias e veias diminutas.

an·gio·ten·sin (-ten'sin) – angiotensina; hormônio decapeptídico (a. I) formado a partir do angiotensinogênio glicoproteico plasmático através da renina secretada pelo aparelho justaglomerular. É por sua vez hidrolisada por peptidase nos pulmões formando um octapeptídeo (a. II), que é um vasopressor poderoso e estimulador da secreção de aldosterona através do córtex suprarenal. Este é por sua vez hidrolisado formando um heptapeptídeo (a. III), que tem menos atividade vasopressora, e mais atividade estimuladora do córtex supra-renal. **a. amide** – amida da angiotensina; vasopressor e vasoconstritor utilizado no tratamento de determinados estados hipotensivos.

an·gio·ten·sin·ase (-ten'sin-ās) – angiotensinase; qualquer de um grupo de peptidases plasmáticas ou teciduais que clivam e inativam a angiotensina.

an·gio·ten·sin-con·vert·ing en·zyme (-kon-vert'ing en'zīm) – enzima conversora da angiotensina; ver *kininase II.*

an·gio·ten·sin·o·gen (-ten-sin'o-jen) – angiotensinogênio; α-₂-globulina sérica secretada no fígado que, hidrolisada pela renina, dá origem à angiotensina.

an·gio·tome (an'je-o-tōm") – angiótomo; um dos segmentos do sistema vascular do embrião.

an·gio·ton·ic (an''je-o-ton'ik) – angiotônico; que aumenta a tensão vascular.

an·gio·tribe (an'je-o-trīb") – angiótribo; pinça forte sob a qual se aplica pressão por meio de um parafuso; utilizada para esmagar um tecido que contenha uma artéria para interromper uma hemorragia do vaso.

an·gio·troph·ic (an''je-o-trof'ik) – angiotrófico; relativo à nutrição dos vasos.

an·gle (ang'g'l) ângulo: 1. ponto para onde convergem duas bordas ou superfícies de intersecção; 2. grau de divergência de duas linhas ou planos interseccionais. **acromial a.** – a. acromial; ponto ósseo subcutâneo onde a borda lateral torna-se contínua com a espinha da escápula. **axial a.** – a. axial; qualquer ângulo linear paralelo ao eixo longitudinal de um dente. **cardiodiaphragmatic a.** – a. cardiodiafragmático; ângulo formado pela junção das silhuetas do coração e do diafragma nas radiografias póstero-anteriores do tórax. **costovertebral a.** – a. costovertebral; ângulo formado em cada lado da coluna vertebral entre a última costela e as vértebras lombares. **filtration a.** – a. de filtração; recesso estreito entre a junção esclerocorneana e a margem presa da íris, na periferia da câmara anterior do olho; é o principal local de saída do fluido aquoso. **iridial a.** – a. da íris. **iridocorneal a., a. of iris** – a. iridocorneano; a. da íris; a. de filtração. **line a.** – a. da linha; ângulo formado pela junção de dois planos; em Odontologia, a junção de duas superfícies de um dente ou duas paredes de uma cavidade dentária. **Louis a., Ludwig's a.** – a. de Louis; a. de Ludwig; ângulo entre o manúbrio e o gládiolo. **point a.** – a. do ponto; ângulo formado pela junção de três planos; em Odontologia, a junção de três superfícies de um dente ou três paredes de uma cavidade dentária. **a. of pubis** – a. do púbis; ângulo formado pelos ramos associados dos ossos isquial e púbico. **subpubic a.** – a. subpúbico; a. do púbis. **tooth a's** – ângulos dentários; ângulos formados por duas ou mais superfícies dentárias. **Y a.** – de a. em Y; o ângulo entre o raio fixo e a linha que reúne o lambda e o ínio.

ång·ström (ang'strom) – ångström; unidade de comprimento utilizada para dimensões atômicas e comprimentos de onda luminosos; é nominalmente equivalente a 10^{-10}m. Símbolo Å.

an·gu·la·tion (ang"gu-la'shun) – angulação: 1. formação de uma inclinação obstrutiva afiada, no intestino, ureter ou em tubos semelhantes; 2. desvio de uma linha reta, como em um osso mal posicionado.

an·gu·lus (ang'gu-lus) [L.] – ângulo; ver *angle*; utilizado em nomes de estruturas anatômicas ou pontos de referência. **a. infectio'sus** – a. infeccioso; inflamação do canto da boca (perlèche). **a. i'ridis** – a. da íris; ângulo de filtração. **a. Ludovi'ci** – a. ludoviciano; ângulo de Louis. **a. o'culi** – a. ocular; canto do olho. **a. pu'bis** – a. púbico; ângulo do púbis. **a. ster'ni** – a. esternal; ângulo de Louis. **a. veno'sus** – a. venoso; ângulo na junção da veia jugular interna e da veia subclávia.

an·he·do·nia (an''he-do'ne-ah) – anedonia; incapacidade de experimentar prazer em atos normalmente agradáveis.

an·hi·drot·ic (an''hī-drot'ik) – anidrótico: 1. que controla o fluxo de suor; 2. agente que suprime a transpiração.

an·hy·dre·mia (an''hi-dre'me-ah) – anidremia; deficiência de água no sangue.

an·hy·dride (an-hi'drīd) – anidrido; qualquer composto derivado de uma substância, especialmente um ácido, por meio da extração de uma molécula de água. **chromic a.** – a. crômico; ácido crômico; ver *chromic acid* (2). **phthalic a.** – a. ftálico; composto reativo de baixo peso molecular com vários usos industriais; causa irritação cutânea e seu vapor causa alveolite alérgica extrínseca.

an·i·ler·i·dine (an''ī-ler'ī-dēn) – anileridina; analgésico narcótico utilizado como sal de fosfato para a pré-medicação pós-operatória e como analgésico obstétrico. O abuso pode causar dependência.

an·i·lide (an'ī-līd) – anilida; qualquer composto formado a partir da anilina através da substituição de um radical pelo hidrogênio do NH_2.

an·i·line (an'i-len) – anilina; substância original das cores ou corantes derivados do alcatrão; é causa importante de envenenamento industrial sério associado à depressão da medula óssea e à metemoglobinemia; altas doses ou a exposição prolongada podem ser carcinogênicos.

an·i·lin·ism (an'ī-lin-izm) – anilinismo; envenenamento por exposição à anilina.

an·i·lism (an'ī-lizm) – anilismo; anilinismo.

anil·i·ty (ah-nil'ī-te) – anilidade; caduquice: 1. o estado de ser como uma mulher idosa; 2. imbecilidade.

an·i·ma (an'ī-mah) – *anima*: 1. alma; 2. termo de Jung para o inconsciente ou o ser interior do indivíduo, em oposição à personalidade que apresenta para o mundo (persona). Na Psicanálise junguiana, o componente mais feminino ou alma feminina da personalidade masculina; cf. *animus.*

an·i·mal (an'ī-m'l) – animal: 1. organismo vivo que tem sensações e capacidade de movimentar-se voluntariamente e exige oxigênio e alimento orgânico para sua existência; 2. desse organismo ou relativo a ele. **control a.** – a. de controle; animal que não recebe tratamento por drogas mas sob outros aspectos é submetido às mesmas condições de animais utilizados para propósitos de experimentação; usado na conferência de resultados do tratamento. **hyperphagic a.** – a. hiperfágico; animal experimental no qual as células do núcleo ventromedial do hipotálamo foram destruídas, abolindo a consciência do ponto em que deve parar de comer; ingestão excessiva e selvageria caracterizam esse animal. **spinal a.** – a. espinhal; animal cujo medula espinhal foi rompido, interrompendo-se a comunicação com o cérebro.

an·i·mus (an'ĭ-mus) – *animus;* ânimo; em Psicanálise junguiana, o componente mais masculino ou a alma masculina da personalidade feminina; cf. *anima* (2).

an·ion (an'i-on) – ânion; íon negativamente carregado. Em uma célula eletrolítica, os ânions são atraídos pelo elétrodo positivo (ânodo).

an·irid·ia (an''ĭ-rid'e-ah) – aniridia; ausência congênita da íris.

ani·sa·ki·a·sis (an''ĭ-sah-ki'ah-sis) – anisaquíase; infecção por larvas de terceiro estádio do verme cilíndrico *Anisakis marina,* que escavam no interior da parede gástrica, produzindo massa granulomatosa eosinofílica. A infecção é adquirida ingerindo-se peixe marinho não cozido.

An·i·sakis (an''ĭ -sa'kis) – *Anisakis;* gênero de nematódeos que parasita o estômago de mamíferos e aves marinhos.

an·is·ei·ko·nia (an''ĭ -si-ko'ne-ah) – aniseiconia; desigualdade das imagens retínicas entre os dois olhos.

***o*-an·is·i·dine** (ah-nis'ĭ -dĕn) – *o*-anisidina; amina aromática oleosa de amarela a vermelha, utilizada como intermediária na fabricação de corantes azo; é irritante e carcinógena.

an·is·in·di·one (an''is-in-di'ōn) – anisindiona; anticoagulante administrado oralmente.

anis(o)- [Gr.] – anis(o)-, elemento de palavra, *desigual.*

an·iso·chro·mat·ic (an-i''so-kro-mat'ik) – anisocromático; que não é completamente da mesma cor.

an·iso·co·ria (-kor'e-ah) – anisocoria; desigualdade no tamanho das pupilas dos olhos.

an·iso·cy·to·sis (-si-to'sis) – anisocitose; presença de hemácias no sangue que demonstram variações excessivas no tamanho.

an·iso·gam·ete (-gam'ĕt) – anisogameta; gameta que difere em tamanho e estrutura daquele ao qual se une. **anisogamet'ic** – adj. anisogamético.

an·iso·kary·o·sis (-kar''e-o'sis) – anisocariose; desigualdade no tamanho dos núcleos das células.

an·iso·me·tro·pia (-mah-tro'pe-ah) – anisometropia; desigualdade no poder refrativo entre ambos os olhos. **anisometrop'ic** – adj. anisometrópico.

an·iso·pi·esis (-pi-e'sis) – anisopiese; variação ou desigualdade na pressão sangüínea conforme o registrado em partes diferentes do corpo.

an·iso·poi·ki·lo·cy·to·sis (-poi''kĭ -lo-si-to'sis) – anisopecilocitose; presença no sangue de hemácias de tamanhos variáveis e formas anormais.

an·iso·spore (an-i'so-spor) – anisosporo: 1. anisogameta de organismos que se reproduzem por esporos; 2. esporo assexuado produzido por organismos heterósporos.

an·iso·sthen·ic (an-i''sos-then'ik) – anisostênico, que não tem força equivalente; diz-se de músculos.

an·iso·ton·ic (an-i''so-ton'ik) – anisotônico: 1. que varia em tonicidade ou tensão; 2. que tem pressão osmótica diferente; não-isotônico.

an·iso·tro·pic (-trop'ik) – anisotrópico: 1. que tem propriedades desiguais em direções diferentes; 2. duplamente refrativo ou que tem poder de polarização dupla.

an·i·so·tro·pine (-tro'pēn) – anisotropina; anticolinérgico que produz relaxamento da musculatura lisa visceral; utilizado como sal de metilbrometo como espasmolítico em vários distúrbios gastrointestinais.

an·isot·ro·py (an''i-sot'rah-pe) – anisotropia; qualidade de ser anisotrópico.

an·is·trep·lase (an-is-trep'lās) – anistreplase; agente trombolítico usado principalmente para limpar as oclusões dos vasos coronários após infarto de miocárdio.

an·i·su·ria (an''i-su're-ah) – anisúria; oligúria e poliúria alternantes.

an·kle (ang'k'l) – tornozelo; região da articulação entre a perna e o pé; tarso. Também, a articulação calcânea; talo.

ankyl(o)- [Gr.] – anquil(o)-, elemento de palavra, *curvo; dobrado; em forma de alça; aderência.*

an·ky·lo·bleph·a·ron (ang''kĭ -lo-blef'ah-ron) – ancilobléfaro; aderência entre as bordas ciliares das pálpebras.

an·ky·lo·glos·sia (-glos'e-ah) – anciloglossia; língua presa. **a. supe'rior** – a. superior; aderência extensa da língua ao palato associada a deformidades das mãos e pés.

an·ky·losed (ang'kĭ -lōzd) – anquilosado; fundido ou obliterado, como uma articulação ancilosada.

an·ky·lo·sis (ang''kĭ -lo'sis) [Gr.] pl. *ankiloses* – ancilose; imobilidade e consolidação de articulação decorrente de enfermidade, lesão ou procedimento cirúrgico. **ankylot'ic** – adj. ancilótico. **arti·ficial a.** – a. artificial; artrodese. **bony a.** – a. óssea; união dos ossos de uma articulação por meio de proliferação das células ósseas, resultando em imobilidade completa; a. verdadeira. **extracapsular a.** – a. extracapsular; ancilose decorrente de rigidez das estruturas externas à cápsula articular. **false a.** – a. falsa. **fibrous a.** – a. fibrosa; redução da mobilidade articular devido à proliferação de tecido fibroso. **intracapsular a.** – a. intracapsular; ancilose decorrente de doença, lesão ou cirurgia dentro da cápsula articular.

an·ky·rin (ang'kĭ -rin) – anquirina; proteína da membrana das hemácias e do cérebro que ancora a espectrina à membrana plasmática nos locais dos canais iônicos.

an·ky·roid (ang'kĭ -roid) – anciróide; em forma de gancho.

an·lage (ahn-lah'gĕ, an'lāj) [Ger.] pl. *anlagen* – primórdio.

an·neal (ah-nēl') – temperar: 1. temperar ou amolecer um material, como o metal, por meio de aquecimento e resfriamento controlados; 2. em Biologia Molecular, provocar associação ou reassociação de ácidos nucleicos monofilamentar de modo que se formem moléculas de filamento duplo, freqüentemente por aquecimento e resfriamento.

an·nec·tent (ah-nek'tint) – anectente; conectante; que junta.

an·ne·lid (an'ĕ-lid) – anelídeo; qualquer membro do filo Annelida.

An·ne·li·da (ah-nel'ĭ -dah) – Annelida; filo de invertebrados metazoários (vermes segmentados), que inclui as sanguessugas.

an·nu·lar (an'u-ler) – anular; em forma de anel.

an·nu·lo·plas·ty (an"u-lo-plas'te) – anuloplastia; reparo plástico de uma válvula cardíaca.

an·nu·lor·rha·phy (an"u-lor'ah-fe) – anulorrafia; fechamento de um anel ou defeito herniário por meio de suturas.

an·nu·lus (an'u-lus) [L.] pl. *annuli* – ânulo; pequeno anel ou estrutura envolvente. **a. fibro'sus** – a. fibroso: 1. anel fibroso do coração; um dos quatro anéis fibrosos densos, que envolvem os orifícios cardíacos principais; 2. anel fibroso do disco intervertebral; porção anelar circular de um disco intervertebral. **a. of nuclear pore** – a. do poro nuclear; estrutura filamentosa circular que envolve um poro nuclear na membrana nuclear de uma célula. **a. of spermatozoon** – a. do espermatozóide; corpo elétron-denso na extremidade caudal do pescoço de um espermatozóide.

an·ode (an'ōd) – ânodo: 1. em uma célula eletroquímica, o eletrodo no qual ocorre oxidação (positivo em célula eletrolítica e negativo em célula voltaica); 2. eletrodo que coleta elétrons. **ano'dal** – adj. anódico.

an·odon·tia (an"o-don'shah) – anodontia; ausência congênita de alguns ou todos os dentes.

an·o·dyne (an'ah-dī n) – anódino; anódico: 1. que alivia a dor; 2. remédio que alivia a dor.

anom·a·lad (ah-nom'ah-lad) – anomalia; seqüência; ver *sequence* (2).

anom·a·ly (ah-nom'ah-le) – anomalia; desvio acentuado do normal, especialmente como resultado de defeitos hereditários ou congênitos. **anom'alous** – adj. anômalo. **Alder's a.** – a. de Alder; condição hereditária na qual todos os leucócitos (mas principalmente os da série mielocítica) contêm grânulos azurofílicos rudimentares. **Chédiak-Higashi a.** – a. de Chédiak-Higashi; ver em *syndrome*. **developmental a.** – a. de desenvolvimento; defeito que resulta de desenvolvimento embrionário imperfeito. **Ebstein's a.** – a. de Ebstein; malformação da válvula tricúspide, geralmente associada a defeito septal atrial. **May-Hegglin a.** – a. de May-Hegglin; distúrbio autossômico dominante da morfologia das células sangüíneas, caracterizado por inclusões citoplasmáticas que contêm RNA (semelhantes aos corpúsculos de Döhle) nos granulócitos, por grandes plaquetas fracamente granuladas e por trombocitopenia. **Pelger's nuclear a.** – a. nuclear de Pelger; a. nuclear de Pelger-Huët (1). **Pelger-Huët nuclear a.** – a. nuclear de Pelger-Huët: 1. defeito hereditário ou adquirido no qual os núcleos dos neutrófilos e eosinófilos aparecem em forma de bastão, esféricos ou em forma de halteres; a estrutura nuclear torna-se rudimentar e encaroçada; 2. condição adquirida com características semelhantes, que ocorre no caso de determinadas anemias e leucemias.

an·o·mer (an'o-mer) – anômero; uma de um par de moléculas de estereoisômeros cíclicos (designados α ou β) de um açúcar ou glicosídeo, diferindo somente quanto à configuração na redução do átomo de carbono. **anomer'ic** – adj. anomérico.

an·onych·ia (an"o-nik'e-ah) – anoníquia; ausência congênita de uma unha ou unhas.

Anoph·e·les (ah-nof'ĕ-lēz) – *Anopheles*; gênero amplamente distribuído de mosquitos, que compreende mais de 300 espécies, muitas das quais são vetores da malária; algumas são vetores da *Wuchereria bancrofti*.

an·oph·thal·mia (an"of-thal'me-ah) – anoftalmia; anomalia do desenvolvimento caracterizada pela ausência completa dos olhos (rara) ou pela presença de olhos vestigiais.

ano·plas·ty (a'no-plas"te) – anoplastia; cirurgia plástica ou reparadora do ânus.

an·or·chid (an-or'kid) – anorquídico; pessoa sem um ou ambos os testículos ou com testículos retidos no abdômen.

an·or·chism (an-or'kizm) – anorquia; ausência congênita de um ou ambos os testículos.

ano·rec·tic (an"o-rek'tik) – anorético: 1. relativo à anorexia; 2. agente que diminui o apetite.

an·orex·ia (-rek'se-ah) – anorexia; perda ou ausência de apetite por alimento. **a. nervo'sa** – a. nervosa; condição psicofisiológica que geralmente ocorre em mulheres, caracterizada pela diminuição de peso corporal, medo da obesidade, distúrbio da aparência física e amenorréia; as características associadas incluem freqüentemente a negação da doença, redução do interesse por sexo, ataques de ingestão desenfreada, vômito auto-induzido e abuso de laxantes ou diuréticos.

ano·rex·i·gen·ic (-rek'sĭ -jen'ik) – anorexigênico: 1. que produz anorexia; 2. agente que diminui ou controla o apetite.

an·or·thog·ra·phy (an"or-thog'rah-fe) – anortografia; agrafia (*agraphia*).

an·or·tho·pia (an"or-tho'pe-ah) – anortopia; visão assimétrica ou distorcida.

ano·sig·moi·dos·co·py (a"no-sig"moi-dos'kah-pe) – anossigmoidoscopia; exame endoscópico do ânus, reto e cólon sigmóide. **anosigmoidoscop'ic** – adj. anossigmoidoscópico.

an·os·mia (an-oz'me-ah) – anosmia; ausência do sentido do olfato. **anos'mic, anosmat'ic** – adj. anósmico.

ano·sog·no·sia (an-o"so-no'zhah) – anosognosia; não-consciência ou negação de um déficit neurológico, como a hemiplegia. **anosogno'sic** – adj. anosognósico.

an·os·to·sis (an"os-to'sis) – anostose; formação defeituosa de um osso.

an·otia (an-o'shah) – anotia; ausência congênita dos pavilhões auditivos externos.

an·ovar·ism (an-o'var-izm) – anovaria; ausência dos ovários.

an·ov·u·lar (an-ov'u-ler) – anovular; que não se associa à ovulação.

an·ov·u·la·to·ry (an-ov'u-lah-tor"e) – anovulatório; anovular.

an·ox·emia (an"ok-se'me-ah) – anoxemia; hipoxemia; ver *hypoxemia*.

anox·ia (ah-nok'se-ah) – anoxia; ausência de suprimento de oxigênio para os tecidos apesar da perfusão adequada do tecido pelo sangue; o termo é freqüentemente utilizado alternadamente com hipoxia (*hypoxia*) para indicar a redução do suprimento de oxigênio. **anox'ic** – adj. anóxico. **altitude a.** – a. de altitude; anoxia devida à redução da pressão de oxigênio em grandes altitudes. **anemic a.** – a. anêmica; anoxia devido à redução na quantidade de hemoglobina ou no número de hemácias no sangue. **anoxic a.** – a. anóxica; anoxia devido à interferência no suprimento de oxigênio. **histotoxic a.** – a. histotóxica; anoxia que resulta de diminuição da capacidade das células utilizarem o oxigênio disponível.

an·sa (an'sah) [L.] pl.*ansae* – alça; estrutura em forma de alça. **a. cervica'lis** – a. cervical; alça nervosa no pescoço que supre os músculos infra-hióides. **a. lenticula'ris** – a. lenticular; pequeno trato de fibras nervosas que surge no globo pálido e se junta à parte anterior do núcleo talâmico ventral. **an'sae nervo'rum spina'lium** – alças nervosas da espinha; alças de fibras nervosas que unem as raízes ventrais dos nervos espinhais. **a. peduncula'ris** – a. peduncular; agrupamento complexo de fibras nervosas que conectam o núcleo amidalóide, área piriforme e hipotálamo anterior e vários núcleos talâmicos. **subcla'via a., a. of Vieussens** – a. da subclávia; a. de Vieussens; filamentos nervosos que circundam a artéria subclávia formando uma alça que conecta os gânglios cervicais médio e inferior. **a. vitelli'na** – a. vitelina; veia embrionária do saco vitelino até a veia umbilical.

An·ta·buse (an'tah-būs) – Antabuse, marca registrada da preparação de dissulfiram.

ant·ac·id (ant-as'id) – antiácido; que neutraliza a acidez; qualquer agente que reage contra acidez.

an·tag·o·nism (an-tag'o-nizm) – antagonismo; oposição ou contrariedade entre coisas semelhantes, como por exemplo, entre músculos, drogas ou organismos; cf. *antibiosis*.

an·tag·o·nist (an-tag'o-nist) – antagonista: 1. músculo que se opõe à ação de outro músculo, seu agonista; 2. droga que se liga ao receptor celular de um hormônio, um neurotransmissor ou outra droga, bloqueando conseqüentemente a ação da outra substância sem produzir isoladamente qualquer efeito fisiológico; 3. dente em um maxilar que se articula com o dente de outro maxilar. **α-adrenergic a.** – a. α-adrenérgico; α-bloqueador. **β-adrenergic a.** – a. β-adrenérgico; β-bloqueador. **folic acid a.** – a. do ácido fólico; antimetabólito (como por exemplo, metotrexato) que interfere na replicação do DNA e na divisão celular através da inibição da enzima diidrofolatoredutase; utilizado na quimioterapia do câncer. **H₁ receptor a.** – a. de receptor H₁; um dentre um grande número de agentes que bloqueiam a ação da histamina por meio de ligação competitiva com o receptor H₁; eles também têm efeitos sedativos, anticolinérgicos e antieméticos e são utilizados para aliviar os sintomas alérgicos, como antieméticos, agentes antivertigem e antidiscinéticos na doença de Parkinson. **H₂ receptor a.** – a. de receptor H₂; agente que bloqueia a ação da histamina por meio de ligação competitiva com o receptor H₂; utilizado para inibir a secreção de ácido no tratamento da úlcera péptica.

ant·arth·ri·tic (ant"ahr-thrit'ik) – antiartrítico; que alivia a artrite; agente que atua dessa forma.

ant·al·gic (ant-al'jik) – antiálgico: 1. que neutraliza ou evita a dor, como uma postura ou modo de andar de forma a reduzir a dor; 2. analgésico.

ante- [L.] – ante-, elemento de palavra, *antes* (no tempo ou no espaço).

an·te·bra·chi·um (an"the-bra'ke-um) – antebraço. **antebra'chial** – adj. antebraquial.

an·te·ce·dent (-se'dent) – antecedente; precursor. **plasma thromboplastin a. (PTA)** – a. da tromboplastina plasmática; Fator de Coagulação XI.

an·te·flex·ion (-flek'shun) – anteflexão: 1. curvatura anormal de um órgão ou parte para a frente; 2. curvatura normal do útero para a frente.

an·te mor·tem (an'te mor'tem) [L.] – *ante mortem*, antes da morte.

an·ten·na (an-te'nah) pl. *antennae* – antena; um de dois apêndices no segmento anterior da cabeça dos artrópodes.

an·te·par·tal (an"te-pahr't'l) – anteparto; que ocorre antes do parto, com relação à mãe.

an·te par·tum, an·te·par·tum (an"te pahr'tum, an"te-pahr'tun) [L.] – *ante partum*, anteparto; antes do parto ou do nascimento.

an·te·py·ret·ic (-pi-ret'ik) – antepirético; que ocorre antes do estádio de febre.

an·te·rior (an-tēr'e-or) – anterior; situado em frente ou à frente, em oposição a posterior.

antero [L.] – antero-, *anterior; em frente de*.

an·tero·clu·sion (an"ter-o-kloo'zhun) – anteroclusão; mesioclusão; ver *mesioclusion*.

an·tero·grade (an'ter-o-grād") – anterógrado; que se estende ou se move para a frente.

an·tero·lat·er·al (an"ter-o-lat'er-al) – ântero-lateral; situado à frente e de um lado.

an·tero·pos·te·rior (-pos-tēr'e-er) – ântero-posterior; do sentido anterior para o posterior.

an·te·ver·sion (an"te-ver'zhun) – anteversão; inclinação de um órgão inteiro para a frente.

ant·he·lix (ant'he-liks) – anti-hélice; saliência semicircular na borda do pavilhão auricular, ântero-inferior à hélice.

ant·hel·min·tic (ant"hel-min'tik) – anti-helmíntico: 1. que extermina vermes; 2. agente exterminador de vermes.

an·thra·cene (an'thrah-sēn) – antraceno; hidrocarboneto cristalino derivado do alcatrão e utilizado na fabricação de corantes antracênicos.

an·thra·cene·di·one (an"thrah-sēn-di'ŏn) – antracenodiona; uma substância da classe de derivados da antraquinona, alguns dos quais têm propriedades antineoplásicas.

an·thra·coid (an'thrah-koid) – antracóide; semelhante ao carbúnculo.

an·thra·co·ne·cro·sis (an"thrah-ko-nah-kro'sis) – antraconecrose; degeneração de um tecido em massa negra.

an·thra·co·sil·i·co·sis (-sil"ĭ-ko'sis) – antracossilicose; combinação de antracose e silicose.

an·thra·co·sis (an"thrah-ko'sis) – antracose; pneumoconiose, geralmente assintomática, devido à deposição de pó de carvão nos pulmões.

an·thra·cy·cline (an"thrah-si'klēn) – antraciclina; classe de antibióticos antineoplásicos produzidos pela *Streptomyces peucetius* e *S. coeruleorubidus*, incluindo a daunomicina e a doxorrubicina.

an·thra·lin (an'thrah-lin) – antralina; derivado da antraquinona utilizado topicamente na psoríase.

an·thra·quin·one (an"thrah-kwin'ōn) – antraquinona: 1. derivado 9,10 quinônico do antraceno, utilizado na fabricação de corantes; 2. um dos derivados desse composto, alguns dos quais são corantes. Ocorrem nos aloés, cáscara sagrada, sena e ruibarbo e são catárticos.

an·thrax (an'thraks) – carbúnculo; antraz; doença infecciosa freqüentemente fatal de ruminantes devido à ingestão de esporos de *Bacillus anthracis* no solo; adquirido pelo homem através do contato com lã ou outros produtos animais contaminados ou pela inalação de esporos aerógenos. **cutaneous a.** – c. cutâneo; carbúnculo devido à inoculação de *Bacillus anthracis* em ferimentos superficiais ou abrasões da pele, produzindo pústula crostosa negra em ampla zona de edema. **gastrointestinal a.** – c. gastrointestinal; intestinal. **inhalational a.** – c. por inalação; forma altamente fatal de carbúnculo decorrente de inalação de pó contendo esporos de carbúnculo, que são transportados pelos pneumócitos alveolares para os linfonodos regionais, onde germinam; constitui principalmente uma doença ocupacional que afeta as pessoas que manipulam e classificam lãs e velos. **intestinal** – c. intestinal; carbúnculo que envolve o trato gastrointestinal, causado pela ingestão de carne malcozida contaminada por esporos da *Bacillus anthracis*; podem ocorrer obstrução intestinal, hemorragia e necrose. **pulmonary a.** – c. pulmonar; c. por inalação. **symptomatic a.** – c. sintomático; doença dos ovinos, bovinos e caprinos caracterizada por inchaços enfisematosos e subcutâneos e nódulos devidos à *Clostridium chauvoei* e algumas vezes à *C. septicum.*

anthrop(o)- [Gr.] antrop(o)-, elemento de palavra, *homem (ser humano).*

an·thro·po·cen·tric (an"thro-po-sen'trik) – antropocêntrico; com propensão humana, considerando o homem como o centro do universo.

an·thro·poid (an'thro-poid) – antropóide; semelhante ao homem; antropóides são macacos sem cauda, que compreendem o chimpanzé, o gibão, o gorila e o orangotango; símio.

An·thro·poi·dea (an"thro-poi'de-ah) – Anthropoidea; subordem dos Primatas, que inclui os macacos, os antropóides e o homem; antropóides.

an·thro·pol·o·gy (an"thro-pol'o-je) – antropologia; ciência que trata do homem, suas origens, seu desenvolvimento histórico e cultural das raças.

an·thro·pom·e·try (an"thro-pom'ĭ-tre) – antropometria; ciência que lida com as medidas de tamanho, peso e proporções do corpo humano. **antropomet'ric** – adj. antropométrico.

an·thro·po·mor·phism (an"thro-po-mor'fizm) – antropomorfismo; atribuição de características humanas a objetos não-humanos.

an·thro·po·phil·ic (-fil'ik) – antropofílico; que prefere o homem aos animais; diz-se dos mosquitos.

anti- [Gr.] – anti-, elemento de palavra, *que reage contra; eficaz contra.*

an·ti·abor·ti·fa·cient (an"te-ah-bor"tĭ-fa'shint) – antiabortivo: 1. que impede o aborto ou promove a gestação; 2. agente que atua dessa forma.

an·ti·ad·re·ner·gic (-ad"rĕ-ner'jik) – antiadrenérgico: 1. simpatolítico; que se opõe aos efeitos de impulsos transmitidos por fibras pós-ganglionares adrenérgicas do sistema nervoso adrenérgico; 2. agente que atua dessa forma.

an·ti·ag·glu·ti·nin (ah-gloo'tĭ-nin) – antiaglutinina; substância que se opõe à ação de uma aglutinina.

an·ti·ame·bic (-ah-me'bik) – antiamébico: 1. que extermina ou suprime o crescimento de amebas; 2. agente com essa propriedade.

an·ti·ana·phy·lax·is (-an"ah-fi-lak'sis) – antianafilaxia; condição na qual a reação de anafilaxia não ocorre devido a antígenos livres no sangue; estado de dessensibilização a antígenos.

an·ti·an·dro·gen (-an'dro-jen) – antiandrogênio; qualquer substância capaz de inibir os efeitos biológicos dos hormônios androgênicos.

an·ti·ane·mic (-ah-ne'mik) – antianêmico: 1. que combate a anemia; 2. agente que atua dessa forma.

an·ti·an·gi·nal (-an-ji'nal) – antianginoso: 1. agente que impede ou alivia a angina; 2. agente que atua dessa forma.

an·ti·an·ti·body (-an'tĭ-bod"e) – antianticorpo; imunoglobulina formada no corpo após administração de um anticorpo que atua como imunógeno e com este interage.

an·ti·an·xi·e·ty (-ang-zi'ĭt-e) – antiansiedade; que dissipa ansiedade; relativo ao agente (ansiolítico, tranqüilizante secundário) que atua dessa forma. Existem dois tipos: sedativo-hipnótico (benzodiazepinas, barbituratos e meprobamato) e sedativo-autônomo (anti-histaminas do tipo difenidramínico e fenotiazinas mais sedativas e antidepressivos tricíclicos).

an·ti·ar·rhyth·mic (-ah-rith'mik) – antiarrítmico: 1. que evita ou alivia arritmias cardíacas; 2. agente que atua dessa forma.

an·ti·bac·te·rial (an"tĭ-bak-tēr'e-al) – antibacteriano; que elimina ou suprime o crescimento ou a reprodução de bactérias; também, agente que atua dessas propriedades.

an·ti·bi·o·sis (-bi-o'sis) – antibiose; associação entre dois organismos em detrimento de um deles ou, ainda, entre um microrganismo e um antibiótico produzido por um terceiro.

an·ti·bi·ot·ic (-bi-ot'ik) – antibiótico; substância química produzida por um microrganismo, que tem a capacidade de inibir o crescimento ou de matar outros microrganismos; utilizam-se antibióticos suficientemente não-tóxicos para o hospedeiro no tratamento de doenças infecciosas. **broad-spectrum a.** – a. de amplo espectro; antibiótico eficaz contra grande variedade de bactérias.

an·ti·body (an-tĭ'-bod-e) – anticorpo; molécula de imunoglobulina que reage a um antígeno específico que induziu sua síntese bem como reage a moléculas semelhantes; classificado segundo o modo de ação em aglutinina, bacteriolisina, hemolisina, opsonina ou precipitina. Os anticorpos são sintetizados pelos linfócitos B que foram ativados pela ligação de um antígeno como receptor de superfície celular. Abreviação: Ac. Ver *immunoglobulin*. **anaphylactic a.** – a. anafilático; anafilactina. **antimitochondrial a's** – anticorpos antimitocondriais; anticorpos circulantes direcionados contra os antígenos mitocondriais internos observados em quase todos os pacientes com cirrose biliar primária. **antinuclear a's (ANA)** – anticorpos antinucleares; auto-anticorpos direcionados contra componentes do núcleo celular, como por exemplo, DNA, RNA e histonas. **antireceptor a's** – anticorpos anti-receptores auto-anticorpos contra receptores de superfície celular, por exemplo, os direcionados contra receptores β_2-adrenérgicos em alguns pacientes com distúrbios alérgicos. **antithyroglobulin a's** – anticorpos antitireoglobulínicos; anticorpos direcionados contra a tireoglobulina, demonstráveis em cerca de um terço dos pacientes com tireoidite, doença de Graves e carcinoma tireóideo. **blocking a.** – a. de bloqueio: 1. anticorpo (geralmente IgG) que reage preferencialmente a um antígeno, evitando que este reaja a um anticorpo citotrópico (IgE), e produza reação de hipersensibilidade; 2. a. incompleto. **complement-fixing a.** – a. fixador de complemento; anticorpo que ativa o complemento quando reage a um antígeno: a IgM e a IgG fixam o complemento através do trajeto clássico enquanto a IgA faz o trajeto alternativo. **complete a.** – a. completo; anticorpo que reage ao antígeno em solução salina, produzindo reação de aglutinação ou precipitação. **cytophilic a.** – a. citofílico; a. citotrópico. **cytotoxic a.** – a. citotóxico; anticorpo específico direcionado contra antígenos celulares, que quando ligado com o antígeno, ativa a via do complemento ou ativa as células exterminadoras, resultando em lise celular. **cytotropic a.** – a. citotrópico; um dos anticorpos de uma classe que se prende a células teciduais através de seus segmentos Fc para induzir à liberação de histamina e outras aminas vasoconstritoras importantes em reações de hipersensibilidade imediata. **Forssman a.** – a. de Forssman; anticorpo heterófilo direcionado contra o antígeno de Forssman. **heteroclitic a.** – a. heteroclítico; anticorpo produzido em resposta de imunização a um antígeno, mas que tem grande afinidade por um segundo antígeno que não se encontrava presente durante a imunização. **heterogenetic a, heterophil a. heterophile a.** – a. heterogenético; a. heterófilo; a. heterofílico; anticorpo direcionado contra antígenos heterófilos. As aglutininas eritrocíticas heterófilas ovinas aparecem no soro de pacientes com mononucleose infecciosa. **immune a.** – a. imune; anticorpo induzido por imunização ou incompatibilidade de transfusão, em contraste com anticorpos naturais. **incomplete a.** – a. incompleto: 1. anticorpo que se liga a hemácias ou bactérias, mas não produz aglutinação; 2. fragmento de anticorpo univalente, como por exemplo, o fragmento Fac. **indium-111**

antimyosin a. – a. antimiosínico de índio 111; anticorpo monoclonal contra a miosina, marcado com índio 111; liga-se seletivamente com miócitos irreversivelmente danificados e é utilizado em cintilografia em busca de um infarto. **isophil a.** – a. isofílico; anticorpo contra antígenos de hemácias, produzido em membros de espécies a partir das quais as hemácias se originaram. **monoclonal a's** – anticorpos monoclonais; anticorpos químicos e imunologicamente homogêneos produzidos pelos hibridomas, utilizados como reagentes de laboratório em radioimunoensaios, ELISA e ensaios de imunofluorescência. **natural a's** – anticorpos naturais; anticorpos que reagem a antígenos aos quais o indivíduo não teve nenhuma exposição conhecida. **neutralizing a.** – a. neutralizador; anticorpo que, em mistura com agente infeccioso homólogo, reduz o título infeccioso. **OKT3 monoclonal a.** – a. monoclonal OKT3; anticorpo monoclonal de camundongo direcionado contra os linfócitos T3 e utilizado para evitar ou tratar a rejeição de órgão após transplante. **panel-reactive a. (PRA)** – a. que reage seletivamente em leucócitos (HLA): 1. anticorpo preexistente contra antígenos HLA no soro de um receptor com aloenxerto em potencial que reage a um antígeno específico num quadro de leucócitos, em porcentagem mais alta indicando risco mais alto de reação cruzada positiva; 2. porcentagem de tais anticorpos no sangue do receptor. **Prausnitz-Küstner (P-K) a's** – anticorpos de Prausnitz-Küstner (P-K); anticorpos homocitotrópicos da classe imunoglobulínica IgE, responsável pela anafilaxia cutânea. Ver *reagin*. **protective a.** – a. protetor; anticorpo responsável pela imunidade contra agente infeccioso observado na imunidade passiva. **reaginic a.** – a. reagínico; reagina. **saline a.** – a. salino; a. completo. **sensitizing a.** – a. sensibilizante; a. anafilático.

an·ti·cal·cu·lous (an"tĭ-kal'ku-lis) – anticalculoso; supressor da formação de cálculos.

an·ti·car·io·gen·ic (-kar"e-o-jen'ik) – anticariogênico; eficaz na supressão da produção de cáries.

an·ti·cho·le·litho·gen·ic (-ko"le-lith"o-jen'ik) – anticolelitogênico: 1. que impede a formação de cálculos vesiculares; 2. agente que atua dessa forma.

an·ti·cho·les·ter·emic (-kah-les"ter-e'mik) – anticolesterêmico; que promove redução dos níveis de colesterol no sangue; também, qualquer agente que atua dessa forma, como por exemplo, os sitosteróis e o clofibrato.

an·ti·cho·lin·er·gic (-ko"lin-er'jik) – anticolinérgico; parassimpatolítico: que bloqueia a passagem de impulsos através dos nervos parassimpáticos; também, agente que atua dessa forma.

an·ti·cho·lin·es·ter·ase (-ko"lin-es'ter-ãs) – anticolinesterase; droga que inibe a enzima acetilcolinesterase, portanto potencializando a ação da acetilcolina em receptores de membrana pós-sinápticos no sistema nervoso parassimpático.

an·ti·clin·al (-kli'n'l) – anticlinal; que se inclina em direções opostas.

an·ti·co·ag·u·lant (-ko-ag'u-lant) – anticoagulante: 1. que reage contra a coagulação do sangue; 2.

qualquer substância que suprime, retarda ou neutraliza a coagulação sangüínea. **lupus a.** – a. do lúpus; anticoagulante circulante que inibe a conversão da protrombina em trombina; paradoxalmente aumenta o risco de tromboembolia e é observado em alguns casos de lúpus eritematoso sistêmico. **circulating a.** – a. circulante; substância no sangue que inibe a coagulação normal do sangue e pode causar síndrome hemorrágica.

an·ti·co·ag·u·la·tion (-ko-ag"u-la'shun) – anticoagulação: 1. prevenção contra a coagulação; 2. uso de medicamentos para dar ao sangue um nível de incoagulabilidade que evite a trombose.

an·ti·co·ag·u·lin (-ko-ag'u-lin) – anticoagulina; substância que inibe, retarda ou neutraliza a coagulação do sangue.

an·ti·co·don (-ko'don) – anticódon; trinucleotídeos no RNA de transferência complementar de um códon no RNA mensageiro, que especificam o aminoácido.

an·ti·com·ple·ment (-kom'plĭ -ment) – anticomplemento; substância que reage contra um complemento.

an·ti·con·vul·sant (-kon-vul'sant) – anticonvulsivante; anticonvulsivo: 1. que inibe convulsões; 2. agente supressor de convulsões.

an·ti·con·vul·sive (-kon-vul'siv) – anticonvulsivo; anticonvulsante.

an·ti·cus (an-ti'kus) [L.] – anterior (*anterior*).

an·ti·D – anti-D; anticorpo contra o antígeno D; o mais imunogênico dos antígenos Rh. As preparações comerciais de anti-D, imunoglobulina Rh_0 (D), são administradas a mulheres com fator Rh negativo após o nascimento de um bebê Rh positivo para impedir a aloimunização materna contra o antígeno D, que em gravidez subseqüente pode causar doença hemolítica no recém-nascido. Também chamado de anti-Rh_0.

an·ti·de·pres·sant (an"tĭ -de-pres'int) – antidepressivo; que evita ou alivia a depressão; também, agente que atua dessa forma. **tetracyclic a.** – a. tetracíclico; antidepressivo que inclui quatro anéis fixos em sua estrutura química. **tricyclic a.** – a. tricíclico; qualquer de uma classe de drogas com estrutura particular e potencialização da ação catecolamínica, incluindo imipramina, amitriptilina, nortriptilina, protriptilina, desipramina e doxepina, utilizada no tratamento da depressão.

an·ti·di·uret·ic (-di"u-ret'ik) – antidiurético: 1. relativo ou que causa a supressão da urina; 2. agente que causa supressão da urina.

an·ti·dote (an'tĭ -dōt) – antídoto; agente que neutraliza um veneno. **antido'tal** – adj. antidótico; antidotal. **chemical a.** – a. químico; antídoto que neutraliza o veneno alterando sua natureza química. **mechanical a.** – a. mecânico; antídoto que impede a absorção do veneno. **physiologic a.** – a. fisiológico; antídoto que combate os efeitos do veneno através da produção de efeitos fisiológicos opostos.

an·ti·drom·ic (an"tĭ -drom'ik) – antidrômico; que conduz impulsos em direção oposta à normal.

an·ti·dys·ki·net·ic (-dis"kĭ -net'ik) – antidiscinético: 1. que alivia ou impede a discinesia; 2. agente que alivia ou impede a discinesia.

an·ti·emet·ic (an"te-ĕ-met'ik) – antiemético; que impede ou alivia náuseas e vômitos; também, agente que atua dessa forma.

an·ti·fe·brile (an"tĭ -feb'ril) – antifebril; antipirético (*antipyretic*).

an·ti·fi·bri·nol·y·sin (-fi"brĭ -nol'ĭ -sin) – antifibrinolisina; inibidor da fibrinolisina.

an·ti·fi·bri·no·lyt·ic (-fi"brĭ -no-lit'ik) – antifibrinolítico; que inibe a fibrinólise.

an·ti·fi·brot·ic (-fi-brot'ik) – antifibrótico: 1. causando regressão da fibrose; 2. agente que causa regressão de fibrose.

an·ti·flat·u·lent (-flat'u-lent) – antiflatulento; que alivia ou impede a flatulência; também, agente que atua dessa forma.

an·ti·fun·gal (-fung'g'l) – antifúngico: 1. que destrói fungos; suprime o desenvolvimento ou a reprodução de fungos; eficaz contra infecções fúngicas; 2. agente que atua dessa forma.

an·ti·ga·lac·tic (-gah-lak'tik) – antigaláctico: 1. que diminui a secreção de leite; 2. agente que tende a suprimir a secreção de leite.

an·ti·gen (an'tĭ -jen) – antígeno; substância capaz de induzir resposta imune específica e reagir aos produtos dessa resposta, ou seja, aos anticorpos específicos ou linfócitos T especificamente sensibilizados, ou a ambos. Abreviação: Ag. **antigen'ic** – adj. antigênico. **Au a., Australia a.** – a. Au; Austrália; a. de superfície da hepatite B. **blood-group a's** – antígenos de grupo sangüíneo; antígenos de superfície de hemácias cujas diferenças antigênicas determinam os grupos sangüíneos. **capsular a.** – a. capsular; substância capsular específica. **carcinoembryonic a. (CEA)** – a. carcinoembrionário; antígeno glicoproteico câncer-específico do carcinoma cólico, também presente em muitos adenocarcinomas de origem endodérmica e em tecidos gastrointestinais normais de embriões humanos. **CD a.** – a. CD; um dos vários antígenos marcadores de superfície celular expressos por leucócitos e utilizados para distinguir linhagens celulares, estádios de desenvolvimento e subgrupos funcionais; podem-se identificar tais marcadores por meio de anticorpos monoclonais. **class I a's** – antígenos de classe I; antígenos de histocompatibilidade principal encontrados em todas as células exceto as hemácias, reconhecidos durante a rejeição do enxerto, e envolvidos em restrição de MHC. **class II a's** – antígenos de classe II; antígenos de histocompatibilidade principal encontrados somente em células imunocompetentes, principalmente linfócitos B e macrófagos. **common acute lymphoblastic leukemia a. (CALLA)** – a. da leucemia linfoblástica aguda comum; antígeno associado a tumor que ocorre em linfoblastos em cerca de 80% dos pacientes com leucemia linfoblástica aguda (ALL) e em 40-50% dos pacientes com leucemia mielogênica crônica de fase blástica (CLM). **complete a.** – a. completo; antígeno que tem a capacidade de estimular a resposta imune como reage aos produtos dessa resposta. **conjugated a.** – a. conjugado; antígeno produzido pelo acoplamento de um hapteno com uma molécula transportadora de proteínas através de ligações covalentes; quando ele induz imunização, a resposta imune resultante orienta-se tanto contra o hapteno como contra o transportador. **D a.** – a. D; antígeno de hemácia do sistema de grupo sangüíneo Rh, importante no desenvolvimento da isoimunização em pessoas Rh negativas expostas ao sangue de pessoas Rh positivas. **E a.** – a. E; antígeno de hemácia do sistema de grupo sangüíneo Rh. **flagellar a.** – a. flagelar; antígeno H. **Forssman a.** – a. de Forssman; antígeno heterogenético que induz a produção de hemolisina antiovina, que ocorre em várias espécies não-relacionadas, principalmente nos órgãos mas não nas hemácias (cobaia e eqüino), mas algumas vezes somente nas hemácias (ovinos) e ocasionalmente em ambos (galinha). **H a.** – a. H: 1. antígeno flagelar bacteriano importante na classificação sorológica dos bacilos entéricos; 2. ver em *substance*. **hepatitis a., hepatitis-associated a. (HAA)** – a. associado à hepatite; antígeno de superfície da hepatite B. **hepatitis B core a. (HBcAg)** – a. de núcleo de DNA da hepatite B; um antígeno de núcleo de DNA do vírus da hepatite B. **hepatitis Be a. (HBeAg)** – a. da hepatite Be; um antígeno de núcleo do DNA do vírus da hepatite B. **hepatitis B surface a. (HBsAg)** – a. de superfície da hepatite B; antígeno lipoproteico de superfície do vírus da hepatite B. Utilizam-se testes para o HBsAg no diagnóstico de hepatite B aguda ou crônica e no teste de produtos sangüíneos quanto à infectividade. **heterogenetic a.** – a. heterogenético; a. heterófilo. **heterologous a.** – a. heterólogo antígeno que reage a um anticorpo que não aquele que induziu sua formação. **heterophil a., heterophile a.** – a. heterófilo; antígeno comum a mais de uma espécie e cuja distribuição específica não se relaciona à sua distribuição filogenética (ou seja, ao antígeno de Forssman, à proteína do cristalino, determinadas caseínas etc.). **histocompatibility a's** – antígenos de histocompatibilidade; isoantígenos geneticamente determinados encontrados na superfície de células nucleadas da maioria dos tecidos, que incitam uma resposta imune quando enxertados em indivíduo geneticamente diferente e que conseqüentemente determinam a compatibilidade dos tecidos no transplante. **HLA a's** – antígenos de HLA; antígenos de histocompatibilidade (glicoproteínas) na superfície de células nucleadas (incluindo células circulantes e teciduais) determinadas por uma região no cromossoma 6 que possui vários *loci* genéticos, designados como HLA-A, -B, -C, -DP, -DQ, -DR, -MB, -MT e -Te. Eles são importantes nos procedimentos de reação cruzada e parcialmente responsáveis pela rejeição dos tecidos transplantados quando os antígenos HLA do doador e do receptor não se combinam. **homologous a.** – a. homólogo: 1. antígeno que induz à formação de um anticorpo; 2. isoantígeno. **H-Y a.** – a. H-Y; antígeno de histocompatibilidade da membrana celular, determinado por um *locus* no cromossoma Y; é mediador da organização testicular (conseqüentemente, da diferenciação sexual) no macho. **Ia a.** – a. la; um dos antígenos de histocompatibilidade governados pela região I do com-

plexo de histocompatibilidade principal (MHC), localizado principalmente nas células B, macrófagos, células acessórias e precursores granulocíticos. **Inv group a.** – a. do grupo Inv; a. Km. **isogeneic a.** – a. isogênico; antígeno capaz de disparar uma resposta imune em indivíduos da mesma espécie geneticamente diferentes, mas não no portador. **isophile a.** – a. isófilo; isoantígeno. **K a.** – a. de K; antígeno capsular bacteriano, que constitui um antígeno de superfície externa à parede celular. **Km a's** – antigenos Km; três aloantígenos encontrados na região constante das cadeias leves k das imunoglobulinas. **Ly a's, Lyt a's** – antígenos Ly; antígenos. Lyt, marcadores de superfície celular antigênicos de subpopulações de linfócitos T, classificados como Ly 1, 2 e 3; associam-se às atividades auxiliadora e supressora dos linfócitos T. **mumps skin test a.** – a. da prova cutânea de caxumba; suspensão estéril do vírus da caxumba; utilizada como indicador de reatividade dérmica. **O a.** – a. O; antígeno que ocorre na camada lipossacarídica da parede das bactérias Gram-negativas. **oncofetal a.** – a. oncofetal; a. carcinoembrionário. **organ-specific a.** – a. organoespecífico; antígeno que ocorre somente em um órgão particular e serve para distingui-lo de outros órgãos; pode se limitar a um órgão de uma única espécie ou ser característico do mesmo órgão em muitas espécies. **partial a.** – a. parcial; hapteno. **private a's** – antígenos particulares; antígenos de grupos sangüíneos de baixa freqüência, que diferem provavelmente dos sistemas de grupo sangüíneo comuns somente em sua incidência. **prostate-specific a. (PSA)** – a. prostatoespecífico; endopeptidase secretada pelas células epiteliais da próstata; os níveis séricos tornam-se elevados no caso de hiperplasia prostática benigna e câncer prostático. **public a's** – antígenos públicos; antígenos dos grupos sangüíneos de alta freqüência, assim chamados por serem encontrados em quase todas as pessoas testadas. **self-a** – auto-antígeno. **T a.** – a. T: 1. antígeno tumoral, um dos vários antígenos codificados através do genoma viral, e associados à transformação das células infectadas por determinados vírus tumorais de DNA; 2. ver *CD a.*; 3. antígeno presente nas hemácias humanas que é exposto através do tratamento com neuraminidase ou contato com determinadas bactérias. **T-dependent a.** – a. T-dependente; antígeno que requer a presença de células T auxiliares para estimular a produção de anticorpos por parte das células B. **T-independent a.** – a. T-independente; antígeno capaz de disparar células B para produzir anticorpos sem a presença de células **T. tumor a.** – a. tumoral: 1. a. T (1); 2. a. tumor-específico. **tumor-associated a.** – a. associado a tumor; novo antígeno adquirido pela linhagem celular tumoral no processo de transformação neoplásica. **tumor-specific a. (TSA)** – a. tumor-específico; antígenos de superfície celular de tumores que disparam uma resposta imune específica no hospedeiro. **Vi a.** – a. Vi; antígeno K da *Salmonella typhi* que se acreditava originalmente ser responsável pela virulência.

an·ti·gen·emia (an"tĭ-jĕ-ne'me-ah) – antigenemia; presença de um antígeno (como do antígeno de superfície da hepatite B) no sangue. **antigene'mic** – adj. antigenêmico.

an·ti·ge·nic·i·ty (-jĕ-nis'ĭ-te) – antigenicidade; capacidade de estimular a produção de anticorpos ou de reagir a um anticorpo.

an·ti·glob·u·lin (an"tĭ-glob"u-lin) – antiglobulina; anticorpo direcionado contra gamaglobulinas, como o utilizado no teste de Coombs.

an·ti·he·mol·y·sin (an"tĭ-he-mol'ĭ-sin) – anti-hemolisina; qualquer agente que se opõe à ação de uma hemolisina.

an·ti·hem·or·rhag·ic (-hem"o-raj'ik) – anti-hemorrágico: 1. que exerce efeito hemostático; que faz parar a hemorragia; 2. agente que atua dessa forma.

an·ti·his·ta·mine (-hi'tah-min) – anti-histamina; droga que reage contra o efeito da histamina. Existem dois tipos: os bloqueadores do receptor H_1, que inibem os efeitos da histamina liberada a partir dos mastócitos e são utilizadas no tratamento de distúrbios alérgicos, e bloqueadores do receptor H_2 (como por exemplo, a cimetidina), que inibem a secreção de ácido gástrico estimulada pela histamina, pentagastrina, alimento e insulina, e utilizada no tratamento de úlcera péptica.

an·ti·hy·per·cho·les·ter·ol·emic (-hi"per-ko'les"ter-ol-e'mik) – anti-hipercolesterolêmico: 1. eficaz contra a hipercolesterolemia; 2. agente que impede ou alivia a hipercolesterolemia.

an·ti·hy·per·lipo·pro·tein·emic (-lip"o-pro"tĕn-e'mik) – anti-hiperlipoproteinêmico: 1. que promove a redução dos níveis lipoproteicos no sangue; 2. agente que atua dessa forma.

an·ti·in·fec·tive (an"te-in-fek'tiv) – antiinfeccioso: 1. que combate a infecção; 2. agente que atua dessa forma.

an·ti·in·flam·ma·to·ry (-in-flam'ah-tor"e) – antiinflamatório; que combate ou suprime inflamação; também, agente que atua dessa forma.

an·ti·leu·ko·cyt·ic (an"tĭ-loo"ko-sit'ik) – antileucocítico, que destrói corpúsculos a sanguíneos (leucócitos).

an·ti·li·pe·mic (-li-pe'mik) – antilipêmico: 1. que combate os altos níveis de lipídios no sangue; 2. agente que atua dessa forma.

an·ti·lith·ic (-lith'ik) – antilítico; que impede a formação de cálculos; também, agente que atua dessa forma.

an·ti·ly·sis (-li'sis) – antilise; inibição de uma lise.

an·ti·lyt·ic (-lit'ik) – antilítico: 1. relativo à antilise; 2. inibição ou supressão de uma lise.

an·ti·mere (an'tĭ-mēr) – antímero; uma das partes opostas de um organismo bilateral e simétricas com relação ao eixo longitudinal do seu corpo.

an·ti·me·tab·o·lite (an"tĭ-mĕ-tab'o-līt) – antimetabólito; substância que apresenta memória estrutural próxima à exigida ao funcionamento fisiológico normal, e exerce seu efeito interferindo na utilização do metabólito essencial.

an·ti·met·he·mo·glo·bin·emic (-met-he"mo-glo"bĭ-ne'mik) – antimetemoglobinêmico: 1. que promove a redução dos níveis metemoglobínicos no sangue; 2. agente que atua dessa forma.

an·ti·me·tro·pia (-mah-tro'pe-ah) – antimetropia; hipermetropia de um olho, e miopia do outro.

an·ti·mi·cro·bi·al (-mi-kro'be-il) – antimicrobiano: 1. que mata ou suprime a multiplicação de microrganismos ou seu desenvolvimento; 2. agente com esses efeitos.

an·ti·mon·gol·ism (-mon'go-lizm) – antimongolismo; termo aplicado às síndromes associadas a determinadas anormalidades cromossômicas, nas quais alguns dos sinais clínicos (como, por exemplo, a inclinação das fissuras palpebrais para baixo) são variações daqueles observados na síndrome de Down.

an·ti·mo·ny (an'tĭ-mo"ne) – antimônio; elemento químico (ver tabela), número atômico 51, símbolo Sb, que forma vários sais medicinais e venenosos; a ingestão de compostos antimoniais, ou raramente a exposição industrial a eles, pode produzir sintomas semelhantes aos do envenenamento arsenical agudo, constituindo o vômito um sintoma proeminente. **antimo'nial** – adj. antimonïal. **a. potassium tartrate** – tartarato potássico de a.; um composto utilizado como um antiesquistossomíase.

an·ti·my·cot·ic (an"tĭ-mi-kot'ik) – antimicótico; que suprime o desenvolvimento de fungos; antifúngico.

an·ti·neo·plas·tic (-ne"o-plas'tik) – antineoplásico: 1. que inibe ou evita o desenvolvimento de neoplasias; que cessa a maturação e a proliferação das células malignas; 2. agente com essas propriedades.

an·tin·ion (an-tin'e-on) – antínio; pólo frontal da cabeça; ponto frontal mediano mais distante do ínio.

an·ti·no·ci·cep·tive (an"tĭ-no"sĭ-sep'tiv) – antinociceptivo; que reduz a sensibilidade a estímulos dolorosos.

an·ti·ox·i·dant (an"te-ok'sĭ-dant) – antioxidante; alguma coisa acrescentada a um produto para inibir ou retardar sua deterioração pelo oxigênio do ar.

an·ti·par·al·lel (an"tĭ-par'ah-lel) – antiparalelo; que denota moléculas arranjadas a lado a lado, mas em direções opostas.

an·ti·par·kin·so·ni·an (-pahr"kin-so'ne-an) – antiparkinsoniano: 1. eficaz no tratamento da doença de Parkinson; 2. agente efetivo no tratamento da doença de Parkinson.

an·ti·ped·i·cu·lot·ic (-pĕ-dik"u-lot'ik) – antipediculótico: 1. eficaz contra piolhos; 2. agente eficaz contra piolhos.

an·ti·per·i·stal·sis (-per"ĭ-stal'sis) – antiperistaltismo; peristaltismo reverso. **antiperistal'tic** – adj. antiperistáltico.

an·ti·plas·min (-plaz'min) – antiplasmina; substância no sangue que inibe a plasmina. A mais importante é a α_2-*antiplasmina;* deficiência que resulta em diátese hemorrágica.

an·ti·plas·tic (-plas'tik) – antiplástico: 1. desfavorável à cicatrização; 2. agente que suprime a formação de sangue e de outras células.

an·ti·port (an'tĭ-port) – antiportar; mecanismo de acoplamento do transporte de dois compostos através de uma membrana em direções opostas.

an·ti·pro·throm·bin (an"tĭ-pro-throm'bin) – antiprotrombina; anticoagulante que retarda a conversão de protrombina em trombina.

an·ti·pro·to·zo·al (-pro"tah-zo"l) – antiprotozoário; letal a protozoários ou que interrompe seu desenvolvimento ou reprodução; também o agente que atua dessa forma.

an·ti·pru·rit·ic (-proo-rit'ik) – antipruriginoso: 1. que evita ou alivia o prurido; 2. agente que combate prurido.

an·ti·psy·chot·ic (-si-kot'ik) – antipsicótico; eficaz no tratamento de manifestações de distúrbios psicóticos; também, o agente que atua dessa forma. Existem várias classes de antipsicóticos (fenotiazinas, tioxantinas, medicamentos dibenzazepinas e butirofenonas), podendo todas agir através do mesmo mecanismo, ou seja, do bloqueio de receptores dopaminérgicos no sistema nervoso central. Também chamado de neuroléptico *(neuroleptic)* e tranqüilizante maior *(tranquilizer, major).*

an·ti·py·ret·ic (-pi-ret'ik) – antipirético; antifebril; que alivia ou reduz a febre; também, agente que atua dessa forma.

an·ti·py·rot·ic (-pi-rot'ik) – antipirótico: 1. eficaz no tratamento de queimaduras; 2. agente utilizado no tratamento de queimaduras.

an·ti·ret·ro·vi·ral (-ret'ro-vi"ral) – anti-retroviral: 1. eficaz contra retrovírus; 2. agente que elimina retrovírus.

an·ti·scor·bu·tic (-skor-bu'tik) – antiescorbútico; eficaz na prevenção ou alívio do escorbuto.

an·ti·sec·re·to·ry (-sĕ-kre'tah-re) – anti-secretor: 1. que inibe ou diminui uma secreção; inibidor de secreção; 2. agente que atua dessa forma, como determinadas drogas que inibem ou diminuem as secreções gástricas.

an·ti·sense (an'tĭ-sens") – anti-senso; relativo ao filamento de uma molécula de filamento duplo que não codifica diretamente o produto (o *senso do filamento),* mas é complementar a ele.

an·ti·sep·tic (-sep'tik) – anti-séptico: 1. que evita a sepse; 2. substância que inibe o crescimento e o desenvolvimento de microrganismos, mas que não os extermina necessariamente.

an·ti·se·rum (an'tĭ-se"rum) – anti-soro; soro que contém anticorpos, obtido a partir de um animal imunizado tanto por meio de injeção de um antígeno como de infecção por microrganismos que contêm o antígeno.

an·ti·si·al·a·gogue (an"ti-si-al'ah-gog) – antisialagogo; que reage contra a formação de saliva; também, o agente que inibe o fluxo de saliva. **antisialagog'ic** – adj. relativo a antisialagogo.

an·ti·si·al·ic (-si-al'ik) – anti-siálico; que cessa o fluxo de saliva; também, agente que atua dessa forma.

an·ti·so·cial (-so'sh'l) – anti-social; que denota: 1. comportamento que viola os direitos dos outros ou que é criminoso; 2. síndrome específica de características de personalidade, distúrbio de personalidade anti-social (personality, antisocial); ver em *personality* e *disorder.*

an·ti·spas·mod·ic (-spaz-mod'ik) – antiespasmódico: 1. que impede ou alivia espasmos; 2. agente que atua dessa forma.

an·ti·su·do·ral (-soo'dŏ-r'l) – anti-sudorífico; antiperspirante.

an·ti·su·dor·if·ic (-soo"dor-if'ik) – anti-sudorífico; antiperspirante; que inibe a transpiração; também indica o agente com esta ação.

an·ti·sym·pa·thet·ic (-sim"pah-thet'ik) – anti-simpático; simpatolítico.

an·ti·the·nar (-the'nar) – antitenar; posicionado opostamente à palma das mãos ou à planta dos pés.

an·ti·throm·bin (-throm'bin) – antitrombina; qualquer substância que ocorre naturalmente ou é terapeuticamente administrada e neutraliza a ação da trombina e conseqüentemente limita ou restringe a coagulação sangüínea. **a. I** – a. I; capacidade da fibrina em absorver trombina e conseqüentemente neutralizá-la. **a. III** – a. III; proteína plasmática (α-$_2$-globulina) que desativa a trombina; também é um co-fator da heparina e inibidor de determinados fatores de coagulação.

an·ti·throm·bo·plas·tin (-throm"bo-plas'tin) – antitromboplastina; agente ou substância que impede ou interfere na interação dos fatores de coagulação sangüínea à medida que geram protrombina (tromboplastina).

an·ti·thy·roid (-thi'roid) – antitireóide; que neutraliza o funcionamento da tireóide, especialmente sua síntese de hormônios tireóideos.

an·ti·tox·in (-tok'sin) – antitoxina; anticorpo produzido em resposta a uma toxina de origem bacteriana (geralmente uma exotoxina), animal (zootoxina) ou vegetal (fitotoxina), que neutraliza os efeitos da toxina. **antitox'ic** – adj. antitóxico. **botulism a.** – a. do botulismo; antitoxina eqüina contra toxinas dos tipos das linhagens A, B e E de *Clostridium botulinum.* **diphtheria a.** – a. da difteria; antitoxina eqüina contra a toxina da *Corynebacterium diphteriae;* utilizada para tratar a difteria. **equine a.** – a. eqüina; antitoxina derivada do sangue de eqüinos sadios imunizados contra uma toxina bacteriana específica. **gas gangrene a.** – a. da gangrena gasosa; antitoxina eqüina polivalente contra toxinas das espécies do *Clostridium* que causam a gangrena gasosa. **tetanus a.** – a. do tétano; antitoxina eqüina contra as toxinas da *Clostridium tetani;* utilizada na prevenção passiva e tratamento do tétano. **tetanus and gas gangrene a's** – antitoxinas do tétano e gangrena gasosa; solução estéril de substâncias antitóxicas (imunoglobulinas) provenientes do sangue de animais saudáveis imunizados contra as toxinas das espécies *Clostridium tetani, C. perfringens* e *C. septicum.*

an·ti·tra·gus (-tra'gus) – antitrago; projeção no pavilhão auricular oposta ao trago.

an·ti·trich·o·mo·nal (-trich"ah-mo'n'l) – antitricomonádico, eficaz contra *Trichomonas;* também, agente que apresenta tais efeitos.

an·ti·trope (an'tĭ-trŏp) – antítropo; uma de duas estruturas simétricas, mas opostamente orientadas. **antitrop'ic** – adj. antitrópico.

α_1**-an·ti·tryp·sin** (an"ti-trip'sin) – α_1 – antitripsina; alfa-antitripsina.

an·ti·tu·ber·cu·lin (-too-ber'ku-lin) – antituberculina; anticorpo desenvolvido após injeção de tuberculina no corpo.

an·ti·tus·sive (-tus'iv) – antitussígeno: 1. eficaz contra a tosse; 2. agente que suprime a tosse.

an·ti·uro·lith·ic (-u"ro-lith'ik) – antiurolítico: 1. que previne a formação de cálculos urinários; 2. agente com esta ação.

an·ti·ven·in (-ven'in) – antiveneno: material utilizado no tratamento de envenenamento por veneno animal. **black widow spider a.** – a. da aranha viúva-negra; a. da *Latrodectus mactans*. **a. (Crotalidae) polyvalent, crotaline a., polyvalent** – a. polivalente; a. crotálico; soro que contém globulinas específicas neutralizantes de veneno, produzidas por eqüinos imunizados com os venenos da jararaca e das cascavéis ocidental, oriental e tropical, utilizado para o tratamento do envenenamento pela maioria das crotalídeas em todo o mundo. **a. *(Lactrodectus mactans)*** – a. da *Latrodectus mactans;* soro que contém globulinas neutralizantes de veneno específicas, preparadas através da imunização de eqüinos com o veneno da viúva-negra (*L. mactans).* **a. *(Micrurus fulvius)*** – a. de *Micrurus fulvius;* soro que contém globulinas neutralizantes de veneno específicas, produzidas através da imunização de eqüinos com veneno da cobra-coral oriental (*M. fulvius).*

an·ti·xe·rot·ic (-ze-rot'ik) – antixerótico; que combate ou evita ressecamento.

antr(o)- [L.] – antr(o)-, elemento de palavra, *câmara; cavidade;* freqüentemente utilizado com referência específica ao antro ou seio maxilar.

an·tri·tis (an-tri'tis) – antrite; inflamação de um antro, principalmente do antro (seio) maxilar.

an·tro·cele (an'tro-sēl) – antrocele; acúmulo cístico de fluido no antro maxilar.

an·tro·na·sal (an"tro-na'z'l) – antronasal; relativo ao antro maxilar e à fossa nasal.

an·tro·scope (an'tro-skōp) – antroscópio; instrumento para inspecionar o antro maxilar (seio).

an·trot·o·my (an-trot'ah-me) – antrotomia; incisão de um antro.

an·trum (an'trum) [L.] – antro; cavidade ou câmara. **an'tral** – adj. antral. **a. of Highmore** – a. de Highmore; seio maxilar. **mastoid a., mastoi'deum** – a. mastóide; a. mastóideo; a. timpânico; espaço aéreo na porção mastóide do osso temporal que se comunica com a cavidade timpânica e as células mastóides. **a. maxilla're, maxillary a.** – a. maxilar; seio maxilar. **pyloric a.; a. pylo'ricum** – a. pilórico; porção dilatada da parte pilórica do estômago, entre o corpo do estômago e o canal pilórico. **tympanic a., a. tympan'icum** – a. timpânico; a. mastóide.

an·u·lus (an'u-lus) [L.] pl. *anulus* – anel; ânulo.

an·ure·sis (an"u-re'sis) – anurese: 1. retenção de urina na bexiga; 2. anúria. **anuret'ic** - adj. anurético.

an·uria (an-u're-ah) – anúria; supressão completa da formação de urina por parte do rim. **anu'ric** – adj. anúrico.

anus (a'nus) pl. *anus* – ânus; abertura do reto na superfície corporal; orifício distal do canal alimentar. **imperforate a.** – a. não-perfurado; ausência congênita do canal anal ou persistência da membrana anal de forma que o ânus fique fechado, completa ou parcialmente.

an·vil (an'vil) – bigorna (*incus*).

an·xi·e·ty (ang-zi'ĭ-ty) – ansiedade; apreensão, incerteza e medo sem estímulo aparente, associado a alterações fisiológicas (taquicardia, sudorese, tremores etc.). **separation a.** – a. da separação; apreensão devida à remoção de pessoas importantes ou do ambiente familiar, comum em crianças de seis a dez meses de idade.

anx·io·lyt·ic (ang"zi-o-lit'ik) – ansiolítico; agente antiansiedade; ver *antianxiety.*

AOA – American Optometric Association; American Orthopsychiatric Association; American Osteopathic Association (AOA, Associação Optométrica Americana; Associação Ortopsiquiátrica Americana; Associação Osteopática Americana).

aor·ta (a-or'ta) – [L.] pl. *aortae, aortas* – aorta grande; artéria que surge no ventrículo esquerdo, constituindo o principal tronco a partir do qual o sistema arterial sistêmico procede; ver *Tabela de Artérias* para as partes da aorta, e Prancha VIII. **overriding a.** – a. sobreposta; anomalia congênita que ocorre na tetralogia de Fallot, na qual a aorta desloca-se para a direita de forma que parece surgir de ambos os ventrículos e ocasiona um defeito septal ventricular.

aor·ti·tis (a"or-ti'tis) – aortite; inflamação da aorta.

aor·tog·ra·phy (a"or-tog'rah-fe) – aortografia; radiografia da aorta após a introdução, em seu interior, de material de contraste.

aor·top·a·thy (a"or-top'ah-the) – aortopatia; qualquer doença da aorta.

aor·to·plas·ty (a-or"to-plas'te) – aortoplastia; reparo ou reconstituição cirúrgicos da aorta.

aor·tor·rha·phy (a"or-tor'ah-fe) – aortorrafia; sutura da aorta.

aor·to·scle·ro·sis (a-or"to-sklĕ-ro'sis) – aortosclerose; esclerose da aorta.

aor·tot·o·my (a"or-tot'ah-me) – aortotomia; incisão da aorta.

AOTA – American Occupational Therapy Association (Associação Americana de Terapia Ocupacional).

AP – action potential; angina pectoris; anterior pituitary – gland; anteroposterior; arterial pressure (AP, potencial de ação; angina peitoral; HA – hipófise anterior – glândula; pressão arterial – AP, ânteroposterior).

APA – American Pharmaceutical Association; American Podiatric Association; American Psychiatric Association; American Psychological Association (Associação Farmacêutica Americana; Associação Podiátrica Americana; Associação Psiquiátrica Americana; Associação Psicológica Americana).

apal·les·the·sia (ah-pal"es-the'zhah) – apalestesia; palanestesia (*pallanesthesia*).

apan·crea (ah-pan'kre-ah) – apancreatismo; ausência do pâncreas; apancreático.

ap·a·thy (ap'ah-the) – apatia; falta de sentimento ou emoção; indiferença. **apathet'ic** – adj. apático.

APC – atrial premature complex (CAP, complexo atrial prematuro).

APE – anterior pituitary extract (EHA, extrato hipofisário anterior).

apel·lous (ah-pel'is) – adérmico: 1. sem pele; não coberto por pele; não-cicatrizado (diz-se de um ferimento); 2. que não tem prepúcio.

ape·ri·ent (ah-pēr'e-ent) – aperiente; laxante ou purgante suave.

aper·i·stal·sis (a-per-ĭ-stal'sis) – aperistaltismo; ausência de ação peristáltica.

ap·er·tog·na·thia (ah-per"tog-na'the-ah) – apertognatia; mordedura aberta.

ap·er·tu·ra (ap"er-too'rah) [L.] pl. *aperturae* – abertura.

ap·er·ture (ap'er-cher) – abertura; abertura ou orifício. **numerical a.** – a. numérica; expressão da medida de eficiência de uma objetiva de microscópio.

apex (a'peks)[L.] pl. *apexes, apices* – ápice; ápex; ponta; extremidade pontiaguda de uma parte cônica; topo de um corpo, órgão ou parte. **ap'ical** – adj. apical. **root a.** – a. radicular; extremidade terminal da raiz de um dente.

apex·car·dio·gram (a"peks-kahr'de-o-gram) – apicecardiograma; registro produzido por apicecardiografia.

apex·car·di·og·ra·phy (-kahr"de-og'rah-fe) – apicecardiografia; método de registro gráfico das pulsações da parede torácica anterior sobre o ápice do coração.

APHA – American Public Health Association (Associação Americana de Saúde Pública).

APhA – American Pharmaceutical Association (Associação Farmacêutica Americana).

apha·gia (ah-fa'jah) – afagia; recusa ou perda de capacidade de engolir.

apha·kia (ah-fa'ke-ah) – afacia; ausência de cristalino de um olho, que ocorre congenitamente ou como resultado de traumatismo ou cirurgia. **apha'kic** – adj. afácico.

apha·lan·gia (a"fah-lan'jah) – afalangia; ausência de dedos das mãos ou dos pés.

apha·sia (ah-fa'zhah) – afasia; defeito ou perda da capacidade de expressão através da fala, escrita, sinais ou de compreensão da linguagem escrita ou falada, resultante de lesão ou doença dos centros cerebrais; ver *paraphasia*. **apha'sic** – adj. afásico. **amnesic a., amnestic a.** – a. amnésica; memória deficiente para nomes específicos de objetos ou outras palavras, permanecendo intactas as capacidades de compreensão e repetição. **anomic a.** – a. anômica; afasia na qual a memória de nomes é falha. **auditory a.** – a. auditiva; forma de afasia receptiva na qual os sons são ouvidos, mas não transmitem nenhum significado à mente, devido a uma doença no centro auditivo do cérebro. **Broca's a.** – a. de Broca; falha de capacidade articulatória acompanhada de distúrbio na compreensão e na expressão, especialmente de formas gramaticais de discurso. **conduction a.** – a. de condução; afasia que se acredita dever-se a uma lesão da via entre os centros sensorial e motor da fala; compreende-se a linguagem falada normalmente, mas não se podem repetir corretamente as palavras. **expressive a.** – a. de expressão; termo clínico para qualquer tipo de dificuldade na comunicação pela fala. **fluent a.** – a. fluente; tipo de afasia receptiva na qual a fala é bem-articulada e gramaticalmente correta, mas não tem conteúdo. **gibberish a.** – a. incoerente; jargonofasia. **global**

a. – a. global; afasia total envolvendo todas as funções que constituem a fala ou a comunicação. **jargon a.** – jargonofasia; afasia com declaração de frases sem sentido, sejam neologismos ou palavras conhecidas incoerentemente articuladas. **mixed a.** – a. mista; a. global. **motor a.** – a. motora; afasia na qual se prejudica a capacidade de falar e escrever, devido a lesão na ínsula e no opérculo circundante. **nominal a.** – a. nominal; uso deficiente de nomes com erros de significado ou forma. **nonfluent a.** – a. não-fluente; a. motora. **receptive a.** – a. receptiva; incapacidade de compreender os símbolos de discurso escritos, falados ou táteis, decorrente de doença dos centros de palavras auditivo e visual. **sensory a.** – a. sensorial; a. receptiva. **total a.** – a. total; a. global. **visual a.** – a. visual; alexia. **Wernicke's a.** – a. de Wernicke; a. receptiva.

apha·si·ol·o·gy (ah-fa"ze-ol'ah-je) – afasiologia; estudo científico da afasia e das lesões neurológicas específicas que a produzem.

aph·e·re·sis (af"ĕ-re'sis) – aférese; qualquer procedimento no qual o sangue é retirado de um doador, sendo uma porção (plasma, leucócitos, plaquetas etc.) separada e retida, e o restante retransfundido para o doador. Inclui a leucaferese, a trombocitaferese etc. Também chamada ferese *(pheresis)*.

apho·nia (a-fo'ne-ah) – afonia; perda de voz; incapacidade de produzir sons vocais. **a. clerico'rum** – a. clerical; ver em *dysphonia*.

aphot·ic (a-fot'ik) – afótico; sem luz; totalmente escuro.

aphra·sia (ah-fra'zhah) – afrasia; incapacidade de falar.

aph·ro·dis·iac (af"ro-diz'e-ak) – afrodisíaco: 1. que suscita o desejo sexual; 2. droga que suscita o desejo sexual.

aph·tha (af'thah) [L.] pl. *aphtae* – afta (geralmente no plural); pequenas úlceras, especialmente as manchas esbranquiçadas ou avermelhadas na boca, características de estomatite aftosa. **aph'thous** – adj. aftoso. **Bednar's aphthae** – aftas de Bednar; escoriação simétrica do palato duro posterior em crianças. **contagious aphthae epizootic aphthae** – aftas contagiosas; aftas epizoóticas; febre aftosa; doença do pé e da boca.

aph·tho·sis (af-tho'sis) – aftose; condição caracterizada pela presença de aftas.

Aph·tho·vi·rus (af'tho-vi"rus) – *Aphtovirus*; vírus da febre aftosa; gênero de vírus da família Picornaviridae que causa a febre aftosa.

aphy·lax·is (a"fi-lak'sis) – afilaxia; ausência de filaxia ou imunidade. **aphylac'tic** – adj. afilático.

ap·i·cal (ap'ĭ-k'l) – apical; relativo a um ápice.

ap·i·ca·lis (ă"pĭ-ka'lis) [L.] – apical.

api·cec·to·my (a"pĭ-sek'to-me) – apicectomia; excisão da porção apical da parte petrosa do osso temporal.

api·ci·tis (a"pĭ-si'tis) – apicite; inflamação de um ápice, como o pulmão ou a raiz de um dente.

api·co·ec·to·my (a"pĭ-ko-ek'tah-me) – apicectomia; excisão da porção apical da raiz de um dente através de abertura em tecidos sobrejacentes da maxila.

ap·la·nat·ic (ap"lah-nat'ik) – aplanático; que corrige uma aberração esférica, como a lente aplanática.

apla·sia (ah-pla'zhah) – aplasia; falta de desenvolvimento de um órgão ou tecido, ou dos produtos celulares de um órgão ou tecido. **aplas'tic** – adj. aplástico. **a. axia'lis extracortica'lis conge'nita** – a. axial extracortical congênita, esclerose centrolobar familiar. **a. cu'tis conge'nita** – a. congênita da cútis; deficiência localizada de desenvolvimento da pele, mais comumente do couro cabeludo; os defeitos ficam geralmente recobertos por uma membrana translúcida fina ou um tecido cicatricial ou então torna-se esfolada, ulcerada ou coberta por um tecido de granulação.

ap·nea (ap'ne-ah) – apnéia: 1. cessação da respiração; 2. asfixia. **apne'ic** – adj. apnéico. **sleep a.** – a. do sono; ataques transitórios de falha do controle autônomo da respiração, tornando-se mais pronunciados durante o sono, resultando em acidose e vasoconstrição arteriolar pulmonar bem como em hipertensão.

ap·neu·sis (ap-noo'sis) – apneuse; sustentação do esforço inspiratório não aliviada pela expiração. **apneu'stic** – adj. apnêustico.

apo- [Gr.] – apo-, elemento de palavra, *fora de; separado; derivado de.*

apo·chro·mat (ap"o-kro-mat') – apocromática; objetiva apocromática.

apo·chro·mat·ic (-kro-mat'ik) – apocromático; sem aberrações cromáticas ou esféricas.

apoc·o·pe (ah-pok'ah-pe) – apócope; remoção; amputação. **apocop'tic** – adj. apocópico.

apo·crine (ap'o-krin) – apócrino; que exibe o tipo de secreção glandular na qual a extremidade livre da célula secretora é descartada juntamente com os produtos secretórios acumulados (como ocorre com as, glândulas mamárias e sudoríparas).

apo·en·zyme (ap"o-en'zīm) – apoenzima; componente protéico de uma enzima separável do grupo protético (coenzima), mas que requer a presença do grupo protético que forma o composto funcionante (holoenzima).

ap·o·fer·ri·tin (-fer'ĭ-tin) – apoferritina; apoproteína que pode ligar muitos átomos de ferro por molécula, formando ferritina, a forma de depósito intracelular do ferro.

apo·lar (a-po'ler) – apolar; que não tem pólos nem processos; sem polaridade.

apo·lipo·pro·tein (ap"o-lip"o-pro'tēn) – apolipoproteína; qualquer dos constituintes protéicos das lipoproteínas, agrupados por função em quatro classes: A, B, C e E.

apo·mor·phine (-mor'fēn) – apomorfina; derivado de morfina utilizado em forma de sal de cloridrato como um emético central no tratamento de superdosagem e envenenamento acidental.

ap·o·neu·ror·rha·phy (-nŏŏ-ror'ah-fe) – aponeurorrafia; sutura de uma aponeurose.

ap·o·neu·ro·sis (-nŏŏ-ro'sis) [Gr.] pl. *aponeuroses;* aponeurose; expansão tendínea em forma de folha de papel, que serve principalmente para conectar um músculo às partes que ele movimenta. **aponeurot'ic** – adj. aponeurótico.

apoph·y·sis (ah-pof'ĭ-sis) – apófise; qualquer proeminência ou tumefação, especialmente a proje-

ção de um osso que não se separou completamente do osso de que faz parte, como é o caso de um processo, tubérculo ou tuberosidade. **apophys'eal** – adj. apofisário.

apoph·y·si·tis (ah-pof"ĭ-zi-tis) – apofisite; inflamação de uma apófise.

ap·o·plec·ti·form (ap"o-plek'tĭ-form) – apoplectiforme; semelhante à apoplexia.

ap·o·plexy (ap'o-plek"se) – apoplexia: 1. defeito neurológico súbito devido a distúrbio cerebrovascular, limitado classicamente à hemorragia intracranial, extensivo, segundo alguns autores, às lesões cerebrovasculares oclusivas; ver *stroke syndrome,* em *syndrome;* 2. extravasamento abundante de sangue em um órgão. **apoplec'tic** – adj. apoplético. **adrenal a.** – a. supra-renal; hemorragia maciça súbita no interior da glândula suprarenal, que ocorre na síndrome de Waterhouse-Friderichsen. **pancreatic a.** – a. pancreática; hemorragia extensa do pâncreas; observada no caso de insuficiência cardíaca e hipertensão portal.

apo·pro·tein (ap"o-pro'tēn) – apoproteína; metade proteica de molécula ou complexo, como a da lipoproteína.

apo·re·pres·sor (-re-pres'er) – aporrepressor; em teoria genética, produto de genes reguladores que se combina a um co-repressor para formar um repressor completo.

apoth·e·cary (ah-poth'ĕ-kar"e) – boticário; farmacêutico.

ap·pa·ra·tus (ap"ah-rã'tus) – aparelho; combinação de um número de partes que agem em conjunto na realização de função específica. **branchial a.,** – a. branquial; arcos e fendas branquiais considerados como uma unidade. **Golgi a.** – a. de Golgi; ver em *complex.* **juxtaglomerular a.** – a. justaglomerular; ver em *cell.* **Kirschner's a.** – a. de Kirschner; aparelho de fio metálico e estribo para a aplicação de tração esquelética nas fraturas da perna; arame de Kirschner. **lacrimal a., lacrima'lis** – a. lacrimal; glândula e ductos lacrimais bem como estruturas associadas. **subneural a.** – a. subneural; ver em *cleft.* **vestibular a.** – a. vestibular; estruturas do ouvido interno relacionadas à recepção e transdução dos estímulos de equilíbrio, incluindo canais semicirculares, sáculo e utrículo.

ap·pen·dage (ah-pen'dij) – apêndice; porção subordinada de uma estrutura ou excrescência como uma cauda. **epiploic a's** – apêndice epiplóicos; apêndices epiplóicos.

ap·pen·dec·to·my (ap"en-dek'tah-me) – apendectomia; excisão do apêndice vermiforme.

ap·pen·di·ci·tis (ah-pen"dĭ-si'tis) – apendicite; inflamação do apêndice vermiforme. **acute a.** – a. aguda; apendicite de início agudo, que exige cirurgia imediata, e é geralmente caracterizada por dor no quadrante abdominal inferior direito, sensibilidade localizada com recuo, espasmo muscular e hiperestesia cutânea. **chronic a.** – a. crônica: 1. apendicite caracterizada pelo espessamento fibrótico da parede do órgão devido à inflamação aguda anterior; 2. antigamente, a dor crônica ou recorrente na área do apêndice, sem evidências presentes de inflamação aguda. **fulminating a.** – a. fulminante; apendicite caracterizada pelo início súbito e morte. **gangrenous a.** – a. gangrenosa; apendicite complicada pela gangrena do órgão, causada pela interferência no suprimento sangüíneo. **obstructive a.** – a. obstrutiva; forma comum, com obstrução do lúmen, geralmente por meio de um fecaloma.

ap·pen·di·cos·to·my (ah-pen"dĭ-kos'tah-me) – apendicostomia; criação cirúrgica de uma abertura no interior do apêndice vermiforme para irrigar ou drenar o intestino grosso.

ap·pen·dix (ah-pen'diks) [L.] pl. *appendices appendixes* – apêndice; parte suplementar, acessória ou dependente presa a uma estrutura principal; 2. a. vermiforme. **epiploic appendices, appen'dices epiplo'icae** – apêndices epiplóicos; pequenos apêndices de gordura recobertos de peritônio presos em fileiras ao longo das tênias cólicas. **vermiform a., a. vermifor'mis** – a. vermiforme; divertículo vermiforme do ceco. **xiphoid a.** – a. xifóide; ver em *process.*

ap·per·cep·tion (ap"er-sep'shun) – apercepção; processo de receber, apreciar e interpretar as impressões sensoriais.

ap·pe·stat (an'ĭ-stat) – apetência; centro cerebral (provavelmente no hipotálamo), relativo ao controle do apetite.

ap·pla·nom·e·ter (ap"lah-nom'ĕ-ter) – aplanômetro; instrumento para determinar a pressão intra-ocular na detecção do glaucoma.

ap·ple (ap"l) – maçã; fruto comestível da árvore rosácea, *Pyrus malus* (= *Malus sylvestrus)*; na forma em pó, é utilizada como antidiarréico. **Adam's a.** – pomo-de-adão; proeminência subcutânea na frente do pescoço, produzida pela cartilagem tireóidea da laringe.

ap·pli·ance (ah-pli'ans) – dispositivo; em Odontologia, aparelho utilizado para proporcionar uma função ou efeito terapêutico.

ap·po·si·tion (ap"o-zish'in) – aposição; justaposição; colocação de coisas em proximidade; especificamente, a deposição de camadas sucessivas sobre as existentes, como nas paredes celulares.

ap·pre·hen·sion (ap"re-hen'shun) – apreensão: 1. percepção e compreensão; 2. medo ou ansiedade antecipados.

ap·proach (ah-prōch') – abordagem; em cirurgia, procedimentos específicos pelos quais se expõe um órgão ou uma parte.

ap·prox·i·ma·tion (ah-prok"sĭ-ma'shun) – aproximação: 1. ato ou processo de trazer à proximidade ou aposição; 2. um valor numérico de precisão limitada.

aprac·tag·no·sia (ah-prak"tag-no'zhah) – apractagnosia; um tipo de agnosia marcado pela incapacidade de usar objetos ou de realizar atividades motoras habilidosas.

aprax·ia (ah-prak'se-ah) – apraxia; perda da capacidade de empreender movimentos propositais familiares na ausência de falha motora ou sensorial, especialmente a incapacidade de utilizar objetos corretamente. **amnestic a.** – a. amnésica; impossibilidade de executar um movimento devido à incapacidade de lembrar o comando. **Brun's a. of gait** – a. da marcha de Bruns; ataxia frontal de Bruns. **Cogan's oculomotor a., congenital oculomotor a.** – a. oculomotora de Cogan; a. oculomotora congênita; defeito ou ausência dos movimentos oculares horizontais, de tal forma que a cabeça deve se virar e os olhos exibem nistagmo na tentativa de ver um objeto do lado. **ideational a.** – a. ideacional; a. sensorial. **innervatory a., motor a.** – a. de inervação; a. motora; falha dos movimentos habilidosos não-explicada por fraqueza das partes afetadas, com o paciente parecendo mais desajeitado do que fraco. **sensory a.** – a. sensorial; perda da capacidade de usar um objeto devido à falta de percepção de seu propósito.

ap·ro·bar·bi·tal (ap"ro-bahr'bĭ-tal) – aprobarbital; barbitúrico de ação intermediária utilizado como sedativo e hipnótico.

APS – American Physiological Society (Sociedade Fisiológica Americana).

APTA – American Physical Therapy Association (Associação Americana de Terapia Física).

APTT, aPTT – activated partial thromboplastin time (TTPA, tempo de tromboplastina parcial ativada).

ap·ty·a·lism (ap-ti'ah-lizm) – aptialismo; xerostomia; deficiência ou ausência de saliva.

APUD – amine precursor uptake and decarboxylation (consumo e descarboxilação do precursor amínico); ver *cells, APUD.*

apud·o·ma (a"pud-o'mah) – apudoma; tumor derivado das células APUD.

apy·o·gen·ic (a"pi-o-jen'ik) – apiogênico; não-causado por pus.

apy·ret·ic (a"pi-ret'ik) – apirético; sem febre; afebril.

apy·rex·ia (a"pi-rek'se-ah) – apirexia; ausência de febre.

AQ – achievement quotient (QA, quociente de aproveitamento).

Aq. [L.] – *aqua* (água).

Aq. dest. [L.] – *aqua destillata* (água destilada).

aq·ua (ah'kwah, ak'wah, a'kwah) [L.] – água: 1. água H_2O; 2. solução saturada de um óleo volátil ou outra substância aromática ou volátil em água purificada.

aq·ua·pho·bia (ak"wah-fo'be-ah) – hidrofobia; medo mórbido de água.

aq·ue·duct (ak'wĕ-dukt") – aqueduto; qualquer canal ou passagem. **cerebral a.** – a. do cérebro; canal estreito no cérebro médio, que conecta o terceiro e o quarto ventrículos. **a. of cochlea** – a. da cóclea; canalículo coclear; pequeno canal que interconecta os tímpanos escalares e o espaço subaracnóide. **a. of Sylvius ventricular a.** – a. de Sylvius; a. ventricular; a. do cérebro.

aque·ous (a'kwe-us) – aquoso: 1. preparado com água; 2. ver em *humor.*

AR – alarm reaction; aortic regurgitation; artificial respiration (RA, reação de alarme; regurgitação aórtica; respiração artificial).

Ar – símbolo químico, argônio (*argon*).

ara-A – adenine arabinoside (arabinosídeo adenina); ver *vidarabine.*

ara-C – cytarabine (citarabina).

arach·ic ac·id (ah-rak'ik) – ácido aráquico; ácido araquídico.

ar·a·chid·ic ac·id (ar"ah-kid'ik) – ácido araquídico; ácido graxo saturado de 20 carbonos, que ocorre no óleo de amendoim e em outros óleos vegetais e de peixe.

arach·i·don·ic ac·id (ah-rak"ĭ -don'ik) – ácido araquidônico; ácido graxo essencial poliinsaturado de 20 carbonos, que ocorre em gorduras animais e é formado por biossíntese a partir do ácido linoléico; é um precursor dos leucotrienos, das prostaglandinas e do tromboxano.

Arach·ni·da (ah-rak'nĭ d-dah) – Arachnida; classe de Arthropoda, que inclui aranhas, escorpiões, carrapatos e ácaros; aracnídeos.

arach·no·dac·ty·ly (ah-rak"no-dak'tĭ -le) – aracnodactilia; comprimento extremo e adelgaçamento dos dedos; dedos de aranha.

arach·noid (ah-rak'noid) – aracnóide: 1. semelhante à teia de aranha; 2. membrana delicada interposta entre a dura-máter e a pia-máter, constituindo assim as meninges.

arach·noi·dea ma·ter (ar"ak-noi'de-ah ma'ter) – aracnóide-máter; membrana delicada interposta entre a dura-máter e a pia-máter, separada da última pelo espaço subaracnóide.

arach·noid·i·tis (ah-rak"noi-di'tis) – aracnoidite; inflamação da aracnóide-máter.

arach·no·pho·bia (ah-rak"no-fo'be-ah) – aracnofobia; medo mórbido de aranhas.

ara·phia (ah-ra'fe-ah) – arrafia; disrafia. **ara'phic** – adj. arráfico.

ar·bor (ahr'bor) [L.] pl. *arbores* – árvore; estrutura ou parte semelhante a uma árvore. **a. vi'tae** – árvore da vida: 1. contorno semelhante a uma árvore em um corte mediano do cerebelo; 2. dobras palmadas.

ar·bo·ri·za·tion (ahr"bo-rĭ -za'shun) – arborização; ramificação, como as terminações ramificadas de um processo de célula nervosa.

ar·bor·vi·rus (ahr'bor-vi"rus) – arborvírus.

ar·bo·vi·rus (ahr'bo-vi"rus) – arbovírus; vírus de um grupo que inclui os agentes causadores da febre amarela, das encefalites virais e de determinadas infecções febris, transmitidas ao homem por vários mosquitos e carrapatos; vírus transmitidos pelos carrapatos são freqüentemente considerados em categoria separada (vírus originários de carrapatos). **arbovi'ral** – adj. arboviral.

ARC – AIDS related complex; American Red Cross; anomalous retinal correspondence (CRA, complexo relacionado à AIDS; correspondência retiniana anômala; Cruz Vermelha Americana).

arc (ahrk) – arco: 1. estrutura ou trajeto projetado cujo contorno é curvo; 2. descarga elétrica visível que assume o contorno de um arco; 3. em Neurofisiologia, trajeto das reações nervosas. **reflex a.** – a. reflexo; arco neural utilizado em ação reflexa; via de um impulso seguindo em sentido central através de fibras aferentes até um centro nervoso, bem como a resposta externa de um órgão ou parte efetora através de fibras eferentes; ver Prancha XIV.

Ar·ca·no·bac·te·ri·um (ahr-ka'no-bak-tēr'e-um) – *Arcanobacterium;* gênero de bactérias Gram-po-sitivas irregulares, em forma de bastão e não-formadoras de esporos. *A. haemolyticus* causa infecção humana que se manifesta em adolescentes como faringite e exantema escarlatiniforme semelhante ao de infecção estreptocócica.

arch (ahrch) – arco; estrutura de contorno curvo ou em forma de arco. **a. of aorta** – a. da aorta; porção curva entre a aorta ascendente e a aorta descendente, que dá origem ao tronco braquiocefálico e às artérias carótida comum esquerda e subclávia esquerda. **aortic a's** – arcos aórticos; vasos pareados que se arqueiam da aorta ventral para a dorsal através das fendas branquiais dos peixes e dos embriões amniotas. No desenvolvimento dos mamíferos, os arcos 1 e 2 desaparecem; o 3 reúne-se ao comum na artéria carótida interna; o 4 incorpora-se ao arco aórtico e junta-se à aorta e à artéria subclávia; o 5 desaparece; o 6 forma as artérias pulmonares e, até o nascimento, o ducto arterial. **branchial a's** – arcos branquiais; colunas arqueadas pareadas que suportam as brânquias em vertebrados aquáticos inferiores e, nos embriões dos vertebrados superiores, modificam-se em estruturas da cabeça e pescoço. **cervical aortic a.** – a. aórtico cervical; anomalia rara na qual o arco aórtico apresenta uma localização incomumente superior. **dental a.** – arco dentário; estrutura curva formada pelos dentes em sua posição normal; a. *dentária inferior* é formada pelos dentes mandibulares, a. *dentária superior* pelos dentes maxilares. **double aortic a.** – a. aórtico duplo; anomalia congênita na qual a aorta divide-se em dois ramos que circundam a traquéia e o esôfago e reúnem-se para formar a aorta descendente. **a's of foot** – arcos do pé; arcos longitudinais e transversais do pé. **lingual a.** – a. lingual; aparelho de arame que se conforma à face lingual da arcada dentária, utilizado para promover ou impedir o movimento dos dentes em um trabalho ortodôntico. **mandibular a.** – a. mandibular: 1. primeiro arco branquial, a partir do qual desenvolve-se o osso da mandíbula inferior, o martelo e a bigorna; 2. arcada dentária inferior. **maxillary a.** – a. maxilar: 1. arco palatal; 2. arcada dentária superior; 3. arcada dentária residual. **neural a.** – a. nervoso; primórdio do arco vertebral; uma das estruturas cartilaginosas que circundam a medula espinhal embrionária. **open pubic a.** – a. púbico aberto; anomalia congênita na qual o arco púbico não se funde, os corpos dos ossos púbicos permanecem separados. **oral a. palatal a.** – oral a; a. palatal; arco formado pelo céu da boca (ou da arcada dentária residual) a partir dos dentes de um lado, seguindo até o os dentes do outro lado. **palatoglossal a.** – a. do palatoglosso; dobra anterior de duas dobras de membrana mucosa em cada lado da orofaringe, contendo o músculo palatoglosso. **palatopharyngeal a.** – a. palatofaríngeo; dobra posterior das duas dobras de membrana mucosa em cada lado da orofaringe, contendo o músculo palatofaríngeo. **palmar a's** – arcos palmares; quatro arcos na palma: a. *arterial palmar profundo,* formado pela anastomose da parte terminal da artéria radial com o ramo profundo da ulnar e seu acompanhante *a. venoso palmar profundo*; o *a. arterial palmar superficial*, formado pela anastomose da parte terminal da artéria ulnar com o ramo palmar superficial da radial e o seu acompanhante *a. venoso palmar superficial*. **plantar a.** – *a.* plantar; o arco no pé formado pela anastomose da artéria plantar lateral com o ramo plantar profundo da artéria dorsal. **pubic a.** – *a.* púbico; arco formado pelos ramos co-reunidos dos ossos isquial e púbico em ambos os lados do corpo. **pulmonary a's** – arcos pulmonares; os mais caudais dos arcos aórticos, que se tornam as artérias pulmonares. **right aortic a.** – *a.* aórtico direito; anomalia congênita na qual a aorta se desloca para a direita e passa por trás do esôfago, formando conseqüentemente um anel vascular que pode causar compressão da traquéia e do esôfago. **supraorbital a.** – *a.* supra-orbitário; margem curva do osso frontal que forma o limite superior da órbita. **tarsa a's** – arcos társicos; dois arcos da artéria palpebral mediana, um que supre a pálpebra superior, e outro a inferior. **tendinous a.** – *a.* tendíneo; espessamento linear da fáscia sobre parte de um músculo. **zygomatic a.** – *a.* zigomático; arco formado pelos processos dos ossos zigomático e temporal.

arch- – ver *archi-*.

archae(o)- – ver *archi-*.

ar·chaeo·cer·e·bel·um (ahr"ke-o-ser"ah-bel'um) – arquicerebelo; parte filogeneticamente antiga do cerebelo, ou seja, o nódulo floculonodular e a língula.

ar·chaeo·cor·tex (-kor'teks) – arquicórtex; parte do córtex cerebral (pálio) que com o paleocórtex desenvolve-se em associação com o sistema olfatório e é filogeneticamente mais antiga que o neocórtex e não tem sua estrutura em camadas.

arche(o)- – ver *archi-*.

archi- [Gr.] – arqui-, elemento de palavra, *antigo; iniciante; original; primeiro; principal; o mais importante.*

arch·en·ceph·a·lon (ark"en-sef'ah-lon) – arquiencéfalo; cérebro primitivo a partir do qual se desenvolvem o mesencéfalo e o cérebro anterior.

arch·en·ter·on (ark-en'ter-on) – arquentério; cavidade digestiva primitiva das formas embrionárias cuja blástula se torna uma gástrula por invaginação.

ar·che·type (ahr'kĕ-tīp) – arquétipo; tipo ou forma ideal, original ou padrão.

ar·chi·neph·ron (ahr"kĭ-nef'ron) – arquinéfron; unidade do pronefro.

ar·chi·pal·li·um (-pal'e-um) – arquipálio; arquicórtex.

ar·ci·form (ahr'sĭ-form) – arciforme; arqueado.

ar·cu·a·tion (ahr"ku-a'shun) – arqueamento; curvatura, especialmente uma curvatura anormal.

ar·cus (ahr'kus) [L.] pl. *arcus* – arco. **a. adipo'sus** – arco adiposo. **a. cor'neae** – arco da corneal; anel opaco branco ou cinzento na margem da córnea, algumas vezes presente no nascimento, mas que ocorre geralmente bilateralmente em pessoas de 50 anos ou mais como resultado de depósitos de colesterol ou de hialinose do estroma corneal. **a. juveni'lis** – arco juvenil; arco corneano.

ar·ea (ar'e-ah) [L.] pl. *areae, areas* – área; espaço limitado; em Anatomia, superfície específica ou uma região funcional. **association a's** – áreas de associação; áreas do córtex cerebral (excluindo-se as áreas primárias) conectadas entre si e ao neotálamo; são responsáveis pelos processos mentais e emocionais superiores, incluindo a memória, o aprendizado etc. **auditory a's** – áreas auditivas; duas áreas contíguas ao lobo temporal na região do giro temporal transversal anterior. **Broca's motor speech a.** – *a.* motora da fala de Broca; área que compreende partes das porções opercular e triangular do giro frontal inferior; lesão nessa área pode resultar em afasia motora. **Brodmann's a's** – áreas de Brodmann; áreas do córtex cerebral caracterizadas por diferenças na distribuição de suas seis camadas celulares; identificadas pela numeração de cada área. **embryonic a.** – *a.* embrionária; ver em *disk.* **hypophysiotropic a.** – *a.* hipofisiotrófica; componente hipotalâmico que contém neurônios que secretam hormônios que regulam as células adeno-hipofisárias. **Kiesselbach's a.** – *a.* de Kiesselbach; uma área na parte anterior do septo nasal acima do osso intermaxilar, ricamente suprida com capilares, e um local comum de sangramento nasal. **motor a.** – *a.* motora; qualquer área do córtex cerebral primariamente envolvida na estimulação das contrações musculares, quase sempre é especificamente a área somatomotora primária. **prefrontal a.** – *a.* pré-frontal; córtex do lobo frontal imediatamente em frente ao córtex pré-motor, relacionado principalmente às funções associativas. **premotor a.** – *a.* pré-motora; córtex motor do lobo frontal imediatamente em frente ao giro pré-central. **primary a's** – áreas primárias; áreas do córtex cerebral que compreendem as regiões motora e sensorial; cf. *association areas.* **primary somatomotor a.** – *a.* somatomotora primária; área na parte posterior do lobo frontal imediatamente anterior ao sulco central; regiões diferentes controlam a atividade motora de partes específicas do corpo. **a. subcallo'sa, subcallosal a.** – *a.* subcalosa; área pequena do córtex na superfície medial de cada hemisfério cerebral, imediatamente em frente ao giro subcaloso. **a. of superficial cardiac dullness** – *a.* superficial de macicez cardíaca; área triangular de silêncio observada na percussão do tórax, que corresponde à área do coração não coberta pelo tecido pulmonar. **thymus-dependent a.** – *a.* timo-dependente; qualquer das áreas dos órgãos linfóides periféricos povoados por linfócitos T, como por exemplo, o paracórtex nos linfonodos, os centros do corpúsculo de Malpighi no baço e as zonas internodais nas placas de Peyer. **thymus-independent a.** – *a.* timo-independente; qualquer área dos órgãos linfóides periféricos povoados por linfócitos B, ou seja, os nódulos linfáticos do baço e os linfonodos. **vocal a.** – *a.* vocal; a porção da glote entre as cordas vocais. **water-shed a.** – *a.* de eliminação de água; qualquer das várias áreas sobre as convexidades dos hemisférios cerebrais ou cerebelares; em períodos de hipotensão sistêmica prolongada, eles ficam particularmente suscetíveis a um infarto. **Wernicke's second motor speech a.** – a. motora da fala secundária de Wernicke; originalmente termo que denota um centro de fala na parte posterior do giro temporal superior, hoje é utilizado para incluir também os giros supramarginal e angular.

Are·na·vi·ri·dae (ah-re"nah-vir'ĭ-de) – Arenaviridae; arenavírus; família de vírus de RNA com um virion pleomórfico e um genoma que consiste de duas moléculas circulares de RNA de monofilamentar. O único gênero é o Arenavirus.

Are·na·vi·rus (ah-re'nah-vi"rus) – *Arenavirus;* arenavírus; gênero de vírus dos Arenaviridae, que compreende o vírus coriomeningítico linfocítico (CML), o vírus Lassa e os vírus do complexo Tacaribe.

are·na·vi·rus (ah-re'nah-vi"rus) – arenavírus; qualquer vírus da família Arenaviridae.

are·o·la (ah-re'o-lah) [L.] pl. *areolae* – aréola: 1. qualquer espaço diminuto ou interstício em um tecido; 2. área circular de cor diferente que circunda um ponto central, como a que circunda o mamilo; halo. **are'olar** – adj. areolar.

Arg (arginine) – arginine (arginina).

Ar·gas (ar'gas) – *Argas;* gênero de carrapatos (família Argasidae) que parasita aves domésticas e outras aves e algumas vezes o homem. **A. per'sicus** – *A. persicus*; espécie de carrapato de aves domésticas, que parasita galinhas e perus, e é o vetor da espiroquetose de aves domésticas.

Ar·gas·i·dae (ar-gas'ĭ-de) – Argasidae; família de artrópodes (superfamília Ixodoidea) constituída de carrapatos de corpo mole.

ar·ga·sid (ahr'gah-sid) – argasídeo: 1. carrapato do gênero *Argas*; 2. relativo ao carrapato do gênero *Argas.*

ar·gen·taf·fin (ahr-jen'tah-fin) – argentafim; que se cora com sais de prata e cromo; ver também em *cell.*

ar·gen·taf·fi·no·ma (ahr"jen-taf'ĭ-no'mah) – argentafinoma; tumor carcinóide do trato gastrointestinal formado de células argentafins do canal entérico e que produz uma síndrome carcinóide.

ar·gen·tum (ahr-jen'-tum) [L.] – prata (símbolo Ag).

ar·gi·nase (ahr'jĭ-nās) – arginase; enzima que existe primariamente no fígado, e hidrolisa a arginina para formar uréia e ornitina no ciclo da uréia.

ar·gi·nine (ahr'jĭ-nēn) – arginina; aminoácido que ocorre em proteínas; também participa do ciclo da uréia, que converte a amônia em uréia, e na síntese da creatinina. Utiliza-se uma preparação como auxílio diagnóstico na avaliação da função hipofisária.

ar·gi·ni·no·suc·cin·ate (ahr"jĭ-ne"no-suk'sĭ-nāt) – argininossuccinato; forma aniônica do ácido argininossuccínico.

ar·gi·ni·no·suc·cin·ate syn·thase (sin'thās) – argininossuccinato-sintase; enzima que catalisa a condensação da citrulina e do aspartato, uma fase no ciclo hepático da uréia; a deficiência manisfesta-se em um distúrbio herdado caracterizado pela elevação dos níveis plasmáticos de citrulina e de amônia e excreção urinária de citrulina e ácido orótico, freqüentemente com retardamento mental e anormalidades neurológicas.

ar·gi·ni·no·suc·cin·ic ac·id (-suk-sin'ik) – ácido argininossuccínico; aminoácido normalmente formado no ciclo da uréia, mas não é comum estar presente na urina.

ar·gi·ni·no·suc·cin·ic·ac·id·uria (ahr'jĭ-ne"no-suk-sin"ik-as"id-ūr'e-ah) – argininossuccinicacidúria: 1. aminoacidopatia herdada devido à deficiência de uma enzima do ciclo da uréia, caracterizada pela excreção urinária de ácido argininossuccínico, amônia e citrulina, retardo mental, ataques convulsivos, ataxia, hepatomegalia e pêlos destacáveis; 2. excreção na urina de ácido argininossuccínico.

ar·gon (ahr'gon) – argônio, elemento químico (*ver* tabela*)*, número atômico 18, símbolo Ar.

ar·gyr·ia (ahr-jĭ're-ah) – argiria; envenenamento por prata ou seus sais; argiria crônica é caracterizada pela descoloração da pele em permanente tom cinzento, conjuntivas e órgãos internos; argiríase; argirose.

ar·gy·ro·phil (ahr-jĭ'ro-fil) – argirófilo; capaz de se ligar com sais de prata.

ari·bo·fla·vin·o·sis (a-ri"bo-fla"vĭ-no'sis) – arriboflavinose; deficiência de riboflavina na dieta, caracterizada por queilose angular, lesões nasolabiais, alterações ópticas e dermatite seborréica.

arm (ahrm) – braço: 1. extremidade superior do membro anterior do ombro ao cotovelo; popularmente, a extremidade inteira (o membro anterior inteiro), do ombro à mão; 2. uma parte semelhante a um braço, como por exemplo, a porção da cromátide que se estende em qualquer direção a partir do centrômero de um cromossoma mitótico. **chromosome a.** – b. cromossômico; um dos dois segmentos de um cromossoma separados pelo centrômero.

Ar·mil·li·fer (ar-mil'ĭ-fer) – *Armillifer;* gênero de endoparasitas vermiformes de répteis; larvas da *A. armillatus* e *A. moniliformis* são ocasionalmente encontradas no homem.

aro·ma·tase (ah-ro'mah-tās) – aromatase; atividade enzimática no retículo endoplasmático que catalisa a conversão da testosterona no composto aromático estradiol.

ar·o·mat·ic (ar"o-mat'ik) – aromático: 1. que tem um odor picante; 2. em Química, denota um composto que contém um anel de ressonância estabilizado, como por exemplo, o benzeno ou o naftaleno.

ar·rec·tor (ah-rek'tor) – [L.] pl. *arrectores* – arrector; que eleva ou o que sobe; músculo eretor.

ar·rest (ah-rest') – parada; cessação ou interrupção de uma função ou processo patológico. **cardiac c.** – p. cardíaca; cessação súbita da função de bombeamento do coração, com o desaparecimento da pressão sangüínea arterial, implicando tanto em fibrilação ventricular como em paralisação ventricular. **developmental a.** – p. de desenvolvimento; cessação temporária ou permanente do desenvolvimento. **epiphyseal a.** – p. epifisária; interrupção prematura do crescimento longitudinal do osso através da fusão da epífise e da diáfise. **maturation a.** – p. de maturação; interrupção do processo de desenvolvimento, como o das células sangüíneas, antes de alcançar o estágio final. **sinus a.** – p. sinusal; pausa no ritmo cardíaco normal devido à incapacidade momentânea do nódulo sinusal iniciar um impulso, durando um intervalo que não é um múltiplo exato do ciclo cardíaco normal.

arrheno- [Gr.] – arreno-, elemento de palavra, *macho; masculino*.

ar·rhe·no·blas·to·ma (ah-re"no-blas-to'mah) – arrenoblastoma; neoplasia do ovário; algumas vezes causa desfemininização e virilização.

ar·rhin·ia (ah-rin'e-ah) – arrinia; ausência congênita da formação nasal.

ar·rhyth·mia (ah-rith'me-ah) – arritmia; variação do ritmo normal do batimento cardíaco, incluindo anormalidades de freqüência, regularidade, local de origem do impulso e seqüência de ativação. **arrhyth'mic** – adj. arrítmico. **nonphasic a.** – a. não-fásica; uma forma de arritmia sinusal na qual a irregularidade não se associa às fases da respiração. **sinus a.** – a. sinusal; variação cíclica fisiológica na freqüência cardíaca relacionada aos impulsos vagais para o nódulo sinoatrial; é comum, particularmente nas crianças, e não é anormal.

ar·rhyth·mo·gen·esis (ah-rith"mo-jen'ĕ-sis) – arritmogênese; desenvolvimento de arritmia.

ar·rhyth·mo·gen·ic (-jen'ik) – arritmogênico; que produz ou promove arritmia.

ARRS – American Roentgen Ray Society (Sociedade Americana do Raio de Roentgen).

ar·se·ni·a·sis (ahr"sĕ-ni'ah-sis) – arseníase; intoxicação crônica com arsênico; ver *arsenic* (1).

ar·se·nic¹ (ahr'sĕ-nik) – arsênico; elemento medicinal e venenoso (ver tabela), número atômico 33, símbolo As. O envenenamento agudo por arsênico pode resultar em choque e morte, com exantemas cutâneos, vômito diarréia, dor abdominal, câimbras musculares, e intumescimento das pálpebras, dos pés e das mãos; a forma crônica, decorrente da ingestão de pequenas quantidades de arsênico por longos períodos, é caracterizada pela pigmentação cutânea acompanhada de descamação, hiperceratose das palmas das mãos e plantas dos pés, linhas transversais nas unhas, dor de cabeça, neuropatia periférica e confusão.

ar·sen·ic² (ahr-sen'ik) – arsenical; relativo a ou que contém arsênico em estado pentavalente.

ar·sine (ahr'sēn) – arsina; qualquer membro de um grupo de bases arsênicas voláteis; a arsina típica é o AsH₃, um gás carcinogênico e muito venenoso; alguns de seus compostos são utilizados em guerra química.

ART – Accredited Record Technician (Técnico de Registro Credenciado).

Ar·tane (ahr'tăn) – Artane, marca registrada de preparações de cloridrato de tri-hexifenidila.

ar·te·fact (ahr'tĕ-fakt") – artefato; ver *artifact*.

ar·te·ral·gia (ahr"ter-al'jah) – arteralgia; dor que emana de uma artéria, como a dor de cabeça decorrente de uma artéria temporal inflamada.

ar·te·ria (ahr-tĕr'e-ah) [L.] pl. *arteriae* – artéria. **a. luso'ria** – a. *lusoria*; vaso retroesofágico anormalmente posicionado, geralmente a artéria subclávia a partir do arco aórtico.

ar·te·ri·ec·ta·sis (ahr-tĕ-re-ek'tah-sis) – arteriectasia; dilatação e, geralmente, alongamento de uma artéria.

arteri(o)- [L., Gr.] arteri(o)-, elemento de palavra, *artérias*.

ar·te·ri·og·ra·phy (ahr-tēr"e-og'rah-fe) – arteriografia; radiografia de uma artéria ou sistema arterial após a injeção de um meio de contraste no interior da corrente sangüínea. **catheter a.** – a. com cateter; radiografia de vasos após a introdução de um material de contraste através de um cateter inserido no interior de uma artéria. **selective a.** – a. seletiva; radiografia de um vaso específico que é opacificado através de um meio introduzido diretamente nele, geralmente através de um cateter.

ar·te·ri·o·la (ahr-tēr"e-o'lah) [L.] pl. *arteriolae* – arteríola .

ar·te·ri·ole (ahr-tēr'e-ōl) – arteríola; ramo arterial diminuto. **arterio'lar** – adj. arteriolar. **afferent a. of glomerulus** – a. aferente glomerular; ramo de uma artéria interlobular que vai para um glomérulo renal. **efferent a. of glomerulus** – a. eferente glomerular; arteríola que surge de glomérulo renal, dispersando-se nos capilares para suprir os túbulos renais. **postglomerular a.** – a. pós-glomerular; a. glomerular eferente. **precapillary a's** – arteríolas pré-capilares; capilares arteriais. **preglomerular a.** – a. pré-glomerular; a. glomerular aferente.

ar·te·rio·lith (ahr-tēr'e-o-lith") – arteriólito; concreção calcária em uma artéria.

arteriol(o)- [L.] arteriol(o)-, elemento de palavra, *arteríola*.

ar·te·rio·lo·ne·cro·sis (ahr-tēr"e-o"lo-nĕ-kro'sis) – arteriolonecrose; necrose ou destruição de arteríolas.

ar·te·ri·o·lop·a·thy (ahr-tēr"e-o-lop'ah-the) – arteriolopatia; qualquer doença das arteríolas.

ar·te·rio·scle·ro·sis (ahr-tēr"e-o"lo-sklĕ-ro'-sis) – arteriolosclerose; esclerose e espessamento das paredes das arteríolas. A forma hialina pode se associar à nefrosclerose e à forma hiperplásica com hipertensão maligna, nefrosclerose e esclerodermia. **arteriolosclerot'ic** – adj. arterioloesclerótico.

ar·te·rio·mo·tor (ahr-tēr"e-o-mo'ter) – arteriomotor; que envolve ou causa dilatação ou constrição das artérias.

ar·te·rio·myo·ma·to·sis (-mi"o-mah-to'sis) – arteriomiomatose; crescimento das fibras musculares nas paredes de uma artéria, causando espessamento.

ar·te·ri·op·a·thy (ahr-tēr"e-op'ah-the) – arteriopatia; qualquer doença de uma artéria. **hypertensive a.** – a. hipertensiva; envolvimento disseminado de arteríolas e artérias pequenas, associado à hipertensão arterial, e caracterizados pela hipertrofia da túnica média.

ar·te·rio·plas·ty (ahr-tēr'e-o-plas"te) – arterioplastia; reparo ou reconstituição cirúrgicos de uma artéria; aplicada especialmente à operação de Matas para um aneurisma.

ar·te·ri·or·rha·phy (ahr-tēr"e-or'ah-fe) – arteriorrafia; sutura de uma artéria.

ar·te·ri·or·rhe·xis (ahr-tēr''e-o-rek'sis) – arteriorrexia; ruptura de uma artéria.

ar·te·rio·scle·ro·sis (-sklē-ro'sis) – arteriosclerose; grupo de doenças caracterizado pelo espessamento e perda da elasticidade das paredes arteriais, ocorrendo em três formas; aterosclerose, arteriosclerose de Mönckeberg e arterioloesclerose. **arteriosclerot'ic** – adj. arteriosclerótico. **Mönckeberg's a.** – a. de Mönckeberg; arteriosclerose com depósitos extensos de cálcio no revestimento médio da artéria. **a. obli'terans** – a. obliterante; arteriosclerose na qual a proliferação da íntima dos vasos pequenos causou obliteração completa do lúmen da artéria. **peripheral a.** – a. periférica; arteriosclerose das extremidades.

ar·te·rio·ste·no·sis (ahr-tēr''e-o-stē-no'sis) – arteriostenose; constrição de uma artéria.

ar·te·ri·ot·o·ny (ahr-tēr''e-ot'ah-ne) – arteriotonia; pressão sangüínea.

ar·te·ri·tis (ahr''tĕ-ri'tis) [L.] pl. *arteritides* – arterite; inflamação de uma artéria. **brachiocephalic a., brachiocepha'lica** – a. braquicefálica; a. de Takayasu. **coronary a.** – a. coronária; inflamação das artérias coronárias. **cranial a.** – a. cranial; a. temporal. **giant cell a.** – a. de células gigantes; vasculopatia crônica de origem desconhecida, geralmente no sistema arterial carotídeo, que ocorre nos idosos; caracteriza-se por dor de cabeça severa, febre e inflamação proliferativa, freqüentemente com células gigantes e granulomas. O envolvimento ocular pode causar cegueira. **a. obli'terans** – a. obliterante; endoarterite obliterante. **rheumatic a.** – a. reumática; inflamação generalizada de arteríolas e capilares arteriais que ocorre na febre reumática. **Takayasu's a.** – a. de Takayasu; obliteração progressiva do tronco braquicefálico e das artérias subclávia esquerda e carótida comum esquerda acima de sua origem no arco aórtico, levando à perda de pulso em ambos os braços e carótidas e a sintomas associados à isquemia cerebral, ocular, facial e braquial. **temporal a.** – a. temporal; a. de células gigantes.

ar·te·ry (ahr'ter-e) – artéria; vaso no qual o sangue flui a partir do coração na circulação sistêmica, transportando sangue oxigenado. **arte'rial** – adj. arterial. Quanto aos nomes de artérias do corpo, ver Tabela de Artérias e Pranchas VIII e IX.

ar·thral·gia (ahr-thral'jah) – artralgia; dor em uma articulação.

ar·thres·the·sia (ahr''thres-the'zhah) – artrestesia; sensibilidade articular; percepção dos movimentos articulares.

ar·thri·tide (ahr'thrĭ-tĭ d) – artrítide; erupção cutânea de origem gotosa.

ar·thri·tis (ahr-thri'tis) pl. *arthritides* – artrite; inflamação de uma articulação. **arthrit'ic** – adj. artrítico. **acute a.** – a. aguda; artrite caracterizada por dor, calor, vermelhidão e tumefação. **chronic inflammatory a.** – a. inflamatória crônica; a. reumatóide. **a. defor'mans** – a. deformante; a. reumatóide. **degenerative a.** – a. degenerativa; osteoartrite. **hypertrophic a.** – a. hipertrófica; osteoartrite. **infectious a.** – a. infecciosa; artrite causada por bactérias, rickéttsias, micoplasmas,

vírus, fungos ou parasitas. **Lyme a.** – a. de Lyme; forma de artrite recorrente e originária de carrapatos que afeta algumas articulações grandes, especialmente os joelhos, ombros e cotovelos, e se associa a eritema crônico migrante, indisposição e mialgia. **menopausal a.** – a. menopáusica; artrite observada em algumas mulheres menopáusicas, devido à deficiência hormonal ovariana, e caracterizada por dor nas articulações pequenas, ombros, cotovelos ou joelhos. **a. mu'tilans** – a. mutilante; poliartrite deformante severa com destruição macroscópica de ossos e cartilagens, variante atípica da artrite reumatóide. **rheumatoid a.** – a. reumatóide; doença sistêmica crônica principalmente das articulações, geralmente poliarticular, caracterizada por alterações inflamatórias nas membranas sinoviais e estruturas articulares e atrofia e rarefação dos ossos. Nos estádios finais, desenvolve-se deformidade e ancilose. Desconhece-se a causa, mas postulam-se mecanismos auto-imunes e infecção viral. **rheumatoid a., juvenile** – a. reumatóide juvenil; artrite reumatóide em crianças, com tumefação, sensibilidade e dor envolvendo uma ou mais articulações, levando à deficiência do crescimento e desenvolvimento, à limitação do movimento, assim como ancilose e contratura de flexão das articulações; é freqüentemente acompanhada de manifestações sistêmicas. **suppurative a.** – a. supurativa; forma caracterizada pela infiltração articular purulenta, principalmente devido à infecção bacteriana, mas também observada na doença de Reiter. **tuberculous a.** – a. tuberculosa; artrite decorrente de infecção tuberculosa, que afeta geralmente uma única articulação, e é caracterizada por inflamação crônica com derrame e destruição dos ossos contíguos.

arthr(o)- [Gr.] – artr(o)-, elemento de palavra, *articulação*.

ar·thro·cen·te·sis (ahr''thro-sen-te'sis) – artrocentese; punção de uma cavidade articular, com aspiração de fluido.

ar·thro·cha·la·sis (-kal'ah-sis) – artrocalasia; relaxamento ou flacidez anormais de uma articulação.

ar·thro·chon·dri·tis (-kon-dri'tis) – artrocondrite; inflamação da cartilagem de uma articulação.

ar·thro·cla·sia (-kla'zhah) – artroclasia; rompimento cirúrgico de uma ancilose para permitir que uma articulação se movimente.

ar·thro·dia (ahr-thro'de-ah) – artródia; articulação sinovial que permite um movimento de deslizamento.

ar·thro·dys·pla·sia (ahr''thro-dis-pla'zhah) – artrodisplasia; deformidade hereditária de várias articulações.

ar·thro·em·py·e·sis (-em''pi-e'sis) – artropiese; supuração em uma articulação.

ar·thro·ra·phy (ahr-throg'rah-fe) – artrografia; radiografia de uma articulação após injeção de meio de contraste opaco. **air a.** – a. aérea; pneumoartrografia.

ar·thro·gry·po·sis (ahr''thro-gri-po'sis) – artrogripose: 1. flexura persistente de uma articulação; 2. espasmo tetanóide.

TABELA DE ARTÉRIAS

Nome Comum	Equivalente na Nomina Anatomica	Origem	Ramos	Distribuição
a. acompanhante do nervo ciático. Ver a. ciática.				
a. acromiotorácica. Ver a. toracoacromial.				
artérias de Adamkiewicz – ramos espinhais da artéria vertebral	rami spinales arteriae vertebralis	parte transversal da a. vertebral		medula espinhal, meninges, corpos vertebrais e discos intervertebrais
artérias alveolares anteriores superiores	aa. alveolares superiores anteriores	a. infra-orbitária	ramos dentários	regiões incisiva e canina do maxilar superior e seio maxilar
a. alveolar inferior	a. alveolaris inferior	a. maxilar	ramos dentais, peridentais e miloíde mentoniano	maxilar inferior, lábio inferior e queixo
a. alveolar, superior posterior	a. alveolaris superior posterior	a. maxilar	ramos dentários e peridentários	regiões molar e pré-molar do maxilar superior, seio maxilar e músculo bucinador
a. angular	a. angularis	a. facial		saco lacrimal, pálpebra inferior e nariz
aorta	aorta	ventrículo esquerdo		
aorta abdominal	pars abdominalis aortae	porção inferior da aorta descendente, do hiato aórtico do diafragma até a bifurcação no interior das artérias ilíacas comuns	artérias frênica inferior, lombar, sacral mediana, mesentérica superior e inferior, supra-renal média, renal e testicular ou ovariana e tronco celíaco	
arco aórtico	arcus aortae	continuação da aorta ascendente	tronco braquicefálico, artérias carótida comum esquerda e subclávia esquerda; continua como aorta descendente (torácica)	
aorta ascendente	pars ascendens aortae	porção proximal da aorta, que surge do ventrículo esquerdo	artérias coronárias direita e esquerda; continua como arco aórtico	
aorta descendente. Ver aorta torácica; aorta abdominal	pars descendens aortae	continuação da aorta a partir do arco aórtico até a divisão em artérias ilíacas comuns		

aorta torácica	pars thoracica aortae	porção proximal da aorta descendente, que continua do arco aórtico até o hiato aórtico do diafragma	ramos bronquiais, esofágicos, pericárdicos e mediastinais; artérias frênicas superiores, artérias intercostais posteriores [III-XI] e artérias subcostais, continua como aorta abdominal	
a. apendicular	a. appendicularis	a. ileocólica		apêndice vermiforme
a. arqueada do pé	a. arcuata pedis	a. dorsal do pé	ramo plantar profundo e artérias metatársicas dorsais	pé, dedos do pé
artérias arqueadas dos rins	aa. arcuatae renis	a. interlobar	artérias interlobares e arteríolas retas dos rins	parênquima renal
a. caroticotimpânica. *Ver* a. do labirinto.				
a. auricular profunda	a. auricularis profunda	a. maxilar		pele do canal auditivo, membrana timpânica e articulação temporomandibular
a. auricular posterior	a. auricularis posterior	a. carótida externa	ramos auriculares e occipitais e a. estilomastóide	ouvido médio, células mastóides, pavilhão auricular, glândula parótida, músculo digástrico e outros músculos
a. axilar	a. axillaris	continuação da a. subclávia	ramos subescapulares, artérias torácica superior, toracoacromial, torácica lateral, subescapular e umerais circunflexas anterior e posterior	membro superior, axila, peito e ombro
a. basilar	a. basilaris	a partir da junção das artérias vertebrais direita e esquerda	ramos pontinos e artérias cerebelar anterior inferior, labiríticas, cerebelar superior e cerebelar posterior	tronco cerebral, ouvido interno, cerebelo e cérebro posterior
a. braquial	a. brachialis	continuação da a. axilar	artérias braquiais superficial e profunda, nutriente umeral, colaterais ulnares superior e inferior, radial e ulnar	ombro, braço, antebraço e mão

a. = [L.] arteria;
aa. = [L. pl.] arteriae.

a. = artéria.

(Continua)

TABELA DE ARTÉRIAS *(Cont.)*

Nome Comum	Equivalente na Nomina Anatomica	Origem	Ramos	Distribuição
a. braquial profunda	a. profunda brachii	a. braquial	artérias nutriente umeral e colaterais média e radial e ramo deltóide	úmero, músculos e pele do braço
a. braquial superficial	a. brachialis superficialis	a. braquial variante, fazendo um curso mais superficial que o normal	*ver* a. braquial	*ver* a. braquial
tronco braquicefálico	truncus brachiocephalicus	arco da aorta	artérias carótida comum direita e subclávia direita	lado direito da cabeça e do pescoço e braço direito
a. bucal	a. buccalis	a. maxilar		músculo bucinador e membrana mucosa oral
a. do bulbo do pênis	a. bulbi penis	a. pudenda interna		glândula bulbouretral e bulbo do pênis
a. do bulbo da uretra. *Ver* a. do bulbo do pênis				
a. do bulbo do vestíbulo da vagina	a. bulbi vestibuli vaginae	a. pudenda interna		bulbo vestibular vaginal e glândulas de Bartholin
a. calosomarginal	a. callosomarginalis	a. cerebral anterior	ramos frontal ântero-medial, frontal mediomedial, frontal póstero-medial e cingular	superfícies medial e lateral superior do hemisfério cerebral
artérias capsulares	aa. capsulares	a. renal		cápsula renal
artérias caroticotimpânicas	aa. caroticotympanicae	a. carótida interna		cavidade timpânica
a. carótida comum	a. carotis communis	tronco braquicefálico (direito) e arco aórtico (esquerdo)	artérias carótidas externa e interna	*Ver* a. carótida externa e a. carótida interna
a. carótida externa	a. carotis externa	a. carótida comum	artérias tireóidea superior, faríngea ascendente, lingual, facial, esternocleidomastóide, occipital, auricular posterior, temporal superficial e maxilar	pescoço, face e crânio
a. carótida interna	a. carotis interna	a. carótida comum	artérias caroticotimpânica, oftálmica, comunicante posterior, coróide anterior, cerebral anterior e cerebral média	ouvido médio, cérebro, hipófise, órbita e plexo coróide

a. caudal. Ver a. sacral mediana

a. cecal anterior	a. caecalis anterior	a. ileocólica	ceco
a. cecal inferior	a. caecalis inferior	a. ileocólica	ceco
tronco celíaco	truncus celiacus	aorta abdominal	esôfago, estômago, duodeno, baço, pâncreas, fígado e vesícula biliar
artérias centrais ântero-laterais	aa. centrales laterales	a. cerebral média	núcleos lenticular anterior e caudado e cápsula interna do cérebro
artérias centrais ântero-mediais	aa. centrales anteromediais	a. cerebral anterior	corpo estriado anterior e medial
artérias centrais póstero-laterais	aa. centrales posterolaterais	a. cerebral posterior	pedúnculo cerebral, tálamo posterior, colículo, pineal, e corpos geniculados mediais
artérias centrais póstero-mediais	aa. centrales posteromediales	a. cerebral posterior	tálamo anterior, parede lateral do terceiro ventrículo e globo pálido
a. central longa	a. centralis longa	a. cerebral anterior	
a. central da retina	a. centralis retinae	a. oftálmica	retina
a. central curta	a. centralis brevis	a. cerebral anterior	
a. cerebelar anterior inferior	a. inferior anterior cerebelli	a. basilar	ramos posterior, espinhal (geralmente) e labiríntica (geralmente)	a. cerebelar anterior inferior, partes lateral e inferior da ponte (algumas vezes) parte superior da medula oblonga
a. cerebelar posterior inferior	a. inferior posterior cerebelli	a. vertebral	parte inferior do cerebelo, medula e plexo coróide do quarto ventrículo
a. cerebelar superior	a. cerebelli superior	a. basilar	parte superior do cerebelo, mesencéfalo, pineal e plexo coróide do terceiro ventrículo
artérias cerebrais	aa. cerebrales	a. carótida interna e a. basilar	hemisférios cerebrais

a. = artéria.

a. = [L.] arteria;
aa. = [L. pl.] arteriae.

(Continua)

TABELA DE ARTÉRIAS *(Cont.)*

Nome Comum	Equivalente na Nomina Anatomica	Origem	Ramos	Distribuição
a. cerebral anterior	a. cerebri anterior	a. carótida interna	*parte pré-comunicante:* artérias centrais ântero-medial, centrais longa e curta e comunicante anterior; *parte pós-comunicante:* artérias frontobasal medial, calosomarginal, paracentral, pré-cuneal e parietoccipital	córtex orbitário, frontal e parietal, corpo caloso, diencéfalo, corpo estriado, cápsula interna e plexo coróide do ventrículo lateral
a. cerebral média	a. cerebri media	a. carótida interna	*parte esfenoidal: a.* central ântero-lateral; *parte insular:* artérias frontobasilar lateral insular e temporal; *parte terminal ou cortical:* artérias do sulco, artérias parietais e artérias do giro angular	córtex orbitário, frontal, parietal e temporal; corpo estriado; e cápsula interna
a. cerebral posterior	a. cerebri posterior	bifurcação terminal da a. basilar	*parte pré-comunicante:* artérias centrais póstero-mediais; *parte pós-comunicante:* artérias centrais póstero-laterais e ramos coróides posteriores medial e lateral e peduncular; *parte terminal ou cortical:* artérias occipitais lateral e medial	lobos occipital e temporal, gânglios basais, plexo coróide do ventrículo lateral, tálamo e mesencéfalo
a. cervical ascendente	a. cervicalis ascendens	a. tireóidea inferior		músculos do pescoço, vértebras e canal vertebral
a. cervical profunda	a. cervicalis profunda	tronco costocervical		músculos profundos do pescoço
a. cervical transversal	a. transversa cervicis	a. subclávia	ramos superficiais e profundos	base do pescoço, músculos da escápula e interior do cérebro, incluindo o plexo coróide do ventrículo lateral e partes adjacentes
artérias ciliares anteriores	aa. ciliares anteriores	artérias oftálmica e lacrimal	artérias episcleral e conjuntival anterior	íris e conjuntiva

		a. = [L.] artéria		
artérias ciliares posteriores longas	aa. ciliares posteriores longae	a. oftálmica		íris e processos ciliares
artérias ciliares posteriores curtas	aa. ciliares posteriores breves	a. oftálmica		revestimento coroide do olho
a. circunflexa	ramus circumflexus arteriae coronariae sinistrae	a. coronária esquerda	ramos atrial, anastomótico atrial, atrioventricular, atrial intermediário, marginal esquerdo e ventricular posterior esquerdo	ventrículo esquerdo e átrio esquerdo
a. femoral circunflexa lateral	a. circumflexa femoris lateralis	a. femoral profunda	ramos ascendente, descendente e transversal	articulação coxofemoral e músculos da coxa
a. femoral circunflexa medial	a. circumflexa femoris medialis	ramos profundo, ascendente, transversal e acetabular	ramos acetabular, ascendente, profundo e transversal	articulação coxofemoral e músculos da coxa
a. umeral circunflexa anterior	a. circumflexa anterior humeri	a. axilar		articulação escapular e cabeça do úmero, tendão longo do bíceps e tendão do músculo peitoral maior
a. umeral circunflexa posterior	a. circumflexa posterior humeri	a. axilar		articulação escapular e músculos deltóide, redondo menor e tríceps
a. ilíaca circunflexa profunda	a. circumflexa ilium profunda	a. ilíaca externa	ramos ascendentes	região ilíaca, parede abdominal e virilha
a. ilíaca circunflexa superficial	a. circumflexa ilium superficialis	a. femoral		virilha e parede abdominal
a. circunflexa da escápula	a. circumflexa scapulae	a. subescapular		músculos infero-laterais da escápula
a. coccígea. Ver a. sacral mediana				
a. cólica esquerda	a. colica sinistra	a. mesentérica inferior		cólon descendente
a. cólica média	a. colica media	a. mesentérica superior		cólon transverso
a. cólica direita	a. colica dextra	a. mesentérica superior		cólon ascendente
a. cólica direita inferior. Ver a. ileocólica				

a. = [L.] artéria;
aa. = [L. pl.] arteriae.

a. = artéria.

(Continua)

TABELA DE ARTÉRIAS (Cont.)

Nome Comum	Equivalente na Nomina Anatomica	Origem	Ramos	Distribuição
a. cólica acessória superior. Ver a. cólica média				
a. colateral ulnar inferior	a. collateralis ulnaris inferior	a. braquial		músculos do braço no dorso do cotovelo
a. colateral média	a. collateralis media	a. braquial profunda		músculo tríceps e articulação do cotovelo
a. collateralis radial	a. colateral radialis	a. braquial profunda		músculos braquiorradial e braquial
a. colateral ulnar superior	a. collateralis ulnaris superior	a. braquial		articulação do cotovelo e músculo tríceps
a. comunicante anterior	a. communicans anterior cerebri	parte pré-pré-comunicante da a. cerebral anterior		interconecta as artérias cerebrais anteriores
a. comunicante posterior	a. communicans posterior cerebri	interconecta as artérias carótida interna e cerebral posterior	ramos para o quiasma óptico, nervo oculomotor, tálamo, hipotálamo e a cauda do núcleo caudado	
artérias conjuntivais anteriores	aa. conjunctivales anteriores	artérias ciliares anteriores		conjuntiva
artérias conjuntivais posteriores	aa. conjunctivales posteriores	a. palpebral medial		carúncula lacrimal e conjuntiva
a. coronária descendente anterior esquerda	ramus interventriculares anterior arteriae coronariae sinistrae	a. coronária esquerda	a. conal e ramos septais lateral e interventricular	ventrículos e septo interventricular
a. coronária descendente posterior	ramus interventricularis posterior arteriae coronariae dextrae	a. coronária direita	ramo septal interventricular	superfície diafragmática dos ventrículos e parte do septo interventricular
a. coronária esquerda do coração	a. coronaria sinistra	seio aórtico esquerdo	ramos interventricular anterior e circunflexo	ventrículo esquerdo e átrio esquerdo
a. coronária direita do coração	a. coronaria dextra	seio aórtico direito	a. conal e ramos atrial, nodular atrioventricular, interventricular posterior, marginal direito e nodular sinoatrial	ventrículo direito e átrio direito
a. coronária esquerda do estômago	a. gastrica sinistra	a. celíaca	ramo esofágico	esôfago e curvatura menor do estômago

a. coronária direita do estômago	a. gastrica dextra	a. hepática comum	
tronco costocervical	truncus costocervicalis	a. subclávia	artérias intercostais cervical profunda e superior → músculos profundos do pescoço, dois primeiros espaços intercostais, coluna vertebral e músculos das costas
a. cremastérica	a. cremasterica	a. epigástrica inferior	músculo cremáster e envoltórios do cordão espermático
a. cística	a. cystica	ramo direito da a. hepática própria	vesícula biliar
a. braquial profunda. *Ver* a. braquial profunda			
a. femoral profunda. *Ver* a. femoral profunda			
a. lingual profunda. *Ver* a. lingual profunda			
a. profunda do clitóris	a. profunda clitoridis	a. pudenda interna	clitóris
a. profunda do pênis	a. profunda pênis	a. pudenda interna	corpo cavernoso do pênis
a. deferencial. *Ver* a. do ducto deferente			
a. deltóide	ramus deltoideus arteriae profundae branchii	a. braquial profunda	músculos braquial e deltóide
	ramus deltoideus arteriae thoracoacromialis	a. toracoacromial	músculos deltóide e peitoral maior
artérias dentárias. *Ver* artérias alveolares			
artérias diafragmáticas. *Ver* artérias frênicas			
artérias digitais colaterais. *Ver* artérias digitais palmares próprias			
artérias digitais do pé comuns. *Ver* artérias metatársicas plantares			

a. = artéria.

a. = [L.] arteria;
aa. = [L. pl.] arteriae.

(Continua)

TABELA DE ARTÉRIAS (Cont.)

Nome Comum	Equivalente na Nomina Anatomica	Origem	Ramos	Distribuição
artérias digitais do pé dorsais	aa. digitales dorsales pedis	artérias metatársicas dorsais		dorso dos artelhos
artérias digitais da mão dorsais	aa. digitales dorsales manus	artérias metacárpicas dorsais		dorso dos artelhos
artérias digitais palmares comuns	aa. digitales palmares communes	arco palmar superficial	artérias digitais palmares próprias	dedos da mão
artérias digitais palmares próprias	aa. digitales palmares propriae	artérias digitais palmares comuns		dedos da mão
artérias digitais plantares comuns	aa. digitales plantares comunes	artérias metatársicas plantares	artérias digitais plantares próprias	artelhos
artérias digitais plantares próprias	aa. digitales plantares propriae	artérias digitais plantares comuns		artelhos
a. dorsal do clitóris	a. dorsalis clitorides	a. pudenda interna		clitóris
a. dorsal do pé. *Ver* a. dorsal do pé				
a. dorsal do nariz	a. dorsalis nasi	a. oftálmica	ramo lacrimal	dorso do nariz
a. dorsal do pênis	a. dorsalis penis	a. pudenda interna		glande, coroa e prepúcio do pênis
a. dorsal do pé	a. dorsalis pedis	continuação da a. tibial anterior	artérias társicas lateral e medial, arqueada e plantar profunda	pé, artelhos
a. do ducto deferente	a. ductus deferentis	a. umbilical	a. ureteral	ureter, ducto deferente, vesículas seminais e testículos
artérias duodenais. *Ver* artérias pancreaticoduodenais inferiores				
a. epigástrica externa. *Ver* a. ilíaca circunflexa profunda inferior				
a. epigástrica inferior	a. epigástrica inferior	a. ilíaca externa	ramo púbico, a. cremastérica e a. do ligamento redondo do útero	parede abdominal
a. epigástrica superficial	a. epigástrica superficialis	a. femoral		parede abdominal e virilha
a. epigástrica superior	a. epigástrica superior	a. torácica interna		parede abdominal e diafragma

artérias episclerais	aa. episclerais	a. ciliar anterior		íris e processos ciliares
a. etmoidal anterior	a. ethmoidalis anterior	a. oftálmica	ramos meníngeo anterior, septal anterior e nasal lateral anterior	dura-máter, nariz, seio frontal e células etmoidais anteriores
a. etmoidal posterior	a. ethmoidalis posterior	a. oftálmica		células etmoidais conjuntivais, dura-máter e nariz
a. facial	a. facialis	a. carótida externa	artérias palatina ascendente, submental, labiais inferior e superior, septal, nasal lateral e angular; e ramos tonsilar e glandular	face, tonsila, palato e glândula submandibular
a. facial profunda. *Ver* a. maxilar				
a. facial transversa	a. transversa faciei	a. temporal superficial		região parotídea
a. falopiana. *Ver* a. uterina				
a. femoral	a. femoralis	continuação da a. ilíaca externa	artérias epigástrica superficial, ilíaca circunflexa superficial, pudenda externa, femoral profunda e genicular descendente	parede abdominal inferior, genitália externa e membro inferior
a. femoral profunda	a. profunda femoris	a. femoral	artérias femorais circunflexas medial e lateral e artérias perfurantes	músculos da coxa, articulação coxofemoral, músculo glúteo e fêmur
a. fibular. *Ver* a. fibular				
a. frontal. *Ver* a. supratroclear				
a. frontobasal lateral	a. frontobasalis lateralis	a. cerebral média		córtex do lobo frontal
a. frontobasal medial	a. frontobasalis medialis	a. cerebral anterior		córtex do lobo frontal
a. funicular. *Ver* a. testicular				
a. gástrica esquerda	a. gastrica sinistra	tronco celíaco	ramos esofágicos	esôfago e curvatura menor do estômago
a. gástrica posterior	a. gastrica posterior	a. esplênica		parede gástrica posterior
a. gástrica direita	a. gastrica dextra	a. hepática comum		curvatura menor do estômago

a. = [L.] artéria;
aa. = [L. pl.] arteriae.

a. = artéria.

(Continua)

TABELA DE ARTÉRIAS *(Cont.)*

Nome Comum	Equivalente na Nomina Anatomica	Origem	Ramos	Distribuição
artérias gástricas curtas	aa. gastricae breves	a. esplênica		parte superior do estômago
a. gastroduodenal	a. gastroduodenalis	a. hepática comum	artérias pancreaticoduodenal superior e gastroepiplóica direita	estômago, duodeno, pâncreas e omento maior
a. gastroepiplóica esquerda. *Ver* a. gastromental esquerda				
a. gastroepiplóica direita. *Ver* a. gastromental direita				
a. gastromental esquerda	a. gastromentalis sinistra	a. esplênica	ramos gástrico e omental	estômago e omento maior
a. gastromental direita	a. gastromentalis dextra	a. gastroduodenal	ramos gástrico e omental	estômago e omento maior
a. genicular descendente	a. descendens genicularis	a. femoral	ramos safeno e articular	articulação genicular e partes superior e medial da perna
a. genicular inferior lateral	a. inferior lateralis genus	a. poplítea		articulação genicular
a. genicular superior lateral	a. superior lateralis genus	a. poplítea		articulação genicular, fêmur, patela e músculos contíguos
a. genicular inferior medial	a. inferior medialis genus	a. poplítea		articulação genicular
a. genicular superior medial	a. superior medialis genus	a. poplítea		articulação genicular, fêmur, patela e músculos contíguos
a. genicular média	a. media genus	a. poplítea		articulação genicular, ligamentos cruciformes e dobras sinovial patelar e alar
a. glútea inferior	a. glutealis inferior	a. ilíaca interna	a. ciática	nádegas e dorso da coxa
a. glútea superior	a. glutealis superior	a. ilíaca interna	ramos superficial e profundo	nádegas
artérias helicinas	aa. helicinae penis	artérias dorsais e profundas do pênis	ramos superficial e profundo	tecido erétil peniano
artérias hemorroidais. *Ver* artérias retais				
a. hepática comum	a. hepatica communis	tronco celíaco	artérias gástrica direita, gastroduodenal e hepática própria	estômago, pâncreas, duodeno, fígado, vesícula biliar e omento maior

a. hepática própria	a. hepatica própria	a. hepática comum	ramos direito e esquerdo	fígado e vesícula biliar
a. hialóide	a. hyaloidea	a. oftálmica fetal		cristalino fetal (geralmente ausente após o nascimento)
a. hipogástrica. *Ver* a. ilíaca interna				
a. hipofisária inferior	a. hypophysialis inferior	a. carótida interna		hipófise
a. hipofisária superior	a. hypophysialis superior	a. carótida interna		hipófise
artérias ileais	aa. ilei	a. mesentérica superior		íleo
a. ileocólica	a. ileocolica	a. mesentérica superior	artérias cecais anterior e posterior e apendicular, e ramos cólico (ascendente) e ileal	íleo, ceco, apêndice vermiforme e cólon ascendente
a. ilíaca comum	a. iliaca communis	aorta abdominal	artérias ilíacas interna e externa	pelve, parede abdominal e membro inferior
a. ilíaca externa	a. iliaca externa	a. ilíaca comum	artérias epigástrica inferior e ilíaca circunflexa profunda	parede abdominal, genitália externa e membro inferior
a. ilíaca interna	a. iliaca interna	continuação da a. ilíaca comum	artérias iliolombar, obturadora, glúteas superior e inferior, umbilical, vesical inferior, uterina, retal média e pudenda interna	parede e vísceras pélvicas, nádegas, órgãos reprodutivos e face medial da coxa
a. iliolombar	a. iliolumbalis	a. ilíaca interna	ramos ilíaco e lombar e artérias sacrais laterais	músculos e ossos pélvicos, quinta vértebra lombar e sacro
a. infra-orbitária	a. infraorbitalis	a. maxilar	artérias alveolares superiores anteriores	maxila, seio maxilar, dentes superiores, pálpebra inferior, bochecha e nariz
a. inominada. *Ver* tronco braquicefálico				
artérias insulares	aa. insulares	parte insular da a. cerebral		córtex insular
a. intercostal superior	a. intercostalis suprema	tronco costocervical	intercostais posteriores I e II	parede torácica superior
artérias intercostais posteriores I e II	aa. intercostales posteriores I e II	a. intercostal superior	ramos espinhais e dorsais	parede torácica superior

a. = artéria.

a. = [L.] arteria;
aa. = [L. pl.] arteriae.

(Continua)

TABELA DE ARTÉRIAS (Cont.)

Nome Comum	Equivalente na Nomina Anatomica	Origem	Ramos	Distribuição
artérias intercostais posteriores III-XI	aa. intercostales posteriores III-XI	a. aorta torácica	ramos colaterais cutâneos dorsais, espinhais, laterais e mediais e mamários laterais	parede torácica
artérias interlobares dos rins	aa. interlobares renis	ramos inferiores das artérias segmentares	artérias arqueadas	parênquima renal
artérias interlobulares dos rins	aa. interlobulares renis	artérias arqueadas renais		glomérulos renais
artérias interlobulares do fígado	aa. interlobulares hepatis	ramo direito ou esquerdo da a. hepática própria	entre os ramos interlobulares hepáticos	
a. interóssea anterior	a. interossea anterior	a. interóssea comum ou posterior	a. mediana	partes profundas da frente do antebraço
a. interóssea comum	a. interossea communis	a. ulnar		fossa antecubital
a. interóssea posterior	a. interossea posterior	a. interóssea comum	artérias interósseas anterior e posterior	partes profundas do dorso do antebraço
a. interóssea recorrente	a. interossea recurrens	artérias interósseas posteriores ou comuns	a. interóssea recorrente	dorso da articulação do cotovelo
artérias intestinais		vasos que surgem a partir da a. pancreaticoduodenal, jejunal, ileal, ileocólica e cólica	a. mesentérica superior e que suprem os intestinos; incluem as artérias	
artérias jejunais	aa. jejunales	a. mesentérica superior		jejuno
a. labial inferior	a. labialis inferior	a. facial		lábio inferior
a. labial superior	a. labialis superior	a. facial	ramos septal e alar	lábio superior e nariz
a. do labirinto	a. labyrinthina	artérias basilar ou cerebelar inferior anterior	ramos vestibular e coclear	ouvido interno
a. lacrimal	a. lacrimalis	a. oftálmica	a. palpebral lateral	glândula lacrimal, pálpebras e conjuntiva
a. laringea inferior	a. laryngea inferior	a. tireóidea inferior		laringe, traquéia e esôfago
a. laringea superior	a. laryngea superior	a. tireóidea superior		laringe
a. lingual	a. lingualis	a. carótida externa	ramos supra-hióideo, sublingual, lingual dorsal e lingual profundo	língua, glândula sublingual, tonsila e epiglote

a. lingual profunda *Ver* profunda a. linguae				
artérias lombares	aa. lumbares	aorta abdominal		parede abdominal posterior e cápsula renal
a. lombar ínfima	a. lumbalis ima	a. sacral mediana		sacro e músculo glúteo maior
a. mamária externa. *Ver* a. torácica lateral				
a. mamária interna. *Ver* a. torácica interna				
a. mandibular. *Ver* a. alveolar inferior				
a. marginal do cólon	a. marginalis coli	ramos das artérias mesentéricas superior e inferior	corre ao longo do perímetro interno do intestino grosso da junção ileocólica ao reto e dá origem a artérias retas que suprem a parede intestinal	
a. marginal de Drummond. *Ver* a. marginal do cólon				
a. massetérica	a. massetérica	a. maxilar		músculo masseter
a. maxilar	a. maxillaris	a. carótida externa	ramos pterigóides; artérias auricular profunda, timpânica anterior, alveolar inferior, meníngea média, massetérica, temporal profunda, bucal, alveolar superior posterior, infra-orbitária, palatina descendente e esfenopalatina e a. do canal pterigóide	ambas os maxilares, dentes, músculos mastigatórios, orelhas, meninges, nariz, seios paranasais e palato
a. maxilar externa. *Ver* a. facial				
a. maxilar interna. *Ver* a. maxilar				
a. mediana	a. comitans nervi mediani	a. interóssea anterior		nervo mediano e músculos da frente do antebraço
a. meníngea média	a. meningea media	a. maxilar	ramos frontal, parietal, lacrimal, anastomótico, meníngeo acessório e petroso e a. timpânica superior	ossos craniais e dura-máter

a. = [L.] arteria;
aa. = [L. pl.] arteriae.

a. = artéria.

(Continua)

TABELA DE ARTÉRIAS *(Cont.)*

Nome Comum	Equivalente na Nomina Anatomica	Origem	Ramos	Distribuição
a. meníngea posterior	a. meningea posterior	a. faríngea ascendente		ossos e dura-máter da fossa cranial posterior
artérias mesencefálicas	aa. mesencephalicae	a. basilar		pedúnculo cerebral
a. mesentérica inferior	a. mesenterica inferior	aorta abdominal	artérias cólica esquerda, sigmóide e retal superior	cólon descendente e reto
a. mesentérica superior	a. mesenterica superior	aorta abdominal	artérias pancreaticoduodenal inferior, jejunal, ileal, ileocólica e cólicas direita e média	intestino delgado e metade proximal do cólon
artérias metacárpicas dorsais	aa. metacarpales dorsales	rede cárpica dorsal e a. radial	artérias digitais dorsais	dorso dos dedos
artérias metacárpicas palmares	aa. metacarpales palmares	arco palmar profundo		partes profundas do metacarpo
artérias metatársicas dorsais	aa. metatarsales dorsales	a. arqueada do pé	artérias digitais dorsais	dorso do pé, incluindo os artelhos
artérias metatársicas plantares	aa. metatarsales plantares	arco plantar	ramos perfurantes e artérias digitais plantares comum e própria	superfície plantar dos artelhos
a. musculofrênica	a. musculophrenica	a. torácica interna		diafragma e paredes abdominal e torácica
artérias nasais laterais posteriores	aa. nasales posteriores laterales	a. esfenopalatina		seios frontal, maxilar e esfenoidal
artérias nutrícias do fêmur	aa. nutricientes femoris	terceira a. perfurante		fêmur
artérias nutrícias da fíbula	aa. nutricientes fibulae	a. fibular		fíbula
artérias nutrícias do úmero	aa. nutricientes humeri	artérias braquial e braquial profunda		úmero
artérias nutrícias da tíbia	aa. nutricientes tibiae	a. tibial posterior		tíbia
a. obturadora	a. obturatoria	a. ilíaca interna	ramos púbico, acetabular, anterior e posterior	músculos pélvicos e articulação coxofemoral
a. obturadora acessória	a. obturatoria accessoria	a. obturadora variante, que surge da a. epigástrica inferior em vez da a. ilíaca interna		

a. occipital	a. occipitalis	a. carótida externa	ramos auricular, meníngeo, mastóide, descendente, occipital e esternocleidomastóide	músculos do pescoço e do couro cabeludo, meninges e células mastóides
a. occipital lateral	a. occipitales lateralis	a. cerebral posterior	ramos temporal anterior, temporal intermediário médio e temporal posterior	partes anterior, medial, intermediária e posterior do lobo temporal
a. occipital média	a. occipitalis medialis	a. cerebral posterior	ramos do corpo caloso dorsal, parietal, parietoccipital, calcarino, occipital e occipitotemporal	dorso do corpo caloso, pré-cúneo, cúneo, giro lingual e parte posterior da superfície lateral do lobo occipital
a. oftálmica	a. ophthalmica	a. carótida interna	artérias lacrimal e supra-orbitária, a. central da retina, a. ciliar, artérias etmoidais posterior e anterior, palpebral, a. supratroclear e a. nasal dorsal	olho, órbita e estruturas faciais adjacentes
a. ovariana	a. ovarica	aorta abdominal	ramos ureteral e tubário	ureter, ovário e tuba uterina
a. palatina ascendente	a. palatina ascendens	a. facial		palato mole, parede da faringe, tonsila e tuba auditiva
a. palatina descendente	a. palatina descendens	a. maxilar	artérias palatinas maior e menor	palatos mole e duro e tonsila
a. palatina maior	a. palatina major	a. palatina descendente		palato duro
artérias palatinas menores	aa. palatinae minores	a. palatina descendente		palato mole e tonsila
artérias palpebrais laterais	aa. palpebrales laterales	a. lacrimal		pálpebra e conjuntiva
artérias palpebrais mediais	aa. palpebrales mediales	a. oftálmica	artérias conjuntivais posteriores	pálpebras
a. pancreaticoduodenal superior anterior	a. pancreaticoduodenalis superior anterior	a. gastroduodenal	ramos pancreático e duodenal	pâncreas e duodeno
artérias pancreaticoduodenais inferiores	aa. pancreaticoduodenales inferiores	a. mesentérica superior	ramos anterior e posterior	pâncreas e duodeno
a. pancreaticoduodenal superior posterior	a. pancreaticoduodenal posterior	a. gastroduodenal	ramos pancreático e duodenal	pâncreas e duodeno
a. paracentral	a. paracentralis	a. cerebral anterior		córtex cerebral e sulco central medial

a. = [L.] artéria;
aa. = [L. pl.] arteriae.

a. = artéria.

(Continua)

TABELA DE ARTÉRIAS *(Cont.)*

Nome Comum	Equivalente na Nomina Anatomica	Origem	Ramos	Distribuição
artérias parietais anterior e superior	aa. parietales anterior et posterior	a. cerebral média	ramos anterior e posterior	lobo parietal anterior e lobo temporal posterior
a. parietoccipital	a. parieto-occipitalis	a. cerebral anterior		lobo parietal e algumas vezes o lobo occipital
artérias perfurantes	aa. perforantes	a. femoral profunda	artérias nutrícias	músculos adutor e glúteo, tendão da coxa e fêmur
a. pericardiacofrênica	a. pericardiacophrenica	a. torácica interna		pericárdio, diafragma e pleura
a. perineal	a. perinealis	a. pudenda interna		períneo e pele da genitália externa
a. fibular	a. fibularis	a. tibial posterior	ramos perfurante, comunicante, calcâneo e maleolares lateral e medial e rede calcânea	lado lateral e dorso do tornozelo e músculos profundos da panturrilha
a. faríngea ascendente	a. pharyngea ascendens	a. carótida externa	ramos meníngeo posterior, faríngeo e timpânico inferior	faringe, palato mole, orelha e meninges
artérias frênicas grandes. *Ver* artérias frênicas inferiores				
artérias frênicas inferiores	aa. phrenicae inferiores	aorta abdominal	artérias supra-renais superiores	diafragma, glândula supra-renal, superfície superior da porção vertebral do diafragma
artérias frênicas superiores	aa. phrenicae superiores	aorta torácica		
a. plantar lateral	a. plantaris lateralis	a. tibial posterior	arco plantar e artérias metatársicas plantares	planta do pé e artelhos
a. plantar medial	a. plantaris medialis	a. tibial posterior	ramos profundo e superficial	planta do pé e artelhos
artérias pontinas	aa. pontis	a. basilar		ponte e áreas adjacentes do cérebro
a. poplítea	a. poplítea	continuação da a. femoral	artérias geniculares superior lateral e medial, genicular média, sural, geniculares inferiores lateral e medial e tibiais anterior e posterior; rede articular do joelho e rede patelar	joelho e panturrilha

a. pré-cuneal	a. precunealis	a. cerebral anterior		pré-cúneo inferior
a. pré-pancreática	a. prepancreatica	a. esplênica e a. pancreatico-duodenal superior anterior		entre o pescoço e o processo uncinado do pâncreas
a. principal do polegar	a. princeps pollicis	a. radial	a. radial do indicador	lados e face palmar do polegar
a. principal do polegar. *Ver a. princeps pollicis*				
a. profunda lingual	a. profunda linguae	a. lingual		língua
a. do canal pterigóide	a. canalis pterygoidei	a. maxilar	ramo pterigóide	base da faringe e tuba auditiva
artérias pudendas externas	aa. pundendae externae	a. femoral	ramos escrotal anterior e labial anterior e ramos inguinais	genitália externa e coxa medial superior
a. pudenda interna	a. pudenda interna	a. ilíaca interna	ramos escrotal posterior ou labial posterior, artérias retal inferior, perineal e uretral, a. do bulbo do pênis ou do vestíbulo, a. profunda e a. dorsal do pênis ou do clitóris	genitália externa, canal anal e períneo
a. pulmonar esquerda	a. pulmonalis sinistra	tronco pulmonar	vários ramos nomeados de acordo com os segmentos do pulmão para os quais distribuem sangue não-aerado	pulmão esquerdo
a. pulmonar direita	a. pulmonalis dextra	tronco pulmonar	vários ramos nomeados de acordo com os segmentos do pulmão para os quais distribuem sangue não-aerado	pulmão direito
tronco pulmonar	truncus pulmonalis	ventrículo direito	artérias pulmonares direita e esquerda	transporta sangue não-aerado para os pulmões
a. radial	a. radial	a. braquial	ramos cárpico palmar, palmar superficial e cárpico dorsal; a. radial recorrente, a. principal do polegar e arco palmar profundo	antebraço, pulso e mão
a. radial colateral. *Ver a. colateral radial*				

a. = artéria.

a. = [L.] artéria;
aa. = [L. pl.] arteriae.

(Continua)

TABELA DE ARTÉRIAS *(Cont.)*

Nome Comum	Equivalente na Nomina Anatomica	Origem	Ramos	Distribuição
a. radial do dedo indicador. *Ver* a. radial do indicador				
a. radial do indicador	a. radialis indicios	a. principal do polegar		dedo indicador
artérias radiadas do rim. *Ver* artérias interlobulares dos rins				
a. ranina. Ver a. lingual profunda				
a. retal inferior	a. rectalis inferior	a. pudenda interna		reto e canal anal
a. retal média	a. rectalis media	a. ilíaca interna		reto, próstata, vesículas semi- nais e vagina
a. retal superior	a. rectalis superior	a. mesentérica inferior		reto
a. recorrente radial	a. recurrens radialis	a. radial		músculos braquirradial e braquial e região do cotovelo
a. recorrente tibial anterior	a. recurrens tibialis anterior	a. tibial anterior		músculo tibial anterior e músculo extensor longo dos dedos; ar- ticulação genicular, fáscia e pele contíguas
a. recorrente tibial posterior	a. recurrens tibialis posterior	a. tibial anterior		joelho
a. recorrente ulnar	a. recurrens ulnaris	a. ulnar	ramos anterior e posterior	região do cotovelo
a. renal	a. renalis	aorta abdominal	ramos ureterais e a. supra-renal inferior	rim, glândula supra-renal e ure- ter
artérias renais. *Ver* artérias ar- queada, interlobar e interlo- bular dos rins e arteríolas re- tas dos rins	aa. renis			
a. do ligamento redondo do útero	a. ligamenti teretis uteri	a. epigástrica inferior		ligamento redondo do útero
artérios sacrais laterais	aa. sacrales laterales	a. iliolombar	ramos espinhais	estruturas ao redor do cóccix e do sacro
a. sacral mediana	a. sacralis mediana	continuação central da aorta abdo- minal, além da origem das ar- térias ilíacas comuns	a. lombar inferior	sacro, cóccix e reto

a. escapular dorsal	a. dorsalis scapulae	ramo subclávio (profundo) da a. cervical transversal		músculos rombóide, grande dorsal e trapézio
a. escapular transversal. *Ver* a. supra-escapular				
a. ciática	a. comitans nervi ischiadici	a. glútea inferior		acompanha o nervo ciático
artérias septais anteriores	rami interventriculares septales rami interventriculares anterioris arterial coronariae sinistrae	a. coronária esquerda		septo interventricular anterior
artérias septais posteriores	rami interventriculares septales rami interventricularis posterioris arteriae coronariae dextrae	a. coronária direita		septo interventricular posterior
artérias sigmóides	aa. sigmoideae	a. mesentérica inferior		cólon sigmóide
a. espermática externa. *Ver* a. cremastérica				
a. esfenopalatina	a. sphenopalatina	a. maxilar	a. nasal lateral posterior e ramos septais posteriores	estruturas relacionadas à cavidade nasal e à nasofaringe
a. espinhal anterior	a. spinalis anterior	a. vertebral		medula espinhal
a. espinhal posterior	a. spinalis posterior	a. vertebral		medula espinhal
a. esplênica	a. splenica	tronco celíaco	ramos pancreático e esplênico e artérias pré-pancreática, gastroepiplóica esquerda e gástrica curta	baço, pâncreas, estômago e omento maior
arteríolas retas dos rins	arteriolae rectae rinis	artérias arqueadas dos rins		pirâmides renais
a. estilomastóide	a. stylomastoidea	a. auricular posterior	ramos mastóide e estapedial e ramo timpânico posterior	paredes do ouvido médio, células mastóides e estapédio
a. subclávia	a. subclavia	tronco braquicefálico (direita) e arco da aorta (esquerda)	artérias vertebral e torácica interna e troncos tireocervical e costocervical	pescoço, parede torácica, medula espinhal, cérebro, meninges e membro superior
a. subcostal	a. subcostalis	aorta torácica	ramos dorsal e espinhal	parede abdominal posterior superior

a. = [L.] artéria;
aa. = [L. pl.] arteriae.

a. = artéria.

(Continua)

TABELA DE ARTÉRIAS *(Cont.)*

Nome Comum	Equivalente na Nomina Anatomica	Origem	Ramos	Distribuição
a. sublingual	a. sublinguales	a. lingual		glândula sublingual
a. submental	a. submentalis	a. facial		tecido embaixo do queixo
a. subescapular	a. subscapularis	a. axilar	artérias toracodorsal e escapular circunflexa	região escapular e do ombro
a. do sulco central	a. sulci centralis	a. cerebral média		córtex em cada lado do sulco central
a. do sulco pós-central	a. sulci postcentralis	a. cerebral média		córtex em cada lado do sulco pós-central
a. do sulco pré-central	a. sulci precentralis	a. cerebral média		córtex em cada lado do sulco pré-central
a. supraduodenal	a. supraduodenalis	a. gastroduodenal	ramo duodenal	parte superior do duodeno
a. supra-orbitária	a. supraorbitalis	a. oftálmica	ramos superficial, profundo e diplóico	testa, músculos superiores da órbita, pálpebra superior e seio frontal
a. supra-renal inferior	a. suprarenalis inferior	a. renal		glândula supra-renal
a. supra-renal média	a. suprarenalis media	aorta abdominal		glândula supra-renal
artérias supra-renais superiores	aa. suprarenalis superiores	a. frênica inferior		glândula supra-renal
a. supra-escapular	a. suprascapularis	tronco tireocervical	ramo acromial	regiões clavicular, deltóide e escapular
a. supratroclear	a. supratrochlearis	a. oftálmica		couro cabeludo anterior
artérias surais	aa. surales	a. poplítea		espaço poplíteo e panturrilha
a. silviana. *Ver* a. cerebral média				
a. társica lateral	a. tarsalis lateralis	a. dorsal do pé		tarso
artérias társicas mediais	aa. tarsales mediales	a. dorsal do pé		lado do pé
a. temporal anterior	a. temporalis anterior	a. cerebral média		córtex do lobo temporal anterior
a. temporal profunda anterior	a. temporalis profunda anterior	a. maxilar	ramos para o osso zigomático e a asa maior do osso esfenóide	músculo temporal

artérias temporais profundas	aa. temporales profundae	a. maxilar		partes profundas da região temporal
a. temporal média	a. temporalis media	1. a. temporal superficial; 2. a. cerebral média		1. região temporal; 2. córtex do lobo temporal
a. temporal posterior	a. temporalis posterior	a. cerebral média		córtex do lobo temporal posterior
a. temporal profunda posterior	a. temporalis profunda posterior	a. maxilar		músculo temporal
a. temporal superficial	a. temporalis superficialis	a. carótida externa	ramos parotídeo, auricular e occipital; artérias facial transversal, zigomático-orbitário e temporal média	regiões parotídea e temporal
a. testicular	a. testicularis	aorta abdominal	ramos ureterais e epididimais	ureter, epidídimo e testículo
a. torácica superior	a. thoracica suprema	a. axilar		faces axilares da parede torácica
a. torácica interna	a. thoracica interna	a. subclávia	ramos mediastínico, tímico, brônquico, traqueal, esternal, perfurante, mamário medial, costal lateral e intercostal anterior; artérias pericardiacofrênica, musculofrênica e epigástrica superior	parede torácica anterior, estruturas mediastínicas e diafragma
a. torácica lateral	a. thoracica lateralis	a. axilar	ramos mamários	músculos peitorais e glândula mamária
a. toracoacromial	a. thoraco-acromialis	a. axilar	ramos clavicular, peitoral, deltóide e acromial	regiões deltóide, clavicular e torácica
a. toracodorsal	a. thoracodorsalis	a. subescapular		músculos subescapular e redondos maior e menor
tronco tireocervical	truncus thyrocervicalis	a. subclávia	artérias tireóidea inferior, supraescapular e cervical transversal	pescoço profundo, incluindo a glândula tireóide e a região escapular
a. tireóidea inferior	a. thyroidea inferior	tronco tireocervical	ramos faríngeo, esofágico e traqueal; artérias laríngea inferior e cervical ascendente	glândula tireóide e estruturas adjacentes
a. tireóidea ínfima. Ver thyroidea ima				

a. = artéria.

a. = [L.] arteria;
aa. = [L. pl.] arteriae.

(Continua)

TABELA DE ARTÉRIAS *(Cont.)*

Nome Comum	Equivalente na Nomina Anatomica	Origem	Ramos	Distribuição
a. tireóidea superior	a. thyroidea superior	a. carótida externa	ramos hióide, esternocleidomastóide, laríngeo superior, cricotireóideo, muscular e glandular	glândula tireóide e estruturas adjacentes
a. tireóidea ínfima	a. thyroidea ima	arco aórtico, tronco braquicefálico ou a. carótida comum direita		glândula tireóide
a. tibial anterior	a. tibialis anterior	a. poplítea	artérias recorrentes tibiais posterior e anterior, artérias maleolares anteriores lateral e medial e redes maleolares lateral e medial	perna, tornozelo e pé
a. tibial posterior	a. tibialis posterior	a. poplítea	ramo circunflexo fibular; e artérias fibular, plantar medial e plantar lateral	perna e pé
a. transversal da face. *Ver a.* facial transversal				
a. transversal do pescoço. *Ver a.* cervical transversal				
a. transversal da escápula. *Ver a. supra-escapular*				
a. timpânica anterior	a. tympanica anterior	a. maxilar		cavidade timpânica
a. timpânica inferior	a. tympanica inferior	a. faríngea ascendente		cavidade timpânica
a. timpânica posterior	a. tympanica posterior	a. estilomastóide		cavidade timpânica
a. timpânica superior	a. tympanica superior	a. meníngea média		cavidade timpânica
a. ulnar	a. ulnaris	a. braquial	ramos cárpico palmar, cárpico dorsal, palmar profundo; artérias recorrente ulnar e interóssea comum; arco palmar superficial	antebraço, pulso e mão

a. ulnar colateral. *Vera.* colateral ulnar inferior e a. colateral ulnar superior				
a. umbilical	a. umbilicais	a. ilíaca interna	a. do ducto deferente e artérias vesicais superiores	ducto deferente, vesículas seminais, testículos, bexiga e ureter
a. uretral	a. urethralis	a. pudenda interna		uretra
a. uterina	a. uterina	a. ilíaca interna	ramos ovariano e tubário; a. vaginal	útero, vagina, ligamento redondo do útero, tuba uterina e ovário
a. vaginal	a. vaginalis	a. uterina		vagina e fundo da bexiga
a. vertebral	a. vertebralis	a. subclávia	*parte transversal:* ramos espinhal e muscular; *parte intracranial:* a. espinhal anterior e a. cerebelar inferior posterior e seus ramos	músculos do pescoço, vértebras, medula espinhal, cerebelo e interior do cérebro
a. vesical inferior	a. vesicalis inferior	a. ilíaca interna	ramo prostático	bexiga, próstata, vesículas seminais e ureter inferior
artérias vesicais superiores	aa. vesicales superiores	a. umbilical		bexiga, úraco e ureter
a. zigomático-orbital	a. zygomatico-orbitalis	a. temporal superficial		porção lateral da órbita

a. = [L.] artéria;
aa. = [L. pl.] arteriae.

a. = artéria.

ar·thro·lith (ahr'thro-lith) – artrólito; depósito de cálculos em uma articulação.

ar·thro·neu·ral·gia (ahr"thro-nŏŏ-ral'jah) – artroneuralgia; dor em uma articulação ou ao seu redor.

ar·thro·oph·thal·mop·a·thy (-of"thal-mop'ah-the) – artroftalmopatia; associação de artropatia degenerativa com oculopatia.

ar·throp·a·thy (ahr-throp'ah-the) – artropatia; qualquer doença articular. **arthropath'ic** – adj. artropático. **Charcot's a.** – a. de Charcot; a. neuropática. **chondrocalcific a.** – a. condrocalcífica; poliartrite progressiva com intumescimento articular e aumento de volume ósseo, mais comum nas articulações pequenas da mão, mas que também afeta outras articulações, caracterizada radiograficamente pelo estreitamento do espaço articular com erosões e esclerose subcondrais e freqüentemente condrocalcinose. **neuropathic a.** – a. neuropática; degeneração progressiva crônica da porção que suporta estresse de uma articulação, com alterações hipertróficas na periferia; associa-se a distúrbios neurológicos que envolvem a perda de sensação na articulação. **osteopulmonary a.** – a. osteopulmonar; dilatação dos dedos e aumento de volume das extremidades dos ossos longos, em caso de doença pulmonar ou cardiopatia.

ar·thro·plas·ty (ahr'thro-plas''te) – artroplastia; reparo plástico de uma articulação.

Ar·throp·o·da (ahr-throp'o-dah) – Arthropoda; maior filo de animais, composto de organismos bilateralmente simétricos, corpos duros e segmentados, pernas articuladas, incluindo, entre outras formas relacionadas, aracnídeos, crustáceos e insetos, dos quais muitas espécies são parasitas ou vetores de organismos que causam doenças; artrópodes.

ar·thro·py·o·sis (ahr"thro-pi-o'sis) – artropiose; formação de pus em uma cavidade articular.

ar·thro·scle·ro·sis (-sklĕ-ro'sis) – artrosclerose; enrijecimento ou endurecimento das articulações.

ar·thro·scin·ti·gram (-sin'tĭ-gram) – artrocintigrama; varredura de uma articulação por meio de cintigrama.

ar·thro·scope (ahr'thro-skōp) – artroscópio; endoscópio para examinar o interior de uma articulação e para empreender procedimentos diagnósticos e terapêuticos na articulação.

ar·thros·co·py (ahr-thros'kah-pe) – artroscopia; exame do interior de uma articulação com um artroscópio.

ar·thro·sis (ahr-thro'sis) – artrose: 1. junção ou articulação; 2. artropatia.

ar·thros·to·my (ahr-thros'tah-me) – artrostomia; criação cirúrgica de abertura em uma articulação, para drenagem.

ar·thro·syn·o·vi·tis (ahr"thro-sin"o-vi'tis) – artrossinovite; inflamação da membrana sinovial de uma articulação.

ar·tic·u·lar (ahr-tik'u-ler) – articular; relativo à articulação.

ar·tic·u·la·re (ahr-tik"u-lar'e) – articular; ponto de intersecção dos contornos dorsais do processo articular da mandíbula e osso temporal.

ar·tic·u·late¹ (ahr-tik'u-lāt) – articular: 1. pronunciar clara e distintamente; criar sons de fala através da manipulação dos órgãos vocais; exprimir em forma verbal coerente; 2. dividir ou unir de modo a formar uma articulação; 3. em Odontologia, ajustar ou posicionar os dentes em sua inter-relação apropriada na confecção de uma dentadura artificial.

ar·tic·u·late² (ahr-tik'u-lit) – articulado: 1. dividido em sílabas ou palavras distintas e com significado; 2. com o poder do discurso; 3. caracterizado pelo uso de uma linguagem clara e com significado; 4. dividido ou unido por articulações.

ar·tic·u·la·tio (ahr-tik"u-la'she-o)[L.] pl. *articulationes* – articulação; articulação ou junção.

ar·tic·u·la·tion (-la'shun) – articulação: 1. junta; local de união ou de junção entre dois ou mais ossos do esqueleto; 2. enunciação de palavras e sentenças; 3. em Odontologia: (a) relação de contato das superfícies oclusais dos dentes enquanto em ação; (b) arranjo de dentes artificiais de forma que se acomodem às várias disposições na boca e sirvam ao propósito de substituição dos dentes naturais.

ar·tic·u·lo (ahr-tik'u-lo) [L.] – artículo; no momento ou crise. **a. mor'tis** – a mortis; na hora ou momento da morte.

ar·ti·fact (ahr'tĭ-fakt'') – artefato; qualquer produto artificial (feito pelo homem); qualquer coisa não naturalmente presente, mas introduzida por alguma fonte externa.

ARVO – Association for Research in Vision and Ophthalmology (Associação para a Pesquisa em Visão e Oftalmologia).

aryl– aril-, arila-, em Química Orgânica, prefixo que denota qualquer radical que tenha valência livre em átomo de carbono em um anel aromático.

ar·yl·for·mam·i·dase (ar''il-for-mam'i-dās) – arilformamidase; enzima que catalisa a clivagem hidrolítica da formilcinurenina no catabolismo do triptofano; também age em outras aminas aromáticas formílicas.

ar·y·te·noid (arĭ-te'noid) – aritenóide; com forma semelhante a um jarro ou vaso, como a cartilagem aritenóide.

ar·y·te·noi·do·pexy (ar''ĭ-te-noi'do-pek''se) – aritenoidopexia; fixação cirúrgica da cartilagem aritenóide ou do músculo aritenóideo.

AS – aortic stenosis; arteriosclerosis (EA, estenose aórtica; AE, arteriosclerose).

A.S. [L.] *auris sinistra* – orelha esquerda.

As – símbolo químico, arsênico (ver *arsenic*).

ASA – American Society of Anesthesiologists; American Standards Association; American Surgical Association; acetylsalicylic acid; argininosuccinic acid (Associação Americana de Anestesiologistas; Associação de Padrões Americanos; Associação Cirúrgica Americana; AAS, ácido acetilsalicílico; ácido argininosuccínico).

as·bes·tos (as-bes'tos) – asbesto; amianto, silicato de magnésio e cálcio incombustível fibroso utilizado em isolamento térmico; seu pó causa a asbestose e age como carcinógeno epigenético para o mesotelioma pleural. Divide-se em duas classe principais: – a. *anfibólico;* de uso menos difundido e bem mais carcinogênico e compreende a amosita e a crocidolita, e o *a. serpentino,* que inclui o crisótilo.

as·bes·to·sis (as"bes-to'sis) – asbestose; pneumoconiose causada pela inalação de fibras de amianto, caracterizada por fibrose intersticial e associada a mesotelioma pleural e carcinoma broncogênico.

as·ca·ri·a·sis (as"kah-ri'ah-sis) – ascaríase; infecção pelo nematódeo da espécie *Ascaris lumbricoides.* Após a ingestão, as larvas migram primeiro para os pulmões e depois para o intestino.

as·ca·ri·cide (as-kar'ĭ -sī d) – ascaricida; agente que destrói ascarídeos. **ascarici'dal** – adj. ascaricida.

as·ca·rid (as'kah-rid) – ascarídeo; qualquer dos nematódeos fasmídeos da família Ascaridoidea, que inclui os gêneros *Ascaridia, Ascaris, Toxocara* e *Toxascaris.*

As·ca·ris (-ris) – *Ascaris;* áscaris; gênero de grandes parasitas nematódeos intestinais. **A. lumbricoi'des** – *A. lumbricoides;* espécie que causa a ascaríase.

As·ca·rops (-rops) – *Ascarops;* gênero de nematódeos parasitas. **A. strongyli'na** – *A. strongylina;* espécie sugadora de sangue encontrada no estômago dos suínos.

as·cer·tain·ment (ă"ser-tān'ment) – determinação; em Genética, método pelo qual um pesquisador seleciona ou descobre pessoas com certa característica.

ASCH – American Society of Clinical Hypnosis (Sociedade Americana de Hipnose Clínica).

Asc·hel·min·thes (ask"hel-minth'ēz) – Aschelminthes; asquelmintos; filo de animais não-segmentados, bilateralmente simétricos, pseudocelomados e predominantemente vermiformes, cujos corpos são quase completamente cobertos com uma cutícula, e possuem trato digestivo completo que não apresenta paredes musculares definidas.

ASCI – American Society for Clinical Investigation (Sociedade Americana de Investigação Clínica).

as·ci·tes (ah-si'tēz) – ascite; derrame e acúmulo de fluido seroso na cavidade abdominal. **ascit'ic** – adj. ascítico. **chyliform a., chylous a.** – a. quiliforme; a. adiposa; presença de quilo na cavidade peritoneal devido a anomalias, lesões ou à obstrução do ducto torácico.

ASCLT – American Society of Clinical Laboratory Technicians (Sociedade Americana de Técnicos de Laboratório Clínico).

As·co·my·ce·tes (as"ko-mi-se'tēz) – Ascomycetes; ascomicetos; em alguns tipos de classificação, classe de fungos da divisão Eumycota; ver *Ascomycotina.*

As·co·my·co·ti·na (-mi"ko-ti'nah) – Ascomycotina; subdivisão dos fungos da divisão Dikaryomycota (ou em algumas classificações Eumycota; em outras, é considerada uma classe, Ascomycetes, da Eumycota) caracterizada pela formação de um asco onde se produzem esporos sexuais; inclui leveduras, bolores e mofos do queijo, gelatina e frutas.

ascor·bic ac·id (ah-skor'bik) – acido ascórbico; vitamina C; vitamina hidrossolúvel encontrada em muitas verduras, legumes e frutas, bem como

elemento essencial na dieta do homem e muitos outros animais; a deficiência produz escorbuto e má-cicatrização de ferimentos. É utilizado como antiescorbútico, suplemento nutricional e no tratamento da anemia por deficiência de ferro, da intoxicação crônica por ferro e da metemoglobinemia.

ASCP – American Society of Clinical Pathologists (Sociedade Americana de Patologistas Clínicos).

-ase – ase, sufixo utilizado em nomes de enzimas, ligado a um radical que indica o substrato (luciferase), a natureza geral do substrato (proteinase), a reação catalisada (hidrolase) ou a combinação delas (transaminase).

as·e·ma·sia (as"ē-ma'zhah) – assemasia; assemia.

ase·mia (a-se'me-ah) – assemia; assemasia; afasia com incapacidade de empregar ou compreender tanto a fala como os sinais.

asep·sis (a-sep'sis) – assepsia: 1. livre de infecção; 2. prevenção do contato com microrganismos. **asep'tic** – adj. asséptico.

ASH – American Society of Hematology (Sociedade Americana de Hematologia).

ASHA – American School Health Association; American Speech and Hearing Association (Associação Americana de Saúde Escolar; Associação Americana da Fala e Audição).

ASHP – American Society of Hospital Pharmacists (Sociedade Americana de Farmacêuticos de Hospital).

asi·a·lia (a"si-a'le-ah) – assialia; aptialismo (*aptyalism*).

asid·er·o·sis (a"sid-er-o'sis) – assiderose; deficiência de reservas de ferro no corpo.

ASII – American Science Information Institute (Instituto Americano de Informação Científica).

ASIM – American Society of Internal Medicine (Sociedade Americana de Medicina Interna).

-asis – ase, elemento de palavra, *estado; condição.*

Asn – asparagine (asparagina).

ASO – arteriosclerosis obliterans (AEO, arteriosclerose obliterante).

aso·mat·og·no·sia (ah-so"mah-tog-no'zhah) – assomatognosia; perda de consciência da condição de todas as partes do corpo.

ASP – American Society of Parasitologists (Sociedade Americana de Parasitologistas).

Asp – aspartic acid (ácido aspártico).

as·par·a·gin·ase (as-par'ah-jin-ās") – asparaginase; enzima que catalisa a desaminação da asparagina; utilizado como agente antineoplásico contra a leucemia linfoblástica aguda infantil reduzindo a disponibilidade da asparagina às células tumorais.

as·par·a·gine (as-par'ah-jēn, as-par'ah-jin) – asparagina, β-amida do ácido aspártico, aminoácido não-essencial que ocorre nas proteínas; utilizada em meios de cultura bacteriana.

as·par·tate (ah-spahr'tāt) – aspartato; sal do ácido aspártico ou o ácido aspártico em forma dissociada.

as·par·tate trans·am·i·nase (trans-am'i-nas) – aspartato-transaminase; enzima normalmente presente nos tecidos corporais, especialmente no coração e no fígado; é liberada no soro como resultado de uma lesão tecidual, e daí a concentração no soro (SGOT) pode se elevar em caso de distúrbios como um infarto do miocárdio ou danos agudos aos hepatócitos. Abreviação: AST ou ASAT.

as·par·tic ac·id (ah-spahr'tik) – ácido aspártico; aminoácido dibásico natural não-essencial que ocorre em proteínas e também como neurotransmissor excitatório no sistema nervoso central.

as·pect (as'pekt) – aparência; face; parte da superfície que se orienta em qualquer direção designada. **dorsal a.** – f. dorsal; superfície de um corpo vista de trás (anatomia humana) ou de cima (anatomia veterinária). **ventral a.** – f. ventral; superfície de um corpo vista de frente (anatomia humana) ou inferior (anatomia veterinária).

as·per·gil·lo·ma (as''per-jil-o'mah) – aspergiloma; tipo mais comum de cisto fúngico, formado pela colonização do *Aspergillus* em um brônquio ou cavidade pulmonar.

as·per·gil·lo·sis (-o'sis) – aspergilose; doença causada por uma espécie de *Aspergillus*, caracterizada por lesões granulomatosas inflamatórias na pele, orelha, órbita, seios nasais, pulmões, ossos e meninges.

As·per·gil·lus (as''per-jil'is) – *Aspergillus;* gênero de fungos (bolores), dos quais várias espécies são endoparasitas e patógenos oportunistas; aspergito. **A. fumiga'tus** – *A. fumigatus;* espécie que se desenvolve no solo e no esterco, e é encontrada em infecções do ouvido, pulmões e outros órgãos do homem e animais, sendo considerada um patógeno primário de aves. Suas culturas produzem vários antibióticos, como por exemplo, a fumagilina.

as·per·gil·lus·tox·i·co·sis (as''per-jil'us-tok''sĭ -ko'sis) – aspergilotoxicose; micotoxicose causada pelo *Aspergillus.*

asper·mia (ah-sper'me-ah) – aspermia; deficiência de formação ou emissão de sêmen.

as·phyx·ia (as-fik'se-ah) – asfixia; alterações patológicas causadas pela falta de oxigênio no ar respirado, resultando em hipoxia e hipercapnia. **asphyx'ial** – adj. asfixiante. **fetal a.** – a. fetal; asfixia no útero devido à hipoxia. **a. li'vida** – a. azul; asfixia na qual a pele fica cianótica. **local a.** – a. local; acroasfixia. **a. neonato'rum** – a. do recém-nascido; deficiência respiratória no recém-nascido; ver também *respiratory distress syndrome of newborn,* em *syndrome.* **traumatic a.** – a. traumática; asfixia devido à compressão súbita ou severa do tórax ou abdômen superior ou ambos.

as·pid·i·um (as-pid'e-um) – aspídio; rizoma e estipe da samambaia-macho, fonte de oleorresina utilizada como anti-helmíntico em infestações de tênias intestinais.

as·pi·ra·tion (as''pĭ -ra'shun) – aspiração: 1. ato de inalar; 2. remoção por sucção, como a remoção de fluido ou gás de uma cavidade corporal ou a obtenção de amostras de biópsia. **vacuum a.** – a. a vácuo; remoção do conteúdo uterino por meio da aplicação de vácuo através de cureta oca ou cânula introduzida no interior do útero.

as·pi·rin (as'pĭ -rin) – aspirina; ácido acetilsalicílico ($C_9H_8O_4$), analgésico, antipirético e anti-reumático.

asple·nia (a-sple'ne-ah) – asplenia; ausência do baço. **functional a.** – a. funcional; deficiência da função reticuloendotelial do baço, conforme se observa em crianças com anemia falciforme.

ASRT – American Society of Radiologic Technologists (Sociedade Americana de Técnicos Radiológicos).

as·say (as'a) – análise; ensaio; determinação da quantidade de um constituinte particular de uma mistura ou potência de uma droga. **biological a.** – e. biológico; bioensaio. **microbiological a.** – e. microbiológico; ensaio de nutrientes ou outras substâncias quanto ao seu efeito em microrganismos vivos. **stem cell a.** – e. de células -tronco; uma medida da potência de drogas antineoplásicas, com base em sua capacidade de retardar o crescimento das culturas de células tumorais humanas.

as·sim·i·la·tion (ah-sim''ĭ -la'shun) – assimilação: 1. conversão de material nutritivo em tecido vivo; anabolismo; 2. psicologicamente, absorção de novas experiências na composição psicológica já existente.

as·sis·tant (ah-sis'tint) – auxiliar; alguém que ajuda ou auxilia outro; assistente. **physician's a.** – auxiliar médico; ver em *physician.*

as·so·ci·a·tion (ah-so''se-a'shun) – associação; relação próxima no tempo ou no espaço. Em Neurologia, correlação envolvendo alto grau de modificabilidade bem como percepção; ver *association areas,* em *area.* Em Genética, ocorrência em conjunto de duas características (por exemplo, grupo sangüíneo O e úlceras pépticas) com maior freqüência do que a prevista baseada em probabilidades. **CHARGE a.** – a. CHARGE (*coloboma of the eye, heart anomaly, choanal atresia, retardation and genital and ear anomalies*) síndrome de defeitos associados que inclui o coloboma ocular, anomalia cardíaca, atresia coanal, retardamento e anomalias genitais e óticas, e freqüentemente inclui paralisia facial, palato fendido e disfagia. **free a.** – a. livre; expressão oral das idéias conforme surjam espontaneamente; método utilizado em Psicanálise.

as·sort·ment (ah-sort'mint) – agrupamento; arranjo; distribuição aleatória de cromossomas não-homólogos para as células-filhas na metáfase da primeira divisão meiótica.

AST – aspartate transaminase (aspartato transaminase).

asta·sia (as-ta'zhah) – astasia; incoordenação motora com incapacidade de ficar em pé. **astat'ic** – adj. astático. **a. abasia** – abasia; incapacidade de ficar em pé ou andar, embora as pernas estejam sob controle.

as·ta·tine (as'tah-ten) – astatínio; elemento químico (ver tabela*),* número atômico 85, símbolo At.

aste·a·to·sis (as''te-ah-to'sis) – asteatose; qualquer doença na qual uma descamação seca persistente de pele sugere escassez ou ausência de secreção sebácea.

as·tem·i·zole (ah-stem'ĭ -zōl) – astemizol; antagonista de receptor H, utilizado no tratamento de urticária crônica e rinite alérgica sazonal.

as·te·ri·on (as-tēr'e-on) [Gr.] pl. *asteria* – astério; ponto craniométrico na junção dos ossos occipital, parietal e temporal.

as·ter·ix·is (as"ter-ik'sis) – asterixe; distúrbio motor caracterizado por lapsos intermitentes da postura assumida como resultado de movimentos espasmódicos de grupos de músculos; chamada de *adejo hepático*, em razão de sua ocorrência no coma hepático, mas também é observada em outras condições.

as·ter·oid (as'ter-oid) – asteróide; em forma de estrela.

asthen(o)- [Gr.] – asten(o)-, elemento de palavra, *fraco; fraqueza.*

as·the·nia (as-the'ne-ah) – astenia; ausência ou perda de força e energia; fraqueza. **asthen'ic** – adj. astênico. **neurocirculatory a.** – a. neurocirculatória; síndrome de falta de ar, vertigem, sensação de fadiga, dor precordial e palpitação observada principalmente em soldados na ativa durante a guerra. **tropical anhidrotic a.** – a. anidrótica tropical; condição devida à anidrose generalizada em situações de temperatura alta, caracterizada pelo aumento da tendência à fadiga, irritabilidade, anorexia, incapacidade de concentrar-se e entorpecimento, com dor de cabeça e vertigem.

as·the·no·co·ria (as-the"no-kor'e-ah) – astenocoria; apatia do reflexo luminoso pupilar; observada no hipoadrenalismo.

as·the·no·pia (as"thĭ -no'pe-ah) – astenopia; fraqueza ou fadiga fácil do olho, com dor ocular, dor de cabeça, imprecisão da visão etc. **asthenop'ic** – adj. astenópico. **accommodative a.** – a. acomodativa; astenopia decorrente do esforço da musculatura ciliar. **muscular a.** – a. muscular; astenopia devido à fraqueza dos músculos oculares externos.

as·thma (az'mah) – asma; afecção caracterizada por ataques recorrentes de dispnéia paroxística, com chiados devidos à contração espasmódica dos brônquios. Em alguns casos, é uma manifestação alérgica em pessoas sensibilizadas; em outros, pode ser induzida por um exercício vigoroso, partículas irritantes ou estresse fisiológico. **asthmat'ic** – adj. asmático. **bronchial a.** – a. brônquica; ver *asthma*.

astig·ma·tism (ah-stig'mah-tizm) – astigmatismo; ametropia causada por diferenças de curvatura dos diferentes meridianos das superfícies refratárias do olho, de forma que os raios luminosos não são precisamente focalizados na retina. **astigmat'ic** – adj. astigmático. **compound a.** – a. composto; astigmatismo complicado pela hipermetropia ou miopia em todos os meridianos. **corneal a.** – a. córneo; astigmatismo devido à irregularidade na curvatura ou no poder refrativo da córnea. **irregular a.** – a. irregular; astigmatismo em que a curvatura varia em partes diferentes do mesmo meridiano ou a refração em meridianos sucessivos difere irregularmente. **mixed a.** – a. misto; astigmatismo em que um meridiano principal é míope e o outro hipermetrope. **myopic a.** – a. miópico; astigmatismo no qual os raios luminosos são trazidos a um foco em frente à retina. **regular a.** – a. regular; astigmatismo em que o poder refratário do olho apresenta aumento ou redução uniformes de um meridiano a outro.

as·traga·lus (as-trag'ah-lus) – astrágalo; talo (ver *Tabela de Ossos).* **astrag'alar** – adj. talar.

as·tral (as'tril) – astral; de ou relativo a uma estrela.

as·trin·gent (ah-strin'jint) – adstringente; que causa geralmente contração local após uma aplicação tópica.

as·tro·blast (as'tro-blast) – astroblasto; célula embrionária que se desenvolve em um astrócito.

as·tro·blas·to·ma (as"tro-blas-to'mah) – astroblastoma; astrocitoma de Grau II; suas células lembram astroblastos, com citoplasma abundante e dois ou três núcleos.

as·tro·cyte (as'tro-sīt) – astrócito; célula neuroglial de origem ectodérmica, caracterizada por processos fibrosos, protoplasmáticos ou plasmatofibrosos. Coletivamente chamada astróglia (*astroglia*).

as·tro·cy·to·ma (as"tro-si-to'mah) – astrocitoma; tumor composto de astrócitos; o tipo mais comum de tumor cerebral primário também encontrado em todo o sistema nervoso central, e classificado com base na histologia ou por ordem de malignidade (Graus I-IV).

as·trog·lia (as-trog'le-ah) – astróglia: 1. astrócitos; 2. astrócitos considerados como um tecido.

As·tro·vi·rus (as'tro-vi"rus) – Astrovirus; nome não-oficial para um grupo de vírus do RNA com um genoma de monofilamentar quase do mesmo tamanho que o dos picornavírus; causam gastroenterite nos humanos e outros animais e hepatites em filhotes de patos.

as·tro·vi·rus (as'tro-vi"rus) – astrovírus; qualquer vírus que pertença ao grupo *Astrovirus*.

asym·me·try (a-sim'ĭ -tre) – assimetria; falta ou ausência de simetria; dessemelhança entre partes ou órgãos correspondentes em lados opostos do corpo que normalmente são similares. Em Química, falta de simetria nos arranjos especiais dos átomos e radicais dentro de uma molécula ou cristal. **asymmet'rical** – adj. assimétrico.

asyn·chro·nism (a-sing'krah-nizm) – assincronismo; falta de sincronismo; distúrbio de coordenação.

asyn·cli·tism (ah-sing'klĭ -tizm) – assinclitismo: 1. apresentação oblíqua da cabeça fetal no parto, chamada de *a. anterior,* quando o osso parietal anterior está designado como ponto de apresentação, e *a. posterior,* quando o osso parietal posterior está assim designado; 2. maturação em diferentes períodos do núcleo e citoplasma das células sangüíneas.

asyn·de·sis (ah-sin'dĕ-sis) – assindese; distúrbio da linguagem no qual não se pode articular como um todo os elementos relacionados de uma sentença.

asyn·ech·ia (a"sin-ek'e-ah) – assinéquia; descontinuidade de estrutura.

asyn·er·gy (a-sin'er-je) – assinergia; falta de coordenação entre partes ou órgãos que normalmente atuam em uníssono.

asys·to·le (a-sis'to-le) – assistolia; parada cardíaca; ausência de batimento cardíaco. **asystol'ic** – adj. assistólico.

AT – atrial tachycardia (TA, taquicardia atrial).

At – símbolo químico, astatínio (ver *astatine).*

atac·ti·form (ah-tak'tĭ-form) – atactiforme; semelhante à ataxia.

at·a·rac·tic (at"ah-rak-tik) – ataráctico: 1. relativo à ataraxia; 2. tranqüilizante.

at·a·rax·ia (at"ah-rak'se-ah) – ataraxia; estado de serenidade imparcial, sem depressão das faculdades mentais.

at·a·vism (at'ah-vizm) – atavismo; herança aparente de uma característica a partir de ancestrais remotos em vez de imediatos. **atavis'tic** – adj. atávico.

atax·ia (ah-tak'se-ah) – ataxia; deficiência de coordenação muscular; irregularidade da ação muscular. **atac'tic, atax'ic** – adj. atáxico. **Bruns' frontal a.** – a. frontal de Bruns; distúrbio do equilíbrio e da marcha devido à lesão no lobo frontal, caracterizado pela dificuldade em andar com os pés rentes ao chão e tendência à retropropulsão. **Friedreich's a.** – a. de Friedreich; esclerose hereditária das colunas dorsal e lateral da espinha, geralmente começando na infância ou juventude; é acompanhada de ataxia, defeito da fala, escoliose, movimentos peculiares, paralisia e freqüentemente miocardiopatia hipertrófica. **locomotor a.** – a. locomotora; tabe dorsal. **motor a.** – a. motora; incapacidade de controlar os movimentos coordenados dos músculos. **sensory a.** – a. sensória; ataxia devida à perda da propriocepção (sensação da posição articular) entre o córtex motor e os nervos periféricos, resultando em movimentos pouco calculados agravando-se a incoordenação quando os olhos se fecham. **a.-telangiectasia** – a. telangiectasia; ataxia cerebelar progressiva hereditária severa, transmitida como característica recessiva autossômica e associada à telangiectasia oculocutânea, movimentos oculares anormais, distúrbio sinopulmonar e imunodeficiência.

atel(o) [Gr.] – atel(o)-, elemento de palavra, *incompleto; imperfeitamente desenvolvido.*

at·e·lec·ta·sis (at"ah-lek'tah-sis) – atelectasia; expansão incompleta dos pulmões no nascimento, ou colapso do pulmão adulto. **atelectat'ic** – adj. atelectásico. **congenital a.** – a. congênita; atelectasia que se apresenta no nascimento (*a. primária*) ou logo após (*a. secundária*). **lobar a.** – a. lobar; atelectasia que afeta somente um lobo do pulmão. **lobular a.** – a. lobular; atelectasia que afeta somente um lóbulo pulmonar. **tympanic membrane a.** – a. da membrana timpânica, da otite média serosa crônica em que o ouvido médio contém um fluido viscoso e a membrana timpânica torna-se fina, atrófica e aderente às estruturas do ouvido médio; ocorre geralmente perda de audição condutiva.

ate·lia (ah-te'le-ah) – atelia; desenvolvimento imperfeito ou incompleto. **ateliot'ic** – adj. ateliótico.

at·e·lo·car·dia (at"ĕ-lo-kahr'de-ah) – atelocardia; desenvolvimento imperfeito do coração.

athe·lia (ah-the'le-ah) – atelia; ausência congênita dos mamilos.

ath·er·ec·to·my (aht"er-ek'tah-me) – aterectomia; remoção de uma placa aterosclerótica de uma artéria por meio de uma cureta rotativa introduzida com um cateter especial sob orientação radiológica.

ather·mic (a-ther'mik) – atérmico; sem elevação de temperatura; afebril; apirético.

ather·mo·sys·tal·tic (ah-ther"mo-sis-tal'tik) – atermossistáltico; que não se contrai sob a ação do frio ou calor; diz-se da musculatura esquelética.

ath·ero·em·bo·lus (ath"er-o-em'bo-lus) pl. *atheroemboli* – ateroêmbolo; êmbolo composto de colesterol ou seus ésteres (alojando-se tipicamente nas pequenas artérias) ou de fragmentos de placas ateromatosas.

ath·ero·gen·e·sis (-jen'ĭ-sis) – aterogênese; formação de lesões ateromatosas nas paredes arteriais. **atherogen'ic** – adj. aterogênico.

ath·er·o·ma (ath"er-o'mah) – ateroma; massa ou placa de íntima arterial espessada degenerada, que ocorre na aterosclerose.

ath·er·o·ma·to·sis (ath"er-o-mah-to'sis) – ateromatose; arteriopatia ateromatosa difusa.

ath·ero·scle·ro·sis (-sklĕ-ro'sis) – aterosclerose; tipo de arteriosclerose em que se formam ateromas que contêm colesterol, material lipóide e lipófagos dentro da íntima e da média interna das grandes e médias artérias.

ath·e·to·sis (ath"ĭ-to'sis) – atetose; movimentos sinuosos de contorção, lentos, involuntários e repetitivos, especialmente severos nas mãos.

athrep·sia (ah-threp'se-ah) – atrepsia, marasmo. **athrep'tic** – adj. atréptico.

athym·ia (ah-thim-e-ah) – atimia: 1. demência; 2. ausência de tecido tímico funcionante.

athy·re·o·sis (ah-thi"re-o'sis) – atireose; hipotireoidismo. **athyreot'ic** – adj. atireótico.

athy·ria (ah-thi're-ah) – atiréia: 1. afecção que resulta da ausência da glândula tireóide; 2. hipotireoidismo.

ATL – adult T-cell leukemian/lymphoma (leucemia/linfoma de célula T adulta).

at·lan·tad (at-lan'tad) – em direção ao atlas.

at·lan·tal (at-lan't'l) – atlóide; em direção ao atlas; relativo ao atlas.

at·lan·to·ax·ial (at-lan"to-ak'se-al) – atlantoaxial; relativo ao atlas e ao áxis.

at·las (at'lis) – atlas; primeira vértebra cervical; ver *Tabela de Ossos.*

at·lo·ax·oid (at"lo-ak'soid) – atloaxóide; relativo ao atlas e ao áxis.

at·mos·phere (at'mis-fēr) – atmosfera: 1. envoltório gasoso ao redor da terra, incluindo a troposfera, tropopausa e estratosfera; 2. unidade de pressão equivalente a 101.325 pascais, pressão exercida pela atmosfera da terra ao nível do mar, correspondendo a cerca de 760 mm Hg. **atmospher'ic** – adj. atmosférico.

at. no. – atomic number (número atômico).

ato·cia (a-to'shah) – atocia; esterilidade da mulher.

at·om (at'om) – átomo; menor partícula de um elemento com todas as propriedades do mesmo; consiste de um núcleo positivamente carregado (constituído de prótons e nêutrons) e de elétrons negativamente carregados, que se movem em órbitas ao redor do núcleo. **atom'ic** – adj. atômico.

at·om·i·za·tion (at"om-ĭ-za'shun) – atomização; ato ou o processo de dispersar um líquido em um spray fino.

at·o·ny (at'ah-ne) – atonia; falta de tônus ou de força normais. **aton'ic** – adj. atônico.

atop·ic (a-top'ik, ah-top'ik) – atópico: 1. ectópico; 2. relativo à atopia; alérgico.

atop·og·no·sia (ah-top"og-no'zhah) – atopognosia; perda do poder de topognosia (capacidade de localizar corretamente uma sensação).

at·o·py (at'ah-pe) – atopia; predisposição genética com relação ao desenvolvimento de reações de hipersensibilidade imediata contra antígenos ambientais comuns (alergia atópica), manifestando-se mais comumente como rinite alérgica, mas também como asma brônquica, dermatite atópica ou alergia alimentar.

atox·ic (a-tok'sik) – atóxico; não-tóxico; que não se deve a um veneno.

ATP – adenosine triphosphate (trifosfato de adenosina).

ATPase – adenosinetriphosphatase (adenosinatrifosfatase).

atra·cu·rium bes·y·late (at"rah-cūr'e-um) – besilato de atracúrio; agente bloqueador neuromuscular não-despolarizante de duração intermediária utilizado como um adjunto na anestesia geral.

atrans·fer·ri·ne·mia (a-trans"fer-ĭ-ne'me-ah) – atransferrinemia; ausência de proteínas de ligação de ferro (transferrina) circulante.

atrau·mat·ic (a"traw-mat'ik) – atraumático; que não produz lesão ou dano.

atre·sia (ah-tre'zhah) – atresia; ausência congênita ou fechamento de abertura ou estrutura tubular corporal normal. **atret'ic** – adj. atrésico. **anal a.** – a. anal; não-perfuração do ânus. **aortic a.** – a. aórtica; ausência congênita do orifício valvular do ventrículo esquerdo na aorta. **biliary a.** – a. biliar; fechamento ou hipoplasia de um ou mais componentes dos ductos biliares devido à cessação do desenvolvimento fetal, resultando em icterícia persistente e danos hepáticos que variam de estase biliar a cirrose biliar, com esplenomegalia à medida que a hipertensão porta progride. **follicular a., a. follic'uli** – a. folicular; a. dos folículos; degeneração e reabsorção de um folículo ovariano antes que este atinja a maturidade e se rompa. **mitral a.** – a. mitral; fechamento congênito do orifício da válvula mitral; associa-se à síndrome da hipoplasia do coração esquerdo ou à transposição dos grandes vasos. **prepyloric a.** – a. pré-pilórica; obstrução membranosa congênita da saída gástrica, caracterizada pelo vômito exclusivo do conteúdo gástrico. **pulmonary a.** – a. pulmonar; estreitamento ou obstrução severos congênitos do orifício valvular entre a artéria pulmonar e o ventrículo direito, com cardiomegalia, redução de vascularização pulmonar e atrofia ventricular direita. Associa-se geralmente à tetralogia de Fallot, à transposição dos grandes vasos ou outras anomalias cardiovasculares. **tricuspid a.** – a. tricúspide; ausência congênita do orifício entre o átrio direito e o ventrículo direito, tornando-se possível a circulação pela presença de um defeito septal atrial.

atrio·meg·a·ly (a"tre-o-meg'ah-le) – atriomegalia; aumento anormal de volume de um átrio cardíaco.

atrio·sep·to·pexy (-sep'to-pek"se) – atriosseptopexia; correção cirúrgica de um defeito no septo interatrial.

atrio·sep·to·plas·ty (-sep'to-plas"te) – atriosseptoplastia; reparo plástico do septo interatrial.

atri·o·ven·tric·u·la·ris com·mu·nis (-ven-trik"-u-la'ris kō-mu'nis) – atrioventrículo comum; anomalia cardíaca congênita em que os amortecedores endocárdicos não conseguem fundir-se, o óstio primário persiste, o canal atrioventricular não se divide, uma única válvula atrioventricular apresenta cúspides anterior e posterior e ocorre um defeito do septo interventricular membranoso.

atri·um (a'tre-um) [L.] pl. *atria* – átrio; câmara; em Anatomia, câmara que permite a entrada a outra estrutura ou órgão, especialmente a cavidade menor superior (*a. do coração*) em cada lado do coração, que recebe sangue das veias pulmonares (*a. esquerdo*) ou das veias cavas (*a. direito*) e o entrega ao ventrículo do mesmo lado. **a'trial** – adj. atrial. **common a.** – a. comum; único átrio encontrado em forma de coração de três câmaras.

at·ro·pho·der·ma (at"ro-fo-der'mah) – atrofoderma; atrofia da pele.

at·ro·phy (at'ro-fe) – atrofia; debilitação; diminuição no tamanho de uma célula, tecido, órgão ou parte. **atroph'ic** – adj. atrófico. **acute yellow a.** – a. amarela aguda; hepatite fulminante com necrose hepática maciça em que o fígado encolhido e amarelado corresponde a uma complicação geralmente fatal. **Aran-Duchenne muscular a.** – a. muscular de Aran-Duchenne; a. muscular espinhal. **bone a.** – a. óssea; reabsorção de um osso evidente tanto na forma externa como na densidade interna. **Duchenne-Aran muscular a.** – a. muscular de Duchenne-Aran; a. muscular espinhal. **healed yellow a.** – a. amarela cicatrizada; cirrose macronodular. **Leber's hereditary optic a., Leber's optic a.** – a. óptica hereditária de Leber; óptica de Leber; ver em *neuropathy*. **lobar a.** – a. lobar; doença de Pick; ver *Pick's disease* (1), em *disease*. **myelopathic muscular a.** – a. muscular mielopática; atrofia muscular devido à lesão da medula espinhal, como no caso de atrofia muscular espinhal. **optic a.** – a. óptica; atrofia do disco óptico devido à degeneração das fibras nervosas do nervo óptico e do trato óptico. **peroneal a., peroneal muscular a.** – a. fibular a. muscular fibular; doença de Charcot-Marie-Tooth. **physiologic a.** – a. fisiológica; atrofia que afeta determinados órgãos em todos os indivíduos como parte do processo de envelhecimento normal. **senile a. of skin** – a. cutânea senil; alterações atróficas suaves na derme e epiderme que ocorrem naturalmente com o envelhecimento. **spinal muscular a.** – a. muscular espinhal; degeneração progressiva das células motoras da medula espinhal, começando geralmente nos pequenos músculos das mãos, mas em alguns casos (tipo escapuloumeral) nos músculos do braço superior e do ombro, e progredindo lentamente para os músculos das pernas.

at·ro·pine (at'ro-pēn) – atropina; alcalóide anticolinérgico utilizado como relaxante dos músculos lisos para aliviar tremores e rigidez na doença de Parkinson, elevar a freqüência cardíaca através do bloqueio do nervo vago, como antídoto para o envenenamento com organofosforados e como anti-secretor, midriático e ciclopégico.

ATS – American Thoracic Society; antitetanic serum (Sociedade Torácica Americana; soro antitetânico).

at·tack (ah-tak') – ataque; crise; episódio ou início de enfermidade. **Adams-Stokes a.** – a. de Adams-Stokes; episódio de síncope na síndrome de Adams-Stokes. **drop a.** – a. por queda; perda súbita de equilíbrio sem perda de consciência, geralmente observada em mulheres idosas. **panic a.** – a. de pânico; episódio de ansiedade intensa aguda, característica essencial de um distúrbio de pânico. **transient ischemic a. (TIA)** – a. isquêmico transitório; breve ataque (de uma hora ou menos) de disfunção cerebral de origem vascular, sem efeito neurológico duradouro. **vagal a., vasovagal a.** – a. vagal; a. vasovagal; reação neurogênica e vascular transitória caracterizada por palidez, náuseas, sudorese, bradicardia e rápida queda na pressão sangüínea arterial, que pode resultar em síncope.

at·ta·pul·gite (at''ah-pul'jīt) – atapulgita; silicato hidratado de alumínio e magnésio, argila mineral que corresponde ao principal ingrediente da greda de pisoeiro; *a forma ativada*, é uma forma aquecida pelo calor utilizada no tratamento da diarréia.

at·ten·u·a·tion (ah-ten''u-a'shun) – atenuação: 1. ato de afinamento ou enfraquecimento, como *(a)* alteração da virulência de um microrganismo patogênico pela passagem através de outra espécie hospedeiro, reduzindo a virulência do organismo para o hospedeiro nativo e aumentando-a para o novo hospedeiro, ou *(b)* processo pelo qual se reduz um raio de radiação a energia quando este passa através de um tecido ou de outro material.

at·tic (at'ik) – ático; porção superior da cavidade timpânica, que se estende acima do nível da membrana timpânica e contém a maior parte da bigorna e da cabeça do martelo.

at·ti·co·an·trot·o·my (at''ĭ-ko-an-trot'ah-me) – aticoantrotomia; exposição cirúrgica do ático e do antro mastóide.

at·ti·tude (at'ĭ-tōod) – atitude: 1. posição do corpo; em Obstetrícia, relação das várias partes do corpo fetal; 2. padrão de visões mentais estabelecido por acumulação de experiência prévia.

atto– – ato-, prefixo que significa um quintilionésimo ou 10^{-18}; símbolo a.

at·trac·tion (ah-trak'shun) – atração: 1. força, ação ou processo que atrai um corpo em direção a outro; 2. mau fechamento em que o plano oclusal fica mais fechado que o normal com relação ao plano oculoauricular, causando encurtamento da face; cf. *abstraction* (3). **capillary a.** – a. capilar;

a força que faz com que um líquido suba em um tubo de calibre fino.

At wt – atomic weight (peso atômico).

atyp·ia (a-tip'e-ah) – atipia; desvio do normal. **koilocytotic a.** – a. cilocitótica; vacuolização e anormalidades nucleares das células do epitélio escamoso estratificado da cérvix uterina; pode ser pré-maligna.

atyp·i·cal (-ĭ-k'l) – atípico; irregular; não-compatível com o tipo; em microbiologia, que se aplica especificamente a cepas de tipo incomum.

AU [L.] – *aures unitas*, ambas as orelhas ou *aures uterque*, cada orelha.

Au [L.] – símbolo químico, ouro. (ver *aurum*).

audi(o)– [L.] – audio; elemento de palavra, *audição*.

au·dio·gen·ic (aw''de-o-jen'ik) – audiogênico; produzido por um som.

au·di·ol·o·gy (aw''de-ol'ah-je) – audiologia; estudo do deficiência auditiva que não pode ser melhorada por medicação ou terapia cirúrgica.

au·di·om·e·try (aw''de-om'ĭ-tre) – audiometria; medição da acuidade da audição para as várias freqüências de ondas sonoras. **audiomet'ric** – adj. audiométrico. **Békésy a.** – a. de Békésy; audiometria na qual o paciente, ao pressionar um botão de sinal, observa seus limiares monaurais para os tons puros; a intensidade do tom se reduz contanto que se aperte o botão e aumenta quando se solta o mesmo; utilizam-se tanto tons contínuos como interrompidos. **cortical a.** – a. cortical; método objetivo de determinação da acuidade auditiva através do registro e da média de potenciais elétricos disparados pelo córtex cerebral em resposta à estimulação com tons puros. **electrocochleographic a.** – a. eletrococleográfica; medição dos potenciais elétricos a partir do ouvido médio ou do canal auditivo externo (microfone coclear e potenciais de ação do oitavo nervo) em resposta a estímulos acústicos. **electrodermal a.** – a. eletrodérmica; audiometria em que se condiciona o indivíduo por meio de choque elétrico inofensivo a tons puros; portanto, ele antecipa um choque quando ouve um tom puro, e a antecipação resulta em uma breve resposta eletrodérmica, que é registrada; a menor intensidade com que se dispara a resposta é considerada o seu limiar de audição. **localization a.** – a. de localização; técnica para medir a capacidade de localizar a fonte de um tom puro recebido biauralmente em um campo de som. **pure tone a.** – a. de tom puro; audiometria que utiliza tons puros relativamente sem ruídos e sobretons.

au·di·tion (aw-dish'un) – audição; percepção do som. **chromatic a.** – a. cromática; audição de cores.

AUL – acute undifferentiated leukemia (LNA, leucemia não-diferenciada aguda).

au·la (aw'lah) – aula; auréola vermelha formada ao redor de uma vesícula de vacinação.

au·ra (aw-rah) [L.] pl. *aurae* – aura; sensação subjetiva ou fenômeno motor que precede e marca o início de afecção neurológica, particularmente um ataque convulsivo epiléptico (*a. epiléptica*) ou enxaqueca (*a. de enxaqueca*). **epileptic a.** – a. epiléptica; tipo de ataque convulsivo parcial simples, experimentado como sensação subjetiva ou fenômeno motor que algumas vezes sinaliza a chegada de um ataque convulsivo parcial complexo ou generalizado. **vertiginous a.** – a. vertiginosa; ataque convulsivo sensorial que afeta o sentido vestibular, causando sensação de vertigem.

au·ral (aw'r'l) – aural: 1. relativo a ou percebido pelo ouvido; 2. relativo à aura.

au·ric (aw'rik) – áurico; relativo ou que contém ouro.

au·ri·cle (aw'rĭ-k'l) – aurícula: 1. lóbulo da orelha; 2. apêndice em forma de orelha em cada átrio cardíaco; 3. antigamente, o átrio cardíaco.

au·ric·u·la (aw-rik'u-lah) [L.] pl. *auriculae* – aurícula.

au·ric·u·la·re (aw-rik"u-lar'e) – auricular; um ponto no topo da abertura do meato auditivo externo.

au·ric·u·la·ris (aw-rik"u-lar'is) [L.] – auricular; relativo ao ouvido.

au·ris (aw'ris) [L.] – orelha (*ear*).

au·ri·scope (aw'ri-skŏp) – auriscópio; otoscópio; ver *otoscope*.

au·ro·thio·glu·cose (aw"ro-thi"o-gloo'kŏs) – aurotioglicose; sal de ouro monovalente, utilizado no tratamento da artrite reumatóide.

au·rum (aw'rum) [L.] – ouro (símbolo Au); ver *gold*.

aus·cul·ta·tion (aws"kul-ta'shun) – auscultação; ausculta; audição de sons internos do corpo, principalmente para avaliar a situação das vísceras torácicas e abdominais e detectar a gravidez; pode ser realizada com o ouvido desarmado (*a. direta* ou *a. imediata* ou com estetoscópio (*a. mediata*).

au·te·cic (aw-te'sik) – autécico; diz-se do parasita de um mesmo hospedeiro.

au·te·cious (aw-te'shus) – autécico; ver *autecic; autoecius*.

aut(o)- [Gr.] – elemento de palavra, *próprio*.

au·tism (aw'tizm) – autismo: 1. condição de ser dominado por tendências autocentradas e subjetivas de pensamento e comportamento que não se sujeitam à correção por informações externas; 2. distúrbio autista. **autis'tic** – adj. autista. **early infantile a. infantile a.** – a. infantil precoce; a. infantil; distúrbio severo da comunicação e do comportamento, que começa geralmente no nascimento, e se apresenta invariavelmente aos 3 anos de idade; caracteriza-se pela auto-absorção, alheamento e incapacidade profunda do contato com pessoas (incluindo a mãe), desejo pela monotonia, preocupação com objetos inanimados e distúrbios de desenvolvimento de linguagem.

au·to·ag·glu·ti·na·tion (aw"to-ah-gloo"tĭ-na'shun) – auto-aglutinação: 1. acúmulo ou aglutinação das células de um indivíduo em seu próprio soro, como no caso da auto-hemaglutinação. A auto-aglutinação que ocorre em baixas temperaturas é chamada de *aglutinação pelo frio*; 2. aglutinação de antígenos particulados, como por exemplo, bactérias, na ausência de antígenos específicos.

au·to·ag·glu·ti·nin (-ah-gloo'tĭ-nin) – auto-aglutinina; fator sérico capaz de causar acúmulo dos próprios elementos celulares de um indivíduo.

au·to·am·pu·ta·tion (-am"pu-ta'shun) – auto-amputação; desprendimento espontâneo do corpo e eliminação de um apêndice ou de um crescimento anormal, como um pólipo.

au·to·an·ti·body (-an'tĭ-bod"e) – auto-anticorpo; anticorpo formado em resposta, e que reage contra, um constituinte antigênico dos próprios tecidos de um indivíduo.

au·to·an·ti·gen (-an'tĭ-jen) – auto-antígeno; antígeno que apesar de ser um constituinte tecidual normal é alvo de uma resposta imune humoral ou mediada por células, como ocorre na autoimunopatia.

au·to·ca·tal·y·sis (-kah-tal'ĭ-sis) – autocatálise; catálise em que um produto da reação acelera a catálise.

au·toch·tho·nous (aw-tok'thah-nus) – autóctone: 1. originário da mesma área onde foi encontrado; 2. denota um enxerto tecidual para novo local no mesmo indivíduo.

au·toc·la·sis (aw-tok'lah-sis) – autoclasia; destruição de uma parte por influências próprias, bem como através de processos auto-imunes.

au·to·clave (aw'to-klāv) – autoclave; aparelho para a esterilização de materiais por meio de vapor sob pressão e com autofechamento.

Au·to·clip (-klip") – Autoclip; marca registrada de grampo cirúrgico de aço inoxidável inserido por meio de aplicador mecânico que fornece automaticamente uma série de grampos para o fechamento de ferimentos.

au·to·crine (-krin) – autócrino; denota um modo de ação hormonal em que um hormônio liga-se a receptores e afeta a função do tipo celular que o produziu.

au·to·di·ges·tion (aw"to-di-jes'chun) – autodigestão; autólise; especialmente a digestão da parede gástrica e estruturas contíguas após a morte.

au·toe·cious (aw-te'shis) – autécico; relativo a fungos parasitários que passam seu ciclo de vida dentro do mesmo hospedeiro.

au·to·ec·zem·a·ti·za·tion (aw"to-ek'zem"ah-tĭ-za'shun) – auto-eczematização; disseminação (a princípio local e depois mais geral) de lesões provenientes de um foco de eczema originalmente circunscrito.

au·to·er·o·tism (-er'o-tizm) – auto-erotismo; comportamento erótico voltado para si mesmo. **autoerot'ic** – adj. auto-erótico.

au·tog·a·my (aw-tog'ah-me) – autogamia: 1. autofertilização; fertilização pela união de duas massas de cromatina derivadas do mesmo núcleo primário dentro de uma célula; 2. reprodução em que os dois gametas derivam da divisão de uma única célula-mãe.

au·to·gen·e·sis (aw"to-jen'ĕ-sis) – autogênese; autogeração; que se origina dentro do organismo. **autogenet'ic, autog'enous** – adj. autogênico; autógeno.

au·to·graft (aw'to-graft) – auto-enxerto; enxerto tecidual transferido de uma parte do corpo do paciente para outra.

au·to·he·mag·glu·ti·na·tion (aw"to-he"mah-gloo"tĭ-na'shun) – auto-hemaglutinação; aglutinação de hemácias por meio de um fator produzido no próprio corpo do indivíduo.

au·to·he·mag·glu·ti·nin (-he"mah-gloo'tĭ-nin) – autohemaglutinina; substância produzida no corpo de uma pessoa que causa aglutinação de suas próprias hemácias.

au·to·he·mol·y·sin (-he-mol'ĭ-sin) – auto-hemolisina; hemolisina produzida no corpo de um animal, que lisa seus próprios eritrócitos.

au·to·he·mol·y·sis (-he-mol'ĭ-sis) – auto-hemólise; hemólise de células sangüíneas de um indivíduo por parte de seu próprio soro. **autohemolyt'ic** – adj. auto-hemolítico.

au·to·he·mo·ther·a·py (-he"mo-ther'ah-pe) – autohemoterapia; tratamento através da reinjeção do próprio sangue do paciente.

au·to·hyp·no·sis (-hip-no'sis) – auto-hipnose; estado hipnótico auto-induzido; ato ou o processo de hipnotizar a si mesmo. **autohypnot'ic** – adj. autohipnótico.

au·to·im·mune (-ĭ-mūn') – auto-imune; direcionado contra o tecido do próprio corpo; ver em *disease* e *response*.

au·to·im·mu·ni·ty (-ĭ-mūn'ĭ-te) – auto-imunidade; condição caraterizada pela resposta imune humoral ou mediada por células específicas contra os constituintes dos próprios tecidos do corpo (auto-antígenos); pode resultar em reações de hipersensibilidade ou, se for severa, em auto-imunopatia.

au·to·im·mu·ni·za·tion (-im"u-nĭ-za'shun) – autoimunização; indução em um organismo de resposta imune contra seus próprios constituintes teciduais.

au·to·in·oc·u·la·tion (in-ok'u-la"shun) – auto-inoculação; inoculação com microrganismos do próprio corpo.

au·to·isol·y·sin (-i-sol'ĭ-sin) – auto-isolisina; substância que lisa células (como as células sangüíneas) do indivíduo em que se formou, bem como de outros membros da mesma espécie.

au·to·ker·a·to·plas·ty (-ker'ah-to-plas"te) – autoceratoplastia; enxerto de tecido corneano de um olho para outro.

au·to·le·sion (-le'zhun) – autolesão; lesão auto-infligida.

au·to·l·o·gous (aw-tol'ah-gis) – autólogo; relacionado a si mesmo; que pertence ao mesmo organismo.

au·to·lol·y·sin (aw-tol'ĭ-sin) – autolisina; lisina que se origina em um organismo e é capaz de destruir suas próprias células e tecidos.

au·to·l·y·sis (aw-tol'ĭ-sis) – autólise: 1. desintegração espontânea de células ou tecidos por enzimas autólogas, como ocorre após a morte e em algumas afecções patológicas; 2. destruição de células do corpo por meio do seu próprio soro. **autolyt'ic** – adj. autolítico.

au·to·ma·ti·ci·ty (aw"to-mah-tis'ĭ-te) – automaticidade: 1. estado ou qualidade de ser espontâneo, involuntário ou auto-regulador; 2. capacidade de uma célula iniciar um impulso sem estímulo externo. **triggered a.** – a. deflagrada; atividade de marca-passo que ocorre como resultado de um potencial de ação propagado ou estimulado, como um pós-potencial, em células ou tecidos que não exibem normalmente automaticidade espontânea.

au·tom·a·tism (aw-tom'ah-tizm) – automatismo; realização de atos não-reflexos sem vontade consciente. **command a.** – a. de comando; responsividade anormal a comandos, como no caso da hipnose.

au·to·nom·ic (aw"to-nom'ik) – autônomo; não-sujeito a um controle voluntário. Ver em *system*.

au·to·nomo·trop·ic (aw"to-nom"ah-trop'ik) – autonomotrópico; que tem afinidade com o sistema nervoso autônomo.

au·to·ox·i·da·tion (aw"to-ok"sĭ-da'shun) – autooxidação; combinação direta espontânea, em temperaturas normais, com oxigênio molecular.

au·to·pha·gia (-fa'jah) – autofagia: 1. ingestão da própria carne; 2. nutrição do corpo através do consumo dos próprios tecidos.

au·to·phago·some (-fag'o-sōm) – autofagossoma; vacúolo intracitoplasmático que contém elementos do próprio citoplasma de uma célula; ele se funde a um lisossoma e submete o conteúdo a uma digestão enzimática.

au·toph·a·gy (aw-tof'ah-je) – autofagia; digestão lisossômica do próprio material citoplasmático de uma célula.

au·to·phar·ma·co·log·ic (aw"to-fahr"mah-ko-loj'ik) – autofarmacológico; relativo a substâncias produzidas no corpo (como os hormônios) que têm atividades farmacológicas.

au·to·plas·ty (aw'to-plas"te) – autoplastia: 1. substituição ou reconstituição de partes doentes ou lesionadas com tecidos coletados de outra região do próprio corpo do paciente; 2. em Psicanálise, modificação instintiva dos sistemas psíquicos na adaptação à realidade. **autoplas'tic** – adj. autoplástico.

au·top·sia (aw'top-se) – autopsia; exame *postmortem* de um corpo para determinar a causa da morte ou a natureza das alterações patológicas; necropsia.

au·to·ra·di·og·ra·phy (aw"to-ra"de-og-rah-fe) – autoradiografia; confecção de radiografia de um objeto ou tecido através do registro em filme fotográfico da radiação emitida por um material radioativo no interior do objeto.

au·to·reg·u·la·tion (-reg"u-la'shun) – auto-regulação: 1. processo que ocorre quando algum mecanismo em um sistema biológico detecta o controle e se ajusta às alterações dentro do sistema; 2. em Fisiologia Circulatória, a tendência intrínseca de um órgão ou tecido a manter o fluxo sangüíneo constante apesar das alterações na pressão arterial ou do ajuste de fluxo sangüíneo através de um órgão em concordância com as suas necessidades metabólicas. **heterometric a.** – a. heterométrica; mecanismos intrínsecos que controlam a força das contrações ventriculares que dependem do comprimento das fibras miocárdicas no final da diástole. **homeometric a.** – a. homeométrica: 1. mecanismos intrínsecos que controlam a força das contrações ventriculares independentemente do comprimento das fibras miocárdicas no final da diástole; 2. efeito de Anrep.

au·to·sen·si·ti·za·tion (-sen"sĭ-tĭ-za'shun) – autossensibilização; auto-imunização. **erythrocyte a.** – a. eritrocítica; sensibilização auto-eritrocítíca.

au·to·sep·ti·ce·mia (-sep"tĭ-se'me-ah) – auto-septicemia; septicemia a partir de venenos desenvolvidos dentro do corpo.

au·to·site (aw'to-sĭt) – autósito; o maior e mais normal membro dos fetos gêmeos siameses assimétricos, ao qual se prende o feto parasita.

au·to·some (-sõm) – autossoma; qualquer cromossoma não-determinante de sexo; no homem, existem 22 pares de autossomas. **autoso'mal** – adj. autossômico.

au·to·sple·nec·to·my (awt"o-sple-nek'tah-me) – auto-esplenectomia; desaparecimento quase completo do baço através de fibrose e encolhimento progressivos.

au·to·sug·ges·tion (-sug-jes'chin) – auto-sugestão; sugestão que surge por si mesma, no indivíduo, em oposição à heterossugestão.

au·to·to·mog·ra·phy (-tah-mog'rah-fe) – autotomografia; método de radiografia de secção corporal que envolve o movimento do paciente em vez do tubo de raio X. **autotomograph'ic** – adj. autotomográfico.

au·to·trans·fu·sion (-trans-fu'zhun) – autotransfusão; reinfusão do próprio sangue de um paciente.

au·to·trans·plan·ta·tion (-trans"plan-ta'shun) – autotransplante; transferência de tecido de uma parte do corpo para outra.

au·to·troph (aw'to-trõf) – autótrofo; microrganismo autotrófico.

au·to·troph·ic (aw"to-trof'ik) – autotrófico; que se auto-alimenta; capaz de fabricar constituintes orgânicos a partir do dióxido de carbono e de sais inorgânicos.

au·to·vac·cine (aw'to-vak"sēn) – autovacina; vacina preparada a partir de culturas de organismos isolados a partir dos próprios tecidos ou secreções do paciente.

au·tox·i·da·tion (aw-tok"sĭ-da'shun) – auto-oxidação.

aux·an·og·ra·phy (awk"san-og'rah-fe) – auxanografia; método utilizado para determinar o meio mais adequado ao cultivo de microrganismos. **auxanograph'ic** – adj. auxanográfico.

aux·e·sis (awk-se'sis) – auxese; aumento no tamanho de um organismo, especialmente aquele decorrente de crescimento de células individuais em vez de aumento em seu número. **auxet'ic** – adj. auxético.

aux·i·lyt·ic (awk"sĭ-lit'ik) – auxilítico; que aumenta o poder de lise ou destrutivo.

auxo·cyte (awk'so-sīt) – auxócito; um oócito, espermatócito ou esporócito nos primeiros estádios de desenvolvimento.

auxo·troph·ic (awk"so-trof'ik) – auxotrófico: 1. que requer um fator de crescimento não-exigido pela cepa parental ou prototípica; 2. que exige fatores de crescimento orgânicos específicos além da fonte de carbono presente em um meio mínimo.

AV, A-V – atrioventricular; arteriovenous (atrioventricular, arteriovenoso).

Av – average; averdupois (M, médio; Av, avoirdupois – sistema americano de peso).

avas·cu·lar (a-vas'ku-ler) – avascular; não-vascular; sem apagar.

avas·cu·lar·i·za·tion (a-vas"ku-ler-i-za'shun) – avascularização; desvio do sangue dos tecidos, como através da ligadura de vasos ou de atadura firme.

aver·sive (ah-ver'siv) – aversivo; caracterizado por ou que dá origem à evitação; nocivo.

avi·an (a've-in) – aviário; de ou relativo às aves.

avid·i·ty (ah-vid'ĭ-te) – avidez: 1. força de um ácido ou de uma base; 2. em Imunologia, medida imprecisa da força da ligação antígeno-anticorpo, com base na velocidade com que se forma o complexo; cf. *affinity* (3).

avir·u·lence (a-vir'u-lins) – avirulência; falta de virulência; falta de competência de agente infeccioso para produzir efeitos patogênicos. **avir'ulent** – adj. avirulento.

avoid·ance (ah-void'ins) – fuga; abstenção; evitação; reação defensiva consciente ou inconsciente que pretende escapar de ansiedade, conflito, perigo, medo ou dor.

av·oir·du·pois (av"er-dah-poiz', av-wahr"doo-pwah') – avoirdupois; sistema de peso utilizado nos países de língua inglesa; ver as tabelas que acompanham *weight.*

avul·sion (ah-vul'shun) – avulsão; rasgão ou separação de uma estrutura ou parte.

ax. – axis (eixo).

axen·ic (a-zen'ik) – axênico; não-contaminado ou associado a quaisquer organismos estranhos; utilizado com referência a culturas puras de microrganismos ou de animais sem germes; cf. *gnotobiotic*; em *gnotobiote.*

ax·i·a·lis (ak"se-a'lis) [L.] – axial; denota relacionamento com um eixo ou localização próxima ao eixo longitudinal ou à parte central do corpo.

ax·i·a·tion (ak"se-a'shun) – axiação; estabelecimento de um eixo; desenvolvimento de uma polaridade em um óvulo, embrião, órgão ou outra estrutura corporal.

ax·il·la (ak-sil'ah) [L.] pl. *axillae* – axila. **ax'illary** – adj. axilar.

axi(o)- [L., Gr.] – axi(o)-, elemento de palavra, *eixo;* em Odontologia, *o eixo longitudinal de um dente.*

ax·ip·e·tal (ak-sip'ĭ-t'l) – axípeto; orientado em direção a um eixo ou um axônio.

ax·is (ak'sis) [L.] pl. *axes* – eixo: 1. linha através do centro de um corpo ou ao redor da qual gira uma estrutura; linha ao redor da qual distribuem-se as partes corporais 2. ver a *Tabela de Ossos* **ax'ial** – adj. axial. **basibregmatic a.** – e. basibregmático; linha vertical do básio até o bregma. **basicranial a.** – e. basicranial; linha do básio até o gônion. **basifacial a.** – e. basifacial; linha do gônion até o ponto subnasal. **binauricular a.** – e. biauricular; linha que reúne os dois pontos auriculares. **celiac a.** – e. celíaco; ver em *trunk.* **dorsoventral a.** – e. dorsoventral; eixo que passa do dorso até a superfície ventral do corpo. **electrical a. of heart** – e. elétrico cardíaco; eixo resultante das forças eletromotrizes dentro do coração em qualquer instante. **frontal a.** – e. frontal; linha imaginária que corre da direita para a esquerda através do centro do globo ocular. **a. of heart** – e. cardíaco; linha que passa através do centro da base do coração e do vértice. **optic a.** – e. óptico: 1. e. visual; 2. linha reta hipotética que passa através dos centros de curvatura das superfícies dianteira e traseira de uma lente simples. **visual a.** – e. visual; linha imaginária que passa do ponto médio de um campo visual para a fóvea central.

axo·ax·on·ic (ak"so-ak-sonik) – axoaxônico; que se refere à sinapse entre o axônio de um neurônio e o axônio de outro.

axo·den·drit·ic (-den-dri'ik) – axodendrítico; que se refere à sinapse entre o axônio de um neurônio e os dendritos de outro.

axo·lem·ma (ak"so-lem'ah) – axolema; membrana plasmática de um axônio.

ax·ol·ysis (ak-sol'i-sis) – axólise; degeneração de um axônio.

ax·on (ak'son) – axônio: 1. processo de um neurônio pelo qual os impulsos deslocam-se para fora do corpo celular; na ramificação terminal do axônio, os impulsos são transmitidos para outras células nervosas ou para órgãos efetores. Os axônios maiores são recobertos por uma bainha mielínica; 2. coluna vertebral.

ax·o·neme (ak'so-nēm) – axonema; núcleo central de um cílio ou flagelo, que consiste de duas fibrilas centrais circundadas por nove fibrilas periféricas.

axo·nop·a·thy (ak"sah-nop'ah-the) – axonopatia; distúrbio que interrompe o funcionamento normal dos axônios; no caso de *a. distal,* a doença progride do centro em direção à periferia, e no caso de *a. proximal,* a doença progride da periferia em direção ao centro.

ax·on·ot·me·sis (ak"son-ot-me'sis) – axonotmese; lesão nervosa caracterizada pela interrupção do axônio e da bainha mielínica, mas com a preservação dos fragmentos de tecido conjuntivo, o que resulta em degeneração do axônio distal ao local da lesão; a regeneração do axônio é espontânea e de boa qualidade. Cf. *neurapraxia* e *neurotmesis.*

axo·phage (ak'so-fāj) – axófago; célula glia que ocorre em escavações de mielina em caso de mielite.

axo·plasm (-plazm) – axoplasma; citoplasma de um axônio. **axoplas'mic** – adj. axoplásmico.

axo·po·di·um (ak"so-po'de-um) [L.] pl. *axopodia* – axópodo; tipo mais ou menos permanente de pseudópodo, longo e semelhante a uma agulha, caracterizado por um bastão axial, composto de um feixe de fibrilas inserido próximo ao centro do corpo celular.

axo·so·mat·ic (-so-mat'ik) – axossomático; que se refere à sinapse entre o axônio de um neurônio e o corpo celular de outro.

axo·style (ak'so-stīl) – axóstilo: 1. estrutura de sustentação central de um axópodo; 2. bastão de suporte que corre através do corpo de um tricomônada e protrai-se posteriormente.

ax·ot·o·my (ak-sot'ah-me) – axotomia; transecção ou rompimento de um axônio.

5-aza·cy·ti·dine (a"zah-sit'tī-dēn) – 5-azacitidina; citidina análoga que pode ser incorporada ao DNA e ao RNA, mas não pode ser apropriadamente processada; é agente antineoplásico sob pesquisa.

azat·a·dine (ah-zat'ah-dēn) – azatadina; anti-histamínico, utilizado como sal de maleato no tratamento de rinite alérgica e urticária crônica.

aza·thio·prine (az"ah-thi'o-prēn) – azatioprina; derivado de 6-mercaptopurina, utilizado como agente citotóxico e imunossupressor no tratamento da leucemia e auto-imunopatias, bem como na terapia dos transplantes; também se utiliza o sal sódico.

3'-azi·do-3'-de·oxy·thy·mi·dine (az"ī-do"de-ok"se-thi'mī-dēn) – 3'-azido-3'-desoxitimidina; zidovudina.

az·i·do·thy·mi·dine (az"ī-do-thi'mī-dēn) – azidotimidina; zidovudina; ver *zidovudine.*

az·lo·cil·lin (az"lo-sil'in) – azlocilina; antibiótico penicilínico de amplo espectro eficaz contra ampla variedade de organismos Gram-positivos e Gram-negativos; utilizada principalmente no tratamento de infecções por *Pseudomonas aeruginosa.*

azoo·sper·mia (a-zo"o-sper'me-ah) – azoospermia; ausência de espermatozóides no sêmen ou defeito de formação dos espermatozóides.

az·ote (az'ōt) – azoto; nitrogênio (na França).

az·o·tu·ria (az"o-tu're-ah) – azotúria; excesso de uréia ou outros compostos nitrogenados na urina.

azotu'ric – adj. azotúrico.

AZQ – diaziquona (diaziquona).

az·tre·o·nam (az'tre-o-nam") – aztreonam; antibiótico monobactâmico efetivo contra ampla variedade de bactérias Gram-negativas.

az·ure (azh'er) – azur; um dos três corantes básicos metacromáticos (A, B e C).

az·u·res·in (azh"u-rez'in) – azurresina; combinação complexa de corante azur A e transfusão de resina atiônica carbacrílica, utilizada como um auxílio diagnóstico na detecção da secreção gástrica.

az·u·ro·phil (azh-u'ro-fil") – azurófilo; constituinte tecidual que se cora com azur ou um corante tiazínico metacromático semelhante.

az·u·ro·phil·ia (azh"u-ro-fil'e-ah) – azurofilia; condição em que o sangue contém células com grânulos azurofílicos.

az·y·gog·raphy (az"i-gog'rah-fe) – azigografia; radiografia do sistema venoso ázigo. **azygograph'ic** – adj. azigográfico.

az·y·gos (az'i-gis) – ázigo: 1. ímpar; 2. qualquer parte não-pareada, como a veia ázigo.

B

B – bel; boron (bel; boro).

b – born; base (in nucleic acid sequences) (nascido; base [nas seqüências de ácidos nucleicos]).

β – beta, segunda letra do alfabeto grego; cadeia β da hemoglobina.

β- – prefixo que designa: 1. posição de um átomo ou grupo substituto em um composto químico; 2. rotação específica de um composto opticamente ativo; 3. orientação de um átomo ou grupo exocíclico; 4. proteína plasmática migrante na banda β de uma eletroforese; 5. segunda entidade em uma série de duas ou mais entidades ou compostos químicos relacionados.

BA – Bachelor of Arts (Bacharel em Artes).

Ba – símbolo químico, bário (ver *barium*).

Ba·be·sia (bah-be'ze-ah) – *Babesia;* gênero de protozoários encontrados como parasitas nas hemácias e transmitidos por carrapatos; suas várias espécies causam doenças tanto em animais silvestres como domésticos e uma enfermidade semelhante à malária no homem.

ba·be·si·a·sis (bǎ"bě-zi'ah-sis) – babesíase: 1. infecção crônica e assintomática por protozoários do gênero *Babesia;* 2. babesiose.

ba·be·si·o·sis (bah-be"ze-o'sis) – babesiose; grupo de doenças provenientes de carrapatos devido a infecção por espécies de *Babesia*, que ocorrem tanto em animais silvestres como domésticos e geralmente se associam à anemia, hemoglobinúria e hemoglobinemia; a enfermidade humana é semelhante à malária.

ba·by (ba'be) – bebê; criança ainda incapaz de andar. **blue b.** – bebê azul; criança nascida com cianose devido a lesão cardíaca congênita ou atelectasia. **collodion b.** – bebê com colódio; criança nascida completamente recoberta por membrana semelhante a um colódio ou pergaminho; ver *lamellar exfoliation of the newborn*, em *exfoliation*.

bac·cate (bak'ăt) – baciforme; semelhante a uma baga.

Bac·il·la·ceae (bas"ĭ-la'se-e) – Bacillaceae; família de bactérias predominantemente saprófitas (ordem Eubacteriales), comumente encontradas no solo; algumas são parasitas de insetos ou de animais e podem causar doenças.

bac·il·la·ry (bas'ĭ-lar"e) – bacilar; relativo a bacilos ou bastonetes.

bacille (bah-sēl') [Fr.] – bacilo. **Calmette-Guérin (BCG)** – B. Calmette-Guérin (BCG); bacilo da espécie *Mycobacterium bovis* tornado completamente não-virulento em meio de cultura biliar de batata-glicerol durante longo período; ver *BCG vacine*.

ba·cil·li (bah-sil'i) – plural de *bacillus*.

ba·cil·lin (bah-sil'in) – bacilina; substância antibiótica isolada de cepas de *Bacillus subtilis*, muito ativa tanto contra bactérias Gram-positivas como Gram-negativas.

ba·cil·lu·ria (bas"ĭ-lu're-ah) – bacilúria; bacilos na urina.

Ba·cil·lus (bah-sil'us) – *Bacillus;* gênero de bactérias (família Bacillaceae), que inclui bactérias Gram-positivas e formadoras de esporos, separadas em 33 espécies, três das quais patogênicas ou potencialmente patogênicas, sendo o restante de formas saprófitas do solo. **B. an'thracis** – *B. anthracis;* agente causador de carbúnculo. **B. co'li** – *B. coli; Escherichia coli*. **B. dysente'riae** – *B. dysenteriae; Shigella dysenteriae*. **B. enteri'tidis** – *Salmonella enteritidis*. **B. lep'rae** – *B. leprae; Mycobacterium leprae*. **B. mal'lei** – *B. mallei; Pseudomonas mallei*. **B. pneumo'niae** – *B. pneumoniae; Klebsiella pneumoniae*. **B. pseudomal'lei** – *B. pseudomallei; Pseudomonas pseudomallei*. **B. pyocya'neus** – *B. pyocyaneus; Pseudomonas aeruginosa*. **B. sub'tilis** – *B. subtilis;* forma saprófita comum do solo e da água, que ocorre freqüentemente como contaminante laboratorial, e raramente tem relação causal em processos patológicos, como o da conjuntivite. **B. te'tani** – *B. tetani; Clostridium tetani*. **B. ty'phi, B. typho'sus** – *B. typhis; B. typhosus; Salmonella typhi*. **B. wel'chii** – *B. welchii; Clostridium perfringens*.

ba·cil·lus (bah-sil'us) [L.] pl. *bacilli* – bacilo: 1. microrganismo do gênero *Bacillus;* 2. bactéria em forma de bastonete. **Bang's b.** – b. de Bang; *Brucella abortus*. **Battey b.** – b. de Battey; *Mycobacterium intracellulare*. **Bordet-Gengou b.** – b. de Bordet-Gengou; *Bordetella pertussis*. **Calmette-Guérin b.** – b. Calmette-Guérin. **coliform bacilli** – b. coliformes; bacilos Gram-negativos semelhantes a *Escherichia coli* e são encontrados no trato intestinal; o termo geralmente refere-se aos gêneros *Citrobacter, Edwardsiella, Enterobacter, Escherichia, Klebsiella* e *Serratia*. **Ducrey's b.** – b. de Ducrey; *Haemophilus ducreyi*. **dysentery bacilli** – b. da disenteria; bastonetes Gram-negativos e não-formadores de esporos que causam a disenteria no homem; ver *Shigella*. **enteric b.** – b. entérico; bacilo que pertence à família Enterobacteriaceae. **Flexner's b.** – b. de Flexner; *Shigella flexneri*. **Friedländer's b.** – b. de Friedländer; *Klebsiella pneumoniae*. **Gärtner's b.** – b. de Gärtner; *Salmonella enteritidis*. **glanders b.** – b. do mormo; *Pseudomonas mallei*. **Hansen's b.** – b. de Hansen; *Mycobacterium leprae*. **Johne's b.** – B. de Johne; *Mycobacterium paratuberculosis*. **Klebs-Löfflerb.** – b. de Klebs-Löffler; *Corynebacterium diphteriae*. **Koch-Weeks b.** – b. de Koch-Weeks; *Haemophilus aegypticus*. **colon b.** – colibacilo; *Escherichia coli*. **legionnaire's b.** – b. dos legionários; *Legionella pneumophila*. **Morax-Axenfeld b.** – b. de Morax-Axenfeld; *Moraxella (Moraxella) lacunata*. **Morgan's b.** – b. de Morgan; *Morganella morganii*. **Pfeiffer's b.** – b. de Pfeiffer; *Haemophilus influenzae*. **Sonne-Duval b.** – b. de Sonne-Duval; *Shigella sonnei*. **tubercle b.** – b. do tubérculo; *Mycobacterium tuberculosis*. **typhoid b.** – b. do tifo; *Salmonella typhi*.

bac·i·tra·cin (bas"ĭ-tra'sin) – bacitracina; polipeptídeo antibacteriano elaborado pelo grupo liqueniforme do *Bacillus subtilis* que age interferindo na síntese da parede celular bacteriana; é eficaz contra ampla variedade de bactérias Grampositivas e algumas Gram-negativas; também é utilizada topicamente como sal de zinco.

back (bak) – costas; dorso; parte posterior do tronco do pescoço até a pelve. **angry b.** – costas irritadas; síndrome da excitação da pele.

back·cross (bak'kros) – cruzamento reversível; cruzamento entre um heterozigoto e um homozigoto.

back·flow (-flo) – refluxo; fluxo contrário e anormal de fluidos; regurgitação. **pyelovenous b.** – b. pielovenoso; drenagem da pelve renal no sistema venoso que ocorre em determinadas situações de pressão retrógrada.

bac·lo·fen (bak'lo-fen") – baclofeno; análogo do ácido γ-aminobutírico utilizado como relaxante muscular no tratamento da espasticidade em distúrbios da medula espinhal.

bacteri(o)- [Gr.] – bacteri(o), elemento de palavra, *bactéria*.

Bac·te·ria (bak-tēr'e-ah) – Bacteria; em alguns sistemas antigos de classificação, divisão do reino Procaryotae, que compreendia todos os microrganismos procarióticos com exceção das bactérias azuis (Cyanophyceae).

bac·te·ria (bak-tēr'e-ah) – plural de *bacterium*. **bacte'rial** – adj. bacteriano.

bac·te·ri·ci·dal (bak-tēr"ĭ-si'd'l) – bactericida; que destrói bactérias.

bac·te·ri·ci·din (-din) – bactericidina; anticorpo bactericida.

bac·ter·id (bak'ter-id) – bactéride; erupção cutânea causada por infecção bacteriana em qualquer parte do corpo.

bac·te·rio·chlo·ro·phyll (bak-tēr"e-o-klor'o-fil) – bacterioclorofila; forma de clorofila produzida por determinadas bactérias e capaz de realizar a fotossíntese.

bac·te·rio·ci·din (-si'din) – bacteriocidina; anticorpo bactericida.

bac·te·rio·cin (bac-tēr'e-o"sin) – bacteriocina; qualquer grupo de substâncias, por exemplo, colicina, liberado por determinadas bactérias que matam outras cepas de bactérias ao induzir um bloqueio metabólico.

bac·te·ri·o·cin·o·gen·ic (bak-tēr"e-o-sin"ah-jen'ik) – bacteriocinogênico; que dá origem a uma bacteriocina; denota plasmídios bacterianos que sintetizam bacteriocina.

bac·te·ri·ol·o·gy (bak-tēr"e-ol'o-je) – bacteriologia; estudo científico das bactérias. **bacteriolog'ic** – adj. bacteriológico.

bac·te·ri·ol·y·sin (-ĭ-sin) – bacteriolisina; anticorpo antibacteriano que lisa as células bacterianas.

bac·te·rio·phage (bak-tēr'e-o-fāj") – bacteriófago; vírus que lisa bactérias. **bacteriopha'gic** – adj. bacteriofágico. **temperate b.** – b. temperado; bacteriófago cujo material genético (profago) torna-se parte íntima do genoma bacteriano, persistindo e sendo reproduzido através de muitos ciclos de divisão celular; a célula bacteriana afetada é conhecida como bactéria lisogênica (q.v. *lysogenic bacterium*, em *bacterium*).

bac·te·ri·op·so·nin (bak-tēr"e-op'so-nin) – bacteriopsonina; anticorpo que atua sobre bactérias.

bac·te·rio·stat·ic (bak-tēr"e-o-stat'ik) – bacteriostático; que inibe o crescimento ou a multiplicação de bactérias; agente que atua dessa forma.

Bac·te·ri·um (bak-tēr'e-um) – *Bacterium*; bactéria; antigo nome de um gênero de esquizomicetos, cujas espécies foram hoje distribuídas em outros gêneros, por exemplo *Aerobacter, Pseudomonas, Salmonella* etc.

bac·te·ri·um (bak-tēr'e-um) [L.] pl. *bacteria* – bactéria; em geral, um dos microrganismos procarióticos unicelulares que se multiplicam comumente por divisão celular; não têm núcleo ou organelas ligadas à membrana e possuem uma parede celular; podem ser aeróbicos ou anaeróbicos, móveis ou imóveis, de vida-livre, saprófitas, parasitas ou patogênicos. **acid-fast b.** – b. acidorresistente; bactéria não facilmente descolorida por ácidos depois de corada. **coliform b.** – b. coliforme; um dos bastonetes Gram-negativos facultativos que habitam normalmente o trato intestinal; ver *Citrobacter, Edwardsiella, Enterobacter, Escherichia, Klebsiella* e *Serratia*. **coryneform bacteria** – b. corineformes; grupo de bactérias morfologicamente semelhantes aos microrganismos do gênero *Corynebacterium*. **hemophilic b.** – b. hemofílica; bactéria que tem afinidade nutricional por constituintes do sangue fresco ou cujo desenvolvimento é estimulado por meios enriquecidos com sangue. **lysogenic b.** – b. lisogênica; célula bacteriana que alberga em seu genoma o material genético (profago) de um bacteriófago temperado e conseqüentemente reproduz o bacteriófago na divisão celular; ocasionalmente, o profago desenvolve-se em forma adulta, replicase, lisa a célula bacteriana e fica em condições de infectar outras células.

Bac·te·roi·da·ceae (bak"ter'oi-da'se-e) – Bacteroidaceae; família de esquizomicetos (ordem Eubacteriales).

Bac·te·roi·des (bak"ter-oi'dēz) – *Bacteroides*; gênero de bastonetes Gram-negativos e anaeróbicos, habitantes normais das cavidades oral, respiratória, intestinal e urogenital de humanos e animais; algumas espécies são potencialmente patógenas e causam abscessos e bacteremias possivelmente fatais.

bac·te·roi·des (bak"ter-oi'dēz) – bacteróides: 1. bastonete altamente pleomórfico; 2. microrganismo do gênero *Bacteroides*.

badge (baj) – símbolo; dispositivo, sinal ou marca diferenciadores. **film b.** – s. de filme; pacote de filme ou filmes radiográficos utilizados sobre o corpo durante exposição potencial à radioatividade para detectar e quantificar a dosagem da exposição.

bag (bag) – bag ou bolsa. **colostomy b.** – bolsa de colostomia; receptáculo utilizado sobre o estoma para receber a descarga fecal após uma colostomia. **ileostomy b.** – bolsa de ileostomia; uma das várias bolsas plásticas ou de látex presas ao corpo para a coleta de urina ou material fecal após ileostomia ou colocação de bexiga ileal. **Politzer's b.** – bolsa de Politzer; bolsa maleável de borracha para inflar a trompa auditiva. **b. of waters** – bolsa de águas; membranas que envolvem o líquido amniótico e o feto em desenvolvimento no útero.

bag·as·so·sis (bag"ah-so'sis) – bagaçose; doença pulmonar devido à inalação de pó proveniente de resíduos de cana após extração do açúcar (bagaço).

BAL – British anti-lewisite; dimercaprol (antilewisita britânica; dimercaprol).

bal·ance (bal'ans) – equilíbrio; balanço; balança: 1. instrumento para pesagem; 2. ajuste harmonioso de partes; harmonioso desempenho de funções. **acid-base b.** – e. ácido-básico; equilíbrio normal entre produção e excreção de ácidos ou bases pelo corpo, resultando em uma concentração estável de H⁺ nos fluidos corporais. **analytical b.** – b. analítico; balanço laboratorial sensível a variações da ordem de 0,05 a 0,1mg. **fluid b.** – e. hídrico; estado do corpo em relação à ingestão e excreção de água e eletrólitos. **nitrogen b.** – e. nitrogenado; estado do corpo em relação à ingestão e excreção de nitrogênio. No e. nitrogenado negativo, a quantidade excretada é maior que a quantidade ingerida; no e. nitrogenado positivo, a quantidade excretada é menor que a quantidade ingerida. **water b.** – e. hídrico.

bal·a·ni·tis (bal"ah-ni'tis) – balanite; inflamação da glande do pênis. **gangrenous b.** – b. gangrenosa; erosão da glande do pênis, que leva a uma rápida destruição, e se acredita dever-se a condições anti-higiênicas contínuas ao lado de infecção secundária por espiroquetas.

bal·a·no·pos·thi·tis (bal"ah-no-pos-thi'tis) – balanopostite; inflamação da glande do pênis e do prepúcio.

bal·a·nor·rha·gia (-ra'jah) – balanorragia; balanite com descarga livre de pus.

bal·an·ti·di·a·sis (bal"an-ti'di'ah-sis) – balantidíase; infecção por protozoários do gênero *Balantidium*; no homem, *B. coli* pode causar diarréia e disenteria com ulceração da mucosa colônica.

Bal·an·tid·i·um (bal"an-tid'e-um) – *Balantidium*; gênero de protozoários ciliados, compreendendo muitas espécies encontradas no intestino de vertebrados e invertebrados, incluindo *B. coli*, uma espécie parasita comum de suínos (e raramente de humanos) que pode causar disenteria, e *B. suis*, encontrada nos suínos e freqüentemente considerada a mesma que *B. coli*; balantídio.

bald·ness (bawld'nes) – calvície; alopecia, especialmente do couro cabeludo. **male pattern b.** – c. do padrão masculino, ver *androgenetic alopecia*, em *alopecia*.

ball (bawl) – bola; massa mais ou menos esférica. **fungus b.** – b. de fungos; massa granulomatosa tumoral formada pela colonização de um fungo, geralmente o *Aspergillus*, em uma cavidade corporal.

bal·lis·mus (bah-liz'mus) – balismo; movimento violento dos membros, como no caso da coréia, algumas vezes afetando apenas um lado do corpo (hemibalismo).

bal·lotte·ment (bah-lot'ment) [Fr.] – rechaço; baloteamento; manobra palpatória para testar um objeto flutuante, especificamente a manobra para detectar gravidez pela inserção de dois dedos na vagina e empurrando-se a cabeça ou as nádegas fetais, fazendo com que o feto saia e retorne rapidamente aos dedos.

balm (bahm) – bálsamo; remédio aliviador ou curador.

bal·sam (bawl'sam) – bálsamo; suco vegetal resinoso, aromático e semifluido; os bálsamos são resinas combinadas com óleos. **balsam'ic** – adj. balsâmico. **Canada b.** – b. do Canadá; oleorresina proveniente do pinheiro do Canadá, utilizado como meio de montagem de microscópio. **b. of Peru, peruvian b.** – b. do Peru; b. peruano; líquido viscoso marrom-escuro proveniente da árvore *Myroxylon pereirae*, utilizado como protetor local e rubefaciente. **tole b.** – b. de tolu; bálsamo obtido a partir da árvore *Myrotoxylon balsamum*, utilizado como ingrediente de tintura de benzoína composta e expectorante.

bam·ber·my·cins (bam"ber-mi'sinz) – bambermicinas; complexo de antibióticos produzido por cepas de *Streptomyces*, utilizado como aditivo alimentar para animais de criação.

band (band) – faixa: 1. parte, estrutura ou aplicação que se conjuga; 2. em Odontologia, faixa fina de metal encaixada ao redor de um dente ou de suas raízes; 3. em Histologia, zona de miofibrila de um músculo estriado; 4. em Citogenética, segmento de um cromossoma corado mais clara ou escuramente que as faixas adjacentes; utilizada na identificação de cromossomos e na determinação da extensão exata das anormalidades cromossômicas. Chamadas de *faixas Q, faixas G, faixas C, faixas T* etc., de acordo com o método corante utilizado. **A b.** – f. A; a zona corada em tom escuro de um sarcômero, cujo centro é atravessado pela faixa H. **H b.** – f. H; zona pálida algumas vezes observada atravessando o centro da faixa A de uma fibrila muscular estriada. **I b.** – linha I; faixa dentro de uma fibrila muscular estriada, observada como uma região clara sob a luz de um microscópio e como uma região escura sob luz polarizada. **iliotibial b.** – f. iliotibial; ver em *tract*. **M b.** – f. M; faixa escura estreita no centro da faixa H. **matrix b.** – f. matricial; pedaço de metal fino encaixado ao redor de um dente para suprir a parede perdida de uma cavidade multissuperficial, permitindo a condensação adequada do amálgama no interior da cavidade. **oligoclonal b's** – faixas oligoclonais; faixas discretas de imunoglobulinas com redução de mobilidade eletroforética, cuja presença no fluido cerebroespinhal pode indicar esclerose múltipla ou outra doença do sistema nervoso central. **Z b.** – f. Z; membrana fina observada em um corte longitudinal como uma linha escura no centro da faixa I; a distância entre as faixas Z delimita os sarcômeros do músculo estriado.

ban·dage (band'daj) – bandagem: 1. atadura; faixa ou rolo de gaze ou outro material para envolver ou ligar uma parte do corpo; 2. fazer o enfaixamento com um desses materiais; **Ace b.** – b. Ace; marca registrada de atadura de material elástico entrelaçado. **Barton's b.** – b. de Barton; bandagem dupla em forma de 8 para fratura da maxila inferior. **demigauntlet b.** – b. em meia-luva; atadura que cobre a mão, mas deixa os dedos expostos. **Desault's b.** – b. de Desault; atadura que liga o cotovelo ao respectivo lado, com um acolchoado na axila, no caso de fratura clavicular. **Esmarch's b.** – b. de Esmarch; atadura de borracha indiana aplicada em sentido ascendente ao redor de uma área (da parte distal para a proximal) com o objetivo de se expelir o sangue; a região freqüentemente se eleva à medida que a pressão elástica é aplicada. **gauntlet b.** – b. em manopla; atadura que cobre a mão e os dedos como uma luva. **Gibney b.** – b. de Gibney; faixas adesivas de 1,25cm sobrepostas ao longo dos lados e dorso do pé e perna para manter o pé em posição de ligeiro desvio; deixando o dorso do pé e a face anterior da perna expostos. **plaster b.** – b. de gesso; atadura enrijecida com pasta de gesso branco. **pressure b.** – b. de pressão; atadura para aplicar pressão. **roller b.** – cilíndrica; atadura circular firmemente enrolada de largura variável e materiais em geral comercialmente preparados. **scultetus b.** – b. de Scultetus; atadura de muitas pontas disposta de modo que as pontas sobrepõem-se umas as outras, é mantida em posição por pinos de segurança. **spica b.** – b. em espiga; atadura em forma de 8 com voltas que se cruzam entre si regularmente como um V, geralmente aplicada em áreas anatômicas, cujas dimensões variam, como no caso da pelve e coxa. **Velpeau's b.** – b. de Velpeau; atadura utilizada na imobilização de determinadas fraturas acima da extremidade superior do úmero e da articulação escapular, ligando o braço e o ombro ao tórax.

ban·de·lette (ban"dĕ-let') [Fr.] – pequena atadura.

band·ing (band'ing) – enfaixamento; enfaixar: 1. ato de envolver e ligar com uma faixa fina de gaze ou outro material; 2. em Genética, qualquer das várias técnicas de corar cromossomas de forma que o padrão característico de faixas transversais escuras e claras torne-se visível, permitindo a identificação dos pares cromossômicos individuais.

bar (bahr) – bar; barra: 1. unidade de pressão, sendo esta exercida por 1 megadina por cm^2; 2. fio de aço forte ou metal forjado ou fundido, mais longo do que largo, utilizado para conectar partes de uma dentadura parcial removível. **chromatoid b.** – b. cromatóide; corpo cromatóide; ver *chromatoid body*, em *body*. (1). **median b.** – b. mediana; formação fibrótica através do colo da próstata, que produz obstrução da uretra. **Mercier's b.** – b. de Mercier; crista interuretérica. **terminal's b.** – barras terminais; zonas de contato de células epiteliais, as quais acreditava-se representar um acúmulo de substância cimentante densa, mas que a microscopia eletrônica demonstrou ser um complexo juncional.

bar·ag·no·sis (bar"ag-no'sis) – baragnosia; ausência ou perda da faculdade da barognosia, ou seja, a percepção consciente do peso.

bar·bi·tal (bahr-bĭ'-tawl) – barbital; o primeiro dos barbitúricos; é hipnótico e sedativo de efeito prolongado, também utilizado como sal de sódio.

bar·bi·tur·ate (bahr-bich'er-ti) – barbitúrico; sal ou derivado do ácido barbitúrico; os barbitúricos são utilizados por seus efeitos hipnóticos e sedativos.

bar·bi·tur·ic ac·id (bahr"bĭ-tūr'ik) – ácido barbitúrico; substância original dos barbitúricos, não constituindo em si mesma um depressivo do sistema nervoso central.

bar·bo·tage (bahr"bo-tahzh') [Fr.] – barbotagem; injeção alternada repetida e remoção de fluido com uma seringa, como na lavagem gástrica ou administração de um agente anestésico no espaço subaracnóide por meio de injeção alternada de parte do anestésico e remoção do fluido cerebroespinhal através da seringa.

bar·es·the·si·om·e·ter (bar"es-the"ze-om'it-er) – barestesiômetro; instrumento para estimativa da sensibilidade ao peso ou à pressão.

bar·iat·rics (-e-ă'triks) – bariatria; campo da Medicina que envolve o estudo do excesso de peso, suas causas, prevenção e tratamento.

ba·ri·um (bar'e-um) – bário; elemento químico (ver *Tabela de Elementos)*, número atômico 56, símbolo Ba. **b. sulfate** – sulfato de bário; sal hidrossolúvel ($BaSO_4$) utilizado como meio de contraste opaco na radiografia do trato digestivo.

baro·cep·tor (bar"o-sep'ter) – baroceptor; barorreceptor.

bar·og·no·sis (bar"og-no'sis) – barognosia; percepção consciente do peso.

baro·phil·ic (bar"o-fil'ik) – barofílico; que se desenvolve melhor em alta pressão atmosférica; diz-se de bactérias.

baro·re·cep·tor (-re-sep'ter) – barorreceptor; tipo de interoceptor estimulado por alterações de pressão, como as que ocorrem nas paredes dos vasos sangüíneos.

baro·re·flex (bar"o-re"fleks) – barorreflexo; reflexo do barorreceptor.

baro·si·nus·itis (bar"o-si"nus-i'tis) – barossinusite; complexo de sintomas devido a diferenças na pressão atmosférica ambiental e na pressão do ar nos seios paranasais.

baro·tax·is (-tak'sis) – barotaxia; estímulo da matéria viva pela alteração da pressão atmosférica.

baro·oti·tis (-tĭ't'is) – barotite; afecção mórbida do ouvido devido à exposição a pressões atmosféricas diferentes. **b. me'dia** – b. média; complexo de sintomas devido à diferença entre as pressões atmosféricas do ambiente e à pressão do ar no ouvido médio.

baro·trau·ma (-traw'mah) – barotrauma; lesão devido à pressão, como ocorre nas estruturas auditivas, em pessoas que voam a grandes altitudes, em virtude de diferenças entre as pressões atmosférica e intratimpânica; ver *barosinusitis* e *barotitis.*

bar·ri·er (bar're-er) – barreira; obstrução. **blood-air b.** – b. hematoaérea; membrana alveolocapilar. **blood-aqueous b.** – b. hematoaquosa; mecanismo fisiológico que impede a troca de materiais entre as câmaras do olho e o sangue. **blood-brain b., blood-cerebral b.** – b. hematoencefálica; barreira seletiva separando o sangue do parênquima do sistema nervoso central. Abreviação: BHE. **blood-gas b.** – b. hematogasosa; membrana alveolocapilar. **blood-testis b.** – b.

hematotesticular; barreira que separa o sangue dos túbulos seminíferos; que consiste de complexos juncionais especiais entre as células de Sertoli adjacentes próximos à base do epitélio seminífero. **placental b.** – b. placentária; camadas teciduais da placenta que regulam a troca de substâncias entre o sangue fetal e materno.

Bar·to·nel·la (bahr"to-nel'ah) – *Bartonella;* gênero da família Barthonellaceae, que inclui a espécie *B. bacilliformis,* agente etiológico da doença de Carrión.

Bar·to·nel·la·ceae (bahr"to-nel-a'se-e) – Bartonellaceae; família da ordem Rickettsiales, que ocorre como parasitas patogênicos nas hemácias do homem e outros animais.

bar·to·nel·li·a·sis (-iah-sis) – bartoneliase; bartonelose.

bar·to·nel·lo·sis (-o'sis) – bartonelose; doença infecciosa da América do Sul, causada pela *Bartonella bacilliformis,* geralmente transmitida pelo mosquito-pólvora da espécie *Phlebotomus verrucarum,* aparecendo em estádios anêmico, febril, agudo e altamente fatal (febre de Oroya), seguidos de erupção cutânea nodular (verruga peruana).

bary·pho·nia (bar"ĭ -fo'ne-ah) – barifonia; tom grave e rouquidão da voz.

ba·sad (ba'sad) – basal; em direção à base ou aspecto básico.

ba·sal (ba's'l, ba'z'l) – basal; relativo a ou situado próximo à base; em Fisiologia, relativo ao nível mais baixo possível.

ba·sa·lis (ba-sa'lis) [L.] – basal.

bas·cule (bas'kŭl) [Fr.] – básculo; dispositivo que funciona sob o princípio da gangorra, de forma que enquanto uma das extremidades se eleva, a outra se abaixa. **b. cecal** – b. cecal; forma de vólvulo cecal em que o ceco dobra-se através de faixas ou aderências ao longo do cólon ascendente.

base (bãs) – base: 1. parte mais baixa ou a fundação de alguma coisa; ver também *basis;* 2. ingrediente principal de um composto; 3. em Química, substância que se combina com ácidos formando sais; substância que se dissocia resultando em íons de hidróxido em soluções aquosas; substância cuja molécula ou íon pode se combinar com um próton (íon de hidrogênio); substância capaz de doar um par de elétrons (a um ácido) para a formação de uma ligação covalente coordenada; 4. unidade de uma prótese dentária removível. 5. em Genética, nucleotídeo específico em uma seqüência de ácidos nucleicos. **buffer b.** – b. tampão; soma de todos os ânions-tampão do sangue, utilizada como índice do grau de distúrbio metabólico no equilíbrio ácido-básico. **denture b.** – b. dentária; material onde se assentam os dentes de uma dentadura e que se apóia nos tecidos de sustentação quando a dentadura é colocada na boca. **nitrogenous b.** – b. de nitrogênio; molécula aromática que contém nitrogênio e serve como aceptora de prótons, por exemplo, a purina ou a pirimidina. **ointment b.** – b. de pomada; veículo para substâncias medicinais destinadas à aplicação externa no corpo. **purine b's** – bases purínicas; grupo de compostos químicos

dos quais a purina é a base, compreendendo adenina, guanina, hipoxantina, teobromina, ácido úrico e xantina. **pÿrimidine b's** – bases pirimidínicas; grupo de compostos químicos dos quais a pirimidina é a base, incluindo o uracil, a timina e a citosina. **record b.** – placa básica; placa basal. **b. of stapes** – b. do estribo; estapédio; placa do pé. **temporary b, trial b.** – b. temporária; b. experimental; placa básica.

base-line (bãs'lin) – linha-base; valor ou quantidade conhecidos utilizados para medir ou avaliar algo desconhecido, como a linha-base de uma amostra de urina.

base-plate (-plãt) – placa básica; lâmina de material plástico utilizada na confecção de placas experimentais para dentaduras artificiais.

ba·si·al (ba'se-il) – basal; relativo ao básio.

ba·sic (ba'sik) – básico: 1. relativo a ou com propriedades de uma base; 2. capaz de neutralizar ácidos.

ba·sic·i·ty (ba-sis'it-e) – basicidade: 1. qualidade de ser básico; 2. poder combinante de um ácido.

Ba·sid·i·ob·o·lus (bah-sid"e-ob'o-lus) – *Basidiobolus;* gênero predominantemente saprófita de fungos (família Basidiobolaceae, ordem Entomophthorales), que inclui a espécie *B. ranarum,* causador de entomoftoramicose; basidiobolo.

ba·sid·io·my·ce·te (-o-mi'sēt) – basidiomiceto; fungo individual dos Basidiomycotina.

Ba·sid·io·my·co·ti·na (-o-mi"ko-ti'nah) – Basidiomicotina; subdivisão de fungos (ou, segundo alguns sistemas de classificação, uma classe) que compreende os fungos em bastão, nos quais os esporos (basidiosporos) nascem em órgãos em forma de bastão (basídios).

ba·sid·i·um (-sid'e-um) [L.] pl. *basidia* – basídio; órgão em forma de bastão que dá origem aos esporos de Basidiomycotina.

ba·si·hy·oid (ba"se-hi'oid) – base ou corpo do osso hióide; em determinados animais inferiores, qualquer dos dois ossos laterais que são seus homólogos.

bas·i·lad (bas'ĭ -lad) – em direção à base.

ba·si·lem·ma (ba"sĭ -lem'ah) – basilema; membrana basal.

ba·si·on (ba'se-on) – básion; ponto médio da borda anterior do forame magno.

ba·sip·e·tal (bah-sip'it'l) – basípeto; que desce em direção à base; que se desenvolve em direção da base, como um esporo.

ba·sis (ba'sis) [L.] pl. *bases* – base; parte inferior, básica ou fundamental de um objeto, órgão ou substância.

ba·si·sphe·noid (ba"sĭ -sfe'noid) – basisfenóide; osso embrionário que se torna a parte traseira do osso esfenóide.

ba·so·phil (ba'so-fil) – basófilo: 1. estrutura, célula ou elemento histológico que se cora facilmente com corantes básicos; 2. leucócito granular com núcleo de forma irregular, que de modo relativo cora-se palidamente, contrai-se parcialmente em dois lobos, e contém grânulos negro-azulados irregulares de tamanho variável no citoplasma; 3. célula beta da adeno-hipófise; 4. basofílico.

ba·so·phil·ia (ba"so-fil'e-ah) – basofilia: 1. reação de hemácias relativamente imaturas a corantes básicos, por meio da qual as células coradas apresentam-se azuis, cinzentas ou azul-acinzentadas ou como grânulos azulados; 2. aumento anormal de leucócitos basófilos no sangue; 3. leucocitose basófilica.

ba·soph·i·lism (ba-sof'ĭ-lizm) – basofilia; aumento anormal das células basófilas. **Cushing's b.**, **pituitary b.** – b. de Cushing; b. hipofisária; ver *Cushing syndrome,* em *syndrome.*

bath (bath) – banho: 1. meio, por exemplo, água, vapor, areia ou lama, com que se lava ou em que o corpo é imerso completa ou parcialmente com finalidades terapêuticas ou de limpeza; aplicação desse meio ao corpo; 2. banheira; equipamento ou aparelho onde o corpo ou objeto é imerso. **colloid b.** – b. coloidal; banho que contém gelatina, amido, farelo de trigo ou substâncias semelhantes. **contrast b.** – b. de contraste; imersão de uma parte do corpo em água quente e fria alternadamente. **cool b.** – b. frio; banho em água de 18,3 a 23,9°C. **douche b.** – b. de ducha; aplicação local de água no corpo a partir de forte jato. **emollient b.** – b. emoliente; banho em líquido emoliente, por exemplo, decocção de farelo de trigo. **half b.** – meio b.; banho de quadris e parte inferior do corpo. **hip b.** – b. de quadril; b. de assento. **hot b.** – b. quente; banho em água a 36,7 a 40°C. **needle b.** – b. de agulha; banho em chuveiro em que a água é projetada em jato fino, semelhante à agulha. **sitz b.** – b. de assento; imersão exclusiva do quadril e nádegas. **sponge b.** – b. de esponja; banho em que não se imerge, mas esfrega-se o corpo com uma toalha ou esponja molhada. **tepid b.** – b. tépido; banho em água de 23,9 a 33,3°C. **warm b.** – b. morno; banho em água de 33,3 a 36,1°C. **whirlpool b.** – b. de turbilhonamento; banho em que se mantém a água em movimento constante através de meios mecânicos.

batho·rho·dop·sin (bath"o-ro-dop'sin) – batorrodopsina; intermediário transitório produzido por irradiação de rodopsina no ciclo visual.

bath·ro·ceph·a·ly (bath"ro-self'ah-le) – batrocefalia; anomalia de desenvolvimento caracterizada por projeção posterior do crânio em forma de escada, causada pelo crescimento excessivo da sutura lambdóide.

bathy- [Gr.] – bati-, elemento de palavra; profundo; profundidade.

bathy·pnea (bath"ip-ne'ah) – batipnéia; respiração profunda.

bat·te·ry (bat'er-e) – bateria: 1. conjunto ou série de células que geram corrente elétrica; 2. grupo, série ou agrupamento de coisas semelhantes, por exemplo, uma bateria de testes.

BBBB – bilateral bundle branch block (BRFB, bloqueio de ramo de feixe bilateral).

BCG – bacille Calmette-Guérin (bacilo Calmette-Guérin).

BCNU – carmustine (carmustina).

Bdel·lo·vib·rio (del"o-vib're-o) – *Bdellovibrio;* gênero de pequenos bastonetes ou bactérias curvas ativamente móveis, parasitas obrigatórios de determinadas bactérias Gram-negativas, incluindo *Pseudomonas, Salmonella* e bactérias coliformes.

bdel·lo·vib·rio (del"o-vib're-o) – bdelovibrião; microrganismo do gênero *Bdellovibrio.*

Be – símbolo químico, berílio (*beryllium*).

beak·er (bek'er) – béquer; copo de vidro, geralmente com um bico para despejar líquidos, utilizado por químicos e farmacêuticos.

beat (bēt) – bater; batimento; impulso ou pulsação, como do coração ou artéria. **apex b.** – b. apical; batimento sentido sobre o vértice do coração, normalmente próximo no ou quinto espaço intercostal esquerdo. **atrioventricular (AV) junctional escape b.** – b. de escape juncional atrioventricular; despolarização iniciada na junção atrioventricular quando um ou mais impulsos provenientes do nódulo sinoatrial são ineficientes ou inexistentes. **atrioventricular (AV) junctional premature b.** – b. prematuro juncional atrioventricular; ver em *complex.* **capture b's** – batimentos de captura; na dissociação atrioventricular, respostas ventriculares ocasionais a um impulso sinusal que atinge o nódulo atrioventricular em fase não-refratária. **ectopic b.** – b. ectópico; batimento cardíaco que se origina em um ponto além do nódulo sinusal. **escape b., escaped b.** – batimentos de escape; b. soltos; batimentos cardíacos subseqüentes a pausa mais longa que a normal. **forced b.** – b. forçado; b. dependente; extra-sístole produzida por estímulo artificial do coração. **fusion b.** – b. de fusão; b. de combinação; em eletrocardiografia, complexo que resulta quando um batimento ventricular ectópico coincide com uma condução normal para o ventrículo. **heart b.** – batimento cardíaco. **– interpolated b.** – b. intercalado; contração que ocorre exatamente entre dois batimentos normais sem alterar o ritmo sinusal. **junctional escape b.** – b. de escape juncional atrioventricular. **junctional premature b.** – b. complexo prematuro juncional atrioventricular. **postectopic b.** – b. pós-ectópico; batimento normal após um batimento ectópico. **premature b.** – b. prematuro; extra-sístole. **pseudofusion b.** – b. de pseudofusão; estímulo rítmico ineficiente emitido durante o período refratário absoluto após uma descarga espontânea, mas antes de acumular-se uma carga suficiente para impedir uma descarga do marca-passo. **reciprocal b.** – b. recíproco; impulso cardíaco que em um ciclo causa uma contração ventricular, segue em sentido retrógrado em direção aos átrios e depois reexcita os ventrículos. **reentrant b.** – b. reentrante; um dos batimentos característicos de um circuito de retorno. **retrograde b.** – b. retrógrado; batimento que resulta da condução retrógrada de impulsos considerando-se a condução atrioventricular normal. **ventricular escape b.** – b. de escape ventricular; batimento ectópico de origem ventricular que ocorre na ausência de geração ou condução de impulso supraventricular. **ventricular premature b. (VPB)** – b. prematuro ventricular; ver em *complex.*

bech·ic (bek'ik) – béquico; relativo à tosse.

bec·lo·meth·a·sone di·pro·pi·o·nate (bek"lo-meth'ah-sōn) – dipropionato de beclometasona; glicocorticóide utilizado no tratamento de asma brônquica, rinite perene e sazonal e algumas dermatoses, bem como na prevenção da recorrência de pólipos nasais.

bec·que·rel (bek-rel') – bequerel; unidade de radioatividade, definida como a quantidade de um radionuclídeo que sofre um desintegração por segundo (s⁻¹). Um curie equivale a $3,7 \times 10^{10}$ becquerels. Abreviação: Bq.

bed (bed) – leito: 1. estrutura ou tecido de apoio; 2. lugar para descanso ou sustentação do corpo durante o sono. **capillary b.** – l. capilar; capilares, considerados coletivamente, quanto à capacidade volumétrica; ver Prancha IX. **fracture b.** – l. para fratura; leito para uso de pacientes com ossos fraturados. **nail b.** – l. ungueal; matriz ungueal; área de epitélio modificado embaixo da unha, sobre a qual a placa ungueal desliza para a frente à medida que cresce. **vascular b.** – l. vascular; soma dos vasos sangüíneos que suprem um órgão ou região.

bed·bug (bed'bug) – percevejo; percevejo do gênero *Cimex*.

Bed·so·nia (bed-so'ne-ah) – *Bedsonia; Chlamydia*; ver *Chlamydia*.

bed·sore (bed'sōr) – escara; úlcera de decúbito.

be·hav·ior (be-hāv'yer) – comportamento; conduta ou procedimento; toda ou qualquer atividade de uma pessoa, especificamente aquelas externamente observáveis.

be·hav·ior·ism (-izm) – behaviorismo; teoria psicológica baseada em dados objetivamente observáveis, tangíveis e mensuráveis, e não em fenômenos subjetivos, como idéias e emoções.

bel (bel) – bel; unidade utilizada para exprimir a proporção de duas forças, geralmente as forças elétrica e acústica; o aumento de 1 bel na intensidade aproximadamente duplica a intensidade da maioria dos sons. Símbolo B. Ver também *decibel*.

be·lem·noid (bel'im-noid; bě-lem'noid) – belemnóide: 1. em forma de dardo; 2. processo estilóide.

bel·la·don·na (be"ah-don'ah) – beladona: 1. *Atropa belladonna*, planta mortal perene que contém vários alcalóides anticolinérgicos, incluindo a atropina, hiosciamina e escopolamina, as quais são utilizadas medicinalmente; no entanto, a planta ou os alcalóides podem causar envenenamento.

bel·ly (bel'e) – 1. ventre; abdome; 2. a parte polpuda e contrátil de um músculo.

bel·o·noid (bel'ah-noid) – belonóide; em forma de agulha; estilóide.

ben·ac·ty·zine (ben-ak'tĭ -zēn) – benactizina; anticolinérgico utilizado como tranqüilizante em forma do sal de cloridrato.

Ben·a·dryl (ben'ah-dril) – Benadryl, marca registrada de uma preparação de difenidramina.

ben·a·ze·pril (ben-a'zě-pril) – benazeprila; inibidor da enzima que cliva e ativa a angiotensina; é administrada oralmente no tratamento da hipertensão.

bend (bend) – curvatura; flexura ou arqueamento de uma área flexionada ou dobrada. **varolian b.** – c. varoliana; terceira flexura cerebral no feto em desenvolvimento.

ben·dro·flu·me·thi·a·zide (ben"dro-floo"mě-thi'ah-zĭ d) – bendroflumetiazida; diurético tiazídico utilizado para hipertensão e edema.

bends (bendz) – mal dos megulhadores; dor nos membros e no abdômen devido à rápida redução de pressão do ar; ver *decompression sickness*, em *sickness*.

be·nign (bě-nī n') – benigno; não-maligno; não-recorrente; favorável à recuperação.

ben·ox·i·nate (ben-ok'sĭ -nāt) – benoxinato; anestésico tópico para o olho, utilizado como sal de cloridrato.

ben·ton·ite (ben'ton-ī t) – bentonita; silicato de alumínio hidratado coloidal natural que se dilata em água; é utilizado como agente suspensor.

Ben·tyl (ben'til) – Bentyl, marca registrada de preparações de cloridrato de diciclomina.

ben·zal·de·hyde (ben-zal'dě-hī d) – benzaldeído; óleo essencial artificial de amêndoas; utilizado como agente aromático.

ben·zal·ko·ni·um chlo·ride (ben"zal-ko'ne-um) – cloreto de benzalcônio; composto de amônio quaternário, utilizado como desinfetante e detergente de superfície e anti-séptico tópico, bem como preservativo antimicrobiano.

Ben·ze·drex (ben'zah-dreks) – Benzedrex, marca registrada de inalador de propilexedrina.

ben·zene (ben'zēn) – benzeno; hidrocarboneto líquido (C_6H_6) proveniente do alcatrão de hulha; utilizado como solvente. Seus vapores podem causar intoxicação fatal. **b. hexachloride** – hexacloreto de benzeno; composto ($C_6H_6Cl_6$) que tem cinco isômeros, sendo o isômero gama um inseticida poderoso.

ben·ze·tho·ni·um chlo·ride (ben"zě-tho'ne-um) – cloreto de benzetônio; composto de amônio quaternário utilizado como antiinfectante local, como preservativo em preparações farmacêuticas, bem como detergente e desinfetante.

ben·zi·dine (ben'zĭ -dēn) – benzidina; carcinógeno e toxina utilizada amplamente no passado como teste de sangue oculto.

ben·zin, ben·zine (ben'zin; ben'zēn) – benzina. **petroleum b., purified b.** – b. de petróleo; b. purificada; destilado purificado do petróleo; solvente para compostos orgânicos.

ben·zo·ate (ben'zo-āt) – benzoato; sal de ácido benzóico.

ben·zo·caine (-kān) – benzocaína; anestésico local, aplicado topicamente à pele e membranas mucosas e utilizado para suprimir o reflexo de deglutição nos procedimentos dentários, assim como em endoscopia e intubação.

ben·zo·di·az·e·pine (ben"zo-di-az'ě-pēn) – benzodiazepina; substância de um grupo de tranqüilizantes menores que possuem estrutura molecular comum e atividades farmacológicas semelhantes, incluindo a ansiolítica, relaxamento muscular e efeitos sedativos e hipnóticos.

ben·zo·ic ac·id (ben-zo'ik) – ácido benzóico; composto fungistático utilizado como preservativo alimentar e agente antifúngico tópico.

ben·zo·in (ben'zo-in, -zoin) – benzoína: 1. resina balsâmica proveniente da *Styrax benzoin* e outras espécies de *Styrax*, utilizada como protetor tópico, anti-séptico, expectorante e inalante; 2. composto altamente tóxico preparado a partir do benzaldeído e cianeto, utilizado na síntese orgânica.

ben·zo·na·tate (ben-zo'nah-tāt) – benzonatato; antitussígeno administrado oralmente.

ben·zo·pur·pu·rine (ben"zo-pur'pu-rin) – benzopurpurina; substância de uma série de corantes azo de cor escarlate.

ben·zo·qui·none (-kwin'ōn) – benzoquinona: 1. anel benzênico substituído que contém dois grupos carbonila, geralmente na posição *para* (1,4); *p*-benzoquinona é utilizada na indústria e em fungicidas, é tóxica se inalada, bem como irritante à pele e às membranas mucosas; 2. substância de uma subclasse de quinonas derivadas dessa estrutura ou que a contêm.

ben·zo·thi·a·di·a·zide, ben·zo·thi·a·di·a·zine (-thi"ah-di'ah-zīd; -zēn) – benzotiadiazida; benzotiadiazina; tiazida.

ben·zo·yl (ben'zo-il) – benzoil; radical acílico formado a partir do ácido benzóico ($C_6H_5CO^-$). **b. peroxide** – peróxido de benzoil; ceratolítico e antibacteriano tópico utilizado no tratamento da acne vulgar.

ben·zo·yl·ec·go·nine (ben"zo-il-ek'go-nēn) – benzoilecgonina; principal metabólito da cocaína; detectável no sangue por meio de testes laboratoriais.

benz·phet·amine (benz-fet'ah-mēn) – benzofetamina; amina simpatomimética utilizada como anorexiante na forma de sal de cloridrato.

benz·quin·amide (-kwin'ah-mī d) – benzoquinamida; composto antiemético que também tem ação anti-histamínica e anticolinérgica e sedativa suaves; utilizada intramuscular ou endovenosamente como sal de cloridrato.

benz·thi·azide (-thi'ah-zī d) – benzotiazida; diurético e hipertensivo administrado oralmente.

benz·tro·pine (benz'tro-pēn) – benzotropina; parassimpatolítico com efeitos anticolinérgicos, anti-histamínicos e anestésicos locais; o sal de mesilato é utilizado como antidiscinético na doença de Parkinson, e no controle de reações extrapiramidais a drogas neurolépticas.

ben·zyl (ben'zil) – benzila; radical dos hidrocarbonetos (C_7H_7). **b. benzoate** – benzoato de benzila; uma das substâncias ativas no bálsamo peruano, aplicada topicamente como escabicida.

ben·zyl·pen·i·cil·lin (ben"zil-pen"ĭ -sil'in) – benzilpenicilina; penicilina G.

ben·zyl·pen·i·cil·lo·yl poly·ly·sine (-pen"ĭ -sil-o-il pol"e-li'sēn) – benzilpeniciloilpolilisina; antígeno de teste cutâneo composto de duas metades benzilpeniciloil/carreador polilisínico, utilizado na avaliação da hipersensibilidade a penicilina por meio de teste de escarificação ou teste intradérmico.

beri·beri (ber"e-ber"e) – beribéri; doença devido à deficiência de tiamina (vitamina B_1), caracterizada por polineurite, patologia cardíaca e edema; a forma epidêmica ocorre principalmente em áreas nas quais o arroz branco (fino) é o alimento padrão.

berke·li·um (ber-kĕl'e-um; berk'le-um) – berquélio; elemento químico (ver *Tabela de Elementos*), número atômico 97, símbolo Bk.

ber·yl·li·o·sis (bah-ril"e-o'sis) – beriliose; afecção mórbida devido à exposição aos vapores ou pó muito fino de sais de berílio, caracterizada por formação de granulomas, geralmente envolvendo os pulmões e, raramente, a pele, tecido subcutâneo, linfonodos, fígado e outros órgãos.

ber·yl·li·um (bah-ril'le-um) – berílio; elemento químico (ver *Tabela de Elementos*), número atômico 4, símbolo Be.

Bes·noi·tia (bes-noit'e-ah) – *Besnoitia;* gênero de esporozoários, incluindo *B. bennetti* e *B. besnoiti,* que causam besnoitiose nos eqüinos e bovinos, respectivamente.

bes·noi·ti·o·sis (bes-noit"e-o'sis) – besnoitiose; doença dos bovinos, eqüinos, ovinos, caprinos e outros animais herbívoros, devido a parasitas esporozoários do gênero *Besnoitia,* em que os microrganismos localizam-se na pele, vasos sangüíneos, membranas mucosas e em outros tecidos, onde finalmente formam cistos característicos de parede espessa.

bes·y·late (bes'ĭ -lāt) – besilato; contração aprovada pela USAN para o benzenossulfonato.

be·ta (bāt'ah) – β, segunda letra do alfabeto grego; ver também *β-*.

be·ta·car·o·tene (ba"tah-kar'o-tēn) – betacaroteno; ver *carotene.*

Be·ta·dine (-dēn) – Betadine, marca registrada de preparações de iodo-povidona.

Be·ta·her·pes·vi·ri·nae (-her"pēz-vir-i'ne) – Betaherpesvirinae; citomegalovírus: subfamília de vírus da família Herpesviridae, que inclui o gênero *Cytomegalovirus.*

be·ta·ine (bēt'ah-ēn) – betaína; ácido carboxílico derivado da oxidação de colina; age como intermediário metabólico transmetilante. O sal de cloridrato é utilizado como acidificante gástrico.

be·ta·meth·a·sone (ba"tah-meth'ah-sōn) – betametasona; glicocorticóide sintético, o mais ativo dos esteróides antiinflamatórios; é administrado oral ou topicamente na forma de vários sais como antiinflamatório, como reposição no caso de insuficiência adrenal e como imunossupressor.

be·tax·o·lol (ba-tak'so-lol) – betaxolol; β-bloqueador cardiosseletivo que age em receptores β-adrenérgicos; é utilizado em forma de sal de cloridrato como hipertensivo e antianginal, bem como no tratamento do glaucoma de ângulo aberto e hipertensão ocular.

be·thane·chol (bĕ-than'ĕ-kol) – betanecol; antagonista colinérgico, utilizado para estimular a contração muscular lisa do trato gastrointestinal e bexiga em casos de atonia e retenção pós-operatórias, pós-parto ou neurogênicas; utilizado como sal de cloreto.

BF – blastogenic factor (FB, fator blastogênico).

BHA – butylated hydroxyanisole (hidroxianisol butilado); antioxidante utilizado no alimento, cosméticos e produtos farmacêuticos que contenham gorduras ou óleos.

BHT – butylated hydroxytoluene (hidroxitolueno butilado); antioxidante utilizado em alimentos, cosméticos, produtos farmacêuticos e derivados de petróleo.

Bi – símbolo químico, bismuto (*bismuth*).

bi- [L.] – elemento de palavra, *dois.*

bi-acro·mi·al (bi-ah-kro'me-al) – biacromial; entre os dois acrômios.

bi·cam·er·al (-kam'er-il) – bicameral; que tem duas câmaras ou cavidades.

bi·car·bo·nate (-kahr'bĭ-nāt) – bicarbonato; sal que contém o ânion HCO_3^-. **blood b., plasma b.** – b. sangüíneo; b. plasmático; bicarbonato do plasma sangüíneo, um índice da reserva alcalina. **b. of soda** – b. de soda; bicarbonato de sódio. **standard b.** – b. padrão; concentração de bicarbonato plasmático em sangue equilibrado com uma mistura gasosa específica sob determinadas condições.

bi·ceps (bi'seps) – bíceps; músculo que tem duas cabeças.

bi·cip·i·tal (bi-sip'ĭ t'l) – bicipital; que tem duas cabeças; relativo ao músculo bíceps.

bi·col·lis (-kol'is) – bicólico; que tem cérvix dupla.

bi·con·cave (-kon-kāv') – bicôncavo; que tem duas superfícies côncavas.

bi·con·vex (-kon-veks') – biconvexo; que tem duas superfícies convexas.

bi·cor·nate (-kor-nāt) – bicornado; bicórneo.

bi·cor·nu·ate (-kor'nu-āt) – bicórneo; bicornado; que tem dois cornos.

bi·cus·pid (-kus'pid) – bicúspide: 1. que tem duas cúspides; 2. relativo a uma válvula cardíaca bicúspide; 3. dente pré-molar.

b.i.d. [L.] – *bis in die* (duas vezes ao dia).

bi·der·mo·ma (bi''der-mo'mah)–dideroma (*didermoma*).

bid·u·ous (bĭ'd'u-us) – bíduo; que dura dois dias.

bi·fid (bi'fid) – bífido; fendido em duas partes ou ramos.

Bi·fid·o·bac·te·ri·um (bi''fid-o-bak-te're-um) – *Bifidobacterium;* gênero de lactobacilos anaeróbios obrigatórios que ocorre comumente nas fezes; bifidobactérias.

bi·fo·rate (bi-for'āt) – biperfurado; que tem duas perfurações ou forames.

bi·fur·ca·tion (bi''fer-ka'shun) – bifurcação: 1. divisão em dois ramos; 2. ponto onde ocorre uma divisão em dois ramos.

bi·gem·i·ny (bi-jem'ĭ-ne) – bigeminismo: 1. que ocorre em pares; 2. ocorrência de dois batimentos do pulso em sucessão rápida. **atrial b.** – b. atrial; arritmia que consiste na repetição seqüencial de um complexo prematuro atrial, seguida de um impulso sinusal normal. **atrioventricular nodal b.** – b. nodular atrioventricular; arritmia em que uma extra-sístole atrioventricular é seguida de um impulso sinusal normal em repetição seqüencial. **ventricular b.** – b. ventricular; arritmia que consiste na repetição seqüencial de um complexo prematuro ventricular seguida de um batimento normal.

big·head (big'hed) – macrocéfalo: 1. afecção de carneiros jovens caracterizada por inchaço edematoso da cabeça e pescoço, devido à *Clostridium novyi;* 2. espessamento da face e orelhas nos ovinos brancos, devido à fotossensibilidade após ingestão de determinadas plantas; 3. hidrocefalia do visom.

bi·lay·er (bi'la-er) – bicamada; membrana que consiste de duas camadas moleculares.

bile (bīl) – bile; fluido secretado pelo fígado, concentrado na vesícula biliar e derramado no interior do intestino delgado através dos ductos biliares, o qual ajuda na alcalinização do conteúdo intestinal

e na emulsificação, absorção e digestão de gorduras; seus constituintes principais são os sais biliares conjugados, colesterol, fosfolipídios, bilirrubina e eletrólitos.

bile acid (bīl l) – ácido biliar; um dos ácidos esteróides derivados do colesterol; classificados como *primários,* aqueles sintetizados no fígado, por exemplo, ácidos cólico e quenodesoxicólico; ou *secundários,* aqueles produzidos dos ácidos biliares primários através das bactérias intestinais, por exemplo, ácidos desoxicólico e litocólico. A maioria dos ácidos biliares é reabsorvida e retorna ao fígado através da circulação êntero-hepática. Cf. *bile salts,* em *salt.*

Bil·har·zia (bil-hahr'ze-ah) – Bilharzia; Schistosoma; ver *Schistossoma.*

bil·har·zi·a·sis (bil''har-zi'ah-sis) – bilharzíase; esquistossomose (*schistosomiasis*).

bili- [L.] – bili-, elemento de palavra, *bile.*

bil·ious·ness (bil'yus-nes) – biliosidade; complexo de sintomas que compreende náuseas, desconforto abdominal, dor de cabeça e constipação, antigamente atribuído ao excesso de secreção biliar.

bil·i·ra·chia (bil''l-ra'ke-ah)–bilirraquia; presença de pigmentos biliares no líquido espinhal.

bil·i·ru·bin (-roo'bin) – bilirrubina; pigmento biliar produzido pelo desdobramento de heme e redução de biliverdina; circula normalmente no plasma e é coletada pelas células hepáticas e conjugada para formar diglicuronato de bilirrubina, o pigmento hidrossolúvel excretado na bile. As altas concentrações de bilirrubina podem resultar em icterícia. **conjugated b., direct b.** – b. conjugada; b. direta; bilirrubina que foi coletada pelas células hepáticas e conjugada para formar o diglicuronato de bilirrubina hidrossolúvel. **indirect b., unconjugated b.** – b. indireta; b. não-conjugada; forma lipossolúvel de bilirrubina que circula em associação livre com as proteínas plasmáticas.

bil·i·ver·din (-ver'd'n) – biliverdina; pigmento biliar verde formado pelo catabolismo da hemoglobina e convertido em bilirrubina no fígado; também pode surgir a partir da oxidação da bilirrubina.

bi·loc·u·lar (bi-lok'u-ler) – bilocular; que tem dois compartimentos.

bi·lo·ma (bi'lo-mah) – biloma; coleção encapsulada de bile na cavidade peritoneal.

bi·na·ry (bi'nar-e) – binário: 1. constituído de dois elementos ou duas partes iguais; 2. denota um sistema numérico com base no número dois.

bin·au·ral (bi-naw'r'l) – binaural; relativo a ambas as orelhas.

bin·au·ric·ular (bin''aw-rik'u-ler) – binauricular; relativo a ambos os pavilhões auriculares.

bind·er (bī nd'er) – cinta ou bandagem, ou grande atadura para suporte do abdômen ou mamas, particularmente a que se aplica ao abdômen após o parto para suportar as paredes abdominais relaxadas.

bin·oc·u·lar (bin-ok'u-ler) – binocular: 1. relativo a ambos os olhos; 2. que tem duas peças oculares, como um microscópio.

bi·no·mi·al (bi-no'me-il) – binomial; composto de dois termos, por exemplo, nomes de microrganismos formados pela combinação de nomes de gênero e espécie.

bin·ov·u·lar (bin-ov'u-ler) – binovular; relativo ou derivado de dois óvulos distintos.

bi·nu·cle·a·tion (b"noo-kle-a'shun) – binucleação; formação de dois núcleos dentro de uma célula através da divisão do núcleo, mas sem divisão do citoplasma.

bio- [Gr.] – bio-, elemento de palavra; *vida, viver.*

bio·am·in·er·gic (bĭ" o-am"in-er'jik) – bioaminérgico; de ou relativo a neurônios que secretam aminas biogênicas.

bio·as·say (-as'a) – bioensaio; determinação do princípio ativo de amostra de droga comparando seus efeitos em um animal vivo ou em órgão isolado com a preparação usada como padrão de referência.

bio·avail·a·bil·i·ty (-ah-vāl"ah-bil'it-e) – biodisponibilidade; grau em que uma droga ou outra substância torna-se disponível ao tecido-alvo após a administração.

bio·chem·is·try (-kem'is-tre) – bioquímica; química dos organismos vivos e processos vitais.

bio·cide (bi'o-sĭ d) – biocida; agente que mata organismos vivos.

bio·com·pat·i·bil·i·ty (bi"o-kom-pat"ĭ -bil'it-e) – biocompatibilidade; qualidade de não ter efeitos tóxicos ou lesivos em sistemas biológicos. **biocompat'ible** – adj. biocompatível.

bio·de·grad·able (-de-grād'ah-b'l) – biodegradável; suscetível à degradação por meio de processos biológicos, por exemplo, a ação bacteriana ou enzimática.

bio·deg·ra·da·tion (-deg"rah-da'shun) – biodegradação; série de processos pelos quais os sistemas vivos tornam os produtos químicos menos nocivos ao ambiente.

bio·equiv·a·lence (-e-kwiv'ah-lens) – bioequivalência; relação entre duas preparações da mesma droga na mesma forma de dosagem e com biodisponibilidade semelhante. **bioequiv'alent** – adj. bioequivalente.

bio·eth·ics (-eth'iks) – bioética; obrigações de natureza moral relativas à pesquisa biológica e suas aplicações.

bio·feed·back (-fēd'bak) – biofeedback; biorretroalimentação; processo de fornecer informações a um indivíduo sobre as condições de uma ou mais variáveis psicológicas, por exemplo, freqüência cardíaca, pressão sangüínea ou temperatura cutânea; esses dados freqüentemente permitem que o indivíduo obtenha certo controle voluntário sobre tais variações. **alpha b.** – b. alfa; apresentação visual de seus próprios padrões de ondas cerebrais a um paciente orientado no sentido de tentar produzir uma atividade de ondas cerebrais alfa com o objetivo de atingir o estado alfa de relaxamento e vigília. Utiliza-se um timbre acústico para indicar a não-produção de ondas alfa.

bio·fla·vo·noid (-fla'vah-noid) – bioflavonóide; um dos flavonóides com atividade biológica nos mamíferos.

bio·gen·e·sis (-jen'ĕ-sis) – biogênese: 1. origem da vida ou dos organismos vivos; 2. teoria em que os organismos vivos se originam somente de outros organismos vivos.

bio·im·plant (-im'plant) – bioimplante; prótese feita de material biossintético.

bio·in·com·pat·i·ble (-in"kom-pat'ĭ -b'l) – bioincompatível; em desarmonia com a vida; que tem efeitos tóxicos ou lesivos às funções vitais.

bio·ki·net·ics (-ki-net'iks) – biocinética; estudo dos movimentos teciduais e das alterações que ocorrem no desenvolvimento dos organismos.

bi·o·log·i·cal (-loj'ĭ -k'l) – biológico: 1. relativo à Biologia; 2. preparações medicinais feitas a partir de microrganismos vivos e seus produtos, incluindo soros, vacinas, etc.

bi·ol·o·gy (bi-ol'ah-je) – biologia; estudo científico dos organismos vivos. **molecular b.** – b. molecular; estudo de estruturas moleculares e eventos subjacentes aos processos biológicos, incluindo relacionamentos entre os genes e características funcionais por estes determinadas. **radiation b.** – b. de radiação; estudo científico dos efeitos da radiação ionizante em organismos vivos.

bio·lu·mi·nes·cence (bi"o-loo"mĭ -nes'ins) – bioluminescência; quimioluminescência que ocorre nas células vivas.

bio·mass (bi'o-mas) – biomassa; agrupamento inteiro de organismos vivos de uma região particular, considerados coletivamente.

bio·ma·te·ri·al (bi"o-mah-tēr'e-il) – biomaterial; curativo sintético com propriedades de barreira seletivas, utilizado no tratamento de queimaduras; consiste de um solvente líquido (polietilenoglicol 400) e um polímero em pó.

bi·ome (bi'ōm) – bioma; grande comunidade de organismos, distinta e facilmente diferenciada que surge como resultado de interações complexas de fatores climáticos, biota e substrato; geralmente designado; de acordo com o tipo de vegetação presente, tundra, floresta de coníferas ou decídua, pradaria, etc.

bio·med·i·cine (bi"o-med'ĭ -sin) – biomedicina; medicina clínica baseada nos princípios das ciências naturais (biologia, bioquímica, etc.). **biomed'ical** – adj. biomédico.

bio·mem·brane (-mem'brān) – biomembrana; qualquer membrana, por exemplo, a membrana celular, de um organismos vivos. **biomem'branous** – adj. biomembranoso.

bi·om·e·try (bi-om'ĭ -tre) – biometria; aplicação de métodos estatísticos a fatos biológicos.

bio·mi·cro·scope (bi"o-mi'krah-skōp) – biomicroscópio; lâmpada de fenda; microscópio para examinar o tecido vivo no corpo.

bio·mod·u·la·tion (-mod"u-la'shun) – biomodulação; ajuste reativo ou associativo do estado bioquímico ou celular de um organismo.

bio·mod·u·la·tor (-mod'u-la"ter) – biomodulador; modificador de resposta biológica.

bio·mol·e·cule (-mol'ě-kūl) – biomolécula; molécula produzida por células vivas, por exemplo, proteína, carboidrato, lipídio ou ácido nucleico.

bi·on·ics (bi-on'iks) – Biônica; estudo científico das funções, características e fenômenos observados no mundo animado, e a aplicação do conhecimento obtido a partir desse estudo em sistemas inanimados.

bio·phys·ics (bi"o-fiz'iks) – Biofísica; ciência que lida com a aplicação de métodos físicos e teorias a problemas biológicos. **biophys'ical** – adj. biofísico.

bio·phys·i·ol·o·gy (fiz"e-ol'ah-je) – biofisiologia; ramo da biologia que compreende a organogenia, morfologia e fisiologia.

bi·op·sy (bi'op-se) – biopsia; remoção e exame, geralmente microscópico, de tecidos do corpo vivo, realizados a fim de estabelecer um diagnóstico preciso. **aspiration b.** – b. por aspiração; biopsia na qual se obtém o tecido através da aplicação de sucção por meio de uma agulha presa a uma seringa. **brush b.** – b. por escova; biopsia na qual se obtêm células ou tecidos por meio de manipulação de escovas pequeninas contra o tecido ou lesão em questão (por explo, através de um broncoscópio) no local desejado. **cone b.** – b. cônica; biopsia na qual se excisa um cone invertido de tecido, como o que se retira da cérvix uterina. **core b., core needle b.** – b. nuclear; b. com agulha nuclear; biopsia em que se extrai um núcleo de tecido com uma grande agulha oca. **endoscopic b.** – b. endoscópica; remoção de tecido por meio de instrumentos apropriados através de um endoscópio. **excisional b.** – b. excisional; biopsia de tecido removido por meio de corte cirúrgico. **incisional b.** – b. incisional; biopsia de porção selecionada de uma lesão. **needle b.** – b. de agulha; biopsia em que se obtém o tecido por meio de punção de um tumor, destacando-se o tecido dentro do lúmen da agulha através de rotação, e retirando-se a agulha. **percutaneous b.** – b. percutânea; biopsia em que se obtém o tecido por meio de agulha inserida na pele. **punch b.** – b. por punção; biopsia em que se obtém o tecido por meio de punção. **shave b.** – b. por raspagem; biopsia de lesão cutânea em que se excisa a amostra utilizando-se um corte paralelo na superfície da pele circundante. **stereotactic b.** – b. estereotática; biopsia do cérebro utilizando-se cirurgia estereotática para localizar a área de biopsia. **sternal b.** – b. esternal; biopsia da medula óssea do esterno removida através de punção ou trepanação.

bi·op·tome (-tōm") – biótomo; instrumento de corte para coletar amostras de biopsia.

bio·re·ver·si·ble (bi"o-re-ver'sĭ -b'l) – biorreversível; capaz de ser revertido à forma química ativa biológica original por meio de processos internos do organismo; diz-se de medicamentos.

bio·sci·ence (-si'ins) – Biociência; estudo da biologia em que se empregam todas as ciências aplicáveis (física, química, etc.).

bio·sphere (bi'o-sfēr) – biosfera: 1. parte do universo onde se sabe existir organismos vivos, compreendendo a atmosfera, hidrosfera e litosfera; 2. esfera de ação entre um organismo e seu ambiente.

bio·sta·tis·tics (bi"o-stah-tis'tiks) – bioestatística; estatística vital.

bio·ste·reo·met·rics (-stĕr"e-o-mĕ'triks) – bioestereometria; análise das características espaciais e espaços temporais da forma e função biológicas através de mapeamento tridimensional do corpo.

bio·syn·the·sis (-sin'thĭ -sis) – biossíntese; criação de um composto por meio de processos fisiológicos em um organismo vivo. **biosynthet'ic** – adj. biossintético.

bi·o·ta (bi-ōt'ah) – biota; todos os organismos vivos de uma área particular; flora e fauna combinadas de uma região.

bio·tel·em·e·try (bi"o-tel-em'ĕ-tre) – biotelemetria; registro e medição de determinados fenômenos vitais dos organismos vivos que se situam a certa distância do dispositivo medidor.

bio·ther·a·py (-ther'ah-pe) – bioterapia; terapia biológica.

bio·tin (bi'o-tin) – biotina; um membro do complexo de vitaminas B; é co-fator de várias enzimas, atua no metabolismo dos ácidos graxos e aminoácidos e é utilizado *in vitro* em alguns ensaios biológicos.

bio·tox·i·col·o·gy (bi"o-tok"sĭ -kol'ah-je) – biotoxicologia; estudo científico das toxinas produzidas pelos organismos vivos, bem como o tratamento das afecções produzidas por elas.

bio·trans·for·ma·tion (-trans"for-ma'shun) – biotransformação; série de alterações químicas de um composto (por exemplo, uma droga) que ocorre dentro do corpo, como é o caso da atividade enzimática.

bio·type (bi'o-tĭ p) – biotipo: 1. grupo de indivíduos que têm o mesmo genótipo; 2. qualquer cepa de uma espécie de microrganismo que apresente características fisiológicas diferenciáveis.

bi·ov·u·lar (bi-ov'u-ler) – biovular; binovular (*binnovular*).

bip·a·rous (bip'ah-ris) – bíparo; que produz dois óvulos ou dois descendentes por vez.

bi·pen·ni·form (bi-pen'ĭ -form) – bipeniforme; em forma de pena dupla; diz-se de músculos cujas fibras distribuem-se de cada lado de um tendão como os filamentos de uma pena.

bi·per·i·den (-per'ĭ -den) – biperideno; agente anticolinérgico sintético com atividade anti-secretória, espasmolítica e midriática, utilizado na forma de seus sais como antidiscinético.

bi·phe·nyl (-fen'il) – bifenil; difenil ($C_6H_5)_2$. **polychlorinated b. (PCB)** – b. policlorada; substância de um grupo de derivados clorados do bifenil, utilizados como agentes transferidores de calor e isolantes elétricos; são tóxicos, carcinogênicos e não-biodegradáveis.

bi·po·ten·ti·al·i·ty (bi"pah-ten"she-al'it-e) – bipotencialidade; capacidade de desenvolver ou agir em ambas as formas possíveis.

bi·ra·mous (bi-ra'mis) – birramoso; que tem dois ramos.

bi·re·frin·gence (-re-frin'jens) – birrefringência; qualidade de transmitir luz desigualmente em direções diferentes. **birefrin'gent** – adj. birrefringente.

birth (berth) – nascimento; ato ou processo de nascer. **complete b.** – n. completo; separação completa da criança do corpo materno (após secção do cordão umbilical). **multiple b.** – n. múltiplo; nascimento de dois ou mais descendentes produzidos no mesmo período de gestação. **premature b.** – n. prematuro; nascimento de uma criança prematura.

birth·mark (berth'mark) – marca de nascença; nevo; marca ou mancha circunscrita na pele de origem congênita.

bis·ac·o·dyl (bis-ak'ah-dil, bis"ah-ko'dil) – bisacodil; laxante oral ou retal; também utilizado como *b. tânica*, complexo com ácido tânico.

bis·acro·mi·al (bis"ah-kro'me-il) – bisacromial; relativo aos dois processos acromiais.

bi·sec·tion (bi-sek'shun) – bissecção; divisão em duas partes por meio de uma secção.

bi·sex·u·al (-sek'shoo-il) – bissexual; bissexuado: 1. que tem gônadas de ambos os sexos; 2. hermafrodita; 3. que tem interesses ou características tanto ativas como passivas; 4. com capacidade de função de ambos os sexos; 5. tanto hetero como homossexual; 6. indivíduo que é tanto hetero como homossexual; 7. de, relativo a ou que envolve ambos os sexos, por exemplo, reprodução bissexuada.

bis·fe·ri·ous (bis-fe're-us) – batida dupla; dicrótico; que tem dois batimentos.

bis·il·i·ac (-il"e-ak) – bisilíaco; relativo a dois ossos ilíacos ou a dois pontos correspondentes neles.

bis in die (bis in de'a) [L.] – duas vezes ao dia.

bis·muth (biz'muth) – bismuto; elemento químico (ver *Tabela de Elementos*), número atômico 83, símbolo Bi. Seus sais são utilizados em doenças inflamatórias do estômago e intestinos.

bis·mu·tho·sis (biz"muth-o'sis) – bismutose; intoxicação crônica por bismuto, caracterizada pela anúria, estomatite, dermatite e diarréia.

2,3-bis·phos·pho·glyc·er·ate (bis-fos"fo-glis'-er-āt) – 2,3-bifosfoglicerato; intermediário na conversão do 3-fosfoglicerato em 2-fosfoglicerato; também age como um efetor alostérico na regulação da ligação do oxigênio por parte da hemoglobina.

bis·tou·ry (bis'too-re) – bisturi; instrumento cirúrgico cortante, longo, estreito, reto ou curvo.

bi·sul·fate (bi-sul'fāt) – bissulfato; sulfato ácido.

bite (bīt) – mordida; mordedura; picada, morder: 1. ataque com os dentes; 2. ferimento ou punção realizados por um organismo vivo; 3. impressão feita pelo fechamento dos dentes sobre um material plástico, por exemplo, cera; 4. oclusão; *occlusion* (2). **closed b.** – m. fechada; má-oclusão em que as bordas incisivas dos dentes anteriores do maxilar inferior protraem-se para a frente dos dentes do maxilar superior. **cross b.** – m. cruzada. **edge-to-edge b., end-to-end b.** – m. ou oclusão de ponta a ponta; oclusão em que os incisivos de ambos os maxilares tocam-se. **open b.** – m. aberta; oclusão na qual determinados dentes opostos não conseguem reunir-se quando os maxilares se fecham; geralmente confinada aos dentes anteriores. **over b.** – bloco de m., borda de oclusão.

bite-block (bīt'blok) – borda de oclusão.

bite-lock (-lok) – trava de mordedura; dispositivo dentário colocado externamente na boca para reter as bordas de oclusão na mesma relação em que a ocupam.

bite·plate (-plāt) – placa de mordedura; aplicação, geralmente de plástico e arame, usada no palato como adjuvante diagnóstico ou terapêutico em ortodontia ou protética.

bite-wing (-wing) – aba de mordedura; aba ou ala presa ao longo do centro do dente ao lado de um filme de raio X intra-oral que ao ser mordida pelo paciente, permite a produção de imagens da coroa dos dentes em ambas as arcadas dentárias e de seus tecidos periodontais contíguos.

Bi·tis (bī t'is) – *Bitis;* gênero de cobras viperinas venenosas, de corpo espesso e colorido brilhante, que possuem cabeças em forma de coração; incluem um tipo de víbora africana (*B. arientans*), a víbora-do-Gabão (*B. gabonica)* e a víbora-rinoceronte (*B. nasicornis*).

bi·tro·chan·ter·ic (bi-tro"kan-ter'ik) – bitrocantérico; relativo a ambos os trocanteres em um fêmur ou aos dois trocanteres maiores.

bi·tu·mi·no·sis (bī -too"min-o'sis) – betuminose; forma de pneumoconiose devido ao pó do carvão mole.

bi·u·ret (bi'ūr-et) – biureto; derivado de uréia cuja presença é detectada após a adição de soluções de hidróxido de sódio e de sulfato de cobre, pelo aparecimento de coloração violeta-rosada (teste de proteína) ou rosada e finalmente azulada (teste de uréia).

bi·va·lent (bi-va'lent) – bivalente: 1. que tem valência dois; 2. denota cromossomos homólogos associados em pares durante a primeira prófase meiótica.

bi·ven·tric·u·lar (bi"ven-trik'u-ler) – biventricular; relativo ou que afeta ambos os ventrículos do coração.

bi·zy·go·mat·ic (bi-zi"go-mat'ik) – bizigomático; relativo aos dois pontos mais proeminentes nos dois arcos zigomáticos.

Bk – símbolo químico, berquélio (*berkelium*).

BKV – BK virus (vírus BK).

black (blak) – preto; que não reflete nenhuma luz ou cor verdadeira do matiz mais escuro.

black·head (blak'hed) – comedão; histomoníase: 1. comedão aberto; 2. histomoníase dos perus.

black·leg (-leg) – carbúnculo sintomático.

black·out (-owt) – lipotimia dos aviadores; amaurose fugaz; perda de visão e lapso momentâneo de consciência devido à diminuição de circulação no cérebro e retina. **alcoholic b.** – b. alcoólico; amnésia anterógrada experimentada pelos alcoólicos durante episódios de embriaguez, quando não completamente intoxicados; é indicativo de danos cerebrais precoces, porém reversíveis.

blad·der (blad'er) – bexiga; saco membranoso que serve de receptáculo de uma secreção, especificamente, a bexiga urinária. **atonic neurogenic b.** – b. neurogênica atônica; bexiga neurogênica decorrente de destruição de fibras nervosas sensoriais da bexiga para a medula espinhal, com privação do controle das funções vesicais e do desejo de evacuação, superdistensão da bexiga e quantidade anormal de urina residual; mais frequentemente associada a *tabes dorsalis* (*bexiga tabetica*) e à anemia perniciosa. **automatic b.** – b. automática; bexiga neurogênica devido à transecção completa da medula espinhal acima dos segmentos sacrais, com perda dos reflexos de micção e sensação vesical, evacuação involuntária e produção de quantidade anormal de urina residual. **autonomic b., autonomous b.** – b. autônoma; bexiga neurogênica devido a lesão na porção sacral da medula espinhal que interrompe o arco reflexo que controla a bexiga, com perda da sensação e dos reflexos vesicais normais, incapacidade de iniciar a micção normalmente e incontinência. **irritable b.** – b. irritável; afecção da bexiga caracterizada por aumento de freqüência de contração associado ao desejo de micção. **motor paralytic b.** – b. paralítica motora; bexiga neurogênica devido ao enfraquecimento dos neurônios ou nervos motores que a controlam; a forma *aguda* é caracterizada por micção dolorosa e incapacidade de iniciar a micção, e a forma *crônica* por dificuldade em iniciar a micção, esforço, redução de tamanho e força do jato, interrupção do jato e infecção recorrente do trato urinário. **uninhibited neurogenic b.** – b. neurogênica desinibida; bexiga neurogênica decorrente de lesão na região dos neurônios motores superiores com interrupção subtotal dos trajetos corticoespinhais, com urgência, evacuação involuntária freqüente e um limiar de atividade de pequeno volume. **urinary b.** – b. urinária; saco musculomembranoso na parte anterior da cavidade pélvica que serve como reservatório para a urina, que é recebida através dos ureteres e descarrega na uretra.

blast[1] (blast) – blasto: 1. estádio imaturo no desenvolvimento celular antes do aparecimento das características definitivas da célula; também empregado como sufixo, como no caso de adamantoblasto, etc. Ver *blast(o)-;* 2. célula blástica.

blast[2] (blast) – rajada; onda de pressão aérea produzida por detonação de bombas ou projéteis altamente explosivos ou outras explosões, que causa concussão e hemorragia pulmonares (*rajada pulmonar, tórax de rajada*), laceração de outras vísceras torácicas e abdominais, ruptura dos tímpanos e efeitos menores no sistema nervoso central.

blas·te·ma (blas-te'mah) – blastema; grupo de células que dá origem a um novo indivíduo (na reprodução assexuada) ou a um órgão ou parte (tanto no desenvolvimento normal como na regeneração). **blastem'ic** – adj. blastêmico.

blast(o)- [Gr.] – blast(o)-, elemento de palavra, *broto; brotamento.*

blas·to·coele (blas'to-sēl) – blastocele; cavidade de segmentação central preenchida por fluido da blástula. **blastocoe'lic** – adj. blastocélico.

blas·to·cyst (-sist) – blastocisto; concepto dos mamíferos no estádio pós-mórula, que consiste de trofoblasto e de massa celular interna.

blas·to·cyte (-sīt) – blastócito; célula embrionária não-diferenciada.

blas·to·derm (-derm) – blastoderma; camada única de células que forma a parede da blástula ou a tampa celular acima do piso de gema segmentada na discoblástula do ovo telolécito.

blas·to·disc (-disk) – blastodisco; estrutura convexa formada por blastômeros no pólo animal de um óvulo que sofre clivagem incompleta.

blas·to·gen·e·sis (blas"to-jen'ĕ-sis) – blastogênese: 1. desenvolvimento de um indivíduo a partir de um blastema, ou seja, por meio de reprodução assexuada; 2. transmissão de características herdadas pelo plasma embrionário; 3. transformação morfológica de linfócitos pequenos em

células maiores semelhantes a blastócitos quando em exposição à fito-hemaglutinina ou a antígenos e a que o doador esteja imunizado. **blastogenet'ic, blastogen'ic** – adj. blastogênico.

blas·to·ma (blas-to'mah) pl. *blastomas, blastomata* – blastoma; neoplasia composta de células embrionárias derivadas do blastema de um órgão ou tecido. **blasto'matous** – adj. blastomatoso.

blas·to·mere (blas'to-mēr) – blastômero; uma das células produzidas pela clivagem de um óvulo fertilizado.

Blas·to·my·ces (blas"to-mi'sez) – *Blastomyces;* gênero de fungos patogênicos que se desenvolve em formas miceliais à temperatura ambiente e em formas semelhantes a leveduras à temperatura corporal; termo aplicado a leveduras patogênicas ao homem e animais. **B. brasilien'sis** – *B. brasiliensis; Paracoccidioides brasiliensis.* **B. dermati'tidis** – *B. dermatitidis;* agente da blastomicose norte-americana.

blas·to·my·co·sis (-mi-ko'sis) – blastomicose: 1. infecção por *Blastomyces;* 2. qualquer infecção causada por microrganismo semelhante à levedura. **North American b.** – b. norte-americana; infecção crônica devida a *Blastomyces dermatitidis,* que afeta principalmente a pele, pulmões e ossos. **South American b.** – b. sul-americana; paracoccidioidomicose.

blas·to·pore (blas'to-por) – blastóporo; abertura do arquêntero para o exterior do embrião, quando em estádio de gástrula.

blas·tu·la (blas'tu-lah) [L.] pl. *blastulae* – blástula; corpo essencialmente esférico produzido pela clivagem de um óvulo fertilizado, consistindo de uma única camada de células (blastoderma) que circunda uma cavidade preenchida por fluido (blastocele).

bleb (bleb) – vesícula; flictena; grande vesícula flácida, geralmente com menos de 1 cm de diâmetro.

bleed·er (blēd'er) – sangrador; hemorrágico: 1. algo que sangra livremente; 2. qualquer vaso sangüíneo seccionado durante uma cirurgia que requeira pinçamento, ligadura ou cauterização.

bleed·ing (-ing) – sangramento: 1. perda de sangue a partir de um vaso lesado; 2. derramamento de sangue. **dysfunctional uterine b.** – s. uterino disfuncional; sangramento no útero sem a presença de lesão orgânica. **implantation b.** – s. de implantação; sangramento que ocorre no momento da implantação do óvulo fertilizado no endométrio do útero grávido. **occult b.** – s. oculto; perda de sangue em quantidade tão pequena que só pode ser detectada por testes químicos ou exame microscópico ou espectroscópico.

blenn(o)- [Gr.] – blen(o)-, elemento de palavra, *muco.*

blen·nad·e·ni·tis (ben"ad-in-ī'tis) – blenadenite; inflamação das glândulas mucosas.

blen·noid (blen'oid) – blenóide; semelhante ao muco.

blen·nor·rha·gia (blen"ah-ra'je-ah) – blenorragia: 1. qualquer descarga excessiva de muco; blenorréia; 2. gonorréia.

blen·nor·rhea (-re'ah) – blenorréia; qualquer descarga livre de muco, especificamente a descarga

gonorréica da uretra ou vagina; gonorréia.
blennorrhe'al – adj. blenorréico. **inclusion b.** – b. de inclusão; ver em *conjunctivitis*.

blen·no·sta·sis (blen-os'tah-sis) – blenostase; supressão de descarga mucosa anormal ou correção de uma descarga mucosa excessiva.
blennostat'ic – adj. blenostático.

blen·no·tho·rax (blen"o-thor'asks) – blenotórax; acúmulo de muco no peito.

ble·o·my·cin (ble-o-mi'sin) – bleomicina; mistura antibiótica polipeptídica que tem propriedades antineoplásicas, obtida a partir de culturas de *Streptomyces verticellus*. As evidências indicam que a bleomicina inibe a divisão celular, a incorporação da timidina ao DNA e a síntese de DNA.
blephar(o)- [Gr.] – blefar(o)-, elemento de palavra, *pálpebra; cílio.*

bleph·ar·ad·e·ni·tis (blef"ar-ad"in-Ī t'is) – blefaradenite; inflamação das glândulas meibomianas.

bleph·a·ri·tis (blef"ah-ri'tis) – blefarite; inflamação das pálpebras. **b. angula'ris** – b. angular; inflamação que afeta os ângulos das pálpebras. **nonulcerative b., seborrheic b.** – b. não-ulcerativa; b. seborréica; blefarite freqüentemente associada à seborréia do couro cabeludo, sobrancelhas e pele atrás das orelhas, caracterizada por descamação gordurosa, hiperemia e espessamento. **ulcerative b.** – b. ulcerativa; blefarite caracterizada por pequenas áreas ulceradas ao longo da margem palpebral, lesões supurativas múltiplas e perda dos cílios.

bleph·a·ro·ath·er·o·ma (blef"ah-ro-ath"er-o'-mah) – blefaroateroma; tumor encistado ou cisto sebáceo de uma pálpebra.

bleph·a·ro·chal·a·sis (-kal'ah-sis) – blefarocalasia; hipertrofia e perda de elasticidade da pele e pálpebra superior.

bleph·a·ron·cus (blef"er-ong'kus) – blefaroncia; tumor na pálpebra.

bleph·a·ro·phi·mo·sis (blef"ah-ro-fī -mo'sis) – blefarofimose; estreitamento anormal das fissuras palpebrais.

bleph·a·ro·plas·ty (blef"ah-ro-plas"te) – blefaroplastia; cirurgia plástica das pálpebras.

bleph·a·ro·ple·gia (blef"ah-ro-ple'je-ah) – blefaroplegia; paralisia de uma pálpebra.

bleph·a·rop·to·sis (blef"er-op-to'sis) – blefaroptose; queda da pálpebra superior; ptose.

bleph·a·ro·py·or·rhea (blef"ah-ro-pi"ah-re'-ah) – blefaropiorréia; oftalmia purulenta.

bleph·a·ror·rha·phy (blef"ah-ror'ah-fe) – blefarorrafia: 1. sutura de uma pálpebra. 2. tarsorrafia.

bleph·a·ro·ste·no·sis (blef"ah-ro-stah-no'sis) – blefaroestenose; blefarofimose.

bleph·a·ro·syn·ech·ia (-sin-ek'e-ah) – blefarossinéquia; crescimento conjunto ou aderência das pálpebras.

blind·ness (blī nd'nis) – cegueira; perda ou ausência da capacidade de visão; falta de percepção dos estímulos visuais. **blue b.** – c. para a cor azul; percepção imperfeita do espectro azul; ver *tetartanopia* e *tritanopia*. **blue-yellow b.** – c. para o azul e amarelo; percepção imperfeita das cores azul e amarela; ver *tritanopia* e *tetartanopia*. **color b.** – c. para as cores: 1. termo popular para

qualquer desvio da percepção normal de uma ou mais cores; 2. ver *monochromatism*. **day b.** – c. diurna; visão defeituosa sob luz brilhante. **flight b.** – c. fugaz; amaurose fugaz devido às grandes forças centrífugas encontradas na aviação. **green b.** – c. para o verde; percepção imperfeita da cor verde; ver *deuteranopia* e *protanopia*. **legal b.** – c. legal; cegueira definida pela lei, geralmente a acuidade visual máxima no melhor olho após correção de 20/200, com um diâmetro total do campo visual de 20° nesse olho. **letter b.** – c. literal; alexia caracterizada por incapacidade de reconhecer letras individuais. **moon b.** – c. periódica; oftalmia periódica **music b.** – c. musical; alexia musical. **night b.** – c. noturna; deficiência ou imperfeição da visão à noite ou na penumbra. **object b.** – c. objetiva; agnosia visual. **psychic b.** – c. psíquica; agnosia visual. **red b.** – c. para o vermelho; percepção imperfeita da cor vermelha; ver *deuteranopia* e *protanopia*. **snow b.** – c. da neve; imprecisão da visão, geralmente temporária, devido ao fulgor da luz solar na neve. **text b., word b.** – c. textual; c. verbal; alexia.

blis·ter (blis'ter) – vesícula, empola; especialmente uma bolha. **blood b.** – v. sanguinolenta; vesícula com conteúdo sanguinolento, que pode ser causada por um beliscão ou equimose. **fever b.** – v. febril; ver *herpes simplex*, em *herpes*. **water b.** – v. hídrica; empola de conteúdo aquoso límpido.

bloat (blōt) – inchar; inchado: 1. timpanismo do estômago em bois. 2. enterite em coelhos jovens, acompanhada de distensão gasosa do abdômen.

block (blok) – bloqueio: 1. obstrução ou cessação; 2. anestesia regional. **ankle b.** – b. tornozelar; anestesia regional do pé por meio de injeção de anestésico local ao redor dos nervos tibiais em nível do tornozelo. **atrioventricular (AV) b.** – b. atrioventricular (AV); deficiência na condução dos impulsos cardíacos dos átrios para os ventrículos, geralmente devido a bloqueio no tecido juncional atrioventricular, e geralmente subclassificado com base na severidade em primeiro, segundo e terceiro graus. **Bier b.** – b. de Bier; anestesia regional por meio de injeção endovenosa; utilizado em procedimentos cirúrgicos no braço, abaixo do cotovelo, ou na perna, abaixo do joelho, realizados em uma área mantida sem sangue por meio de torniquete pneumático. **bifascicular b.** – b. bifascicular; deficiência de condução em dois de três fascículos dos ramos. **bilateral bundle branch b. (BBBB)** – b. de ramo bilateral; interrupção dos impulsos cardíacos através de ambos os ramos do feixe, clinicamente indistinguíveis de um bloqueio cardíaco (total) de terceiro grau. **brachial plexus b.** – b. do plexo braquial; anestesia regional do ombro, braço e mão por meio de injeção de anestésico local no interior do plexo braquial. **bundle branch b. (BBB)** – b. de ramo; interrupção de condução em um dos ramos do feixe principais, de forma que o impulso atinge primeiro um ventrículo, e em seguida encaminha-se para outros. **caudal b.** – b. caudal; anestesia produzida por injeção de anestésico local no interior do canal caudal ou sacral. **cervical plexus b.** – b. do plexo cervical; anestesia regional do pescoço por meio de injeção de anestésico local no plexo cervical. **complete heart b.** – b. cardíaco total; ver *heart b.* **conduction b.** – b. de condução; bloqueio em um nervo que impede a condução de impulsos em dado segmento, embora o nervo fora dessa área permaneça viável. **elbow b.** – b. do cotovelo; anestesia regional do antebraço e da mão por meio de injeção de anestésico local ao redor dos nervos mediano, radial e ulnar no cotovelo. **entrance b.** – b. de entrada; em cardiologia, impasse unidirecional na condução impedindo que um impulso penetre uma região específica de tecido excitável; parte do mecanismo subjacente a uma parassístole. **epidural b.** – b. epidural; anestesia produzida por injeção de anestésico entre as espinhas vertebrais e por baixo do ligamento amarelo no interior do espaço extradural. **exit b.** – b. de saída; em cardiologia, retardo ou distúrbio de condução de um impulso de uma região específica para os tecidos circundantes. **fascicular b.** – b. fascicular; grupo de distúrbios de condução localizado em qualquer das combinações dos três fascículos do feixe ou suas ramificações. **femoral b.** – b. femoral; anestesia regional da coxa posterior e da perna abaixo do joelho por meio de injeção de anestésico local ao redor do nervo femoral imediatamente abaixo do ligamento inguinal na borda lateral da fossa oval. **first degree heart b.** – b. cardíaco de primeiro grau; ver *heart b.* e *atrioventricular b.* **heart b.** – b. cardíaco; deficiência de condução de um impulso na excitação cardíaca; é subclassificado em *primeiro grau*, quando o tempo de condução é prolongado; *segundo grau* (*partial heart b.*), quando não se conduzem alguns impulsos atriais; e *terceiro grau* (*complete heart b.*), quando não se conduz nenhum impulso atrial; o termo e suas subcategorias são com freqüência utilizados especificamente para o bloqueio atrioventricular. **high grade atrioventricular b.** – b. atrioventricular de alto grau; bloqueio atrioventricular de segundo ou terceiro graus. **incomplete heart b.** – b. cardíaco incompleto; bloqueio cardíaco de primeiro ou segundo graus. **lumbar plexus b.** – b. do plexo lombar; anestesia regional das faces anterior e medial da perna por meio de injeção de anestésico local no plexo lombar. **mental b.** – b. mental; obstrução do pensamento ou memória, particularmente aquela produzida por fatores emocionais. **metabolic b.** – b. metabólico; bloqueio de um trajeto biossintético devido a um defeito enzimático genético ou à inibição de uma enzima por medicamento ou outra substância. **Mobitz type I b.** – b. de Mobitz tipo I; b. de Wenckebach. **Mobitz type II b.** – b. de Mobitz tipo II; um tipo de bloqueio atrioventricular de segundo grau em que ocorre periodicamente a diminuição dos batimentos sem prolongamento prévio do intervalo P-R, devido a um bloqueio no ou abaixo do feixe de His. **motor point b.** – b. do ponto motor; interrupção dos impulsos, por anestesia ou destruição do nervo, em um ponto motor para aliviar a espasticidade. **nerve b.** – b. do nervo; anestesia regional garantida por injeção de anestésico em proximidade íntima ao nervo

apropriado. **parasacral b.** – b. parassacral; anestesia regional produzida por injeção de anestésico local ao redor dos nervos sacrais à medida que estes emergem dos forames sacrais. **paravertebral b.** – b. paravertebral; infiltração de anestésico em área próxima às vértebras. **partial heart b.** – b. cardíaco parcial; ver *heart b.* **periinfarction b.** – b. periinfarto; distúrbio de condução intraventricular após infarto do miocárdio, devido ao retardo de condução na região do infarto. **presacral b.** – b. pré-sacral; anestesia produzida por injeção de anestésico local no interior dos nervos sacrais na face anterior do sacro. **pudendal b.** – b. pudendo; anestesia produzida pelo bloqueio dos nervos pudendos, realizado por injeção de anestésico local na tuberosidade isquial. **sacral b.** – b. sacral; anestesia produzida por injeção de anestésico local no interior do espaço extradural do canal espinhal. **saddle b.** – b. em sela; produção de anestesia em região que corresponda de modo geral às áreas das nádegas, períneo e faces internas das coxas, pela introdução de agente anestésico inferiormente no saco dural. **second degree heart b.** – b. cardíaco de segundo grau; ver *heart b.* e *atrioventricular b.* **sinoatrial exit b.** – b. da saída sinoatrial; retardo ou ausência do batimento atrial devido à interferência parcial ou completa na propagação de impulsos do nódulo sinoatrial aos átrios. **subarachnoid b.** – b. subaracnóide; anestesia produzida por injeção de anestésico local no espaço subaracnóide ao redor da medula espinhal. **third degree heart b.** – b. cardíaco de terceiro grau; ver *heart b.* e *atrioventricular b.* **trifascicular b.** – b. trifascicular; deficiência de condução nos três fascículos dos ramos do feixe, uma forma de bloqueio cardíaco total. **unifascicular b.** – b. unifascicular; deficiência de condução somente em um único fascículo do feixe. **vagal b., vagus nerve b.** – b. vagal; b. do nervo vago; bloqueio de impulsos vagais por meio de injeção de solução de anestésico local no nervo vago em sua saída a partir do crânio. **Wenckebach b.** – b. de Weckenbach; um tipo de bloqueio atrioventricular de segundo grau em que ocorre diminuição de um ou mais batimentos periodicamente após uma série de intervalos P-R progressivamente crescentes. **wrist b.** – b. de pulso; anestesia regional da mão por meio de injeção de anestésico local ao redor dos nervos mediano, radial e ulnar do pulso.

block·ade (blok-ād') – bloqueio: 1. em Farmacologia, bloqueio do efeito de um neurotransmissor ou hormônio por meio de uma droga; 2. em Histoquímica, reação química que modifica determinados grupos químicos e bloqueia um método de corar específico. **adrenergic b.** – b. adrenérgico; inibição seletiva da resposta aos impulsos simpáticos transmitidos pela adrenalina ou noradrenalina nos sítios receptores alfa ou beta de um órgão efetor ou neurônio adrenérgico pós-ganglionar. **cholinergic b.** – b. colinérgico; inibição seletiva dos impulsos nervosos colinérgicos das sinapses ganglionares autônomas, dos efetores parassimpáticos pós-ganglionares ou da junção neuromuscular. **narcotic b.** – b. narcótico; inibição dos efeitos eufóricos de drogas narcóticas pelo uso de outras drogas, tais como a metadona, no tratamento de um vício. **neuromuscular b.** – b. neuromuscular; falha na transmissão neuromuscular que pode ser induzida farmacologicamente ou resultar de distúrbios patológicos na junção mioneural.

block·er (blok'er) – bloqueador; alguma coisa que bloqueia ou obstrui a passagem, atividade, etc. α-b – α-b.; droga que induz a bloqueio adrenérgico nos receptores α-adrenérgicos. β-b – β-b.; droga que induz ao bloqueio adrenérgico tanto nos receptores β_1 como β_2-adrenérgicos ou em ambos. **calcium channel b.** – b. do canal de cálcio; substância pertencente a um grupo de drogas que inibem a entrada do cálcio no interior das células ou inibem a mobilização do cálcio a partir dos depósitos intracelulares, resultando em retardamento de condução atrioventricular e sinoatrial e relaxamento da musculatura lisa cardíaca e arterial; utilizado no tratamento de angina, arritmias cardíacas e hipertensão. **potassium channel b.** – b. do canal de potássio; substância de uma classe de agentes antiarrítmicos que inibe o movimento dos íons de potássio através dos canais de potássio, impedindo conseqüentemente a repolarização da membrana celular. **sodium channel b.** – b. do canal de sódio; substância pertencente a uma classe de agentes antiarrítmicos que impedem os batimentos ectópicos por meio de ação em canais de sódio parcialmente inativados para inibir a despolarização anormal.

block·ing (-ing) – bloqueio: 1. interrupção do percurso de um nervo aferente; ver *block;* 2. dificuldade de recuperação ou interrupção de uma seqüência de idéias ou discurso, devido a fatores emocionais, geralmente inconscientes.

blood (blud) – sangue; fluido que circula pelo coração, artérias, capilares e veias, transportando nutrientes e oxigênio para as células corporais e removendo produtos excretórios e dióxido de carbono. Consiste da porção líquida (plasma) e elementos formados (hemácias, leucócitos e plaquetas). **arterial b.** – s. arterial; sangue oxigenado; encontrado nas veias pulmonares, nas câmaras esquerdas do coração e nas artérias sistêmicas. **cord b.** – s. do cordão; sangue contido nos vasos umbilicais no momento do nascimento de uma criança. **occult b.** – s. oculto; sangue detectável somente por meio de testes químicos ou exame espectroscópico ou microscópico. **venous b.** – s. venoso; sangue que após distribuir oxigênio aos tecidos retorna transportando dióxido de carbono nas veias sistêmicas para a troca gasosa nos pulmões. **whole b.** – s. total; sangue do qual não se removeu nenhum dos elementos, é especificamente o sangue coletado de um doador selecionado sob condições assépticas, contendo o íon citrato ou heparina e utilizado como repositor sangüíneo.

blood group (grōōp) – grupo sangüíneo: 1. alotipo (ou fenótipo) eritrocitário definido por um ou mais agregados antigênicos celulares controlados por genes alélicos. Conhece-se hoje um número considerável de sistemas de grupos sangüíneos,

sendo os grupos sangüíneos ABO e Rh os mais amplamente utilizados na comparação sangüínea para transfusão; 2. qualquer característica, peculiaridade ou função de um componente celular ou fluido do sangue, considerado como a expressão (fenotípica ou alotípica) das atividades e interações dos genes dominantes e útil nos estudos médico-legais bem como em outros estudos da hereditariedade humana; tais características incluem os grupos antigênicos das hemácias, leucócitos, plaquetas e proteínas plasmáticas.

blood pres·sure (presh'er) – pressão sangüínea; ver em *pressure.*

blood type (tī p) – tipo sangüíneo; ver *blood group.*

blot (blot) – mancha; técnica de transferência de solutos iônicos a uma membrana de nitrocelulose, filtro ou papel tratado para fins de análise; termo também empregado para descrever o substrato que contém o material transferido. Para técnicas específicas, ver *technique.*

blot·ting (blot'ing) – ação de embeber ou transferir para material absorvente.

blow·pipe (blo'pī p) – maçarico; tubo através do qual se força uma corrente de ar sobre uma chama para concentrar e intensificar o calor.

blue (bloo) – azul: 1. uma das principais cores do espectro visível, que se situa entre o verde e o violeta; a cor do céu claro; 2. corante de cor azul. **aniline b.** – anilina azul; mistura de trissulfonatos de trifenilrosanilina e de difenilrosanilina. **brilliant cresyl b.** – a. de cresil brilhante; corante oxazínico, geralmente $C_{15}H_{16}N_3OCl$, utilizado para corar o sangue. **methylene b.** – a. de metileno; a. metilênico; cristais verde-escuros ou um pó cristalino com brilho cor-de-bronze; utilizado como antídoto contra envenenamento com cianeto, no tratamento da metemoglobinemia, bem como corante bacteriológico e um indicador. **Prussian b.** – a. da Prússia; pó azul amorfo, $Fe_4[Fe(CN)_6]_3$, utilizado como corante. **toluidine b., toluidine b. O** – a. de toluidina; a. toluidínico; a. O de toluidina; sal de cloreto ou sal duplo de cloreto de zinco do cloreto de aminodimetilaminotolufenazitiônio; útil como corante para a demonstração de substâncias basofílicas e metacromáticas.

blur (blur) – visão borrada; v. nublada; v. indistinta. **spectacle b.** – visão indistinta com óculos que ocorre após a remoção das lentes de contato, especialmente as lentes impermeáveis a gases; acredita-se que resulte de hipoxia e edema corneais crônicos.

BMA – British Medical Association (Asssociação Médica Britânica).

BMI – body mass index (IMC, índice de massa corporal).

BMR – basal metabolic rate (taxa metabólica basal).

BNA – Basle Nomina Anatomica (Nomenclatura Anatômica Básica); sistema de nomenclatura anatômica adotado na reunião anual da Sociedade Anatômica Alemã em 1895; substituída pela *Nomina Anatomica* (Nomenclatura Anatômica).

BOA – British Orthopaedic Association (Associação Ortopédica Britânica).

bob·bing (bob'ing) – oscilação; movimento rápido e convulsivo para cima e para baixo. **ocular b.** – o.

ocular; desvio convulsivo dos olhos para baixo com um retorno lento, observado em pacientes comatosos e que se acredita dever-se a uma lesão pontina. **body** (bod'e) – corpo; corpúsculo: 1. tronco, ou estrutura animal, com seus órgãos; 2. a maior e mais importante parte de um órgão; 3. massa ou coleção de material. **acetones b's** – corpos cetônicos. **amygdaloid b.** – c. amigdalóide. **aortic b's** – corpos aórticos; pequenas estruturas neurovasculares em cada lado da aorta na região do arco aórtico, que contêm quimiorreceptores que exercem uma função na regulação reflexa da respiração. **b's of Arantius** – corpúsculos de Arantius; pequenos tubérculos, um no centro da margem livre de cada uma das três cúspides das válvulas aórtica e pulmonar. **Aschoff b's** – corpos de Aschoff; coleções submiliares de células e leucócitos nos tecidos intersticiais do coração na miocardite reumática. **asteroid b.** – c. asteróide; corpúsculo de inclusão irregular e em forma de estrela encontrado nas células gigantes na sarcoidose e em outras doenças. **Auer b's** – corpos de Auer; estruturas lamelares finamente granuladas que apresentam uma atividade de fosfatase ácida, encontrados no citoplasma dos mieloblastos, mielócitos, monoblastos e histiócitos granulares, raramente em plasmócitos e virtualmente patognomônicos da leucemia. **Barr b.** – c. de Barr; cromatina sexual. **basal b.** – c. basal; centríolo modificado que ocorre na base de um flagelo ou cílio. **Cabot's ring b's** – corpos anelares de Cabot; linhas em forma de alças ou de 8, observadas em hemácias coradas em anemias severas. **carotid b.** – c. carotídeo; pequena estrutura neurovascular situada na bifurcação das artérias carotídeas direita e esquerda, contendo quimiorreceptores que monitoram o teor de oxigênio no sangue e ajudam a regular a respiração. **chromatoid b.** – c. cromatóide: 1. acúmulo de RNA em forma de bastão denso que se cora profundamente nos cistos de algumas amebas; 2. massa densa próxima ao centríolo distal de um espermatozóide. **ciliary b.** – c. ciliar; parte espessa da túnica vascular do olho, que conecta a coróide e a íris. **Cowdry type I inclusion b's** – corpos de inclusão de Cowdry do tipo I; inclusões nucleares eosinofílicas de ácido nucleico e proteína observadas em células infectadas com o vírus do herpes simples ou varicela zóster. **Döhle's inclusion b's** – corpos de inclusão de Döhle; pequenos corpos observados no citoplasma de neutrófilos em muitas doenças infecciosas, queimaduras, anemia aplásica e outros distúrbios, e após a administração de agentes tóxicos. **Donovan's b.** – c. de Donovan; uma bactéria encapsulada (*Calymmatobacterium granulomatis*), encontrada nas lesões do granuloma inguinal. **embryoid b's** – corpos embrióides; estruturas semelhantes a embriões, observadas em vários tipos de tumores de células germinativas. **fruiting b.** – c. de frutificação; estrutura especializada, como um apotécio que produz esporos. **geniculate b's lateral** – corpos geniculados laterais; proeminência do metatálamo, ime-

diatamente lateral ao corpo geniculado medial, que marca o final do trato óptico. **geniculate b's medial** – corpos geniculados mediais; proeminência do metatálamo, imediatamente lateral aos colículos superiores, relacionada à audição. **Golgi b** – c. de Golgi; ver em *complex*. **Hassall's b's** – corpos de Hassall; ver em *corpuscle*. **Heinz b's, Heinz-Ehrlich b's** – corpúsculos de Heinz; corpúsculos de Heinz-Ehrlich; corpúsculos de inclusão resultantes de lesão oxidativa e de precipitação de hemoglobina; observados na presença de determinadas hemoglobinas anormais e eritrócitos com deficiências enzimáticas. **hyaloid b.** – c. hialóide; c. vítreo. **immune b.** – c. imune; anticorpo. **inclusion b's** – corpos de inclusão; corpúsculos redondos, ovais ou de forma irregular no citoplasma e núcleos das células, como no caso de doença decorrente de infecção viral, como raiva, varíola etc. **ketone b's** – corpos cetônicos; as substâncias acetona, ácido acetoacético e ácido β-hidroxibutírico; com exceção da acetona (que pode surgir espontaneamente a partir do ácido acetoacético), constituem produtos metabólicos normais dos lipídios no fígado, e são oxidados pelos músculos; a produção excessiva leva à secreção urinária desses corpos, como no caso do diabetes melito. **Leishman-Donovan b.** – c. de Leishman-Donovan; amastigota. **mamillary b.** – c. mamilar; um par de pequenas massas esféricas na fossa interpeduncular do mesencéfalo, formando parte do hipotálamo. **Masson b's** – corpúsculos de Masson; tecido celular que preenche os alvéolos pulmonares e os ductos alveolares na pneumonia reumática; podem consistir de corpos de Aschoff modificados. **metachromatic b's** – corpúsculos metacromáticos; ver em *granule*. **Negri b's** – corpúsculos de Negri; corpúsculos de inclusão redondos ou ovais observados no citoplasma e algumas vezes nos processos de neurônios de animais raivosos após a morte. **Nissl b's** – corpúsculos de Nissl; grandes corpúsculos basofílicos granulares encontrados no citoplasma dos neurônios, composto de um retículo endoplasmático grosseiro e polirribossomos livres. **olivary b.** – c. olivar; oliva (*olive*) (2). **pacchionian b's** – corpos de Pacchioni; granulações aracnóides. **para-aortic b's** – corpos para-aórticos; enclaves de células cromafins próximos aos gânglios simpáticos ao longo da aorta abdominal, que servem como quimiorreceptores responsivos ao oxigênio, ao dióxido de carbono e ao hidrogênio quanto à concentração e ajudam a controlar a respiração. **pineal b.** – c. pineal; pequena estrutura cônica presa por uma haste à parede posterior do terceiro ventrículo que secreta melatonina. **pituitary b.** – c. hipofisário; hipófise. **polar b's** – corpos polares; pequenas células que consistem de pequena quantidade de citoplasma e um núcleo, resultando da divisão desigual do oócito primário (*primeiro c. polar*) e, se ocorrer a fertilização, do oócito secundário (*segundo c. polar*); 2. grânulos metacromáticos localizados nas extremidades das bactérias. **quadrigeminal b's** – corpos quadrigeminais; corpos quadrigêmeos. **Russell b's** – corpos de

Russell; inclusões celulares plasmáticas globulares que representam agregados de imunoglobulinas sintetizadas pelas células. **trachoma b's** – corpos de tracoma; corpúsculos de inclusão encontrados em agregados no citoplasma de células epiteliais da conjuntiva no tracoma. **tympanic b.** – c. timpânico; corpo ovóide na parte superior do bulbo superior da veia jugular interna, acredita-se que sejam semelhantes ao corpo carotídeo em estrutura e função. **vermiform b's** – corpos vermíformes; invaginações sinuosas peculiares da membrana plasmática das células de Kupffer do fígado. **vitreous b.** – c. vítreo; gel transparente que preenche a porção interna do globo ocular entre o cristalino e a retina. **Weibel-Palade b's** – corpos de Weibel-Palade; feixes intracitoplasmáticos em forma de bastão de microtúbulos específicos para células endoteliais vasculares e utilizados como marcadores para neoplasmas celulares endoteliais.

boil (boil) – furúnculo. **Aleppo b., Delhi b.** – furúnculo de Aleppo; furúnculo de Delhi; leishmaniose cutânea (Velho Mundo).

bo·lom·e·ter (bo-lom'ĕ-ter) – bolômetro; instrumento para medir alterações mínimas no calor radiante.

bo·lus (bo'lus) – bolo: 1. massa arredondada de alimento ou preparação farmacêutica pronta para engolir, ou como a massa que passa pelo trato gastrointestinal; 2. massa concentrada de preparação farmacêutica, por exemplo, um meio de contraste opaco, administrado endovenosamente; 3. massa de material disperso, como cera ou parafina, colocada entre a fonte de radiação e a pele para obter-se um padrão de isodosagem pré-calculado no tecido irradiado.

bom·be·sin (bom'bĕ-sin) – bombesina; neurotransmissor e hormônio tetradecapeptídico encontrado no cérebro e intestino.

bond (bond) – união; ligação; ligação entre átomos ou radicais de um composto químico, ou marca que indica número e valor das valências de um átomo em fórmulas constitucionais, representada por um par de pontos ou uma linha entre os átomos, por exemplo, H–O–H, = H–C≡C–H ou H:O:H, H:C:::C:H. **coordinate covalent b.** – união covalente coordenada; ligação covalente na qual um dos átomos ligados fornece ambos os elétrons divididos. **covalent b.** – l. covalente; ligação química entre dois átomos ou radicais formados pela divisão de um par (ligação única), 2 pares (ligação dupla) ou de 3 pares de elétrons (ligação tripla). **disulfide b.** – união de dissulfeto; ligação covalente forte (–S–S–) importante na ligação de cadeias peptídicas nas proteínas, com a ligação surgindo como resultado de oxidação dos grupos sulfidrili (SH) de duas móleculas de cisteína. **peptide b.** – união peptídica; ligação de ·CO·NH· formada entre o grupo carboxila de um aminoácido e o grupo amino de outro; é uma ligação amida que reúne aminoácidos para formar peptídeos.

bone (bōn) – osso: 1. forma dura e rígida de tecido conjuntivo que constitui a maior parte do esqueleto dos vertebrados, composta principalmente de sais de cálcio; 2. qualquer peça distinta do esqueleto do corpo. Ver *Tabela de Ossos* quanto à listagem regional e alfabética de nomes comuns dos ossos do corpo e também Pranchas II e III. **ankle b.** – o. do tornozelo; astrágalo. **basiotic b.** – o. basiótico; pequeno osso no feto entre o processo basilar e o basiesfenóide. **brittle b's** – ossos quebradiços; osteogênese imperfeita. **cartilage b.** – o. cartilaginoso; osso que se desenvolve dentro de uma cartilagem; ossificação que ocorre dentro de um modelo de cartilagem. **cheek b.** – o. da face; o. zigomático. **coffin b.** – o. do casco; a terceira falange do pé do eqüino. **collar b.** – o. da clavícula; clavícula. **cortical b.** – o. cortical; osso compacto do eixo de um osso que circunda a cavidade medular. **flat b.** – o. plano; osso cuja espessura é delgada, algumas vezes consistindo somente de uma camada fina de osso compacto, ou de duas camadas com um osso de neutralização interposto e a medula; geralmente mais curvo do que plano. **funny b.** – o. estranho; região do côndilo medial do úmero onde é atravessada pelo nervo ulnar. **heel b.** – o. calcâneo; calcâneo. **hip b.** – o. ilíaco; o. da coxa. **incisive b.** – o. incisivo; porção da maxila que suporta os incisivos; em termos de desenvolvimento, é a pré-maxila, que nos humanos, funde-se posteriormente com a maxila, mas na maioria dos outros vertebrados persiste como um osso separado. **jaw b.** – o. da mandíbula; mandíbula ou maxila, especialmente a mandíbula. **jugal b.** – o. jugal; o. zigomático. **lingual b.** – o. lingual; o. hióide. **malar b.** – o. malar; o. zigomático. **marble b's** – ossos marmóreos; osteopetrose. **mastoid b.** – o. mastóide; ver em *process*. **pelvic b.** – o. pélvico; o. da coxa. **petrous b.** – o. petroso; porção petrosa do osso temporal. **pneumatic b.** – o. pneumático; osso que contém espaços preenchidos por ar. **premaxilary b.** – o. pré-maxilar; pré-maxila. **pterygoid b.** – o. pterigóide; ver em *process*. **rider's b.** – o. de jóquei; ossificação localizada na face interna da extremidade inferior do tendão do músculo adutor da coxa; algumas vezes observado em jóqueis. **semilunar b.** – o. semilunar. **shin b.** – o. da tíbia; tíbia. **squamous b.** – o. escamoso; parte ântero-superior do osso temporal, formando uma placa vertical. **sutural b's** – ossos de sutura; ossos com formas variáveis e irregulares entre os ossos do crânio. **thigh b.** – o. da coxa; fêmur. **turbinate b.** – o. turbinado; conchas nasais. **tympanic b.** – o. timpânico; a parte do osso temporal que circunda o ouvido médio. **unciform b., uncinate b.** – o. unciforme; o. curvo. **wormian b's** – ossos de Worm; ossos de sutura.

Bo·oph·i·lus (bo-of'ĭ -lus) – *Boophilus*; gênero de carrapato de corpo duro que são vetores de anaplasmose e babesiose bovinas, incluindo o *B. annulatus* (vetor da *Babesia bigemina*), *B. microplus* (vetor da *Babesia bovis*), *B. calcaratus* (vetor da *Babesia major*) e *B. decoloratus* (vetor da espécie *Anaplasma marginale*).

boost·er (bŏost'er) – reforço; incentivador; ver em *dose*.

boot (bŏot) – bota; uma proteção para o pé; estojo ou bainha protetora. **Gibney's b.** – b. de Gibney;

TABELA DE OSSOS, LISTADOS POR REGIÃO DO CORPO

Região	Nome	Número Total	Região	Nome	Número Total
Esqueleto axial	Crânio	21	Membro superior (×2)		64
	(oito pareados – 16)		Ombro	escápula	
	concha nasal inferior			clavícula	
	lacrimal		Braço	úmero	
	maxila		Antebraço	rádio	
	nasal			ulna	
	palatino		Pulso	cárpicos (8)	
	parietal			(capitato)	
	temporal			(unciforme)	
	zigomático			(semilunar)	
	(cinco não-pareados – 5)			(pisiforme)	
	etmóide			(escafóide)	
	frontal			(trapézio)	
	occipital			(trapezóide)	
	esfenóide			(piramidal)	
	vômer		Mão	Metacárpicos (5)	
	Ossículos de cada ouvido	6	Dedos	Falanges (14)	
	bigorna		Membro inferior (×2)		62
	martelo		Pelve	Ilíaco (1)	
	estribo			(ílio)	
	Mandíbula inferior	1		(ísquio)	
	mandíbula			(púbis)	
	Pescoço	1	Coxa	fêmur	
	hióide		Joelho	patela	
	Coluna vertebral	26	Perna	tíbia	
	vértebras cervicais (7)			fíbula	
	(atlas)		Tornozelo	tarsais (7)	
	(áxis)			(calcâneo)	
	vértebras torácicas (12)			(cubóide)	
	vértebras lombares (5)			(cuneiforme, medial)	
	sacro (5 vértebras fundidas)			(cuneiforme, intermediário)	
	cóccix (4 – 5 vértebras fundidas)			(cuneiforme, lateral)	
	Tórax			(navicular)	
	esterno	1		(astrágalo)	
	costelas (12 pares)	24	Pé	Metatársicos (5)	
			Artelhos	Falanges (14)	

TABELA DE OSSOS

Nome Comum	Equivalente na Nomina Anatomica	Região	Descrição	Articulações
astrágalo. *Ver* talus				
atlas	atlas	pescoço	primeira vértebra cervical; anel ósseo que sustenta o crânio	com o o. occipital e o áxis
áxis	axis	pescoço	segunda vértebral cervical, com um processo espesso (processo odontóide) contornado pela primeira vértebra cervical	com o atlas acima e a terceira vértebra cervical abaixo
calcâneo	calcaneus	pé	o "osso do calcanhar", de forma cubóide irregular, o maior dos ossos társicos	com o astrágalo e o o. cubóide
o. capitato	o. capitatum	pulso	com o segundo, terceiro e quarto ossos metacárpicos e os ossos unciforme, semilunar, trapezóide e escafóide	
ossos cárpicos	oss. carpi	pulso	verossos capitato, unciforme, semilunar, pisiforme, escafóide, trapézio, trapezóide e piramidal	
clavícula	clavicula	ombro	osso curvo, alongado e delgado (osso do colarinho) que se situa horizontalmente na base do pescoço, na parte superior do tórax	com o esterno e a escápula e a cartilagem da primeira costela do mesmo lado
cóccix	o. coccygis	dorso	osso triangular formado geralmente pela fusão das últimas 4 (algumas vezes 3 ou 5) vértebras (coccígeas)	com o sacro
concha nasal inferior	concha nasalis inferior	crânio	placa óssea fina e dura presa por uma borda a um lado de cada cavidade nasal, com a borda livre ondulando para baixo	com o etmóide e os ossos lacrimal e palatino e a maxila do mesmo lado
o. cubóide	o. cuboideum	pé	osso piramidal, na lateral do pé, à frente do calcâneo	com o calcâneo, o o. cuneiforme lateral, o quarto e o quinto ossos metatársico e ocasionalmente com o o. navicular
o. cuneiforme intermediário	o. cuneiforme intermedium	pé	o menor dos 3 ossos cuneiformes, localizado entre os ossos cuneiformes medial e lateral	com os ossos navicular, cuneiformes medial e lateral e o segundo o. metatársico
o. cuneiforme lateral	o. cuneiforme lateral	pé	osso em forma de cunha na lateral do pé, intermediário em tamanho entre os ossos cuneiformes medial e intermediário	com os ossos cubóide, navicular e cuneiforme intermediário e o segundo, terceiro e quarto ossos metatársicos
o. cuneiforme medial	o. cuneiforme mediale	pé	o maior dos três ossos cuneiformes, no lado medial do pé	com os ossos navicular, cuneiforme intermediário e primeiro e segundo metatársicos
epistrofeu. *Ver* áxis				
o. etmóide	o. ethmoidale	crânio	osso não-pareado na frente do o. esfenóide e atrás do o. frontal, fazendo parte do septo nasal e das conchas nasais superior e medial	com os ossos esfenóide e frontal, o vômer e os ossos lacrimais, nasais e palatinos, as maxilas e as conchas nasais inferiores
fabela		joelho	o. sesamóide na cabeça lateral do músculo gastrocnêmio	com o fêmur
femur	fêmur	coxa	o. mais longo, mais forte e mais pesado do corpo (o. da coxa)	proximalmente com o. ilíaco e distalmente com a patela e a tíbia

fibula	fibula	perna	o mais lateral e menor dos dois ossos da perna	proximalmente com a tíbia e distalmente com a tíbia e o astrágalo
o. frontal	o. frontale	crânio	osso não-pareado que constitui a parte anterior do crânio	com os ossos etmóide e esfenóide e ambos os ossos parietais, nasais, lacrimais e zigomáticos e as maxilas
o. unciforme	o. hamatum	pulso	o mais medial dos quatro ossos da fileira distal dos ossos cárpicos	com o quarto e quinto ossos metacárpicos e os ossos semilunar, capitato e piramidal
o. ilíaco	o. coxae	pelve e quadril	o osso mais largo do esqueleto, composto originalmente de três ossos que se fundiram juntos no acetábulo: o ílio, a porção larga, proeminente e superior; o ísquio, a parte espessa de três lados atrás e abaixo do acetábulo e atrás do forame obturador; o púbis, que consiste de um corpo (porção anterior expandida), um ramo inferior (que se estende em sentido retrógrado fundindo-se ao ramo do ísquio) e um ramo superior (que se estende do corpo para o acetábulo)	com o fêmur, anteriormente com o seu equivalente (na sínfise pubiana) e posteriormente com o sacro
úmero	humerus	braço	osso longo do braço	proximalmente com a escápula e distalmente com o rádio e a ulna
o. hióide	o. hyoideum	pescoço	osso em forma de U na base da língua, entre o maxilar e a laringe	nenhuma; preso por ligamentos e músculos ao crânio e à laringe
ílio	o. ilii	pelve	ver o. ilíaco	
bigorna	incus	ouvido	ossículo médio da cadeia no ouvido médio, nomeado dessa forma por sua semelhança com uma bigorna	com o martelo e o estribo
o. inominado. Ver o. ilíaco				
ísquio	o. ischii	pelve	ver o. ilíaco	
o. lacrimal	o. lacrimale	crânio	escama óssea fina e irregular próxima à borda da parede medial de cada órbita	com os ossos etmóide e frontal, e a concha nasal inferior e a maxila do mesmo lado
o. semilunar	o. lunatum	pulso	segundo a partir do polegar do lado dos quatro ossos da fileira proximal do carpo	com o rádio e os ossos capitato, unciforme, escafóide e piramidal
martelo	malleus	ouvido	o ossículo mais lateral da cadeia no ouvido médio, nomeado dessa forma devido à semelhança com um martelo	com a bigorna; ligamento fibroso com a membrana timpânica
mandíbula	mandibula	maxilar inferior	osso em forma de ferradura que mantém os dentes inferiores	com os ossos temporais
maxila	maxilla	crânio (maxilar superior)	osso pareado, abaixo da órbita e em ambos os lados da cavidade nasal, que mantém os dentes superiores	com os ossos etmóide e frontal, o vômer, o maxilar equivalente e a concha nasal inferior e os ossos lacrimal, nasal, palatino e zigomático do mesmo lado

o. = osso.

o. = [L.] os; oss. = [L. pl.] ossa.

(Continua)

TABELA DE OSSOS (*Cont.*)

Nome Comum	Equivalente na Nomina Anatomica	Região	Descrição	Articulações
maxilar inferior. *Ver* mandíbula maxilar superior. *Ver* maxila				
ossos metacárpicos	oss. metacarpi	mão	cinco ossos longos em miniatura da mão, ligeiramente côncavos na superfície palmar	primeiro – trapézio e falange proximal do polegar; segundo – terceiro o. metacárpico, trapézio, trapezóide, capitato e falange proximal do dedo indicador (segundo dedo); terceiro – segundo e quarto ossos metacárpicos, capitato e falange proximal do dedo médio (terceiro dedo); quarto – terceiro e quinto ossos metacárpicos, capitato, hamato e falange proximal do dedo anular (quarto dedo); quinto – quarto o. metacárpico, o. hamato e falange proximal do dedo mínimo (quinto dedo)
ossos metatársicos	oss. metatarsi	pé	cinco ossos longos em miniatura do pé, côncavos na superfície plantar e ligeiramente convexos na superfície dorsal	primeiro – o. cuneiforme medial, falange proximal do hálux e ocasionalmente com o segundo o. metatársico; segundo – ossos cuneiformes medial, intermediário e lateral, terceiro e ocasionalmente com o primeiro o. metatársico, e falange proximal do segundo dedo; terceiro – o. cuneiforme lateral, segundo e quarto ossos metatársicos e falange proximal do terceiro dedo; quarto – o. cuneiforme lateral, o. cubóide, terceiro e quinto ossos metatársicos e falange proximal do quarto dedo; quinto – o. cubóide, quarto o. metatársico e falange proximal do quinto dedo
multiangular maior. *Ver* o. trapézio; o. trapezóide				
o. nasal	o. nasale	crânio	osso pareado, com os dois ossos unindo-se no plano mediano para formar a ponte do nariz	com os ossos frontal e etmóide, o equivalente do lado oposto e a maxila do mesmo lado
o. navicular	o. naviculare	pé	osso no lado medial do tarso, entre o astrágalo e os ossos cuneiformes	com o astrágalo e os três ossos cuneiformes, ocasionalmente com o o. cubóide
o. occipital	o. occipitale	crânio	osso não-pareado que constitui o dorso e a base do crânio	com o o. esfenóide e o atlas e ambos os ossos parietais e temporais
o. magno. *Ver* o. capitato				

o. palatino	o. palatinum	crânio	osso pareado, com os dois ossos formando as porções posteriores do palato ósseo	com os ossos etmóide e esfenóide, o vômer, o equivalente do lado oposto e a concha nasal inferior e a maxila do mesmo lado
o. parietal	o. parietale	crânio	osso pareado entre os ossos frontal e occipital, formando as partes superior e lateral do crânio	com os ossos frontal, occipital, esfenóide, parietal equivalente e temporal do mesmo lado
patela	patella	joelho	pequeno osso (sesamóide) comprimido e irregularmente retangular sobre a face anterior do joelho (rótula)	com o fêmur
falanges (falanges proximais, médias e distais)	oss. digitorum (phalanx proximalis, phalanx media e phalanx distalis)	dedos da mão e artelhos	ossos longos em miniatura, com dois geralmente no polegar e hálux e três em cada um dos dedos da mão e do pé	falange proximal de cada dedo com o osso metacárpico ou metatársico correspondente e a falange distal a ela; outras falanges com as falanges proximal e distal (se houver) a elas
o. pisiforme	o. pisiforme	pulso	o osso medial e palmar dos quatro ossos da fileira proximal de ossos cárpicos	com o o. piramidal
o. púbico	o. pubis	pelve	ver o. ilíaco	
rádio	radius	antebraço	o osso lateral e mais curto dos dois ossos do antebraço	proximalmente com o úmero e ulna; distalmente com a ulna e os ossos semilunar e escafóide
costelas	oss. costalia	tórax	12 pares de ossos longos, curvos, estreitos e finos, que formam as paredes posterior e lateral do tórax	todas posteriormente com as vértebras torácicas; 7 pares superiores (costelas verdadeiras) com o esterno; 5 pares inferiores (costelas falsas), por meio de cartilagens costais, com a costela acima ou (as duas mais baixas – costelas flutuantes) soltas anteriormente
sacro	o. sacrum	dorso	osso em forma de cunha formado geralmente pela fusão das 5 vértebras abaixo das vértebras lombares, constituindo a parede posterior da pelve	com a quinta vértebra lombar acima, o cóccix abaixo e com o ílio em cada lado
escafóide	o. scaphoideum	pulso	o mais lateral dos 4 ossos da fileira proximal dos ossos cárpicos	com o rádio, o trapézio, e os ossos trapezóide, capitato e semilunar
escápula	scapula	ombro	osso triangular, largo e fino (lâmina do ombro) do lado oposto desde a segunda até a sétima costelas na parte superior das costas	com a clavícula e o úmero do mesmo lado
ossos sesamóides	oss. sesamoidea	principalmente nas mãos e pés	pequenos ossos redondos e chatos relacionados às articulações entre as falanges ou entre os dedos e os ossos metacárpicos ou metatársicos; também incluem 2 no joelho (fabela e patela)	
o. esfenóide	o. sphenoidale	base do crânio	osso não-pareado de forma irregular, que constitui uma parte dos lados e da base do crânio e parte da parede lateral ou órbita	com os ossos frontal, occipital e etmóide, o vômer e ambos os ossos parietais, temporais, palatinos e zigomáticos
estribo	stapes	ouvido	o ossículo mais medial da cadeia no ouvido médio, nomeado dessa forma devido à semelhança com um estribo	com a bigorna; união ligamentosa com a janela vestibular

o. = osso.

o. = [L.] os; oss. = [L. pl.] ossa.

(Continua)

TABELA DE OSSOS (*Cont.*)

Nome Comum	Equivalente na Nomina Anatomica	Região	Descrição	Articulações
esterno	sternum	tórax	osso chato alongado, que forma a parede anterior do tórax, e consiste de três segmentos: *manúbrio* (segmento mais elevado), *corpo* (na juventude, composto de quatro segmentos separados reunidos por uma cartilagem) e o *processo xifóide* (o segmento mais baixo)	com ambas as claviculas e os sete pares superiores de costelas
astrágalo	talus	tornozelo	o "osso do tornozelo", o segundo maior dos ossos társicos	com a tíbia, fíbula, calcáneo e o. navicular
ossos társicos	oss. tarsi	tornozelo e pé	*ver* ossos calcâneo, cubóide e cuneiformes intermediário, lateral e medial, o. navicular e astrágalo	
o. temporal	o. temporale	crânio	osso de forma irregular, um em cada lado, formando uma parte do lado e da base do crânio, e contendo os ouvidos médio e interno	com os ossos occipital, esfenóide, mandibular, parietal e zigomático do mesmo lado
tíbia	tibia	perna	o osso medial e maior dos dois ossos da perna (tíbia)	proximalmente com o fêmur e a fíbula e distalmente com o astrágalo e a fíbula
trapézio	o. trapezium	pulso	o mais lateral dos 4 ossos da fileira distal dos ossos cárpicos	com o primeiro e segundo ossos metacárpicos e os ossos trapezóide e escafóide
o. trapezóide	o. trapezoideum	pulso	segundo osso a partir do polegar dos 4 ossos da fileira distal dos ossos cárpicos	com o segundo o. metacárpico e os ossos capitato, trapézio e escafóide
o. piramidal	o. triquetrum	pulso	o terceiro osso a partir do polegar dos 4 ossos da fileira proximal dos ossos cárpicos	com os ossos hamato, semilunar e pisiforme e o disco articular
o. turbinado inferior. *Ver* concha nasal inferior				
ulna	ulna	antebraço	o osso medial e mais longo dos 2 ossos do antebraço	proximalmente com o úmero e o rádio e distalmente com o rádio e o disco articular
vértebras (cervicais, torácicas [dorsais], lombares, sacrais e coccígeas)	vertebrae (vertebrae cervicales, vertebrae thoracicae, vertebrae lumbales, vertebrae sacrales, vertebrae coccygeae)	costas	segmentos separados da coluna vertebral; cerca de 33 na criança; as 24 superiores permanecem separadas como vértebras verdadeiras e móveis; as 5 seguintes fundem-se para formar o sacro; as 3 – 5 inferiores fundem-se para formar o cóccix	exceto a primeira vértebra cervical (atlas) e a quinta lombar, cada vértebra articula-se com as vértebras contiguas acima e abaixo; a primeira vértebra cervical articula-se com o o. occipital e a segunda vértebra cervical (áxis); a quinta vértebra lombar articula-se com a quarta vértebra lombar e o sacro; as vértebras torácicas articulam-se também com as extremidades das costelas
vômer	vomer	crânio	osso fino que forma a parte posterior e a parte póstero-inferior do septo nasal	com os ossos etmóide e esfenóide e ambas as maxilas e os ossos palatinos
o. zigomático	o. zygomaticum	crânio	osso que faz parte da bochecha e a porção inferior lateral da borda de cada órbita	com os ossos frontal e esfenóide e a maxila e o o. temporal do mesmo lado

suporte de esparadrapo adesivo utilizado no tratamento de entorses ou outras condições dolorosas do tornozelo, sendo o esparadrapo aplicado à maneira de trançado de cestaria, com as faixas colocadas alternadamente sob a planta do pé e ao redor da parte traseira da perna.

bo·rate (bor'āt) – borato; sal do ácido bórico.

bo·rax (bor'aks) – bórax; borato de sódio.

bor·bo·ryg·mus (bor"bah-rig'mus) [L.] pl. *borborygmi* – borborigmo; ruído de ronco causado pela propulsão de gás nos intestinos.

bor·der (bor'der) – borda; linha; extremidade; margem ou superfície de limitação. **brush b.** – b. em escova; especialização da superfície livre de uma célula, que consiste de processos cilíndricos diminutos (microvilos) que aumentam muito a área de superfície. **vermilion b.** – b. vermelha; porção vermelha exposta do lábio superior ou inferior.

Bor·de·tel·la (bor"dah-tel'ah) – *Bordetella;* gênero de bactérias (família Brucellaceae), que inclui a *B. bronchiseptica*, causa comum de broncopneumonia em cobaias e outros roedores, em suínos e em primatas inferiores; *B. parapertussis,* encontrada ocasionalmente na coqueluche; e *B. pertussis,* causa da coqueluche no homem.

bo·ric acid (bor'ik) – ácido bórico; pó cristalino (H_3BO_3) utilizado como tampão. Seu sal de sódio (*borato de sódio ou bórax*) é utilizado como agente alcalinizante em farmacêutica.

bo·ron (bor'on) – boro; elemento químico (ver *Tabela de Elementos*), número atômico 5, símbolo B.

Bor·rel·ia (bor-el'e-ah) – Borrelia; gênero de bactérias (família Treponemataceae), parasita de muitos animais algumas espécies causando febre recorrente no homem e nos animais; esse gênero compreende *B. anserina*, agente etiológico da espiroquetose das galinhas; *B. recurrentis,* agente etiológico da febre recorrente e a *B. vincentii,* parasita da boca humana, que ocorre em grande número juntamente com um bacilo fusiforme na gengivite ulcerativa necrosante e gengivostomatite ulcerativa necrosante; borrélia.

bor·rel·i·o·sis (bor-el"e-o'sis) – borreliose; infecção por espiroquetas do gênero *Borrelia.* **Lyme b.** – b. de Lyme; uma das várias doenças causadas pela *Borrelia burgdorferi* com manifestações semelhantes, incluindo a doença de Lyme, acrodermatite crônica atrofiante e eritema crônico migrante.

boss (bos) – bossa; proeminência arredondada.

bot (bot) – berne; larva de uma mosca que parasita o estômago dos animais e algumas vezes do homem.

Both·rio·ceph·a·lus (both"re-o-sef'ah-lus) – *Bothriocephalus; Diphyllobothrium;* ver *Diphyllobothrium.*

bot·ry·oid (bah'tre-oid) – botrióide; uviforme; em forma de um cacho de uvas.

bot·tle (bot''l) – frasco; garrafa; recipiente oco e de gargalo estreito de vidro ou outro material. **wash b.** – f. de lavagem: 1. frasco flexível com um tubo de liberação, ou com dois tubos passando através da tampa, arranjados de modo que ao soprar-se em um deles o vapor ou líquido é forçado através do outro; utilizado na lavagem de materiais químicos; 2. recipiente contendo um fluido de lavagem,

através do qual são passados gases com o propósito de livrá-los de impurezas.

bot·u·li·form (boch'u-lǐ-form) – botuliforme; em forma de salsicha.

bot·u·lin (boch'u-lin) – botulina; toxina botulínica.

bot·u·lism (boch'u-lizm) – botulismo; um tipo extremamente severo de intoxicação alimentar devido à neurotoxina (botulina) produzida pela *Clostridium botulinum* em alimentos inadequadamente enlatados ou preservados. **infant b.** – b. infantil; botulismo que afeta as crianças, e se acredita resultar de uma toxina produzida no intestino por microrganismos ingeridos em vez de toxinas préformadas. **wound b.** – b. por ferimento; forma de botulismo resultante de infecção de um ferimento causada pela *Clostridium botulinum.*

bou·gie (boo-zhe') – vela; instrumento cilíndrico delgado, flexível e oco ou sólido para introdução na uretra ou outro órgão tubular, geralmente para calibrar ou dilatar áreas contraídas. **bulbous b.** – v. bulbar; com ponta em forma de bulbo. **filiform b.** – v. filiforme; vela com calibre muito delgado.

bou·ton (boo-tahn') [Fr.] – botão; pústula inchaço semelhante a um botão em um axônio, onde existe sinapse com outro neurônio. **synaptic b., b. terminal** – b. sináptico; b. terminal; aumento de volume terminal semelhante ao botão de um axônio que termina em relação a um outro neurônio em uma sinapse.

bo·vine (bo'vī n) – bovino; relativo, característico ou derivado do boi (gado bovino).

bow·el (bow'el) – intestino (*intestine*).

bowl (bŏl) – tigela; recipiente aberto arredondado e mais ou menos hemisférico; ou estrutura semelhante a esse recipiente; cavidade. **mastoid b., mastoidectomy b.** – cavidade mastóidea; cavidade de mastoidectomia; defeito ósseo oco no osso temporal criado por mastoidectomia aberta.

bow·leg (bo'leg) – perna torta; desvio genicular; uma curvatura para fora de uma ou de ambas as pernas próxima ao joelho.

BP – 1. blood pressure (PS, pressão sangüínea); 2. British Pharmacopoeia (Farmacopéia Britânica), publicação do Conselho Médico Geral, que descreve e estabelece os padrões para remédios, preparações, materiais e artigos utilizados na prática da Medicina, Cirurgia ou Obstetrícia.

bp – base pair (pb, par-base).

BPA – British Paediatric Association (Associação Pediátrica Britânica).

Bq – becquerel (bequerel).

Br – símbolo químico, bromo (*bromine*).

brace (brās) – suporte; colete; dispositivo ou aparelho ortopédico (ortose) utilizado para apoiar, alinhar ou manter partes do corpo em posição correta; também, o termo geralmente no plural, denota dispositivo ortodôntico para correção de dentes mal-alinhados.

bra·chi·al·gia (bra"ke-al'jah) – braquialgia; dorno braço.

brachi(o)- [L., Gr.] – braqui(o)-, elemento de palavra *braço.*

bra·chio·ce·phal·ic (bra"kē-o-se-fal'ik) – braquiocefálico; relativo ao braço e à cabeça.

bra·chio·cu·bi·tal (-ku'bĭ-t'l) – braquiocubital; relativo ao braço e cotovelo ou ao antebraço.

bra·chi·um (bra'ke-um) [L.] pl. *brachia* – braço: 1. especificamente, braço do ombro ao cotovelo; 2. estrutura semelhante a um braço. **b. colli'culi inferio'ris** – b. do colículo inferior; fibras do trajeto auditivo que conectam o corpo quadrigeminal inferior até o corpo geniculado medial. **b. colli'culli superio'ris** – b. do colículo superior; fibras que conectam o trato óptico e o corpo geniculado lateral ao corpo quadrigeminal superior. **b. op'ticum** – b. óptico; um dos processos que se estendem dos corpos quadrigêmeos até o tálamo óptico.

brachy- [Gr.] – braqui-, elemento de palavra *curto*.

brachy·ba·sia (brak"e-ba'zhah) – braquibasia; marcha de passos curtos, lenta e arrastada.

brachy·dac·ty·ly (-dak'tĭ-le) – braquidactilia; encurtamento anormal dos dedos.

brach·yg·na·thia (brak"ig-na'the-ah) – braquignatia; encurtamento anormal do maxilar inferior.

brachy·pha·lan·gia (brak"e-fah-lan'je-ah) – braquifalangia; encurtamento anormal de uma ou mais falanges.

brachy·ther·a·py (-ther'ah-pe) – braquiterapia; tratamento com radiação ionizante, cuja fonte é aplicada à superfície do corpo ou localizada a curta distância da área a ser tratada.

brady- [Gr.] – bradi-, elemento de palavra *lento*.

brady·ar·rhyth·mia (brad"e-ah-rith'me-ah) – bradiarritmia; qualquer distúrbio no ritmo cardíaco em que a freqüência cardíaca retarda-se anormalmente.

brady·car·dia (-kahr'de-ah) – bradicardia; lentidão do batimento cardíaco, conforme evidenciado por retardo da freqüência do pulso para menos de 60. **bradycar'diac** – adj. bradicárdico.

brady·di·as·to·le (-di-as'tah-le) – bradidiástole; prolongamento anormal da diástole.

brady·dys·rhyth·mia (-dis-rith'me-ah) – bradidisritmia; ritmo cardíaco anormal com freqüência de menos de 60 batimentos por minuto em adulto; geralmente utiliza-se bradiarritmia (*bradyarrhythmia*) como sinônimo.

brady·es·the·sia (-es-the'zhah) – bradiestesia; retardo ou embotamento da percepção.

brady·ki·ne·sia (-ki-ne'ze-ah) – bradicinesia; lentidão anormal de movimentos; lerdeza de respostas físicas e mentais. **bradykinet'ic** – adj. bradicinético.

brady·ki·nin (-ki'nin) – bradicinina; cinina não-peptídica formada a partir de cininogênio pela ação da calicreína; é um poderoso vasodilatador e aumenta a permeabilidade capilar; além disso, contrai a musculatura lisa e estimula os receptores de dor.

brady·pnea (-ne'ah) – bradipnéia; lentidão anormal da respiração.

brady·sphyg·mia (-sfig'me-ah) – bradisfigmia; lentidão anormal do pulso, geralmente ligada a bradicardia.

brady·stal·sis (-stal'sis) – bradistalse; lentidão anormal do peristaltismo.

brady·tachy·car·dia (-tak"e-kahr'de-ah) – braditaquicardia; ataques alternados de bradicardia e taquicardia.

brady·to·cia (-to'she-ah) – braditocia; parto lento.

brain (brān) – cérebro; encéfalo; a parte do sistema nervoso central contida dentro do crânio, que compreende o cérebro anterior, mesencéfalo, cérebro posterior, e que se desenvolve a partir da porção anterior do tubo nervoso embrionário, ver também *cerebrum*. **split b.** – c. dividido; cérebro em que as conexões entre os hemisférios foram interrompidas ou rompidas; utilizado para proporcionar acesso ao terceiro ventrículo ou controlar a epilepsia.

brain stem (brān stem) – tronco cerebral; porção semelhante à haste do cérebro que conecta os hemisférios cerebrais à medula espinhal, e compreende a ponte, medula oblonga e mesencéfalo; alguns autores consideram que inclui também o diencéfalo.

brain·wash·ing (brān'wahsh"ing) – lavagem cerebral; condicionamento emocional e mental sistemático de um indivíduo ou grupo, destinado a assegurar atitudes e crenças segundo os desejos de quem administra o condicionamento, realizado por meio de propaganda, tortura, drogas, procedimentos psiquiátricos distorcidos e/ou outros meios.

branch (branch) – ramo; ramificação; divisão ou derivação de um tronco principal, especialmente de vasos sangüíneos, nervos ou vasos linfáticos. **bundle b.** – r. de feixe; um ramo do feixe de His.

branch·er en·zyme (branch'er en'zī m) – enzima ramificadora; ver em *enzyme*.

bran·chi·al (brang'ke-al) – branquial; relativo ou semelhante à brânquia de um peixe ou derivados de partes homólogas nas formas superiores.

Bran·ha·mel·la (bran"hah-mel'ah) – *Branhamella*; gênero de cocos aeróbios, imóveis e não-formadores de esporos. A espécie padrão, *B. catarrhalis* é um habitante normal da nasofaringe, ocasionalmente causando doenças.

brash (brash) – azia; acidez na boca. **water b.** – a. hídrica; azia com regurgitação de fluido azedo ou saliva quase sem gosto no interior da boca. **weaning b.** – a. do desmame; diarréia que ocorre em crianças como resultado do desmame.

breast (brest) – peito; parte dianteira do tórax, especialmente sua estrutura glandular modificada (mama). Ver *mammary gland*, em *gland*. **chicken b.** – peito de galinha; p. de pombo. **funnel b.** – peito em funil; ver em *chest*. **pigeon b.** – peito de pombo; proeminência do esterno devido a obstrução na respiração infantil ou raquitismo.

breast-feed·ing (brest'fēd"ing) – amamentação; nutrição de uma criança no peito materno.

breath (breth) – respiração; fôlego; ar que entra e é expelido pela expansão e contração do tórax. **liver b.** – f. hepático; fedor hepático.

breath·ing (brēth'ing) – respiração; inspiração e expiração alternadas de ar para dentro e para fora dos pulmões. **frog b., glossopharyngeal b.** – r. de sapo; r. glossofaríngea; respiração sem ajuda dos músculos acessórios primários ou comuns da respiração, sendo o ar "engolido" para os pulmões pela língua e músculos faríngeos; utilizada por pacientes com paralisia muscular crônica para aumentar sua respiração. **intermittent positive pressure b.** – r. com pressão positiva intermitente; inflação ativa dos pulmões durante a inspiração sob pressão positiva de uma válvula cíclica.

breech (brěch) – nádegas (*buttock*).

breg·ma (breg'mah) – bregma; ponto na superfície do crânio na junção das suturas coronal e sagital. **bregmat'ic** – adj. bregmático.

Breth·ine (breth'ēn) – Brethine, marca registrada de preparações de sulfato de terbutalina.

bre·tyl·i·um to·sy·late (brě-til'e-um) – tosilato de bretílio; agente bloqueador adrenérgico utilizado como antiarrítmico em determinados casos de taquicardia ou fibrilação ventriculares.

brev·i·col·lis (brev"ĭ-kol'is) – brevicolo; encurtamento do pescoço.

bridge (brij) – ponte: 1. estrutura que conecta dois pontos separados, incluindo partes de um órgão; 2. prótese dentária que suporta um ou mais dentes artificiais, presos a dentes naturais adjacentes, geralmente uma dentadura parcial fixa; 3. coalizão tarsal. **cytoplasmic b.** – p. citoplasmática: 1. p. protoplasmática; 2. ver *intercellular b.* **disulfide b.** – p. de dissulfeto; ver em *bond*. **extension b.** – p. de extensão; ponte com um dente artificial preso além do ponto de ancoragem da ponte. **intercellular b.** – p. intercelular; denominação errônea para o aparecimento da junção de células epiteliais em um desmossoma como resultado de desidratação durante a fixação; acreditava-se no passado que constituía uma ponte para a continuidade citoplasmática (ponte citoplasmática). **protoplasmic b.** – p. protoplasmática; filamento de protoplasma que conecta dois espermatócitos secundários que ocorrem como resultado de citocinese incompleta.

bridge·work (brij'werk) – ponte dentária; dentadura parcial presa por conexões em vez de ganchos. **fixed b.** – p. fixa; ponte protética presa com coroas ou blocos cimentados aos dentes naturais. **removable b.** – p. removível; ponte presa por conexões que permitem a remoção.

brim (brim) – margem; extremidade; borda do estreito superior do canal da pelve.

brise·ment (brěz-maw') [Fr.] – rompimento ou dilaceração de algo. **b. forcé** – rompimento forçado; rompimento ou dilaceração de anquilose óssea.

broach (brōch) – broca; instrumento fino e farpado para tratar um canal dentário ou extrair a polpa.

bro·me·lain (bro'mě-lān) – bromelina; qualquer substância de várias endopeptidases que catalisam a clivagem de ligações específicas nas proteínas. Formas diferentes são derivadas da fruta (*b. da fruta*) e caule (*b. do caule*) do abacaxi (*Ananas comosus*). É utilizado como agente antiinflamatório.

bro·mide (bro'mĭ d) – brometo; qualquer composto binário de bromo. Os brometos produzem depressão do sistema nervoso central, e já foram utilizados amplamente devido ao seu efeito sedativo. Como a superdosagem causa distúrbios mentais sérios, hoje raramente se utilizam os brometos, exceto ocasionalmente no caso de ataques convulsivantes de epilepsia. Ver também *brominism*.

bro·mine (bro'mēn) – bromo, elemento químico (ver *Tabela de Elementos*), número atômico 35, símbolo Br.

bro·min·ism (bro'min-izm) – bromismo; envenenamento pelo uso excessivo de bromo ou seus compostos; os sintomas incluem acne, dor de cabeça, frialdade dos braços e pernas, respiração fétida, sonolência, fraqueza e impotência.

bro·mo·crip·tine (bro"mo-krip'tēn) – bromocriptina; agonista da dopamina, um alcalóide do esporão do centeio utilizado como sal de mesilato para suprimir a secreção de prolactina e, portanto, inibir a lactação e estimular a ovulação; também é utilizada na doença de Parkinson.

bro·mo·di·phen·hy·dra·mine (-di"fen-hi'drah-mēn) – bromodifenidramina; derivado da monoetanolamina utilizado como sal de cloridrato em forma de anti-histamínico.

bro·mo·men·or·rhea (-men"or-e'ah) – bromomenorréia; menstruação caracterizada por odor desagradável.

brom·phen·ir·amine (brŏm"fen-ir'ah-mēn) – bromofeniramina; anti-histamínico com efeitos anticolinérgicos e sedativos, utilizado como sal de maleato.

Brom·sul·pha·lein (brŏm-"sul'fah-lin) – Bromossulfaleína, marca registrada de preparação de sulfobromoftaleína.

bronch·ad·e·ni·tis (brongk"ad-in-ī t'is) – broncadenite; inflamação das glândulas brônquicas.

bron·chi (brong'ki) [L.] pl. *bronchus* – brônquios.

bron·chi·al (brong'ke-al) – brônquico; bronquial; pertinente ou que afeta um ou mais brônquios.

bron·chi·ec·ta·sis (brong'ke-ek'tah-sis) – bronquiectasia; dilatação crônica de um ou mais brônquios.

bron·chio·cele (brong'ke-o-sēl") – bronquiocele; dilatação ou inchaço de um bronquíolo.

bron·chi·ole (brong'ke-ōl) – bronquíolo; uma das subdivisões mais finas da árvore brônquica respiratória. **respiratory b.** – b. respiratório; ramo terminal do bronquíolo.

bron·chio·lec·ta·sis (brong'ke-ōl-ek'tah-sis) – bronquiolectasia; dilatação dos bronquíolos.

bron·chi·o·li·tis (brong"ke-o-li'tis) – bronquiolite; inflamação dos bronquíolos.

bron·chi·o·lus (brong-ki'o-lus) [L.] pl. *bronchioli* – bronquíolo.

bron·chio·spasm (brong'ke-o-spazm") – bronquiospasmo.

bron·chi·tis (brong-kī t'is) – bronquite; inflamação de um ou mais brônquios. **bronchit'ic** – adj. bronquítico. **acute b.** – b. aguda; ataque bronquítico com um curso severo curto, decorrente da exposição ao frio, respiração de agentes irritantes ou infecção aguda, e caracterizada por febre, dor no peito (especialmente ao tossir), dispnéia e tosse. **catarrhal b.** – b. catarral; bronquite aguda com descargas mucopurulentas abundantes. **chronic b.** – b. crônica; inflamação recorrente de curso longo devido a ataques repetidos de bronquite aguda ou a afecção geral crônica, e caracterizada por tosse, expectoração e alterações secundárias no tecido pulmonar. **croupous b.** – b. crupal; forma caracterizada por tosse violenta e acessos de dispnéia, nos quais se expectoram cilindros dos tubos brônquicos com cristais de Charcot-

Leyden e células eosinófilas. **fibrinous b.** – b. fibrinosa; b. crupal. **infectious avian b.** – b. aviária infecciosa; doença viral respiratória aguda e altamente contagiosa das galinhas. **b. obli'terans** – b. obliterante; bronquite em que os brônquios menores são preenchidos com nódulos compostos de exsudato fibrinoso.

bron·cho·can·di·di·a·sis (brong"ko-kan"dī -di'ah-sis) – broncocandidíase; candidíase nos brônquios.

bron·cho·cele (brong'kah-sēl) – broncocele; dilatação localizada de um brônquio.

bron·cho·con·stric·tor (brong"ko-kun-strik'-ter) – broncoconstritor: 1. que estreita o lúmen das passagens aéreas pulmonares; 2. agente causador de constrição.

bron·cho·di·la·tor (-di-lāt'er) – broncodilatador: 1. que expande o lúmen das passagens aéreas pulmonares; 2. agente causador de dilatação dos brônquios.

bron·cho·esoph·a·ge·al (-ah-sof"ah-je'al) – broncoesofágico; pertinente ou que se comunica com um brônquio e o esôfago.

bron·cho·esoph·a·gos·co·py (-ah-sof"ah-gos'-kah-pe) – broncoesofagoscopia; exame instrumental dos brônquios e esôfago.

bron·cho·fi·ber·scope (-fi'ber-skōp) – broncofibroscópio; broncoscópio flexível que utiliza fibras ópticas.

bron·cho·gen·ic (-jen'ik) – broncogênico; que se origina nos brônquios.

bron·chog·ra·phy (brong-kog'rah-fe) – broncografia; radiografia dos pulmões após instilação de um meio de contraste opaco nos brônquios. **bronchograph'ic** – adj. broncográfico.

bron·cho·li·thi·a·sis (brong"ko-lī -thi'ah-sis) – broncolitíase; afecção na qual se encontram presentes cálculos dentro do lúmen da árvore traqueobronquial.

bron·chol·o·gy (brong-kol'ah-je) – broncologia; estudo e tratamento das doenças da árvore traqueobronquial. **broncholog'ic** – adj. broncológico.

bron·cho·ma·la·cia (brong"ko-mah-la'shah) – broncomalacia; deficiência na parede cartilaginosa da traquéia ou de um brônquio, que pode levar à atelectasia ou ao enfisema obstrutivo.

bron·cho·mo·tor (-mōt'er) – broncomotor; que afeta o calibre dos brônquios.

bron·cho·mu·co·trop·ic (-mu"ko-trop'ik) – broncomucotrópico; que aumenta a secreção da mucosa respiratória.

bron·cho·pan·cre·at·ic (-pan"kre-at'ik) – broncopancreático; que se comunica com um brônquio e o pâncreas, por exemplo, uma fístula broncopancreática.

bron·choph·o·ny (brong-kof'ah-ne) – broncofonia; som da voz como é ouvido através do estetoscópio aplicado sobre um grande brônquio saudável.

bron·cho·plas·ty (brong'ko-plas"te) – broncoplastia; cirurgia plástica de um brônquio; fechamento cirúrgico de uma fístula bronquial.

bron·cho·ple·gia (brong'ko-ple'jah) – broncoplegia; paralisia dos músculos das paredes dos tubos brônquicos.

bron·cho·pleu·ral (-plōōr'il) – broncopleural; relativo a um brônquio e à pleura, ou que se comunica com um brônquio e cavidade pleural.

bron·cho·pneu·mo·nia (-noo-mo'ne-ah) – broncopneumonia; inflamação dos pulmões, começando geralmente nos bronquíolos terminais.

bron·cho·pul·mo·nary (-pul'mun'ĕ-re) – broncopulmonar; relativo aos brônquios e pulmões.

bron·chor·rha·phy (brong-kor'ah-fe) – broncorrafia; sutura de um brônquio.

bron·cho·scope (brong'kah-skōp) – broncoscópio; instrumento para inspecionar o interior da árvore traqueobronquial e realizar um diagnóstico endobronquial bem como manobras terapêuticas, tais como a coleta de amostras para cultura e biopsia e remoção de corpos estranhos. **bronchoscop'ic** – adj. broncoscópico. **fiberoptic b.** – b. de fibra óptica; broncofibroscópio.

bron·chos·co·py (brong-kos'kah-pe) – broncoscopia; exame dos brônquios através de um broncoscópio. **fiberoptic b.** – b. por fibra óptica; broncofibroscopia.

bron·cho·spasm (brong'ko-spazm) – broncospasmo; contração espasmódica da musculatura lisa dos brônquios, como a que ocorre na asma.

bron·cho·spi·rom·e·try (brong"ko-spi-rom'ĕ-tre) – broncospirometria; determinação da capacidade vital, consumo de oxigênio e excreção de dióxido de carbono de um único pulmão, ou as medições simultâneas da função de cada pulmão separadamente. **differential b.** – b. diferencial; medição da função de cada pulmão separadamente.

bron·cho·ste·no·sis (-stĕ-no'sis) – broncostenose; constrição ou diminuição cicatricial do calibre de um tubo brônquico.

bron·chos·to·my (brong-kos'tah-me) – broncostomia; criação cirúrgica de uma abertura através da parede torácica para o brônquio.

bron·cho·tra·che·al (brong"ko-tra'ke-il) – broncotraqueal; relativo aos brônquios e traquéia.

bron·cho·ve·sic·u·lar (-vah-sik'u-ler) – broncovesicular; relativo aos brônquios e alvéolos.

bron·chus (brong'kus) [L.] pl. bronchi – brônquio; uma das maiores passagens que transportam o ar para (brônquios principais direito ou esquerdo) e (brônquios lobar e segmentar) dos pulmões.

brow (brow) – supercílio; sobrancelha; formação pilosa acima dos olhos; testa.

BRS – British Roentgen Society (Sociedade Britânica Roentgen).

Bru·cel·la (broo-sel'ah) – Brucella; gênero de esquizomicetos (família Brucellaceae). **B. abor'tus** – B. abortus; agente causador de aborto infeccioso nos bovinos e a causa mais comum de brucelose no homem. **B. bronchisep'tica** – B. bronchiseptica; Bordetella bronchiseptica. **B. meliten'sis** – B. melitensis; agente causador da brucelose, que ocorre primariamente em caprinos. **B.o'vis** – B. ovis; agente causador de doença infecciosa nos ovinos. **B. su'is** – B. suis; espécie encontrada nos suínos, capaz de produzir doença severa no homem.

bru·cel·la (broo-sel'ah) – brucela; qualquer membro do gênero Brucella. **brucel'lar** – adj. brucelar.

Bru·cel·la·ceae (broo"sel-a'se-e) – Brucellaceae; família de esquizomicetos (ordem Eubacteriales), na qual alguns gêneros são parasitas de e outros patogênicos para animais de sangue quente, incluindo o homem e as aves.

bru·cel·lo·sis (-o'sis) – brucelose; infecção generalizada do homem que envolve primariamente o sistema reticuloendotelial, causada por uma espécie de *Brucella*.

Brug·ia (broo'jah) – *Brugia;* gênero de vermes filariais, que inclui a *B. malayi,* uma espécie semelhante e freqüentemente encontrada em associação à *Wuchereria bancrofti,* que causa a filaríase humana e a elefantíase por todo sudeste da Ásia, mar da China e o leste da Índia.

bruit (brwe, brōōt) – ruído; som ou murmúrio ouvido na auscultação, especialmente o som anormal. **aneurysmal b.** – r. aneurismático; som de sopro ouvido sobre um aneurisma. **placental b.** – r. placentário; ver em *souffle.*

brux·ism (bruk'sizm) – bruxismo; bricismo; rangido de dentes, especialmente durante o sono.

BS – Bachelor of Surgery; Bachelor of Science; breath sounds; blood sugar (Bacharel em Cirurgia; Bacharel em Ciências; SR, sons respiratórios; AS, açúcar sangüíneo).

BSA – body surface area (ASC, área da superfície corporal).

BSF – B limphocyte stimulatory factor (FEB, fator estimulador dos linfócitos B).

BSP – bromsulphalein (bromossulfaleína).

BTU, BThU – British Thermal Unit (BTU; BThU; Unidade Térmica Britânica).

bu·bo (bu'bo) – bubão; linfonodo aumentado de volume e inflamado, particularmente na axila ou virilha, devido a infecções, tais como peste bubônica, sífilis, gonorréia, linfogranuloma venéreo e tuberculose. **bubon'ic** – adj. bubônico. **climatic b.** – b. climático; linfogranuloma venéreo.

bu·bono·cele (bu-bon'ah-sēl) – bubonocele; hérnia inguinal ou femoral que forma inchaço na virilha.

bu·car·dia (bu-kar'de-ah) – bucardia; coração bovino.

buc·ca (buk'ah) [L.] – bochecha (*cheek*).

bucc(o)- [L.] – buc(o)-, elemento de palavra *bochecha.*

buc·co·clu·sion (buk"o-kloo'zhun) – bucoclusão; máoclusão, na qual a arcada dentária ou um quadrante ou um grupo de dentes fica bucal ao normal.

buc·co·ver·sion (-ver'zhun) – bucoversão; posição de um dente que se situa bucalmente em relação à linha de oclusão.

buck·ling (buk'ling) – dobradura; introflexão; processo ou circunstância de se tornar arqueado ou deformado. **escleral b.** – a. escleral; técnica para o reparo do descolamento da retina, onde se fazem reentrâncias ou projeções da esclera em cima dos rasgos na retina para promover sua aderência à coróide.

bu·cli·zine (bu'klĭ-zēn) – buclizina; anti-histamínico utilizado como cloridrato, principalmente como antinauseante no tratamento de enfermidade motora.

bud (bud) – broto; qualquer parte pequena do embrião ou de um metazoário adulto mais ou menos semelhante ao botão de uma planta e que se

presume ter potencial de crescimento e diferenciação. **end b.** – b. terminal; parte remanescente do nó primitivo, que surge da parte caudal do tronco. **limb b.** – b. de membro; tumefação no tronco de um embrião que se torna um membro. **periosteal b.** – b. perióstico; tecido conjuntivo vascular proveniente do periósteo, que cresce através de aberturas no colarinho ósseo perióstico no interior da matriz cartilaginosa do centro primário de ossificação. **tail b.** – b. caudal: 1. primórdio do apêndice caudal; 2. b. terminal. **taste b.** – b. gustativo; um dos órgãos terminais do nervo gustativo que contêm as superfícies receptoras para o sentido do gosto. **ureteric b.** – b. uretérico; proeminência do ducto mesonéfrico que dá origem a todos os néfrons, menos o do rim permanente. **b. of urethra** – b. da uretra; bulbo peniano.

buf·fer (buf'er) – tampão: 1. sistema químico que impede alterações na concentração iônica de hidrogênio; 2. sistema físico ou fisiológico que tende a manter uma constante.

bu·iat·rics (bu"e-at'riks) – buiatria; tratamento de doenças bovinas.

bulb (bulb) – bulbo; massa ou aumento de volume arredondados. **bul'bar.** adj. bulbar – **b. of aorta** – b. aórtico; aumento de volume da aorta no seu ponto de origem a partir do coração. **auditory b.** – b. auditivo; o labirinto membranoso e a cóclea. **b. of corpus spongiosum** – b. do corpo esponjoso; b. peniano. **b. of hair** – b. piloso; expansão bulbosa na extremidade proximal de um pêlo, onde se gera o eixo piloso. **olfactory b.** – b. olfatório; expansão bulbosa do trato olfatório na superfície inferior do lobo frontal de cada hemisfério cerebral; os nervos olfatórios penetram nesse bulbo. **onion b.** – b. em cebola; em neuropatologia, coleção de células de Schwann sobrepostas semelhante ao bulbo de uma cebola, e que envolve um axônio que ficou desmielinizado; observado quando um axônio é repetidamente desmielinizado e remielinizado. **b. of penis** – b. peniano; a parte proximal aumentada de volume do corpo esponjoso. **b. of urethra.** – b. da uretra. **b. of vestibule of vagina, vestibulovaginal b.** – b. do vestíbulo vaginal; b. vestibulovaginal; um corpo que consiste de massas pareadas de tecido erétil, uma em cada lado da abertura vaginal.

bul·bar (bul'ber) – bulbar; relativo a um bulbo; relativo ou envolvendo a medula oblonga, como no caso de paralisia bulbar.

bul·bi·tis (bul-bī'tis) – bulbite; inflamação do bulbo peniano.

bul·bo·spi·ral (bul"bo-spi'ral) – bulboespiral; relativo à raiz da aorta (bulbo aórtico) e que tem um curso espiral; diz-se de determinados feixes de fibras musculares cardíacas.

bul·bo·ure·thral (-ūr-e'thril) – bulbouretral; relativo ao bulbo uretral (bulbo peniano).

bul·bus (bul'bus) [L.] pl. *bulbi* – bulbo.

bu·lim·ia (bu-lim'e-ah) – bulimia; distúrbio mental que afeta mulheres adolescentes e jovens, caracterizado por ingestão desenfreada de alimentos alternada com ingestão normal ou jejum, mas sem a perda extrema de peso como no caso da anorexia nervosa. **bulim'ic** – adj. bulímico.

bul·la (bul'ah) [L.] pl. *bullae* – bolha; vesícula: 1. empola; lesão elevada, circunscrita e que contém fluido da pele, geralmente com mais de 5 mm de diâmetro; 2. estrutura anatômica proeminente arredondada. **bul'late, bul'lous** – adj. bolhoso.

bul·lo·sis (bul-o'sis) – bulose; produção de uma afecção, ou afecção caracterizada por lesões bolhosas.

BUN – blood urea nitrogen (nitrogênio da uréia sangüínea; ver *urea nitrogen*, em *urea*).

bun·dle (bun'd'l) – feixe; coleção de fibras ou cordões, como as fibras musculares, ou fascículo ou faixa de fibras nervosas. **atrioventricular b., AV b.** – f. atrioventricular; f. de His. **common b.** – f. comum; porção não-dividida do feixe de His, desde sua origem no nódulo atrioventricular até o ponto de divisão de feixe nos ramos direito e esquerdo. **b. of His** – f. de His; faixa de fibras musculares cardíacas atípicas que conecta os átrios aos ventrículos cardíacos, e que ocorre como um tronco e dois ramos de feixes; propaga o ritmo de contração atrial para os ventrículos, e sua interrupção produz bloqueio cardíaco. O termo é algumas vezes utilizado especificamente para denotar o tronco do feixe. **medial forebrain b.** – f. prosencefálico medial; grupo de fibras nervosas contendo o tegmento do mesencéfalo e elementos do sistema límbico. **Thorel's b.** – f. de Thorel; feixe de fibras musculares no coração humano que conectam os nódulos sinoatriais e atrioventriculares.

bun·dle branch (branch) – ramo do feixe; ver em *branch*.

bun·ion (bun'yun) – joanete; proeminência anormal na face interna da primeira cabeça metatársica, com uma formação bursal e um deslocamento resultante do polegar. **tailor's b.** – j. de alfaiate.

bun·ion·ette (bun"yun-et') – joanete de alfaiate; aumento de volume na face lateral da quinta cabeça metatársica.

Bu·no·sto·mum (bu"no-sto'mum) – *Bunostomum;* gênero de ancilóstomos que parasita ruminantes.

Bun·ya·vi·ri·dae (bun"yah-vir'ĭ -de) – Bunyaviridae; uma família de vírus do RNA cujo genoma compreende três moléculas de RNA monofilamentar, sentido negativo e circular; compreende os gêneros *Bunyavirus, Hantavirus, Nairovirus* e *Phlebovirus.*

Bun·ya·vi·rus (bun'yah-vi"rus) – *Bunyavirus;* gênero de vírus da família Bunyaviridae geralmente, transmitido pela picada de um mosquito infectado; os patógenos humanos causam uma doença febril e encefalite. As espécies patogênicas importantes incluem os vírus Bunyamwera, Bwamba, da encefalite da Califórnia, Guama, Jamestown Canyon, LaCrosse, Oropouche e Tahyna.

bun·ya·vi·rus (bun'yah-vi"rus) – *Bunyavirus;* qualquer vírus da família Bunyaviridae.

buph·thal·mos (bŭf-thal'mos) – buftalmo; buftalmia; aumento de volume anormal dos olhos; ver *infantile glaucoma*, em *glaucoma*.

bu·piv·a·caine (bu-piv'ah-kān) – bupivacaína; anestésico local, utilizado como cloridrato para bloqueio nervoso periférico e bloqueio simpático caudal ou epidural.

bur (ber) – broca; forma de broca utilizada para criar aberturas em ossos ou em materiais duros semelhantes.

bur·bu·lence (bur'bu-lens") – borbulhação; formação de gases; grupo de sintomas de origem intestinal, incluindo sensação de repleção, timpanismo ou distensão, borborigmo e flatulência.

bu·ret, bu·rette (bu-ret') – bureta; tubo de vidro graduado utilizado para administrar a quantidade medida de um líquido.

burn (bern) – queimadura; lesão tecidual causada pelo contato com calor, chamas, produtos químicos, eletricidade ou radiação. As queimaduras de primeiro grau apresentam vermelhidão; queimaduras de segundo grau apresentam vesiculação; queimaduras de terceiro grau apresentam necrose por toda a pele. As queimaduras de primeiro e segundo graus são queimaduras de espessura parcial; as de terceiro grau são de espessura completa.

burn·er (bern'er) – bico; queimador; parte de uma lamparina, forno ou fornalha a partir da qual produz-se a chama. **Bunsen b.** – b. de Bunsen; bico de gás onde o gás é misturado ao ar antes da ignição para proporcionar oxidação completa.

bur·nish·ing (ber'nish-ing) – polimento; procedimento dentário de certa forma relacionado ao polimento e abrasão dentários.

burr (ber) – trépano; broca (*bur*).

bur·sa (ber'sah) [L.] pl. *bursae* – bursa; bolsa; saco ou cavidade sacular preenchido por fluido, situado em locais em tecidos onde de outra forma ocorreria uma fricção. **bur'sal** – adj. bursal. **b. of Achilles (tendon)** – b. (tendão) de Aquiles; bursa entre o tendão calcâneo e o dorso do calcâneo. **b. anseri'na, anserine b.** – b. anserina; bursa entre os tendões dos músculos sartório, grácil e semitendinoso e os ligamentos colaterais tibiais. **Calori's b.** – b. de Calori; bursa entre a traquéia e o arco aórtico. **Fleischmann's b.** – b. de Fleischmann; bursa sublingual. **His b.** – b. de His; dilatação na extremidade do arquentério. **iliac b., subtendinous, b.** – b. ilíaca; b. subtendinosa; bursa no ponto de inserção do músculo iliopsoas, no interior do trocanter menor. **Luschka's b.** – b. de Luschka; b. faríngea. **b. muco'sa** – b. mucosa; b. sinovial. **omental b., b. omenta'lis** – b. omental; o menor saco do peritônio. **b. pharyn'gea, pharyngeal b.** – b. faríngea; um saco cego inconstante localizado acima da tonsila faríngea na linha média da parede posterior da nasofaringe; ela representa a persistência de comunicação embrionária entre a ponta anterior do notocórdio e o teto da faringe. **popliteal b.** – b. poplítea; prolongamento da bainha tendínea sinovial do músculo poplíteo externamente à articulação genicular no interior do espaço poplíteo. **prepatellar b.** – b. pré-patelar; uma das bursas na frente da patela; pode ter localização subcutânea, subfascial ou subtendinosa. **subacromial b., b. subacromia'lis** – b. subacromial; bursa entre o acrômio e a inserção do músculo supra-espinhoso, estendendo-se entre o deltóide e o tubérculo maior do úmero. **subdeltoid b., b. subdeltoi'dea** – b. subdeltóide; bursa entre o deltóide e a cápsula articular escapular, geralmente conectada à bursa subacromial. **synovial b., b. synovia'lis** – b. sinovial; um saco sinovial fechado interposto entre as superfícies que deslizam entre si; pode ter natureza subcutânea, submuscular, subfascial ou subtendinosa.

bur·si·tis (ber-si'tis) – bursite; inflamação de uma bursa; os tipos específicos de bursite são nomeados de acordo com a bursa afetada, por exemplo, bursite pré-patelar, bursite subacromial, etc. **calcific b.** – b. calcificante; ver em *tendinitis*. **ischiogluteal b.** – b. isquioglútea; inflamação da bursa sobre a tuberosidade isquial, caracterizada pelo início súbito de dor torturante no centro da nádega e para baixo até a parte traseira da perna. **subacromial b., subdeltoid b.** – b. subacromial; b. subdeltóide; inflamação e calcificação da bursa subacromial ou subdeltóidea. **Thornwaldt's b.** – b. de Thornwaldt; inflamação crônica da bursa faríngea.

bur·sot·o·my (ber-sot'ah-me) – bursotomia; incisão de uma bursa.

bu·sul·fan (bu-sul'fan) – bussulfam; antineoplásico utilizado no tratamento da leucemia granulocítica crônica, policitemia verdadeira, metaplasia mielóide e síndrome mieloproliferativa.

bu·ta·bar·bi·tal (būt"ah-bar'bĭ-tal) – butabarbital; barbitúrico de ação intermediária, utilizado em forma de base ou sal sódico como sedativo e hipnótico.

bu·ta·caine (būt'ah-kān) – butacaína; anestésico local aplicado topicamente como sal de sulfato para aliviar a dor associada a aplicações dentárias.

bu·tal·bi·tal (bu-tal'bĭ-tal) – butalbital; barbitúrico de ação curta a intermediária, utilizado como sedativo.

bu·tam·ben (bu-tam'ben) – butambeno; anestésico local aplicado topicamente como base ou derivado do picrato no tratamento de afecções cutâneas dolorosas.

bu·tane (bu'tān) – butano; hidrocarboneto alifático proveniente do petróleo, que ocorre como gás inflamável incolor; utilizado em farmácia como propelente de aerossol.

bu·ta·per·a·zine (būt"ah-per'ah-zēn) – butaperazina; derivado fenotiazínico, utilizado como droga antipsicótica; similarmente, é utilizado o sal de melato.

Bu·ta·zol·i·din (-zol'ĭ-din) – Butazolidina, marca registrada de preparação de fenilbutazona.

bu·to·con·a·zole (bu"to-kon'ah-zōl) – butoconazol; derivado imidazólico utilizado como antifúngico tópico; utilizado como sal de nitrato no tratamento da candidíase vulvovaginal.

bu·tor·pha·nol (bu-tor'fah-nōl) – butorfanol; opióide sintético utilizado como analgésico e antitussígeno, também utilizado em forma de sal de maleato como analgésico.

but·tock (but'ok) – nádegas; qualquer das duas proeminências carnosas formadas pelos músculos glúteos na parte inferior das costas.

but·ton (but"n) – botão: 1. elevação ou estrutura semelhante a um botão; 2. dispositivo em forma de disco ou carretel utilizado em cirurgia para a confecção de anastomose intestinal. **Jaboulay b.** – b. de Jaboulay; dispositivo utilizado para anastomose intestinal lateral. **mescal b's** – botão de mescal; fatias transversais de botões florescentes do cacto mexicano (*Lophophora williamsii*), cujo princípio ativo principal é a mescalina. **Murphy's b.** – b. de Murphy; dispositivo metálico utilizado para unir as extremidades de um intestino dividido. **skin b.** – b. cutâneo; conector ou esticador de tubulação recoberto com um tecido aveludado, destinado a estimular a invaginação tecidual em seu trajeto através da pele.

bu·tyl (būt"l) – butila; radical de hidrocarboneto (C_4H_9).

bu·ty·lat·ed hi·droxy·an·isole (BHA) (bu'tĭ -la"ted hi-drok"se-an'ĭ -sōl) – hidroxianisol butilado; antioxidante utilizado em alimentos, cosméticos e produtos farmacêuticos que contenham gorduras ou óleos.

bu·ty·lat·ed hy·droxy·tol·u·ene (BHT) (-tol'u-ēn) – hidroxitolueno butilado; antioxidante utilizado em alimentos, cosméticos, produtos farmacêuticos e produtos de petróleo.

bu·tyl·par·a·ben (bu"til-par'ah-ben) – butil-*p*-hidroxibenzoato; agente antifúngico utilizado como preservativo farmacêutico.

bu·ty·rate (būt'ĭ -rāt) – butirato; forma salina, estérica ou aniônica do ácido butírico.

bu·tyr·ic ac·id (bu-tir'ik) – ácido butírico: 1. qualquer ácido carboxílico de quatro carbonos, seja o ácido *n*-butírico ou o ácido isobutírico; 2. ácido *n*-butírico, que ocorre na manteiga, particularmente manteiga rançosa, e em muitas gorduras animais.

bu·ty·roid (būt'ĭ -roid) – butiróide; semelhante ou com a consistência de manteiga.

bu·ty·ro·phe·none (but"ĭ -ro-fe'nōn) – butirofenona; classe química de tranquilizantes maiores, especialmente útil no tratamento de estados maníacos e agitados moderados a severos e no controle das pronúncias e tiques vocais da síndrome de Gilles de la Tourette.

by·pass (bi'pas) – desvio; contorno; derivação; fluxo auxiliar; trajeto cirurgicamente criado que circunda a via anatômica normal, como no caso do desvio aortoilíaco ou do desvio jejunal. **coronary artery b.** – d. arterial coronário; secção de uma veia ou outro conduto enxertada entre a aorta e uma artéria coronária distal a uma lesão obstrutiva na última.

bys·si·no·sis (bis"ĭ -no'sis) – bissinose; pneumoconiose devido à inalação de pó de algodão. **byssinot'ic** – adj. bissinótico.

C

C – canine (tooth); carbon; large calorie; cathode; cervical vertebrae (C1 to C7); clonus; color sense; complement; compliance; contraction; coulomb; cytosine or cytidine; cylindrical lens (C, canino [dente]; carbono; grande caloria; cátodo; vértebras cervicais [C1 a C7]; clono; sensação de cor; complemento; concordância; contração; coulomb; citosina ou citidina; lente cilíndrica).

C – capacitance; clearance; heat capacity (capacitância; depuração; capacidade de calor).

c – small calorie; contact; centi- (pequena caloria; contato; centi-).

c – molar concentration; the velocity of light in a vacuum (c, concentração molar; a velocidade da luz no vácuo).

CA – cardiac arrest; coronary artery (PC, parada cardíaca; AC, artéria coronária).

Ca – símbolo químico, cálcio (calcium).

Ca²⁺-ATP·ase (a-te-pe'ãs) – Ca²⁺-ATP-ase; enzima ligada à membrana, que hidrolisa o ATP para fornecer energia a fim de impelir a bomba celular de cálcio.

CABG – coronary artery bypass graft (EDAC, enxerto de desvio da artéria coronária).

cac(o)- [Gr.] – cac(o)-, elemento de palavra; mau; doente.

ca·chec·tin (kah-kek'tin) – caquectina; proteína semelhante a um hormônio, produzida pelos macrófagos, e que libera gordura e reduz a concentração de enzimas exigidas para o armazenamento e produção de gordura. Quando as endotoxinas bacterianas causam sua liberação, a caquectina pode induzir choque.

ca·chet (kah-sha') – cápsula ou lâmina em forma de disco contendo uma dose de remédio.

ca·chex·ia (kah-kek'se-ah) – caquexia; estado profundo e acentuado de distúrbio constitucional; má-saúde e má-nutrição gerais. cachec'tic – adj. caquético. hypophysiopri'va – c. hipofisiopriva; seqüência de sintomas que resulta de privação total da função hipofisária, incluindo perda de função sexual, bradicardia, hipotermia e coma. malarial c. – c. malárica; sinais físicos que resultam de ataques antecedentes de malária severa, incluindo anemia, pele amarelada, esclera amarelada, esplenomegalia, hepatomegalia e, em crianças, retardo de crescimento e puberdade. pituitary c. – c. hipofisária; ver panhypopituitarism.

cach·in·na·tion (kak"ĭ-na'shin) – caquinação; casquinada; risada histérica excessiva.

cac·o·dyl·ic ac·id (kak"o-dil'ik) – ácido cacodílico; ácido dimetilarsínico; um herbicida altamente tóxico.

caco·geu·sia (-goo'ze-ah) – cacogeusia; paragreusia que consiste em gosto desagradável não-relacionado à ingestão de substâncias específicas ou associado a estímulos gustatórios geralmente considerados agradáveis.

caco·me·lia (-me'le-ah) – cacomelia; deformidade congênita de um membro.

CAD – coronary artery disease (DAC, doença da artéria coronária).

ca·dav·er (kah-dav'er) – cadáver; corpo morto; geralmente aplicado ao corpo humano preservado para estudo anatômico. cadav'eric, cadav'erous – adj. cadavérico.

ca·dav·er·ine (-in) – cadaverina; ptomaína (C₅H₁₄N₂) relativamente atóxica formada pela descarboxilação de lisina; constitui algumas vezes um dos produtos das espécies Vibrio proteus e V. cholerae, e é ocasionalmente encontrada na urina no caso de cistinúria.

cad·mi·um (kad'me-um) – cádmio, elemento químico (ver Tabela de Elementos), número atômico 48, símbolo Cd. O cádmio e seus sais são tóxicos; a inalação dos vapores ou pó de cádmio causa pneumoconiose e a ingestão de alimentos contaminados por recipientes revestidos de cádmio causa sintomas gastrointestinais violentos.

ca·du·ce·us (kah-doo'se-us) [L.] – caduceu; cajado de Hermes ou Mercúrio; utilizado como símbolo da profissão médica e como emblema do Corpo Médico do Exército dos EUA. Ver também staff of Aesculapius, em staff.

cae- – ver também ce-.

caf·feine (kă-fēn', kaf'ēn) – cafeína; xantina proveniente do café, chá, guaraná e mate; é estimulante do sistema nervoso central, diurético, estimulante da musculatura estriada e age no sistema cardiovascular. É utilizado como estimulante central e respiratório, no tratamento de dores de cabeça vasculares e como suplemento de analgésicos.

cage (kāj) – gaiola; caixa ou cercado. thoracic c. – g. torácica; estrutura óssea que circunda o tórax, consistindo em costelas, coluna vertebral e esterno.

CAH – congenital adrenal hyperplasia (HAC, hiperplasia adrenal congênita).

cal – calorie (caloria).

cal·a·mine (kal'ah-mīn) – calamina; preparação de óxidos de zinco e ferro, utilizada topicamente como protetor.

cal·a·mus (kal'ah-mus) – cálamo: 1. caniço ou estrutura semelhante a um caniço; 2. rizoma descascado e seco de Acorus calamus; aromático suave. c. scripto'rius – ventrículo de Arantius; porção mais baixa do piso do quarto ventrículo, situada entre os corpos restiformes.

cal·ca·neo·apoph·y·si·tis (kal-ka"ne-o-ah-pof"ĭ-sī'tis) – calcaneoapofisite; inflamação da parte posterior do calcâneo, caracterizada por dor e tumefação.

cal·ca·neo·as·trag·a·loid (-ah-strag'ah-loid) – calcaneoastragalóide; relativo ao calcâneo e astrágalo.

cal·ca·ne·odyn·ia (-din'e-ah) – calcaneodinia; dor no calcanhar.

cal·ca·ne·us (kal-ka'ne-us) [L.] pl. calcanei – calcâneo; osso do calcanhar; ver Tabela de Os-

sos. **calca'neal, calca'nean** – adj. calcâneo ou relativo ao calcanhar.

cal·car (kal'kar) – esporão; espora ou estrutura em forma de espora. **c. a'vis** – hipocampo menor; porção mais baixa de duas elevações mediais no corno posterior do ventrículo cerebral lateral produzido pela extensão lateral do sulco calcarino.

cal·car·e·ous (kal-kar'e-us) – calcário; relativo à cal ou que a contém; gredoso.

cal·ca·rine (kal'kar-in) – calcarino: 1. em forma de espora; 2. relativo ao esporão.

cal·ce·mia (kal-se'me-ah) – calcemia; hipercalcemia.

cal·ci·bil·ia (kal"sĭ -bil'e-ah) – calcibilia; presença de cálcio na bile.

cal·cic (kal'sik) – cálcico; pertinente à cal ou cálcio.

cal·cif·er·ol (kal-sif'er-ol) – calciferol: 1. composto que tem atividade de vitamina D, por exemplo, colecalciferol ou ergocalciferol; 2. ergocalciferol; ver *ergocalciferol* (1).

cal·cif·ic (-ik) – calcificante; que forma calcário.

cal·ci·fi·ca·tion (kal"sĭ -fĭ -ka'shun) – calcificação; deposição de sais de cálcio em um tecido. **dystrophic c.** – c. distrófica; deposição de cálcio em um tecido anormal como, por exemplo, tecido cicatricial ou placas ateroscleróticas e sem anormalidades do cálcio sangüíneo. **Mönckeberg's c.** – c. de Mönckeberg; ver *arteriosclerosis.*

cal·ci·no·sis (-no'sis) – calcinose; afecção caracterizada por deposição anormal de sais de cálcio nos tecidos. **c. circumscrip'ta** – c. circunscrita; deposição localizada de cálcio em pequenos nódulos nos tecidos subcutâneos ou músculos. **c. universa'lis** – c. universal; deposição disseminada de cálcio em nódulos ou placas na derme, panículo e músculos.

cal·ci·pex·is (-pek'sis) – calciopexia; calcipexia.

cal·ci·pexy (kal'sĭ -pek"se) – calcipexia; fixação de cálcio nos tecidos. **calcipec'tic, calcipex'ic** – adj. calcipéxico.

cal·ci·phy·lax·is (-fi-lak'sis) – calcifilaxia; formação de tecido calcificado em resposta à administração de um agente desafiador após indução a um estado hipersensível. **calciphylac'tic** – adj. calcifilático.

cal·ci·priv·ia (-priv'e-ah) – calciprivia; privação ou perda de cálcio. **calcipri'vic** – adj. calciprívico.

cal·ci·to·nin (-to'nin) – calcitonina; hormônio polipeptídico secretado pelas células C da glândula tireóide, e algumas vezes do timo e paratireóides, que diminui a concentração de cálcio e fosfato no plasma e inibe a reabsorção.

cal·ci·um (kal'se-um) – cálcio; elemento químico (ver *tabela*), número atômico 20, símbolo Ca. Os sais de fosfato de cálcio formam o material duro e denso dos dentes e ossos. O íon cálcio (II) participa de muitos processos fisiológicos. Um nível sangüíneo normal de cálcio é essencial para a função normal do coração, nervos e músculos. Participa da coagulação sangüínea (nesta conexão chama-se *Fator de Coagulação IV*). **c. carbonate** – carbonato de c.; sal insolúvel ($CaCO_3$) que ocorre naturalmente nas conchas, calcário e giz; utilizado como antiácido. **c. chloride** – cloreto de c.; sal utilizado na reposição de cálcio e antído-

to contra envenenamento com magnésio. **c. gluconate** – gliconato de c.; repositor de cálcio e antídoto oral contra envenenamento com fluoreto ou ácido oxálico. **c. hydroxide** – hidróxido de c.; sal utilizado em solução como adstringente tópico. **c. levulinate** – levulinato de c.; sal utilizado raramente como suplemento de cálcio. **c. oxalate** – oxalato de c.; composto que ocorre na urina em forma de cristais e em alguns tipos de cálculos. **c. pantothenate** – sal cálcico do ácido pantotênico; sal de cálcio do isômero dextrorrotatório do ácido pantotênico; utilizado como suplemento nutricional. **c. oxide** – óxido de c; cal; ver *lime* (1). **c. phosphate** – fosfato de c.; um dos três sais, contendo cálcio e o radical fosfato: os *fosfatos de c. di* e *tribásico* são utilizado como fontes de cálcio; o *fosfato de c. monobásico* é utilizado em fertilizantes e como suplemento de cálcio e fósforo. **c. propionate** – propionato de c.; sal utilizado como preservativo antifúngico em alimentos, tabaco e produtos farmacêuticos bem como agente antifúngico tópico. **c. pyrophosphate** – pirofosfato de c.; sal de pirofosfato de cálcio; é utilizado como agente polidor em dentifrícios. Os cristais da forma de diidrato ocorrem nas articulações em distúrbios de deposição de pirofosfato de cálcio.

cal·co·spher·ite (kal"ko-sfēr'ēt) – calcosferita; um dos corpos globulares diminutos formados durante a calcificação por meio de união química das partículas de cálcio e matéria albuminosa das células.

cal·cu·lo·sis (kal"ku-lo'sis) – calculose; litíase; ver *lithiasis.*

cal·cu·lus (kal'ku-lus) [L.] pl. *calculi* – cálculo; concreção anormal, geralmente composta de sais minerais, que ocorre dentro do corpo animal. **cal'culous** – adj. calculoso. **biliary calculi** – cálculos biliares; pedras da vesícula biliar (colelitíase) compostas quase completamente de pigmento sangüíneo excessivo liberado por meio de hemólise ocorrendo depósitos de cálcio em alguns deles. **dental c.** – c. dentário; fosfato e carbonato de cálcio, com matéria orgânica, depositados nas superfícies dentárias. **fusible c.** – c. fusível; cálculo urinário composto de fosfatos de amônio, cálcio e magnésio, que se funde com uma massa negra quando testado sob um maçarico. **lung c.** – c. pulmonar; concreção formada nos brônquios por meio de acreção ao redor de um núcleo inorgânico, ou a partir de porções calcificadas de tecido pulmonar ou linfonodos adjacentes. **renal c.** – c. renal; cálculo nos rins. **salivary c.** – c. salivar: 1. sialólito; 2. c. supragengival. **struvite c.** – c. de estruvita; cálculo urinário composto de fosfato de amonio-magnésio muito puro, formando cristais duros (estruvita). **supragingival c.** – c. supragengival; cristal que cobre a superfície coronal do dente até a crista da margem gengival. **urinary c.** – c. urinário; cálculo em qualquer parte do trato urinário. **vesical c.** – c. vesical; cálculo na bexiga. **vesicoprostatic c.** – c. vesicoprostático; cálculo prostático que se prolonga no interior da bexiga.

cal·e·fa·cient (kal"ĭ -fa'shint) – calefaciente; que causa sensação de aquecimento; agente que atua dessa forma.

calf (kaf) – panturrilha; barriga da perna; parte carnosa dorsal da perna, abaixo do joelho.

cal·i·ber (kal'ĭ-ber) – calibre; diâmetro de abertura de um canal ou tubo.

cal·i·bra·tion (kal"ĭ-bra'shin) – calibração; determinação da precisão de um instrumento, geralmente através da medição de sua variação a partir de um padrão, para determinar os fatores de correção necessários.

cal·i·cec·ta·sis (kal"ĭ-sek'tah-sis) – calicectasia; dilatação de um cálice renal.

Cal·i·ci·vi·ri·dae (kah-lis"ĭ -virĭ -de) – Caliciviridae; calicivírus: família de vírus de RNA que apresenta genoma de RNA monofilamentar e sentido positivo, sendo transmitidos por alimentos infectados, contato ou partículas aerógenas. O único gênero é o *Calicivirus*.

Cal·i·ci·vi·rus (kah-lis'ĭ -vi"rus) – *Calicivirus;* gênero da família Caliciviridae que inclui o vírus do exantema vesicular suíno, os calicivírus felinos e outros vírus que infectam o homem e animais; calcivírus.

cal·i·ci·vi·rus (kah-lis'ĭ vi"rus) – calicivírus; membro da família Caliciviridae.

ca·lic·u·lus (kàh-lik'u-lus) [L.] pl. *caliculi* – calículo; pequeno cálice ou estrutura em forma de cálice.

cal·i·for·ni·um (kal"ĭ -for'ne-um) – califórnio; elemento químico (ver *tabela*), número atômico 98, símbolo Cf.

cal·i·pers (kal'ĭ -perz) – compasso de calibre; instrumento com dois braços curvos ou flexionados utilizado para medir espessura ou diâmetro de um sólido.

cal·is·then·ics (kal"is-then'iks) – calistenia; exercício sistemático para se obter força e graciosidade.

ca·lix (ka'liks) [L.] pl. *calices* – cálice; órgão ou cavidade em forma de cálice, por exemplo, um dos recessos da pelve renal que envolve as pirâmides. **calice'al** – adj. calicial.

Cal·liph·o·ra (kal-if'or-ah) – *Calliphora;* gênero de moscas, compreendendo as varejeiras e as varejeiras-azuis, que depositam seus ovos em matéria em decomposição, em ferimentos ou em aberturas corporais; as larvas causam miíase.

cal·los·i·ty (kah-los'it-e) – calosidade; calo; ver *callus* (1).

cal·lo·sum (kah-lo'sum) – caloso; corpo caloso. **callo'sal** – adj. caloso

cal·lus (kal'us) [L.] – calo: 1. hiperplasia localizada da camada córnea da epiderme decorrente de pressão ou fricção; 2. estrutura desorganizada de osso entrelaçado formada ao redor das extremidades de um osso quebrado, que é absorvida quando se completa o reparo (*c. provisório*) e finalmente substituída por osso verdadeiro (*c. definitivo*).

cal·ma·tive (kahm'ah-tiv, kal'mah-tiv) – calmante: 1. sedativo; que suaviza a excitação; 2. um agente com tais efeitos.

cal·mod·u·lin (kal-mod'u-lin) – calmodulina; proteína de ligação de cálcio presente em todas as células nucleadas; media várias respostas celulares ao cálcio.

cal·o·mel (kal'ah-mel) – calomelano; pó pesado, branco e impalpável (Hg_2Cl), utilizado como catártico.

ca·lor (kal'er) [L.] – calor; aquecimento; um dos quatro sinais de inflamação.

ca·lo·ric (kah-lo'rik) – calórico; relativo ao calor ou às calorias.

ca·lo·rie (kal'ŏ-re) – caloria; uma das várias unidade de calor definidas como a quantidade de calor exigida para elevar em 1°C 1 g de água em temperatura especificada; a caloria utilizada em Química e Bioquímica equivale a 4.184 joules. Abreviação: cal. **large c.** – grande c.; caloria atualmente utilizada em estudos metabólicos; também utilizada para exprimir o de combustível ou energético de um alimento. Equivale à quilocaloria. Símbolo C. **small c.** – pequena c.; caloria; quando o termo grande caloria assumia um significado mais geral.

ca·lor·i·gen·ic (kah-lor"ĭ -jen'ik) – calorigênico; que produz ou aumenta a produção de calor ou energia; que aumenta o consumo de oxigênio.

cal·o·rim·e·ter (kal"ah-rim'it-er) – calorímetro; instrumento para a medição da quantidade de calor produzida em um sistema ou organismo.

cal·se·ques·trin (kal"sĭ -kwes'trin) – calseqüestrina; proteína de ligação de cálcio, rica em cadeias laterais de carboxilato, que ocorre na superfície da membrana interna do retículo sarcoplasmático.

cal·var·ia (kal-va're-ah) [L.] – calvária; porção superior do crânio em forma de cúpula que compreende as porções superiores dos ossos frontal, parietal e occipital.

cal·var·i·um (-um) – calvário; calvária.

calx (kalks) – 1. cal virgem; cal ou giz; 2. calcanhar.

ca·lyc·u·lus (kah-lik'u-lus) [L.] pl. *calyculi* – calículo.

Ca·lym·ma·to·bac·te·ri·um (kah-lim"ah-to-bak-te're-um) – *Calymmatobacterium;* gênero de bactérias (família Brucellaceae), composto de bastonetes Gram-negativos imóveis e pleomórficos; calimatobacterias. **C. granulo'matis** – *C. granulomatis;* espécie que causa o granuloma inguinal no homem. Também chamada de *Donovania granulomatis.* Ver também *Donovan's body*, em *body*.

cam·era (kam'er-ah) [L.] pl. *camerae, cameras* – câmara: 1. caixa, compartimento ou câmara; 2. qualquer espaço ou ventrículo fechado; 3. dispositivo para converter luz ou outra energia proveniente de um objeto em uma imagem visível. **c. ante'rior bul'bi** – c. bulbar anterior; câmara anterior (do olho). **c. poste'rior bul'bi** – câmara posterior (do olho). **c. vi'trea bul'bi** – c. bulbar vítrea; câmara vítrea. **c. o'culi** – c. ocular; tanto a câmara anterior como posterior do olho.

cam·i·sole (kam'ĭ -sōl) [Fr.] – camisa-de-força; dispositivo em forma de camisa para conter os membros, particularmente os braços, de um paciente violentamente perturbado.

cAMP – cyclic adenosine monophosphate (AMPc); monofosfato de adenosina cíclico).

cam·phor (kam'fer) – cânfora: 1. cetona derivada da árvore asiática *Cinnamomum camphora* ou produzida sinteticamente; utilizada topicamente como antipruriginoso e antiinfeccioso; 2. composto com características semelhantes às da cânfora.

cam·pim·e·ter (kam-pim'it-er) – campímetro; aparelho para mapear a porção central do campo visual em uma superfície plana.

cam·pot·o·my (kam-pot'ah-me) – campotomia; técnica cirúrgica estereotáxica de produção de lesão nos campos de Forel, sob o tálamo, para correção do tremor na doença de Parkinson.

camp·to·cor·mia (kamp"tah-kor'me-ah) – camptocormia; prosternação; deformidade estática que consiste na flexão do tronco para a frente.

camp·to·dac·ty·ly (-dak'tĭ -le) – camptodactilia; flexão permanente de um ou mais dedos.

camp·to·me·lia (-me'le-ah) – camptomelia; encurvamento dos membros, produzindo arqueamento ou curvatura da parte afetada. **camptome'lic** – adj. camptomélico.

Cam·py·lo·bac·ter (kam'pĭ -lo-bak'ter) – Campylobacter; gênero de bactérias da família Spirillaceae, constituído de bastonetes Gram-negativos, não-formadores de esporos, móveis e espiralmente encurvados, os quais são microaeróbios a anaeróbios. **C. fe'tus** – C. fetus; espécie da qual determinadas subespécies causam gastroenterite aguda no homem e aborto nos ovinos e bovinos.

cam·sy·late (kam'sĭ -lāt) – contração da USAN para camphorsulfonate (canforsulfonato).

ca·nal (kah-nal') – canal; ducto; passagem ou canal tubular relativamente estreitos. **adductor c.** – c. adutor; túnel fascial no terço médio da parte medial da coxa, que contém os vasos femorais e o nervo safeno. **Alcock's c.** – c. de Alcock; túnel formado por divisão da fáscia obturadora, que envolve os vasos e o nervo pudendos. **alimentary c.** – c. alimentar; tubo digestivo musculomembranoso que se estende da boca ao ânus; ver Prancha IV. **anal c.** – c. anal; porção terminal do canal alimentar do reto ao ânus. **Arnold's c.** – c. de Arnold; canal na porção petrosa do osso temporal para a passagem do nervo vago. **atrioventricular c.** – c. atrioventricular; canal comum que conecta o átrio e o ventrículo primitivos; algumas vezes persiste como uma anomalia congênita. **birth c.** – c. do parto; canal por onde o feto passa ao nascimento. **caroticotympanic c's** – canais caroticotimpânicos; pequenas passagens no osso temporal que conectam o canal carotídeo e a cavidade timpânica, portando ramos comunicantes entre a carótida interna e os plexos timpânicos. **carotid c.** – c. carótico; túnel na porção petrosa do osso temporal que transmite a artéria carótida interna até a cavidade cranial. **cochlear c.** – c. coclear; ver em duct. **condylar c., condyloid c.** – c. condilar; c. condilóide; abertura ocasional na fossa condilar para a transmissão do seio transversal. **c. of Cuvier** – c. de Cuvier; ducto venoso. **Dorello's c.** – c. de Dorello; abertura ocasional no osso temporal através da qual o nervo abducente e o seio petroso inferior penetram no seio cavernoso. **facial c.** – c. facial; canal para o nervo facial na porção petrosa do osso temporal. **femoral c.** – c. femoral; parte medial da bainha femoral lateral à base do ligamento lacunar. **Gartner's c.** – c. de Gartner; ducto rudimentar fechado, situado paralelamente ao tubo uterino,

no interior do qual se abrem os ductos transversais de epoóforo; constitui o remanescente da parte do mesonefro que participa da formação dos órgãos reprodutores. **genital c.** – c. genital; canal para a passagem dos óvulos ou para uso copulatório. **haversian c.** – c. de Havers; um dos canais anastomosantes do sistema de Havers no osso compacto que contém vasos sangüíneos e linfáticos e nervos. **Huguier's c.** – c. de Huguier; pequeno canal que se abre no interior do canal facial imediatamente antes do seu término, transmitindo o nervo da corda timpânica. **Huschke's c.** – c. de Huschke; canal formado pelos tubérculos do anel timpânico geralmente desaparecendo durante a infância. **hyaloid c.** – c. hialóide; passagem que segue da frente do disco óptico até o cristalino; no feto, transmite a artéria hialóide. **hypoglossal c.** – c. hipoglosso; abertura na osso occipital, que transmite o nervo hipoglosso e um ramo da artéria meníngea posterior. **incisive c.** – c. incisivo; um dos pequenos canais que se abrem no interior da fossa incisiva do palato duro, transmitindo os nervos nasopalatinos. **infraorbital c.** – c. infra-orbitário; um pequeno canal que segue obliquamente através do assoalho da órbita, transmitindo os vasos e o nervo infra-orbitários. **inguinal c.** – c. inguinal; passagem oblíqua na parede abdominal ântero-inferior, através da qual passa o ligamento redondo do útero na mulher, e o cordão espermático no homem. **interdental c's** – canais interdentários; canais no processo alveolar da mandíbula entre as raízes dos incisivos central e lateral, para a passagem de vasos sangüíneos anastomosantes entre as artérias dentárias sublingual e inferior. **interfacial c's** – canais interfaciais; sistema labiríntico de espaços intercelulares expandidos entre os desmossomas. **Löwenberg's c.** – c. de Löwenberg; parte do ducto coclear acima da membrana de Corti. **medulary c.** – c. medular: 1. c. vertebral; 2. ver em cavity. **nasal c., nasolacrimal c.** – c. nasal; c. nasolacrimal; canal formado lateralmente pela maxila e osso lacrimal e medialmente pela concha nasal inferior, transmitindo o ducto nasolacrimal. **neurenteric c.** – c. neurentérico; comunicação temporária no embrião entre uma parte posterior do tubo neural e o arquentério. **c. of Nuck** – c. de Nuck; bolsa de peritônio que se estende no interior do canal inguinal, acompanhando o ligamento redondo na mulher, ou o testículo em sentido descendente para o interior do escroto no homem; geralmente obliterado na mulher. **nutrient c. of bone** – c. nutriente ósseo; c. de Havers. **optic c.** – c. óptico; uma das aberturas pareadas no osso esfenóide que transmite um nervo óptico e sua artéria oftálmica associada. **Petit's c.** – c. de Petit; espaços zonulares. **perivascular c.** – c. perivascular; espaço linfóide ao redor de um vaso sangüíneo. **portal c.** – c. portal; espaço dentro da cápsula de Glisson e substância hepática, que contém ramos da veia porta, artéria hepática e ducto hepático. **pterygoid c.** – c. pterigóide; canal no osso esfenóide que transmite os vasos e os nervos pterigóides. **pterygopalatine c.** – c. pterigopalatino; passagem nos ossos esfenóide e palatino para os vasos e o nervo palatinos maiores. **pyloric c.** – c. pilórico; parte estreita e curta do estômago que se estende da junção gastroduodenal até o antro pilórico. **root c.** – c. radicular; porção da cavidade pulpar que se estende da câmara pulpar até o forame apical. **sacculocochlear c.** – c. saculococlear; canal que conecta o sáculo e a cóclea. **sacral c.** – c. sacral; continuação do canal vertebral através do sacro. **semicircular c's** – canais semicirculares; três canais longos (anterior, lateral e posterior) do labirinto ósseo. **spermatic c.** – c. espermático; o canal inguinal no homem. **spiral c. of cochlea** – c. espiral da cóclea; ducto coclear. **spiral c. of modiolus** – c. espiral do modíolo; canal que acompanha o curso da lâmina espiral óssea da cóclea e contém o gânglio espiral. **tarsal c.** – c. társico; ver em *sinus*. **tympanic c. of cochlea** – c. timpânico da cóclea; escala timpânica. **uterine c.** – c. uterino; cavidade do útero. **vertebral c.** – c. vertebral; canal formado por uma série de forames vertebrais juntos, envolvendo a medula espinhal e as meninges. **Volkmann's c's** – canais de Volkmann; canais que se comunicam com os canais de Havers para a passagem dos vasos sangüíneos através do osso. **c. of Wirsung** – c. de Wirsung; ducto pancreático. **zygomaticotemporal c.** – c. zigomaticotemporal; ver em *foramen*.

can·a·lic·u·lus (kan"ah-lik'u-lus) [L.] pl. *canaliculi* – canalículo; passagem ou canal tubular extremamente estreito. **canalic'ular** – adj. canalicular. **apical c.** – c. apical; uma das várias invaginações tubulares que surgem a partir das fendas entre os microvilos do túbulo retorcido proximal renal e se prolonga para baixo no interior do citoplasma apical. **bone canaliculi** – canais ósseos; passagens tubulares ramificadas que se irradiam como aros de uma roda a partir de cada uma das lacunas ósseas para se conectar aos canalículos das lacunas adjacentes e ao canal de Havers. **cochlear c.** – c. coclear; pequeno canal na porção petrosa do osso temporal que interconecta a escala timpânica ao espaço subaracnóide; alberga o ducto perilinfático e uma pequena veia. **dental canaliculi** – canais dentários; canais diminutos na dentina, que se estendem da cavidade pulpar para o cimento e o esmalte sobrejacentes. **intercellular c.** – c. intercelular; canal localizado entre células adjacentes como os dos capilares secretórios ou dos canalículos das células parietais gástricas. **intracellular canaliculi of parietal cells** – canais intracelulares das células parietais; um sistema de canalículos que parece ser intracelular, mas é formado por invaginações profundas da superfície das células parietais gástricas em vez de extensões para o interior do citoplasma celular. **lacrimal c.** – c. lacrimal; passagem curta na pálpebra, que começa no ponto lacrimal e drena as lágrimas do reservatório lacrimal para o saco lacrimal. **mastoid c.** – c. mastóide; pequeno canal no osso temporal, que transmite o ramo timpânico do nervo vago. **tympanic c.** – c. timpânico; pequena abertura na superfície inferior da porção petrosa do osso temporal, que transmite o

ramo timpânico do nervo glossofaríngeo e uma pequena artéria. **ca·na·lis** (kah-nal'is) [L.] pl. *canales* – canal ou passagem. **can·a·li·za·tion** (kan"al-i-za'shun) – canalização: 1. formação de canais, naturais ou patológicos; 2. estabelecimento cirúrgico de canais de drenagem; 3. formação de novos canais ou passagens, especialmente de vasos sangüíneos, através de obstrução, por exemplo, um coágulo; 4. em Psicologia, a formação no sistema nervoso central de novas vias por meio da passagem repetida de impulsos nervosos. **can·cel·lus** (kan-sel'us) [L] pl. *cancelli* – grade; estrutura semelhante a uma treliça no osso; qualquer estrutura disposta como uma treliça. **can·cer** (kan'ser) – câncer; doença neoplásica, cujo curso natural é fatal. As células cancerosas, ao contrário das células tumorais benignas, mostram propriedades de invasão e metástase, sendo altamente anaplásicas. O termo inclui as duas grandes categorias de carcinoma e sarcoma, mas é freqüentemente utilizado como sinônimo da primeira. **can'cerous** – adj. canceroso. **epithelial c.** – c. epitelial; carcinoma. **can·cer·emia** (kan"ser-e'me-ah) – canceremia; presença de células cancerosas no sangue. **can·cer·igen·ic** (-ĭ-jen'ik) – cancerígeno; que dá origem a um tumor maligno. **can·cri·form** (kang'krĭ-form) – cancriforme; semelhante ao câncer. **can·croid** (kang'kroid) – cancróide; semelhante ao câncer. **can·crum** (kang'krum) [L.] – cancro. **c. o'ris** – c. oral; ver *noma*. **c. puden'di** – c. pudendo; ver *noma*. **can·dela** (kan-del'ah) – candela; unidade SI de intensidade luminosa. Abreviação: cd. **can·di·ci·din** (kan"dĭ -sĭ d"n) – candicidina; antibiótico antifúngico produzido por uma cepa do *Streptomyces griseus*, utilizada para tratamento da candidíase vaginal. **Can·di·da** (kan'did-ah) – *Candida;* gênero de fungos semelhantes a leveduras que constituem parte comum da flora normal da boca, pele, trato intestinal e vagina, mas que podem causar várias infecções (ver *candidiasis*). A *C. albicans* é o patógeno normal. **can·di·di·a·sis** (kan"dĭ -di'ah-sis) – candidíase; infecção por fungos do gênero *Candida*, geralmente *C. albicans*, que envolve mais comumente a pele, mucosa oral (afta, sapinho), trato respiratório e vagina; raramente ocorre infecção sistêmica ou endocardite. **acute pseudomembranous c.** – c. pseudomembranosa aguda; afta; sapinho. **atrophic c.** – c. atrófica; candidíase oral, caracterizada por manchas granulares eritematosas no palato duro ou mole, mucosa bucal e superfície dorsal da língua. **chronic mucocutaneous c.** – c. mucocutânea crônica; uma das diversas formas variáveis de infecção por *Candida*, caracterizada por candidíase crônica das mucosas oral e vaginal, da pele e unhas, resistente ao tratamento e algumas vezes familial. **can·di·did** (kan'did-id) – erupção cutânea secundária que expressa hipersensibilidade à infecção por *Candida* em qualquer parte do corpo.

can·di·din (-in) – candidina; antígeno de teste cutâneo derivado da *Candida albicans*, utilizado em teste relativo ao desenvolvimento de hipersensibilidade retardada ao microrganismo.

ca·nine (ka'nīn) – canino: 1. relativo ou característico do cão; 2. dente canino.

ca·ni·ti·es (kah-nish'e-ēz) – canície; encanecimento ou embranquecimento dos cabelos do couro cabeludo.

can·ker (kang'ker) – cancro; ulceração, especialmente do lábio ou mucosa oral.

can·nab·i·noid (kan'-ab'ĭ -noid) – canabinóide; um dos princípios ativos de *Cannabis*, incluindo o tetraidrocanabinol, canabinol e canabidiol.

can·na·bis (kan'ah-bis) – canabis; cânhamo; botões secos de flor do cânhamo (*Cannabis sativa*), que têm princípios ativos euforizantes (tetraidrocanabinóis); classificada como alucinógeno e preparada como bangue, ganja, haxixe e maconha propriamente dita.

can·nu·la (kan'u-lah) – cânula; tubo para inserção no interior de um ducto ou cavidade; durante a inserção seu lúmen fica geralmente ocupado por um trocarte.

can·thi·tis (kan-thĭ t'is) – cantite; inflamação de um canto.

can·tho·plas·ty (kan'thah-plas"te) – cantoplastia; cirurgia plástica do canto.

can·thot·o·my (kan-thot'ah-me) – cantotomia; incisão do canto.

can·thus (kan'thus) [L.] pl. *canthi* – canto; ângulo em qualquer extremidade da fissura entre as pálpebras.

CAP – College of American Pathologists (Associação dos Patologistas Americanos).

cap (kap) – capuz; cobertura protetora para a cabeça ou estrutura semelhante; estrutura similar a essa cobertura. **acrosomal c.** – c. acrossômico; acrossoma. **cradle c.** – crosta láctea (*crusta lactea*). **duodenal c.** – bulbo duodenal; porção do duodeno adjacente ao piloro, formando a flexura superior. **enamel c.** – c. de esmalte; órgão de esmalte após cobrir o topo da papila dentária em crescimento. **head c.** – c. acrossômico; estrutura semelhante a um capuz de camada dupla sobre os dois terços superiores do acrossoma de um espermatozóide, que consiste da vesícula acrossômica colapsada. **knee c.** – c. do joelho; patela; ver *Tabela de Ossos*. **skull c.** – calota cranial; calvária.

ca·pac·i·tance (kah-pas'ĭ -tans) – capacitância: 1. propriedade de ser capaz de armazenar uma carga elétrica; 2. proporção de carga e potencial em um condutor. Símbolo *C*.

ca·pac·i·ta·tion (kah-pas"ĭ -ta'shin) – capacitação; processo pelo qual os espermatozóides tornam-se capazes de fertilizar um óvulo depois que o mesmo alcançou a porção ampolar do tubo uterino.

ca·pac·i·ty (kah-pas'ĭ -te) – capacidade; aptidão para segurar, manter ou conter, ou capacidade de absorver, geralmente expressa numericamente como a medida dessa capacidade. **forced vital c. (FVC)** – c. vital forçada; capacidade vital medida quando o paciente expira com velocidade e esforço máximos. **functional residual c.** – c. residual funcional; quantidade de ar remanescente ao final de uma respiração quieta normal. **heat c.** – c. térmica; quantidade de calor exigida para elevar a temperatura de uma quantidade específica de substância em 1°C. Símbolo *C*. **inspiratory c.** – c. inspiratória; volume de gás que pode ser coletado no interior dos pulmões em inspiração completa, começando a partir da posição inspiratória em repouso; equivalente ao volume tidal mais o volume inspiratório de reserva. **maximal breathing c.** – c. máxima ventilatória; o maior volume gasoso que pode ser respirado por minuto em esforço voluntário. **thermal c.** – c. térmica. **total lung c.** – c. pulmonar total; quantidade de gás contida nos pulmões ao final de uma inspiração máxima. **virus neutralizing c.** – c. neutralizante viral; capacidade de um soro inibir a infecciosidade de um vírus. **vital c. (VC)** – c. vital (CV); volume de gás que pode ser expelido dos pulmões a partir de uma posição de inspiração completa, sem nenhum limite quanto à duração de inspiração; equivalente à capacidade inspiratória mais o volume de reserva expiratória.

cap·il·lar·ec·ta·sia (kap"ĭ -lar"ek-ta'zhah) – capilarectasia; dilatação dos capilares.

Cap·il·lar·ia (kap"il-la're-ah) – *Capillaria*; gênero de nematódeos parasitas incluindo a *C. contorta*, encontrada nas aves domésticas; *C. hepatica*, encontrada no fígado dos ratos e de outros mamíferos, incluindo o homem; e *C. philippinensis*, encontrada no intestino humano em Luzón, causando diarréia severa, má-absorção e alta mortalidade; capilária.

cap·il·la·ri·a·sis (kap"ĭ -lah-ri'ah-sis) – capilaríase; infecção por nematódeos do gênero *Capillaria*, especialmente a *C. philippinensis*.

cap·il·lar·io·mo·tor (kap"ĭ -lar"e-o-mōt'er) – capilariomotor; relativo à atividade funcional dos capilares.

cap·il·lar·i·ty (kap"ĭ -lar'it-e) – capilaridade; ação pela qual a superfície de um líquido em contato com um sólido, como no caso de um tubo capilar, é elevada ou diminuída.

cap·il·lary (kap'ĭ -lar"e) – capilar: 1. relativo ou semelhante ao cabelo; 2. um dos muitos vasos diminutos que conectam as arteríolas e as vênulas, cujas paredes agem como uma membrana semipermeável para o intercâmbio de várias substâncias entre o sangue e o fluido tecidual; ver *Prancha IX*. **arterial c's** – capilares arteriais; vasos diminutos que não têm revestimento muscular contínuo, e têm estrutura e localização intermediárias às arteríolas e aos capilares. **continuous c's** – capilares contínuos; um dos dois tipos principais de capilares encontrados nos músculos, pele, pulmões, sistema nervoso central e outros tecidos, caracterizados pela presença de endotélio ininterrupto e de lâmina basal contínua, e por filamentos finos e várias vesículas pinocíticas. **fenestrated c's** – capilares fenestrados; um dos dois tipos principais de capilares, encontrados na mucosa intestinal, glomérulos renais, pâncreas, glândulas endócrinas e outros tecidos, e caracterizado pela presença de janelas ou poros circulares que penetram o endotélio; esses poros podem ser fechados por um diafragma muito fino. **lymph c., lymphatic c.** – c. linfático; um dos vasos diminutos do sistema linfático; ver *Prancha IX*. **secretory c.** – capilares secretórios; um dos canalículos intercelulares extremamente finos situados entre as células glandulares adjacentes, sendo formados pela justaposição de sulcos nas células parietais e abrindo-se no interior do lúmen glandular. **venous c's** – capilares venosos; vasos diminutos que não têm revestimento muscular e são intermediários em estrutura e localização às vênulas e os capilares.

cap·il·lus (kah-pil'us) [L.] pl. *capilli* – cabelo; pêlo; utilizado no plural para designar o conjunto de pêlos do couro cabeludo.

cap·i·tate (kap'ĭ -tāt) – capitato; em forma de cabeça.

cap·i·ta·tion (kap"ĭ -ta'shun) – capitação; taxa anual paga a um médico ou grupo de médicos por cada participante de um plano de saúde.

cap·i·ta·tum (-tum) [L.] – capitato; osso capitato; ver *Tabela de Ossos*.

cap·i·tel·lum (kap"ĭ -tel'um) – capítulo.

cap·i·ton·nage (kap"ĭ -to-nahzh') [Fr.] – capitonagem; fechamento de um cisto através da aplicação de suturas para aproximar as superfícies opostas da cavidade.

ca·pit·u·lum (kah-pit'u-lum) [L.] pl. *capitula* – capítulo; pequena proeminência em um osso, como na extremidade distal do úmero, através da qual um osso articula-se com outro. **capit'ular** – adj. capitular.

Cap·no·cy·toph·a·ga (kap"no-si-tof'ah-gah) – *Capnocytophaga*; gênero de bastonetes anaeróbios, Gram-negativos, implicados na patogênese da periodontopatia; são bastante semelhantes à *Bacteroides ochraceus*. **C. canimor'sus** – *C. canimorsus*; espécie que faz parte da flora oral normal de cães e gatos; após uma mordedura pode causar infecção local ou sistêmica séria, ou morte.

cap·no·gram (kap'no-gram") – capnograma; registro em ondas de tempo real da concentração de dióxido de carbono nos gases respiratórios.

cap·no·graph (-graf") – capnógrafo; sistema para monitorar a concentração de dióxido de carbono exalado.

cap·nog·ra·phy (kap-nog'rah-fe) – capnografia; monitoração da concentração do dióxido de carbono exalado para avaliar o estado fisiológico ou determinar a adequação da ventilação durante uma anestesia.

cap·nom·e·ter (kap-nom'ĕ-ter) – capnômetro; dispositivo para monitorar a pressão parcial tidal final do dióxido de carbono.

cap·nom·e·try (-tre) – capnometria; determinação da pressão parcial tidal final do dióxido de carbono.

ca·pote·ment (kah-pŏt-maw') [Fr.] – ruído de chapinhamento ouvido no caso de dilatação do estômago.

cap·pie (kap'e) – doença de ovinos jovens caracterizada por espessamento dos ossos do couro cabeludo, possivelmente devido a dieta deficiente em fósforo.

cap·ping (kap'ing) – cobertura: 1. fornecimento de cobertura protetora ou obstrutiva; 2. formação de cobertura polar na superfície de uma célula relacionada a respostas imunológicas, que ocorre como resultado de um movimento de componentes na superfície celular em agregados ou fragmentos que coalescem para formá-la. O processo é produzido pela reação de um anticorpo à membrana celular e parece envolver uma ligação cruzada de determinantes antigênicos. **pulp c.** – c. radicular; cobertura de uma polpa dentária exposta ou quase exposta com algum tipo de material para proporcionar proteção contra influências externas e encorajar a cicatrização.

cap·reo·my·cin (kap"re-o-mi'sin) – capreomicina; antibiótico polipeptídico produzido pela *Streptomyces capreolus*, é ativo contra as cepas humanas de *Mycobacterium tuberculosis* e tem quatro componentes microbiologicamente ativos.

cap·ric ac·id (kap'rik) – ácido cáprico; ácido graxo saturado de 10 carbonos, sendo encontrado como constituinte secundário em muitas gorduras e óleos.

cap·ro·ate (kap'ro-āt) – caproato: 1. qualquer sal ou éster do ácido capróico (ácido hexanóico); 2. contração da USAN para o hexanoato.

ca·pro·ic ac·id (kah-pro'ik) – ácido capróico; ácido graxo saturado de seis carbonos, que ocorre na nata do leite e óleos de coco e palmeira.

cap·ry·late (kap'rĭ -lāt) – caprilato; qualquer sal, éster ou ânion do ácido caprílico.

ca·pryl·ic ac·id (kah-pril'ik) – ácido caprílico; ácido graxo saturado de oito carbonos, encontrado na nata do leite e óleos de coco e palmeira.

cap·sid (kap'sid) – capsídeo; envoltório protéico que protege o ácido nucleico de um vírus; é composto de unidades estruturais ou capsômeros.

cap·si·tis (kap-sī t'is) – capsite; inflamação da cápsula do cristalino.

cap·so·mer (kap'so-mer) – capsômero; unidade morfológica do capsídeo de um vírus.

cap·sule (kap'sūl) – cápsula: 1. estrutura envolvente, como o recipiente solúvel que envolve uma dose de remédio; 2. estrutura membranosa, fibrosa, gordurosa e cartilaginosa que envolve outra estrutura, órgão ou parte. **cap'sular** – adj. capsular. **articular c.** – c. articular; envelope sacular que envolve a cavidade de uma articulação sinovial. **auditory c.** – c. auditiva; cápsula cartilaginosa do embrião que se torna o labirinto ósseo do ouvido interno. **bacterial c.** – c. bacteriana; envoltório de gel que circunda uma célula bacteriana, geralmente de natureza polissacarídica, mas algumas vezes polipeptídica; associa-se à virulência das bactérias patogênicas. **c's of brain** – cápsulas cerebrais; ver *external c.* e *internal c.* **cartilage c.** – c. cartilaginosa; zona basófila de matriz cartilaginosa na borda de uma lacuna e suas células cartilaginosas presas. **external c.** – c. externa; camada de fibras brancas entre o putame e o claustro. **Glisson's c.** – c. de Glisson; a bainha de tecido conjuntivo que acompanha os ductos e os vasos hepáticos através do portal hepático. **glomerular c., c. of glomerulus** – c. glomerular; dilatação globular que forma o início do túbulo urinífero no rim e ao redor do glomérulo. **internal c.** – c. interna; massa de fibras brancas semelhante a um leque separando lateralmente o núcleo lentiforme da cabeça do núcleo caudado, e medialmente do tálamo dorsal e da cauda do núcleo caudado. **joint c.** – c. articular. **c. of lens** – c. do cristalino; envoltório elástico que cobre o cristalino. **optic c.** – c. óptica; estrutura embriônica de onde desenvolve-se a esclera. **otic c.** – c. ótica; elemento esquelético que envolve o mecanismo do ouvido interno. No embrião humano, a cápsula ótica se desenvolve como uma cartilagem em vários centros de ossificação e se torna completamente óssea e unificada por volta da 33ª semana de vida fetal. **renal c., adipose** – c. renal adiposa; envoltório de gordura que circunda a cápsula fibrosa do rim, sendo contínua no hilo com a gordura do seio renal. **renal c., fibrous** – c. renal fibrosa, envoltório de tecido conjuntivo do rim, contínuo através do hilo para revestir o seio renal. **Tenon's c.** – c. de Tenon; tecido conjuntivo que envolve o globo ocular posterior.

cap·su·lec·to·my (kap"sŭl-ek'tah-me) – capsulectomia; excisão de uma cápsula, especialmente de uma cápsula articular ou do cristalino.

cap·su·li·tis (-ī't'is) – capsulite; inflamação de uma cápsula, por exemplo, a do cristalino. **adhesive c.** – c. adesiva; inflamação adesiva entre a cápsula articular e a cartilagem articular periférica do ombro, com obliteração da bursa subdeltóide, caracterizada por dor crescente, rigidez e limitação do movimento.

cap·su·lo·plas·ty (kap'sul-o-plas"te) – capsuloplastia; cirurgia plástica de uma cápsula articular.

cap·su·lor·rhex·is (kap"su-lo-rek'sis) – capsulorrexe; confecção de um rasgo circular contínuo na cápsula anterior durante cirurgia de catarata a fim de permitir a compressão ou facoemulsificação do núcleo do cristalino.

cap·su·lot·o·my (kap"su-lot'ah-me) – capsulotomia; incisão de uma cápsula, como a do cristalino ou a de uma articulação.

cap·ture (kap'cher) – captura; capturar: 1. apreender ou agarrar; 2. coalescência de um núcleo atômico e uma partícula subatômica, geralmente resultando em massa instável. **atrial c.** – c. atrial; despolarização dos átrios em resposta a estímulo originário de qualquer lugar no coração ou induzido por um marca-passo. **ventricular c.** – c. ventricular; despolarização dos ventrículos em resposta a impulso originário da região supraventricular ou de um marca-passo artificial.

cap·ut (kap'ut) [L.] pl. *capita* – cabeça; termo geral aplicado à extremidade expandida ou principal de um órgão ou parte. **c. gallina'ginis** – colículo seminal; verumontano. **c. medu'sae** – c. de medusa; veias varicosas ao redor do umbigo, observadas principalmente em recém-nascidos e pacientes que sofrem de cirrose hepática. **c. succeda'neum** – c. sucedânea; edema que ocorre no e sob o couro cabeludo fetal durante o parto.

CAR – Canadian Association of Radiologists (Associação Canadense de Radiologistas).

ca·ram·i·phen (kah-ram'ī-fen) – caramifeno; anticolinérgico com ações semelhantes às da atropina; utilizado em forma de sal de cloridrato na doença de Parkinson e composto de etanodissulfonato como antitussígeno.

car·ba·mate (kahr'bah-māt) – carbamato; qualquer éster do ácido carbâmico.

car·ba·maz·e·pine (kahr"bah-maz'ĕ-pēn) – carbamazepina; anticonvulsivante e analgésico utilizado no tratamento da dor associada à neuralgia trigeminal e em caso de epilepsia manifestada por determinados tipos de ataques.

car·bam·ic ac·id (kahr-bam'ik) – ácido carbâmico (NH_2COOH); composto que só existe na forma de sais ou ésteres (carbamatos), amidas (carbamidas) e outros derivados.

car·ba·mide (kahr'bah-mīd) – carbamida; uréia (*urea*).

car·bam·i·no·he·mo·glo·bin (kahr·bam"ĭ-no-he"mo-glo'bin) – carbaminoemoglobina; combinação de dióxido de carbono e hemoglobina (CO_2HHb) que constitui uma das formas nas quais o dióxido de carbono ocorre no sangue.

car·bam·o·yl (kahr-bam'o-il) – carbamoil; radical NH_2–CO–; ver *carbamoyltransferase*.

car·bam·o·yl·trans·fer·ase (-trans'fer-ās) – carbamoiltransferase; enzima que catalisa a transferência de um grupo carbamoil como no caso do carbamoilfosfato para a L-ornitina para formar ortofosfato e citrulina na síntese de uréia.

car·ben·i·cil·lin (kahr"ben-ĭ-sil'in) – carbenicilina; antibiótico semi-sintético do grupo penicilina, preparado como uma variedade dos sais de sódio e potássio utilizada nas infecções do trato urinário.

car·bi·do·pa (kahr"bĭ-do'pah) – carbidopa; inibidor da descarboxilação da levodopa nos tecidos extracerebrais, utilizado em combinação com a levodopa como agente antiparkinsoniano.

car·bi·nol (kahr'bĭ-nol) – carbinol; metanol (*methanol*).

car·bi·nox·amine (kahr"bin-ok'sah-mēn) – carbinoxamina; derivado da etanolamina com propriedades anti-histamínicas H_1, antimuscarínicas e sedativas; é também utilizado como anti-histamínico em forma de sal de maleato.

car·bo (kahr'bo) [L.] – carvão (*charcoal*).

car·bo·hy·drate (kahr"bo-hi'drāt) – carboidrato; substância de uma classe de derivados aldeídicos ou cetônicos dos alcoóis poliídricos, assim denominado porque o hidrogênio e o oxigênio encontram-se geralmente na proporção da água, $C_n(H_2O)$; os mais importantes compreendem os amidos, açúcares, glicogênios, celuloses e gomas.

car·bol·fuch·sin (kahr"bol-fook'sin) – carbolfucsina; corante para microrganismos, que contém fucsina básica e fenol diluído; ver também *solution*.

car·bol·ic ac·id (kahr-bol'ik) – ácido carbólico; fenol (*phenol*).

car·bol·ism (kahr'bah-lizm) – carbolismo; envenenamento com fenol; ver *phenol* (1).

car·bo·mer (kahr'bo-mer) – carbômero; polímero do ácido acrílico, em ligação cruzada com um agente polifuncional; agente em suspensão.

car·bon (kahr'bon) – carbono, elemento químico (ver *Tabela de Elementos*), número atômico 6, símbolo C. **c. dioxide** – dióxido de c.; gás inodoro e incolor (CO_2) que resulta da oxidação do carbono, é formado nos tecidos e eliminado pelos pulmões; utilizado com oxigênio para estimular a respiração, e em forma sólida (*neve de dióxido de* *carbono)* como escarótico. **c. monoxide** – monóxido de c.; gás inodoro (CO), formado através da queima do carbono ou de combustíveis orgânicos com suprimento escasso de oxigênio; a inalação causa danos ao sistema nervoso central e asfixia pela combinação irreversível com a hemoglobina sangüínea. **c. tetrachloride** – tetracloreto de c.; líquido volátil, incolor e claro; a inalação de seus vapores pode deprimir a atividade do sistema nervoso central e causar degeneração do fígado e rins.

car·bon·ate (-āt) – carbonato; sal do ácido carbônico.

car·bon·ic ac·id (kahr-bon'ik) – ácido carbônico; solução aquosa de dióxido de carbono (H_2CO_3).

car·bon·ic an·hy·drase (an-hi'drās) – anidrase carbônica; enzima que catalisa a decomposição do ácido carbônico em dióxido de carbono e água, facilitando a transferência de dióxido de carbono dos tecidos para o sangue e do sangue para o ar alveolar.

car·bon·yl (kahr'bah-nil) – carbonila; radical orgânico bivalente (C:O), característico dos aldeídos, cetonas, ácido carboxílico e ésteres.

car·bo·pla·tin (kahr'bo-plat"in) – carboplatina; antineoplásico utilizado no tratamento do carcinoma ovariano.

γ-car·boxy·glu·ta·mic ac·id (kahr-bok"se-gloo-tam-ik) – ácido γ-carboxiglutâmico; aminoácido que ocorre na protrombina biologicamente ativa, e formado no fígado na presença de vitamina K através da carboxilação dos resíduos de ácido glutâmico nas moléculas precursoras de protrombina.

car·boxy·he·mo·glo·bin (-he'mo-glo"bin) – carboxiemoglobina; hemoglobina combinada com monóxido de carbono, ocupando na molécula de hemoglobina os locais que normalmente se conjugam com o oxigênio e não se desloca facilmente da molécula.

car·box·yl (kahr-bok'sil) – carboxil(a); radical monovalente (–COOH), que ocorre nos ácidos orgânicos chamados de ácidos carboxílicos.

car·box·y·lase (kahr-bok'sĭ -lās) – carboxilase; enzima que catalisa a remoção do dióxido de carbono do grupo carboxila dos α-cetoaminoácidos.

car·box·y·la·tion (kahr-bok"sil-a'shun) – carboxilação; adição de um grupo carboxila, como o piruvato para formar o oxaloacetato.

car·box·yl·es·ter·ase (-es'ter-ās) – carboxilesterase; enzima de ampla especificidade que catalisa a clivagem hidrolítica da ligação éster em um éster carboxílico para formar um álcool e um ácido carboxílico, que inclui ação em ésteres de vitamina A.

car·box·yl·trans·fer·ase (-trans'fer-ās) – carboxiltransferase; substância de um grupo de enzimas que catalisam a transferência de um grupo carboxila de um doador para um composto aceptor.

car·box·y·ly·ase (kahr-bok"se-li'ās) – carboxiliase; substância de um grupo de liases que catalisa a remoção de um grupo carboxila; esse grupo inclui as carboxilases e as descarboxilases.

car·boxy·myo·glo·bin (-mi"ah-glo'bin) – carboximioglobina; composto formado a partir da mioglobina em exposição ao monóxido de carbono.

car·boxy·pep·ti·dase (-pep'tĭ -dās) – carboxipeptidase; exopeptidase que catalisa a clivagem hidrolítica da ligação final ou penúltima no final de um peptídeo ou polipeptídeo, onde encontra-se o grupo carboxila livre.

car·bro·mal (kahr-bro'mal) – carbromal; sedativo com atividade hipnótica fraca.

car·bun·cle (kar'bunk'l) – carbúnculo; antraz; infecção necrosante da pele e tecidos subcutâneos composta de um grupo de furúnculos, geralmente devidos a *Staphylococcus aureus*, com seios de drenagem múltiplos. **carbunc'ular** – adj. carbuncular. **malignant c.** – c. maligno; carbúnculo.

car·ci·no·em·bry·on·ic (kahr"sin-o-em"bre-on'ik) – carcinoembrionário; que ocorre tanto no carcinoma como no tecido embrionário; ver em *antigen*.

car·cin·o·gen (kahr-sin'ah-jen) – carcinógeno; substância que causa câncer. **carcinogen'ic** – adj. carcinogênico. **epigenetic c.** – c. epigenético; carcinógeno que não danifica propriamente o DNA, mas causa alterações que predispõem ao câncer. **genotoxic c.** – c. genotóxico; carcinógeno que reage diretamente ao DNA ou a macromoléculas que, então, reagem ao DNA.

car·ci·no·ge·nic·i·ty (kahr'sin-ah-jĕ-nis'it-e) – carcinogenicidade; capacidade ou tendência a produzir câncer.

car·ci·noid (kahr'sĭ -noid) – carcinóide; tumor circunscrito amarelo, que surge a partir das células enterocromafins, geralmente no trato gastrointestinal; o termo é algumas vezes utilizado para se referir especificamente ao tumor gastrointestinal *(argentaffinoma).*

car·ci·nol·y·sis (kahr"sĭ -nol'ĭ -sis) – carcinólise; destruição de células cancerosas. **carcinolyt'ic** – adj. carcinolítico.

car·ci·no·ma (kahr"sĭ -no'mah) [L.] pl. *carcinomas; carcinomata* – carcinoma; neocrescimento maligno constituído de células epiteliais que tendem a infiltrar-se nos tecidos circundantes e dar origem a metástases. **acinar c., acinic cell, c. acinous c.** – c. acinar; c. de célula acinosa; c. acinoso; tumor maligno de crescimento lento, com células acinares em pequenas estruturas semelhantes a glândulas, geralmente no pâncreas ou glândulas salivares. **adenocystic c., adenoid cystic c.** – c. adenocístico; c. adenóide cístico; cilindroma; carcinoma caracterizado por cilindros ou faixas de estroma hialino ou mucinoso separando núcleos ou cordões de pequenas células epiteliais ou por estes circundados, que surgem particularmente nas glândulas salivares. **adenosquamous c.** – c. adenoescamoso: 1. adenoacantoma; 2. categoria diversa do carcinoma broncogênico, com áreas de diferenciação glandular, escamosa e de células grandes. **adnexal c.** – c. anexial; carcinoma que surge de ou forma estruturas semelhantes a apêndices cutâneos, particularmente as glândulas sudoríparas ou sebáceas. **alveolar c.** – c. alveolar; c. bronquioloalveolar. **ameloblastic c.** – c. ameloblástico; tipo de ameloblastoma em que ocorreu uma transformação epitelial maligna, com metástases geralmente semelhantes ao carcinoma de célula escamosa. **apocrine c.** – c. apócrino:

1. carcinoma de glândula apócrina; 2. raro tumor maligno das mamas com padrão de crescimento ductal ou acinar e secreções apócrinas. **basal cell c.** – c. de célula basal; tumor epitelial da pele que raramente metastatiza, mas tem potencial para invasão e destruição locais; geralmente ocorre como um ou vários nódulos perlados com depressões centrais na pele exposta ao sol dos adultos idosos. **bronchioloalveolar c.** – c. bronquioloalveolar; tipo variante de adenocarcinoma do pulmão com células colunares ou cubóides revestindo os septos alveolares e projetando-se no interior dos espaços alveolares. **bronchogenic c.** – c. broncogênico; carcinoma de um grupo de carcinomas pulmonares, assim chamado por originar-se no epitélio da árvore brônquica. **cholangiocellular c.** – c. colangiocelular; carcinoma primário raro do fígado que se origina nas células do ducto biliar. – **chorionic c.** – c. coriônico; coriocarcinoma. **clear cell c.** – c. de células claras; 1. mesonefroma; 2. c. celular renal. **colloid c.** – c. colóide; c. mucinoso. **cribriform c.** – c. cribriforme: 1. c. cístico adenóide; 2. carcinoma cístico adenóide dos ductos lactíferos, um dos subtipos do carcinoma ductal locais. **ductal c. in situ (DCIS)** – c. ductal *in situ*; carcinoma de um grande grupo de carcinomas locais dos ductos lactíferos. **embryonal c.** – c. embrionário; forma primitiva e altamente maligna de carcinoma, provavelmente derivado de célula germinativa ou teratomatosa, geralmente surgindo em uma gônada. **c. en cuirasse** – c. em couraça; carcinoma cutâneo manifestado como áreas de espessamento e endurecimento sobre grandes áreas do tórax, geralmente como resultado de metástase a partir de lesão primária no seio. **epidermoid c.** – c. epidermóide; c. de célula escamosa. **c. ex mixed tumor,** c. **ex pleomorphic adenoma** – c. de tumor ex-misto; c. de adenoma ex-pleomórfico; um tipo de adenoma pleomórfico maligno que surge geralmente nas glândulas salivares de adultos idosos; tumor maligno epitelial surge em um tumor misto preexistente. **follicular c.** – c. folicular; tipo de carcinoma da glândula tireóide com muitos folículos. **hepatocellular c.** – c. hepatocelular; carcinoma primário dos hepatócitos; associa-se a uma infecção crônica pelo vírus da hepatite B, alguns tipos de cirrose e infecção pelo vírus da hepatite C. **c. in si'tu** – c. *in situ*; entidade neoplásica na qual as células tumorais ainda se encontram confinadas ao epitélio de origem, sem a invasão da membrana basal; presume-se que a probabilidade de um crescimento invasivo subseqüente seja alta. **intraductal c.** – c. intraductal: 1. carcinoma do epitélio de um ducto; 2. c. ductal *in situ*. **invasive lobular c.** – c. lobular invasivo; tipo invasivo de carcinoma das mamas caracterizado por crescimento linear no interior do estroma desmoplástico ao redor da parte terminal dos lóbulos das glândulas mamárias; geralmente se desenvolvendo a partir de um carcinoma lobular *in situ*. **Hürthle cell c.** – c. de célula de Hürthle; tumor maligno de célula de Hürtle. **inflammatory c. of the breast** – c. inflamatório das mamas; carcinoma altamente maligno dos seios com des-

coloração cutânea de rósea a vermelha, sensibilidade, edema e aumento de volume rápido. **large cell c.** – c. de células grandes; tumor broncogênico de células não-diferenciadas (anaplásicas) de tamanho grande. **lobular c.** – c. lobular: 1. c. ductal terminal; 2. ver *lobular c. in situ.* **lobular c. in situ (LCIS)** – c. lobular *in situ;* tipo de neoplasia pré-cancerosa encontrada nos lóbulos das glândulas mamárias, de progressão lenta, e algumas vezes desenvolvendo-se em carcinoma lobular invasivo após muitos anos. **medullary c.** – c. medular; carcinoma composto principalmente de elementos epiteliais com pouco ou nenhum estroma; ocorre comumente nas mamas e glândula tireóide. **meningeal c.** – c. meníngeo; infiltração carcinomatosa primária ou secundária das meninges, particularmente da pia e aracnóide. **Merkel cell c.** – c. de célula de Merkel; tumor maligno dérmico ou subcutâneo de crescimento rápido, que ocorre nas áreas expostas ao sol em adultos de meia-idade ou idosos, e contém trabéculas anastomosantes irregulares e pequenos grânulos densos típicos das células de Merkel. **mucinous c.** – c. mucinoso; adenocarcinoma que produz quantidades significativas de mucina. **mucoepidermoid c.** – c. mucoepidermóide; tumor epitelial maligno de tecido glandular, particularmente das glândulas salivares, caracterizado por ácinos com células produtoras de muco e elementos escamosos malignos. **nasopharyngeal c.** – c. nasofaríngeo; tumor maligno que surge no revestimento epitelial do espaço atrás do nariz (nasofaringe) e ocorre com alta freqüência em pessoas de ascendência chinesa. Implicou-se o vírus Epstein-Barr como agente causador. **non-small cell c., non-small cell lung c. (NSCLC)** – c. de célula não-pequena; c. pulmonar de célula não-pequena; termo geral que compreende todos os carcinomas pulmonares, exceto o carcinoma de célula pequena. **oat cell c.** – c. de células em grãos de aveia; forma de carcinoma de célula pequena em que as células ficam redondas ou alongadas, apresentam citoplasma escasso e se agrupam fracamente. **papillary c.** – c. papilar; carcinoma em que ocorrem excrescências papilares. **renal cell c.** – c. celular renal; carcinoma do parênquima renal, composto de células tubulares em arranjos variados. **scirrhous c.** – c. cirroso; carcinoma com estrutura dura devido à formação de tecido conjuntivo denso no estroma. **sebaceous c.** – c. sebáceo; carcinoma das glândulas sebáceas que ocorre geralmente como nódulo amarelo duro na pálpebra. **sim'plex** – c. simples; carcinoma não-diferenciado. **signet-ring cell c.** – c. de célula em anel de sinete; tumor secretor de muco altamente maligno em que as células ficam anaplásicas com os núcleos deslocados para um lado por meio de um glóbulo de muco. **small cell c.** – c. microcelular; forma comum e altamente maligna de carcinoma broncogênico na parede de um brônquio maior, geralmente em fumantes de meia-idade, composto de células hematoxifílicas pequenas, ovais e não-diferenciadas. **spindle cell c.** – c. de célula fusiforme; carcinoma, geralmente do tipo celular escamoso, caracterizado pelo desenvolvimento fusiforme de células de proliferação rápida. **squamous cell c.** – c. de células escamosas: 1. carcinoma inicialmente local desenvolvido a partir de epitélio escamoso e caracterizado por células cubóides e ceratinização; 2. forma de carcinoma broncogênico, em geral em fumantes de meia-idade), normalmente formando massas polipóides ou sésseis que obstruem as vias aéreas brônquicas. **terminal duct c.** – c. ductal terminal; neoplasia maligna, localmente invasiva e de crescimento lento, composta de elementos mioepiteliais e ductais que ocorre nas glândulas salivares menores. **transitional cell c.** – c. de células de transição; tumor maligno que surge a partir de um tipo transicional de epitélio estratificado, e que geralmente afeta a bexiga. **tubular c.** – c. tubular: 1. adenocarcinoma no qual as células agrupam-se em forma de túbulos; 2. tipo de câncer dos seios no qual formam-se pequenas estruturas semelhantes a glândulas e estas infiltram-se no estroma, geralmente desenvolvendo-se a partir de um carcinoma ductal *in situ*. **verrucous c.** – c. verrucoso; variedade de carcinoma celular escamoso localmente invasivo com predileção pela mucosa bucal, mas que também afeta outros tecidos moles orais e a laringe; termo algumas vezes utilizado para o tumor de Buschke-Löwenstein semelhante nos genitais.

car·ci·no·ma·to·sis (kahr"sĭ -no"mah-to'sis) – carcinomatose; condição de disseminação acentuada de um câncer por todo o corpo.

car·ci·no·sar·co·ma (kahr"sĭ -no-sahr-ko'-mah) – carcinossarcoma; tumor maligno composto de tecidos carcinomatosos e sarcomatosos. **embryonal c.** – c. embrionário; tumor de Wilms.

cardi(o)- [Gr.] – cardi(o)-, elemento de palavra: 1. *coração*; 2. *orifício cardíaco ou porção do estômago.*

car·dia (kahr'de-ah) – cárdia: 1. abertura cardial; 2. parte cardial do estômago, que circunda a junção esofagogástrica e se distingue pela presença de glândulas cardiais.

car·di·ac (-ak) – cardíaco: 1. relativo ao coração; 2. relativo à cárdia.

car·di·al·gia (kahr"de-al'jah) – cardialgia; cardiodinia.

car·di·ec·ta·sis (-ek'tah-sis) – cardiectasia; dilatação do coração.

car·dio·ac·cel·er·a·tor (kahr"de-o-ak-sel'er-āt-er) – cardioacelerador; que acelera a ação cardíaca; agente que atua dessa forma.

car·dio·an·gi·ol·o·gy (-an"je-ol'ah-je) – cardioangiologia; especialidade médica que lida com o coração e os vasos sangüíneos.

Car·dio·bac·te·ri·um (-bak-tē-re-um) – *Cardiobacterium;* gênero de bastonetes Gram-negativos, anaeróbicos facultativos e fermentativos, que fazem parte da flora normal do nariz e garganta e também são isolados a partir do sangue. **C. ho'minis** – *C. hominis;* espécie que corresponde a um agente etiológico da endocardite.

car·dio·cele (kahr'de-osēl") – cardiocele; protrusão herniária do coração através de fissura do diafragma ou ferimento.

car·dio·cen·te·sis (kahr"de-o-sen-te'sis) – cardiocentese; punção cirúrgica do coração.

car·dio·cha·la·sia (-kah-la'ze-ah) – cardiocalasia; relaxamento ou incompetência da ação do esfíncter da abertura cardíaca do estômago.

car·dio·cir·rho·sis (-sĭ -ro'sis) – cardiocirrose; cirrose cardíaca.

car·dio·cyte (kahr'de-o-sīt") – cardiócito; miócito (*myocyte*).

car·dio·di·o·sis (kahr"de-o-di-o'sis) – cardiodiose; dilatação da abertura da cárdia gástrica.

car·dio·dy·nam·ics (-di-nam'iks) – cardiodinâmica; estudo das forças envolvidas na ação cardíaca.

car·di·odyn·ia (-din'e-ah) – cardiodinia; dor no coração.

car·dio·esoph·a·ge·al (-ēsof"ah-je'al) – cardioesofágico; relativo à cárdia gástrica e ao esôfago, como a junção ou o esfíncter cardioesofágicos.

car·dio·gram (kahr'de-o-gram") – cardiograma; traçado de um evento cardíaco feito através de cardiografia. **apex c.** – c. de ápice; apicecardiograma. **precordial c.** – c. precordial; cinetocardiograma.

car·di·og·ra·phy (kahr"de-og'rah-fe) – cardiografia; registro gráfico de aspecto físico ou funcional do coração como, por exemplo, apicecardiografia, ecocardiografia, eletrocardiografia, cinetocardiografia, fonocardiografia, telecardiografia e vetorcardiografia. **ultrasonic c.** – c. ultra-sônica; ecocardiografia.

car·dio·in·hib·i·tor (-in-hib'it-er) – cardioinibidor; agente que restringe a ação cardíaca.

car·dio·ki·net·ic (-kĭ -net'ik) – cardiocinético: 1. que excita ou estimula o coração; 2. agente com esta atividade.

car·dio·ky·mog·ra·phy (-ki-mog'rah-fe) – cardioquimografia; registro do movimento do coração através do eletroquimógrafo. **cardiokymograph'ic** – adj. cardioquimográfico.

car·di·ol·o·gy (-ol'ah-je) – cardiologia; estudo do coração e suas funções.

car·di·ol·y·sis (-ol'ĭ -sis) – cardiólise; operação de liberação do coração de suas aderências no periósteo esternal no caso de mediastinopericardite adesiva.

car·dio·ma·la·cia (kahr"de-o-mah-la'shah) – cardiomalacia; amolecimento mórbido da substância muscular do coração.

car·dio·meg·a·ly (-meg'ah-le) – cardiomegalia; hipertrofia do coração.

car·dio·mel·a·no·sis (-mel"ah-no'sis) – cardiomelanose; melanose do coração.

car·dio·mo·til·i·ty (-mo-til'ĭ -te) – cardiomotilidade; movimentos do coração; motilidade cardíaca.

car·dio·myo·li·po·sis (-mil"o-lĭ -po'sis) – cardiomiolipose; degeneração gordurosa do músculo cardíaco.

car·dio·my·op·a·thy (-mi-op'ah-the) – cardiomiopatia; miocardiopatia; doença do miocárdio: 1. termo diagnóstico genérico que designa doença não-inflamatória primária do miocárdio; 2. mais restritamente, somente os distúrbios dos quais participa apenas o miocárdio, e cuja causa se desconhece não sendo esses distúrbios parte de uma de doença que afeta outros órgãos. **alcoholic c.** – c. alcoólica; cardiomiopatia dilatada em pacientes que abusam cronicamente do álcool. **beer drinkers' c.** – c. dos bebedores de cerveja; dilatação e hipertrofia cardíacas devido ao consumo excessivo de cerveja; em pelo menos alguns casos, deve-se à adição de cobalto à cerveja durante o processo de fabricação. **congestive c., dilated c.** – c. congestiva; c. dilatada; síndrome progressiva de dilatação ventricular, disfunção contrátil sistólica e, freqüentemente, insuficiência cardíaca congestiva, que se acredita dever-se a lesões miocárdicas por fatores como o álcool ou infecção. **hypertrophic c. (HCM)** – c. hipertrófica; forma caracterizada por hipertrofia ventricular (particularmente do ventrículo esquerdo), com deficiência de preenchimento ventricular devido à disfunção diastólica. **hypertrophic obstructive c. (HOCM)** – c. obstrutiva hipertrófica; forma de cardiomiopatia hipertrófica na qual a localização da hipertrofia septal causa interferência obstrutiva no escoamento ventricular esquerdo. **infiltrative c.** – c. infiltrativa; cardiomiopatia restritiva caracterizada por deposição no tecido cardíaco de substâncias anormais como pode ocorrer no caso de amiloidose, hemocromatose etc. **ischemic c.** – c. isquêmica; insuficiência cardíaca com dilatação ventricular esquerda que resulta de cardiopatia isquêmica. **restrictive c.** – c. restritiva; forma na qual as paredes ventriculares ficam excessivamente rígidas, impedindo o preenchimento ventricular. **right ventricular c.** – c. ventricular direita; cardiomiopatia do lado direito, que ocorre particularmente em homens jovens, com dilatação do ventrículo direito, substituição parcial a total do músculo por tecido fibroso ou adiposo, palpitações, síncope e algumas vezes, morte súbita.

car·di·op·a·thy (kahr"de-op'ah-the) – cardiopatia; qualquer distúrbio ou doença do coração.

car·dio·peri·car·dio·pexy (kahr"de-o-per"ĭ -kahr'de-o-pek"se) – cardiopericardiopexia; estabelecimento cirúrgico de pericardite adesiva, para aliviar uma coronariopatia.

car·dio·plas·ty (kahr"de-o-plas"te) – cardioplastia; esofagogastroplastia (*esophagogastroplasty*).

car·dio·ple·gia (kahr"de-o-ple'jah) – cardioplegia; cessação das contrações miocárdicas como ocorre com o uso de compostos químicos ou frio em uma cirurgia cardíaca. **cardiple'gic** – adj. cardioplégico.

car·di·o·pneu·mat·ic (-noo-mat'ik) – cardiopneumático; de ou relativo ao coração e à respiração.

car·di·op·to·sis (kahr"de-op'tah-sis) – cardioptose; cardioptosia; deslocamento do coração em sentido do inferior.

car·di·or·rha·phy (kahr"de-or"ah-fe) – cardiorrafia; sutura do músculo cardíaco.

car·di·or·rhex·is (kahr"de-o-rek'sis) – cardiorrexia; ruptura do coração.

car·dio·scle·ro·sis (-skler-o'sis) – cardiosclerose; endurecimento fibroso do coração.

car·dio·se·lec·tive (-sĕ-lek'tiv) – cardiosseletivo; que tem maior atividade no tecido cardíaco do que em outro tecido.

car·dio·spasm (kahr'de-o-spazm") – cardioespasmo; acalásia esofágica.

car·dio·ta·chom·e·ter (kahr'de-o-tah-kom'ĕ-ter) – cardiotacômetro; instrumento para retratar ou registrar continuamente a freqüência cardíaca.

car·dio·ther·a·py (-ther'ah-pe) – cardioterapia; tratamento das doenças cardíacas.

car·dio·to·cog·ra·phy (-tah-kog'rah-fe) – cardiotocografia; monitoração da freqüência cardíaca fetal e contrações uterinas como, por exemplo, durante o parto.

car·di·ot·o·my (kahr"de-ot'ah-me) – cardiotomia: 1. incisão cirúrgica do coração; 2. incisão cirúrgica da cárdia.

car·dio·ton·ic (kahr"de-o-ton'ik) – cardiotônico; que tem efeito tônico no coração; agente que atua dessa forma.

car·dio·to·pom·e·try (-tah-pom'ĕ-tre) – cardiotopometria; medição da área de silêncio cardíaco superficial observada na percussão torácica.

car·dio·tox·ic (-tok'sik) – cardiotóxico; que tem efeito venenoso ou prejudicial ao coração.

car·dio·val·vu·li·tis (-val"vu-li'tis) – cardiovalvulite; inflamação das válvulas cardíacas.

car·dio·val·vu·lo·tome (-val'vu-lah-tōm") – cardiovalvulótomo; instrumento para incisar uma válvula cardíaca.

car·dio·ver·sion (-ver'zhun) – cardioversão; restauração do ritmo normal cardíaco por meio de choque elétrico.

car·dio·ver·ter (-ver'ter) – cardioversor; tipo de condensador de descarga de capacitor de armazenamento de energia que é descarregado com uma indutância; administra um choque direto de corrente, que restaura o ritmo cardíaco normal. **automatic implantable c.-defibrillator** – c. desfibrilador implantável automático; dispositivo implantável que detecta taquicardia ou fibrilação ventriculares sustentadas e as faz parar por meio de choque ou administração de choques diretamente no átrio.

Car·dio·vi·rus (kahr'de-o-vi"ris) – *Cardiovirus*; vírus da EMC (*encephalomyocarditis*); gênero de vírus da família Picornaviridae, que causam encefalomielite e meningite, e compreendem dois grupos: os vírus da encefalomiocardite (EMC) e os vírus da encefalomielite murina.

car·di·tis (kahr-di'tis) – cardite; inflamação do coração; miocardite.

care (kār) – cuidados; serviços prestados por profissionais de saúde em benefício de um paciente. **coronary c.** – c. coronário; ver em *unit*. **critical c.** – c. crítico; ver *intensive care unit*, em *unit*. **intensive c.** – ver em *unit*. **primary c.** – c. primário; atendimento que um paciente recebe ao primeiro contato com o sistema de saúde pública, geralmente envolvendo a coordenação dos cuidados médicos e posterior acompanhamento. **respiratory c.** – c. respiratório; atendimento prestado por profissional da área de saúde, sob a supervisão de um médico, relativos à avaliação diagnóstica, terapia, monitoração e reabilitação de pacientes com distúrbios cardiopulmonares, compreendendo também atividades educacionais para apoio aos pacientes e suas famílias, bem como a promoção da saúde cardiovascular. **secondary c.** – c. secundário; tratamento por meio de especialistas aos quais o paciente foi recomendado pelos promotores de cuidados primários. **tertiary c.** – c. terciário; tratamento administrado em um centro de cuidados de saúde que inclui especialistas altamente treinados e freqüentemente tecnologia avançada.

car·ies (ka're-ēz, kăr'ēz) – cárie; deterioração como a de um osso ou dentes. **ca'rious** – adj. cariado. **dental c.** – c. dentária; processo destrutivo que causa descalcificação do esmalte dentário e leva à destruição constante do esmalte e dentina, bem como à cavitação do dente.

ca·ri·na (kah-ri'nah) [L.] pl. *carinae* – carina; estrutura semelhante a uma crista. **c. tra'cheae** – c. traquéia; projeção em sentidos descendente e retrógrado da cartilagem traqueal mais baixa, formando uma crista entre as aberturas dos brônquios principais direito e esquerdo. **c. urethra'lis vagi'nae** – c. uretral da vaginal; coluna de rugas na parede ântero-inferior da vagina, imediatamente abaixo da uretra.

car·io·gen·e·sis (kar''e-o-jen'i-sis) – cariogênese; desenvolvimento de uma cárie.

car·iso·pro·dol (kar''i-so'pro-dol) – carisoprodol; analgésico e relaxante muscular esquelético utilizado para aliviar sintomas de distúrbios esqueletomusculares dolorosos agudos.

car·min·a·tive (kahr-min'it-iv) – carminativo: 1. que alivia a flatulência; 2. agente que alivia a flatulência.

car·mine (kar'min) – carmim; substância de cor vermelha utilizada como corante histológico. **indigo c.** – índigo-c.; indigotinsulfonato de sódio.

car·min·ic acid (kahr-min'ik) – ácido carmínico; princípio ativo do carmim e da cochonilha ($C_{22}H_{20}O_{13}$).

car·min·o·phil (kahr-min'ah-fil) – carminófilo: 1. facilmente corável com carmim; 2. célula ou elemento que se coram facilmente com o carmim.

car·mus·tine (kahr-mus'tēn) – carmustina; agente alquilante citotóxico do grupo nitrosouréia, utilizado como agente antineoplásico.

car·ni·tine (kahr'nĭ-tēn) – carnitina; derivado da betaína que participa do transporte de ácidos graxos no interior da mitocôndria, onde são metabolizados.

car·ni·vore (kahr'nĭ-vor) – carnívoro; animal que come principalmente carne, particularmente os mamíferos da ordem Carnivora, que inclui gatos, cães, ursos, etc. **carniv'orous** – adj. carnívoro.

car·no·sin·ase (kahr'no-sĭ-nās'') – carnosinase; enzima que hidrolisa a carnosina (aminoacil-L-histidina) e outros dipeptídeos que contenham a L-histidina em seus aminoácidos constituintes. **serum c. deficiency** – deficiência de c. sérica; aminoacidopatia caracterizada por excreção urinária de carnosina, homocarnosina no fluido cerebroespinhal e, algumas vezes, crises mioclônicas, retardamento mental severo e espasticidade.

car·no·sine (-sēn) – carnosina; dipeptídeo composto de β-alanina e histidina, encontrado na musculatura esquelética e no cérebro no homem; pode ser um neurotransmissor.

car·no·si·ne·mia (kahr''no-sĭ-ne'me-ah) – carnosinemia: 1. quantidades excessivas de carnosina no sangue; 2. nome antigo da *deficiência de carnosinase sérica*.

car·no·sin·u·ria (-sĭ-nu're-ah) – carnosinúria; excreção urinária de altos níveis de carnosina, como após a ingestão de carne ou em caso de deficiência de carnosinase sérica.

car·o·tene (kar'o-tēn) – caroteno; um dos quatro pigmentos isoméricos (α-, β-, γ- e Δ-caroteno) apresentando cores que vão do violeta ao amarelo-avermelhado e deste ao amarelo, e que ocorre em muitos legumes e verduras verde-escuros, folhosos e amarelos e frutas amarelas. São hidrocarbonetos insaturados e lipossolúveis que podem se converter em vitamina A no organismo; no homem, o β-isômero é o principal precursor dessa vitamina.

car·o·ten·emia (kar''o-tě-ne'me-ah) – carotenemia; hipercarotenemia (*hypercarotenemia*).

ca·rot·e·noid (kah-rot'en-oid) – carotenóide: 1. substância de um grupo de hidrocarbonetos poliisoprenóides pigmentados de vermelho, laranja ou amarelo, sintetizados pelos procariotas e pelas plantas superiores e concentrados na gordura animal quando ingeridos; os exemplos incluem o β-caroteno, licopeno e xantofila; 2. caracterizado pela cor amarela. **provitamin A c's** – carotenóides provitamina A; carotenóides (particularmente os carotenos) que podem se converter em vitamina A no organismo.

car·o·te·no·sis (kar''o-tě-no'sis) – carotenose; descoloração amarelada da pele que ocorre no caso de hipercarotenemia.

ca·rot·i·co·tym·pan·ic (kah-rot''ĭ-ko-tim-pan'ik) – caroticotimpânico; relativo ao canal carotídeo e ao tímpano.

ca·rot·id (kah-rot'id) – carotídeo; relativo à artéria carótida; a principal artéria do pescoço; ver *Tabela de Artérias*.

ca·rot·dyn·ia (kah-rot''ĭ-din'e-ah) – carotidinia; dor no pescoço periódica e geralmente unilateral, com sensibilidade ao longo do curso da artéria carótida comum.

carp (karp) – carpo; corpo frutificativo de um fungo.

car·pal (kar'p'l) – cárpico; relativo ao carpo.

car·pec·to·my (kar-pek'tah-me) – carpectomia; excisão de um osso cárpico.

car·phen·a·zine (kahr-fen'ah-zēn) – carfenazina; agente antipsicótico, utilizado como sal de maleato.

car·phol·o·gy (kahr-fol'ah-je) – carfologia; flocilação (*floccillation*).

car·pi·tis (kahr-pī'tis) – carpite; inflamação das membranas sinoviais dos ossos da articulação cárpica nos animais domésticos, produzindo tumefação, dor e claudicação.

car·pop·to·sis (kahr''pop-to'sis) – carpoptose; punho caído (*wristdrop*).

car·pus (kahr'pus) – carpo; articulação entre o braço e a mão, constituída de oito ossos; pulso. Também, articulação correspondente ao antebraço nos quadrúpedes.

car·ri·er (kar'e-er) – portador; transportador; carreador: 1. pessoa que alberga microrganismos patológicos em seu corpo sem manifestar sintomas, agindo conseqüentemente como distribuidor da infecção; 2. heterozigoto, ou seja, pessoa portadora de gene recessivo e conseqüentemente não exprime o fenótipo recessivo, mas pode transmiti-lo aos seus descendentes; 3. substância química que pode captar elétrons e depois doá-los a outra substância (sendo reduzida e depois reoxidada); 4. substância que transporta um radioisótopo ou outro marcador; também utilizado para um segundo isótopo misturado a um determinado isótopo (ver *carrier-free*); 5. proteína de transporte que carreia substâncias específicas; 6. em imunologia, substância macromolecular à qual se acopla um hapteno para produzir resposta imune contra um hapteno.

car·ri·er-free (-fre") – termo que denota um radioisótopo de um elemento em forma pura, ou seja, não-diluído e com carreador de isótopos estável.

cart (kahrt) – carrinho; veículo para transportar pacientes ou equipamento e suprimentos em um hospital. **crash c.** – c. de emergência; c. de ressuscitação. **dressing c.** – c. de curativos; carrinho que contém o material necessário para a troca de curativos de pacientes cirúrgicos ou lesados. **resuscitation c.** – c. de ressuscitação; carrinho que contém o equipameno para iniciar uma ressuscitação de emergência.

car·ti·lage (kahr'tĭ -lij) – cartilagem; tecido conjuntivo fibroso especializado presente em adultos, e que forma o esqueleto temporário no embrião, proporcionando um modelo em que os ossos se desenvolvem, constituindo uma parte do mecanismo de crescimento do organismo; os três tipos mais importantes são a cartilagem hialina, a cartilagem elástica e a fibrocartilagem. Também, um termo geral para designar massa desse tecido em determinado local no organismo. **alar c's** – cartilagens alares; cartilagens das asas do nariz. **aortic c.** – c. aórtica; a segunda cartilagem costal no lado direito. **arthrodial c., articular c.** – c. artrodial; c. articular; cartilagem que reveste a superfície articular das articulações sinoviais. **arytenoid c.** – c. aritenóide; uma das duas cartilagens piramidais da laringe. **conecting c.** – c. conectora; cartilagem que conecta as superfícies de uma articulação imóvel. **corniculate c.** – c. corniculada; nódulo cartilaginoso no vértice de cada cartilagem aritenóide. **costal c.** – c. costal; barra de cartilagem hialina que prende uma costela ao esterno no caso de costelas verdadeiras, ou à costela imediatamente acima, no caso de costelas falsas superiores. **cricoid c.** – c. cricóide; cartilagem anelar que forma a parte inferior e traseira da laringe. **cuneiform c.** – c. cuneiforme; cada uma das cartilagens pareadas, uma em cada lado da prega ariepiglótica. **dentinal c.** – c. dentinal; substância remanescente após dissolução dos sais de cal da dentina em ácido. **diarthrodial c.** – c. diartrodial; c. articular. **elastic c.** – c. elástica; cartilagem cuja matriz contém fibras elásticas amarelas. **ensiform c.** – c. ensiforme; processo xifóide. **epactal c's** – cartilagens epactais; uma ou mais pequenas cartilagens na parede lateral do nariz. **floating c.** – c. flutuante; porção destacada da cartilagem semilunar na articulação genicular. **hyaline c.** – c. hialina; substância semitransparente flexível com coloração opalescente, composta de uma substância basófila que

contém fibrilas com cavidades onde ocorrem os condrócitos. **interosseous c.** – c. interóssea; c. conectora. **Jacobson's c.** – c. de Jacobson; c. vomeronasal. **mandibular c., Meckel's c.** – c. mandibular; c. de Meckel; cartilagem ventral do primeiro arco branquial. **parachordal c's** – cartilagens paracórdicas; as duas cartilagens embrionárias ao lado da parte occipital da notocorda. **permanent c.** – c. permanente; cartilagem que não se ossifica normalmente. **precursory c.** – c. precursora; c. temporária. **Reichert's c's** – cartilagens de Reichert; barras cartilaginosas dorsais do segundo arco branquial. **Santorini's c.** – c. de Santorini; c. corniculada. **semilunar c.** – c. semilunar; cada uma das duas cartilagens interarticulares da articulação genicular. **sesamoid c's** – cartilagens sesamóides; pequenas cartilagens encontradas no ligamento tireóideo *(c. sesamóide laríngea)*, em cada lado do nariz *(c. sesamóide nasal)*, e ocasionalmente nos ligamentos vocais *(c. sesamóide do ligamento vocal)*. **slipping rib c.** – c. da costela solta; cartilagem frouxa ou deformada, cujo deslizamento sobre uma cartilagem costal adjacente pode produzir desconforto ou dor. **tarsal c's** – cartilagens társicas; ver em *plate*. **temporary c.** – c. temporária; cartilagem que é substituída por um osso ou está destinada a ser substituída por um osso. **thyroid c.** – c. tireóide; cartilagem em forma de escudo da laringe. **triticeous c.** – c. tritícea; pequena cartilagem no ligamento tireóideo. **tympanomadibular c.** – c. timpanomandibular; c. de Meckel. **vomeronasal c.** – c. vomeronasal; cada uma de duas faixas de cartilagem do septo nasal que sustentam o órgão vomeronasal. **Weitbrecht's c.** – c. de Weitbrecht; almofada de fibrocartilagem algumas vezes presente dentro da cavidade articular da articulação acromioclavicular. **Wrisberg's c.** – c. de Wrisberg; c. cuneiforme. **xiphoid c.** – c. xifóide; ver em *process*. **Y c.** – em Y; cartilagem em forma de Y dentro do acetábulo, reunindo o ílio, ísquio e púbis. **yellow c.** – c. amarela; c. elástica.

car·ti·la·go (kahr"tĭ -lah'go) [L.] pl. *cartilagines* – cartilagem.

car·un·cle (kar'un-k'l) – carúncula; pequena proeminência carnosa, freqüentemente anormal. **hymenal c's** – carúnculas himenais; pequenas elevações de membrana mucosa ao redor da abertura vaginal, constituindo restos do hímen rompido. **lacrimal c.** – c. lacrimal; proeminência vermelha no ângulo medial do olho. **myrtiform c's** – carúnculas mirtiformes; carúnculas himenais. **sublingual c.** – c. sublingual; uma eminência em cada lado do frênulo lingual, onde se abrem o ducto sublingual principal e o ducto submandibular. **urethral c.** – c. uretral; crescimento polipóide vermelho-escuro na membrana mucosa do meato urinário nas mulheres.

ca·run·cu·la (kah-runk'u-lah) [L.] pl. *carunculae* – carúncula.

car·ver (kahr'ver) – entalhador; instrumento para produzir forma anatômica em dentes artificiais e restaurações dentárias.

cary(o)- – ver *kary(o)*.

ca·san·thra·nol (kah-san'thrah-nŏl) – casantranol; mistura purificada de glicosídeos antranólicos derivados da cáscara sagrada; catártico.

cas·cade (kas-kād') – cascata; seqüência (como em um processo fisiológico) que uma vez iniciada, prossegue até o fim, sendo cada fase deflagrada pela fase precedente, algumas vezes com efeito cumulativo.

cas·cara (kas-kār'ah) – cáscara; casca de árvore. **c. sagra'da** – c. sagrada; casca seca de árvore do arbusto *Rhamnus purshiana*, utilizada como catártico.

case (kās) – caso; circunstância de uma doença; exemplo; ocorrência médica. **index c.** – c. índice; caso do paciente original (propósito ou probando) que estimula a investigação de outros membros da família para descobrir um possível fator genético. Em Epidemiologia, o primeiro caso de doença contagiosa. **trial c.** – caixa de provas; caixa que contém lentes (dispostas em pares), armação de óculos experimental e outros dispositivos, utilizada para testar a visão.

ca·se·a·tion (ka"se-a'shin) – caseificação: 1. precipitação de caseína; 2. necrose em que o tecido se altera em massa seca semelhante ao queijo.

case his·to·ry (kās his'ter-e) – história; caso médico; ocorrência médica; dados relativos a um indivíduo, a sua família e ambiente, incluindo sua história médica, que pode ser útil à análise e diagnóstico de seu caso ou para fins instrutivos.

ca·sein (ka'se-in, ka'sēn) – caseína; fosfoproteína; principal proteína do leite, base da coalhada e do queijo. OBSERVAÇÃO: Na nomenclatura britânica, a caseína é chamada caseinogênio (*caseinogen*), e a paracaseína é chamada de *caseína*.

ca·sein·o·gen (ka"se-in'ah-jen) – caseinogênio; termo britânico para caseína.

case·worm (kās'werm) – equinococo (*echinococcus*).

cas·sette (kah-set') [Fr.] – cassete; invólucro à prova de luz para o filme de raio X, que contém telas intensificadoras dianteira e traseira, entre as quais se coloca o filme; estojo para filme ou fita magnética.

cast (kast) – molde; modelo; cilindro: 1. cópia positiva de um objeto como, por exemplo, molde de um órgão oco (túbulo renal, bronquíolo etc.), formado de matéria plástica efusiva e extraído do corpo como um cilindro urinário; é designado de acordo com seus constituintes, epitelial, gorduroso, céreo etc.; 2. cópia positiva de tecidos das mandíbulas feita em uma impressão, e sobre a qual pode se fabricar as bases de dentadura ou outras restaurações; 3. moldar; formar um objeto em um molde; 4. aparelho de gesso; curativo rígido ou penso, geralmente feito de gesso branco (*plaster of Paris*), utilizado para imobilizar partes ósseas; 5. estrabismo. **dental c.** – molde dentário; ver *cast* (2). **hanging c.** – bandagem cilíndrica pensa; um aparelho de gesso aplicado no braço em fraturas do eixo umeral, suspenso por um tipóia apoiada no pescoço. **urinary c.** – cilindro urinário; cilindro formado a partir de um gel protéico nos túbulos renais, moldando-se no lúmen tubular.

cas·trate (kas'trāt) – castrar: 1. privar das gônadas, deixando o indivíduo incapaz de se reproduzir; 2. castrado, indivíduo que sofreu castração.

cas·tra·tion (kas-tra'shun) – castração; excisão das gônadas ou sua destruição como ocorre por meio de radiação ou de parasitas. **female c.** – c. feminina; ooforectomia bilateral. **male c.** – c. masculina; orquiectomia bilateral. **parasitic c.** – c. parasitária; desenvolvimento sexual defeituoso devido a infestação parasitária no início da vida.

ca·su·al·ty (kazh'oo-al-te, kazh'al-te) – acidente: 1. acidente; lesão acidental; morte ou invalidez a partir de um acidente; também designa a vítima acidental; 2. nas forças armadas, a pessoa que se perdeu de sua unidade como resultado de morte, lesão, enfermidade, captura, destino desconhecido ou outras razões.

cas·u·is·tics (kazh-oo-is'tiks) – casuística; registro e estudo de casos de doenças.

CAT – computerized axial tomography (TAC, tomografia axial computadorizada).

cata- [Gr.] – cata-, elemento de palavra, *abaixo; inferior; sob; contra; junto com; muito*.

catab·a·sis (kah-tab'ah-sis) – catábase; estágio de declínio de uma doença. **catabat'ic** – adj. catabásico.

cata·bi·o·sis (kat"ah-bi-o'sis) – catabiose; senescência normal das células. **catabiot'ic** – adj. catabiótico.

ca·tab·o·lism (kah-tab'ah-lizm) – catabolismo; qualquer processo destrutivo pelo qual as células vivas convertem substâncias complexas em compostos mais simples, ocorrendo liberação de energia. **catabol'ic** – adj. catabólico.

ca·tab·o·lize (-līz) – catabolizar; sujeitar-se ao catabolismo; sofrer catabolismo.

ca·tac·ro·tism (kah-tak'rah-tizm) – catacrotismo; anomalia de pulso em que uma pequena onda ou chanfradura adicional aparecem no membro descendente do traçado de pulso. **catacrot'ic** – adj. catácroto; catacrótico.

cata·di·cro·tism (kat"ah-di'krah-tizm) – catadicrotismo; anomalia do pulso em que aparecem duas pequenas ondas ou chanfraduras adicionais no ramo descendente do traçado do pulso. **catadicrot'ic** – adj. catadicrótico; catadícroto.

cat·a·gen (kat'ah-jen) – catágeno; fase intermediária no ciclo do crescimento piloso em que o crescimento (anágeno) pára e o repouso (telógeno) tem início.

cata·gen·e·sis (kat"ah-jen'ĭ-sis) – catagênese; involução ou retrogressão. **catagenet'ic** – adj. catagenético.

cat·a·la·se (kat'ah-lās) – catalase; enzima que catalisa a decomposição da água oxigenada em água e oxigênio, protegendo as células. É encontrada em quase todas as células animais, exceto determinadas bactérias anaeróbias; a deficiência genética da enzima resulta em acatalasia. **catalat'ic** – adj. catalático.

cat·a·lep·sy (-lep"se) – catalepsia; condição de diminuição de responsividade geralmente caracterizada por estados semelhantes a transes e rigidez cérea dos músculos (flexibilidade cérea), de forma que o paciente tende a permanecer na posição em que é colocado; ocorre em distúrbios orgânicos e psicológicos, e sob hipnose. **catalep'tic** – adj. cataléptico.

ca·tal·y·sis (kah-tal'ĭ -sis) – catálise; aumento na velocidade de uma reação química ou de processo produzido pela presença de substância que não é consumida nas reações ou processos químicos em cadeia; *catálise negativa* denota retardo ou inibição de uma reação ou processo por meio da presença dessa substância. **catalyt'ic** – adj. catalítico.

cat·am·ne·sis (kat"am-ne'sis) – catamnese; acompanhamento anamnético de um paciente após receber alta de um tratamento ou hospital.

cata·pha·sia (kat"ah-fa'zhah) – catafasia; distúrbio do discurso caracterizado pela repetição constante de uma palavra ou frase.

ca·taph·o·ra (kah-taf'or-ah) – catáfora; letargia com intervalos de despertar imperfeito.

cata·pho·ria (kat"ah-for'e-ah) – cataforia; rotação descendente permanente do eixo visual de ambos os olhos após se removerem estímulos funcionais visuais. **cataphor'ic** – adj. catafórica.

cata·phy·lax·is (-fĭ -lak'sis) – catafilaxia; quebra das defesas naturais do corpo contra infecções. **cataphylac'tic** – adj. catafilático.

cat·a·pla·sia (-pla'zhah) – cataplasia; atrofia na qual os tecidos revertem-se a condições primitivas e mais embrionárias.

cat·a·plexy (kat'ah-plek"se) – cataplexia; condição caracterizada por ataques abruptos de fraqueza e hipotonia musculares desencadeadas por estímulos emocionais como alegria, raiva, medo etc., freqüentemente associados à narcolepsia. **cataplec'tic** – adj. cataplético.

Cat·a·pres (-pres) – Catapres, marca registrada de preparação de cloridrato de clonidina.

cat·a·ract (-rakt) – catarata; opacidade do cristalino do olho ou de sua cápsula. **catarac'tous** – adj. cataratoso, **after-c.** – pós-c.; catarata capsular recorrente. **atopic c.** – c. atópica; catarata que ocorre mais freqüentemente na segunda ou terceira décadas, em indivíduos com dermatite atópica de longa duração. **black c.** – c. negra; ver *senile nuclear sclerotic c.* **blue c., blue dot c.** – c. azul; c. cerúlea; afecção em que pequenas opacidades puntiformes azuis espalham-se através do núcleo e córtex do cristalino. **brown c., brunescent c.** – c. marrom; catarata de coloração castanho-escura; ver *senile nuclear sclerotic c.* **capsular c.** – c. capsular; catarata que consiste de opacidade na cápsula do cristalino. **complicated c.** – c. complicada; c. secundária. **congenital c.** – c. congênita: 1. termo genérico para opacidades bilaterais geralmente presentes desde o nascimento, podem ser leves ou severas e podem ou não prejudicar a visão, dependendo do tamanho, densidade e localização; 2. c. de desenvolvimento. **coronary c.** – c. coronária; catarata na qual opacidades puntiformes ou floculares brancas formam um anel ou coroa ao redor do cristalino; permanecendo limpos o centro do cristalino e a periferia extrema. **cortical c.** – c. cortical; opacidade no córtex do cristalino. **cuneiform c.** – c. cuneiforme; catarata senil mais comum, que consiste de opacidades cuneiformes brancas distribuídas como aros de uma roda ao redor da periferia do córtex. **cupuliform c.** – c. cupuliforme; catarata senil no córtex posterior do cristalino logo abaixo da cápsula. **developmental c.** – c. de desenvolvimento; pequenas opacidades comuns que ocorrem na juventude como resultado de hereditariedade, má-nutrição, intoxicação ou inflamação; raramente afetam a visão. **electric c.** – c. elétrica; opacidades subcapsulares anteriores que podem ocorrer alguns dias após um choque severo na cabeça. **glassblowers'c., heat c.** – c. do vidraceiro; c. por calor; opacidades subcapsulares posteriores causadas por exposição crônica à radiação infravermelha (calor). **hypermature c.** – c. hipermadura; catarata apresentando um córtex leitoso e inchado que resulta de autólise das fibras do cristalino de uma catarata madura. **lamellar c.** – c. lamelar; opacidade que afeta somente determinadas camadas entre o córtex e o núcleo do cristalino. **mature c.** – c. madura; catarata que produz inchaço e opacidade de todo o cristalino. **membranous c.** – c. membranosa; condição em que houve retração da substância do cristalino, deixando restos da cápsula e com formação de tecido fibroso. **morgagnian c.** – c. de Morgagni; catarata madura na qual o córtex tornou-se completamente liquefeito e o núcleo movimenta-se livremente dentro do cristalino. **nuclear c.** – c. nuclear; catarata na qual a opacidade encontra-se no núcleo central do olho. **overripe c.** – c. hipermadura; c. supermadura. **polar c.** – c. polar; catarata situada no pólo anterior *(c. polar anterior)* ou posterior *(c. polar posterior)* do cristalino. **pyramidal c.** – c. piramidal; catarata anterior conóide com o vértice projetando-se para frente no humor aquoso. **radiation c.** – c. por radiação; opacidades subcapsulares causadas por radiação ionizante como, por exemplo, raios X ou radiação não-ionizante como os raios infravermelhos (calor), raios ultravioleta e microondas. **ripe c.** – c. madura. **secondary c.** – c. secundária; catarata que resulta de doença como a iridociclite, de degeneração como, por exemplo, glaucoma crônico, descolamento retiniano, ou cirurgia como é o caso de glaucoma filtrante ou recolamento retiniano. **senile c.** – c. senil; catarata das pessoas idosas. **senile nuclear sclerotic c.** – c. esclerótica nuclear senil; endurecimento lentamente progressivo do núcleo, que começa entre as idades de 50 e 60 anos, sendo a opacidade geralmente bilateral, apresentando-se marrom ou negra, tornando-se o cristalino inelástico e incapaz de se acomodar. **snowflake c., snowstorm c.** – c. de flocos de neve; c. de nevasca; catarata caracterizada por várias opacidades floculares branco-acinzentadas ou branco-azuladas, freqüentemente observada em diabéticos jovens. **total c.** – c. total; opacidade de todas as fibras do cristalino. **toxic c.** – c. tóxica; catarata devido à exposição à droga tóxica, por exemplo, o naftaleno. **traumatic c.** – c. traumática; opacificação do cristalino devido a uma lesão ocular. **zonular c.** – c. zonular; c. lamelar; c. cerúlea; catarata azul.

cat·a·rac·ta (kat"ah-rak'tah) – catarata. **c. brunes'cens** – c. marrom; ver *senile nuclear sclerotic c.* **c. caeru'lea** – c. azul.

ca·tarrh (kah-tahr') – catarro; inflamação da membrana mucosa (particularmente da cabeça ou garganta), com descarga livre (também chamada de catarro). **cathar'ral** – adj. catarral.

cata·to·nia (kat"ah-to'ne-ah) – catatonia; esquizofrenia catatônica. **cataton'ic** – adj. catatônico.

cata·tri·cro·tism (-tri'krot-izm) – catatricrotismo; anomalia de pulso na qual aparecem três pequenas ondas ou chanfraduras adicionais no ramo descendente do traçado do pulso. **catatricot'ic** – adj. catatricótico.

cat·e·chol (kat'ah-kol) – catecol; composto o-diidroxibenzeno, $C_6H_4(OH)_2$, utilizado como um reagente e compreende a porção aromática na síntese das catecolaminas.

cat·e·chol·amine (kat"ah-kol'ah-mēn") – catecolamina; substância de um grupo de aminas simpatomiméticas (incluindo a dopamina, adrenalina e noradrenalina), cuja porção aromática molecular é o catecol.

cat·e·chol·am·in·er·gic (kat"ah-kol-am"in-er'jik) – catecolaminérgico, ativado por ou que secreta catecolaminas.

cat·elec·trot·o·nus (kat"ah-lek-trot'ah-nus) – cateletrotônus; aumento da irritabilidade nervosa ou muscular próximo a um catodo durante a passagem de uma corrente elétrica.

cat·gut (kat'gut) – categute; fio absorvível estéril obtido a partir de um colágeno derivado de mamíferos saudáveis, utilizado como ligadura cirúrgica.

ca·thar·sis (kah-thar'sis) – catarse: 1. limpeza ou purgação; 2. em Psiquiatria, a expressão e descarga de emoções e idéias reprimidas.

ca·thar·tic (-tik) – catártico: 1. que causa evacuação intestinal; 2. agente que atua dessa forma; 3. que produz catarse. **bulk c.** – c. de volume; catártico que estimula a evacuação intestinal pelo aumento do volume fecal. **lubrificant c.** – c. lubrificante; catártico que age através de amolecimento das fezes e de redução da fricção entre estas e a parede intestinal. **saline c.** – c. salino; catártico que aumenta a fluidez do conteúdo intestinal pela retenção de água por meio de forças osmóticas e aumenta indiretamente a atividade motora. **stimulant c.** – c. estimulante; catártico que aumenta diretamente a atividade motora do trato intestinal.

ca·thep·sin (kah-thep'sin) – catepsina; uma das várias enzimas que catalisam a clivagem hidrolítica de ligações peptídicas específicas.

cath·e·ter (kath'ĕ-ter) [Gr.] – cateter; sonda; instrumento cirúrgico tubular e flexível que é inserido em uma cavidade do corpo para retirar ou introduzir líquidos. **angiographic c.** – c. angiográfico; cateter através do qual se injeta um meio de contraste para a visibilização do sistema vascular de um órgão. **cardiac c.** – c. cardíaco; cateter longo e fino, destinado à passagem, geralmente através de um vaso sangüíneo periférico, pelo interior das câmaras cardíacas sob controle radiográfico. **cardiac c.-microphone** c.-microfone cardíaco; fonocateter. **central venous c.** – c. venoso central; cateter longo e fino, introduzido em uma veia grande no interior da veia cava

superior ou do átrio direito para a administração de fluidos parenterais ou medicações ou medição da pressão venosa central. **DeLee c.** – c. de DeLee; cateter utilizado para sugar o mecônio e os debris amnióticos da nasofaringe e orofaringe dos neonatos. **double-current c.** – c. de corrente dupla; cateter que possui dois canais; um para injeção e outro para remoção de líquido. **female c.** – sonda feminina; cateter curto para a passagem através da uretra feminina. **fluid-filled c.** – c. preenchido por fluido; cateter intravascular conectado por meio de um tubo preenchido por solução salina a um transdutor de pressão externo; utilizado para medir a pressão intravascular. **Foley c.** – sonda de Foley; cateter interno mantido na bexiga por meio de um balão inflado com ar ou líquido. **Gouley's c.** – sonda de Gouley; cateter de aço curvo ou sólido, sulcado na superfície inferior de forma que possa passar sobre um guia através de uma estenose uretral. **Gruentzig balloon c.** – sonda com extremidade em balão de Gruentzig; cateter com balão flexível com um fio-guia curto fixo na ponta, utilizado para a dilatação de estenoses arteriais. **indwelling c.** – sonda de demora; cateter mantido em posição na uretra. **pacing c.** – c. marca-passo; cateter cardíaco que contém um ou mais eletrodos em fios ritmados; utilizado como guia temporário de ritmo cardíaco. **prostatic c.** – sonda prostática; cateter com ponta angular curta para passagem em próstata aumentada de volume. **self-retaining c.** – sonda de auto-retenção; cateter fabricado de modo a manter-se na bexiga e uretra. **snare c.** – c. em laço; cateter destinado à remoção de fragmentos de cateteres intracardíacos introduzidos iatrogenicamente. **Swan-Ganz c.** – c. de Swan-Ganz; cateter macio e de fluxo direcionado com um balão na ponta para medir as pressões arteriais pulmonares. **Tenckhoff c.** – c. de Tenckhoff; um dos vários tipos de cateter comumente utilizados em diálise peritoneal; apresentando orifícios finais e laterais bem como uma ou mais bainhas de feltro extraperitoneais que proporcionam um fechamento à prova de bactérias. **toposcopic c.** – c. toposcópico; cateter em miniatura que passa através de vasos estreitos e tortuosos para transportar quimioterápicos diretamente aos tumores cerebrais. **two-way c.** – sonda de dupla corrente; cateter de canal duplo, utilizado para proporcionar tanto irrigação como drenagem. **vertebrated c.** – sonda vertebrada; cateter feito de pequenas seções encaixadas entre si, de forma que fique flexível. **winged c.** – sonda alada; cateter com duas projeções na extremidade para mantê-lo na bexiga.

cath·e·ter·iza·tion (kath"ĕ-ter-ĭ-za'shun) – cateterização; cateterismo; passagem de um cateter no interior de um canal ou cavidade corporal. **cardiac c.** – c. cardíaca; passagem de um cateter pequeno através de uma veia do braço ou perna, ou do pescoço e no interior do coração, permitindo a obtenção de amostras sangüíneas, determinação de pressão intracardíaca, detecção de anomalias cardíacas, planejamento de abordagens operatórias e determinação, implementação ou avaliação de terapia apropriada. **retrograde c.** – c. retrógrada; passagem de um cateter cardíaco contra o fluxo sangüíneo e no interior do coração. **transseptal c.** – c. transeptal; passagem de um cateter cardíaco através do átrio direito no interior do átrio esquerdo, realizada para liberar uma obstrução valvular e em técnicas como a valuvuloplastia mitral com balão.

ca·thex·is (kah-thek'sis) – catexia; carga ou fixação de energia mental ou emocional em uma idéia ou objeto. **cathec'tic** – adj. catético.

cath·ode (kath'ōd) – catodo: 1. em uma célula eletroquímica, o eletrodo onde ocorre redução (negativa em célula eletrolítica e positiva em célula voltaica); 2. eletrodo que é a origem dos elétrons. **cathod'ic** – adj. catódico.

cat·ion (kat'i-on) – cátion; um íon positivamente carregado. **cation'ic** – adj. catiônico.

cau·da (kaw'dah) [L.] pl. *cau'dae* – cauda; rabo ou apêndice semelhante a um rabo. **c. equi'na** – c. eqüina; coleção de raízes espinhais que descem a partir da medula espinhal inferior e ocupam o canal vertebral abaixo do cordão.

cau·dad (kaw'dad) – caudal; em direção à cauda ou distal à extremidade; direção oposta à cabeça.

cau·dal (kaw'd'l) – caudal: 1. relativo à cauda; 2. situado mais em direção à cauda, ou rabo, do que um ponto de referência específico; em direção à extremidade inferior (no homem) ou posterior (nos animais) do corpo.

caul (kawl) – coifa; pedaço de âmnio que algumas vezes envolve a cabeça de uma criança ao nascimento; gálea.

cau·sal·gia (kaw-zal'je-ah) – causalgia; dor em queimação, geralmente com alterações cutâneas tróficas, devido a uma lesão nervosa periférica.

caus·tic (kaws'tik) – cáustico: 1. que queima ou corrói; destrutivo aos tecidos vivos; 2. que tem gosto causticante; 3. agente escarótico ou corrosivo.

cau·ter·ant (kawt'er-int) – cauterizador: 1. material ou aplicação cáustica; 2. cáustico.

cau·tery (kaw'ter-e) – cautério: 1. aplicação de um agente cáustico ou outro agente para destruir tecidos; 2. agente utilizado com esse propósito. **actual c.** – c. verdadeiro; c. renal: 1. ferro em brasa utilizado como agente cauterizador; 2. aplicação de agente que efetivamente queima o tecido. **cold c.** – c. frio; cauterização por meio de dióxido de carbono. **electric c., galvanic c.** – c. elétrico; c. galvânico; galvanocautério. **potential c., virtual c.** – c. potencial; c. virtual; cauterização por meio de escarótico, sem aplicação de calor.

ca·va (ka'vah) [L.] 1. pl. *cavum*; 2. – cava; veia cava. **ca'val** – adj. caval.

ca·ve·o·la (ka"ve-o'lah) [L.] pl. *caveolae* – cavéola; uma das muitas cavernas ou invaginações diminutas da membrana celular formadas durante a pinocitose.

ca·ver·na (ka-ver'nah) [L.] pl. *cavernae* – caverna; cavidade.

cav·er·nil·o·quy (kav"er-nil'o-kwe) – cavernilóquia; pectorilóquia de baixa inclinação indicativa de uma cavidade pulmonar.

cav·er·ni·tis (-nī t'is) – cavernite; inflamação do corpo cavernoso ou esponjoso do pênis.

cav·er·nous (kav'er-nus) – cavernoso; relativo ou que contém espaços côncavos.

cav·i·ta·ry (kav'ĭ-tĕ-re) – cavitário; caracterizado pela presença de cavidade ou cavidades.

cav·i·tas (-ĭ -tas) [L.] pl. *cavitates* – cavidade.

ca·vi·tis (ka-vi'tis) – cavite; inflamação de uma veia cava.

cav·i·ty (kav'ĭ -te) – cavidade; lugar ou espaço côncavo, ou espaço potencial, no organismo ou em um de seus órgãos; em Odontologia, lesão produzida pelas cáries. **abdominal c.** – c. abdominal; cavidade do corpo entre o diafragma e a pelve, que contém os órgãos abdominais. **absorption c's** – cavidades de absorção; cavidades em um osso compacto em desenvolvimento devido à erosão osteoclástica, que geralmente ocorre nas áreas iniciais. **amniotic c.** – c. amniótica; saco fechado entre o embrião e o âmnio, que contém o líquido amniótico. **cleavage c.** – c. de clivagem; blastocele. **complex c.** – c. complexa; lesão cariada que envolve três ou mais superfícies de um dente em seu estado preparado. **compound c.** – c. composta; lesão cariada que envolve duas superfícies de um dente em seu estado preparado. **c. cotyloid** – c. cotilóide; acetábulo. **cranial c.** – c. cranial; espaço fechado pelos ossos do crânio. **dental c.** – c. dentária; defeito (lesão) cariado produzido pela destruição de esmalte e dentina em um dente. **glenoid c.** – c. glenóide; depressão no ângulo lateral da escápula da articulação com o úmero. **marrow c., medullary c.** – c. medular; cavidade na diáfise de um osso longo, que contém a medula. **nasal c.** – c. nasal; porção proximal do trato respiratório, separada pelo septo nasal estendendo-se das narinas à faringe. **oral c.** – c. oral; cavidade da boca, limitada pelos ossos mandibulares e estruturas associadas (músculos e mucosa). **pelvic c.** – c. pélvica; espaço entre as paredes da pelve. **pericardial c.** – c. pericárdica; espaço potencial entre o epicárdio e a camada parietal do pericárdio seroso. **peritoneal c.** – c. peritoneal; espaço potencial entre o peritônio parietal e visceral. **pleural c.** – c. pleural; espaço potencial entre a pleura parietal e visceral. **pleuroperitoneal c.** – c. pleuroperitoneal; cavidade celômica temporariamente contínua no embrião, que mais tarde é dividida pelo diafragma em desenvolvimento. **prepared c.** – c. preparada; lesão no local onde se removeu todo o tecido cariado, preparatória para o preenchimento do dente. **pulp c.** – c. pulpar; câmara central preenchida por polpa na coroa do dente. **Rosenmüller's c.** – c. de Rosenmüller; recesso faríngeo. **serous c.** – c. serosa; cavidade celômica, semelhante à envolvida pelo pericárdio, peritônio ou pleura, que não se comunica com o exterior do corpo, e cuja membrana de revestimento secreta um fluido seroso. **sigmoid c.** – c. sigmóide: 1. uma das duas depressões na cabeça da ulna para a articulação com o úmero; 2. depressão na extremidade distal do lado medial do rádio para a articulação com a ulna. **simple c.** – c. simples; lesão cariada, cuja preparação envolve somente uma superfície dentária. **somatic c.** – c. somática; porção intra-embrionária do celoma. **tension c's** – cavidades de tensão; cavidades pulmonares nas quais a pressão do ar é maior que a da atmosfera. **thoracic c.** – c. torácica; parte da cavidade do corpo ventral entre o pescoço e o diafragma. **tympanic c.** – c. timpânica; ouvido médio. **uterine c.** – c. uterina; espaço achatado dentro do útero, que se comunica proximalmente em cada lado com as trompas uterinas e abaixo com a vagina. **yolk c.** – c. vitelina; espaço entre o disco embrionário e o vitelo do óvulo em desenvolvimento de alguns animais.

ca·vum (ka'vum) [L.] pl. *cava* – cavo; cavidade. **c. sep'ti pellu'cidi** – c. do septo pelúcido; quinto ventrículo.

ca·vus (ka'vus) [L.] – depressão; cavidade.

cbc – abreviação de complete blood (cell) count (contagem [celular] sangüínea completa).

Cbl – cobalamin (cobalamina).

cc – cubic centimeter (centímetro cúbico).

CCNU – lomustine (lomustina).

CD – cadaveric donor; curative dose cluster designation (DC, doador cadavérico; dose curativa; DG, designação do grupo).

CD$_{50}$ – median curative dose (DC$_{50}$, dose curativa média).

Cd – 1. símbolo químico, cádmio (*cadmium*); 2. caudal or coccygeal (caudal ou coccígeo).

cd – candela (candela).

CDC – Centers for Disease Control and Prevention (Centros de Controle e Prevenção de Doenças).

Ce – símbolo químico, cério (*cerium*).

ce·as·mic (se-az'mik) – ceásmico; caracterizado pela persistência das fissuras embrionárias após o nascimento.

ce·cec·to·my (se-sek'tah-me) – cecectomia; excisão do ceco.

ce·ci·tis (se-si'tis) – cecite; inflamação do ceco.

cec(o)- [L.] – cec(o)-, elemento de palavra; ceco.

ce·co·cele (se'ko-sēl) – cecocele; hérnia que contém parte do ceco.

ce·co·co·los·to·my (se"ko-ko-los'tah-me) – cecocolostomia; anastomose cirúrgica do ceco e do cólon.

ce·co·il·e·ost·o·my (il"e-os'tah-me) cecoileostomia; ileocecostomia (*ileocecostomy*).

ce·co·pli·ca·tion (-plĭ′-ka'shin) – cecoplicação; cecoplicatura; pregueamento da parede cecal para corrigir ptose ou dilatação.

ce·cor·rha·phy (se-kor'ah-fe) – cecorrafia; sutura ou reparo do ceco.

ce·co·sig·moid·os·to·my (se"ko-sig"moid-os'tah-me) – cecossigmoidostomia; formação, geralmente através de cirurgia, de uma abertura entre o ceco e o sigmóide.

ce·cos·to·my (se-kos'tah-me) – cecostomia; criação cirúrgica de uma abertura ou fístula artificial no interior do ceco.

ce·cum (se'kum) – ceco: 1. a primeira parte do intestino grosso, que forma uma bolsa dilatada distalmente ao íleo e proximalmente ao cólon, e dá origem ao apêndice vermiforme; 2. bolsa cega; intestino cego.

cef·a·drox·il (sef"ah-droks'il) – cefadroxil; antibiótico cefalosporínico semi-sintético, ($C_{16}H_{17}N_3O_5S$).

ce·faz·o·lin (sĕ-faz'o-lin) – cefazolina; antibiótico cefalosporínico semi-sintético, eficaz contra ampla gama de bactérias Gram-negativas e Gram-positivas.

ce·fix·ime (sĕ-fik'sēm) – cefixima; cefalosporina semi-sintética de terceira geração, eficaz contra ampla gama de bactérias; utilizada no tratamento de otite média e bronquite.

ce·fon·i·cid (sĕ-fon'ĭ-sid) – cefonicida; cefalosporina semi-sintética β-lactamase-resistente, eficaz contra ampla gama de bactérias Gram-positivas e Gram-negativas; utilizada como sal sódico.

cef·o·per·a·zone (sef"o-per'ah-zōn) – cefoperazona; cefalosporina semi-sintética β-lactamase-resistente, eficaz ampla extensa gama de bactérias Gram-positivas e Gram-negativas; utilizada como sal sódico.

cef·o·tax·ime (sef"o-tak'sēm) – cefotaxima; antibiótico cefalosporínico semi-sintético de amplo espectro, ativo contra muitos microrganismos que se tornaram resistentes aos antibióticos penicilínicos, cefalosporínicos e aminoglicosídeos.

cef·o·te·tan (-te"tan) – cefotetam; cefalosporina semi-sintética β-lactamase-resistente, eficaz contra ampla gama de bactérias Gram-positivas e Gram-negativas, utilizado como sal dissódico.

ce·fox·i·tin (sĕ-fok'sĭ-tin) – cefoxitina; antibiótico cefalosporínico semi-sintético, especialmente eficaz contra microrganismos Gram-negativos, com uma forte resistência à degradação pela β-lactamase.

cef·po·dox·ime prox·e·til (sef"po-dok'sēm prok'sĕ-til) – cefpodoxima proxetila; cefalosporina β-lactamase-resistente de amplo espectro, eficaz a contra ampla gama de bactérias Gram-positivas e Gram-negativas.

cef·ta·zi·dime (sef'ta-zĭ′-dēm) – ceftazidima; derivado cefalosporínico, eficaz contra bactérias Gram-positivas e Gram-negativas.

cef·ti·zox·ime (sef"tĭ′-zok'sēm) – ceftizoxima; cefalosporina semi-sintética β-lactamase-resistente, eficaz contra ampla gama de bactérias Gram-positivas e Gram-negativas, utilizada como sal sódico.

cef·tri·ax·one (cef"tri-ak'sōn) – ceftriaxona; cefalosporina semi-sintética β-lactamase-resistente, eficaz contra ampla gama de bactérias Gram-positivas e Gram-negativas, utilizada como sal sódico.

cef·u·rox·ime (sef"u-rok'sēm) – cefuroxima; cefalosporina semi-sintética β-lactamase-resistente, eficaz contra ampla gama de bactérias Gram-positivas e Gram-negativas, utilizada como sal sódico e éster axetílico.

-cele¹ [Gr.] – -cele¹, elemento de palavra, *tumefação; tumor; inchaço.*

-cele² [Gr.] – -cele², elemento de palavra, *cavidade.* Ver também palavras com *coele.*

celi(o)- [Gr.] – celi(o)-, elemento de palavra, *abdômen; abdome; através da parede abdominal.*

ce·li·ec·to·my (sēl"e-ek'tah-me) – celiectomia: 1. excisão dos ramos celíacos do nervo vago; 2. excisão de um órgão abdominal.

ce·lio·col·pot·o·my (sēl"e-o-kol-pot'ah-me) – celiocolpotomia; incisão no interior do abdômen através da vagina.

ce·lio·gas·trot·o·my (-gas-trot'ah-me) – celiogastrotomia; incisão através da parede abdominal no interior do estômago.

ce·li·o·ma (sēl"e-o'mah) – celioma; tumor do abdômen.

ce·lio·myo·si·tis (sēl"e-o-mi"ah-sī't'is) – celiomiosite; inflamação dos músculos abdominais.

ce·li·op·a·thy (sēl"e-op'ah-the) – celiopatia; qualquer doença abdominal.

ce·li·os·co·py (sēl"e-os'kah-pe) – celioscopia; exame de uma cavidade abdominal através de endoscópio.

ce·li·ot·o·my (sēl"e-ot'ah-me) – celiotomia; incisão no interior da cavidade abdominal. **vaginal c.** – c. vaginal; incisão no interior da cavidade abdominal através da vagina.

ce·li·tis (se-lī't'is) – celite; inflamação abdominal.

cell (sel) – célula: 1. uma das massas protoplasmáticas que constituem um tecido organizado, e consistem de um núcleo circundado por um citoplasma envolvido em uma membrana celular ou plasmática. Constitui a unidade fundamental, estrutural e funcional dos organismos vivos. Em algumas das formas inferiores de vida, como as bactérias, encontra-se ausente um núcleo morfológico, embora se encontrem presentes nucleoproteínas (e genes); 2. pequeno espaço mais ou menos fechado. **acessory c's** – células acessórias; macrófagos envolvidos no processo e apresentação dos antígenos, tornando-os mais imunogênicos. **acid c's** – células ácidas; células parietais. **acinar c., acinic c., acinous c.** – c. acinar; c. acinosa; ácino; uma das células que revestem um ácino, especialmente as células secretoras de zimógeno dos ácinos pancreáticos. **adventitial c's** – células adventícias; macrófagos que ocorrem ao longo das paredes dos vasos sangüíneos. **air c.** – c. aérea; célula que contém ar como os pulmões ou a tuba auditiva. **alpha c's** – células alfa: 1. células situadas na periferia das ilhotas de Langerhans, que secretam glucagon; 2. células acidófilas da adeno-hipófise. **alveolar c.** – c. alveolar; qualquer célula das paredes dos alvéolos pulmonares; termo em geral restrito às células do epitélio alveolar (células alveolares escamosas e células alveolares grandes) e aos fagócitos alveolares. **Alzheimer's c's** – células de Alzheimer: 1. astrócitos gigantes com grandes núcleos proeminentes encontrados no cérebro em caso de degeneração hepatolenticular e coma hepático; 2. astrócitos degenerados. **amacrine c's** – células amácrinas; ver *amacrine* (2). **Anichkov's (Anitschkow's)** – c. de Anichkov; c. de Anitschkow; histiócito modificado roliço nas lesões inflamatórias cardíacas (corpos de Aschoff), característico da febre reumática. **APUD c's** – células APUD (*amine precursor uptake and decarboxylation* – absorção e descarboxilação de precursores amínicos); grupo de células que fabricam polipeptídeos e aminas biogênicas, que servem como hormônios ou neurotransmissores. A produção de polipeptídeos está ligada ao consumo de um aminoácido precursor e à sua descarboxilação em uma amina. **argentaffin c's** – células argentafins; células enterocromafins que reduzem as soluções amoniacais de prata sem tratamento adicional com agente redutor, a substância redutora é a serotonina. **Arias-Stella c's** – células de Arias-Stella; células colunares no epitélio endometrial, que apresentam um núcleo aumentado de volume hipercromático e que parecem se associar ao tecido coriônico em um local intra ou extra-uterino. **automatic c.** – c. automática; c. marca-passo. **band c.** – c. em faixa; um metamielócito tardio, cujo núcleo tem forma de faixa curva ou espiralada. **basal c.** – c. basal; um ceratinócito precoce, presente na camada basal da epiderme. **basal granular c's** – células granulares basais; células APUD localizadas na base do epitélio em muitos locais no trato gastrointestinal. **basket c.** – c. em cesta; um neurônio do córtex cerebral, cujas fibras formam uma rede semelhante a uma cesta onde se situa uma célula de Purkinje. **beaker c.** – c. caliciforme. **beta c's** – células beta: 1. células basófilas pancreáticas que secretam insulina e constituem a maior parte do volume das ilhotas de Langerhans; 2. células basófilas da adeno-hipófise. **Betz's c's** – células de Betz; grandes células ganglionares piramidais que formam uma camada da substância cinzenta cerebral. **bipolar c.** – c. bipolar; neurônio com dois processos. **blast c.** – c. de reserva; célula sangüínea menos diferenciada, sem relação com sua série particular. **blood c's** – células sangüíneas; ver *corpuscle*. **bone c.** – c. óssea; osteócito. **bristle c's** – células ciliadas; células pilosas associadas aos nervos auditivo e coclear. **burr c.** – c. espiculada; forma de hemácia madura espiculada (equinócito) que possui pequenas projeções múltiplas uniformemente espaçadas sobre a circunferência celular; observada em caso de azotemia, carcinoma gástrico e úlcera péptica hemorrágica. **cartilage c's** – células cartilaginosas; condrócitos. **chief c's** – células principais: 1. células epiteliais colunares ou cubóides, que revestem as porções inferiores das glândulas gástricas; secretam a pepsina; 2. pinealócitos; 3. células parenquimatosas mais abundantes da paratireóide, algumas vezes divididas em formas claras e escuras; cf. *oxyphil c's*. 4. principais células cromafins dos paragânglios, sendo cada uma delas circundada por células de suporte. 5. células cromófobas. **chromaffin c's** – células cromafins; células que se coram facilmente com sais de cromo, especialmente as células da medula supra-adrenal e as células semelhantes que ocorrem em acúmulos disseminados por todo o corpo em vários órgãos, cujo citoplasma exibe grânulos castanhos finos quando corado com bicromato de potássio. **chromophobe c's** – células cromófobas; células que se coram tenuemente na adeno-hipófise; algumas são não-granulares (células não-secretórias, pré-secretórias imaturas ou degenerativas), enquanto outras possuem grânulos extremamente pequenos. **Claudius' c's** – células de Claudius; células cubóides que junto com as células de Böttcher formam o assoalho do sulco espiral externo, externamente ao órgão de Corti. **columnar c.** – c. colunar; célula epitelial alongada. **committed c.** – c. compromissada; c. encarregada; um linfócito que, após o contato com um antígeno, é obrigado a seguir um curso individual de desenvolvimento que leva à síntese de anticorpos ou à memória imunológica. **c's of Corti** – células de Corti; células do órgão de Corti. **daughter c.** – c.-filha; uma célula formada pela divisão de uma célula-mãe. **decidual c's** – células decíduas; células de tecido conjuntivo da membrana mucosa uterina, aumentadas de volume e especializadas durante a gravidez. **Deiters' c's** – células de Deiters; as células falângicas externas do órgão de Corti. **delta c's** – células delta; células nas ilhotas pancreáticas, que secretam somatostatina. **dendritic c's** – células dendríticas; células com longos processos citoplasmáticos nos linfonodos e centros germinativos esplênicos; esses processos, que se estendem ao longo das células linfóides, retêm moléculas antigênicas por longos períodos. **dust c's** – células de poeira; macrófagos alveolares. **effector c.** – c. efetora; qualquer célula, como um linfócito ou plasmócito ativados, que é útil por causar um descarte de antígenos realizado tanto por resposta mediada celularmente como por resposta imunológica humoral. **enamel c.** – c. de esmalte; ameloblasto. **enterochromaffin c's** – células enterocromafins; células cromafins da mucosa intestinal que se coram com sais de cromo e são impregnáveis com prata; constituem locais de síntese e de armazenamento de serotonina. **epithelioid c's** – células epitelióides: 1. grandes células poliédricas de origem em tecido conjuntivo; 2. macrófagos modificados e altamente fagocíticos, semelhantes a células epiteliais, característicos de inflamação granulomatosa; 3. pinealócitos. **eukaryotic c.** – c. eucariótica; célula com núcleo verdadeiro; ver *eukaryote*. **excitable c.** – c. excitável; célula que pode gerar um potencial de ação em sua membrana em resposta à despolarização e transmitir um impulso ao longo da membrana. **fat c.** – c. adiposa; célula de tecido conjuntivo especializada para a síntese e armazenamento de gordura; tais células ficam intumescidas com glóbulos de triglicerídeos, com o núcleo deslocando-se para um lado e o citoplasma sendo observado como uma linha fina ao redor da gotícula de gordura. **foam c's** – células espumosas; células com aparência vacuolizada devido à presença de lipídios complexos; observadas normalmente em caso de xantoma. **follicle c's, follicular c's** – células foliculares; células epiteliais localizadas na tireóide ou folículos ovarianos. **follicular center c.** – c. do centro folicular; célula de uma série de linfócitos B que ocorrem normalmente no centro germinativo e patologicamente nos nódulos neoplásicos do linfoma de célula do centro folicular; acredita-se que sejam estágios intermediários no desenvolvimento de linfoblastos e plasmócitos e se distinguem de acordo com o tamanho (grande ou pequeno) e a presença ou ausência de dobras ou fissuras nucleares (clivado ou não-clivado). **G c's** – células G; células enterocromafins granulares na mucosa da parte pilórica do estômago, constituindo uma fonte de gastrina. **ganglion c.** – c. ganglio-

nar; grande célula nervosa, especialmente uma das células dos gânglios espinhais. **Gaucher's c.** – c. de Gaucher; grande célula característica da doença de Gaucher, com núcleos posicionados excentricamente e fibrilas onduladas finas e paralelas ao eixo longitudinal da célula. **germ c's** – células germinativas; células de um organismo, cuja função é de reproduzir a espécie, ou seja, um óvulo ou espermatozóide ou um estágio imaturo de qualquer um deles. **ghost c.** – c. fantasma: 1. célula desnucleada ceratinizada, com centro não-corado e indefinido, onde o núcleo se encontrava; 2. eritroclasto. **giant c.** – c. gigante: 1. qualquer célula muito grande, como o megacariócito da medula óssea; 2. um dos macrófagos modificados, multinucleados e muito grande, que podem ser formados pela coalescência de células epitelióides ou por meio de divisão nuclear sem divisão citoplasmática dos monócitos, por exemplo, as células características de uma inflamação granulomatosa e as que se formam ao redor de grandes corpos estranhos. **glial c's** – células gliais; células neurogliais. **globoid c.** – c. globóide; grande histiócito anormal encontrado em grande número nos tecidos intracraniais no caso da doença de Krabbe. **glomus c.** – c. glômica: 1. qualquer uma das células específicas do corpo carotídeo, que contenha muitas vesículas de núcleo densamente coradas, ocorrendo em agrupamentos circundados por outras células sem nenhum grânulo citoplasmático; 2. uma das células musculares lisas modificadas que circundam o segmento arterial de uma anastomose arteriovenosa glomeriforme. **goblet c.** – c. caliciforme; glândula mucosa unicelular encontrada no epitélio de várias membranas mucosas, especialmente as das passagens respiratórias e intestinos. **Golgi's c's** – células de Golgi; ver em *neuron*. **granular c.** – c. granular; célula que contém grânulos, como um ceratinócito na camada granulosa da epiderme, que contém densa coleção de grânulos de coloração escura. **granule c's** – células granulosas: 1. células minúsculas encontradas nas camadas granulares do córtex cerebral e cerebelar; 2. pequenas células nervosas sem axônios, cujos corpos encontram-se na camada granular do bulbo olfatório. **granulosa c's** – células da granulosa; células foliculares ovarianas na camada granulosa. **gustatory c's** – c. gustativas; células do paladar. **hair c's** – células ciliadas; células pilosas; células epiteliais sensoriais com longos processos piliformes (cinocílios ou estereocílios) encontradas no órgão de Corti e no labirinto vestibular. **hairy c.** – c. pilosas; uma das grandes células anormais encontradas no sangue em caso de reticuloendoteliose leucêmica, apresentando vários vilos citoplasmáticos irregulares que dão à célula uma aparência flagelada ou pilosa. **heart-disease c's, heart-failure c's, heart-lesion c's** – células cardiopáticas; c. de insuficiência cardíaca; c. de lesão cardíaca; macrófagos que contêm grânulos de ferro, encontrados nos alvéolos pulmonares e no esputo em caso de insuficiência cardíaca congestiva. **HeLa c's** – células HeLa; células da primeira cepa maligna continuamente cultivada, descendentes de um carcinoma cervical humano. **helmet c.** – c. em capacete; uma forma de hemácia anormal, semelhante a um capacete, observada em caso de anemia hemolítica. **helper c's** – células auxiliares; linfócitos T diferenciados, que cooperam com os linfócitos B na síntese de um anticorpo para muitos antígenos; exercem um papel integral na imunorregulação. **Hensen's c's** – células de Hensen; células de suporte grandes, que constituem a borda externa do órgão de Corti. **hepatic c's** – células hepáticas; células epiteliais poliédricas que constituem a substância de um ácino hepático. **horizontal c.** – c. horizontal; neurônio retiniano, que ocorre em dois tipos, cada um deles com um neurito longo e vários neuritos curtos. **Hürthle c's** – células de Hürthle; grandes células eosinófilas algumas vezes encontradas na glândula tireóide; ver também em *tumor*. **interdental c's** – células interdentárias; células encontradas no limbo espiral entre os dentes acústicos, que secretam a membrana tectorial do ducto coclear. **interstitial c's** – células intersticiais: 1. células de Leydig; 2. grandes células epitelióides no estroma ovariano, que se acredita terem função secretória, e derivem da teca interna dos folículos ovarianos atréticos; 3. células encontradas nas áreas perivasculares e entre os cordões de pinealócitos na epífise; 4. células nervosas com processos curtos e ramificações que se entrelaçam com os processos das outras células para formar uma rede irregular nos plexos entéricos, submucosa e interior dos vilos do trato intestinal; 5. células hepáticas armazenadoras de gordura. **islet c's** – células das ilhotas; células que compõem as ilhotas de Langerhans. **juxtaglomerular c's** – células justaglomerulares; células especializadas que contêm grânulos secretórios, localizadas na túnica média das arteríolas glomerulares aferentes e que se acredita estimular a secreção de aldosterona e exercer um papel na auto-regulação renal. Essas células secretam a enzima renina. **K c's** – células K: 1. células exterminadoras; células morfologicamente indistinguíveis dos linfócitos pequenos sem marcadores de superfície celular T ou B, mas que têm atividade citotóxica contra células-alvo revestidas com um anticorpo IgG específico; 2. células na mucosa duodenal e jejunal, que sintetizam o polipeptídeo inibidor gástrico. **Killer c's** – células exterminadoras: 1. células K; 2. linfócitos T citotóxicos. **Kupffer's c's** – células de Kupffer; grandes células estreladas ou piramidais, intensamente fagocíticas, que revestem as paredes dos sinusóides hepáticos e fazem parte do sistema reticuloendotelial. **lacunar c.** – c. lacunar; uma variante da célula de Reed-Sternberg, primariamente associada ao tipo esclerótico nodular da doença de Hodgkin. **LAK c's** – células LAK; células exterminadoras ativadas pela interleucina-2 e que têm especificidade por tumores refratários a células NK. **Langerhan's c's** – células de Langerhans: 1. células claras dendríticas da camada granular da epiderme, que se acredita ser células apresentadoras de antígenos; 2. células dendríticas estreladas encontra-

das no epitélio corneal. **large cleaved c.** – c. clivada grande; ver *follicular center c.* **large noncleaved c., large uncleaved c.** – c. não-clivada grande; ver *follicular center c.* **LE c.** – c. LE (lúpus eritematoso); um leucócito polimorfonuclear neutrofílico maduro, que fagocitou uma inclusão esférica e de aparência homogênea, e por sua vez deriva de outro neutrófilo; uma característica do lúpus eritematoso, mas também encontrada em distúrbios de tecido conjuntivo análogos. **Leydig's c's** – células de Leydig: 1. células intersticiais dos testículos, que secretam testosterona; 2. células mucosas que não derramam sua secreção na superfície epitelial. **luteal c's, lutein c's** – células luteais; células luteínicas; células do corpo lúteo; células poliédricas roliças e de coloração pálida do corpo lúteo. **lymph c.** – c. linfática; linfócito. **lymphokine-activated Killer c's** – células exterminadoras ativadas por linfocinas; ver células LAK. **lymphoid c's** – células linfóides; linfócitos e plasmócitos; células do sistema imune que reagem especificamente a um antígeno e elaboram produtos celulares específicos. **mast c.** – mastócito; uma célula de tecido conjuntivo capaz de elaborar grânulos citoplasmáticos metacromáticos basófilos, contendo histamina, heparina, ácido hialurônico, substância de reação lenta de anafilaxia e, em algumas espécies, serotonina. **mastoid c's** – células mastóides; espaços aéreos de tamanho e forma variados no processo mastóide do osso temporal. **Merkel c.** – c. de Merkel; menisco tátil. **microglial c.** – c. da micróglia; uma célula da micróglia. **mother c.** – c.-mãe; c.-máter; uma célula que se divide para formar células novas ou células-filhas. **mucous c's** – células mucosas; células que secretam muco. **muscle c.** – c. muscular; ver em *fiber*. **myoid c's** – células mióides; células nos túbulos seminíferos que se presume ser contráteis e responsáveis pelas contrações superficiais ritmadas dos túbulos. **natural killer c's** – células exterminadoras naturais; células NK. **nerve c.** – c. nervosa; neurônio. **neuroendocrine c's** – células neuroendócrinas; neurônios especializados que secretam neuro-hormônios. **neuroglia c's, neuroglial c's** – células da neuróglia; células ramificadas não-nervosas da neuróglia; existem três tipos: astróglia, oligodendróglia (coletivamente chamadas de macróglia) e micróglia. **neurosecretory c.** – c. neurossecretora; c. ramificada com propriedades semelhantes às de um neurônio que secreta uma substância biologicamente ativa que atua em outra estrutura, freqüentemente à distância. **nevus c.** – c. de nevo; pequena célula oval ou cubóide com um núcleo que se cora profundamente e um citoplasma pálido escasso, às vezes contendo grânulos de melanina, e possivelmente derivada das células de Schwann ou de nevoblastos embrionários; agrupam-se em massas arredondadas chamadas tecas (*theques*) na epiderme, e atingem a derme por meio de um tipo de extrusão centrípeta. **Niemann-Pick c's** – células de Niemann-Pick; células de Pick. **NK c's** – células NK; células exterminadoras naturais; células capazes de mediar reações citotóxicas sem serem especificamente sensibilizadas contra o alvo. **null c's** – células nulas; linfócitos que não têm antígenos de superfície característicos dos linfócitos B e T; tais células são observadas no lúpus eritematoso sistêmico ativo e outros estados patológicos. **nurse c's, nursing c.** – células alimentadoras; células de Sertoli. **olfactory c's** – células olfatórias; um conjunto de células especializadas das membranas mucosas nasais que constituem receptores de odor. **osteoprogenitor c's** – células osteoprogenitoras; células relativamente não-diferenciadas encontradas em todas as superfícies livres do osso ou próximas a ele, e que, sob determinadas circunstâncias, sofrem divisão e se transformam em osteoblastos ou coalescem para dar origem a osteoclastos. **oxyntic c's** – células oxínticas; células parietais. **oxyphil c's, oxyphilic c's** – células oxifílicas; células acidofílicas encontradas, junto com as células principais mais numerosas, nas glândulas paratireóideas. **P c's** – células P; células especializadas; pequenas células pálidas e fracamente coráveis, quase sem miofibrilas, mitocôndrias ou outras organelas; agrupam-se no nódulo sinoatrial, onde se acredita ser o centro de geração de impulsos, e no nódulo atrioventricular. **pacemaker c.** – c. marcapasso; célula miocárdica que mostra automaticidade. **packed red blood c's** – células de papa de hemácias; sangue completo do qual se removeu o plasma; utilizado terapeuticamente em transfusões sangüíneas. **Paget's c., pagetoid c.** – c. de Paget; c. pagetóide; grande célula tumoral anaplásica e pálida, de forma irregular, encontrada na epiderme na doença de Paget do mamilo e doença de Paget extramamária. **Paneth's c's** – células de Paneth; células epiteliais piramidais ou colunares estreitas com núcleo redondo ou oval próximo à base da célula, e que ocorrem no fundo das criptas de Lieberkühn; contêm grandes grânulos secretores, que podem conter peptidase. **parafollicular c's** – células parafoliculares; células epiteliais ovóides localizadas nos folículos tireóideos; secretam o hormônio calcitonina. **parietal c's** – células parietais; grandes células esferóides ou piramidais que constituem a origem do ácido clorídrico gástrico e o local de produção do fator intrínseco. **peptic c's** – células pépticas; células principais; ver *chief c's* (1). **peritubular contractile c's** – células contráteis peritubulares; células mióides. **pheochrome c's** – células feocrômicas; células cromafins. **Pick's c's** – células de Pick; células redondas, ovais ou poliédricas, com citoplasma espumoso, contendo lipídios, encontradas na medula óssea e baço na doença de Niemann-Pick. **plasma c's** – células plasmócitos; células esféricas ou elipsóides, com núcleo único que contém cromatina, uma área de claridade perinuclear e geralmente um citoplasma abundante, algumas vezes vacuolizado; participam da síntese, armazenamento e liberação de anticorpos. **polychromatic c's, polychromatophil c's** – células policromáticas; células policromatófilas; hemácias imaturas que se coram com corantes tanto ácidos como básicos em uma mistura difusa de cinza-azulado a róseo. **pre-B c's** – células pré-B; células linfóides imaturas e que contêm IgM citoplásmica; desenvolvem-se em linfócitos B. **pre-T c** – c. pré-T; um precursor do linfócito T antes de sofrer indução do processo de maturação no timo; não tem as características de um linfócito T maduro. **prickle c.** – c. espinhosa; células com processos radiantes delicados conectando-se a células semelhantes, correspondendo a um ceratinócito em divisão da camada celular espinhosa da epiderme. **prokaryotic c.** – c. procariótica; célula sem um núcleo verdadeiro; ver *prokaryote*. **pulmonary epithelial c's** – células epiteliais pulmonares; células escamosas não-fagocíticas extremamente finas com núcleos achatados, e que constituem a camada externa da parede alveolar nos pulmões. **Purkinje's c's** – células de Purkinje; 1. grandes neurônios ramificados na camada média do córtex cerebelar; 2. grandes células claras, firmemente acondicionadas e condutoras de impulsos das fibras de Purkinje cardíacas. **red c., red blood c.** – glóbulo vermelho; eritrócito; hemácia. **Reed c., Reed-Sternberg c's** – células de Reed; de Reed-Sternberg; células histiocíticas gigantes, tipicamente multinucleadas, que constituem a característica histológica comum da doença de Hodgkin. **reticular c's** – células reticulares; as células que formam as fibras reticulares do tecido conjuntivo; as células que formam a estrutura dos linfonodos, medula óssea e baço fazem parte do sistema reticuloendotelial e podem se diferenciar em macrófagos. **reticuloendothelial c.** – c. reticuloendotelial; ver em *system*. **Rieder's c.** – c. de Rieder; ver em *lymphocyte*. **Schwann c.** – c. de Schwann; uma das grandes células nucleadas cuja membrana celular envolve espiralmente os axônios dos neurônios periféricos mielinizados, fornecendo a bainha de mielina entre dois nódulos de Ranvier. **segmented c.** – c. segmentada; granulócito maduro, no qual o núcleo se divide em lobos definidos, reunidos por conexão filamentosa. **Sertoli's c's** – células de Sertoli; células nos túbulos testiculares nas quais as espermátides se prendem e sustentam, protegem e aparentemente nutrem as espermátides até estas se desenvolverem em espermatozóides adultos. **sickle c.** – c. falciforme; eritrócito anormal; meniscócito; uma hemácia em forma de ou de foice; ver também em *anemia*. **small cleaved c.** – c. clivada pequena, ver *follicular center c.* **small noncleaved c., small uncleaved c.** – c. não-clivada pequena; ver *follicular center c.* **somatic c's** – células somáticas; células do somatoplasma; corpos celulares não-diferenciados. **somatostatin c's** – células somatostatinas; células endócrinas das glândulas oxínticas e pilóricas que secretam somatostatina. **sperm c.** – c. espermática; espermatozóide. **squamous c.** – c. escamosa; célula epitelial chata e semelhante a uma escama. **stab c., staff c.** – c. em bastão; c. em faixa. **stellate c.** – c. estrelada; c. radiada; célula em forma de estrela, como uma célula de Kupffer ou um astrócito que apresenta muitos filamentos estendendo-se em todas as direções. **stem c.** – c. -tronco; uma célula-mãe generalizada, cujos descendentes diferenciam-se freqüentemente em tipos diferentes de células, como uma célula mesenquimatosa indiferenciada, que pode-se considerar uma célula precursora das células sangüíneas ou das células teciduais fixas da medula óssea. **suppressor c's** – células supressoras; c. citotóxicas; células linfóides (especialmente os linfócitos T) que inibem respostas imunes humorais ou mediadas por células. Elas exercem um papel integral na imunorregulação, acredita-se que operem em vários estados patológicos auto-imunes e outros estados imunológicos. **synovial c's** – células sinoviais; fibroblastos que se situam entre as fibras cartilaginosas na membrana sinovial de uma articulação. **target c.** – c.-alvo: 1. hemácia anormalmente fina que, quando corada, mostra um centro escuro e um anel periférico de hemoglobina, separado por um anel não-corado pálido que contém menos hemoglobina, como se observa em determinadas anemias, talassemias, hemoglobinopatias, icterícia obstrutiva e no estado pós-esplenectomia; 2. célula seletivamente afetada por um agente particular, como um hormônio ou droga. **taste c's** – células do paladar; células nas papilas gustativas, que possuem receptores gustativos. **tendon c's** – células do tendão; células achatadas do tecido conjuntivo que ocorrem em fileiras entre os feixes primários dos tendões. **transitional c's** – células de transição: 1. células em processo de alteração de um tipo para outro; 2. nos nódulos sinoatrial e atrioventricular, células heterogêneas de condução lenta, interpostas entre as células P e as células de Purkinje. **visual c's** – células visuais; elementos neuroepiteliais da retina. **white c., white blood c.** – glóbulo branco; c. sangüínea branca; leucócito.

cel·la (se'ah) [L.] – célula.

cel·loi·din (sĕ-loi'din) – celoidina; preparação concentrada de piroxilina, utilizada em microscopia para preparar amostras para corte em secção.

cel·lu·la (sel'u-lah) [L.] pl. *cellulae* – célula.

cel·lu·lar·i·ty (sel"u-lă'rit-e) – celularidade; estado de um tecido ou outra massa em relação ao número de células constituintes.

cel·lule (sel'ūl) – célula pequena.

cel·lu·lif·u·gal (sel"u-lif'u-g'l) – celulífugo; direcionado para fora de um corpo celular.

cel·lu·lip·e·tal (-lip'it'l) – celulípeto; orientado em direção de um corpo celular.

cel·lu·li·tis (-lĭ't-'is) – celulite; inflamação do tecido conjuntivo ou mole, no qual um exsudato fino e aquoso difunde-se através dos planos de clivagem dos espaços intersticiais e teciduais; pode levar à ulceração e abscesso. **anaerobic c.** – c. anaeróbica; ver *clostridial anaerobic c.* e *nonclostridial anaerobic c.* **clostridial anaerobic c.** – c. anaeróbica clostrídica; celulite devido à infecção clostrídica necrosante, especialmente através da *Clostridium perfringens*, e que geralmente surge em um tecido desvitalizado ou de outra forma comprometido. **dissecting c.** – c. dissecante; inflamação com supuração que se difunde entre as camadas do tecido envolvido. **gangrenous c.** – c. gangrenosa; celulite que leva à morte tecidual, seguida de invasão e putrefação

bacterianas. **nonclostridial anaerobic c.** – c. anaeróbica não-clostrídica; celulite que geralmente resulta de sinergismo entre bactérias anaeróbicas e aeróbicas e leva à destruição tecidual progressiva e freqüentemente à septicemia fatal. **pelvic c.** – c. pélvica; parametrite.

cel·lu·lose (sel'u-lōs) – celulose; polissacarídeo de cadeia longa, insolúvel, não-ramificado, incolor e rígido, que consiste de 3.000 a 5.000 resíduos de glicose e forma a maioria das estruturas e fibras das células vegetais. **absorbable c.** – c. absorvível; c. oxidada. **oxidized c.** – c. oxidada; produto absorvível da oxidação da celulose, utilizado como hemostático local. **c. sodium phosphate** – fosfato sódico de c.; resina de troca iônica não-absorvível e insolúvel, preparada a partir da celulose; conjuga-se com o cálcio e é utilizado para reduzir o cálcio urinário no tratamento da hipercalciúria hiperabsortiva.

ce·lom (se'lum) – celoma (ver *coelom*).

ce·los·chi·sis (se-los'kĭ-sis) – celosquise; fissura congênita da parede abdominal.

ce·lo·so·mia (se"lo-so'me-ah) – celossomia; fissura ou ausência congênita do esterno, com protrusão herniária das vísceras.

ce·lot·o·my (se-lot'ah-me) – celotomia; herniotomia (*herniotomy*).

ce·lo·zo·ic (se"lo-zo'ik) – celozóico; que habita o canal intestinal corporal; diz-se de parasitas.

ce·ment (se-ment') – cimento: 1. substância que produz a união sólida entre duas superfícies; 2. em Odontologia, um material de enchimento utilizado para auxiliar a retenção das peças de ouro e isolar a polpa dentária; 3. **cemento dental c.** – c. dentário.

ce·men·ti·cle (se-men'tĭ-k'l) – cimentículo; pequena massa de cimento globular livre na região da raiz dentária.

ce·men·to·blast (se-men'to-blast) – cimentoblasto; grande célula cubóide, encontrada entre as fibras na superfície do cemento, que é ativa na formação do mesmo.

ce·men·to·blas·to·ma (se-men"to-blas-to'-mah) – cimentoblastoma; fibroma odontogênico benigno raro, que surge a partir do cimento e se apresenta como uma massa em proliferação contígua a raiz dentária.

ce·men·to·cyte (se-men'to-sī t) – cimentócito; célula nas lacunas do cemento celular, que freqüentemente apresenta longos processos que se irradiam a partir do corpo celular em direção à superfície periodontal do cemento.

ce·men·to·gen·e·sis (se-men"to-jen'ĭ -sis) – cimentogênese; desenvolvimento do cimento na dentina radicular de um dente.

ce·men·to·ma (se"men-to'mah) – cimentoma; um dos vários tumores benignos produtores de cimento, incluindo o cimentoblastoma, fibroma cementificante, displasia óssea rosada e displasia cimental periapical, particularmente a última. **gigantiform c.** – c. gigantiforme; displasia óssea rosada.

ce·men·tum (se-men'tum) – cemento; tecido conjuntivo semelhante a um osso que recobre a raiz de um dente e ajuda na sustentação dentária.

ce·nes·the·sia (sen"es-the'zhah) – cenestesia; somatognose. **cenesthe'sic, cenesthe'tic** – adj. cenestésico.

cen(o)- [Gr.] – cen(o), elemento de palavra; *novo; vazio; comum.*

ce·no·sis (se-no'sis) – cenose; descarga mórbida. **cenot'ic** – adj. cenótico.

ce·no·site (se'no-sīt) – cenósito; coinosito (*coinosite*).

cen·sor (sen'ser) – censor: 1. membro de um comitê de ética ou de exame crítico de uma sociedade médica ou outro tipo de sociedade; 2. influência psíquica que impede pensamentos e desejos inconscientes de virem à consciência.

cen·ter (sen'ter) – centro: 1. ponto médio de um corpo; 2. coleção de neurônios no sistema nervoso central, relacionados ao desempenho de uma função particular. **accelerating c.** – c. acelerador; parte do centro vasomotor envolvida na aceleração do coração. **apneustic c.** – c. apnêustico; neurônios no tronco cerebral que controlam a respiração normal. **Broca's c.** – c. de Broca; área motora da fala de Broca. **cardioinhibitory c.** – c. cardioinibidor; parte do centro vasomotor que exerce influência inibitória no coração. **c's of chondrification** – centros de condrificação; agregações densas de células mesenquimatosas embrionárias em locais de futura formação cartilaginosa. **ciliospinal c.** – c. cilioespinhal; centro nas porções cervical inferior e torácica superior da medula espinhal, envolvido na dilatação da pupila. **community mental health c. (CMHC)** – c. comunitário de saúde mental; instituição de saúde mental ou grupo de agências afiliadas que prestam vários serviços psicoterapêuticos em uma área geográfica designada. **coughing c.** – c. da tosse; centro na medula oblonga, acima do centro respiratório, que controla o ato de tossir. **deglutition c.** – c. da deglutição; centro nervoso na medula oblonga que controla a função da deglutição. **C's for Disease Control and Prevention (CDC)** – Centros de Controle e Prevenção de Doenças; agência do Departamento de Saúde e Serviços Humanos dos EUA, que serve como centro de controle, prevenção e pesquisa de doenças. **epiotic c.** – c. epiótico; centro de ossificação que forma o processo mastóide. **feeding c.** – c. de alimentação; grupo de células no hipotálamo lateral, que quando estimuladas, causam sensação de fome. **germinal c.** – c. germinativo; área no centro de um linfonodo que contém agregados de linfócitos ativos em proliferação. **health c.** – c. de saúde: 1. organização comunitária para instituir serviços de saúde e coordenar os trabalhos de todas as agências de saúde; 2. complexo educacional que consiste de uma escola médica e várias escolas de profissionais de saúde associadas. **medullary respiratory c.** – c. respiratório medular; parte dos centros respiratórios localizada na medula oblonga. **nerve c.** – c. nervoso; centro (2). **ossification c.** – c. de ossificação; ponto onde o processo de ossificação começa em um osso; em um osso longo, existe um *centro primário* para a diáfise e um *centro secundário* para cada epífise. **pneumotaxic c.** – c. pneumotáxico; centro na ponte superior,

que inibe ritmicamente a inspiração. **reflex c.** – c. reflexo; centro no cérebro ou na medula espinhal onde uma impressão sensorial altera-se em impulso motor. **respiratory c's** – centros respiratórios; uma série de centros (os centros respiratórios apnêustico e pneumotáxico, bem como os grupos respiratórios dorsal e ventral) na medula e na ponte, que coordenam os movimentos respiratórios. **satiety c.** – c. de saciedade; um grupo de células no hipotálamo ventromedial que, quando estimuladas, suprimem o desejo por alimento. **sudorific c.** – c. sudorífico: 1. centro no hipotálamo anterior que controla a diaforese; 2. um dos vários centros na medula oblonga ou medula espinhal que exerce o controle parassimpático sobre a diaforese. **swallowing c.** – c. da deglutição. **thermoregulatory c's** – centros termorreguladores; centros hipotalâmicos que regulam a conservação e dissipação do calor. **thirst c.** – c. da sede; um grupo de células no hipotálamo lateral, que quando estimuladas, causam sensação de sede. **vasomotor c's** – centros vasomotores; centros na medula oblonga e ponte inferior que regulam o calibre dos vasos sangüíneos, bem como a freqüência e contratilidade cardíacas.

cen·tes·i·mal (sen-tes'ĭ-mal) – centesimal; dividido em centésimos.

cen·te·sis (sen-te'sis) [Gr.] – centese; perfuração ou punção com um trocarte ou agulha.

-centesis [Gr.] -centese, elemento de palavra, *punção e aspiração como se faz com trocarte ou agulha.*

centi- [L.] – centi-, elemento de palavra; *centena* utilizado para denominar unidades de medida que indicam um centésimo (10^{-2}) da unidade designada pela raiz com a qual ele se combina; símbolo c.

cen·ti·grade (sen'tĭ-grād) – centígrado; que tem 100 graduações (fases ou graus), como a escala Celsius (centígrada); abreviação: C.

cen·ti·gray (-grā") – unidade de dose de radiação equivalente a um centésimo de gray ou 1 rad; abreviação: cGy.

cen·ti·li·ter (-lēt"er) – centilitro; um centésimo de litro; abreviação: cl.

cen·ti·me·ter (-mēt"er) – centímetro; um centésimo de metro ou aproximadamente 0,3937 polegada; abreviação: cm. **cubic c.** – c. cúbico; unidade de capacidade, correspondendo a um cubo com cada um dos seus lados medindo 1 cm; abreviação: cc, cm^3.

cen·ti·poise (sen"tĭ -poiz) – um centésimo do poise.

cen·ti·stoke (sen'tĭ -stōk) – uma unidade de viscosidade cinemática igual a um centésimo da força.

cen·trad (sen'trad) – em direção ao centro.

cen·tren·ce·phal·ic (sen"tren-sĕ-fal'ik) – centrencefálico; relativo ao centro do encéfalo.

centri- [L., Gr.] – centri-, elemento de palavra; *centro; localização central.* Também, *centri(o.*

cen·tric·i·put (sen-tris'ĭ -put) – centricipúcio; parte central da superfície superior da cabeça, localizada entre o occipúcio e o sincipúcio.

cen·trif·u·gate (sen-trif'u-gāt) – centrifugado; material sujeito à centrifugação.

cen·trif·u·ga·tion (sen-trif"u-ga'shun) – centrifugação; processo de separação das porções mais leves de uma solução, mistura ou suspensão das porções mais pesadas por meio de força centrífuga.

cen·tri·fuge (sen'trĭ -fūj) – centrífuga: 1. máquina por meio da qual se efetua a centrifugação; 2. submeter-se à centrifugação.

cen·tri·lob·u·lar (sen"trĭ -lob'u-ler) – centrolobular; relativo à porção central de um lóbulo.

cen·tri·ole (sen'tre-ōl) – centríolo; uma das duas organelas cilíndricas localizadas no centrossoma e que contêm nove microtúbulos triplos dispostos ao redor de suas bordas; os centríolos migram para os pólos opostos da célula durante a divisão celular e servem para organizar os fusos. São capazes de replicação independente e de migração para formar os corpúsculos basais.

cen·trip·e·tal (sen-trip'ĕ-t'l) – centrípeto: 1. que se move em direção a um centro; 2. que se move em direção ao córtex cerebral.

centr(o)- – centr(o)-, ver *centri-*.

cen·tro·blast (sen'tro-blast") – centroblasto; termo geral que compreende as células não-clivadas grandes e pequenas do centro folicular.

cen·tro·cyte (-sĭ t") – centrócito; termo genérico que compreende tanto as células clivadas grandes como pequenas do centro folicular.

cen·tro·mere (-mēr) – centrômero; porção contraída clara do cromossoma, onde os cromossomos reúnem-se e pela qual estes se prendem ao fuso durante a divisão celular. **centromer'ic** – adj. centromérico.

cen·tro·scle·ro·sis (sen"tro-skler-o'sis) – centrosclerose; osteosclerose da cavidade medular de um osso.

cen·tro·some (sen'tro-sōm) – centrossoma; área especializada do citoplasma condensado que contém os centríolos e exerce um papel importante na mitose.

cen·trum (sen'trum) [L.] pl. *centra* – centro; corpo de uma vértebra.

CEP – congenital erythropoietic porphyria (**PEC**, porfiria eritropoiética congênita).

ceph·a·lad (sef'ah-lad) – em direção à cabeça.

ceph·a·lal·gia (sef"al-al'jah) – cefalalgia; dor de cabeça; cefaléia (*headache*).

ceph·al·ede·ma (-ĭ -de'mah) – cefaledema; edema da cabeça.

ceph·a·lex·in (sef"ah-lek'sin) – cefalexina; análogo semi-sintético do antibiótico natural proveniente da cefalosporina C, utilizado no tratamento de infecções dos tratos urinário e respiratório, bem como da pele e tecidos moles.

ceph·al·he·mat·o·cele (sef"al-he-mat'ah-sēl) – cefalematocele; hematocele sob o pericrânio, que se comunica com um ou mais seios durais.

ceph·al·he·ma·to·ma (-he"mah-to'mah) – cefalematoma; hemorragia subperiosteal limitada à superfície de um osso cranial; afecção geralmente benigna, observada no recém-nascido como resultado de traumatismo ósseo.

ceph·al·hy·dro·cele (-hi'dro-sēl) – cefaloidrocele; acúmulo seroso ou aquoso sob o pericrânio.

ce·phal·ic (sĕ-fal'ik) – cefálico; relativo à cabeça ou à extremidade superior ou anterior do corpo.

cephal(o)- [Gr.] – cefal(o)-, elemento de palavra; *cabeça.*

ceph·a·lo·cele (sef'ah-lo-sēl) – cefalocele; encefalocele (*encephalocele*).

ceph·a·lo·cen·te·sis (sef"ah-lo-sen-te'sis) – cefalocentese; punção cirúrgica do crânio.

ceph·a·lo·dac·ty·ly (-dak'tĭ -le) – cefalodactilia; malformação da cabeça e dedos.

ceph·a·lo·gly·cin (-gli'sin) – cefaloglicina; análogo semi-sintético da cefalosporina C, eficaz contra muitas bactérias Gram-negativas e Gram-positivas; utilizada no tratamento de infecções urinárias crônicas e agudas.

ceph·a·lo·gram (-gram) – cefalograma; imagem de raio X das estruturas da cabeça; radiografia cefalométrica.

ceph·a·log·ra·phy (sef"ah-log'rah-fe) – cefalografia; radiografia da cabeça.

ceph·a·lo·gy·ric (sef"ah-lo-ji'rik) – cefalogírico; relativo aos movimentos de rotação da cabeça.

ceph·a·lom·e·ter (sef"ah-lom'it-er) – cefalômetro; instrumento para medir a cabeça; dispositivo de orientação para posicionar a cabeça para um exame radiográfico e medição.

ceph·a·lom·e·try (sef"ah-lom'ĭ -tre) – cefalometria; medição científica das dimensões da cabeça.

ceph·a·lo·mo·tor (sef"ah-lo-mōt'er) – cefalomotor; que move a cabeça; relativo aos movimentos da cabeça.

Ceph·a·lo·my·ia (-mi'yah) – *Cephalomyia; Oestrus;* ver *Oestrus.*

ceph·a·lo·nia (sef"ah-lo'ne-ah) – cefalonia; afecção na qual a cabeça fica anormalmente aumentada de volume, com hiperplasia esclerótica do cérebro.

ceph·a·lop·a·thy (sef"ah-lop'ah-the) – cefalopatia; qualquer doença da cabeça.

ceph·a·lo·pel·vic (sef"ah-lo-pel'vik) – cefalopélvico; relativo ao relacionamento da cabeça fetal com a pelve materna.

ceph·a·lo·spo·rin (sef"ah-lo-spor'in) – cefalosporina; substância de um grupo de antibióticos resistentes à penicilinase de amplo espectro, proveniente do *Cephalosporium,* e que incluem a cefalexina, cefaloglicina e cefalotina, que se relacionam às penicilinas tanto em estrutura como em modo de ação. As cefalosporinas utilizadas medicinalmente são derivados semi-sintéticos do antibiótico natural cefalosporina C. As cefalosporinas de primeira geração têm ampla gama de atividade contra microrganismos Gram-positivos e restrita gama de atividade contra microrganismos Gram-negativos; os agentes de segunda e terceira gerações são progressivamente mais ativos contra microrganismos Gram-negativos e menos ativos contra microrganismos Gram-positivos.

ceph·a·lo·spo·rin·ase (-spor'in-ās) – cefalosporinase; uma β-lactamase que age preferencialmente nas cefalosporinas.

Ceph·a·lo·spo·ri·um (-spor'e-um) – *Cephalosporium;* gênero de fungos que habitam o solo (família Moniliaceae); algumas espécies constituem a origem das cefalosporinas; cefalospório.

ceph·a·lo·stat (sef"ah-lo-stat") – cefalostato; dispositivo de posicionamento da cabeça, que garante a reprodutibilidade das relações entre o emissor de raio X, a cabeça do paciente e o filme de raio X.

ceph·a·lo·thin (-thin") – cefalotina; análogo semi-sintético do antibiótico natural cefalosporina C, eficaz contra ampla gama de bactérias Gram-positivas e Gram-negativas; também utilizada como sal sódico.

ceph·a·lot·o·my (sef"ah-lot'ah-me) – cefalotomia: 1. remoção da cabeça fetal para facilitar o parto; 2. dissecção da cabeça fetal.

ceph·a·pi·rin (sef"ah-pi'rin) – cefapirina; análogo semi-sintético do antibiótico natural cefalosporina C, eficaz contra ampla gama de bactérias Gram-negativas e Gram-positivas; também utilizada como sal sódico.

ceph·ra·dine (sef'rah-dēn) – cefradina; análogo semi-sintético do antibiótico natural cefalosporina C; utilizada no tratamento de infecções do trato urinário, pele e tecidos moles devido a patógenos sensíveis.

ce·ram·ics (sah-ram'iks) – cerâmica; moldagem e processamento de objetos feitos de argila ou materiais semelhantes. **dental c.** – c. dentária; uso de porcelana ou materiais semelhantes em Odontologia restauradora.

cer·am·i·dase (ser-am'ï -dās) – ceramidase; enzima que ocorre na maioria dos tecidos dos mamíferos, catalisa a acilação-desacilação reversível das ceramidas.

cer·a·mide (ser'ah-mī d) – ceramida; unidade básica dos esfingolipídeos; corresponde à esfingosina ou base relacionada, presa a um grupo acil graxo de cadeia longa. As ceramidas acumulam-se anormalmente na doença de Farber. **c. trihexoside** – c.-triexosídeo; substância de uma família específica de glicoesfingolipídeos decorrente de deficiência de α-galactosidase A, acumulando-se na doença de Fabry.

cerat(o)- – cerat(o)-, ver também as palavras com prefixo *kerat(o)*.

Cer·a·to·phyl·lus (ser"ah-tof'ï -lus) – *Ceratophyllus;* gênero de pulgas.

cer·car·ia (ser-kar'e-ah) [L.] pl. *cercariae* – cercária; estágio larval livre-natante final de um parasita trematódeo.

cer·clage (ser-klahzh') [Fr.] – cerclagem; envolvimento de uma parte com um anel ou uma alça como no caso de correção de cérvix uterina incompetente ou fixação de extremidades adjacentes de um osso fraturado.

ce·rea flex·i·bi·li·tas (sēr'e-ah flek"sï -bil'ï -tas) [L.] – flexibilidade cérea; flexibilidade observada em alguns casos severos de esquizofrenia catatônica.

cer·e·bel·lif·u·gal (ser"ah-bel-lif'u-g'l) – cerebelífugo; que conduz para fora do cerebelo.

cer·e·bel·lip·e·tal (-lip'it'l) – cerebelípeto; que conduz em direção ao cerebelo.

cer·e·bel·lo·spi·nal (ser"ah-bel"o-spi'nil) – cerebelo-espinhal; procedendo do cerebelo à medula espinhal.

cer·e·bel·lum (ser"ah-bel'um) – cerebelo; parte do metencéfalo situada no dorso do tronco cerebral, onde se prende por meio de três pedúnculos cerebelares em cada lado; consiste em um lobo mediano (verme) e dois lobos laterais (os hemisférios).

cer·e·bral (ser'ĕ-bril, sĕ-re'bril) – cerebral; relativo ao cérebro.

cer·e·bra·tion (ser"ah-bra'shin) – cerebração; atividade funcional do cérebro.

cer·e·brif·u·gal (-brif'u-g'l) – cerebrífugo; que conduz ou continua fora do cérebro.

cer·e·brip·e·tal (-brip'ĕ-t'l) – cerebrípeto; que conduz ou continua em direção ao cérebro.

cer·e·bro·mac·u·lar (ser"ĕ-bro-mak'u-ler) – cerebromacular; relativo ou que afeta o cérebro e a mácula retiniana.

cer·e·bro·ma·la·cia (-mah-la'she-ah) – cerebromalacia; amolecimento anormal da substância cerebral.

cer·e·bro·men·in·gi·tis (-men"in-jī t'is) – cerebromeningite; meningoencefalite (*meningoencephalitis*).

cer·e·bron·ic ac·id (ser"ĕ-bron'ik) – ácido cerebrônico; ácido graxo encontrado nos cerebrosídeos, como a frenosina.

cer·e·bro·path·ia (ser"ĕ-bro-path'e-ah) [L.] – cerebropatia; distúrbio cerebral. **c. psy'chica toxe'mica** – c. física toxêmica; psicose de Korsakoff.

cer·e·brop·a·thy (ser"ĕ-brop'ah-the) – cerebropatia; qualquer distúrbio do cérebro.

cer·e·bro·phys·i·ol·o·gy (ser"ĕ-bro-fiz"e-ol'ah-je) – cerebrofisiologia; fisiologia cerebral.

cer·e·bro·pon·tile (-pon'tī l) – cerebropontino; relativo ao cérebro e à ponte.

cer·e·bro·scle·ro·sis (-sklĕ-ro'sis) – cerebrosclerose; endurecimento mórbido da substância cerebral.

cer·e·bro·side (-sī d) – cerebrosídeo; designação genérica para esfingolipídios, nos quais a esfingosina combina-se com a galactose ou glicose; encontrado principalmente no tecido nervoso.

cer·e·bro·sis (ser"ah-bro'sis) – cerebrose; qualquer doença cerebral.

cer·e·bro·spi·nant (-spi'nant) – cerebroespinhal; agente que afeta o cérebro e a medula espinhal.

cer·e·brot·o·my (ser"ĕ-brot'ah-me) – cerebrotomia; encefalotomia (*encephalotomy*).

cer·e·brum (ser"ĕ-brum, sĕ-re'brum) – cérebro; a porção principal do sistema nervoso que ocupa a parte superior da cavidade cranial; seus dois hemisférios, unidos pelo corpo caloso, formam a maior parte do sistema nervoso central no homem. O termo algumas vezes é aplicado ao cérebro anterior e cérebro médio pós-embrionários juntos.

ce·ri·um (sēr'e-um) – cério, elemento químico (ver *tabela*), número atômico 58; símbolo Ce.

ce·ro·plas·ty (sēr'o-plas"te) – ceroplastia; confecção de modelos anatômicos em cera.

ce·ru·lo·plas·min (sĕ-roo"lo-plaz'min) – ceruloplasmina; α-2-globulina plasmática que se acredita estar envolvida no transporte de cobre e sua manutenção em níveis apropriados nos tecidos; seus níveis se reduzem na doença de Wilson.

ce·ru·men (sah-roo'men) – cerume; cerúmen; cera do ouvido; a substância cérea encontrada dentro do meato externo auditivo. **ceru'minal, ceru'minous** – adj. ceruminoso.

ce·ru·min·ol·y·sis (sah-roo"mï -nol'ï -sis) – ceruminólise; dissolução ou desintegração do cerume no meato auditivo externo. **ceruminolyt'ic** – adj. ceruminolítico.

cervic(o)- [L.] – cervic(o)-, elemento de palavra; *pescoço; colo; cérvix.*

cer·vi·cec·to·my (ser"vĭ -sek'tah-me) – cervicectomia; excisão da cérvix uterina.

cer·vi·ci·tis (-sĭ t'is) – cervicite; inflamação da cérvix uterina.

cer·vi·co·bra·chi·al·gia (ser"vĭ -ko-bra"ke-al'jah) – cervicobraquialgia; dor no pescoço que se irradia ao braço devido à compressão das raízes nervosas da medula espinhal cervical.

cer·vi·co·col·pi·tis (-kol-pĭ t'is) – cervicocolpite; inflamação da cérvix uterina e vagina.

cer·vi·co·ves·i·cal (-ves'ĭ -k'l) – cervicovesical; relativo à cérvix uterina e à bexiga.

cer·vix (ser'viks) [L.] pl. cervices – cérvix; colo; porção dianteira do colo, ou parte contraída de um órgão (por exemplo, cérvix uterina). incompetent c. – c. incompetente; cérvix anormalmente propensa a dilatar-se no segundo trimestre da gravidez, resultando em expulsão prematura do feto. c. u'teri – c. uterina; extremidade inferior estreita do útero, entre o istmo e a abertura do útero no interior da vagina. c. vesi'cae – c. vesical; parte contraída inferior da bexiga, proximal à abertura uretral.

ce·si·um (se'ze-um) – césio, elemento químico (ver Tabela de Elementos), número atômico 55; símbolo Cs.

ces·ti·ci·dal (ses"tĭ -si'd'l) – cesticida; que destrói cestódeos.

Ces·to·da (ses-tōd'ah) – Cestoda; subclasse dos Cestoidea, que compreende tênias verdadeiras que têm cabeça (escólex) e segmentos (proglótides). Os adultos são endoparasitas no trato alimentar e ductos associados de vários hospedeiros vertebrados; suas larvas podem ser encontradas em vários órgãos e tecidos; cestódes; cestódeos.

Ces·to·dar·ia (ses"to-dar'e-ah) – Cestodaria; subclasse de tênias (as tênias não-segmentadas da classe Cestoidea) endoparasitas nos intestinos e celoma de vários peixes primitivos e raramente de répteis.

ces·tode (ses'tōd) – cestódeo; cestóide: 1. indivíduo da classe Cestoidea; especialmente um membro da subclasse Cestoda; 2. cestóide.

Ces·toi·dea (ses-toid'e-ah) – Cestoidea; classe de vermes chatos (filo Platyhelminthes), caracterizada pela ausência de boca ou trato digestivo, e por uma camada não-cuticular recobrindo seus corpos.

cet·al·ko·ni·um chlo·ride (set"al-ko'ne-um) – cloreto de cetalcônio; surfactante de amônio quaternário catiônico, utilizado como anti-séptico e desinfetante tópicos.

cet·ri·mo·ni·um bro·mide (set"rĭ -mo'ne-um) – brometo de cetrimônio; anti-séptico e detergente de amônio quaternário aplicado topicamente à pele para limpar ferimentos, como um desinfetante pré-operatório, e tratar seborréia do couro cabeludo; também utilizado na assepsia e armazenagem de instrumentos cirúrgicos.

ce·tyl·pyr·i·din·i·um chlo·ride (se"til-pir"ĭ -din'e-um) – cloreto de cetilpiridínio; desinfetante catiônico, utilizado como antiinfeccioso local, administrado sublingualmente ou aplicado topicamente à pele e membranas mucosas intactas, bem como preservativo em preparações farmacêuticas.

CF – cardiac failure; Christmas factor (IC, insuficiência cardíaca; FC; fator de Christmas).

Cf – Cf, símbolo químico, califórnio (californium).

CFT – complement fixation test (TFC, teste de fixação de complemento); ver em fixation.

CGS, cgs – centimeter-gram-second (system) (CGS, cgs, centímetro-grama-segundo [sistema]); um sistema de medidas baseado no centímetro como a unidade de comprimento, o grama como unidade de massa e o segundo como unidade de tempo.

cGy – centigray.

chafe (chăf) – esfolar; irritar a pele, como ocorre na fricção de dobras cutâneas opostas.

cha·gas·ic (chah-gas'ik) – chagásico; relativo ou devido à doença de Chagas.

cha·go·ma (chah-go'ma) – chagoma; tumor cutâneo que ocorre na doença de Chagas.

chain (chān) – cadeia; uma coleção de objetos unidos extremidade com extremidade. branched c. – c. ramificada; cadeia aberta de átomos, geralmente de carbono, com uma ou mais cadeias laterais presas a ela. electron transport c. – c. de transporte de elétrons; via comum final da oxidação biológica; série de transportadores de elétrons na membrana mitocondrial interna que passam os elétrons de coenzimas reduzidas para o oxigênio molecular por meio de reações de redução-oxidação seqüenciais acopladas ao transporte de prótons, gerando energia para os processos biológicos. H c., heavy c. – c. P; c. pesada; uma das grandes cadeias polipeptídicas de cinco classes que, junto com as cadeias leves, constituem a molécula de um anticorpo. As cadeias pesadas suportam os determinantes antigênicos que diferenciam as classes imunoglobulínicas. J c. – c. J; polipeptídeo que ocorre nas moléculas de IgM e IgA poliméricas. L c., light c. – c. L; c. leve; uma das duas cadeias polipeptídicas pequenas (peso molecular 22.000) que, quando ligadas às cadeias pesadas por meio de ligações de dissulfeto, constituem a molécula de um anticorpo; existem dois tipos (χ e λ), que não se relacionam às diferenças das classes imunoglobulínicas. polypeptide c. – c. polipeptídica; elemento estrutural de uma proteína que consiste de uma série de resíduos de aminoácidos (peptídeos) reunidos por meio de ligações peptídicas. respiratory c. – c. respiratória; c. de transporte de elétrons. side c. – c. lateral; cadeia de átomos presa a uma cadeia maior ou a um anel.

cha·la·sia (kah-la'zhah) – calasia; relaxamento de uma abertura corporal como a do esfíncter cardíaco (uma causa de vômito em crianças).

cha·la·zi·on (kah-la'ze-on) [Gr.] pl. chalazia, chalazions – calázio; pequena massa palpebral decorrente da inflamação de uma glândula meibomiana.

chal·co·sis (kal-ko'sis) – calcose; depósitos de cobre no tecido.

chal·i·co·sis (kal"ĭ -ko'sis) – calicose; pneumoconiose devido à inalação de partículas finas de pedra.

chal·one (kal'ōn) – calônio; grupo de substâncias hidrossolúveis específicas de tecidos, produzidas dentro de um tecido e que inibem a mitose de células desse tecido e cuja ação é reversível. **cham·ae·ceph·a·ly** (kam"ah-sef'ah-le) – camecefalia; condição de se ter cabeça achatada, ou seja, um índice cefálico de 70 ou menos. **chamaecephal'ic** – adj. camecefálico. **cham·ber** (chãm'ber) – câmara; espaço fechado. **anterior c. of eye** – c. anterior do olho; a parte do espaço que contém o humor aquoso do globo ocular entre a córnea e a íris. **aqueous c.** – c. anterior; parte do globo ocular preenchida com humor aquoso; ver *anterior c.* e *posterior c. of the eye*. **counting c.** – c. de contagem; câmara de vidro rasa especialmente regulada para facilitar a contagem de partículas soltas em uma amostra em estudo. **diffusion c.** – c. de difusão; aparelho para separar uma substância por meio de membrana semipermeável. **Haldane c.** – c. de Haldane; câmara hermética, na qual se confinam animais para estudos metabólicos. **hyperbaric c.** – c. hiperbárica; espaço fechado em que se pode elevar a pressão gasosa (oxigênio) acima da pressão atmosférica. **ionization c.** – c. de ionização; recipiente que contém dois ou mais eletrodos entre os quais pode passar uma corrente elétrica quando o gás contido é ionizado pela radiação; utilizado para determinar a intensidade dos raios X e outros raios. **posterior c. of eye** – c. posterior do olho; parte do espaço que contém o humor aquoso do globo ocular entre a íris e o cristalino. **pulp c.** – c. pulposa; cavidade natural na porção central da coroa dentária, ocupada pela polpa dentária. **relief c.** – c. de alívio; recesso na superfície de uma dentadura que se situa sobre as estruturas orais, para reduzir ou eliminar a pressão. **Thoma-Zeiss counting c.** – c. de contagem de Thoma-Zeiss; dispositivo para contar células sangüíneas ou outras. **vitreous c.** – c. vítrea; espaço que contém o humor vítreo no globo ocular, limitado anteriormente pelo cristalino e corpo ciliar e posteriormente pela parede posterior do globo ocular.

chan·cre (shang'ker) – cancro: 1. ferida primária da sífilis, também conhecida como *cancro duro, de Hunter ou verdadeiro*, no local da entrada da infecção; 2. lesão cutânea primária de doenças como a esporotricose e tuberculose. **hard c., hunterian c.** – c. duro; de c. de Hunter; cancro; ver *chancre* (1). **c. re'dux** – c. recidivante; cancro que se desenvolve na cicatriz de um cancro primário cicatrizado. **soft c.** – c. mole; cancróide. **true c.** – c. verdadeiro; cancro; ver *chancre*(1). **tuberculous c.** – c. tuberculoso; pápula vermelho-amarronzada, que se desenvolve em um nódulo ou placa endurecidos, representando a infecção cutânea inicial do bacilo da tuberculose na pele ou mucosa.

chan·croid (shang'kroid) – cancróide; doença sexualmente transmissível causada pela *Haemophilus ducreyi*, caracterizada por úlcera primária dolorosa no local da inoculação, geralmente na genitália externa, associada à linfadenite regional. **phagedenic c.** – c. fagedênico; cancróide com tendência a desprender-se. **serpiginous c.** – c. serpiginoso; variedade que tende a se espalhar em linhas curvas.

change (chãnj) – modificação; alteração. **fatty c.** – a. gordurosa; acúmulo anormal de gordura dentro das células parenquimatosas. **chan·nel** (chan'ël) – canal; lugar por onde algo flui; corte ou sulco. **gated c.** – c. com controle; canal protéico que abre e fecha em resposta a sinais, como a conjugação de um ligando (c. com acesso para ligandos) ou alterações no potencial elétrico através da membrana celular (c. com canal de voltagem). **potassium c.** – c. de potássio; canal protéico com acesso de voltagem seletivo para a passagem dos íons de potássio. **protein c.** – c. protéico; trajeto aquoso através dos interstícios de uma molécula protéica pelo qual os íons e moléculas pequenas podem atravessar uma membrana para dentro ou para fora de uma célula por meio de difusão. **sodium c.** – c. de sódio; canal protéico com acesso de voltagem seletivo para a passagem de íons de sódio.

char·ac·ter (kar'ak-ter) – caráter; caracter; característica; qualidade indicativa da natureza de um objeto ou organismo; em Genética, a expressão de um gene ou grupo de genes em um fenótipo. **acquired c.** – c. adquirida; modificação não-hereditária produzida em um animal como resultado de suas próprias atividades ou influências ambientais. **primary sex c's** – caracteres sexuais primários; características do homem e da mulher relacionadas diretamente à reprodução. **secondary sex c's** – caracteres sexuais secundários; características específicas do homem e da mulher, mas não diretamente relacionadas à reprodução.

char·ac·ter·is·tic (kar"ak-ter-is'tik) – característico; caracter: 1. caráter; 2. típico de um indivíduo ou de outra entidade. **demand c's** – caracteres de demanda; comportamento exibido por um indivíduo em experimento na tentativa de se atingir determinados objetivos como resultado de instruções comunicadas pelo experimentador (expectativas ou hipóteses).

char·coal (char'kõl) – carvão; carbono preparado através da queima de madeira ou outro material orgânico. **activated c.** – c. ativado; resíduo da destilação destrutiva de vários materiais orgânicos, tratado para aumentar sua capacidade adsortiva; utilizado como antídoto de propósito geral. **animal c.** – c. animal; carvão preparado a partir de ossos que são purificados *(c. animal purificado)* por meio da remoção dos materiais dissolvidos em ácido clorídrico quente e água; adsorvente e descorante.

char·ley·horse (chahr'le hors) – dor e rigidez em um músculo, especialmente o quadríceps devido a esforço excessivo ou contusão.

chart (chart) – gráfico; tabela; quadro; registro de dados na forma gráfica ou tabulada. **reading c.** – g. de leitura; gráfico impresso em tamanhos de tipos gradualmente crescentes, utilizado para testar a acuidade da visão próxima. **Reuss' color c's** – gráficos coloridos de Reuss; gráficos com letras coloridas impressas em fundos coloridos, utilizados para testar a visão colorida. **Snellen's c.** – g. de Snellen; gráfico com letras em bloco em tamanhos gradualmente decrescentes, utilizado para testar acuidade visual.

ChB – [L.] *Chirurgiae Baccalaureus* (Bacharel em Cirurgia).

CHD – coronary heart disease (CC, cardiopatia coronária).

ChE – cholinesterase (colinesterase).

check-bite (chek'bī t) – oclusão de prova; lâmina de cera dura ou composto de moldagem colocado entre os dentes e utilizado para testar a oclusão dentária.

cheek (chēk) – bochecha; maçã-do-rosto; protuberância carnosa, especialmente a porção carnosa de cada lado da face. Também, a parte lateral da cavidade oral recoberta por uma membrana mucosa carnosa. **cleft c.** – b. fendida; fissura facial causada por uma falha de desenvolvimento de união entre os processos maxilar e frontonasal primitivo.

cheil(o)- [Gr.] – queil(o)-, elemento de palavra, *lábio*.

chei·lec·tro·pi·on (ki"lek-tro'pe-on) – queilectropia; quilectropia; eversão do lábio.

chei·li·tis (ki-lī'tis) – queilite; quilite; inflamação dos lábios. **actinic c.** – q. actínica; dor e tumefação dos lábios e desenvolvimento de uma crosta escamosa na borda vermelha após exposição a raios actínicos. **solar c.** – q. solar; envolvimento dos lábios após exposição a raios actínicos; pode ser aguda (*q. actínica*) ou crônica, com alteração do epitélio e algumas vezes fissuras ou ulcerações.

chei·lo·gnatho·pros·o·pos·chi·sis (ki"lo-na"tho-pros"o-pos'kī -sis) – queilognatoprosoposquise; quilognatoprosoposquise; fissura facial oblíqua congênita, prolongando-se ao interior do lábio e maxilar superior.

chei·lo·plas·ty (ki'lo-plas"te) – queiloplastia; quiloplastia; reparo cirúrgico de um defeito labial.

chei·lor·rha·phy (ki-lor'ah-fe) – queilorrafia; quilorrafia; sutura labial; reparo cirúrgico do lábio leporino.

chei·los·chi·sis (ki-los'kī -sis) – queilosquise; quilosquise; lábio leporino.

chei·lo·sis (ki-lo'sis) – queilose; quilose; fissura e descamação seca da superfície vermelha dos lábios e ângulos bucais, característica da deficiência de riboflavina. **angular c.** – q. angular; inflamação das comissuras labiais.

chei·lo·sto·ma·to·plas·ty (ki"lo-sto'mah-to-plas"te) – queilostomatoplastia; quilostomatoplastia; restauração cirúrgica dos lábios e boca.

cheir·ar·thri·tis (ki"rahr-thri'tis) – queirartrite; inflamação das articulações das mãos e dedos.

cheir(o)- [Gr.] – queir(o)-, elemento de palavra, *mão*. Ver também as palavras que começam com *chir(o)-*.

cheir·ro·kin·es·the·sia (ki"ro-kin"es-the'zhah) – quirocinestesia; percepção subjetiva dos movimentos da mão, especialmente na escrita.

chei·ro·meg·a·ly (-meg'ah-le) – quiromegalia; anormal aumento de volume das mãos e dedos.

chei·ro·plas·ty (ki'ro-plas"te) – queiroplastia; cirurgia plástica na mão.

chei·ro·pom·pho·lyx (-pom'fah-liks) – quiroponfólix; ponfólix; ver *pompholix*.

chei·ro·spasm (ki'ro-spazm) – quiroespasmo; espasmos dos músculos da mão.

che·late (ke'lāt) – quelar; combinar com um metal em complexos, nos quais o metal torna-se parte de um anel. Por extensão, quelato; o composto químico no qual um íon metálico é seqüestrado e ligado firmemente em um anel dentro de moléculas quelantes. Os quelatos são utilizados em quimioterapia de envenenamento por metais.

chem·abra·sion (kĕm-ah-bra'zhun) – abrasão química; destruição superficial da epiderme e derme por meio de aplicação de um cauterizante na pele; feita para remover cicatrizes, tatuagens etc.

chem·ex·fo·li·a·tion (kĕm"eks-fo"le-a'shun) – quimioesfoliação; abrasão química.

chem·i·cal (kem'ī -k'l) – químico: 1. relativo à Química; 2. substância composta de elementos químicos ou obtida por meio de processos químicos.

chem·ist (kem'ist) – químico: 1. especialista em química; 2. (britânico) farmacêutico.

chem·is·try (kem'is-tre) – Química; ciência que lida com os elementos e as relações atômicas da matéria e dos vários compostos dos elementos. **colloid c.** – Q. coloidal; Química que lida com a natureza e composição dos colóides. **inorganic c.** – Q. inorgânica; ramo da Química que lida com os compostos que não ocorrem nos reinos vegetal e animal. **organic c.** – Q. orgânica; ramo da Química que lida com os compostos que contêm carbono.

chem(o)- [Gr.] – quimi(o)-, elemento de palavra, *químico*; *Química*.

che·mo·at·trac·tant (ke"mo-ah-trak'tant) – quimioatraente; agente quimiotático que induz um organismo ou célula (por exemplo, um leucócito) a migrar em sua direção.

che·mo·au·totroph (-awt'o-trōf) – quimioautótrofo; microrganismo quimioautotrófico.

che·mo·au·to·troph·ic (-awt"o-trof'ik) – quimioautotrófico; quimioautótrofo; capaz de sintetizar constituintes celulares a partir do dióxido de carbono com energia a partir de reações inorgânicas.

che·mo·cau·tery (-kawt'er-e) – quimiocautério; cauterização por meio da aplicação de uma substância cáustica.

che·mo·dec·to·ma (-dek-to'mah) – quimiodectoma; qualquer tumor benigno, cromafim-negativo do sistema quimiorreceptor como, por exemplo, tumor de corpo carotídeo ou um tumor do glomo jugular.

che·mo·hor·mo·nal (-hormo'n'l) – químio-hormonal; relativo a drogas que têm atividade hormonal.

che·mo·ki·ne·sis (-ki-ne'sis) – quimiocinese; aumento da atividade de um organismo causado por uma substância química.

che·mo·litho·troph·ic (-lith"o-trof'ik) – quimiolitotrófico; energia derivada da oxidação de compostos inorgânicos de ferro, nitrogênio, enxofre ou hidrogênio; diz-se de bactérias.

che·mo·lu·mi·nes·cence (-loo"mī -nes'ins) – quimioluminescência; luminescência produzida pela transformação direta de energia química em energia luminosa.

che·mo·nu·cle·ol·y·sis (-noo"kle-ol'ī -sis) – quimionucleólise; dissolução de uma porção do núcleo pulposo de um disco intervertebral por meio de injeção de um agente proteolítico, como a quimopapaína, particularmente utilizado para o tratamento de um disco intervertebral herniado.

che·mo·or·gano·troph (-or'gah-no-trōf") – quimiorganotrofo; organismo cuja energia e carbono derivam de compostos orgânicos.

che·mo·pal·li·dec·to·my (-pal"ĭ -dek'tah-me) – quimiopalidectomia; destruição química de tecido do globo pálido.

che·mo·pro·phy·lax·is (-pro"fĭ -lak'sis) – quimioprofilaxia; prevenção de uma doença através de meios químicos.

che·mo·psy·chi·a·try (-si-ki'ah-tre) – quimiopsiquiatria; tratamento de distúrbios mentais e emocionais por meio de drogas.

che·mo·ra·dio·ther·a·py (-ra"de-o-ther'ah-pe) – quimiorradioterapia; terapia de modalidade combinada, utilizando quimioterapia e radioterapia, maximizando sua interação.

che·mo·re·cep·tor (-re-sep'ter) – quimiorreceptor; receptor sensível à estimulação por substâncias químicas.

che·mo·sen·si·tive (-sen'sĭ -tiv) – quimiossensível; sensível a alterações na composição química.

che·mo·sen·sory (-sen'sah-re) – quimiossensorial; relativo à percepção de produtos químicos como no caso da detecção de um odor.

che·mo·se·ro·ther·a·py (-sēr"o-thĕ'rah-pe) – quimiossoroterapia; tratamento de uma infecção por meio de drogas e soro.

che·mo·sis (ke-mo'sis) – quemose; edema da conjuntiva ocular.

che·mo·ster·il·ant (ke"mo-stĕ'rĭ -lant) – quimioesterilizante; composto químico cuja ingestão causa a esterilidade de um organismo.

che·mo·sur·gery (-ser'jer-e) – quimiocirurgia; destruição de um tecido através de meios químicos com propósitos terapêuticos. **Mohs' c.** – q. de Mohs; ver em *technique*.

che·mo·syn·the·sis (-sin'thĭ -sis) – quimiossíntese; formação de compostos químicos sob a influência de estímulos químicos, especificamente a formação de carboidratos a partir de dióxido de carbono e água como resultado de energia derivada de reações químicas. **chemosynthet'ic** – adj. quimiossintético.

che·mo·tax·in (-tak'sin) – quimiotaxina; uma substância como o componente de um complemento, que induz quimiotaxia.

che·mo·tax·is (-tak'sis) – quimiotaxia; taxia em resposta à influência de estímulos químicos. **chemotac'tic** – adj. quimiotático.

che·mo·ther·a·py (-ther'ah-pe) – quimioterapia; tratamento de uma doença por meio de agentes químicos. **adjuvant c.** – q. adjuvante; quimioterapia cancerígena empregada após se remover o tumor primário por meio de outro método. **combination c.** – q. por combinação; quimioterapia que combina simultaneamente vários agentes diferentes para potencializar sua efetividade. **induction c.** – q. por indução; uso de terapia com drogas como tratamento inicial para pacientes que apresentam um câncer avançado que não pode ser tratado através de outros meios. **neoadjuvant c.** – q. neoadjuvante; uso inicial da quimioterapia em pacientes com câncer localiza-

do para diminuir a carga tumoral antes de um tratamento através de outras modalidades. **regional c.** – q. regional; quimioterapia, especialmente para câncer, administrada como perfusão regional.

che·mot·ic (ke-mot'ik) – quemótico: 1. relativo ou afetado por quemose; 2. agente que aumenta a produção de linfa na conjuntiva ocular.

che·mo·troph·ic (ke"mo-trof'ik) – quimiotrófico; cuja energia deriva da oxidação de compostos orgânicos (quimiorganotrófico) ou inorgânicos (quimiolitotrófico); diz-se de bactérias.

che·mot·rop·ism (ke-mot'ro-pizm) – quimiotropismo; tropismo devido à estimulação química. **chemotrop'ic** – adj. quimiotrófico.

che·no·de·oxy·cho·lic ac·id (ke"no-de-ok"se-kol'ik) – ácido quenodesoxicólico; ácido biliar primário, geralmente conjugado com glicina ou taurina; facilita a absorção de gorduras e a excreção de colesterol.

che·no·di·ol (ke"no-di'ol) – ácido quenodesoxicólico; utilizado como agente anticolelitogênico para dissolver cálculos biliares radiolucentes e não-calcificados.

cher·ub·ism (cher'ĭ -bizm) – querubismo; displasia bilateral progressiva e hereditária no ângulo da mandíbula, algumas vezes envolvendo a mandíbula inteira, conferindo uma aparência rechonchuda à face, em alguns casos potencializada pelo revirar dos olhos.

chest (chest) – tórax; peito; especialmente sua face anterior. **flail c.** – t. fundido; t. pulsante; t. frouxo; tórax cuja parede se move paradoxalmente com a respiração, devido a fraturas múltiplas das costelas. **funnel c.** – t. em funil; anormalidade congênita, na qual o esterno fica deprimido. **pigeon c.** – peito de pombo; ver em *breast*.

chi·asm (ki'azm) – quiasma; decussação ou cruzamento em forma de X. **optic c.** – q. óptico; estrutura no cérebro anterior formada pela decussação das fibras do nervo óptico a partir da metade de cada retina.

chi·as·ma (ki-az'mah) [L.] pl. *chiasmata* – quiasma; em Genética, os pontos onde os membros de um par de cromossomas ficam em contato durante a prófase de uma meiose e em decorrência dessa recombinação ou cruzamento, ocorre separação.

chick·en·pox (chik'en-poks) – varicela; catapora; doença altamente contagiosa causada pelo vírus do herpes zóster, caracterizada por erupções vesiculares que aparecem no período de poucos dias até uma semana; após um período de incubação de 17 a 21 dias; geralmente benigna nas crianças, mas em bebês e adultos pode se acompanhar de sintomas severos.

chig·ger (chig'er) – bicho-do-pé; a larva vermelha de seis patas dos ácaros da família Trombiculidae (por exemplo, a *Eutrombicula alfreddugèsi*, *T. splendens* e *Trombicula autumnalis*), que se prende à pele do hospedeiro, e cuja picada produz vergão com prurido intenso e dermatite severa. Algumas espécies são vetores das rickéttsias do tifo rural.

chig·oe (chig'o) – bicho-do-pé (*Tunga penetrans*) da América e África tropicais e subtropicais; a fêmea prenhe escava a pele dos pés, pernas ou outras partes do corpo, causando irritação e ulceração intensas, algumas vezes levando à amputação espontânea de um dedo; também conhecido como micuim.

chil·blain, chil·blains (chil'blān; chil'blānz) – geladura; eritema pérnio; prurido, frieira, inchaço e eritema doloroso localizados, recorrentes dos dedos ou orelhas, causados por queimadura de frio e umidade.

chill (chil) – calafrio; sensação de frio com agitação convulsiva do corpo.

Chi·lo·mas·tix (ki"lo·mas'tiks) – *Chilomastix;* gênero de protozoários parasitas encontrados no intestino de vertebrados, incluindo a *C. mesnili*, espécie muito comum encontrada como comensal no ceco e cólon humanos.

Chi·lop·o·da (ki-lop'ah-dah) – Chilopoda; classe do filo Arthropoda que inclui as centopéias; quilópodo.

chi·me·ra (ki-me'rah) – quimera; organismo com populações celulares diferentes derivadas de zigotos diferentes da mesma espécie ou de espécie diferente, que ocorre espontaneamente ou é artificialmente produzido.

chin (chin) – queixo; mento; proeminência anterior do maxilar inferior.

chi·on·ablep·sia (ki"ah-nah-blep'se-ah) – quinoblepsia; cegueira da neve.

chir(o)- [Gr.] – quir(o)-, elemento de palavra; *mão*. Ver também as palavras que começam com *cheir(o)-*.

chi·rop·o·dist (ki-rop'ah-dist) – quiropodista; podiatra; ver *podiatry*.

chi·rop·o·dy (ki-rop'ah-de) – quiropodia; podiatria; ver *podiatry*.

chi·ro·prac·tic (ki"ro-prak'tik) – quiroprática; ciência de diagnóstico neurofisiológico aplicado baseada na teoria de que a saúde e a doença são processos vitais relacionados à função do sistema nervoso: a irritação do sistema nervoso por fatores mecânicos, químicos ou psíquicos é a causa de uma doença; a restauração e manutenção da saúde dependem da função normal do sistema nervoso. O diagnóstico é a identificação desses irritantes nocivos e o tratamento é sua remoção por meio de um método mais conservador.

chi·squared (ki'skwārd) – método do x ao quadrado; ver em *test*.

chi·tin (ki'tin) – quitina; polissacarídeo linear insolúvel que é o principal constituinte dos exoesqueletos dos artrópodes, sendo encontrado em algumas plantas, particularmente nos fungos.

Chla·myd·ia (klah-mid'e-ah) – *Chlamydia;* gênero da família Chlamydiaceae. Algumas cepas da *C. psittaci* causam psitacose, ornitose e outras doenças; várias cepas da *C. trachomatis* causam tracoma, conjuntivite de inclusão, uretrite, broncopneumonia dos camundongos de laboratório, proctite e linfogranuloma venéreo.

Chla·myd·i·a·ceae (klah-mid"e-a'se-e) – Chlamydiaceae; família de bactérias (ordem Chlamydiales), que consiste de pequenos microrganismos cocóides que possuem um ciclo de desenvolvimento exclusivo e obrigatoriamente intracelular e são incapazes de sintetizar ATP. Induzem sua própria fagocitose por parte das células do hospedeiro,

onde forma então colônias intracitoplasmáticas. São parasitas de aves e mamíferos (incluindo o homem). A família contém um gênero único, *Chlamydia*.

Chla·myd·i·al·es (klah-mid'e-al-ēz) – Chlamydiales; ordem de microrganismos parasitas cocóides Gram-negativos, que se multiplicam dentro do citoplasma de células hospedeiras de vertebrados por meio de um único ciclo de desenvolvimento.

chla·myd·i·o·sis (klah-mid"e-o'sis) – clamidiose; infecção ou doença causada pelo *Chlamydia*.

chlam·y·do·spore (klam'ĭ-do-spor") – clamidosporo; esporo assexual terminal ou intercalar de parede espessa, formado por uma reunião celular; não é eliminado.

chlo·as·ma (klo-az'mah) – cloasma; melasma; ver *melasma*.

chlor·ac·ne (klor-ak'ne) – cloracne; acne clorada; erupção acneiforme devido à exposição a compostos de cloro.

chlo·ral (klo'ral) – cloral; cloral anidro: 1. líquido oleoso com odor pungente e irritante; utilizado na manufatura do hidrato de cloral e do DDT; 2. hidrato de cloral. **c. betaine** – c. betaína; um adutor formado pela reação do hidrato de cloral com a betaína; utilizado como sedativo. **c. hidrate** – hidrato de c.; substância cristalina utilizada como hipnótico e sedativo.

chlor·am·bu·cil (klor-am'bu-sil) – clorambucil; agente alcilante proveniente do grupo de mostardas nitrogenadas, utilizado como antineoplásico.

chlor·am·phen·i·col (klor"am-fen'ĭ-kol) – cloranfenicol; antibiótico de amplo espectro eficaz contra rickéttsias, bactérias Gram-positivas e Gram-negativas e determinadas espiroquetas; também utilizado como éster de palmitato e como derivado do succinato sódico.

chlor·cy·cli·zine (klor-si'klĭ-zēn) – ciclorciclizina; antagonista receptor histamínico H_1 com propriedades de anticolinérgico, antiemético e anestésico local, utilizada como sal de cloridrato, como anti-histamínico e antipruriginoso.

chlor·dane (klor'dān) – clordano; substância venenosa do grupo dos hidrocarbonetos clorados, utilizado como inseticida.

chlor·di·az·ep·ox·ide (klor"di-az"ĕ-pok'sĭd) – clordiazepóxido; uma benzodiazepina utilizada como base ou sal de cloridrato no tratamento de distúrbios da ansiedade, supressão de álcool e como agente antitremor.

chlor·emia (klo-re"me-ah) – cloremia: 1. clorose; 2. hipercloremia.

chor·et·ic (klo-ret'ik) – clorético; agente que acelera o fluxo biliar.

chlor·hex·i·dine (klor"heks'ĭ-dēn) – clorexidina; antibacteriano eficaz contra ampla gama de microrganismos Gram-negativos e Gram-positivos; também utilizada como éster de acetato, como preservativo para colírios, e como sal de gliconato ou de cloridrato, como anti-séptico tópico.

chlor·hy·dria (-hi'dre-ah) – cloridria; excesso de ácido clorídrico no estômago.

chlo·ride (klo'rīd) – cloreto; sal de ácido clorídrico; qualquer composto binário de cloro no qual o último é o elemento negativo. **ferric c.** – c. férrico; FeCl$_3$·6H$_2$O; utilizado como reagente e topicamente como adstringente e estíptico. **thallous c. Tl 201** – c. talioso-Tl 201; forma na qual se injeta endovenosamente o tálio-201 em solução como auxílio diagnóstico na cintilografia em caso de miocardiopatia.

chlor·id·or·rhea (klor"ĭ d-ah-re'ah) – cloretorréia; diarréia com excesso de cloretos nas fezes.

chlo·ri·nat·ed (klo'rĭ -nāt"id) – clorado; tratado com cloro.

chlo·rine (klo'rēn) – cloro, elemento químico (ver *Tabela de Elementos*), número atômico 17, símbolo Cl.

chlo·rite (klo'rī t) – clorito; sal do ácido cloroso; agente desinfetante e alvejante.

chlor·mer·o·drin (klor-mer'o-drin) – clormerodrina; diurético mercurial oral eficaz. **c. Hg. 197** – c.-Hg 197; clormerodrina marcada com mercúrio radioativo (Hg197); utilizada como auxílio diagnóstico na determinação da função renal. **c. Hg 203** – c.-Hg 203; clormerodrina marcada com mercúrio radioativo (Hg 203); utilizada como auxílio diagnóstico na determinação da função renal.

chlor·mez·a·none (-mez'ah-nōn) – clormezanona; cloromezanona; relaxante muscular e tranqüilizante.

chlo·ro·form (klo'rah-form) – clorofórmio; líquido móvel e incolor (CHCl$_3$), com odor etéreo e gosto adocicado, utilizado como solvente; no passado empregado amplamente como anestésico inalador e analgésico, e como antitussígeno, carminativo e sedativo.

chlo·ro·labe (klor'ah-lāb) – pigmento nos cones retinianos que é mais sensível à porção verde do espectro que os outros pigmentos (cianolábio e eritrolábio).

chlo·ro·leu·ke·mia (klo"ro-loo-ke'me-ah) – cloroleucemia; leucemia mielogênica na qual não se observa nenhuma massa tumoral específica na autopsia, mas os órgãos e fluidos corporais exibem cor verde definida.

chlo·ro·ma (klor-o'mah) – cloroma; tumor maligno de cor verde, que surge a partir do tecido mielóide, associado à leucemia mielogênica.

Chlo·ro·my·ce·tin (klo"ro-mi-se'tin) – Cloromicetina, marca registrada de preparações de cloranfenicol.

***p*-chlo·ro·phe·nol** (klor"o-fe'nol) – *p*-clorofenol; paraclorofenol; ver *parachlorophenol*.

chlo·ro·phyll (klor'o-fil) – clorofila; substância de um grupo de derivados porfirínicos verdes que contêm magnésio, ocorrendo em todos os organismos fotossintéticos; eles convertem energia luminosa a fim de reduzir o potencial para a redução de CO$_2$. Preparações de sais hidrossolúveis de clorofila utilizadas como desodorantes; ver *chlorophyllin*.

chlo·ro·phyl·lin (klor'o-fil"in) – clorofilina; um dos sais hidrossolúveis provenientes da clorofila; utilizada tópica e oralmente para desodorizar lesões cutâneas e oralmente para desodorizar a urina e as fezes em caso de colostomia, ileostomia e incontinência; utilizada particularmente na forma de um complexo de cobre.

chlo·ro·plast (-plast) – cloroplasto; um dos corpúsculos contendo clorofila das células vegetais.

chlo·ro·priv·ic (klor"o-pri'vik) – cloroprívico; sem cloretos; devido à perda de cloretos.

chlo·ro·pro·caine (-pro'kān) – cloroprocaína; anestésico local, utilizado como sal de cloridrato.

chlo·rop·sia (klor'op'se-ah) – cloropsia; defeito visual no qual todos os objetos parecem assumir um tom esverdeado.

chlo·ro·quine (klor'o-kwin) – cloroquina; antiamébico e antiinflamatório utilizado no tratamento da malária, giardíase, amebíase extra-intestinal, lúpus eritematoso e artrite reumatóide; também utilizado como sais de cloridrato e fosfato.

chlo·ro·sis (klo-ro'sis) – clorose; distúrbio antigamente comum que geralmente afetava mulheres adolescentes, e que se acreditava estar associada à anemia por deficiência de ferro, e caracterizava-se por descoloração amarelo-esverdeada da pele e por hemácias hipocrômicas. **chlorot'ics** – adj. clorótico.

chlo·ro·thi·a·zide (klor"o-thi'ah-zī d) – clorotiazida; diurético tiazídico utilizado em forma de base ou sal sódico para tratar hipertensão e edema.

chlo·ro·tri·an·i·sene (-tri-an'ĭ -sēn) – clorotrianiseno; estrogênio sintético utilizado para suprimir a lactação pós-parto, em terapia de reposição de deficiência de estrogênio e tratamento paliativo de carcinoma prostático.

chlo·rox·ine (klor-ok'sēn) – cloroxina; antibacteriano sintético utilizado no tratamento tópico da caspa e dermatite seborréica do couro cabeludo.

chlor·phen·e·sin (klor-fen'ĕ-sin) – clorfenesina; agente antibacteriano, antifúngico e antitricomoniano utilizado no tratamento da tinha podal e outras infecções fúngicas e tricomonianas da pele e vagina. **c. carbamate** – carbamato de c.; relaxante muscular esquelético de ação central, utilizado no tratamento de afecções musculoesqueléticas caracterizadas por espasmos musculares esqueléticos.

chlor·plen·ir·amine (klor"fen-ir'ah-mēn) – clorfeniramina; anti-histamínico (C$_{16}$H$_{19}$ClN$_2$), utilizado como sal de maleato.

chlor·phen·ox·amine (klor"fen-ok'sah-mēn) – clorfenoxamina; anticolinérgico utilizado como sal de cloridrato para reduzir a rigidez muscular na doença de Parkinson.

chlor·phen·ter·mine (klor-fen'ter-mēn) – clorfentermina; clorofentermina; amina simpatomimética utilizada como agente anorético.

chlor·pro·ma·zine (-pro'mah-zēn) – clorpromazina; cloropromazina; derivado fenotiazínico utilizado como antiemético e tranqüilizante.

chlor·pro·pa·mide (-pro'pah-mī d) – clorpropamida; cloropropamida; hipoglicêmico oral utilizado no tratamento do diabetes melito não-dependente de insulina.

chlor·pro·thix·ene (klor"pro-thik'sēn) – clorprotixeno; cloroprotixeno; droga tioxantênica que tem atividade sedativa, antiemética, anti-histamínica, anticolinérgica e bloqueadora α-adrenérgica; utilizado em forma de base, sal de cloridrato ou sais de lactato e cloridrato para controlar sintomas de distúrbios psicóticos.

chlor·te·tra·cy·cline (-tĕ-trah-si'klēn) – clortetraci-clina; antibiótico obtido a partir da espécie *Streptomyces aureofaciens;* utiliza-se o sal de cloridrato como antibacteriano e antiprotozoário.

chlor·thal·i·done (klor-thal'ĭ dōn) – clortalidona; sulfonamida com ações semelhantes às dos diuréticos tiazídicos; utilizada no tratamento da hipertensão e edema.

Chlor-Tri·me·ton (-tri'mĕ-ton) – Chlor-Trimeton, marca registrada de preparações de clorfeniramina.

chlor·ure·sis (klor"ŭr-e'sis) – clorurese; excreção de cloretos na urina. **chloruret'ic** – adj. clorurético.

chlor·uria (klo-rūr-e-ah) – clorúria; excesso de cloretos na urina.

chlor·zox·a·zone (klor-zok'sah-zōn) – clorzoxazona; relaxante muscular esquelético utilizado para aliviar o desconforto de distúrbios musculoesqueléticos dolorosos.

ChM [L.] *Chirurgiae Magister* – Mestre em Cirurgia.

cho·a·na (ko-a'nah) [L.] pl. *choanae* – coana: 1. cavidade em forma de funil ou de infundíbulo; 2. [pl.] aberturas pareadas entre a cavidade nasal e a nasofaringe.

Cho·a·no·tae·nia (ko-a"no-te'ne-ah) – *Choanotaenia;* gênero de cestódeos que inclui a *C. infundibulum,* parasita importante das galinhas e dos perus.

choke (chōk) – asfixiar: 1. interromper a respiração por obstrução ou compressão, ou a condição resultante; 2. **chokes** – hipobaropatia; sensação de queimação na região subesternal, com tosse incontrolável, que ocorre durante a doença de descompressão.

chol·a·gogue (ko'lah-gog) – colagogo; agente que estimula a contração da vesícula biliar para promover o fluxo biliar. **cholagog'ic** – adj. colagogo.

cho·lan·ge·itis (ko-lan"je-ī t'is) – colangeíte; colangite (*cholangitis*).

cho·lan·gi·ec·ta·sis (-ek'tah-sis) – colangiectasia; dilatação de um ducto biliar.

cho·lan·gi·o·car·ci·no·ma (ko-lan"je-o-kahr'sĭ -no'mah) – colangiocarcinoma: 1. adenocarcinoma que surge a partir do epitélio dos ductos biliares intra-hepáticos e composto de células epiteliais em túbulos ou ácinos com estroma fibroso; 2. carcinoma colangiocelular.

cho·lan·gio·en·ter·os·to·my (-en"ter-os'tah-me) – colangioenterostomia; anastomose cirúrgica de um ducto biliar com o intestino.

cho·lan·gio·gas·tros·to·my (-gas-tros'tah-me) – colangiogastrostomia; anastomose de um ducto biliar com o estômago.

cho·lan·gi·og·ra·phy (kol-an"je-og'rah-fe) – colangiografia; radiografia dos ductos biliares.

cho·lan·gio·hep·a·to·ma (ko-lan"je-o-hep"ah-to'mah) – colângio-hepatoma; carcinoma hepatocelular de origem mista de hepatócitos e células ductais biliares.

cho·lan·gi·ole (kol-an'je-ōl) – colangíolo; um dos elementos terminais finos do sistema ductal biliar. **cholangi'olar** – adj. colangiolar.

cho·lan·gi·o·li·tis (kol-an"je-o-lī t'is) – colangiolite; inflamação dos colangíolos. **cholangiolit'ic** – adj. colangiolítico.

cho·lan·gi·o·ma (-o'mah) – colangioma; carcinoma colangiocelular.

cho·lan·gio·sar·co·ma (ko-lan"je-o-sahr-ko'mah) – colangiossarcoma; sarcoma de origem no ducto biliar.

cho·lan·gi·os·to·my (kol"an-je-os'tah-me) – colangiostomia; fistulação de um ducto biliar.

cho·lan·gi·ot·o·my (-ot'ah-me) – colangiotomia; incisão em um ducto biliar.

cho·lan·gi·tis (kol"an-jī t'is) – colangite; inflamação de um ducto biliar. **cholangit'ic** – adj. colangítico.

cho·lano·poi·e·sis (kol"ah-no-poi-e'sis) – colanopoiese; síntese de ácidos biliares ou seus conjugados e sais pelo fígado.

cho·lano·poi·et·ic (-poi-et'ik) – colanopoiético: 1. que promove colanopoiese; 2. agente que promove colanopoiese.

cho·late (ko'lāt) – colato; um sal, ânion ou éster do ácido cólico.

chole- [Gr.] – cole-, elemento de palavra, *bile.*

cho·le·cal·ci·fer·ol (kol"lĕ-kal-sif'er-ol) – colecalciferol; vitamina D₃; hormônio sintetizado na pele na irradiação do 7-desidroxicolesterol ou obtido a partir da dieta; é ativado quando metabolizado em 1,25-diidrocolecalciferol. É utilizado como antiraquítico e no tratamento da tetania hipocalcêmica e do hipoparatireoidismo.

cho·le·cyst (ko'lah-sist) – colecisto; vesícula biliar (*gallbladder*).

cho·le·cyst·a·gogue (ko"lah-sis'tah-gog) – colecistagogo; agente que promove a evacuação da vesícula biliar.

cho·le·cys·tal·gia (-sis-tal'jah) – colecistalgia: 1. cólica biliar; 2. dor devido à inflamação da vesícula biliar.

cho·le·cys·tec·ta·sia (-sis"tek-ta'zhah) – colecistectasia; distensão da vesícula biliar.

cho·le·cys·tec·to·my (-sis-tek'tah-me) – colecistectomia; excisão da vesícula biliar.

cho·le·cyst·en·ter·os·to·my (-sis"ten-ter-os'tah-me) – colecistenterostomia; formação de uma nova comunicação entre a vesícula biliar e o intestino.

cho·le·cys·tis (-sis'tis) – colecisto; vesícula biliar. **chole·cys'tic** – adj. colecístico.

cho·le·cys·ti·tis (-sis-tī t'is) – colecistite; inflamação da vesícula biliar. **emphysematous c.** – c. enfisematosa; colecistite devida a organismos produtores de gás, caracterizada por gás no lúmen da vesícula biliar, em geral infiltrando-se na parede da vesícula biliar e tecidos circundantes.

cho·le·cys·to·co·los·to·my (-sis"to-ko-los'tah-me) – colecistocolostomia; anastomose da vesícula biliar e cólon.

cho·le·cys·to·du·o·de·nos·to·my (-doo"o-dah-nos'tah-me) – colecistoduodenostomia; anastomose da vesícula biliar e duodeno.

cho·le·cys·to·gas·tros·to·my (-gas-tros'tah-me) – colecistogastrostomia; anastomose entre a vesícula biliar e o estômago.

cho·le·cys·to·gram (-sis'tah-gram) – colecistograma; radiografia da vesícula biliar.

cho·le·cys·tog·ra·phy (-sis-tog'rah-fe) – colecistografia; radiografia da vesícula biliar. **cholecys-tograph'ic** – adj. colecistográfico.

cho·le·cys·to·je·ju·nos·to·my (-sis"to-je-joo-nos'tah-me) – colecistojejunostomia; anastomose da vesícula biliar e do jejuno.

cho·le·cys·to·ki·net·ic (-kĭ-net'ik) – colecistocinético; que estimula a contração da vesícula biliar.

cho·le·cys·to·ki·nin (CCK) (-ki'nin) – colecistocinina; hormônio polipeptídico secretado no intestino delgado que estimula a contração da vesícula biliar e a secreção de enzimas pancreáticas.

cho·le·cys·to·li·thi·a·sis (-lĭ-thi'ah-sis) – colecistolitíase; colelitíase (cholelithiasis).

cho·le·cys·to·pexy (-sis'tah-pek"se) – colecistopexia; suspensão ou fixação cirúrgicas da vesícula biliar.

cho·le·cys·tor·rha·phy (-sis-tor'ah-fe) – colecistorrafia; sutura ou reparo da vesícula biliar.

cho·le·cys·tot·o·my (-sis-tot'ah-me) – colecistotomia; incisão da vesícula biliar.

cho·led·o·chal (ko-led'ĕ-k'l) – colédoco; coledocócico; relativo ao ducto biliar comum.

cho·le·do·chec·to·my (kol"ah-do-kek'tah-me) – coledoquectomia; coledocectomia; excisão de parte do ducto biliar comum.

cho·le·do·chi·tis (-ki'tis) – coledoquite; inflamação do ducto biliar comum.

choledoch(o)- [Gr.] – coledoc(o)-, elemento de palavra, ducto biliar comum.

cho·led·o·cho·du·o·de·nos·to·my (ko-led"o-ko-doo"o-dĕ-nos'tah-me) – coledocoduodenostomia; anastomose cirúrgica do ducto biliar comum com o duodeno.

cho·led·o·cho·en·ter·os·to·my (-en"ter-os'tah-me) – coledocoenterostomia; anastomose do ducto biliar com o intestino.

cho·led·o·cho·gas·tros·to·my (-gas-tros'tah-me) – coledocogastrostomia; anastomose do ducto biliar com o estômago.

cho·led·o·cho·je·ju·nos·to·my (-je-joo-nos'tah-me) – coledocojejunostomia; anastomose do ducto biliar com o jejuno.

cho·led·o·cho·li·thi·a·sis (-lĭ-thi'ah-sis) – coledocolitíase; presença de cálculos no ducto biliar comum.

cho·led·o·cho·li·thot·o·my (-lĭ-thot'ah-me) – coledocolitotomia; incisão no ducto biliar comum para remoção de cálculos.

cho·led·o·cho·plas·ty (kol-ed'ah-kah-plast"te) – coledocoplastia; reparo plástico do ducto biliar comum.

cho·led·o·chor·rha·phy (kol-ed"o-kor'ah-fe) – coledocorrafia; sutura ou reparo do ducto biliar comum.

cho·led·o·chos·to·my (-kos'tah-me) – coledocostomia; criação de abertura para drenagem no ducto biliar comum.

cho·led·o·chot·o·my (-kot'ah-me) – coledocotomia; incisão no ducto biliar comum.

cho·led·o·chus (ko-led'ah-kus) – colédoco; o ducto biliar comum.

cho·le·ic (ko-le'ik) – coléico; relativo à bile.

cho·le·ic ac·id (ko-le'ik) – ácido coléico; um dos complexos formados entre o ácido desoxicólico e um ácido graxo ou outro lipídio.

cho·le·lith (ko'lĕ-lith) – colélito; cálculo biliar.

cho·le·li·thi·a·sis (ko"le-lĭ-thi'ah-sis) – colelitíase; presença ou formação de cálculos biliares.

cho·le·li·thot·o·my (-lĭ-thot'ah-me) – colelitotomia; incisão do trato biliar para remoção de cálculos biliares.

cho·le·litho·trip·sy (-lith'ah-trip"se) – colelitotripsia; esmagamento de um cálculo biliar.

cho·lem·e·sis (ko-lem'ĕ-sis) – colêmese; vômito de bile.

cho·le·mia (ko-le'me-ah) – colemia; bile ou pigmento biliar no sangue. chole'mic – adj. colêmico.

cho·le·peri·to·ne·um (ko"le-per"ĭ-tah-ne'um) – coleperitônio; presença de bile no peritônio.

cho·le·poi·e·sis (-poi-e'sis) – colepoiese; formação de bile no fígado. cholepoiet'ic – adj. colepoiético.

chol·era (kol'er-ah) – cólera; cólera asiática; doença infecciosa aguda endêmica e epidêmica da Ásia, causada pela Vibrio cholerae e caracterizada por diarréia severa, com depleção eletrolítica e hídrica extremo, por vômito, câimbras musculares e prostração. Asiatic c. – c. asiática; ver o verbete principal, cholera. fowl c. – c. das galinhas; septicemia hemorrágica devido à Pasteurella multocida que afeta as aves domésticas e outras aves mundialmente. hog c. – c. dos porcos; peste suína; febre ou peste suína; virose fatal, aguda e altamente infecciosa dos suínos. pancreatic c. – c. pancreática; afecção caracterizada por diarréia aquosa profusa, hipocalemia e geralmente acloridria, e devida a um insulinoma (que não o de célula beta) pancreático.

chol·er·a·gen (hol'er-ah-jen) – colerágeno; exotoxina produzida pelo vibrião colérico, que se acredita estimular a secreção eletrolítica e hídrica no intestino delgado.

chol·e·ra·ic (kol"ah-ra'ik) – colérico; da cólera, pertinente ou de sua natureza.

cho·ler·e·sis (ko-ler'ĕ-sis) – colerese; secreção da bile pelo fígado.

cho·ler·et·ic (ko"ler-et'ik) – colerético; que estimula a produção de bile pelo fígado; agente que atua dessa forma.

cho·ler·ia (ko-ler'e-ah) – temperamento irritável ou hostil.

chol·er·oid (kol'er-oid) – coleróide; semelhante à cólera.

cho·le·sta·sis (ko"lah-sta'sis) – colestasia; cessação ou supressão do fluxo biliar; que tem causas intra e extra-hepáticas. cholestat'ic – adj. colestático.

cho·le·ste·a·to·ma (-ste"ah-to'mah) – colesteatoma; massa cistiforme com revestimento de epitélio escamoso estratificado preenchido com restos descamados que geralmente inclui o colesterol, o qual ocorre nas meninges, sistema nervoso central e ossos do crânio, porém é mais comum no ouvido médio e região mastóide.

cho·le·ste·a·to·sis (-ste"ah-to'sis) – colesteatose; degeneração gordurosa decorrente de ésteres de colesterol.

cho·les·ter·ol (kŏ-les'ter-ol) – colesterol; esterol eucariótico que, nos animais superiores, é o precursor dos ácidos biliares e dos hormônios esteróides, bem como um constituinte-chave das membranas celulares. A maior parte é sintetizada pelo fígado e outros tecidos, mas uma parte é absorvida a partir de fontes dietéticas, sendo cada tipo transportado no plasma por lipoproteínas específicas. Pode-se acumular ou se depositar anormalmente como no caso de alguns cálculos biliares e ateromas. As preparações são utilizadas como emulsificadores em produtos farmacêuticos.

cho·les·ter·ol·emia (kŏ-les"ter-ol-e'me-ah) – colesterolemia; hipercolesterolemia; ver *hypercholesterolemia.*

cho·les·ter·ol es·ter·ase (kŏ-les'ter-ol es'ter-ās) – colesterol-esterase; lipase ácida; enzima que catalisa a clivagem hidrolítica do colesterol e outros ésteres de esterol e triglicerídeos. A deficiência da enzima lisossômica causa distúrbios alélicos da doença de Wolman e doença do armazenamento do éster colesteril.

cho·les·ter·ol·o·sis (-o'sis) – colesterolose; colesterose.

cho·les·ter·ol·uria (-ūr'e-ah) – colesterolúria; presença de colesterol na urina.

cho·les·ter·o·sis (ko-les"ter-o'sis) – colesterose; deposição anormal de colesterose nos tecidos.

cho·les·ter·yl (kŏ-les'tĕ-ril") – colesteril; radical de colesterol, formado pela remoção do grupo hidroxila.

cho·le·ther·a·py (ko"le-ther'ah-pe) – coleterapia; tratamento por meio de administração de sais biliares.

cho·le·u·ria (-ūr'e-ah) – coleúria; colúria (*choluria*).

cho·lic ac·id (kol'ik) – ácido cólico; um dos ácidos biliares primários no homem, que geralmente ocorre conjugado com glicina ou taurina; facilita a absorção das gorduras e a excreção do colesterol.

cho·line (ko'lēn) – colina; amina quaternária, um membro do complexo de vitaminas B, que ocorre na fosfatidilcolina e acetilcolina, é um doador metílico importante no metabolismo intermediário e impede a deposição de gordura no fígado. **c. magnesium trisalicylate** – trissalicilato magnésico de c.; combinação de salicilato de colina e salicilato de magnésio, utilizado como antiartrítico. **c. salicylate** – salicilato de c.; sal colínico de ácido salicílico ($C_{12}H_{19}NO_4$); que tem propriedades analgésicas, antipiréticas e antiinflamatórias.

cho·line acet·y·lase (ko'lēn-ah-set'ĭ-lās) – colina acetilase; colina acetiltransferase.

cho·line ac·e·tyl·trans·fer·ase (ko'lēn as"ĕ-tĕl-trans'fer-ās) – colina acetiltransferase; enzima que catalisa a síntese de acetilcolina; é um marcador de neurônios colinérgicos.

cho·lin·er·gic (ko"lin-er'jik) – colinérgico: 1. estimulado, ativado ou transmitido pela colina (acetilcolina); diz-se das fibras nervosas simpáticas e parassimpáticas que liberam acetilcolina à sinapse quando um impulso nervoso passa; 2. agente que produz esse efeito.

cho·lin·es·ter·ase (-es'ter-ās) – colinesterase; colinesterase sérica; pseudocolinesterase; enzima que catalisa a clivagem hidrolítica do grupo acil a partir de vários ésteres de colina e alguns compostos relacionados; a determinação da atividade é utilizada para testar a função hepática, a sensibilidade de succinilcolina e a ocorrência de envenenamento com organofosforado. **true c.** – c. verdadeira; acetilcolinesterase.

cho·li·no·cep·tive (ko"lin-o-sep'tiv) – colinoceptivo; relativo aos sítios nos órgãos efetores que são acionados por transmissores colinérgicos.

cho·li·no·cep·tor (-sep'ter) – colinorreceptor; receptor colinérgico.

cho·li·no·ly·tic (-lit'ik) – colinolítico: 1. que bloqueia a ação da acetilcolina ou de agentes colinérgicos; 2. agente bloqueador da ação da acetilcolina em áreas colinérgicas, ou seja, órgãos supridos pelos nervos parassimpáticos e músculos voluntários.

cho·li·no·mi·met·ic (-mi-met'ik) – colinomimético; que tem ação semelhante à da acetilcolina; parassimpatomimético.

chol(o)- [Gr.] – col(o)-, elemento de palavra, *bile.*

chol·uria (kol-u're-ah) – colúria; presença de bile na urina; descoloração da urina com pigmentos biliares. **cholu'ric** – adj. colúrico.

cho·lyl·gly·cine (kol"lil'gli'sēn) – coliglicina; forma conjugada de um dos ácidos biliares que produzem glicina e ácido cólico na hidrólise.

cho·lyl·tau·rine (kol"lil-taw'rēn) – coliltaurina; sal biliar, conjugado taurínico do ácido táurico.

chondr(o)- [Gr.] – condr(o)-, elemento de palavra, *cartilagem.*

chon·dral (kon'dril) – condral; relativo a uma cartilagem.

chon·dral·gia (kon-dral'jah) – condralgia; dor em uma cartilagem.

chon·drec·to·my (kon-drek'tah-me) – condrectomia; remoção cirúrgica de uma cartilagem.

chondri(o)- [Gr.] – condri(o)-, elemento de palavra, *grânulo.*

chon·dri·tis (kon-dri'tis) – condrite; inflamação de uma cartilagem.

chon·dro·an·gi·o·ma (kon"dro-an"je-o'mah) – condroangioma; mesenquimoma benigno que contém elementos condromatosos e angiomatosos.

chon·dro·blast (kon'dro-blast) – condroblasto; célula produtora de cartilagem imatura.

chon·dro·blas·to·ma (kon"dro-blas-to'mah) – condroblastoma; tumor geralmente benigno derivado de células cartilaginosas imaturas, que ocorre principalmente nas epífises dos adolescentes.

chon·dro·cal·ci·no·sis (-kal"sĭ-no'sis) – condrocalcinose; presença de sais de cálcio, especialmente pirofosfato de cálcio, nas estruturas cartilaginosas de uma ou mais articulações.

chon·dro·cos·tal (-kos'til) – condrocostal; relativo às costelas e cartilagens costais.

chon·dro·cra·ni·um (-kra'ne-um) – condrocrânio; estrutura cranial cartilaginosa do embrião.

chon·dro·cyte (kon'dro-sīt) – condrócito; célula cartilaginosa madura incrustada em uma lacuna dentro da matriz cartilaginosa.

chon·dro·der·ma·ti·tis (kon"dro-der"mah-tī't'-is) – condrodermatite; processo inflamatório que afeta a cartilagem e a pele; geralmente se refere à *c. nodular crônica helicóide*, afecção caracterizada por um nódulo doloroso na hélice do pavilhão auricular.

chon·dro·dyn·ia (-din'e-ah) – condrodinia; dor em uma cartilagem.

chon·dro·dys·pla·sia (-dis-pla'zhah) – condrodisplasia; discondroplasia. **c. puncta'ta** – c. pontilhada; grupo heterogêneo de displasias ósseas hereditárias, cuja característica comum é o pontilhado (pequenas manchas) das epífises na infância.

chon·dro·dys·tro·phia (-dis-tro'fe-ah) – condrodistrofia.

chon·dro·dys·tro·phy (-dis'trah-fe) – condrodistrofia; distúrbio da formação de cartilagem.

chon·dro·epi·phys·itis (-ep"ĭ -fiz-ī t'is) – condroepifisite; inflamação que envolve as cartilagens epifisárias.

chon·dro·fi·bro·ma (-fi-bro'mah) – condrofibroma; fibroma com elementos cartilaginosos.

chon·dro·gen·e·sis (-jen'ĭ -sis) – condrogênese; formação de cartilagem.

chon·droid (kon'droid) – condróide: 1. semelhante à cartilagem; 2. cartilagem hialina.

chon·dro·i·tin sul·fate (kon-dro'ĭ -tin) – condroitinossulfato, glicosaminoglicano que predomina no tecido conjuntivo, particularmente nas cartilagens, ossos e vasos sangüíneos, bem como na córnea.

chon·dro·li·po·ma (kon"dro-lī -po'mah) – condrolipoma; mesenquimoma benigno com elementos cartilaginosos e lipomatosos.

chon·dro·ma (kon-dro'mah) pl. *chondromas, chondromata* – condroma; tumor benigno ou crescimento semelhante a um tumor de cartilagem hialina madura. Pode permanecer no centro da substância de uma cartilagem ou osso (encondroma); ver *enchondroma*, ou desenvolver-se na superfície *(c. justacortical* ou *periosteal).* **joint c.** – c. articular; massa de cartilagem na membrana sinovial de uma articulação. **synovial c.** – c. sinovial; corpo cartilaginoso formado em uma membrana sinovial.

chon·dro·ma·la·cia (kon"dro-mah-la'shah) – condromalacia; amolecimento anormal de uma cartilagem.

chon·dro·ma·to·sis (-mah-to'sis) – condromatose; formação de condromas múltiplos. **synovial c.** – c. sinovial; afecção rara em que a cartilagem se forma na membrana sinovial de articulações, bainhas tendíneas ou bursas, algumas vezes descolando-se e produzindo vários corpos soltos.

chon·dro·mere (kon'dro-mĕr) – condrômero; vértebra cartilaginosa da coluna vertebral fetal.

chon·dro·meta·pla·sia (kon"dro-met"ah-pla'-zhah) – condrometaplasia; afecção caracterizada pela atividade metaplásica dos condroblastos.

chon·dro·my·o·ma (-mi-o'mah) – condromioma; tumor benigno de elementos miomatosos e cartilaginosos.

chon·dro·myx·o·ma (-mik-so'mah) – condromixoma; fibroma condromixóide.

chon·dro·myxo·sar·co·ma (-mik"so-sahr-ko'-mah) – condromixossarcoma; mesenquimoma maligno que contém elementos cartilaginosos e mixóides.

chon·dro·os·se·ous (-os'e-us) – condrósseo; composto de cartilagem e osso.

chon·drop·a·thy (kon-drop'ah-te) – condropatia; doença da cartilagem.

chon·dro·phyte (kon'dro-fīt) – condrófito; crescimento cartilaginoso na extremidade articular de um osso.

chon·dro·pla·sia (kon"dro-pla'zhah) – condroplasia; formação de cartilagem por meio de células especializadas (condrócitos).

chon·dro·plast (kon'dro-plast) – condroplasto; condroblasto.

chon·dro·plas·ty (-plas"te) – condroplastia; reparo plástico de uma cartilagem.

chon·dro·po·ro·sis (kon"dro-por-o'sis) – condroporose; formação de seios ou espaços em uma cartilagem.

chon·dro·sar·co·ma (-sar-ko'ma) – condrossarcoma; tumor maligno derivado de células cartilaginosas ou seus precursores. **central c.** – c. central; condrossarcoma dentro de um osso, geralmente não associado a uma massa.

chon·dro·sis (kon-dro'sis) – condrose; formação de uma cartilagem.

chon·dros·te·o·ma (kon"dros-te-o'mah) – condrosteoma; osteocondroma (*osteochondroma*).

chon·dro·ster·no·plas·ty (kon"dro-stern'o-plas"te) – condroesternoplastia; correção cirúrgica do peito em funil.

chon·drot·o·my (kon-drot'ah-me) – condrotomia; dissecção ou divisão cirúrgica de uma cartilagem.

chon·dro·xi·phoid (kon"dro-zi'foid) – condroxifóide; relativo ao processo xifóide.

cho·ne·chon·dro·ster·non (ko"ne-kon"dro-stern'on) – conecondroesterno; peito em funil.

chord (kord) – corda; cordão (*cord*).

chor·da (kor'dah) [L.] pl. *chordae* – corda; cordão ou tendão. **chor'dal** – adj. cordal. **c. dorsa'lis** – c. dorsal; notocórdio. **c. guberna'culum** – c. gubernacular; porção do gubernáculo testicular ou do ligamento redondo do útero que se desenvolve na crista inguinal e na parede corporal contígua. **c. mag'na** – c. magna; tendão de Aquiles. **chor'dae tendi'neae cor'dis** – cordões tendíneos cardíacos; cordas tendíneas que conectam duas válvulas atrioventriculares aos músculos papilares apropriados nos ventrículos cardíacos. **c. tym'pani** – c. do tímpano; nervo que se origina de nervo intermediário, distribui-se para as glândulas submandibular, sublingual e lingual e os dois terços anteriores da língua; é um nervo parassimpático e sensorial especial. **c. umbi·lica'lis** – cordão umbilical. **c. voca'lis** – c. vocal; ver *vocal cords*, em *cord*.

Chor·da·ta (kor-dāt'ah) – Chordata; filo do reino animal que compreende todos os animais que possuem notocórdio durante algum estágio de desenvolvimento; cordados.

chor·date (kor'dāt) – cordado: 1. animal do filo Chordata; 2. que tem notocórdio.

chor·dee (kor'de) – corda venérea; pênis semilunar; deflexão descendente do pênis devido à anomalia congênita ou à infecção urinária.

chor·di·tis (kor-dī't'is) – cordite; inflamação das cordas vocais ou dos cordões espermáticos.

chor·do·ma (kor-do'mah) – cordoma; tumor maligno que surge a partir dos restos embrionários do notocórdio.

Chor·do·pox·vi·ri·nae (kor"do-poks"vir-i'ne) – Chordopoxvirinae; poxvírus dos vertebrados; subfamília de vírus da família Poxviridae, que contém os poxvírus que infectam os vertebrados. Inclui o gênero *Orthopoxvirus.*

chor·do·skel·e·ton (kor"do-skel'ĕ-ton) – cordoesqueleto; parte do esqueleto formada ao redor do notocórdio.

chor·dot·o·my (kor-dot'ah-me) – cordotomia; ver *cordotomy* (2).

cho·rea (kor-e'ah) [L.] – coréia; ocorrência contínua de movimentos involuntários rápidos, espasmódicos e discinéticos. **chore'ic** – adj. coréico; **acute c.** – c. aguda; c. de Sydenham. **chronic c., chronic progressive hereditary c.** – c. crônica; c. hereditária progressiva crônica; c. de Huntington. **hereditary c., Huntington's c.** – c. hereditária; c. de Huntington; doença hereditária caracterizada por coréia progressiva crônica e deterioração mental até a demência. **Sydenham's c.** – c. de Sydenham; distúrbio autolimitado, que ocorre entre as idades de 5 e 15 anos ou durante a gravidez, associado à febre reumática e caracterizado por movimentos involuntários que se tornam gradualmente severos, afetando todas as atividades motoras.

cho·re·i·form (ko-re'ĭ -form) – coreiforme; semelhante à coréia.

cho·reo·acan·tho·cy·to·sis (kor"e-o-ah-kan"-tho-si-to'sis) – coreoacantocitose; síndrome recessiva autossômica caracterizada por tiques, coréia e alterações de personalidade, com acantócitos no sangue.

cho·reo·ath·e·to·sis (kor"e-o-ath"ĕ-to'sis) – coreoatetose; afecção caracterizada por movimentos coréicos e atetóides. **choreoathetot'ic** – adj. coreoatesótico.

chori(o)- [Gr.] – cori(o)-, elemento de palavra, *membrana*.

cho·rio·ad·e·no·ma (-ad"ĕ-no'mah) – corioadenoma; adenoma do córion. **c. destru'ens** – c. verruga invasiva; c. destrutivo; verruga hidatiforme; massa carnosa hidatiforme, na qual os vilos coriônicos molares entram no miométrio ou paramétrio, ou, raramente, são transportados para locais distantes, mais freqüentemente aos pulmões.

cho·rio·al·lan·to·is (-ah-lan'to-is) – corioalantóide; estrutura extra-embrionária formada pela união do córion e do alantóide, que por meio dos vasos no mesoderma associado tem função na troca gasosa. Nos répteis e aves, é a membrana justaposta à concha; em muitos mamíferos, forma a placenta. **chorioallanto'ic** – adj. corioalantóico.

cho·rio·am·ni·o·ni·tis (-am"ne-o-nĭ't'is) – corioamnionite; inflamação das membranas fetais.

cho·rio·an·gi·o·ma (-an"je-o'mah) – corioangioma; angioma do córion.

cho·rio·cap·il·la·ris (-kap"ĭ -la'ris) – coriocapilar; lâmina coriocapilar.

cho·rio·car·ci·no·ma (-kahr"sĭ -no'mah) – coriocarcinoma; neoplasia maligna de células trofoblásticas, formada pela proliferação anormal do epitélio placentário, sem a produção de vilos coriônicos; a maior parte surge no útero.

cho·rio·cele (kor'e-o-sēl") – coriocele; protrusão do córion através de uma abertura.

cho·rio·epi·the·li·o·ma (kor"e-o-ep"ĭ -the"le-o'mah) – corioepitelioma; coriocarcinoma; ver *choriocarcinoma*.

cho·rio·gen·e·sis (-jen"ĭ -sis) – coriogênese; desenvolvimento do córion.

cho·ri·oid (kor'e-oid) – corióide; coróide (*choroid*).

cho·ri·o·ma (kor"e-o'mah) – corioma: 1. qualquer proliferação trofoblástica, benigna ou maligna; 2. coriocarcinoma.

cho·rio·men·in·gi·tis (kor"e-o-men"in-ji't'is) – corio-meningite; meningite cerebral com infiltração linfocítica do plexo coróide. **lymphocytic c.** – c.

linfocítica; meningite viral que ocorre em adultos entre as idades de 20 e 40 anos, durante o outono e o inverno.

cho·ri·on (ko're-on) – córion; a mais externa das membranas fetais, composta de trofoblastos revestidos com mesoderma; desenvolve vilosidades, vasculariza-se por meio de vasos alantóides e forma a parte fetal da placenta. **chorion'ic** – adj. coriônico. **c. frondo'sum** – c. frondoso; a parte do córion coberta por vilos. **c. lae've** – c. leve; c. liso, a parte membranosa e não-vilosa do córion. **shaggy c.** – c. lanudo; c. frondoso.

Cho·ri·op·tes (ko"re-op'tēz) – *Chorioptes;* gênero de ácaros parasitas que infesta animais domésticos e causa um tipo de sarna; corióptico.

cho·rio·ret·i·nal (kor"e-o-ret'in-il) – coriorretiniano; retinocoróide; relativo à coróide e à retina.

cho·rio·ret·i·ni·tis (ret"ĭ -nĭ t'is) – coriorretinite; inflamação da coróide e da retina.

cho·rio·ret·i·nop·a·thy (-ret"in-op'ah-the) – coriorretinopatia; processo não-inflamatório que envolve tanto a coróide como a retina.

cho·ris·ta (ko-ris'tah) – corista; desenvolvimento defeituoso causado ou caracterizado por célula primordial deslocada.

cho·ris·to·ma (ko"ris-to'mah) – coristoma; massa de tecido histologicamente normal em localização anormal.

cho·roid (ko'roid) – coróide; revestimento vascular médio do olho, entre a esclera e a retina. **choroid'al** – adj. coróide.

cho·roi·dea (ko-roi'de-ah) – coróide.

cho·roid·er·e·mia (ko-roi"der-e'me-ah) – coroideremia; degeneração coróide primária ligada ao cromossoma X, que nos homens leva eventualmente à cegueira à medida que a degeneração do epitélio pigmentado retiniano progride até a atrofia completa; nas mulheres, não é progressiva e a visão geralmente permanece normal.

cho·roid·itis (ko"roi-dī t'is) – coroidite; inflamação da coróide.

cho·roi·do·cyc·li·tis (ko-roi"do-sik-lĪ t'is) – coroidociclite; inflamação da coróide e processos ciliares.

chrom(o)- [Gr.] – crom(o)-, elemento de palavra, *cor*.

chro·maf·fin (kro-maf'in) – cromafim; cromófilo; que se cora intensamente com sais de cromo, como determinadas células das glândulas supra-renais, junto com nervos simpáticos etc.

chro·maf·fi·no·ma (kro-maf"ĭ -no'mah) – cromafinoma; qualquer tumor que contenha células cromafins, como o feocromocitoma.

chro·maf·fi·nop·a·thy (-nop'ah-the) – cromafinopatia; doença do sistema cromafim.

chro·mate (kro'māt) – cromato; qualquer sal do ácido crômico.

chro·mat·ic (kro-mat'ik) – cromático: 1. relativo a uma cor; que se tinge com corantes; 2. pertinente à cromatina.

chro·ma·tid (kro'mah-tid) – cromátide; um dos dois filamentos espirais paralelos, reunidos no centrômero, que constituem um cromossoma.

chro·ma·tin (kro'mah-tin) – cromatina; substância dos cromossomas; porção do núcleo celular que se tinge com corantes básicos. Ver *euchromatin* e *heterochromatin.* **sex c.** – c. sexual; corpúsculo de Barr; a massa persistente do cromossoma X inativado nas células das mulheres normais.

chro·ma·tin-neg·a·tive (-neg'ah-tiv) – cromatina-negativo; que não tem cromatina sexual, uma característica dos núcleos celulares em um homem normal.

chro·ma·tin-pos·i·tive (-poz'it-iv) – cromatina-positivo; que contém cromatina sexual, uma característica dos núcleos celulares em uma mulher normal.

chro·ma·tism (kor'mah-tizm) – cromatismo; depósitos de pigmentos anormais.

chromat(o)- [Gr.] – cromat(o)-, elemento de palavra, *cor; cromatina.*

chro·ma·tog·e·nous (kro"mah-toj'ĕ-nus) – cromatógeno; que produz cor ou matéria colorida.

chro·ma·tog·ra·phy (kro"mah-tog'rah-fe) – cromatografia; método de separação e identificação dos componentes de uma mistura complexa por meio de movimento diferencial através de um sistema de duas fases, onde o movimento é efetuado pelo fluxo de um líquido ou gás (fase móvel), que é filtrado através de um adsorvente (fase estacionária) ou por uma segunda fase líquida. **chromatograph'ic** – adj. cromatográfico. **adsorption c.** – c. por adsorção; cromatografia em que a fase estacionária é um adsorvente. **affinity c.** – c. por afinidade; cromatografia baseada na interação biológica bastante específica como a existente entre um antígeno e um anticorpo ou um receptor e um ligando, sendo essa substância imobilizada a agindo como o adsorvente. **column c.** – c. por coluna; cromatografia em que se permite que os vários solutos de uma solução trafeguem para baixo em uma coluna absortiva, sendo os componentes individuais absorvidos pela fase estacionária. **gas c. (GC)** – c. gasosa; cromatografia em que um gás inerte move os vapores dos materiais a serem separados através de uma coluna de material inerte. **gas-liquid c. (GLC)** – c. líquido-gasosa; cromatografia a gás em que o adsorvente é um líquido não-volátil protegido em um suporte sólido. **gas-solid c. (GSC)** – c. a sólido-gasosa (CGS); cromatografia a gás em que o adsorvente é um sólido poroso inerte. **gel-filtration c., gel-permeation c.** – c. de filtração em gel; c. de penetração em gel; cromatografia em que a fase estacionária consiste de glóbulos hidrofílicos formadores de gel contendo poros de tamanho específico que capturam e retardam as moléculas suficientemente pequenas para penetrá-los. **high-performance liquid c., high-pressure liquid c. (HPLC)** – c. a líquido de alto desempenho; c. a líquido em alta pressão; um tipo de cromatografia automatizada em que a fase móvel é um líquido que é forçado sob alta pressão através de uma coluna envolvida por um adsorvente. **ion-exchange c.** – c. de troca iônica; cromatografia em que a fase estacionária é uma resina de troca iônica. **molecular exclusion c., molecular sieve c.** – c. de exclusão molecular; c. de seleção molecular; c. de filtração em gel. **paper c.** – c. em papel; cromatografia que usa uma folha de papel

mata-borrão para a coluna de adsorção. **partition c.** – c. de partição; método que emprega a separação dos solutos em duas fases líquidas (o solvente original e o filme de solvente na coluna de adsorção). **thin-layer c. (TLC)** – c. em camada fina; cromatografia através de camada fina de material inerte, como celulose.

chro·ma·tol·y·sis (kro"mah-tol'ĭ-sis) – cromatólise; desintegração dos corpúsculos de Nissl de um neurônio como resultado de lesão, fadiga ou exaustão.

chro·ma·to·phil (kro-mat'o-fil) – cromatófilo; célula ou estrutura que se cora facilmente. **chromatophil'ic** – adj. cromatofílico.

chro·mato·phore (-for) – cromatóforo; qualquer célula pigmentar ou plastídio que produza alguma cor.

chro·ma·top·sia (kro"mah-top'se-ah) – cromatopsia; defeito visual no qual (*a*) os objetos incolores parecem tingidos com uma cor, ou (*b*) as cores são percebidas imperfeitamente.

chro·ma·top·tom·e·try (kro"mah-top-tom'ĭ-tre) – cromatoptometria; medição da percepção de cores.

chro·ma·tu·ria (kro"mah-tū'e-ah) – cromatúria; coloração anormal da urina.

chro·mes·the·sia (kro"mes-the'ze-ah) – cromestesia; associação de sensações coloridas imaginárias com sensações verdadeiras de gosto, audição ou odor.

chrom·hi·dro·sis (kro"mĭ -dro'sis) – cromidrose; secreção de suor colorido.

chro·mic ac·id (kro-mik) – ácido crômico; ácido dibásico (H_2CrO_4).

chro·mid·ro·sis (kro"mĭ -dro'sis) – cromidrose; ver *chromhidrosis.*

chro·mi·um (kro'me-um) – cromo, elemento químico (ver *Tabela de Elementos*), número atômico 24, símbolo Cr. É um elemento vestigial dietético essencial, mas cromo hexavalente é carcinogênico. **c. 51** – c.-51; radioisótopo do cromo usado para marcar hemácias a fim de determinar o volume e o tempo de sobrevivência das mesmas. **c. trioxide** – trióxido de c.; ácido crômico.

Chro·mo·bac·te·ri·um (kro"mo-bak-tēr'e-um) – *Chromobacterium;* gênero de esquizomicetos (família Rhizobiaceae) que produz caracteristicamente um pigmento violeta; cromobactérias.

chro·mo·blast (kro'mo-blast) – cromoblasto; célula embrionária que se desenvolve em célula pigmentar.

chro·mo·blas·to·my·co·sis (kro"mo-blas"to-mi-ko'sis) – cromoblastomicose; infecção fúngica crônica da pele que produz nódulos verrucosos ou papilomas que podem ulcerar.

chro·mo·clas·to·gen·ic (-klas"tah-jen'ik) – cromoclastogênico; que induz à destruição ou roturas cromossômicas.

chro·mo·cyte (kro'mah-sīt) – cromócito; qualquer célula colorida ou corpúsculo pigmentado.

chro·mo·cys·tos·co·py (kro"mo-sis-tos'kah-pe) – cromocistoscopia; cistoscopia dos orifícios ureterais após a administração oral de um corante que é excretado na urina.

chro·mo·dac·ry·or·rhea (-dak"re-or-e'ah) – cromodacriorréia; eliminação de lágrimas sanguinolentas.

chro·mo·gen (kro'mah-jen) – cromógeno; qualquer substância que dá origem a uma matéria colorífera.

chro·mo·gen·e·sis (kro"mo-jen'ĭ -sis) – cromogênese; formação de cor ou pigmento.

chro·mo·mere (kro'mo-mēr) – cromômero: 1. um dos grânulos semelhantes a contas que ocorrem em série ao longo de um cromonema; 2. granulômero.

chro·mo·my·co·sis (kro"mo-mi-ko'sis) – cromomicose; cromoblastomicose.

chro·mo·ne·ma (-ne'mah) [Gr.] pl. *chromonemata* – cromonema; cordão central de uma cromátide, ao longo do qual repousam os cromômeros. **chromone'mal** – adj. cromonêmico.

chro·mo·phil (-kro'mo-fil) – cromófilo; célula ou tecido facilmente corável. **chromophil'ic** – adj. cromófilo.

chro·mo·phobe (-fōb) – cromófobo; célula ou tecido não facilmente corável, aplicado especialmente às células cromófobas da hipófise anterior.

chro·mo·pho·bia (kro"mo-fo'be-ah) – cromofobia; qualidade de corar-se fracamente com corantes. **chromopho'bic** – adj. cromófobo.

chro·mo·phore (kro'mo-for) – cromóforo; qualquer grupo químico cuja presença dá origem a uma cor determinada a um composto e que se une a outros grupos (auxocromos) para formar corantes.

chro·mo·phor·ic (kro"mo-for'ik) – cromofórico: 1. que tem cor; 2. relativo a um cromóforo.

chro·mo·phose (kro'mo-fōs) – cromofosia; sensação de cor.

chro·mos·co·py (kro-mos'kah-pe) – cromoscopia; diagnóstico de função renal pela cor da urina após a administração de corantes.

chro·mo·some (kro'mah-sōm) – cromossoma; cromossomo; nas células animais, estrutura no núcleo, que contém um filamento linear de DNA que transmite informações genéticas e se associa ao RNA e histonas; durante a divisão celular, o material que compõe o cromossoma espirala-se compactamente, tornando-o visível sob coloração apropriada e permitindo seu movimento na célula com um embaraçamento mínimo; cada organismo de uma espécie caracteriza-se normalmente pelo mesmo número de cromossomos em suas células somáticas, sendo 46 número normalmente presente no homem, incluindo os dois (XX ou XY) que determinam o sexo. Em Genética Bacteriana, um círculo fechado de DNA de filamento duplo contém o material genético da célula e se prende à membrana celular; o volume desse material forma um núcleo bacteriano compacto. **chromoso'mal** – adj. cromossômico. **bivalent c.** – c. bivalente, ver *bivalent* (2). **homologous c's** – cromossomas homólogos; um par combinante de cromossomas, um de cada genitor, com os mesmos *loci* gênicos na mesma ordem. **Ph₁ c., Philadelphia c.** – c. Ph₁; c. Filadélfia; anormalidade do cromossoma 22, caracterizada pelo encurtamento de seus braços longos (a porção perdida provavelmente transloca-se para o cromossoma 9); presente nas células de medulas de pacientes com leucemia granulocítica crônica. **ring c.** – c. em anel; cromossoma no qual ambas as extremidades se perderam (deleção) e as duas extremidades quebradas reuniram-se para formar uma figura em forma de anel. **sex c's** – cromossomas sexuais, cromossomas associados à determinação do sexo, consistindo de um par desigual nos mamíferos (os cromossomas X e Y). **somatic c.** – c. somático; autossoma. **X c.** – c. X; cromossoma sexual, transportado por metade dos gametas masculinos e todos os gametas femininos; as células diplóides femininas têm dois cromossomas X. **Y c.** – c. Y; cromossoma sexual, transportado pela metade dos gametas masculinos e nenhum dos gametas femininos; as células diplóides masculinas têm um cromossoma X e um Y.

chro·nax·ie (kro'nak-se) – cronaxia; ver *chronaxy*.

chro·naxy (kro'nak-se) – cronaxia; tempo mínimo que uma corrente elétrica deve fluir a uma voltagem de duas vezes a reobase para causar uma contração muscular.

chron·ic (kron'ik) – crônico; que resiste por um longo tempo.

chron(o)- [Gr.] – cron(o)-, elemento de palavra, *tempo*.

chron·o·bi·ol·o·gy (kron"o-bi-ol'ah-je) – cronobiologia; estudo científico dos efeitos do tempo e ritmos biológicos nos sistemas vivos. **chronobiolog'ic, chronobiolog'ical** – adj. cronobiológico.

chron·og·no·sis (kron"og-no'sis) – cronognose; percepção da passagem de tempo.

chron·o·graph (kron'ah-graf) – cronógrafo; instrumento para registrar pequenos intervalos de tempo.

chro·no·tar·ax·is (kron"o-tar-ak'sis) – cronotaraxia; desorientação com relação ao tempo.

chro·not·ro·pism (kro-not'ro-pizm) – cronotropismo; interferência à regularidade de um movimento periódico, como por exemplo a ação cardíaca. **chronotro'pic** – adj. cronotrópico.

chry·si·a·sis (krĭ -si'ah-sis) – crisíase; auríase; deposição de ouro em um tecido vivo.

chrys(o)- [Gr.] – cris(o)-, elemento de palavra, *ouro*.

chryso·der·ma (kris"o-der'mah) – crisodermia; pigmentação permanente da pele decorrente de deposição de ouro.

Chryso·my·ia (-mi'yah) – *Chrysomya;* gênero de moscas, cujas larvas podem ser invasoras secundárias de ferimentos ou de parasitas internos do homem; crisomia.

Chrys·ops (kris'ops) – *Chrysops;* gênero de moscas tropicais sugadoras de sangue (moscas do-mangue) que incluem a *C. discalis*, vetor da tularemia na região ocidental dos Estados Unidos e a *C. silacea* (hospedeiro intermediário de *Loa loa*).

chryso·tile (kris'o-tīl) – crisótilo; forma mais amplamente utilizada do amianto, um silicato de magnésio verde-acinzentado na classe serpentina de amiantos; seu pó pode causar asbestose ou, raramente, mesoteliomas ou outros cânceres pulmonares.

chy·lan·gi·o·ma (ki-lan"je·o'mah) – quilangioma; tumor dos vasos linfáticos intestinais preenchido com quilo.

chyle (kīl) – quilo; fluido leitoso coletado pelos vasos lácteos a partir do alimento no intestino, consistindo de linfa e gorduras triglicerídicas (quilomícrons) em emulsão estável, e transportado para o interior das veias pelo ducto torácico, misturando-se com o sangue.

chyl·ec·ta·sia (ki"lek-ta'ze-ah) – quilectasia; dilatação de um vaso quiloso por exemplo, um vaso lácteo.

chy·le·mia (ki-le'me-ah) – quilemia; presença de quilo no sangue.

chy·li·fa·cient (ki"lĭ -fa'shint) – quilifaciente; que forma quilo.

chy·lif·er·ous (ki-lif'er-us) – quilífero: 1. que forma quilo; 2. que transporta quilo.

chy·lo·cele (ki'lo-sēl) – quilocele; elefantíase escrotal.

chy·lo·cyst (-sist) – quilocisto; cisterna quilífera.

chy·lo·der·ma (ki"lo-der'mah) – quilodermia; elefantíase filarióide.

chy·lo·me·di·as·ti·num (-me"de-as-ti'num) – quilomediastino; presença de quilo no mediastino.

chy·lo·mi·cron (-mi'kron) – quilomícron; classe de lipoproteínas que transporta colesterol e triglicerídeos exógenos (dietéticos) do intestino delgado para os tecidos após as refeições; são degradados em resíduos quilomicrônicos.

chy·lo·mi·cro·ne·mia (-mi"kron-e'me-ah) – quilomicronemia; excesso de quilomícrons no sangue.

chy·lo·peri·car·di·um (-per"ĭ -kar'de-um) – quilopericárdio; presença de quilo derramado no pericárdio.

chy·lo·peri·to·ne·um (-per"ĭ -to-e'um) – quiloperitônio; presença de quilo derramado na cavidade peritoneal.

chy·lo·phor·ic (-for'ik) – quilofórico; que transporta quilo.

chy·lo·pneu·mo·tho·rax (-noo"mo-thor'aks) – quilopneumotórax; presença de quilo e ar na cavidade pleural.

chy·lo·tho·rax (-thor'aks) – quilotórax; presença de quilo derramado na cavidade pleural.

chy·lous (ki'lus) – quiloso; relativo, misturado ou da natureza do quilo.

chy·lu·ria (kī l-ūr'e-ah) – quilúria; presença de quilo na urina, conferindo-lhe aparência leitosa, devido à obstrução entre os vasos linfáticos intestinais e o ducto torácico, causando ruptura dos vasos linfáticos renais no interior dos túbulos renais.

chyme (kīm) – quimo; material cremoso semifluido produzido pela digestão do alimento.

chy·mi·fi·ca·tion (ki"mĭ -fĭ -ka'shun) – quimificação; conversão do alimento em quimo; digestão gástrica.

chy·mo·pa·pa·in (ki"mo-pah-pān') – quimopapaína; endopeptidase cisteínica proveniente da árvore tropical *Carica papaya*; ela catalisa a hidrólise das proteínas e polipeptídeos com especificidade semelhante à da papaína e é utilizada na quimionucleólise.

chy·mo·tryp·sin (-trip'sin) – quimotripsina; endopeptidase com ação semelhante à da tripsina, produzida no intestino através da ativação do quimiotripsinogênio pela tripsina; produto cristalizado proveniente de extrato do pâncreas bovino utilizado clinicamente para zonulólise e debridamento enzimáticos.

chy·mo·tryp·sin·o·gen (-trip-sin'ŏ-jen) – quimotripsinogênio; proenzima inativa secretada pelo pâncreas e clivada pela tripsina no intestino delgado para produzir quimotripsina.

CI – cardiac index; Colour Index (IC, índice cardíaco; Índice de Cor).

Ci – curie.

cib. [L.] *cibus* – alimento.

cic·a·trec·to·my (sik"ah-trek'tah-me) – cicatrectomia; excisão de cicatriz.

cic·a·tri·cial (sik"ah-trish'il) – cicatricial; relativo ou da natureza de uma cicatriz.

cic·a·trix (sĭ -ka'triks, sik'ah-triks) [L.] pl. *cicatrices* – cicatriz; tecido fibroso deixado após a cicatrização exagerada de um ferimento. **vicious c.** – c. viciosa; cicatriz que causa deformidade ou prejudica a função de uma extremidade.

cic·a·tri·za·tion (sik"ah-tri-za'shin) – cicatrização; formação de cicatriz.

-cide [L.] – -cídio; -cida, elemento de palavra, *extermínio ou assassinato* (homicídio); *agente que extermina ou elimina* (germicida). **-ci'dal** – adj. -cídico.

CIF – clone-inhibiting factor (FIC, fator de inibição de clones).

ci·gua·tox·in (se"gwah-tok'sin) – ciguatoxina; toxina estável no calor, secretada pelo dinoflagelado da espécie *Gambierdiscus toxicus* e concentrada nos tecidos de determinados peixes marinhos; causa a ciguatera (intoxicação).

cil·ia (sil'e-ah) [L.] – cílios: 1. pálpebras ou suas margens externas; 2. pestanas; 3. processos piliformes diminutos que se estendem desde a superfície celular, compostos de nove pares de microtúbulos ao redor de um núcleo de dois microtúbulos. Eles batem ritmicamente para mover a célula, o fluido ou o muco sobre a superfície.

cil·i·ar·ot·o·my (sil"e-er-ot'ah-me) – ciliarotomia; divisão cirúrgica da zona ciliar.

cil·i·ary (sil'e-ĕ"re) – ciliar; relativo ou semelhante aos cílios; utilizado particularmente com referência a determinadas estruturas oculares, como o corpo ou músculo ciliares.

Cil·i·a·ta (sil"e-a'tah) – Ciliata; classe de protozoários (subfilo Ciliophora, cujos membros possuem cílios durante todo o ciclo vital; algumas espécies são parasitas; ciliados.

cil·i·ate (sil'e-āt) – ciliado: 1. que tem cílios; 2. qualquer indivíduo dos Ciliophora.

cil·i·ec·to·my (sil"e-ek'tah-me) – cilectomia: 1. excisão de uma porção do corpo ciliar; 2. excisão da porção da pálpebra que contém as raízes dos cílios.

cili(o)- [L.] pl. *cilia* – cili(o)-, elemento de palavra, *cílios, corpo ciliar*.

Cil·i·oph·o·ra (sil"e-of'ah-rah) – Ciliophora; filo de protozoários cujos membros possuem cílios em algum estágio de desenvolvimento e geralmente têm dois tipos de núcleos (um micro e um macronúcleo); inclui os Kinetofragminophorea, Oligohymenophorea e Polyhymenophorea.

cil·i·um (sil'e-um) [L.] pl. *cilia* – cílio; singular de *cilia*.

cil·lo·sis (sil-o'sis) – cilose; contrações espasmódicas palpebrais.

cim·bia (sim'be-ah) – feixe branco que percorre a superfície ventral do pedúnculo cerebral.

ci·met·i·dine (si-met'ĭ-dēn) – cimetidina; antagonista dos receptores histamínicos H_2, que inibe a secreção de ácido gástrico em resposta a todos os estímulos; utilizado como base ou sal de monocloridrato no tratamento da úlcera péptica.

Ci·mex (si'meks)[L.] – *Cimex;* gênero de insetos sugadores de sangue (ordem Hemiptera), percevejos do leito, compreende as espécies *C. boueti* (da África Ocidental e da América do Sul), *C. lectularius* (percevejo do leito comum nas regiões temperadas) e *C. rotundatus* (dos trópicos).

CIN – cervical intraepithelial neoplasia (NIC, neoplasia intra-epitelial cervical).

cin·cho·na (sin-ko'nah) – cinchona; quina; quina régia; casca peruana; quinaquina; casca-dos-jesuítas; casca de c.; casca seca do tronco ou raiz de várias árvores sul-americanas do gênero *Cinchona;* é a fonte de quinina, cinchonina e outros alcalóides.

cin·cho·nism (sin'ko-nizm) – cinchonismo; quininismo; intoxicação em conseqüência da superdosagem de alcalóide da cinchona; os sintomas são zumbido nos ouvidos e surdez branda, fotofobia e outros distúrbios visuais, embotamento mental, depressão, confusão, cefaléia e náuseas.

cine- [Gr.] – cine-, elemento de palavra, *movimento;* ver também palavras que começam por *kine*-.

cine·an·gio·car·diog·ra·phy (sin"ē-an"je-o-kahr"de-og'rah-fe) – cineangiocardiografia; registro fotográfico de imagens fluoroscópicas do coração e dos grandes vasos por meio de técnicas cinematográficas.

cine·an·gi·og·ra·phy (-an"je-og'rah-fe) – cineangiografia; registro fotográfico de imagens fluoroscópicas dos vasos sangüíneos por meio de técnicas cinematográficas. **radionuclide c.** – c. com radionuclídeo; cineangiografia em que se injeta uma amostra de albumina sérica humana marcada com um radioisótopo (tecnécio-99m) no sangue periférico e então uma câmera de cintilação registra a radiação emitida sobre a área do tórax, sendo mostrados os movimentos cardíacos em um vídeo.

cine·ra·di·og·ra·phy (-ra"de-og'rah-fe) – cinerradiografia; cinefluorografia; relização de um registro cinematográfico de imagens sucessivas que aparecem em uma tela fluoroscópica.

ci·ne·rea (sĭ-ne're-ah) – cinéreo; substância cinzenta do sistema nervoso. **cine'real** – adj. cinéreo; relativo à substância cinzenta do sistema nervoso.

cinesi- – além das palavras com este prefixo, consulte também as de prefixo *kinesi*-.

cin·gu·lec·to·my (sing"gu-lek'tah-me) – cingulectomia; extirpação bilateral da metade anterior do giro cingulado.

cin·gu·lum (sing'gu-lum) [L.] pl. *cingula* – cíngulo; cinto: 1. estrutura ou parte circundante; cinta; 2. feixe de fibras de associação que circundam o corpo caloso próximo ao plano mediano, inter-relacionando os giros cingulado e hipocampal; 3. lobo lingual de um dente anterior. **cing'ulate** – adj. cingulado.

cin·gu·lum·ot·o·my (sing"gu-lum-ot'ah-me) – cingulotomia; criação de lesões precisamente

posicionadas no cíngulo do lobo frontal, para alívio de uma dor intratável.

cip·ro·flox·a·cin (sip"ro-flok'sah-sin) – ciprofloxacina; antibacteriano sintético eficaz contra muitas bactérias Gram-positivas e Gram-negativas; utilizada como sal de cloridrato.

cir·ca·di·an (ser"kah-de'an, ser-ka'de-an) – circadiano; que denota um período de 24 horas; ver em *rhythm.*

cir·ci·nate (ser'sĭ-nāt) – circinado; circular; anular; semelhante a um anel ou círculo.

cir·cle (ser'k'l) – círculo; estrutura ou parte redonda. **Berry's c's** – círculos de Berry; gráficos com círculos sobre os mesmos para testar a visão estereoscópica. **defensive c.** – c. defensivo; coexistência de duas condições que tendem a ter efeito antagonístico ou inibir o efeito entre si. **c. of Haller** – c. de Haller; círculo de artérias na esclera no local de entrada no nervo óptico. **Minsky's c's** – círculos de Minsky; série de círculos utilizados para o registro gráfico de lesões oculares. **c. of Willis** – c. de Willis; alça anastomótica de vasos próxima à base do cérebro.

cir·cling (ser'kling) – movimento em círculo; nome aplicado à listeriose nos ovinos, em virtude da tendência dos animais afetados mover-se em círculos.

cir·cuit (ser'kit) [L.] – circuito; círculo ou curso atravessado por corrente elétrica. **reverberating c.** – c. reverberante; trajeto neuronal disposto em círculo, de forma que os impulsos se reciclam para causar retroalimentação positiva ou reverberação. **Papez c.** – c. de Papez; circuito neuronal no sistema límbico, envolvido na experimentação de emoções e respostas a elas. **reentrant c.** – c. reentrante; circuito formado pelo impulso circulante na reentrada.

cir·cu·la·tion (ser"ku-la'shun) – circulação; movimento em um curso regular como o movimento do sangue através do coração e vasos sangüíneos. **allantoic c.** – c. alantóica; circulação fetal através dos vasos umbilicais. **collateral c.** – c. colateral; circulação que ocorre através de canais secundários após obstrução do canal principal que supre a parte. **enterohepatic c.** – c. êntero-hepática; ciclo em que os sais biliares e outras substâncias excretadas pelo fígado são absorvidos pela mucosa intestinal e retornam ao fígado através da circulação porta. **extracorporeal c.** – c. extracorpórea; circulação de sangue por fora do corpo, através de um rim artificial ou aparelho cardiopulmonar. **fetal c.** – c. fetal; circulação propelida pelo coração fetal através do cordão umbilical fetal e vilos placentários. **first c.** – primeira c.; c. primitiva. **hypophysioportal c.** – c. hipofisoporta; a circulação que passa dos capilares da proeminência mediana do hipotálamo nos vasos portais até os sinusóides da adeno-hipófise. **intervillous c.** – c. intervilosa; fluxo de sangue materno através do espaço interviloso da placenta. **lesser c.** – c. menor; c. pulmonar. **omphalomesenteric c.** – c. onfalomesentérica; c. vitelina. **persistent fetal c.** – c. fetal persistente; hipertensão pulmonar no período pós-natal secundária a um desvio da direita para a esquerda do sangue através do forame oval e do ducto arterioso. **placental c.** – c. placentária; circulação fetal; também, a circulação materna através do espaço interviloso. **portal c.** – c. porta; termo genérico que denota a circulação do sangue através de vasos maiores dos capilares de um órgão para os de outro; refere-se à passagem de sangue do trato gastrointestinal e do baço através da veia porta para o fígado. **primitive c.** – c. primitiva; primeira circulação pela qual os nutrientes e o oxigênio são transportados para o embrião. **pulmonary c.** – c. pulmonar; fluxo de sangue do ventrículo direito, através da artéria pulmonar, para os pulmões, onde se troca o dióxido de carbono por oxigênio, e retorna através da veia pulmonar para o átrio esquerdo. **systemic c.** – c. sistêmica; circulação geral, que transporta o sangue oxigenado para os tecidos corporais, e retorna o sangue venoso para o átrio direito. **umbilical c.** – c. umbilical; c. alantóica. **vitelline c.** – c. vitelina; circulação através dos vasos sangüíneos do saco vitelino.

cir·cu·lus (ser'ku-lus) [L.] pl. *circuli* – círculo (*circle*).

circum- [L.] – circun-, elemento de palavra, *ao redor*.

cir·cum·ci·sion (serk"um-sizh'in) – circuncisão; remoção do prepúcio. **female c.** – c. feminina; um dos vários procedimentos que envolvem qualquer excisão de uma porção da genitália feminina externa ou infibulação. **pharaonic c.** – c. faraônica; tipo de circuncisão feminina que compreende dois procedimentos: uma forma radical em que se removem o clitóris, os lábios menores e lábios maiores e se aproximam os tecidos remanescentes, e uma forma modificada em que se removem o prepúcio e a glande do clitóris e os lábios menores adjacentes. **Sunna c.** – c. de Sunna; forma de circuncisão feminina em que se remove o prepúcio do clitóris.

cir·cum·duc·tion (-duk'shun) – circunducção; cicloducção; movimento circular de um membro ou de um olho.

cir·cum·flex (serk'um-fleks) – circunflexo; curvado como um arco.

cir·cum·in·su·lar (serk"um-in'su-ler) – circum-insular; que circunda; situado ou ocorre ao redor da *insula*.

cir·cum·len·tal (-len'til) – circunlenticular; situado ou que ocorre ao redor do cristalino.

cir·cum·re·nal (-re'nil) – circunrenal; ao redor do rim.

cir·cum·scribed (serk'um-skrībd) – circunscrito; limitado; confinado a um espaço limitado.

cir·cum·stan·ti·al·i·ty (serk"um-stan"she-al'-it-e) – circunstancialidade; distúrbio no fluxo de pensamento no qual a conversação do paciente caracteriza-se pela elaboração desnecessária de muitos detalhes triviais.

cir·cum·val·late (-val'āt) – circunvalado; circundado por uma crista ou sulco, como é o caso das papilas valadas.

cir·rho·sis (sĭ-ro'sis) – cirrose; inflamação intersticial de um órgão, particularmente do fígado; ver *c. of liver*. **cirrhot'ic** – adj. cirrótico. **alcoholic c.** – c. alcoólica; cirrose em alcoólicos, em conseqüência de deficiência nutricional associada ou exposição excessiva crônica ao álcool como no caso de hepatotoxina. **atrophic c.** – c. atrófica; cirrose em que o fígado sofre redução de tamanho como observado em caso de cirrose pós-hepática ou pós-necrótica e em alguns alcoólicos. **biliary c.** – c. biliar; cirrose hepática a partir de retenção biliar crônica, decorrente de obstrução ou infecção dos ductos biliares extra ou intra-hepáticos maiores (*c. biliar secundária*) ou de etiologia desconhecida (*c. biliar primária*), e que algumas vezes ocorre após a administração de determinados medicamentos. **cardiac c.** – c. cardíaca; fibrose hepática, provavelmente após necrose hemorrágica central, em associação com cardiopatia congestiva. **fatty c.** – c. gordurosa; forma de cirrose em que os hepatócitos sofrem infiltração de gordura. **Laënnec's c.** – c. de Laënnec; cirrose hepática associada ao alcoolismo. **c. of liver** – c. hepática; um grupo de hepatopatias caracterizado por perda de arquitetura hepática normal, com fibrose e regeneração nodular. **macronodular** – c. macronodular; cirrose hepática que se segue a necrose hepática subaguda em conseqüência de hepatite tóxica ou viral. **metabolic c.** – c. metabólica; cirrose hepática associada a doenças metabólicas, como hemocromatose, doença de Wilson, distúrbio do armazenamento de glicogênio, galactosemia e distúrbios do metabolismo dos aminoácidos. **portal c.** – c. porta; c. de Laënnec. **posthepatitic c.** – c. pós-hepatite; cirrose (geralmente macronodular) resultante de seqüela de hepatite aguda. **postnecrotic c.** – c. pós-necrótica; c. macronodular.

cir·rus (sir'us) [L.] pl. *cirri* – cirro; apêndice delgado e geralmente flexível, como o órgão copulatório retrátil muscular de determinados trematódeos ou um dos órgãos de locomoção dos protozoários ciliados que se compõem de cílios fundidos.

cir·sec·to·my (ser-sek'tah-me) – cirsectomia; excisão de uma porção de uma veia varicosa.

cir·soid (ser'soid) – cirsóide; semelhante a varizes.

cir·som·pha·los (ser-som'fah-los) – cirsônfalo; cabeça de medusa.

cis (sis) [L.] – *cis*; em Química Orgânica, denota um isômero com átomos ou radicais semelhantes no mesmo lado; em Genética, dois genes mutantes de um pseudoalelo no mesmo cromossomo. Cf. *trans*.

cis- – cis-, prefixo que denota algo deste lado, o mesmo lado ou ao lado.

cis·plat·in (sis'plat-in) – cisplatina; complexo de coordenação de platina capaz de produzir ligações cruzadas de DNA inter e intrafilamento; utilizada como antineoplásico.

cis·tern (sis'tern) – cisterna; espaço fechado que serve como reservatório de um líquido, por exemplo, um dos espaços aumentados do organismo que contém linfa ou outro fluido. **cister'nal** – adj. cisternal; **terminal c's** – cisternas terminais; pares de canais transversalmente orientados em confluência com os sarcotúbulos, os quais se juntam a um túbulo T intermediário e constituem uma tríade do músculo esquelético.

cis·ter·na (sis-ter'nah) [L.] pl. *cisternae* – cisterna. **c. cerebellomedulla'ris** – c. cerebelomedular; c. magna; o espaço subaracnóide dilatado entre a subsuperfície do cerebelo e a superfície posterior da medula oblonga. **c. chy'li** – c. do quilo; a parte dilatada do ducto torácico em sua origem na região lombar. **perinuclear c.** – c. perinuclear; o espaço que separa a membrana nuclear interna da externa.

cis·ter·nog·ra·phy (sis"ter-nog'rah-fe) – cisternografia; radiografia da cisterna basal do cérebro após injeção subaracnóide de um meio de contraste.

cis·tron (sis'tron) – cístron; a menor unidade de material genético que deve ficar intacta para transmitir uma informação genética; tradicionalmente, é um sinônimo de gene.

cit·rate (sĭ -trãt, si'trãt) – citrato; sal do ácido cítrico.

cit·ric ac·id (sit'rik) – ácido cítrico; ácido tricarboxílico obtido de frutas cítricas, que é um intermediário no ciclo do ácido tricarboxílico; ele quela os íons de cálcio e impede a coagulação sangüínea e funciona como anticoagulante de amostras sangüíneas, bem como de sangue completo e hemácias armazenados.

cit·ron·el·la (sĭ "tron-el'ah) – citronela; capim aromático, fonte de um óleo volátil (óleo de citronela) utilizado em perfumes e repelentes de insetos.

cit·rul·line (sit'rul-ēn) – citrulina; um ácido α-amínico envolvido na produção de uréia; formado a partir da ornitina e é por sua vez convertido em arginina no ciclo da uréia.

cit·rul·lin·emia (sit-rul"in-e'me-ah) – citrulinemia: 1. deficiência de argininossuccinato-sintase; 2. excesso de citrulina no sangue.

cit·rul·lin·uria (-ūr'e-ah) – citrulinúria: 1. deficiência de argininossuccinato-sintase; 2. excreção de altos níveis de citrulina na urina.

cit·to·sis (sĭ -to'sis) – citose; pica (*pica*).

CK – creatine kinase (creatina cinase).

Cl – símbolo químico, cloro (*chlorine*).

clad·o·spo·ri·o·sis (klad"o-spor"e-o'sis) – cladosporiose; infecção por *Cladosporium*, por exemplo, degeneração cerebral negra, cromomicose e tinha negra.

Clad·o·spo·ri·um (-spor'e-um) – *Cladosporium;* gênero de fungos imperfeitos (subdivisão Hyphomycetes). A *C. carrionii* é um agente da cromomicose; a *C. bantianum* causa a degeneração cerebral negra.

clair·voy·ance (klār-voi'ans) [Fr.] – clarividência; percepção extra-sensorial, na qual se adquire o conhecimento de eventos objetivos sem o uso dos sentidos.

clamp (klamp) – pinça; grampo; dispositivo cirúrgico para comprimir uma parte ou estrutura. **rubber dam c.** – grampo do dique de borracha; dispositivo metálico utilizado para manter o dique em um dente.

clamping (klamp'ing) – pinçamento; na medição da secreção e da ação insulínicas, a infusão de uma solução de glicose a uma velocidade ajustada periodicamente para manter uma concentração sangüínea de glicose predeterminada.

clap (klap) – denominação popular da gonorréia.

cla·pote·ment (klah-pŏt-maw') [Fr.] – vascolejo; marulho; som de agitação de água como o que se ouve à sucussão.

clar·if·i·cant (klar-if'ĭ -kant) – clarificante; substância que clareia um líquido turvo.

cla·rith·ro·my·cin (klah-rith"ro-mi'sin) – claritromicina; antibiótico macrolídeo eficaz contra amplo espectro de bactérias Gram-positivas e Gram-negativas; utilizada no tratamento de infecções do trato respiratório, pele e tecidos moles.

clasp (klasp) – gancho; dispositivo para segurar alguma coisa.

class (klas) – classe: 1. categoria taxonômica subordinada a um filo e superior a uma ordem; 2. grupo de variáveis em que todas demonstram um valor que se enquadra em determinados limites.

clas·si·fi·ca·tion (klas"sĭ -fĭ -ka'shin) – classificação; arranjo sistemático de entidades semelhantes com base em determinadas características diferentes. **adansonian c.** – c. de Adanson; taxonomia numérica. **Angle's c.** – c. de Angle; classificação de má-oclusão dentária em relação à posição mesiodistal da arcada dentária mandibular e dentes, bem como em relação à arcada dentária maxilar e os dentes; ver em *malocclusion*. **Bergey's c.** – c. de Bergey; sistema de classificação de bactérias por meio de reação de Gram, metabolismo e morfologia. **Caldwell-Moloy c.** – c. de Caldwell-Moloy; classificação da pelve feminina em ginecóide, andróide, antropóide e platipelóide; ver em *pelvis*. **FIGO c.** – c. da FIGO; um dos sistemas de classificação estabelecidos pela International Federation of Gynecology and Obstetrics (Federação Internacional de Ginecologia e Obstetrícia) para a avaliação de cânceres ginecológicos. **Gell and Coombs c.** – c. de Gell e Coombs; classificação de mecanismos imunes de lesões teciduais. **Keith-Wagener-Barker c.** – c. de Keith-Wagener-Barker; classificação da hipertensão e arterioloesclerose com base nas alterações retinianas. **Lancefield c.** – c. de Lancefield; classificação dos estreptococos hemolíticos em grupos com base na ação sorológica. **New York Heart Association (NYHA) c.** – c. da Associação Cardíaca de Nova York; classificação funcional e terapêutica da atividade física para pacientes cardíacos.

clas·tic (klas'tik) – clástico: 1. que sofre ou causa divisão; 2. separável em partes.

clas·to·gen·ic (klas"tah-jen'ik) – clastogênico; que causa interrupção ou roturas, como as que ocorrem com cromossomos.

clas·to·thrix (kas'tah-thriks) – clastotrix; tricorrexe nodulosa.

clath·rate (klath'rāt) – clatrato: 1. que tem forma de treliça; relativo aos compostos clatráticos; 2. [pl.] complexos de inclusão onde moléculas de um tipo estão aprisionadas em cavidades do entrelaçado cristalino de outra substância.

clau·di·ca·tion (klaw"dĭ -ka'shun) – claudicação; coxeadura; marcha claudicante. **intermittent c.** – c. intermitente; dor, tensão e fraqueza nas pernas ao caminhar, intensificando-se e produzindo marcha claudicante aliviada por repouso; é observada em caso de arteriopatia oclusiva. **jaw c.** – c. mandibular; complexo de sintomas semelhante aos de claudicação intermitente, mas observado nos músculos masticatórios em caso de arterite de células gigantes. **neurogenic c.** – c. neurogênica; claudicação acompanhada de dor e parestesia nas costas, nádegas e pernas, aliviadas por meio de curvamento, causada por distúrbios mecânicos em conseqüência de postura ou isquemia de cauda eqüina. **venous c.** – c. venosa; claudicação intermitente decorrente de estase venosa.

claus·tro·phil·ia (klaws"trah-fil'e-ah) – claustrofilia; desejo anormal de ficar em um quarto ou espaço fechado.

claus·tro·pho·bia (-fo'be-ah) – claustrofobia; medo mórbido de lugares fechados.

claus·trum (klaws'trum) [L.] pl. *claustra* – claustro; camada fina de substância cinzenta lateral à cápsula externa, separando-a da substância branca da *insula*.

cla·va (kla'vah) – clava; tubérculo grácil.

Clav·i·ceps (klav'ĭ -seps) – *Claviceps;* gênero de fungos parasitas que infestam várias sementes vegetais. A *C. purpurea* é a fonte do esporão do centeio.

clav·i·cle (klav'ĭ -k'l) – clavícula; ver *Table of Bones.* **clavic'ular** – adj. clavicular.

clav·i·cot·o·my (klav"ĭ -kot'ah-me) – clavicotomia; claviculotomia; divisão cirúrgica da clavícula.

cla·vic·u·la (klah-vik'u-lah) [L.] – clavícula (*clavicle*).

clav·u·la·nate (klav'u-lah-nāt) – clavulanato; inibidor β-lactamásico utilizado como sal potássico em combinação com penicilinas no tratamento de infecções causadas por microrganismos produtores de β-lactamase.

cla·vus (kla'vus) [L.] pl. *clavi* – calo (*corn*).

claw·foot (klaw'foot) – pé em garra; pé bastante arqueado caracterizando-se por dedos hiperestendidos na articulação metatarsofalângica e flexionados nas articulações distais.

claw·hand (-hand) – mão em garra; flexão e atrofia da mão e dedos.

clear·ance (klēr'ans) – depuração: 1. ato de depurar; 2. medida quantitativa de proporção em que se remove uma substância do sangue; volume de plasma depurado por unidade de tempo. Símbolo *C; 3.* espaço entre estruturas opostas. **creatinine c.** – d. de creatinina; volume de plasma depurado de creatinina após administração parenteral de quantidade especificada da substância. **inulin c.** – d. de inulina; expressão da eficiência renal na eliminação de inulina do sangue. **mucociliary c.** – d. mucociliar; depuração de muco e outros materiais das vias aéreas por parte dos cílios das células epiteliais. **urea c.** – d. de uréia; d. de uréia sangüínea.

cleav·age (klēv'ij) – clivagem, divisão em partes distintas; divisão sucessiva inicial de um óvulo fertilizado em células menores (blastômeros) por meio de mitose.

cleft (kleft) – fenda; fissura, especialmente a que ocorre durante o desenvolvimento embrionário. **branchial c.** – f. branquial: 1. uma das aberturas semelhantes a fendas nas brânquias dos peixes entre os arcos branquiais; 2. sulcos branquiais homólogos entre os arcos branquiais dos embriões de mamíferos. **subneural c's** – fendas subneurais; fendas semelhantes a lâminas uniformemente espaçadas dentro da fenda sináptica primária, formada por invaginações do sarcolema

no interior do sarcolema muscular subjacente. **synaptic c.** – f. sináptica: 1. fenda extracelular estreita entre as membranas pré e pós-sináptica; 2. depressão sináptica. **visceral c's** – fendas viscerais; fendas branquiais.

cleid(o)- [Gr.] – cleid(o)-, elemento de palavra, *clavícula;* também grafada como *clid-.*

clei·do·cra·ni·al (kli"do-kra'ne-il) – clidocranial; relativo à clavícula e ao crânio.

clei·dot·o·my (kli-dot'ah-me) – clidotomia; divisão cirúrgica da clavícula fetal em um parto difícil para facilitar o nascimento.

clem·as·tine (klem'as-tēn) – clemastina; anti-histamínico ($C_{21}H_{26}$CINO), utilizado no tratamento da rinite alérgica e distúrbios cutâneos alérgicos.

click (klik) – estalido; clique; som breve e nítido, especialmente os sons secos e curtos de estalidos cardíacos durante a sístole, indicativos de várias cardiopatias.

cli·din·i·um bro·mide (klĭ -din'e-um) – brometo de clidínio; anticolinérgico com efeitos antiespasmódicos e anti-secretórios acentuados no trato gastrointestinal.

cli·mac·ter·ic (kli-mak'ter-ik, kli"mak-tē'rik) – climatérico; climatério; síndrome de alterações endócrinas, somáticas e psíquicas que ocorrem na menopausa; pode também acompanhar-se de diminuição normal da atividade sexual no homem.

cli·ma·tol·o·gy (kli"mah-tol'ah-je) – climatologia; estudo das condições ambientais naturais, por exemplo, precipitação de chuvas e temperatura em regiões específicas da terra.

cli·ma·to·ther·a·py (kli"mah-to-ther'ah-pe) – climatoterapia; tratamento de uma doença por meio de um clima favorável.

cli·max (kli'maks) – clímax; período de maior intensidade, como o que ocorre no curso de uma doença.

clin·da·my·cin (klin"dah-mi'sin) – clindamicina; derivado semi-sintético da lincomicina, utilizado como antibacteriano, primariamente contra bactérias Gram-positivas; também utilizado como sais de cloridrato e fosfato.

clin·ic (klin'ik) – clínica: 1. palestra clínica; exame de pacientes diante de uma classe de estudantes; instrução no leito; 2. instituição; estabelecimento onde se admitem pacientes para estudo e tratamento por um grupo de médicos que praticam medicina em conjunto. **ambulant c.** – c. ambulante; clínica para pacientes não-confinados ao leito. **dry c.** – c. seca; palestra clínica com histórias de casos, mas sem a presença de pacientes.

clin·i·cal (klin'ĭ -k'l) – clínico; relativo à clínica ou leito; relativo ou fundamentado na observação real, bem como no tratamento de pacientes, em oposição às ciências básicas ou teóricas.

cli·ni·cian (klĭ -nish'in) – clínico; médico ou professor clínico especializado. **nurse c.** – enfermeira clínica; ver em *nurse.*

clin·i·co·patho·log·ic (klin"ĭ -ko-path"ah-loj'ik) – clinicopatológico; relativo a sintomas e à patologia de uma doença.

Clin·i·stix (klin'ĭ -stiks) – Clinistix, marca registrada de faixas de reagente de glicose-oxidase, utilizados para teste de glicose na urina.

Clin·i·test (-test) – Clinitest, marca registrada de comprimidos de reagentes de sulfato de cobre alcalinos utilizados para teste de substâncias redutoras (como, por exemplo, açúcares) na urina.

cli·no·ceph·a·ly (kli"no-sef'ah-le) – clinocefalia; cabeça em sela; achatamento ou concavidade congênitos do vértice da cabeça.

cli·no·dac·ty·ly (-dak'til-e) – clinodactilia; desvio ou deflexão permanentes de um ou mais dedos.

cli·noid (klī 'noid) – clinóide; em forma de leito.

cli·o·quin·ol (kli"o-kwin'ol) – clioquinol; agente antiamébico, antibacteriano e antifúngico com ações antieczemáticas e antipruriginosas.

clip (klip) – grampo, clipe; dispositivo metálico para aproximar as bordas de um ferimento ou impedir sangramento a partir de pequenos vasos sangüíneos individuais.

clis·e·om·e·ter (klis"e-om'it-er) – clisiômetro; instrumento para medir os ângulos entre o eixo do corpo e σ da pelve.

clit·i·on (klit'e-on) – clítion; o ponto médio da borda anterior do clivo.

clit·o·ri·dec·to·my (klit"ah-rĭ -dek'tah-me) – clitoridectomia; excisão do clitóris.

clit·o·ri·dot·o·my (-dot'ah-me) – clitoridotomia; incisão do clitóris; circuncisão feminina.

clit·o·ri·meg·a·ly (-meg'ah-le) – clitorimegalia; aumento de volume do clitóris.

clit·o·ris (klit'ah-ris) – clitóris; pequeno corpo erétil alongado na mulher, situado no ângulo anterior da rima pudenda e homólogo ao pênis no homem.

clit·o·rism (klit'ah-rizm) – clitorismo: 1. hipertrofia do clitóris; 2. ereção persistente do clitóris.

clit·o·ri·tis (klit"ah-rĭ t'is) – clitorite; inflamação do clitóris.

clit·o·ro·plas·ty (klit'er-o-plas"te) – clitoroplastia; cirurgia plástica do clitóris.

cli·vog·ra·phy (kli-vog'rah-fe) – clivografia; visualização radiográfica do clivo ou da fossa cranial posterior.

cliv·us (kli'vus) [L.] – clivo; superfície óssea na fossa cranial posterior que se inclina em sentido ascendente do forame magno até a sela dorsal.

CLL – chronic lymphocytic leukemia (LLC, leucemia linfocítica crônica).

clo·a·ca (klo-a'kah) [L.] pl. *cloacae* – cloaca: 1. passagem comum para descarga fecal, urinária e reprodutiva na maioria dos vertebrados inferiores; 2. extremidade terminal do intestino grosso antes da divisão no reto, bexiga e primórdios genitais nos embriões dos mamíferos; 3. abertura no invólucro de um osso necrosado. **cloa'cal** – adj. cloacal.

clo·a·co·genic (klo"ah-ko-jen'ik) – cloacogênico; que se origina a partir da cloaca ou de restos cloacais persistentes.

clo·be·ta·sol (klo-ba'tah-sol) – clobetasol; tranqüilizante menor, utilizado como sal de propionato.

clock (klok) – relógio; dispositivo para medir o tempo. **biological c.** – r. biológico; mecanismo fisiológico que rege a ocorrência rítmica de determi-

nados fenômenos bioquímicos, fisiológicos e comportamentais nos organismos vivos.

clo·fi·brate (klo-fi'brāt) – clofibrato; anti-hiperlipidêmico utilizado para reduzir os lipídios séricos.

clomiphene (klo'mĭ -fēn) – clomifeno; análogo estrogênico não-esteróide utilizado como sal de citrato para estimular a ovulação.

clo·nal·i·ty (klo-nal'ĭ -te) – clonalidade; capacidade de formar clones.

clo·naz·e·pam (klo-naz'ě-pam) – clonazepam; derivado benzodiazepínico utilizado como anticonvulsivante oral.

clone (klōn) – clone: 1. progênie geneticamente idêntica produzida pela reprodução assexuada natural ou artificial de um organismo, célula ou gene únicos, por exemplo, mudas de plantas, cultura celular originária de uma única célula ou genes reproduzidos por meio da tecnologia de DNA recombinante; 2. para estabelecer ou produzir essa linha da progênie. **clo'nal** – adj. clonal.

clo·ni·dine (klo'nĭ -dēn) – clonidina; agente anti-hipertensivo que age centralmente, utilizado como sal de cloridrato; também utilizado na profilaxia da hemicrânia e tratamento da dismenorréia, sintomas menopáusicos e remoção de opióides.

clon·ism (klon'izm) – clonismo; sucessão de espasmos clônicos.

clo·no·gen·ic (klo"no-jen'ik) – clonogênico; que dá origem a um clone de células.

clo·nor·chi·a·sis (klo"nor-ki'ah-sis) – clonorquíase; clonorquiose; infecção das passagens biliares pelo trematódeo hepático da espécie *Clonorchis sinensis*, que causa inflamação da árvore biliar, proliferação do epitélio biliar e fibrose portal progressiva; a extensão no parênquima hepático causa alterações gordurosas e cirrose.

clono·spasm (klon'o-spazm) – clonospasmo; espasmo clônico.

clo·nus (klo'nus) – clono; clônus; contração e relaxamento musculares involuntários alternados em sucessão rápida. **clon'ic** – adj. clônico. **ankle c., foot c.** – c. calcâneo; uma série de movimentos reflexos anormais do pé, induzidos por dorsoflexão súbita, causando contração alternada e relaxamento do músculo tríceps sural. **wrist c.** – c. do punho; movimento espasmódico da mão, induzido por extensão forçada da mão no punho.

clor·az·e·pate (klor-az'ě-pāt) – clorazepato; um dos tranqüilizantes benzodiazepínicos utilizado como dipotássico.

clor·ter·mine (-ter'měn) – clortermina; adrenérgico utilizado em forma de sal de cloridrato como anoréxico no tratamento da obesidade.

Clos·trid·i·um (klos-trid'e-um) – *Clostridium;* gênero de bactérias anaeróbias formadoras de esporos (família Bacillaceae). **c. bifermen'tans** – *C. bifermentans;* espécie comum nas fezes, esgotos e solo e associada à gangrena gasosa. **C. botuli'num** – *C. botulinum;* agente causador do botulismo, dividido em seis tipos (A a F) que elaboram toxinas imunologicamente distintas. **C. diffi'cile** – *C. difficile;* espécie que em geral ocorre transitoriamente no intestino das crianças, mas cuja toxina causa enterocolite pseudomembranosa nas crianças que recebem antibioticoterapia prolongada. **C.** **histoly'ticum** – *C. histolyticum*; espécie encontrada nas fezes e no solo. **C.** **kluy'veri** – *C. kluyveri*; espécie utilizada tanto no estudo da síntese como da oxidação microbianas dos ácidos graxos. **C.** **no'vyi** – *C. novyi;* causa importante de gangrena gasosa. **C.** **oedema'tiens** – *C. oedematiens; C. novyi.* **C.** **perfrin'gens** – *C. perfringens;* o mais comum agente etiológico da gangrena gasosa, classificados em vários tipos: tipo A (gangrena gasosa, colite necrosante e intoxicação alimentar nos humanos), B (disenteria ovina), C (enterite necrosante nos humanos), D (enterotoxemia ovina) e E (enterotoxemia ovina e dos bezerros). **C.** **ramo'sum** – *C. ramosum;* espécie encontrada em infecções humanas e animais e nas fezes, um dos clostrídios mais comumente isolados nas amostras clínicas. **C.** **sporo'genes** – *C. sporogenes;* espécie disseminada na natureza, notadamente associada a anaeróbios patogênicos em infecções gangrenosas. **C.** **ter'tium** – *C. tertium;* espécie encontrada nas fezes, esgoto e solo e presente em algumas infecções gangrenosas. **C.** **te'tani** – *C. tetani;* um habitante comum do solo e intestinos humano e eqüino, e causa do tétano em humanos e animais domésticos. **C.** **wel'chii** – *C. welchii;* nome britânico para a *C. perfringens.*

clos·trid·i·um (klos-trid'e-um) [L.] pl. *clostridia* – clostrídio; indivíduo do gênero *Clostridium.*

clo·sy·late (klo'sĭ-lāt) – closilato; contração da USAN para o *p*-clorobenzenossulfonato.

clot (klot) – coágulo: 1. massa semi-solidificada de coágulo como o sangue ou linfa; 2. coagular, formação dessa massa. **agony c.** – c. agônico; coágulo formado no coração durante a agonia da morte. **antemortem c.** – c. antemorte; coágulo formado no coração ou grande vaso antes da morte. **blood c.** – c. sangüíneo; coágulo formado de sangue tanto dentro como fora do corpo. **chicken fat c.** – c. em gordura de galinha; coágulo sangüíneo de aparência amarela decorrente de deposição de hemácias antes da coagulação. **currant jelly c.** – c. em groselha gelatinosa; coágulo avermelhado devido à presença de hemácias emaranhadas nele. **laminated c.** – c. laminado; coágulo sangüíneo formado por depósitos sucessivos, conferindo-lhe aparência em camadas. **passive c.** – c. passivo; coágulo formado no saco de um aneurisma por onde o sangue parou de circular. **plastic c.** – c. plástico; coágulo formado a partir da túnica íntima de uma artéria no ponto de ligação, gerando obstrução permanente da artéria. **postmortem c.** – c. pós-morte; coágulo formado no coração ou grande vaso após a morte.

clo·trim·a·zole (klo-trim'ah-zōl) – clotrimazol; derivado imidazólico utilizado como agente antifúngico de amplo espectro.

cloud·ing (klowd'ing) – turvação; obscurecimento; perda de claridade. **c. of consciousness** – turvação da consciência; nível de consciência reduzido caracterizado por perda de percepção ou compreensão do ambiente, bem como perda da capacidade de responder apropriadamente aos estímulos externos.

clox·a·cil·lin (klok"sah-sil'in) – cloxacilina; penicilina semi-sintética; utilizada como sal sódico para tratar infecções estafilocócicas decorrentes de organismos penicilinase-positivos.

club·bing (klub'ing) – baqueteamento; proliferação de tecido mole ao redor das falanges terminais dos dedos e artelhos sem alteração óssea.

club·foot (-foot) – pé torto; deformação congênita do pé; ver *talipes.*

club·hand (-hand) – mão torta; deformidade manual análoga ao pé torto; talipômano.

clump·ing (klump'ing) – aglutinação; agregação de partículas (tais como bactérias) em massas irregulares.

clu·nis (kloo'nis) [L.] pl. *clunes* – nádegas. **clu'neal** – adj. glúteo.

cly·sis (kli'sis) – clise: 1. administração não-oral de uma de várias soluções para repor fluido corporal perdido, suprir alimentos ou elevar a pressão sangüínea; 2. solução administrada dessa forma.

clys·ter (klis'ter) – clíster; enema (*enema*).

CM [L.] – *Chirurgiae Magister* (Mestre em Cirurgia).

Cm – símbolo químico, cúrio (*curium*).

cm – centimeter (centímetro).

cm² – square centimeter (centímetro quadrado).

cm³ – cubic centimeter (centímetro cúbico).

CMA – Canadian Medical Association; Certified Medical Assistant (Associação Médica; Assistente Médico Diplomado).

CMI – cell-mediated immunity (imunidade mediada por células).

CMT – Certified Medical Transcriptionist (Transcritor Médico Diplomado).

CMV – cytomegalovirus (citomegalovírus).

CNA – Canadian Nurses' Association (Associação dos Enfermeiros Canadenses).

cne·mi·al (ne'me-il) – cnêmico; relativo ao queixo.

Cni·dar·ia (ni-dar'e-ah) – Cnidaria; filo de invertebrados marinhos que inclui as anêmonas-do-mar, hidras, corais e águas-vivas, caracterizado por um corpo radialmente simétrico com tentáculos ao redor da boca.

CNM – Certified Nurse-Midwife (Enfermeira-Parteira Diplomada); ver *nurse midwife.*

CNS – central nervous system (SNC; sistema nervoso central).

Co – símbolo químico, cobalto (*cobalt*).

COA – Canadian Orthopaedic Association (Associação Ortopédica Canadense).

CoA – coenzyme A (coenzima A).

co·ac·er·va·tion (ko-as-er-va'shun) – coacervação; separação de uma mistura de dois líquidos, um deles ou ambos colóides, em duas fases, sendo um deles um co-acervato, contendo partículas coloidais e o outro uma solução aquosa como ocorre ao acréscimo de goma arábica a gelatina.

co·ad·ap·ta·tion (ko"ad-ap-ta'shun) – co-adaptação; alterações correlacionadas em dois órgãos interdependentes.

co·ag·glu·ti·na·tion (ko"ah-gloot"in-a'shun) – co-aglutinação; agregação de antígenos particulados combinados com aglutininas de mais de uma especificidade.

co·ag·u·la·bil·i·ty (ko-ag"u-lah-bil'it-e) – coagulabilidade; capacidade de formar ou ser formado em coágulos.

co·ag·u·lant (ko-ag'u-lint) – coagulante; promoção ou aceleração da coagulação sangüínea; agente que atua dessa forma; coagulativo.

co·ag·u·lase (-lās) – coagulase; substância antigênica de origem bacteriana, produzida por estafilococos, que pode se relacionar causalmente à formação de um trombo.

co·ag·u·late (-lāt) – coagular: 1. causar coagulação; 2. tornar-se coagulado.

co·ag·u·la·tion (ko-ag"u-la'shun) – coagulação: 1. formação de coágulo; 2. em Cirurgia, ruptura de um tecido por meios físicos para formar resíduo amorfo como é o caso de eletrocoagulação e fotocoagulação. **blood c.** – c. sangüínea; processo seqüencial pelo qual interagem vários fatores de coagulação sangüínea, resultando na formação de um coágulo insolúvel, divisível em três estágios: (1) formação do princípio conversor de protrombina intrínseco e extrínseco; (2) formação de trombina; (3) formação de polímeros de fibrina estáveis. **diffuse intravascular c., disseminated intravascular c. (DIC)** – c. intravascular disseminada; um distúrbio caracterizado pela redução dos elementos envolvidos na coagulação sangüínea em virtude de seu uso em coagulação sangüínea disseminada dentro dos vasos. Nos estágios finais, é caracterizada por hemorragia profunda. **electric c.** – c. elétrica; destruição de tecido por meio de aplicação de corrente bipolar administrada pela ponta de agulha.

co·ag·u·lop·a·thy (ko-ag"u-lop'ah-the) – coagulopatia; qualquer distúrbio da coagulação sangüínea. **consumption c.** – c. de consumo; coagulação intravascular disseminada.

co·ag·u·lum (ko-ag'u-lum) [L.] pl. *coagula* – coágulo; coalho. **closing c.** – c. de fechamento; coágulo que fecha o intervalo feito no revestimento uterino pelo blastocisto em implantação.

co·a·les·cence (ko"ah-les'ens) – coalescência; fusão ou combinação de partes.

co·a·li·tion (ko"ah-lĭ'shun) – coalescência; fusão de partes normalmente separadas. **tarsal c.** – c. társica; fusão fibrosa, cartilaginosa ou óssea de dois ou mais ossos társicos, resultando geralmente em um talipe planovalgo.

co·apt (ko-apt') – coaptar; aproximar, por exemplo, as bordas de um ferimento.

co·arc·tate (ko-ark'tāt) – coarctado; coartado: 1. comprimir; contrair 2. comprimido; restrito.

co·arc·ta·tion (ko"ark-ta'shun) – coarctação; coartação; compressão; estreitamento. **c. of aorta** – c. aórtica; malformação local caracterizada por túnicas aórticas deformadas, causando o estreitamento do lúmen de um vaso. **reversed c.** – c. inversa; arterite de Takayasu.

coat (kōt) – revestimento; camada; película: 1. túnica; membrana ou outro tecido que recobre ou reveste um órgão ou parte; 2. a(s) camada(s) de proteínas protetoras ao redor do ácido nucleico em um vírus. **buffy c.** – c. leucocitária; camada amarelada fina de leucócitos que se sobrepõe às hemácias das no sangue centrifugado.

co·bal·a·min (ko-bal'ah-min) – cobalamina; composto que compreende o anel substituído e a estrutura de um nucleotídeo característicos da vitamina B_{12}, ambos sem um ligando na posição 6 do cobalto ou um derivado substituído, incluindo a cianocobalamina, particularmente a que tem atividade de vitamina B_{12}.

co·balt (ko'bawlt) – cobalto, elemento químico (ver *Tabela de Elementos*), número atômico 27, símbolo Co. A inalação do pó pode causar pneumoconiose e a exposição ao pó pode causar dermatite. **c. 60** – c. 60; cobalto 60; radioisótopo de cobalto com meia-vida de 5,27 anos e energia principal de raios gama de 1,33 MeV; utilizado em radioterapia.

co·bra (ko'brah) – naja; uma das várias cobras elapídeas extremamente venenosas comumente encontradas na África, Ásia e Índia, capazes de expandir a região do pescoço formando um capuz e que apresentam presas pequenas, eretas, profundamente sulcadas, e comparativamente curtas. A maioria injeta o veneno por meio de picada, mas algumas espécies (as *najas-cuspidoras*) podem ejetar borrifos finos de veneno a vários metros e causar irritação ocular severa ou cegueira.

co·caine (ko-kān', ko'kān) – cocaína; alcalóide obtido a partir de folhas de várias espécies de *Erythroxylon* (coca) ou produzido sinteticamente e utilizado como anestésico local; também utilizada como sal de cloridrato. O abuso pode levar ao vício.

co·car·cin·o·gen (ko"kahr-sin'o-jen) – cocarcinógeno; que promove câncer; ver *promoter* (3).

co·car·ci·no·gen·e·sis (ko-kahr"sĭ-no-jen'ĕ-sis) – cocarcinogênese; desenvolvimento (de acordo com uma teoria) de câncer somente em células pré-condicionadas como resultado de condições favoráveis ao seu crescimento.

coc·ci (kok'si) [L.] pl. de *coccus*.

Coc·cid·ia (kok-sid'e-ah) – Coccidia; subclasse de protozoários parasitas que compreende as ordens Agamococcidiida, Protococcidiida e Eucoccidiida.

coc·cid·ia (kok-sid'e-ah) – plural de *coccidium*.

Coc·cid·i·oi·des (kok-sid"e-oi'dēz) – *Coccidioides*; gênero de fungos patogênicos que inclui *C. immitis*, causa da coccidioidomicose; coccidióide.

coc·cid·i·oi·din (-din) – coccidioidina; preparação estéril ou contém derivados de produtos de crescimento de *Coccidioides immitis*, injetado subcutaneamente como teste para coccidioidomicose.

coc·cid·i·oi·do·ma (-do'mah) – coccidioidoma; nódulos pulmonares granulomatosos residuais observados radiograficamente como focos redondos sólidos na coccidioidomicose.

coc·cid·i·o·my·co·sis (-oi"do-mo'sis) – coccidioidomicose; infecção por *Coccidioides immitis*, que ocorre como infecção respiratória devido à inalação dos esporos, com variações de severidade que vão de um resfriado comum a sintomas semelhantes aos de gripe *(c. primária)* ou de doença granulomatosa progressiva, crônica e grave, que resulta em envolvimento dos tecidos cutâneo e subcutâneo do sistema nervoso central e dos pulmões *(c. secundária)*.

coc·cid·i·o·sis (kok-sid"e-o'sis) – coccidiose; infecção por coccídios. No homem, aplica-se à presença de *Isospora hominis* ou *I. belli* nas fezes; é freqüentemente assintomática, raramente causando diarréia mucosa aquosa severa.

coc·cid·i·um (kok-sid'e-um) pl. *coccidia* – coccídio; membro da subclasse Coccidia.

coc·ci·gen·ic (kok"sĭ -jen'ik) – coccigênico; produzidos por cocos.

coc·co·bac·il·lus (kok"o-bah-sil'us) pl. *coccobacilli* – cocobacilo; célula bacteriana oval intermediária entre as formas de coco e bacilo. **coccobac'illary** – adj. cocobacilar.

coc·co·bac·te·ria (-bak-tēr'e-ah) – cocobactérias; nome comum de bactérias esferóides ou cocos bacterianos.

coc·cus (kok'us) [L.] pl. *cocci* – coco; bactéria esférica de menos de 1μ de diâmetro. **coc'cal** – adj. cócico.

coc·cy·al·gia (kok"se-al'je-ah) – coccialgia; coccigodinia (*coccygodynia*).

coc·cyg·e·al (kok-sij'e-il) – coccígeo; relativo ou localizado na região do cóccix.

coc·cy·gec·to·my (kok"sĭ -jek'tah-me) – coccigectomia; excisão do cóccix.

coc·cy·go·dyn·ia (-go-din'e-ah) – coccigodinia; coccialgia; dor no cóccix e região adjacente.

coc·cy·got·o·my (-got'ah-me) – coccigotomia; incisão do cóccix.

coc·cyx (kok'siks) – cóccix; ver *Tabela de Ossos*.

coch·i·neal (koch'ĭ -nēl) – cochonilha; insetos-fêmea dessecados da espécie *Coccus cacti* (que compreendem larvas jovens) utilizados como agente corante de produtos farmacêuticos bem como corante biológico.

coch·lea (kok'le-ah) – cóclea: 1. qualquer coisa em formato espiral; 2. tubo espiralado que faz parte do ouvido interno, consistindo em um órgão essencial da audição. Ver Prancha XII. **coch'lear** – adj. coclear.

coch·le·ar·i·form (kok"le-ar'ĭ -form) – cocleariforme; em forma de colher.

coch·le·o·sac·cu·lot·o·my (kok"le-o-sak"u-lot'ah-me) – cocleossaculotomia; criação de fístula entre o sáculo e o ducto coclear por meio de abertura através da janela redonda para aliviar uma hidropisia endolinfática.

coch·le·o·top·ic (kok"le-o-top'ik) – cocleotópico; relativo à organização de vias auditivas e área auditiva do cérebro.

Coch·lio·my·ia (-mi'ah) – *Cochliomyia*; gênero de moscas que inclui a *C. hominivorax* (mosca-varejeira), que deposita seus ovos em ferimentos de animais; após eclodirem, as larvas escavam o ferimento e se alimentam de tecido vivo.

coc·to·la·bile (kok"tah-la'bil) – coctolábil; capaz de se alterar ou ser destruído pelo aquecimento.

coc·to·sta·bile (-sta'bil) – coctoestável; não-alterado pelo aquecimento até o ponto de fervura da água.

code (kōd) – código: 1. conjunto de regras para regular uma conduta; 2. sistema pelo qual podem-se transmitir informações. **genetic c.** – c. genético; arranjo de nucleotídeos na cadeia polinucleotídica de um cromossomo que rege a transmissão de informação genética para proteínas, ou seja, a determinação da seqüência de aminoácidos na

cadeia polipeptídica que constitui cada proteína sintetizada pela célula. **triplet c.** – c. tripleto; códon.

co·deine (ko'dĕn) – codeína; alcalóide narcótico obtido do ópio ou preparado a partir da morfina através de metilação e utilizado como analgésico e antitussígeno; também utilizada como sais de fosfato e de sulfato.

co·dom·i·nance (ko-dom'ĭ -nins) – co-dominância; expressão completa em um heterozigoto de ambos os alelos de um par sem nenhuma influência recíproca como é o caso de uma pessoa de grupo sangüíneo AB. **codom'inant** – adj. co-dominante.

co·don (ko'don) – códon; tripleto; série de três bases adjacentes em uma cadeia polinucleotídica de uma molécula de DNA ou de RNA que codifica para um aminoácido específico.

coe- – consulte também palavras com prefixo *ce-*.

co·ef·fi·cient (ko"ah-fish'int) – coeficiente: 1. expressão da alteração ou efeito produzido pela variação de determinados fatores ou da proporção entre duas quantidades diferentes; 2. número ou cifra colocado antes de uma fórmula química para indicar quantas vezes a fórmula deverá ser multiplicada. **absorption c.** – c. de absorção: 1. absortividade; 2. c. de absorção linear; 3. c. de absorção de massa. **biological c.** – c. biológico; a quantidade de energia potencial consumida pelo corpo em repouso. **correlation c.** – c. de correlação; medida de relação entre duas variáveis estatísticas, mais comumente expresso como sua co-variação dividida pelo desvio padrão de cada uma. **linear absorption c.** – c. de absorção linear; em Física Nuclear, a fração de um raio de radiação absorvido por unidade de espessura do absorvedor. **mass absorption c.** – c. de absorção de massa; em Física Nuclear, o coeficiente de absorção linear dividido pela densidade do absorvente. **phenol c.** – c. fenólico; medida da atividade bactericida de um composto químico com relação ao fenol. **sedimentation c.** – c. de sedimentação; a velocidade com que uma partícula se sedimenta em uma centrífuga com relação a um campo centrífugo aplicado, geralmente expresso em unidades Svedberg (S), equivalente a 10^{-13} segundos, uso são utilizados para caracterizar o tamanho das macromoléculas. **c. of thermal conductivity** – c. de condutividade térmica; um número que indica a quantidade de calor que passa em uma unidade de tempo através de uma unidade de espessura de uma substância quando a diferença na temperatura for de 1°C. **c. of thermal expansion** – c. de expansão térmica; alteração de volume por unidade de volume de uma substância produzida por elevação de temperatura de 1°C.

-coele [Gr.] – -cele, elemento de palavra, *cavidade; espaço*.

Coe·len·ter·a·ta (se-len"ter-a'tah) – Coelenterata; antigo nome para filo de invertebrados que incluía as hidras, águas-vivas, anêmonas-do-mar e corais, que hoje constituem o filo Cnidaria.

coe·len·ter·ate (se-len'ter-āt) – celenterado: 1. relativo ou pertencente ao filo Cnidaria; 2. membro do filo Cnidaria.

coe·lo·blas·tu·la (se"lo-blas'tu-lah) – celoblástula; tipo comum de blástula, que consiste de uma esfera oca composta de blastômeros.

coe·lom (se'lom) – celoma; cavidade corporal, especialmente a cavidade no embrião dos mamíferos entre a somatopleura e a esplancnopleura, que é tanto ultra como extra-embrionário; as principais cavidades do tronco surgem a partir da porção intra-embrionária. **coelom'ic** – adj. celômico.

coe·lo·mate (sēl'ah-māt) – celomado: 1. que tem um celoma; 2. um membro do Eucoelomata; eucelomado.

coe·lo·so·my (sēl"ah-so'me) – celossomia; anomalia de desenvolvimento caracterizada por protrusão das vísceras a partir da cavidade corporal, permanecendo no lado externo da mesma.

coe·nu·ro·sis (se"nu-ro'sis) – cenurose; infecção pelo cenuro; é a cenurose dos ovinos ou uma infecção rara no homem, que se manifesta quando os cistos se encontram no sistema nervoso central e aumentam a pressão intracranial.

Coe·nu·rus (se-nu'rus) – *Coenurus*; gênero de determinados trematódeos; que incluem a *C. cerebralis* (a larva do *Multiceps multiceps*) que causam a cenurose.

coe·nu·rus (se-nu'rus) – cenuro; estágio larval das tênias do gênero *Multiceps*, um organismo vesicóide, semitransparente e preenchido por fluido que contém escóleces múltiplos presos à superfície interna da sua parede e que não forma cápsulas reprodutivas. Desenvolve-se em várias partes do corpo do hospedeiro, especialmente no sistema nervoso central.

co·en·zyme (ko-en'zī m) – coenzima; uma molécula orgânica que contém fósforo e vitaminas, algumas vezes separável da proteína enzimática; uma coenzima e uma apoenzima devem se juntar para funcionar (como uma holoenzima). **c. A** – c. A; coenzima que contém entre os seus constituintes o ácido pantotênico e um grupo tiol terminal que forma ligações tioésteres ricas em energia com vários ácidos como por exemplo, o ácido acético (acetil-CoA) e os ácidos graxos (acil-CoA); esses tioésteres exercem um papel central no ciclo do ácido tricarboxílico, na transferência dos grupos acetil e oxidação dos ácidos graxos. Abreviação: CoA e CoA-SH. **c. Q** – c. Q; o nome antigo da ubiquinona (*ubiquinone*).

coeur (ker) [Fr.] – coração. **c. em sabot** – c. em tamanco; coração cuja forma em uma radiografia é semelhante a um tamanco de madeira; observado na tetralogia de Fallot.

co·fac·tor (ko'fak-ter) – co-fator; elemento ou princípio (como uma coenzima) com o qual outro elemento deve se unir para funcionar.

Co·gen·tin (ko-jen'tin) – Cogentin, marca registrada de preparações de mesilato de benzotropina.

cog·ni·tion (kog-nish'in) – cognição; operação de processo mental pela qual nos tornamos conscientes dos objetos de pensamento e percepção, incluindo todos os aspectos da percepção, pensamento e memória. **cog'nitive** – adj. cognitivo.

co·he·sion (ko-he'zhun) – coesão; força que faz com que várias partículas se unam. **cohe'sive** – adj. coesivo.

co·hort (ko'hort) – coorte; em estatística, um grupo de indivíduos da mesma idade acompanhado por longo tempo a fim de se determinar a incidência de uma doença (ou de outra estatística variável) em idades diferentes.

coil (koil) – espiral; estrutura em caracol ou espiral.

coi·no·site (koi'no-sīt) – coinosito; organismo comensal livre.

co·i·to·pho·bia (ko"it-ah-fo'be-ah) – coitofobia; medo mórbido do coito.

co·i·tus (ko'it-us) – coito; conexão sexual *per vaginam* entre o homem e a mulher. **co'ital** – adj. coital. **c. incomple'tus, c. interrup'tus** – c. incompleto; c. interrompido; o coito no qual o pênis é retirado da vagina antes da ejaculação. **c. reserva'tus** – c. reservado; coito no qual se suprime propositalmente a ejaculação do sêmen.

col (kol) – desfiladeiro; uma depressão nos tecidos interdentários imediatamente abaixo da área de contato interproximal, conectando-se às papilas bucal e lingual.

col·chi·cine (kol'chĭ-sĕn) – colchicina; alcalóide ($C_{22}H_{25}NO_6$) proveniente da árvore *Colchicum autumnale* (açafrão-do-prado), utilizado como supressivo da gota.

cold (kōld) – frio: 1. temperatura baixa, atividade fisiológica ou radioatividade; 2. resfriado comum; distúrbio catarral do trato respiratório superior, que pode ser viral, infecção mista ou reação alérgica e é caracterizado por coriza aguda, ligeira elevação da temperatura, calafrios e indisposição geral. **common c.** – resfriado comum; ver *cold* (2). **rose c.** – febre do feno; rinite alérgica; uma forma de febre do feno sazonal causada pelo pólen de rosas.

cold·sore (kōld'sor) – herpes labial; ver *herpes simplex*.

co·lec·to·my (ko-lek'tah-me) – colectomia; excisão do cólon ou parte dele.

Co·le·si·o·ta (ko-le"se-o'tah) – *Colesiota*; gênero de microrganismos da classificação incerta, que inclui a *C. conjunctivae* (agente causador da oftalmia infecciosa dos ovinos).

co·les·ti·pol (ko-les'tĭ-pol) – colestipol; resina de troca aniônica que se liga a ácidos biliares nos intestinos formando um complexo que é excretado nas fezes; administrado em forma de sal de cloridrato como anti-hiperlipoproteinêmico.

co·li·bac·il·lo·sis (ko"lĭ-bas"ĭ-lo'sis) – colibacilose; infecção por *Escherichia coli*.

co·li·bac·il·lus (ko"lĭ-bah-sil'us) – colibacilo; *Escherichia coli*.

col·ic (kol'ik) – cólica; cólico: 1. dor abdominal paroxística aguda; 2. pertinente ao cólon. **appendicular c.** – c. apendicular; c. vermicular. **biliary c.** – c. biliar; c. da litíase biliar; c. hepática; cólica em conseqüência da passagem de cálculos biliares ao longo do ducto biliar. **Devonshire c.** – c. de Devonshire; c. plúmbica; c. do pintor; c. saturnina. **gallstone c.** – c. da litíase biliar; c. biliar. **gastric c.** – c. gástrica; dor no estômago. **hepatic c.** – c. hepática; c. biliar. **infantile c.** – c. infantil; dor abdominal paroxística benigna durante os primeiros 3 meses de vida. **lead c.** – c. plúmbica; cólica decorrente de intoxicação por chumbo. **mens-**

trual c. – c. menstrual; dismenorréia. **ovarian c.** – c. ovariana; dor ovariana. **painters' c.** – c. do pintor; c. saturnina; c. plúmbica. **renal c.** – c. renal; dor em decorrência de trombose da veia ou artéria renais, dissecção da artéria renal, infartação renal, lesões da massa intra-renal ou passagem de um cálculo pelo sistema coletor. **sand c.** – c. por areia; indigestão crônica. **uterine c.** – c. uterina; cólica severa no útero durante o período menstrual. **vermicular c.** – c. vermicular; c. apendicular; dor no apêndice vermicular causada por inflamação catarral em virtude de bloqueio da saída do apêndice.

col·i·ca (kol'ĭ -kah) [L.] – cólica; ver *colic*.

col·i·cin (kol'ĭ -sin) – colicina; proteína secretada por cepas colicinogênicas da *Escherichia coli* e outras enterobactérias; letal para bactérias sensíveis relacionadas.

col·i·cky (kol'ik-e) – colicativo; relativo à cólica.

col·i·co·ple·gia (ko"lĭ -ko-ple'je-ah) – colicoplegia; cólica e paralisia plúmbicas combinadas.

co·li·cys·ti·tis (ko"lĭ -sis-ti'tis) – colicistite; cistite decorrente de *Escherichia coli*.

co·li·cys·to·py·eli·tis (sis"to-pi"ĕ-li'tis) – colicistopielite; inflamação da bexiga e da pelve renal devida à *Escherichia coli*.

col·i·form (kol'ĭ -form) – coliforme; relativo aos bacilos entéricos Gram-negativos fermentadores, algumas vezes restrito aos que fermentam lactose, ou seja, *Escherichia, Klebsiella, Enterobacter* e *Citrobacter*.

col·i·phage (kŏl'ĭ -făj) – colífago; qualquer bacteriófago que infecta a *Escherichia coli*.

co·li·punc·ture (-pungk"cher) – colipuntura; colocentese.

col·is·ti·meth·ate (ko-lis"tĭ -meth'ăt) – colistimetato; derivado da colistina; utiliza-se o sal sódico como antibacteriano.

co·lis·tin (ko-lis'tin) – colistina; antibiótico produzido pela espécie *Bacillus polymyxa*, variação *colistinus*, relacionada à polimixina e utilizado para tratar infecções do trato urinário; o sal de sulfato hidrossolúvel, eficaz contra vários bacilos Gram-negativos (mas não contra o *Proteus*) é utilizado como antibacteriano intestinal.

co·lit·i·des (ko-lit'ĭ -dĕz) pl. de *colitis* – colites; distúrbios inflamatórios do colón, coletivamente.

co·li·tis (ko-li'tis) – colite; inflamação do cólon; ver também *enterocolitis*. **amebic c.** – c. amébica; colite decorrente de *Entamoeba hystolytica*; disenteria amébica. **antibiotic-associated c.** – c. associada a antibióticos; ver em *enterocolitis*. **collagenous c.** – c. colágena; tipo de colite de etiologia desconhecida, caracterizada por depósitos de material colagenoso por baixo do epitélio cólico, caracterizada por dor abdominal semelhante à câimbra e diarréia aquosa. **granulomatous c.** – c. granulomatosa; colite transmural com a formação de granulomas não-caseificados. **ischemic c.** – c. isquêmica; insuficiência vascular aguda do cólon que afeta a porção suprida pela artéria mesentérica inferior; cujos sintomas incluem dor na fossa ilíaca esquerda, diarréia sanguinolenta, febre de baixo grau e distensão e sensibilidade abdominais. **mucous c.** – c. muco-

sa; nome antigo para a síndrome da irritação intestinal (ver *irritable bowel s.*, em *syndrome*). **regional c., segmental c.** – c. regional; c. segmentar; colonopatia inflamatória transmural ou granulomatosa; enterite regional que envolve o cólon. Pode-se associar à ulceração, estenoses ou fístulas. **transmural c.** – c. transmural; inflamação de espessura completa do intestino, em vez de doença na mucosa ou na submucosa, geralmente com formação de granulomas não-caseificados. Pode-se restringir ao cólon, segmentar ou difusamente ou associar-se à patologia do intestino delgado (enterite regional). Clinicamente, pode se assemelhar à colite ulcerativa, mas a ulceração é freqüentemente longitudinal ou profunda, caracterizando-se em geral por enfermidade segmentar, é comum a formação de estenose e fístulas, particularmente no períneo, constituindo uma complicação comum. **c. ulcerativa** – c. ulcerativa; ulceração crônica do cólon, principalmente da mucosa e submucosa, manifestada por dor abdominal semelhante à câimbra, sangramento retal e descargas fluidas de sangue, pus e muco, com partículas fecais escassas.

co·li·tox·emia (ko"lĭ -tok-se'me-ah) – colitoxemia; toxemia em conseqüência de infecção por *Escherichia coli*.

co·li·tox·in (-tok'sin) – colitoxina; toxina proveniente da *Escherichia coli*.

col·la·gen (kol'ah-jen) – colágeno; osteína; osseína; substância protéica das fibras brancas (fibras colagenosas) da pele, tendões, ossos, cartilagens e demais tecidos conjuntivos; composto de moléculas de tropocolágeno. **collag'enous** – adj. colagenoso.

col·la·ge·nase (kŏ-laj'ĭ -năs) – colagenase; enzima que catalisa a hidrólise das ligações peptídicas nas regiões helicóides triplas do colágeno.

col·lag·e·na·tion (-na'shun) – colagenação; aparecimento de colágeno em uma cartilagem em desenvolvimento.

col·lag·e·ni·tis (-ni'tis) – colagenite; envolvimento inflamatório das fibras colagenosas no componente fibroso do tecido conjuntivo, caracterizado por dor, inchaço, febre de baixo grau e elevação da taxa de sedimentação de hemácias.

col·lag·e·no·blast (kol-laj'ĭ -no-blast") – colagenoblasto; célula que surge a partir de um fibroblasto e que, à medida que amadurece, se associa à produção de colágeno; pode também formar cartilagens e ossos por meio de metaplasia.

col·lag·e·no·cyte (-sĭ t") – colagenócito; célula madura produtora de colágeno.

col·la·gen·o·gen·ic (kŏ-laj"ĭ -no-jen'ik) – colagenogênico; relativo ou caracterizado pela produção de colágeno; que forma colágeno ou fibras colagenosas.

col·la·gen·ol·y·sis (kol"ah-jen-ol'ĭ -sis) – colagenólise; dissolução ou digestão do colágeno. **collagenolyt'ic** – adj. colagenolítico.

col·la·gen·o·sis (-o'sis) – colagenose; colagenopatia.

col·lapse (kah-laps') – colapso: 1. estado de prostração e depressão extremas, com deficiência de circulação; 2. queda anormal das paredes de uma parte ou órgão. **circulatory c.** – c. circulatório; choque; insuficiência circulatória sem insuficiência cardíaca congestiva.

col·lar (kol'er) – colar; faixa circular, geralmente ao redor do pescoço. **cervical c.** – c. cervical; ver em *orthosis*. **Philadelphia c.** – c. da Filadélfia; um tipo de ortose cervical que restringe consideravelmente o movimento cervical ântero-posterior, mas permite certa rotação normal e inclinação lateral.

col·lat·er·al (kah-lat'er-al) – colateral: 1. secundário ou acessório; indireto ou não-adjacente; 2. pequeno ramo lateral como um vaso sangüíneo ou nervo.

col·lic·u·lec·to·my (kah-lik"u-lek'tah-me) – coliculectomia; excisão do colículo seminal.

col·lic·u·li·tis (-lī t'is) – coliculite; inflamação na região do colículo seminal.

col·lic·u·lus (kah-lik'u-lus) [L.] pl. *colliculi* – colículo; pequena elevação. **seminal c., c. semina'lis** – c. seminal; porção proeminente da crista uretral masculina onde se situam a abertura do utrículo prostático e, em ambos os lados, os orifícios dos ductos ejaculatórios.

col·li·ma·tion (kol"ĭ-ma'shun) – colimação; em microscopia, o processo de tornar paralelos os raios luminosos; ajuste dos eixos ópticos entre si. Em radiologia, a eliminação da porção mais divergente de um raio X.

col·liq·ua·tive (kah-lik'wah-tiv) – coliquativo; caracterizado por descarga líquida excessiva ou liquefação tecidual.

col·lo·di·a·phys·e·al (kol"o-di"ah-fiz'e-il) – colodiafisário; relativo ao colo e à diáfise de um osso longo, especialmente o fêmur.

col·lo·di·on (kah-lo'de-on) – colódio; líquido com a consistência de xarope, composto de piroxilina, éter e álcool, que seca em uma película transparente e firme, utilizado como protetor tópico, aplicado à pele para fechar ferimentos pequenos, abrasões e cortes, manter curativos cirúrgicos no local, bem como conservar medicações em contato com a pele. **flexible c.** – c. flexível; preparação de colódio, cânfora e óleo de rícino; utilizado como protetor tópico. **salicylic acid c.** – c. de ácido salicílico; colódio flexível que contém ácido salicílico; utilizado topicamente como ceratolítico.

col·loid (kol'oid) – colóide: 1. glutinoso ou semelhante à cola; 2. sistema químico composto de um meio contínuo (fase contínua) através do qual se distribuem pequenas partículas, de 1 a 1000 nm de tamanho (fase dispersa), que não se sedimentam sob a influência da gravidade; as partículas podem ficar em emulsão ou em suspensão. **stannous sulfur c.** – c. de enxofre estanhoso; colóide de enxofre que contém íons de estanho formados por meio de reação do tiossulfato de sódio com ácido clorídrico, depois adicionando-se íons de estanho; auxílio diagnóstico (obtenção de imagens óssea, hepática e esplênica).

col·lum (kol'um) [L.] pl. *colla* – colo; pescoço; parte semelhante ao colo ou pescoço. **c. distor'tum** – c. torcido; torcicolo. **c. val'gum** – c. valgo.

col·lu·to·ry (kol'u-tor-e) – colutório; lavagem bucal ou gargarejo.

col·lyr·i·um (kŏ-lir'e-um) [L.] pl. *collyria* – colírio; loção para os olhos; lavagem ocular.

col(o)- [Gr.] – col(o)-, elemento de palavra, *cólon*.

col·o·bo·ma (kol"o-bo'mah) [L.] pl. *colobomas, colobomata* – coloboma; ausência ou defeito de algum tecido ocular, em conseqüência de incapacidade de parte de uma fissura fetal fechar-se; pode afetar a coróide, corpo ciliar, pálpebra, íris, cristalino, nervo óptico ou retina. **bridge c.** – c. em ponte; coloboma da íris em que uma faixa de tecido irídico transpõe a fissura. **Fuchs' c.** – c. de Fuchs; pequeno defeito em forma de crescente da coróide na borda inferior do disco óptico. **c. lo'buli** – c. do lóbulo; fissura do lobo auricular.

co·lo·cen·te·sis (ko"lo-sen-te'sis) – colocentese; punção cirúrgica do cólon.

co·lo·cho·le·cys·tos·to·my (-ko"le-sis-tos'tah-me) – colocolecistostomia; colecistocolostomia; ver *cholecystocolostomy*.

co·lo·clys·ter (-klis'ter) – coloclíster; enema injetado no interior do cólon através do reto.

co·lo·co·los·to·my (-kah-los'tah-me) – colocolostomia; anastomose cirúrgica entre duas porções do cólon.

co·lo·cu·ta·ne·ous (-ku-ta'ne-us) – colocutâneo; relativo ao cólon e à pele, ou que se comunica com o cólon e a superfície cutânea do corpo.

co·lo·fix·a·tion (-fik-sa'shun) – colofixação; fixação ou suspensão do cólon em casos de ptose.

co·lon (ko'lon) [L.] – cólon; parte do intestino grosso que se estende do ceco ao reto. Ver Prancha IV. **colon'ic** – adj. colônico ou cólico. **ascending c.** – c. ascendente; porção do cólon que passa cranialmente do ceco até a flexura cólica direita. **descending c.** – c. descendente; porção do cólon que passa caudalmente à flexura cólica esquerda ao cólon sigmóide. **iliac c.** – c. ilíaco; parte do cólon descendente que se situa na fossa ilíaca esquerda e é contínua com o cólon sigmóide. **irritable c.** – c. irritável; colite mucosa. **left c.** – c. esquerdo; porção distal do intestino grosso, desenvolvida embrionariamente a partir do intestino posterior e que funciona no armazenamento e eliminação de resíduos não-absorvidos de material ingerido do organismo. **pelvic c.** – c. pélvico; c. sigmóide. **right c.** – c. direito; porção proximal do intestino grosso, desenvolvida embrionariamente a partir da porção terminal do intestino médio e que funciona na absorção do material ingerido. **sigmoid c.** – c. sigmóide; porção do cólon esquerdo situada na pelve e que se estende do cólon descendente ao reto. **spastic c.** – c. espástico; síndrome intestinal irritável. **transverse c.** – c. transverso; porção do intestino grosso que passa transversalmente na parte superior do abdômen, entre as flexuras cólicas direita e esquerda.

co·lo·ni·tis (ko"lon-ī t'is) – colonite; colite; ver *colitis*.

co·lo·nop·a·thy (-op'ah-the) – colonopatia; qualquer doença ou distúrbio do cólon.

co·lo·nos·co·py (-os'kah-pe) – colonoscopia; exame endoscópico do cólon, seja transabdominalmente durante laparotomia ou transanalmente através de endoscópio de fibra óptica.

col·o·ny (kol'ah-ne) – colônia; grupo distinto de organismos como a coleção de bactérias de uma cultura.

co·lo·pexy (ko'lo-pek"se) – colopexia; fixação ou suspensão cirúrgica do cólon.

co·lo·pli·ca·tion (ko"lo-plĭ'-la'shun) – coloplicação; coloplicatura; operação de fazer uma drobra do cólon.

co·lo·proc·tec·to·my (-prok-tek'tah-me) – coloproctetomia; remoção cirúrgica do cólon e do reto.

co·lo·proc·tos·to·my (-prok-tos'tah-me) – coloproctostomia; colorretostomia; ver *colorectostomy*.

co·lop·to·sis (ko"lo-to'sis) – coloptose; deslocamento descendente do cólon.

co·lo·punc·ture (ko'lo-punk"cher) – colopunção; colocentese (*colocentesis*).

col·or (kul'er) – cor: 1. propriedade de uma superfície ou substância em conseqüência da absorção de determinados raios luminosos e reflexão de outros em um âmbito de variação de comprimentos de onda (aproximadamente 370-760 mμ) adequado para estimular os receptores retinianos; 2. energia radiante em um âmbito de variação de estímulos cromáticos adequados da retina, ou seja, entre o infravermelho e o ultravioleta; 3. impressão sensorial de um dos matizes do arco-íris. **complementary c's** – cores complementares; pares de cores cujos mecanismos sensoriais são tão ligados que quando se misturam no espectro das cores, cancelam-se mutuamente, deixando o cinza neutro. **confusion c's** – cores de confusão; cores diferentes que podem ser erroneamente misturadas por pessoas com visão colorida defeituosa, e conseqüentemente utilizadas para detectar os diferentes tipos de defeitos visuais relativos a cores. **primary c's** – cores primárias, *(a)* segundo a teoria de Newton, os sete matizes do arco-íris: violeta, índigo, azul, verde, amarelo, laranja e vermelho; *(b)* em pintura e impressão, azul, amarelo e vermelho; *(c)* de acordo com a teoria de Helmholz, vermelho, verde e azul. **pure c.** – c. pura; cor cujo estímulo consiste de comprimentos de onda homogêneos, com pouca ou nenhuma mistura de comprimentos de onda de outros matizes; coloração.

co·lo·rec·tos·to·my (ko"lo-rek-tos'tah-me) – colorretostomia; formação de abertura entre o cólon e o reto.

co·lo·rec·tum (-rek'tum) – colorreto; os 25 cm (10 pol.) distais do intestino, incluindo a porção distal do cólon e reto, considerados como uma unidade. **colorec'tal** – adj. colorretal.

col·or·im·e·ter (kul"er-im'it-er) – colorímetro; cromatômetro; cromômetro; instrumento para medir as diferenças entre as cores, especialmente para medir a cor do sangue a fim de determinar a proporção de hemoglobina.

co·lor·rha·phy (kol-or'ah-fe) – colorrafia; sutura do cólon.

co·lo·sig·moid·os·to·my (ko"lo-sig"moid-os'tah-me) – colossigmoidostomia, anastomose cirúrgica de uma porção remota do cólon no cólon sigmóide.

co·los·to·my (kol-os'tah-me) – colostomia; criação cirúrgica de uma abertura entre o cólon e a superfície do corpo; também, a abertura (estoma) assim criada. **dry c.** – c. seca; colostomia realizada no cólon esquerdo, a descarga a partir do estoma que consiste de matéria fecal mole ou formada. **ileotransverse c.** – c. ileotransversal; anastomose cirúrgica entre o íleo e o cólon transverso. **wet c.** – c. úmida; colostomia no *(a)* cólon direito cuja drenagem é líquida, ou *(b)* no cólon esquerdo, após anastomose dos ureteres no cólon sigmóide ou descendente de forma que a urina também seja expelida através do mesmo estoma.

co·los·trum (kol-os'trum) – colostro; fluido leitoso; amarelo e fino secretado pela glândula mamária poucos dias antes ou após o parto.

co·lot·o·my (ko-lot'ah-me) – colotomia; incisão do cólon.

co·lo·ves·i·cal (ko"lo-ves'ĭ-k'l) – colovesical; relativo ou que se comunica com o cólon e a bexiga.

colp(o)- [Gr.] – colp(o)-, elemento de palavra, *vagina*.

col·pal·gia (kol-pal'jah) – colpalgia; dor na vagina.

col·pec·ta·sia (kol"pek-ta'zhah) – colpectasia; distensão ou dilatação da vagina.

col·pec·to·my (kol-pek'tah-me) – colpectomia; excisão da vagina.

col·peu·ry·sis (kol-pūr'ĭ-sis) – colpeurise; dilatação da vagina.

col·pi·tis (kol-pī't'is) – colpite; inflamação da vagina; vaginite.

col·po·cele (kol'pah-sēl) – colpocele; hérnia vaginal.

col·po·clei·sis (kol"pah-kli'sis) – colpoclise; fechamento cirúrgico do canal vaginal.

col·po·cys·ti·tis (-sis-tĭ't'is) – colpocistite; inflamação da vagina e da bexiga.

col·po·cys·to·cele (-sis'to-sēl) – colpocistocele; hérnia da bexiga no interior da vagina.

col·po·cy·to·gram (-sī't'ah-gram) – colpocitograma; listagem diferencial das células observadas nos esfregaços vaginais.

col·po·cy·tol·o·gy (-si-tol'ah-je) – colpocitologia; estudo de células descamadas a partir do epitélio vaginal.

col·po·hy·per·pla·sia (-hi"per-pla'zhah) – colpo-hiperplasia; crescimento excessivo da membrana mucosa e da parede da vagina.

col·po·mi·cros·scope (-mi'kro-skōp) – colpomicroscópio; instrumento para exame microscópico dos tecidos cervicais no local.

col·po·per·i·neo·plas·ty (-per"ĭ-ne"o-plas"te) – colpoperineoplastia; reparo plástico da vagina e períneo.

col·po·per·i·ne·or·rha·phy (-per"ĭ-ne-or'ah-fe) – colpoperineorrafia; sutura da vagina e períneo rompidos.

col·po·pexy (kol'pah-pek"se) – colpopexia; sutura de vagina relaxada à parede abdominal.

col·pop·to·sis (kol"pop-to'sis) – colpoptose; prolapso vaginal.

col·por·rha·gia (kol"pah-ra'je-ah) – colporragia; hemorragia vaginal.

col·por·rha·phy (kol"por-ah-fe) – colporrafia: 1. sutura da vagina; 2. operação de desnudamento e sutura da parede vaginal para estreitar a vagina.

col·por·rhex·is (kol"por-ek'sis) – colporrexe; laceração vaginal.

col·po·scope (kol'pah-skōp) – colposcópio; espéculo para examinar a vagina e a cérvix por meio de uma lente de aumento.

col·po·spasm (-spazm) – colpospasmo; espasmo vaginal.

col·po·ste·no·sis (kol"po-stě-no'sis) – colpostenose; contração ou estreitamento da vagina.

col·po·ste·not·o·my (-stě-not'ah-me) – colpostenotomia; cirurgia de corte para a estenose da vagina.

col·pot·o·my (kol-pot'ah-me) – colpotomia; incisão da vagina com entrada no fundo de saco.

col·po·xe·ro·sis (kol"po-zěr-o'sis) – colpoxerose; ressecamento anormal da vulva e vagina.

col·u·mel·la (kol"u-mel-ah) [L.] pl. *columellae* – columela: 1. coluna pequena; 2. em determinados fungos e protozoários, uma invaginação no interior do esporângio. **c. coch'leae** – c. coclear; modíolo. **c. na'si** – c. nasal; extremidade externa carnosa do septo nasal.

col·umn (kol'um) – coluna; parte anatômica em forma de estrutura semelhante a um pilar. **anal c's** – colunas anais; dobras verticais de membrana na mucosa na metade superior do canal anal. **anterior c.** – c. anterior: 1. porção anterior da substância cinzenta da medula espinhal; vista em corte transversal como um corno; 2. arco palatoglossal. **c's of Bertin** – colunas de Bertin; colunas renais. **c. of Burdach** – c. de Burdach; fascículo cuneiforme da medula espinhal. **Clarke's c.** – c. de Clarke; coluna torácica. **enamel c's** – colunas de esmalte; prismas adamantinos. **c. of Goll** – c. de Goll; fascículo grácil da medula espinhal. **gray c's** – colunas cinzentas; partes longitudinalmente orientadas da medula espinhal nas quais se encontram os corpos das células nervosas, compreendendo a substância cinzenta da medula espinhal. **lateral c. of spinal cord** – c. lateral da medula espinhal; porção lateral da medula espinhal, vista em corte transversal como um corno; presente somente nas regiões torácica e lombar superior. **c's of Morgagni** – colunas de Morgagni; colunas anais. **posterior c.** – c. posterior: 1. porção posterior da substância cinzenta da medula espinhal, vista em corte transversal como um corno; 2. arco palatofaríngico. **rectal c's** – colunas retais; colunas anais. **renal c's** – colunas renais; extensões interiores da substância cortical do rim entre pirâmides renais contíguas. **c. of Sertoli** – c. de Sertoli; uma célula de Sertoli alongada na camada parietal dos túbulos seminíferos. **spinal c.** – c. espinhal; c. vertebral. **thoracic c.** – c. torácica; coluna de células na coluna cinzenta posterior da medula espinhal, estendendo-se do oitavo segmento cervical ao terceiro ou quarto segmento lombar. **vertebral c.** – c. vertebral; estrutura rígida na linha média das costas, composta de vértebras.

co·lum·na (ko-lum'nah) [L.] pl. *columnae* – coluna.

co·lum·ni·za·tion (kol"um-nĭ-za'shin) – colunização; suporte de um útero prolapsado por meio de tampões.

co·ly·pep·tic (kol"lĭ-pep'tik) – colipéptico; ver *kolypeptic*.

co·ma (ko'mah) [L.] – coma: 1. estado de inconsciência profunda do qual não é possível despertar o paciente, mesmo com o emprego de estímulos poderosos; 2. aberração óptica produzida quan-

do se recebe uma imagem em uma tela não exatamente em ângulos retos com a linha de propagação da luz incidente. **co'matose** – adj. comatoso; estado de coma. **alcoholic c.** – c. alcoólico; estupor que acompanha a intoxicação alcoólica severa. **alpha c.** – c.-alfa; coma no qual ocorrem achados eletroencefalográficos de atividade dominante de ondas alfa. **diabetic c.** – c. diabético; coma da acidose diabética severa. **hepatic c.** – c. hepático; coma que acompanha a encefalopatia hepática. **irreversible c.** – c. irreversível; morte cerebral. **Kussmaul's c.** – c. de Kussmaul; coma e falta de ar da acidose diabética. **metabolic c.** – c. metabólico; coma que acompanha a encefalopatia metabólica. **uremic c.** – c. urêmico; estado letárgico em conseqüência de uremia. **c. vigil** – c. vigilante; síndrome de travamento.

com·bus·tion (kom-bus'chin) – combustão; oxidação rápida com emissão de calor.

com·e·do (kom'ě-do) pl. *comedones* – comedão: 1. tampão de ceratina e sebo dentro do orifício dilatado de um folículo piloso, geralmente contendo as bactérias *Propionobacterium acnes*, *Staphylococcus albus* e *Pityrosporum ovale*. **closed c.** – c. fechado; mílio; comedão cuja abertura não se dilata totalmente, com a aparência de pequena pápula cor-de-carne; pode se romper e causar lesão inflamatória na derme. **open c.** – c. aberto; comedão com um orifício bastante dilatado no qual uma impactação pigmentada torna-se visível na superfície da pele.

com·e·do·gen·ic (kom"ĭ-do-jen'ik) – comedogênico; que produz cravos.

com·e·do·mas·ti·tis (-mas-tīt'is) – comedomastite; ectasia do ducto mamário.

co·mes (ko'mēz) [L.] pl. *comites* – satélite; companheiro; artéria ou veia que acompanha outra artéria ou veia, ou um tronco nervoso.

com·men·sal (kom-men'sil) – comensal: 1. que vive sobre ou dentro de outro organismo, e obtém benefícios sem prejudicar ou beneficiar o hospedeiro; 2. parasita que não causa nenhum dano ao hospedeiro.

com·men·sal·ism (-izm) – comensalismo; simbiose em que uma população (ou indivíduo) beneficia-se enquanto a outra (ou outro) não é beneficiada nem prejudicada.

com·mi·nut·ted (kom'in-ōot"id) – cominuído; cominutivo; quebrado ou esmagado em pequenos pedaços como ocorre em fratura cominutiva.

com·mis·su·ra (kom"ĭ-su'rah) [L.] pl. *commissurae* – comissura. **c. mag'na ce'rebri** – comissura dos hemisférios cerebrais; corpo caloso.

com·mis·sure (kom"ĭ-shoor) [L.] – comissura; local de união de partes correspondentes; especificamente, os locais de junção entre as cúspides adjacentes das válvulas cardíacas. **c. of cerebrum, anterior** – c. cerebral anterior; feixe de fibras que conecta as porções dos dois hemisférios cerebrais. **c. of cerebrum, posterior** – c. cerebral posterior; grande feixe de fibras que atravessa de um lado a outro do cérebro, dorsalmente ao ponto onde o aqueduto se abre no terceiro ventrículo. **Gudden's c.** – c. de Gudden;

ver *supraoptic c's*. **Meynert's c**. – c. de Meynert; ver *supraoptic c's*. **supraoptic c's** – comissuras supra-ópticas; fibras comissurais que atravessam a linha média do cérebro humano dorsalmente à borda caudal do quiasma óptico, representando as comissuras combinadas de Gudden e Meynert.

com·mis·su·ror·rha·phy (kom"ï-shoor-or'ah-fe) – comissurorrafia; sutura dos componentes de uma comissura para reduzir o tamanho do orifício.

com·mis·sur·ot·o·my (-ot'ah-me) – comissurotomia; incisão cirúrgica ou interrupção digital dos componentes de uma comissura para aumentar o tamanho do orifício; comumente feita para separar folículos aderentes e espessados de uma válvula mitral estenósica.

com·mu·ni·ca·ble (kom-u'nï-kah-b'l) – comunicável; capaz de ser transmitido de uma pessoa a outra.

com·mu·ni·cans (kom-u'nï-kans) [L.] – comunicante; que se comunica.

com·mu·ni·ty (kom-u'nit-e) – comunidade; corpo de indivíduos vivendo em área definida ou tendo interesse ou organização comuns. **biotic c**. – c. biótica; conjunto de populações que vivem em área definida. **therapeutic c**. – c. terapêutica; hospital ou centro de saúde estruturado que emprega terapia de grupo e estimula o paciente a comportar-se segundo as normas sociais.

com·pac·tion (kom-pak'shun) – ajuntamento; compactação; complicação em parto duplo em que ocorre envolvimento completo simultâneo dos pólos fetais guias de ambos os gêmeos, de forma que a cavidade pélvica verdadeira seja preenchida impedindo-se expulsão posterior.

Com·pa·zine (kom'pah-zēn) – Compazine, marca registrada de preparações de proclorperazina.

com·pen·sa·tion (kom"pen-sa'shun) – compensação: 1. o ato de contrabalançar um defeito; 2. em Psicologia, processo consciente ou inconsciente pelo qual uma pessoa tenta suprir deficiências físicas ou psicológicas reais ou imaginárias; 3. em Cardiologia, manutenção de um fluxo sangüíneo adequado sem sintomas de distúrbio, realizada por meio de ajustes cardíacos e circulatórios. **compen'satory** – adj. compensador. **dosage c**. – c. de dosagem; em Genética, o mecanismo pelo qual o efeito de dois cromossomas X de uma mulher normal torna-se idêntico ao do cromossoma X de um homem normal.

com·plaint (kom-plānt') – queixa; doença; sintoma ou distúrbio. **chief c**. – q. principal; sintoma ou grupo de sintomas acerca dos quais o paciente consulta inicialmente o médico; sintoma apresentado.

com·ple·ment (kom'plē-ment) – complemento; sistema de cascata termolábil de pelo menos 20 glicoproteínas no soro normal, que interagem para proporcionar muitas das funções efetoras de imunidade humoral e inflamação, incluindo a vasodilatação e o aumento de permeabilidade vascular, facilitação da atividade fagocitária e lise de determinadas células estranhas. Ver também *classic complement pathway* e *alternative complement pathway*, em *pathway*.

com·ple·men·ta·tion (kom"plē-men-ta'shun) – complementação; interação entre dois grupos de genes celulares ou virais dentro de uma célula de modo que a célula possa funcionar ainda que cada um dos grupos de genes seja portador de um gene mutante e não-funcional.

com·plex (kom'pleks) – complexo: 1. soma ou combinação de várias coisas, semelhantes ou não como um complexo de sintomas; ver *syndrome*; 2. seqüência; ver *sequence* (2); 3. um grupo de idéias inter-relacionadas, principalmente inconscientes que têm um tônus emocional comum e influenciam fortemente as atitudes e o comportamento de uma pessoa; 4. porção de um eletrocardiograma que representa a sístole de um átrio ou ventrículo. **AIDS dementia c**. – c. de demência da AIDS; encefalopatia pelo HIV. **AIDS-related c**. **(ARC)** – c. relacionado à AIDS; complexo de sinais e sintomas que representam um estágio menos severo da infecção pelo vírus da imunodeficiência humana (HIV), caracterizado por linfadenopatia generalizada, febre, perda de peso, diarréia prolongada, infecções oportunistas secundárias, citopenia e anormalidades das células T do tipo associado à AIDS. **anomalous c**. – c. anômalo; em eletrocardiografia, um complexo atrial ou ventricular anormal que resulta de condução aberrante em trajetos acessórios. **antigen-antibody c**. – c. antígeno-anticorpo; complexo formado pela ligação de um antígeno e um anticorpo. **atrial c**. – c. atrial; onda P do eletrocardiograma que representa a ativação elétrica dos átrios. **atrial premature c**. **(APC)** – c. prematuro atrial; batimento atrial ectópico único que surge prematuramente, podendo se associar a cardiopatia estrutural. **atrioventricular (AV) junctional escape c**. – c. de escape de junção atrioventricular; ver em *beat*. **atrioventricular (AV) junctional premature c**. – c. prematuro de junção atrioventricular; batimento ectópico que surge prematuramente na junção atrioventricular e prossegue tanto em direção aos átrios como dos ventrículos se não for impedido, fazendo com que a onda P torne-se prematura e anormal ou ausente, bem como o complexo QRS torne-se prematuro. **avian leukosis c**. – c. leucose aviária; ver *avian leukosis*, em *leukosis*. **branched-chain alfa-keto acid dehydrogenase c**. – c. alfa-cetoácido-desidrogenase de cadeia ramificada; complexo multienzimático que catalisa a descarboxilação oxidativa dos cetoácidos análogos aos aminoácidos de cadeia ramificada; a deficiência de qualquer enzima do complexo causa a uropatia do xarope de bordo. **calcarine c**. – c. calcarino; calcanhar de ave. **castration c**. – c. de castração; medo (geralmente fantasiado) de danos ou perda dos órgãos sexuais como punição aos desejos sexuais proibidos. **Eisenmenger's c**. – c. de Eisenmenger; um defeito de septo interventricular com hipertensão pulmonar severa, hipertrofia do ventrículo direito e cianose latente ou manifesta. **factor IX c**. – c. de fator IX; pó estéril, congelado e ressecado que contém os fatores de coagulação II, VII, IX e X, extraídos do plasma venoso de doadores saudáveis. **Ghon c**. – c. de Ghon; *primary c*. (1).

β-glycosidase c. – c. β-glicosidase; complexo enzimático que compreende as atividades de lactase e floridizina-hidrolase, ocorrendo na membrana de borda em escova da mucosa intestinal e hidrolisando a lactose, bem como a celobiose e a celotriose. **Golgi c.** – c. de Golgi; aparelho de Golgi; organela celular complexa que consiste principalmente de vários sacos achatados (cisternas) e vesículas associadas, envolvida na síntese de glicoproteínas, lipoproteínas, proteínas ligadas à membrana e enzimas lisossômicas. Os sacos formam os lisossomas primários e os vacúolos secretórios. **immune c.** – c. imunológico; c. antígeno-anticorpo. **inclusion c's** – complexos de inclusão; complexos nos quais se encerram moléculas de um tipo dentro de cavidades na treliça cristalina de outra substância. **inferiority c.** – c. de inferioridade; sentimentos inconscientes de inferioridade que produzem timidez ou como compensação, agressividade exagerada e expressão de superioridade *(c. de superioridade)*. **junctional premature c.** – c. de junção prematuro; c. prematuro de junção atrioventricular. **LCM c.** – c. LCM; grupo antigenicamente relacionado de arenavírus que inclui os vírus da coriomeningite linfocítica e febre de Lassa. **Lutembacher's c.** – c. de Lutembacher; ver em *syndrome*. **major histocompatibility c. (MHC)** – c. de histocompatibilidade principal; a região cromossômica que contém os genes que controlam os antígenos de histocompatibilidade. No homem, ele controla os antígenos HLA. **pore c.** – c. do poro; um poro nuclear e seu ânulo considerados em conjunto. **primary c.** – c. primário: 1. combinação de uma lesão pulmonar parenquimatosa, foco de Ghon *(Ghon focus)* e um foco linfonodal correspondente, que ocorre no caso de tuberculose primária, geralmente em crianças. Lesões semelhantes também podem se associar a outras infecções micobacterianas e fúngicas; 2. lesão cutânea primária no local da infecção na pele como o cancro na sífilis e tuberculose. **primary inoculation c., primary tuberculous c.** – c. de inoculação primário; c. tuberculoso primário; cancro tuberculoso. **pyruvate dehydrogenase c.** – c. piruvato-desidrogenase; complexo multienzimático que catalisa a formação da acetilcoenzima A a partir do piruvato e da CoA; a deficiência de qualquer componente do complexo resulta em lacticoacidemia, ataxia e retardamento psicomotor. **QRS c.** – c. QRS; a porção do eletrocardiograma que compreende as ondas Q, R e S, que representam em conjunto a despolarização ventricular. **sucrase-isomaltase c.** – c. sacarase-isomaltase; complexo enzimático que compreende as atividades da sacarase e isomaltase, e que ocorre na borda em escova da mucosa intestinal hidrolisando maltose, bem como maltotriose e algumas outras ligações glicosídicas. **symptom c.** – c. sintomático; síndrome *(syndrome)*. **synaptonemal c.** – c. sinaptonêmico; estrutura formada pela sinapse de cromossomas homólogos durante o estágio zigotênico da meiose 1. **Tacaribe c.** – c. de Tacaribe; grupo de vírus antigenicamente relacionados que compreende os arenavírus do Novo Mundo, incluindo o vírus de Junin (agente da febre hemorrágica argentina) e o vírus de Machupo (agente da febre hemorrágica boliviana). **ventricular c.** – c. ventricular; o complexo QRS e a onda T combinados, representando conjuntamente a atividade elétrica ventricular. **ventricular premature c. (VPC)** – c. prematuro ventricular; batimento ectópico que surge nos ventrículos e estimula prematuramente o miocárdio.

com·plex·ion (kom-plek'shun) – compleição; cor e aparência da pele da face.

com·pli·ance (kom-pli'ans) – complacência; a qualidade de resistir à pressão sem se romper, ou a expressão da capacidade de realizar tal coisa como, por exemplo, a expressão da distensibilidade de um órgão preenchido por gás ou líquido como é o caso do pulmão ou bexiga, em termos de unidade de alteração de volume por unidade de alteração de pressão. Símbolo C.

com·pli·ca·tion (kom"plĭ-ka'shun) – complicação: 1. doença(s) intercorrente(s) com outra doença; 2. ocorrência de várias doenças no mesmo paciente.

com·po·nent (kum-po'nent) – componente: 1. elemento ou parte constituinte; 2. em Neurologia, uma série de neurônios que forma um sistema funcional para conduzir os impulsos aferentes e eferentes nos mecanismos somático e esplâncnico do corpo. **M c.** – c. M; imunoglobulina monoclonal anormal que ocorre no soro no caso de discrasias plasmocitárias, formado por meio de concentrações crescentes de células produtoras de imunoglobulinas.

com·pos men·tis (kom'pos men'tis) [L.] – de mente sã; mente sadia; sadio.

com·pound (kom'pownd) – composto: 1. constituído de duas ou mais partes ou ingredientes; 2. substância constituída de dois ou mais materiais; 3. em Química, substância que consiste de dois ou mais elementos em união. **inorganic c.** – c. inorgânico; composto de elementos químicos que não contém nenhum átomo de carbono. **organic c.** – c. orgânico; composto de elementos químicos que contém átomos de carbono. **organometallic c.** – c. organometálico; composto no qual o carbono se liga a um metal. **quaternary ammonium c.** – c. de amônio quaternário; composto orgânico que contém um grupo de amônio quaternário e um átomo de nitrogênio que possui uma única carga positiva ligada a quatro átomos de carbono como a colina.

com·press (kom'pres) – compressa; pano ou rolo de linho dobrado ou de outro material, aplicado com pressão; algumas vezes medicada, pode ser úmida ou seca, ou quente ou fria.

com·pres·sion (kom-presh'in) – compressão: 1. ato de pressionar sobre um corpo ou corpos em conjunto; o estado de ser pressionado conjuntamente; 2. em Embriologia, encurtamento ou omissão de determinados estágios de desenvolvimento.

com·pul·sion (kom-pul'shun) – compulsão; um impulso irrefreável de realizar um ato irracional ou ritual. **compul'sive** – adj. compulsivo. **repetition**

c. – c. de repetição; em Teoria Psicanalítica, o impulso de representar experiências emocionais anteriores.

co·na·tion (ko-na'shun) – conação; em Psicologia, a força que impele um esforço de qualquer tipo; a tendência consciente de agir. **co'ative** – adj. conativo.

c-onc – onc-c (cellular oncogene [oncogene celular]); proto-oncogene ativado no hospedeiro, de forma que resulte em oncogenicidade.

con·ca·nav·a·lin A (kon"kah-nav"ah-lin) – concanavalina A; fitoemaglutinina isolada a partir do feijão-de-porco (Canavalia ensiformis); constitui uma hemaglutinina que aglutina as hemácias sangüíneas e um mitógeno que estimula predominantemente as células T.

con·cave (kon-kāv') – côncavo; arqueado e um pouco deprimido ou oco.

con·ca·vo·con·cave (kon-ka"vo-kon'kāv) – côncavo-côncavo; bicôncavo; que é côncavo em cada uma das duas superfícies opostas.

con·ca·vo·con·vex (-kon'veks) – côncavo-convexo; que tem uma superfície côncava e uma convexa.

con·ceive (kon-sēv') – conceber: 1. engravidar; 2. compreender, entender ou formar na mente.

con·cen·trate (kon'sin-trāt) – concentrar: 1. trazer a um centro comum; reunir em um ponto; 2. aumentar a força através da diminuição do volume de alguma coisa como no caso de um líquido; condensar; 3. droga ou outra preparação que tenha sido potencializada por meio de evaporação de suas partes não-ativas (concentrado).

con·cen·tra·tion (kon"sin-tra'shun) – concentração: 1. aumento na força por meio de evaporação; 2. proporção de massa ou volume de solução ou solvente. **hydrogen ion c.** – c. do íon de hidrogênio; grau de concentração dos íons de hidrogênio em uma solução; aproximadamente relacionado ao pH da solução por meio da equação $(H^+) = 10^{-pH}$. **mass c.** – c. de massa; a massa de uma substância constituinte dividida pelo volume da mistura, por exemplo, miligramas por litro (mg/l) etc. **molar c.** – c. molar; concentração de uma substância expressa em termos de molaridade; símbolo c.

con·cept (kon'sept) – conceito; imagem de alguma coisa mantida na mente.

con·cep·tion (kon-sep'shun) – concepção: 1. início da gravidez, a implantação do blastocisto; formação de um zigoto viável; 2. conceito; conceituação.

con·cep·tus (-tus) – concepto; produto da concepção; todos os derivados de um óvulo fertilizado em qualquer estágio de desenvolvimento a partir da fertilização até o nascimento, incluindo as membranas extra-embrionárias e o embrião ou feto; conceito.

con·cha (kong'kah) [L.] pl. conchae – concha; estrutura em forma de concha. **c. of auricle** – c. auricular; a parte oca do ouvido externo, limitada anteriormente pelo trago e posteriormente pela anti-hélice. **c. bullo'sa** – c. bolhosa; distensão cística da concha nasal média. **ethmoidal c., inferior** – c. etmoidal inferior; c. nasal média. **ethmoidal c., superior** – c. etmoidal superior; c.

nasal superior. **ethmoidal c., supreme** – c. etmoidal suprema; c. nasal suprema. **nasal c., inferior** – c. nasal inferior; osso que forma a parte inferior da parede lateral da cavidade nasal. **nasal c., middle** – c. nasal média; a mais baixa das duas placas ósseas que se projetam a partir da parede interna do labirinto etmoidal e separa o meato superior do meato médio do nariz. **nasal c., superior** – c. nasal superior; a mais alta das duas placas ósseas que se projetam a partir da parede interna do labirinto etmoidal e forma o limite superior do meato superior do nariz. **nasal c., supreme** – c. nasal suprema; terceira placa óssea fina ocasionalmente encontrada projetando-se a partir da parede interna do labirinto etmoidal, acima das duas geralmente encontradas. **sphenoidal c.** – c. esfenoidal; placa óssea curva fina na parte anterior e inferior do corpo do osso esfenóide, em cada lado, formando parte do teto da cavidade nasal.

con·cli·na·tion (kon"klĭ -na'shun) – conclinação; rotação para dentro do pólo superior do meridiano vertical de cada olho.

con·cor·dance (kon-kord'ins) – concordância; em Genética, a ocorrência de determinada característica em ambos os indivíduos de um par de gêmeos. **concor'dant** – adj. concordante.

con·cres·cence (kon-kres'ens) – concrescência: 1. crescimento conjunto de partes originalmente separadas; 2. em Embriologia, o fluxo conjunto e o acondicionamento de células.

con·cre·tio (kon-kre'she-o) – concreção. **cor'dis, c. pericar'dii** – c. cardíaca; c. pericárdica; pericardite adesiva em que a cavidade pericárdica se oblitera.

con·cre·tion (kon-kre'shin) – concreção: 1. cálculo ou massa inorgânica em uma cavidade natural ou tecido; 2. união anormal de partes adjacentes; 3. processo de endurecimento ou solidificação.

conc·us·sion (kon-kush'in) – concussão; choque ou golpe violentos, ou a afecção resultante dessa lesão. **c. of the brain** – c. cerebral; perda de consciência transitória ou prolongada em conseqüência de golpe na cabeça; pode ocorrer amnésia transitória, vertigem, náuseas, pulso fraco e respiração lenta. **c. of the labyrinth** – c. labiríntica; surdez com zumbido em decorrência de golpe ou explosão próxima ao ouvido. **pulmonary c.** – c. pulmonar; dano mecânico aos pulmões causado por explosão. **c. of the spinal cord** – c. da medula espinhal; disfunção transitória da medula espinhal causada por lesão mecânica.

con·den·sa·tion (kon"din-sa'shun) – condensação: 1. ato ou processo de tornar algo mais compacto; em Odontologia, a deposição de materiais de enchimento em uma cavidade dentária; 2. fusão de eventos, pensamentos ou conceitos para produzir um novo conceito mais simples; 3. processo de passar da fase gasosa para a fase líquida ou sólida.

con·den·ser (kon-den'ser) – condensador: 1. frasco ou aparelho para condensar gases ou vapores; 2. dispositivo para iluminar objetos microscópicos; 3. aparelho para concentrar energia ou matéria; 4. instrumento dentário utilizado para depositar material de enchimento plástico no interior da cavidade preparada de um dente.

con·di·tion·ing (kon-dish'un-ing) – condicionamento: 1. aprendizado em que um estímulo inicialmente incapaz de desencadear determinada resposta consegue realizá-lo por meio de repetição em conjunto com outro estímulo (associação) que desencadeia a resposta. Também chamado de *c. de Pavlov;* 2. em Medicina Física, a melhora do estado físico com um programa de exercícios.

con·dom (kon'dum) – preservativo; capa ou cobertura para ser utilizado sobre o pênis no coito a fim de evitar concepção ou infecção.

con·duc·tance (kon-duk'tans) – condutância; capacidade conduzir ou transportar. Símbolo *G*.

con·duc·tion (-shun) – condução; transporte de energia como calor, som ou eletricidade. **aberrant c.** – c. aberrante; condução cardíaca através de vias que normalmente não conduzem impulsos cardíacos, particularmente através do tecido ventricular. **aerotympanal c.** – c. aerotimpânica; condução de ondas sonoras até o ouvido por meio do ar e do tímpano. **air c.** – c. aérea; condução de ondas sonoras para o ouvido interno através do canal auditivo interno e do ouvido médio. **anterograde c.** – c. anterógrada; transmissão de um impulso cardíaco na direção normal, do nódulo sinusal para os ventrículos, particularmente para a frente, através do nódulo atrioventricular. **bone c.** – c. óssea; condução de ondas sonoras até o ouvido interno através dos ossos do crânio. **concealed c.** – c. dissimulada; penetração incompleta de um impulso em propagação através do sistema condutor cardíaco de tal forma que os eletrocardiogramas não revelam nenhuma evidência de transmissão, mas o comportamento de um ou mais impulsos subseqüentes é relativamente afetado. **concealed retrograde** – c. retrógrada dissimulada; condução retrógrada bloqueada no nódulo atrioventricular; não produz uma onda P extra, mas torna o nódulo refratário ao próximo batimento sinusal normal. **decremental c.** – c. reducional; retardo ou falha na propagação de um impulso no nódulo atrioventricular, resultante de redução progressiva na velocidade de manifestação e amplitude do potencial de ação à medida que ele se propaga através do nódulo. **retrograde c.** – c. retrógrada; retrocondução; transmissão de um impulso cardíaco para trás na direção ventricular a atrial, particularmente a condução do nódulo atrioventricular no interior dos átrios. **saltatory c.** – c. saltatória; passagem de um potencial de um nódulo ao nódulo de uma fibra nervosa, em vez de ao longo da membrana.

con·du·it (kon'doo-it) – conduto; canal para a passagem de fluidos. **ileal c.** – c. ileal; anastomose cirúrgica dos ureteres com uma das extremidades descolada do íleo, sendo a outra utilizada para formar um estoma na parede abdominal.

con·dy·lar·thro·sis (kon"dil-ar-thro'sis) – condilartrose; modificação da forma esferóide da articulação sinovial em que as superfícies articulares tornam-se elipsóides em vez de esferóides.

con·dyle (kon'dīl) – côndilo; projeção arredondada de um osso, geralmente para uma articulação com outro osso. **con'dylar** – adj. condilar.

con·dyl·i·on (kon-dil'e-on) – condílio; o ponto mais lateral na superfície da cabeça da mandíbula.

con·dy·lo·ma (kon"dī-lo'mah) – condiloma; lesão elevada da pele. **condylo'matous** – adj. condilomatoso. **c. acumina'tum** – c. acuminado; papiloma com um núcleo central em tecido conjuntivo cuja estrutura é semelhante a uma árvore, coberta por epitélio e de origem viral (papilomavírus humano), ocorrendo geralmente na membrana mucosa ou na pele dos genitais externos ou ainda na região perianal. **flat c.** – c. plano; c. *latum.* **giant c.** – c. gigante; tumor de Buschke-Löwenstein. **c. la'tum** – c. plano; condiloma sifilítico plano e largo nas dobras úmidas de pele, especialmente ao redor dos genitais e do ânus.

con·dy·lot·o·my (-lot'ah-me) – condilotomia; transecção de um côndilo.

con·dy·lus (kon'dil-us) [L.] pl. *condyli* – côndilo.

cone (kōn) – cone : 1. figura ou corpo sólidos que têm uma base circular e se afilam até a ponta, especialmente um dos cones da retina; 2. em Radiologia, estrutura cilíndrica cônica ou com extremidade aberta utilizada como auxílio na centralização do feixe de radiação e como guia para a distância fonte-filme; 3. cone cirúrgico. **ether c.** – c. do éter; dispositivo em forma de cone utilizado sobre a face na administração de anestesia inalatória. **c. of light** – c. de luz; reflexão triangular de luz observada na membrana timpânica. **retinal c.** – c. retiniano; um dos segmentos externos em forma de frasco ou cônicos altamente especializados das células visuais, que com os bastonetes retinianos; formam os elementos fotossensíveis da retina. **twin c's** – cones gêmeos; cones retinianos nos quais se combinam duas células.

co·nex·us (ko-nek'sus) [L.] pl. *conexus* – conexão; estrutura que conecta.

con·fab·u·la·tion (kon-fab"u-la'shun) – confabulação; contar experiências imaginárias para preencher espaços na memória.

con·fec·tion (kon-fek'shun) – confecção; confeito; conserva; doce ou electuário medicado.

con·fi·den·ti·al·i·ty (kon"fī-den"she-al'ī-te) – confidencialidade; princípio de ética médica de que a informação revelada a um médico por um paciente é particular e com restrições de como e quando pode ser revelada a terceiros.

con·flict (kon'flikt) – conflito; estado de consciência doloroso devido ao confronto entre forças emocionais opostas, encontrado até certo ponto em todas as pessoas. **extrapsychic c.** – c. extrapsíquico; conflito entre o Eu (Ego) e o ambiente externo. **intrapsychic c.** – c. intrapsíquico; conflito entre as forças de uma personalidade.

con·flu·ence (kon'floo-ins) – confluência; fluxo em conjunto; encontro de correntes. **con'fluent** – adj. confluente. **c. of sinuses** – c. sinusal; ponto dilatado de confluência dos seios sagital superior, reto, occipital e dois transversais da dura-máter.

con·fu·sion (kon-fu'zhun) – confusão; desorientação com relação a tempo, lugar ou pessoa, algumas vezes acompanhada de consciência aturdida.

con·ge·ner (kon'jĕ-ner) – congênere; alguma coisa estreitamente relacionada a outra coisa como um indivíduo do mesmo gênero, um músculo que tem a mesma função de outro ou um composto químico estreitamente relacionado a outro quanto à composição e que exerce efeitos semelhantes ou antagonísticos ou ainda alguma coisa derivada da mesma fonte ou origem. **congener'ic, congen'erous** – adj. congenérico.

con·gen·ic (kon-je'ik) – congênico; de ou relativo a uma cepa de animais desenvolvida a partir de uma cepa endogâmica (isogênica) por meio de cruzamentos repetidos com animais de outra linhagem que tenham um gene estranho, diferindo então a cepa congênica final presumivelmente da cepa endogâmica original pela presença desse gene.

con·gen·i·tal (kon-jen'ĭ-t'l) – congênito; presente e existente desde o momento do nascimento.

con·ges·tion (kon-jes'chin) – congestão; acúmulo anormal de sangue em uma parte. **conges'tive** – adj. congestivo. **hypostatic c.** – c. hipostática; congestão de uma parte dependente do corpo ou órgão em conseqüência de forças gravitacionais como no caso de insuficiência venosa. **passive c.** – c. passiva; congestão decorrente de falta de força vital ou obstrução do escape de sangue de uma parte. **pulmonary c.** – c. pulmonar; ingurgitamento dos vasos pulmonares; com transudação de fluido no interior dos espaços alveolares e intersticiais; ocorre em cardiopatias, infecções e determinadas lesões. **venous c.** – c. venosa; c. passiva.

con·glo·ba·tion (kon'glo-ba'shun) – conglobação; ato de formar ou ser formado, em uma massa arredondada. **conglo'bate** – adj. conglobado.

con·glu·ti·na·tion (kon-gloo-"tĭ-na'shun) – conglutinação: 1. aderência de um tecido a outro; 2. aglutinação de hemácias que depende tanto de complemento como de anticorpos.

Co·nid·io·bo·lus (ko-nid"e-ob'o-lus) – Conidiobolus; gênero de fungos da família Entomophthoraceae, ordem Entomophthorales, que apresentam poucos septos no micélio e produzem poucos zigósporos, mas muitos clamidósporos e conídios; C. coronatus e C. incongruus podem causar infecção (entomoftoromicose) da mucosa nasal e tecidos subcutâneos.

co·nio·fi·bro·sis (ko"ne-o-fi-bro'sis) – coniofibrose; pneumoconiose com crescimento exuberante de tecido conjuntivo nos pulmões.

co·ni·o·sis (ko"ne-o'sis) – coniose; estado patológico devido à inalação de pó.

co·nio·spo·ro·sis (ko"ne-o-spor-o'sis) – coniosporose; doença do casca do bordo.

co·nio·tox·i·co·sis (-tok"sĭ-ko'sis) – coniotoxicose; pneumoconiose em que o fator irritante afeta diretamente os tecidos.

con·iza·tion (ko"ni-za'shun) – conização; remoção de um cone de tecido como é o caso da excisão parcial da cérvix uterina. **cold c.** – c. a frio; conização realizada com criobisturi e não com eletrocautério para preservar melhor os elementos histológicos.

con·ju·ga·ta (kon"ju-gāt'ah) – conjugado; diâmetro conjugado da pelve. **c. ve'ra** – c. verdadeiro; diâmetro conjugado verdadeiro da pelve.

con·ju·gate (kon'jŏŏ-gāt) – conjugado: 1. pareado ou igualmente acoplado; que trabalha em uníssono; 2. diâmetro conjugado da entrada pélvica; utilizado individualmente em geral para denotar o diâmetro conjugado verdadeiro; ver *pelvic diameter*, em *diameter*; 3. produto de conjugação química.

con·ju·ga·tion (kon"jŏŏ-ga'shun) – conjugação: 1. ato de reunir; 2. em organismos unicelulares, forma de reprodução sexuada em que duas células se reúnem em união temporária para transferir material genético; 3. em Química, reunião de dois compostos para produzir um outro composto.

con·junc·ti·va (kon-junk'tĭ-vah) [L.] pl. *conjunctivae* – conjuntiva; a delicada membrana que reveste as pálpebras e cobre o globo ocular. **conjucti'val** – adj. conjuntival.

con·juc·ti·vi·tis (kon-junk'tĭ-vĭt'is) – conjuntivite; inflamação da conjuntiva. **acute contagious c., acute epidemic c.** – c. contagiosa aguda; c. epidêmica aguda; conjuntivite comum; forma altamente contagiosa de conjuntivite causada por *Haemophilus aegyptius*. **acute hemorrhagic c.** – c. hemorrágica aguda; forma contagiosa decorrente de infecção por enterovírus. **allergic c., anaphylactic c.** – c. alérgica anafilática; febre do feno. **atopic c.** – c. atópica; conjuntivite alérgica do tipo imediato, em conseqüência de alérgenos aerógenos como pólen, pó, esporos e pêlos de animais. **gonococcal c., gonorrheal c.** – c. gonocócica; c. gonorréica; forma severa devido a infecção por gonococos. **granular c.** – c. granular; tracoma. **inclusion c.** – c. de inclusão; conjuntivite que afeta recém-nascidos, causada por uma cepa de *Chlamydia tracomatis* que começa como conjuntivite purulenta aguda e leva à hipertrofia papilar da conjuntiva palpebral. **phlyctenular c.** – c. flictenular; conjuntivite caracterizada por pequenas vesículas circundadas por uma zona avermelhada. **spring c., vernal c.** – c. primaveril; c. vernal; forma idiopática bilateral que ocorre geralmente na primavera em crianças.

con·junc·ti·vo·ma (kon-junk"tĭ-vo'mah) – conjuntivoma; tumor palpebral composto de tecido conjuntivo.

con·junc·ti·vo·plas·ty (kon"junk'ti'vo-plas"te) – conjuntivoplastia; reparo plástico da conjuntiva.

con·nec·tion (kŏ-nek'shun) – conexão: 1. ato de conectar ou o estado de ser conectado; 2. qualquer coisa que se conecta; conector.

con·nec·tor (-ter) – conector; qualquer coisa que sirva como ligação entre dois objetos ou unidades separados como a que ocorre entre as partes bilaterais de uma dentadura parcial removível.

con·nex·us (kŏ-nek'sus) [L.] pl. *connexus* – conexão; estrutura que conecta.

co·noid (ko'noid) – conóide; em forma de cone.

con·san·guin·i·ty (kon"sang-gwin'it-e) – consangüinidade; relacionamento sangüíneo; parentesco. **consanguin'eous** – adj. consangüíneo.

con·science (kon'shins) – consciência; conjunto de valores morais de um indivíduo, parte consciente do superego.

con·scious (kon'shus) – consciente; cônscio; capaz de responder a estímulos sensoriais e ter experiências subjetivas; desperto; atento.

con·scious·ness (-nes) – consciência; condição de estar consciente; responsividade da mente a impressões percebidas pelos sentidos.

con·ser·va·tive (kon-serv'ah-tiv) – conservador; destinado a preservar a saúde, restaurar a função e reparar estruturas por meio de métodos não-radicais.

con·sol·i·da·tion (kon-sol"ĭ-da'shun) – consolidação; solidificação; processo ou condição de tornar-se sólido; diz-se especialmente dos pulmões à medida que eles se enchem com exsudato em caso de pneumonia.

con·stant (kon'stint) – constante: 1. que não falha; que permanece inalterado; 2. quantidade não-sujeita a alterações. **association c.** – c. de associação; medida da extensão de uma associação reversível entre duas espécies moleculares. **Avogadro's c.** – c. de Avogadro; ver em *number*. **binding c.** – c. de ligação; c. de associação. **Michaelis c.** – c. de Michaelis; constante que representa a concentração de substrato em que a velocidade de uma reação catalisada por uma enzima se encontra na metade de seu valor máximo; símbolo K_M ou K_m. **sedimentation c.** – c. de sedimentação; ver em *coefficient*.

con·sti·pa·tion (kon"stĭ-pa'shun) – constipação; evacuação não-freqüente ou difícil de fezes. **constipa'ted** – adj. constipado.

con·sti·tu·tion (kon"stĭ-too'shun) – constituição: 1. estrutura ou hábito funcional do organismo; 2. arranjo dos átomos em uma molécula.

con·sti·tu·tive (kon-stich'u-tiv) – constitutivo; produzido constantemente ou em quantidades fixas, independentemente das condições ambientais ou demanda.

con·stric·tion (kon-strik'shun) – constrição: 1. estreitamento ou compressão de uma parte; estenose; 2. diminuição no âmbito do pensamento ou sentimento associada à redução da espontaneidade.

con·sul·ta·tion (kon"sul-ta'shun) – consulta; deliberação por dois ou mais médicos acerca de um diagnóstico ou tratamento em um caso específico.

con·sump·tion (kon-sump'shun) – consumo: 1. ato de consumir ou processo de ser consumido; 2. emaciação corporal; antigamente, tuberculose pulmonar.

con·tact (kon'takt) – contato; contacto: 1. toque mútuo de dois corpos ou pessoas; 2. indivíduo que reconhecidamente esteve próximo o bastante de uma pessoa infectada para expor-se à transferência de material infeccioso. **direct c., immediate c.** – c. direto; c. imediato; contato de uma pessoa saudável com uma pessoa que tem uma doença transmissível, resultando na transmissão dessa doença **balancing c.** – c. de equilíbrio; contato entre as superfícies oclusais superior e inferior dos dentes no lado oposto ao contato funcional. **complete c.** – c. completo; contato das superfícies contíguas completas de dois dentes. **indirect c., mediate c.** – c. indireto; c. mediado; contato obtido através de algum meio interposto como a propagação de doença transmissível através do ar ou por meio de fomitos. **occlusal c.** – c.

oclusal; contato entre os dentes superiores e inferiores quando as mandíbulas se encontram fechadas. **proximal c. proximate c.** – c. proximal; área de c.; toque das superfícies proximais de dois dentes contíguos. **working c.** – c. funcional; oclusivo; contato entre os dentes superiores e inferiores do lado em cuja direção a mandíbula se move na mastigação.

con·tac·tant (kon-tak'tint) – contactante; alérgeno capaz de induzir hipersensibilidade retardada de contato na epiderme após um contato.

con·ta·gion (kon-ta'jin) – contágio: 1. propagação de uma doença de pessoa a pessoa; 2. doença contagiosa. **psychic c.** – c. psíquico; comunicação de sintomas psicológicos através de influência mental.

con·tam·i·nant (kon-tam'in-int) – contaminante; alguma coisa que causa contaminação.

con·tam·i·na·tion (kon-tam"in-a-shun) – contaminação: 1. queda de qualidade ou inferiorização por meio de contato ou mistura; 2. deposição de material radioativo em lugar indesejável.

con·tent (kon'tent) – conteúdo; o que está contido dentro de uma coisa. **latent c.** – c. latente; parte de um sonho oculta no inconsciente. **manifest c.** – c. manifesto; parte de um sonho lembrada após o despertar.

con·ti·nence (kon'tin-ens) – continência; capacidade de controlar impulsos naturais. **con'tinent** – adj. continente.

contra- [L.] – contra-, elemento de palavra, *contra; oposto.*

con·tra·an·gle (kon"trah-ang'g'l) – contra-ângulo; angulação por meio da qual se aproxima o ponto operacional de um instrumento cirúrgico ao seu eixo longitudinal.

con·tra·ap·er·ture (-ap'er-cher) – contra-abertura; segunda abertura feita em um abscesso para facilitar a descarga de seu conteúdo.

con·tra·cep·tive (-sep'tiv) – contraceptivo; anticoncepcional: 1. que diminui a probabilidade ou impede de concepção; 2. agente que atua dessa forma. **barrier c.** – a. de barreira; dispositivo contraceptivo que impede fisicamente a penetração dos espermatozóides na cavidade endometrial e trompas de Falópio. **intrauterine c.** – a. intra-uterino; ver *device, contraceptive*. **oral c.** – anticoncepcional oral; composto hormonal administrado oralmente para bloquear a ovulação e impedir a ocorrência de gravidez.

con·trac·tile (kon-trak'til) – contrátil; capaz de se contrair em resposta a um estímulo adequado.

con·trac·til·i·ty (kon"trak-til'ĭ-te) – contratilidade; capacidade de encurtar-se em resposta a um estímulo adequado.

con·trac·tion (kon-trak'shun) – contração; puxar em conjunto; encurtamento ou encolhimento. **Braxton Hicks c's** – contrações de Braxton-Hicks; contrações uterinas irregulares, leves e geralmente indolores durante a gravidez, que aumentam gradualmente de intensidade e freqüência e se tornam mais rítmicas durante o terceiro trimestre. **carpopedal c.** – c. carpopedal; afecção decorrente de encurtamento crônico dos músculos dos dedos, braços e pernas como ocorre na tetania.

cicatricial c. – c. cicatricial; encolhimento e fechamento espontâneo de ferimentos cutâneos abertos. clonic c. – c. clônica; clono. Dupuytren's c. – c. de Dupuytren; ver em *contracture*. hourglass c. – c. em ampulheta; contração de um órgão como o estômago ou o útero, próximo ou em sua porção média. isometric c. – c. isométrica; contração muscular sem encurtamento apreciável nem alteração da distância entre sua origem e inserção. isotonic c. – c. isotônica; contração muscular sem alteração apreciável na força da contração; reduz-se a distância entre a origem e a inserção musculares. lengthening c. – c. de alongamento; contração muscular em que as extremidades do músculo movimentam-se a uma distância maior como quando se flexiona forçadamente o músculo. paradoxical c. – c. paradoxal; contração de um músculo causada pela aproximação passiva de suas extremidades. postural c. – c. postural; estado de tensão e contração musculares apenas o suficiente para manter a postura do corpo. shortening c. – c. de encurtamento; contração muscular em que as extremidades musculares movimentam-se em proximidade como, por exemplo, ao estender-se um membro flexionado. tetanic c. – c. tetânica; contração muscular sustentada sem intervalos de relaxamento. tonic c. – c. tônica; c. tetânica. twitch c. – c. muscular espasmódica. uterine c. – c. uterina; contração do útero durante o parto. wound c. – c. de ferimento; encolhimento e fechamento espontâneo de ferimentos cutâneos abertos.

con·trac·ture (-cher) – contratura; encurtamento anormal do tecido muscular, tornando o músculo altamente resistente a um estiramento passivo. Dupuytren's c. – c. de Dupuytren; deformidade de flexão dos dedos devida a encurtamento, espessamento e fibrose da fáscia palmar ou plantar. ischemic c. – c. isquêmica; contratura e degeneração musculares em conseqüência de interferência na circulação a partir de pressão ou ainda lesão ou frio. organic c. – c. orgânica; contratura permanente e contínua. Volkmann's c. – c. de Volkmann; contração dos dedos e algumas vezes do pulso ou partes análogas do pé, com perda da força, após lesão severa ou uso inadequado de um torniquete.

con·tra·fis·sure (kon"trah-fish'er) – contrafissura; fratura na parte oposta ao local do impacto.

con·tra·in·ci·sion (-in-sizh'in) – contra-incisão; contra-incisão para promover uma drenagem.

con·tra·in·di·ca·tion (-in"dĭ-ka'shun) – contra-indicação; qualquer condição que torna uma linha específica de tratamento imprópria ou indesejável.

con·tra·lat·er·al (-lat'er-il) – contralateral; relativo, situado ou que afeta o lado oposto.

con·tre·coup (kon"truh-koo') [Fr.] – contragolpe; denota lesão contra a que ocorre no cérebro do lado oposto ao ponto de impacto.

con·trol (kon-trōl') – controle: 1. regulação ou limitação de determinados objetos ou eventos; 2. padrão contra o qual podem-se avaliar observações experimentais. aversive c. – c. aversivo; em terapia comportamental, o uso de estímulos desagradáveis para alterar um comportamento indesejável. birth c. – c. do nascimento; limitação deliberada de nascimentos por meio de medidas de controle da fertilidade e impedimento da concepção. motor c. – c. motor; transmissão sistemática de impulsos do córtex motor para unidades motoras, resultando em contrações musculares coordenadas. stimulus c. – c. de estímulo; qualquer influência do ambiente no comportamento.

Con·trolled Sub·stan·ces Act – Regulamentação das Substâncias Controladas; lei federal americana que regula a prescrição e administração de drogas psicoativas, incluindo narcóticos, alucinógenos, depressivos e estimulantes.

con·tuse (kon-tōoz') – contundir; machucar; ferir por meio de um golpe.

con·tu·sion (kon-too'zhun) – contusão; equimose; lesão de uma parte sem romper a pele.

contrecoup c. – c. por contragolpe; contusão que resulta de golpe em um lado da cabeça prejudicando o hemisfério cerebral do lado oposto através da força transmitida.

co·nus (ko'nus) [L.] pl. *coni* – cone; cone ou estrutura cônica; 2. estafiloma posterior do olho míope. c. arterio'sus – c. arterial; porção ântero-superior do ventrículo direito do coração à entrada do tronco pulmonar. c. medulla'ris – c. medular; parte inferior cônica da medula espinhal, ao nível das vértebras lombares superiores. c. termina'lis – c. terminal; c. medular. co'ni vasculo'si – cones vasculares; lóbulos epididimários.

con·va·les·cence (kon"vah-les'ins) – convalescença; estágio de recuperação de uma enfermidade, cirurgia ou lesão.

con·vec·tion (kon-vek'shun) – convecção; ato de transportar ou transmitir, especificamente a transmissão de calor em um líquido ou gás através da circulação de partículas aquecidas.

con·ver·gence (kon-ver'jens) – convergência: 1. evolução de estruturas ou organismos semelhantes em táxons não-relacionados; 2. em Embriologia, movimento de células da periferia para a linha média na gastrulação; 3. inclinação coordenada das duas linhas de vista em direção ao seu ponto de fixação comum, ou ao próprio ponto; 4. excitação de um único neurônio sensorial pela recepção de impulsos a partir de vários outros neurônios. conver'gent – adj. convergente. negative c. – c. negativa; desvio para fora dos eixos visuais. positive c. – c. positiva; desvio para dentro dos eixos visuais.

con·ver·sion (kon-ver'zhun) – conversão; mecanismo de defesa inconsciente através do qual a ansiedade derivada de um conflito intrapsíquico converte-se e expressa-se em sintomas somáticos.

con·ver·tase (kon-ver'tās) – convertase; enzima do sistema de complemento que ativa componentes específicos do sistema.

con·ver·tin (kon-ver'tin) – convertina; fator de coagulação VII.

con·vex (kon'veks) – convexo; que tem superfície arredondada e pouco elevada.

con·vexo·con·cave (kon-vek"so-kon'kāv) – convexo-côncavo; que tem uma superfície convexa e outra côncava.

con·vexo·con·vex (-kon'veks) – convexo-convexo; convexo em ambas as superfícies; biconvexo..

con·vo·lu·tion (kon"vol-oo'shun) – convolução; irregularidade ou elevação tortuosa causada por invaginação de uma estrutura sobre si mesma. **Broca's c.** – c. de Broca; giro frontal inferior do hemisfério cerebral esquerdo. **Heschl's c.** – c. de Heschl; giro temporal transversal anterior; ver *temporal gyrus* em *gyrus*.

con·vul·sion (kon-vul'shun) – convulsão: 1. contração ou série de contrações involuntárias dos músculos voluntários; 2. crise epiléptica; ver *seizure* (2). **central c.** – c. central; convulsão sem o estímulo de qualquer causa externa, mas decorrente de lesão do sistema nervoso central. **clonic c.** – c. clônica; convulsão caracterizada por contração e relaxamento alternados. **essential c.** – c. essencial; c. central. **febrile c's** – convulsões febris; convulsões associadas a febre alta que ocorrem em bebês e crianças. **hysterical c.**, **hysteroid c.** – c. histérica; c. histeróide; histeria de conversão com sintomas semelhantes a convulsões. **mimetic c.**, **mimic c.** – c. mimética; c. mímica; espasmo facial como no caso da epilepsia de Jackson. **puerperal c.** – c. puerperal; espasmos involuntários em mulheres imediatamente antes, durante ou logo após o parto. **salaam c's** – convulsões de salaam; espasmos infantis. **tetanic c.** – c. tetânica; espasmo tônico com perda de consciência. **uremic c.** – c. urêmico; convulsão decorrente de uremia ou retenção no sangue de material que deveria ser eliminado pelos rins.

co·op·er·a·tiv·i·ty (ko-op"er-ah-tiv'ĭ -te) – cooperatividade; fenômeno da alteração na conjugação dos ligandos subseqüentes ao conjugar um ligando inicial por meio de enzima, receptor ou outra molécula com múltiplos pontos de ligação; afinidade no sentido de que uma ligação adicional possa ser potencializada *(c. positiva)* ou reduzida *(c. negativa)*.

Coo·pe·ria (koo-pe're-ah) – *Cooperia;* gênero de nematódeos parasitas.

co·or·di·na·tion (ko-or"din-a'shun) – coordenação; funcionamento harmonioso de órgãos e partes inter-relacionados.

COPD – chronic obstructive pulmonary disease (doença pulmonar obstrutiva crônica).

cope (kōp) – cúpula; abóbada; em Odontologia, lado superior ou cavitário de um molde dentário.

cop·ing (kōp'ing) – cobertura; cobertura ou capa metálica fina como a placa de metal aplicada sobre a coroa ou raiz preparadas de um dente antes de fixar-se uma coroa artificial.

copi·opia (kop"e-o'pe-ah) – copiopia; cansaço ocular.

co·poly·mer (ko-pol'ĭ -mer) – co-polímero; polímero que contém mais de um tipo de monômero.

cop·per (kop'er) – cobre, elemento químico (ver *Tabela de Elementos*), número atômico 29, símbolo Cu. **c. sulfate** – sulfato de c.; sulfato cúprico.

cop·per·head (-hed) – triconocéfalo: 1. cobra venenosa (crótalo) *(Agkistrodon contortrix)* dos Estados Unidos, que tem corpo com coloração que vai do marrom ao cobre ou com faixas negras; 2.

cobra elapídea muito venenosa *(Denisonia superba)* da Austrália, Tasmânia e Ilhas Salomão.

cop·ro·an·ti·body (kop"ro-an'tĭ -bod-e) – coproanticorpo; anticorpo (predominantemente IgA) presente no trato intestinal, associado à imunidade a uma infecção intestinal.

cop·ro·la·lia (-la'le-ah) – coprolalia; declaração de palavras obscenas, especialmente palavras relacionadas às fezes.

cop·ro·lith (kop'rah-lith) – coprólito; fecalito; estercólito; concreção fecal no intestino.

cop·ro·pho·bia (-fo'be-ah) – coprofobia; repugnância anormal à defecação e às fezes.

cop·ro·por·phy·ria (-por-fir'e-ah) – coproporfiria; presença de coproporfirina nas fezes. **hereditary c. (HCP)** – c. hereditária; porfiria hereditária hepática devida a defeito em uma enzima envolvida na síntese de porfirinas, caracterizada por ataques recorrentes de disfunções gastroenterológica e neurológica, fotossensibilidade cutânea e excreção de coproporfirina III nas fezes e urina e de ácido δ-aminolevulínico e porfobilinogênio na urina.

cop·ro·por·phy·rin (-por'fĭ -rin) – coproporfirina; porfirina que ocorre como vários isômeros; isômero III (intermediário na biossíntese da heme) é excretado nas fezes e urina na coproporfiria hereditária; isômero I (produto colateral) é excretado nas fezes e urina na porfiria eritropoiética congênita.

cop·ro·por·phy·rin·uria (-por'fĭ -rin-ūr'e-ah) – coproporfirinúria; presença de coproporfirina na urina.

cop·ro·sta·sis (kop-ros'tah-sis) – coprostase; impactação fecal.

cop·ro·zoa (kop"rah-zo'ah) – coprozoários; protozoários encontrados nas fezes fora do corpo, mas não nos intestinos.

cop·u·la (kop'u-lah) – acoplamento; cópula; qualquer parte ou estrutura conectante.

cop·u·la·tion (kop"u-la'shun) – cópula; ato sexual; geralmente aplicado ao processo de cruzamento nos animais inferiores ao homem.

Co·quil·let·tid·ia (ko-kwil"ĕ-tid'e-ah) – *Coquillettidia;* gênero de mosquitos grandes de água doce, predominantemente amarelos e de picada venenosa *C. perturbans* é um vetor da encefalite eqüina oriental na América do Norte e a *C. venezuelensis* é uma espécie sul-americana que é o vetor de vários arbovírus, incluindo o vírus Oropouche.

cor (kor) [L.] – coração. **c. adipo'sum** – c. adiposo. **c. bilocula're** – c. bilocular; bicameral com átrio e ventrículo e ainda válvula atrioventricular comum, em decorrência de falha na formação dos septos interatrial e interventricular. **c. bovi'num** – c. bovino; coração desproporcionalmente dilatado em conseqüência de hipertrofia ou aumento de volume do ventrículo esquerdo. **c. pulmonale, acute** – c. pulmonar agudo; sobrecarga aguda do ventrículo direito em conseqüência de hipertensão pulmonar, geralmente causada por embolia pulmonar aguda. **c. pulmonale chronic** – c. pulmonar crônico; cardiopatia decorrente de hipertensão pulmonar secundária a uma doença pulmonar ou seus vasos sangüíneos com hipertrofia do ventrículo direito. **triatria'tum** – c. triatriado; coração com três câmaras atriais e as veias pulmonares esvaziando-se em uma câmara acessória acima do átrio esquerdo verdadeiro e comunicando-se com este por meio de pequena abertura. **c.trilocula're** – c. trilocular; coração de três câmaras. **c. trilocula're biatria'lum** – c. trilocular biatriado; coração com três câmaras, comunicando-se dois átrios através das válvulas tricúspide e mitral, com um único ventrículo. **c. trilocula're biventricula're** – c. trilocular biventricular; coração de três câmaras com um átrio e dois ventrículos.

cor·a·cid·i·um (kor"ah-sid'e-um) [L.] pl. *coracidia* – coracídio; embrião ciliado, esférico, individual e livrenatante ou livre-rastejante de determinados cestódeos como, por exemplo, *Diphyllobothrium latum*.

cor·a·coid (kor'ah-koid) – coracóide: 1. semelhante ao bico de corvo; 2. processo coracóide.

cor·asth·ma (kor-az'mah) – corasma; febre do feno; ver *hay fever*, em *fever*.

cord (kord) – cordão; qualquer estrutura longa, cilíndrica e flexível. **genital c.** – c. genital; no embrião, a parte caudal fundida na linha média das duas cristas urogenitais, contendo cada uma um ducto mesonéfrico e um ducto paramesonéfrico. **gubernacular c.** – c. gubernacular; corda gubernacular. **sexual c's** – cordões sexuais; túbulos seminíferos durante o início do estágio fetal. **spermatic c.** – c. espermático; estrutura que se estende do anel inguinal abdominal aos testículos, compreendendo o plexo pampiniforme, nervos, ducto deferente, artéria testicular e outros vasos. **spinal c.** – c. espinhal; parte do sistema nervoso central alojada no canal vertebral, estendendo-se do forame magno à parte superior da região lombar; ver Pranchas XI e XIV. **umbilical c.** – c. umbilical; estrutura que conecta o feto e a placenta, e contém os vasos através dos quais o sangue fetal transita para dentro e para fora da placenta. **vocal c's** – cordas vocais; dobras de membrana mucosa na laringe; o par superior é chamado de cordas vocais *falsas*, e o par inferior de *verdadeiras*. **Willis' c's** – cordões de Willis; faixas fibrosas que atravessam o ângulo inferior do seio sagital superior.

cor·dec·to·my (kor-dek'tah-me) – cordectomia; excisão de todo ou parte de um cordão como, por exemplo, de uma corda vocal ou cordão espinhal.

cor·di·tis (kor-dī't'is) – cordite; inflamação do cordão espermático.

cor·do·cen·te·sis (kor"do-sen-te'sis) – cordocentese; punção percutânea da veia umbilical sob orientação ultra-sonográfica para se obter amostra sangüínea fetal.

cor·dot·o·my (kor-dot'ah-me) – cordotomia: 1. secção de uma corda vocal; 2. desvio cirúrgico do trato espinotalâmico lateral da medula espinhal, geralmente no quadrante ântero-lateral.

core- [Gr.] – core-, elemento de palavra, *pupila*. Também *cor(o)-*.

core·cli·sis (kor"ē-kli'sis) – coreclise; iridenclise (*iridencleisis*).

cor·ec·ta·sis (kor-ek'tah-sis) – corectasia; dilatação da pupila.

cor·ec·tome (kor-rek'tōm) – coréctomo; iridótomo; instrumento de corte para a iridectomia.

co·rec·to·me·di·al·y·sis (ko-rek"to-me"de-al'ī-sis) – corectomediálise; criação cirúrgica de pupila artificial através do descolamento da íris do ligamento ciliar.

cor·ec·to·pia (kor"ek-to'pe-ah) – corectopia; localização anormal da pupila.

core·di·al·y·sis (ko"re-di-al'ī-sis) – corediálise; separação cirúrgica da margem externa da íris do corpo ciliar.

co·rel·y·sis (ko-rel'ī-sis) – corélise; destruição operatória da pupila; especialmente o descolamento das aderências da margem pupilar da íris do cristalino.

cor·e·mor·pho·sis (kor"re-mor-fo'sis) – coremorfose; formação cirúrgica de pupila artificial.

co·re·o·plas·ty (ko're-o-plas"te) – coreoplastia; qualquer operação plástica na pupila.

co·re·pres·sor (ko"re-pres'er) – co-repressor; em Teoria Genética, pequena molécula que se combina com um aporrepressor (repressor inativo) para formar o repressor completo.

co·ri·a·myr·tin (kor"e-ah-mir'tin) – coriamirtina; glicosídeo tóxico proveniente do gênero *Coriaria* que tem ações semelhantes às da picrotoxina.

co·ri·um (ko're-um) – cório; derme; derma; cútis verdadeira; camada de pele mais profunda com relação à epiderme que consiste de um leito de tecido conjuntivo vascular contendo nervos e órgãos dos sentidos, raízes pilosas bem como glândulas sebáceas e sudoríparas.

corn (korn) – calo; endurecimento e espessamento do estrato córneo causado por fricção e formação de massa cônica que aponta para baixo no interior do cório, produzindo dor e irritação. **hard c.** – c. duro; calo geralmente localizado no lado externo do artelho mínimo ou superfícies superiores dos outros artelhos. **soft c.** – c. mole; calo entre os artelhos, que se mantém amolecido em decorrência da umidade, levando geralmente a inflamação dolorosa na porção subjacente.

cor·nea (kor'ne-ah) – córnea; parte anterior transparente do olho. Ver Prancha XIII. **cor'neal** – adj. corneano; córneo. **conical c.** – c. cônica; ceratocone.

cor·neo·scle·ra (kor"ne-o-sklē'rah) – corneoesclera; córnea e esclera consideradas como um órgão.

cor·ne·ous (kor'ne-us) – córneo; que consiste de ceratina.

cor·nic·u·lum (kor-nik'u-lum) [L.] – cornículo; cartilagem corniculada.

cor·ni·fi·ca·tion (kor"nĭ-fi-ka'shun) – cornificação: 1. conversão em ceratina ou material córneo; 2. conversão do epitélio em tipo escamoso estratificado.

cor·nu (kor'noo) [L.] pl. *cornua* – corno; proeminência ou projeção semelhante a um corno; em nomenclatura anatômica, estrutura com formato de corno, especificamente em uma secção. **c. ammo'nis** – c. de Ammon; hipocampo. **c. cuta'neum** – c. cutâneo. **sacral c., c. sacra'le** – c. sacro; um dos dois processos em forma de gancho que se estendem para baixo a partir do arco das últimas vértebras sacrais.

cor·nu·al (kor'nu-al) – córneo; relativo a um corno, especialmente aos cornos da medula espinhal.

cor·nu·ate (kor'nu-āt) – córneo (ver *cornual*).

cor(o)- [Gr.] – cor(o)-, elemento de palavra, *pupila*.

co·ro·na (kŏ-ro'nah) [L.] pl. *coronae, coronas* – coroa; em nomenclatura anatômica, proeminência ou estrutura envolvente semelhante a uma coroa. **coro'nal** – adj. coronal, **dental c., c. den'tis** – c. dentária; coroa de um dente; coroa anatômica. **c. glan'dis pe'nis** – c. da glande peniana; borda ao redor da parte proximal da glande peniana. **c. radia'ta** – c. radiada: 1. coroa radiada das fibras em projeção que passam da cápsula interna para todas as partes do córtex cerebral; 2. camada envolvente de células foliculares radialmente alongadas que circundam a zona pelúcida. **c. ve'neris** – c. venérea; anel de feridas sifilíticas ao redor da testa.

co·ro·nad (kor"ah-nad) – coronal; relativo à coroa da cabeça ou a qualquer coroa.

co·ro·nary (kor'ŏ-nar"e) – coronário; que circunda como uma coroa; aplicado a vasos, ligamentos etc., especialmente às artérias cardíacas e seu envolvimento patológico.

Co·ro·na·vi·ri·dae (ko-ro"nah-vi"rĭ -de) – Coronaviridae; família de vírus do RNA com genoma poliadenilado monofilamentar de sentido positivo, transmitido por contato e outros meios mecânicos. O único gênero é o *Coronavirus*.

Co·ro·na·vi·rus (ko-ro'nah-vi"rus) – *Coronavirus;* gênero de vírus da família Coronaviridae que causa doença respiratória e possivelmente gastroenterite em humanos e hepatite, gastroenterite, encefalite bem como doença respiratória nos outros animais; coronavírus.

co·ro·na·vi·rus (kŏ-ro'nah-vi"rus) – coronavírus; qualquer vírus que pertença à família Coronaviridae.

cor·o·ner (kor'on-er) – médico legista; perito; funcionário que investiga mortes suspeitas, violentas, súbitas e inexplicáveis.

cor·o·noi·dec·to·my (kor"ah-noi-dek'tah-me) – coronoidectomia; remoção cirúrgica do processo coronóide da mandíbula.

co·ros·co·py (ko-ros'kah-pe) – coroscopia; retinoscopia (*retinoscopy*).

co·rot·o·my (ko-rot'ah-me) – corotomia; iridotomia (*iridotomy*).

cor·pu·len·cy (kor'pu-lin-se) – corpulência; adiposidade indevida.

cor·pus (kor'pus) [L.] pl. *corpora* – corpo. **c. adipo'sum buc'cae** – c. adiposo da boca; coxim de sucção. **c. al'bicans** – c. albicante; tecido fibroso branco que substitui o corpo lúteo em regressão no ovário humano na metade final da gravidez ou logo após a ovulação, quando não ocorre gravidez. **c. amygdaloi'deum** – c. amigdalóide; pequena massa de substância cinzenta subcortical na extremidade do lobo temporal, anteriormente ao corno inferior do ventrículo cerebral lateral; faz parte do sistema límbico. **c. callo'sum** – c. caloso; massa arqueada de substância branca nas profundezas da fissura longitudinal, composta de fibras transversais que conectam os hemisférios cerebrais. **c. caverno'sum** – c. cavernoso; qualquer das colunas de tecido

erétil que formam o corpo do clitóris *(corpo cavernoso do clitóris)* ou pênis *(corpo cavernoso do pênis)*. **c. hemorrha'gicum** – c. hemorrágico: 1. folículo ovariano contendo sangue; 2. corpo lúteo contendo um coágulo sangüíneo. **c. lu'teum** – c. lúteo; massa glandular amarela no ovário, formada por um folículo ovariano que amadureceu e descarregou seu óvulo. **c. spongio'sum pe'nis** – c. esponjoso do pênis; coluna de tecido erétil que forma a superfície uretral do pênis, onde se encontra a uretra. **c. stria'tum** – c. estriado; massa subcortical de substância cinzenta e branca em frente e lateral ao tálamo em cada hemisfério cerebral. **c. vi'treum** – c. vítreo; corpo vítreo ocular.

cor·pus·cle (kor'pus'l) – corpúsculo; qualquer massa ou corpo pequeno. **corpus'cular** – adj. corpuscular. **blood c's** – corpúsculos sangüíneos; elementos formados do sangue, ou seja, hemácias e leucócitos. **corneal c's** – corpúsculos corneanos; corpúsculos em forma de estrela dentro dos espaços corneanos. **genital c.** – c. genital; um tipo de terminação nervosa pequena encapsulada nas membranas mucosas da região genital e pele ao redor dos mamilos. **Golgi's c.** – c. de Golgi; órgão tendíneo de Golgi. **Hassall's c.** – corpúsculos de Hassall; corpúsculos esféricos ou ovóides encontrados na medula do timo, compostos de arranjos concêntricos de células epiteliais que contêm ceratoialina e feixes de filamentos citoplasmáticos. **lamellar c., lamellated c.** – c. lamelar; c. lamelado; um tipo de terminação nervosa extensa encapsulada encontrada por todo o organismo, relacionada à percepção das sensações. **malpighian c's** – corpúsculos de Malpighi; corpúsculos renais. **Meissner's c.** – c. de Meissner; c. tátil. **Merkel's c.** – c. de Merkel; menisco tátil. **Pacini's c., pacinian c.** – c. de Pacini; c. lamelado. **paciniform c's** – corpúsculos paciniformes; um tipo de corpúsculos lamelados que se adaptam rapidamente em resposta a estiramento muscular e pressão leve. **red c.** – c. vermelho; hemácia. **renal c's** – corpúsculos renais; corpúsculos que formam o começo dos néfrons, cada um deles consistindo de glomérulo e cápsula glomerular. **tactile c.** – c. tátil; um tipo de terminação nervosa média encapsulada na pele principalmente nas palmas das mãos e plantas dos pés. **thymus c's** – corpúsculos tímicos; corpúsculos de Hassall. **white c.** – c. branco; leucócito.

cor·pus·cu·lum (kor-pus'ku-lum) [L.] pl. *corpuscula* – corpúsculo.

cor·rec·tion (kor-ek'shun) – correção; ajuste corretivo, por exemplo, providenciar lentes para melhorar a visão ou ajuste arbitrário feito em valores ou dispositivos na execução de experimentos.

cor·re·la·tion (kor"il-a'shun) – correlação; em Neurologia, união de impulsos aferentes em um centro nervoso para levar à resposta apropriada. Em Estatística, o grau de associação de fenômenos variáveis como inteligência ou ordem de nascimento.

cor·re·spon·dence (kor"is-pon'dins) – correspondência; condição de estar em concordância ou conformidade. **anomalous retinal c.** – c. retiniana anômala; condição em que pontos desiguais nas retinas de ambos os olhos associam-se sensorialmente. **normal retinal c.** – c. retiniana normal; condição em que os pontos correspondentes na retina de dois olhos associam-se sensorialmente. **retinal c.** – c. retiniana; estado relacionado à invasão dos estímulos produtores de imagens de ambos os olhos.

cor·rin (kor'in) – corrina; sistema anelar tetrapirrólico semelhante ao sistema anelar porfirínico. As cobalaminas contêm um sistema anelar corrinóide.

cor·ro·sive (kor-o'siv) – corrosivo; que destrói a textura ou a substância dos tecidos; agente que atua dessa forma.

cor·tex (kor'teks) [L.] pl. *cortices* – córtex; camada externa como a casca de uma árvore ou fruta, ou ainda a camada externa de um órgão ou outra estrutura, em contraposição à sua substância interna. **cor'tical** – adj. cortical. **adrenal c.** – c. adrenal; camada externa firme que compreende a parte maior da glândula supra-renal; secreta muitos hormônios esteróides, incluindo mineralocorticóides, glicocorticóides, androgênios, 17-cetoesteróides e progestinas. **cerebellar c., c. cerebella'ris** – c. cerebelar; substância cinzenta superficial do cerebelo. **cerebral c., c. cerebra'lis** – c. cerebral; c. celular cinzento; camada convoluta de substância cinzenta que cobre cada hemisfério cerebral; ver *archaeocortex, palaeocortex* e *neocortex*. **c. len'tis** – c. do cristalino; parte externa mais macia do cristalino. **motor c.** – c. motor; ver em *area*. **provisional c.** – c. provisório; córtex da glândula supra-renal fetal; que sofre involução no início da vida fetal. **renal c., c. re'nis** – c. renal; parte externa da substância renal, composta principalmente de glomérulos e túbulos convolutos. **striate c.** – c. estriado; parte do lobo occipital do córtex cerebral que é a área receptora primária da visão. **c. of thymus** – c. do timo; parte externa de cada um dos lobos do timo; consiste principalmente de linfócitos intimamente acondicionados (timócitos) e circunda a medula. **visual c.** – c. visual; área do lobo occipital do córtex cerebral relacionada à visão.

cor·ti·cate (kor'tĭ-kāt) – corticado; que tem um córtex ou uma casca.

cor·ti·cec·to·my (kor"tĭ-sek'tah-me) – corticectomia; topectomia (*topectomy*).

cor·ti·cif·u·gal (-sif'u-g'l) – corticífugo; que prossegue ou conduz para fora do córtex cerebral.

cor·ti·cip·e·tal (-sip'ĕ-t'l) – corticípeto; que prossegue ou conduz em direção ao córtex cerebral.

cor·ti·co·bul·bar (kor"tĭ-ko-bul'ber) – corticobulbar; relativo ou que se conecta ao córtex cerebral e à medula oblonga ou tronco cerebral.

cor·ti·coid (kor'tĭ-koid) – corticóide; corticosteróide; hormônio esteróide do córtex adrenal.

cor·ti·co·ster·oid (-ster'oid) – corticosteróide; qualquer dos esteróides elaborados pelo córtex da supra-renal (excluindo os hormônios sexuais) ou qualquer equivalente sintético; dividido de acordo com sua atividade biológica predominante em dois grupos principais: os *glicocorticóides* (envolvidos principalmente no metabolismo de carboidratos, gorduras e proteínas) e os *mineralocorticóides* (envolvidos na regulação dos equilíbrios

eletrolítico e hídrico; utilizado clinicamente em terapias de reposição hormonal, na supressão da secreção de ACTH, como agentes antiinflamatórios, bem como na supressão da resposta imune.

cor·ti·cos·ter·one (kor"tĭ -kos'ter-ōn) – corticosterona; corticóide natural com atividade glicocorticóide moderada, alguma atividade mineralocorticóide e ações semelhantes ao cortisol, exceto a de antiinflamatório.

cor·ti·co·ten·sin (-ten'sin) – corticotensina; polipeptídeo depurado de um extrato renal que exibe efeito vasopressor quando administrado endovenosamente.

cor·ti·co·trope (kor'tĭ -ko-trōp) – corticotrofo; célula da hipófise anterior que secreta ACTH.

cor·ti·co·tro·phin (kor"tĭ -ko-tro'fin) – corticotrofina; corticotropina.

cor·ti·co·tro·pin (-tro'pin) – corticotropina; hormônio secretado pela hipófise anterior, que tem efeito estimulante sobre o córtex da supra-renal; utiliza-se uma preparação a partir da hipófise anterior de mamíferos para teste diagnóstico da função adrenocortical como antiemético em quimioterapia cancerosa bem como anticonvulsivante.

cor·ti·lymph (kor'tĭ -limf") – cortilinfa; fluido que preenche os espaços intercelulares do órgão de Corti.

cor·ti·sol (-sol) – cortisol; principal glicocorticóide natural elaborado pelo córtex da supra-renal; afeta o metabolismo da glicose, proteínas e gorduras e tem atividade mineralocorticóide. Ver *hydrocortisone* quanto aos usos terapêuticos.

cor·ti·sone (-sōn) – cortisona; glicocorticóide natural metabolicamente conversível em cortisol; utiliza-se o éster de acetato como agente antiinflamatório e imunossupressor, bem como na terapia de reposição adrenal.

co·run·dum (kor-un'dum) – corundo; corindo; óxido de alumínio natural (Al_2O_3), utilizado em Odontologia como agente abrasivo e polidor.

cor·us·ca·tion (kor"us-ka'shun) – coruscação; sensação semelhante ao clarão luminoso nos olhos.

co·rym·bi·form (ko-rim'bĭ -form) – corimbiforme; aglomerado; diz-se de lesões agrupadas ao redor de uma única lesão, geralmente maior.

Co·ry·ne·bac·te·ri·a·ceae (ko-ri"ne-bak-tēr"e-a'se-e) – Corynebacteriaceae; em sistemas de classificação antigos, família de bactérias corineformes relacionadas aos actinomicetos e que consistem dos gêneros *Arthrobacter, Cellulomonas, Corynebacterium, Erysipelothrix, Listeria* e *Microbacterium*.

Co·ry·ne·bac·te·ri·um (-bak-tēr'e-um) – *Corynebacterium*; gênero de bactérias que inclui as espécies *C. acnes* (espécie presente em lesões por acne), *C. diphtheriae* (agente etiológico da difteria), *C. minutissimum* (agente etiológico da eritrasma), *C. pseudodiphtheriticum* (espécie não-patogênica presente no trato respiratório) e o *C. pseudotuberculosis* (que algumas vezes causa pseudotuberculose em animais domésticos).

co·ry·ne·form (-form) – corineforme (em forma de bastonete); que denota ou assemelha-se aos microrganismos da família Corynebacteriaceae.

co·ry·za (ko-ri-zah) [L.] – coriza; descarga profusa da membrana mucosa do nariz. **infectious avian**

c. – c. aviária infecciosa; doença respiratória aguda das galinhas, caracterizada principalmente por descarga nasal, espirros e edema da face, causada pela *Haemophilus paragallinarum*.

COS – Canadian Ophthalmological Society (Sociedade Oftalmológica Canadense).

cos·me·sis (koz-me'sis) – cosmese: 1. preservação, restauração ou aplicação para a beleza corporal; 2. correção cirúrgica de um defeito físico desfigurante.

cos·met·ic (koz-met'ik) – cosmético: 1. relativo à cosmese; 2. substância ou preparação embelezadora.

cost(o)- [L.] – cost(o)-, elemento de palavra, *costela*.

cos·ta (kos'tah) [L.] – costela: 1. uma costela; 2. estrutura firme, fina e semelhante a um bastão que corre ao longo da base da membrana ondulante de determinados flagelados. **cos'tal** – adj. costal.

cos·ta·lis (kos-ta'lis)[L.] – costal.

cos·tive (kos'tiv) – constipado: 1. relativo, caracterizado por ou que produz constipação; 2. constipante, agente que deprime a motilidade intestinal.

cos·to·chon·dral (kos"to-kon'dril) – costocondral; relativo a uma costela e respectiva cartilagem.

cos·to·gen·ic (-jen'ik) – costogênico; que surge a partir de uma costela, especialmente de um defeito da medula das costelas.

cos·to·scap·u·lar·is (-skap'u-la'ris) – costoscapular; costoescapular; músculo serrado anterior.

cos·to·ster·no·plas·ty (-stern'o-plas"te) – costoesternoplastia; costosternoplastia, reparo cirúrgico do peito em funil, utilizando-se um segmento de costela para sustentar o esterno.

cos·to·trans·ver·sec·to·my (-trans"ver-sek'to-me) – costotransversectomia; excisão de parte de uma costela ao longo do processo transversal de uma vértebra.

co·syn·tro·pin (ko-sin-tro'pin) – cosintropina; polipeptídeo sintético idêntico a uma porção de corticotrofina, tendo atividade corticotrófica mas não alergênica; utilizada na triagem de insuficiência adrenal com base na resposta de cortisol plasmático.

co·throm·bo·plas·tin (kom-throm"bo-plas-tin) – cotromboplastina; Fator de coagulação VII.

co·trans·fec·tion (ko"trans-fek'shun) – co-transfecção; transfecção simultânea com duas moléculas de ácido nucleico separadas e não-relacionadas, podendo uma delas conter um gene facilmente analisável e que atua como marcador.

co·trans·port (ko-trans'port) – co-transporte; ligação do transporte de uma substância com o transporte simultâneo de substância diferente na mesma direção através da mesma membrana

co·tri·mox·a·zole (ko"tri-moks'ah-zōl) – co-trimoxazol; mistura de trimetoprima e sulfametoxazol.

cot·ton (kot"n) – algodão; material têxtil derivado de sementes de variedades cultivadas de Gossypium. **absorbable c.** – a. absorvível; celulose oxidada. **absorbent c.** – a. absorvente; a. purificado. **purified c.** – a. purificado; algodão sem impurezas, alvejado e esterilizado; utilizado como curativo cirúrgico.

cot·y·le·don (kot"ĭ-le'd'n) – cotilédone; qualquer subdivisão da superfície uterina da placenta.

cot·y·loid (kot'ĭ-loid) – cotilóide; em forma de cálice.

cough (kof) – tosse: 1. expulsão ruidosa súbita de ar a partir dos pulmões. **dry c.** – t. seca; tosse sem expectoração. **ear c.** – t. auditiva; tosse reflexa produzida por otopatia. **hacking c.** – t. curta e repetida; tosse fraca, rasa, freqüente e curta. **productive c.** – t. produtiva; tosse acompanhada de expectoração de material dos brônquios. **reflex c.** – t. reflexa; tosse decorrente de irritação de algum órgão distante. **stomach c.** – t. gástrica; tosse causada por irritação reflexa de um distúrbio gástrico. **wet c.** – t. úmida; tosse produtiva. **whooping c.** – coqueluche; ver em *whooping cough*.

cou·lomb (koo'lom) – coulomb; unidade de carga elétrica definida como a quantidade de carga elétrica transferida por 1 ampère através de uma superfície em 1 segundo. Símbolo C.

cou·ma·rin (koo'mah-rin) – cumarina: 1. um princípio extraído da fava tonca ou de cumaru, contém um fator (o dicumarol) que inibe a síntese hepática dos fatores de coagulação dependentes da vitamina K e vários de seus derivados são utilizados como anticoagulantes no tratamento de distúrbios caracterizados por coagulação excessiva; 2. um desses derivados ou composto sintético com atividade semelhante.

count (kownt) – contagem; computação ou indicação numérica. **Addis c.** – c. de Addis; determina o número de hemácias, leucócitos, células epiteliais, cilindros e o teor protéico em uma amostra de urina a uma alíquota de 12 horas. **blood c.** – c. sangüínea; determina o número de elementos formados em um volume de sangue medido, geralmente um milímetro cúbico (como a contagem de hemácias, leucócitos e plaquetas). **differential c.** – c. diferencial; contagem em um esfregaço sangüíneo corado da proporção de tipos diferentes de leucócitos (ou outras células), expressos em porcentagens. **platelet c.** – c. plaquetária; determinação do número total de plaquetas por milímetro cúbico de sangue, tanto através de contagem de plaquetas como utilizando-se um microscópio luminoso ou eletrônico (*c. plaquetária direta*) ou através de determinação em um esfregaço sangüíneo periférico da proporção de plaquetas com relação a hemácias e computando-se o número de plaquetas a partir da contagem total de hemácias (*c. plaquetária indireta*).

coun·ter (kown'ter) – contador; instrumento para computar um valor numérico; em Radiologia, dispositivo para enumerar os eventos ionizantes. **Coulter c.** – c. de Coulter; instrumento automático utilizado na enumeração dos elementos formados no sangue periférico. **Geiger c., Geiger-Müller c.** – c. Geiger; c. de Geiger-Müller; dispositivo amplificador que indica a presença de partículas ionizantes. **scintillation c.** – c. de cintilação; cintiloscópio; dispositivo para indicar a emissão de partículas ionizantes, permitindo a determinação da concentração de isótopos radioativos no organismo ou em outra substância.

coun·ter·cur·rent (-kur"int) – contracorrente; que flui em direção oposta.

coun·ter·ex·ten·sion (-eks-ten'shun) – contra-extensão; tração em direção proximal coincidente com uma tração oposta.

coun·ter·im·mu·no·elec·tro·pho·re·sis (-im"u-no-e-lek"tro-for-e'sis) – contra-imunoeletroforese; imunoeletroforese em que o antígeno e o anticorpo migram em direções opostas.

coun·ter·in·ci·sion (-in-sizh'in) – contra-incisão; uma segunda incisão feita para promover uma drenagem ou aliviar a tensão nas bordas de um ferimento.

coun·ter·ir·ri·ta·tion (-ir"i -ta'shun) – contra-irritação; irritação superficial destinada a aliviar outra irritação.

coun·ter·open·ing (-o"pin-ing) – contra-abertura; contrapunção; uma segunda incisão feita através de incisão inicial para promover uma drenagem.

coun·ter·pul·sa·tion (-pul-sa'shun) – contrapulsação; técnica para auxiliar a circulação e reduzir o trabalho do coração, através de sincronização da força de um dispositivo de bombeamento externo com sístole e diástole cardíacas. **intra-aortic balloon (LAB) c.** – c. com balão intra-aórtico; suporte circulatório proporcionado por um balão inserido no interior da aorta torácica, inflado durante a diástole e esvaziado durante a sístole.

coun·ter·shock (koun'ter-shok") – contrachoque; choque de corrente direta de alta intensidade administrado ao coração para interromper a fibrilação ventricular e restaurar a atividade elétrica sincronizada.

coun·ter·stain (-stăn) – contracorante; corante aplicado para realçar os efeitos de outro corante.

coun·ter·trac·tion (-trak"shin) – contratração; tração oposta a outra tração utilizada na redução de fraturas.

coun·ter·trans·fer·ence (koun"ter-trans-fer'ens) – contratransferência; em Psicanálise, a reação emocional suscitada no médico pelo paciente.

coun·ter·trans·port (-trans'port) – contratransporte; transporte simultâneo de duas substâncias pela mesma membrana em direções opostas, efetuado por um ou dois transportadores bioquimicamente ligados um ao outro.

coup (koo) [Fr.] – síncope; golpe. **c. de fouet** – chicotada; ruptura do músculo plantar acompanhada de dor aguda e incapacitante. **c. de sabre, en c. de sabre** – esclerodermia linear; uma lesão de esclerodermia linear na testa e couro cabeludo, geralmente associada a hemiatrofia da face.

coup·let (kup'let) – par (q. v. pair) (2).

coup·ling (kup'ling) – acoplamento: 1. reunião de duas coisas; 2. pareamento; em Genética, ocorrência, no mesmo cromossoma, de dois alelos mutantes de interesse em heterozigoto duplo; 3. em Cardiologia, ocorrência repetida de um batimento cardíaco normal acompanhado proximamente de um batimento prematuro.

co·va·lence (ko-va'lins) – covalência; ligação química entre dois átomos em que se repartem os elétrons entre os dois núcleos. **cova'lent** – adj. covalente.

co·var·i·ance (ko-vă'e-ins) – covariância; valor esperado de um produto dos desvios dos valores

correspondentes de duas variáveis aleatórias a partir de suas respectivas médias.

cov·er·glass (kuv'er-glas) – lamínula; placa de vidro fina que recobre um objeto microscópico montado ou uma cultura.

cov·er·slip (-slip) – lamínula (coverglass).

cow·per·itis (kow"per-i t'is) – cowperite; inflamação das glândulas de Cowper (bulbouretrais).

cow·pox (kow'poks) – vacínia; vacinia; doença eruptiva suave das vacas leiteiras, confinada ao úbere e às tetas, em conseqüência do vírus da varíola bovina, e transmissível ao homem.

coxa (kok'sah) [L.] – coxa; parte superior do membro inferior; genericamente, a articulação coxofemoral. **c. mag'na** – c. magna; alargamento da cabeça e colo femorais. **c. pla'na** – c. plana; osteocondrose da epífise capitular do fêmur. **c. val'ga** – c. valga; deformidade da coxa com aumento no ângulo de inclinação entre o colo e o eixo femorais. **va'ra** – c. vara; deformidade da coxa com redução no ângulo de inclinação entre o colo e o eixo femorais.

cox·al·gia (kok'sal'jah) – coxalgia: 1. doença da articulação coxofemoral; 2. dor na coxa.

cox·ar·throp·a·thy (koks"ar-throp'ah-me) – coxartropatia; doença da articulação coxofemoral.

Cox·i·el·la (kok"se-el'ah) – Coxiella; gênero de rickéttsias que inclui a *C. burnetii* (agente etiológico da febre Q).

coxo·fem·o·ral (kok"so-fem'ah-ril) – coxofemoral; relativo à anca e à coxa.

coxo·tu·ber·cu·lo·sis (-too-berk"u-lo'sis) – coxotuberculose; doença da articulação coxofemoral.

cox·sack·ie·vi·rus (kok-sak'e-vi"rus) – coxsackievírus; vírus de um grupo que produz no homem uma doença semelhante à poliomielite, mas sem paralisia.

CPDD – calcium pyrophosphate deposition disease (DDPC, doença de deposição de pirofosfato de cálcio).

C. Ped – C. Ped. Certified Pedorthist (Técnico em Aparelhos Ortopédicos Diplomado).

CPK – creatine phosphokinase (creatinino-fosfocinase).

cpm – counts per minute (contagens por minuto); expressão da taxa de emissão de partículas de um material radioativo.

CPR – cardiopulmonary resuscitation (RCP, ressuscitação cardiopulmonar).

cps – cycles per second (ciclos por segundo).

CR – conditioned reflex [response] (RC, reflexo condicionado [resposta]).

Cr – símbolo químico, cromo (chromium).

cra·dle (kra'd'l) – berço; estrutura colocada sobre o corpo de um paciente acamado para a aplicação de calor ou frio ou ainda para proteger partes lesadas do contato com os lençóis.

cramp (kramp) – câimbra; contração muscular espasmódica dolorosa. **heat c.** – c. por calor; espasmo com dor, pulso fraco e pupilas dilatadas; observada em trabalhadores sob calor intenso. **recumbency c's** – câimbras de recúbito; câimbras nas pernas e pés que ocorrem durante o repouso ou sono leve. **writers' c.** – c. dos escritores; câimbra muscular na mão causada pelo uso excessivo na escrita.

crani(o)- [L.] – crani(o)-, elemento de palavra, *crânio*.

cra·ni·ad (kra'ne-ad) – cranial; cefálico; em direção ao crânio; em direção à parte anterior, ou dianteira (em animais) e à parte superior, ou mais elevada (no homem).

cra·nio·cele (kra'ne-osēl) – craniocele; encefalocele (*encephalocele*).

cra·nio·fe·nes·tria (kra"ne-o-fen-es'tre-ah) – craniofenestria; desenvolvimento defeituoso do crânio fetal com áreas onde não se formam ossos.

cra·nio·la·cu·nia (-lah-ku'ne-ah) – craniolacunia; desenvolvimento defeituoso do crânio fetal com áreas deprimidas na superfície interna.

cra·nio·ma·la·cia (-mah-la'she-ah) – craniomalacia; craniomalacia; amolecimento anormal dos ossos do crânio.

cra·ni·op·a·thy (kra'ne-op'ah-the) – craniopatia; qualquer doença craniana. **metabolic c.** – c. metabólica; afecção caracterizada por lesões da calvária com alterações metabólicas múltiplas, cefaléia, obesidade e distúrbios visuais.

cra·nio·pha·ryn·gi·o·ma (kra"ne-o-fah-rin"je-o'mah) – craniofaringioma; tumor que surge dos restos celulares derivados do infundíbulo hipofisário ou bolsa de Rathke.

cra·nio·plas·ty (kra'ne-o-plas"te) – cranioplastia; qualquer operação plástica no crânio.

cra·nio·ra·chis·chi·sis (kra"ne-o-rah-kis'kĭ-sis) – craniorraquisquise; fissura congênita do crânio e da coluna vertebral.

cra·ni·os·chi·sis (kra"ne-os'kĭ-sis) – craniosquise; fissura congênita do crânio.

cra·nio·scle·ro·sis (kra"ne-o-sklĕ-ro'sis) – cranioesclerose; espessamento dos ossos do crânio.

cra·nio·ste·no·sis (-stĕ-no'sis) – cranioestenose; deformidade do crânio causada por craniossinostose com conseqüente cessação do crescimento cranial.

cra·ni·os·to·sis (kra"ne-os-to'sis) – craniostose; craniossinostose.

cra·nio·syn·os·to·sis (kra"ne-o-sin"os-to'sis) – craniossinostose; fechamento prematuro das suturas cranianas.

cra·nio·ta·bes (-ta'bēz) – craniotabe; redução na mineralização do osso com amolecimento anormal do osso, geralmente afetando os ossos occipital e parietal ao longo das suturas lambdóides.

cra·ni·ot·o·my (kra"ne-ot'ah-me) – craniotomia; qualquer operação no crânio.

cra·ni·um (kra'ne-um) [L.] pl. *crania* – crânio; esqueleto da cabeça, construído de forma variada, ou seja, incluindo todos os ossos da cabeça exceto a mandíbula ou os oito ossos que formam a caixa que aloja o cérebro.

cra·ter (krāt'er) – cratera; área escavada circundada por margem elevada.

cra·vat (krah-vat') – gravata; atadura triangular.

cream (krēm) – creme: 1. parte gordurosa do leite, a partir da qual se prepara a manteiga, ou mistura fluida de consistência semelhante; 2. em preparações farmacêuticas, uma emulsão semi-sólida de óleo e de água. **cold c.** – c. de limpeza; preparação de espermacete, cera branca, óleo mineral, borato de sódio e água purificada, aplicada topicamente à pele; também utilizado como veículo para medicações.

crease (krēs) – prega; linha ou depressão linear leve. **flexion c., palmar c.** – p. de flexão; p. palmar; um dos sulcos normais através da palma que acomodam a flexão da mão ao separar as dobras de tecido. **simian c.** – p. simiesca; prega palmar transversal única formada pela fusão das pregas palmares proximal e distal; observada em distúrbios congênitos como a síndrome de Down.

cre·a·tine (kre'ah-tin) – creatina; aminoácido que ocorre nos tecidos dos vertebrados, particularmente nos músculos; a creatina fosforilada é uma forma de depósito importante de fosfato rico em energia. **c. phosphate** – fosfato de c.; fosfocreatina.

cre·a·tine ki·nase (ki'nās) – creatina cinase; enzima que catalisa a fosforilação da creatina pelo ATP para formar a fosfocreatina. Ocorre como três isozimas (específicas para o cérebro, músculo cardíaco e músculo esquelético, respectivamente), cada uma delas apresentando dois componentes compostos das subunidades M (músculo) e/ou C (cérebro). A determinação diferencial das isozimas é utilizada no diagnóstico clínico.

cre·at·i·nine (kre-at'ĭ-nin) – creatinina; anidrido de creatina, produto final do metabolismo da fosfocreatina; as medições de sua taxa de excreção urinária são utilizadas como indicadores diagnósticos da função renal e da massa muscular.

crem·as·ter·ic (krem"as-ter'ik) – cremastérico; relativo ao músculo cremaster.

cre·na (kre'nah) [L.] pl. *crenae* – crena; incisura ou fenda.

cre·nate, cre·nat·ed (kre'nāt, kre'nāt-id) – crenado; incisado; endentado; recortado ou incisado.

cre·na·tion (kren-a'shun) – crenação; formação de incisura anormal ao redor da borda de uma hemácia; a aparência crenada de uma hemácia devido ao seu enrugamento após suspensão em solução hipertônica.

cre·no·cyte (kre'nah-sīt) – crenócito; hemácia crenada.

crep·i·ta·tion (krep"ĭ-ta'shun) – crepitação; som ou sensação secos e crepitantes como os produzidos pela fricção das extremidades de um osso fraturado.

crep·i·tus (krep'ĭ-tus) – crepitação:1. descarga de um flato a partir dos intestinos; 2. crepitação; 3. estertor crepitante. **c. re'dux** – c. de redução; crepitação ouvido no estágio de resolução da pneumonia.

cres·cent (kres'int) – crescente: 1. com forma semelhante à lua em seu primeiro quarto; 2. estrutura em forma de crescente. **crescen'tic** – adj. semilunar. **c's of Giannuzzi** – crescentes de Giannuzzi; manchas em forma de crescente de células serosas ao redor dos tubérculos mucosos nas glândulas seromucosas. **myopic c.** – c. miópico; estafiloma em crescente no fundo do olho na miopia. **sublingual c.** – c. sublingual; área em forma de crescente no piso da boca, limitada pela parede lingual da mandíbula e base da língua.

cre·sol (kre'sol) – cresol; mistura tóxica e corrosiva de três formas isoméricas do alcatrão que contém até 5% de fenol; utilizado como desinfetante.

crest (krest) – crista; saliência ou estrutura que se projeta, especialmente aquela em cima de um osso ou sua borda. **ampullar c.** – c. ampular; a parte mais proeminente do espessamento localizado do revestimento de membrana das ampolas dos ductos semicirculares. **frontal c.** – c. frontal; crista mediana na superfície interna do osso frontal. **iliac c.** – c. ilíaca; a borda superior expandida e espessada do ílio. **intertrochanteric c.** – c. intertrocantérica; crista no fêmur posterior que conecta o trocânter maior ao menor. **lacrimal c., anterior** – c. lacrimal anterior; margem lateral do sulco na borda posterior do processo frontal da maxila. **lacrimal c., posterior** – c. lacrimal posterior; crista vertical que divide a superfície lateral ou orbitário do osso lacrimal em duas partes. **nasal c.** – c. nasal; crista na borda interna do osso nasal. **neural c.** – c. neural; faixa celular dorsolateral ao tubo neural embrionário que dá origem aos gânglios cerebrospinhais. **occipital c., external** – c. occipital externa; crista que se estende algumas vezes na superfície externa do osso occipital da protuberância externa em direção ao forame magno. **occipital c., internal** – c. occipital interna; crista mediana na superfície interna do osso occipital, estendendo-se do ponto médio da proeminência cruciforme em direção ao forame magno. **palatine c.** – c. palatina; c. do osso palatino; crista transversal algumas vezes observada na superfície inferior da placa horizontal do osso palatino. **pubic c.** – c. púbica; borda anterior espessa e áspera do corpo do osso púbico. **sacral c., intermediate** – c. sacra intermediária; uma de duas cristas indefinidas imediatamente mediais aos forames sacrais dorsais. **sacral c., lateral** – c. sacra lateral; uma de duas séries de tubérculos laterais aos forames sacrais dorsais. **sacral c., medial** – c. sacra mediana; uma crista mediana na superfície dorsal do sacro. **seminal c.** – c. seminal; colículo seminal. **sphenoidal c.** – c. esfenóide; crista mediana na superfície anterior do corpo do osso esfenóide que se articula com o osso etmóide. **supramastoid c.** – c. supramastóide; borda superior da raiz posterior do processo zigomático do osso temporal. **supraventricular c.** – c. supraventricular; crista na parede interna do ventrículo direito, demarcando o cone arterial. **temporal c. of frontal bone** – c. temporal do osso frontal; crista que se estende superior e posteriormente a partir do processo zigomático do osso frontal. **turbinal c.** – c. turbinal: 1. (do osso palatino) crista horizontal na superfície interna do osso palatino; 2. (da maxila) crista oblíqua na maxila que se articula com a concha nasal. **urethral c.** – c. uretral; dobra de mucosa longitudinal proeminente ao longo da parede posterior da uretra feminina, ou elevação mediana ao longo da parede posterior da uretra masculina entre os seios prostáticos. **c. of vestibule** – c. vestibular; c. do vestíbulo; crista entre os recessos esférico e elíptico do vestíbulo,

dividindo-se posteriormente para limitar o recesso coclear.

cre·tin·ism (krēt"n-izm) – cretinismo; cessação do desenvolvimento físico e mental com distrofia óssea e dos tecidos moles decorrente de ausência congênita de secreção da tireóide. **athyreotic c.** – c. atireótico; cretinismo devido a aplasia tireóidea ou destruição da tireóide do feto no útero. **endemic c.** – c. endêmico; forma que ocorre em regiões de bócio endêmico severo, caracterizada por surdo-mudez, espasticidade e disfunção motora além de, ou em vez de, manifestações normais do cretinismo. **sporadic goitrous c.** – c. bociado esporádico; distúrbio genético em que o aumento de volume da glândula tireóide se associa a circulação deficiente do hormônio tireóideo.

crev·ice (krev'is) – fenda; fissura. **gingival c.** – f. gengival; espaço entre o esmalte cervical de um dente e a gengiva solta sobrejacente.

cre·vic·u·lar (krē-vik'u-ler) – crevicular; relativo a fenda, especialmente à fenda gengival.

CRH – corticotropin-releasing hormone (hormônio liberador de corticotropina).

crib·ra·tion (krĭ'-bra'shun) – cribração: 1. qualidade de ser cribriforme; 2. processo ou ato de peneirar ou passar por um crivo.

crib·ri·form (krib'rĭ'-form) – cribriforme; perfurado como uma peneira.

crib·rum (krib'rum) [L.] pl. *cribra* – peneira; lâmina crivada do osso etmóide.

cri·coid (kri'koid) – cricóide: 1. em forma de anel; 2. cartilagem cricóide.

cri·co·thy·re·ot·o·my (kri"ko-thi"re-ot'ah-me) – cricotireotomia; incisão através das cartilagens cricóide e tireóide.

cri·co·thy·rot·o·my (-thi-rot'ah-me) – cricotireotomia; incisão através da pele e da membrana cricotireóide para manter uma via aérea desobstruída para alívio de emergência de obstrução de via aérea superior.

cri·co·tra·che·ot·o·my (-tra"ke-ot'ah-me) – cricotraqueotomia; incisão da traquéia através da cartilagem cricóide.

cri du chat (kre doo shah') [Fr.] – miado de gato; ver em *syndrome*.

crin·oph·a·gy (krin-of'ah-je) – crinofagia; digestão intracitoplasmática do conteúdo (peptídeos e proteínas) dos vacúolos secretórios, após fusão dos vacúolos com os lisossomas.

cri·sis (kri'sis) [L.] pl. *crises* – crise: 1. ponto crítico de uma doença para melhor ou pior; especialmente alteração súbita, geralmente para melhor, no curso de uma doença aguda; 2. intensificação paroxística súbita de sintomas no curso de uma doença. **addisonian c., adrenal c.** – c. addisoniana; c. adrenal; fadiga, náuseas, vômito e perda de peso que acompanham ataque agudo da doença de Addison. **blast c.** – c. blástica; alteração severa e súbita no curso de leucemia granulocítica crônica com aumento na proporção de mieloblastos. **genital c. of newborn** – c. genital do recém-nascido, estrinização da mucosa vaginal e hiperplasia dos seios influenciadas por estrogênios transplacentariamente adquiridos. **hemolytic c.** – c. hemolítica; destruição aguda de hemácias que leva à icterícia, ocasionalmente observada no caso de doença de células falciformes. **identity c.** – c. de identidade; período de desenvolvimento social de um indivíduo, que geralmente ocorre durante a adolescência, manifestada por perda do senso de identidade e continuidade histórica de si próprio, bem como incapacidade de aceitar o papel que o indivíduo percebe ser o que a sociedade espera dele. **sickle cell c.** – c. de células falciformes; termo abrangente para várias afecções agudas que ocorrem com a doença das células falciformes, incluindo a crise hemolítica e crise vasoclusiva. **thyroid c.,thyrotoxic c.** – c. tireóidea; c. tireotóxica; aumento súbito e perigoso dos sintomas de tireotoxicose. **vaso-occlusive c.** – c. vasoclusiva; dor severa em conseqüência de infartação dos ossos, articulações, pulmões, fígado, rim, baço, olhos ou sistema nervoso central, uma afecção aguda observada no caso de anemia falciforme.

cris·ta (kris'tah) [L.] pl. *cristae* – crista; elevação de uma superfície. **cris'tae cu'tis** – cristas cutâneas; cristas epidérmicas ou da epiderme; cristas de pele produzidas pela projeção de papilas do córion na palma da mão ou na planta do pé, produzindo impressão digital ou podal característica do indivíduo. **c. gal'li** – c. de galo; processo triangular espesso que se projeta para cima a partir da placa cribriforme do osso etmóide. **mitochondrial cristae** – cristas mitocondriais; várias invaginações transversais estreitas da membrana interna de uma mitocôndria.

Cri·thid·ia (krĭ-thid'e-ah) – *Crithidia;* gênero de protozoários parasitas encontrados no trato digestivo dos artrópodos e outros invertebrados.

CRNA – Certified Registered Nurse Anesthetist (Enfermeira-Anestesista Registrado e Diplomado).

cRNA – complementary RNA(RNAc, RNA complementar).

cro·cid·o·lite (kro-sid'o-līt) – crocidolita; um tipo de anfibólio de asbesto (amianto) que causa asbestose, bem como mesoteliomas e outros câncers.

cro·mo·lyn (kro'mol-in) – cromolina; inibidor da liberação de histamina e outros mediadores de hipersensibilidade imediata a partir dos mastócitos; utilizada em forma de sal sódico na profilaxia da asma brônquica e rinite associada a alergia.

cross (kros) – cruz; cruzamento: 1. figura ou estrutura em forma de cruz; 2. qualquer organismo produzido por hibridização; método de hibridização.

cross·bite (-kros'bīt) – mordida cruzada; má-oclusão na qual os dentes mandibulares ficam em versão bucal (ou versão lingual completa nos segmentos posteriores) com relação aos dentes maxilares.

cross·breed·ing (-brēd-ing) – hibridização; cruzamento de organismo de cepas ou espécies diferentes.

cross-eye (-i) – estrabismo; esotropia (*esotropia*).

cross·ing over (kros'ing o'ver) – cruzamento; intercâmbio de material entre cromossomas homólogos durante a primeira divisão meiótica, resultando em novas combinações de genes.

cross·match·ing (kros-mach'ing) – reação cruzada; ver em *matching.*

cross-re·ac·tiv·i·ty (kros"re-ak-tiv'ĭ-te) – reatividade cruzada; o grau em que um anticorpo participa de reações cruzadas.

cross-re·sis·tance (kros-re-zis'tans) – resistência cruzada; resistência a muitas drogas.

crot·a·lid (krot'ah-lid) – crotalídeo: 1. cobra da família Crotalidae; 2. de ou relativo à família Crotalidae.

Cro·tal·i·dae (kro-tal'ĭ-de) – Crotalidae; família de cobras venenosas, os crótalos.

Crot·a·lus (kort'ah-lus) – *Crotalus;* gênero de cascavéis.

cro·ta·mi·ton (krōt"ah-mi'ton) – crotamiton; acaricida ($C_{13}H_{17}NO$) utilizado no tratamento da escabiose e como antipruriginoso.

cro·taph·i·on (kro-taf'e-on) – crotáfio; ponto cranial na ponta da asa grande do osso esfenóide.

cro·ton·ic ac·id – ácido crotônico; ácido graxo insaturado encontrado no óleo de cróton.

croup (krōōp) – crupe; afecção de bebês e crianças decorrente de obstrução da laringe por meio de alergia, corpo estranho, infecção ou neocrescimento, caracterizada por tosse forte e ressonante, rouquidão e estridor persistente. **croup'ous** – adj. crupal.

crown (krown) – coroa: 1. parte mais superior de um órgão ou estrutura como por exemplo, o topo da cabeça; 2. c. artificial. **anatomical c.** – c. anatômica; parte superior e coberta de esmalte de um dente. **artificial c.** – c. artificial; reprodução de uma coroa fixada na estrutura natural remanescente de um dente. **clinical c.** – c. clínica; porção de um dente exposta além da gengiva. **physiological c.** – c. fisiológica; porção de um dente distal à fenda gengival à margem gengival.

crown·ing (krown'ing) – coroação; aparecimento de grande segmento do couro cabeludo fetal no orifício vaginal em um parto.

cru·ci·ate (kroo'she-āt) – cruciforme; com forma semelhante a uma cruz.

cru·ci·ble (kroo'sĭ-b'l) – cadinho; recipiente para derreter substâncias refratárias.

cru·ci·form (kroo'sĭ-form) – cruciforme; em forma de cruz.

cru·ra (kroo'rah) [L.] pl. *de crus.*

crus (krus) [L.] pl. *crura* – perna: 1. a perna, do joelho ao pé. **cru'ral** – adj. crural; 2. parte semelhante à perna. **c. ce'rebri** – pedúnculo cerebral; estrutura que compreende tratos fibrosos que descem do córtex cerebral para formar os fascículos longitudinais da ponte. **c. of clitoris** – raiz do clitóris; continuação do corpo cavernoso do clitóris, divergindo posteriormente para se prender no arco púbico. **crura of diaphragm** – pilar do diafragma; duas faixas fibromusculares que surgem a partir das vértebras lombares e se inserem no tendão central do diafragma. **c. of fornix** – pilar do fórnice; uma das duas faixas achatadas de substância branca que se unem para formar o corpo do fórnix. **c. of penis** – raiz do pênis; continuação de cada corpo cavernoso do pênis, divergindo posteriormente para se prender no arco púbico.

crust (krust) – crosta; camada externa formada, especialmente de matéria sólida formada pelo ressecamento de um exsudato ou secreção corporal. **milk c.** – c. láctea.

crus·ta (krus'tah) [L.] pl. *crustae* – crosta. **c. lac'tea** – c. láctea; seborréia do couro cabeludo de bebês em amamentação.

Crus·ta·cea (krus-ta'she-ah) – Crustacea; classe de artrópodos, que inclui lagostas, caranguejos, camarões, tatuzinhos, pulgas-d'água e cracas.

crutch (kruch) – muleta; bastão que normalmente se estende da axila ao chão com um suporte para a mão e geralmente para o braço ou axila; utilizada para sustentar o corpo na marcha.

crux (kruks) [L.] pl. *cruces* – cruz; junção. **c. of heart** – c. do coração; intersecção das paredes que separam os lados direito e esquerdo do coração e as câmaras cardíacas atriais e ventriculares.

cru'ces pilo'rum – cruzes pilosas; padrões cruzados formados pelo crescimento dos pêlos em direções opostas.

cry(o)- [Gr.] – cri(o)-, elemento de palavra, *frio.*

cryo·ab·la·tion (kri"o-ab-la'shun) – crioablação; remoção de um tecido através da destruição do mesmo com frio extremo.

cry·al·ge·sia (kri"al-je'ze-ah) – crialgesia; dor à aplicação de frio.

cry·an·es·the·sia (-an-es-the'ze-ah) – crioanestesia; perda da capacidade de perceber o frio.

cry·es·the·sia (-es-the'zhah) – criestesia; sensibilidade anormal ao frio.

cry·mo·dyn·ia (kri"mo-din'e-ah) – crimodinia; dor reumática que ocorre em tempo frio ou úmido.

cryo·an·al·ge·sia (kri"o-an"al-je'ze-ah) – crioanalgesia; alívio da dor pela aplicação de frio por meio de criossonda aos nervos periféricos.

cryo·bank (kri'o-bank") – criobanco; instalação para congelar e preservar sêmen em temperaturas baixas (geralmente –196,5°C) para uso futuro.

cry·o·bi·ol·o·gy (kri"o-bi-ol'ah-je) – criobiologia; ciência que estuda o efeito das baixas temperaturas nos sistemas biológicos.

cryo·ex·trac·tion (-eks-trak'shun) – crioextração; aplicação de temperaturas extremamente baixas para a remoção de um cristalino com catarata.

cryo·ex·trac·tor (-eks-trak'ter) – crioextrator; criossonda utilizada em crioextração.

cry·o·fi·brin·o·gen (-fi-brin'ah-jen) – criofibrinogênio; fibrinogênio anormal que se precipita em temperaturas baixas e volta a se dissolver a 37°C.

cry·o·fi·brin·o·gen·emia (-fi-brin"ah-jene'me-ah) – criofibrinogenemia; presença de criofibrinogênio no sangue.

cry·o·gen·ic (-jen'ik) – criogênico; que produz baixas temperaturas.

cryo·glob·u·lin (-glob'u-lin) – crioglobulina; globulina anormal que se precipita a baixas temperaturas e volta a se dissolver a 37°C.

cryo·glob·u·lin·emia (-glob'u-lin-e'me-ah) – crioglobulinemia; presença no sangue de crioglobulinas que se precipitam na microvasculatura à exposição ao frio.

cryo·hy·po·phys·ec·to·my (-hi"po-fiz-ek'tah-me) – crioipofisectomia; destruição da hipófise pela aplicação de frio.

cry·op·a·thy (kri-op'ah-the) – criopatia; afecção mórbida causada pelo frio.

cryo·phil·ic (kri"o-fil'ik) – criófilo; psicrófilo (*psychrophitic*).

cryo·prep·cip·i·tate (-pre-sip'ĭ -tāt) – crioprecipitado; precipitado que resulta de resfriamento.

cry·o·pres·er·va·tion (-prez"er-va'shun) – criopreservação; manutenção da viabilidade de um tecido ou órgãos excisados por meio de armazenamento a temperaturas muito baixas.

cryo·probe (kri'ah-prōb) – criossonda; instrumento para aplicação de frio extremo em tecidos.

cryo·pro·tec·tive (kri"o-pro-tek'tiv) – crioprotetor; capaz de proteger contra lesões por congelamento como o glicerol que protege as hemácias congeladas.

cryo·pro·tein (-pro'tēn) – crioproteína; proteína sangüínea que se precipita sob resfriamento.

cry·os·co·py (kri-os'kah-pe) – crioscopia; exame de fluidos com base no princípio de que o ponto de congelamento de uma solução varia de acordo com a quantidade e a natureza do soluto. **cryoscop'ic** – adj. crioscópico.

cryo·stat (kri'o-stat) – criostato: 1. dispositivo pelo qual pode-se manter a temperatura em nível muito baixo; 2. em Patologia e Histologia, câmara que contém um micrótomo para seccionar tecidos congelados.

cryo·sur·gery (kri"o-ser'je-e) – criocirurgia; destruição de tecidos pela aplicação de frio extremo.

cryo·thal·a·mec·to·my (-thal"ah-mek'tah-me) – criotalamectomia; destruição de uma porção do tálamo pela aplicação de frio extremo.

cryo·ther·a·py (-ther'ah-pe) – crioterapia, crimoterapia; uso terapêutico do frio.

crypt (kript) – cripta; depressão ou tubo cegos em uma superfície livre. **anal c's** – criptas anais; ver em *sinus*. **bony c.** – c. óssea; compartimento ósseo que circunda um dente em desenvolvimento. **enamel c.** – c. de esmalte; espaço limitado por saliências dentárias em cada lado e geralmente por um órgão de esmalte e preenchido por mesênquima. **c's of Fuchs, c's of iris** – criptas de Fuchs; criptas da íris; depressões semelhantes a escavações na íris. **c's of Lieberkühn** – criptas de Lieberkühn; glândulas intestinais. **Luschka's c's** – criptas de Luschka; indentações profundas da mucosa da vesícula biliar que penetram no interior da camada muscular do órgão. **c. of Morgagni** – c. de Morgagni: 1. expansão lateral da uretra na glande peniana; 2. ver *anal sinuses,* em *sinus*. **synovial c.** – c. sinovial; bolsa na membrana sinovial de uma articulação. **c's of tongue** – criptas linguais; invaginações irregulares profundas da superfície da tonsila lingual. **tonsillar c's** – criptas tonsilares; fendas revestidas por epitélio nas tonsilas palatinas.

cript(o)- [Gr.] – cript(o)-, elemento de palavra, *oculto; cripta.*

cryp·ta (krip'ta) [L.] pl. *criptae* – cripta (*crypt*).

cryp·tes·the·sia (krip"tes-the'zhah) – criptestesia; percepção subconsciente de ocorrências normalmente não-perceptíveis aos sentidos.

cryp·ti·tis (krip'tĭ t'is) – criptite; inflamação de uma cripta, especificamente das criptas anais.

cryp·to·de·ter·min·ant (krip"to-de-ter'min-int) – criptodeterminante; determinante oculto.

cryp·to·coc·co·sis (-kok-o'sis) – criptococose; infecção pela *Cryptococcus neoformans* que tem predileção pelo cérebro e meninges mas também invade a pele, pulmões e outras partes.

Cryp·to·coc·cus (-kok'us) – *Cryptococcus;* gênero de fungos semelhantes a leveduras que inclui a *C. neoformans* que causa criptococose no homem.

cryp·to·gen·ic (krip"to-jen'ik) – criptogênico; de origem obscura ou duvidosa.

cryp·to·lith (krip'to-lith) – criptólito; concreção em uma cripta.

cryp·to·men·or·rhea (krip"to-men"o-re'ah) – criptomenorréia; ocorrência de sintomas menstruais sem sangramento externo como no caso de hímen imperfurado.

cryp·toph·thal·mia (krip"tof-thal'me-ah) – criptoftalmia (*cryptophthalmos*).

cryp·toph·thal·mos (-mos) – criptoftalmia; ausência da fissura palpebral com a pele estendendo-se da testa à bochecha e os olhos são malformados ou rudimentares.

cryp·toph·thal·mus (-mus) – criptoftalmia (*cryptophthalmos*).

cryp·to·py·ic (krip"to-pi'ik) – criptópico; acompanhado de supuração oculta.

cryp·tor·chid (krip-tor'kid) – criptórquio; pessoa com testículos que não desceram.

cryp·tor·chi·dec·to·my (krip"tor-kid-ek'tah-me) – criptorquidectomia; excisão de testículo não-descido.

cryp·tor·chi·do·pexy (krip-tor'kid-ah-pek"se) – criptorquidopexia; orquiopexia.

cryp·tor·chism (krip'tor'kizm) – criptorquismo; criptorquidismo; falha de um ou ambos os testículos em descer ao escroto.

cryp·to·spo·rid·i·o·sis (krip"to-spo-rid"e-o'sis) – criptosporidiose; infecção por um protozoário do gênero *Cryptosporidium*. No homem, manifesta-se como uma síndrome de diarréia autolimitada de ocorrência rara em pacientes imunocompetentes e síndrome severa de diarréia prolongada e debilitante, perda de peso, febre e dor abdominal, ocorrendo disseminação ocasional para a traquéia e árvore brônquica em pacientes imunocomprometidos.

Cryp·to·spo·ri·di·um (-spo-rid'e-um) – *Cryptosporidium;* gênero de protozoários parasitas encontrados nos tratos intestinais de diversos vertebrados e agente etiológico da criptosporidiose humana.

crys·tal (kris't'l) – cristal; sólido angular de forma definida naturalmente produzido. **blood c's** – cristais de sangue; cristais de hematoidina no sangue. **Charcot-Leyden c's** – cristais de Charcot-Leyden; estruturas cristalinas de natureza protéica encontradas sempre que os leucócitos eosinófilos sofram fragmentação, como as secreções brônquicas em caso de asma brônquica, e nas fezes em alguns casos de parasitismo intestinal.

crys·tal·line (kris'til-in) – cristalino: 1. semelhante a um cristal em natureza ou limpidez; 2. relativo a cristais.

crys·tal·lu·ria (kris"til-ūr'e-ah) – cristalúria; excreção de cristais na urina, causando irritação renal.

Crys·to·dig·in (kris"to-dij'in) – Crystodigin, marca registrada de preparações de digitoxina.

CS – cesarium section; conditioned stimulus; coronary sinus (CC; cirurgia cesariana; EC, estímulo condicionado; SC, seio coronário).

Cs – símbolo químico, césio (*cesium*).

CSAA – Child Study Association of America (Associação de Estudos Infantis da América).

CSF – cerebrospinal fluid (líquido cerebroespinhal).

CSGBI – Cardiac Society of Great Britain and Ireland (Sociedade Cardíaca da Grã-Bretanha e Irlanda).

CSM – cerebrospinal meningitis (MCE, meningite cerebroespinhal).

CT – computerized tomography (TC, tomografia computadorizada).

CTA – Canadian Tuberculosis Association (Associação Canadense de Tuberculose).

Cte·no·cephal·i·des (te"no-sĕ-fal'ĭ-dēz) – *Ctenocephalides;* gênero de pulgas, que inclui a *C. canis* geralmente encontrada nos cães, mas que pode transmitir a tênia canina para o homem e a *C. felis*, parasita comum dos gatos).

C-ter·mi·nal (ter'min-al) – C-terminal; final da cadeia peptídica que porta o grupo alfa-carboxila livre do último aminoácido, convencionalmente escrito à direita.

CTL – cytotoxic lymphocytes; cytotoxic T lymphocytes (LCT, linfócitos citotóxicos; LTC, linfócitos T citotóxicos).

CTP – cytidine triphosphate (fosfato de citidina).

Cu – símbolo químico, cobre (*cuprum*).

cu·bi·tus (ku'bit-us) – cúbito; ulna: 1. cotovelo; 2. membro superior distal ao úmero; cotovelo, antebraço e mão; 3. cúbito. **cu'bital** – adj. cubital. **c. val'gus** – c. valgo; deformidade do cotovelo em que este se desvia para fora da linha média do corpo quando estendido. **c. va'rus** – c. varo; deformidade do cotovelo em que este se desvia em direção à linha média do corpo quando estendido.

cu·boid (kŭb'oid) – cubóide; semelhante ao cubo.

cuff (kuf) – manguito; pequena estrutura semelhante a uma faixa que envolve uma parte ou objeto. **musculotendinous c.** – m. musculotendinoso; bainha formada por um músculo e fibras tendíneas entremisturadas. **rotator c.** – m. rotador; estrutura musculotendinosa que envolve e confere força à articulação escapular.

cuff·ing (kuf'ing) – embainhamento; formação de uma borda circundante semelhante a uma bainha como os leucócitos ao redor de um vaso sangüíneo, observada em determinadas infecções.

cul-de-sac (kul-dĕ-sak') [Fr.] – fundo de saco; bolsa cega. **Douglas' c.** – f. de saco de Douglas; cavidade retouterina.

cul·do·cen·te·sis (kul"do-sen-te'sis) – culdocentese; punção transvaginal do fundo de saco de Douglas para aspiração de fluido.

cul·dos·co·py (kul-dos'kah-pe) – culdoscopia; exame visual das vísceras femininas por meio de um endoscópio introduzido no interior da cavidade pélvica através do fórnice vaginal posterior.

Cu·lex (ku'leks) – *Culex;* gênero de mosquitos encontrados em todo o mundo, sendo muitas espécies vetores de organismos produtores de doenças.

cu·li·cide (ku'lĭ -sĭ d) – culicida; agente que extermina mosquitos.

cu·lic·i·fuge (ku-lis'ĭ-fūj) – culicífugo; agente que repele mosquitos.

cu·li·cine (ku-lĭ'-sin, ku'lĭ'-sĭ'n) – culicídeos: 1. membro do gênero *Culex* ou gêneros relacionados; 2. relativo, envolve ou afeta as espécies de mosquitos do gênero *Culex* ou espécies relacionadas.

cul·men (kul'men) [L.] pl. *culmina* – cume: 1. ápice ou cume; 2. porção do lobo rostral cerebelar que se situa medialmente entre o lóbulo central e a fissura primária; também chamado de cume do montículo do verme cerebelar.

cul·ti·va·tion (kul"tĭ'-va'shun) – cultivo; propagação de organismos vivos especialmente o crescimento de células em meios artificiais.

cul·ture (kul'cher) – cultura: 1. propagação de microrganismos ou células de tecidos vivos em meios propensos ao seu crescimento; 2. induzir essa propagação. **cul'tural** – adj. cultural; **cell c.** – c. celular; crescimento de células *in vitro;* embora as células que proliferam não se organizem em um tecido. **continuous flow c.** – c. de fluxo contínuo; cultivo de bactérias em um fluxo contínuo de meio fresco para manter o crescimento bacteriano na fase logarítmica. **hanging-drop c.** – c. em gota pendente; cultura em que se inocula o material a ser cultivado em gota de fluido presa a lamínula invertida sobre uma lâmina côncava. **plate c.** – c. em lâmina; cultura crescida em meio (geralmente ágar ou gelatina) em uma placa de Petri. **primary c.** – c. primária; cultura celular ou tecidual iniciada a partir de um material obtido diretamente de um organismo, em oposição à cultura iniciada a partir de extrato de um organismo. **pure c.** – c. pura; cultura de uma única espécie celular sem a presença de quaisquer contaminantes. **slant c.** – c. inclinada; cultura feita na superfície de meio solidificado em um tubo que se inclinou para proporcionar maior área de superfície para o crescimento. **stab c.** – c. em picada; c. por agulha; cultura em que se inocula o agente no meio através de introdução profunda de uma agulha em sua substância. **streak c.** – c. em estria; cultura em que se inocula o agente no meio através de passagem de fio de metal infectado através dele. **suspension c.** – c. de suspensão; cultura em que as células se multiplicam enquanto se encontram suspensas em um meio adequado. **tissue c.** – c. de tecido; manutenção ou crescimento de um tecido, órgãos primordiais ou de todo ou parte de um órgão *in vitro,* de forma a preservar sua arquitetura e função. **type c.** – c.-tipo; cultura de uma espécie de microrganismo geralmente mantida em uma coleção central do tipo ou padrão de culturas.

cul·ture me·di·um (kul'cher mēd'e-um) – meio de cultura; qualquer substância utilizada para cultivar células vivas.

cu·mu·lus (ku'mu-lus) [L.] pl. *cumuli* – cúmulo; pequena elevação. **c. oo'phorus** – c. oóforo; massa de células foliculares que circunda o óvulo no folículo ovariano vesicular.

cu·ne·ate (ku'ne-āt) – cuneiforme.

cu·ne·i·form (ku-ne'ĭ -form) – cuneiforme; em forma de cunha.

cu·ne·us (ku'ne-us) [L.] pl. *cunei* – cúneo; lóbulo em forma de cunha na face medial do lobo occipital cerebral.

cu·ni·c·u·lus (ku-nik'u-lus) [L.] pl. *cuniculi* – canículo; buraco na pele feito pelo ácaro pruriginoso.

cun·ni·lin·gus (kun"ĭ -ling'gus) [L.] – cunilincção; cunilíngua; estímulo oral dos genitais femininos.

Cun·ning·ha·mel·la (kun"ing-ham-el'ah) – *Cunninghamella;* gênero de fungos da ordem Mucorales, caracterizados por ausência de esporângio e por conídios que surgem a partir de uma vesícula. A *C. bertholetiae* causa mucormicose oportunista do pulmão em pacientes imunocomprometidos ou debilitados.

cup (kup) – cálice; depressão ou concavidade. **glaucomatous c.** – c. glaucomatoso; forma de depressão do disco óptico peculiar ao glaucoma. **optic c., physiologic c.** – cúpula óptica; c. fisiológico; ligeira depressão algumas vezes observada no disco óptico.

cu·po·la (ku'pah-lah) – cúpula (*cupula*)

cup·ping (kup'ing) – escavação; formação de uma depressão em forma de cálice.

cupro·phane (koo'pro-fān) – cuprofano; membrana feita de celulose regenerada, comumente utilizada em aparelhos de hemodiálise.

cu·prous (ku'prus) – cuproso; relativo ou que contém o cobre monovalente.

cu·pru·re·sis (ku"proo-re'sis) – cuprurese; excreção urinária do cobre.

cu·pru·ret·ic (ku"proo-ret'ik) – cuprurético; relativo ou que promove a excreção urinária do cobre.

cu·pu·la (koo'pu-lah) [L.] pl. *cupulae* – cúpula; pequeno cálice invertido ou tampa em forma de abóbada sobre uma estrutura.

cu·pu·lo·li·thi·a·sis (ku"pu-lo-lĭ'-thi'ah-sis) – cupulolitíase; presença de cálculos na cúpula do ducto semicircular posterior.

cu·pu·lom·e·try (ku"pu-lom'-ĭ -tre) – cupulometria; método de teste da função vestibular em que se aceleram os indivíduos em uma cadeira giratória e projeta-se a duração da vertigem e do nistagmo pós-giratórios contra as velocidades do momento angular.

cu·ra·re (koo-rah're) – curare; qualquer substância de amplo espectro de extratos altamente tóxicos provenientes de várias origens botânicas, utilizados originalmente como venenos de flechas na América do Sul. Tem-se utilizado um extrato do arbusto *Chondodendron tomentosum* como relaxante muscular esquelético.

cu·rar·iza·tion (ku"rar-ĭ -za'shun) – curarização; administração de curare (geralmente a tubocurarina) para induzir relaxamento muscular por meio de sua atividade bloqueadora na junção mioneural.

cu·ra·ri·mi·met·ic (koo-rah"re-mi-met'-ik) – curarimimético; que produz efeitos semelhantes aos do curare.

cure (kūr) – cura: 1. tratamento de qualquer doença ou caso especial; 2. tratamento bem-sucedido de uma doença ou ferimento; 3. sistema de tratamento de doenças; 4. remédio eficaz no tratamento de uma doença.

cu·ret (ku-ret') – cureta: 1. instrumento em forma de colher para limpar uma superfície doente; 2. curetar; utilizar uma cureta.

cu·ret·tage (ku"rĕ-tahzh') [Fr.] – curetagem; raspagem de uma superfície doente com uma cureta. **medical c.** – c. médica; indução de sangramento a partir do endométrio por meio da administração e supressão de um agente progestacional. **periapical c.** – c. periapical; remoção com uma cureta de tecido periapical doente sem a excisão da ponta da raiz. **suction c., vacuum c.** – c. por sucção; c. a vácuo; remoção do conteúdo uterino, após dilatação, através de cureta oca introduzida em seu interior através da qual se aplica a sucção.

cu·rette·ment (ku-ret'men) – curetagem. **physiologic c.** – c. fisiológica; debridamento enzimático.

cu·rie (ku're) – curie; unidade de medida de radioatividade definida como a quantidade de qualquer nuclídeo radioativo em que o número de desintegrações por segundo é de $3,7 \times 10^{10}$. Abreviação: Ci.

cu·rie-hour (-owr") – curie-hora; unidade de dose equivalente à obtida por meio de exposição por uma hora a um material radioativo que se desintegra à velocidade de $3,7 \times 10^{10}$ átomos por segundo.

cu·ri·um (ku're-um) – cúrio; elemento químico (ver *Tabela de Elementos*), número atômico 96, símbolo Cm.

cur·rent (kur'ent) – corrente: 1. qualquer coisa que flui; 2. c. elétrica. **action c.** – c. de ação; corrente gerada na membrana celular de um nervo ou músculo pelo potencial de ação. **alternating c.** – c. alternada; corrente que flui periodicamente em direções opostas. **direct c.** – c. direta; corrente que flui somente em uma direção. **c. of injury** – c. de lesão; fluxo de corrente para (*corrente sistólica de lesão*) ou a partir da (*corrente diastólica de lesão*) região lesada de um coração isquêmico, em conseqüência de alteração regional no potencial transmembranoso. **pacemaker c.** – c. de marca-passo; pequena corrente positiva líquida que flui no interior de determinadas células cardíacas, como as do nódulo sinoatrial, fazendo com que se despolarizem.

cur·va·tu·ra (ker"vah-tu'rah) [L.] pl. *curvaturae* – curvatura.

cur·va·ture (ker'vah-cher) – curvatura; desvio nãoangular de um curso normalmente reto. **greater c. of stomach** – c. maior do estômago; borda esquerda ou lateral e inferior do estômago, marcando a junção inferior das superfícies anterior e posterior. **lesser c. of stomach** – c. menor do estômago; borda direita ou medial do estômago, marcando a junção superior das superfícies anterior e posterior. **Pott's c.** – c. de Pott; curvatura posterior anormal da espinha em decorrência de cárie tuberculosa. **spinal c.** – c. espinhal; desvio anormal da coluna vertebral.

curve (kerv) – curva; uma linha que não é reta ou que descreve parte de um círculo, especialmente a linha que representa valores variáveis em um gráfico. **Barnes' c.** – c. de Barnes; segmento de um círculo cujo centro é o promontório sacral com sua concavidade orientando-se posteriormente. **c. of Carus** – c. de Carus; eixo normal da saída pélvica. **dental c.** – c. dentária; c. de oclusão. **dye dilution c.** – c. de diluição de corante; curva indicadora de diluição em que esta é um corante, geralmente o verde de indocianina. **growth c.** – c. de crescimento; curva obtida pela projeção do aumento de tamanho ou de número contra o tempo decorrido. **indicator dilution c.** – c. indicadora de diluição; representação gráfica da concentração de um indicador adicionado em dada quantidade ao sistema circulatório e medida com o tempo decorrido; utilizada em estudos da função cardiovascular. **isodose c's** – curvas de isodose; linhas que delimitam as áreas corporais que recebem a mesma quantidade de radiação em uma radioterapia. **oxygen-hemoglobin dissociation c.** – c. de dissociação de oxigêniohemoglobina; curva gráfica que representa a variação normal na quantidade de oxigênio que se combina com a hemoglobina como uma função da pressão de oxigênio e de dióxido de carbono. **Price-Jones c.** – c. de Price-Jones; curva gráfica que representa a variação no tamanho das hemácias. **Starling c.** – c. de Starling; representação gráfica do débito cardíaco ou outra medida de desempenho ventricular como uma função do preenchimento ventricular para um dado nível de contratilidade. **strength-duration c.** – c. de intensidade de duração; representação gráfica da relação entre a intensidade de um estímulo elétrico no ponto motor de um músculo e o intervalo de tempo que ele deve fluir para levar a efeito uma contração mínima. **temperature c.** – c. de temperatura; traçado gráfico mostrando as variações na temperatura corporal. **tension c's** – curvas de tensão; linhas observadas no tecido esponjoso dos ossos, determinadas pelo esforço de um estresse durante o desenvolvimento. **ventricular function c.** – c. de função ventricular; c. de Starling.

Cur·vu·la·ria (kur-vu-lar'e-ah) – *Curvularia;* gênero de fungos dematiáceos da classe dos Hyphomycetes, comumente encontrados no solo e em qualquer lugar; a *C. lunata* é encontrada nos micetomas humanos.

cush·ion (koosh'in) – coxim; parte macia ou semelhante a uma almofada. **endocardial c's** – coxins endocárdicos; elevações no canal atrioventricular do coração embriônico que ajudam posteriormente a formar o septo interatrial. **intimal c's** – coxins íntimos; espessamentos longitudinais da túnica íntima de determinadas artérias, por exemplo, as artérias penianas; servem funcionalmente como válvulas, controlando o fluxo sangüíneo por meio do fechamento do lúmen arterial.

cusp (kusp) – cúspide; projeção pontiaguda ou arredondada como a coroa de um dente ou um dos segmentos triangulares de uma válvula cardíaca. **semilunar c.** – c. semilunar; um dos segmentos semilunares da válvula aórtica (que têm cúspides posterior, direita e esquerda) ou da válvula pulmonar (que têm cúspides anterior, direita e esquerda).

cus·pid (kus'pid) – cúspide; que tem uma cúspide ou ponta; cuspidado.

cus·pis (kus'pis) [L.] pl. *cuspides* – cúspide; dente canino.

cu·ta·ne·ous (ku-ta'ne-us) – cutâneo; relativo à pele.

cut·down (kut'down) – dissecção; criação de pequena abertura incisada (especialmente sobre uma veia (d. *venosa)* para facilitar uma venopuntura e permitir a passagem de uma agulha ou cânula para a remoção de sangue ou administração de fluidos; venostomia.

cu·ti·cle (ku'tï -k'l) – cutícula: 1. camada de substância mais ou menos sólida que recobre a superfície livre de uma célula epitelial; 2. eponíquio; ver *eponychium* (1); 3. camada córnea secretada. **dental c.** – c. dentária; película sobre o esmalte e cimento de alguns dentes externo à cutícula primária com a qual se combina depositado pela ligação epitelial à medida que migra ao longo do dente. **enamel c.**, **primary c.** – c. de esmalte; c. primária; película sobre o esmalte de dentes não-irrompidos que consiste principalmente de restos de ameloblastos em degeneração após o término da formação do esmalte. **secondary c.** – c. secundária; c. dentária.

cu·tic·u·la (ku-tik'u-lah) [L.] pl. *cuticulae* – cutícula.

cu·ti·re·ac·tion (kūt"ï -re-ak'shun) – cutirreação; reação cutânea; reação inflamatória ou irritativa na pele que ocorre em determinadas doenças infecciosas ou à aplicação ou injeção de preparação com o microrganismo causador da doença.

cu·tis (ku'tis) – cútis; pele. **c. anseri'na** – c. anserina; elevação transitória de folículos pilosos devido a uma contração dos músculos eretores dos pêlos, um reflexo de descarga do nervo simpático. **c. hyperelas'tica** – c. hiperelástica; síndrome de Ehlers-Danlos. **c. lax'a** – c. flácida; grupo de distúrbios do tecido conjuntivo (geralmente hereditários) nos quais a pele pende em pregas soltas; acredita-se que se associe à redução da formação de tecido elástico e anormalidade na formação de elastina. **rhomboida'lis nu'chae** – c. romboidal da nuca; espessamento da pele do pescoço com acentuação surpreendente de suas marcas, conferindo-lhe uma aparência de placas em forma de diamante. **c. ver'ticis gyra'ta** – c. vertical rodada; aumento de volume e espessamento da pele do couro cabeludo que se distribui em dobras semelhantes a giros ou sulcos cerebrais.

cu·vette (ku-vet') [Fr.] – cubeta; recipiente de vidro que geralmente tem características bem-definidas (dimensões e propriedades ópticas) para conter soluções ou suspensões para estudo.

CV – cardiovascular (cardiovascular).

CVA – cardiovascular accident; cerebrovascular accident (acidente cardiovascular; acidente cerebrovascular).

CVP – central venous pressure (PVC, pressão venosa central).

CVS – cardiovascular system; chorionic villus sampling (SCV, sistema cardiovascular; AVC amostragem do vilo coriônico).

cyan(o)- [Gr.] – cian(o)-, elemento de palavra, *azul*.

cy·an·he·mo·glo·bin (si"an-he"mo-glo'bin) – cianemoglobina; composto formado pela ação do ácido cianídrico na hemoglobina conferindo uma cor vermelho-brilhante ao sangue.

cy·a·nide (si'ah-nïd) – cianeto: 1. composto que contém o grupo cianeto (–CN) ou o íon de cianeto (CN⁻); 2. cianeto de hidrogênio. **hydrogen c.** – c. de hidrogênio; ver em *hydrogen.*

cy·an·met·he·mo·glo·bin (si"an-met-he'mo-glo"bin) – cianometemoglobina; complexo firmemente ligado de metemoglobina com o íon de cianeto; pigmento mais amplamente utilizado na hemoglobinometria.

cy·an·met·myo·glo·bin (-mi"o-glo'bin) – cianometamioglobina; composto formado a partir da mioglobina através da adição do íon de cianeto para promover uma redução ao estado ferroso.

Cy·a·no·bac·te·ria (si"ah-no-bak-tēr'e-ah) – Cyanobacteria; subgrupo de bactérias que compreende as bactérias azul-esverdeadas (algas azulesverdeadas), que são fotossintetizantes e também fixam nitrogênio; cianobactérias.

cy·a·no·co·bal·a·min (-ko-bal'ah-min) – cianocobalamina; cobalamina em que o substituinte é um íon de cianeto; constitui a forma primeiramente isolada da vitamina B_{12} e embora seja um artefato, é utilizada para denotar a vitamina; as preparações são utilizadas para tratar deficiências associadas a vitaminas, particularmente a anemia perniciosa e outras anemias megaloblásticas.

cy·a·no·labe (si'ah-no-lāb") – cianolábio; nome proposto para os pigmentos nos cones retinianos que são os mais sensíveis à variação azul do espectro que o clorolábio e eritrolábio.

cy·a·no·phil (si-an'ah-fil) – 1. cianófilo; 2. célula ou outro elemento histológico facilmente corável com corantes azuis.

Cy·a·no·phy·ceae (si"ah-no-fi'se-e) – Cyanophyceae; Cyanobacteria; cianofíceas; cianobactérias.

cy·a·nop·sia (si"ah-nop'se-ah) – cianopsia; defeito visual em que os objetos parecem tingidos de azul.

cy·a·nosed (si'ah-nōsd) – cianótico.

cy·a·no·sis (si"ah-no'sis) – cianose; descoloração azulada da pele e membranas mucosas decorrente de concentração excessiva de hemoglobina reduzida no sangue. **cyanot'ic** – adj. cianótico. **autotoxic c.** – c. autotóxica; c. enterógena. **central c.** – c. central; cianose em conseqüência de insaturação arterial em que o sangue aórtico transporta a hemoglobina reduzida. **enterogenous c.** – c. enterógena; síndrome devido à absorção de nitritos e sulfetos do intestino, principalmente caracterizada por metemoglobinemia e/ou sulfemoglobinemia associadas a cianose, e acompanhadas de enterite severa, dor abdominal, constipação ou diarréia, dor de cabeça, dispnéia, tontura, síncope, anemia e, ocasionalmente, baqueteamento dos dedos e indicanúria. **peripheral c.** – c. periférica; cianose devido à quantidade excessiva de hemoglobina reduzida no sangue venoso como resultado de extração extensa de oxigênio em nível capilar. **pulmonary c.** – c. pulmonar; cianose em decorrência de má-oxigenação do sangue nos pulmões. **c. re'tinae** – c. da retina; cianose da retina, observável em determinados defeitos cardíacos congênitos. **shunt c.** – c. de derivação; c. por anomalia; cianose central devido à mistura do sangue não-oxigenado com o sangue arterial no coração ou grandes vasos.

cy·ber·net·ics (si"ber-net'iks) – Cibernética; ciência dos processos de comunicação e controle no animal e na máquina.

cy·ca·sin (si'kah-sin) – cicasina; princípio tóxico proveniente das sementes de várias espécies de *Cycas*, nativas de Guam; é neoplásica para o fígado, rins, intestino e os pulmões após hidrólise por parte de bactérias intestinais.

cycl(o)- [Gr.] – cicl(o)-, elemento de palavra, *redondo; recorrente; corpo ciliar do olho.*

cy·cla·mate (si'klah-māt) – ciclamato; qualquer sal do ácido ciclâmico; têm-se utilizado amplamente os sais sódico e cálcico como substitutos não-nutritivos do açúcar.

cy·clan·de·late (si-klan'dĕ-lāt) – ciclandelato; antiespasmódico que age na musculatura lisa; utilizado como vasodilatador, principalmente para vasculopatias periféricas.

cyc·lar·thro·sis (si"klahr-thro'sis) – ciclartrose; articulação rotativa; articulação trocóide.

cy·clase (si'klās) – ciclase; enzima que catalisa a formação de um fosfodiéster cíclico.

cy·cle (si'k'l) – ciclo; sucessão ou série recidivante de eventos. **carbon c.** – c. do carbono; fases pelas quais o carbono (na forma de dióxido de carbono) é extraído da atmosfera pelos organismos vivos e finalmente retorna à atmosfera. Compreende uma série de interconversões de compostos carbônicos que começa com a produção de carboidratos por plantas durante a fotossíntese, prosseguindo através do consumo animal e terminando e começando novamente na decomposição do animal ou vegetal ou na exalação de dióxido de carbono pelos animais. **cardiac c.** – c. cardíaco; movimento cardíaco ou batimento cardíaco completos que compreende a sístole, diástole e pausa interposta. **cell c.** – c. celular; ciclo de eventos bioquímicos e morfológicos que ocorrem em uma população celular em reprodução; consiste da *fase S*, que ocorre em direção ao final da interfase, em que se sintetiza o DNA; a *fase G₂*, um período relativamente quiescente a *fase M*, que consiste das quatro fases da mitose; e a *fase G1* da interfase, que dura até a *fase S* do próximo ciclo. **citric acid c.** – c. do ácido cítrico; c. do ácido tricarboxílico. **Cori c.** – c. de Cori; mecanismo pelo qual o lactato produzido pelos músculos é transportado para o fígado, transformando novamente em glicose através da gliconeogênese, retornando aos músculos. **estrous c.** – c. estral; períodos recorrentes de cio (estro) em fêmeas adultas da maioria dos mamíferos e alterações correlacionadas no trato reprodutivo de um período para outro. **γ-glutamyl c.** – c. do γ-glutamil; ciclo metabólico para o transporte de aminoácidos no interior das células. **Krebs c.** – c. de Krebs; c. do ácido tricarboxílico. **Krebs-Henseleit c.** – c. de Krebs-Henseleit; c. da uréia. **menstrual c.** – c. menstrual; período de alterações fisiológicas regularmente recorrentes no endométrio que ocorrem durante o período reprodutivo das mulheres, culminando em desprendimento parcial do endométrio e algum sangramento através da vagina (menstruação). **mosquito c.** – c. no mosquito; período na vida de um parasita malárico passado no corpo de um mosquito-hospedeiro. **nitrogen c.** – c. do nitrogênio; fases pelas quais o nitrogênio é extraído dos nitratos do solo e da água, incorporado como aminoácidos e proteínas nos organismos vivos e finalmente reconvertido em nitratos: (1) conversão do nitrogênio em nitratos pelas bactérias; (2) extração dos nitratos pelos vegetais e a construção de aminoácidos e proteínas através da adição de um grupo amino nos compostos de carbono produzidos na fotossíntese; (3) ingestão de vegetais pelos animais, e (4) retorno do nitrogênio ao solo nas excreções animais ou na morte e decomposição de vegetais e animais. **ornithine c.** – c. da ornitina; c. da uréia. **ovarian c.** – c. ovariano; seqüência de alterações fisiológicas no ovário envolvido na ovulação. **reproductive c.** – c. reprodutivo; ciclo de alterações fisiológicas nos órgãos reprodutivos femininos a partir do momento da fertilização do óvulo através da gestação e parto. **sex c., sexual c.** – c. sexual: 1. alterações fisiológicas que recorrem regularmente nos órgãos genitais das fêmeas dos mamíferos quando não ocorre gravidez; 2. período de reprodução sexuada em um organismo que também se reproduz assexuadamente. **tricarboxylic acid c.** – c. do ácido tricarboxílico; trajeto comum final para a oxidação em CO_2 de moléculas de combustível, a maioria das quais entrando como acetil-coenzima A; ele também fornece intermediários para as reações biossintéticas e gera ATP por meio do fornecimento de elétrons para a cadeia de transporte de elétrons. **urea c.** – c. da uréia; série de reações metabólicas, que ocorrem no fígado, pelas quais a amônia é convertida em uréia utilizando ciclicamente a ornitina regenerada como transportador. **uterine c.** – c. uterino; fenômeno que ocorre no endométrio durante os ciclos estral ou menstrual, preparando-o para a implantação do blastocisto. **visual c.** – c. visual; interconversão cíclica da 11-*cis*-retiniana e da alo-*trans*-retiniana e associação com as opsoninas, criando um potencial elétrico e iniciando a cascata que gera impulso nervoso sensorial na visão.

cyc·lec·to·my (sĭ-klek'tah-me) – ciclectomia: 1. excisão de parte do corpo ciliar; 2. excisão de uma porção da borda ciliar da pálpebra; ciliectomia.

cyc·lic (sik'lik) – cíclico; relativo ou que ocorre em um ou mais ciclos; aplicado a compostos químicos que contêm um anel de átomos no núcleo.

cyc·li·tis (si-klī'tis) – ciclite; inflamação do corpo ciliar.

cy·cli·zine (si'klĭ-zēn) – ciclizina; anti-histamínico; os sais de cloridrato e o lactato são utilizados como antinauseantes e antieméticos, particularmente para evitar enfermidade motora.

cy·clo·ben·za·prine (si"klo-ben'zah-prēn) – ciclobenzaprina; relaxante muscular utilizado como sal de cloridrato.

cy·clo·cho·roid·itis (-ko"roid-i'tis) – ciclocoroidite; inflamação do corpo ciliar e da coróide.

cy·clo·cryo·ther·a·py (-kri"o-thĕ'rah-pe) – ciclocrioterapia; congelamento do corpo ciliar; realizada no tratamento do glaucoma.

cy·clo·di·al·y·sis (-di-al'ĭ-sis) – ciclodiálise; criação de uma comunicação entre a câmara anterior do olho e o espaço supracoróide no glaucoma.

cy·clo·di·a·ther·my (-di'ah-ther"me) – ciclodiatermia; destruição de uma porção do corpo ciliar por meio de diatermia.

cy·cloid (si'kloid) – ciclóide: 1. que contém um anel de átomos; diz-se de compostos químicos orgânicos; 2. ciclotímico; 3. ciclotimo.

cy·clo·ker·a·ti·tis (si"klo-kĕ"rah-tīt'is) – cicloceratite; inflamação da córnea e corpo ciliar.

cy·clo·pho·ria (-for'e-ah) – cicloforia; heteroforia em que ocorre um desvio do olho a partir do eixo ântero-posterior na ausência de estímulos fusionais visuais. **minus c.** – c. menor; incicloforia. **plus c.** – c. maior; excicloforia.

cy·clo·phos·pha·mide (-fos'fah-mīd) – ciclofosfamida; agente alcilante citotóxico do grupo das mostardas nitrogenadas; utilizado como antineoplásico, imunossupressivo para impedir rejeição de um transplante e tratar algumas doenças caracterizadas pela função imunológica anormal.

cy·clo·pia (si-klo'pe-ah) – ciclopia; sinoftalmia; sinoftalmo; anomalia de desenvolvimento caracterizada por uma única fossa orbitária, com o globo ausente, rudimentar, aparentemente normal ou duplicado, ou o nariz ausente ou presente como um apêndice tubular sobre a órbita.

cy·clo·ple·gia (si"klo-ple'je-ah) – cicloplegia; paralisia do músculo ciliar; paralisia de acomodação.

cy·clo·pro·pane (-pro'pān) – ciclopropano; gás incolor, altamente inflamável e explosivo C_3H_6, utilizado como anestésico de inalação.

Cy·clops (si'klops) – *Cyclops*; gênero de crustáceos diminutos, cujas espécies são hospedeiros do *Diphyllobothrium* e *Dracunculus*.

cy·clops (si'klops) – ciclopia; monoftalmia; monope; cíclope; monstro que exibe ciclopia.

cy·clo·ro·ta·tion (si"klo-ro-ta'shun) – ciclorrotação; torção; ver *torsion* (3). **cycloro'tary** – adj. ciclorrotatório.

cy·clo·ser·ine (-sĕ-rēn) – ciclosserina; antibiótico produzido pela *Streptomyces orchidaceus* ou obtido sinteticamente; utilizado como tuberculostático e no tratamento de infecções do trato urinário.

cy·clo·sis (si-klo'sis) – ciclose; movimento do citoplasma dentro de uma célula, sem deformação da parede celular.

cy·clo·spor·in A (si"klo-spor'in) – ciclosporina A; ciclosporina.

cy·clo·spor·ine (-spor'ēn) – ciclosporina; peptídeo cíclico proveniente de um extrato de fungos de solo que inibe seletivamente a função da célula T; utilizado como imunossupressivo para evitar rejeição em receptores de transplantes de órgãos.

cy·clo·tate (si'ko-tāt) – ciclotato; contração da USAN para o 4-metilbiciclo [2,2,2]oct-2-eno-1-carboxilato.

cy·clo·thi·a·zide (si"klo-thi'ah-zīd) – ciclotiazida; diurético tiazida utilizado no tratamento da hipertensão.

cy·clo·thy·mia (-thi'me-ah) – ciclotimia; distúrbio de humor caracterizado por vários períodos hipomaníacos e depressivos, com sintomas semelhantes aos de episódios maníacos e depressivos maiores, mas de menor severidade.

cy·clot·o·my (si-klot'ah-me) – ciclotomia; incisão do músculo ciliar.

cy·clo·tron (si'klah-tron) – ciclótron; aparelho para acelerar prótons ou dêuterons a altas energias por meio de um magneto constante e um campo elétrico oscilante.

cy·clo·tro·pia (si"klo-tro'pe-ah) – ciclotropia; desvio permanente de um olho ao redor do eixo ântero-posterior na presença de estímulos fusionais visuais, resultando em diplopia.

cy·cri·mine (si'krī-mēn) – cicrimina; anticolinérgico usado como sal de cloridrato no tratamento da doença de Parkinson.

cy·e·sis (si-e'sis) – ciese; gravidez. **cyet'ic** – adj. ciético.

cyl·in·der (sil'in-der) – cilindro: 1. corpo sólido com forma semelhante a uma coluna; 2. lente cilíndrica. **axis c.** – c.-eixo; axônio; ver *axon* (1).

cyl·in·droid (sil'in-droid) – cilindróide: 1. com forma semelhante a um cilindro; 2. cilindro urinário de origens variadas, que se afila até uma cauda delgada geralmente retorcida ou enrolada sobre si mesma.

cyl·in·dro·ma (sil"in-dro'mah) – cilindroma; cilindroadenoma: 1. carcinoma cístico adenóide; 2. tumor cutâneo benigno da face e couro cabeludo que consiste de massas cilíndricas de células epiteliais circundadas por faixa espessa de material hialino. **cylindrom'atous** – adj. cilindromatoso.

cym·bo·ceph·a·ly (sim"bo-sef'ah-le) – cimbocefalia; escafocefalia (*scaphocephaly*).

cy·nan·che (sĭ-nan'ke) – cinanque; dor de garganta severa com ameaça de asfixia.

cy·no·pho·bia (sin"o-fo'be-ah) – cinofobia; medo mórbido de cães.

cy·ot·ro·phy (si-ah'trah-fe) – ciotrofia; nutrição do feto.

cyp·i·o·nate (sip'e-o-nāt) – cipionato; contração da USAN para o ciclopentanopropionato.

cyproheptadine (si"pro-hep'tah-dēn) – ciproeptadina; antagonista de histamina e serotonina com propriedades anticolinérgicas e sedativas; seu sal de cloridrato é utilizado como antipruriginoso e anti-histamínico.

cyr·tom·e·ter (sir-tom'ĕ-ter) – cirtômetro; dispositivo para medir as superfícies curvas do corpo.

cyr·to·sis (sir-to'sis) – cirtose: 1. cifose; 2. distorção dos ossos.

Cys – cysteine (cisteína).

cyst (sist) – cisto: 1. qualquer cavidade ou saco revestidos com epitélio, normal ou anormal, geralmente contendo material líquido ou semi-sólido; 2. estágio no ciclo vital de determinados parasitas, durante o qual são envolvidos por uma parede protetora; bexiga. **adventitious c.** – c. adventício; cisto formado ao redor de um corpo estranho ou exsudato. **alveolar c's** – cistos alveolares; dilatações dos alvéolos pulmonares que podem se fundir por meio de rompimento de seus septos para formar grandes cistos aéreos (pneumatoceles). **aneurysmal bone c.** – c. ósseo aneurismático; lesão osteolítica de crescimento rápido e benigna, geralmente da infância, caracterizada por espaços císticos preenchidos com sangue revestidos de septos ósseos ou fibrosos. **arachnoid c.** – c. aracnóide; cisto cheio de fluido entre as camadas das leptomeninges, revestido de uma membrana aracnóide, que ocorre mais comumente na fissura de Sylvius. **Baker's c.** – c. de Baker; inchaço atrás do joelho em conseqüência de escape de líquido sinovial que se fechou em um saco ou membrana. **Blessig's c's** – cistos de Blessig; espaços císticos formados na periferia retiniana. **blue dome c.** – c. de cúpula azulada; cisto de retenção benigno das mamas que exibe coloração azulada. **Boyer's c.** – c. de Boyer; aumento de volume da bolsa sub-hióide. **bronchogenic c.** – c. broncogênico; cisto congênito esférico que surge de brotamento anômalo durante a formação da árvore traqueobrônquica, revestido de epitélio brônquico que pode conter elementos secretórios; geralmente encontrado no mediastino ou no pulmão. **choledochal c.** – c. colédoco; dilatação cística congênita do ducto biliar comum que pode causar dor no quadrante superior direito, icterícia, febre ou vômito ou ser assintomática. **dentigerous c.** – c. dentígero; cisto odontogênico que circunda a coroa de um dente, originando-se após formação completa da coroa. **dermoid c.** – c. dermóide; teratoma geralmente benigno, que representa um distúrbio do desenvolvimento embriológico, caracterizado pela presença de elementos ectodérmicos maduros, consistindo de parede fibrosa revestida de epitélio estratificado e que contém material ceratinoso e pêlos e algumas vezes outros elementos como tecidos ósseo, dentário e nervoso. Os cistos dermóides são encontrados mais freqüentemente no ovário. **echinococcus c.** – c. equinocócico; c. hidático. **epidermal c.** – c. epidérmico; cisto benigno que deriva da epiderme ou do epitélio de um folículo piloso; é formado por fechamentos císticos de epitélio na derme, preenchidos com ceratina e resíduos ricos em lipídios. **epidermal inclusion c.** – c. de inclusão epidérmica; um tipo de cisto epidérmico que ocorre na cabeça, pescoço ou tronco, formado por um epitélio escamoso ceratinizado com uma camada granular. **epidermoid c.** – c. epidermóide: 1. c. epidérmico; 2. tumor benigno formado pela inclusão de elementos epidérmicos, especialmente no momento do fechamento do sulco neural e localizado no crânio, meninges ou cérebro. **exudation c.** – c. de exsudação; cisto formado por exsudato em uma cavidade fechada. **follicular c.** – c. folicular; cisto decorrente de fechamento de um folículo ou glândula pequena, especialmente aquele formado pelo aumento de volume de um folículo de Graaf como resultado de um transudato acumulado. **globulomaxillary c.** – c. globulomaxilar; cisto dentro da maxila na junção da porção globular do processo nasal medial e do processo maxilar. **hydatid c.** – c. hidático; estágio de cisto larval das tênias *Echinococcus granulosus* e *E. multilocularis*, que contém cistos-filhos com muitos escóleces. **median anterior maxillary c.** – c. maxilar anterior mediano; cisto no canal incisivo ou próximo a ele, surgindo a partir da proliferação de resíduos epiteliais do ducto nasopalatino. **median palatal c.** – c. palatal mediano; cisto na linha média do palato duro, entre os processos palatais laterais. **meibomian c.** – c. meibomiano; cisto da glândula de Meibomius, algumas vezes aplicado ao calázio.

myxoid c. – c. mixóide; lesão nodular geralmente sobrejacente a um dedo distal interfalângico distal na posição dorsolateral ou dorsomesial, consistindo de degeneração mucinosa focal do colágeno da derme; não constitui um cisto verdadeiro, pois não tendo parede epitelial não se comunica com o espaço sinovial subjacente. **Naboth's c's, nabothian c's** – cistos de Naboth; ver em *follicle*. **nasoalveolar c., nasolabial c.** – c. nasoalveolar; c. nasolabial; cisto fissural que surge no lado externo dos ossos na junção da porção globular do processo nasal medial, do processo nasal lateral e processo maxilar, algumas vezes secundariamente envolvendo a maxila. **osseous hydatid c's** – cistos hidáticos ósseos; cistos hidáticos formados pelas larvas de *Echinococcus granulosus* no osso que podem se enfraquecer e causar erosão pelo crescimento exuberante. **pilar c.** – c. do pilar; c. sebáceo; cisto epitelial clinicamente indistinguível de um cisto epidérmico, quase sempre encontrado no couro cabeludo e que surge a partir da bainha radicular externa do folículo piloso. **piliferous c., pilonidal c.** – c. pilífero; c. pilonidal; cisto ou seio dermóide sacrococcígeo contendo pêlos, geralmente abrindo-se em uma covinha pós-anal. **preauricular c., congenital** – c. pré-auricular congênito; cisto decorrente de fusão imperfeita do primeiro e segundo arcos branquiais na formação da aurícula, comunicando-se com uma depressão semelhante a um buraco em frente da hélice e acima do trago (depressão da orelha). **radicular c.** – c. radicular; saco revestido por epitélio que pode conter colesterol no ápice de um dente. **sarcosporidian c.** – c. sarcosporidiano; sarcocisto; ver *sarcocyst* (2). **sebaceous c.** – c. sebáceo; c. do pilar; lobinho; cisto de retenção de uma glândula sebácea que contém um material gorduroso, amarelo e caseoso, geralmente ocorrendo na face, pescoço, couro cabeludo ou tronco. **solitary bone c.** – c. ósseo solitário; espaço ósseo patológico nas metáfises dos ossos longos das crianças em crescimento; de origem discutida, pode ser vazio ou preenchido por fluido e ter um revestimento de tecido conjuntivo delicado. **sterile c.** – c. estéril; cisto hidático verdadeiro que falha em produzir cápsulas reprodutivas. **subchondral c.** – c. subcondral; cisto ósseo dentro da epífise fundida sob a placa articular. **sublingual c.** – c. sublingual; rânula. **tarry c.** – c. alcatroado: 1. cisto que resulta de hemorragia no interior do corpo lúteo; 2. cisto sangüíneo resultante de endometriose. **tarsal c.** – c. társico; calázio. **theca-lutein c.** – c. tecal-luteínico; cisto do ovário em que a cavidade cística se reveste com células da teca interna. **unicameral bone c.** – c. óssea unicameral; c. ósseo solitário. **wolffian c.** – c. de Wolff; cisto do ligamento largo desenvolvido a partir dos vestígios do corpo de Wolff ou do mesonefro.

cys·tad·e·no·car·ci·no·ma (sis-tad"ĕ-no-kahr"-sĭ-no'mah) – cistadenocarcinoma; adenocarcinoma com cavidades císticas revestidas por tumores, geralmente nos ovários.

cys·tad·e·no·ma (sis-tad"ĕ-no'mah) – cistadenoma; adenoma caracterizado por massas císticas revestidas de epitélio que contêm um material secretado, geralmente seroso ou mucinoso, quase sempre nos ovários, glândula salivar ou pâncreas. **mucinous c.** – c. mucinoso; tumor multilocular geralmente benigno, produzido por células epiteliais ovarianas e apresentando cavidades preenchidas por mucina. **papillary c.** – c. papilar: 1. qualquer tumor que produz padrões tanto papilares quanto císticos; 2. tipo de adenoma no qual os ácinos distendem-se por fluidos ou proeminências de tecido. **serous c.** – c. seroso; tumor cístico do ovário com um soro amarelo-claro e fino e um pouco de tecido sólido.

cys·tal·gia (sis-tal'jah) – cistalgia; dor vesical.

γ-cysta·thi·o·nase (sis"tah-thi'o-nãs) – γ-cistationase; enzima piridoxal que contém fosfato e catalisa a hidrólise da cistationina em cisteína, amônia e α-cetoglutarato; a deficiência resulta em cistationinúria.

cys·ta·thi·o·nine (-nēn) – cistationina; tioéster de homocisteína e serina; serve como intermediário na transferência de um átomo de enxofre da metionina para a cisteína.

cys·ta·thi·o·nine β-syn·thase (sin'thãs) – cistationina-β-sintase; liase piridoxal que contém fosfato e catalisa uma fase no catabolismo da metionina; a deficiência ocorre em caso de aminoacidopatia caracterizada por homocistinúria, níveis elevados de metionina sangüínea e anormalidades nos olhos ou sistemas esquelético, nervoso e vascular.

cys·ta·thi·o·nin·u·ria (sis"tah-thi"o-ne-nu're-ah) – cistationinúria: 1. aminoacidopatia hereditária caracterizada por excesso de cistationina na urina e tecidos corporais devido a defeito no metabolismo da cistationina; 2. excesso de cistationina na urina.

cys·tec·ta·sia (sis"tek-ta'zhah) – cistectasia; dilatação vesical.

cys·tec·to·my (sis-tek'tah-me) – cistectomia: 1. excisão de um cisto; 2. excisão ou ressecção da bexiga.

cys·te·ic ac·id (sis-te'ik) – ácido cistéico; produto intermediário na oxidação da cisteína em taurina.

cys·te·ine (sis'te-ēn) – cisteína; aminoácido que contém enxofre e é produzido por hidrólise enzimática ou ácida de proteínas, sendo facilmente oxidado em cistina; algumas vezes encontrada na urina.

cys·tic (sis'tik) – cístico: 1. relativo ou que contém cistos; 2. relativo à bexiga ou vesícula biliar.

cys·ti·cer·co·sis (sis"tĭ-ser-ko'sis) – cisticercose; infecção por cisticercos. No homem, infecção por formas larvais da *Taenia solium.*

cys·ti·cer·cus (-ser'kus) [L.] pl. *cysticerci* – cisticerco; forma larval da tênia.

cys·tig·er·ous (sis-tij'er-us) – cistígero; que contém cistos.

cys·tine (sis'tēn, sis'tin) – cistina; aminoácido que contém enxofre e é produzido pela digestão ou hidrólise ácida de proteínas, algumas vezes encontrado na urina e rins, e facilmente reduzido em duas moléculas de cisteína.

cys·ti·no·sis (sis"tĭ-no'sis) – cistinose; distúrbio hereditário da infância caracterizado por osteomala-

cia, aminoacidúria, fosfatúria e deposição de cistina por todos os tecidos do organismo.

cys·tin·uria (sis"tĭ-nu're-ah) – cistinúria; afecção hereditária de excreção urinária excessiva persistente de cistina e outros aminoácidos lisina, ornitina e arginina em conseqüência de deficiência de reabsorção tubular renal.

cys·ti·stax·is (sis"tĭ-stak'sis) – cistitaxe; exsudação de sangue da membrana mucosa da bexiga.

cys·ti·tis (sis-tĭ't'is) – cistite; inflamação da bexiga. **catarrhal c., acute** – c. catarral aguda; cistite que resulta de lesão, irritação de corpos estranhos, gonorréia etc., e caracterizada por queimação na bexiga, dor na uretra e micção dolorosa. **c. follicula'ris** – c. folicular; cistite em que a mucosa vesical fica salpicada com nódulos que contêm folículos linfáticos. **c. glandula'ris** – c. glandular; cuja mucosa contém glândulas secretoras de mucina. **interstitial c., chronic** – c. intersticial crônica; afecção vesical com uma lesão inflamatória, geralmente no vértice e envolvendo a espessura completa da parede. **c. papillomato'sa** – c. papilomatosa; cistite com crescimentos papilomatosos na membrana mucosa inflamada.

cys·tit·o·my (sis-tit'ah-me) – cistitomia; divisão cirúrgica da cápsula do cristalino.

cyst(o)- [Gr.] – cist(o)-, elemento de palavra, *saco; cisto; bexiga.*

cys·to·cele (sis'to-sēl) – cistocele; herniação da bexiga no interior da vagina.

cys·to·elyt·ro·plas·ty (-el'ĭ-tro-plas"te) – cistelitroplastia; reparo cirúrgico de lesões vesicovaginais.

cys·to·gas·tros·to·my (-gas-tros'tah-me) – cistogastrostomia; anastomose cirúrgica de um cisto no estômago para drenagem.

cys·tog·ra·phy (sis-tog'rah-fe) – cistografia; radiografia da bexiga. **voiding c.** – c. de esvaziamento; radiografia da bexiga enquanto o paciente está urinando.

cys·toid (sis'toid) – cistóide: 1. semelhante a um cisto; 2. coleção circunscrita e cistiforme de material amolecido que não tem cápsula envolvente.

cys·to·je·ju·nos·to·my (sis"to-jē"joo-nos'tah-me) – cistojejunostomia; anastomose cirúrgica de um cisto no jejuno.

cys·to·li·thec·to·my (-lĭ-thek'tah-me) – cistolitectomia; remoção cirúrgica de um cálculo vesical.

cys·to·li·thi·a·sis (-lĭ-thi'ah-sis) – cistolitíase; formação de cálculos vesicais.

cys·to·li·thot·o·my (-lĭ-tho'ah-me) – cistolitotomia; cistolitectomia.

cys·tom·e·ter (sis-tom'it-er) – cistômetro; instrumento para estudar o mecanismo neuromuscular da bexiga através de medição de sua pressão e capacidade.

cys·to·me·trog·ra·phy (sis"to-mē-trog'rah-fe) – cistometrografia; registro gráfico dos volumes e pressões intravesicais.

cys·to·mor·phous (-mor'fis) – cistomorfo; semelhante a um cisto ou bexiga.

cys·to·pexy (sis'to-pek"se) – cistopexia; fixação da bexiga à parede abdominal.

cys·to·plas·ty (-plas"te) – cistoplastia; reparo plástico da bexiga. **augmentation c.** – c. de potencialização; aumento de volume da bexiga por meio de enxerto de um segmento descolado do intestino.

cys·to·ple·gia (sis"to-ple'jah) – cistoplegia; paralisia da bexiga.

cys·to·proc·tos·to·my (-prok-tos'tah-me) – cistoproctostomia; criação cirúrgica de comunicação entre a bexiga e o reto.

cys·top·to·sis (sis"top-to'sis) – cistoptose; prolapso de parte da bexiga interna dentro da uretra.

cys·to·py·eli·tis (sis"to-pi"il-ī t'is) – cistopielite; inflamação da bexiga e pelve renal.

cys·tor·rha·phy (sis-tor'ah-fe) – cistorrafia; sutura da bexiga.

cys·tor·rhea (sis"tor-e'ah) – cistorréia; descarga mucosa da bexiga.

cys·to·sar·co·ma (sis"to-sahr-ko'mah) – cistossarcoma; tumor filodo.

cys·tos·co·py (sis-tos'kah-pe) – cistoscopia; exame visual do trato urinário com um endoscópio.

cys·tos·to·my (sis-tos'tah-me) – cistostomia; formação cirúrgica de uma abertura no interior da bexiga.

cys·to·ure·ter·itis (sis"to-ūr-ēt"er-ī t'is) – cistoureterite; inflamação da bexiga e ureteres.

cys·to·ure·throg·ra·phy (-u"rĕ-throg'rah-fe) – cistouretrografia; radiografia da bexiga e uretra. **chain c.** – c. de cadeia; cistouretrografia em que se introduz uma cadeia de contas de metal estéril através de um cateter modificado no interior da bexiga e uretra; utilizada na avaliação das relações da bexiga e uretra.

cys·to·ure·thro·scope (-ūr-ēth'rah-skōp") – cistouretroscópio; instrumento para examinar a uretra posterior e a bexiga.

cyt(o)- [Gr.] – cit(o)-, elemento de palavra, *célula.*

cyt·a·phe·re·sis (sī t"ah-fer-e'sis) – citaferese; procedimento em que se separam e retêm células de um ou mais tipos (leucócitos, plaquetas etc.) do sangue completo, sendo retransfundidos no doador o plasma e outros elementos formados; inclui a leucaferese e a trombocitaferese.

cy·tar·a·bine (si-tar'ah-bēn) – citarabina; ara-C; antimetabólito (um análogo da desoxicitidina) que inibe a síntese de DNA razão porque tem propriedades antineoplásicas e antivirais.

-cyte [Gr.] – -cito, elemento de palavra, *célula.*

cy·ti·dyl·ic ac·id (si"tī -dil'ik) – ácido citidílico; citidina fosforilada, geralmente o monofosfato de citidina.

cy·ti·dine (si'tī -dēn) – citidina; nucleosídeo purínico que consiste de citosina e ribose, um constituinte do RNA e importante na síntese de vários derivados lipídicos. Símbolo C. **c. triphosphate (CTP)** – trifosfato de c.; nucleotídeo rico em energia que age como um precursor ativado na biossíntese do RNA e outros constituintes celulares.

cy·to·ar·chi·tec·ton·ic (-ahr"kī -tek-ton'ik) – citoarquitetônico; relativo à estrutura celular ou disposição das células em um tecido.

cy·to·chal·a·sin (-kal'ah-sin) – citocalasina; substância de um grupo de metabólitos fúngicos que interferem na formação de microfilamentos e conseqüentemente interrompem os processo celulares dependentes desses filamentos.

cy·to·chem·is·try (-kem'is-tre) – citoquímica; histoquímica; identificação e localização dos compostos químicos diferentes e suas atividades dentro da célula.

cy·to·chrome (si'to-krōm) – citocromo; substância de uma classe de hemoproteínas, amplamente distribuídas nos tecidos animais e vegetais, cuja principal função é o transporte de elétrons utilizando o grupo protético hêmico; distinguido de acordo com seus grupos protéticos como, por exemplo, *a, b, c, d* e P-450.

cy·to·cide (-sī d) – citocida; agente que destrói células. **cytoci'dal** – adj. citocida.

cy·toc·la·sis (si-tok'lah-sis) – citoclasia; destruição de células. **cytoclas'tic** – adj. citoclástico.

cy·to·dif·fer·en·ti·a·tion (si"to-dif"er-en"she-a'-shun) – citodiferenciação; desenvolvimento de estruturas e funções especializadas nas células embrionárias.

cy·to·dis·tal (-dis't'l) – citodistal; denota a parte de um axônio distante do corpo celular.

cy·to·ge·net·ics (-jĕ-net'iks) – Citogenética; ramo da Genética dedicado aos constituintes celulares relacionados à hereditariedade, ou seja, os cromossomas. **cytogenet'ical** – adj. citogenético. **clinical c.** – C. Clínica; ramo da Citogenética que diz respeito às relações entre as anormalidades cromossômicas e condições patológicas.

cy·tog·e·nous (sit-toj'in-is) – citógeno; que produz células.

cy·to·gly·co·pe·nia (sī t"o-gli"ko-pe'ne-ah) – citoglicopenia; teor de glicose deficiente do organismo ou células sangüíneas.

cy·to·his·to·gen·e·sis (-his"to-jen'is-is) – cito-histogênese; desenvolvimento das estruturas das células.

cy·to·his·tol·o·gy (-his-tol'ah-je) – cito-histologia; combinação de métodos citológicos e histológicos. **cytohistolog'ic** – adj. cito-histológico.

cy·toid (si'toid) – citóide; semelhante a uma célula.

cy·to·kine (si'to-kī n") – citocina; termo genérico para proteínas que não são anticorpos, liberadas por uma população celular em contato com um antígeno específico, que agem como mediadores intercelulares como no caso da geração de resposta imunológica.

cy·to·ki·ne·sis (si"to-ki-ne'sis) – citocinese; divisão do citoplasma durante a divisão das células eucariotas.

cy·tol·o·gy (si-tol'ah-je) – citologia; estudo das células, origem, estrutura, função e patologia. **cytolog'ic** – adj. citológico. **aspiration biopsy c. (ABC)** – c. de biópsia de aspiração; estudo microscópico das células obtidas de lesões superficiais ou internas por sucção através de agulha fina. **exfoliative c.** – c. exfoliativa; exame microscópico das células descamadas de uma superfície corporal ou a lesão como meio de detecção da malignidade e alterações microbiológicas, para medir níveis hormonais etc. Tais células são obtidas por aspiração, lavagens de tecido, esfregaço ou raspado.

cy·tol·y·sin (si-tol'ĭ -sin) – citolisina; substância ou anticorpo que produz citólise.

cy·tol·y·sis (si-tol'ĭ -sis) – citólise; dissolução de células. **cytolyt'ic** – adj. citolítico. **immune c.** – c. imunológica; lise celular produzida por um anticorpo com a participação do complemento.

cy·to·ly·so·some (sī t"o-li'so-sõm) – citolisossoma; autofagossoma (*autophagosome*).

cy·to·me·gal·ic (mē-ga'ik) – citomegálico; relativo às células excessivamente aumentadas com inclusões intranucleares observadas em infecções por citomegalovírus.

Cy·to·meg·a·lo·vi·rus (meg'ah-lo-vi"rus) – *Cytomegalovirus;* citomegalovírus humanos; gênero de vírus bem-disseminados da subfamília Betaherpesvirinae (família Herpesviridae), transmitido por vias múltiplas.

cy·to·meg·a·lo·vi·rus (-meg'ah-lo-vi"rus) – citomegalovírus; vírus de um grupo de herpesvírus em alto grau hospedeiro-específicos, que infectam o homem, macacos ou roedores produzindo células grandes únicas com inclusões intranucleares; o vírus pode causar várias síndromes clínicas, coletivamente conhecidas como doença de inclusão citomegálica, embora a maioria das infecções seja suave ou subclínica. Abreviação: CMV.

cy·to·meta·pla·sia (-met"ah-pla'zhah) – citometaplasia; alteração na função ou forma das células.

cy·tom·e·ter (si-tom'ĕ-ter) – citômetro; dispositivo para contar células, tanto visual como automaticamente.

cy·tom·e·try (-tre) – citometria; caracterização e medição das células bem como dos constituintes celulares. **flow c.** – c. de fluxo; técnica para contar as células suspensas em fluido à medida que fluem em um período após um foco de luz estimulante.

cy·to·mor·phol·o·gy (sī t"o-mor-fol'ah-je) – citomorfologia; morfologia dos corpos celulares.

cy·to·mor·pho·sis (-mor-fo'sis) – citomorfose; as alterações pelas quais as células passam no desenvolvimento.

cy·to·path·ic (-path'ik) – citopático; relativo ou caracterizado por alterações patológicas nas células.

cy·to·patho·gen·e·sis (-path"o-jen'is-is) – citopatogênese; produção de alterações patológicas nas células. **cytopathogenet'ic** – adj. citopatogenético.

cy·to·path·o·gen·ic (-jen'ik) – citopatogênico; capaz de produzir alterações patológicas nas células.

cy·to·pa·thol·o·gist (-pah-thol'ah-jist) – citopatologista; especialista no estudo de células em doenças; patologista celular.

cy·to·pe·nia (-pe'ne-ah) – citopenia; deficiência no número de qualquer dos elementos celulares do sangue.

cy·to·phago·cy·to·sis (-fag"o-si-to'sis) – citofagocitose; citofagia.

cy·toph·a·gy (si-tof'ah-je) – citofagia; citofagocitose.

cy·to·phil·ic (sī t"ah-fil'ik) – citófilo; que tem afinidade por células.

cy·to·phy·lax·is (-fī-lak'sis) – citofilaxia; 1. proteção das células contra a citólise; 2. aumento na atividade celular.

cy·to·pi·pette (-pi'pet') – citopipeta; pipeta para coletar esfregaços citológicos.

cy·to·plasm (sī t'o-plazm) – citoplasma; protoplasma de uma célula menos o núcleo (nucleoplasma). **cytoplas'mic** – adj. citoplasmático.

cy·to·prox·i·mal (sī t"o-prok'sī-mil) – citoproximal; que denota a parte de um axônio mais próximo ao corpo celular.

cy·to·re·duc·tive (-re-duk'tiv) – citorredutor; que reduz o número de células.

cy·to·sine (si'to-sēn) – citosina; base pirimidínica que ocorre nas células animais e vegetais, geralmente condensada com ribose ou desoxirribose para formar os nucleosídeos citidina e desoxicitidina, principais constituintes dos ácidos nucléicos. Símbolo C. **c. arabinoside** – c. arabinosida; citarabina.

cy·to·skel·e·ton (-skel'it-on) – citoesqueleto; reforço interno evidente no citoplasma de uma célula, consistindo de tonofibrilas, filamentos da teia terminal e outros microfilamentos. **cytoskel'etal** – adj. citoesquelético.

cy·to·sol (sī t'o-sol) – citosol; meio líquido do citoplasma, ou seja, o citoplasma menos as organelas e componentes insolúveis não-membranosos. **cytosol'ic** – adj. citosólico.

cy·to·some (-sõm) – citossoma; corpo de uma célula separado de seu núcleo.

cy·to·stat·ic (sī t'o-stat'ik) – citostático: 1. que suprime o crescimento e a multiplicação de células; 2. agente que atua dessa forma.

cy·to·stome (sī t'o-stõm) – citoestoma; boca celular; abertura por onde o alimento entra em determinados protozoários.

cy·to·tax·is (sī t"o-tak'sis) – citotaxia; movimento e disposição de células com relação a uma fonte específica de estímulo. **cytotac'tic** – adj. citotático.

cy·toth·e·sis (si-toth'is-is) – citótese; restituição das células à sua condição normal.

cy·to·tox·in (si"to-tok'sin) – citotoxina; toxina ou anticorpo que tem ação tóxica específica em células ou órgãos especiais.

cy·to·tropho·blast (-trof'o-blast) – citotrofoblasto; camada celular (interna) do trofoblasto.

cy·to·tro·pism (si-to'trah-pizm) – citotropismo; 1. movimento celular em resposta a um estímulo externo; 2. tendência dos vírus, bactérias, drogas etc. a exercer efeito em determinadas células do corpo. **cytotrop'ic** – adj. citotrópico.

cy·to·zo·ic (sī t"o-zo'ik) – citozóico; que vive dentro ou preso a células; diz-se de parasitas.

cy·tu·ria (si-tu're-ah) – citúria; presença de células de qualquer tipo na urina.

D

D – dalton; deciduous (tooth); density; deuterium; died; diopter; distal; dorsal vertebrae (D1–D12); dose; duration (dálton; decíduo [dente]; densidade; deutério; M, morto; dioptria; distal; vértebras dorsais (D1–D12); dose; duração.

D. [L.] – *da* (dar); *detur* (deixar dar); *dexter* (direita); *dosis* (dose).

2,4-D – a toxic chlorphenoxy herbicide (2,4-dichlorophenoxyacetic acid), a component of Agent Orange (herbicida clorfenóxico tóxico [ácido 2,4-diclorofenoxiacético], um componente do Agente Laranja).

D – prefixo químico que especifica a configuração relativa de um enantiômero, indicando um carboidrato com a mesma configuração de um átomo de carbono específico como o D-gliceraldeído ou um aminoácido que tenha a mesma configuração que a D-serina. Oposto a L-.

d – day; deci-; deoxyribose (in nucleosides and nucleotides) (dia; deci-; desoxirribose [em nucleosídeos e nucleotídeos]).

d. [L.] – *da* (dar); *detur* (deixar dar); *dexter* (direita); *dosis* (dose).

d – density; diameter (densidade; diâmetro).

d- – abreviação química, *dextro; destro-* (direita ou no sentido horário, dextrorrotatório). Oposto a *l-*.

Δ- – (delta maiúsculo, quarta letra do alfabeto grego) posição de uma ligação dupla em uma cadeia carbônica.

δ – (delta, a quarta letra do alfabeto grego) cadeia pesada de IgD; cadeia δ da hemoglobina.

δ – prefixo que designa: (1) a posição de um átomo ou grupo substituto em um composto químico; (2) quarta em uma série de quatro ou mais entidades ou compostos químicos relacionados.

Da – dalton (dálton).

DAC – decitabine (decitabina).

da·car·ba·zine (dah-kar'bah-zēn) – dacarbazina; agente alcilante citotóxico utilizado como antineoplásico primariamente para tratamento de melanomas malignos, e em combinação com quimioterapia para a doença de Hodgkin e sarcomas.

dacry(o)- [Gr.] – dacri(o)-, elemento de palavra, *lágrimas* ou *o aparelho lacrimal*.

dac·ryo·ad·e·nal·gia (dak"re-o-ad'in-al'jah) – dacrioadenalgia; dor em uma glândula lacrimal.

dac·ryo·ad·e·nec·to·my (-ad"in-ek'tah-me) – dacrioadenectomia; excisão de uma glândula lacrimal.

dac·ryo·blen·nor·rhea (-blen"or-e'ah) – dacrioblennorréia; fluxo mucoso do aparelho lacrimal.

dac·ryo·cyst (-sist") – dacriocisto; saco lacrimal.

dac·ryo·cys·tec·to·my (-sis-tek'tah-me) – dacriocistectomia; excisão da parede do saco lacrimal.

dac·ryo·cys·to·blen·nor·rhea (-sis"to-blen"or-e'ah) – dacriocistoblennorréia; inflamação catarral crônica do saco lacrimal com constrição da glândula lacrimal.

dac·ryo·cys·to·cele (-sis'tah-sēl) – dacriocistocele; protrusão hernial do saco lacrimal.

dac·ryo·cys·to·rhi·no·ste·no·sis (sis"to-ri"no-stĕ-no'sis) – dacriocistorrinostenose; estreitamento do ducto que leva do saco lacrimal à cavidade nasal.

dac·ryo·cys·to·rhi·nos·to·my (-sis"to-ri-nos'tah-me) – dacriocistorrinostomia; criação cirúrgica de uma abertura entre o saco lacrimal e a cavidade nasal.

dac·ryo·cys·to·ste·no·sis (-sis"to-stĕ-no'sis) – dacriocistostenose; estreitamento do saco lacrimal.

dac·ryo·cys·tos·to·my (-sis-tos'tah-me) – dacriocistostomia; criação de nova abertura no interior do saco lacrimal.

dac·ryo·hem·or·rhea (-he"mor-e-ah') – dacrioemorréia; fluxo de lágrimas misturada com sangue.

dac·ryo·lith (dak're-o-lith") – dacriólito; cálculo lacrimal.

dac·ry·o·ma (dak"re-o-mah) – dacrioma; tumefação semelhante a um tumor decorrente de obstrução do ducto lacrimal.

dac·ry·ops (dak're-ops) – dacriopo: 1. estado aquoso do olho; 2. distensão de um ducto lacrimal por meio do fluido contido.

dac·ryo·py·o·sis (dak"re-o-pi-o'sis) – dacriopiose; supuração do aparelho lacrimal.

dac·ryo·scin·tig·ra·phy (-sin-tig'rah-fe) – dacriocintilografia; cintilografia dos ductos lacrimais.

dac·ryo·ste·no·sis (-stin-o'sis) – dacrioestenose; estenose ou estreitamento de um ducto lacrimal.

dac·ryo·syr·inx (-sir'inks) – dacriosiringe: 1. ducto lacrimal; 2. fístula lacrimal; 3. dacriosseringa; seringa para irrigar os ductos lacrimais.

dac·ti·no·my·cin (dak"tĭ-no-mi'sin) – dactinomicina; actinomicina D, antibiótico derivado de várias espécies de *Streptomyces*; utilizado como antineoplásico.

dac·tyl (dak'til) – dactilo; dedo (*digit*).

dactyl(o)- [Gr.] – dactil(o)-, dáctilo; elemento de palavra, *dedo da mão ou do pé*.

dac·ty·log·ra·phy (dak"til-og'rah-fe) – dactilografia; estudo das impressões digitais.

dac·ty·lo·gry·po·sis (dak"til-o-grĭ-po'sis) – dactilogripose; flexão permanente dos dedos.

dac·ty·lol·o·gy (dak"tĭ-lol'ah-je) – dactilologia; uso dos movimentos das mãos e dedos como meio de comunicação; quirologia.

dac·ty·lol·y·sis (-ĭ-sis) – dactilólise: 1. correção cirúrgica da sindactilia; 2. perda ou amputação de um dedo. **d. sponta'nea** – d. espontânea; ainhum.

dac·ty·los·co·py (dak"til-os'kah-pe) – dactiloscopia; exame das impressões digitais para identificação.

dac·ty·lus (dak'til-us) [L.] – dáctilo; dedo (*digit*).

Dal·mane (dal'mān) – Dalmane, marca registrada de preparação de cloridrato de flurazepam.

dal·ton (dawl'ton) – dálton; unidade arbitrária de massa, correspondendo a $\frac{1}{12}$ da massa do nuclídeo do carbono 12, equivalente a $1,657 \times 10^{-24}$ g. Símbolo D ou Da.

dal·ton·ism (-izm) – daltonismo; cegueira à cor verde e vermelha.

dam (dam) – dique de borracha; lâmina de látex fina utilizada para isolar os dentes dos fluidos bucais durante terapia dentária.

damp·ing (damp'ing) – amortecimento; diminuição constante da amplitude de vibrações sucessivas de uma forma específica de energia como a eletricidade.

dan·a·zol (dah'nah-zōl) – danazol; supressivo hipofisário anterior.

D and C – dilation (of cervix) and curettage (of uterus) (D e C; dilatação [da cérvix] e curetagem [do útero]).

dan·der (dan'der) – descamação; caspa; pequenas escamas provenientes dos pêlos ou penas dos animais que podem constituir uma causa de alergia em pessoas sensíveis.

dan·druff (dan'druf) – caspa: 1. material escamoso seco eliminado do couro cabeludo; aplicado ao material normalmente eliminado da epiderme do couro cabeludo, bem como o material escamoso excessivo associado à doença; 2. dermatite seborréica do couro cabeludo.

DANS – 5-dimethylamino-1-naphthalenesulfonic acid (ácido 1-dimetilaminonaftaleno-5-ácido sulfônico); o cloreto acílico é um fluorocromo empregado em estudos de imunofluorescência de tecidos e células.

dan·tro·lene (dan'tro-lēn) – dantroleno; relaxante do músculo esquelético, utilizado em forma de sal sódico como antiespasmódico.

dap·sone (dap'sōn) – dapsona; bacteriostático antibacteriano de amplo espectro de microrganismos Gram-positivos e Gram-negativos; utilizado como leprostático, supressivo da dermatite herpetiforme, e na profilaxia da malária falcípara.

dar·tos (dart'os) – dartos; tecido contrátil sob a pele do escroto.

Dar·von (dar'von) – Darvon, marca registrada de preparação de propoxifeno.

dar·win·ism (dar'win-izm) – darwinismo; teoria da evolução segundo a qual os organismos superiores desenvolveram-se a partir de organismos inferiores pela influência da seleção natural.

daugh·ter (dawt'er) – filha: 1. produto de decomposição; 2. que surge de divisão celular como uma célula-filha.

dB, db – decibel (decibel).

DC – direct current; Doctor of Chiropractic (CD, corrente direta; Doutor em Quiroprática).

D & C – dilatation (of cervix) and curettage (of uterus) (dilatação [da cérvix] e curetagem [do útero]).

DCIS – ductal carcinoma *in situ* (CDL, carcinoma ductal local).

DDS – Doctor of Dental Surgery (Doutor em Cirurgia Dentária).

DDT – dichloro-diphenyl-trichloroethane (dicloro-difenil-tricloroetano); inseticida poderoso; utilizado em diluição em forma de pó ou como solução oleosa em spray.

de- [L.] – elemento de palavra, *abaixo; de;* algumas vezes negativo ou particular, e geralmente intensivo.

de·acyl·ase (de-as'il-ās) – desacilase; qualquer hidrolase que catalisa a clivagem de um grupo acil em ligação éster ou amida.

deaf (def) – surdo; sem o sentido de audição ou totalmente incapaz de ouvir.

de·af·fer·en·ta·tion (de-af"er-en-ta'shun) – desaferenciação; eliminação ou interrupção de fibras nervosas sensoriais.

deaf·mute (def'mūt") – surdo-mudo; indivíduo incapaz de falar ou ouvir.

deaf·ness (-ness) – surdez; perda ou ausência, parcial ou completa, do sentido da audição. Ver também *hearing loss*. **acoustic trauma d.** – s. por traumatismo acústico; surdez em decorrência de lesão por ruído. **conduction d.** – s. condutiva; perda de audição condutiva; ver em *hearing loss*. **functional d.** – s. funcional; surdez aparente em conseqüência de deficiência de funcionamento do aparelho auditivo sem lesões orgânicas. **hysterical d.** – s. histérica; surdez que pode aparecer ou desaparecer em paciente histérico sem causa aparente. **labyrinthine d.** – s. labiríntica; surdez decorrente de doença do labirinto. **Michel's d.** – s. de Michel; surdez congênita devida a ausência total de desenvolvimento do ouvido interno. **Mondini's d.** – s. de Mondini; surdez congênita em conseqüência de disgênese do órgão de Corti com aplasia parcial do labirinto ósseo e membranoso e conseqüente achatamento da cóclea. **nerve d., neural d.** – s. nervosa; s. neural; surdez em virtude de lesão do nervo auditivo nos trajetos neurais centrais. **pagetoid d.** – s. pagetóide; surdez que ocorre em caso de osteíte deformante (doença de Paget) dos ossos do crânio. **perceptive d.** – s. de percepção; surdez decorrente de lesão no mecanismo sensorial (cóclea) do ouvido, lesão do nervo acústico ou ainda dos trajetos neurais centrais ou uma combinação de tais lesões. **word d.** – s. verbal; afasia auditiva.

de·am·i·dase (de-am'ĭ-dās) – desamidase; enzima que divide as amidas para formar um ácido carboxílico e amônia.

de·am·i·di·za·tion (de-am"ĭ-diz-a'shun) – desamidização; liberação da amônia de uma amida.

de·am·i·nase (de-am'ĭ-nās) – desaminase; enzima que causa a desaminação ou remoção do grupo amino de compostos orgânicos, geralmente amidinas cíclicas.

de·am·i·na·tion (de-am"ĭ-na'shun) – desaminação; remoção do grupo amino ($-NH_2$) a partir de um composto.

de·a·nol ac·et·am·i·do·ben·zo·ate (de'ah-nol as"et-am"ĭ-do-ben'zo-āt) – deanol-acetamidobenzoato; estimulante cerebral com atividade parassimpatomimética; utilizado como antidepressivo no tratamento de determinados distúrbios do comportamento e aprendizado em crianças.

death (deth) – morte; cessação da vida; cessação permanente de todas as funções corporais vitais. **black d.** – m. negra; peste bubônica. **brain d.** – m. cerebral; coma irreversível; dano cerebral irreversível como o manifestado pela irresponsividade absoluta a todos os estímulos, ausência de toda atividade muscular espontânea e um eletroencefalograma isoelétrico por 30 min, ocorrendo em todos os casos ausência de hipotermia ou intoxicação por depressivos do sistema nervoso.

cot d., **crib d.** – m. infantil súbita no berço; m. no berço; síndrome da morte infantil súbita.

programmed cell d. – m. celular programada; teoria pela qual células específicas programam-se para morrer em locais e estágios de desenvolvimento determinados. **somatic d.** – m. somática; cessação de toda atividade celular vital.

de·bil·i·ty (de-bil'ĭ -te) – debilidade; falta ou perda de força; fraqueza.

de·branch·er en·zyme (de-branch'er en'zĭ m) – enzima desramificadora; ver em *enzyme*.

dé·bride·ment (da-brēd-maw') [Fr.] – debridamento; desbridamento; remoção de material estranho ou desvitalizado de tecido de lesão traumática infectada ou adjacente a esta, até expor-se tecido saudável circundante.

debris (dĕ-bre') – restos; fragmentos de tecido desvitalizado ou de matéria estranha. Em Odontologia, material estranho mole preso frouxamente a uma superfície dentária.

debt (det) – débito; algo que se deve. **oxygen d.** – d. de oxigênio; oxigênio que deve ser utilizado nos processos energéticos oxidativos após exercício vigoroso para reconverter ácido láctico em glicose e em ATP decomposto, bem como fosfato de creatinina aos seus estados originais.

de·bulk·ing (de-bulk'ing) – desavolumamento; remoção da porção principal do material que compõe uma lesão.

deca- [Gr.] – deca-, elemento de palavra, *dez;* utilizado na denominação de unidades de medida para indicar uma quantidade 10 vezes superior à unidade designada pela raiz à qual se combina.

de·cal·ci·fi·ca·tion (de-kal"sĭ -fĭ -ka'shun) – descalcificação: 1. perda de sais de cálcio a partir de um osso ou dente; 2. processo de remoção de material calcário.

dec·a·me·tho·ni·um (dek"ah-mē-tho'ne-um) – decametônio; relaxante muscular utilizado em anestesia cirúrgica e em tratamento por eletrochoque em forma de sais de brometo e iodeto.

de·can·nu·la·tion (de-kan"u-la'shun) – descanulação; remoção de uma cânula.

de·can·ta·tion (de"kan-ta'shun) – decantação; extravasamento de um líquido sobrenadante claro a partir de um sedimento.

de·cap·i·ta·tion (de-kap"ĭ -ta'shun) – decapitação; remoção de cabeça de um animal, feto ou osso.

de·car·box·y·lase (de"kahr-bok'sĭ -lās) – descarboxilase; qualquer enzima da classe das lises que catalisa a remoção de molécula de dióxido de carbono a partir de ácidos carboxílicos.

deca·vi·ta·min (dek"ah-vī't'ah-min) – decavitamina; combinação de vitaminas em forma de cápsula ou comprimido contendo cada um deles as vitaminas A e D, ácido ascórbico, pantotenato de cálcio, cianocobalamina, ácido fólico, niacinamida, cloridrato de piridoxina, riboflavina, cloridrato de tiamina e uma forma adequada de alfa-tocoferol.

de·cay (de-ka') – declínio; desintegração; deterioração; putrefação: 1. decomposição da matéria morta; 2. processo de declínio como o de envelhecimento. **beta d.** – d. beta; desintegração do núcleo de um radionuclídeo instável em que o número de massa é imutável, mas o número

atômico é alterado para 1 como resultado de emissão de uma partícula (beta) negativa ou positivamente carregada.

de·ce·dent (dĕ-se'dent) – morto; uma pessoa que morreu recentemente.

de·cel·er·a·tion (de-sel"er-a'shun) – desaceleração; redução em proporção ou velocidade. **early d.** – d. precoce; em monitoração da freqüência cardíaca fetal, decréscimo transitório na freqüência cardíaca coincidente com o início de uma contração uterina. **late d.** – d. tardio; em monitoração da freqüência cardíaca fetal, decréscimo transitório na freqüência cardíaca que ocorre no pico de uma contração uterina ou após, que pode indicar hipoxia fetal. **variable d's** – desacelerações variáveis; em monitoração da freqüência cardíaca fetal, uma série de desacelerações transitórias que variam em intensidade, duração e relação a uma contração uterina, resultantes de catálise do nervo vago em resposta a um estímulo como a compressão do cordão umbilical no primeiro estágio do parto.

de·cer·e·brate (de-sĕ'rĕ-brāt) – descerebrar; eliminar a função cerebral por meio de transecção do tronco cerebral ou pela ligação das artérias carótidas comuns e da artéria basilar no centro da ponte; um animal preparado dessa forma ou pessoa com danos cerebrais com sinais neurológicos semelhantes.

de·cho·les·ter·ol·iza·tion (de-ko-les"ter-ol-iz'a'shun) – descolesterolização; redução dos níveis sangüíneos de colesterol.

deci- [L.] – deci-, elemento de palavra, *um décimo;* utilizado na denominação de unidades de medição indicando um décimo da unidade designada pela raiz com a qual se combina (10^{-1}); símbolo d.

dec·i·bel (des'ĭ -bel) – decibel; unidade utilizada para exprimir a proporção de duas forças (geralmente forças elétrica ou acústica) equivalente a um décimo de um bel; um decibel equivale aproximadamente à menor diferença na força acústica que o ouvido humano pode detectar.

de·cid·ua (de-sid'u-ah) – decídua; endométrio do útero grávido, que se desprende por completo (menos a camada mais profunda) no parto. **decid'ual** – adj. decidual. **basal d., d. basa'lis** – d. basal; porção onde o óvulo implantado se aloja. **capsular d., d. capsula'ris** – d. capsular; porção diretamente sobrejacente ao óvulo implantado e defronte à cavidade uterina. **menstrual d., menstrua'lis** – d. menstrual; mucosa uterina hiperêmica que se desprende durante a menstruação. **parietal d., d. parieta'lis** – d. parietal; decídua exclusiva da área ocupada pelo óvulo implantado. **reflex d., d. reflex'a** – d. reflexa; d. capsular. **d. seroti'na** – d. serotina; d. basal. **d. subchoria'lis** – d. subcoriônica; componente materno do tecido que compreende o anel de fechamento de Winkler-Waldeyer. **true d., ve'ra** – d. verdadeira; d. parietal.

de·cid·u·tis (-i'tis) – deciduíte; doença bacteriana que leva a alterações na decídua.

de·cid·u·o·sis (-o'sis) – deciduose; presença de tecido decidual ou tecido semelhante ao endométrio da gravidez em um local ectópico.

dec·i·li·ter (des'ĭ -lĕt"er) – decilitro; um décimo de litro, cem mililitros.

de·ci·ta·bine (DAC) (de-si'tah-bēn") – decitabina; composto citotóxico utilizado como antineoplásico no tratamento da leucemia aguda.

dec·li·na·tion (dek"lĭ -na'shun) – declinação; cicloforia (*cyclophoria*).

de·clive (de-klĭ v') – declive; inclinação ou superfície em inclinação. Em Anatomia, a parte do verme cerebelar imediatamente caudal à fissura primária.

de·cli·vis (de-kli'vis) [L.] – declive.

de·col·or·a·tion (de-kul"er-a'shun) – descoloração: 1. remoção da cor; branqueamento; 2. perda ou ausência de cor.

de·com·pen·sa·tion (de"kom-pen-sa'shun) – descompensação: 1. incapacidade do coração manter uma circulação adequada caracterizada por dispnéia, ingurgitamento venoso e edema; 2. em Psiquiatria, falha dos mecanismos de defesa que resulta em desintegração progressiva da personalidade.

de·com·po·si·tion (de-kom"poz-ish'in) – decomposição; desintegração; separação dos corpos compostos em seus princípios constituintes; putrefação.

de·com·pres·sion (de"kom-presh'un) – descompressão; remoção de pressão, especialmente de mergulhadores de mar profundo e trabalhadores de ensecadeira, para impedir inclinação, bem como de pessoas que sobem a grandes alturas. **cardiac d.** – d. cardíaca. **cerebral d.** – d. cerebral; alívio da pressão intracranial por meio de remoção de um retalho craniano e de incisão da dura-máter. **d. of heart** – d. cardíaca; pericardiotomia com evacuação de um hematoma. **microvascular d.** – d. microvascular; procedimento microcirúrgico para alívio de neuralgia trigeminal. **nerve d.** – d. nervosa; alívio de pressão em um nervo por meio de remoção cirúrgica de um tecido fibroso ou ósseo em constrição. **d. of pericardium** – d. pericárdica; d. cardíaca. **d. of spinal cord** – d. da medula espinhal; alívio cirúrgico de pressão na medula espinhal que pode ser devida a hematoma, fragmentos ósseos etc.

de·con·ges·tant (de"kon-jes'tint) – descongestivo: 1. que tende a reduzir uma congestão ou tumefação; 2. agente redutor de congestão ou tumefação.

de·con·tam·i·na·tion (de"kon-tam-ĭ -na'shun) – descontaminação; ato de livrar uma pessoa ou objeto de alguma substância contaminante (como gás militar, material radioativo etc.).

de·cor·ti·ca·tion (de-kor"tĭ -ka'shun) – descorticação: 1. remoção da cobertura externa de uma planta, semente ou raiz; 2. remoção de porções da substância cortical de uma estrutura ou órgão.

de·cru·des·cence (de"kroo-des'ens) – decrudescência; diminuição ou moderação da intensidade dos sintomas.

de·cu·bi·tus (de-ku'bĭ -tus) [L.] pl. *decubitus* – decúbito : 1. ato de deitar-se; posição assumida ao deitar-se; 2. úlcera de decúbito. **decu'bital** – adj. decubital. **dorsal d.** – d. dorsal; ato de deitar-se sobre as costas. **lateral d.** – d. lateral; ato de deitar-se sobre um lado; designado *d. lateral*

direito (quando o indivíduo se deita sobre o lado direito) e *d. lateral esquerdo* (quando se deita sobre o lado esquerdo). **ventral d.** – d. ventral; deitar sobre o estômago.

de·cus·sa·tio (de"kŭ-sa'she-o) [L.] pl. *decussationes* – decussação.

de·cus·sa·tion (de"kus-a'-shun) – decussação; cruzamento; entrecruzamento de partes ou estruturas equivalentes em forma de X. **Forel's d.** – d. de Forel; decussação tegmentar ventral dos tratos rubroespinhal e rubrorreticular no mesencéfalo. **fountain d. of Meynert** – d. de fonte de Meynert; decussação tegmentar dorsal do trato tectoespinhal no mesencéfalo. **pyramidal d.** – d. piramidal; parte anterior da medula oblonga inferior em que a maioria das fibras piramidais se cruzam.

de·dif·fer·en·ti·a·tion (de-dif"er-en"she-a'shun) – desdiferenciação; regressão de uma forma mais especializada ou complexa para um estado mais simples.

de·epi·car·di·al·iza·tion (de"ep-ĭ -kar"dĭ -il-iz-a'shun) – desepicardialização; procedimento cirúrgico para alívio de uma angina peitoral intratável em que se destrói o tecido epicárdico por meio de aplicação de agente cáustico para promover o desenvolvimento de circulação colateral.

def·e·ca·tion (def"ĭ -ka'shun) – defecação: 1. evacuação de matéria fecal a partir do reto; 2. remoção das impureza como a defecação química.

def·e·cog·ra·phy (def"ĕ-kog'rah-fe) – defecografia; registro, por meio de videoteipe ou radiografias de alta velocidade, da defecação após instilação de bário no interior do reto; utilizada na avaliação da incontinência fecal.

de·fect (de'fekt, dĭ -fekt') – defeito; imperfeição, anomalia ou ausência. **acquired d.** – d. adquirido; imperfeição não-genética que surge secundariamente após o nascimento. **aortic septal d.** – d. aórtico do septo; anomalia congênita em que ocorre comunicação anormal entre a aorta ascendente e a artéria pulmonar imediatamente acima das válvulas semilunares. **atrial septal d's, atrioseptal d's** – defeitos septais atriais ou atriosseptais; anomalias congênitas nas quais ocorre desobstrução persistente do septo atrial decorrente de insuficiência dos óstios primário ou secundário. **birth d.** – d. de nascimento; defeito presente ao nascimento, seja morfológico (dismorfismo) ou erro de metabolismo inato. **congenital d.** – d. congênito; d. de nascimento. **cortical d.** – d. cortical; rarefação circunscrita assintomática e benigna do osso cortical detectada radiograficamente. **ectodermal d., congenital** – d. ectodérmico congênito; displasia ectodérmica anidrótica. **endocardial cushion d's** – defeitos do coxim endocárdico; espectro de defeitos septais que resultam da fusão imperfeita dos coxins endocárdicos e variam de um óstio persistente primário a um canal atrioventricular comum persistente; ver *atrial septal d's*. **fibrous cortical d.** – d. cortical fibroso; pequena lesão fibrosa osteolítica assintomática que ocorre dentro do córtex ósseo, particularmente na região metafisária dos ossos longos na infância. **filling d.** – d. de enchimento; qualquer defeito localizado no contorno do estômago, duodeno ou intestino como se observa em uma radiografia após enema de bário. **genetic d.** – d. genético; ver em *disease*. **metaphyseal fibrous d.** – d. fibroso metafisário: 1. d. cortical fibroso; 2. fibroma não-ossificante. **neural tube d.** – d. no tubo neural; anomalia de desenvolvimento relativa a deficiência de fechamento do tubo neural, resultando em afecções como a anencefalia ou espinha bífida. **retention d.** – d. de retenção; deficiência na capacidade de lembrar-se ou memorizar nomes, números e eventos. **septal d.** – d. septal; defeito em um septo cardíaco que resulta em comunicação anormal entre as câmaras opostas do coração. – **ventricular septal d.** – d. septal ventricular; anomalia cardíaca congênita em que ocorre permeabilização persistente do septo ventricular tanto nas porções muscular como fibrosa, geralmente em decorrência de falha do septo bulbar em fechar completamente o forame interventricular.

de·fem·i·ni·za·tion (de-fem"ĭ -niz-a'shun) – desfeminização; perda das características sexuais femininas.

de·fense (dĭ -fens') – defesa; comportamento direcionado à proteção do indivíduo contra lesões. **character d.** – d. de caráter; qualquer característica de caráter como maneirismo, atitude ou afetação que serve como mecanismo de defesa. **insanity d.** – d. de insanidade; conceito legal de que uma pessoa não pode ser condenada por um crime se não tiver responsabilidade criminal em razão de insanidade no momento em que o cometeu.

def·er·ens (def"er-ens) [L.] – deferente.

def·er·en·tec·to·my (def"er-en-tek'tah-me) – deferentectomia; excisão de um ducto deferente.

def·er·en·tial (def"er-en'shil) – deferencial; relativo ao ducto deferente.

de·fer·ox·amine (dĕ"fer-oks'ah-mēn) – deferoxamina; desferrioxamina; agente quelante de ferro isolado da *Streptomyces pilosus;* utilizado na forma de sal de mesilato como antídoto na intoxicação por ferro.

def·er·ves·cence (def"er-ves'ins) – defervescência; período de moderação de uma febre.

de·fib·ril·la·tion (de-fib"ril-a'shun) – desfibrilação; parada da fibrilação atrial ou ventricular geralmente por meio de eletrochoque.

de·fib·ril·la·tor (de-fib"rĭ -la'ter) – desfibrilador; aparelho eletrônico utilizado para reagir à fibrilação atrial ou ventricular por meio de aplicação de choque elétrico breve no coração. **automatic implantable cardioverter-d.** – d. cardioversor implantável automático; ver em *cardioverter*.

de·fi·bri·na·tion (de-fi"brĭ -na'shun) – desfibrinação; remoção de fibrina do sangue.

de·fi·brino·gen·a·tion (de-fi"brĭn -o-jĕ-na'shun) – desfibrinogenação; desfibrinação induzida como em caso de terapia trombolítica.

de·fi·cien·cy (de-fish'en-se) – deficiência; falta ou diminuição; afecção caracterizada pela presença de suprimento ou competência menores do que o normal ou o necessário. **disaccharidase d.** – d. de dissacaridase; atividade menor do que a normal das enzimas da mucosa intestinal que clivam os dissacarídeos, geralmente denotando deficiência generalizada de tais enzimas secundariamente a um distúrbio do intestino delgado. **familial apolipoprotein C-II (apo C-II) d.** – d. de apolipoproteína C-II (apo C-II) familiar; forma de hiperquilomicronemia devido à falta de apo C-II, um co-fator necessário à lipase lipoprotéica. **familial high-density lipoprotein (HDL) d.** – d. familiar de lipoproteína de alta densidade; um dos vários distúrbios hereditários do metabolismo de lipoproteínas e lipídeos que resultam em redução dos níveis plasmáticos de HDL, particularmente na doença de Tangier. **familial lipoprotein d.** – d. familiar de lipoproteína; qualquer distúrbio hereditário do metabolismo de lipoproteínas que resulta em deficiência de uma ou mais lipoproteínas plasmáticas. **IgA d., isolated, IgA d., selective** – d. isolada; de IgA; d. seletiva de IgA; distúrbio de imunodeficiência mais comum, constitui uma deficiência de IgA, mas com níveis normais de outras classes de imunoglobulinas e imunidade celular normal; é caracterizada por infecções sinopulmonares recorrentes, alergia, doença gastrointestinal e doenças auto-imunes. **molybdenum cofactor d.** – d. do co-fator molibdênio; distúrbio hereditário em que a deficiência do co-fator molibdênio causa deficiência de várias enzimas, resultando em anormalidades neurológicas severas, deslocamento do cristalino, retardamento mental, xantinúria e morte precoce.

def·i·cit (def"ĭ -sit) – déficit; ausência ou deficiência. **oxygen d.** – d. de oxigênio; ver *anoxemia, anoxia* e *hipoxia*. **pulse d.** – d. do pulso; diferença entre a freqüência cardíaca e a freqüência de pulso em caso de fibrilação atrial. **reversible ischemic neurologic d. (RIND)** – d. neurológico isquêmico reversível; tipo de infarto cerebral cujo curso clínico dura de 24 a 72 horas.

de·flec·tion (de-flek'shun) – deflexão; desvio ou movimento de uma linha reta ou de determinado curso como o da linha basal em eletrocardiografia.

de·flu·vi·um (de-floo've-um) [L.] – deflúvio: 1.fluxo descendente; 2. desaparecimento.

de·flux·ion (de-fluk'shun) – defluxo; deflúvio: 1. desaparecimento súbito; 2.descarga abundante, como a de um catarro; 2. queda, como a de cabelo.

de·form·a·bil·i·ty (de-form"ah-bil'it-e) – deformabilidade; capacidade das células, como as hemácias, de alterar sua forma à medida que passam através de espaços estreitos como a microvasculatura.

de·form·i·ty (de-for'mĭ -te) – deformidade; distorção de qualquer parte ou desfiguração geral do corpo; malformação. **Akerlund d.** – d. de Akerlund; endentação (além do nicho) no bulbo duodenal visualizado na radiografia em uma úlcera duodenal. **Arnold-Chiari d.** – d. de Arnold-Chiari; protrusão do cerebelo e medula oblonga para baixo no interior do canal espinhal através do forame magno. **Madelung's d.** – d. de Madelung; desvio radial da mão secundário a um crescimento excessivo da ulna distal ou à diminuição do rádio.

DEF

reduction d. – d. por redução; ausência congênita de uma porção ou toda uma parte corporal, especialmente dos membros. **silver fork d.** – d. em dorso de garfo; deformidade observada na fratura de Colles. **Sprengel's d.** – d. de Sprengel; elevação congênita da escápula em decorrência de falha na descida à sua posição torácica normal durante a vida fetal. **Volkmann's d.** – d. de Volkmann; ver em *disease*.

Deg – degeneration; degree (degeneração, grau).

de·gen·er·ate (de-jen'er-āt, de-jen'er-it) – degenerado; degenerar: 1. passar de uma forma superior para uma inferior; 2. caracterizado pela degeneração; 3. indivíduo cujo estado moral ou físico encontra-se abaixo do normal

de·gen·er·a·tion (de-jen''er-a'shun) – degeneração; deterioração; alteração de uma forma superior para uma forma inferior; especialmente a alteração de um tecido para uma forma inferior ou funcionalmente menos ativa. **degen'erative** – adj. degenerativo. **adipose d.** – d. adiposa; d. gordurosa. **ascending d.** – d. ascendente; degeneração de Waller que afeta as fibras nervosas centrípetas e progride em direção ao cérebro ou medula espinhal. **calcareous d.** – d. calcária; degeneração de tecido com deposição de material calcário. **caseous d.** – d. caseosa; caseificação; ver *caseation* (2). **cerebromacular d. (CMD), cerebroretinal d.** – d. cerebromacular; d. cerebrorretiniana: 1. degeneração das células cerebrais e mácula retiniana; 2. qualquer lipidose com lesões cerebrais e degeneração da mácula retiniana; 3. qualquer forma de idiotia familiar amaurótica. **congenital macular d.** – d. macular congênita; degeneração macular hereditária, caracterizada pela presença de lesão cistiforme semelhante a uma gema de ovo nos estágios iniciais . **Crooke's hyaline d.** – d. hialina de Crooke; degeneração dos basófilos da hipófise em que se perdem suas granulações específicas e o citoplasma torna-se progressivamente hialinizado; achado constante na síndrome de Cushing, mas que também ocorre na doença de Addison. **descending d.** – d. descendente; degeneração de Waller que se estende perifericamente ao longo das fibras nervosas. **disciform macular d.** – d. macular disciforme; forma de degeneração macular que ocorre em pessoas com mais de 40 anos de idade em que uma esclerose envolvendo a mácula e a retina é produzida por hemorragias entre a membrana de Bruce e o epitélio pigmentado. **fibrinous d.** – d. fibrinosa; necrose com deposição de fibrina dentro das células do tecido. **gray d.** – d. cinzenta; degeneração da substância branca da medula espinhal em que perde mielina e assume coloração cinzenta. **hepatolenticular d.** – d. hepatolenticular; doença de Wilson. **hyaline d.** – d. hialina; alteração regressiva nas células em que o citoplasma assume uma aparência vítrea homogênea; também utilizado genericamente para descrever a aparência histológica dos tecidos. **lattice d. of retina** – d. retiniana em treliça; afecção assintomática e frequentemente bilateral, geralmente benigna, caracterizada por placas de linhas finas brancas ou cinzentas que

se cruzam a intervalos regulares na retina periférica, quase sempre associadas a áreas numerosas, circulares e perfuradas. **mucoid d.** – d. mucóide; degeneração em que ocorre deposição de mielina e lecitina nas células. **spongy d. of central nervous system, spongy d. of white matter** – d. esponjosa do sistema nervoso central; d. esponjosa da substância branca; forma hereditária rara de leucodistrofia caracterizada por início precoce, desmielinização disseminada e vacuolização da substância branca cerebral dando origem a uma aparência esponjosa, e por retardamento mental severo, megalocefalia, atonia dos músculos do pescoço, espasticidade dos braços e pernas bem como cegueira; a morte geralmente ocorre em torno dos 18 meses de idade. **striatonigral d.** – d. estriadonigral; forma de atrofia sistêmica múltipla em que ocorre degeneração de células nervosas principalmente na região da substância negra e do neo-estriado com sintomas semelhantes aos do parkinsonismo. **subacute combined d. of spinal cord** – d. subaguda associada da medula espinhal; degeneração de ambas as colunas posterior e lateral da medula espinhal, produzindo vários distúrbios motores e sensoriais; deve-se à deficiência de vitamina B_{12} e associa-se geralmente à anemia perniciosa. **tapetoretinal d.** – d. tapetorretinal; degeneração da camada pigmentada da retina. **transneuronal d.** – d. transneuronal; atrofia de determinados neurônios após interrupção dos axônios aferentes ou morte de outros neurônios para os quais enviam sua energia eferente. **Zenker's d.** – d. de Zenker; degeneração hialina e necrose dos músculos estriados.

de·glov·ing (de-gluv'ing) – desenluvar; exposição cirúrgica intra-oral do queixo mandibular ósseo; pode ser realizada na região posterior se for necessário.

de·glu·ti·tion (de''gloo-tish'un) – deglutição.

deg·ra·da·tion (dĕ''grah-da'shun) – degradação; conversão de um composto químico em outro menos complexo como através de clivagem de um ou mais grupos de átomos.

de·gus·ta·tion (de''gus-ta'shun) – degustação; gosto.

de·his·cence (de-his'ins) – deiscência; fenda aberta. **wound d.** – d. de ferida; separação das camadas de um ferimento cirúrgico.

de·hy·dra·tase (de-hi'drah-tās) – desidratase; nome comum para uma hidroliase.

7-de·hy·dro·cho·les·ter·ol (de-hi''dro-kŏ-les'ter-ol) – 7-desidrocolesterol; esterol presente na pele que sob irradiação ultravioleta produz vitamina D. **7-d, activated** – 7-d. ativado; colecalciferol.

de·hy·dro·cho·lic ac·id (-ko-lik) – ácido desidrocólico; ácido formado pela oxidação do ácido cólico e derivado de seus ácidos biliares naturais; utilizado como colerético.

11-de·hy·dro·cor·ti·cos·ter·one (-kor'tĭ-kos'ter-ŏn) – 11-desidrocorticosterona; esteróide produzido pelo córtex supra-renal, utilizado como glicocorticóide e agente antialérgico.

de·hy·dro·em·e·tine (de-hi''dro-em'ĕ-tēn) – desidroemetina; antiprotozoário utilizado como cloridrato de emetina, mas que tem efeitos adversos mais brandos e em menor escala.

de·hy·dro·epi·an·dros·ter·one (-ep"ĭ -an-dros'ter-ōn) – desidroepiandrosterona; androgênio ($C_{19}H_{28}O_2$) que ocorre na urina humana normal e é sintetizado a partir do colesterol; abreviação DHA.

de·hy·dro·gen·ase (de-hi'dro-jen-ās") – desidrogenase; enzima que catalisa a transferência a um aceptor de hidrogênio ou elétrons de um doador, oxidando-o e reduzindo-o.

de·hy·dro·ret·i·nol (-ret"ĭ -nol) – desidrorretinol; vitamina A_2, uma forma de vitamina A encontrada com o retinol (vitamina A_1) em peixes de água doce; tem uma ligação dupla mais conjugada que o retinol e aproximadamente um terço de sua atividade biológica.

de·ion·iza·tion (de-i"on-i-za'shin) – desionização; a produção de um estado sem minerais pela remoção de íons.

déjà vu [Fr.] – déjà vu; a impressão de que uma situação nova é a repetição de uma experiência anterior; já visto.

de·jec·tion (de-jek'shun) – dejeção: 1. estado mental caracterizado por depressão e melancolia; 2. eliminação de fezes; defecação; 3. dejeto; excremento; fezes.

de·lac·ta·tion (de"lak-ta'shin) – desmame: 1. desmame; 2. cessação da lactação.

de·lam·i·na·tion (de-lam"in-a'shun) – estratificação; deslaminação; separação em camadas como a do blastoderma.

de·layed·re·lease (-lād' re-lēs) – liberação retardada; liberação de uma droga em um momento posterior àquele que se segue à sua administração.

de·lead (-led') – induzir a mobilização de chumbo dos tecidos e sua excreção na urina através da administração de agentes quelantes.

de·le·te·ri·ous (del"ĭ -tēr-e-is) – deletério; lesivo; prejudicial.

de·le·tion (de-le'shin) – deleção; em Genética, eliminação do material genético de um cromossoma.

de·lin·quent (de-lin'kwent) – delinqüente; caracterizado por conduta anti-social, ilegal ou criminosa; indivíduo com essa conduta, especialmente um menor (d. juvenil).

del·i·ques·cence (del"ĭ -kwes-ens) – deliquescência; umidade ou liquefação a partir da absorção de água do ar. **deliques'cent** – adj. deliquescente.

de·lir·i·um (dĕ-lēr'e-um) pl. deliria – delírio; perturbação mental de duração relativamente curta, geralmente refletindo um estado tóxico, caracterizado por delírios, alucinações, enganos, excitação, inquietação e incoerência. **alcohol withdrawal d.** – d. por supressão de álcool; distúrbio mental agudo caracterizado por delírio com tremores e excitação, acompanhado de ansiedade, perturbação mental, transpiração, sintomas gastrointestinais e dor precordial; forma de psicose alcóolica observada após a supressão de excessivo consumo de álcool. **d. tre'mens** – delirium tremens; d. por supressão de álcool.

de·liv·ery (de-liv'er-e) – parto; nascimento; expulsão ou extração da criança e membranas fetais no nascimento. **abdominal d.** – p. abdominal; parto de um bebê por meio de incisão feita no útero

intacto através da parede abdominal. **breech d.** – p. de nádegas; parto em que as nádegas fetais apresentam-se primeiro. **forceps d.** – p. a fórceps; extração da criança das passagens maternas por meio de aplicação de um fórceps à cabeça fetal; designado *parto a fórceps baixo ou médio* segundo o grau de envolvimento da cabeça fetal e *parto a fórceps alto* quando não ocorre envolvimento. **postmortem d.** – p. pós-morte; parto de uma criança após a morte da mãe. **spontaneous d.** – p. espontâneo; nascimento de uma criança sem auxílio de um assistente.

del·le (del'ah) – área clara no centro de uma hemácia corada.

del·len (del'in) – escavações rasas em forma de pires na periferia da córnea, geralmente no lado temporal.

del·mad·i·none (del-mad"ĭ -nōn) – delmadinona; progestina, antiestrogênio e antiandrogênio utilizados em Medicina Veterinária como éster de acetato.

de·lo·mor·phous (del"o-mor'fus) – delomorfo; que tem limites definitivamente formados e bem-definidos como uma célula ou tecido.

del·ta (delt'ah) – delta: 1. quarta letra do alfabeto grego; 2. área triangular.

del·toid (del'toid) – deltóide: 1. triangular; 2. músculo deltóide.

de·lu·sion (de-loo'zhin) – delírio; ilusão; convicção pessoal falsa baseada em inferência incorreta acerca da realidade externa e firmemente mantida apesar das provas ou evidências óbvias e incontroversas do contrário. **delu'sional** – adj. delirante. **depressive d.** – d. depressivo; delírio de demérito ou futilidade. **expansive d.** – d. expansivo; crença anormal de um indivíduo na própria grandeza; divindade ou poder. **d. of grandeur, grandiose d.** – d. de grandeza; d. grandioso; convicção delirante de um indivíduo quanto à própria importância, poder ou conhecimento ou de ser ou ter um relacionamento especial com uma divindade ou pessoa famosa. **d. of negation, nihilistic d.** – d. de negação; d. niilista; delírio depressivo de um indivíduo de que o todo ou parte de seu Eu, bem como próprio corpo e as outras pessoas ou o mundo deixaram de existir. **d. of persecution** – d. de perseguição; noção mórbida por parte do paciente de que está sendo perseguido, difamado e lesado. **systematized d's** – delírios sistematizados; grupo de delírios organizados em torno de um tema comum.

deme (dēm) – demo; população de organismos muito semelhantes cruzando-se na natureza e ocupando uma área circunscrita.

dem·e·car·i·um (dem"ĭ -kăr-e-um) – demecário; inibidor da colinesterase utilizado como sal de brometo no tratamento do glaucoma e estrabismo convergente.

dem·e·clo·cy·cline (dem"ĕ-klo-si'klēn) – demeclociclina; antibiótico de amplo espectro do grupo tetraciclínico produzido por cepa mutante de *Streptromyces aureofaciens* ou semi-sinteticamente; base e sal de cloridrato são utilizados como antibacterianos e também como diuréticos.

de·men·tia (dĕ-men'shah) – demência; síndrome mental orgânica caracterizada por perda geral das capacidades intelectuais que envolve enfraquecimento da memória, julgamento e pensamento abstrato, bem como alterações na personalidade, mas não incluindo as alterações devidas ao estado de turvação de consciência, depressão ou outro distúrbio mental funcional. **Alzheimer's d.** – d. de Alzheimer; ver em *disease*. **arteriosclerotic d.** – d. arteriosclerótica; demência de infartos múltiplos como resultado de arteriosclerose cerebral. **Binswanger's d.** – d. de Binswanger; ver em *disease*. **boxer's d.** – d. de boxeador; síndrome decorrente de lesões cerebrais cumulativas nos boxeadores, com esquecimento, lentidão de raciocínio, discurso disártrico e movimentos incertos e lentos, especialmente das pernas. **dialysis d.** – d. de diálise; ver em *encephalopathy*. **multi-infarct d.** – d. de infartos múltiplos; demência com curso deteriorante em fases e distribuição irregular de déficits neurológicos causados por doença cerebrovascular. **paralytic d., d. paraly'tica** – d. paralítica; paresia geral. **d. prae'cox** – d. precoce; *(obs.)* esquizofrenia *(schizophrenia)*. **presenile d.** – d. pré-senil; mal de Alzheimer. **primary degenerative d. of the Alzhemeier type** – d. degenerativa do tipo de Alzheimer; demência progressiva de início insidioso geralmente com histopatologia característica da doença de Alzheimer; classificada como de *início pré-senil* ou *início senil*, dependendo de ter início antes ou depois de 65 anos. **senile d.** – d. senil; d. degenerativa primária do tipo de Alzheimer com início senil. **subcortical d.** – d. subcortical; uma de um grupo de demências que se acredita serem causadas por lesões que afetam particularmente as estruturas cerebrais subcorticais, caracterizadas por perda de memória com lentidão do processamento de informação e formação de respostas intelectuais. **vascular d.** – d. vascular; d. de infartos múltiplos.

Dem·er·ol (dem'er-ol) – Demerol, marca registrada de preparações de meperidina.

de·min·er·al·iza·tion (de-min"er-il-iz-a'shun) – desmineralização; eliminação excessiva de sais minerais ou orgânicos de tecidos do corpo.

Dem·o·dex (dem'ah-deks) – *Demodex*; gênero de ácaros parasitários do interior dos folículos pilosos do hospedeiro, incluindo as espécies *D. folliculorum* no homem e *D. canis* e *D. equi*, que causam sarna nos cães e eqüinos respectivamente.

de·mog·ra·phy (de-mog'rah-fɘ) – demografia; ciência estatística que lida com populações, incluindo problemas de saúde, doença, nascimentos e mortalidade.

de·mul·cent (de-mul'sint) – demulcente; 1. suavizante; que alivia; 2. remédio ou medicação mucilaginosa ou óleo que suaviza a irritação.

de·my·e·lin·a·tion (de-mi"ĭ -lin-a'shun) – desmielinização; destruição, remoção ou perda da bainha mielínica de um ou mais nervos.

de·na·sal·i·ty (de"na-zal'it-e) – desnasalidade; hiponasalidade *(hyponasality)*.

de·na·tur·a·tion (de-na"cher-a'shin) – desnaturação; alteração da natureza normal de uma substância como a adição de metanol ou acetona ao álcool para deixá-lo inadequado para beber ou a alteração na estrutura molecular de proteínas devido à clivagem das ligações de hidrogênio causada pelo calor ou determinados produtos químicos.

dendr(o)- [Gr.] – elemento de palavra, *árvore*; *semelhante a uma árvore*.

den·drite (den'drī t) – dendrito; uma das extensões filiformes do citoplasma de um neurônio; os dendritos ramificam-se em processos arboriformes e compõem a maior parte da superfície receptiva de um neurônio.

den·drit·ic (den-drit'ik) – dendrítico: 1. ramificado como uma árvore; 2. relativo ou que possui dendritos.

den·dro·den·drit·ic (den"dro-den-drit'ik) – dendrodendrítico; que se refere à sinapse entre os dendritos de dois neurônios.

den·dron (den'dron) – dendrom; dendrito *(dendrite)*.

den·dro·phago·cy·to·sis (den"dro-fag"o-si-to'sis) – dendrofagocitose; absorção pelas células microgliais das porções quebradas de astrócitos.

de·ner·va·tion (de"ner-va'shun) – desnervação; interrupção da conexão nervosa com um órgão ou parte.

den·gue (den'ge) – dengue; doença viral infecciosa, eruptiva e febril de áreas tropicais transmitida pelos mosquitos *Aedes*, e caracterizada por cefaléias severas, dor nos olhos, músculos e articulações, dor de garganta, sintomas catarrais e algumas vezes erupção cutânea e inchaços dolorosos de partes.

de·ni·al (dī -ni'il) – negação; mecanismo de defesa em que se nega inconscientemente a existência de ações, idéias etc. intoleráveis.

den·i·da·tion (de"ni-da'shun) – desnidação; degeneração e expulsão do endométrio durante o ciclo menstrual.

dens (dens) [L.] pl. *dentes* – dente; um dente (na acepção da palavra) ou estrutura semelhante a um dente. **d. in den'te** – dente malformado causado por invaginação da coroa antes de se calcificar, dando-lhe a aparência de um "dente dentro de um dente".

den·si·tom·e·try (den"sĭ -tom'ĭ -tre) – densitometria; determinação de variações na densidade por meio de comparação com as de outro material ou determinado padrão.

den·si·ty (den'sit-e) – densidade: 1. qualidade de ser compacto ou denso; 2. quantidade por unidade de espaço como a massa de matéria por unidade de volume. Símbolo *d*; 3. grau de escurecimento do filme fotográfico ou raio X exposto e processado.

den·tal·gia (den-tal'je-ah) – dentalgia; dor de dente.

den·tate (den'tāt) – dentado; denteado; entalhado; em forma de dente.

den·tes (dentēz) [L.] plural de *dens* – dentes.

den·tia (den'she-ah) – dentição; condição relacionada ao desenvolvimento ou erupção dos dentes. **d. prae'cox** – d. precoce; erupção prematura dos dentes; presença de dentes na boca ao nascimento. **d. tar'da** – d. retardada; erupção retardada dos dentes, após o período normal para o seu aparecimento.

den·ti·buc·cal (den"tĭ -buk"l) – dentibucal; relativo à bochecha e aos dentes.

den·ti·cle (den'tĭ-k'l) – dentículo: 1. pequeno processo semelhante a um dente; 2. massa calcificada distinta dentro da câmara pulpar de um dente.

den·ti·frice (-fris) – dentifrício; preparação para limpar e polir os dentes; pode conter um agente terapêutico, como o fluoreto, para inibir a cárie dentária.

den·ti·la·bi·al (-la'be-il) – dentilabial; relativo aos dentes e aos lábios.

den·tin (den'tin) – dentina; substância principal dos dentes que circunda a polpa dentária e é recoberta pelo esmalte na coroa e cemento nas raízes. **den'tinal** – adj. dentinário. **adventitious d.** – d. adventícia; d. secundária. **circumpulpal d.** – d. circumpulpar; porção interna da dentina, adjacente à polpa e que consiste de fibrilas mais finas. **cover d.** – d. de cobertura; porção periférica da dentina, adjacente ao esmalte ou ao cemento, que consiste de fibras mais ásperas que a dentina circumpulpar. **irregular d.** – d. irregular; d. secundária. **mantle d.** – d. do manto; d. de cobertura. **opalescent d.** – d. opalescente; dentina que confere uma aparência translúcida ou opalescente incomum aos dentes como ocorre no caso da dentinogênese imperfeita. **primary d.** – d. primária; dentina formada antes da erupção de um dente. **secondary d.** – d. secundária; dentina nova formada em resposta a estímulos associados ao processo de envelhecimento normal ou afecções patológicas como cárie ou lesão, ou preparação da cavidade. **transparent d.** – d. transparente; dentina em que alguns túbulos dentinários se esclerosaram ou calcificaram, produzindo a aparência de translucidez.

den·ti·no·gen·e·sis (den"tin-o-jen'is-is) – dentinogênese; formação da dentina. **d. imperfec'ta** – d. imperfeita; afecção hereditária caracterizada por formação imperfeita e calcificação da dentina, dando aos dentes uma aparência opalescente castanha ou azul.

den·ti·no·gen·ic (-jen'ik) – dentinogênico; que forma ou produz dentina.

den·ti·no·ma (den"tĭ-no'mah) – dentinoma; tumor de origem odontogênica, composto de tecido conjuntivo imaturo, epitélio odontogênico e dentina displásica.

den·ti·num (den-ti'num) – dentina (*dentin*).

den·tist (den'tist) – dentista; pessoa com graduação em Odontologia e autorizada a praticá-la.

den·tis·try (den'tis-tre) – Odontologia: 1. ramo das artes médicas relacionado aos dentes, cavidade oral e estruturas associadas, incluindo a prevenção, diagnóstico e tratamento de uma doença e restauração de um tecido defeituoso ou perdido; 2. trabalho realizado pelos dentistas como, por exemplo, a criação de restaurações, coroas e pontes, bem como os procedimentos cirúrgicos realizados na cavidade oral e ao redor. **operative d.** – o. operatória; Odontologia relacionada à restauração de partes defeituosas dos dentes como resultado de doença, traumatismo ou desenvolvimento anormal a um estado de função, saúde e estética normais. **pediatric d.** – o. pediátrica; pedodontia. **preventive d.** – o. preventiva; Odontologia relacionada à manutenção

de um mecanismo masticatório normal por meio de fortificação das estruturas da cavidade oral contra danos e doenças. **prosthetic d.** – o. protética; prostodontia. **restorative d.** – o. restauradora; Odontologia relacionada à restauração dos dentes existentes e defeituosos em decorrência de doença, traumatismo ou desenvolvimento anormal a uma função normal, saúde e aparência normais; inclui o trabalho de coroas e pontes.

den·ti·tion (den-tish'un) – dentição; os dentes na arcada dentária; termo comumente utilizado para designar dentes naturais posicionados em seus alvéolos. **deciduous d.** – d. decídua; d. primária; dentes de leite; dentes que irrompem primeiro e são substituídos mais tarde pela dentição permanente. **mixed d.** – d. mista; complemento de dentes nos maxilares após a erupção de alguns dos dentes permanentes, mas antes de todos os dentes decíduos caírem. **permanent d.** – d. permanente; segunda dentição; os dentes que irrompem e assumem suas posições após os dentes decíduos se perderem. **precocious d.** – d. precoce; surgimento anormal apressado de dentes decíduos ou permanentes. **primary d.** – d. primária; d. decídua. **retarded d.** – d. retardada; surgimento anormalmente retardado dos dentes decíduos ou permanentes.

dent(o)- [L.] – elemento de palavra, *dente; semelhante a um dente.*

den·to·al·ve·o·lar (den"to-al-ve'ah-ler) – dentoalveolar; relativo a um dente e seu alvéolo.

den·to·fa·cial (-fa'shil) – dentofacial; de ou relativo aos dentes e processos alveolares, bem como à face.

den·to·trop·ic (-trop'ik) – dentotrópico; que se volta em direção ou tem afinidade por tecidos que compõem os dentes.

den·tu·lous (den'tu-lus) – que tem dentes naturais.

den·ture (den'cher) – dentadura; complemento de dentes, tanto naturais como artificiais; normalmente utilizado para designar a reposição artificial de dentes naturais e tecidos adjacentes. **complete d.** – d. completa; dispositivo que substitui todos os dentes de um maxilar, bem como as estruturas associadas da mandíbula. **implant d.** – d. de implante; dentadura constituída de subestrutura de metal incrustada dentro das estruturas moles subjacentes dos maxilares. **interim d.** – d. provisória; dentadura para ser utilizada em espaço curto de tempo por razões de estética, mastigação, suporte oclusal, conveniência ou condicionar o paciente à aceitação de um substituto artificial aos dentes naturais perdidos até que se possa providenciar um tratamento dentário protético mais definitivo. **overlay d.** – d. de revestimento; dentadura completa sustentada tanto por tecidos moles (mucosa) como por alguns dentes naturais remanescentes que tenham sido alterados (como por meio de inserção de uma coroa longa ou curta) para permitir que a dentadura se encaixe sobre eles. **partial d.** – d. parcial; aplicação removível (*d. parcial removível*) ou permanentemente presa (*d. parcial fixa*) que substitui um ou mais dentes em uma mandíbula e recebe suporte e retenção a partir de tecidos subjacentes e de alguns ou

DEF

todos os dentes remanescentes. **provisional d.** – d. provisória; dentadura provisória para condicionar o paciente a aceitar um substituto artificial aos dentes naturais perdidos. **transitional d.** – d. transicional; dentadura parcial que serve como prótese temporária e à qual se acrescentam mais dentes à medida que se perdem e que serão substituídos após ocorrerem alterações teciduais pós-extração.

de·nu·da·tion (de"noo-da'shun) – desnudação; privar de uma camada ou exposição de uma parte.

de·odor·ant (de-o'der-int) – desodorante; agente que mascara odores desagradáveis.

de·or·sum·duc·tion (de-or"sum-duk'shun) – deorsunducção; infradução.

de·or·sum·ver·gence (-ver'jins) – deorsunvergência; infravergência.

de·or·sum·ver·sion (-zhin) – deorsunversão; infraversão.

de·os·si·fi·ca·tion (de-os"ĭ-fĭ-ka'shun) – desossificação; perda ou remoção dos elementos minerais de um osso.

deoxy- – desoxi-, prefixo químico que designa um composto que contém um átomo a menos de oxigênio que a substância de referência; ver também palavras que começam com *desoxy-*.

de·oxy·chol·ic ac·id (de-ok"se-ko'lik) – ácido desoxicólico; ácido biliar secundário formado a partir do ácido cólico no intestino; é um colerético.

11-de·oxy·cor·ti·cos·ter·one (DOC) (kor"tĭ-kos'ter-ōn, -kor"tĭ-ko-ster'ōn) – 11-desoxicorticosterona; mineralocorticóide produzido em pequenas quantidades pela glândula supra-renal humana, com pouco significado fisiológico. Antigamente utilizado como desoxicorticosterona na doença de Addison.

de·oxy·he·mo·glo·bin (-he"mo-glo'bin) – desoxiemoglobina; hemoglobina não-combinada com oxigênio formada quando a oxiemoglobina libera seu oxigênio para os tecidos.

de·oxy·ri·bo·nu·cle·ase (-ri"bo-noo'kle-ās) – desoxirribonuclease; qualquer nuclease que catalisa a clivagem das ligações éster de fosfato nos ácidos desoxirribonucléicos (DNA); separadas segundo clivem as ligações internas ou as ligações terminais.

de·oxy·ri·bo·nu·cle·ic ac·id (-ri"bo-noo-kle'ik) – ácido desoxirribonucléico (DNA); o ácido nucléico no qual o açúcar é a desoxirribose; composto também de ácido fosfórico e bases adenina, guanina, citosina e timina. Constitui o material genético primário de todos os organismos celulares e dos vírus do DNA, e ocorre predominantemente no núcleo, geralmente como uma *hélice dupla* (q.v. *helix, double*), onde serve como molde para a síntese do ácido ribonucléico (transcrição).

de·oxy·ri·bo·nu·cleo·pro·tein (-noo'kle-o-pro"tēn) – desoxirribonucleoproteína; nucleoproteína em que o açúcar é a D-2-desoxirribose.

de·oxy·ri·bo·nu·cleo·side (-noo'kle-o-sīd) – desoxirribonucleosídeo; nucleosídeo que tem uma base purínica ou pirimidínica ligada a desoxirribose.

de·oxy·ri·bo·nu·cleo·tide (-noo'kle-o-tīd) – desoxirribonucleotídeo; nucleotídeo que tem uma base purínica ou pirimidínica ligada a desoxirribose que por sua vez se liga a um grupo fosfato.

de·oxy·ri·bose (-ri'bōs) – desoxirribose; desoxipentose encontrada nos ácidos desoxirribonucléicos (DNA), nos desoxirribonucleotídeos e desoxirribonucleosídeos.

de·oxy·ri·bo·vi·rus (-ri'bo-vi"rus) – desoxirribovírus; vírus do DNA.

de·oxy·uri·dine (-ūr'ĭ-dēn) – desoxiuridina; nucleosídeo pirimidínico, com uracil ligado à desoxirribose; seu derivado trifosfático é um intermediário na síntese dos desoxirribonucleotídeos.

de·pen·dence (de-pend'ins) – dependência; estado psicofísico de um usuário de drogas em que se exigem doses normais ou crescentes da droga para impedir o início dos sintomas da supressão. **psychoactive substance d.** – d. de substância psicoativa; abuso de substância psicoativa (q.v. *substance, psychoactive*) em que se encontram presentes tanto a tolerância como a supressão.

de·pen·den·cy (-in-se) – dependência; contar com os outros para o amor, afeição, carinho maternal, conforto, segurança, alimento, calor humano, abrigo, proteção e as assim chamadas necessidades de dependência.

de·pen·dent (-ent) – dependente: 1. relativo à dependência (em qualquer das acepções); 2. pendente.

De·pen·do·vi·rus (dĕ-pen'do-vi"rus) – *Dependovirus*; vírus adeno-associados; gênero de vírus da família Parvoviridae que requer co-infecção por adenovírus ou herpesvírus para proporcionar função auxiliadora de replicação; a infecção humana assintomática é comum.

de·per·son·al·iza·tion (de-per"sun-al-ĭ-za'shun) – despersonalização; alteração na percepção de sua própria identidade de forma que o senso normal da realidade própria do indivíduo se perde ou se altera temporariamente; pode constituir manifestação de neurose ou outra perturbação mental, ou ainda ocorrer de forma leve em pessoas normais.

de·pil·a·to·ry (dĕ-pil'ah-tor"e) – depilatório: 1. que tem a capacidade de remover pêlos; 2. agente para remoção ou destruição de pêlos.

de·po·lar·iza·tion (de-po"lahr-ĭ-za'shun) – despolarização: 1. processo ou ato de neutralização da polaridade; 2. em eletrofisiologia, reversão do potencial de repouso em membranas celulares excitáveis quando estimuladas. **atrial premature d. (APD)** – d. prematura atrial; ver em *complex*. **ventricular premature d. (VPD)** – d. prematura ventricular; ver em *complex*.

de·poly·mer·iza·tion (de-pol"ĭ-mer-ĭ-za'shun) – despolimerização; conversão de um composto em outro de menor peso molecular e propriedades físicas diferentes sem alterar as relações porcentuais dos elementos que o compõem.

de·pos·it (de-poz'it) – depósito: 1. sedimento ou resíduo; 2. matéria inorgânica estranha nos tecidos ou em um órgão do corpo.

de·pot (de'po, dep'o) – depósito; área corporal onde pode-se acumular, depositar ou armazenar uma substância como uma droga e de onde esta pode ser distribuída.

L-de·pren·yl (dep'rĕ-nil) – L-deprenil; selegilina (*selegiline*).

de·pres·sant (de-pres'ant) – depressor; que diminui qualquer atividade funcional; agente que atua dessa forma. **cardiac d.** – d. cardíaco; agente que deprime a freqüência ou a força de contração do coração.

de·pres·sion (de-presh'un) – depressão: 1. área deprimida ou oca; deslocamento para baixo ou para dentro; 2. abaixamento ou redução da atividade funcional; 3. em Psiquiatria, tristeza, dejeção e melancolia mórbidas. **agitated d.** – d. agitada; depressão psicótica acompanhada de atividade mais ou menos constante. **anaclitic d.** – d. anaclítica; deficiência no desenvolvimento físico, social e intelectual de uma criança que algumas vezes se segue à separação súbita da mãe. **congenital chondrosternal d.** – d. condrosternal congênita; deformidade congênita que apresenta depressão profunda e em forma de funil na parede torácica anterior. **endogenous d.** – d. endógena; qualquer depressão que não seja depressão reativa; o termo implica em um processo biológico intrínseco em vez de ser causada pela influência ambiental. **involutional d.** – d. involutiva; ver em *melancholia.* **major d.** – d. maior; distúrbio mental caracterizado pela ocorrência de um ou mais episódios depressivos maiores e ausência de qualquer história de episódios maníacos ou hipomaníacos. **pacchionian d's** – depressões de Pacchioni; pequenos buracos no crânio interno em cada lado do sulco para o seio sagital superior ocupados pelas granulações aracnóides. **reactive d.** – d. reativa; depressão resultante de uma situação externa, e aliviada quando se remove a situação. **situational d.** – d. situacional; d. reativa.

de·pres·sor (de-pres'er) – depressor: 1. que causa depressão, como um músculo, agente ou instrumento; 2. nervo aferente cujo estímulo causa queda na pressão sangüínea.

dep·ri·va·tion (dep-rĭ-va'shun) – privação; perda ou ausência de partes, capacidades ou coisas necessárias. **emotional d.** – p. emocional; privação de experiência interpessoal e/ou ambiental adequada, geralmente no início dos anos de desenvolvimento. **sensory d.** – p. sensorial; privação dos estímulos externos normais e oportunidade de percepção.

depth (depth) – profundidade; distância medida perpendicularmente a partir de uma superfície para baixo. **focal d., d. of focus** – p. focal; medida de capacidade de uma lente de produção imagens claras de objetos em distâncias diferentes.

de·range·ment (de-rãnj'mint) – distúrbio; desordem: 1. distúrbio mental; 2. desordem de uma parte ou órgão.

de·re·ism (de're-izm) – dereísmo; atividade mental em que uma fantasia não é impedida pela lógica e experiência. **dereis'tic** – adj. dereístico.

de·re·pres·sion (de"re-presh'un) – desrepressão; remoção de uma repressão, como a de um operon, para que ocorra transcrição genética ou se potencialize a mesma com o resultado líquido geralmente elevando-se ao nível de uma enzima específica.

de·riv·a·tive (dĕ-riv'ah-tiv) – derivado; substância química produzida a partir de outra substância tanto diretamente como pela modificação ou substituição parciais.

der·ma (derm'ah) – derme; cório (*corium*).

derm·abra·sion (derm"ah-bra'zhun) – dermabrasão; desbastamento da pele realizado através de meios mecânicos como lixas, escovas de aço etc.; ver *planing.*

Der·ma·cen·tor (-sent'er) – *Dermacentor;* gênero de carrapatos que são importantes transmissores de doenças. **D. albipic'tus** – *D. albipictus;* espécie encontrada no Canadá e Estados Unidos, parasita de bovinos, eqüinos, cervos e alces. **D. anderso'ni** – *D. andersoni;* espécie parasita de vários mamíferos silvestres e responsável pela transmissão da febre maculosa das Montanhas Rochosas, febre do carrapato do Colorado e tularemia para o homem, bem como causadora da paralisia de carrapatos. **D. varia'bilis** – *D. variabilis;* vetor principal da febre maculosa das Montanhas Rochosas no centro e leste dos Estados Unidos, sendo o cão o principal hospedeiro dos adultos, mas também parasitando bovinos, eqüinos, coelhos e o homem. **D. venus'tus** – *D. venustus; D. andersoni.*

Der·ma·nys·sus (-nis'us) – *Dermanyssus;* gênero de ácaros que inclui a espécie *D. gallinae,* o ácaro das aves, silvestres e domésticas ou piolho das galinhas que algumas vezes infesta o homem.

der·ma·ti·tis (der"mah-ti'tis) pl. *dermatitides* – dermatite; inflamação da pele. **actinic d.** – d. actínica; dermatite em conseqüência de exposição a radiação actínica como a que provém do sol, das ondas ultravioleta ou radiação X ou gama. **allergic d.** – d. alérgica: 1. d. atópica; 2. d. de contato alérgica. **allergic contact d.** – d. alérgica de contato; dermatite de contato decorrente de sensibilização alérgica. **ammonia d.** – d. por amônia; dermatite de fralda atribuída à irritação cutânea resultante de produtos da decomposição de amônia na urina. **atopic d.** – d. atópica; cutaneopatia eczematosa, pruriginosa e inflamatória crônica em indivíduos com predisposição hereditária para o prurido cutâneo; geralmente acompanhada de rinite alérgica, febre do feno e asma. **berlock d., berloque d.** – d. de berloque; dermatite tipicamente do pescoço, face e mamas, com manchas ou placas quadrilaterais ou em forma de gotas, induzida pela exposição seqüencial a perfume ou outros artigos de toalete que contenham óleo de bergamota e depois exposição à luz solar. **cercarial d.** – d. cercarial; prurido dos nadadores. **contact d.** – d. de contato; dermatite aguda ou crônica causada por substâncias que entram em contato com a pele; pode envolver mecanismos alérgicos ou não-alérgicos. **d. exfoliati'va neonato'rum** – d. esfoliativa neonatal; síndrome de escaldadura estafilocócica cutânea. **d. herpetifor'mis** – d. herpetiforme; dermatite crônica extremamente pruriginosa caracterizada por aparecimentos sucessivos de lesões bolhosas, eczematosas, vesiculares, papulares ou eritematosas agrupadas e simétricas, geralmente em associação com enteropatia assintomática sensível a glúten. **infectious eczematous d.** – d. eczematóide infecciosa; erupção eczematóide pustular que surge a partir de uma lesão primária que é a fonte de um exsudato infeccioso. **insect**

d. – d. por insetos; erupção cutânea transitória causada por pêlos irritantes de determinados insetos contendo toxinas, especialmente mariposas e suas lagartas. **irritant d.** – d. irritante; tipo não-alérgico de dermatite de contato devido a exposição a substância que danifica a pele. **livedoid d.** – d. livedóide; dor local severa, inchaço, alterações livedóides e elevação local de temperatura; em decorrência de isquemia local temporária ou prolongada resultante de vasculite ou obliteração arterial acidental durante uma administração intraglútea de medicamentos. **meadow d.**, **meadow-grass d.** – d. da grama; fitofotodermatite caracterizada por erupção de vesículas e bolhas distribuídas em estrias e configurações bizarras, causada pela exposição à luz solar após contato com grama (geralmente a *Agrimonia eupatoria*). **photoallergic contact d.**, **photocontact d.** – d. fotoalérgica de contato; d. de fotocontato; dermatite alérgica de contato causada pela ação da luz solar na pele sensibilizada por contato com substância capaz de causar essa reação (como salicilanilida halogenada, óleo de sândalo ou hexaclorofeno). **phototoxic d.** – d. fototóxica; eritema seguido de hiperpigmentação de áreas da pele expostas ao sol, resultando de exposição seqüencial a agentes que contenham substâncias fotossensibilizantes (como o alcatrão e determinados perfumes, drogas ou vegetais contendo psoralém e depois à luz solar). **poison ivy d.**, **poison oak d.**, **poison sumac d.** – d. por hera venenosa; d. do carvalho venenoso; d. por sumagre venenoso, dermatite alérgica de contato devido à exposição a plantas do gênero *Rhus*, que contêm urushiol, agente sensibilizador cutâneo. **radiation d.** – d. por radiação; radiodermatite. **rat-mite d.** – d. do carrapato do rato; dermatite causada pela picada do carrapato do rato (*Ornithonyssus bacoti*). **d. re'pens** – d. rastejante; acrodermatite contínua. **rhus d.** – d. do Rhus; d. da hera venenosa; d. do carvalho venenoso; d. do sumagre venenoso. **roentgen-ray d.** – d. por raio de Roentgen; radiodermatite. **schistosome d.** – d. por esquistossoma; prurido dos nadadores. **seborrheic d., d. seborrhe'ica** – d. seborréica; dermatite pruriginosa crônica com eritema, escamas, seca, úmida ou oleosa e fragmentos incrustados amarelos em várias áreas, especialmente no couro cabeludo, com esfoliação de quantidade excessiva de caspa. **stasis d.** – d. estase; dermatite eczematosa crônica que envolve inicialmente a face interna do membro inferior imediatamente acima do maléolo interno e mais tarde pode envolver total ou parcialmente o membro inferior, sendo caracterizada por edema, pigmentação e comumente ulceração; deve-se a insuficiência venosa. **swimmers' d.** – d. dos nadadores; ver em *itch*. **d. uncinarial d.** – d. uncinarial; prurido do solo. **d. venena'ta** – d. venenosa: 1. d. alérgica de contato; 2. nome antigo para a dermatite de contato em decorrência de exposição a agentes sensibilizantes de plantas. **x-ray d.** – d. por raio X; radiodermatite. **exfoliative d.** – d. esfoliativa; eritema virtualmente universal, descamação, e prurido da pele com perda de pêlos.

dermat(o)- [Gr.] – elemento de palavra, *pele.*

der·ma·to·au·to·plas·ty (derm"ah-to-aw'to-plas"te) – dermatoautoplastia; autotransplante da pele.

Der·ma·to·bia (derm"ah-to'be-ah) – *Dermatobia*; gênero de moscas do berne que inclui a *D. hominis*, cujas larvas parasitam a pele do homem, mamíferos e aves; dermatóbia.

der·ma·to·fi·bro·sar·co·ma (derm"ah-to-fi"bro-sahr-ko'mah) – dermatofibrossarcoma; fibrossarcoma da pele. **d. protu'berans** – d. protuberante; neoplasia fibrosada, nodular, protuberante, volumosa e localmente agressiva que ocorre na derme, geralmente no tronco, estendendo-se no interior da gordura subcutânea.

der·ma·to·glyph·ics (-glif'iks) – dermatoglifo; estudo dos padrões de sulcos da pele dos dedos, palmas das mãos e plantas dos pés; de interesse em Antropologia e Criminologia como meio de estabelecer a identidade e também na Medicina, clinicamente ou como indicador genético particularmente de anomalias cromossômicas.

der·ma·tog·ra·phism (derm"ah-tog'rah-fizm) – dermatografismo; urticária decorrente de alergia física em que um golpe ou arranhão moderadamente firmes da pele com um instrumento sem corte produzem vergão elevado e pálido com um tom vermelho em cada lado. **dermatograph'ic** – adj. dermatográfico. **black d.** – d. negro; estriamento negro ou esverdeado da pele causado por deposição de partículas metálicas finas esmerilhadas de joalheria de vários pós de escovação **white d.** – d. branco; branqueamento linear da pele (geralmente eritematosa) de pessoas com dermatite atópica em resposta a um golpe firme com instrumento sem corte.

der·ma·to·het·ero·plas·ty (derm"ah-to-het'er-o-plas"te) – dermatoeteroplastia; dermato-heteroplastia; enxerto de pele derivada de indivíduo de outra espécie.

der·ma·tol·o·gy (derm"ah-tol'ah-je) – dermatologia; especialidade médica relacionada ao diagnóstico e tratamento das doenças da pele.

der·ma·tol·y·sis (derm"ah-tol'ĭ-sis) – dermatólise; cútis flácida (*cutis, laxa*).

der·ma·tome (derm'ah-tōm) dermátomo: 1. instrumento para cortar fatias finas de pele para enxerto; 2. área de pele suprida por fibras nervosas aferentes por meio de uma só raiz espinhal posterior; 3. parte lateral de um somito embriônico.

der·ma·to·mere (derm'ah-to-mēr") – dermatômero; qualquer segmento ou metâmero do tegumento embrionário.

der·ma·to·my·co·sis (derm"ah-to-mi-ko'sis) – dermatomicose; infecção fúngica superficial da pele ou seus apêndices.

der·ma·to·my·o·ma (-mi-o'mah) – dermatomioma; leiomioma cutâneo.

der·ma·to·myo·si·tis (-mi"o-sī't'is) – dermatomiosite; colagenopatia caracterizada por inflamação não-supurativa da pele, tecido subcutâneo e músculos com necrose das fibras musculares.

der·ma·to·path·ic (-path'ik) – dermatopático; relativo ou atribuível a uma doença de pele como a linfadenopatia dermatopática.

der·ma·top·a·thy (derm"ah-top'ah-the) – dermatopatia; dermopatia.

Der·ma·toph·a·goi·des (derm"ah-tof"ah-goi'dēs) – *Dermatophagoides;* gênero de ácaros sarcoptiformes, geralmente encontrados na pele das galinhas. A espécie *D. pteronyssimus* (ácaro de poeira doméstica) atua como antígeno e provoca asma alérgica em pessoas atópicas.

der·ma·to·phar·ma·col·o·gy (derm"ah-to-far"mahkol'ah-je) – dermatofarmacologia; farmacologia aplicada a distúrbios dermatológicos.

der·ma·to·phi·lo·sis (-fi-lo'sis) – dermatofilose; doença actinomicótica causada pela *Dermatophilus congolensis* e que afeta os bovinos, ovinos, eqüinos, caprinos, veados e algumas vezes o homem. No homem, é caracterizada por pústulas indolores nas mãos e braços; as lesões se rompem e formam úlceras vermelhas rasas que regridem espontaneamente, deixando algumas cicatrizes. Nos ovinos, é caracterizada por lesões escamosas vermelhas exsudativas que formam massas piramidais. **Der·ma·toph·i·lus** (derm"ah-tof'ĭ -lus) – *Dermatophilus:* 1. *Tunga;* 2. gênero de actinomicetos patogênicos. **D. congolen'sis** – *D. congolensis;* agente etiológico da dermatofilose. **D. pe'netrans** – *D. penetrans; Tunga penetrans* (bicho-do-pé).

der·ma·to·phyte (derm'ah-to-fī t") – dermatófito; fungo que parasita a pele, compreendendo os gêneros *Microsporum, Epidermophyton* e *Trichophyton.*

der·ma·to·phy·tid (derm"ah-tof'it-id) – dermatofítide; erupção cutânea secundária que constitui a expressão da hipersensibilidade a uma infecção por dermatófito (especialmente pelo *Epidermophyton*) e que ocorre em área distante do local da infecção.

der·ma·to·phy·to·sis (derm"ah-to-fi-to'sis) – dermatofitose; infecção fúngica da pele geralmente utilizado para se referir à tinha do pé (pé de atleta).

der·ma·to·plas·ty (derm'ah-to-plas"te) – dermatoplastia; operação plástica na pele; reposição operatória de pele destruída ou perdida. **dermatoplas'tic** – adj. dermatoplástico.

der·ma·to·sis (der"mah-to'sis) pl. *dermatoses* – dermatose; qualquer dermopatia especialmente aquela que não se caracteriza por inflamação. **papulo'sa ni'gra** – d. papulosa negra; forma de ceratose seborréica observada principalmente nos negros com pápulas pigmentadas miliares múltiplas geralmente nos ossos da bochecha, mas algumas vezes disseminando-se pela face e pescoço. **progressive pigmentary d.** – d. pigmentar progressiva; doença de Schamberg. **subcorneal pustular d.** – d. pustular subcórnea; dermatose bolhosa semelhante à dermatite herpetiforme com vesículas únicas e agrupadas e vesículas pustulares estéreis por baixo do estrato córneo da pele.

der·ma·to·spa·rax·is (derm"ah-to-spah-rak'sis) – dermatesparaxe; doença dos bovinos e ovinos relacionada à síndrome de Ehlers-Danlos do homem em que a pele fica frágil e rasga-se muito facilmente; deve-se à atividade anormalmente baixa da enzima clivadora de colágeno N-endopeptidase procolágeno.

der·ma·to·zo·on (-zo'on) – dermatozoário; qualquer animal que parasite a pele; ectoparasita.

der·mis (derm'is) – derme; pele verdadeira ou o cório. **der'mal, der'mic** – adj. dérmico.

der·mo·blast (derm'ah-blast) – dermoblasto; parte do mesoblasto que se desenvolve na pele verdadeira.

der·moid (derm'oid) – dermóide: 1. semelhante à pele; 2. cisto dermóide.

der·moid·ec·to·my (derm"oi-dek'tah-me) – dermoidectomia; excisão de um cisto dermóide.

der·mo·myo·tome (der"mo-mi'ah-tōm) – dermomiótomo; todos com exceção do esclerótomo de um somito mesodérmico; primórdio do músculo esquelético e, talvez, do cório.

der·mop·a·thy (derm-op'ah-the) – dermopatia; qualquer doença cutânea. **diabetic d.** – d. diabética; qualquer das várias manifestações cutâneas do diabetes.

der·mo·syn·o·vi·tis (derm"o-sin"o-vī t'is) – dermossinovite; inflamação da pele sobrejacente a uma bursa ou bainha tendínea inflamadas.

der·mo·vas·cu·lar (-vas'kūl-er) – dermovascular; relativo aos vasos sangüíneos cutâneos.

de·sat·u·ra·tion (de-sach"er-a'shun) – dessaturação; processo de conversão de um composto saturado em insaturado como a introdução de uma ligação dupla entre os átomos de carbono de um ácido graxo.

des·ce·me·to·cele (des"ĕ-met'o-sēl) – descemetocele; hérnia da membrana de Descemet.

des·cen·sus (de-sen'sus) [L.] pl. *descensus* – descida; deslocamento ou prolapso descendente. **d. tes'tis** – d. testicular; migração normal dos testículos de sua posição fetal na cavidade abdominal para sua localização dentro da bolsa escrotal, geralmente durante os últimos três meses de gestação. **d. u'teri** – d. uterina; prolapso uterino.

de·sen·si·ti·za·tion (de-sen"sĭ -tĭ -za'shun) – dessensibilização: 1. prevenção ou redução de reações de hipersensibilidade imediata por meio da administração de doses graduadas de um alérgeno; 2. em Terapia Comportamental, tratamento das fobias e distúrbios relacionados por meio de exposição intencional do paciente (na imaginação ou vida real) a estímulos emocionais desconfortáveis.

de·ser·pi·dine (de-ser'pĭ -dēn) – deserpidina; alcalóide da *Raulwolfia canescens* utilizado como anti-hipertensivo e tranqüilizante.

de·sex·u·al·ize (de-sek'shoo-il-ī z) – dessexualizar; privar de características sexuais; castrar.

des·fer·ri·ox·amine (des-fer'e-oks'ah-mēn) – desferrioxamina (*deferoxamine*).

des·flu·rane (des-floo'rān) – desflurano; anestésico inalatório utilizado para indução e manutenção de anestesia geral.

des·ic·cant (des'ĭ -kant) – dessecante: 1. que promove dessecamento; 2. agente que promove dessecamento; secante.

de·sip·ra·mine (des-ip'rah-mēn) – desipramina; metabólito da imipramina; o sal de cloridrato é utilizado como antidepressivo.

des·lan·o·side (des-lan'o-sī d) – deslanosídeo; glicosídeo cardiotônico obtido a partir do lanatosídeo C; utilizado quando se recomenda um digitálico.

des·min (dez'min) – desmina; proteína que se polimeriza para formar os filamentos intermediários das células musculares; utilizado como um marcador dessas células.

desm(o)- [Gr.] – elemento de palavra, *ligamento*.

des·mi·tis (dez-mī'tis) – desmite; inflamação de um ligamento.

des·mo·cra·ni·um (dez"mo-kra'ne-um) – desmocrânio; massa de mesoderma na extremidade cranial do notocórdio no embrião inicial, formando o primeiro estágio do crânio.

des·mog·e·nous (dez-moj'ah-nus) – desmógeno; de origem ligamentosa.

des·mog·ra·phy (dez-mog'rah-fe) – desmografia; descrição dos ligamentos.

des·moid (dez'moid) – desmóide: 1. fibroso ou fibróide; 2. ver em *tumor*. **periosteal d.** – d. perióstico; proliferação tumoral fibrosa benigna do periósteo que ocorre particularmente no côndilo femoral medial nos adolescentes.

des·mo·lase (dez'mo-lãs) – desmolase; qualquer enzima que catalisa a adição ou remoção de algum grupo químico para ou a partir de um substrato sem hidrólise.

des·mop·a·thy (dez-mop'ah-the) – desmopatia; qualquer doença dos ligamentos.

des·mo·pla·sia (dez"mo-pla'zhah) – desmoplasia; formação e desenvolvimento do tecido fibroso. **desmoplas'tic** – adj. desmoplástico.

des·mo·some (dez'mo-sõm) – desmossoma; corpo denso e circular que forma o local de ligamento entre determinadas células epiteliais (especialmente entre as células do epitélio estratificado da epiderme) que consiste de diferenciações locais das membranas celulares contíguas.

des·mot·o·my (dez-mot'ah-me) – desmotomia; incisão ou divisão de um ligamento.

des·o·nide (des'o-nī d) – desonida; corticosteróide sintético utilizado como antiinflamatório tópico no tratamento de dermatoses responsivas a esteróides.

de·sorb (de-sorb') – dessorver; retirar uma substância do estado de absorção ou adsorção.

des·ox·i·met·a·sone (des-ok"se-met'ah-sõn) – desoximetasona; corticosteróide sintético utilizado topicamente para aliviar a inflamação e o prurido nas dermatoses responsivas a corticosteróides.

desoxy- – consulte também *deoxy-*.

des·oxy·cor·ti·cos·ter·one (des-ok"se-kor"tī -kos'ter-õn) – desoxicorticosterona; ver *11-deoxycorticosterone*.

de·spe·ci·ate (de-spe'se-āt) – desespeciar; sofrer desespeciação; estar sujeito (como em um tratamento químico) ou sofrer perda das características antigênicas da espécie.

des·qua·ma·tion (des"kwah-ma'shun) – descamação; eliminação de elementos epiteliais, principalmente da pele, em escamas ou lâminas. **desquam'ative** – adj. descamativo.

dest. [L.] *destillata* – destilado.

de·sulf·hy·drase (de"sulf-hi'drās) – dessulfidrase; enzima que remove uma molécula de sulfeto de hidrogênio de um composto.

DET – diethyltryptamine (dietiltriptamina).

de·tach·ment (de-tach'ment) – descolamento; desprendimento; a condição de ser separado ou desconectado. **d. of retina, retinal d.** – d. da

retina; separação das camadas internas da retina a partir do epitélio pigmentado.

de·tec·tor (de-tek'ter) – detector; instrumento ou aparelho para revelar a presença de alguma coisa. **lie d.** – d. de mentiras; polígrafo.

de·ter·gent (de-terj'int) – detergente: 1. que purifica ou limpa; 2. agente purificador ou de limpeza.

de·ter·mi·nant (de-term'ĭ -nint) – determinante; fator que estabelece a natureza de uma entidade ou evento. **antigenic d.** – d. antigênico; componente estrutural de uma molécula antigênica responsável por sua interação específica com as moléculas de anticorpos induzidas pelo mesmo antígeno ou por antígeno relacionado. **hidden d.** – d. oculto; determinante antigênico em região não-exposta de uma molécula para impedir a interação com receptores nos linfócitos ou moléculas de anticorpos, e seja incapaz de induzir uma resposta imunológica; pode aparecer após alterações estereoquímicas da estrutura molecular.

de·ter·mi·na·tion (de-term"ĭ -na'shun) – determinação; estabelecimento da natureza exata de uma entidade ou evento. **sex d.** – d. do sexo; processo pelo qual se determina o sexo de um organismo; associada no homem à presença ou ausência do cromossomo Y. **embryonic d.** – d. embrionária; perda da pluripotencialidade em qualquer parte embrionária e seu movimento inicial rumo a uma condição inalterável.

de·ter·min·ism (de-term'ĭ -nizm) – determinismo; teoria de que todos os fenômenos resultam de condições antecedentes e de que nada ocorre por acaso.

de·tox·i·fi·ca·tion (de-tok'sĭ -fĭ -ka'shun) – detoxificação; detoxicação: 1. redução das propriedades tóxicas de uma substância; 2. tratamento destinado a auxiliar na recuperação dos efeitos tóxicos de uma droga. **metabolic d.** – d. metabólica; redução da toxicidade de uma substância por meio de alterações químicas induzidas no corpo, produzindo um composto menos venenoso ou mais facilmente eliminado.

de·tri·tion (de-trish'in) – desgaste; gastar por meio de fricção, como ocorre com os dentes.

de·tri·tus (de-tri'tus) – detrito; matéria particulada produzida ou remanescente após desgaste ou desintegração de uma substância ou tecido.

de·tru·sor (de-troo'ser) [L.] – detrusor: 1. termo genérico para uma parte corporal como um músculo que empurra para baixo; 2. relativo ao músculo detrusor da bexiga.

de·tu·mes·cence (de"tu-mes'ins) – detumescência; redução de uma congestão e tumefação.

deu·tan (doo'tan) – deuteranope; a pessoa com deuteranomalopia ou deuteranopia.

deu·ter·anom·a·ly (doo"ter-ah-nom'ah-le) – deuteranomalia; tipo de tricomatopsia anômala em que os segundos cones sensíveis ao verde apresentam redução de sensibilidade; deficiência de visão colorida mais comum. **deuteranom'alous** – adj. deuteranômalo.

deu·ter·an·o·pia (-no'pe-ah) – deuteranopia; visão colorida defeituosa com confusão de tons verdes e vermelhos e retenção do mecanismo sensorial para somente dois matizes – azul e amarelo.

deuteranop'ic – adj. deuteranópico.

deu·ter·an·op·sia (-nop'se-ah) – deuteranopsia; deuteranopia.

deu·te·ri·um (doo-tēr'e-um) – deutério; hidrogênio-2; ver *hydrogen*.

Deu·tero·my·ce·tes (doo"ter-o-mi-sēt'ēz) – Deuteromycetes; em alguns sistemas de classificação os Fungi Imperfecti considerados como uma classe.

Deu·tero·my·co·ta (-mi-ko'tah) – Deuteromycota; Fungi Imperfecti; um grande grupo heterogêneo de fungos, normalmente tratados como uma divisão, cujo estágio sexuado não existe ou ainda não foi descoberto; subclassificação em pseudoclasses, pseudo-ordens etc. até que se identifique o seu estágio sexuado.

Deu·tero·my·co·ti·na (-mi"ko-ti-nah) – Deuteromycotina; em alguns sistemas de classificação, os Fungi Imperfecti observados como uma subdivisão da divisão Eumycota.

deu·tero·plasm (dōōt'er-o-plazm") – deuteroplasma; materiais passivos ou inativos no protoplasma, especialmente os ingredientes alimentares de reserva como a gema.

deu·ter·op·a·thy (dōōt"er-op'ah-the) – deuteropatia; doença secundária a outra.

de·vas·cu·lar·iza·tion (de-vas"ku-ler-ĭ-za'shun) – desvascularização; interrupção da circulação sangüínea para uma parte devido à obstrução dos vasos sangüíneos que o suprem.

de·vel·op·ment (de-vel'up-mint) – desenvolvimento; processo de crescimento e diferenciação. **developmen'tal** – adj. relativo a desenvolvimento; evolucionário **cognitive d.** – d. cognitivo; desenvolvimento da inteligência, pensamento consciente e capacidade de resolução de problemas que começam na infância. **psychosexual d.** – d. psicossexual: 1. desenvolvimento da sexualidade do indivíduo de acordo com as influências biológicas, culturais e emocionais a partir da vida pré-natal, prosseguindo por toda a vida; 2. em Psicanálise, a maturação da libido da infância à maturidade (incluídos os estágios oral, anal e genital). **psychosocial d.** – d. psicossocial; o desenvolvimento da personalidade e aquisição das atitudes e habilidades sociais, da infância à idade adulta.

de·vi·ant (de've-int) – divergente: 1. que diverge de um padrão determinável; 2. pessoa com características que divergem do que se considera padrão ou normal.

de·vi·a·tion (de"ve-a'shun) – desvio; deflexão; variação do padrão ou curso regular. Em Oftalmologia, a tendência dos eixos visuais dos olhos saírem do alinhamento devido a desequilíbrio muscular. **complement d.** – d. de complemento; inibição da hemólise imunomediada por complemento em presença de excesso de anticorpos. **conjugate d.** – d. conjugado; deflexão dos olhos na mesma direção e ao mesmo tempo. **immune d.** – d. imunológico; modificação da resposta imune a um antígeno por meio de inoculação anterior do mesmo antígeno. **radial d.** – d. radial: 1. deformidade manual, algumas vezes observada na artrite reumatóide, na qual os dedos se

deslocam para a porção lateral; 2. entalamentos de mãos artríticas nesta posição para corrigir um desvio ulnar. **standard d.** – d. padrão; em testes padronizados, a medida de desvios de um valor central, determinada como a raiz quadrada da média dos quadrados de todos os desvios da média; símbolo σ. **ulnar d.** – d. ulnar; deformidade das mãos na artrite reumatóide crônica e lúpus eritematoso em que a tumefação das articulações metacarpofalângicas causa deslocamento dos dedos para o lado ulnar.

de·vice (dĭ-vīs') – dispositivo; alguma coisa planejada com um propósito específico. **contraceptive d.** – d. anticoncepcional; dispositivo utilizado para evitar a concepção (como a barreira contraceptiva, um dispositivo intra-uterino ou um meio de evitar a ovulação, por exemplo, a pílula de controle natal). **intrauterine d. (IUD)** – d. intra-uterino (DIU); dispositivo plástico ou metálico inserido no útero para evitar a gravidez. **ventricular assist d. (VAD)** – d. de auxílio ventricular; dispositivo de suporte circulatório que potencializa a função do ventrículo esquerdo, ventrículo direito ou ambos através do fornecimento de um fluxo sangüíneo pulsátil mecanicamente assistido.

de·vi·om·e·ter (de"ve-om'it-er) – desviômetro; instrumento para medir o desvio no estrabismo.

de·vi·tal·ize (de-vīt'il-īz) – desvitalizar; privar da vida ou vitalidade.

dex·a·meth·a·sone (dek"sah-meth'ah-sōn) – dexametasona; glicocorticóide sintético utilizado primariamente como antiinflamatório em várias afecções, incluindo colagenopatias e estados alérgicos; constitui a base de um teste de triagem no diagnóstico da síndrome de Cushing.

dex·brom·phen·ir·a·mine (deks"brom-fen-ir'ah-mēn) – dexbronfeniramina; análogo brômico da dexclorfeniramina, utilizado como anti-histamínico em forma de sal de maleato.

dex·chlor·phen·ir·a·mine (-klor-fen-ēr'ah-mēn) – dexclorfeniramina; isômero dextrorrotatório da clorfeniramina, utilizado como anti-histamínico em forma de sal de maleato.

Dex·e·drine (dek'sĭ-drēn) – Dexedrine, marca registrada de preparações de dextroanfetamina.

Dex·on (dek'son) – Dexon, marca registrada de material de sutura sintético (ácido poliglicólico), um polímero completamente absorvível e não-irritante.

dex·pan·the·nol (deks-pan'thĕ-nol) – dexpantenol; a forma D (+) do pantenol, o análogo alcoólico do ácido pantotênico; é considerado um precursor da coenzima A. Utilizado para aumentar o peristaltismo em casos de atonia e paralisia do intestino grosso e para ajudar a aliviar a retenção gasosa e a distensão abdominal em determinadas afecções; também utilizado topicamente para estimular a cicatrização das várias lesões dermatológicas.

dex·ter (dek'ster) [L.] – destro; direito; do lado direito.

dextr(o)- [L.] – dextro-, elemento de palavra, *direito*.

dex·trad (dek'strad) – para ou em direção ao lado direito.

dex·tral (-stril) – relativo ao lado direito; destro.

dex·tral·i·ty (dek-stral'it-e) – destralidade; o uso preferencial do membro direito dos órgãos pareados principais do corpo.

dex·tran (dek'stran) – dextrana; polissacarídeo hidrossolúvel da glicose (dextrose) produzido pela ação da *Leuconostoc mesenteroides* na sacarose; utilizado como expansor de volume plasmático.

dex·trano·mer (dek-stran'ah-mer) – dextranômero; pequenas esferas de polímeros de dextrana altamente hidrofílicos, utilizados no debridamento de ferimentos com secreção (como as úlceras de estase venosa); as esferas esterilizadas são derramadas sobre os ferimentos com secreção para absorver os exsudatos e evitar a formação de crosta.

dex·trin (dek'strin) – dextrina: 1. polissacarídeo ou a mistura dos polissacarídeos intermediários hidrossolúveis formados durante a hidrólise do amido em açúcar; 2. preparação de tais substâncias formada da fervura do amido e utilizada em Farmacêutica. **limit d.** – d. de limite; um dos pequenos polímeros remanescentes após a digestão exaustiva do glicogênio ou do amido por enzimas que catalisam a remoção dos resíduos finais de açúcar, mas não podem clivar as ligações nos pontos de ramificação.

α-dex·trin·ase (ās) – α-dextrinase; isomaltase; dextrinase de limite; enzima que catalisa a clivagem de oligoglicosídeos lineares e ramificados e de maltose e isomaltose, completando a digestão do amido ou do glicogênio em glicose. Ocorre na borda em escova da mucosa intestinal, como um complexo com sacarose; ver também *sucrase-isomaltase deficiency.*

dex·tri·no·sis (dek"strĭ -no'sis) – dextrinose; acúmulo nos tecidos de um polissacarídeo anormal. **limit d.** – d. de limite; doença do armazenamento de glicogênio do tipo III.

dex·trin·uria (dek"strin-ūr'e-ah) – dextrinúria; presença de dextrina na urina.

dex·tro·am·phet·amine (dek"stro-am-fet'ajh-mēn) – dextroanfetamina; isômero dextrorrotatório da anfetamina, que tem maior efeito estimulador do sistema nervoso central que as formas levorrotatória (levanfetamina) ou racêmica da anfetamina; o abuso dessa droga pode levar à dependência. Utilizada como sal de sulfato no tratamento da narcolepsia e do distúrbio do déficit de atenção.

dex·tro·car·dia (-kahr'de-ah) – dextrocardia; localização do coração no lado direito do tórax, com o vértice apontando para a direita. **isolated d.** – d. isolada; transposição em imagem especular do coração mas sem alteração das vísceras abdominais. **mirror-image d.** – d. em imagem especular; localização do coração no lado direito do tórax, com os átrios transpostos e o ventrículo direito situando-se anteriormente e à esquerda do ventrículo esquerdo.

dex·tro·cli·na·tion (-klĭ -na'shun) – dextroclinação; rotação dos pólos superiores dos meridianos verticais dos olhos para a direita.

dex·tro·duc·tion (-duk"shun) – dextroducção; movimento de um olho para a direita.

dex·tro·gas·tria (-gas'tre-ah) – dextrogastria; deslocamento do estômago para a direita.

dex·tro·gy·ra·tion (-ji-ra'shun) – dextrorrotação; rotação para a direita.

dex·tro·man·u·al (-man'u-il) – dextrômano; destro.

dex·tro·meth·or·phan (-meth-or'fan) – dextrometorfano; derivado sintético da morfina utilizado como antitussígeno em forma de base ou como sal de bromidrato ou como co-polímero de estireno-divinilbenzeno (polistirex) sulfonado.

dex·tro·po·si·tion (-po-zish'un) – dextroposição; deslocamento para a direita.

dex·tro·ro·ta·to·ry (-rōt'ah-tor"e) – dextrorrotatório; que gira o plano de polarização para a direita.

dex·trose (dek'strōs) – dextrose; monossacarídeo (monoidrato de D-glicose); utilizado principalmente como repositor de fluidos e nutrientes, e também como diurético e vários outros propósitos clínicos. Conhecida como *D-glicose* em bioquímica e fisiologia.

dex·tro·sin·is·tral (dek"stro-sin'is-tral) – dextrossinistro: 1. que se estende da direita para a esquerda; 2. pessoa canhota treinada para usar a mão direita em determinados desempenhos.

dex·tro·thy·rox·ine (-thin-rok'sin) – dextrotiroxina; isômero dextrorrotatório da tiroxina, utilizado em forma de sal sódico como antilipêmico oral, principalmente para tratar hipercolesterolemia em pacientes eutireóideos.

dex·tro·ver·sion (-ver'zhun) – dextroversion: 1. versão para a direita, especialmente o movimento dos olhos para a direita; 2. localização do coração no tórax direito, permanecendo o ventrículo esquerdo na posição normal à esquerda, mas situando-se anteriormente ao ventrículo direito.

DFP – disopropyl fluorophosphate (fluorofosfato de disopropil); ver *isoflurophate.*

di- [Gr.] – elemento de palavra, *dois.*

dia- [Gr.] – elemento de palavra, *através; entre; fora;através de; completamente.*

di·a·be·tes (di"ah-be'tēz) – diabetes; qualquer distúrbio caracterizado por excreção urinária excessiva. Quando utilizado sozinho, o termo se refere ao diabetes melito (*diabetes mellitus*). **adult-onset d.** – d. de início na vida adulta;d. não-dependente de insulina. **bronze d., bronzed d.** – d. bronzeado; hemocromatose. **chemical d.** – d. químico; anomalia leve da tolerância de carboidratos manifestada por hiperinsulinemia ou hiperglicemia, somente quando o paciente é sujeito a cargas estressantes de glicose. **gestational d.** – d. gestacional; diabetes em que o início ou reconhecimento da deficiência de tolerância de glicose ocorrem durante a gravidez. **growth-onset d.** – d. do início do crescimento; d. dependente de insulina. **d. insipidus, central** – d. insípido central; distúrbio metabólico devido à deficiência de hormônio antidiurético, resultando em falha da reabsorção tubular de água nos rins e conseqüente passagem de grande quantidade de urina e muita sede. **d. insipidus nephrogenic** – d. insípido nefrogênico; forma congênita e familiar do diabetes insípido decorrente de falha dos túbulos renais em reabsorver água em resposta ao hormônio antidiurético, sem perturbação na filtração renal e nas taxas de excreção de glicose. **insulin-dependent d. (IDD); juvenile d., juvenile-onset d., ketosis-prone d.** – d. dependente de insulina; d. de início na juventude; d. propenso à cetose; diabetes melito severo, caracterizado por início abrupto de sintomas, insulinopenia, dependência de insulina exógena e tendência a desenvolver cetoacidose; deve-se à falta de produção de insulina por parte das células beta das ilhotas pancreáticas. **latent d.** – d. latente; d. química. **maturity-onset d.** – d. de início na maturidade; d. não-dependente de insulina. **d. mel'litus (DM)** – d. melito; distúrbio metabólico em que ocorre incapacidade de oxidação dos carboidratos devido a distúrbio no mecanismo insulínico normal, produzindo hiperglicemia, glicosúria, poliúria, sede, fome, emaciação, fraqueza, acidose, algumas vezes levando à dispnéia, lipemia, cetonúria e finalmente ao coma. **non-insulin-dependent d. (NIDD)** – d. não-dependente de insulina; forma branda e geralmente assintomática de diabetes melito cujo início atinge o máximo após os 40 anos de idade, está diminuída a reserva de insulina pancreática, mas essa é quase sempre suficiente para evitar a cetoacidose, e o controle dietético é geralmente efetivo. **puncture d.** – d. por punção; a forma produzida através de punção do assoalho do quarto ventrículo na medula oblonga. **renal d.** – d. renal; ver em *glycosuria*. **subclinical d.** – d. subclínico; estado caracterizado por um teste de tolerância anormal de glicose, mas sem sinais clínicos de diabetes. **Type I d.** – d. do tipo I; d. melito dependente de insulina. **Type II d.** – d. melito do tipo II; d. não-dependente de insulina.

dia·be·tid (-bĕt'id) – diabétide; manifestação cutânea do diabetes; dermopatia diabética.

dia·be·to·gen·ic (-bet"ah-jen'ik) – diabetogênico; que produz diabetes.

di·a·be·tog·e·nous (-be-toj'ĕ-nus) – diabetógeno; causado por diabetes.

di·a·brot·ic (-brot'ik) – diabrótico: 1. ulcerativo; cáustico; 2. substância corrosiva ou escarótica.

di·ac·la·sis (di-ak'lah-sis) – diáclase; osteoclasia (*osteoclasis*).

di·ac·ri·sis (di-ak'rĭ-sis) – diácrise: 1. diagnóstico; 2. doença caracterizada por estado mórbido das secreções; 3. descarga ou excreção críticas.

di·acyl·glyc·er·ol (di-a"sil-glis'er-ol) – diacilglicerol; qualquer dos vários compostos de glicerol ligados a dois ácidos graxos; constituem produtos da degradação dos triglicerídeos e dos fosfolipídeos e são mensageiros secundários nas respostas mediadas por cálcio aos hormônios.

di·ad·o·cho·ki·ne·sia (di-ad"ah-ko-kĭ'-ne'zhah) – diadococinesia; função de interromper um impulso motor e substituir o que é diametralmente oposto.

di·ag·nose (di'ag-nōs) – diagnosticar; identificar ou reconhecer uma doença.

di·ag·no·sis (di"ag-no'sis) – diagnóstico; determinação da natureza de uma doença ou a distinção de uma doença de outra. **diagnos'tic** – adj. diagnóstico. **clinical d.** – d. clínico; diagnóstico baseado em sinais, sintomas e achados laboratoriais durante a vida. **differential d.** – d. diferencial; determinação de qual entre várias doenças pode estar produzindo os sintomas. **physical d.** – d. físico; diagnóstico baseado nas informações obtidas por inspeção, palpação, percussão ou

auscultação. **serum d.** – d. sérico; sorodiagnóstico.

di·ag·nos·tics (di"ag-nos'tiks) – diagnóstico; ciência e prática do diagnóstico de uma doença.

di·a·gram (di'ah-gram) – diagrama; representação gráfica, na forma mais simples, de um objeto ou conceito, consistindo de linhas e sem elementos pictóricos. **vector d.** – d. vetorial; diagrama que representa a direção e magnitude das forças eletromotrizes do coração para um ciclo completo, com base na análise do eletrocardiograma escalar.

di·a·ki·ne·sis (di"ah-kĭ'-ne'sis) – diacinese; estágio da primeira prófase meiótica em que o nucléolo e o envoltório nuclear desaparecem e formam-se as fibras em fuso.

di·al·y·sance (-li'sins) – capacidade de dialisar; taxa diminuta de troca líquida de moléculas de soluto que passam através de uma membrana em diálise.

di·al·y·sis (di-al'ĭ-sis) – diálise; processo de separação de cristalóides e colóides em uma solução pela diferença em suas velocidades de difusão através de uma membrana semipermeável: os cristalóides atravessam-na facilmente ao passo que os colóides muito lentamente ou não a atravessam. Ver também *hemodialysis*. **equilibrium d.** – d. de equilíbrio; técnica de determinação da associação constante das reações de haptenos-anticorpos. **lymph d.** – d. linfática; remoção da uréia e outros elementos da linfa coletada a partir do ducto torácico, tratados exteriormente ao corpo, e posteriormente reinfundidos. **peritoneal d.** – d. peritoneal; diálise através do peritônio introduzindo-se e removendo-se a solução dialisadora da cavidade peritoneal, como um procedimento contínuo ou intermitente.

di·a·lyz·er (di'ah-lī z"er) – dialisador; hemodialisador (*hemodialyzer*).

di·am·e·ter (di-am'ĕ-ter) – diâmetro; comprimento de uma linha reta passando pelo centro de um círculo e conectando-se aos pontos opostos em sua circunferência. Símbolo *d*. **anteroposterior d.** – d. ântero-posterior; distância entre dois pontos localizados nas faces anterior e posterior, respectivamente, da estrutura a ser medida (como o diâmetro conjugado verdadeiro da pelve ou o diâmetro occipitofrontal do crânio). **Baudelocque's d.** – d. de Baudelocque; d. conjugado externo. **conjugate d.** – d. conjugado; ver *pelvic d.* **cranial d's** – diâmetros cranianos; distâncias medidas entre determinados pontos de referência do crânio, como o *biparietal* (entre as duas proeminências parietais), *bitemporal* (entre as duas extremidades da sutura coronal), *cervicobregmático* (entre o centro da fontanela anterior e a junção do pescoço com o assoalho da boca), *frontomentoniano* (entre a testa e o queixo), *occipitofrontal* (entre a protuberância occipital externa e o ponto médio mais proeminente do osso frontal), *occipitomentoniano* (entre a protuberância occipital externa e o ponto médio mais proeminente do queixo), e *suboccipitobregmático* (entre o ponto posterior mais baixo do occipúcio e o centro da fontanela anterior). **pelvic d.** – d. pélvico; qualquer diâmetro da pelve, como o *conjugado diagonal* que une a superfície posterior do púbis à ponta do promontório sacral, *conjugado externo* que une a depressão sob a última espinha lombar à margem superior do púbis, *conjugado verdadeiro (interno)*, o diâmetro ântero-posterior da entrada pélvica, medido da margem superior da sínfise púbica até o ângulo sacrovertebral, *oblíquo* que une a articulação sacroilíaca com a proeminência iliopúbica do outro lado, *transversal (de entrada)* que une os dois pontos mais amplamente separados da entrada pélvica, e *transversal (de saída)* que une as superfícies mediais das tuberosidades isquiáticas.

p·di·ami·no·di·phen·yl (di-ah-me"no-di-fen'il) – *p*-diaminodifenil; benzidina (*benzidine*).

di·am·ni·ot·ic (di"am-ne-ot'ik) – diamniótico; que tem ou se desenvolve em duas cavidades amnióticas separadas como os gêmeos diamnióticos.

Di·a·mox (di'ah-moks) – Diamox, marca registrada de preparações de acetazolamida.

di·a·pause (-pawz) – diapausa; estado de inatividade e interrupção de desenvolvimento acompanhado de um metabolismo bastante reduzido, como no caso de muitos ovos, pupas de insetos e sementes de plantas; constitui um mecanismo de sobrevivência sob condições invernais adversas.

di·a·pe·de·sis (di"ah-pĕ-de'sis) – diapedese; passagem para fora das células sangüíneas através de paredes íntegras de vasos.

di·aph·e·met·ric (-fĕ-mĕ'trik) – diafemétrico; relativo à medição da sensibilidade tátil.

di·a·pho·re·sis (-fõ-re'sis) – diaforese; perspiração, especialmente perspiração abundante.

di·a·pho·ret·ic (-for-et'ik) – diaforético: 1. relativo, caracterizado ou que promove diaforese; 2. agente que promove diaforese.

di·a·phragm (di'ah-fram) – diafragma: 1. repartição musculomembranosa que separa as cavidades abdominal e torácica e serve como principal músculo inspiratório; 2. qualquer membrana ou estrutura que separa; 3. disco com uma ou mais aberturas ou com abertura ajustável, montado em relação a uma lente ou fonte de radiação, por onde pode-se eliminar parte da luz ou radiação de uma área; 4. d. contraceptivo. **diaphragmat'ic** – adj. diafragmático. **contraceptive d.** – d. contraceptivo; dispositivo de borracha moldada ou outro material plástico macio, encaixado sobre a cérvix uterina para evitar a entrada de espermatozóides. **pelvic d.** – d. pélvico; porção do assoalho da pelve formada pelos músculos coccígeos e elevadores do ânus e suas fáscias. **polyarcuate d.** – d. poliarqueado; diafragma que mostra um recorte anormal das margens em visibilização radiográfica. **Potter-Bucky d.** – d. de Potter-Bucky ver em *grid*. **respiratory d.** – d. respiratório; diafragma (1). **urogenital d.** – d. urogenital; camada musculomembranosa superficial ao diafragma pélvico que se prolonga entre os ramos isquiopubianos e circunda os ductos urogenitais. **vaginal d.** – d. vaginal; d. contraceptivo.

di·a·phrag·ma (di"ah-frag'mah) [Gr.] pl. *diaphragmata* – diafragma (*diaphragm*) (1).

di·a·phrag·mi·tis (frag'mīt'is) – diafragmite; inflamação do diafragma.

di·a·phys·ec·to·my (-fīz-zek'tah-me) – diafisectomia; excisão de parte de uma diáfise.

di·aph·y·sis (di-af'ĭ-sis) [Gr.] pl. *diaphyses* – diáfise: 1. haste de um osso longo entre as epífises; 2. porção de um osso longo formada a partir de um centro de ossificação primário.

di·a·phys·itis (di"ah-fiz-i'tis) – diafisite; inflamação de uma diáfise.

di·a·poph·y·sis (di"ah-pof'ĭ-sis) – diapófise; processo transverso superior de uma vértebra.

di·a·py·e·sis (-pi-e'sis) – diapiese; supuração. **diapyet'ic** – adj. diapiético.

di·ar·rhea (-re'ah) – diarréia; evacuação anormalmente freqüente de fezes aquosas. **diarrhe'al, diarrhe'ic** – adj. diarréico. **choleraic d.** – d. colérica; diarréia com fezes serosas, acompanhada de colapso circulatório, sendo dessa forma semelhante à cólera. **familial chloride d.** – d. familiar por cloreto; diarréia aquosa severa com excesso de cloreto nas fezes que começa no início da infância; é caracterizada por distensão abdominal, letargia, crescimento e desenvolvimento mental retardados, bem como acompanhada de alcalose e hipocalemia, geralmente associa-se a hidrâmnio materno. Deve-se à deficiência na troca de cloreto-bicarbonato no intestino grosso. **lienteric d.** – d. lientérica; diarréia caracterizada por fezes que contêm alimento não-digerido. **osmotic d.** – d. osmótica; diarréia que se deve à presença de solutos não-absorvíveis osmoticamente ativos (por exemplo, o sulfato de magnésio) no intestino. **parenteral d.** – d. parenteral; diarréia devido a infecções fora do trato gastrointestinal. **secretory d.** – d. secretória; diarréia volumosa aquosa resultante de aumento da estimulação da secreção de íons e água, inibição de sua absorção ou ambos; a osmolalidade das fezes aproxima-se da do plasma. **summer d.** – d. do verão; diarréia aguda em crianças durante o calor intenso do verão. **toxigenic d.** – d. toxigênica; diarréia volumosa aquosa causada por enterotoxinas provenientes de bactérias enterotoxigênicas (como a *Vibrio cholerae* e as cepas ETEC da *Escherichia coli*). **traveler's d.** – d. do viajante; diarréia de viajantes, particularmente os que visitam áreas tropicais ou subtropicais onde a higiene é fraca; deve-se à infecção por vários agentes, mais comumente a *Escherichia coli* enterotoxigênica. **tropical d.** – d. tropical; ver em *sprue*.

di·ar·thric (di-ahr'thrik) – diarticular; relativo ou que afeta duas articulações diferentes; biarticular.

di·ar·thro·sis (di"ahr-thro'sis) [Gr.] pl. *diarthroses* – diartrose; articulação sinovial.

di·ar·tic·u·lar (-tik'u-ler) – diarticular (*diarthric*).

di·as·chi·sis (di-as'kĭ-sis) – diásquise; perda de função e atividade elétrica em conseqüência de lesões cerebrais em áreas distantes da lesão, mas neuronalmente conectadas a ela.

di·a·scope (di'ah-skōp) – diascópio; placa de vidro ou plástico claro pressionada contra a pele para se observar alterações produzidas na pele subjacente após esvaziamento dos vasos sangüíneos e branqueamento da pele.

di·a·stase (-stās) – diastase; mistura de enzimas que hidrolisam amido a partir do malte; utilizada para converter o amido em açúcares simples.

di·as·ta·sis (di-as'tah-sis) – diástase: 1. deslocamento ou separação de dois ossos normalmente presos entre os quais não existe uma articulação verdadeira. Também, afastamento maior que o normal entre ossos associados como as costelas; 2. período relativamente quiescente de preenchimento ventricular lento durante o ciclo cardíaco, ocorrendo imediatamente antes de uma sístole atrial.

di·a·ste·ma (di"ah-ste'mah) [Gr.] pl. *diastemata* – diastema: 1. espaço ou fenda; 2. intervalo entre dois dentes adjacentes na mesma arcada dentária; 3. zona estreita no plano equatorial através da qual o citossoma divide-se em mitose.

di·a·stem·a·to·cra·nia (-stem"ah-to-kra'ne-ah) – diastematocrania; fissura congênita longitudinal do crânio.

di·a·stem·a·to·my·e·lia (-mi-e'le-ah) – diastematomielia; divisão congênita anormal da medula espinhal por meio de espícula óssea ou faixa fibrosa que se projeta a partir de uma vértebra ou duas sendo cada uma das metades circundada por um saco dural.

di·a·stem·a·to·py·e·lia (-pi-e'le-ah) – diastematopielia; fissura mediana congênita da pelve.

di·as·to·le (di-as'tah-le) – diástole; dilatação ou período de dilatação do coração, especialmente dos ventrículos. **diastol'ic** – adj. diastólico.

di·a·stroph·ic (di"ah-strah'fik) – diastrófico; curvatura ou curvo; diz-se de estruturas (como os ossos) deformadas dessa maneira.

di·atax·ia (-tak'se-ah) – diataxia; ataxia que afeta ambos os lados do corpo. **cerebral d., cerebra'lis infanti'lis** – d. cerebral.; d. cerebral infantil; paralisia atáxica cerebral infantil.

di·a·ther·my (di'ah-therm"e) – diatermia; aquecimento dos tecidos ósseos devido à sua resistência à passagem de radiação eletromagnética de alta freqüência, corrente elétrica ou ondas ultrasônicas. **short wave d.** – d. de onda curta; diatermia por meio de uma corrente de alta freqüência com uma freqüência de 10 milhões a 100 milhões de ciclos por segundo e um comprimento de onda de 3 a 30 metros.

di·ath·e·sis (di-ath'ĭ-sis) – diátese; suscetibilidade ou predisposição constitucionais incomuns a uma doença particular. **diathet'ic** – adj. diatético.

di·a·tom (di-ah'tom) – diatomácea; forma microscópica unicelular de alga que tem uma parede celular de sílica.

di·a·to·ma·ceous (di"ah-to-ma'shis) – diatomáceo; composto de diatomáceas; diz-se do solo composto de esqueletos silicosos de diátomos.

dia·tri·zo·ate (-tri-zo'āt) – diatrizoato; qualquer sal do ácido diatrizóico; utilizado em forma de sais de meglumina e sódico como meios de contraste radiopacos.

di·az·e·pam (di-az'ĕ-pam) – diazepam; tranqüilizante benzodiazepínico utilizado como agente ansiolítico, sedativo, relaxante de músculo esquelético, anticonvulsivante e no tratamento dos sintomas da supressão de álcool.

di·a·zi·quone (AZQ) (di-a'-zĭ -kwŏn") – diaziquona; agente alcilante que atua por meio de ligação cruzada do DNA; utilizada como antineoplásico no tratamento de tumores malignos cerebrais primários.

diazo- – indica o grupo –N=N–.

di·az·o·tize (di-az'o-tīz) – diazotar; introduzir o grupo diazo no interior de um composto.

di·az·ox·ide (di"az-ok'sīd) – diazóxido; anti-hipertensivo estruturalmente relacionado à clorotiazida, mas sem nenhuma propriedade diurética; como inibe a liberação de insulina, também é utilizado oralmente na hipoglicemia decorrente de hiperinsulinismo.

di·ba·sic (di-ba'sik) – dibásico; que contém dois átomos de hidrogênio substituíveis ou fornece dois íons de hidrogênio.

di·ben·zaz·e·pine (di"ben-zaz'ĕ-pēn) – dibenzazepina; qualquer substância de um grupo de drogas estruturalmente relacionadas que incluem os antidepressivos tricíclicos clomipramina, desipramina, imipramina e trimipramina.

di·ben·zox·e·pine (-zok'sĕ-pēn) – dibenzoxepina; qualquer substância de um grupo de drogas estruturalmente relacionadas que incluem o antidepressivo tricíclico doxepina.

di·ben·zo·cy·clo·hep·ta·di·ene (di-ben"zo-si"klo-hep"tah-di'ĕn) – dibenzociclo-heptadieno; qualquer substância de um grupo de drogas estruturalmente relacionadas que incluem os antidepressivos tricíclicos amitriptilina, nortriptilina e protriptilina.

di·both·rio·ceph·a·li·a·sis (di-both"re-o-sef"ah-li'ah-sis) – dibotriocefalíase; difilobotríase; *diphyllobothriasis.*

Di·both·rio·ceph·a·lus (-sef'ah-lus) – *Dibothriocephalus;* dibotriocéfalo; *Diphyllobothrium.*

di·bro·mo·chlo·ro·pro·pane (di-bro"mo-klor"o-pro'pān) – dibromocloropropano; hidrocarboneto carcinogênico incolor e halogenado antigamente utilizado como pesticida, fumigante e nematocida, mas hoje com utilização restrita.

di·bro·mo·dul·ci·tol (-dul'sĭ -tol) – dibromodulcitol; mitolactol (*mitolactol*).

1,2-di·bro·mo·eth·ane (-eth'ān) – 1,2-dibromoetano; dibrometo de etileno.

di·bu·caine (di'bu-kān) – dibucaína; anestésico local utilizado topicamente em forma de base e sal de cloridrato, o último também é utilizado intra-espinhalmente.

di·cen·tric (di-sen'trik) – dicêntrico: 1. relativo a, que se desenvolve de ou com dois centros; 2. que tem dois centrômeros.

o-di·chlo·ro·ben·zene (di-klor"o-ben'zēn) – *o*-diclorobenzeno; solvente, fumigante e inseticida tóxico por meio de ingestão ou inalação.

di·cho·ri·al (di-ko're-il) – dicoriônico.

di·cho·ri·on·ic (di-ko"re-on'ik) – dicoriônico; que tem dois córions distintos; diz-se de gêmeos dizigóticos.

di·chro·ism (di'kro-izm) – dicroísmo; qualidade ou condição de mostrar uma cor em luz refletida e outra em luz transmitida. **dichro'ic** – adj. dicróico.

di·chro·ma·sy (di-kro'mah-se) – dicromasia; visão colorida defeituosa em que um dos três pigmentos cônicos se perdeu. Ver *protanopia* e *deuteranopia.*

di·chro·mate (-māt) – dicromato; sal que contém o radical bivalente Cr_2O_7.

di·chro·mat·ic (di"kro-mat'ik) – dicromático; relativo ou caracterizado por dicromasia.

di·chro·ma·tism (di-kro'mah-tizm) – dicromatismo: 1. qualidade de existir ou exibir duas cores diferentes; 2. dicromasia; ver *dichromasy.*

di·chro·ma·top·sia (di"kro-mah-top'se-ah) – dicromatopsia; dicromasia; ver *dichromasy.*

di·clox·a·cil·lin (di-klok"sah-sil'in) – dicloxacilina; penicilina semi-sintética penicilinase-resistente; utilizada como sal sódico, principalmente no tratamento de infecções causadas por estafilococos que produzem penicilinase.

di·coe·lous (di-se'lus) – dicélico: 1. côncavo em cada um dos dois lados; 2. que tem duas cavidades.

Dic·ro·coe·li·um (dik"ro-sēl'e-um) – *Dicrocoelium;* gênero de trematódeos que inclui a *D. dentriticum* que é encontrado nas passagens biliares humanas.

di·cro·tism (di'krot-izm) – dicrotismo; ocorrência de duas ondas esfigmográficas ou elevações em um batimento do pulso. **dicrot'ic** – adj. dicrótico.

Dic·tyo·cau·lus (dik"te-o-kaw'lus) – *Dictyocaulus;* gênero de parasitas nematódeos da árvore brônquica de eqüinos, ovinos, caprinos, bovinos e veados.

dic·tyo·tene (-o-tēn") – dictióteno; estágio prolongado semelhante à prófase suspensa em que o oócito primário persiste da vida fetal final até ser descarregado do ovário na puberdade ou após esta.

di·cu·ma·rol (di-koo'mah-rol) – dicumarol; anticoagulante dicumarínico que age através da inibição da síntese hepática dos fatores de coagulação vitamina K-dependentes. Constitui o agente etiológico da doença hemorrágica nos animais conhecida como doença do trevo doce (*disease, sweet clover*).

di·cy·clo·mine (-si'klo-mēn) – diciclomina; anticolinérgico utilizado em forma de sal de cloridrato como antiespasmódico gastrointestinal.

di·del·phia (-del'fe-ah) – didelfia; condição de ter um útero duplo.

2',3'-di·de·oxy·aden·o·sine (di"de-ok"se-ah-den'o-sēn) – 2',3'-didesoxiadenosina; didesoxinucleosídeo em que a base é a adenina, utilizado como agente anti-retroviral no tratamento da síndrome da imunodeficiência adquirida.

2',3'-di·de·oxy·cy·ti·dine (-si'tī-dēn) – 2',3'-didesoxicitidina; didesoxinucleosídeo em que a base é a citosina; é um agente anti-retroviral que age através da inibição da transcriptase reversa e é utilizado no tratamento da síndrome da imunodeficiência adquirida.

2',3'-di·de·oxy·in·o·sine (-in'o-sēn) – 2',3'-didesoxinosina; didesoxinucleosídeo em que a base é a hipoxantina; é um agente anti-retroviral que inibe a transcriptase reversa e é utilizado no tratamento da síndrome da imunodeficiência adquirida.

di·de·oxy·nu·cleo·side (-noo'kle-o-sī d) – didesoxinucleosídeo; qualquer substância de um grupo de nucleosídicos sintéticos análogos, alguns dos quais são utilizados como agentes anti-retrovirais.

di·der·mo·ma (di"der-mo'mah) – didermoma; teratoma composto de células e tecidos derivados de duas camadas celulares.

did·y·mal·gia (did"ī -mal'jah) – didimalgia; orquialgia; dor em um testículo.

did·y·mi·tis (-mī t'is) – didimite; orquite; inflamação de um testículo.

did·y·mous (did'ī -mus) – dídimo; que ocorre em pares.

did·y·mus (did'ī -mus) – dídimo: 1. um testículo; 2. algumas vezes, sufixo que designa um feto com duplicação de partes ou um feto que consiste de gêmeos simétricos conjugados.

die (di) – molde; forma usada na confecção de alguma coisa, como a reprodução positiva da forma de um dente preparado em substância dura adequada.

di·e·cious (di-e'shus) – diécio; sexualmente distinto; denota uma espécie em que os genitais masculino e feminino não ocorrem no mesmo indivíduo. Em Botânica, que tem flores estaminadas e pistiladas em plantas separadas.

di·el·drin (di-el'drin) – dieldrina; inseticida clorado; inalação, ingestão ou contato com a pele podem causar intoxicação.

di·en·ceph·a·lon (di"en-sef'ah-lon) – diencéfalo: 1. parte posterior do cérebro anterior, que consiste do hipotálamo, tálamo, metatálamo e epitálamo; subtálamo é freqüentemente reconhecido como uma divisão distinta; 2. a vesícula posterior das duas vesículas cerebrais formadas pela especialização no desenvolvimento embrionário. Ver também *brain stem.*

di·en·es·trol (di"en-es'trol) – dienestrol; estrogênio sintético utilizado no tratamento dos sintomas da menopausa, do sangramento uterino disfuncional, como terapia paliativa em alguns cânceres de mama e da vulvovaginite pós-menopausa e senil, vaginite atrófica e craurose vulvar.

Di·ent·amoe·ba (di-ent"ah-me'bah) – *Dientamoeba;* gênero de amebas comumente encontrado no cólon e apêndice do homem, incluindo a *D. fragilis,* espécie associada à diarréia.

di·er·e·sis (di-er'ah-sis) – diérese: 1. divisão ou separação de partes normalmente unidas; 2. separação cirúrgica de partes.

di·et (di'it) – dieta; quantidade e tipo costumeiros de alimento e bebida consumidos por uma pessoa diariamente; mais estritamente, uma dieta planejada para atender a exigências específicas do indivíduo, incluindo ou excluindo determinados alimentos. **acid-ash d.** – d. de resíduo ácido; dieta de carne, peixes, ovos e cereais com poucas frutas ou verduras e legumes e nenhum queijo ou leite. **alkali-ash d.** – d. de resíduo alcalino; dieta de frutas, verduras e legumes e leite com o mínimo possível de carne, peixes, ovos e cereais. **balanced d.** – d. equilibrada; dieta consistindo de alimentos que forneçam todos os fatores nutritivos em uma proporção apropriada a uma nutrição adequada. **bland d.** – d. branda; dieta sem alimentos irritantes ou estimulantes. **diabetic d.** – d. diabética; dieta prescrita em caso de diabetes melito, geralmente limitada em quantidade de açúcar ou carboidratos facilmente disponíveis.

elimination d. – d. de eliminação; dieta para diagnóstico de alergia alimentar, baseada na omissão seqüencial de alimentos que possam causar os sintomas. **Feingold d.** – d. de Feingold; dieta que evita todos os alimentos que contêm corantes ou aromatizantes artificiais e limita o consumo de frutas e verduras e legumes nos quais os salicilatos ocorrem naturalmente (por exemplo, maçãs, damascos, amoras-pretas, pepinos, uvas, laranjas, pêssegos, ameixas, framboesas, chá e tomates). É utilizada no controle da hiperatividade em crianças. **gouty d.** – d. para a gota; dieta para a mitigação da gota, com restrição de nitrogênio (especialmente de alimentos ricos em purina), bem como substituição dos produtos lácteos e proibição de vinhos e licores. **high calorie d.** – d. hipercalórica; dieta que fornece mais calorias que o necessário para manter o peso, freqüentemente mais de 3.500–4.000 calorias por dia. **high fat d.** – d. hiperlipídica; d. cetogênica. **high fiber d.** – d. rica em fibras; dieta relativamente rica em fibras dietéticas, que reduz o tempo de trânsito intestinal e alivia a constipação. **high protein d.** – d. rica em proteínas; dieta que consiste de grandes quantidades de proteínas, consistindo principalmente de carne, peixes, leite, legumes e nozes. **ketogenic d.** – d. cetogênica; d. hipercalórica; dieta que consiste de grandes quantidades de gorduras e quantidades mínimas de proteínas e carboidratos. **low calorie d.** – d. hipocalórica; dieta que contém menos calorias que o necessário para manter o peso (por exemplo, menos de 1.200 calorias por dia para um adulto). **low fat d.** – d. hipocalórica; dieta que contém quantidades limitadas de gorduras. **low fiber d.** – d. pobre em fibras; dieta pobre em fibras dietéticas, utilizada para descansar o trato gastrointestinal. **low purine d.** – d. pobre em purinas; dieta para a mitigação da gota, omitindo carne vermelha, de aves e peixes e substituindo as proteínas do leite, ovos, queijo e legumes e verduras. **low residue d.** – d. pobre em resíduos; dieta que resulta no menor resíduo fecal possível. **d. low salt d., low sodium d.** – d. hipossódica; d. pobre em sal; dieta quase sem cloreto de sódio, freqüentemente prescrita para estados de hipertensão e edematosos. **protein-sparing d.** – d. escassa em proteínas; dieta que consiste somente de proteínas líquidas ou misturas líquidas de proteínas, vitaminas e minerais, e com mais de 600 calorias, destinada a manter um equilíbrio de nitrogênio favorável. **purine-free d.** – d. sem purinas; ver *low purine d.* **salt-free d.** – d. sem sal; d. pobre em sal. **Sippy d.** – d. de Sippy; dieta para úlcera péptica e afecções que exigem uma dieta uniforme, consistindo inicialmente de leite e creme somente, com adição gradual de outros alimentos, aumentando-se as quantidades até o vigésimo oitavo dia colocando-se o paciente em dieta hospitalar regular.

di·e·tet·ic (di"ah-tet'ik) – dietético; relativo a uma dieta ou alimento apropriado.

di·e·tet·ics (-iks) – dietética; ciência da dieta e nutrição.

di·eth·a·nol·amine (di"eth-ah-nol'ah-mēn) – dietanolamina; etanolamina preparada a partir do óxi-

do de etileno e utilizada como auxílio farmacêutico.

di·eth·yl·car·bam·a·zine (di-eth"il-kahr-bam'ah-zēn) – dietilcarbamazina; agente antifilarial utilizado em forma de sal de citrato.

di·eth·yl·ene·tri·amine pen·ta·ace·tic ac·id (-ēn"tri'ah-mēn pen"tah-ah-se'tik) – ácido dietilenotriamina pentacético (DTPA); ácido pentético.

di·eth·yl·pro·pi·on (-pro'pe-on) – dietilpropiona; adrenérgico estruturalmente relacionado à anfetamina utilizado em forma de sal de cloridrato como anorético.

di·eth·yl·stil·bes·trol (DES) (-stil-bes'trol) – dietilestilbestrol; estrógeno não-esteróide sintético utilizado para avaliar os sintomas vasomotores associados à menopausa, no hipogonadismo feminino, vaginite atrófica, craurose vulvar, castração feminina, insuficiência ovariana primária, no tratamento paliativo do carcinoma de mama feminino e para aliviar os sintomas do carcinoma prostático; é um carcinógeno epigenético e as mulheres que o utilizam no útero ficam expostas a um risco elevado de carcinoma vaginal e cervical.

di·eth·yl·tol·u·am·ide (-tol-u'ah-mī'd) – dietiltoluamida; repelente de artrópodos, aplicado à pele e roupas.

di·eth·yl·tryp·ta·mine (-trip'tah-mēn) – dietiltriptamina (DET); substância alucinógena sintética intimamente relacionada à dimetiltriptamina.

di·e·ti·tian (di"ĕ-tish-in) – dietista; perito no uso da dieta na saúde e na doença.

di·e·to·ther·a·py (di"ah-to-ther'ah-pe) – dietoterapia; regulação da dieta no tratamento de uma doença.

dif·fer·ence (dif'er-ens) – diferença; condição ou magnitude de variação entre duas qualidades ou quantidades. **arteriovenous (AV) oxygen d.** – d. de oxigênio arteriovenoso; a diferença no teor sangüíneo de oxigênio entre os sistemas arterial e venoso.

dif·fer·en·ti·a·tion (dif"er-en"she-a'shun) – diferenciação: 1. distinção de uma coisa de outra; 2. ato ou processo de aquisição de características completamente individuais, como ocorre na diversificação progressiva de células e tecidos embrionários; 3. aumento na heterogeneidade morfológica ou química.

dif·frac·tion (dǐ -frak'shun) – difração; deflexão ou decomposição de um raio de luz em suas partes essenciais.

dif·fu·sate (dǐ -fu'zāt) – difundido; material que se difundiu através de uma membrana.

dif·fuse (dǐ -fūs', dǐ -fūz') – difuso: 1. não definidamente limitado ou localizado; 2. disseminar; passar através de ou disseminar-se amplamente através de um tecido ou substância.

dif·fu·sion (dǐ -fu'zhun) – difusão: 1. processo de tornar-se difuso ou amplamente disseminado; movimento espontâneo de moléculas ou outras partículas em uma solução, devido ao seu movimento térmico aleatório, para atingir uma concentração uniforme em, todo o solvente, constituindo um processo que não requer nenhuma adição de energia ao sistema; 2. diálise. **double d.** – d. dupla; teste de imunodifusão em que tanto o antígeno como o anticorpo difundem-se em uma área comum de forma que, ao interagirem, antígeno e anticorpo combinam-se para formar faixas de precipitado. **gel d.** – d. em gel; teste em que o antígeno e o anticorpo difundem-se em direção recíproca através de um meio de gel para formar um precipitado.

di·flor·a·sone di·ac·e·tate (di-flor'ah-sōn) – diacetato de diflorasona; corticosteróide sintético utilizado topicamente no tratamento de inflamação e prurido em determinadas dermatoses.

di·gas·tric (di-gas'trik) – digástrico: 1. que tem dois ventres; 2. músculo digástrico; biventral.

di·ge·net·ic (di"jah-net'ik) – digenético; que tem dois estágios de multiplicação: um sexuado nas formas adultas e outro assexuado nos estágios larvais.

di·ges·tion (di-jes'chun) – digestão: 1. ato ou processo de conversão do alimento em substâncias químicas que podem ser absorvidas e assimiladas; 2. sujeição de uma substância a calor e umidade prolongados, para desintegrá-la e amolecê-la. **diges'tive** – adj. digestivo. **artificial d.** – d. artificial; digestão realizada fora do corpo. **gastric d.** – d. gástrica; digestão através da ação do suco gástrico. **gastrointestinal d.** – d. gastrointestinal; ambas as digestões, gástrica e intestinal. **intestinal d.** – d. intestinal; digestão através da ação dos sucos intestinais. **pancreatic d.** – d. pancreática; digestão através da ação do suco pancreático. **peptic d.** – d. péptica; d. gástrica. **primary d.** – d. primária; d. gastrointestinal. **salivary d.** – d. salivar; alteração do amido em maltose pela saliva.

dig·it (dij'it) – dígito; dedo ou artelho. **dig'ital** – adj. digital.

Dig·i·tal·is (dij"ĭ-tal'is) – Digitalis; digital; dedaleira; gênero de ervas; a D. lanata (espécie balcânica) produz digoxina e lanatosida, e as folhas da D. purpurea (dedaleira) fornecem os digitais.

dig·i·tal·is (dij"ĭ-tal'is) – digital: 1. folha dessecada da Digitalis purpurea; utilizado como agente cardiotônico; 2. glicosídeos digitais ou glicosídeos cardíacos, coletivamente.

dig·i·tal·iza·tion (dij"ĭ-tal-ĭ-za'shun) – digitalização; administração de digitais ou um de seus glicosídeos em esquema de dosagem projetado para produzir e depois manter concentrações terapêuticas ideais de seus glicosídeos cardiotônicos.

dig·i·tate (dij'ĭ-tāt) – digitado; que tem ramos semelhantes a dedos.

dig·i·ta·tion (dij"ĭ-ta'shun) – digitação: 1. processo semelhante a um dedo; 2. criação cirúrgica de um dedo funcional através da formação de uma fenda entre dois ossos metacárpicos adjacentes, após a amputação de alguns ou todos os dedos.

dig·i·ti·grade (dij'ĭ-tĭ-grād") – digitígrado; caracterizado por andar ou correr sobre os artelhos; aplicado àqueles animais cujos dedos só tocam o chão, elevando a parte dorsal do pé como os eqüinos e bovinos.

dig·i·to·nin (dij"ĭ-to-nin) – digitonina; saponina proveniente da Digitalis purpurea sem nenhuma atividade cardiotônica; utilizada como reagente para precipitar o colesterol.

di·gi·toxi·ge·nin (-tok"sĭ-je'nin) – digitoxigenina; núcleo esteróide que constitui a aglicona de digitoxina.

dig·i·tox·in (-tok'sin) – digitoxina; glicosídeo cardiotônico proveniente da Digitalis purpurea e outras espécies de Digitalis; utilizada de forma semelhante ao digitálico.

dig·i·tus (dij'ĭ-tus) [L.] pl. digiti – dígito; dáctilo; dedo.

di·glyc·er·ide (di-glis'er-ī d) – diglicerídeo; diacilglicerol (diacylglycerol).

di·goxi·ge·nin (dĭ -jok"sĭ-je'nin) – digoxigenina; núcleo esteróide que constitui a aglicona da digoxina.

di·gox·in (dĭ -jok'sin) – digoxina; glicosídeo cardiotônico proveniente das folhas da Digitalis lanata; utilizada de modo semelhante ao digitálico.

di·hy·dric (di-hi'drik) – diídrico; que tem dois átomos de hidrogênio em cada molécula.

di·hy·dro·co·deine (di-hi"dro-ko'dēn) – diidrocodeína; analgésico narcótico e antitussígeno.

di·hy·dro·er·got·amine (-er-got'ah-mēn) – diidroergotamina; antiadrenérgico produzido pela hidrogenação catalítica da ergotamina; utilizado em forma de mesilato como vasoconstritor no tratamento da enxaqueca.

di·hy·dro·fo·late (-fo'lāt) – diidrofolato (DHF); éster ou a forma dissociada do ácido diidrofólico.

di·hy·dro·fol·ic ac·id (-fo'lik) – ácido diidrofólico; um dos ácidos fólicos em que a estrutura bicíclica da pteridina se encontra na forma diídrica, parcialmente reduzida; é intermediário do metabolismo do folato.

di·hy·dro·py·rim·i·dine de·hy·dro·gen·ase (NADP) (-pī -rim'ĭ -dēn de-hi'dro-jen-ās) – diidropirimidina-desidrogenase; enzima que catalisa uma fase no catabolismo das pirimidinas, a deficiência resulta em níveis elevados de pirimidinas plasmáticas, urinárias e cerebroespinhais, e ainda disfunção cerebral em crianças e hipersensibilidade ao 5-fluorouracil em adultos.

di·hy·dro·tach·ys·te·rol (-tak-is'ter-ol) – diidrotaquisterol; um análogo do ergocalciferol que eleva os níveis séricos de cálcio; utilizado no tratamento da tetania hipocalcêmica, hipoparatireoidismo, hipofosfatemia familiar e osteodistrofia renal.

di·hy·dro·tes·tos·ter·one (-tes-tos'ter-ōn) – diidrotestosterona; hormônio androgênico formado no tecido periférico através da ação da 5-α-redutase na testosterona; considerado o androgênio responsável pela virilização somática durante a embriogênese, pelo desenvolvimento das características secundárias masculinas na puberdade e pela função sexual masculina adulta.

di·hy·droxy (di"hi-drok'se) – diidroxi; molécula que contém duas moléculas do radical hidroxi (OH); também utilizado como prefixo (hidroxi-) para denotar esse composto.

di·hy·droxy·ac·e·tone (-di-hi"drok"se-as'ĕ-tōn) – diidroxiacetona; a cetose mais simples, a triose; é um isômero do gliceraldeído. O fosfato de d. é um intermediário na glicólise, no transporte do fosfato de glicerol na biossíntese dos carboidratos e lipídeos.

di·hy·droxy·alu·mi·num (-ah-loo'min-um) – diidroxialumínio; um composto alumínico que tem dois grupos hidroxila em uma molécula; disponível como *aminoacetato de d.* e *carbonato sódico de d.*, que são utilizados como antiácidos.

di·hy·droxy·cho·le·cal·cif·e·rol (-ko"lē-kal-sif'-er-ol) – diidroxicolecalciferol; grupo de metabólitos ativos do colecalciferol (vitamina D₃). O 1,25-diidroxicolecalciferol (1,25-diidroxivitamina D₃ ou calcitriol) aumenta a absorção intestinal de cálcio e fosfato, potencializa a reabsorção óssea e impede o raquitismo, e, devido a essas atividades em locais distantes do sítio de sua síntese, é considerado um hormônio.

1,25-di·hy·droxy·vi·ta·min D (-vi'tah-min) – 1,25-diidroxivitamina D; 1,25-diidroxicolecalciferol, o derivado diidroxídico correspondente do ergocalciferol ou ambos.

di·hy·droxy·vi·ta·min D₃ (-vi'tah-min) – diidroxivitamina D₃; ver *dihydroxycholecalciferol.*

di·io·do·ty·ro·sine (di"i-o"do-ti'ro-sēn) – diiodotirosina; um precursor que contém iodo orgânico da tiroxina, liberado da tireoglobulina por hidrólise.

di·iso·cy·anate (di-i"so-si'ah-nāt) – diisocianato; qualquer substância de um grupo de compostos que contêm dois grupos isocianáticos (–NCO), utilizados na manufatura de plásticos e elastômeros; podem causar sensibilização e constituem irritantes oculares e do sistema respiratório.

dik·ty·o·ma (dik"te-o'mah) – dictioma; meduloepitelioma do epitélio que reveste a lâmina basal do corpo ciliar.

di·lac·er·a·tion (di-las"er-a'shun) – dilaceração; uma laceração como a de uma catarata. Em Odontologia, angulação ou curva anormais na raiz da coroa de um dente formado.

Di·lan·tin (di-lan-tin) – Dilantin, marca registrada da fenitoína.

dil·a·ta·tion (dil"ah-ta'shun) – dilatação: 1. a condição (como de um orifício ou estrutura tubular) de ser dilatada ou esticada além das dimensões normais; 2. o ato de dilatar ou alongar. **d. of the heart** – d. cardíaca; aumento de volume compensatório das cavidades cardíacas com afinamento de suas paredes.

di·la·tion (di-la'shun) – dilatação: 1. ato de dilatar ou alongar; 2. aumento de volume.

di·la·tor (di-lāt'er) – dilatador; estrutura (músculo) que se dilata ou instrumento utilizado para dilatar.

dil·u·ent (dil-oo-int) – diluente: 1. que dilui; 2. agente que dilui ou torna menos potente ou irritante.

di·lu·tion (di-loo'shun) – diluição: 1. redução da concentração de uma substância ativa por meio de mistura de um agente neutro; 2. substância que sofreu diluição. **serial d.** – d. seriada: 1. diluição progressiva de uma substância em uma série de tubos em proporções predeterminadas; 2. método de obtenção de cultura bacteriana pura por meio de transferência rápida de pequena quantidade excedente de material de um meio nutritivo para o meio seguinte de mesmo volume.

di·men·hy·dri·nate (di"men-hi'drī-nāt) – dimenidrinato; anti-histamínico utilizado como antiemético no tratamento do enjôo de viagem.

di·mer (di'mer) – dímero: 1. composto formado pela combinação de duas moléculas idênticas; 2. capsômero com duas subunidades estruturais.

di·mer·cap·rol (di"mer-kap'rol) – dimercaprol; agente que forma complexos metálicos utilizado como antídoto para o envenenamento com arsênico, ouro, mercúrio e algumas vezes, outros metais.

Di·me·tane (di-mah-tān) – Dimetane, marca registrada de preparações de bromofeniramina.

di·meth·i·cone (di-meth'ī-kōn) – dimeticona: 1. óleo de silicone utilizado como protetor cutâneo; disponível como pomada, spray e creme; 2. simeticona.

di·me·thin·dene (di"mě-thin'dēn) – dimetindeno; anti-histamínico utilizado como sal de maleato.

di·me·thi·so·quin (di"mě-thi'so-kwin) – dimetisoquina; anestésico local; utiliza-se o sal de cloridrato topicamente para aliviar a dor, prurido e queimaduras cutâneas.

di·meth·yl sulf·ox·ide (di-meth'il sul-fok'sīd) – sulfóxido de dimetila (DMSO); sulfóxido de metila; solvente poderoso com capacidade de penetrar em tecidos vegetais e animais e preservar células vivas durante o congelamento; é proposto como analgésico e agente antiinflamatório tópicos e para aumentar a penetrabilidade de outras substâncias.

di·meth·yl·tryp·ta·mine (di-meth"il-trip'tah-mēn) – dimetiltriptamina (DMT); substância alucinógena derivada da planta *Prestonia amazonica.*

di·mor·phism (di-mor'fizm) – dimorfismo; qualidade de existir em duas formas distintas. **dimor'phic, dimor'phous** – adj. dimórfico. **sexual d.** – d. sexual: 1. diferenças físicas ou comportamentais associadas ao sexo; 2. que tem algumas propriedades de ambos os sexos como no caso do embrião inicial e em alguns hermafroditas.

di·ni·tro-o-cre·sol (di-ni"tro-kre'sol) – dinitro-*o*-cresol (DNOC); pesticida altamente tóxico que afeta o sistema nervoso central e os processos metabólicos que produzem energia; aumenta-se a taxa metabólica e pode ocorrer uma hiperpirexia fatal.

di·ni·tro·tolu·ene (-tol'u-ēn) – dinitrotolueno; qualquer substância de três isômeros altamente tóxicos e possivelmente carcinogênicos utilizados na síntese orgânica e fabricação de corantes e explosivos.

di·no·flag·el·late (di"no-flaj'ě-lāt) – dinoflagelado: 1. relativo ou da ordem Dinoflagellida; 2. qualquer indivíduo da ordem Dinoflagellida.

Di·no·fla·gel·li·da (-flah-jel'ī-dah) – Dinoflagellida; ordem de protozoários diminutos e semelhantes a vegetais e predominantemente marinhos, que constituem um componente importante do plâncton. Podem se encontrar presentes na água marinha em números tão vastos que causam descoloração (maré vermelha), que pode resultar na morte de animais marinhos (incluindo os peixes) através da exaustão do seu suprimento de oxigênio. Algumas espécies secretam neurotoxina poderosa que pode causar reação tóxica severa no homem ao ingerir mariscos que se alimentaram de organismos produtores de toxinas; dinoflagelado.

di·nu·cleo·tide (di-nōōk'le-o-tīd) – dinucleotídeo; um dos produtos da clivagem na qual se pode dividir um polinucleotídeo, por sua vez composto de dois mononucleotídeos.

Di·oc·to·phy·ma (di-ok"to-fi'mah) – *Dioctophyma;* gênero de nematódeos que inclui a *D. renale* (verme-renal), encontrada nos cães, bovinos, eqüinos e outros animais e raramente no homem; é altamente destrutivo para o tecido renal; dioctofima.

di·oc·tyl cal·ci·um sul·fo·suc·ci·nate (di-ok'til kal'se-um sul"fo-suk'sin-āt) – sulfossuccinato cálcico de dioctila; docussato cálcico.

di·oc·tyl so·di·um sul·fo·suc·ci·nate (di-ok'til so'de-um sul"fo-suk'sin-āt) – sulfossuccinato sódico de dioctila; docussato sódico.

di·ol·amine (di-ol'ah-mēn) – diolamina; contração da USAN para a dietanolamina.

di·op·ter (di-op'ter) – dioptria; unidade do poder refratário das lentes, constituindo a recíproca do comprimento focal expresso em metros; símbolo **D. prism d.** – d. do prisma; unidade de desvio prismático, consistindo na deflexão de 1 cm a uma distância de 1 m; símbolo Δ.

di·op·tom·e·try (di-op-tom'ĭ -tre) – dioptometria; medição da acomodação e refração oculares.

di·op·tric (di-op'trik) – dióptrico; relativo à refração ou à luz transmitida e refratada; refratante.

di·ov·u·la·to·ry (-ov'u-lah-to"re) – diovulatório; que normalmente libera dois óvulos em um ciclo ovariano.

di·ox·ide (-ok'sĭ d) – dióxido; óxido com dois átomos de oxigênio.

di·ox·in (-ok'sin) – dioxina; um dos hidrocarbonetos heterocíclicos presentes como contaminantes vestigiais nos herbicidas, sendo muitos deles oncogênicos e teratogênicos.

di·oxy·ben·zone (-ok"sĭ -ben'zōn) – dioxibenzona; agente filtrador solar tópico ($C_{14}H_{12}O_4$).

di·oxy·line (-ok'sĭ -lēn) – dioxilina; vasodilatador coronário e periférico, utilizado como sal de fosfato.

di·pep·ti·dase (-pep'tĭ -dās) – dipeptidase; qualquer substância de um grupo de enzimas que catalisam a hidrólise da ligação peptídica em um dipeptídeo.

di·per·o·don (-per'ah-don) – diperodon; anestésico e analgésico de superfície, utilizado tópica ou intra-retalmente na forma de base ou sal de cloridrato.

Di·pet·a·lo·ne·ma (-pet"ah-lo-pe'mah) – *Dipetalonema;* gênero de parasitas nematódeos (superfamília Filarioidea), que inclui as espécies *D. perstans* e *D. streptocerca,* primariamente parasitárias do homem, servindo os primatas como hospedeiros-reservatório.

di·pha·sic (-fa'zik) – difásico; que tem duas fases.

di·phe·ma·nil (-fe'mah-nil) – difemanil; um anticolinérgico utilizado como sal de metilsulfato para tratar úlcera péptica, hiperacidez gástrica, hipermotilidade na gastrite e pilorospasmo e hiperidrose.

di·phen·hy·dra·mine (di"fen-hi'drah-mēn) – difenidramina; anti-histamínico utilizado como sal de cloridrato ou pamoato no tratamento de sintomas alérgicos e pelos efeitos sedativos, antieméticos, antitussígenos, anestésicos locais e anticolinérgicos.

di·phen·i·dol (di-fen'ĭ -dōl) – difenidol; antiemético utilizado como base ou sal de cloridrato ou pamoato no tratamento da vertigem e para controlar náuseas e vômito.

di·phen·ox·y·late (di"fen-ok'sĭ -lāt) – difenoxilato; antiperistáltico derivado da meperidina; utiliza-se o sal de cloridrato como antidiarréico.

di·phen·yl·amine chlor·ar·sine (di-fen'il-ah-mēn" klor"ahr'sēn) – difenilamina-clorarsina (DM); composto irritante tóxico utilizado como gás de guerra e com o gás lacrimogêneo no controle de tumultos, bem como em algumas soluções de preservação de madeira.

di·phen·yl·pyr·a·line (-fen"il-pēr'ah-lēn) – difenilpiralina; um antagonista de receptor H_1 com efeitos anticolinérgicos e sedativos; utilizado em forma de sal de cloridrato como anti-histamínico.

di·phos·pha·ti·dyl·glyc·er·ol (di"fos-fah-ti"dil-glis'er-ol) – difosfatidilglicerol; glicerol ligado a duas moléculas de ácido fosfatídico; o 1,3-difosfatidilglicerol é uma cardiolipina.

di·phos·pho·nate (di-fos'fŏ-nāt) – difosfonato; sal, éster ou ânion de um dímero do ácido fosfônico, estruturalmente semelhante ao pirofosfato, porém mais estável. **methylene d. (MDP)** – d. de metileno; um composto fosfonato em que o substituinte central é um grupo metileno; utilizado na varredura óssea.

diph·the·ria (dif-thēr'e-ah) – difteria; doença infecciosa aguda, causada pela *Corynebacterium diphtheriae* e sua toxina, afetando as membranas do nariz, garganta ou laringe e caracterizada pela formação de uma pseudomembrana cinza-esbranquiçada, com febre, dor e, na forma laríngea, afonia e obstrução respiratória. A toxina também pode causar miocardite e neurite. **diphthe'rial, diphther'ic, diphtherit'ic** – adj. diftérico.

diph·the·roid (dif'ther-oid) – difteróide: 1. semelhante à difteria ou ao bacilo de difteria; 2. qualquer membro do gênero *Corynebacterium* além da espécie *C. diphtheriae;* 3. pseudodifteria.

di·phyl·lo·both·ri·a·sis (di-fil"o-both-ri'ah-sis) – difilobotríase; difilobotriose; infecção pelo *Diphyllobothrium.*

Di·phyl·lo·both·ri·um (-both're-um) – *Diphyllobothrium;* difilobótrio; gênero de grandes cestódeos, que inclui a *D. latum* (grande cestódeo ou cestódeo dos peixes), encontrada no intestino do homem, gatos, cães e outros mamíferos que comem peixes; seu primeiro hospedeiro intermediário é um crustáceo e o segundo um peixe, sendo a infecção no homem adquirida pela ingestão de peixe inadequadamente cozido.

di·phy·odont (dif'e-o-dont") – difiodonte; que tem duas dentições, uma decídua e uma permanente.

dip·la·cu·sis (dip"lah-koo'sis) – diplacusia; percepção de um estímulo auditivo único como dois sons separados. **binaural d.** – d. biauricular; percepção diferente pelos dois ouvidos de um estímulo auditivo único. **disharmonic d.** – d. desarmônica; diplacusia biauricular em que se ouve um timbre puro de modo diferente nos dois ouvidos. **echo d.** – d. ecóica; diplacusia biauricular em que se ouve um som de duração breve em momentos diferentes nos dois ouvidos. **monaural d.** – d. monoauricular; diplacusia em que se ouve um timbre puro no mesmo ouvido como um timbre dividido em duas freqüências.

di·ple·gia (di-ple'je-ah) – diplegia; paralisia de partes semelhantes em cada lado do corpo. **diple'gic** – adj. diplégico.

dip·lo·ba·cil·lus (dip"lo-bah-sil"us) pl. *diplobacilli* – diplobacilo; pequeno organismo em forma de bastonete que ocorre em pares.

dip·lo·blas·tic (-blas'tik) – diploblástico; que tem duas camadas germinativas.

Dip·lo·coc·cus (-kok'us) – *Diplococcus;* antigo nome para um gênero de bactérias (família Streptococceae), cujas espécies foram atribuídas a outros gêneros. **D. pneumo'niae** – *D. pneumoniae; Streptococcus pneumoniae.*

dip·lo·coc·cus (-kok'us) pl. *diplococci* – diplococo: 1. qualquer das bactérias esféricas, lanceoladas ou em forma de grão de café que ocorrem geralmente em pares como resultado de uma separação incompleta após divisão celular em um plano único; 2. organismo do gênero *Diplococcus.*

dip·loë (dip'lo-e) – díploe; camada esponjosa entre as camadas compactas interna e externa dos ossos achatados do crânio. **diploet'ic, diplo'ic** adj. diplóico.

dip·loid (dip'loid) – diplóide: 1. que tem dois grupos de cromossomas, como se encontram normalmente nas células somáticas; no homem, o número diplóide é 46; 2. indivíduo ou célula que tem dois grupos completos de cromossomas homólogos.

dip·lo·my·e·lia (dip"lo-mi-e'le-ah) – diplomielia; fissura longitudinal e aparentemente dupla da medula espinhal.

di·plo·pia (dĭ-plo'pe-ah) – diplopia; percepção de duas imagens de um único objeto. **binocular d.** – d. binocular; visão dupla em que as imagens de um objeto se formam em pontos não-correspondentes das retinas. **crossed d.** – d. cruzada; diplopia em que a imagem pertencente ao olho direito desloca-se para a esquerda da imagem pertencente ao olho esquerdo. **direct d.** – d. direta; diplopia em que a imagem pertencente ao olho direito aparece à direita da imagem pertencente ao olho esquerdo. **heteronymous d.** – d. heterônima; d. cruzada. **homonymous d.** – d. homônima; d. direta. **horizontal d.** – d. horizontal; diplopia em que as imagens se situam no mesmo plano horizontal, sendo diretas ou cruzadas. **monocular d.** – d. monocular; percepção por um olho de duas imagens de um único objeto. **paradoxical d.** – d. paradoxal; d. cruzada. **torsional d.** – d. torcional; diplopia em que o pólo superior do eixo vertical de uma imagem inclina-se em direção ou para fora da outra. **vertical d.** – d. vertical; diplopia em que uma imagem aparece acima da outra no mesmo plano vertical.

dip·lo·some (dip'lo-sōm) – diplossoma; par de centríolos de uma célula de mamífero.

dip·lo·tene (-tēn) – diplóteno; estágio da primeira prófase meiótica, após o paquíteno, em que os dois cromossomas em cada bivalente começam a repelir-se mutuamente e ocorre uma divisão entre os cromossomas.

di·pole (di'pōl) – dipólo: 1. molécula que tem cargas de sinal equivalente e oposto; 2. um par de cargas elétricas ou pólos magnéticos separados por uma curta distância.

dip·se·sis (dip-se'sis) – dipsese; dipsose; sede excessiva. **dipset'ic** – adj. dipsético.

dip·sia (dip'se-ah) – dipsia; sede; freqüentemente utilizado como sufixo para denotar sede ou estado fisiológico que leva à ingestão de fluidos.

dip·so·gen (-sah-jen) – dipsógeno; agente ou medida que causa sede e promove a ingestão de fluidos. **dipsogen'ic** – adj. dipsogênico.

dip·so·sis (dip-so'sis) – dipsose; dipsese; sede excessiva.

Dip·tera (dip'ter-ah) – Diptera; ordem de insetos, que inclui moscas, mosquitos-pólvora ou maruim e mosquitos comuns; dípteros.

dip·ter·ous (-us) – díptérico: 1. que tem duas asas; 2. relativo aos insetos da ordem Diptera.

Dip·y·lid·i·um (dip"ĭ-lid'e-um) – *Dipylidium;* gênero de cestódeos. A *D. caninum* (dipilídeo canino, tênia) é parasita de cães e gatos sendo ocasionalmente encontrada no homem; dipilídio.

di·py·rid·a·mole (di"pĭ-rid'ah-mōl) – dipiridamol; vasodilatador coronário utilizado como inibidor da fosfodiesterase.

di·rec·tor (dĭ-rek'ter) – diretor; instrumento sulcado para guiar um instrumento cirúrgico.

Di·ro·fi·lar·ia (di"ro-fĭ-la're-ah) – *Dirofilaria;* gênero de nematódeos filariais (superfamília Filarioidea), que inclui a *D. immitis* (verme do coração), encontrada no ventrículo direito e nas veias do cão, lobo e raposa; dirofilária.

di·ro·fil·a·ri·a·sis (-fil"ah-ri'ah-sis) – dirofilaríase; infecção por microrganismos do gênero *Dirofilaria.*

dis- – elemento de palavra [L.], *reversão* ou *separação* [Gr.], *duplicação.*

dis·a·bil·i·ty (dis"ah-bil'it-e) – incapacidade: 1. incapacidade de funcionar normal, física ou mentalmente; 2. qualquer coisa que cause incapacidade; 3. como definido pelo governo federal norte-americano: "incapacidade de dedicar-se a qualquer atividade de renda substancial por razões de alguma deficiência física ou mental clinicamente determinável com expectativa de duração ou que venha perseverando por um período contínuo não-inferior a 12 meses". **developmental d.** – i. de desenvolvimento; condição desvantajosa substancial de duração indefinida, com início antes da idade de 18 anos, como o retardamento mental, autismo, paralisia cerebral, epilepsia ou outra neuropatia.

di·sac·cha·ri·dase (di-sak'ah-rĭ-dās") – dissacaridase; enzima que catalisa a hidrólise dos dissacarídeos.

di·sac·cha·ride (di-sak'ah-rĭ d) – dissacarídeo; biosídeo; substância de uma classe de açúcares que produz dois monossacarídeos na hidrólise.

dis·ar·tic·u·la·tion (dis"ar-tik"u-la'shun) – desarticulação; amputação ou separação em uma articulação.

disc (disk) – disco (*disk*).

dis·charge (dis'charj) – descarga: 1. liberar ou liberação; 2. matéria ou força liberadas; 3. excreção ou substância evacuada; 4. liberação (alta) de um hospital ou de outro tratamento médico; 5. passagem de um potencial de ação através de um neurônio, axônio ou fibras musculares. **myokymic d.** – d. mioquímica; padrões de descargas agrupadas ou repetitivas de potenciais de ação da unidade motora, algumas vezes observados na mioquimia. **myotonic d.** – d. miotônica; descargas repetitivas de alta freqüência observadas na miotonia e disparadas pela inserção de um eletrodo de agulha, pela percussão de um músculo ou estimulação de um músculo ou seu nervo motor. **periodic lateralized epileptiform d. (PLED)** – d. epileptiforme lateralizada periódica; padrão de ondas paroxísticas repetitivas, lentas ou definidas, observado em um eletroencefalograma em um lado do cérebro.

dis·cis·sion (dĭ -sish'un) – discissão; incisão ou corte interno, como o de uma catarata mole.

dis·cli·na·tion (dis"klin-a'shun) – concussão; extorsão.

dis·co·blas·tu·la (dis"ko-blas'tŭl-ah) – discoblástula; blástula especializada formada pela clivagem de um óvulo telolécito fertilizado, que consiste de um capuz celular (blastoderma separado pela blastocele do assoalho de vitelo não-clivado.

dis·co·gen·ic (-jen'ik) – discogênico; causado por distúrbio de um disco intervertebral.

dis·coid (dis'koid) – discóide: 1. em forma de disco; 2. instrumento dentário com uma lâmina semelhante a um disco ou circular; 3. um escavador dentário em forma de disco para remover a dentina cariada de um dente deteriorado.

dis·cop·a·thy (dis-kop'ah-the) – discopatia; qualquer doença de um disco intervertebral.

dis·co·pla·cen·ta (dis"ko-plah-sen'tah) – discoplacenta; placenta discóide.

dis·cor·dance (dis-kord'ans) – discordância; ocorrência de determinada característica em apenas um indivíduo de um par de gêmeos. **discor'dant** – adj. discordante.

dis·crete (dis-krēt') – separado; distinto; constituído de partes separadas ou caracterizado por lesões que não se misturaram.

dis·cus (dis'kus) [L.] pl. *disci* – disco. **d. oo'phorus, d. ovi'gerus, d. proli'gerus** – disco ovígero; disco prolígero; cúmulo oóforo.

dis·cu·ti·ent (dis-ku'shent) – resolutivo; discussivo; que dispersa ou causa desaparecimento; remédio que age dessa forma.

dis·ease (dĭ -zēz') – doença; qualquer desvio ou interrupção da estrutura ou função normal de qualquer parte, órgão ou sistema do organismo, que se manifesta por um conjunto característico de sintomas e sinais e cuja etiologia, patologia e prognóstico podem ser conhecidos ou desconhecidos. **Addison's d.** – d. de Addison; anemia de Addison ou maligna; anemia perniciosa; pigmentação semelhante ao bronzeado da pele, prostração severa, anemia progressiva, pressão sangüínea baixa, diarréia e distúrbio digestivo decorrentes de hipofunção adrenal. **Albers-Schönberg d.** – d. de Albers-Schönberg; osteopetrose; doença do osso marmóreo. **allogeneic d.** – d. alogênica; reação do enxerto *versus* hospedeiro que ocorre em animais imunossuprimidos que receberam injeções de linfócitos alogênicos. **Alpers' d.** – d. de Alpers; doença infantil rara caracterizada por deterioração neuronal do córtex cerebral e de outros lugares, deterioração mental progressiva, distúrbios motores, convulsões e quase morte. **alpha chain d.** – d. de cadeia alfa; doença de

cadeia pesada caracterizada por infiltração – plasmocitária da lâmina própria do intestino delgado resultando em má-absorção com diarréia, dor abdominal e perda de peso, possivelmente acompanhada de envolvimento pulmonar. **Alzheimer's d.** – d. de Alzheimer; demência de Alzheimer; doença degenerativa progressiva do cérebro de causa desconhecida e caracterizada por atrofia difusa no córtex cerebral. **Andersen's d.** – d. de Andersen; doença do armazenamento de glicogênio tipo IV. **apatite deposition d.** – d. de deposição de apatita; distúrbio do tecido conjuntivo marcado pela deposição de cristais de hidroxiapatita em uma ou mais articulações ou bursas. **Apert-Crouzon d.** – d. de Apert-Crouzon; acrocefalossindactilia Tipo I. **Aran-Duchenne d.** – d. de Aran-Duchenne; atrofia muscular espinhal. **arteriosclerotic cardiovascular d. (ASCVD)** – d. cardiovascular arterioesclerótica; envolvimento ateroesclerótico das artérias para o coração e outros órgãos, resultando em debilidade ou morte; algumas vezes utilizado especificamente para cardiopatia isquêmica. **arteriosclerotic heart d. (ASHD)** – cardiopatia arterioesclerótica; cardiopatia isquêmica. **auto-imune d.** – d. auto-imune; qualquer doença de um grupo de doenças em que as lesões teciduais associam-se às respostas humorais ou mediadas por células aos próprios constituintes corporais; pode ser sistêmica ou órgão-específica. **Ayerza's d.** – d. de Ayerza; forma de policitemia verdadeira caracterizada por cianose acentuada, dispnéia crônica, bronquite crônica, bronquiectasia, hepatoesplenomegalia e hiperplasia da medula óssea e associada a esclerose da artéria pulmonar. **Bang's d.** – d. de Bang; aborto bovino infeccioso. **Banti's d.** – d. de Banti; esplenomegalia congestiva; originalmente, uma doença primária do baço com esplenomegalia e pancitopenia, atualmente considerada secundária a uma hipertensão porta. **Barlow's d.** – d. de Barlow; escorbuto em bebês. **Barraquer's d.** – d. de Barraquer; lipodistrofia parcial. **Basedow's d.** – d. de Basedow; d. de Graves. **Batten d., Batten-Mayou d.** – d. de Batten; d. de Batten-Mayou; d. de Vogt-Spielmeyer. **Bayle's d.** – d. de Bayle; paresia geral. **Bazin's d.** – d. de Bazin; eritema indurado. **Behçet's d.** – d. de Behçet; ver em *syndrome*. **Bekhterev's d.** – d. de Bekhterev; espondilite ancilosante. **Benson's d.** – d. de Benson; hialose asteróide. **Berger's d.** – d. de Berger; glomerulonefrite por IgA. **Bernard-Soulier d.** – d. de Bernard-Soulier; distúrbio de coagulação hereditário caracterizado por trombocitopenia suave, plaquetas gigantes e morfologicamente anormais, tendência hemorrágica, tempo de sangramento prolongado e púrpura. **Bernhardt's d., Bernhardt-Roth d.** – d. de Bernhardt; d. de Bernhardt-Roth; meralgia parestésica. **Besnier-Boeck d.** – d. de Besnier-Boeck; sarcoidose. **Best's d.** – d. de Best; degeneração macular congênita. **Bielschowsky-Jansky d.** – d. de Bielschowsky-Jansky; d. de Jansky-Bielschowsky. **Binswanger's d.** – d. de Binswanger; demência degenerativa de início pré-senil causada por desmielinização da substância branca subcortical do cérebro. **black d.** – d. negra; doença fatal dos ovinos, e algumas vezes do homem, nos Estados Unidos e na Austrália e devida à *Clostridium novyi*, marcada por áreas necrosadas no fígado. **Blocq's d.** – d. de Blocq; astasia-abasia. **Blount d.** – d. de Blount; tíbia desviada. **Boeck's d.** – d. de Boeck; sarcoidose. **Borna d.** – d. de Borna; encefalite enzoótica fatal de origem viral que afeta os eqüinos, bovinos e ovinos. **Bornholm d.** – d. de Bornholm; pleurodinia epidêmica. **Bowen's d.** – d. de Bowen; carcinoma de célula escamosa local, freqüentemente devido à exposição prolongada ao arsênico; geralmente ocorre em áreas da pele expostas ao sol. A lesão correspondente na glande peniana é denominada eritroplasia de Queyrat. **Brill's d.** – d. de Brill; d. de Brill-Zinsser. **Brill-Symmers d.** – d. de Brill-Symmers; linfoma folicular gigante. **Brill-Zinsser d.** – d. de Brill-Zinsser; tifo recrudescente epidêmico que ocorre anos após a infecção inicial em que a *Rickettsia prowazekii* persiste no tecido corporal em estado inativo tendo o homem como reservatório. **broad beta d.** – disbetalipoproteinemia familiar ampla; assim chamada devido à mobilidade eletroforética dos quilomícrons anormais e aos resíduos lipoprotéicos produzidos de densidade muito baixa. **Busse-Buschke d.** – d. de Buschke; criptococose. **Caffey's d.** – d. de Caffey; hiperostose cortical infantil. **caisson d.** – d. do caixão; d. da descompressão. **calcium hydroxyapatite deposition d.** – d. de deposição de hidroxiapatita cálcica; d. de deposição de apatita. **calcium pyrophosphate deposition d. (CPDD)** – d. de deposição de pirofosfato de cálcio; artropatia inflamatória aguda ou crônica causada por deposição de cristais de pirofosfato diidratado de cálcio nas articulações, por condrocalcinose e cristais no fluido sinovial. Os ataques agudos são algumas vezes chamados de pseudogota (*pseudogout*). **Calvé-Perthes d.** – d. de Calvé-Perthes; osteocondrose da epífise capitular do fêmur. **Camurati-Engelman d.** – d. de Camurati-Engelmann; displasia diafisária. **Canavan's d., Canavan-van Bogaert-Bertrand d.** – d. de Canavan; d. de Canavan-van Bogaert-Bertrand; degeneração esponjosa do sistema nervoso central. **canine parvovirus d.** – d. canina por parvovírus; gastroenterite aguda e freqüentemente fatal dos cães devida ao parvovírus. **Carrión's d.** – d. de Carrión; bartonelose. **cat-scratch d.** – d. da arranhadura do gato; doença autolimitada e geralmente benigna dos linfonodos regionais, caracterizada por pápula ou pústula no local da arranhadura do gato, linfadenite regional dolorosa subaguda e febre moderada; acredita-se que se deva a uma espécie do gênero *Rochalimaea*. **celiac d.** – d. celíaca; síndrome de má-absorção precipitada pela ingestão de alimentos que contêm glúten, com perda da estrutura vilosa da mucosa intestinal proximal, diarréia volumosa e espumosa, distensão abdominal, flatulência, perda de peso e depleção de vitaminas e eletrólitos. **Chagas' d., Chagas-Cruz d.** – d. de Chagas; d. de Chagas-Cruz; tripanossomíase decorrente de *Trypanosoma cruzi*; seu curso pode ser agudo, subagudo ou

crônico. **Charcot-Marie-Tooth d.** – d. de Charcot-Marie-Tooth; atrofia muscular de hereditariedade variável, que começa nos músculos supridos pelos nervos fibulares, progredindo para os músculos das mãos e braços. **cholesteryl ester storage d. (CESD)** – d. do armazenamento do éster de colesterol; doença do armazenamento lisossômico em decorrência de deficiência de colesterol esterase lisossômico, variavelmente caracterizada pela combinação de hepatomegalia, hiperbetalipoproteinemia e aterosclerose prematura. **Christmas d.** – d. de Christmas; deficiência do Fator IX; ver *coagulation factors*, em *factor*. **chronic granulomatous d.** – d. granulomatosa crônica; infecções severas e freqüentes da pele, mucosas oral e intestinal, do sistema reticuloendotelial, ossos, pulmões e trato geniturinário associadas a defeito geneticamente determinado na função bactericida intracelular dos leucócitos. **chronic obstructive pulmonary d. (COPD)** – d. pulmonar obstrutiva crônica (DPOC); qualquer distúrbio caracterizado por obstrução persistente do fluxo aéreo bronquial. **circling d.** – d. circulante; ver *circling*. **Coats' d.** – d. de Coats; retinopatia progressiva crônica que geralmente afeta crianças; ocorre descolamento retiniano exsudativo associado a telangiectasia dos vasos sangüíneos e hemorragias múltiplas; pode levar ao descolamento retiniano total, irite, glaucoma e catarata. **collagen d.** – d. do colágeno; qualquer doença de um grupo de doenças caracterizadas por alterações patológicas generalizadas no tecido conjuntivo, compreendendo lúpus eritematoso, dermatomiosite, esclerodermia, poliarterite nodular, púrpura trombótica, febre reumática e artrite reumatóide. Cf. *disorder, collagen*. **communicable d.** – d. comunicável; doença cujos agentes causadores podem passar ou ser transmitidos de uma pessoa a outra direta ou indiretamente. **Concato's d.** – d. de Concato; polisserosite maligna progressiva com grandes derrames no pericárdio, pleura e peritônio. **constitutional d.** – d. constitucional; doença que envolve um sistema de órgãos ou doença com sintomas generalizados. **Cori's d.** – d. de Cori; d. do armazenamento do glicogênio tipo III. **coronary artery d. (CAD)** – arteriopatia coronária; aterosclerose das artérias coronárias que pode causar angina peitoral, infarto do miocárdio e morte súbita; os fatores de risco incluem hipercolesterolemia, hipertensão, fumo, diabetes melito e baixos níveis de lipoproteínas de alta densidade. **coronary heart d. (CHD)** – cardiopatia coronária; cardiopatia isquêmica. **Cowden d.** – d. de Cowden; doença hereditária caracterizada por anomalias neoplásicas e nevóides ectodérmicas, mesodérmicas e endodérmicas múltiplas. **Creutzfeldt-Jakob d.** – d. de Creutzfeldt-Jakob; encefalopatia viral espongiforme transmissível e geralmente fatal que ocorre na meia-idade. **Crigler-Najjar d.** – d. de Crigler-Najjar; ver em *syndrome*. **Crohn's d.** – d. de Crohn; doença inflamatória granulomatosa crônica que envolve comumente o íleo terminal com formação de cicatriz e espessamento da parede intestinal, freqüentemente levando à obstrução intestinal e formação de fístulas e abscessos. Também chamada de *enterite regional* ou ileíte regional *(ileitis, regional)*. **Crouzon's d.** – d. de Crouzon; disostose craniofacial. **Cruveilhier's d.** – d. de Cruveilhier; atrofia muscular espinhal. **Cushing's d.** – d. de Cushing; síndrome de Cushing em que o hiperadrenocorticismo é secundário a uma secreção hipofisária excessiva de hormônio adrenocorticotrófico. **cystic d. of breast** – d. cística da mama; forma de displasia mamária com formação de cistos de vários tamanhos que contêm um fluido turvo e semitransparente que confere uma cor de marrom a azul (cisto de cúpula azulada) aos cistos não-abertos. **cystic d. of kidney, acquired** – d. cística renal adquirida; desenvolvimento de cistos no rim insuficiente anteriormente não-cístico em estágio final de insuficiência renal. **cytomegalic inclusion d.** – d. de inclusão citomegálica; infecção devida ao citomegalovírus e marcada por corpúsculos de inclusão nucleares em células infectadas e aumentadas. Na forma congênita, ocorre hepatoesplenomegalia com cirrose e microcefalia com retardamento mental ou motor. A doença adquirida pode causar um estado clínico semelhante à mononucleose infecciosa. Quando adquirida por transfusão sangüínea, ocorre a síndrome pós-perfusão. **deficiency d.** – d. de deficiência; afecção causada por deficiência dietética ou metabólica, incluindo todas as doenças decorrentes de suprimento insuficiente de nutrientes essenciais. **degenerative joint d.** – artropatia degenerativa; osteoartrite. **Dejerine's d., Dejerine-Sottas d.** – d. de Dejerine; d. de Dejerine-Sottas; neuropatia hipertrófica progressiva. **demyelinating d.** – d. desmielinizante; qualquer afecção caracterizada pela destruição das bainhas mielínicas dos nervos. **disappearing bone d.** – d. do osso desaparecido; reabsorção gradual de um osso ou grupo de ossos, algumas vezes associada a hemangiomas múltiplos, geralmente em crianças ou jovens e após traumatismo. **diverticular d.** – diverticulopatia; termo genérico que inclui o estado pré-diverticular, diverticulose e diverticulite. **Duchenne's d.** – d. de Duchenne: 1. atrofia muscular espinhal; 2. paralisia bulbar progressiva; 3. tabe dorsal; 4. distrofia muscular de Duchenne. **Duchenne-Aran d.** – d. de Duchenne-Aran; atrofia muscular espinhal. **Duhring's d.** – d. de Duhring; dermatite herpetiforme. **Dukes' d.** – d. de Dukes; doença febril da infância caracterizada por erupção exantematosa, provavelmente em conseqüência de um vírus do grupo Coxsackie-ECHO. **Durand-Nicolas-Favre d.** – d. de Durand-Nicolas-Favre; linfogranuloma venéreo. **Duroziez's d.** – d. de Duroziez; estenose congênita da válvula mitral. **Ebola virus d.** – doença do vírus Ebola; febre hemorrágica aguda altamente fatal semelhante à virose de Marburg mas é causada pelo vírus Ebola e ocorre no Sudão e em áreas adjacentes no norte do Zaire. **Ebstein's d.** – d. de Ebstein; ver em *anomaly*. **Economo's d.** – d. de Economo; encefalite letárgica. **end-stage renal d.** – nefropatia de estágio final; insuficiência renal irreversível crônica. **epizootic d.** – d. epizoótica;

doença que afeta grande número de animais em determinada região em curto período de tempo. **Erb's d.** – d. de Erb; distrofia muscular de Duchenne. **Erb-Goldflam d.** – d. de Erb-Goldflam; miastenia grave. **Eulenburg's d.** – d. de Eulenburg; paramiotônus congênito. **extrapyramidal d.** – d. extrapiramidal; doença de um grupo de distúrbios clínicos caracterizados por movimentos involuntários anormais, alterações no tônus muscular e distúrbios posturais; incluem a doença de Parkinson, coréia, atetose etc. **Fabry's d.** – d. de Fabry; doença de armazenamento lisossômico ligada ao cromossoma X do catabolismo glicoesfingolipídico resultante de deficiência da α-galactosidase A e que leva ao acúmulo de tri-hexosídeo ceramídico nos sistemas cardiovascular e renal. **Fanconi's d.** – d. de Fanconi; ver em *syndrome*. **Farber's d.** – d. de Farber; doença de armazenamento lisossômico devido a deficiência de ceramidase e caracterizada por rouquidão, afonia, dermatite, deformidades ósseas e articulares, reação granulomatosa e retardamento psicomotor. **Fazio-Londe d.** – d. de Fazio-Londe; um tipo raro de paralisia bulbar progressiva que ocorre na infância. **Feer's d.** – d. de Feer; acrodinia. **fibrocystic d. of the pancreas** – d. fibrocística do pâncreas; fibrose cística. **fifth d.** – quinta d.; eritema infeccioso. **flint d.** – d. da pedra; calicose. **floating beta d.** – d. da betalipoproteína; d. beta flutuação; disbetalipoproteinemia familiar. **focal d.** – focal; doença localizada. **foot-and-mouth d.** – d. do pé e boca; afta contagiosa; febre aftosa; doença viral contagiosa e aguda dos animais biungulados silvestres e domésticos e muito raramente do homem, marcada por erupção vesicular nos lábios, cavidade bucal, faringe, pernas e pés, algumas vezes envolvendo o úbere ou tetas. **Forbes' d.** – d. de Forbes; doença de armazenamento de glicogênio tipo III. **fourth d.** – quarta d.; d. de Duke. **forth venereal d.** – quarta d. venérea: 1. balanite gangrenosa; 2. granuloma inguinal. **Fox-Fordyce d.** – d. de Fox-Fordyce; erupção papular pruriginosa persistente e recalcitrante, principalmente das axilas e púbis, em decorrência de inflamação das glândulas sudoríparas apócrinas. **Freiberg's d.** – d. de Freiberg; osteocondrose da cabeça do segundo osso metatársico. **Friedländer's d.** – d. de Friedländer; endoarterite obliterante. **Friedreich's d.** – d. de Friedreich; paramioclônus múltiplo. **functional d.** – d. funcional; doença que envolve funções sem danos teciduais detectáveis. **Garré's d.** – d. de Garré; osteomielite não-supurativa esclerosante. **gastroesophageal reflux d. (GERD)** – d. do refluxo gastroesofágico; afecção resultante de refluxo gastroesofágico, caracterizada por azia e regurgitação; ver também *reflux, esophageal*. **Gaucher's d.** – d. de Gaucher; distúrbio hereditário do metabolismo dos glicocerebrosídeos, marcada pela presença de células de Gaucher na medula e hepatoesplenomegalia, bem como pela erosão dos córtices dos ossos longos e pelve. A forma adulta associa-se a anemia moderada e trombocitopenia, e pigmentação amarelada da pele; na forma infantil, ocorre, além disso, enfraquecimento acentuado do sistema nervoso central; na forma juvenil, ocorrem manifestações sistêmicas rapidamente progressivas, mas um envolvimento moderado do sistema nervoso central. **genetic d.** – d. genética; termo genérico para qualquer distúrbio causado por um mecanismo genético, compreendendo as aberrações (ou anomalias) cromossômicas, distúrbios mendelianos (ou monogênicos, ou ainda, de gene único) e os distúrbios multifatoriais. **gestational trophoblastic d.** – d. trofoblástica gestacional; ver em *neoplasia*. **Gilbert's d.** – d. de Gilbert; elevação benigna e familiar dos níveis de bilirrubina, sem evidências de danos hepáticos ou anomalias hematológicas. **Gilles de la Tourette's** – d. de Gilles de la Tourette; ver em *syndrome*. **Glanzmann d.** – d. de Glanzmann; ver *thrombasthenia*. **glycogen storage d.** – d. do armazenamento de glicogênio; qualquer doença de um grupo de distúrbios metabólicos geneticamente determinados devidos a defeitos em enzimas específicas ou em substâncias transportadoras que participam do metabolismo do glicogênio. *Tipo I*, forma hepatorrenal severa em conseqüência de deficiência da enzima hepática glicose-6-fosfatase, resultando em envolvimento hepático e renal, com hepatomegalia, hipoglicemia, hiperuricemia e gota. *Tipo IA*, d. do armazenamento do glicogênio Tipo I. *Tipo IB*, forma semelhante ao Tipo I mas adicionalmente predispõe a infecção decorrente de neutropenia e enteropatia inflamatória crônica; resultante de deficiência no sistema de transporte de glicose 6-fosfatase de *Tipo II*, forma severa devida a deficiência da enzima alfa-1,4-glicosidase, resultando em acúmulo generalizado de glicogênio, ocorrendo cardiomegalia, insuficiência cardiorrespiratória e morte. *Tipo III*, deficiência da enzima de ramificação, hepatomegalia, hipoglicemia, acidose, interrupção no crescimento, emaciação muscular, fraqueza e fácies de boneca em decorrência de deficiência da enzima desramificadora amilo-1,6-glicosidase. *Tipo IV*, deficiência de ramificação; cirrose hepática, hepatoesplenomegalia, insuficiência hepática progressiva e morte em razão de deficiência da enzima ramificadora do glicogênio (enzima ramificadora da 1,4-alfa-glicano). *Tipo V*, câimbras musculares e fadiga durante exercício devido a defeito na isozima muscular esquelética da glicogênio-fosforilase (fosforilase muscular). *Tipo VI*, hepatomegalia, hipoglicemia de suave a moderada e cetose branda, em virtude de deficiência da isozima hepática da glicogênio-fosforilase (fosforilase hepática). *Tipo VII*, fraqueza muscular e câimbras após exercício devido a deficiência da isozima muscular da 6-fosfofrutocinase. *(Tipo VIII)*, deficiência da fosforilase-*b*-cinase. **graft-versus-host (GVH) d.** – d. do enxerto *versus* hospedeiro; doença causada pela resposta imune de células doadoras imunocompetentes histoincompatíveis contra o tecido de um hospedeiro imunoincompetente, como é o caso da complicação de um transplante de medula óssea ou o resultado de transfusão sangüínea materno-fetal ou ainda a transfusão terapêutica para um receptor imunodeficiente. **Graves' d.** – d. de Graves; associação

de hipertireoidismo, bócio e exoftalmia, com freqüência acelerada de pulso, sudorese abundante, sintomas nervosos, distúrbios psíquicos, emaciação e metabolismo basal elevado. **Greenfield's d.** – d. de Greenfield; nome antigo de uma forma infantil tardia de leucodistrofia metacromática. **Gull's d.** – d. de Gull; atrofia da glândula tireóide com mixedema. **Günther's d.** – d. de Günther; porfiria eritropoiética congênita. **H d.** – d. H; d. de Hartnup. **Hailey-Hailey d.** – d. de Hailey-Hailey; pênfigo familiar benigno. **Hallervorden-Spatz d.** – d. de Hallervorden-Spatz; distúrbio recessivo autossômico que envolve a redução acentuada do número de bainhas mielínicas do globo pálido e da substância negra, com acúmulos de pigmentos de ferro, rigidez progressiva que começa nas pernas, movimentos coreoatetóides, disartria e deterioração mental progressiva. **Hand's d.** – d. de Hand; d. de Hand-Schüller-Christian. **hand-foot-and-mouth d.** – d. da mão-pé-e-boca; doença viral branda e altamente infecciosa das crianças, com lesões vesiculares na boca, mãos e pés. **Hand-Schüller-Christian d.** – d. de Hand-Schüller-Christian; histiocitose idiopática crônica com lipogranulomas histiocíticos idiopáticos multifocais ósseos, cutâneos e viscerais; os histiócitos contêm colesterol em abundância. **Hansen's d.** – d. de Hansen; lepra. **Hartnup d.** – d. de Hartnup; distúrbio geneticamente determinado do transporte intestinal e renal de α-aminoácidos neutros, caracterizado por exantema cutâneo semelhante à pelagra, com ataxia cerebelar transitória, aminoacidúria renal constante e outras anomalias bioquímicas. **Hashimoto's d.** – d. de Hashimoto; doença progressiva da glândula tireóide com degeneração de seus elementos epiteliais e substituição por tecido linfóide e fibroso. **heavy chain d's** – doenças da cadeia pesada; grupo de neoplasias malignas de células linfoplasmocitárias, caracterizadas pela presença de cadeias pesadas de imunoglobulinas ou fragmentos de cadeias pesadas; são classificadas de acordo com o tipo de cadeia pesada, por exemplo, doença de cadeia pesada alfa. **Heine-Medin d.** – d. de Heine-Medin; forma principal de poliomielite. **hemoglobin d.** – d. da hemoglobina; doença de um grupo de doenças moleculares hereditárias caracterizadas pela presença de várias hemoglobinas anormais nos glóbulos vermelhos; forma homozigótica manifesta-se por meio de anemia hemolítica. **hemolytic d. of the newborn** – d. hemolítica do recém-nascido; eritroblastose fetal. **hemorrhagic d. of the newborn** – d. hemorrágica do recém-nascido; distúrbio hemorrágico autolimitado dos primeiros dias de vida devido a deficiência dos Fatores de coagulação II, VII, IX e X dependentes de vitamina K. **Hers' d.** – d. de Hers; doença do armazenamento de glicogênio do Tipo VI. **Heubner-Herter d.** – d. de Heubner-Herter; forma infantil da doença celíaca. **hip-joint d.** – d. da articulação coxofemoral; tuberculose da articulação coxofemoral. **Hippel's d.** – d. de Hippel; d. de von Hippel-Lindau. **Hirschsprung's d.** – d. de Hirschsprung; megacólon congênito. **His d., His-Werner d.** – d. de His; d. de His-Werner; febre

DEF

das trincheiras. **Hodgkin's d.** – d. de Hodgkin; forma de linfoma maligno caracterizada clinicamente por aumento de volume progressivo e indolor dos linfonodos, baço e tecido linfóide geral; outros sintomas podem incluir anorexia, fadiga, perda de peso, febre, prurido, sudorese noturna e anemia. As células de Reed-Sternberg encontram-se caracteristicamente presentes. Distinguiram-se quatro tipos com base em critérios histopatológicos. **hoof-and-mouth d.** – d. do casco e da boca; d. do pé e da mão. **hookworm d.** – d. do ancilóstomo; ancilostomíase; infecção por ancilóstomo da espécie *Ancylostoma duodenale* ou *Necator americanus*, cujas larvas entram no corpo através da pele ou são ingeridas com alimento ou água contaminados e migram para o intestino delgado onde, quando adultos, prendem-se à mucosa intestinal e ingerem sangue; os sintomas podem incluir dor abdominal, diarréia, cólica ou náusea e anemia. Em cães, é causada pela *Uncinaria stenocephala.* **Hutchinson-Gilford d.** – d. de Hutchinson-Gilford; progeria. **hyaline membrane d.** – d. da membrana hialina; distúrbio dos recém-nascidos, geralmente prematuros, caracterizado pela formação de membrana hialiniforme revestindo as passagens respiratórias terminais. A atelectasia extensa atribui-se à falta de surfactante. Ver *respiratory distress syndrome of newborn,* em *syndrome.* **hydatid d.** – d. hidática; infecção, geralmente hepática, devida às formas larvais das tênias do gênero *Echinococcus,* caracterizada pelo desenvolvimento de cistos expansivos. **hypophosphatemic bone d.** – osteopatia hipofosfatêmica; distúrbio herdado semelhante à forma branda de hipofosfatemia ligada ao cromossoma X, igualmente resulta de defeito na função tubular renal, mas geralmente apresenta osteomalacia sem evidências radiográficas de raquitismo. **immune-complex d's** – doenças do complexo imunológico; doenças causadas pela formação de imunocomplexos nos tecidos ou deposição de imunocomplexos circulantes nos tecidos, resultando em inflamação aguda ou crônica. **immunodeficiency d.** – d. de imunodeficiência; doença causada por dano funcional dos componentes do sistema imunológico, incluindo deficiência ou mau funcionamento de uma população celular, falta de resposta de anticorpos ou anomalia de complemento. **infectious d.** – d. infecciosa; doença em conseqüência de organismos cujo tamanho varia do vírus aos vermes parasitas; pode ter origem contagiosa, resultar de organismos hospitalares ou dever-se à microflora endógena do nariz e garganta, pele ou intestino. **inflammatory bowel d.** – enteropatia intestinal inflamatória; qualquer doença inflamatória idiopática do intestino. **intercurrent d.** – d. intercorrente; doença que ocorre durante o curso de outra doença, com a qual não tem ligação. **iron storage d.** – d. do armazenamento de ferro; hemocromatose. **ischemic bowel d.** – enteropatia isquêmica; colite isquêmica. **ischemic heart d. (IHD)** – cardiopatia isquêmica; doença de um grupo de distúrbios cardíacos agudos ou crônicos que resultam do suprimento insuficiente de sangue oxi-

genado para o coração. **Jansky-Bielschowsky d.** – d. de Jansky-Bielschowsky; forma infantil tardia de idiotia amaurótica, que ocorre entre os dois e os quatro anos de idade, e caracteriza-se por acúmulo anormal do gangliosídeo GM_2, começando com crises do pequeno ou grande mal e espasmos mioclônicos e progredindo para a deterioração neurológica e retiniana e morte. **Johne's d.** – d. de Johne; enterite crônica geralmente fatal dos bovinos, mas que também afeta ovinos, caprinos e veados, sendo causada pela *Mycobacterium paratuberculosis.* **jumping d.** – d. saltadora; um dos vários distúrbios específicos de determinadas culturas, caracterizados por respostas exageradas a pequenos estímulos, tiques musculares (incluindo saltos), obediência (mesmo a sugestões perigosas) e algumas vezes apresentando coprolalia ou ecolalia. **juvenile Paget d.** – d. juvenil de Paget; hiperostose cortical deformante juvenil. **Kashin-Bek d.** – d. de Kashin-Bek; doença degenerativa incapacitante das articulações periféricas e espinha, endêmica no leste da Sibéria, norte da China e Coréia; acredita-se que seja causada pela ingestão de grãos de cereais infectados pelo fungo *Fusarium sporotrichiella.* **Katayama d.** – d. de Katayama; esquistossomose japonesa. **Kienböck's d.** – d. de Kienböck; lunatomalacia; osteocondrose lentamente progressiva do osso semilunar; pode afetar os outros ossos do pulso. **kinky hair d.** – d. do cabelo enroscado; síndrome de Menkes. **Köhler's bone d.** – osteopatia de Köhler: 1. osteocondrose do osso navicular do tarso em crianças; 2. espessamento da diáfise do segundo osso metatársico e alterações ao redor da cabeça articular, com dor na segunda articulação metatarsofalângica ao caminhar ou ao ficar em pé. **Krabbe's d.** – d. de Krabbe; doença de armazenamento lisossômica que começa na infância, devido à deficiência de β-galactosidase. Patologicamente, ocorre desmielinização cerebral rapidamente progressiva e grandes corpos globóides (inchados com um acúmulo de cerebrosídeos) na substância branca. **Kufs' d.** – d. de Kufs; forma adulta da idiotia amaurótica, caracterizada por deterioração neurológica progressiva, armazenamento excessivo de lipofuscina ceróide e morte dentro de aproximadamente 20 anos a partir do início. **Kümmell's d.** – d. de Kümmell; fratura de compressão de vértebras, com sintomas que ocorrem poucas semanas após a lesão, incluindo dor espinhal, neuralgia intercostal, distúrbios motores das pernas e cifose, que é dolorosa à pressão e facilmente reduzida por meio de extensão. **Kyasanur Forest d.** – d. da floresta de Kyasanur; doença viral altamente fatal de macacos da floresta de Kyasanur na Índia, transmissível ao homem, no qual produz sintomas hemorrágicos. **Kyrle's d.** – d. de Kyrle; distúrbio de ceratinização crônica marcado por tampões ceratóticos que se desenvolvem nos folículos pilosos e ductos écrinos, penetrando na epiderme e estendendo-se para baixo no interior do córion, causando reação de corpo estranho e dor. **Leber's d.** – d. de Leber: 1. neuropatia óptica hereditária de Leber;

2. amaurose congênita de Leber. **legionnaires' d.** – d. dos legionários; doença geralmente fatal causada por bacilo Gram-negativo (*Legionella pneumophila*), não se disseminando através de contato pessoa a pessoa, e caracterizada por febre alta, dor gastrointestinal, dor de cabeça e pneumonia; também pode ocorrer envolvimento dos rins, fígado e sistema nervoso. **Leiner's d.** – d. de Leiner; distúrbio da infância caracterizado por dermatite semelhante à seborréia generalizada e eritroderma, diarréia intratável severa, infecções recorrentes e deficiência de crescimento. **Leriche's d.** – d. de Leriche; atrofia de Sudeck. **Letterer-Siwe d.** – salto d. de Letterer-Siwe; reticuloendoteliose não-lipídica do início da infância caracterizada por tendência à hemorragia, erupções cutâneas eczematóides, hepatoesplenomegalia ocorrendo participação de linfonodos e anemia progressiva. **Libman-Sacks d.** – d. de Libman-Sacks; ver em *endocarditis*. **Lindau's d., Lindau-von Hippel d.** – d. de Lindau; d. de Lindau-von Hippel; d. de von Hippel-Lindau. **Little's d.** – d. de Little; rigidez espástica congênita dos membros; forma de paralisia cerebral decorrente de falta de desenvolvimento dos tratos piramidais. **Lobstein's d.** – d. de Lobstein; ver *osteogenesis, imperfecta.* **Lowe's d.** – d. de Lowe; síndrome oculocerebrorrenal. **lumpy skin d.** – d. de pele granulosa; doença viral altamente infecciosa dos bovinos da África, que pode resultar em esterilidade permanente ou morte, marcada pela formação de nódulos na pele e algumas vezes nas membranas mucosas. **Lutz-Splendore-Almeida d.** – d. de Lutz-Splendore-Almeida; paracoccidioidomicose. **Lyme d.** – d. de Lyme; distúrbio multissistêmico recorrente causado pelo espiroqueta *Borrelia burgdorferi,* sendo vetor o carrapato *Ixodes dammini,* e caracterizado por lesões de eritema crônico migratório seguidas de artrite das grandes articulações, mialgia e manifestações neurológicas e cardíacas. **lysosomal storage d.** – d. de armazenamento lisossômico; erro inato do metabolismo com (1) defeito em uma enzima lisossômica específica; (2) acúmulo intracelular de um substrato não-metabolizado; (3) progressão clínica que afeta tecidos ou órgãos múltiplos; (4) variação fenotípica considerável em uma mesma doença. **McArdle's d.** – d. de McArdle; doença do armazenamento do glicogênio tipo V. **Madelung's d.** – d. de Madelung: 1. ver em *deformity; 2.* ver em *neck.* **maple bark d.** – d. da casca do bordo; alveolite alérgica extrínseca que afeta os trabalhadores de corte e transporte de toras de madeira e serrarias devido à inalação de esporos do mofo (*Cryptostroma corticale*), que cresce sob a casca do bordo. **maple syrup urine d. (MSUD)** – d. da urina em xarope de bordo; doença hereditária que envolve um defeito enzimático no metabolismo dos aminoácidos de cadeia ramificada, marcada clinicamente por retardamento mental e físico, cetoacidose severa, dificuldades em alimentar-se e odor característico de xarope de bordo na urina e no corpo. **Marburg virus d.** – d. do vírus de Marburg; febre hemorrágica viral severa e freqüentemente fatal relatada pela primeira vez em Marburg, Alemanha, entre trabalhadores de laboratório expostos aos macacos verdes africanos. **Marchiafava-Micheli d.** – d. de Marchiafava-Micheli; hemoglobinúria noturna paroxística. **Marie-Bamberger d.** – d. de Marie-Bamberger; osteoartropatia pulmonar hipertrófica. **Marie-Strümpell d.** – d. de Marie-Strümpell; espondilite ancilosante. **Marie-Tooth d.** – d. de Marie-Tooth; d. de Charcot-Marie-Tooth. **Mediterranean d.** – d. mediterrânea; ver *β-thalassemia* em *thalassemia.* **medullary cystic d.** – d. cística medular; nefrótisica juvenil familiar. **Meniere's d.** – d. de Meniere; surdez, zumbido nos ouvidos e tontura em associação com doença não-supurativa do labirinto. **mental d.** – d. mental; ver em *disorder.* **Merzbacher-Pelizaeus d.** – d. de Merzbacher-Pelizaeus; d. de Pelizaeus-Merzbacher. **metabolic d.** – d. metabólica; doença causada por interrupção de uma via metabólica normal devida a defeito enzimático geneticamente determinado. **Meyer's d.** – d. de Meyer; vegetações adenóides da faringe. **Mikulicz's d.** – d. de Mikulicz; infiltração linfocítica e aumento de volume autolimitado e benigno das glândulas lacrimais e salivares de etiologia indeterminada. **Milroy's d.** – d. de Milroy; linfedema permanente hereditário das pernas em conseqüência de obstrução linfática. **Minamata d.** – d. de Minamata; distúrbio neurológico severo devido a intoxicação por mercúrio alcílico, levando a distúrbios neurológicos e mentais permanentes severos ou à morte; já foi prevalente entre as pessoas que comiam frutos do mar contaminados provenientes da baía de Minamata, Japão. **minimal change d.** – d. de alterações mínimas; alterações sutis na função renal demonstráveis por meio de albuminúria clínica e pela presença de gotículas lipídicas nas células dos túbulos proximais, observadas primariamente nas crianças. **mixed connective tissue d.** – d. do tecido conjuntivo misto; combinação de esclerodermia, miosite, lúpus eritematoso sistêmico e artrite reumatóide, e marcada sorologicamente pela presença de anticorpos contra o antígeno nuclear extraível. **Möbius' d.** – d. de Möbius; enxaqueca oftalmoplégica. **molecular d.** – d. molecular; qualquer doença em que se pode descobrir a patogênese em uma única molécula, geralmente uma proteína, que é anormal em estrutura ou se encontra presente em quantidades reduzidas. **Mondor's d.** – d. de Mondor; flebite que afeta as grandes veias subcutâneas que normalmente atravessam a parede torácica lateral e os seios da região epigástrica ou hipocondríaca até as axilas. **Monge's d.** – d. de Monge; enfermidades crônicas das montanhas. **Morquio's d., Morquio-Ullrich d.** – d. de Morquio; d. de Morquio-Ullrich; síndrome de Morquio. **Morton's d.** – d. de Morton; ver em *neuralgia.* **motor neuron d., motor system d.** – d. do neurônio motor; d. do sistema motor; qualquer doença de um neurônio motor, incluindo atrofia muscular espinhal, paralisia bulbar progressiva, esclerose lateral amiotrófica e esclerose lateral. **Newcastle d.** – d. de Newcastle; doença viral das aves (incluindo as aves domésticas),

DEF

caracterizada por sintomas respiratórios e gastro-intestinais ou pneumônicos e encefalíticos, também transmissível ao homem. **Nicolas-Favre d.** – d. de Nicolas-Favre; linfogranuloma venéreo. **Niemann's d., Niemann-Pick.** – d. de Niemann; d. de Niemann-Pick; doença de armazenamento lisossômico decorrente de acúmulo de esfingomielina no sistema reticuloendotelial; existem cinco tipo distintos de acordo com a idade de início, intensidade de envolvimento do sistema nervoso central e grau de deficiência enzimática. **nil d.** – d. nula; d. de alteração mínima. **Norrie's d.** – d. de Norrie; distúrbio ligado ao cromossoma X que consiste de cegueira bilateral proveniente de malformação retiniana, retardamento mental e surdez. **notifiable d.** – d. notificável; doença que se exige seja informada às autoridades sanitárias federais, estaduais ou locais quando for diagnosticada, devido à infecciosidade, severidade ou freqüência de ocorrência. **oast-house urine d.** – d.urinária do forno de secar lúpulo; síndrome da má-absorção de metionina. **obstructive small airways d.** – d. obstrutiva das vias aéreas inferiores; bronquite crônica com estreitamento irreversível dos bronquíolos e brônquios menores com hipoxia e freqüentemente hipercapnia. **occupational d.** – d. profissional; doença decorrente de vários fatores envolvidos no trabalho de um indivíduo. **Oguchi's d.** – d. de Oguchi; forma de cegueira noturna hereditária e descoloração do fundo após adaptação luminosa. **organic d.** – d. orgânica; doença associada a alteração demonstrável em órgão ou tecido corporal. **Osgood-Schlatter d.** – d. de Osgood-Schlatter; osteocondrose da tuberosidade da tíbia. **Osler's d.** – d. de Osler: 1. policitemia verdadeira; 2. telangiectasia hemorrágica hereditária. **Owren's d.** – d. de Owren; deficiência do fator V de coagulação. **Paget's d.** – d. de Paget: 1. (óssea) osteíte deformante; 2. (mamária) carcinoma inflamatório intraductal mamário, envolvendo a aréola e o mamilo; 3. contraparte extramamária da doença de Paget (2), geralmente envolvendo a vulva e algumas vezes outros lugares, como as regiões perianal e axilar. **Parkinson's d.** – d. de Parkinson; paralisia com agitação. **parrot d.** – d. do papagaio; psitacose. **Parrot's d.** – d. de Parrot, ver em *pseudoparalysis*. **Parry's d.** – d. de Parry; d. de Graves. **pearl d.** – d. da pérola; tuberculose do peritônio e mesentério dos bovinos. **Pelizaeus-Merzbacher d.** – d. de Pelizaeus-Merzbacher; forma familiar progressiva de leucoencefalopatia, marcada por nistagmo, ataxia, tremor, fácies parkinsoniana, disartria e deterioração mental. **Pellegrini's d., Pellegrini-Stieda d.** – d. de Pellegrini; d. de Pellegrini-Stieda; calcificação do ligamento colateral medial do joelho devido a traumatismo. **periodontal d.** – d. periodontal; qualquer doença ou distúrbio do periodonto. **Perthes' d.** – d. de Perthes; osteocondrose da epífise femoral capitular. **Pfeiffer's d.** – d. de Pfeiffer; mononucleose infecciosa. **Pick's d.** – d. de Pick: 1. atrofia progressiva das convoluções cerebrais em área limitada (lobo) do cérebro, com manifestações clínicas e curso semelhantes aos

da doença de Alzheimer; 2. d. de Niemann-Pick. **polycystic kidney d., polycystic d. of kidneys** – d. policística dos rins; d. policística renal; distúrbio hereditário caracterizado por cistos disseminados nos rins, ocorrendo em duas formas: a forma *infantil*, transmitida como característica recessiva autossômica, que pode ser congênita ou aparecer a qualquer momento na infância; e a forma *adulta*, transmitida como característica dominante autossômica, marcada por deterioração progressiva da função renal. **polycystic ovary d.** – d. policística do ovário; síndrome de Stein-Leventhal. **polycystic renal d.** – d. policística renal; d. policística dos rins. **Pompe's d.** – d. de Pompe; d. do armazenamento de glicogênio tipo II. **Pott's d.** – d. de Pott; tuberculose espinhal. **primary electrical d.** – d. elétrica primária; taquicardia ventricular séria, e algumas vezes fibrilação ventricular, na ausência de uma cardiopatia estrutural reconhecível. **pulseless d.** – d. sem pulso; arterite de Takayasu. **Raynaud's d.** – d. de Raynaud; distúrbio vascular primário ou idiopático, que afeta mais freqüentemente as mulheres e é caracterizado por ataques bilaterais do fenômeno de Raynaud. **Recklinghausen's d.** – d. de Recklinghausen: 1. neurofibromatose; 2. (óssea) osteíte fibrosa cística generalizada. **Refsum's d.** – d. de Refsum; distúrbio herdado do metabolismo lipídico, caracterizado por acúmulo de ácido fitânico, polineurite crônica, retinite pigmentar, ataxia cerebelar e elevação persistente das proteínas no fluido cerebroespinhal. **remnant removal d.** – d. de remoção de resíduos; disbetalipoproteinemia familiar. **rheumatic heart d.** – d. reumática do coração; a mais importante manifestação e seqüela de uma febre reumática, consistindo principalmente de deformidades valvulares. **rheumatoid d.** – d. reumatóide; afecção sistêmica mais bem conhecida por seu envolvimento articular (artrite reumatóide), mas que enfatiza as alterações não-articulares (como por exemplo, fibrose intersticial pulmonar, efusão pleural e nódulos pulmonares). **Ritter's d.** – d. de Ritter; dermatite esfoliativa do recém nascido. **Roger's d.** – d. de Roger; defeito septal ventricular; o termo geralmente se restringe a defeitos pequenos e assintomáticos. **runt d.** – d. debilitante; doença do enxerto *versus* hospedeiro produzida por células imunologicamente competentes em um hospedeiro estranho incapaz de rejeitá-las, resultando em retardamento geral do desenvolvimento do hospedeiro e morte. **Salla d.** – d. de Salla; distúrbio herdado do metabolismo do ácido siálico caracterizado por acúmulo de ácido siálico nos lisossomas e excreção na urina, retardamento mental, retardo no desenvolvimento motor e ataxia. **Sandhoffs d.** – d. de Sandhoff; tipo de gangliosidose GM$_2$ semelhante à doença de Tay-Sachs, observada em não-judeus, caracterizada por um curso progressivo mais rápido e decorrente do defeito na hexosaminidase, em ambas as isozimas A e B. **Schamberg's d.** – d. de Schamberg; doença pigmentar e purpúrica da pele, lentamente progressiva, que afeta predominantemente as canelas, tornozelos e dorso dos pés. **Schilder's d.** – d.

de Schilder; leucoencefalopatia subaguda ou crônica de crianças ou adolescentes, com destruição maciça da substância branca dos hemisférios cerebrais; os sintomas clínicos incluem cegueira, surdez, espasticidade bilateral e deterioração mental. **Schönlein's d., Schönlein-Henoch d.** – d. de Schönlein; d. de Schönlein-Henoch; ver em *purpura*. **secondary d.** – d. secundária: 1. afecção mórbida que ocorre subseqüentemente ou em conseqüência de outra doença; 2. doença decorrente da introdução de células competentes imunologicamente incompatíveis no interior de um hospedeiro tornado incapaz de rejeitá-las por meio de forte exposição à radiação ionizante. **self-limited d.** – d. autolimitada; doença que, por sua própria natureza, tem curso limitado e definido. **serum d.** – d. do soro; ver em *sickness*. **severe combined immunodeficiency d. (SCID)** – d. de imunodeficiência combinada severa; grupo de distúrbios congênitos raros em que se encontram ausentes ou severamente deprimidas as capacidades funcionais dos componentes do sistema imunológico tanto humorais (linfócito B) como mediados por células (linfócitos T). **sexually transmitted d.** – d. transmitida sexualmente; qualquer de um grupo diverso de infecções causadas por patógenos biologicamente diferentes e transmitidos por contato sexual; em algumas dessas doenças, o contato sexual é o único meio importante de transmissão, enquanto em outras, a transmissão não-sexual também é possível. **sickle-cell d.** – d. da célula falciforme; qualquer doença associada à presença da hemoglobina S. **Simmonds' d.** – d. de Simmonds, ver *panhypopituitarism*. **sixth d.** – sexta d.; exantema súbito. **small airways d.** – d. das vias aéreas inferiores; bronquite obstrutiva crônica com estreitamento irreversível dos bronquíolos e dos brônquios menores. **Smith-Strang d.** – d. de Smith-Strang; síndrome de má-absorção da metionina. **Spielmeyer-Vogt d.** – d. de Spielmeyer-Vogt; forma juvenil de idiotia amaurótica. **Steinert's d.** – d. de Steinert; distrofia miotônica. **stiff lamb d.** – d. do carneiro rígido; rigidez e claudicação dos ovinos resultante de infecção pela *Erysipelothrix insidiosa*. **Still's d.** – d. de Still; artrite reumatóide juvenil. **storage d.** – d. de armazenamento; distúrbio metabólico em que uma substância específica (um lipídeo, proteína etc.) acumula-se em determinadas células em quantidades anormais – **storage pool d.** – d. do armazenamento de sangue; distúrbio de coagulação decorrente de deficiência na liberação de difosfato de adenosina (ADP pelas plaquetas) em resposta a agentes agregadores (colágeno, adrenalina, ADP exógeno, trombina etc.); caracterizada por episódios hemorrágicos suaves, um tempo de sangramento prolongado e redução de resposta de agregação ao colágeno ou à trombina. **Strümpell's d.** – d. de Strümpell: 1. esclerose lateral hereditária com espasticidade predominantemente limitada às pernas; 2. poliomielite cerebral. **Strümpell-Leichtenstern d.** – d. de Strümpell-Leichtenstern; encefalite hemorrágica. **Strümpell-Marie d.** – d. de Strümpell-Marie; espondilite ancilosante.

Stuttgart d. – d. de Stuttgart; leptospirose que afeta os cães. **Sutton's d.** – d. de Sutton: 1. *(a)* nevo em halo; *(b)* periadenite mucosa necrótica recorrente; 2. granuloma fissurado. **sweet clover d.** – d. do trevo doce; doença hemorrágica dos animais (especialmente bovinos), causada pela ingestão de trevo doce deteriorado, que contém o anticoagulante dicumarol. **Swift's d., Swift-Feer d.** – d. de Swift; d. de Swift-Feer; acrodinia. **Takayasu's d.** – d. de Takayasu; ver em *arteritis*. **Tangier d.** – d. de Tangier; distúrbio familiar caracterizado por deficiência de lipoproteínas de alta densidade no soro sangüíneo, com armazenamento de ésteres do colesterol nos tecidos. **Tarui's d.** – d. de Tarui; d. do armazenamento de glicogênio tipo VII. **Tay-Sachs d. (TSD)** – d. de Tay-Sachs; gangliosidose GM$_2$ mais comum, ocorrendo quase exclusivamente entre os judeus do nordeste europeu; especificamente caracterizada por início na infância, com fácies semelhante à de boneca, mancha vermelho-cereja, cegueira precoce, hiperacusia, macrocefalia, convulsões, hipotonia e morte no início da infância. **Teschen d.** – d. de Teschen; encefalomielite suína infecciosa. **Thomsen's d.** – d. de Thomsen; miotonia congênita. **thyrotoxic heart d.** – d. tireotóxica cardíaca; cardiopatia associada a hipertireoidismo, e caracterizada por fibrilação atrial, aumento de volume cardíaco e insuficiência cardíaca congestiva. **trophoblastic d.** – d. trofoblástica; neoplasia trofoblástica gestacional. **tsutsugamushi d.** – d. tsutsugamushi; tifo rural. **tunnel d.** – d. do túnel; enfermidade de descompressão. **uremic bone d.** – osteopatia urêmica; osteodistrofia renal. **vagabonds's d., vagrants' d.** – dos vadios; descoloração da pele em pessoas sujeitas a picadas de piolhos por longo período. **van den Bergh's d.** – d. de van den Bergh; cianose enterógena. **venereal d.** – d. venérea: 1. d. sexualmente transmitida; 2. classificação antiga de doenças sexualmente transmitidas que incluía somente a gonorréia, sífilis, cancro, granuloma inguinal e linfogranuloma venéreo. Abreviação: DV. **veno-occlusive d. of the liver d.** – venoclusiva do fígado; oclusão sintomática das pequenas vênulas hepáticas causada pela ingestão de chá de Senecio ou substâncias relacionadas, por determinados agentes quimioterápicos ou radiação. **vinyl chloride d.** – d. do cloreto de vinil; acrosteólise resultante de exposição ao cloreto de vinil, caracterizada pelo fenômeno de Raynaud e alterações cutâneas e ósseas nos membros. **Vogt-Spielmeyer d.** – d. de Vogt-Spielmeyer; forma juvenil de idiotia amaurótica familiar com início entre 5 e 10 anos de idade, caracterizada por degeneração retinocerebral rápida, armazenamento excessivo de lipofuscina nos neurônios e morte em 10 a 15 anos. **Volkmann's d.** – d. de Volkmann; deformidade congênita do pé em conseqüência de deslocamento tibiotársico. **von Hippel-Lindau d.** – d. de von Hippel-Lindau; afecção hereditária caracterizada por hemangiomas retinianos e hemangioblastomas cerebelares, que podem se associar a lesões semelhantes da medula espinhal e cistos viscerais; podem se encontrar presentes sintomas neurológicos, incluindo convulsões e retardamento mental. **von Willebrand's d.** – d. de von Willebrand; diátese hemorrágica congênita, herdada como característica dominante autossômica, caracterizada por um tempo de sangramento prolongado, deficiência do Fator VIII de coagulação e freqüentemente um defeito de adesão de plaquetas em contas de vidro, associados à epistaxe e aumento de sangramento após traumatismo ou cirurgia, menorragia e sangramento pós-parto. **Waldenström's d.** – d. de Waldenström; osteocondrose da epífise femoral capitular. **Weber-Christian d.** – d. de Weber-Christian; paniculite não-supurativa nodular. **Weil's d.** – d. de Weil; icterícia leptospirótica. **Werlhof's d.** – d. de Werlhof; púrpura trombocitopênica idiopática. **Wernicke's d.** – d. de Wernicke; ver em *encefalophaty*. **Westphal-Strümpell d.** – d. de Westphal-Strümpell; degeneração hepatolenticular. **Whipple's d.** – d. de Whipple; lipodistrofia intestinal, síndrome de má-absorção caracterizada por diarréia, esteatorréia, pigmentação cutânea, artralgia e artrite, linfadenopatia, lesões do sistema nervoso central e infiltração da mucosa intestinal por macrófagos contendo material PAS-positivo de (ácido periódico de Schiff). **white muscle d.** – d. do músculo branco: 1. distrofia muscular nos bezerros devido à deficiência de vitamina E; 2. d. do carneiro rígido. **Whitmore's d.** – d. de Whitmore; melioidose. **Wilson's d.** – d. de Wilson; distúrbio progressivo herdado do metabolismo de cobre, com acúmulo de cobre no fígado, cérebro, rim, córnea e em outros tecidos; caracteriza-se por cirrose hepática, alterações degenerativas no cérebro e um anel pigmentado na margem externa da córnea. **Wolman's d.** – d. de Wolman; doença de armazenamento lisossômico decorrente de deficiência da esterol-esterase lisossômica que ocorre em crianças e associa-se a hepatoesplenomegalia, esteatorréia supra-renal, calcificação, distensão abdominal, anemia e inanição. **woolsorters' d.** – d. dos selecionadores de lã; carbúnculo por inalação; antraz. **x d.** – d. x: 1. hiperceratose; ver *hyperkeratosis* (3); 2. aflatoxicose.

dis·en·gage·ment (dis"in-gãj'mint) – desembaraço; emergência do feto no canal vaginal.

dis·equi·lib·ri·um (-e-kwǐ -lib're-um) – desequilíbrio; equilíbrio instável. **linkage d.** – d. de união; ocorrência em uma população de dois alelos reunidos em freqüência maior ou menor que a esperada, com base nas freqüências genéticas dos genes individuais.

dis·ger·mi·no·ma (dis-jer"mǐ -no'mah) – disgerminoma.

dish (dish) – placa; prato; recipiente de vidro raso ou de outro material para trabalho de laboratório. **evaporating d.** – p. de evaporação; recipiente de laboratório, geralmente largo e raso, onde o material é evaporado através de exposição ao calor. **Petri d.** – placa de Petri; placa de vidro rasa para o crescimento de culturas bacterianas.

dis·in·fec·tant (dis"-in-fek'tant) – desinfetante: 1. que livra de infecção; 2. agente que desinfeta, particularmente o utilizado em objetos inanimados.

dis·in·fes·ta·tion (-in-fes-ta'shun) – desinfestação; eliminação de insetos, roedores ou outras formas animais presentes na pessoa ou em suas roupas ou ambiente, e que podem transmitir doenças.

dis·in·te·grant (dis-in'tǐ -grint) – desintegrante; agente utilizado na preparação farmacêutica de comprimidos, que faz com que estes se desintegrem e liberem suas substâncias medicinais em contato com a umidade.

Dis·i·pal (dis'ǐ -pal) – Disipal, marca registrada de preparação de orfenadrina.

dis·junc·tion (dis-junk'shun) – disjunção: 1. ato ou estado de ser separado; 2. em Genética, separação de cromossomas bivalentes na primeira anáfase da divisão celular. **craniofacial d.** – d. craniofacial; fratura III de LeFort.

disk (disk) – disco; placa achatada circular ou arredondada Também *disc*. **articular d.** – d. articular; almofada de fibrocartilagem ou tecido fibroso denso presente em algumas articulações sinoviais. **Bowman's d's** – discos de Bowman; placas discóides achatadas que constituem as fibras musculares estriadas. **choked d.** – edema da papila; papiledema. **ciliary d.** – d. ciliar; parte plana do corpo ciliar. **contained d.** – d. contido; protrusão de um núcleo pulposo em que o ânulo fibroso permanece intacto. **cupped d.** – d. ou papila escavada; disco óptico patologicamente deprimido. **embryonic d.** – d. embrionário; área achatada em um óvulo clivado em que se observam os primeiros traços do embrião. **extruded d.** – d. protruso; herniação do núcleo pulposo através do ânulo fibroso, com o material nuclear permanecendo preso no disco intervertebral. **gelatin d.** – d. de gelatina; disco ou lamela de gelatina diversificadamente medicado, utilizado principalmente em doenças oculares. **germinal d.** – d. germinativo; d. embrionário. **growth d.** – d. de crescimento; placa epifisária. **Hensen's d.** – d. de Hensen; faixa H. **herniated d.** – d. herniado; d. protruso; herniação do disco intervertebral; ver em *herniation*. **intervertebral d's** – discos intervertebrais; camadas de fibrocartilagem entre os corpos das vértebras adjacentes. **intra-articular d's** – discos intra-articulares; estruturas fibrosas dentro das cápsulas das articulações diartrodiais. **noncontained d.** – d. não-contido; herniação do núcleo pulposo com ruptura do ânulo fibroso. **optic d.** – d. óptico; parte intraocular do nervo óptico formada pelas fibras que convergem a partir da retina e surgem como um disco de coloração rósea a branca. **Placido's d.** – d. de Plácido; disco marcado com círculos concêntricos utilizado no exame da córnea; ceratoscópio. **protruded d.** – d. protruso; d. herniado; herniação do núcleo pulposo que é contida pelo ânulo fibroso, produzindo distorção focal do disco intervertebral. **ruptured d.** – d. roto; d. herniado; herniação do disco intervertebral; ver em *herniation*. **sequestered d.** – d. seqüestrado; fragmento livre do núcleo pulposo no interior do canal espinhal externamente ao ânulo fibroso e não mais preso ao disco intervertebral. **slipped d.** – d. deslizado; termo popular para a herniação de um disco intervertebral; ver em *herniation*.

dis·kec·to·my (dis-kek'tah-me) – discectomia; excisão de um disco intervertebral.

dis·ki·tis (dis-kīt'is) – discite; inflamação de um disco, especialmente de um disco intervertebral.

dis·kog·ra·phy (dis-kog'rah-fe) – discografia; radiografia da coluna vertebral após injeção de material radiopaco no interior de um disco intervertebral.

dis·lo·ca·tion (dis"lo-ka'shun) – deslocação; deslocamento; luxação; deslocamento de uma parte. **complete d.** – d. completa; deslocamento que separa completamente as superfícies de uma articulação. **compound d.** – d. composta; deslocamento em que a articulação se comunica com o ar através de ferida externa. **pathologic d.** – d. patológica; deslocamento resultante de paralisia, sinovite, infecção ou outra doença. **simple d.** – d. simples; deslocamento em que não há comunicação com o ar através de ferida externa. **subspinous d.** – d. subespinhosa; deslocamento da cabeça do úmero no interior do espaço abaixo da espinha da escápula.

dis·mem·ber·ment (dis-mem'ber-mint) – desmembramento; amputação de um membro ou parte dele.

dis·oc·clude (dis"ah-klōōd') – desocluir; rilhar um dente de forma que não toque seu antagonista na outra mandíbula em quaisquer movimentos mastigatórios.

dis·or·der (dis-or'der) – distúrbio; desarranjo ou anomalia de função; estado físico ou mental mórbido. **adjustment d.** – d. de ajuste; reação de má-adaptação a um estresse identificável (divórcio, enfermidade) que se presume seja abrandado quando cessa o estresse ou o paciente se adapta. **affective d's** – distúrbios afetivos; distúrbios de humor. **anxiety d's** – distúrbios de ansiedade; distúrbios mentais em que predominam a ansiedade e o comportamento de fuga (ou seja, o distúrbio de pânico, agorafobia, fobia social, fobia simples, distúrbio obsessivo-compulsivo, distúrbio de estresse pós-traumático e distúrbio de ansiedade generalizada). **attention-deficit hyperactivity d.** – d. de hiperatividade por deficiência de atenção; distúrbio mental controvertido da infância com início antes dos sete anos de idade e caracterizado por inquietação, distração, incapacidade de seguir instruções, fala excessiva e outros comportamentos indesejáveis **autistic d.** – d. autista; distúrbio de desenvolvimento penetrante, com início na infância, diferindo da esquizofrenia da infância pelo início precoce, falta de delírios ou de alucinações, bem como incoerência ou afrouxamento de associações e diferindo do retardamento mental por apresentar fácies inteligente e responsiva. **behavior d.** – d. de comportamento; d. de conduta. **bipolar d.** – d. bipolar: 1. distúrbio de humor caracterizado por episódios maníacos e distúrbios depressivos importantes; 2. distúrbio bipolar e ciclotimia; psicose maníaco-depressiva. **body dysmorphic d.** – d. dismórfico corporal; distúrbio somatoforme caracterizado pela preocupação de um indivíduo com um defeito imaginário na aparência normal. **character d.** – d. de caráter; d. de personalidade.

collagen d. – d. do colágeno; erro inato do metabolismo que envolve uma estrutura anormal ou metabolismo de colágeno (por exemplo, a síndrome de Marfan e pele flácida). cf. *disease, collagen* **conduct d.** – d. de conduta; qualquer doença de um grupo de distúrbios mentais da infância e adolescência marcados pela violação contínua dos direitos dos outros e das normas ou regras sociais relacionadas à idade. **conversion d.** – d. de conversão; distúrbio somatoforme caracterizado por sintomas de conversão (perda ou alteração de função física que sugerem enfermidade física) sem nenhuma base fisiológica; sugere-se uma base psicológica pela exacerbação dos sintomas durante estresse psicológico, alívio de tensão (ganho primário) ou apoio ou atenção externos (ganhos secundários). **delusional (paranoid) d.** – d. delirante (paranóide); distúrbio psicótico marcado por delírios bem-sistematizados e logicamente consistentes de grandeza, perseguição ou ciúme, sem nenhuma outra característica psicótica. Existem cinco tipos: persecutório, ciumento, erotomaníaco, somático e de grandeza. **depersonalization d.** – d. de despersonalização; distúrbio dissociativo não-secundário a outro distúrbio mental (por exemplo, agorafobia) e caracterizado por sensações de separação do corpo ou pensamentos de um indivíduo. **depressive d's** – distúrbios depressivos; enfermidades mentais caracterizadas por depressão importante sem episódio maníaco ou inequívoco episódio hipomaníaco. **dissociative d's** – distúrbios dissociativos; neuroses histéricas caracterizadas por alterações súbitas e temporárias na identidade, memória ou consciência, segregando partes normalmente integradas da personalidade do indivíduo a partir da identidade dominante, como no caso do distúrbio de personalidade múltipla (*disorder, multiple personality*), fuga psicogênica, amnésia psicogênica e distúrbio de despersonalização (*depersonalization*). **dream anxiety d.** – d. do sonho de ansiedade; distúrbio do sono que consiste de episódios repetidos de pesadelos que fazem com que a pessoa acorde. **eating d.** – anormalidade nos hábitos alimentares; qualquer distúrbio mental associado a hábitos alimentares anormais, incluindo a anorexia nervosa, bulimia nervosa, pica e distúrbio de regurgitação da infância. **factitious d.** – d. artificial; distúrbio mental caracterizado por simulação conhecida e modelada de sintomas físicos; síndrome de Munchausen (*syndrome, Munchausen*) ou de sintomas psicológicos – síndrome de Ganser (*syndrome, Ganser*) unicamente para se obter um tratamento. **female sexual arousal d.** – d. do estímulo sexual feminino; disfunção sexual que envolve incapacidade de uma mulher conseguir ou manter lubrificação, bem como dilatação ou ainda de sentir excitação durante a atividade sexual. **functional d.** – d. funcional; distúrbio não-associado a qualquer alteração física ou estrutural claramente definida, ou seja, não tem nenhuma base orgânica. **generalized anxiety d.** – d. de ansiedade generalizada; distúrbio de ansiedade (q.v. *anxiety*) caracterizado por preocupação excessiva ou irreal acerca de duas ou mais circunstâncias vitais por seis meses ou mais. **habit d.** – d. de hábitos; estereotipia. **hypersomnia d.** – d. de hipersomnia; qualquer dos vários distúrbios do sono consistindo de hipersomnia quase diária por um ou mais meses, interferindo significativamente no desempenho ocupacional ou social. **hypoactive sexual desire d.** – d. de desejo sexual hipoativo; disfunção sexual que consiste de um nível baixo de persistência ou recorrência ou então de ausência de fantasias sexuais e desejo de atividade sexual. **identity d.** – d. de identidade; distúrbio subjetivo severo, geralmente no final da adolescência, com incapacidade evidente do indivíduo reconciliar aspectos de si mesmo em um todo coerente, incerteza acerca do futuro, da carreira, ética e coisas semelhantes. **impulse control d's** – distúrbios de controle do impulso; grupo de distúrbios mentais caracterizado por incapacidade contínua de resistir ao impulso de realizar um ato perigoso a si próprio e aos outros. **induced psychotic d.** – d. psicótico induzido; sistema delirante que se desenvolve em um segundo indivíduo intimamente relacionado a outro que tenha um distúrbio psicótico com delírios proeminentes. **insomnia d.** – d. de insônia; qualquer dos vários distúrbios do sono que consistem de insônia que ocorre pelo menos três vezes por semana durante um mês ou mais e resultam em fadiga significativa no dia seguinte. **intermittent explosive d.** – d. explosivo intermitente; distúrbio mental funcional caracterizado por diversos episódios isolados de perda de controle dos impulsos agressivos que resultam em ataque ou destruição grave à propriedade que não condizem com a personalidade normal do indivíduo. **late luteal phase dysphoric d.** – d. disfórico do final da fase lútea; síndrome pré-menstrual sob o ponto de vista de manifestação de um distúrbio psiquiátrico. **lymphoproliferative d's** – distúrbios linfoproliferativos; grupo de neoplasias malignas que surge de células relacionadas à célula linforreticular multipotencial comum, incluindo leucemias linfocítica, histiocítica e monocítica, mieloma múltiplo, plasmocitoma e a doença de Hodgkin. **lymphoreticular d's** – distúrbios linforreticulares; grupo de distúrbios do sistema linforreticular, caracterizados pela proliferação de linfócitos ou de tecidos linfóides. **male erectile d.** – d. erétil masculino; disfunção sexual que envolve incapacidade de por parte do homem de conseguir ou manter uma ereção até o término das relações sexuais ou de sentir excitação e prazer durante a atividade sexual. **manic-depressive d.** – d. maníaco-depressiva; d. bipolar. **mental d.** – d. mental; qualquer síndrome comportamental ou psicológica clinicamente significativa caracterizada pela presença de sintomas de angústia ou defeito funcional significativo. **mood d's** – distúrbios de humor; enfermidades mentais caracterizadas por distúrbios do humor como observado nas síndromes maníacas ou depressivas completas ou parciais (ou seja, distúrbios bipolares, distúrbios depressivos *(bipolar d., depressive d. 's)* e a síndrome orgânica de humor *(syndrome, organic mood)*.

mendelian d. – d. mendeliano; doença genética que apresenta padrão mendeliano de herança causado por mutação única na estrutura do DNA, que causa um defeito básico com conseqüências patológicas. **monogenic d.** – d. monogênico; d. mendeliano. **multifactorial d.** – d. multifatorial; distúrbio causado pela interação de fatores genéticos (e algumas vezes, também fatores ambientais não-genéticos), por exemplo, diabetes melito. **multiple personality d.** – d. de personalidade múltipla; ver *mutiple personality, em personality.* **myeloproliferative d's** – distúrbios mieloproliferativos; grupo de doenças geralmente neoplásicas, possivelmente relacionadas histogeneticamente, que inclui as leucemias granulocíticas, leucemias mielomonocíticas, policitemia verdadeira e a mielofibroeritroleucemia. **obsessive-compulsive d.** – d. obsessivo-compulsivo; neurose obsessivo-compulsiva; um distúrbio de ansiedade caracterizado por obsessões ou compulsões recorrentes, que são suficientemente severas para interferir significativamente no comportamento pessoal ou social. Cf. *obsessive-compulsive personality disorder* (em *personality*). **obsessive-compulsive personality d.** – d. de personalidade obsessivo-compulsivo; ver em *personality.* **organic mental d.** – d. mental orgânico; síndrome cerebral orgânica específica de etiologia orgânica conhecida ou presumida, como doença de Alzheimer. **overanxious d.** – d. de hiperansiedade; distúrbio da infância ou adolescência caracterizado por preocupação ou medo excessivos não-relacionados a uma situação específica. **panic d.** – d. de pânico; distúrbio de ansiedade caracterizado por ataques de pânico (ansiedade), medo ou terror, sensação de irrealidade, ou medos da morte ou de perder o controle, junto com sinais somáticos como dispnéia, asfixia, palpitações, tontura, vertigens, rubor, ou palidez e suor. Pode ocorrer com, ou raramente sem, agorafobia. **paranoid d.** – d. paranóide; d. delirante (paranóide). **personality d's** – d. de personalidade; ver *personality* e distúrbios específicos de personalidade, em *personality*, e ainda *organic personality syndrome*, em *syndrome.* **pervasive developmental d's** – distúrbios de desenvolvimento penetrante; distúrbios em que ocorre dano no desenvolvimento da interação social recíproca, das comunicações verbais e não-verbais e da atividade imaginativa, como é o caso do distúrbio autista. **plasma cell d's** – distúrbios plasmocitários; ver em *dyscrasia.* **pos-traumatic stress d.** – d. do estresse pós-traumático; distúrbio de ansiedade causado por um evento além da experiência humana normal (como estupro, combate, campos de extermínio ou desastres naturais) e caracterizado pela reexperimentação do trauma em retrospectiva e pesadelos intrusivos recorrentes, por "anestesia emocional", estado de hiperalerta e dificuldade em dormir, lembrar ou se concentrar e sentimento de culpa pela sobrevivência enquanto outros morreram ou por coisas que o indivíduo devia ter feito para sobreviver. **psychoactive substance use d's** – distúrbios de uso de substâncias psicoativas; distúrbios mentais com comportamento mal-adaptado proveniente do uso regular de substâncias que alteram o humor ou o comportamento. Ver *psychoactive substance abuse*, em *abuse* e *psychoactive substance dependence*, em *dependence*. **psychoactive substance-induced organic mental d's** – distúrbios mentais orgânicos induzidos por substâncias psicoativas; síndromes mentais orgânicas associadas ao uso de substâncias psicoativas. **psychosomatic d.** – d. psicossomático; distúrbio em que os sintomas físicos são causados ou exacerbados por fatores psicológicos (como as cefaléias da hemicrânia, dor na parte inferior das costas, úlcera gástrica ou síndrome do intestino irritável). **psychotic d.** – d. psicótico; psicose. **rumination d. of infancy** – d. ruminatório da infância, excessiva do alimento por parte de bebês, após um período de hábitos alimentares normais, levando potencialmente à morte por máxnutrição. **schizoaffective d.** – d. esquizoafetivo; categoria diagnóstica para distúrbios mentais com características de esquizofrenia e distúrbios do humor. **schizophreniform d.** – d. esquizofreniforme; distúrbio mental com sinais e sintomas da esquizofrenia, mas com uma duração inferior a 6 meses. **seasonal affective d. (SAD)** – d. afetivo sazonal; depressão com fadiga, letargia, excesso de sono, superingestão e desejo de carboidratos, que ocorre durante os meses de inverno e se acredita ser correlacionado à duração mais curta do dia e às temperaturas mais baixas. **separation anxiety d.** – d. de ansiedade pela separação; distúrbio em uma criança que é afastada de seus pais, sua casa ou ambientes familiares. **sexual d's** – distúrbios sexuais; distúrbios mentais que envolvem o funcionamento sexual, divididos em disfunções sexuais, redução ou inibição dos desejos sexuais ou parafilias. **sleep d's** – distúrbios do sono; distúrbios crônicos que envolvem o sono, de causa psicológica ou fisiológica. **sleep terror d.** – d. de terror noturno; distúrbio do sono em que ocorrem episódios repetidos de pavor noturno. **sleep-wake schedule d.** – d. mental do esquema de sono e vigília; d. do programa do equilíbrio sono-vigília; falta de sincronia entre o horário de sono e vigília exigido pelo meio social e o ritmo circadiano próprio de um indivíduo. **somatization d.** – d. de somatização; histeria clássica (síndrome de Briquet); distúrbio somatoforme caracterizado por queixas somáticas múltiplas vaga ou drasticamente apresentadas e não causadas por enfermidade física; a maioria dos pacientes torna-se ansiosa e deprimida e apresenta dificuldades interpessoais; muitas têm características de personalidade histriônicas (histéricas). **somatoform d's** – distúrbios somatoformes; distúrbios mentais caracterizados por sintomas que sugerem distúrbios físicos de origem psicogênica, mas não sujeita a controle voluntário, por exemplo, o distúrbio dismórfico corporal, distúrbio de conversão, hipocondria, distúrbio de somatização e distúrbio de dor somatoforme. **somatoform pain d.** – d. de dor somatoforme; distúrbio somatoforme que preenche os critérios de um distúrbio de conversão e se caracteriza por

queixa de dor crônica severa incompatível com a neuroanatomia e mecanismos patofisiológicos. **unipolar d's** – distúrbios unipolares; depressão e distúrbio distímico (neurose depressiva) importantes.

dis·or·gan·iza·tion (-or"gin-iz-a'shin) – desorganização; processo de destruição de qualquer tecido orgânico; qualquer alteração profunda nos tecidos de um órgão ou estrutura que cause a perda da maioria ou de todas as características próprias.

dis·ori·en·ta·tion (-o"re-en-ta'shin) – desorientação; perda de comportamento próprio ou estado de confusão mental com relação a tempo, lugar ou identidade. **spatial d.** – d. espacial; incapacidade de um piloto ou outro membro de uma tripulação espacial determinar a atitude espacial com relação à superfície da terra; ocorre em situações de restrição de visão e resulta de ilusões vestibulares.

dis·pen·sa·ry (-pen'ser-e) – dispensário: 1. local para administração de tratamento médico grátis ou a baixo custo; 2. qualquer lugar onde se administram realmente medicamentos e remédios.

dis·pen·sa·to·ry (-pen'sah-tor"e) – dispensatório; obra que descreve os remédios e sua preparação e usos. **D. of the United States of America** – (D. dos Estados Unidos da América); coleção de monografias acerca de medicamentos não-oficiais e medicamentos reconhecidos pela United States Pharmacopeia (Farmacopéia dos Estados Unidos), British Pharmacopeia (Farmacopéia Britânica) e National Formulary (Formulário Nacional); assim como de testes, processos, reagentes e soluções gerais da U.S.P. e da N.F., assim como drogas utilizadas em Medicina Veterinária.

dis·pense (-pens') – aviar; preparar remédios para distribuição aos usuários.

dis·perse (-pers') – dispersar; disseminar as partes componentes, como as de um tumor ou partículas finas em um sistema coloidal; partículas dissipadas da forma anterior.

dis·per·sion (-per'zhin) – dispersão: 1. ato de espalhar ou separar; condição de ser dispersado; 2. incorporação de uma substância em outra; 3. solução coloidal.

dis·place·ment (-plãs'mint) – deslocamento; remoção de uma localização ou posição anormais; em Psicologia, transferência inconsciente de uma emoção de seu objeto original para um substituto mais aceitável.

dis·pro·por·tion (dis"prah-por'shun) – desproporção; falta de relacionamento apropriado entre dois elementos ou fatores. **cephalopelvic d.** – d. cefalopélvica; condição em que a cabeça fetal fica demasiadamente grande para a pelve materna.

dis·rup·tion (dis-rup'shun) – ruptura; ato de separar forçadamente ou o estado de ser separado de modo anormal.

dis·sect (dĭ-sekt', di-sekt') – dissecar; destacar ou separar; especificamente, a exposição das estruturas de um cadáver para estudo anatômico.

DEF

dis·sec·tion (dĭ-sek'shun) – dissecção: 1. ato de dissecar; 2. uma parte ou todo de um organismo preparado pela dissecção. **aortic d.** – d. aórtica; dissecção que resulta de hemorragia que causa divisão longitudinal da parede arterial, produzindo um rasgo na túnica íntima e estabelecendo comunicação com o lúmen; geralmente afeta a aorta torácica. **blunt d.** – d. romba ou obtusa; dissecção realizada por meio de separação dos tecidos ao longo das linhas de clivagem naturais, sem cortar. **sharp d.** – d. aguda; dissecção realizada por meio de incisão de tecidos com uma borda afiada.

dis·sem·i·nat·ed (-sem'in-āt"id) – disseminado; espalhado; distribuído por uma área considerável.

dis·so·ci·a·tion (-so"se-a'shun) – dissociação: 1. ato de separar ou estado de ser separado; 2. desassociação; mecanismo de defesa inconsciente em que um ou mais grupos de processos mentais se separam da consciência normal, ou em que uma idéia ou um objeto separou-se de seu significado emocional. **atrial d.** – d. atrial; batimento independente dos átrios esquerdo e direito, cada um com ritmo normal, ou um deles ou ambos apresentando ritmo anormal. **atrioventricular d.** – d. atrioventricular; controle dos átrios por meio de um marca-passo e dos ventrículos por outro marca-passo independente. **electromechanical d.** – d. eletromecânica; ritmicidade elétrica persistente do coração na ausência de uma função mecânica efetiva.

dis·so·lu·tion (dis"ah-loo'shin) – dissolução: 1. processo em que uma substância converte-se em outra; 2. separação de um composto em seus componentes por meio de ação química; 3. liquefação; 4. morte.

dis·solve (dĭ-zolv') – dissolver: 1. fazer com que uma substância seja convertida em solução; 2.converter em solução.

dis·tad (dis'tad) – distal; em direção distal.

dis·tal (-t'l) – distal; distante; o ponto mais distante de qualquer referência.

dis·ta·lis (dis-ta'lis) [L.] – distal.

dis·tance (dis'tins) – distância; medida do espaço interposto entre dois objetos ou dois pontos de referência. **focal d.** – d. focal; distância do ponto focal ao centro óptico de uma lente ou da superfície de um espelho côncavo. **interarch d.** – d. interarcos; d. intercrista; distância vertical entre os arcos maxilar e mandibular sob determinadas condições específicas de dimensão vertical. **interocclusal d.** – d. interoclusal; distância entre as superfícies ocludentes dos dentes maxilares e mandibulares estando a mandíbula em posição de repouso fisiológico. **interocular d.** – d. interocular; distância entre os olhos, geralmente utilizada com referência à distância interpupilar. **working d.** – d. de trabalho; distância entre a lente frontal de um microscópio e o objeto quando se focaliza corretamente o instrumento.

dis·tem·per (dis-tem'per) – indisposição; cinomose; um dos nomes para várias doenças infecciosas dos animais, especialmente dos cães; doença viral altamente fatal caracterizada por febre, perda de apetite e secreção do nariz e olhos.

dis·ti·chi·a·sis (dis"tĭ-ki'ah-sis) – distiquíase; presença de uma fileira dupla de cílios, com uma ou ambas as fileiras voltadas para dentro contra o globo ocular.

dis·til·la·tion (dis"til-a'shin) – destilação; vaporização; processo de vaporização e condensação de uma substância a fim de purificá-la ou a separação de uma substância volátil de substâncias menos voláteis. **destructive d., dry d.** – d. destrutiva; d. seca; decomposição de um sólido através do calor na ausência de ar, resultando em produtos líquidos voláteis. **fractional d.** – d. fracionária; destilação realizada através da separação sucessiva de substâncias evaporáveis volatizáveis por meio das respectivas volatilidades.

dis·to·buc·co·oc·clu·sal (dis"to-buk"o-ŏ-kloo'-z'l) – distobucoclusal; relativo ou formado pelas superfícies distal, bucal e oclusal de um dente.

dis·to·buc·co·pul·pal (-pul'p'l) – distobucopulpar; relativo ou formado pelas paredes distal, bucal e pulpar de uma cavidade dentária.

dis·to·clu·sion (-kloo'zhin) – distoclusão; deficiência de relação das arcadas dentárias estando o maxilar inferior em uma posição distal ou posterior com relação à superior.

dis·to·mi·a·sis (-mi'ah-sis) – distomíase; infecção devida a trematódeos.

dis·to·mo·lar (-mo'ler) – distomolar; molar supranumerário; qualquer dente distal a um terceiro molar.

dis·tor·tion (dis-tor'shun) – distorção; estado de ser desviado de uma forma ou posição normal; em Psiquiatria, a conversão de um material ofensivo ao superego em uma forma aceitável. **parataxic d.** – d. paratáxica; distorções do julgamento e percepção, particularmente em relações interpessoais, com base na necessidade de perceber objetos e relações de acordo com um padrão de experiência anterior.

dis·trac·tion (dis-trak'shun) – distração: 1. desvio da atenção; 2. separação de superfícies articulares sem ruptura de seus ligamentos e sem deslocamento; 3. separação cirúrgica das duas partes de um osso após se transeccionar o mesmo.

dis·tress (dis-tres') – sofrimento; angústia ou padecimento. **idiopathic respiratory d. of newborn** – da angústia respiratória idiopática do recém-nascido; ver *respiratory distress of new-born syndrome*; em *syndrome*.

dis·tri·bu·tion (dis"trĭ-bu'shun) – distribuição: 1. localização ou arranjo específico de objetos ou eventos contínuos ou sucessivos no espaço ou tempo; 2. extensão de uma estrutura ramificante, como uma artéria ou um nervo e seus ramos; 3. extensão geográfica de um organismo ou doença. **chi-squared d.** – método do X ao quadrado; distribuição de diferenças de amostras que utiliza as observações de amostra aleatória coletada de uma população normal.

dis·tur·bance (dis-turb'ans) – distúrbio; desvio; afastamento ou divergência do que é considerado normal. **emotional d.** – d. emocional; d. mental. **sexual orientation d.** – d. de orientação sexual; interesses sexuais direcionados a pessoas do mesmo sexo, o que faz com que as pessoas afetadas tornem-se perturbadas por essa razão, em conflito ou desejando mudar sua orientação sexual; não deve ser confundido com homossexualismo e lesbianismo.

di·sul·fi·ram (di-sul'fĭ -ram) – dissulfiram; antioxidante que inibe a oxidação do acetaldeído metabolizado do álcool, resultando em altas concentrações de acetaldeído no organismo. Utilizado para produzir aversão ao álcool no tratamento do alcoolismo em razão dos sintomas extremamente desconfortáveis que ocorrem quando sua administração é acompanhada pela ingestão de álcool.

di·uret·ic (di"u-ret'ik) – diurético: 1. que aumenta a excreção ou a quantidade de urina; 2. agente que promove a secreção de urina. **high-ceiling d's, loop d's** – diuréticos de teto alto; diuréticos de alça; classe de diuréticos que parece participar do mecanismo de reabsorção de sódio da extremidade grossa ascendente da alça de Henle, resultando em excreção de urina isotônica com plasma. **potassium sparing d's** – diuréticos poupadores de potássio; classe de diuréticos que bloqueiam a troca de sódio por potássio e íons de hidrogênio no túbulo distal, aumentando a excreção de sódio e cloreto sem aumentar a excreção de potássio. **osmotic d.** – d. osmótico; substância de baixo peso molecular capaz de permanecer em altas concentrações nos túbulos renais, contribuindo portanto para a osmolalidade do filtrado glomerular. **thiazide d.** – d. tiazida; qualquer substância de um grupo de compostos sintéticos que efetuam a diurese através da potencialização da excreção de sódio e cloreto.

Di·uril (di'ŭr-il) – Diuril, marca registrada de preparações de clorotiazida.

di·ur·nal (di-ern'al) – diurno; relativo ou que ocorre durante o dia ou o período de luz solar.

di·va·lent (di-va'lent) – divalente; bivalente; que possui valência de dois.

di·val·pro·ex so·di·um (di-val'pro-eks) – divalproex sódico; composto de coordenação de valproato de sódio e ácido valpróico (1:1) utilizado no tratamento de ataques convulsivos epilépticos, particularmente crises de ausência.

di·ver·gence (di-verj'ens) – divergência; movimento ou inclinação de um ponto comum. **diver'gent** – adj. divergente.

di·ver·tic·u·lec·to·my (di"ver-tik"ŭl-ek'tah-me) – diverticulectomia; excisão de um divertículo.

di·ver·tic·u·li·tis (-ī t'is) – diverticulite; inflamação de um divertículo.

di·ver·tic·u·lo·sis (-o'sis) – diverticulose; presença de divertículos na ausência de inflamação.

di·ver·tic·u·lum (di"ver-tik'u-lum) pl. *diverticula* – divertículo; bolsa ou saco circunscrito que ocorre normalmente ou é criado por herniação da membrana mucosa de revestimento através de um defeito na camada muscular de um órgão tubular.

di·vi·sion (dĭ -vizh'un) – divisão: 1. ato de separar em partes; 2. secção ou parte de uma estrutura maior; 3. em taxonomia das plantas e fungos, um nível de classificação equivalente ao *phylum* do reino animal. **cell d.** – d. celular; fissão de uma célula. **cell d., direct** – d. celular direta; ver *amitosis.* **cell d., indirect** – d. celular indireta; ver *meiosis* e *mitosis.* **maturation d.** – d. de maturação; meiose.

di·vulse (-vuls') – divulsionar; romper violentamente.

di·vul·sion (-vul'shun) – divulsão; ato de separar ou romper.

di·vulsor (-vul'ser) – divulsor; afastador; instrumento para dilatar a uretra.

di·zy·got·ic (di"zi-got'ik) – dizigótico; relativo ou derivado de dois zigotos separados (óvulos fertilizados).

diz·zi·ness (diz'e-nes) – vertigem; tontura: 1. sensação perturbada de relacionamento com o espaço; sensação de instabilidade e de movimento dentro da cabeça; delírio; desequilíbrio; 2. sinônimo errôneo para *vertigo.*

DL- – prefixo químico (letras maiúsculas pequenas) convencionado como D e L para indicar uma mistura racêmica de enantiômeros.

DLE – discoid lupus erythematosus (LED, lúpus eritematoso).

DMD – Doctor of Dental Medicine (Doutor em Medicina Dentária).

DMFO – eflornithine (eflornitina).

DMRD – Diploma in Medical Radio-Diagnosis (Diploma em Radiodiagnóstico Médico) (Inglaterra).

DMRT – Diploma in Medical Radio-Therapy (Diploma em Radioterapia Médica) (Inglaterra).

DNA – desoxyribonucleic acid (ácido desoxirribonucléico). **complementary DNA, copy DNA (cDNA)** – DNA complementar; DNA cópia (cDNA); DNA transcrito a partir de um RNA específico através da ação da enzima transcriptase reversa. **mitochondrial DNA (mtDNA)** – DNA mitocondrial (mtDNA); DNA do cromossoma mitocondrial, que existe em vários milhares de cópias por célula e é herdado exclusivamente da mãe. **nuclear DNA (nDNA)** – DNA nuclear (nDNA); DNA dos cromossomas encontrado no núcleo de uma célula eucariótica. **recombinant DNA** – DNA recombinante; DNA artificialmente construído por meio da inserção de um DNA estranho no interior do DNA de um organismo apropriado, de forma que o DNA estranho seja replicado junto com o DNA-hospedeiro. **repetitive DNA** – DNA repetitivo; seqüências de nucleotídeos que ocorrem de forma múltipla dentro de um genoma; é característico dos eucariotas e uma parte consiste de DNA-satélite, enquanto outras seqüências contêm genes para o RNA ribossômico e histonas. **satellite DNA** – DNA-satélite; seqüências de DNA eucariótico curtas e altamente repetidas, geralmente agrupadas em heterocromatina e normalmente não-transcritas. **single copy DNA (scDNA)** – DNA de cópia única (scDNA); seqüências de nucleotídeos já presentes no genoma haplóide, como a maioria dos polipeptídeos codificantes no genoma eucariótico. **spacer DNA** – DNA espaçador; seqüências de nucleotídeos que ocorrem entre os genes.

DNase – deoxyribonuclease (desoxirribonuclease).

DNOC – dinitro-*o*-cresol (dinitro-*o*-cresol).

DO – Doctor of Osteopathy (Doutor em Osteopatia).

DOA – dead on admission (arrival) (MNA, morto na admissão).

do·co·sa·hexa·eno·ic ac·id (do-ko"sah-hek"-sah-e-no'ik) – ácido docosa-hexaenóico; ácido graxo poliinsaturado ômega-3 de 22 carbonos encontrado quase exclusivamente nos óleos de peixe e animais marinhos.

doc·tor (dok'ter) – doutor; médico; profissional de Medicina, graduado em uma Universidade de Medicina, Osteopatia, Odontologia, Quiroprática, Optometria, Podiatria ou Medicina Veterinária e licenciado para exercer a profissão.

doc·u·sate (dok'u-sāt) – docussato; qualquer substância de um grupo de surfactantes aniônicos amplamente utilizados como agentes emulsificadores, umedecedores e dispersores; os sais de cálcio, potássio e sódio são utilizados como emolientes de fezes.

dol (dōl) – dol; unidade de medida de intensidade de dor.

dolich(o)- [Gr.] – dolic(o)-, elemento de palavra, *longo*.

dol·i·cho·ce·phal·ic (dol"ĭ-ko-sĕ-fal'ik) – dolicocéfalo; com cabeça longa; que tem um índice cefálico de 75,9 ou inferior.

dol·i·cho·pel·lic, dol·i·cho·pel·vic (-pel'ik; -pel'vik) – dolicopelve; dolicopélvico; que tem um índice pélvico de 95 ou acima.

Do·lo·phine (do'lah-fēn) – Dolophine, marca registrada de preparação de metadona.

do·lor (do'lor) [L.], pl. *dolores* – dor; um dos quatro sinais de inflamação. **d. ca'pitis** – cefaléia; dor de cabeça.

do·lor·if·ic (do"lor-if'ik) – dolorífico; que produz dor.

do·lor·im·e·ter (-im'it-er) – dolorímetro; instrumento para medir a dor em dols.

do·lor·o·gen·ic (dol-or"o-jen'ik) – dolorogênico; dolorífico.

do·main (do-mān') – domínio; em Imunologia, qualquer das regiões homólogas de cadeias polipeptídicas pesadas ou leves de imunoglobulinas.

dom·i·nance (dom'in-ans) – dominância: 1. estado de ser dominante; 2. em Genética, a expressão fenotípica completa de um gene tanto em hetero como em homozigotos. **incomplete d.** – d. incompleta; incapacidade de um gene ser completamente dominante, com os heterozigotos mostrando um fenótipo intermediário entre os dois genitores. **lateral d.** – d. lateral; uso preferencial, em ações motoras voluntárias dos membros ipsilaterais dos órgãos pareados principais do corpo.

dom·i·nant (dom'ĭ -nant) – dominante: 1. que domina ou exerce influência controladora; 2. em Genética, capaz de expressão quando realizado por apenas um cromossoma de um par de cromossomas homólogos; 3. alelo ou característica dominante.

do·nor (do'ner) – doador: 1. organismo que fornece tecido vivo para ser utilizado em outro corpo, como uma pessoa que fornece sangue para uma transfusão ou órgão para transplante; 2. substância ou composto que contribui com parte de si mesmo para outra substância (receptor). **general d.** – d. geral; d. universal. **hydrogen d.** – d. de hidrogênio; substância ou composto que concede um hidrogênio para outra substância. **universal d.** – d. universal; pessoa do grupo sangüíneo O; esse tipo de sangue (preferem-se as células sangüíneas em vez do sangue completo) é algumas vezes utilizado em transfusão de emergência.

do·pa (do'pah) – dopa; 3,4-diidroxifenilalanina, produzida pela oxidação da tirosina por parte da monofenol-monoxigenase; é a precursora da dopamina e um produto intermediário na biossíntese da noradrenalina, adrenalina e melanina. A L-dopa (levodopa), a forma naturalmente ocorrente, é utilizada no tratamento do parkinsonismo.

do·pa·mine (-mēn) – dopamina; catecolamina formada no corpo pela descarboxilação da dopa; é um produto intermediário na síntese da noradrenalina e age como um neurotransmissor no sistema nervoso central. Utiliza-se o sal de cloridrato para corrigir o equilíbrio hemodinâmico no tratamento da síndrome de choque.

do·pa·min·er·gic (-mēn-er'jik) – dopaminérgico; ativado ou transmitido pela dopamina; relativo a tecidos ou órgãos afetados pela dopamina.

Dop·pler (dop'ler) – Doppler; ver em *ultrasonography*. **color D.** – D. colorido; obtenção de imagens Doppler com fluxo colorido.

dor·sad (dor'sad) – dorsal; em direção ao dorso.

dor·sal (dor'sal) – dorsal: 1. relativo às costas ou dorso; 2. que denota uma posição mais próxima à superfície dorsal do que de outro objeto de referência.

dor·sa·lis (dor-sa'lis) [L.] – dorsal.

dor·si·flex·ion (dor"sĭ -flek'shun) – dorsiflexão; flexão ou torção para trás, como a da mão ou pé.

dors(o)- [L.] – elemento de palavra, *costas; face dorsal*. Também *dorsi-*.

dor·so·ceph·a·lad (dor"so-sef'ah-lad) – dorsocefálico; em direção à parte dorsal da cabeça.

dor·so·ven·tral (-ven'tril) – dorsoventral: 1. relativo às superfícies dorsal e ventral de um corpo; 2. que passa da superfície dorsal para a ventral.

dor·sum (dor'sum) [L.] pl. *dorsa* – dorso: 1. costas; 2. face de uma estrutura ou parte anatômica cuja posição é correspondente às costas; parte posterior no homem.

dos·age (do'saj) – dosagem; determinação e regulação das proporções, freqüência e número de doses de um medicamento.

dose (dōs) – dose; quantidade a ser administrada de uma vez, como uma quantidade específica de medicamento ou uma dada quantidade de radiação. **absorbed d.** – d. absorvida; quantidade de energia proveniente de radiações ionizantes absorvida por unidade de massa de matéria, expressa em rads. **air d.** – d. de radiação; ver em *exposure*. **booster d.** – d. de reforço; dose de imunógeno geralmente menor que a quantidade original, administrada para manter a imunidade. **curative d., median** – d. curativa mediana; dose que abole os sintomas em 50% dos indivíduos testados; abreviação: DC$_{50}$. **divided d.** – d. dividida; fração da quantidade total de uma droga prescrita para ser administrada a intervalos, geralmente durante um período de 24 horas. **effective d.** – d. eficaz; quantidade de um medicamento que produzirá os efeitos para os quais foi administrado. **effective d., median** – d. eficaz mediana; dose que produz o efeito desejado em 50% de uma população. **fatal d.** – d. fatal; d. letal. **immunizing d., median** – d. imunizante mediana; dose de vacina ou antígeno suficiente para proporcionar imunidade em 50% dos indivíduos de teste. **infective d.** – d. infecciosa; quantidade de organismos patogênicos que causará infecção em indivíduos suscetíveis. **infective d., median** – d. infecciosa mediana; quantidade de microrganismos patogênicos que causará uma infecção em 50% dos indivíduos de teste. **lethal d.** – d. letal; quantidade de um agente que será ou pode ser suficiente para causar morte. **lethal d., median** – d. letal mediana; quantidade de um agente que matará 50% dos indivíduos de teste; em radiologia, a quantidade de radiação que matará (dentro de um período especificado) 50% dos indivíduos em um grupo ou população grandes. **lethal d., minimum (MLD)** – d. letal mínima: 1. a menor quantidade de toxina que matará um animal experimental; 2. a menor quantidade de toxina diftérica que matará uma cobaia de 250g de peso em 4 a 5 dias, quando injetada subcutaneamente. **maximum d.** – d. máxima; a maior dose compatível com a segurança. **minimum d.** – d. mínima; a menor dose que produzirá um efeito apreciável. **permissible d.** – d. permissível; a quantidade de radiação ionizante que se espera não acarrete lesão corporal apreciável. **permissible d., maximum** – d. permissível máxima; a maior quantidade de radiação ionizante a que um indivíduo pode ser exposto seguramente de acordo com os limites recomendados nos parâmetros de proteção de radiação. Abreviação: DPM. **threshold erythema d.** – d. de limitar do eritema; dose cutânea única que produzirá um eritema pálido, mas definido, em 80% dos testados dentro de 30 dias e não produzirá nenhuma reação visível nos outros 20%. Abreviação: TED. **tolerance d.** – d. de tolerância; a maior dose de um agente que pode ser administrada sem risco.

do·sim·e·try (do-sim'ĕ-tre) – dosimetria; determinação científica da dosagem, freqüência e distribuição de uma radiação emitida a partir de uma fonte de radiação ionizante, no caso da *d. biológica*, medindo as alterações induzidas pela radiação em um corpo ou organismo, e no caso da *d. física*, medindo os níveis de radiação diretamente com instrumentos.

dot (dot) – mácula; pequeno sinal ou mancha. **Gunn's d's** – máculas de Gunn; máculas brancas observadas ao redor da mácula lútea em uma iluminação oblíqua. **Maurer's d's** – máculas de Maurer; máculas irregulares, coradas de vermelho com o corante de Leishman, observadas nas hemácias infectadas por *Plasmodium falciparum*. **Mittendorf's d.** – m. de Mittendorf; anomalia congênita manifestada como pequena opacidade cinzenta ou branca imediatamente inferior e nasal ao pólo posterior do cristalino, representando os restos da ligação lenticular da artéria hialóide, não afeta a visão. **Trantas' d's** – máculas de Trantas; pequenos nódulos brancos que parecem calcários no limbo da conjuntiva na conjuntivite primaveril.

double blind (dub'l blīnd') – duplo cego; teste que se refere a estudo dos efeitos de um agente específico em que nem o administrador nem o receptor (no momento da administração) sabem se foi administrada a substância ativa ou placebo. **douche** (dōosh) [Fr.] – ducha; jato de água direcionado contra uma parte do corpo ou o interior de uma cavidade. **air d.** – d. aérea; corrente de ar soprada no interior de uma cavidade, particularmente no tímpano para abrir a trompa de Eustáquio.

doug·la·si·tis (dug"lah-sīt'is) – douglasite; inflamação de Douglas; inflamação da escavação retouterina (fundo de saco de Douglas).

dow·el (dow"l) – cavilha; cravo ou pino para apertar uma coroa ou núcleo artificiais em uma raiz dentária natural ou afixar um molde em modelo de trabalho para construção de uma coroa, incrustação ou dentadura parcial.

down-stream (doun'strēm) – a jusante; região do DNA ou RNA localizada no terceiro lado de um gene ou região de interesse.

dox·a·cu·ri·um (dok"sah-ku're-um) – doxacúrio; agente bloqueador neuromuscular não-despolarizante de longa ação utilizado como sal de cloreto para proporcionar relaxamento muscular esquelético durante uma cirurgia e intubação endotraqueal.

dox·a·pram (dok'sah-pram) – doxapram; estimulante respiratório, utilizado como sal de cloridrato.

dox·a·zo·sin (doks"a'zo-sin) – doxazosina; composto que bloqueia determinados receptores α-adrenérgicos; utilizado em forma de derivado mesilático como anti-hipertensivo.

dox·e·pin (dok'sĕ-pin) – doxepina; composto tricíclico que tem atividade antiansiolítica acentuada e atividade antidepressiva significativa; utilizada como sal de cloridrato, assim como antipruriginoso e no tratamento de dor crônica, úlcera péptica e urticária idiopática do frio.

doxo·ru·bi·cin (dok"so-roo'bĭ-sin) – doxorrubicina; antibiótico antineoplásico produzido pela *Streptomyces peucetius*, que se liga ao DNA e inibe a síntese de ácido nucléico; utilizada como sal de cloridrato.

doxy·cy·cline (dok"se-si'klēn) – doxiciclina; antibiótico semi-sintético de amplo espectro do grupo das tetraciclinas, ativo contra uma grande variedade de organismos Gram-positivos e Gram-negativos; também utilizada como sais de cálcio e de cloridrato.

dox·yl·amine (dok-sil'ah-mēn) – doxilamina; anti-histamínico, utilizado como sal de succinato.

DP – Doctor of Pharmacy (Doutor em Farmácia); Doctor of Podiatry (Doutor em Podiatria).

DPH – Diploma in Public Health (Diploma em Saúde Pública).

DPT – diphteria-pertussis-tetanus (difteria-coqueluche-tétano); ver *vaccine*.

DR – reaction of degeneration (reação de degeneração).

dr – dram (dracma).

drachm (dram) – dram (dracma).

dra·cun·cu·li·a·sis (drah-kung"ku-li'ah-sis) – dracunculíase; infecção por nematódeos do gênero *Dracunculus*.

dracunculosis   248

dra·cun·cu·lo·sis (-lo'sis) – dracunculose; dracun-culíase.
Dra·cun·cu·lus (drah-kung'ku-lus) – *Dracunculus;* gênero de parasitas nematódeos, que inclui a *D. medinensis* (verme da Guiné), um verme filamen-tar, de 30-120 cm de comprimento, amplamente distribuído pela Índia, África e Arábia, e que habita os tecidos subcutâneo e intermuscular do homem e outros animais.
draft (draft) – corrente de ar; porção ou dose.
drain (drān) – dreno; qualquer dispositivo pelo qual se pode estabelecer um canal ou área aberta para a saída de fluidos ou material purulento de uma cavidade, ferimento ou área infectada. **controlled d.** – d. controlado; quadrado de gaze, preenchido com faixas de gaze, pressionado no interior de um ferimento, deixando-se os cantos do quadrado e as extremidades das faixas em projeção. **Mikulicz d.** – d. de Mikulicz; única camada de gaze envol-vida com várias tiras espessas de gaze e empur-rada no interior da cavidade de um ferimento. **Penrose d.** – d. de Penrose; d. em forma de cigarro. **stab wound d.** – d. para punção ou perfuração; dreno colocado através de pequena punção a certa distância da incisão operatória, para evitar infecção do ferimento operatório.
drain·age (drān'ij) – drenagem; remoção sistemáti-ca de fluidos e descargas de um ferimento, ferida ou cavidade. **capillary d.** – d. capilar; drenagem efetuada por filamentos de pêlo, categute, vidro ou outro material de pequeno calibre que age por meio de atração capilar. **closed d.** – d. fechada; drenagem de uma cavidade empiêmica realizada com uma proteção contra a entrada de ar externo no interior da cavidade pleural. **open d.** – d. aberta; drenagem de uma cavidade empiêmica através de abertura na parede torácica onde se inserem um ou mais tubos de drenagem de borracha que não é fechada para evitar a entrada de ar externo. **postural d.** – d. postural; drenagem terapêutica no caso de bronquiectasia e abscesso pulmonar colocando-se a cabeça do paciente em sentido inferior, de forma que a traquéia se incline para baixo da área afetada. **through d.** – d. por sonda; drenagem efetuada pela passagem de uma son-da perfurada pela cavidade, de forma que se possa efetuar a irrigação injetando-se fluido no interior de uma abertura e deixando-o sair por outra. **tidal d.** – d. corrente; drenagem da bexiga por meio de um aparelho que enche alternada-mente a bexiga até uma pressão predeterminada, esvaziando-a por meio de combinação de sifo-nagem e fluxo por gravidade.
dram (dram) – dracma; unidade de medida no siste-ma avoir-du-pois (27,34 grãos ou $\frac{1}{16}$ de onça) ou no sistema de farmacêutico (60 grãos ou $\frac{1}{8}$ de onça). **fluid d.** – d. líquida; unidade de medida de líquido do sistema de medidas de Farmácia que contém 60 mínimos; equivalentes a 3,697 ml.
Dram·a·mine (dram'ah-mēn) – Dramamine, marca registrada de preparações de dimenidrinato.
drep·a·no·cy·to·sis (drep"ah-no-si-to'sis) – drepano-citose; presença de células falciformes no sangue.
dress·ing (dres'ing) – curativo; qualquer material utilizado para cobrir e proteger um ferimento.

antiseptic d. – c. anti-séptico; gaze impregnada com material anti-séptico. **occlusive d.** – c. oclusivo; curativo que impede que um ferimento tenha contato com o ar ou bactérias. **pressure d.** – c. compressivo; curativo pelo qual se exerce pressão na área coberta para evitar acúmulo de fluidos nos tecidos subjacentes.
drift (drift) – desvio; flutuação: 1. movimento lento fora da posição normal ou original; 2. variação de probabilidade, como no caso de freqüência gené-tica entre populações; quanto menor a popula-ção, maior a probabilidade de variações aleató-rias. **radial d.** – d. radial; ver em *deviation*. **ulnar d.** – t. ulnar; ver em *deviation*.
drip (drip) – gotejar; gotejamento; infusão lenta, gota a gota, de um líquido. **postnasal d.** – gotejamento pós-nasal; drenagem de uma secreção mucosa ou mucopurulenta excessiva a partir da região pós-nasal no interior da faringe.
driv·en·ness (driv'en-nes) – impulsividade; hiperativi-dade; ver *hyperactivity* (2). **organic d.** – hiperativi-dade orgânica; motivação orgânica observada em indivíduos com danos cerebrais resultantes de lesão e desorganização das estruturas cerebelares.
dro·car·bil (dro-kahr'bil) – drocarbila; anti-helmíntico veterinário ($C_{16}H_{23}AsN_2O_7$).
dro·mo·graph (drom'ah-graf) – dromógrafo; fluxíme-tro de registro para medir o fluxo sangüíneo.
dro·mo·stan·o·lone pro·pio·nate (dro"mo-stan'o-lōn) – propionato de dromostanolona; esteróide anabólico androgênico utilizado como agente antineoplásico no tratamento paliativo de câncer de mama inoperável e metastático avançado em determinadas mulheres na pós-menopausa.
drom·o·trop·ic (-trop'ik) – dromotrópico; que afeta a condutividade de uma fibra nervosa.
dro·nab·i·nol (dro-nab'in-ol) – dronabinol; uma das principais substâncias ativas da *Cannabis*, utiliza-da para tratar náuseas e vômitos na quimioterapia do câncer e sujeita a abuso devido à sua atividade psicomimética.
drop (drop) – gotejar; gota: 1. esfera diminuta de líquido que pende ou cai; 2. cair, descida ou queda abaixo da posição normal.
dro·per·i·dol (dro-per'ĭ-dol) – droperidol; tranqüili-zante da série butirofenona, utilizado como pré-anestésico narcoléptico e durante a indução e manutenção de uma anestesia. Em combinação com o citrato de fentanila, é utilizado como neuroleptoanalgésico.
drop·sy (drop'se) – hidropisia; edema.
Dro·soph·i·la (dro-sof'il-ah) – *Drosophila;* gênero de moscas; as moscas das frutas. **D. melanogas'ter** – *D. melanogaster;* uma pequena mosca obser-vada freqüentemente ao redor de frutas em de-composição; utilizada extensivamente em Gené-tica Experimental.
drown·ing (droun'ing) – afogamento; sufocamento e morte resultantes de enchimento dos pulmões com água ou outra substância.
DrPH – Doctor of Public Health (Doutor em Saúde Pública).
drug (drug) – medicamento; droga: 1. qualquer substância medicinal; 2. narcótico; 3. administrar um medicamento. **designer d.** – droga planejada;

nova droga de abuso semelhante em ação a uma droga de abuso mais antiga e geralmente criada fazendo-se pequena modificação química na última. **mind-altering d.** – d. de alteração da mente; droga que produz um estado de consciência alterado. **nonsteroidal antiinflammatory d. (NSAID)** – medicamento não-esteróide antiinflamatório; qualquer substância de um grande grupo quimicamente heterogêneo de drogas que inibem a enzima ciclooxigenase, resultando em redução da síntese de prostaglandina e precursores tromboxanos; possuem ações analgésicas, antipiréticas e antiinflamatórias. **orphan d.** – medicamento órfão; medicamento que tem um apelo comercial limitado devido à raridade da afecção que costuma tratar.

drug·gist (drug'ist) – boticário; farmacêutico (*pharmacist*).

drum (drum) – tímpano: 1. ouvido médio; 2. membrana timpânica.

drum·head (drum'hed) – tímpano; membrana timpânica.

drum·stick (-stik) – membrana pediculada; lóbulo nuclear preso por um cordão delgado ao núcleo de alguns leucócitos polimorfonucleares de mulheres normais, mas não de homens normais.

drunkenness (drung'ken-nes) – embriaguez; intoxicação. **sleep d.** – sonolência; sono incompleto caracterizado por perda de orientação e comportamento excitado ou violento.

dru·sen (droo'zen) [Ger.] – gânglios: 1. excrescências hialinas na membrana de Bruch do olho, geralmente decorrentes de envelhecimento; 2. rosetas de grânulos que ocorrem nas lesões da actinomicose.

DTaP – diphteria and tetanus toxoids and acellular pertussis vaccine (toxóides da difteria e do tétano e vacina antipertussis acelular).

DTPA – pentetic acid (ácido pentético).

duct (dukt) – ducto; passagem com paredes bem-definidas, especialmente uma estrutura tubular para a saída de excreções ou secreções. **duc'tal** – adj. ductal. **aberrant d.** – d. aberrante; qualquer ducto que não se encontre normalmente presente ou que assuma um curso ou direção incomuns. **alveolar d's** – ductos alveolares; pequenas passagens que conectam os bronquíolos respiratórios e os sacos alveolares. **Bartholin's d.** – d. de Bartholin; o maior dos ductos sublinguais, que se abre no interior do ducto submandibular. **Bellini's d.** – d. de Bellini; d. papilar. **bile d.** – d. biliar; uma das passagens que transportam bile para dentro e a partir do fígado. **biliary d.** – 1. d. biliar; 2. ducto biliar comum. **branchial d's** – ductos branquiais; sulcos branquiais alongados que se abrem no interior do seio cervical temporário do embrião. **cochlear d.** – d. coclear; tubo espiral no canal ósseo da cóclea, dividido em rampa do tímpano e rampa vestibular pela lâmina espiral. **common bile d.** – d. biliar comum; d. colédoco; formado pela união dos ductos cístico e hepático. **d's of Cuvier** – ductos de Cuvier; dois pequenos troncos venosos no feto que se abrem no interior do átrio cardíaco; o direito se torna a veia cava superior. **cystic d.** – d. cístico; passagem que

conecta o colo da vesícula biliar e o ducto biliar comum. **deferent d.** – d. deferente. **efferent d.** – d. eferente; qualquer ducto que dá vazão a uma secreção glandular. **ejaculatory d.** – d. ejaculador; d. ou canal ejaculatório; ducto formado pela união do ducto deferente e do ducto da vesícula seminal, abrindo-se na uretra prostática nos colículos seminais. **endolymphatic d.** – d. endolinfático; canal que conecta o labirinto membranoso do ouvido com o saco endolinfático. **excretory d.** – d. excretor; ducto meramente condutor e não-secretor. **genital d.** – d. genital; ver em *canal.* **hepatic d.** – d. hepático; ducto excretor do fígado; *ducto hepático comum* ou um de seus ramos nos lobos do fígado, *ductos hepáticos direito e esquerdo.* **interlobular d's** – ductos interlobulares; canais entre os diferentes lóbulos de uma glândula. **lacrimal d.** – d. lacrimal; ver em *canaliculus.* **lactiferous d's** – ductos lactíferos; ductos que transportam o leite secretado pelos lobos mamários para e através dos mamilos. **Luschka's d's** – ductos de Luschka; estruturas tubulares na parede da vesícula biliar; alguns se conectam aos ductos biliares, mas nenhum ao lúmen da vesícula biliar. **lymphatic d's** – ductos linfáticos; canais para a condução de linfa. **lymphatic d., left** – d. linfático esquerdo; d. torácico. **lymphatic d., right** – d. linfático direito; vaso que drena a linfa do lado superior direito do corpo, recebendo linfa dos troncos subclávio direito, jugular e mediastínico direito quando esses vasos não se abrem independentemente no interior da veia braquicefálica direita. **mesonephric d.** – d. mesonéfrico; ducto embrionário do mesonefro, que no homem se desenvolve no epidídimo, ducto deferente e sua ampola, vesículas seminais e ducto ejaculador e na mulher é bastante obliterado. **d. of Müller, müllerian d.** – d. de Müller; ductos müllerianos; d. paramesonéfrico. **nasolacrimal d.** – d. nasolacrimal; canal que transporta as lágrimas do saco lacrimal para o meato inferior do nariz. **omphalomesenteric d.** – d. onfalomesentérico; d. vitelino; haste vitelina. **pancreatic d.** – d. pancreático; principal ducto excretor do pâncreas, que geralmente se une ao ducto biliar comum antes de entrar no duodeno. **papillary d.** – d. papilar; túbulo terminal largo na pirâmide renal, formado pela união de vários túbulos de coleta retos e desembocando na pelve renal. **paramesonephric d.** – d. paramesonéfrico; ambos os ductos embrionários que se estendem no interior dos túbulos uterinos, útero e vagina na mulher e que se tornam obliterados no homem. **parotid d.** – d. parotídeo; ducto pelo qual a glândula parótida desemboca no interior da boca. **perilymphatic d.** – d. perilinfático; aqueduto da cóclea. **pronephric d.** – d. pronéfrico; ducto do pronefro, que posteriormente serve como ducto mesonéfrico. **d's of prostate gland, prostatic d's** – ductos prostáticos; ver em *ductule.* **d's of Rivinus** – ductos de Rivinus; pequeno ductos sublinguais que se abrem no interior da boca na prega sublingual. **d. of Santorini** – d. de Santorini; pequeno ducto inconstante que drena uma parte da cabeça do pâncreas no interior da papila duodenal menor.

secretory d. – d. secretor; o menor ducto tributário do ducto excretor de uma glândula e que também tem função secretora. **semicircular d's** – ductos semicirculares; os longos ductos do labirinto membranoso do ouvido. **seminal d's** – ductos seminais; passagens para transporte de espermatozóides e sêmen. **d. of Steno, Stensen's d.** – d. de Steno; d. de Stensen; d. parotídeo. **submandibular d., submaxillary d. of Wharton** – d. submandibular; d. submaxilar; ducto de Wharton; ducto que drena a glândula submandibular e se abre na carúncula sublingual. **tear d's** – ductos lacrimais; ductos que transportam a secreção das glândulas lacrimais. **thoracic d.** – d. torácico; canal que sobe da cisterna do quilo para a junção das veias subclávia esquerda e jugular interna esquerda. **thyroglossal d., thyrolingual d.** – d. tireoglossal; d. tireolingual; ducto embrionário que se estende entre o primórdio tireóideo e a língua posterior. **urogenital d's** – dúctulos urogenitais; ductos paramesonéfrico e mesonéfrico. **Wharton's d.** – d. de Wharton; d. submandibular. **d. of Wirsung** – d. de Wirsung; d. pancreático. **wolffian d.** – d. de Wolff; d. mesonéfrico.

duc·tile (duk'til) – dúctil; flexível; suscetível de ser retirado sem se quebrar.

duc·tion (duk'shin) – ducção; dução; em Oftalmologia, a rotação de um olho através dos músculos extra-oculares ao redor de seus eixos horizontal, vertical ou ântero-posterior.

duct·ule (duk'tūl) – dúctulo; canalículo; ducto diminuto. **d's of prostate** – dúctulos prostáticos; ductos provenientes da próstata, que se abrem no interior ou próximo dos seios prostáticos na uretra posterior.

duc·tu·lus (duk'tu-lus) [L.] pl. *ductuli* – dúctulo.

duc·tus (duk'tus) [L.] pl. *ductus* – ducto. **d. arterio'sus** – d. ou canal arterial; vaso sangüíneo fetal que se une à aorta descendente e artéria pulmonar esquerda. **d. chole'dochus** – d. ou canal colédoco; d. biliar comum. **d. de'ferens** – d. ou canal deferente; ducto excretor do testículo que se une ao ducto excretor da vesícula seminal para formar o ducto ejaculador. **patent d. arteriosus (PDA)** – d. arterial patente; desobstrução do ducto arterial; persistência anormal de um lúmen aberto no interior do ducto arterial após o nascimento, ocorrendo o fluxo da aorta para a artéria pulmonar e conseqüentemente recirculando o sangue arterial através dos pulmões. **d. veno'sus** – d. venoso; canal sangüíneo importante que se desenvolve através do fígado embrionário da veia umbilical esquerda para a veia cava inferior.

dull (dul) – obtuso; som que não ressoa em uma percussão.

dumb (dum) – mudo; incapaz de falar.

dump·ing (dump'ing) – acomodação; ver em *syndrome*.

du·o·de·nal (doo"o-de'nil) – duodenal; do ou relativo ao duodeno.

du·o·de·nec·to·my (doo"o-dĕ-nek-tah-me) – duodenectomia; excisão total ou parcial do duodeno.

du·od·e·ni·tis (doo"o-dĕ-nĭ't'is) – duodenite; inflamação da mucosa duodenal.

du·o·de·no·cho·led·o·chot·o·my (doo"o-de"no-ko-led"o-kot'ah-me) – duodenocoledocotomia; incisão do duodeno e do ducto biliar comum.

du·o·de·no·en·ter·os·to·my (-en"ter-os'tah-me) – duodenoenterostomia; anastomose do duodeno com alguma outra parte do intestino delgado.

du·o·de·no·gram (doo"o-de'no-gram) – duodenograma; radiografia do duodeno.

du·o·de·no·he·pat·ic (doo"o-de"no-hĕ-pat'ik) – duodeno-hepático; relativo ao duodeno e fígado.

du·o·de·no·je·ju·nos·to·my (-jĕ-joo-nos'tah-me) – duodenojejunostomia; anastomose do duodeno com o jejuno.

du·o·de·no·scope (doo"o-de'no-skōp) – duodenoscópio; endoscópio para examinar o duodeno.

du·o·de·nos·to·my (doo"o-dĕ-nos'tah-me) – duodenostomia; formação cirúrgica de uma abertura permanente no duodeno.

du·o·de·num (doo"o-de'num) – duodeno; a primeira ou a porção proximal do intestino delgado, estendendo-se do piloro ao jejuno.

du·pli·ca·tion (doo-plĭ'-ka'shun) – duplicação; em Genética, a presença no genoma de material genético adicional (cromossoma ou segmento do mesmo, gene ou parte do mesmo).

dupp (dup) – sílabas utilizadas para representar a segunda bulha cardíaca na auscultação.

du·ral (dūr''l) – dural; relativo à dura-máter.

du·ra ma·ter (dūr'ah māt'er) – dura-máter; a mais externa e resistente das três meninges (membranas) do cérebro e da medula espinhal.

dur·ap·a·tite (door-ap'ah-tī t) – durapatita; uma forma cristalina de hidroxiapatita utilizada como auxílio protético.

du·ro·ar·ach·ni·tis (doo"ro-ar"ak-ni'tis) – duroaracnite; inflamação da dura-máter e da aracnóide.

DVM – Doctor of Veterinary Medicine (Doutor em Medicina Veterinária).

dwarf (dworf) – anão; pessoa de estatura anormalmente baixa. **achondroplastic d.** – a. acondroplásico; anão que tem uma cabeça relativamente grande, nariz proeminente e braquicefalia, extremidades curtas e geralmente lordose. **Amsterdam d.** – a. de Amsterdã; anão afetado pela síndrome de Lange. **ateliotic d.** – a. ateliótico; anão com esqueleto infantil, pseudo-união entre as epífises e diáfises. **Laron d.** – a. do tipo Laron; anão cujo retardamento do crescimento esquelético resulta de um defeito da capacidade de sintetizar o fator de crescimento semelhante à insulina do tipo I, geralmente devido a deficiência nos receptores do hormônio do crescimento. **pituitary d.** – a. hipofisário; anão cuja situação se deve à hipofunção da hipófise anterior. **rachitic d.** – a. raquítico; anão em conseqüência de raquitismo, apresentando testa alta com bossas proeminentes, ossos longos encurvados e sulco de Harrison. **renal d.** – a. renal; anão cuja incapacidade de alcançar a maturação óssea normal deve-se à insuficiência renal.

dwarf·ism (dworf'izm) – nanismo; condição de ser anão.

Dy – símbolo químico, disprósio (*dysprosium*).

dy·ad (di'ad) – díade; cromossoma duplo que resulta de divisão igual de uma tétrade.

Dy·a·zide (di'ah-zīd) – Dyazide, marca registrada de uma preparação de combinação fixa de triantereno e cloridrotiazida.

dy·clo·nine (di'klo-nēn) – diclonina; anestésico local bactericida e fungicida utilizado topicamente como sal de cloridrato.

dy·dro·ges·ter·one (di"dro-jes'ter-ōn) – didrogesterona; progestina sintética oralmente efetiva ($C_{21}H_{28}O_2$); utilizada principalmente no diagnóstico e tratamento da amenorréia primária e dismenorréia severa e em combinação com um estrogênio em caso de menorragia disfuncional.

dye (di) – corante; qualquer substância colorida que contenha auxocromos e seja conseqüentemente capaz de colorir as substâncias às quais é aplicada; utilizado para corar e colorir como um reagente de teste e como agente terapêutico. **acid d.**, **acidic d.** – c. acidíco; corante que é ácido na reação e geralmente se une a íons positivamente carregados com o material sobre o qual age. **amphoteric d.** – c. anfotérico; corante que contém ambos os grupos reativos básico e ácido, e cora tanto elementos ácidos como básicos. **anionic d.** – c. aniônico; c. ácido. **basic d.** – c. básico; corante que é básico na reação e se une a íons negativamente carregados com o material sobre o qual age. **cationic d.** – c. catiônico; c. básico.

dy·nam·ics (di-nam'iks) – dinâmica; estudo científico das forças em ação; uma fase da mecânica.

dy·na·mom·e·ter (di"nah-mom'it-er) – dinamômetro; ergômetro; instrumento para medir a força da contração muscular.

dyne (dīn) – dina; a unidade de força no sistema CGS, correspondendo à quantidade de força que, ao agir continuamente sobre uma massa de 1 g, dar-lhe-á uma aceleração de 1 cm/s.

dy·nein (di'nēn) – dineína; enzima de divisão da ATP essencial para a motilidade dos cílios e flagelos devido às suas interações com os microtúbulos.

dy·nor·phin (di-nor'fin) – dinorfina; qualquer substância de uma família de peptídeos opióides encontrados difusos no sistema nervoso central e periférico; a maioria é de agonistas nos sítios receptores opióides. Algumas provavelmente participam da regulação da dor e outras na regulação hipotalâmica da ingestão de alimentos e líquidos.

dy·phyl·line (di'fil-in) – difilina; derivado da teofilina utilizado como broncodilatador na prevenção e tratamento dos sintomas da asma e broncoespasmo reversível associado a bronquite crônica ou enfisema.

dys- [Gr.] – dis-, prefixo; mau; difícil; perturbado.

dys·acu·sis (dis"ah-koo'sis) – disacusia: 1. deficiência da audição em que a perda não é mensurável em decibéis, mas em distúrbios na discriminação da fala ou qualidade do tom, altura ou volume etc.; 2. condição em que os sons produzem desconforto.

dys·aphia (dis-a'fe-ah) – disafia; parafia.

dys·ar·te·ri·ot·o·ny (dis"ar-tēr"e-o-ot'ah-me) – disarteriotonia; anomalia da pressão sangüínea.

dys·ar·thria (dis-ar'thre-ah) – disartria; articulação imperfeita da fala resultante de distúrbios do

controle muscular em conseqüência de danos no sistema nervoso central ou periférico.

dys·ar·thro·sis (dis"ar-thro'sis) – disartrose: 1. deformidade ou malformação de uma articulação; 2. disartria.

dys·au·to·no·mia (-aw-to-no'me-ah) – disautonomia; mau funcionamento do sistema nervoso autônomo. Uma forma hereditária, *d. familiar* é caracterizada por lacrimejamento defeituoso, pústulas cutâneas, instabilidade emocional, incoordenação motora, ausência total da sensação de dor e hiporreflexia. **familial d.** – d. familiar; distúrbio herdado da infância caracterizado por lacrimejamento defeituoso, pústulas cutâneas, instabilidade emocional, incoordenação motora, ausência da sensação de dor e hiporreflexia; ocorre quase exclusivamente em judeus "Ashkenazis".

dys·bar·ism (dis'bar-izm) – disbarismo; qualquer síndrome clínica decorrente da diferença entre a pressão atmosférica circundante e a pressão gasosa total nos tecidos, fluidos e cavidades do corpo.

dys·ba·sia (dis-ba'zhah) – disbasia; dificuldade em andar, especialmente a dificuldade em conseqüência de lesão nervosa.

dys·be·ta·lipo·pro·tein·emia (-ba"tah-lip"o-pro"tene'me-ah) – disbetalipoproteinemia: 1. acúmulo de β-lipoproteínas anormais no sangue; 2. d. familiar. **familial d.** – d. familiar; distúrbio herdado do metabolismo lipoprotéico causado por interação de um defeito na apolipoproteína E com fatores genéticos e ambientais, causando hipertrigliceridemia; seu fenótipo é o de hiperlipoproteinemia do tipo III.

dys·ceph·a·ly (-sef'ah-le) – discefalia; malformação do crânio e ossos faciais. **dyscephal'ic** – adj. discefálico.

dys·che·zia (-ke'ze-ah) – disquezia; defecação difícil ou dolorosa.

dys·chi·ria (-ki're-ah) – disquiria; perda da capacidade de dizer qual o lado do corpo que foi tocado.

dys·chon·dro·plas·tia (dis"kon-dro-pla'zhah) – discondroplasia: 1. encondromatose; 2. antigamente, um termo genérico que compreendia tanto a encondromatose como a exostose, o que fez com que se confundissem como sinônimos.

dys·chro·ma·top·sia (-kro-mah-top'se-ah) – discromatopsia; distúrbio da visão colorida.

dys·chro·mia (dis-kro'me-ah) – discromia; qualquer distúrbio de pigmentação da pele ou pêlos.

dys·con·trol (dis"kon-trōl') – descontrole; incapacidade do indivíduo em controlar o comportamento; ver também em *syndrome*.

dys·co·ria (-kor'e-ah) – discoria; anomalia na forma ou na figura das pupilas.

dys·cra·sia (-kra'zhah) [Gr.] – discrasia; termo anteriormente utilizado para indicar uma mistura anormal dos quatro humores; no uso remanescente constitui um sinônimo inespecífico de uma doença ou condição patológica. **plasma cell d's** – discrasias plasmocitárias; grupo diverso de doenças neoplásicas que envolvem a proliferação de um único clone de células que produzem um componente sérico M (imunoglobulina monoclonal ou um fragmento de imunoglobulina) e que

DEF

geralmente tem morfologia plasmocítica; incluem o mieloma múltiplo e doenças de cadeia pesada.
dys·em·bry·o·ma (dis"em-bre-o'mah) – disembrioma; teratoma (*teratoma*).

dys·en·ce·pha·lia splanch·no·cys·ti·ca (dis-en"se-fa'le-ah splank"no-sis'tĭ-kah) – disencefalia esplancnocística; síndrome de Meckel.

dys·en·tery (dis'in-tě"re) – disenteria; qualquer dos vários distúrbios caracterizados por inflamação do intestino, especialmente do cólon, com dor abdominal, tenesmo e fezes freqüentes com sangue e muco. **dysenter'ic** – adj. disentérico. **amebic d.** – d. amebiana; colite amebiana. **bacillary d.** – d. bacilar; disenteria causada por *Shigella*. **viral d.** – d. viral; disenteria causada por vírus, e que ocorre em epidemias e é caracterizada por diarréia aquosa aguda.

dys·er·gia (dis-er'je-ah) – disergia; incoordenação motora resultante de defeito de impulso nervoso eferente.

dys·es·the·sia (dis"es-the'zhah) – disestesia: 1. distorção de qualquer sentido, especialmente do sentido do tato; 2. sensação anormal desagradável produzida por um estímulo normal. **auditory d.** – d. auditiva; disacusia; ver *dysacusis* (2).

dys·func·tion (dis-funk'shun) – disfunção; distúrbio; defeito ou anomalia do funcionamento de um órgão. **minimal brain d.** – d. cerebral mínima; distúrbio de hiperatividade com déficit de atenção. **sexual d.** – d. sexual; qualquer disfunção de um grupo de distúrbios sexuais caracterizados por inibição tanto do desejo sexual como das alterações psicofisiológicas que geralmente caracterizam a resposta sexual.

dys·gam·ma·glob·u·lin·emia (-gam"ah-glob"-ūl-in-e'me-ah) – disgamaglobulinemia; estado de deficiência imunológica marcado por deficiências seletivas de uma ou mais (mas não todas) as classes de imunoglobulinas. **dysgammaglobuline'mic** – adj. disgamaglobulinêmico.

dys·gen·e·sis (-jen'ĭ-sis) – disgênese; disgenesia; desenvolvimento defeituoso; malformação. **gonadal d.** – d. gonádica; síndrome de Turner e suas variantes.

dys·ger·mi·no·ma (-jerm"in-o'mah) – disgerminoma; neoplasia ovariana maligna, que se acredita derive de células germinativas primordiais da gônada embrionária sexualmente não-diferenciada; constitui a contraparte do seminoma testicular clássico.

dys·geu·sia (-goo'ze-ah) – disgeusia; parageusia (*parageusia*).

dys·gna·thia (-na'the-ah) – disgnatia; qualquer anomalia oral que se estenda além dos dentes e envolva a maxila ou mandíbula, ou ambas. **dysgnath'ic** – adj. disgnático.

dys·graph·ia (-graf'e-ah) – disgrafia; dificuldade em escrever; cf. *agraphia*.

dys·he·ma·to·poi·e·sis (-hem"ah-to-poi-e'sis) – disematopoiese; formação sangüínea defeituosa. **dyshematolopoiet'ic** – adj. disematopoiético.

dys·he·sion (-he'zhin) – descolamento ou desprendimento: 1. distúrbio na aderência celular; 2. perda da coesão intercelular; característica da malignidade.

dys·hi·dro·sis (dis"hĭ-dro'sis) – disidrose: 1. ponfólige; 2. qualquer distúrbio das glândulas sudoríparas écrinas.

dys·kary·o·sis (-kă-re-o'sis) – discariose; anomalia do núcleo de uma célula. **dyskaryot'ic** – adj. discariótico.

dys·ker·a·to·ma (-ker-ah-to'mah) – disceratoma; tumor disceratótico. **warty d.** – d. verrucoso; nódulo vermelho-amarronzado único com um tampão ceratótico central mole e amarelado, que ocorre na face, pescoço, couro cabeludo, axila ou boca; histologicamente, semelhante a uma lesão individual de ceratose folicular.

dys·ker·a·to·sis (-ker-ah-to'sis) – disceratose; ceratinização anormal, prematura ou imperfeita dos ceratinócitos **dyskeratot'ic** – adj.disceratótico.

dys·ki·ne·sia (-kĭ-ne'zhah) – discinesia; distorção ou defeito do movimento voluntário como é o caso de um tique ou espasmo. **dyskinet'ic** – adj. discinético. **biliary d.** – d. biliar; desarranjo do mecanismo de enchimento e esvaziamento da vesícula biliar. **d. intermit'tens** – d. intermitente; incapacidade intermitente dos membros decorrente de defeito da circulação. **orofacial d.** – d. orofacial; movimentos faciais semelhantes aos da discinese tardia, sendo observados em pacientes idosos, dementes e desdentados. **primary ciliary d.** – d. ciliar primária; qualquer discinesia de um grupo de síndromes hereditárias caracterizadas por retardo ou ausência da depuração mucociliar das vias aéreas, geralmente acompanhada de falta de movimento nos espermatozóides. **tardive d.** – d. tardia; distúrbio iatrogênico que envolve movimentos repetitivos da musculatura facial, bucal, oral e cervical, induzidos pelo uso a longo prazo de agentes antipsicóticos e algumas vezes persistindo após a remoção do agente.

dys·la·lia (dis-la'le-ah) – dislalia; deficiência da capacidade de falar associado a anomalia dos órgãos externos da fala.

dys·lex·ia (-lek'se-ah) – dislexia; deficiência da capacidade de ler, soletrar e escrever palavras, apesar da capacidade de ver e reconhecer letras. **dyslex'ic** – adj. disléxico.

dys·lipo·pro·tein·emia (-lip"o-pro"tēn-e'me-ah) – dislipoproteinemia; presença de lipoproteínas anormais no sangue.

dys·lo·gia (-lo'je-ah) – dislogia; deficiência na capacidade de raciocínio; também deficiência da fala devido a distúrbios mentais.

dys·ma·tur·i·ty (dis"mah-chōōr'it-e) – dismaturidade: 1. desenvolvimento desordenado; 2. ver *dysmaturity syndrome*, em *syndrome*. **pulmonary d.** – d. pulmonar; síndrome de Wilson-Mikity.

dys·me·lia (dis-mēl'e-ah) – dismelia; malformação de um membro ou membros em conseqüência de distúrbio no desenvolvimento embrionário.

dys·men·or·rhea (dis"men-or-e'ah) – dismenorréia; menstruação dolorosa. **dysmenorrhe'al** – adj. dismenorréico. **congestive d.** – d. congestiva; dismenorréia acompanhada de grande congestão uterina. **essential d.** – d. essencial; dismenorréia sem causa demonstrável. **membranous d.** – d. membranosa; dismenorréia marcada por esfoliações membranosas derivadas do útero. **obstructive**

d. – d. obstrutiva; dismenorréia resultante de obstrução mecânica à descarga de fluido menstrual. **primary d.** – d. primária; d. essencial. **secondary d.** – d. secundária; dismenorréia em decorrência de lesão pélvica. **spasmodic d.** – d. espasmódica; dismenorréia devido à contração uterina espasmódica.

dys·me·tab·o·lism (-mĕ-tab'o-lizm) – dismetabolismo; metabolismo defeituoso.

dys·me·tria (dis-me'tre-ah) – dismetria; distúrbio da capacidade de controlar a extensão de um movimento na ação muscular.

dys·mim·ia (-mim'e-ah) – dismimia; paramimia.

dys·mor·phism (-mor'fizm) – dismorfismo: 1. que aparece sob formas morfológicas diferentes; 2. anomalia no desenvolvimento morfológico. **dysmor'phic** – adj. dismórfico.

dys·odon·ti·a·sis (dis"o-don-ti'ah-sis) – disodontíase; erupção defeituosa, retardada ou difícil dos dentes.

dys·on·to·gen·e·sis (-on-to-jen'ĭ -sis) – disontogênese; desenvolvimento embrionário defeituoso. **dysontogenet'ic** – adj. disontogenético.

dys·orex·ia (-o-rek'se-ah) – disorexia; diminuição ou desarranjo do apetite.

dys·os·teo·gen·e·sis (dis-os"te-o-jen'ĭ -sis) – disosteogênese; formação óssea defeituosa; disostose.

dys·os·to·sis (dis"os-to'sis) – disostose; ossificação defeituosa; defeito na ossificação normal das cartilagens fetais. **cleidocranial d.** – d. cleidocranial; afecção hereditária marcada por ossificação defeituosa dos ossos craniais, ausência das clavículas e anomalias dentárias ou vertebrais. **craniofacial d.** – d. craniofacial; afecção hereditária caracterizada por acrocefalia, exoftalmia, hipertelorismo, estrabismo, nariz em bico de papagaio e maxila hipoplásica. **mandibulofacial d.** – d. mandibulofacial; distúrbio hereditário que ocorre em forma completa na síndrome de Franceschetti (*syndrome, Franceschetti*), com inclinação antimongolóide das fissuras palpebrais, coloboma da pálpebra inferior, micrognatia e hipoplasia dos arcos zigomáticos e microtia, e em forma incompleta, síndrome de Treacher-Collins (*syndrome, Treacher-Collins*), com as mesmas anomalias em grau menor. **metaphyseal d.** – d. metafisária; anomalia esquelética em que as epífises permanecem normais e os tecidos metafisários são substituídos por massas de cartilagem, produzindo interferência na formação óssea endocondral. **d. mul'tiplex** – d. múltipla; síndrome de Hurler. **orodigitofacial d.** – d. orodigitofacial; síndrome orodigitofacial.

dys·pa·reu·nia (-pah-ru'ne-ah) – dispareunia; coito difícil ou doloroso.

dys·pep·sia (dis-pep'se-ah) – dispepsia; indigestão gástrica; deficiência da capacidade ou função digestiva; geralmente aplicado ao desconforto epigástrico após as refeições. **dyspep'tic** – adj. dispéptico.

dys·pha·gia (-fa'je-ah) – disfagia; dificuldade na deglutição.

dys·pha·sia (-fa'zhah) – disfasia; defeito da fala, consistindo na falta de coordenação e dificuldade em articular as palavras na ordem apropriada; em conseqüência de lesão central.

dys·pho·nia (-fo'ne-ah) – disfonia; qualquer defeito da voz; dificuldade em falar. **dysphon'ic** – adj. disfônico.

dys·pho·ria (-for'e-ah) – disforia; inquietação; perturbação; mal-estar.

dys·pig·men·ta·tion (dis"pig-men-ta'shun) – despigmentação; distúrbio da pigmentação da pele ou pêlos.

dys·pla·sia (dis-pla'zhah) – displasia; anomalia de desenvolvimento; em Patologia, alteração no tamanho, forma e organização das células adultas. **dysplas'tic** – adj. displásico. **anhidrotic ectodermal d.** – d. ectodérmica anidrótica; distúrbio herdado congênito de displasia ectodérmica associado à aplasia das glândulas sudoríparas, alopecia e anomalias dentárias e faciais. **anteroposterior facial d.** – d. ântero-posterior facial; desenvolvimento defeituoso que resulta em relações ânteroposteriores anormais recíprocas da maxila e da mandíbula na base cranial. **arrhythmogenic right ventricular d.** – d. ventricular direita arritmogênica; miocardiopatia congênita em que a infiltração transmural de tecido adiposo resulta em fraqueza e dilatação das regiões do ventrículo direito e leva à taquicardia ventricular que surge no ventrículo direito. **bronchopulmonary d.** – d. broncopulmonar; doença pulmonar crônica de bebês, possivelmente relacionada à intoxicação por oxigênio ou barotrauma, caracterizada por metaplasia brônquica e fibrose intersticial. **chondroectodermal d.** – d. condroectodérmica; acondroplasia com desenvolvimento defeituoso da pele, pêlos e dentes, polidactilia e defeito do septo cardíaco. **cretinoid d.** – d. cretinóide; anomalia do desenvolvimento característica do cretinismo, consistindo de retardo da ossificação e pequeno tamanho dos órgãos internos e sexuais. **diaphyseal d.** – d. diafisária; espessamento do córtex da área média do eixo dos ossos longos, progredindo em direção às epífises, e algumas vezes também nos ossos chatos. **ectodermal d's** – displasias ectodérmicas; um grupo de distúrbios hereditários que envolve tecidos e estruturas derivados do ectoderma embrionário, incluindo a displasia ectodérmica anidrótica, displasia ectodérmica hidrótica e síndrome de EEC (*syndrome, EEC*). **ectodermal d., anhidrotic** – d. ectodérmica anidrótica; distúrbio herdado congênito caracterizado por displasia ectodérmica associada à aplasia ou hipoplasia das glândulas sudoríparas, hipotermia, alopecia, anodontia, dentes cônicos e fácies característica. **ectodermal d., hidrotic** – d. ectodérmica hidrótica; distúrbio de displasia ectodérmica herdado com anomalias dentárias, hipotricose, hiperpigmentação cutânea sobre as articulações e hiperceratose das palmas das mãos e plantas dos pés. **epiphyseal d.** – d. epifisária; crescimento e ossificação defeituosos das epífises com pontilhado radiograficamente aparente, bem como redução da estatura, não associada à tireopatia **fibromuscular d.** – d. fibromuscular; displasia com fibrose da camada muscular de uma parede arterial, causando estenose e hipertensão. **fibrous d. (of bone)** – d. fibrosa (do osso); afinamento do córtex ósseo e substituição da medula óssea por um tecido fibroso granulado que contém espículas ósseas, causando dor, incapacidade e deformidade gradualmente crescente; pode-se envolver somente um osso (*d. fibrosa monostótica*), com o processo posteriormente afetando vários ou muitos ossos (*d. fibrosa poliostótica*). **florid osseous d.** – d. óssea florida ou de cimento; forma exuberante de displasia cimental periapical semelhante à osteomielite esclerosante difusa, mas não é inflamatória. **metaphyseal d.** – d. metafisária; distúrbio no crescimento ósseo endocondral, modelamento defeituoso que faz com que as extremidades dos eixos permaneçam maiores que o normal na circunferência. **periapical cemental d.** – d. cimental periapical; afecção não-neoplásica caracterizada pela formação de áreas de tecido conjuntivo fibroso, osso e cimento ao redor do ápice de um dente. **septo-optic d.** – d. do septo óptico; síndrome de hipoplasia do disco óptico ocorrendo outras anomalias oculares, ausência do septo pelúcido e um hipopituitarismo que leva à deficiência de crescimento. **spondyloepiphyseal d.** – d. espondiloepifisária; displasia hereditária das vértebras e extremidades resultando em nanismo do tipo de tronco curto, freqüentemente com membros curtos devido a anomalias epifisárias. **thanatophoric d.** – d. tanatofórica; tipo uniformemente fatal de displasia esquelética que se apresenta como encurtamento extremo dos membros, deformidade da caixa torácica e aumento relativo de volume da cabeça.

dysp·nea (disp-ne'ah) – dispnéia; respiração trabalhosa ou difícil. **dyspne'ic** – adj. dispnéico. **paroxysmal nocturnal d.** – d. noturna paroxística; episódios de distúrbio respiratório que faz com que os pacientes acordem durante o sono, e estão relacionados à postura (especialmente a o modo de deitar-se à noite); são geralmente atribuídos à insuficiência cardíaca congestiva com edema pulmonar, mas algumas vezes associados a doença pulmonar crônica.

dys·prax·ia (dis-prak'se-ah) – dispraxia; perda parcial da capacidade de realizar atos coordenados.

dys·pro·si·um (-pro'ze-um) – disprósio; elemento químico (ver *Tabela de Elementos*), número atômico 66, símbolo Dy.

dys·ra·phia, dys·ra·phism (dis-ra'fe-ah; dis'-rah-fizm) – disrafia; disrafismo; fechamento incompleto de uma rafe; fusão defeituosa, particularmente do tubo neural.

dys·rhyth·mia (dis-rith'me-ah) – disritmia: 1. distúrbio de ritmo; 2. ritmo cardíaco anormal; geralmente utiliza-se o termo arritmia, mesmo para ritmos anormais porém regulares. **cerebral d., electroencephalographic d.** – d. cerebral; d. eletroencefalográfica; distúrbio ou irregularidade no ritmo das ondas cerebrais como registrado pela eletroencefalografia.

dys·se·ba·cea (dis"se-ba'she-ah) – dissebacia; distúrbio dos folículos sebáceos; especificamente, a afecção observada (mas não exclusivamente) na deficiência de riboflavina, caracterizada por seborréia gordurosa e escamosa no meio da face, com eritema nas dobras nasais, cantos e outras dobras cutâneas.

dys·sper·mia (-sperm'e-ah) – dispermatismo; deficiência dos espermatozóides ou sêmen.

dys·sta·sia (-sta'ze-ah) – distasia; dificuldade em ficar de pé. **dysstat'ic** – adj. distático.

dys·syn·er·gia (dis"sin-er'je-ah) – dissinergia; incoordenação muscular. **d. cerebella'ris myoclo'ni-ca** – d. cerebelar mioclônica; dissinergia cerebelar progressiva associada a epilepsia mioclônica. **d. cerebella'ris progressi'va** – d. cerebelar progressiva; afecção caracterizada por tremores intencionais generalizados associados a distúrbios do tônus e da coordenação muscular; devido a distúrbio da função cerebelar. **detrusor-sphincter d.** – d. detrusor do esfíncter; contração do músculo esfinctérico uretral ao mesmo tempo em que o músculo detrusor da bexiga contrai-se, resultando em obstrução do fluxo urinário normal; pode acompanhar uma hiper-reflexia ou instabilidade do detrusor.

dys·tax·ia (dis-tak'se-ah) – distaxia; dificuldade em controlar os movimentos voluntários.

dys·thy·mia (-thi'me-ah) – distimia; distúrbio de humor não-psicótico crônico, caracterizado por depressão ou perda de interesse e de prazer nas atividades normais do indivíduo, mas cujos sintomas não são suficientemente severos para a depressão maior.

dys·thy·roid, dys·thy·roid·al (dis-thi'roid; dis"-thi-roid''l) – distireóideo; que denota funcionamento defeituoso da glândula tireóide.

dys·to·cia (dis-to'se-ah) – distocia; parto ou nascimento anormal.

dys·to·nia (-to'ne-ah) – distonia; movimentos discinéticos devidos à tonicidade muscular desordenada. **dyston'ic** – adj. distônico. **d. musculo'rum defor'mans** – d. muscular deformante; distúrbio hereditário caracterizado por contorções clônicas irregulares e involuntárias dos músculos do tronco e extremidades, retorcendo o corpo para frente e para os lado grotescamente.

dys·to·pia (-to'pe-ah) – distopia; mau posicionamento; deslocamento.

dys·tro·phia (-tro'fe-ah) [Gr.] – distrofia. **d. adiposogenita'lis** – d. adiposogenital. **d. epithelia'lis cor'neae** – d. epitelial corneana; distrofia do epitélio corneano, com erosões. **d. myoto'nica** – d. miotônica. **d. un'guium** – d. da unha; alterações na textura, estrutura e/ou coloração das unhas sem nenhuma causa demonstrável, mas que se presume sejam atribuíveis a algum distúrbio nutritivo.

dys·tropho·neu·ro·sis (-trof''o-nŏŏ-ro'sis) – distrofoneurose: 1. qualquer distúrbio nervoso devido a má-nutrição; 2. nutrição deficiente devido a distúrbio nervoso.

dys·tro·phy (dis'trof-e) – distrofia; qualquer distúrbio devido a nutrição deficiente ou falha. **dystroph'ic** – adj. distrófico. **adiposogenital d.** – d. adiposogenital; afecção marcada por adiposidade do tipo feminino, hipoplasia genital, alterações nas características sexuais secundárias e distúrbios metabólicos; no caso de lesões do hipotálamo. **Becker's muscular d., Becker type muscular d.** – d. muscular de Becker; d. muscular do tipo Becker; forma que se parece muito com a distrofia muscular pseudo-hipertrófica, mas com início tardio e curso lentamente progressivo; transmitida como característica recessiva ligada ao cromossoma X. **Duchenne's d., Duchenne's muscular d., Duchenne type muscular d.** – d. de Duchenne; d. muscular de Duchenne; d. muscular do tipo Duchenne; o tipo mais comum e grave de distrofia muscular pseudo-hipertrófica; começa na infância, é crônica e progressiva e se caracteriza por fraqueza crescente nas cinturas pélvica e escapular, pseudo-hipertrofia dos músculos seguida de atrofia, lordose e andar gingado peculiar mantendo-se as pernas separadas. **Emery-Dreifuss muscular d.** – d. muscular de Emery-Dreifuss; forma rara ligada ao cromossoma X de distrofia muscular que começa precocemente na infância e envolve fraqueza lentamente progressiva dos músculos do membro superior e cintura pélvica, com miocardiopatia e contraturas de flexão dos cotovelos; os músculos não se hipertrofiam. **facioscapulohumeral muscular d.** – d. muscular facioescapuloumeral; forma relativamente benigna de distrofia muscular, com atrofia acentuada dos músculos faciais, cintura escapular e braço. **Fukuyama type congenital muscular d.** – d. muscular congênita do tipo Fukuyama; forma de distrofia muscular com anomalias musculares semelhantes às da distrofia muscular de Duchenne; caracterizada também por retardamento mental com polimicrogiria e outras anomalias cerebrais. **Landouzy d., Landouzy-Dejerine d., Landouzy-Dejerine muscular d.** – d. de Landouzy; de Landouzy-Dejerine; d. muscular de Landouzy-Dejerine; d. muscular facioescapuloumeral. **Leyden-Möbius muscular d., limb-girdle muscular d.** – d. muscular de Leyden-Möbius; d. muscular de cintura pélvica; d. muscular pelvifemoral; distrofia mus-

cular lentamente progressiva, geralmente começando na infância e caracterizada por fraqueza e emaciação na cintura pélvica (*d. muscular pelvifemoral*) ou na cintura escapular (*d. muscular escapuloumeral*). **muscular d.** – d. muscular; grupo de miopatias degenerativas indolores e geneticamente determinadas, caracterizadas por fraqueza e atrofia musculares sem envolvimento do sistema nervoso. Os três tipos principais são a d. muscular pseudo-hipertrófica, a d. muscular facioescapuloumeral e a d. muscular pelvifemoral (*pseudohypertrophic muscular d.; facioscapulohumeral muscular d.; limb-girdle muscular d.*). **myotonic d.** – d. miotônica; doença hereditária rara e lentamente progressiva, marcada por miotonia acompanhada de atrofia muscular (especialmente da face e pescoço), catarata, hipogonadismo, calvície frontal e distúrbios cardíacos. **oculopharyngeal d., oculopharyngeal muscular d.** – d. oculofaríngeo; d. muscular oculofaríngea; forma com início na maturidade, caracterizada por fraqueza dos músculos ocular externo e faríngeo que causa ptose, oftalmoplegia e disfagia. **pseudohypertrophic muscular d.** – d. muscular pseudo-hipertrófica; grupo de distrofias musculares caracterizadas por aumento de volume (pseudo-hipertrofia) dos músculos, mais comumente a d. muscular de Duchenne (*Duchenne's muscular d.*) ou a d. muscular de Becker (*Becker's muscular d.*). **reflex sympathetic d.** – d. reflexa simpática; série de alterações causadas pelo sistema nervoso simpático, e caracterizadas por palidez ou rubor, dor, sudorese, edema ou osteoporose, seguido de traumatismo muscular, ósseo, nervoso ou de vaso sangüíneo.

dys·uria (dis-u're-ah) – disúria; micção dolorosa ou difícil. **dysu'ric** – adj. disúrico.

E

E – emmetropia (emetropia); exa-.
E – elastance; energy; electromotive force; ilumination (elastância; energia; força eletromotriz; iluminação).
e- [L.] – elemento de palavra, *fora de; sem; fora.*
ε – epsílon; a quinta letra do alfabeto grego; heavy chain of IgE cadeia pesada de IgE; a cadeia ε da hemoglobina).
ε – epsílon; prefixo que designa (1) a posição de um átomo ou de um grupo substituto em um composto químico; (2) quinto em uma série de cinco ou mais entidades ou compostos químicos relacionados.
EAC – uma abreviação utilizada em estudos de complemento, na qual E representa eritrócito (erythrocyte) ou H, hemácia; A anticorpo (antibody) e C complemento (complement).
ear (ēr) – ouvido; orelha; órgão da audição e do

equilíbrio, consistindo do ouvido externo, ouvido médio e ouvido interno. A orelha é a parte externa. Ver Prancha XII. **Blainville e's** – orelhas de Blainville; assimetria das orelhas. **Cagot e.** – orelha de Cagot; orelha sem o lóbulo inferior. **cauliflower e.** – orelha em couve-flor; orelha parcialmente deformada devido a lesão e pericondrite subseqüente. **diabetic e.** – diabética; mastoidite que complica o diabetes. **external e.** – o. externo; a pina e o meato externo juntos. **glue e.** – o. com cola; uma afecção crônica marcada por acúmulo de um fluido de alta viscosidade no ouvido médio, devido a obstrução da trompa de Eustáquio. **inner e., internal e.** – o. interno; labirinto, o vestíbulo, cóclea e canais semicirculares juntos. **middle e.** – o. médio; um espaço livre no osso temporal que contém os ossículos auditivos; ver Prancha XII **outer e.** – o. externo.

ear·wax (ēr'waks) – cera de ouvido; cerúmen.

ebur·na·tion (e"ber-na'shun) – eburnação; conversão de um osso em massa dura e semelhante ao marfim.

EBV – Epstein-Barr virus (VEB; vírus de Epstein-Barr).

ecau·date (e-kaw'dāt) – ecaudado; sem cauda.

ec·bol·ic (ek-bol'ik) – ecbólico; ocitócico.

ec·cen·tric (ek-sen'trik) – excêntrico; situado ou que ocorre, ou procede de fora de um centro.

ec·cen·tro·chon·dro·pla·sia (ek-sen"tro-kon"-dropla'ze-ah) – excentrocondroplasia; síndrome de Morquio.

ec·chon·dro·ma (ek"on-dro'mah) pl. *ecchondromas, ecchondromata* – econdroma; crescimento hiperplásico de tecido cartilaginoso na superfície de uma cartilagem ou que se projeta sob o periósteo de um osso.

ec·chy·mo·ma (ek"ĭ-mo'mah) – equimoma; tumefação devido a um extravasamento sangüíneo.

ec·chy·mo·sis (ek"ĭ-mo'sis) [Gr.] pl. *ecchymoses* – equimose; pequena mancha hemorrágica na pele ou em uma membrana mucosa, maior que uma petéquia e formando uma mancha não-elevada, arredondada ou irregular, azul ou púrpura.

ecchymot'ic – adj. equimótico.

ec·crine (ek'rin) – écrino; exócrino; com referência especial às glândulas sudoríparas comuns.

ec·cri·sis (ek'rĭ-sis) – écrise; excreção de produtos de descarte.

ec·crit·ic (ek-rit'ik) – ecrítico: 1. que promove excreção; 2. agente que promove excreção.

ec·cy·e·sis (ek"si-e'sis) – exciese; gravidez ectópica.

ECF-A – eosinophil chemotactic factor of anaphylaxis (fator quimiotático eosinofílico de anafilaxia); mediador primário da hipersensibilidade anafilática do Tipo I.

ECG – electrocardiogram (eletrocardiograma).

ec·go·nine (ek'go-nin) – ecgonina; produto básico final obtido através da hidrólise da cocaína e de vários alcalóide relacionados.

Echi·no·coc·cus (e-ki"no-kok'us) – *Echinococcus;* gênero de pequenas tênias que inclui a E. *granulosus* (geralmente parasita de cães e lobos), cujas larvas (hidátides) podem se desenvolver em mamíferos, formando tumores ou cistos hidáticos, principalmente no fígado; e E. *multilocularis,* cujas larvas formam cistos alveolares ou multiloculares e cujas formas adultas geralmente parasitam a raposa e roedores silvestres, embora o homem se infecte esporadicamente; equinococo.

echo (ek'o) – eco; som repetido, produzido por reverberação de ondas sonoras; também, a reflexão de ondas ultras-sônicas, de rádio ou radar.

amphoric e. – e. anfórico; repetição ressonante de um som ouvida na auscultação do peito, ocorrendo um intervalo apreciável após o som vocal.

metallic e. – e. metálico; repetição ressonante das bulhas cardíacas algumas vezes ouvida em pacientes com pneumopericárdio e pneumotórax.

echo·acou·sia (ek"o-ah-koo'ze-ah) – ecoacusia; experiência subjetiva de ouvir ecos após sons normalmente ouvidos.

echo·car·di·og·ra·phy (-kahr"de-og'rah-fe) – ecocardiografia; registro da posição e do movimento das paredes e estruturas internas cardíacas através do eco obtido a partir de feixes de ondas ultras-sônicas direcionados através da parede torácica. **color Doppler e.** – e. Doppler colorida; obtenção de imagens Doppler de fluxo colorido. **contrast e.** – e. de contraste; ecocardiografia na qual o feixe ultra-sônico detecta bolhas pequeninas produzidas pela injeção intravascular de um líquido ou de quantidade pequena de gás de dióxido de carbono. **Doppler e.** – e. Doppler; técnica para registrar o fluxo de hemácias através do sistema cardiovascular por meio de ultra-sonografia de Doppler, tanto com onda contínua como com onda de pulso. **M-mode e.** – e. de módulo M; ecocardiografia que registra a amplitude e a freqüência de movimento (M) em tempo real, produzindo uma visão monodimensional ("furador de gelo") do coração. **transesophageal e. (TEE)** – e. transesofágica; a introdução de um transdutor preso a um endoscópio de fibra óptica no interior do esôfago para proporcionar imagens cardiográficas bidimensionais ou uma informação de Doppler.

echo·ge·ni·ci·ty (-jē-nis'ĭ-te) – ecogenicidade; em ultra-sonografia, a extensão em que uma estrutura dá origem a reflexões de ondas ultra-sônicas.

echo·graph·ia (-graf'e-ah) – ecografia; agrafia na qual o paciente pode copiar uma escrita mas não pode escrever para expressar idéias.

echog·ra·phy (ĕ-kog'rah-fe) – ecografia; ultra-sonografia; o uso do ultra-som como um auxílio diagnóstico. Direcionam-se as ondas de ultra-som nos tecidos e faz-se um registro das ondas refletidas de volta através dos tecidos, o que indica interfaces de diferentes densidades acústicas e conseqüentemente, diferencia entre estruturas sólidas e císticas.

echo·la·lia (ek"o-la'le-ah) – ecolalia; repetição automática por um paciente do que lhe é dito.

echo·lu·cent (-loo'sint) – ecoluminoso; que permite a passagem de ondas ultra-sônicas sem ecos, as áreas representativas que aparecem em negro no sonograma.

echop·a·thy (ek-op'ah-the) – ecopatia; repetição automática de palavras ou movimentos de outros por um paciente.

echo·pho·no·car·di·og·ra·phy (ek"o-fo"no-kahr"deog'rah-fe) – ecofonocardiografia; uso combinado da ecocardiografia e da fonocardiografia.

echo·prax·ia (-prak'se-ah) – ecopraxia; imitação involuntária dos movimentos de outros.

echo·rang·ing (-rānj'ing) – ecodistribuição; em ultra-sonografia, a determinação da posição ou da profundidade de uma estrutura óssea com base no intervalo de tempo entre o momento em que se transmite um pulso ultra-sônico e o momento em que se recebe o seu eco.

echo·thi·o·phate io·dide (ek"o-thi'o-fāt) – iodeto ecotiofático; inibidor da colinesterase utilizado no tratamento do glaucoma.

echo·vi·rus (ek'o-vi"rus) – echovírus; enterovírus isolado do homem, separável em muitos sorotipos, alguns dos quais associam-se a doenças humanas, especialmente a meningite asséptica.

eclamp·sia (ĕ-klamp'se-ah) – eclâmpsia; convulsões e coma, raramente apenas o coma, que ocorrem em uma mulher grávida ou no puerpério; associada a hipertensão, edema e/ou proteinúria. **eclamp'tic** – adj. eclâmptico. **puerperal e.** – e. puerperal; eclâmpsia que ocorre após um parto. **uremic e.** – e. urêmica; eclâmpsia devida a uremia.

eclamp·to·gen·ic (ĕ-klamp"to-jen'ik) – eclamptogênico; que causa convulsões.

ECMO – extracorporeal membrane oxygenation (OMEC, oxigenação por membrana extracorpóreo).

ecol·o·gy (e-kol'ah-je) – ecologia; a ciência dos organismos segundo são afetados pelos fatores ambientais; estudo do ambiente e da história natural dos organismos. **ecolog'ic, ecolog'ical** – adj. ecológico.

econ·o·my (e-kon'ah-me) – economia; administração dos assuntos domésticos. **token e.** – e. de fichas; na terapia do comportamento, um programa de tratamento no qual o paciente ganha fichas, trocáveis por recompensas, por um comportamento pessoal e social apropriado, perdendo fichas por um comportamento anti-social.

eco·sys·tem (ek'o-sis"tim) – ecossistema; a unidade na Ecologia que compreende os organismos vivos e os elementos não-vivos que interagem em uma determinada área definida.

eco·tax·is (-tak"sis) – ecotaxia; movimento ou "regresso" de uma célula circulante (por exemplo, um linfócito) a um compartimento anatômico específico.

ec·trop·ic (-trop'ik) – ectrópico; relativo a um vírus que infecta e se replica em células provenientes somente da espécie hospedeira original.

ECT – eletroconvulsive therapy (terapia eletroconvulsiva).

ect(o)- [Gr.] – elemento de palavra, *externo; fora.*

ec·tad (ek'tad) – direcionado para fora.

ec·ta·sia (ek-ta'zhah) – ectasia; dilatação, expansão ou distensão. **ectat'ic** – adj. ectásico. **annuloaortic e.** – e. anuloaórtica; dilatação da aorta proximal e do anel fibroso cardíaco no orifício aórtico marcada por regurgitação aórtica e, quando severa, por aneurisma dissecante; freqüentemente associada à síndrome de Marfan. **mammary duct e.** – e. do ducto mamário; dilatação dos coletores da glândula mamária com espessamento da secreção glandular e alterações inflamatórias nos tecidos; processo benigno associado a atrofia do epitélio ductal; geralmente ocorre durante ou após a menopausa.

ec·teth·moid (ek-teth'moid) – ectetmóide; uma das massas laterais pareadas do osso etmóide.

ec·thy·ma (ek-thi'mah) – ectima; forma rasamente ulcerativa de impetigo, predominantemente nas canelas ou antebraços.

ec·to·an·ti·gen (ek"to-ant'ĭ-jen) – ectoantígeno: 1. antígeno que parece estar frouxamente preso ao lado externo de uma bactéria; 2. antígeno formado no ectoplasma (membrana celular) de uma bactéria.

ec·to·blast (ek'to-blast) – ectoblasto; ectoderma; ver *ectoderm.*

ec·to·car·dia (ek"to-kahr'de-ah) – ectocardia; deslocamento congênito do coração.

ec·to·cer·vix (-serv'iks) – ectocérvix; porção vaginal da cérvix. **ectocer'vical** – adj. ectocervical.

ec·to·derm (ek'to-derm) – ectoderma; a parte mais externa das três camadas germinativas primitivas do embrião a partir da qual derivam a epiderme e os tecidos epidérmicos, tais como unhas, pêlos e glândulas cutâneas, o sistema nervoso, órgãos sensoriais externos membrana mucosa da boca e do ânus. **ectoder'mal, ectoder'mic**–adj. ectodérmico.

ec·to·der·mo·sis (ek"to-der-mo'sis) – ectodermose; distúrbio baseado no mau desenvolvimento congênito dos órgãos derivados do ectoderma. **erosi'va pluriorificia'lis** – e. erosiva plurioficial; síndrome de Stevens-Johnson.

ec·to·en·zyme (-en'zīm) – ectoenzima; enzima extracelular.

ec·tog·e·nous (ek-toj'i-nus) – ectógeno; introduzido de fora; que surge de causas exteriores ao organismo.

ec·to·mere (ek'to-mēr) – ectômero; um dos blastômeros que participa da formação do ectoderma.

ec·to·mor·phy (-mor"fe) – ectomorfia; um tipo de construção corporal na qual predominam os tecidos derivados do ectoderma; um somatotipo no qual tanto as estruturas viscerais como as corporais se desenvolvem relativamente depressa, com o corpo permanecente linear e delicado. **ectomor'phic** – adj. ectomórfico.

ec·to·my (ek'tah-me) [Gr.] – ectomia; excisão de um órgão ou parte.

-ectomy [Gr.] – ectomia, elemento de palavra, *excisão; remoção cirúrgica.*

ec·to·pia (ek-to'pe-ah) [Gr.] – ectopia; deslocamento ou mau posicionamento, especialmente se for congênito. **e. cor'dis** – e. cordial; deslocamento congênito do coração para fora da cavidade torácica. **e. len'tis** – e. do cristalino; posição anormal do cristalino; **e. pupil'lae conge'nita** – e. pupilar congênita; deslocamento congênito da pupila.

ec·top·ic (ek-top'ik) – ectópico: 1. relativo a ectopia; 2. localizado fora da posição normal; 3. que surge a partir de um local ou tecido anormal.

ec·tos·te·al (ek-tos'te-il) – ectósteo; relativo ou situado do lado de fora de um osso.

ec·to·sto·sis (ek"to-sto'sis) – ectostose; ossificação por baixo do pericôndrio de uma cartilagem ou periósteo de um osso.

ec·to·thrix (ek'to-thriks) – ectótrico; fungo que cresce dentro da haste de um pêlo, mas produz uma bainha externa evidente de esporos.

ectr(o)- [Gr.] – elemento de palavra, *fracasso; ausência congênita.*

ec·trog·e·ny (ek-troj'ĕ-ne) – ectrogenia; ausência ou defeito congênito de uma parte. **ectrojen'ic** – adj. ectrogênico.

ec·tro·me·lia (ek"tro-me'le-ah) – ectromelia; hipoplasia ou aplasia grosseiras de um ou mais ossos longos de um ou mais membros. **ectromel'ic** – adj. ectromélico.

ec·tro·pi·on (ek-tro'pe-on) – ectrópio; eversão ou rotação para fora, como no caso da margem de uma pálpebra.

ec·tro·syn·dac·ty·ly (ek"tro-sin-dak'tĭ -le) – ectrossindactilia; afecção na qual alguns dedos encontram-se ausentes e os que restam se fundem.

ec·ze·ma (ek'zĕ-mah) – eczema: 1. processo inflamatório superficial que envolve primariamente a epiderme, marcado inicialmente por vermelhidão, prurido, pápulas e vesículas diminutas, exsudação, transudação e formação de crosta, e posteriormente por descamação, liquenificação e freqüentemente pigmentação; 2. dermatite atópica. **facial e. of ruminants** – e. facial dos ruminantes; doença fotossensível dos ruminantes, particularmente na Nova Zelândia, devida à ingestão dos esporos do bolor *Pithomyces chartarum*, que contém esporidesmina. **e. herpe'ticum** – e. herpético; erupção variceliforme de Kaposi devida a infecção pelo vírus do herpes simples superposta a uma afecção cutânea preexistente. **nummular e.** – e. numular; eczema no qual as manchas têm a forma de moedas; pode constituir uma forma de neurodermatite. **e. vaccina'tum** – e. de vacínia; erupção vesiculopustular generalizada severa devida ao vírus da varíola, superposta sobre uma dermatite crônica preexistente.

ED – efective dose; erythema dose (dose efetiva; dose de eritema).

ED₅₀ – median effective dose (dose efetiva média); dose que produz seus efeitos em 50% de uma população.

ede·ma (ĕ-de'mah) – edema; acúmulo anormal de líquido em espaços intercelulares do corpo. **angioneurotic e.** – e. angioneurótico; angioedema. **cardiac e.** – e. cardíaco; manifestação de insuficiência cardíaca congestiva devida a elevação das pressões venosa e capilar e freqüentemente associada a retenção renal de sódio. **cytotoxic e.** – e. citotóxico; edema cerebral causado por lesão hipóxica no tecido cerebral e redução do funcionamento da bomba celular de sódio, de forma que os elementos celulares acumulam fluido. **dependent e.** – e. dependente; edema que afeta mais severamente a parte mais inferior ou as partes dependentes do corpo. **e. neonato'rum** – e. do neonato; e. do recém-nascido; doença de bebês prematuros e frágeis semelhante ao esclerema, marcada por edema alastrante com uma pele fria e lívida. **pitting e.** – e. com depressão; edema no qual a pressão deixa uma depressão persistente nos tecidos. **pulmonary e.** – e. pulmonar; acúmulo extravascular difuso de líquido nos tecidos pulmonares e espaços aéreos devido a alterações nas forças hidrostáticas nos capilares ou a aumento na permeabilidade capilar; é marcado por dispnéia intensa. **vasogenic e.** – e. vasogênico; um tipo de edema cerebral na área ao redor dos tumores, freqüentemente resultando de aumento de permeabilidade das células endoteliais capilares.

ede·ma·gen (ĕ-de'mah-jen) – edematógeno; um irritante que pode originar um edema por causar danos capilares, mas não a resposta celular de uma inflamação verdadeira.

eden·tia (e-den'she-ah) – edentulia; ausência adquirida dos dentes.

eden·tu·lous (-tu-lus) – desdentado; sem dentes.

ed·e·tate (ed'it-ăt) – edetato; qualquer sal do ácido etilenodiaminotetracético (EDTA), incluindo o e. *dissódico de cálcio* (utilizado no diagnóstico e no tratamento do envenenamento com chumbo) e o e. *dissódico* (utilizado no tratamento do envenenamento com chumbo e outros metais pesados e, por causa de sua afinidade com o cálcio, no tratamento da hipercalcemia).

edet·ic ac·id (ĕ-det'ik) – ácido edético; ácido etilenodiaminotetracético.

edis·y·late (ĕ-dis'ĭ -lăt) – edisilato; contração da USAN para o 1,2-etanodissulfonato.

ed·ro·pho·ni·um chlo·ride (ed"ro-fo'ne-um) – cloreto de edrofônio; colinérgico utilizado em forma de sal de cloreto como antagonista do curare e agente diagnóstico na miastenia grave.

EDTA – ethylenediaminetetraacetic acid (ácido etilenodiaminotetracético).

ed·u·ca·ble (ej'u-kah-b'l) – educável; capaz de ser educado; utilizado com referência especial às pessoas com retardamento suave (Q.I. de aproximadamente 50 a 70).

EEE – eastern equine encephalomyelitis (EEOr, encafelomielite eqüina oriental).

EEG – electroencephalogram (eletroencefalograma).

EENT – eye-ear-nose-throat (OONG, olho-ouvido-nariz-garganta).

ef·face·ment (ĕ-făs'ment) – apagamento; desfiguração; obliteração de características; diz-se da cérvix durante o parto quando esta se altera de tal forma que só resta a abertura externa.

ef·fect (ĕ-fekt') – efeito; resultado produzido por uma ação. **Anrep e.** – e. de Anrep; elevação abrupta da pressão aórtica que resulta em um efeito inotrópico positivo e aumento da resistência ao fluxo no coração. **Bayliss e.** – e. de Bayliss; aumento da pressão de perfusão e subseqüente estiramento do músculo liso vascular causam contração muscular e aumento da resistência que retorna o fluxo sangüíneo ao normal apesar da elevação da pressão de perfusão. **Doppler e.** – e. de Doppler; a relação da freqüência aparente de ondas (como ondas de som, luz e rádio) com o movimento relativo da fonte das ondas e do observador, em que a freqüência aumenta à medida que os dois se aproximam entre si e se reduz à medida que eles se separam. **experimenter e's** – efeitos do experimentador; características de demanda. **position e.** – e. de posição; em Genética, o efeito alterado produzido pela alteração das posições relativas de vários genes nos cromossomas. **pressure e.** – e. de pressão; soma das alterações devidas à obstrução da drenagem tecidual por meio de pressão. **side e.** – e. colateral; ver em *side effect*. **Somogyi e.** – e. de Somogyi; fenômeno de rebote que ocorre no diabetes; o supertratamento com insulina induz hipoglicemia que inicia a liberação de adrenalina, ACTH, glucagon e hormônio do crescimento que estimulam lipólise, gliconeogênese e glicogenólise que, por sua vez, resultam em rebote de hiperglicemia e cetose.

ef·fec·tive·ness (ĕ-fek'tiv-nes) – efetividade: 1. capacidade de produzir um resultado específico ou de exercer uma influência mensurável específica; 2. capacidade de uma intervenção produzir o efeito benéfico desejado no uso real. cf. *efficacy*.

relative biological e. – e. biológica relativa; uma expressão da efetividade dos outros tipos de radiação em comparação com a da radiação gama ou os raios X; abreviação EBR.

ef·fec·tor (ĕ-fek'ter) – efetor: 1. agente que media um efeito específico; 2. órgão que produz um efeito em resposta a uma estimulação nervosa. **allosteric e.** – e. alostérico; inibidor ou ativador de enzimas que tem seu efeito em um local que não o local catalítico da enzima.

ef·fem·i·na·tion (ĕ-fem''ĭ -na'shun) – efeminação; feminização.

ef·fer·ent (ef'er-ent) – eferente: 1. que conduz para fora a partir de um centro; 2. alguma coisa que conduza dessa forma, como um nervo eferente.

ef·fi·ca·cy (ef'ĭ -kah-se) – eficácia: 1. capacidade de uma intervenção produzir o efeito benéfico desejado em mãos de especialistas e sob circunstâncias ideais; 2. capacidade de uma droga produzir o efeito terapêutico desejado.

ef·fleu·rage (ef'loo-rahzh') [Fr] – deslizamento; movimento suave de massagem.

ef·flo·res·cent (ef'lŏ-res'ent) – eflorescente; que se torna pulverizado através da perda da água de cristalização.

ef·flu·vi·um (ĕ-floo've-um) [L.] pl. *effluvia* – eflúvio: 1. fluxo ou queda, como a de pêlos; 2. exalação ou emanação, especialmente a de natureza nociva.

ef·fu·sion (ĕ-fu'zhun) – efusão; derrame: 1. escape de um líquido em uma parte; exsudação ou transudação; 2. material extravasado; exsudato ou transudato.

ef·lor·ni·thine (ef-lor'nĭ -thēn'') – eflornitina (DMFO); inibidor da enzima que catalisa a descarboxilação da ornitina; utilizado como sal de cloridrato no tratamento da tripanossomíase africana.

eges·tion (e-jes'chun) – egestão; expulsão do material indigerível.

egg (eg) – ovo: 1. óvulo; gameta feminino; 2. oócito; 3. célula reprodutora feminina em qualquer estágio antes da fertilização e seus derivados após a fertilização e mesmo após um certo desenvolvimento.

ego (e'go) – ego; segmento da personalidade dominado pelo princípio da realidade, compreendendo os aspectos integrativos e executivos que funcionam para adaptar as forças e as pressões do id e do superego e as exigências da realidade externa através da percepção consciente, do pensamento e do aprendizado.

ego·ali·en (al'yen) – egodistônico (*egodystonic*).

ego·bron·choph·o·ny (e''go-brong-kof'ah-ne) – egobroncofonia; ressonância vocal aumentada com um tipo de voz semelhante a um balido de tom alto, ouvida na auscultação dos pulmões, especialmente em caso de derrame pleural.

ego·cen·tric (-sen'trik) – egocêntrico; indivíduo que tem todas as idéias centradas em si mesmo.

ego·dys·ton·ic (e'go-dis-ton'ik) – egodistônico; denota qualquer impulso, idéia ou semelhante, que

é repugnante e incompatível com a concepção de si mesmo do indivíduo.

ego·ism (e'go-izm) – egoísmo: 1. consciência e avanço saudáveis dos interesses próprios do indivíduo; 2. doutrina filosófica na qual o autointeresse é a base apropriada para toda a conduta humana; 3. egotismo.

ego·ma·nia (e''go-ma'ne-ah) – egomania; auto-estima mórbida.

ego·syn·ton·ic (e''go-sin-ton'ik) – egossintônico; denota qualquer impulso, idéia ou semelhante, que se encontra em harmonia com a concepção de si mesmo de um indivíduo.

ego·tism (e'go-tizm) – egotismo; superestimar-se; egoísmo.

EGTA – egtazic acid (ácido egtázico); quelante semelhante em estrutura e função ao EDTA (ácido etilenodiaminotetracético), mas com afinidade maior pelo cálcio que pelo magnésio.

Ehr·lich·ia (ăr-lik'e-ah) – *Ehrlichia;* gênero da tribo Ehrlichieae, que causa uma doença em cães, bovinos, ovinos e humanos, incluindo as espécies *E. canis* e *E. sennetsu.*

Ehr·lich·i·eae (ăr''lĭ -ki'e-e) – Ehrlichieae; tribo de rickéttsias constituída de microrganismos adaptados para a existência em invertebrados (principalmente artrópodos) e patogênicos para determinados mamíferos, incluindo o homem.

ehr·lich·i·osis (ăr-lik''e-o'sis) – erliquiose; enfermidade febril devida a infecção por bactérias do gênero *Ehrlichia.*

ei·co·nom·e·ter (i''kŏ-nom'ĕ-ter) – eiconômetro; ver *eikonometer.*

ei·co·sa·pen·ta·eno·ic ac·id (i-ko''sah-pen''tah-e-no'ik) – ácido icosapentaenóico (EPA); ácido graxo ômega-2 poliinsaturado de 20 carbonos encontrado quase exclusivamente nos óleos de peixe e de animais marinhos.

ei·det·ic (i-det'ik) – eidético; idético; denota a visualização exata de eventos ou objetos anteriormente vistos; uma pessoa com essa habilidade.

ei·dop·tom·e·try (i''dop-tom'ĭ -tre) – eidoptometria; medição da precisão da percepção visual.

ei·ko·nom·e·ter (i''kŏ-nom'it-er) – eiconômetro; instrumento para medir o grau de aniseiconia.

Ei·me·ria (i-me'e-ah) – *Eimeria;* gênero de protozoários (ordem Eucoccidiida) encontrado nas células epiteliais do homem e dos animais, incluindo patógenos de muitas doenças economicamente importantes dos animais domésticos.

ein·stei·ni·um (īn-sti'ne-um) – einstênio; elemento químico (ver *tabela*), número atômico 99, símbolo Es.

ejac·u·la·tio (e-jak''u-la'she-o) [L.] – ejaculação. **e. prae'cox** – ejaculação precoce; ejaculação prematura no ato sexual.

ejac·u·la·tion (e-jak''u-la'shun) – ejaculação; expulsão forçada e súbita; especialmente a expulsão do sêmen da uretra masculina. **ejac'ulatory** – adj. ejaculatório. **retrograde e.** – e. retrógrada; ejaculação na qual o sêmen encaminha-se à uretra em direção à bexiga em vez de para fora do corpo.

EKG – electrocardiogram (eletrocardiograma).

EKY – electrokymogram (eletroquimograma).

elab·o·ra·tion (ĕ-lab"ah-ra'shun) – elaboração: 1. processo de produção de substâncias complexas a partir de materiais mais simples; 2. em Psiquiatria, processo mental inconsciente que expande e enriquece os detalhes, especialmente de um símbolo ou de representação em um sonho.

Elap·i·dae (e-lap'ĭ-de) – Elapidae; família de cobras venenosas geralmente terrestres que têm caudas cilíndricas e presas dianteiras que são curtas, fortes, imóveis e sulcadas. Inclui najas, kraits, cobras corais, cabeças-de-cobre australianas, mambas negras australianas, cobras marrons, cobras-tigre, víboras e mambas.

elas·tance (e-las'tans) – elastância; qualidade de voltar à posição original, ou seja, retroceder, à supressão de pressão sem romper-se, ou expressão da medida da capacidade de elastância em termos de unidade de volume. Símbolo *E*. É recíproca de complacência.

elas·tase (e-las'tās) – elastase; ver *pancreatic elastase*.

elas·ti·cin (e-las'tĭ-sin) – elasticina; elastina.

elas·tin (e-las'tin) – elastina; escleroproteína amarela, constituinte essencial do tecido conjuntivo elástico; é quebradiça quando seca, mas flexível e elástica quando úmida.

elast(o)- [L.] – elemento de palavra; *flexibilidade, elastina, tecido elástico.*

elas·to·fi·bro·ma (e-las"to-fi-bro'mah) – elastofibroma; tumor não-encapsulado firme, benigno e raro que consiste de colágeno esclerótico abundante e de fibras elásticas irregulares espessas.

elas·tol·y·sis (e"las-tol'ĭ-sis) – elastólise; digestão de uma substância ou de um tecido elástico. **perifollicular e.** – e. perifolicular; ver em *anetoderma.*

elas·to·ma (e"las-to'mah) – elastoma; tumor ou excesso focal de fibras de tecido elástico ou de fibras colagenosas anormais da pele.

elas·tom·e·try (e"las-tom'ĕ-tre) – elastometria; medição da elasticidade.

elas·tor·rhex·is (e-las"to-rek'sis) – elastorrexe; ruptura das fibras que compõem o tecido elástico.

elas·to·sis (e"las-to'sis) – elastose: 1. degeneração do tecido elástico; 2. alterações degenerativas no tecido conjuntivo dérmico com aumento da quantidade de material elastótico. 3. qualquer distúrbio do tecido conjuntivo dérmico. **actinic e.** – e. actínica; envelhecimento prematuro da pele e degeneração do tecido elástico da derme devido a exposição prolongada à luz solar. **nodular e. of Favre and Racouchot** – e. nodular de Favre-Racouchot; elastose actínica que ocorre principalmente em homens idosos, com cravos gigantes, cistos pilossebáceos e grandes dobras de pele vincada e amarelada na região periorbitária. **e. per'forans serpigino'sa perforating e.** – e. perfurante serpiginosa; e. perfurante; defeito do tecido elástico que ocorre isoladamente ou em associação com outros distúrbios, incluindo a síndrome de Down e a síndrome de Ehlers-Danlos, nas quais os elastomas protraem-se através de pequenas pápulas ceratóticas na epiderme; as lesões geralmente distribuem-se em agregados serpiginosos arqueados na região da nuca, face ou braços.

elas·tot·ic (e"las-tot'ik) – elastótico: 1. relativo: ou caracterizado por elastose; 2. semelhante a um tecido elástico; que tem as propriedades de coloração da elastina.

ela·tion (ĕ-la'shun) – elação; excitação emocional que se manifesta por aceleração da atividade mental e corporal.

El·a·vil (el'ah-vil) – Elavil, marca registrada de preparação de cloridrato de amitriptilina.

el·bow (el'bo) – cotovelo: 1. curva do braço; articulação que conecta o braço e o antebraço; 2. qualquer curva angular. **capped e.** – c. recoberto; higroma na ponta do cotovelo dos eqüinos ou bovinos. **little leaguer's e.** – c. de jogadores de bola amadores; epicondilite medial do cotovelo devida a estresse repetido nos músculos flexores do antebraço, freqüentemente observada em adolescentes que jogam bola. **miners' e.** – c. de mineiro; aumento de volume da bursa na ponta do cotovelo, devido a repouso do peso corporal sobre o cotovelo, como na mineração. **pulled e.** – c. puxado; subluxação da cabeça do rádio distalmente sob o ligamento redondo. **tennis e.** – c. de tenista; afecção dolorosa da porção externa do cotovelo devida a inflamação ou irritação da inserção do tendão extensor do epicôndilo umeral lateral.

elec·tro·af·fin·i·ty (e-lek"tro-ah-fin'it-e) – eletroafinidade; eletronegatividade.

elec·tro·an·al·ge·sia (-an"al-je'ze-ah) – eletroanalgesia; redução da dor por meio de estímulo elétrico de um nervo periférico ou da coluna dorsal da medula espinhal.

elec·tro·bi·ol·o·gy (-bi-ol'ah-je) – eletrobiologia; estudo dos fenômenos elétricos em um tecido vivo.

elec·tro·car·dio·gram (-kahr'de-o-gram") – eletrocardiograma; traçado gráfico das variações no potencial elétrico causadas pela excitação do músculo cardíaco e detectadas na superfície corporal. O eletrocardiograma normal é uma representação escalar que demonstra deflexões resultantes de atividade cardíaca; como alterações na magnitude da voltagem e da polaridade com o tempo e compreende a onda P, o complexo QRS e as ondas T e U. Abreviação ECG ou EKG. também *electrogram.* **scalar e.** – e. escalar; ver *electrocardiogram.*

elec·tro·car·di·og·ra·phy (-kahr"de-og'rah-fe) – eletrocardiografia; elaboração de registros gráficos das variações no potencial elétrico causadas pela atividade elétrica do músculo cardíaco e detectadas na superfície corporal como um método de estudo da ação do músculo cardíaco; ver também *electrocardiogram* e *electrogram.* **electrocardiograph'ic** – adj. eletrocardiográfico.

elec·tro·cau·tery (-kawt'er-e) – eletrocautério; aparelho para cauterizar tecidos através de um fio de platina aquecido por corrente elétrica.

elec·tro·co·ag·u·la·tion (-ko-ag"ŭl-a'shun) – eletrocoagulação; coagulação de um tecido por meio de corrente elétrica.

elec·tro·coch·le·og·ra·phy (-kok"le-og'rah-fe) – eletrococleografia; medição dos potenciais elétricos do oitavo nervo cranial em resposta a estímulos acústicos aplicados por um eletrodo no canal acústico externo, promontório ou membrana timpânica.

elec·tro·con·trac·til·i·ty (-kon"trak-til'it-e) – eletrocontratilidade; contratilidade em resposta a estímulo elétrico.

elec·tro·con·vul·sive (-kun-vul'siv) – eletroconvulsivo; que induz convulsões por meio da eletricidade.

elec·tro·cor·ti·cog·ra·phy (-kort"ĭ -kog'rah-fe) – eletrocorticografia; eletroencefalografia com os eletrodos aplicados diretamente no córtex cerebral.

elec·trode (e-lek'trōd) – eletrodo; um dos dois terminais de um sistema ou célula de condução elétrica. **active e.** – e. ativo; em eletromiografia, eletrodo exploratório. **calomel e.** – e. de calomelano; eletrodo capaz de coletar ou liberar íons de cloreto em meios aquosos neutros ou ácidos, consistindo de mercúrio em contato com cloreto mercuroso; utilizado como eletrodo de referência em medições de pH. **esophageal e., esophageal pill e.** – e. esofágico; e. encapsulado esofágico; eletrodo encapsulado que se aloja no esôfago no nível do átrio para obter eletrogramas e administrar estímulos de marcação. **exploring e.** – e. explorador; em eletrodiagnóstico, eletrodo colocado mais próximo do local de atividade bioelétrica que esteja sendo registrada, determinando o potencial nessa área localizada. **ground e.** – e. de solo; eletrodo conectado ao solo. **indifferent e.** – e. indiferente; e. de referência. **patch e.** – e. embutido; eletrodo pequenino com uma ponta cega utilizado em estudos de potenciais de membrana. **pill e.** – e. encapsulado; eletrodo geralmente envolto em uma cápsula de gelatina e preso a um fio metálico flexível de forma que possa ser engolido. **recording e.** – e. de registro; eletrodo utilizado para medir a alteração do potencial elétrico em um tecido corporal; para o registro devem-se utilizar dois eletrodos, o *e. explorador* e o *e. de referência*. **reference e.** – e. de referência; eletrodo colocado em um local remoto da fonte de atividade registrada, de forma que se presuma que o seu potencial seja insignificante ou constante. **stimulating e.** – e. estimulador; eletrodo utilizado para aplicar uma corrente elétrica em um tecido.

elec·tro·der·mal (e-lek"tro-derm"l) – eletrodérmico; relativo às propriedades elétricas da pele, especialmente a alterações em sua resistência.

elec·tro·des·ic·ca·tion (-des"ĭ -ka'shun) – eletrodessecação; destruição de um tecido por meio de desidratação, realizada através de corrente elétrica de alta freqüência.

elec·tro·di·a·ly·zer (-di"ah-li'zer) – eletrodialisador; dialisador sangüíneo que utiliza um campo elétrico aplicado e membranas semipermeáveis para separar os colóides da solução.

elec·tro·en·ceph·a·log·ra·phy (-en-sef"ah-log'rah-fe) – eletroencefalografia; registro de alterações no potencial elétrico em áreas variadas do cérebro através de eletrodos colocados no couro cabeludo ou no próprio cérebro. **electroencephalograph'ic** – adj. eletroencefalográfico.

elec·tro·fo·cus·ing (-fo'kus-ing) – eletrofocalização; focalização isoelétrica.

elec·tro·gas·trog·ra·phy (-gas-trog'rah-fe) – eletrogastrografia; registro da atividade elétrica do estômago conforme medida entre o lúmen e a superfície corporal. **electrogastrograph'ic** – adj. eletrogastrográfico.

elec·tro·gen·ic (-tro-jen'ik) – eletrogênico; relativo ao processo pelo qual se transfere uma carga de rede para um local diferente de forma que ocorra hiperpolarização.

elec·tro·gram (e-lek'tro-gram) – eletrograma; qualquer registro produzido por alterações no potencial elétrico. **esophageal e.** – e. esofágico; eletrograma registrado por um eletrodo esofágico para potencializar a detecção das ondas P e elucidação de arritmias complexas. **His bundle e. (HBE)** – e. do feixe de His; eletrograma intracardíaco dos potenciais no átrio direito inferior, no nódulo atrioventricular e no sistema de His-Purkinje, obtido através do posicionamento de eletrodos intracardíacos próximos à válvula tricúspide. **intracardiac e.** – e. intracardíaco; registro das alterações nos potenciais elétricos de locais cardíacos específicos conforme medido com um eletrodo colocado dentro do coração através de cateteres cardíacos; utilizado para locais que não podem ser avaliados através de eletrodos de superfície corporal (como o feixe de His ou outras regiões dentro do sistema condutor cardíaco).

elec·tro·gus·tom·e·try (e-lek"tro-gus-tom'e-tre) – eletrogustometria; teste do sentido do paladar por meio de aplicação de estímulos galvânicos à língua.

elec·tro·he·mo·sta·sis (-he"mo-sta'sis) – eletroemostase; eletro-hemostase; cessação de hemorragia através de um eletrocautério.

elec·tro·hys·ter·og·ra·phy (-his"ter-og'rah-fe) – eletroisterografia; eletro-histerografia; registro das alterações no potencial elétrico associadas às contrações uterinas.

elec·tro·im·mu·no·dif·fu·sion (im"ūn-o-dif-'u-zhun) – eletroimunodifusão; imunodifusão acelerada através da aplicação de corrente elétrica.

elec·tro·ky·mog·ra·phy (-ki-mog'rah-fe) – eletroquimografia; registro radiográfico do movimento do coração ou de outras estruturas que se movem e podem ser visualizadas radiograficamente.

elec·trol·y·sis (e"lek-trol'ĭ -sis) – eletrólise; destruição através da passagem de uma corrente galvânica, como no caso da desintegração de um composto químico em uma solução ou da remoção do excesso de pêlos do corpo.

elec·tro·lyte (e-lek'tro-līt) – eletrólito; substância que se dissocia em íons liquefeitos em solução, conseqüentemente, tornando-se capaz de conduzir eletricidade.

elec·tro·mag·net (e-lek"tro-mag'net) – eletromagneto; magneto temporário efetuado pela passagem de uma corrente elétrica através de uma mola de arame circundando um núcleo de ferro flexível.

elec·tro·mag·net·ic (-mag-net'ik) – eletromagnético; que envolve tanto eletricidade como magnetismo.

elec·tro·my·og·ra·phy (EMG) (-mi-og'rah-fe) – eletromiografia; registro e estudo das propriedades elétricas de um músculo esquelético. **electromyograph'ic** – adj. eletromiográfico.

elec·tron (e-lek'tron) – elétron; partícula elementar com a unidade quântica de carga (negativa), constituindo as partículas negativamente carregadas distribuídos em órbitas ao redor do núcleo de um átomo e determinando todas as propriedades físicas e químicas deste, exceto a massa e a radioatividade. **electron'ic** – adj. eletrônico.

elec·tro·nar·co·sis (e-lek"tro-nahr-ko'sis) – eletronarcose; anestesia produzida através da passagem de uma corrente elétrica de eletrodos colocados nas têmporas.

elec·tron·dense (e-lek'tron-dens") – eletrondenso; em microscopia eletrônica, que tem uma densidade que impede que os elétrons penetrem.

elec·tro·neg·a·tive (e-lek"tro-neg'it-iv) – eletronegativo; carga elétrica negativa.

elec·tro·neu·rog·ra·phy (-noor-og'rah-fe) – eletroneurografia; medição da velocidade de condução e da latência dos nervos periféricos.

elec·tro·neu·ro·my·og·ra·phy (-noor"o-mi-og'-rah-fe) – eletroneuromiografia; eletromiografia na qual o nervo do músculo sob estudo é estimulada pela aplicação de uma corrente elétrica.

elec·tro·nys·tag·mog·ra·phy (-nis"tag-mog'-rah-fe) – eletronistagmografia; registros eletroencefalográficos dos movimentos oculares que proporcionam uma documentação objetiva de um nistagmo induzido e espontâneo.

elec·tro·oc·u·lo·gram (-ok'ūl-o-gram") – eletroculograma; traçados eletroencefalográficos feitos enquanto movem-se os olhos a uma distância constante entre dois pontos de fixação, induzindo deflexão de uma amplitude razoavelmente constante. Abreviação: EOG.

elec·tro·ol·fac·to·gram (-ol-fak'to-gram) – eletrolfatograma; registro das alterações do potencial elétrico detectadas por um eletrodo colocado na superfície da mucosa olfatória à medida que se sujeita a mesma a um estímulo odorífico. Abreviação: EOG.

elec·tro·phile (e-lek'tro-fī l) – eletrófilo; receptor de elétrons. **electrophil'ic** – adj. eletrofílico.

elec·tro·pho·re·sis (e-lek"tro-fō-re'sis) – eletroforese; separação de solutos iônicos baseada nas diferenças em suas velocidades de migração em um campo elétrico aplicado. Os meios de suporte incluem papel, amido, gel de agarose, acetato de celulose e gel de poliacrilamida e as técnicas incluem a eletroforese de zona, disco (descontínua), bidimensional e de pulso de campo. **eletrophoret'ic** – adj. eletroforético. **counter e.** – contra-imunoeletroforese.

elec·tro·pho·reto·gram (-fō-ret'o-gram) – eletroforetograma; registro produzido em um meio de suporte ou através de tiras porosas de um material que tenha sido separado pelo processo da eletroforese.

elec·tro·phys·i·ol·o·gy (-fiz"e-ol'ah-je) – eletrofisiologia: 1. estudo dos mecanismos de produção dos fenômenos elétricos, particularmente no sistema nervoso, e suas conseqüências nos organismos vivos; 2. estudo dos efeitos da eletricidade nos fenômenos fisiológicos.

elec·tro·ret·in·o·graph (-ret'ī -no-graf) – eletrorretinógrafo; instrumento para medir a resposta elétrica da retina ao estímulo luminoso. Abreviação ERG.

elec·tro·scis·sion (-sish'in) – eletrocisão; secção de um tecido através de bisturi elétrico.

elec·tro·scope (e-lek'tro-skŏp) – eletroscópio; instrumento para medir a intensidade de uma radiação.

elec·tro·shock (-shok) – eletrochoque; choque produzido através da aplicação de corrente elétrica no cérebro.

elec·tro·sleep (-slēp) – eletroterapia do sono; ver cerebral electrotherapy, em electrotherapy.

elec·tro·stri·a·to·gram (e-lek"tro-stri-āt'ah-gram) – eletroestriatograma; eletroencefalograma que mostra diferenças no potencial elétrico registrado em vários níveis do corpo estriado.

elec·tro·sur·gery (-serj'er-e) – eletrocirurgia; cirurgia realizada por meio de métodos elétricos; eletrodo ativo pode ser uma agulha, bulbo ou disco. **electrosur'gical** – adj. eletrocirúrgico.

elec·tro·tax·is (-tak'is) – eletrotaxia; taxia em resposta a estímulos elétricos.

elec·tro·ther·a·py (-ther'ah-pe) – eletroterapia; tratamento de uma doença através da eletricidade. **cerebral e. (CET)** – e. cerebral; uso de eletricidade de baixa intensidade, geralmente empregando pulsos positivos ou corrente direta no tratamento de insônia, ansiedade ou depressão neurótica. Erroneamente chamada de eletroterapia do sono (electrosleep) – o tratamento não induz o sono.

elec·tro·ton·ic (-ton'ik) – eletrotônico: 1. relativo ao eletrotônus; 2. denota a disseminação direta de corrente nos tecidos através da condução elétrica, sem a geração de nova corrente por parte dos potenciais de ação.

elec·trot·o·nus (e-lek-trot'ah-nus) – eletrotônus; o estado elétrico alterado de uma célula nervosa ou muscular pela passagem de uma corrente elétrica constante.

elec·tro·u·re·ter·og·ra·phy (e-lek"tro-ūr-ēt"er-og'rah-fe) – eletrouretrografia; eletromiografia na qual são registrados os potenciais de ação produzidos pelo peristaltismo do ureter.

elec·tro·va·lence (-va'lins) – eletrovalência: 1. número de cargas que um átomo adquire através do acréscimo ou perda de elétrons na formação de uma ligação iônica; 2. ligação resultante dessa transferência de elétrons. **electrova'lent** – adj. eletrovalente.

elec·tro·vert (e-lek'tro-vert) – eletroverter; aplicar eletricidade ao coração ou ao precórdio para despolarizar o coração e fazer cessar uma disritmia cardíaca.

elec·tu·a·ry (e-lek'choo-er"e) – eletuário; preparação medicinal que consiste de um medicamento pulverizado transformado em pasta com mel ou xarope.

el·e·doi·sin (el-ē-doi'sin) – eledoisina; endecapeptídeo proveniente de uma espécie de polvo (Eledone), que é precursor de um grande grupo de peptídeos biologicamente ativos; tem propriedades vasodilatadoras, hipotensivas e estimulantes da musculatura lisa extravascular.

el·e·i·din (el-e'ĭ -din) – eleidina; substância aliada à ceratina, encontrada no estrato lúcido da pele.

el·e·ment (el'ĕ-ment) – elemento: 1. qualquer das partes ou constituintes primários de uma coisa; 2. em Química, substância simples que não pode ser decomposta por meios químicos e é constituída de átomos semelhantes em suas configurações eletrônicas periféricas e, portanto, em suas propriedades químicas e também no número de prótons em seus núcleos, mas podem diferir no número de nêutrons, e portanto, em seu número de massa e propriedades radioativas; ver *Tabela de Elementos.* **formed e's (of the blood)** – elementos formados (do sangue); hemácias, leucócitos e plaquetas. **trace e's** – elementos vestigiais; elementos químicos distribuídos por todos os tecidos em quantidades muito pequenas e que ou são essenciais à nutrição (como o cobalto, o cobre etc.) ou perigosos (como o selênio).

transposable e. – e. transponível; ver *transposon.*

ele(o)- [Gr.] – elemento de palavra, *óleo.*

el·e·phan·ti·a·sis (el''e-fan-ti'ah-sis) – elefantíase: 1. doença filarial crônica, geralmente observada nos trópicos, devida a infecção por *Brugia malayi* ou *Wuchereria bancrofti,* marcada por inflamação e obstrução dos vasos linfáticos e hipertrofia da pele e tecidos subcutâneos, e afetando principalmente as pernas e os genitais externos; 2. hipertrofia e espessamento dos tecidos de qualquer causa. **e. neuromato'sa** – e. neuromatosa; neurofibroma. **e. nos'tras** – e. nostra; elefantíase devida ou a erisipela estreptocócica crônica a celulite recorrente crônica. **e. scro'ti** – e. escrotal; elefantíase em que a bolsa escrotal é o local principal da doença.

el·e·va·tor (el'ĭ -vāt-er) – elevador; instrumento para elevar tecidos para remover fragmentos ósseos ou raízes dentárias.

elim·i·na·tion (e-lim''ĭ -na'shin) – eliminação: 1. ato de expulsão ou de protrusão, especialmente a expulsão do corpo; 2. omissão ou exclusão.

ELISA (e-li'sah) – Enzyme-Linked Immuno-Sorbent Assay (ensaio imunoabsorvente ligado a enzima); qualquer imunoensaio enzimático utilizando um imunorreagente marcado com enzimas até o imunoabsorvente.

elix·ir (e-lik'ser) – elixir; líquido claro, adocicado e geralmente hidroalcoólico contendo substâncias aromatizantes e algumas vezes agentes medicinais ativos para uso oral.

Elix·o·phyl·lin (e-lik''so-fil'in) – Elixophyllin, marca registrada de preparações de teofilina.

el·lip·to·cy·to·sis (e-lip''to-si-to'sis) – eliptocitose; distúrbio hereditário no qual as hemácias tornam-se predominantes elípticas, ocorrendo redução da destruição de hemácias e anemia.

el·u·ate (el'u-āt) – eluato; substância separada de uma eluição ou elutriação, ou produto destas.

elu·tion (e-loo'shun) – eluição; em Química, separação de material através de lavagem; processo de pulverização de substâncias misturando-as com água para separar os constituintes mais pesados, que assentam na solução, dos mais leves.

elu·tri·a·tion (e-loo''tre-a'shun) – elutriação; purificação de uma substância através de dissolução em um solvente e decantação da solução, separando-a conseqüentemente do material estranho insolúvel.

Em – emmetropia(emetropia).

ema·ci·a·tion (e-ma''she-a'shun) – emaciação; magreza excessiva; condição de emagrecimento do corpo.

emas·cu·la·tion (e-mas''ku-la'shun) – emasculação; remoção do pênis ou dos testículos.

em·balm·ing (em-bahm'ing) – embalsamar; tratamento de um cadáver para retardar a decomposição.

em·bar·rass (em-bar'is) – embaraçar; impedir o funcionamento de; obstruir.

em·bed·ding (em-bed'ing) – embutir; encaixar; incrustar; fixação de tecidos em um meio firme, para mantê-los intactos durante a execução de secções finas.

em·bo·lec·to·my (em''bol-ek'tah-me) – embolectomia; remoção cirúrgica de um êmbolo de um vaso sangüíneo.

em·bo·li (em'bŏ-li) – plural de *embolus.*

em·bo·lism (em'bŏ-lizm) – embolia; embolismo; bloqueio súbito de uma artéria por coágulo ou material estranho que tenha sido trazido para o local onde se aloja pela corrente sangüínea. **air e.** – e. aérea; devida a bolhas de ar que entram nas veias após um traumatismo ou procedimentos cirúrgicos. **cerebral e.** – e. cerebral; embolia de uma artéria cerebral. **coronary e.** – e. coronária; embolia de uma artéria coronária. **fat e.** – e. gordurosa; obstrução por meio de êmbolo gorduroso que ocorre especialmente após fraturas de ossos grandes. **infective e.** – e. infecciosa; obstrução por meio de êmbolo que contém bactérias ou envenenamento séptico. **miliary e.** – e. miliar; embolia que afeta muitos vasos sangüíneos pequenos. **paradoxical e.** – e. paradoxal; bloqueio de uma artéria sistêmica por um trombo que se origina em uma veia sistêmica que atravessou um defeito no septo interatrial ou interventricular. **pulmonary e.** – e. pulmonar; obstrução da artéria pulmonar ou um de seus ramos por meio de um êmbolo.

em·bo·li·za·tion (em''bŏ-lĭ -za'shun) – embolização: 1. processo ou condição de se tornar um êmbolo; 2. introdução terapêutica de uma substância em um vaso para fechá-lo.

em·bo·lus (em'bŏ-lus) [L.] pl. *emboli* – êmbolo: 1. coágulo ou outro tampão (como ar ou fragmentos de cálcio) trazido pelo sangue a partir de um vaso e forçado para o interior de um vaso menor, obstruindo conseqüentemente a circulação 2. núcleo emboliforme do cerebelo. **fat e.** – e. gorduroso; êmbolo composto de óleo ou gordura. **riding e., saddle e. straddling e.** – e. em sela; e. cavalgado; êmbolo na bifurcação de uma artéria, bloqueando ambos os ramos.

em·bo·ly (em'bŏ-le) – invaginação; processo de invaginação da blástula para formar a gástrula.

em·bra·sure (em-bra'zher) – embrasadura; espaço interproximal oclusal à área de contato dos dentes adjacentes na mesma arcada dentária.

TABELA DE ELEMENTOS QUÍMICOS

Elemento (data de descoberta)	Símbolo	Número atômico	Peso atômico*	Valência	Densidade específica (gramas/litro)	Comentário descritivo
Actínio (1899)	Ac	89	[227]	3	10,07	elemento radioativo associado ao urânio
Alumínio (1827)	Al	13	26,9815	3	2,6989	metal branco-prateado, abundante na crosta terrestre, mas não na forma livre
Amerício (1944)	Am	95	[243]	3,4,5,6	13,67	quarto elemento transurânico descoberto
Antimônio (pré-histórico)	Sb	51	121,75	3,5	6,691	existe em 4 formas alotrópicas
Argônio (1894)	Ar	18	39,948	0?	1,7837g/l	gás incolor e inodoro
Arsênio (1250)	As	33	74,9216	3,5	5,73 (cinza) 4,73 (preto) 1,97 (amarelo)	sólido semimetálico
Astatínio (1940)	At	85	[210]	1,3,5,7		halogênio radioativo
Bário (1808)	Ba	56	137,34	2	3,5	metal alcalino-terroso branco-prateado
Berílio (1798)	Be	4	9,0122	2	1,848	metal cinza-aço leve
Berquélio (1949)	Bk	97	[247]	3,4		quinto elemento transurânico descoberto
Bismuto (1753)	Bi	83	208,980	3,5	9,747	metal quebradiço cristalino e branco-rosado
Boro (1808)	B	5	10,811	3	2,34; 2,37	elemento cristalino ou amorfo que não ocorre livre na natureza
Bromo (1826)	Br	35	79,909	1,3,5,7	3,12	líquido móvel marrom-avermelhado, facilmente volatilizante
					7,59g/l	vapor vermelho com odor desagradável
Cádmio (1817)	Cd	48	112,40	2	8,65	metal macio branco-azulado
Cálcio (1808)	Ca	20	40,80	2	1,55	elemento metálico que forma mais de 3% da crosta terrestre
Califórnio (1950)	Cf	98	[251]	2,3		sexto elemento transurânico descoberto
Carbono (pré-história)	C	6	12,01115	2,3,4	1,8–2,1 1,9–2,3 3,15–3,53	(amorfo) elemento largamente distribuído na natureza (grafite) (diamante)
Cério (1803)	Ce	58	140,12	3,4	6,67–8,23	metal raro mais abundante na Terra
Césio (1869)	Cs	55	132,905	1	1,873	metal alcalino macio e branco-prateado

Chumbo (pré-histórico)	Pb	82	207,19	2,4	11,35	metal maleável lustroso e branco-azulado
Cloro (1774)	Cl	17	35,453	1,3,5,7	3,214g/l	gás amarelo-esverdeado do grupo dos halogênios
Cobalto (1735)	Co	27	58,9332	2,3	8,9	metal duro e quebradiço
Cobre (pré-história)	Cu	29	63,54	1,2	8,96	metal vermelho lustroso e maleável
Criptônio (1898)	Kr	36	83,80	0	3,733g/l	gás inerte
Cromo (1797)	Cr	24	51,996	2,3,6	7,18–7,20	metal duro lustroso e cinza-aço
Cúrio (1944)	Cm	96	[247]	3,4	13,51	terceiro elemento transurânico descoberto
Disprósio (1886)	Dy	66	162,50	3	8,536	metal raro com um lustro prateado-brilhante metálico
Einstênio (1952)	Es	99	[252]	2,3		sétimo elemento transurânico descoberto
Elemento 106 (1974)		106	[263]			décimo quarto elemento transurânico descoberto; ainda sem nome proposto
Enxofre (pré-histórico)	S	16	32,064	2,4,6	1,957; 2,07	existe em várias formas isotrópicas e muitas alotrópicas
Érbio (1843)	Er	68	167,26	3	9,051	metal raro macio e maleável
Escândio (1879)	Sc	21	44,956	3	2,992	metal branco-prateado macio
Estanho (pré-histórico)	Sn	50	118,69	2,4	5,75	(cinza) metal maleável que existe em 2 ou 3 formas alotrópicas, mudando de branco para cinza com o resfriamento e de volta para branco com o aquecimento (branco)
Estrôncio (1808)	Sr	38	87,62	2	7,31	existe em 3 formas alotrópicas
Európio (1896)	Eu	63	151,96	2,3	2,54	metal raro lustroso e branco-prateado
Férmio (1953)	Fm	100	[257]	2,3	5,259	oitavo elemento transurânico descoberto
Ferro (pré-história)	Fe	26	55,847	2,3,4,6	7,874	quarto elemento mais abundante na crosta terrestre
Flúor (1771)	F	9	18,9984	1	1,696g/l	gás amarelo-pálido corrosivo do grupo dos halogênios
Fósforo (1669)	P	15	30,9738	3,5	1,82 2,20 2,25–2,69	(branco) sólido céreo, transparente quando puro (vermelho) (preto)
Frâncio (1939)	Fr	87	[223]	1		produto da desintegração alfa do actínio
Gadolínio (1880)	Gd	64	157,25	3	7,8; 7,895	metal raro lustroso e branco-prateado
Gálio (1875)	Ga	31	69,72	2,3	5,907	metal bonito, de aparência prateada

(Continua)

* Os números entre os colchetes representam o número de massa do isótopo mais estável.

DEF

TABELA DE ELEMENTOS QUÍMICOS (Cont.)

Elemento (data de descoberta)	Símbolo	Número atômico	Peso atômico	Valência	Densidade específica (gramas/litro)	Comentário descritivo
Germânio (1886)	Ge	32	72,59	2,4	5,323	metal quebradiço branco-acinzentado
Háfnio (1923)	Hf	72	178,49	4	13,29	metal cinza associado ao zircônio
Hânio (1970) (Elemento 105)	Ha	105	[260]			décimo terceiro elemento transurânico descoberto
Hélio (1895)	He	2	4,0026	0	0,177g/l	gás inerte
Hidrogênio (1766)	H	1	1,00797	1	0,08988g/l 0,070	(gás) o elemento mais abundante no universo (líquido)
Hólmio (1879)	Ho	67	164,930	3	8,803	metal raro maleável e relativamente macio
Índio (1863)	In	49	114,82	1,2?,3	7,31	metal macio branco-prateado
Iodo (1811)	I	53	126,9044	1,3,5,7	4,93;11,27g/l	sólido, lustroso, preto-acinzentado ou gás azul-arroxeado
Irídio (1803)	Ir	77	192,2	3,4	22,42	metal quebradiço, branco, da família da platina
Itérbio (1878)	Yb	70	173,04	2,3	6,977; 6,54	existe em 2 formas alotrópicas
Ítrio (1794)	Y	39	88,905	3	4,45	metal raro com lustro metálico prateado
Lantânio (1839)	La	57	138,91	3	5,98-6,186	metal raro dúctil e branco-prateado
Lawrêncio (1961)	Lr	103	[260]	3		décimo primeiro elemento transurânico descoberto
Lítio (1817)	Li	3	6,939	1	0,534	o mais leve de todos os metais
Lutécio (1907)	Lu	761	174,97	3	9,872	metal terrestre raro
Magnésio (1808)	Mg	12	24,312	2	1,738	elemento metálico branco-prateado, oitavo em abundância na crosta terrestre
Manganês (1774)	Mn	25	54,9380	1,2,3,4,6,7	7,21-7,44	existe em 4 formas alotrópicas
Mendelévio (1955)	Md	101	[258]	2,3		nono elemento transurânico descoberto
Mercúrio (pré-história)	Hg	80	200,59	1,2	13,546	metal pesado branco-acinzentado, líquido em temperaturas normais
Molibdênio (1782)	Mo	42	95,94	2,3,4?,5?,6	10,22	metal muito duro branco-prateado
Neodímio (1885)	Nd	60	144,24	3	6,80;7,004	existe em 2 formas alotrópicas
Neônio (1898)	Ne	10	20,183	0?	0,89990g/l	gás inerte

Elemento	Símbolo	Nº atômico	Massa atômica	Valências	Densidade	Descrição
Netúnio (1940)	Np	93	237,0482	3,4,5,6	20,45	primeiro elemento transurânico descoberto
Nióbio (1801)	Nb	41	92,906	2,3,4?,5	8,57	metal dúctil macio e branco-brilhante
Níquel (1751)	Ni	28	58,71	0,1,2,3	8,902	metal maleável branco-acinzentado
Nitrogênio (1772)	N	7	14,0067	3,5	1,2506g/l	elemento inerte, incolor e inodoro, que constitui até 78% do ar
Nobélio (1958)	No	102	[259]	2,3		décimo elemento transurânico descoberto
Ósmio (1803)	Os	76	190,2	2,3,4,8	22,57	metal duro e branco-azulado da família da platina
Ouro (pré-histórico)	Au	79	196,967	1,3	19,32	metal amarelo maleável
Oxigênio (1774)	O	8	15,9994	2	1,429g/l	gás incolor e inodoro; o terceiro elemento mais abundante no universo
Paládio (1803)	Pd	46	106,4	2,3,4	12,02	metal branco-aço da família da platina
Platina (1735)	Pt	78	195,09	1?,2,3,4	21,45	metal maleável branco-acinzentado
Plutônio (1940)	Pu	94	[244]	3,4,5,6,7	19,84	segundo elemento transurânico descoberto
Polônio (1898)	Po	84	[210]	2,4,6	9,32	elemento natural muito raro
Potássio (1807)	K	19	39,102	1	0,862	metal alcalino prateado e macio, décimo sétimo em abundância na crosta terrestre
Praseodímio (1885)	Pr	59	140,907	3,4	6,782,6,64	metal raro, macio e prateado
Prata (pré-histórica)	Ag	47	107,870	1,2	10,50	metal dúctil e maleável com um lustro branco-brilhante
Promécio (1941)	Pm	61	[145]	3	7,22 ± 0,02	produzido pela irradiação do neodímio e do praseodímio; identidade estabelecida em 1945
Protactínio (1917)	Pa	91	231,0359	4,5	15,37	metal lustroso brilhante
Rádio (1898)	Ra	88	226,0254	2	5,5	metal radioativo branco-brilhante
Radônio (1900)	Rn	86	[222]	0	9,73g/l	o gás mais pesado conhecido
Rênio (1925)	Re	75	186,2	–1,2,3,4,5,6,7	21,02	metal lustroso branco-prateado
Ródio (1803)	Rh	45	102,905	–2,3,4,5	12,41	metal branco-prateado da família da platina
Rubídio (1861)	Rb	37	85,47	1,2,3,4	1,532	metal alcalino macio e branco-prateado
Rutênio (1844)	Ru	44	101,07	0,1,2,3,4,5,6,7,8	12,41	metal branco, duro, da família da platina
Ruterfórdio (1969) (Elemento 104)	Rf	104	[261]			décimo segundo elemento transurânico descoberto
Samário (1879)	Sm	62	150,35	2,3	7,536–7,40	metal lustroso prateado-brilhante

(Continua)

DEF

TABELA DE ELEMENTOS QUÍMICOS *(Cont.)*

Elemento (data de descoberta)	Símbolo	Número atômico	Peso atômico	Valência	Densidade específica (gramas/litro)	Comentário descritivo
Selênio (1817)	Se	34	78,96	2,4,6	4,79; 4,28	existe em várias formas alotrópicas
Silício (1823)	Si	14	28,086	4	2,33	um elemento relativamente inerte, segundo em abundância na crosta terrestre
Sódio (1807)	Na	11	22,9898	1	0,971	o mais abundante dos metais alcalinos, sexto em abundância na crosta terrestre
Tálio (1861)	Tl	81	204,37	1,3	11,85	metal maleável muito macio
Tântalo (1802)	Ta	73	180,948	2?,3,4?,5	16,6	metal pesado, cinza e muito duro
Tecnécio (1937)	Tc	43	98,9062	3?,4,6,7	11,50	primeiro elemento produzido artificialmente
Telúrio (1782)	Te	52	127,60	2,4,6	6,24	elemento lustroso e branco-prateado
Térbio (1843)	Tb	65	158,924	3,4	8,272	metal raro dúctil, maleável e cinza-prateado
Titânio (1791)	Ti	22	47,90	2,3,4	4,54	metal branco lustroso
Tório (1828)	Th	90	232,038	4	11,66	metal lustroso branco-prateado
Túlio (1879)	Tm	69	168,934	2,3		o metal raro menos abundante
Tungstênio (1783)	W	74	183,85	2,3,4,5,6	19,3	metal cinza-aço a branco-estanho
Urânio (1789)	U	92	238,03	3,4,5,6	18,95	metal branco-prateado pesado
Vanádio (1801)	V	23	50,942	2,3,4,5	6,11	metal branco-brilhante
Xenônio (1898)	Xe	54	131,30	0?	5,887g/l	um dos chamados gases nobres inertes
Zinco (1746)	Zn	30	65,37	2	7,133	metal lustroso e branco-azulado, maleável a 100–150°C
Zircônio (1789)	Zr	40	91,22	4	6,4	metal lustroso branco-acinzentado

TABELA DE ELEMENTOS POR NÚMEROS ATÔMICOS

1	hidrogênio	27	cobalto	53	iodo	80	mercúrio
2	hélio	28	níquel	54	xenônio	81	tálio
3	lítio	29	cobre	55	césio	82	chumbo
4	berílio	30	zinco	56	bário	83	bismuto
5	boro	31	gálio	57	lantânio	84	polônio
6	carbono	32	germânio	58	cério	85	astatínio
7	nitrogênio	33	arsênico	59	praseodímio	86	radônio
8	oxigênio	34	selênio	60	neodímio	87	frâncio
9	flúor	35	bromo	61	promécio	88	rádio
10	neônio	36	criptônio	62	samário	89	actínio
11	sódio	37	rubídio	63	európio	90	tório
12	magnésio	38	estrôncio	64	gadolínio	91	protactínio
13	alumínio	39	ítrio	65	térbio	92	urânio
14	silício	40	zircônio	66	disprósio	93	netúnio
15	fósforo	41	nióbio	67	hólmio	94	plutônio
16	enxofre	42	molibdênio	68	érbio	95	amerício
17	cloro	43	tecnécio	69	túlio	96	cúrio
18	argônio	44	rutênio	70	itérbio	97	berquélio
19	potássio	45	ródio	71	lutécio	98	califórnio
20	cálcio	46	paládio	72	háfnio	99	einstênio
21	escândio	47	prata	73	tântalo	100	férmio
22	titânio	48	cádmio	74	tungstênio	101	mendelévio
23	vanádio	49	índio	75	rênio	102	nobélio
24	cromo	50	estanho	76	ósmio	103	lawrêncio
25	manganês	51	antimônio	77	irídio	104	ruterfórdio
26	ferro	52	telúrio	78	platina	105	hânio
				79	ouro	106	elemento 106

em·bry·ec·to·my (em"bre-ek'tah-me) – embriectomia; excisão de um embrião ou feto extra-uterinos.

em·bryo (em'bre-o) – embrião: 1. nos animais, os derivados do óvulo fertilizado que finalmente se tornam o filhote, durante o seu período de crescimento mais rápido, ou seja, logo após o aparecimento do eixo longitudinal até todas as estruturas principais serem representadas. No homem, o organismo em desenvolvimento de cerca de duas semanas após a fertilização até o final da sétima ou oitava semanas; 2. nos vegetais, o elemento da semente que se desenvolve em um novo indivíduo. **em'bryonal, embryon'ic** – adj. embrionário. **presomite e.** – e. pré-somítico; embrião em qualquer estágio antes do aparecimento do primeiro somito. **previllous e.** – e. préviloso; embrião antes do aparecimento das vilosidades coriônicas. **somite e.** – e. somítico; embrião entre o aparecimento do primeiro e último mo somitos.

em·bry·og·e·ny (em"bre-oj'ĕ-ne) – embriogenia; origem do desenvolvimento do embrião. **embryogenet'ic, embryogen'ic** – adj. embriogênico; embriogenético

em·bry·ol·o·gy (em"bre-ol'ah-je) – embriologia; a ciência do desenvolvimento do indivíduo durante o estágio embrionário e, por extensão, em vários ou mesmo todos os estágios precedentes e subseqüentes do ciclo vital. **embryolog'ic** – adj. embriológico; embriogenético.

em·bry·o·ma (em"bre-o'mah) – embrioma; termo genérico aplicado a neoplasias que se acredita derivem de células ou tecidos embrionários, como os cistos dermóides, teratomas, carcinomas em-

brionários e sarcomas e nefroblastomas. **e. of kidney** – e. do rim; tumor de Wilms.

em·bry·op·a·thy (em"bre-op'ah-the) – embriopatia; afecção mórbida do embrião ou distúrbio resultante de um desenvolvimento embrionário anormal. **rubella e.** – e. pela rubéola; síndrome da rubéola.

em·bry·o·plas·tic (em'bre-o-plas"tik) – embrioplástico; relativo ou relacionado à formação de um embrião.

em·bry·ot·o·my (em"bre-ot-mah-me) – embriotomia; dissecação do feto em um parto difícil.

em·bry·o·tox·on (em"bre-o-tok'son) – embriotoxo; opacidade anelar na margem da córnea. **anterior e.** – e. anterior; embriotoxo. **posterior e.** – e. posterior; anomalia de desenvolvimento na qual ocorre opacidade no anel de Schwalbe, com espessamento e deslocamento anterior deste; é observado na síndrome de Axenfeld e síndrome de Rieger.

em·bry·o·troph (em'bre-o-trŏf') – embriotrofo; nutriente total (histotrofo e hemotrofo) disponível ao embrião.

em·bry·ot·ro·phy (em"bre-ah'truf-e) – embriotrofia; nutrição do embrião inicial.

emed·ul·late (e-mĕ-dul'ăt) – desmedular; remover a medula óssea.

emer·gent (e-mer'jint) – emergente: 1. que vem de uma cavidade ou outra parte; 2. que aparece subitamente.

em·ery (em'er-e) – esmeril; substância abrasiva que consiste de corindo e várias impurezas, como o óxido de ferro.

em·e·sis (em'ĕ-sis) – êmese; o ato de vomitar; vômito. Também utilizado como sufixo em hematêmese *(hematemesis)*.

emet·ic (ĕ-met'ik) – emético: 1. que causa vômito; 2. agente que causa vômito.

em·e·tine (em'ĕ-tēn) – emetina; derivado alcalóide da ipeca ou produzido sinteticamente; o sal de cloridrato é utilizado como antiamébico.

em·e·to·ca·thar·tic (em"ĭ-to-kah-thart'ik) – emetocatártico; emético e catártico, agente tanto emético como catártico.

EMF – electromotive force (força eletromotriz).

-emia [Gr.] – elemento de palavra, *afecção do sangue.*

em·i·gra·tion (em"ĭ-gra'shun) – emigração; escape de leucócitos através das paredes de vasos sangüíneos pequenos; diapedese.

em·i·nence (em'ĭ-nĕns) – eminência; proeminência; projeção ou saliência.

em·i·nen·tia (em"ĭ-nen'shah) [L.] pl. *eminentiae* – eminência.

emio·cy·to·sis (e"me-o-si-to'sis) – emiocitose; ejeção de material (por exemplo, grânulos de insulina) de uma célula.

em·is·sa·ry (em'ĭ-sĕ-re) – emissário; que proporciona saída, especialmente as saídas venosas dos seios durais através do crânio.

emis·sion (e-mish'un) – ejaculação; emissão; descarga; especialmente descarga involuntária de sêmen. **nocturnal e.** – e. noturna; emissão reflexa de sêmen durante o sono.

em·men·a·gogue (ĕ-men'ah-gog) – emenagogo; agente ou medida que promove a menstruação.

em·me·nia (ĕ-me'ne-ah) – emênia; menstruação. **emmen'ic** – adj. emênico.

em·me·nol·o·gy (em"ĭ-nol'ah-je) – emenologia; soma de conhecimentos acerca da menstruação e seus distúrbios.

em·me·tro·pia (em"ĕ-tro'pe-ah) – emetropia; estado de correlação apropriada entre o sistema refratário do olho e o comprimento axial do globo ocular, em que os raios luminosos entram no olho paralelamente ao eixo óptico sendo focalizados exatamente na retina. Símbolo E. **emmetrop'ic** – adj. emetrópico.

Em·mon·sia (ĕ-mon'se-ah) – *Emmonsia;* gênero de fungos saprófitas e imperfeitos do solo; duas espécies (*E. crescens* e *E. parva*) causam adiaspiromicose nos roedores e no homem.

emol·li·ent (e-mol'yent) – emoliente: 1. amolecedor ou suavizante; 2. agente que amolece ou suaviza a pele, ou suaviza uma superfície interna irritada.

emo·tion (e-mo'shun) – emoção; estado de excitação mental caracterizado por alteração do tônus da sensação, bem como por alterações fisiológicas e comportamentais.

em·pa·thy (em'pah-the) – empatia; identificação emocional como os sentimentos de outra pessoa. **empath'ic** – adj. empático.

em·phy·se·ma (em"fĭ-se'mah) – enfisema: 1. acúmulo patológico de ar nos tecidos ou órgãos; 2. e. pulmonar. **atrophic e.** – e. atrófico; superdistensão e estiramento dos tecidos pulmonares devido a alterações atróficas. **bullous e.** – e. bolhoso; dilatações alveolares císticas grandes múltiplas ou única do tecido pulmonar. **centriacinar e., centrilobular e.** – e. centroacinar; e. centrolobular; dilatações focais dos bronquíolos respiratórios

em vez dos alvéolos, distribuídos por todo o pulmão no meio do tecido pulmonar macroscopicamente normal. **hypoplastic e.** – e. hipoplásico; enfisema pulmonar devido a anormalidade de desenvolvimento que resulta em redução do número de alvéolos, que tornam-se anormalmente grandes. **interlobular e.** – e. interlobular; acúmulo de ar nos septos entre os lóbulos pulmonares. **interstitial e.** – e. intersticial; presença de ar nos tecidos peribronquiais e intersticiais dos pulmões. **intestinal e.** – e. intestinal; afecção caracterizada por acúmulo de gás sob a túnica serosa do intestino. **lobar e., infantile** – e. lobar infantil; uma afecção caracterizada por superinflação, afetando comumente um dos lobos superiores e causando desconforto respiratório no início da vida. **mediastinal e.** – e. mediastínico; pneumomediastino. **obstructive e.** – e. obstrutivo; superinflação dos pulmões associada a obstrução bronquial parcial que interfere na exalação. **panacinar e., panlobular e.** – e. panacinar; e. lobular; enfisema obstrutivo generalizado que afeta todos os segmentos pulmonares, com atrofia e dilatação dos alvéolos e destruição do leito vascular. **pulmonary e.** – e. pulmonar; aumento além do normal no tamanho do espaço aéreo nos pulmões distalmente aos bronquíolos terminais. **pulmonary interstitial e. (PIE)** – e. intersticial pulmonar; afecção que ocorre predominantemente nos bebês prematuros, em que o ar vaza dos alvéolos pulmonares no interior dos espaços intersticiais; associa-se freqüentemente a uma doença pulmonar subjacente ou ao uso de ventilação mecânica. **subcutaneous e.** – e. subcutâneo; presença de ar ou de gás nos tecidos subcutâneos. **surgical e.** – e. cirúrgico; enfisema subcutâneo após uma operação. **vesicular e.** – e. vesicular; e. panacinar.

em·pir·i·cism (em-pir'ĭ-sizm) – empirismo; habilidade ou conhecimento baseados completamente na experiência. **empir'ic, empir'ical** – adj. empírico.

em·pros·thot·o·nos (em"pros-thot'ah-nos) – emprostótono; flexura tetânica em que o corpo curva-se para frente.

em·py·e·ma (em"pi-e'mah) – empiema; acúmulo de pus em uma cavidade orgânica. **empye'mic** – adj. empiêmico.

emul·gent (e-mul'jint) – emulgente: 1. que efetua um processo de distensão ou purificação; 2. artéria ou veia renais; 3. remédio que estimula o fluxo de bile ou urina.

emul·sion (e-mul'shun) – emulsão; mistura de dois líquidos imiscíveis, em que um deles dispersa-se pelo outro em forma de gotículas; sistema coloidal no qual tanto a fase dispersa como o meio de dispersão são líquidos.

emul·soid (e-mul'soid) – emulsóide; sistema coloidal no qual o meio de dispersão é líquido (geralmente água) e a fase dispersa consiste de substâncias orgânicas altamente complexas (como amido ou cola), que absorvem muita água, dilatam-se e se distribuem por todo o meio de dispersão.

E·My·cin (e-mi'sin) – E-Mycin, marca registrada de preparação de eritromicina.

enal·a·pril (ĕ-nal'ah-pril) – enalapril; inibidor da enzima que cliva e ativa a angiotensina; utilizado como anti-hipertensivo.

enal·a·pril·at (-pril"at) – enalaprilato; preparação endovenosa do metabólito ativo da enalaprila utilizado no tratamento de crise hipertensiva.

en·am·el (ĕ-nam"l) – esmalte: 1. superfície polida de porcelana cozida, metal ou cerâmica; 2. qualquer revestimento duro, liso e lustroso; 3. esmalte dentário; substância dura, fina e translúcida que recobre e protege a dentina de uma coroa dentária sendo composta quase completamente de sais de cálcio.

en·am·el·o·ma (ĕ-nam"il-o'mah) – aneloblastoma; pequeno nódulo esférico de esmalte preso a um dente na linha cervical ou na raiz.

enam·el·um (ĕ-nam'el-um) – [L.] esmalte (*enamel*).

en·an·thate (ĕ-nan-that) – enantoato; heptanoato; forma aniônica do ácido graxo saturado de sete carbonos, ácido enântico, que é produzido pela oxidação de gorduras.

en·an·the·ma (en"an-the'mah) pl. *enanthemas*, *enanthemata* – enantema; erupção em uma superfície mucosa.

en·an·tio·bio·sis (en-an"te-o-bi-o'sis) – enantiobiose; comensalismo em que os organismos associados são mutuamente antagonistas.

en·an·tio·morph (en-an'te-o-morf") – enantiomorfo; substância de um par de substâncias isoméricas, cujas estruturas são especularmente opostas entre si.

en·ar·thro·sis (en"ahr-thro'sis) – enartrose; articulação na qual a cabeça arredondada de um osso é recebida no encaixe de outro, como no caso do osso coxal.

en·cain·ide (en-ka'nĭ d) – encainida; bloqueador de canal de sódio que age nas fibras de Purkinje e no miocárdio; utilizado como sal de cloridrato no tratamento de arritmias que ameaçam a vida.

encephal(o)- [Gr.] – encefal(o)-, elemento de palavra, *cérebro*.

en·ceph·a·lal·gia (en-sef"ah-lal'jah) – encefalalgia; cefaléia.

en·ceph·a·lat·ro·phy (en-sef"ah-lat'ro-fe) – encefalatrofia; atrofia cerebral.

en·ce·phal·ic (en"sĕ-fal'ik) – encefálico; 1. relativo ao encéfalo, 2. dentro do crânio.

en·ceph·a·li·tis (en-sef"ah-li'tis) pl. *encephalitides* – encefalite; inflamação do cérebro. **acute disseminated e.** – e. disseminada aguda; ver em *encephalomyelitis*. **Economo's e.** – e. de Economo; e. letárgica. **equine e.** – e. eqüina: 1. ver em *encephalomielity;* 2. doença de Borna. **hemorrhagic e.** – e. hemorrágica; encefalite na qual ocorre inflamação do cérebro com focos hemorrágicos e exsudato perivascular. **herpes e.** – e. por herpes; encefalite causada por um herpesvírus, caracterizada por necrose hemorrágica de partes dos lobos temporal e frontal. **HIV e.** – e. pelo HIV; ver em *encephalopathy*. **Japanese B e.** – e. B japonesa; forma de encefalite epidêmica de severidade variável, causada por Flavivirus e transmitida por picadas de mosquitos infectados no leste e no sul da Ásia e ilhas vizinhas. **La Crosse e.** – e. de La Crosse; encefalite causada pelo vírus La Crosse; transmitido pela espécie *Aedes triseriatus* e ocorre primariamente em crianças. **lead e.** – e. do chumbo; ver em *encephalopathy*. **lethargic e.** – e. letárgica; forma de encefalite epidêmica caracterizada por languidez crescente, apatia e entorpecimento. **postinfectious e., postvaccinal e.** – e. pósinfecciosa; e. pós-vacinal encefalomielite disseminada aguda. **St. Louis e.** – e. de St. Louis; doença viral observada primeiramente no Illinois, em 1932, clinicamente muito semelhante à encefalomielite eqüina ocidental; é geralmente transmitida por mosquitos. **tick–borne e.** – e. transmitida por carrapato; forma de encefalite epidêmica geralmente disseminadas por picadas de carrapatos infectados por Flavivirus, algumas vezes acompanhadas alterações degenerativas em outros órgãos.

en·ceph·a·lit·o·gen·ic (en-sef"ah-lit-o-jen'ik) – encefalitogênico; que causa encefalite.

en·ceph·a·lo·cele (en-sef'ah-lo-sĕl") – encefalocele; hérnia de uma parte do cérebro e das meninges graças a defeito craniano congênito, traumático ou pós-cirúrgico.

en·ceph·a·lo·cys·to·cele (en-sef"ah-lo-sis'to-sĕl) – encefalocistocele; hidroencefalocele (*hydroencephalocele*).

en·ceph·a·log·ra·phy (en-sef"ah-log'rah-fe) – encefalografia; radiografia que mostra os espaços intracraniais que contêm ar após a remoção do líquido cerebroespinhal e a introdução de ar ou outro gás; inclui pneumoencefalografia e ventriculografia.

en·ceph·a·loid (en-sef'il-oid) – encefalóide: 1. semelhante ao cérebro ou à substância cerebral;s 2. carcinoma medular.

en·ceph·a·lo·lith (en-sef'ah-lo-lith") – encefalólito; cálculo cerebral.

en·ceph·a·lo·ma (en-sef"ah-lo'mah) – encefaloma: 1. qualquer inchaço ou tumor cerebral; 2. carcinoma medular.

en·ceph·a·lo·ma·la·cia (en-sef"ah-lo-mah-la'-shah) – encefalomalacia; amolecimento do cérebro.

en·ceph·a·lo·men·in·gi·tis (-men"in-jī t'is) – encefalomeningite; meningoencefalite.

en·ceph·a·lo·me·nin·go·cele (-mĕ-ning'go-sĕl) – encefalomeningocele; encefalocele (*encephalocele*).

en·ceph·a·lo·mere (en-sef'ah-lo-mĕr") – encefalômero; um dos segmentos que constituem o cérebro embrionário.

en·ceph·a·lom·e·ter (en"sef-ah-lom'ĕ-ter) – encefalômetro; instrumento utilizado para localizar determinadas regiões cerebrais.

en·ceph·a·lo·my·eli·tis (en-sef"ah-lo-mi"ĕ-li'-tis) – encefalomielite; inflamação do cérebro e da medula espinhal. **acute disseminated e.** – e. disseminada aguda; inflamação do cérebro e da medula espinhal após uma infecção (especialmente o sarampo) ou, antigamente, a vacinação contra a raiva. **acute necrotizing hemorrhagic e.** – e. hemorrágica necrosante aguda; doença desmielinizante pós-infecciosa ou alérgica fatal rara do sistema nervoso central, com curso fulminante; caracterizada por destruição liquefativa da substância branca e necrose disseminada das pare-

DEF

des dos vasos sangüíneos. **benign myalgic e.** – e. miálgica benigna; síndrome de fadiga crônica. **eastern equine e. (EEE)** – e. eqüina do leste; doença viral dos eqüinos e mulas que pode ser transmitida ao homem, geralmente afetando crianças e idosos e que se manifesta por febre, dor de cabeça e náusea seguidos de entorpecimento, convulsões e coma; nos Estados Unidos, ocorre primariamente a leste do rio Mississipi. **equine e.** – e. eqüina; ver *eastern equine e.*, *western equine e.* e *Venezuelan equine e.* **infectious porcine e.** – e. porcina infecciosa; doença altamente fatal dos suínos devida a um picornavírus, marcada por paralisia ascendente flácida. **postinfectious e., postvaccinal e.** – e. pós-infecciosa; e. pós-vacinal; e. disseminada aguda. **Venezuelan equine e. (VEE)** – e. eqüina venezuelana; doença viral dos eqüinos e muares; a infecção no homem assemelha-se à gripe com pouca ou nenhuma indicação de envolvimento do sistema nervoso; o agente causador foi isolado primeiramente na Venezuela. **western equine e. (WEE)** – e. eqüina do oeste; doença viral dos eqüinos e muares, transmissível ao homem, que ocorre principalmente como meningoencefalite, com pouco envolvimento da medula ou medula espinhal; observada nos Estados Unidos principalmente a oeste do rio Mississipi.

en·ceph·a·lo·my·elo·neu·rop·a·thy (-mi"ah-lo-noo-rop'ah-the) – encefalomieloneuropatia; doença que envolve cérebro, a medula espinhal e nervos periféricos.

en·ceph·a·lo·my·elo·ra·dic·u·li·tis (-rah-dik"ūl-ī'tis) – encefalomielorradiculite; inflamação do cérebro, medula espinhal e raízes nervosas espinhais.

en·ceph·a·lo·my·elo·ra·dic·u·lop·a·thy (-rah-dik"ūl·op'ah-the) – encefalomielorradiculopatia; doença que envolve cérebro, medula espinhal e raízes nervosas espinhais.

en·ceph·a·lo·myo·car·di·tis (-mi"o-kard-ī'tis) – encefalmiocardite; doença viral marcada por alterações degenerativas e inflamatórias na musculatura esquelética e cardíaca e por lesões centrais semelhantes às da poliomielite.

en·ceph·a·lon (en-sef'ah-lon) – encéfalo; cérebro (*brain*).

en·ceph·a·lop·a·thy (en-sef"ah-lop'ah-the) – encefalopatia; cefalopatia; cerebropatia; qualquer doença cerebral degenerativa. **AIDS e.** – e. por AIDS; e. por HIV. **biliary e., bilirubin e.** – e. biliar; e. bilirrubínica; icterícia nuclear. **boxer's e., boxer's traumatic e.** – e. dos boxeadores; e. traumática dos boxeadores; retardamento da função mental, confusão e perda de memória disseminada devido a golpes contínuos na cabeça absorvidos em ringue de boxe. **dialysis e.** – e. por diálise; doença degenerativa do cérebro associada ao emprego prolongado de hemodiálise, marcada por distúrbios da fala e espasmos musculares mioclônicos constantes, progredindo para demência global; deve-se a altos níveis de alumínio na água do fluido de diálise ou a drogas que contenham alumínio utilizadas no tratamento. **hepatic e.** – e. hepática; afecção que geralmente ocorre secundariamente à hepatopatia avançada marcada por

distúrbios de consciência que podem progredir para coma profundo (coma hepático), alterações psiquiátricas de grau variável, tremor oscilante e odor hepático ofensivo. **HIV e., HIV-related e.** – e. por HIV; e. relacionada ao HIV; encefalopatia primária progressiva causada por infecção pelo vírus da imunodeficiência humana do tipo I, manifestada por meio de várias anormalidades cognitivas, motoras e comportamentais. **hypoxic-ischemic e.** – e. hipóxica-isquêmica; encefalopatia que resulta de asfixia fetal ou perinatal, caracterizada por dificuldades alimentares, letargia e convulsões. **lead e.** – e. por chumbo; edema e desmielinização central causados por ingestão excessiva de compostos de chumbo, particularmente em crianças pequenas. **myoclonic e. of childhood** – e. mioclônica da infância; distúrbio neurológico de etiologia desconhecida com início entre 1 e 3 anos de idade caracterizado por mioclonia do tronco e dos membros e opsoclono com ataxia da marcha e tremor intencional; alguns casos associam-se a neuroblastoma oculto. **Wernicke's e.** – e. de Wernicke; forma hemorrágica inflamatória devida à deficiência de tiamina, geralmente associada a alcoolismo crônico com paralisia dos músculos oculares, diplopia, nistagmo, ataxia e geralmente acompanhando ou seguida de síndrome de Korsakoff.

en·ceph·a·lo·py·o·sis (en-sef"ah-lo-pi-o'sis) – encefalopiose; supuração ou abscesso cerebrais.

en·ceph·a·lor·rha·gia (-ra'je-ah) – encefalorragia; hemorragia dentro ou a partir do cérebro.

en·ceph·a·lo·sis (en-sef"ah-lo'sis) – encefalose; encefalopatia (*encephalopathy*).

en·ceph·a·lot·o·my (en-sef"ah-lot'ah-me) – encefalotomia; incisão ou dissecção cerebral.

en·chon·dro·ma (en"kon-dro'mah) pl. *enchondromas*, *enchondromata* – encondroma; crescimento benigno cartilaginoso que surge na metáfise de um osso. **enchondro'matous** – adj. encondromatoso.

en·chon·dro·ma·to·sis (en-kon"dro-mah-to'-sis) – encondromatose; proliferação hamartomatosa de células cartilaginosas dentro da metáfise de vários ossos, causando afinamento do córtex sobrejacente e distorção do crescimento no comprimento; pode sofrer transformação maligna.

en·clave (en'klāv) – encrave; inclusão; tecido destacado da sua conexão normal e encerrado dentro de outro órgão.

en·co·pre·sis (en"ko-pre'sis) – encoprese; incontinência fecal não-devida a defeito orgânico ou enfermidade.

en·cy·e·sis (en-si-e'sis) – enciese; gravidez uterina normal.

en·cyo·py·eli·tis (en-si"o-pi-il-ī'tis) – enciopielite; dilatação e edema dos ureteres e da pelve renal durante gravidez normal, mas raramente com todos os sinais clássicos de inflamação.

en·cyst·ed (en-sist'id) – encistado; encerrado em um saco, vesícula ou cisto.

end(o)- [Gr.] – elemento de palavra, *dentro*; *para dentro*.

end·an·gi·um (en-dan'je-um) – endângio; túnica íntima (revestimento interno) de um vaso sangüíneo.

end·aor·ti·tis (en'da-or-tīt'is) – endoaortite; inflamação da membrana de revestimento da aorta.

end·ar·ter·ec·to·my (en"dart-er-ek'tah-me) – endarterectomia; excisão das áreas ateromatosas espessadas do revestimento mais interno de uma artéria.

end·ar·ter·itis (en"dart-er-īt'is) – endarterite; inflamação do revestimento mais interno (túnica íntima) de uma artéria.

end·ar·tery (end-art'er-e) – endartéria; artéria que não se anastomosa com outras artérias.

end·au·ral (-aw'r'l) – endaural; dentro do ouvido.

end·brain (-brān) – cérebro terminal; telencéfalo (*telencephalon*).

end-bulb (-bulb) – bulbo terminal; terminação nervosa sensorial caracterizada por uma cápsula fibrosa de espessura variável contínua com o endoneuro.

en·dem·ic (en-dem'ik) – endêmico: 1. presente continuamente em uma comunidade; 2. doença de baixa morbidade constantemente presente em uma comunidade humana, mas clinicamente identificada em alguns somente.

en·de·mo·ep·i·dem·ic (en"de-mo-ep"ĭ-dem'ik) – endemoepidêmico; endêmico; mas ocasionalmente tornando-se epidêmico.

end·er·gon·ic (end"er-gon'ik) – endergônico; caracterizado ou acompanhado de absorção de energia; que exige a entrada de energia livre.

end-foot (end'foot) – pé terminal; botão terminal.

en·do·an·eu·rys·mor·rha·phy (en"do-an"u-riz-mor'ah-fe) – endoaneurismorrafia; abertura de um saco aneurísmico e sutura dos orifícios.

en·do·ap·pen·di·ci·tis (-ah-pen"dĭ-sīt'is) – endoapendicite; inflamação da membrana mucosa do apêndice vermiforme.

en·do·blast (en'do-blast) – endoblasto; entoderma; ver *entoderm*.

en·do·bron·chi·tis (en"do-brong-kīt'is) – endobronquite; inflamação do revestimento epitelial dos brônquios.

en·do·car·di·al (-kard'e-il) – endocardíaco: 1. situado ou que ocorre dentro do coração; 2. relativo ao endocárdio; intracardíaco.

en·do·car·di·tis (-kahr-di'tis) – endocardite; alterações inflamatórias exsudativas e proliferativas do endocárdio, geralmente caracterizada pela presença de vegetações na superfície do endocárdio ou no próprio endocárdio, mais comumente envolvendo uma válvula cardíaca, mas também afetando o revestimento interno das câmaras cardíacas ou de qualquer lugar do endocárdio. **endocardit'ic** – adj. endocardítico. **atypical verrucous e.** – e. verrucosa atípica; e. de Libman-Sacks. **bacterial e.** – e. bacteriana; endocardite infecciosa causada por várias bactérias, incluindo estreptococos, estafilococos, enterococos, gonococos, bacilos Gram-negativos, etc. **infectious e., infective e.** – e. infecciosa; endocardite devida a infecção por microrganismos, especialmente bactérias e fungos; atualmente classificada com base na etiologia ou anatomia subjacente. **Libman–Sacks e.** – e. de Libman-Sacks; endocardite não-bacteriana encontrada em associação com o lúpus eritematoso sistêmico, geralmente ocorrendo nas válvulas atrioventriculares. **Löffler's e., Löffer's parietal fibroplastic e.** – e.

de Löffler; e. fibroplástica parietal de Löffler; endocardite associada a eosinofilia, marcada por espessamento fibroplástico do endocárdio, resultando em insuficiência cardíaca congestiva, taquicardia persistente, hepatomegalia, esplenomegalia, derrames serosos no interior da cavidade pleural e edema dos membros. **mycotic e.** – e. micótica; endocardite infecciosa, geralmente subaguda, devida a vários fungos, mais comumente *Candida, Aspergillus* e *Histoplasma*. **nonbacterial thrombotic e. (NBTE)** – e. trombótica não-bacteriana; endocardite que ocorre geralmente em caso de doença debilitante crônica, caracterizada por vegetações não-infectadas que consistem de fibrina e outros elementos sangüíneos e suscetível a embolização. **prosthetic valve e.** – e. valvular protética; endocardite infecciosa como uma complicação da implantação de uma válvula protética no coração; as vegetações geralmente ocorrem ao longo da linha de sutura. **rheumatic e.** – e. reumática; endocardite associada a febre reumática; mais precisamente denominada *valvulite reumática* quando se envolve a válvula inteira. **rickettsial e.** – e. rickettsial; endocardite causada pela invasão de *Coxiella burnetii* nas válvulas cardíacas, constitui uma seqüela da febre Q, geralmente ocorrendo em pessoas que tiveram febre reumática. **vegetative e., verrucous e.** – e. vegetativa; e. verrucosa; endocardite infecciosa ou não, cujas lesões características são vegetações ou verrugas no endocárdio.

en·do·car·di·um (-kahr'-de-um) – endocárdio; membrana de revestimento endotelial das cavidades cardíacas e o leito de tecido conjuntivo onde se aloja.

en·do·cer·vix (-serv'iks) – endocérvix: 1. membrana mucosa que reveste o canal da cérvix uterina; 2. região da abertura da cérvix no interior da cavidade uterina. **endocer'vical** – adj. endocervical

en·do·chon·dral (-kon'dril) – endocondral; situado, formado ou que ocorre dentro de uma cartilagem.

en·do·co·li·tis (-ko-līt'is) – endocolite; inflamação da membrana mucosa do cólon.

en·do·cra·ni·um (-kra'ne-um) – endocrânio; camada endosteal da dura-máter do cérebro.

en·do·crine (en'do-krin, en'do-krīn) – endócrino: 1. que secreta internamente; 2. relativo a secreções internas; hormonal. Ver também em *system*.

en·do·cri·nol·o·gist (en"do-krĭ-nol'ah-jist) – endocrinologista; indivíduo capacitado em Endocrinologia e no diagnóstico e tratamento de distúrbios das glândulas de secreção interna, ou seja, as glândulas endócrinas.

en·do·cri·nop·a·thy (en"do-krĭ-nop'ah-the) – endocrinopatia; qualquer doença devida a distúrbio do sistema endócrino. **endocrinopath'ic** – adj. endocrinopático.

en·do·cys·ti·tis (-sis-tīt'is) – endocistite; inflamação da mucosa vesical.

en·do·cy·to·sis (-si-to'sis) – endocitose; consumo por parte de uma célula de material proveniente do ambiente através de invaginação de sua membrana plasmática; inclui tanto fagocitose como pinocitose.

en·do·derm (en'do-derm) – endoderma; entoderma (*entoderm*).

En·do·der·moph·y·ton (en"do-der-mof'ĭ-ton) – Endodermophyton; Trichophyton; endodermófitos.

en·do·don·tics (-don'tiks) – endodontia; ramo da Odontologia relacionado à etiologia, prevenção, diagnóstico e tratamento das afecções que afetam a polpa dentária, a raiz e os tecidos periapicais.

en·do·don·ti·um (-don'she-un) – endodôntio; polpa dentária.

en·do·don·tol·o·gy (-don-tol'ah-je) – endodontologia; endodontia.

en·do·en·ter·itis (-ent"er-īt'is) – endoenterite; inflamação da mucosa intestinal.

en·dog·a·my (en-dog'ah-me) – endogamia: 1. fertilização através da união de células separadas que têm o mesmo ancestral genético; 2. casamento restrito a pessoas da mesma comunidade. **endog'amous** – adj. endógamo.

en·dog·e·nous (en-dah'jin-is) – endógeno; produzido internamente ou causado por fatores internos do organismo.

en·do·la·ryn·ge·al (en"do-lah-rin'je-il) – endolaríngeo; situado ou que ocorre dentro da laringe.

en·do·lymph (en'do-limf) – endolinfa; líquido dentro do labirinto membranoso. **endolymphat'ic** – adj. endolinfático.

en·dol·y·sin (en-dol'ĭ-sin) – endolisina; substância bactericida nas células que age diretamente em bactérias.

en·do·me·tri·al (en"do-me'tre-il) – endometrial; relativo ao endométrio.

en·do·me·tri·o·ma (-me"tre-o'mah) – endometrioma; massa circunscrita não-neoplásica que contém o tecido endometrial.

en·do·me·tri·o·sis (-me"tre-o'sis) – endometriose; ocorrência aberrante de tecido que contém elementos granulares e estromais endometriais típicos em várias localizações na cavidade pélvica ou em outras áreas do corpo. **endometriot'ic** – adj. endometriótico. **e. exter'na** – e. externa; endometriose. **e. inter'na** – e. interna; adenomiose. **ovarian e.** – e. ovariana; endometriose que envolve o ovário, tanto na forma de pequenas ilhotas superficiais como de cistos epiteliais ("chocolate") de vários tamanhos.

en·do·me·tri·tis (-me-tri'tis) – endometrite; inflamação do endométrio. **puerperal e.** – e. puerperal; endometrite que se segue ao parto. **syncytial e.** – e. sincicial; lesão semelhante a um tumor, com infiltração da parede uterina através de grandes células trofoblásticas sinciciais. **tuberculous e.** – e. tuberculosa; inflamação do endométrio, geralmente também envolvendo as tubas uterinas, devido a infecção por *Mycobacterium tuberculosis*, com a presença de tubérculos.

en·do·me·tri·um (-me'tre-um) pl. *endometria* – endométrio; membrana mucosa que reveste o útero.

en·do·mi·to·sis (-mi-to'sis) – endomitose; reprodução dos elementos nucleares não-acompanhada de movimentos cromossômicos e divisão citoplasmática. **endomitot'ic** – adj. endomitótico.

en·do·morph (en'do-morf) – endomorfo; indivíduo que tem o tipo de construção corporal em que os tecidos entodérmicos predominam; ocorre predo-

minância relativa de rotundidade moderada, com grandes vísceras digestivas e acúmulos de gordura e com um grande tronco e coxas e extremidades afiladas.

en·do·myo·car·di·al (en"do-mi"o-kahr'de-al) – endomiocárdico; relativo ao endocárdio e miocárdio.

en·do·myo·car·di·tis (-kahr-di'tis) – endomiocardite; inflamação do endocárdio e do miocárdio.

en·do·mys·i·um (-mis'e-um) – endomísio; bainha de fibrilas reticulares delicadas ao redor de cada fibra muscular.

en·do·neu·ri·tis (-nŏŏ-ri'tis) – endoneurite; inflamação do endoneuro.

en·do·neu·ri·um (-noor'e-um) – endoneuro; camada mais interna de tecido conjuntivo em um nervo periférico, formando uma camada intersticial ao redor de cada fibra individual exterior ao neurilema. **endoneu'rial** – adj. endoneural.

en·do·nu·cle·ase (-noo'kle-ās) – endonuclease; qualquer nuclease que catalisa especificamente a hidrólise das ligações interiores das cadeias de ribonucleotídeos ou desoxirribonucleotídeos. **restriction e.** – e. de restrição; endonuclease que hidrolisa o DNA, clivando-o em um local determinado de um padrão de base específico.

en·do·pel·vic (-pel'vik) – endopélvico; dentro da pelve.

en·do·pep·ti·dase (-pep'tĭ-dās) – endopeptidase; qualquer peptidase que catalisa a clivagem das ligações internas em um polipeptídeo ou proteína.

en·do·peri·car·di·tis (-per"ĭ-kar-dīt'is) – endopericardite; endoftalmia; inflamação do endocárdio e pericárdio.

en·do·peri·to·ni·tis (-per"ĭ-ton-īt'is) – endoperitonite; inflamação do revestimento seroso da cavidade peritoneal.

en·doph·thal·mi·tis (en"dof-thal-mīt'is) – endoftalmite; endoftalmia; inflamação das cavidades oculares e das suas estruturas adjacentes.

en·do·phyte (en'do-fit) – endófito; organismo vegetal parasitário que vive dentro do organismo do seu hospedeiro.

en·do·phyt·ic (en"do-fit'ik) – endofítico: 1. relativo a um endófito; 2. que cresce para dentro; que prolifera no interior de um órgão ou estrutura.

endo·poly·ploid (-pol'e-ploid) – endopoliplóide; que reduplicou a cromatina dentro de um núcleo intacto, com ou sem aumento no número de cromossomas (aplicado somente a células ou tecidos).

en·do·pros·the·sis (-pros-the'sis) – endoprótese; tubo oco inserido no interior de um ducto biliar para permitir a drenagem biliar através de obstrução.

en·do·re·du·pli·ca·tion (-re-doo"plĭ-ka'shun) – endorreduplicação; replicação de cromossomas sem divisão celular subseqüente.

end·or·gan (end-or'gan) – órgão terminal; órgão-alvo; uma das grandes terminações encapsuladas dos nervos sensoriais.

en·dor·phin (en-dor'fin) – endorfina; um dos três neuropeptídeos α-, β- e γ-*endorfinas*; constituem resíduos de aminoácidos de β-lipotrofina que se ligam a receptores opiáceos em várias áreas do cérebro e têm um efeito analgésico potente.

en·do·sal·pin·go·ma (en"do-sal"pin-go'mah) – endossalpingoma; adenomioma da tuba uterina.

en·do·scope (en'do-skōp) – endoscópio; instrumento para examinar o interior de uma víscera oca.

en·dos·co·py (en-dos'kah-pe) – endoscopia; exame visual através de um endoscópio. **endoscop'ic** – adj. endoscópico. **peroral e.** – e. peroral; exame dos órgãos acessíveis à observação através de um endoscópio passado pela boca.

en·do·skel·e·ton (en"do-skel'it-in) – endoesqueleto; esqueleto cartilaginoso e ósseo do corpo, excluindo a parte de origem dérmica.

en·dos·mo·sis (en"dos-mo'sis) – endosmose; osmose para dentro; passagem para dentro de líquido através de uma membrana de uma célula ou cavidade. **endosmot'ic** – adj. endosmótico.

en·do·some (en'do-sōm) – endossoma: 1. em endocitose, uma vesícula que perdeu o seu revestimento de clatrina; 2. organela intranuclear, semelhante a um nucléolo e que contém RNA de determinados protozoários flagelados que persiste durante a mitose.

en·dos·te·al (en-dos'te-il) – endósteo: 1. relativo ao endósteo; 2. que ocorre ou se localiza dentro de um osso.

en·dos·te·o·ma (en-dos"te-o'mah) – endosteoma; tumor em uma cavidade medular de um osso.

en·dos·te·um (en-dos'te-um) – endósteo; tecido que reveste a cavidade medular de um osso.

en·do·ten·din·e·um (en"do-ten-din'e-um) – endotendíneo; tecido conjuntivo delicado que separa os feixes secundários (fascículos) de um tendão.

en·do·the·lia (-the'le-ah) [Gr.] – plural de *endothelium*.

en·do·the·li·al (-the'le-al) – endotelial; relativo ou constituído de endotélio.

en·do·the·lio·blas·to·ma (-the"le-o-blas-to'-mah) – endotelioblastoma; tumor derivado de um tecido vasoformativo primitivo, incluindo hemangioendotelioma, angiossarcoma, linfangioendotelioma e linfangiossarcoma.

en·do·the·lio·cho·ri·al (-kor'e-il) – endoteliocorial; denota um tipo de placenta em que um trofoblasto sincicial embute os vasos maternos despidos de seu revestimento endotelial.

en·do·the·lio·cyte (-sī t") – endoteliócito; leucócito endotelial.

en·do·the·li·o·ma (-the"le-o'mah) – endotelioma; qualquer tumor (particularmente o benigno) que surge do revestimento endotelial dos vasos sangüíneos.

en·do·the·li·o·ma·to·sis (-the"le-o"mah-to'sis) – endoteliomatose; formação de endoteliomas múltiplos difusos.

en·do·the·li·o·sis (-the"le-o'sis) – endoteliose; proliferação do endotélio. **glomerular capillary e.** – e. capilar glomerular; lesão renal típica da eclâmpsia, caracterizada por deposição de material fibroso nas e por baixo das células do epitélio capilar glomerular inchado, fechando os capilares.

en·do·the·li·um (-the'le-um) pl. *endothelia* – endotélio; camada de células epiteliais que reveste cavidades cardíacas, cavidades serosas e os lúmens dos vasos sangüíneos e linfáticos.

en·do·ther·mal (-ther'mal) – endotérmico.

en·do·ther·mic (-ther'mik) – endotérmico: 1. caracterizado ou acompanhado da absorção do calor; 2. relativo ou caracterizado por endotermia; ver *endothermy* (2); 3. relativo a homeotermia.

en·do·ther·my (-ther'me) – endotermia: 1. diatermia; 2. termorregulação obtida pela produção de calor interno; 3. homeotermia.

en·do·thrix (en'do-thriks) – endotrix; dermatófito cujo crescimento e produção de esporos confinam-se principalmente dentro da haste pilosa.

en·do·tox·e·mia (en"do-toks-ēm'e-ah) – endotoxemia; presença de endotoxinas no sangue, o que pode resultar em choque.

en·do·tox·in (-tok'sin) – endotoxina; toxina termo estável presente na célula bacteriana intacta mas não em filtrados livres de células de culturas bacterianas intactas. As endotoxinas são complexos lipopolissacarídicos que ocorrem na parede celular; são pirogênicas e aumentam a permeabilidade capilar.

en·do·tra·chel·i·tis (-tra"kil-ī t'is) – endotraquelite; endocervicite.

en·do·urol·o·gy (-ūr-ol'ah-je) – endourologia; ramo da cirurgia urológica relacionado a procedimentos fechados visualização ou a manipulação do trato urinário.

en·do·vas·cu·li·tis (-vas"ku-li'tis) – endovasculite; endangeíte (*endangiites*).

end plate (end plāt) – placa terminal; terminação achatada. **motor e. p.** – placa terminal isolada; expansão discóide de um ramo terminal do axônio de uma fibra nervosa motora onde ela se une a uma fibra muscular esquelética, formando a junção neuromuscular.

en·drin (en'drin) – endrina; inseticida altamente tóxico do grupo dos organoclorados.

end·tidal (end-ti'dal) – término-corrente; relativo ou que ocorre no final da expiração de um volume tidal normal.

En·du·ron (en'du-ron) – Enduron, marca registrada de preparação de meticlotiazida.

en·e·ma (en'ē-mah) [Gr.] pl. *enemas, enemata* – enema; solução introduzida no interior do reto para promover evacuação das fezes ou com meio de introduzir nutrientes, substâncias medicinais ou material opaco para exame radiológico do trato intestinal inferior. **barium e., contrast e.** – e. de bário; e. de contraste; suspensão de bário injetada no interior do intestino como agente de contraste para exame radiológico. **double contrast e.** – e. de duplo contraste; exame de contraste duplo (q.v. *examination, double contrast*) do intestino.

en·er·gy (en'er-je) – energia; força que pode ser traduzida em movimento, sobrepujando uma resistência ou efetuando alteração física; capacidade de fazer tal trabalho. Símbolo *E*. **kinetic e.** – e. cinética; energia do movimento. **nuclear e.** – e. nuclear energia que pode ser liberada por meio de alterações no núcleo de um átomo (como através da fissão de um núcleo pesado ou fusão de núcleos leves em núcleos mais pesados com perda de massa acompanhante). **potential e.** – e. potencial; energia em repouso ou não-manifestada no trabalho real.

en·er·va·tion (en"er-va'shun) – enervação: 1. falta de energia nervosa; 2. neurectomia.

ENG – electronystagmography (eletronistagmografia).

en·gage·ment (en-gāj'mint) – insinuação; entrada da cabeça fetal ou de outra parte do feto no trato pélvico superior.

en·gorge·ment (en-gorj'ment) – ingurgitamento; congestão local; distensão com fluidos; hiperemia.

en·graft·ment (en-graft'ment) – enxerto; enxerto realizado com sucesso em um transplante de medula óssea.

en·hance·ment (en-hans'ment) – aumento; intensificação: 1. ato de aumentar ou o estado de ser aumentado; 2. aumento imunológico; prolongamento da sobrevivência de células tumorais em animais imunizados com antígenos do tumor devido a anticorpos "aumentadores" ou "facilitadores" que impedem uma resposta imunológica contra esses antígenos.

en·ka·tar·rha·phy (en"kah-tar'ah-fe) – encatarrafia; tipo de sutura em conjunto que visa sepultar uma estrutura dos lados dos tecidos adjacentes a ela.

en·keph·a·lin (en-kef'ah-lin) – encefalina; um de dois pentapeptídeos (*leuencefalina* e *metencefalina*) que ocorrem no cérebro e medula espinhal e também no trato gastrointestinal; têm efeitos semelhantes aos dos opiáceos potentes e provavelmente servem como neurotransmissores.

enol (e'nol) – enol; composto orgânico no qual um carbono de um par de ligação dupla também se prende em um grupo hidroxila, conseqüentemente um tautômero da forma cetônica; também utilizado como prefixo ou infixo, sempre em itálico.

eno·lase (e'no-lās) – enolase; enzima que catalisa a desidratação do 2-fosfoglicerato para formar o fosfo *enol* piruvato, uma fase no trajeto do metabolismo da glicose. **neuronspecific e.** – e. neurônio-específico; isozima da enolase encontrada nos neurônios normais e todas as células do sistema neuroendócrino; é um marcador para a diferenciação de neuroendócrinos nos tumores.

en·os·to·sis (en"os-to'sis) – enostose; crescimento ósseo mórbido dentro de uma cavidade óssea ou na superfície interna do córtex ósseo.

en·si·form (en'si-form) – ensiforme; em forma de espada; xifóide.

en·stro·phe (en'stro-fe) – enstrofia; entrópio (*entropin*).

ENT – ear, nose, and throat (ONG, ouvido, nariz e garganta).

en·tad (en'tad) – em direção ao centro; direcionado para dentro; internamente.

ent·ame·bi·a·sis (en"tah-me-bi'ah-sis) – entamebíase; infecção por *Entamoeba*.

Ent·amoe·ba (en"tah-me'bah) – *Entamoeba;* gênero de amebas parasitárias dos intestinos dos vertebrados, incluindo três espécies comumente parasitárias do homem: *E. coli*, encontrada no trato intestinal; *E. gingivalis (E. buccalis),* encontrada na boca; e *E. histolytica*, a causa da disenteria amébica e do abscesso hepático tropical.

enter(o)- [Gr.] – elemento de palavra, *intestino.*

en·ter·al·gia (en"ter-al'jah) – enteralgia; dor no intestino.

en·ter·epip·lo·cele (-ĕ-pip'lo-sēl) – enterepiplocele (*enteroepiplocele*).

en·ter·ic (en-ter'ik) – entérico; relativo ao intestino delgado.

en·ter·ic·coat·ed (-kŏt'ed) – túnica entérica; designa um revestimento especial aplicado em comprimidos ou cápsulas que impede a liberação e a absorção dos ingredientes ativos até que eles alcancem o intestino.

en·ter·i·tis (en"ter-ī't'is) – enterite; inflamação do intestino, especialmente do intestino delgado.

En·tero·bac·te·ri·a·ceae (en"ter-o-bak-tēr"e-a'se-e) – Enterobacteriaceae; família de bactérias Gram-negativas em forma de bastonete (ordem Eubacteriales) que ocorrem como parasitas de vegetais ou animais ou como saprófitas; enterobacteriáceas.

en·tero·bi·a·sis (-bi'ah-sis) – enterobíase; infecção por nematódeos do gênero *Enterobius*, especialmente a espécie *E. vermicularis.*

En·tero·bi·us (en"ter-o'be-us) – *Enterobius;* gênero de nematódeos intestinais (superfamília Oxyuroidea) que inclui a espécie *E. vermicularis* (oxiúro), que parasita o intestino grosso superior e ocasionalmente os genitais femininos e a bexiga; infecção freqüente em crianças, algumas vezes causando prurido.

en·tero·cele (en'ter-o-sēl") – enterocele; hérnia intestinal.

en·tero·cen·te·sis (en"ter-o-sen-te'sis) – enterocentese; punção cirúrgica do intestino.

en·ter·oc·ly·sis (en"ter-ok'lĭ-sis) – enteróclise; a injeção de líquidos no interior do intestino.

En·tero·coc·cus (en"ter-o-kok'us) – *Enterococcus;* gênero de cocos Gram-positivos facultativamente anaeróbicos da família Streptococcaceae; *E. faecalis* e *E. faecium* são habitantes normais do trato intestinal humano, ocasionalmente causando infecções do trato urinário, endocardite infecciosa e bacteremia; *E. avium* é encontrada primariamente nas fezes das galinhas e pode associar-se a apendicite, otite e abscessos cerebrais no homem.

en·tero·coc·cus (en"ter-o-kok'us) pl. *enterococci* – enterococo; organismo que pertence ao gênero *Enterococcus.*

en·tero·co·lec·to·my (-kol-ek'tah-me) – enterocolectomia; ressecção do intestino, incluindo íleo, ceco e cólon.

en·tero·co·li·tis (-kol-ī'is) – enterocolite; coloenterite; inflamação do intestino delgado e do cólon. **antibiotic-associated e.** – e. associada a antibióticos; enterocolite na qual o tratamento com antibióticos altera a flora intestinal e resulta em diarréia ou enterocolite pseudomembranosa. **hemorrhagic e.** – e. hemorrágica; enterocolite caracterizada por colapso hemorrágico da mucosa intestinal, com infiltração de células inflamatórias. **necrotizing e., pseudomembranous e.** – e. necrosante; pe. pseudomembranosa; inflamação aguda da mucosa intestinal com a formação de placas pseudomembranosas sobrepostas a uma área de ulceração superficial, com passagem de material pseudomembranoso nas fezes; pode resultar de choque e isquemia ou associar-se a antibioticoterapia.

en·tero·cu·ta·ne·ous (-ku-ta'ne-us) – enterocutâneo; relativo ou que se comunica com o intestino ou a pele, ou a superfície do corpo.

en·tero·cyst (en'ter-o-sist) – enterocisto; cisto proveniente do tecido subperitoneal.

en·tero·cys·to·ma (en"ter-o-sis-to'mah) – enterocistoma; cisto vitelino.

en·tero·en·ter·os·to·my (-en"ter-os'tah-me) – enteroenterostomia; anastomose cirúrgica entre dois segmentos intestinais.

en·tero·epip·lo·cele (-ĕ-pip'lah-sēl) – enteroepiplocele; hérnia do intestino delgado e do omento.

en·tero·gas·trone (-gas'trōn) – enterogastrona; antelona E; hormônio do duodeno que media a inibição humoral da secreção gástrica e a motilidade produzidos pela ingestão de gordura.

en·ter·og·e·nous (en"ter-ah'jins-is) – enterógeno: 1. que surge do intestino anterior primitivo; 2. que se origina dentro do intestino delgado.

en·tero·glu·ca·gon (en"ter-o-gloo'kah-gon) – enteroglucagon; agente hiperglicêmico semelhante ao glucagon liberado pela mucosa do intestino superior em resposta à ingestão de glicose; imunologicamente distinto do glucagon pancreático, mas com atividades semelhantes.

en·ter·og·ra·phy (en"ter-og'rah-fe) – enterografia; descrição do intestino.

en·tero·hep·a·ti·tis (en"ter-o-hep"ah-tī'tis) – enteroepatite; êntero-hepatite: 1. inflamação do intestino e do fígado; 2. histomoníase dos perus.

en·tero·hep·a·to·cele (-hep'ah-to-sēl") – enteroepatocele; êntero-hepatocele; hérnia umbilical que contém o intestino e o fígado.

en·tero·hy·dro·cele (-hi'drah-sēl) – enteroidrocele; êntero-hidrocele; hérnia com hidrocele.

en·tero·ki·ne·sia (-ki"ne'zhah) – enterocinese; peristaltismo. **enterokinet'ic** – adj. enterocinético.

en·tero·lith (en'ter-o-lith") – enterólito; cálculo no intestino.

en·ter·ol·o·gy (en"ter-ol'ah-je) – enterologia; estudo científico do intestino.

en·ter·ol·y·sis (en"ter-ol'ĭ -sis) – enterólise; separação cirúrgica das aderências intestinais.

en·tero·me·ro·cele (en"ter-o-me'rah-sēl) – enteromerocele; hérnia femoral.

en·tero·my·co·sis (-mi-ko'sis) – enteromicose; doença fúngica do intestino.

en·ter·on (en'ter-on) – ênteron; intestino ou canal alimentar; geralmente utilizado em Medicina com referência especial ao intestino delgado.

en·tero·pa·re·sis (en"ter-o-pah-re'sis, -pā'rĭ -sis) – enteroparesia; relaxamento do intestino que resulta em dilatação.

en·tero·patho·gen·e·sis (-path"ah-jen'i-sis) – enteropatogênese; produção de uma doença ou distúrbio intestinais.

en·ter·op·a·thy (en"ter-op'ah-the) – enteropatia; qualquer doença intestinal. **gluten e.** – e. por glúten; doença celíaca.

en·tero·pep·ti·dase (en"ter-o-pep'tĭ -dās) – enteropeptidase; endopeptidase secretada pelo intestino delgado que catalisa a clivagem do tripsinogênio na forma ativa, tripsina.

en·tero·pexy (en'ter-o-pek"se) – enteropexia; fixação cirúrgica do intestino na parede abdominal.

en·tero·plas·ty (-plas"te) – enteroplastia; reparo plástico do intestino.

en·tero·ple·gia (en"ter-o-ple'jah) – enteroplegia; íleo adinâmico.

en·ter·or·rha·gia (-ra'je-ah) – enterorragia; hemorragia intestinal.

en·ter·or·rhex·is (-rek'sis) – enterorrexe; ruptura intestinal.

en·tero·scope (en'ter-o-skōp") – enteroscópio; instrumento para inspecionar o interior do intestino.

en·tero·sep·sis (en"ter-o-sep'sis) – enterossepsia; sépsis desenvolvida a partir do conteúdo intestinal.

en·tero·stax·is (-stak'sis) – enterostaxe; hemorragia lenta através da mucosa intestinal.

en·tero·ste·no·sis (-stĕ-no'sis) – enterostenose; estreitamento ou estenose intestinais.

en·ter·os·to·my (en"ter-os'tah-me) – enterostomia; formação de uma abertura permanente no interior do intestino, através da parede abdominal. **enterosto'mal** – adj. enterostômico.

en·ter·o·tox·e·mia (en"ter-o-tok-se'me-ah) – enterotoxemia; condição caracterizada pela presença no sangue de toxinas produzidas nos intestinos.

en·tero·tox·in (-tok'sin) – enterotoxina: 1. toxina específica para as células da mucosa intestinal; 2. toxina que surge no intestino; 3. exotoxina de natureza protéica e relativamente termoestável produzida por estafilococos.

en·tero·trop·ic (-trop'ik) – enterotrópico; que afeta o intestino.

en·tero·vag·i·nal (-vaj'ĭ -nil) – enterovaginal; relativo ou que se comunica com o intestino e a vagina.

en·tero·ve·nous (-ve'nis) – enterovenoso; que se comunica com o lúmen intestinal e o lúmen de uma veia.

en·tero·ves·i·cal (-ves'ĭ -k'l) – enterovesical; relativo ou que se comunica com o intestino e a bexiga.

En·tero·vi·rus (en'ter-o-vi"rus) – *Enterovirus;* enterovírus; gênero de vírus da família Picornaviridae, que habitam preferencialmente o trato intestinal, sendo a infecção geralmente assintomática ou suave. Os enterovírus humanos eram classificados originalmente como poliovírus, *Coxsackievirus* ou echovírus.

en·tero·vi·rus (en'ter-o-vi"rus) – enterovírus; qualquer vírus do gênero *Enterovirus.* **enterovi'ral** – adj. enteroviral.

en·tero·zo·on (en"ter-o-zo'on) pl. *enterozoa* – enterozoário; parasita do intestino. **enterozo'ic** – adj. enterozóico.

en·thal·py (en'thal-pe) – entalpia; teor de calor ou energia química de um sistema físico; função termodinâmica equivalente à energia interna somada ao produto da pressão e do volume. Símbolo *H.*

en·the·sis (en'thĭ -sis) – entese: 1. uso de material artificial no reparo de um defeito ou deformidade corporal; 2. local de inserção de um músculo ou ligamento em um osso.

en·the·sop·a·thy (en-thĕ-sop'ah-the) – entesopatia; distúrbio de uma inserção muscular ou tendínea em um osso.

en·theto·bio·sis (en-thet"o-bi-o'sis) – entetobiose; dependência de um implante mecânico, como no caso de um marca-passo cardíaco artificial.

ent(o)- [Gr.] – elemento de palavra, *dentro; interno.*

en·to·blast (en'to-blast) – entoblasto; entoderma *(entoderm)*.

en·to·cho·roid·ea (en"to-kor-oi'de-ah) – entocoróide; camada interna da coróide.

en·to·cor·nea (-kor'ne-ah) – entocórnea; membrana de Descemet.

en·to·derm (en'to-derm) – entoderma; a mais interna das três camadas germinativas primitivas do embrião; dela derivam os epitélios da faringe, trato respiratório (exceto o nariz), trato digestivo, bexiga e uretra. **entoder'mal, entoder'mic** – adj. entodérmico.

en·to·mion (en-to'me-on) – entômio; ponta do ângulo mastóide do osso parietal.

en·to·mol·o·gy (en"tah-mol'ah-je) – entomologia; ramo da Biologia relacionado ao estudo dos insetos.

En·to·moph·tho·ra·les (en"to-mof"thó-ra'lĕz) – Entomophthorales; ordem de fungos da classe Zygomycetes, tipicamente parasitas de insetos, mas que também causam infecções no homem, freqüentemente em pessoas aparentemente imunológica e fisiologicamente normais.

en·to·moph·tho·ro·my·co·sis (en"to-mof"tho-ro-mi-ko'sis) – entomoftoramicose; qualquer doença causada por fungos ficomicetos da ordem Entomophthorales.

en·top·ic (en-top'ik) – entópico; que ocorre no local normal.

en·top·tic (en-top'tik) – entóptico; que se origina dentro do olho.

en·top·tos·co·py (en"top-tos'kah-pe) – entoptoscopia; inspeção do interior do olho.

en·to·ret·i·na (en"to-ret'ĭ-nah) – entorretina; camada nervosa ou mais interna da retina.

en·to·zo·on (-zo'on) pl. *entozoa* – entozoário; parasita animal interno. **entozo'ic** – adj. entozóico.

en·train (en-trān') – estimular; modular o ritmo cardíaco para obter o controle da freqüência de um marca-passo com um estímulo externo.

en·train·ment (en-trān'ment) – estímulo: 1. técnica para identificar a regulação mais lenta necessária para fazer cessar uma arritmia, particularmente a excitação atrial (flutter); 2. sincronização e controle do ritmo cardíaco através de um estímulo externo.

en·trap·ment (en-trap'ment) – captura; compressão de um nervo ou vaso por parte do tecido adjacente.

en·tro·pion (en-tro'pe-on) – entrópio; inversão ou rotação para dentro, como a da margem de uma pálpebra.

en·tro·py (en'tro-pe) – entropia: 1. medida da parte de calor ou energia de um sistema não-disponível para realizar um trabalho; a entropia aumenta em todos os processos naturais (espontâneos ou irreversíveis). Símbolo *S;* 2. diminuição da capacidade para alteração espontânea, como ocorre no envelhecimento.

en·ty·py (en'tĭ-pe) – entipia; método de gastrulação no qual o entoderma situa-se externamente ao ectoderma amniótica.

enu·cle·a·tion (e-noo"kle-a'shun) – enucleação; remoção de um órgão ou outra massa intactos dos seus tecidos de sustentação, como a do globo ocular da órbita.

en·ure·sis (en"ūr-e'sis) – enurese; descarga involuntária de urina; geralmente refere-se a uma descarga involuntária de urina durante o sono noturna **enuret'ic** – adj. enurético.

en·ve·lo·pe (en'vĕ-lōp) – invólucro; envoltório; capa: 1. estrutura ou membrana envolvente; 2. em Virologia, revestimento que circunda o capsídeo e geralmente é produzido pelo menos parcialmente pela célula hospedeira; 3. em Bacteriologia, a parede celular e a membrana plasmática consideradas em conjunto. **nuclear e.** – e. nuclear; camada dupla condensada de lipídeos e proteínas que envolve o núcleo celular e o separa do citoplasma; suas duas membranas concêntricas (interna e externa) são separadas por um espaço perinuclear.

en·ven·om·a·tion (en-ven"o-ma'shun) – envenenamento; efeitos venenosos causados pelas picadas, ferroadas ou secreções dos insetos e outros artrópodos, ou pelas picadas das cobras.

en·vi·ron·ment (en-vi'ron-ment) – meio ambiente; soma total de todas as condições e elementos que constituem as cercanias e influenciam o desenvolvimento de um indivíduo.

en·zo·ot·ic (en"zo-ot'ik) – enzoótico: 1. presente em uma comunidade animal continuamente, mas ocorre somente em um pequeno número de casos; 2. doença de baixa morbidade que se encontra constantemente presente em uma comunidade animal.

en·zy·got·ic (en"zi-got'ik) – enzigótico; desenvolvido a partir de um zigoto.

en·zyme (en'zim) – enzima; proteína que catalisa reações químicas de outras substâncias sem destruir-se até o final das reações. As enzimas são divididas em seis grupos principais: oxidorredutases, transferases, hidrolases, liases, isomerases e ligases. Símbolo E. **allosteric e.** – e. alostérica; enzima cuja atividade catalítica é alterada pela conjugação de ligandos específicos em outros locais que não o de ligação do substrato. **brancher e., branching e.** – e. ramificadora; enzima ramificadora da 1,4-α-glucan; enzima que catalisa a criação de pontos de ramificação no glicogênio (nos vegetais, na amilopectina); a deficiência causa doença do armazenamento de glicogênio do tipo IV. **constitutive e.** – e. constitutiva; enzima produzida constantemente, independentemente das condições ambientais ou da demanda. **debrancher e., debranching e.** – e. desramificadora: 1. amilo-1,6-glicosidase; 2. qualquer enzima que remova ramos de macromoléculas, geralmente polissacarídeos, ao clivar os pontos de ramificação. **induced e., inducible e.** – e. induzida; e. indutível; enzima cuja produção pode ser estimulada por outro composto, freqüentemente um substrato ou molécula estruturalmente relacionada. **proteolytic e.** – e. proteolítica; peptidase. **repressible e.** – e. de repressão; enzima cuja taxa de produção se reduz à medida que se aumenta a concentração de determinados metabólitos. **respiratory e.** – e. respiratória; enzima que faz parte de uma cadeia (respiratória) de transporte de elétrons.

en·zy·mop·a·thy (en"zi-mop'ah-the) – enzimopatia; erro inato do metabolismo que consiste de enzimas defeituosas ou ausentes, como no caso de uma glicogenose ou de uma mucopolissacaridose.

EOG – electro-olfactogram (eletrolfatograma).

eo·sin (e'o-sin) – eosina; qualquer substância de uma classe de corantes ou tintura de cor rosada, todos correspondendo a derivados brômicos da fluoresceína; a *eosina Y* (sal sódico da tetrabromofluoresceína) é muito utilizada em procedimentos histológicos e laboratoriais.

eo·sin·o·pe·nia (e"o-sin"o-pe'ne-ah) – eosinopenia; deficiência anormal de eosinófilos no sangue.

eo·sin·o·phil (e"o-sin'o-fil) – eosinófilo; leucócito granular que tem um núcleo com dois lobos conectados por meio de um cordão de cromatina e um citoplasma que contém grânulos redondos e grosseiros de tamanho uniforme.

eo·sin·o·philo·poi·e·tin (-fil"o-poi'it-in) – eosinofilopoietina; peptídeo de baixo peso molecular que induz a produção de eosinófilos.

eo·sin·o·philo·tac·tic (-tak'tik) – eosinofilotático; que tem o poder de atrair eosinófilos; quimiotático para eosinófilos.

ep- – ver *epi-*.

EPA – eicosapentaenoic acid (ácido eicosapentaenóico).

epac·tal (e-pak'til) – epactal: 1. supranumerário; 2. qualquer osso de Worm.

ep·al·lo·bi·o·sis (ep-al"o-bi-o'sis) – epialobiose; dependência de um sistema de suporte vital externo como no caso de uma máquina coração-pulmão ou hemodialisador.

ep·ax·i·al (ep-ak'se-il) – epaxial; situado acima ou no eixo.

epen·dy·ma (ĕ-pen'dĭ -mah) – epêndima; membrana que reveste os ventrículos cerebrais e o canal central da espinha. **epen'dymal** – adj. ependimário.

epen·dy·mo·blast (ep"en-di'mo-blast) – ependimoblasto; célula ependimária embrionária.

epen·dy·mo·cyte (ĕ-pen'dim-o-sī t) – ependimócito; célula ependimária.

epen·dy·mo·ma (ĕ-pen"dĭ -mo'mah) – ependimoma; neoplasia, geralmente de crescimento lento e benigna, composta de células ependimárias diferenciadas.

Ep·eryth·ro·zo·on (ep"ah-rith"ro-zo'on) – *Eperythrozoon;* gênero da família Bartonellaceae; seus membros têm patogenicidade limitada, infectando roedores, bovinos, ovinos e suínos.

ephapse (ĕ-faps') – efapse; sinapse elétrica. **ephap'tic** – adj. efáptico.

ephe·bi·at·rics (ĕ-fe"be-at'riks) – efebiatria; ramo da Medicina que lida especialmente com o diagnóstico e tratamento das doenças e problemas peculiares à juventude.

ephed·rine (ĕ-fed'rin, ef'ĕ-drin) – efedrina; extrato adrenérgico extraído de várias espécies de *Ephedra* ou produzido sinteticamente; utilizada em forma de base ou sal de cloridrato ou de

sulfato como broncodilatador, antialérgico, estimulante do sistema nervoso central, midriático e anti-hipotensivo, bem como em forma de sal de tanato como broncodilatador.

ephe·lis (e-fe'lis) [Gr.] pl. *ephelides* – efélide; sarda.

epi- [Gr.] – elemento de palavra, *acima; em cima.*

epi·an·dros·ter·one (ep"e-an-dros'ter-ōn) – epiandrosterona; esteróide androgênico menos ativo que a androsterona e excretado em pequenas quantidades na urina normal humana.

epi·blast (ep'ĭ -blast) – epiblasto: 1. ectoderma; 2. ectoderma, exceto a placa neural. **epiblas'tic** – adj. epiblástico.

epi·bleph·a·ron (epi"ĭ -blef'ah-ron) – epibléfaro; anomalia de desenvolvimento na qual uma dobra horizontal de pele se estira através da borda da pálpebra, pressionando os cílios para dentro, contra a pálpebra.

epib·o·ly (e-pib'o-le) – epibolia; gastrulação na qual os blastômeros menores no pólo animal do óvulo fertilizado crescem sobre as células recobrindo aquelas do hemisfério vegetal.

epi·bul·bar (ep"ĭ -bul'ber) – epibulbar; situado sobre o globo ocular.

epi·can·thus (-kan'this) – epicanto; dobra vertical de pele em cada lado do nariz, algumas vezes recobrindo o canto interno; uma característica normal em pessoas de determinadas raças, mas anômala em outras. **epican'thal** – adj. epicantal.

epi·car·dia (-kahr'de-ah) – epicárdia; porção do esôfago abaixo do diafragma.

epi·car·di·um (-kahr'de-um) – epicárdio; pericárdio visceral.

epi·cho·ri·on (-ko're-on) – epicórion; porção da mucosa uterina que contém o concepto implantado.

epi·con·dy·lal·gia (-kon"dil-al'je-ah) – epicondilalgia; dor nos músculos ou nos tendões presos ao epicôndilo do úmero.

epi·con·dyle (-kon'dĭ l) – epicôndilo; proeminência em um osso, acima de seu côndilo.

epi·con·dy·lus (-kon'dil-us) [L.] pl. *epicondyli* – epicôndilo.

epi·cra·ni·um (-kra'ne-um) – epicrânio; músculos, pele e aponeurose que recobre o crânio.

epi·cri·sis (ep'ĭ -kri"sis) – epicrise; crise secundária.

epi·crit·ic (ep"ĭ -krit'ik) – epicrítico; determinado precisamente; diz-se das fibras nervosas cutâneas sensíveis a variações sutis de toque ou temperatura.

epi·cys·tot·o·my (-sis-tot'ah-me) – epicistotomia; cistotomia pelo método suprapúbico.

epi·cyte (ep'ĭ -sī t) – epícito; membrana celular.

ep·i·dem·ic (ep"ĭ -dem-ik) – epidêmico: 1. que ataca muitas pessoas em uma região na mesma época; largamente difundido e rapidamente propagado; 2. doença de alta morbidade que se encontra apenas ocasionalmente presente na comunidade humana.

ep·i·de·mi·ol·o·gy (-de"me-ol'ah-je) – epidemiologia: 1. estudo das relações dos vários fatores que determinam a freqüência e a distribuição de doenças na comunidade humana; 2. campo da Medicina que se ocupa da determinação das causas específicas de surtos localizados de infecção, intoxicação ou de outra doença de etiologia identificada.

epi·der·mi·dal·iza·tion (-der"mid-ah-lī'-za'shun) – epidermidalização; desenvolvimento de células epidérmicas (epitélio estratificado) a partir de células mucosas (epitélio colunar).

epi·der·mis (-der'mis) pl. *epidermides* – epiderme; camada mais externa e não-vascular da pele, derivada do ectoderma embrionário e variável em espessura de 0,07-1,4mm. Nas superfícies palmar e plantar compreende (de dentro para fora), cinco camadas: (1) *camada basal* (estrato basal), composto de células colunares dispostas perpendicularmente; (2) *camada de células espinhosas* ou *camada espinhosa* (estrato espinhoso), composta de células achatadas poliédricas com processos ou espinhos curtos; (3) *camada granular* (estrato granuloso), composta de células granulares achatadas; (4) *camada clara* (estrato lúcido), composta de várias camadas de células transparentes e claras, nas quais os núcleos ficam indistintos ou ausentes; e (5) *camada córnea* (estrato córneo), composta de células achatadas, corneificadas e não-nucleadas. Na epiderme da superfície corporal geral, a camada clara encontra-se geralmente ausente. **epider'mic** – adj. epidérmico.

epi·der·mi·tis (-derm-ī't'is) – epidermite; inflamação da epiderme.

epi·der·mo·dys·pla·sia (-derm"o-dis-pla'zhah) – epidermodisplasia; desenvolvimento defeituoso da epiderme. **e. verrucifor'mis** – e. verruciforme; condição devida a um vírus idêntico ou proximamente relacionado ao vírus das verrugas comuns na qual as lesões são vermelhas ou violeta-avermelhadas e disseminadas tendendo a tornar-se malignas.

epi·der·moid (-der'moid) – epidermóide: 1. relativo; ou semelhante à epiderme; 2. cisto epidermóide.

epi·der·moi·do·ma (-der"moi-do'mah) – epidermoidoma; cisto epidermóide.

epi·der·mol·y·sis (-der-mol'ī-sis) – epidermólise; estado de flacidez da epiderme com formação de vesículas e bolhas, ocorrendo tanto espontaneamente como no local de um traumatismo. **e. bullo'sa** – e. bolhosa; variedade com desenvolvimento de bolhas e de vesículas, freqüentemente no local de um traumatismo; nas formas hereditárias, pode ocorrer formação de cicatriz severa após a cicatrização, ou áreas desnudadas extensas após a ruptura das lesões.

epi·der·mo·my·co·sis (-der"mo-mi-ko'sis) – epidermomicose; dermatofitose (*dermatophytosis*).

Epi·der·moph·y·ton (-der-mof'ī-ton) – *Epidermophyton*; gênero de fungos (que inclui *E. floccosum)*, que atacam a pele e as unhas, mas não os pêlos, e constituem os agentes causadores tinha crural, da tinha podal (pé de atleta) e da onicomicose.

epi·der·mo·phy·to·sis (-der"mo-fi-to'sis) – epidermofitose; infecção cutânea fúngica, especialmente a devida ao *Epidermophyton;* dermatofitose.

ep·i·did·y·mis (-did'ī-mis) pl. *epididymides* – epidídimo; estrutura filamentar alongada ao longo da borda posterior do testículo; seu ducto espiralado proporciona armazenamento, trânsito e maturação dos espermatozóides sendo contínuo com o ducto deferente. **epidid'ymal** – adj. epididimário.

epi·did·y·mi·tis (-did"ī-mi'tis) – epididimite; inflamação do epidídimo.

epi·did·y·mo·or·chi·tis (-did"im-o-or-kī't'is) – epididimorquite; inflamação do epidídimo e testículo.

epi·did·y·mo·vas·os·to·my (-o-vas-os'tah-me) – epididimovasostomia; anastomose cirúrgica do epidídimo com o ducto deferente.

epi·du·ral (-dūr'il) – epidural; situado acima ou externamente à dura-máter.

epi·du·rog·ra·phy (-dūr-og'rah-fe) – epidurografia; radiografia da espinha após injetar-se um meio radiopaco no interior do espaço epidural.

epi·es·tri·ol (-es'tre-ol) – epiestriol; esteróide estrogênico encontrado nas mulheres grávidas.

epi·gas·tri·um (-gas'tre-um) – epigástrio; região superior e média do abdômen, localizada dentro do ângulo externo. **epigas'tric** – adj. epigástrico.

epi·gas·tro·cele (-gas'tro-sēl) – epigastrocele; hérnia epigástrica.

epi·gen·e·sis (-jen'is-is) – epigênese; desenvolvimento de um organismo a partir de uma célula não-diferenciada, consistindo na formação e no desenvolvimento sucessivos dos órgãos e das partes que não preexistem no óvulo fertilizado. **epigenet'ic** – adj. epigenético.

epi·glot·ti·dec·to·my (-glot"ī-dek'tah-me) – epiglotidectomia; excisão da epiglote.

epi·glot·ti·di·tis (-glot"id-ī't'is) – epiglotidite; inflamação da epiglote.

epi·glot·tis (-glot'is) – epiglote; estrutura cartilaginosa semelhante a uma pálpebra que pende na entrada da laringe, fechando-a durante o ato de deglutir; ver Prancha IV. **epiglot'ic** – adj. epiglótico.

ep·i·la·tion (-la'shun) – depilação; remoção dos pêlos pelas raízes.

ep·i·lem·ma (-lem'ah) – epilema; endoneuro (*endoneurium*).

ep·i·lep·sia (-lep'se-ah) [L.] – epilepsia. **e. partia'lis conti'nua** – e. parcial contínua; forma de estado epiléptico com crises motoras focais, marcada por contrações musculares clônicas contínuas de uma parte limitada do corpo.

ep·i·lep·sy (ep'ī-lep"se) – epilepsia; qualquer de um grupo de síndromes caracterizadas por distúrbios transitórios paroxísticos da função cerebral que podem se manifestar como um dano episódico ou perda de consciência, fenômenos motores anormais, distúrbios psíquicos ou sensoriais ou perturbação do sistema nervoso autônomo; os sintomas se devem a distúrbio da atividade elétrica do cérebro. **absence e.** – e. de ausência; epilepsia caracterizada por crise de ausência, geralmente com início na infância ou na adolescência. **focal e.** – e. focal; epilepsia que consiste de ataques convulsivos focais. **generalized e.** – e. generalizada; epilepsia na qual as convulsões são generalizadas; podem ter início focal ou generalizar-se desde o começo. **grand mal e.** – e. do grande mal; forma sintomática de epilepsia, freqüentemente precedida por uma aura, caracterizada por perda súbita da consciência com ataques tônicos-clônicos. **jacksonian e.** – e. jacksoniana; epilepsia que se manifesta por ataques convulsivos focais com movimentos clônicos unilaterais que começam em um grupo muscular e se disseminam sistematicamente para os grupos adjacentes, refletindo a marcha da atividade epiléptica através do córtex motor. **juvenile myoclonic e.** – e. mioclônica juvenil; síndrome de espasmos mioclônicos súbitos que ocorre particularmente de manhã e sob períodos de estresse ou fadiga, primariamente em crianças e adolescentes. **Lafora's myoclonic e.** – e. mioclônica de Lafora; forma caracterizada por ataques clônicos intermitentes ou contínuos de grupos musculares, resultando em dificuldades no movimento voluntário, deterioração mental e corpúsculos de Lafora em células variadas. **myoclonic e.** – e. mioclônica; qualquer forma de epilepsia acompanhada por mioclonia. **petit mal e.** – e. de pequeno mal; e. de ausência. **photic e., photogenic e.** – e. fotogênica; epilepsia reflexa na qual os ataques convulsivos são induzidos por meio de uma luz oscilante. **post-traumatic e.** – e. pós-traumática; epilepsia que ocorre após uma lesão da cabeça. **psychomotor e.** – e. psicomotora; e. do lobo temporal. **reflex e.** – e. reflexa; ataques convulsivos epilépticos que ocorrem em resposta a estímulos sensoriais. **rotatory e.** – e. rotatória; epilepsia do lobo temporal na qual os automatismos consistem de movimentos corporais rotatórios. **sensory e.** – e. sensorial: 1. ataques epilépticos manifestados por parestesias ou alucinações de visão, olfato ou gosto; 2. e. reflexa. **somatosensory e.** – e. somatossensorial; epilepsia sensorial com parestesias tais como queimaduras, zumbidos ou entorpecimento. **temporal lobe e.** – e. do lobo temporal; forma caracterizada por ataques parciais complexos. **visual e.** – e. visual; epilepsia sensorial na qual ocorrem alucinações visuais.

ep·i·lep·to·gen·ic (ep"ĭ-lep"to-jen'ĭk) – epileptogênico; que causa um ataque epiléptico.

ep·i·lep·toid (-lep'toid) – epileptóide; epileptiforme.

epi·man·dib·u·lar (-man-dib'u-ler) – epimandibular, situado no maxilar inferior.

epi·men·or·rha·gia (-men"o-ra'je-ah) – epimenorragia; menstruação demasiadamente freqüente e excessiva.

epi·men·or·rhea (-men"o-re'ah) – epimenorréia; menstruação anormalmente freqüente.

ep·i·mer (ep'ĭ-mer) – epímero; um de dois isômeros ópticos que diferem na configuração ao redor de um átomo de carbono assimétrico.

epim·er·ase (ĕ-pim-'ĕ-rās) – epimerase; isomerase que catalisa a inversão da configuração acerca de um átomo de carbono assimétrico em um substrato que tenha mais de um centro de assimetria; conseqüentemente, os epímeros são interconvertidos.

ep·i·mere (ep'ĭ-mēr) – epímero; porção dorsal de um somito a partir da qual se formam os músculos inervados pelo ramo dorsal de um nervo espinhal.

epim·er·iza·tion (ĕ-pim"er-iz-a'shun) – epimerização; alteração de uma forma epimérica em um composto em outra como por meio de ação enzimática.

epi·mor·pho·sis (ep"ĭ-mor-fo'sis) – epimorfose; regeneração de parte de um organismo através da proliferação em uma superfície cortada. **epimor'phic** – adj. epimórfico.

epi·mys·i·ot·o·my (-mis"e-ot'ah-me) – epimisiotomia; incisão do epimísio.

epi·mys·i·um (-mis'e-um) – epimísio; bainha fibrosa ao redor de um músculo esquelético inteiro. Ver Prancha XIV.

epi·neph·rine (-nef'rin) – epinefrina ou adrenalina; hormônio catecolamínico secretado pela medula supra-renal e um neurotransmissor do sistema nervoso central liberado por alguns neurônios. É armazenado em grânulos cromafins e liberado em resposta a hipoglicemia, estresse e outros fatores. É um estimulador potente do sistema nervoso simpático (receptores adrenérgicos) e um vasopressor poderoso, aumentando a pressão sangüínea, estimulando o músculo cardíaco, acelerando a freqüência cardíaca e aumentando o débito cardíaco. É utilizado predominantemente como vasoconstritor tópico, estimulante cardíaco e broncodilatador. O nome epinefrina é mais utilizado nos Estados Unidos. Na Grã-Bretanha usa-se mais o termo adrenalina (*adrenaline*).

epi·neph·ros (-nef'ros) – epinefro; glândula supra-renal.

epi·neu·ri·um (-noor'e-um) – epineuro; a camada mais externa de tecido conjuntivo de um nervo periférico. **epineu'rial** – adj. epineural.

epi·phar·ynx (-fă'rinks) – epifaringe; nasofaringe; **epipharyn'geal** – adj. epifaríngeo.

epi·phe·nom·e·non (-fĭ-nom'ĭ-non) – epifenômeno; ocorrência, acessória excepcional ou acidental no curso de qualquer doença.

epiph·o·ra (e-pif'or-ah) [Gr.] – epífora; excesso de lágrimas devido à obstrução do ducto lacrimal.

epiph·y·sis (ĕ-pif'ĭ-sis) [Gr.] pl. *epiphyses* – epífise; extremidade articular expandida de um osso longo, desenvolvida a partir de um centro de ossificação secundário que durante o período de crescimento torna-se completamente cartilaginoso ou se separa do eixo por meio de um disco cartilaginoso. **epiphys'eal** – adj. epifisário. **annular epiphyses** – epífises anulares; centros de crescimento secundários que ocorrem como anéis na periferia das superfícies superior e inferior do corpo vertebral. **e. ce'rebri** – e. cerebral; glândula pineal. **stippled epiphyses** – epífises pontilhadas; condrodisplasia pontilhada.

epiph·y·si·tis (e-pif"ĭ-sī t'is) – epifisite; inflamação de uma epífise ou da cartilagem que une a epífise à diáfise óssea.

ep·i·phyte (ep'ĭ-fīt) – epífito; parasita vegetal externo. **epiphytic** – adj. epifítico.

epi·pia (ep"ĭ-pi'ah) – epipia; parte da pia-máter adjacente à aracnóide-máter, com exclusão da piaglia. **epipi'al** – adj. epipial.

epip·lo·cele (ĕ-pip'lo-sēl) – epiplocele; hérnia omental.

epip·lo·en·tero·cele (ĕ-pip"lo-en'ter-o-sēl) – epiploenterocele; hérnia que contém o intestino e o omento.

epip·lo·me·ro·cele (-me'ro-sēl) – epiplomerocele; hérnia femoral que contém o omento.

DEF

epi·plom·phalo·cele (ep"ĭ-plom-fal'o-sēl) – epiplonfalocele; hérnia umbilical que contém o omento.

epip·lo·on (e-pip'lo-on) [Gr.] – epíplon; omento.

epiplo'ic – adj.epiplóico.

epip·los·cheo·cele (e"pĭ-plos'ke-o-sēl") – epiplosqueocele; hérnia escrotal que contém o omento.

epi·py·gus (-pi'gus) – epípigo; pigômelo.

epi·ru·bi·cin (-roo'bĭ-sin) – epirrubicina; antineoplásico com ação semelhante à doxorrubicina; utilizado no tratamento de vários carcinomas, leucemia, linfomas e mieloma múltiplo.

epi·scle·ra (-skler'ah) – episclera; tecido conjuntivo flácido entre a esclera e a conjuntiva.

epi·scle·ri·tis (-sklĕ-rī'tis) – esclerite; inflamação da episclera e tecidos adjacentes.

epis·io·per·i·neo·plas·ty (ĕ-piz"e-o-per"ĭ-ne'o-plas"te) – episioperineoplastia; reparo plástico da vulva e do períneo.

epis·io·per·i·ne·or·rha·phy (-per"ĭ-ne-or'ah-fe) – episioperineorrafia; sutura da vulva e do períneo.

epis·i·or·rha·phy (e-piz"e-or'ah-fe) – episiorrafia: 1. sutura dos grandes lábios; 2. sutura de um períneo lacerado.

epis·io·ste·no·sis (e-piz"e-o-stĭ-no'sis) – episiostenose; estreitamento do orifício vulvar.

epis·i·ot·o·my (e-piz"e-ot'ah-me) – episiotomia; incisão cirúrgica no interior do períneo e da vagina para propósitos obstétricos.

ep·i·sode (ep'ĭ-sōd) – episódio; acontecimento digno de nota que ocorre no curso de uma série contínua de eventos. **acute schizophrenic e.** – e. esquizofrênico agudo; esquizofrenia aguda. **major depressive e.** – e. depressivo maior; período marcado por perda de interesse ou de prazer do indivíduo nas atividades normais, associada a distúrbios de sono e apetite, alterações no peso, agitação ou retardamento psicomotor, dificuldade de pensamento ou concentração, fadiga, sentimentos de inutilidade e desesperança e pensamentos de morte e suicídio. **manic e.** – e. maníaco; período de elevação predominante, expansividade ou irritação junto com auto-estima ou grandiosidade exageradas, redução da necessidade de sono, tagarelice, rotatividade de idéias, distração, hiperatividade, hipersexualidade e imprudência.

ep·i·some (-sōm) – epissoma; em Genética Bacteriana, qualquer elemento genético replicante extracromossômico acessório que pode existir tanto autonomamente como integrado ao cromossoma.

epi·spa·di·as (ep"ĭ-spa'de-as) – epispadia; ausência congênita da parede superior da uretra que ocorre em ambos os sexos, porém mais comumente no sexo masculino, em que a abertura uretral localiza-se em qualquer lugar no dorso do pênis. **epispa'diac, epispa'dial**–adj. epispádico.

ep·i·stax·is (-stak'sis) – epistaxe; sangramento nasal; hemorragia do nariz geralmente devido a ruptura dos pequenos vasos que se sobrepõem à parte anterior do septo nasal cartilaginoso.

epi·ster·num (-stern'um) – episterno; osso presente nos répteis e monotremos que pode ser representado como parte do manúbrio ou como a primeira porção do esterno.

epi·stro·phe·us (-stro'fe-us) – epistrofeu; áxis (ver *Tabela de Ossos*).

epi·ten·din·e·um (-ten-din'e-um) – epitendíneo; bainha fibrosa que recobre um tendão.

epi·thal·a·mus (-thal'ah-mus) – epitálamo; parte do diencéfalo imediatamente superior e posterior ao tálamo, compreendendo a glândula pineal e as estruturas adjacentes; alguns autores consideram que inclui a estria medular.

ep·i·the·li·al (-thēl'e-al) – epitelial; relativo ou composto de epitélio.

ep·i·the·li·al·iza·tion (-the"le-al-ĭ-za'shun) – epitelização; cicatrização através do crescimento do epitélio sobre uma superfície desnuda.

ep·i·the·li·a·lize (-the'le-al-ĭ z") – epitelizar; recobrir com um epitélio.

ep·i·the·li·tis (-the'le-i'tis) – epitelite; inflamação do epitélio.

ep·i·the·lio·chor·i·al (-the"le-o-kor'e-al) – epiteliocoriônico; denota um tipo de placenta no qual o córion está aposto ao epitélio uterino mas não o desgasta.

ep·i·the·li·ol·y·sin (-the"le-ol'ĭ-sin) – epiteliolisina; citolisina formada no soro em resposta à injeção de células epiteliais de uma espécie diferente; é capaz de destruir as células epiteliais dos animais da espécie doadora.

ep·i·the·li·ol·y·sis (-the"le-ol'ĭ-sis) – epiteliólise; destruição do tecido epitelial. **epitheliolyt'ic** – adj. epiteliolítico.

ep·i·the·li·o·ma (-the"le-o'mah) – epitelioma: 1. qualquer tumor derivado do epitélio; 2. às vezes, e imprecisamente, carcinoma. **epithelio'matous** – adj. epiteliomatoso. **malignant e.** – e. maligno; carcinoma.

ep·i·the·li·um (-the'le-um) [Gr.] pl. *epithelia* – epitélio; cobertura celular das superfícies orgânicas interna e externa, incluindo o revestimento dos vasos e pequenas cavidades. Consiste de células reunidas por pequenas quantidades de substâncias cimentantes sendo classificado de acordo com o número de camadas e a forma das células. **ciliated e.** – e. ciliado; epitélio que possui cílios vibráteis na superfície livre. **columnar e.** – e. colunar; epitélio cujas células têm uma altura muito maior que a largura. **cubical e., cuboidal e.** – e. cúbico; e. cubóide; epitélio composto de células cubóides. **germinal e.** – e. germinativo; epitélio peritoneal espessado que recobre a gônada a partir de seu desenvolvimento primordial; antigamente acreditava-se que dava origem às células germinativas. **glandular e.** – e. glandular; epitélio composto de células secretoras. **laminated e.** – e. laminado; e. estratificado. **olfactory e.** – e. olfatório; epitélio pseudo-estratificado que reveste a região olfatória da cavidade nasal e contém os receptores do sentido do olfato. **pseudostratified e.** – e. pseudo-estratificado; epitélio no qual as células se arranjam de tal forma que os núcleos ocorrem em níveis diferentes, dando a aparência de ser estratificado. **seminiferous e.** – e. seminífero; epitélio estratificado que reveste os túbulos seminíferos do testículo. **simple e.** – e. simples; epitélio composto de uma só camada de células. **squamous e.** – e. escamoso; epitélio composto de células achatadas em forma de placa. **stratified e.** – e. estratificado; epitélio composto de células dispostas em camadas. **transitional e.** – e. de transição; epitélio caracteristicamente encontrado revestindo os órgãos ocos que estão sujeitos a uma grande alteração mecânica devido a contração e distensão, que originalmente acredita-se representar uma transição entre o epitélio estratificado e o epitélio colunar.

ep·i·tope (ep'ĭ-tōp) – epítopo; determinante antigênico (ver em *determinant*) de estrutura conhecida.

ep·i·trich·i·um (ep"ĭ-trik'e-um) – epitríquio; periderma (*periderm*).

epi·troch·lea (-trok'le-ah) – epitróclea; côndilo interno do úmero.

epi·tym·pa·num (-tim'pah-num) – epitímpano; parte superior do tímpano. **epitympan'ic** – adj. epitimpânico.

epi·zo·ot·ic (-zo-ot'ik) – epizoótico: 1. que ataca muitos animais em qualquer região ao mesmo tempo; rápida e largamente difundido; 2. doença de alta morbidade que só se encontra ocasionalmente presente em uma comunidade animal.

epi·zo·ot·i·ol·o·gy (-zo-ot"e-ol'ah-je) – epizootiologia; estudo científico dos fatores de freqüência e distribuição de doenças infecciosas entre os animais.

epo·e·tin (e-po'ĕ-tin) – epoetina; forma recombinante de eritropoietina humana, utilizada como antianêmico.

ep·o·nych·i·um (ep"o-nik'e-um) – epóniquio: 1. faixa estreita da epiderme que se estende da parede ungueal sobre a superfície ungueal; 2. epiderme fetal córnea que precede a unha.

ep·oöph·o·ron (ep"o-of'ŏ-ron) – epoóforo; estrutura vestigial associada ao ovário.

epoxy (ĕ-pok'se) – epóxi: 1. que contém um átomo de oxigênio ligado a dois átomos de carbono diferentes; 2. resina composta de polímeros de epóxi e caracterizada por adesividade, flexibilidade e resistência a ações químicas.

epu·lis (ĕ-pu-lis) [Gr.] pl. *epulides* – epúlide: 1. termo inespecífico utilizado para tumores e massas semelhantes a tumores gengivais; 2. fibroma ossificante periférico. **giant cell e.** – e. de células gigantes; lesão séssil ou pedunculada da gengiva representando uma reação inflamatória a uma lesão ou hemorragia.

Equa·nil (ek'wah-nil) – Equanil, marca registrada de preparações de meprobamato.

equa·tion (e-kwa'zhun) – equação; expressão de igualdade entre duas partes. **Henderson-Hasselbalch e.** – e. de Henderson-Hasselbach; fórmula para calcular o pH de uma solução-tampão como o plasma sangüíneo.

equi·ax·i·al (e"kwĭ-ak'se-il) – equiaxial; que tem eixos do mesmo tamanho.

equi·li·bra·tion (e-kwil"ĭ-bra'shun) – equilíbrio; obtenção de equilíbrio entre elementos ou forças opostos. **occlusal e.** – e. oclusal; modificação do estresse oclusal; para produzir contatos oclusais simultâneos ou obter uma oclusão harmoniosa.

equi·li·bri·um (e"kwĭ-lib're-um) – equilíbrio: 1. estado contrabalançado entre forças ou influências opostas; 2. equilíbrio postural do corpo. **dynamic e.** – e. dinâmico; situação de equilíbrio entre forças variáveis, alteráveis e opostas que é característica dos processos vivos.

equine (e'kwīn) – eqüino; relativo, característico ou derivado do cavalo.

equi·no·val·gus (e-kwi"no-val'gus) – eqüinovalgo; talipe eqüinovalgo.

equi·no·va·rus (-va'rus) – eqüinovarus; talipe eqüinovaro.

equi·po·ten·tial (e"kwĭ-pah-ten'shil) – eqüipotencial; que tem poder ou capacidade equivalente ou semelhante.

equiv·a·lent (e-kwiv'ah-lent) – equivalente: 1. que tem o mesmo valor, neutraliza ou contrabalança outro; 2. ver em *weight*; 3. sintoma que substitui um sintoma mais comum em certa doença. **migraine e.** – e. à enxaqueca; presença de aura associada à hemicrânia mas à ausência de cefaléia.

equu·lo·sis (ek"wŏŏ-lo'sis) – artrite purulenta, sinovite e enterite, freqüentemente com formação de abscessos renais, afetando primariamente potros; causada por *Actinobacillus equuli*.

ER – endoplasmic reticulum; estrogen receptor (RE); (retículo endoplasmático; receptor de estrogênios).

Er – símbolo químico, érbio *(erbium)*.

er·bi·um (er'be-um) – érbio, elemento químico (ver *Tabela de Elementos*), número atômico, 68, símbolo Er.

erec·tion (ĕ-rek'shun) – ereção; condição de ficar rígido e elevado, como o tecido erétil quando preenchido com sangue.

erec·tor (ĕ-rek'ter) [L.] – eretor; estrutura que provoca ereção, como um músculo que eleva ou suspende uma parte.

erg (erg) – erg; unidade de trabalho ou energia, equivalente a $2,4 \times 10^{-8}$ gramas-calorias, ou a $0,624 \times 10^{-12}$ elétron-volts.

er·ga·sia (er-ga'zhah) – ergasia; qualquer função, atividade, reação ou atitude mentalmente integradas de um indivíduo.

er·gas·to·plasm (er-gas'to-plazm) – ergastoplasma; retículo endoplasmático granular.

er·go·cal·cif·er·ol (er"go-kal-sif'er-ol) – ergocalciferol; calciferol; vitamina D_2; esterol que ocorre nos fungos e em alguns óleos de peixe ou é produzido pela irradiação ou pelo bombardeio eletrônico do ergosterol, com atividade e metabolismo semelhantes aos do colecalciferol; utilizado como fonte dietética de vitamina D no tratamento de raquitismo, hipoparatireoidismo, hipocalcemia e hipofosfatemia familiar.

er·go·loid mes·y·lates (er'go-loid) – mesilatos ergolóides; mistura dos sais de metassulfonato de três alcalóides do esporão do centeio (ergot) hidrogenados; utilizados no tratamento do declínio idiopático na função mental dos idosos.

er·gom·e·ter (er-gom'ĕ-ter) – ergômetro; dinamômetro. **bicycle e.** – bicicleta ergométrica; aparelho para medir os efeitos muscular, metabólico e respiratório do exercício.

er·go·nom·ics (er"go-nom'iks) – ergonomia; ciência relacionada ao homem e seu trabalho, incluindo os fatores que afetam o uso eficiente da energia humana.

er·go·no·vine (-no'vin) – ergonovina; alcalóide proveniente do esporão do centeio (ergot) ou produzido sinteticamente, utilizado em forma de base ou de sal de maleato como ocitócico e para aliviar a enxaqueca.

er·go·stat (er'go-stat) – ergostático; máquina para trabalhar com o exercício muscular.

er·gos·te·rol (er-gos'tĕ-rol) – ergosterol; esterol que ocorre principalmente na levedura e forma o ergocalciferol (vitamina D_2) na irradiação ultravioleta ou no bombardeio eletrônico.

er·got (er'got) – esporão do centeio (ergot); esclerócio ressecado do fungo *Claviceps purpurea*, que se desenvolve no centeio; os alcalóides do esporão do centeio (ergot) são utilizados como ocitócicos e no tratamento da enxaqueca. Ver também *ergotism*.

er·got·amine (er-got'ah-min) – ergotamina; alcalóide do esporão do centeio (ergot) $(C_{33}H_{35}N_5O_5)$; utiliza-se o sal de tartarato para o alívio da hemicrânia.

er·got·ism (er'go-tizm) – ergotismo; envenenamento crônico produzido pela ingestão do esporão do centeio (ergot), marcado por sintomas cerebroespinhais, espasmos, câimbras ou um tipo de gangrena seca.

er·i·o·dic·ty·on (er"e-o-dik'te-on) – bálsamo da montanha; erva santa; a folha ressecada da *Eriodictyon californicum*, utilizada em preparações farmacêuticas.

erog·e·nous (ĕ-roj'ĕ-nus) – erógeno; que suscita sensações eróticas.

ero·sion (e-ro'zhun) – erosão; desgaste ou corrosão; ulceração rasa ou superficial; em Odontologia, o desperdício ou perda de substância de um dente por meio de um processo químico que não envolve ação bacteriana conhecida. **ero'sive** – adj. erosivo.

erot·ic (ĕ-rot'ik) – erótico; relativo ao amor sexual ou à sensualidade.

er·o·tism (er'o-tizm) – erotismo; instinto ou desejo sexual; expressão da energia ou do impulso instintivo do indivíduo, especialmente o impulso sexual. **anal e.** – e. anal; fixação da libido na (ou regressão para a) fase anal do desenvolvimento infantil, produzindo um caráter egoísta, dogmático, obstinado e avarento. **genital e.** – e. genital; obtenção e manutenção da libido na fase genital do desenvolvimento psicossexual, permitindo a aceitação das relações e responsabilidades adultas normais. **oral e.** – e. oral; fixação da libido na fase oral do desenvolvimento infantil, produzindo um caráter passivo, inseguro e sensível.

ero·to·gen·ic (ĕ-rot"o-jen'ik) – erotogênico; que produz sensações eróticas.

ero·to·ma·nia (-ma'ne-ah) – erotomania; comportamento ou reação sexuais exagerados; preocupação com a sexualidade.

ero·to·pho·bia (-fo'be-ah) – erotofobia; medo mórbido do amor sexual.

eruc·ta·tion (e"ruk-ta'shin) – eructação; arroto; eliminação de ar a partir do estômago pela boca.

erup·tion (ĕ-rup'shun) – erupção: 1. ato de surgir, aparecer ou tornar-se visível, como a erupção de

um dente; 2. lesões eflorescentes visíveis da pele devidas a doença, com vermelhidão, proeminência ou ambos; exantema. **creeping e.** – e. serpiginosa; *larva migrans;* **drug e.** – e. por medicamentos; erupção ou lesão solitária causada por medicamento de uso interno. **fixed e.** – e. fixa; lesões cutâneas inflamatórias circunscritas que reaparecem no mesmo lugar por um período de meses ou anos; cada ataque dura somente alguns dias, mas deixa uma pigmentação residual cumulativa. **Kaposi's varicelliform e.** – e. variceliforme de Kaposi; erupção vesiculopustular generalizada e séria de origem viral, superposta a dermatite atópica preexistente; pode-se dever a herpes simples viral *(eczema herpeticum)* ou a varíola *(eczema vaccinatum)*.

ERV – expiratory reserve volume (volume de reserva expiratório).

er·y·sip·e·las (er"ĭ -sip'ĭ -lis) – erisipela; doença contagiosa da pele e dos tecidos subcutâneos devida a infecção por *Streptococcus pyogenes,* com vermelhidão e inchaço das áreas afetadas, sintomas constitucionais e algumas vezes lesões vesiculares e bolhosas. **swine e.** – e. suína; doença contagiosa e altamente fatal dos suínos, causada pela *Erysipelothrix insidiosa.*

er·y·sip·e·loid (er"ĭ -sip'ĕ-loid) – erisipelóide; dermatite ou celulite das mãos que afeta principalmente os indivíduos que manuseiam peixes e causada pela *Erysipelothrix insidiosa.*

Er·y·sip·e·lo·thrix (er"i-sip'ĭ -lo-thriks") – *Erysipelothrix;* gênero de bactérias Gram-positivas (família Corynebacteriaceae), que contém uma espécie única: a *E. insidiosa (E. rhusiopathiae)*, agente causador da erisipela suína e do erisipelóide.

er·y·the·ma (er"ĭ -the'mah) – eritema; vermelhidão da pele devida a congestão dos capilares. **e. annula're** – e. anular; tipo de eritema multiforme com lesões anelares. **e. annula're centri'fugum** – e. anular centrífugo; variante crônica do eritema multiforme que geralmente afeta as coxas e as pernas, com pápulas eritematosas-edematosas únicas ou múltiplas que aumentam perifericamente e rareiam no centro para produzir lesões anulares que podem coalescer. **e. chro'nicum mi'grans** – e. crônico migratório; eritema anular devido à picada de um carrapato *(Ixodes)*; começa como uma placa eritematosa várias semanas após a picada e se propaga perifericamente com rarefação central. Ver também *Lyme disease,* em *disease.* **cold e.** – e. ao frio; hipersensibilidade congênita ao frio observada em crianças, caracterizada por dor localizada, eritema disseminado, espasmos musculares ocasionais e colapso vascular na exposição ao frio e o vômito após o consumo de líquidos frios. **epidemic arthritic e.** – e. artrítico epidêmico; febre de Haverhill. **e. indura'tum** – e. indurado; vasculite necrosante crônica, que ocorre geralmente nos filhos de mulheres jovens; discute-se se está ou não associado à tuberculose. **e. infectio'sum** – e. infeccioso; doença moderadamente contagiosa e algumas vezes epidêmica de crianças entre os 4 e os 12 anos de idade, marcada por exantema macular grosseiramente filamentar e róseo e causada pelo parvovírus B19 humano. **e. i'ris** – e. da íris; tipo de eritema multiforme no qual as lesões formam anéis concêntricos, produzindo uma aparência em forma de alvo. **e. margina'tum** – e. marginado; tipo de eritema multiforme no qual as áreas avermelhadas são discóides, com bordas elevadas. **e. mi'grans** – e. migratório: 1. glossite migratória benigna; 2. e. migratório crônico. **e. multifor'me** – e. multiforme; complexo de sintomas com lesões cutâneas altamente polimórficas, incluindo pápulas maculares, vesículas e bolhas; os ataques são geralmente autolimitados, mas as recidivas constituem a regra. **e. nodo'sum** – e. nodoso; cutaneopatia inflamatória aguda marcada por nódulos avermelhados sensíveis, geralmente nas canelas, devido a exsudação de sangue e de soro. **e. nodo'sum lepro'sum** – e. nodoso da lepra; forma de reação de lepra que ocorre em leprosos e algumas vezes na lepra limítrofe, marcada pela ocorrência de nódulos subcutâneos inflamados e sensíveis; as reações assemelham-se a reações multifocais de Arthus. **toxic e., tox'icum** – e. tóxico; erupção eritematomacular ou eritematosa generalizada devida à administração de um medicamento ou de toxinas bacterianas ou outras substâncias tóxicas. **e. tox'icum neonato'rum** – e. tóxico do recém-nascido; afecção urticariácea autolimitada que afeta os bebês nos primeiros dias de vida.

eryth(o)- [Gr.] – eritr(o)-, elemento de palavra, *vermelho; hemácia.*

er·y·thras·ma (er"ĭ -thraz'mah) – eritrasma; infecção bacteriana crônica das principais dobras de pele devida à *Corynebacterium minutissimum,* marcada por manchas vermelhas ou amarronzadas na pele.

er·y·thre·mia (ĕ"rith-re'me-ah) – eritremia; policitemia verdadeira.

eryth·ri·tol (ĕ-rith'rĭ -tol) – eritritol; álcool poliídrico que é quase duas vezes mais doce que a sacarose e é encontrado em algas, líquens, capins e vários fungos.

eryth·ri·tyl (ĕ-rith'rĭ -til) – eritritil; radical univalente (C₄H₉) proveniente do eritritol. **e. tetranitrate** – tetranitrato de eritritil; vasodilatador utilizado na profilaxia da angina do peito e tratamento a longo prazo da insuficiência coronária; devido à sua explosividade, deve-se diluí-lo.

eryth·ro·blast (ĕ-rith'ro-blast) – eritroblasto; originalmente qualquer hemácia nucleada, mas atualmente mais comumente utilizado para designar o precursor nucleado a partir do qual se desenvolve uma hemácia.

erith·ro·blas·to·ma (ĕ-rith"ro-blas-to'ma) – eritroblastoma; massa semelhante a um tumor composta de hemácias nucleadas.

eryth·ro·blas·to·pe·nia (-blas"to-pe'ne-ah) – eritroblastopenia; deficiência anormal de hemácias.

eryth·ro·blas·to·sis (-blas-to'sis) – eritroblastose: 1. presença de eritroblastos no sangue circulante; 2. leucose aviária marcada por um número aumentado de hemácias imaturas no sangue circulante. **erythroblastot'ic** – adj. eritroblastótico. **e. feta'lis,**

e. neonato'rum – e. fetal; e. neonatal; anemia hemolítica do feto ou do recém-nascido devida a transmissão transplacentária de anticorpos maternos formados contra as hemácias do feto, geralmente secundária a incompatibilidade entre o grupo sangüíneo Rh materno e o do filho.

eryth·ro·chro·mia (-kro'me-ah) – eritrocromia; pigmentação vermelha hemorrágica do líquido espinhal.

er·y·throc·la·sis (ĕ"rith-rok'lah-sis) – eritroclasia; fragmentação das hemácias. **erythroclas'tic** – adj. eritroclástico.

eryth·ro·cy·a·no·sis (ĕ-rith"ro-si"ah-no'sis) – eritrocianose; descoloração vermelho-azulada grosseiramente mosqueada nas pernas e coxas, especialmente de garotas; acredita-se que constitua uma reação circulatória à exposição ao frio.

eryth·ro·cy·ta·phe·re·sis (-sĭ t"ah-fĕ-re'sis) – eritrocitaférese; remoção do sangue, separação e retenção das hemácias e retransfusão do restante ao doador.

eryth·ro·cyte (ĕ-rith'ro-sĭ t) – eritrócito; ou hemácia; célula ou glóbulo sangüíneos vermelhos; um dos elementos formados no sangue periférico. Normalmente, no homem, a forma madura é um disco bicôncavo amarelado e não-nucleado, que contém hemoglobina e transporta oxigênio. No caso das formas imaturas; ver *normoblast.* **achromic e.** – e. acrômico; hemácia incolor. **basophilic e.** – e. basófilo; hemácia que se cora com um corante básico. **hypochromic e.** – e. hipocrômico; hemácia que contém uma concentração de hemoglobina menor que a normal e como resultado parece mais pálida que o normal; também é geralmente microcítica. **"Mexican hat" e.** – e. em "chapéu mexicano"; célula-alvo. **normochromic e.** – e. normocrômico; hemácia de cor normal com concentração normal de hemoglobina. **orthochromatic e.** – e. ortocromático; hemácia que se cora somente com corante ácido. **polychromatic e., polychromatophilic e.** – e. policromatófilo; hemácia que, ao corar-se, mostra tons de azul combinados com toques de rosa. **target e.** – e.-alvo; ver em *cell.*

eryth·ro·cy·the·mia (ĕ-rith"ro-si-the'me-ah) – eritrocitemia; aumento no número de hemácias no sangue, como no caso de eritrocitose.

eryth·ro·cy·tol·y·sis (-si-tol'ĭ -sis) – eritrocitólise; dissolução de hemácias e escape de hemoglobina.

eryth·ro·cy·toph·a·gy (-si-tof'ah-je) – eritrocitofagia; fagocitose de hemácias.

eryth·ro·cy·tor·rhex·is (-si"to-rek'sis) – eritrocitorrexia; escape a partir das hemácias de grânulos brilhantes e redondos e separação de partículas.

eryth·ro·cy·tos·chi·sis (-si-tos'kĭ -sis) – eritrocitosquise; degeneração de hemácias em corpúsculos semelhantes a plaquetas.

eryth·ro·cy·to·sis (-si'to'sis) – eritrocitose; aumento da massa de hemácias total secundário a um dos vários distúrbios sistêmicos não-hematogênicos em resposta a um estímulo conhecido (*polycythemia, secondary*), em constraste com policitemia secundária (*polycythemia vera*). **leukemic e.** – e. leucêmica; policitemia verdadeira. **stress e.** – e. por estresse; ver em *polycythemia.*

eryth·ro·der·ma (-der'mah) – eritrodermia; vermelhidão anormal da pele em áreas disseminadas do corpo. **congenital ichthyosiform e.** – e. ictiosiforme congênita; dermatite hereditária generalizada com descamação, que ocorre nas formas bolhosa (*hyperkeratosis, epidermolytic*) e nãobolhosa (*ichthyosis, lamellar*). **e. desquamati'vum** – e. descamativa; doença de Leiner. **e. psoria'ticum** – e. psoriática; psoríase eritrodérmica.

eryth·ro·don·tia (-don'shah) – eritrodontia; pigmentação marrom-avermelhada dos dentes.

eryth·ro·gen·e·sis (-jen'ĭ -sis) – eritrogênese; produção de hemácias. **e. imperfec'ta** – e. imperfeita; anemia hipoplásica congênita; ver *anemia, hypoplastic* (1).

eryth·ro·gen·ic (-jen'ik) – eritrogênico: 1. que produz hemácias; 2. que produz a sensação do vermelho; 3. que produz ou causa eritema.

er·y·throid (er'ĭ -throid) – eritróide: 1. de cor vermelha; avermelhado; 2. relativo à série de desenvolvimento de células que terminam em hemácias.

eryth·ro·ker·a·to·der·mia (ĕ-rith"ro-ker"ah-to-der'me-ah) – eritroceratodermia; avermelhamento e hiperceratose da pele. **e. varia'bilis** – e. variável; forma hereditária rara de ictiose marcada por áreas migratórias transitórias de eritrodermia macular discreta, bem como de placas hiperceratóticas fixas.

eryth·ro·ki·net·ics (-kĭ -net'iks) – eritrocinética; estudo dinâmico quantitativo da produção e destruição de hemácias *in vivo.*

eryth·ro·labe (ĕ-rith'ro-lăb) – eritrolabe; pigmento nos cones retinianos que é mais sensível à extensão do vermelho do espectro que aos outros pigmentos (clorolabe e cianolabe).

eryth·ro·leu·ke·mia (ĕ-rith"ro-loo-ke'me-ah) – eritroleucemia; discrasia sangüínea maligna, um dos distúrbios mieloproliferativos com eritroblastos e mieloblastos atípicos no sangue periférico.

eryth·ro·mel·al·gia (-mel-al'jah) – eritromelalgia; vasodilatação bilateral paroxística, particularmente das extremidades, com dor em queimação e aumento da temperatura e vermelhidão cutâneas.

eryth·ro·my·cin (-mi'sin) – eritromicina; antibiótico de amplo espectro produzido pela *Streptomyces erythreus;* utilizado contra bactérias Gram-positivas e algumas Gram-negativas, espiroquetas, algumas rickéttsias, *Entamoeba* e *Mycoplasma pneumoniae;* utilizada em forma de sais de gliceptato, lactobionato, estearato e outros sais.

er·y·thron (er'ĭ -thron) – éritron; hemácias circulantes no sangue, seus precursores e todos os elementos orgânicos relacionados à sua produção.

eryth·ro·neo·cy·to·sis (ĕ-rith"ro-ne"o-si-to'sis) – eritroneocitose; presença de hemácias imaturas no sangue.

eryth·ro·pe·nia (-pe'ne-ah) – eritropenia; deficiência no número de hemácias.

eryth·ro·phage (ĕ-rith'ro-fāj) – eritrófago; fagócito que ingere hemácias.

eryth·ro·phil (-fil) – eritrófilo; célula ou outro elemento que se cora facilmente com vermelho.

eryth·ro·pho·bia (ĕ-rith"ro-fo'be-ah) – eritrofobia: 1. manifestação neurótica marcada por enrubesci-

mento à mais ligeira provocação; 2. aversão mórbida ao vermelho.

eryth·ro·phose (ĕ-rith'ro-fōz) – eritrofose; qualquer fose vermelha.

eryth·ro·pla·kia (ĕ-rith"ro-pla'ke-ah) – eritroplaquia; lesão vermelha aveludada, eritematosa e de crescimento lento com margens bem-definidas, que ocorre na membrana mucosa, mais freqüentemente na cavidade oral.

eryth·ro·pla·sia (-pla'zhah) – eritroplasia; condição das membranas mucosas caracterizada por lesões papulares eritematosas. **e. of Queyrat** – e. de Queyrat; forma de displasia epitelial que varia em severidade da desorientação leve de células epiteliais ao carcinoma *in situ* e até ao carcinoma invasivo, manifestado como uma lesão papular eritematosa, aveludada e circunscrita na glande peniana não-circuncisa, sulco coronal, prepúcio, ou ocasionalmente, vulva. O termo é algumas vezes utilizado para a lesão correspondente da mucosa oral (eritroplaquia).

eryth·ro·poi·e·sis (-poi-e'sis) – eritropoiese; formação de hemácias. **erythropoiet'ic** – adj. eritropoiético.

eryth·ro·poi·e·tin (-poi'ĕ-tin) – eritropoietina; hormônio glicoprotéico secretado pelo rim no adulto e pelo fígado no feto, que age nas células precursoras da medula óssea estimulando a produção de hemácias (eritropoiese). Utiliza-se uma forma de eritropoietina humana produzida pela tecnologia de recombinação do DNA no tratamento da anemia.

eryth·ro·pros·o·pal·gia (-pros"o-pal'jah) – eritroprosopalgia; distúrbio análogo à eritromelalgia, marcado por vermelhidão e dor na face.

eryth·ror·rhex·is (-rek'sis) – eritrorrexia; eritrocitorrexia.

eryth·ro·sine so·di·um (ĕ-rith'ro-sēn) – eritrosina sódica; agente corante utilizado para revelar a placa nos dentes.

er·y·thro·sis (er"ĭ -thro'sis) – eritrose: 1. descoloração avermelhada ou arroxeada da pele e membranas mucosas, como no caso de policitemia verdadeira; 2. hiperplasia do tecido hematopoiético.

eryth·ro·sta·sis (ĕ-rith"ro-sta'sis) – eritrostase; parada das hemácias nos capilares, como no caso de anemia falciforme.

Es – símbolo químico, einstênio *(einsteinium).*

es·cape (es-kāp') – escape; ato de se livrar. **atrioventricular junctional e., nodal e.** – e. juncional atrioventricular; e. nodular; um ou mais batimentos de escape nos quais o nódulo atrioventricular constitui o marca-passo cardíaco. **vagal e.** – e. vagal; exaustão dos mediadores químicos neurais ou adaptação a estes na regulação da pressão arterial sistêmica. **ventricular e.** – e. ventricular; ocorrência de um ou mais batimentos ectópicos nos quais o marca-passo ventricular se torna eficiente antes do marca-passo sinoatrial; geralmente ocorre em freqüências sinusais lentas e, freqüentemente, mas não necessariamente, com aumento do tônus vagal.

es·char (es'kar) – escara: 1. tecido necrosado produzido por queimadura térmica, aplicação corrosiva ou gangrena; 2. mancha negra. **escharot'ic** – adj. escarótico.

Esch·e·rich·ia (esh"ĕ-rik'e-ah) – *Escherichia;* gênero de bactérias Gram-negativas amplamente distribuídas (família Enterobacteriaceae), ocasionalmente patogênicas para o homem. **E co'li** – *E. coli;* espécie que constitui a maior parte da flora intestinal do homem e de outros animais; ela é causa freqüente de infecções do trato urinário e doença diarréica epidêmica, especialmente em crianças.

Esch·e·rich·i·eae (esh"ĕ-rik'e-e) – Escherichiae; em alguns sistemas taxonômicos, uma tribo de bactérias (família Enterobacteriaceae) que compreende os gêneros *Escherichia* e *Shigella*.

es·cor·cin (es-kor'sin) – escorcina; pó marrom preparado de substância extraída a partir da castanha-da-índia; utilizada na detecção de lesões corneanas e conjuntivais.

es·cutch·eon (es-kuch'in) – escudo; padrão de distribuição dos pêlos púbicos.

Es·i·drix (es'i-driks) – Esidrix, marca registrada de preparação de hidroclorotiazida.

-esis – ese, elemento de palavra, *estado; condição*.

es·march (es'mark) – atadura de Esmarch.

es·mo·lol (es'mo-lol) – esmolol; β_1-bloqueador cardiosseletivo utilizado como antiarrítmico no controle a curto prazo da fibrilação atrial, excitação atrial *(flutter)* e taquicardia sinusal não-compensatória.

eso- [Gr.] – elemento de palavra, *dentro*.

eso·gas·tri·tis (es"-o-gas-trī'tis) – esogastrite; inflamação da mucosa gástrica.

esoph·a·gec·ta·sia (ĕ-sof"ah-jek-ta'zhah) – esofagectasia; dilatação do esôfago.

esoph·a·gism (ĕ-sof'ah-jizm) – esofagismo; espasmo do esôfago.

esoph·a·gi·tis (ĕ-sof'ah-ji'tis) – esofagite; inflamação do esôfago. **chronic peptic e.** – e. péptica crônica; **e. de refluxo. pill e.** – e. por pílula; esofagite que resulta de irritação causada por uma pílula que passou lentamente através do esôfago. **reflux e.** – e. de refluxo; refluxo gastroesofágico severo com danos à mucosa esofágica, freqüentemente com erosão e ulceração, e algumas vezes levando a estenose, cicatrização e perfuração.

esoph·a·go·cele (ĕ-sof'ah-go-sēl") – esofagocele; distensão abdominal do esôfago; protrusão da mucosa esofágica através de ruptura no revestimento muscular.

esoph·a·go·co·lo·plas·ty (ĕ-sof"ah-go-ko'lo-plas"te) – esofagocoloplastia; excisão de uma porção do esôfago e sua substituição por um segmento do cólon.

esoph·a·go·dyn·ia (-din'e-ah) – esofagodinia; dor no esôfago.

esoph·a·go·esoph·a·gos·to·my (ĕ-sof"ah-gos'tah-me) – esofagoesofagostomia; anastomose entre duas partes anteriormente distantes do esôfago.

esoph·a·go·gas·tric (-gas'trik) – esofagogástrico; relativo ao esôfago e ao estômago.

esoph·a·go·gas·tro·du·od·enos·co·py (EGD) (gas"tro-doo"od-ĕ-nos'kah-pe) – esofagogastroduodenoscopia exame endoscópico do esôfago, estômago e duodeno.

esoph·a·go·gas·tro·plas·ty (-gas'tro-plas"te) – esofagogastroplastia; reparo plástico do esôfago e do estômago.

esoph·a·go·gas·tros·to·my (-gas-tros'tah-me) – esofagogastrostomia; anastomose do esôfago no estômago.

esoph·a·go·je·ju·nos·to·my (-je-jōōn-os'tah-me) – esofagojejunostomia; anastomose do esôfago no jejuno.

esoph·a·go·my·ot·o·my (-mi-ot'ah-me) – esofagomiotomia; incisão através do revestimento muscular do esôfago.

esoph·a·go·pli·ca·tion (-pli-ka'shin) – esofagoplicatura; pregueamento da parede de uma bolsa esofágica.

esoph·a·go·res·pi·ra·to·ry (-res-pir'ah-to"re) – esofagorrespiratório; relativo ou que se comunica com o esôfago e o trato respiratório (traquéia ou brônquio).

esoph·a·gos·co·py (ĕ-sof"ah-gos'ko-pe) – esofagoscopia; exame endoscópico do esôfago.

esoph·a·go·ste·no·sis (ĕ-sof"ah-go-stĕ-no'-sis) – esofagoestenose; estenose do esôfago.

esoph·a·got·o·my (e-sof"ah-got'ah-me) – esofagotomia; incisão do esôfago.

esoph·a·gus (ĕ-sof'ah-gis) – esôfago; passagem musculomembranosa que se estende da faringe para o estômago. Ver Prancha IV. **esophageal** – adj. esofágico.

eso·pho·ria (es"o-for'e-ah) – esoforia; desvio convergente do eixo visual na ausência de estímulos fusionais visuais.

eso·sphe·noid·itis (sfe"noid-ī'tis) – esoesfenoidite; osteomielite do osso esfenóide.

eso·tro·pia (-tro'pe-ah) – esotropia; estrabismo; desvio do eixo visual de um olho em direção ao do outro olho. **esotrop'ic** – adj. esotrópico.

ESP – extrasensory perception (PES, percepção extra-sensorial).

ESR – erythrocyte sedimentation rate (taxa de sedimentação de hemácias).

ESRD – end-stage renal disease (NPEF, nefropatia de estágio final).

es·sence (es'ens) – essência: 1. princípio distintivo ou individual de alguma coisa; 2. mistura de álcool com um óleo volátil.

es·sen·tial (ĕ-sen'shil) – essencial: 1. que constitui a parte inerente de uma coisa; que concede a uma substância suas qualidades peculiares e necessárias; 2. indispensável; exigido na dieta, como os ácidos graxos essenciais; 3. idiopático; que não tem causa externa óbvia.

EST – electric shock therapy (TCE, terapia com choque elétrico).

es·ter (es'ter) – éster; composto formado a partir de um álcool e um ácido através da remoção de água.

es·ter·ase (es'ter-ās) – esterase; enzima que catalisa a hidrólise de um éster em seus álcool e ácido.

es·ter·i·fy (es-ter'ĭ-fi) – esterificar; combinar com um álcool com eliminação de uma molécula de água, formando um éster.

es·ter·ol·y·sis (es"ter-ol'ĭ-sis) – esterólise; hidrólise de um éster em seu álcool e ácido. **esterolyt' ic** – adj. esterolítico.

es·them·a·tol·o·gy (es"them-ah-tol'ah-je) – estematologia; estesiologia.

es·the·si·ol·o·gy (es-the"ze-ol'ah-je) – estesiologia; estudo ou descrição científicos dos órgãos sensoriais e sensações.

es·the·sod·ic (es"the-zod'ik) – estesódico; que conduz ou é relativo à condução de impulsos sensoriais.

es·the·tics (es-thet'iks) – estética; em Odontologia, filosofia relacionada especialmente à aparência de uma restauração dentária, como a obtida através de sua cor ou forma.

es·ti·va·tion (es"tĭ-va'shun) – estivação; estado dormente no qual determinados animais passam o verão.

es·to·late (es'to-lāt) – estolato; contração da USAN para o sulfato laurílico de propionato.

es·tra·di·ol (es"trah-di'ol, es-tra'de-ol) – estradiol; o mais potente estrogênio do homem; farmacologicamente, é geralmente utilizado na forma de seus ésteres (por exemplo, *benzoato de e., cipionato de e.* e *valerato de e.)* ou como um derivado semissintético (*e. etinílico).* Quanto às propriedades e aos usos, ver *estrogen.*

es·trin (es'trin) – estrina; estrogênio.

es·trin·iza·tion (es"trin-ĭ-za'shun) – estrinização; produção de alterações celulares no epitélio vaginal características do estro.

es·tri·ol (es'tre-ol) – estriol; estrogênio humano relativamente fraco que constitui um produto metabólico do estradiol e da estrona encontrado em altas concentrações na urina, especialmente durante a gravidez; ver *estrogen.*

es·tro·gen (es'tro-jen) – estrogênio; termo genérico para compostos produtores de estro; os hormônios sexuais femininos, incluindo estradiol, estriol e estrona. No homem, os estrogênios são formados no ovário, córtex adrenal, testículo e unidade fetoplacentária, e são responsáveis pelo desenvolvimento de características sexuais secundárias femininas, e durante o ciclo menstrual, atuam na genitália feminina para produzir um ambiente adequado à fertilização, implantação e nutrição do embrião inicial. O estrogênio é utilizado como um paliativo no câncer pós-menopáusico da mama e no câncer prostático, como contraceptivos orais, para alívio de desconfortos da menopausa etc. **conjugated e's** – estrogênios conjugados; mistura dos sais sódicos dos ésteres de sulfato de substâncias estrogênicas, principalmente a estrona e a equilina; os usos são os dos estrogênios. **esterified e's** – estrogênios esterificados; mistura dos sais sódicos de ésteres de substâncias estrogênicas, principalmente da estrona; os usos são os dos estrogênios.

es·tro·gen·ic (es"tro-jen'ik) – estrogênico; que produz o estro; que tem as propriedades de um ou semelhantes à s de um estrogênio.

es·trone (es'trōn) – estrona; estrogênio isolado da urina durante a gravidez, da placenta humana, do óleo de caroço de palmeira e outras fontes, também preparado sinteticamente; quanto às propriedades, ver *estrogen.*

es·tro·phil·in (es"tro-fil'in) – estrofilina; proteína celular que age como um receptor para estrogênios,

encontrada no tecido-alvo estrogênico e nos tumores e metástases dependentes de estrogênios.

es·trous (es'trus) – estrual; estral; relativo ao estro.

es·trus (es'trus) – estro; período restrito e recorrente de receptividade sexual das fêmeas dos mamíferos, exceto o ser humano, marcado por um estímulo sexual intenso. **es'trual** – adj. estrual; estral.

e.s.u – electrostatic unit (u.e.e., unidade eletrostática).

ESV – end-systolic volume (VSF, volume sistólico final).

es·y·late (es"ĭ-lāt) – esilato; contração da USAN para o etanossulfonato.

eth·a·cryn·ate so·di·um (eth"ah-krin'āt) – etacrinato sódico; sal sódico do ácido etacrínico, que tem as mesmas ações e usos.

eth·a·cryn·ic ac·id (eth-ah-krin'ik) – ácido etacrínico; diurético de alça utilizado no tratamento do edema associado a insuficiência cardíaca congestiva, hepato ou nefropatia e hipertensão.

eth·a·nol (eth'ah-nol) – etanol; álcool etílico; álcool; álcool primário formado através da fermentação microbiana de carboidratos ou pela síntese a partir do etileno. A ingestão excessiva resulta em intoxicação aguda e ingestão durante a gravidez pode prejudicar o feto.

eth·a·nol·amine (eth"ah-nol'ah-mēn) – etanolamina; líquido incolor e moderadamente viscoso com odor amoniacal ($NH_2.CH_2.CH_2OH$) contido nas cefalinas e fosfolipídeos e derivado metabolicamente pela descarboxilação da serina. O oleato é utilizado como agente esclerosante no tratamento de veias varicosas.

eth·a·ver·ine (eth"ah-ver'ēn) – etaverina; análogo da papaverina utilizado como sal de cloridrato como antiespasmódico e relaxante da musculatura lisa.

eth·chlor·vy·nol (eth-klor'vĭ-nol) – etclorvinol; sedativo (C_7H_9ClO).

ether (e'ther) – éter: 1. éter dietílico; líquido incolor, transparente, móvel, muito volátil e altamente inflamável ($C_2H_5.O.C_2H_5$), com odor característico; administrado por inalação para produzir anestesia geral; 2. qualquer substância de uma classe de compostos orgânicos caracterizados pela ligação dos grupos de hidrocarbonetos por meio de um átomo de oxigênio ligado com dois átomos de carbono. **diethyl e.** – e. dietil; ver *ether* (1).

ethe·re·al (ĕ-thēr'e-il) – etéreo: 1. relativo a, preparado com, que contém ou é semelhante ao éter; 2. evanescente; delicado.

ethin·a·mate (ĕ-thin'ah-māt) – etinamato; sedativo não-barbitúrico de ação curta utilizado como hipnótico.

eth·mo·fron·tal (eth"mo-fron'tal) – etmofrontal; relativo aos ossos etmóide e frontal.

eth·moid (eth'moid) – etmóide: 1. semelhante a um crivo; crivado; 2. osso etmóide.

eth·moid·ec·to·my (eth"moi-dek'tah-me) – etmoidectomia; excisão das células etmoidais ou de uma porção do osso etmóide.

eth·moid·ot·o·my (eth"moi-dot'ah-me) – etmoidotomia; incisão no interior do seio etmóide.

eth·mo·max·il·lary (eth"mo-mak'sĭ-lĕ-re) – etmomaxilar; relativo aos ossos etmóide e maxilar.

eth·mo·tur·bi·nal (-turb'in-il) – etmoturbinado; relativo às conchas nasais superior e média.

eth·nic (eth'nik) – étnico; relativo a um grupo que divide laços culturais ou características físicas.

eth·no·bi·ol·o·gy (eth"no-bi-ol'ah-je) – etnobiologia; estudo científico das características físicas das diferentes raças da humanidade.

eth·nol·o·gy (eth-nol'ah-je) – etnologia; ciência que que se ocupa das raças humanas, origem, relacionamento, etc.

etho·hep·ta·zine (eth"o-hep'tah-zēn) – etoeptazina; analgésico utilizado como sal de citrato.

eth·ol·o·gy (e-thol'ah-je) – etologia; estudo científico do comportamento animal, particularmente no estado natural. **etholog'ical** – adj. etológico.

etho·pro·pa·zine (eth"o-pro'pah-zēn) – etopropazina; homólogo da prometazina, utilizado como sal de cloridrato no tratamento do parkinsonismo.

etho·sux·i·mide (-suk'sĭ -mĭ d) – etossuximida; anticonvulsivante utilizado no tratamento da epilepsia de pequeno mal.

etho·to·in (ĕ-tho'to-in) – etotoína; derivado fenilidantoínico utilizado como anticonvulsivante na epilepsia de grande mal e ataques epilépticos psicomotores.

eth·ox·zol·amide (eth"ok-zol'ah-mid) – etoxizolamida; inibidor da anidrase carbônica ($C_9H_{10}N_2O_3S_2$) utilizado como diurético e para reduzir a pressão intra-ocular no glaucoma.

eth·yl (eth'il) – etila; radical monovalente (C_2H_5). **e. acetate** – acetato de e.; agente aromatizante farmacêutico. **e. aminobenzoate** – aminobenzoato de e.; benzocaína. **e. chloride** – cloreto de e.; anestésico local borrifado na pele intacta para produzir anestesia por meio de congelamento superficial causado pela evaporação rápida. **e. oleate** – oleato de e.; líquido incolor e móvel utilizado como veículo para preparações farmacêuticas.

eth·yl·cel·lu·lose (eth"il-sel'ūl-ōs) – etilcelulose; éter etílico de celulose; utilizado como ligante de comprimidos farmacêuticos.

eth·y·lene (eth'ĭ -lēn) – etileno; gás inflamável incolor ($CH_2=CH_2$) com odor e gosto ligeiramente doces; antigamente utilizado como anestésico inalatório. **e. dibromide** – dibrometo de e.; fumigante e aditivo de gasolina; é um irritante cutâneo e de membrana mucosa, bem como carcinogênico. **e. dichloride** – dicloreto de e.; solvente, aditivo de gasolina e intermediário; é irritante e tóxico e pode ser carcinogênico. **e. glycol** – etileno glicol; solvente utilizado como anticongelante; a ingestão pode causar depressão do sistema nervoso central, vômito, hipotensão, coma, convulsões e morte. **e. oxide** – óxido de e.; gás utilizado na fabricação de compostos orgânicos e como fumigante, fungicida e agente esterilizante; é altamente irritante para os olhos e membranas mucosas e é carcinogênico.

eth·y·lene·di·a·mine (eth"ĭ -lēn-di'ah-mēn) – etilenodiamina; solvente utilizado como estabilizador da injeção de aminofilina.

eth·y·lene·di·a·mine·tet·ra·a·ce·tic ac·id (-di"-ahmēn-tet"rah-ah-se'tik) – ácido etilenodiaminotetraacético (EDTA); agente quelante que conjuga o cálcio e outros metais, utilizado como anticoa-

gulante para preservar amostras sangüíneas; também utilizado para tratar o envenenamento com chumbo e a hipercalcemia (ver *edetate*).

eth·yl·i·dene (eth'il-ĭ -dēn) – etilideno; radical bivalente ($CH_3CH=$); seu derivado de cloreto é utilizado como solvente e fumigante sendo tóxico e irritante.

eth·yl·nor·epi·neph·rine (eth"il-nor-ep"ĭ -nef'-rin) – etilnorepinefrina; etilinorepinefrina; adrenérgico sintético, utilizado como sal de cloridrato no tratamento da asma brônquica.

ethy·no·di·ol di·ac·e·tate (ĕ-thi"no-di'ol) – diacetato de etinodiol; progestina utilizada em combinação com um estrogênio como contraceptivo oral.

eti·do·caine (ĕ-te'do-kān) – etidocaína; anestésico local do tipo amida, utilizado como sal de cloridrato para anestesia de infiltração percutânea, bloqueio nervoso periférico e bloqueios caudais e epidurais.

eti·o·la·tion (e"te-o-la'shun) – estiolação: 1. branqueamento ou palidez de uma planta crescida no escuro devido à ausência de clorofila; 2. processo pelo qual a pele se torna pálida quando privada de luz solar.

eti·ol·o·gy (e"te-ol'ah-je) – etiologia; a ciência que lida com as causas da uma doença. **etiolog'ic, etiolog'ical** – adj. etiológico.

etret·i·nate (e-tret'ĭ -nāt) – etretinato; derivado tretinoínico utilizado no tratamento da psoríase severa e outras cutaneopatias.

Eu – símbolo químico, európio *(europium)*.

eu- [Gr.] – elemento de palavra, *normal; bom; bem; fácil.*

Eu·bac·te·ri·a·les (u"bak-ter-e-a'lēz) – Eubacteriales; nos sistemas taxonômicos antigos, ordem de esquizomicetos que compreende as bactérias verdadeiras.

Eu·bac·te·ri·um (u-bak-tēr'e-im) – *Eubacterium;* gênero de bactérias da família Propionibacteriaceae, encontradas como saprófitas no solo e na água e como habitantes normais da pele e cavidades humanas, causando ocasionalmente infecção de tecidos moles.

eu·ca·lyp·tol (u"kah-lip'tol) – eucaliptol; constituinte principal do óleo de eucalipto, também obtido a partir de outros óleos, e utilizado como agente aromatizante, expectorante e anestésico local.

Eu·cary·o·tae (u-kar"e-ōt'e) – Eucaryotae; reino de organismos que inclui plantas superiores e animais, fungos, protozoários e a maioria das algas (exceto as algas azul-esverdeadas), que são constituídos de células eucarióticas.

eu·chlor·hy·dria (u"klor-hi'dre-ah) – eucloridria; presença da quantidade normal de ácido clorídrico no suco gástrico.

eu·cho·lia (u-kōl'e-ah) – eucolia; situação normal da bile.

eu·chro·ma·tin (u-kro'mah-tin) – eucromatina; estado da cromatina no qual ela se cora ligeiramente, encontra-se geneticamente ativa e considerada como parcial ou completamente desenrolada.

eu·cra·sia (u-kra'zhah) – eucrasia: 1. estado de saúde; equilíbrio apropriado dos diferentes fatores que constituem um estado saudável; 2. estado no qual o corpo reage normalmente a drogas ingeridas ou injetadas, proteínas etc.

eu·gen·ol (u'jen-ol) – eugenol; analgésico e anti-séptico dentário obtido a partir do óleo de cravo-da-índia ou de outras fontes naturais; aplicado topicamente em cavidades dentárias e também utilizado como componente de protetores dentários.

eu·glob·u·lin (u-glob'ūl-in) – euglobulina; substância de uma classe de globulinas caracterizadas por serem insolúveis em água, mas solúveis em soluções salinas.

eu·gon·ic (u-gon'ik) – eugônico; que cresce viçosamente; diz-se de culturas bacterianas.

eu·kary·on (u-kar'e-on) – eucárion: 1.núcleo altamente organizado, limitado por uma membrana nuclear, característico das células dos organismos superiores; cf. *prokaryon;* 2. eucariota.

eu·kary·o·sis (u"kar-e-o'sis) – eucariose; o estado de ter um núcleo verdadeiro.

Eu·kary·o·tae (u-kar"e-ōt'e) – Eucaryotae; eucariotas; ver *Eucaryotae.*

eu·kary·ote (u-kar'e-ōt) – eucariota; organismo cujas células têm um núcleo verdadeiro limitado por uma membrana nuclear, dentro da qual se situam os cromossomas; as células eucarióticas também contêm muitas organelas limitadas por membranas nas quais se realizam as funções celulares. As células de plantas superiores e animais, fungos, protozoários e da maioria das algas são eucarióticas. Cf. *prokaryote.*

eu·kary·ot·ic (u"kar-e-ot'ik) – eucariótico; relativo a um eucárion ou a um eucariota.

eu·lam·i·nate (u-lam'ĭ -nāt) – eulaminado; ter o número normal de lâminas, como determinadas áreas do córtex cerebral.

eu·me·tria (u-me'tre-ah) [Gr.] – eumetria; condição normal do impulso nervoso, de forma que um movimento voluntário atinge imediatamente o objetivo pretendido; extensão apropriada do movimento.

Eu·my·co·ta (u"mi-ko'tah) – Eumycota; em alguns sistemas de classificação, uma divisão dos Fungi, os fungos verdadeiros; microrganismos cuja fase trófica não é móvel, mas cujas células reprodutivas podem ser móveis.

eu·nuch (u'nik) – eunuco; homem privado dos testículos ou dos genitais externos, especialmente um castrado antes da puberdade (de forma que as características sexuais secundárias masculinas não podem se desenvolver).

eu·nuch·oid·ism (u'nik-oi-dizm) – eunucoidismo; deficiência dos testículos ou de sua secreção, com deficiência da capacidade sexual e sintomas eunucóides. **female e.** – e. feminino; hipogonadismo no qual os ovários não conseguem funcionar na puberdade, resultando em infertilidade, ausência de desenvolvimento de características sexuais secundárias, órgãos sexuais infantis e crescimento excessivo dos ossos longos. **hypergonadotropic e.** – e. hipergonadotrópico; eunucoidismo associado a altos níveis de gonadotropinas, como no caso da síndrome de Klinefelter. **hypogonadotropic e.** – e. hipogonadotrópico; eunucoidismo devido à falta de secreção de gonadotropina.

eu·pep·sia (u-pep'se-ah) – eupepsia; boa digestão; presença de uma quantidade normal de pepsina no suco gástrico. **eupep'tic** – adj. eupéptico.

eu·pho·ria (u-for'e-ah) – euforia; conforto físico; bem-estar; ausência de dor ou desconforto. Em Psiquiatria, sensação anormal ou exagerada de bem-estar. **euphor'ic** – adj. eufórico.

eu·ploid (u'ploid) – euplóide: 1. que tem um grupo ou grupos equilibrados de cromossomas em qualquer número; 2. indivíduo ou célula euplóide.

eup·nea (ūp-ne'ah) – eupnéia; respiração normal. **eupne'ic** – adj. eupnéico.

Eu·rax (ūr'aks) – Eurax, marca registrada de preparações de crotamitona.

eu·rhyth·mia (u-rith'me-ah) – euritmia; relações harmoniosas no desenvolvimento corporal e orgânico.

eu·ro·pi·um (ūr-o'pe-um) – európio; elemento químico (ver *tabela),* número atômico 63, símbolo Eu.

Eu·ro·ti·um (ūr-o'she-um) – *Eurotium;* gênero de fungos ou bolores.

eury- [Gr.] – euri-; elemento de palavra, *largo, amplo.*

eu·ry·ce·phal·ic (ūr"ĭ -sĭ -fal'ik) – euricefálico; que tem cabeça.

eu·ry·on (ūr'e-on) – êurion; ponto em cada um dos ossos parietais que marca ambos os finais do diâmetro transversal maior do crânio.

eu·tha·na·sia (u"thah-na'zhah) – eutanásia: 1. morte fácil ou indolor; 2. matar por compaixão; o término deliberado da vida de uma pessoa que sofre de doença incurável.

eu·ther·mic (u-therm'ik) – eutérmico; caracterizado pela temperatura apropriada; que promove aquecimento.

eu·to·cia (u-to'shah) – eutocia; parto ou nascimento normal.

Eu·trom·bic·u·la (u"trom-bik'ūlah) – *Eutrombicula;* subgênero de *Trombicula;* ver *chigger.*

eu·tro·phia (u-tro'fe-ah) – eutrofia; estado de nutrição normal (boa). **eutroph'ic** – adj. eutrófico.

eu·tro·phi·ca·tion (u"tro-fĭ -ka'shun) – eutroficação; promoção acidental ou deliberada de crescimento excessivo (multiplicação) de um organismo em desvantagem de outro organismo no mesmo ecossistema através de provisão excessiva de nutrientes.

eV, ev – electron volt (elétron-volt).

evac·u·ant (e-vak'u-ant) – evacuante: 1. que promove evacuação; 2. agente que promove evacuação.

evac·u·a·tion (e-vak"u-a'shun) – evacuação: 1. esvaziamento, como os intestinos; 2. dejeção ou defecação; material eliminado dos intestinos.

even·tra·tion (e"ven-tra'shun) – eventração: 1. protrusão dos intestinos através do abdômen; 2. remoção das vísceras abdominais. **diaphragmatic e.** – e. diafragmática; elevação da cúpula do diafragma, geralmente devida à paralisia nervosa frênica.

ever·sion (e-ver'zhun) – eversão; rotação de dentro para fora; rotação para fora.

evis·cer·a·tion (e-vis"er-a'shun) – evisceração; 1. extrusão das vísceras ou órgãos internos; 2. remoção do conteúdo do globo ocular, deixando a esclera.

evo·ca·tion (eva'ah-ka'shun) – evocação; suscitar potencialidades morfogenéticas através do contato com o material organizador.

evo·ca·tor (ev'o-kāt"er) – evocador; substância química emitida por um organizador que suscita uma resposta morfogenética específica a partir de um tecido embrionário competente em contato com ela.

evo·lu·tion (ev"ah-loo'shun) – evolução; processo de desenvolvimento no qual um órgão ou um organismo se torna mais e mais complexo através da diferenciação das suas partes; alteração contínua e progressiva de acordo com determinadas leis e através de forças residentes. **convergent e.** – e. convergente; desenvolvimento de formas e/ou funções semelhantes em duas ou mais linhagens não suficientemente relacionadas filogeneticamente para responder pela semelhança. **organic e.** – e. orgânica; origem e desenvolvimento de uma espécie; teoria de que os organismos existentes resultam de descendência com modificações de épocas passadas.

evul·sion (e-vul'shun) – evulsão; extração à força.

ex- [L.] – elemento de palavra, *fora de.*

exa- – elemento de palavra utilizado na denominação de unidades de medida para designar uma quantidade 10^8 (um quintilhão) de vezes a unidade à qual se une. Símbolo E.

ex·am·i·na·tion (eg-zam"ĭ -na'shun) – exame; inspeção ou investigação, especialmente como meio de diagnosticar uma doença, qualificado de acordo com os métodos utilizados, como físico, cistoscópico etc. **double-contrast e.** – e. de duplo contraste; exame radiológico do estômago ou do intestino através do acompanhamento de uma alta concentração de um meio de contraste com evacuação e injeção de ar ou de substância efervescente para inflar o órgão; o revestimento leve do meio de contraste remanescente delineia a superfície da mucosa.

ex·an·them (eg-zan'them) – exantema: 1. qualquer febre ou doença com erupções; 2. erupção que caracteriza uma febre eruptiva.

ex·an·the·ma (eg-zan-the'mah)[Gr.]pl. *exanthemas, exanthemata* – exantema. **e. su'bitum** – e. súbito; doença viral aguda e suave de crianças, com febre contínua ou remitente que dura cerca de 3 dias, evoluindo para a crise e acompanhada de erupção no tronco; é causada pelo herpesvírus 6 humano.

ex·an·them·a·tous (eg"zan-them'ah-tus) – exantematoso; caracterizado por ou da natureza da erupção ou exantema.

ex·ar·tic·u·la·tion (eks"ar-tik-ūl-a'shun) – exarticulação; amputação em uma articulação; remoção parcial de uma articulação.

ex·ca·la·tion (eks"kah-la'shun) – excalação; ausência ou exclusão de um membro de uma série normal, como uma vértebra.

ex·ca·va·tio (eks"kah-va'she-o) [L.] pl. *excavationes* – escavante; escavação.

ex·ca·va·tion (-shun) – escavação: 1. ato de tornar algumas coisa oca; 2. espaço oco ou cavidade semelhante a uma bolsa. **atrophic e.** – e. atrófica; exagero da cúpula normal do disco óptico, devida

a atrofia das fibras nervosas ópticas. **dental e.** – e. dentária; remoção do material cariado de um dente na preparação para o preenchimento. **e. of optic disk, physiologic e.** – e. do disco óptico; e. fisiológica; depressão no centro do disco óptico. **rectouterine e.** – e. retouterina; saco formado de uma dobra de peritônio que afunda entre o útero e o reto. **rectovesical e.** – e. retovesical; espaço entre o reto e a bexiga na cavidade peritoneal do homem. **vesicouterine e.** – e. vesicouterina; espaço entre a bexiga e o útero na cavidade peritoneal da mulher.

ex·cer·nent (ek-sern'int) – excretor; excretante; que causa evacuação ou descarga.

ex·cess (ek'ses) – excesso; excedente; quantidade maior do que a normal ou que é exigida. **antigen e.** – e. de antígeno; presença de um número mais do que o suficiente de antígenos para saturar todos os locais de ligação dos anticorpos disponíveis.

ex·change (eks-chānj') – intercâmbio: 1. substituição de uma coisa por outra; o ato de substituir uma coisa por outra. **plasma e.** – i. plasmático; remoção de plasma do sangue retirado com retransfusão dos elementos formados no interior do doador; feito para a remoção dos anticorpos circulantes ou de constituintes plasmáticos anormais. O plasma removido é substituído por plasma congelado específico do tipo ou por albumina.

ex·chang·er (eks-chānj'er) – trocador; aparelho através do qual se pode trocar alguma coisa. **heat e.** – t. de calor; dispositivo colocado no circuito da circulação extracorpórea para induzir resfriamento e reaquecimento rápidos do corpo.

ex·cip·i·ent (ek-sip'e-int) – excipiente; qualquer substância mais ou menos inerte acrescentada a uma droga para conceder-lhe uma consistência adequada ou para formá-la; veículo.

ex·cise (ek-sīz') – excisar; remover através de secção.

ex·ci·ta·tion (ek"si-ta'shun) – excitação; ato de irritação ou estimulação; condição de ficar excitado ou de responder a um estímulo; adição de energia, como a excitação de uma molécula pela absorção de fótons. **direct e.** – e. direta; eletroestimulação de um músculo através da colocação do eletrodo no próprio músculo. **indirect e.** – e. indireta; eletroestimulação de um músculo através da colocação do eletrodo em seu próprio nervo.

ex·ci·tor (ek-si'tor) – excitador; nervo que estimula parte de uma atividade maior.

ex·clave (eks'klāv) – exclave; parte destacada de um órgão.

ex·clu·sion (eks-kloo'zhun) – exclusão: 1. ocultamento ou eliminação; 2. isolamento cirúrgico de uma parte (como de um segmento do intestino), sem a remoção do corpo.

ex·coch·le·a·tion (eks"kok-le-a'shun) – excocleação; curetagem de uma cavidade.

ex·co·ri·a·tion (eks-ko"re-a'shun) – escoriação; qualquer perda de substância superficial, como a produzida através de prurido na pele.

ex·cre·ment (eks'krĭ -mint) – excremento; matéria fecal; matéria descartada como resíduo do corpo.

ex·cres·cence (eks-kres"in) – excrescência; crescimento proeminente anormal; projeção de origem mórbida. **excres'cent** – adj. excrescente.

ex·cre·ta (eks-krēt'ah) – excreções; produtos de excreção; material de descarte excretado do corpo.

ex·cre·tion (eks-kre'shun) – excreção: 1. ato, processo ou função de excreção; 2. material excretado. **ex'cretory** – adj. excretório.

ex·cur·sion (eks-kur'zhun) – excursão; variação de movimento regularmente repetido no desempenho de uma função, por exemplo, a excursão das mandíbulas na mastigação. **excur'sive** – adj. excursivo.

ex·cy·clo·pho·ria (ek"si-klo-for'e-ah) – exicloforia; cicloforia na qual o pólo superior do eixo visual se desvia em direção à têmpora.

ex·cy·clo·tro·pia (-tro'pe-ah) – exiclotropia; ciclotropia na qual o pólo superior do eixo visual se desvia em direção à têmpora.

ex·cys·ta·tion (ek"sis-ta'shun) – excistação; escape de cisto ou invólucro como no caso do estágio do ciclo vital de parasitas que ocorre após deglutição da forma cística pelo hospedeiro.

ex·en·ter·a·tion (eks-ent"er-a'shun) – exenteração; remoção cirúrgica dos órgãos internos; evisceração. **pelvic e.** – e. pélvica; excisão dos órgãos e das estruturas adjacentes da pelve.

ex·en·ter·a·tive (eks-ent'er-ah-tiv) – exenterativo; relativo ou que requer exenteração, como uma cirurgia exenterativa.

ex·er·cise (ek'ser-sīz) – exercício; desempenho de exercício físico para melhora da saúde ou correção de deformidade física. **active e.** – e. ativo; movimento aplicado em uma parte por meio de contração voluntária e relaxamento de seus músculos controladores. **aerobic e.** – e. aeróbico; exercício projetado para aumentar o consumo de oxigênio e melhorar o funcionamento dos sistemas cardiovascular e respiratório. **endurance e.** – e. de resistência; exercício que envolve o uso de vários grupos grandes de músculos e é conseqüentemente dependente da entrega de oxigênio pelo sistema cardiovascular. **isometric e.** – e. isométrico; exercício ativo efetuado contra uma resistência estável, sem alterações no comprimento do músculo. **isotonic e.** – e. isotônico; exercício ativo sem alteração apreciável na força da contração muscular, com encurtamento do músculo. **passive e.** – e. passivo; movimento aplicado a uma parte por outra pessoa ou força externa, ou produzido por esforço voluntário de outro segmento do próprio corpo do paciente. **range of motion e.** – e. de variação de movimento; pôr em ação uma articulação através da variação completa de seus movimentos normais, tanto ativa como passivamente. **resistance e., resistive e.** – e. de resistência; exercício realizado pelo paciente contra uma resistência, como a partir de um peso.

ex·fe·ta·tion (eks"fe-ta'shun) – exfetação; gravidez ectópica ou extra-uterina.

ex·flag·el·la·tion (eks-flaj"ĕ-la'shun) – exflagelação; formação rápida no intestino do inseto vetor de microgametas a partir do microgametócito do *Plasmodium* e de determinados outros protozoários esporozoários.

ex·fo·li·a·tion (eks-fo"le-a'shun) – descamação; queda em escamas ou camadas. **exfo'liative** – adj. descamativo. **lamellar e. of newborn** – d. lamelar do recém-nascido; distúrbio hereditário congênito no qual o bebê (bebê com colódio) nasce inteiramente recoberto com uma membrana semelhante a um colódio ou pergaminho, que se descola dentro de 24h, após as quais pode ocorrer cicatrização completa ou as escamas podem se reformar e o processo se repetir; na forma mais severa, o bebê (feto-arlequim) encontra-se inteiramente recoberto com escamas espessas, córneas e semelhantes a uma armadura e geralmente é um natimorto ou morre logo após o nascimento.

ex·ha·la·tion (eks"hah-la'shun) – exalação: 1. desprendimento de vapor aquoso ou de outro vapor ou de um eflúvio; 2. vapor ou outra substância exalada ou desprendida; 3. ato de expirar.

ex·haus·tion (eg-zaws'chun) – exaustão: 1. estado de fadiga mental ou física; 2. estado de ser drenado, esvaziado ou consumido. **heat e.** – e. de calor; efeito de exposição excessiva ao calor, marcado por temperatura corporal subnormal com tontura, dor de cabeça, náuseas e algumas vezes delírio e/ou colapso.

ex·hi·bi·tion·ism (ek"sĭ-bish'in-izm) – exibicionismo; parafilia marcada por impulsos sexuais recorrentes e fantasias do indivíduo referentes à exposição dos genitais a um desconhecido.

ex·hi·bi·tion·ist (ek"sĭ-bish'in-ist) – exibicionista; pessoa que se compraz no exibicionismo.

exo- [Gr.] – elemento de palavra, *lado de fora; externo.*

exo·car·di·al (ek"so-kahr'de-il) – exocárdico; situado, que ocorre ou se desenvolve externamente ao coração.

exo·crine (ek"so-krin) – exócrino: 1. que secreta externamente através de um ducto; 2. denota tal glândula ou sua secreção.

exo·cyc·lic (ek"so-sik'lik) – exocíclico; denota um ou mais átomos presos a um anel, mas fora dele.

exo·cy·to·sis (-si-to'sis) – exocitose: 1. descarga a partir de uma célula de partículas demasiado grandes para se difundirem através da parede; o oposto da endocitose; 2. agregação de leucócitos migratórios na epiderme como parte da resposta inflamatória.

exo·de·vi·a·tion (-de"ve-a'shun) – exodesvio; rotação para fora, em Oftalmologia, exotropia.

exo·odon·tics (-don'tiks) – exodontia; ramo da Odontologia que que se ocupa da extração de dentes.

exo·en·zyme (-en'zīm) – exoenzima; enzima que age externamente à célula que a secreta.

exo·eryth·ro·cyt·ic (-ĕ-rith"ro-sit'ik) – exoeritrocítico; que ocorre externamente à hemácia; aplicado ao estágio de desenvolvimento dos parasitas da malária que ocorrem em células outras que não as hemácias.

ex·og·a·my (ek-sog'ah-me) – exogamia; fertilização através da união de elementos não-derivados da mesma célula.

exo·gas·tru·la (ek"so-gas'troo-lah) – exogástrula; gástrula anormal na qual a invaginação é retardada e o mesentoderma torna-se proeminente.

ex·og·e·nous (ek-soj'in-is) – exógeno; que se origina externamente ou é causado por fatores externos ao organismo.

ex·om·pha·los (eks-om'fah-los) – exonfalia: 1. hérnia das vísceras abdominais no interior do cordão umbilical; 2. hérnia umbilical congênita.

ex·on (ek'son) – exon; região codificadora de um gene.

exo·nu·cle·ase (ek"so-noo'kle-ās) – exonuclease; qualquer nuclease quer catalisa especificamente a hidrólise de ligações terminais de cadeias de desoxirribonucleotídeos ou de ribonucleotídeos, liberando mononucleotídeos.

exo·pep·ti·dase (-pep'tĭ -dās) – exopeptidase; qualquer peptidase que catalisa a clivagem da ligação peptídica terminal ou penúltima, liberando um aminoácido único ou um dipeptídeo a partir da cadeia peptídica.

Exo·phi·a·la (-fi'ah-lah) – *Exophiala;* gênero de fungos saprófitas; *E. werneckii* causa a tinha negra.

exo·pho·ria (-for'e-ah) – exoforia; desvio do eixo visual de um olho para fora do outro olho na ausência de estímulos fusionais visuais. **exopho'ric** – adj. exofórico.

ex·oph·thal·mom·e·try (ek"sof-thal-mom'ĭ -tre) – exoftalmometria; medição da extensão da protrusão do globo ocular na exoftalmia. **exophthalmomet'ric** – adj. exoftalmométrico.

ex·oph·thal·mos (-thal'mos) – exoftalmia; exoftalmo; protrusão anormal do olho. **exophthal'mic** – adj. exoftálmico.

exo·phyt·ic (ek"so-fit'ik) – exofítico; que cresce para fora, em Oncologia, que se prolifera no epitélio exterior ou superficial de um órgão ou outra estrutura na qual o crescimento se origina.

exo·skel·e·ton (-skel'it-in) – exoesqueleto; estrutura dura formada no lado externo do corpo, como a concha de um crustáceo; nos vertebrados, aplicado a estruturas produzidas pela epiderme, como pêlos, unhas, cascos, dentes etc.

ex·os·mo·sis (ek"sos-mo'sis) – exosmose; osmose ou difusão de dentro para fora.

ex·os·to·sis (ek"sos-to'sis) – exostose: 1. crescimento ósseo benigno que se projeta para fora a partir de uma superfície óssea; 2. osteocondroma. **exostot'ic** – adj. exostótico. **e. cartilagi'nea** – e. cartilaginosa; variedade de osteoma que consiste de uma camada de cartilagem que se desenvolve por baixo do periósteo de um osso. **ivory e.** – ebúrnea; osteoma compacto. **multiple exostoses** – exostoses múltiplas; afecção herdada na qual crescem excrescências cartilaginosas ou osteocartilaginosas múltiplas nas superfícies corticais dos ossos longos. **subungual e.** – e. subungueal; espora óssea reativa e encapsulada com cartilagem que ocorre na falange distal, geralmente do hálux.

exo·ther·mal (ek"so-ther-mal) – exotérmico.

exo·ther·mic (-ther'mik) – exotérmico; marcado ou acompanhado de uma evolução de calor; que libera calor ou energia.

exo·tox·in (-tok'sin) – exotoxina; toxina potente formada e excretada pela célula bacteriana e livre no meio circundante. **exotox'ic** – adj. exotóxico.

streptococcal pyrogenic e. – e. pirogênica estreptocócica; exotoxina produzida pela espécie *Streptococcus pyogenes,* existindo em vários tipos antigênicos ou causando febre, exantema da febre escarlate, danos a órgãos, aumento da permeabilidade da barreira hematocerebral e alterações na resposta imunológica.

exo·tro·pia (-tro'pe-ah) – exotropia; estrabismo no qual ocorre desvio permanente do eixo visual de um olho para fora do outro, resultando em diplopia. **exotro'pic** – adj. exotrópico.

ex·pan·der (ek-span'der) [L.] – extensor; expansor. **subperiosteal tissue e. (STE)** – e. de tecido subperiosteal; tubo preenchível inserido temporariamente no interior do tecido subperiosteal e progressivamente inflado para expandir a mucosa periosteal e criar um espaço para reconstrução posterior.

ex·pec·to·rant (ek-spek'ter-ant) – expectorante: 1. que promove expectoração; 2. agente que promove expectoração. **liquefying e.** – e. liquefativo; expectorante que promove a ejeção de muco do trato respiratório através da redução da viscosidade.

ex·pec·to·ra·tion (ek-spek"ter-a'shun) – expectoração: 1. tosse e escarro de material proveniente dos pulmões, brônquios e traquéia; 2. escarro.

ex·peri·ment (ek-sper'ĭ -ment) – experimento; procedimento realizado para descobrir ou demonstrar algum fato ou verdade geral. **experimen'tal** – adj. experimental. **control e.** – e. controlado; experimento realizado sob condições padrão para testar a exatidão de outras observações.

ex·pi·rate (eks'pĭ -rāt) – expirado; ar ou gás exalado.

ex·pire (ek-spi'er) – expirar: 1. exalar ar ou gás; 2. morrer.

ex·plant (eks-plant') – explante; explantar: 1. retirar do corpo e colocar em um meio artificial para crescimento; 2. tecido retirado do corpo e crescido em um meio artificial.

ex·plo·ra·tion (eks"plor-a'shun) – exploração; investigação ou exame para propósitos diagnósticos. **explo'ratory** – adj. exploratório.

ex·po·sure (eks-po'zher) – exposição: 1. ato de ficar aberto, como uma exposição cirúrgica; 2. condição de estar sujeito a alguma coisa (como a agentes infecciosos ou extremos climáticos ou de radiação), o que pode ter um efeito prejudicial; 3. em Radiologia, medida da quantidade de radiação ionizante na superfície do objeto irradiado, por exemplo, o corpo. **air e.** – e. aérea; exposição à radiação medida em uma pequena massa de ar, excluindo a dispersão traseira dos objetos irradiados.

ex·pres·sion (eks-presh'un) – expressão: 1. aspecto ou aparência facial de acordo com o estado físico ou emocional; 2. ato de espremer ou evacuar por meio de pressão.

ex·pres·siv·i·ty (eks"pres-sivĭ -te) – expressividade; em Genética, extensão em que um indivíduo manifesta uma característica herdada.

ex·san·gui·na·tion (ek-sang"gwin-a'shun) – exsanguinação; perda extensa de sangue devida a hemorragia interna ou externa.

ex·sic·ca·tion (ek"sĭ -ka'shun) – exsicação; dessecação; ato de se secar; em Química, remoção de uma substância cristalina de sua água de cristalização.

ex·sorp·tion (ek-sorp'shun) – exsorção; movimento de substâncias para fora das células, especialmente o movimento de substancias para fora do sangue no interior do lúmen intestinal.

ex·stro·phy (ek'stro-fe) – extrofia; rotação de um orgão de dentro para fora. **e. of the bladder** – e. vesical; ausência congênita de uma porção da parede abdominal e da parede vesical anterior, com eversão da parede vesical posterior através do déficit, um arco púbico aberto e ísquios largamente separados conectados por uma faixa fibrosa. **e. of cloaca, cloacal e.** – e. cloacal; anomalia de desenvolvimento na qual se separam dois segmentos vesicais (hemibexigas) por meio de uma área do intestino com uma superfície mucosa, que aparece como um grande tumor vermelho na linha média do abdômen inferior.

ext. – extract (extrato).

ex·tend·ed-re·lease (ek-stend'ed-re-lēs') – modo de administração com aumento dos períodos entre as tomadas ou aplicações de um medicamento, que permite uma redução de duas vezes ou mais em comparação com a freqüência exigida pela forma de dosagem convencional.

ex·ten·der (eks-ten'der) – expansor; alguma coisa que aumenta de volume ou prolonga. **artificial plasma e.** – e. plasmático artificial; substância que pode ser transfundida para manter o volume de fluido do sangue em caso de grande necessidade, suplementar ao uso do sangue completo e do plasma.

ex·ten·sion (-shun) – extensão: 1. movimento através do qual as duas extremidades de qualquer parte articulada se separam uma da outra; 2. tração dos constituintes de um membro em direção distal. **nail e.** – e. sobre pregos; extensão exercida no fragmento distal de um osso fraturado através de prego ou pino (pino de Steinmann) empurrado no interior do fragmento.

ex·ten·sor (-ser) [L.] – extensor; qualquer músculo que estende uma articulação.

ex·te·ri·or·ize (eks-tēr'e-er-ī z) – exteriorizar: 1. formar uma referência mental correta da imagem de um objeto visto; 2. em Psiquiatria, mudar o interesse; 3. transpor um órgão interno para o exterior do corpo.

ex·tern (eks'tern) – externo; estudante de Medicina ou graduado em Medicina que auxilia no tratamento de pacientes no hospital mas não é residente.

ex·ter·nal (eks-tern'il) – externo; exterior; situado ou que ocorre exteriormente. Em Anatomia, situado em direção ao próximo ao exterior; lateral.

ex·ter·nus (eks-tern'is) – externo; em Anatomia denota uma estrutura mais distante do centro da parte ou da cavidade.

ex·tero·cep·tor (eks"ter-o-sep'ter) – exteroceptor; terminação nervosa sensorial estimulada pelo ambiente externo imediato, como as da pele e membranas mucosas. **exterocep'tive** – adj. exteroceptivo.

ex·ti·ma (eks'tĭ-mah) [L.] – extima; mais externo; revestimento mais externo de um vaso sangüíneo.

ex·tinc·tion (eks-tink'shun) – extinção; em Psicologia, desaparecimento de uma resposta condicionada como resultado de um não-reforço; também, o processo pelo qual se obtém o desaparecimento.

ex·tor·sion (eks-tor'shun) – extorsão; rotação para fora do pólo superior do meridiano vertical de cada olho.

ex·tor·tor (eks-tor'ter) – extortor: 1. que produz rotação externa. 2. músculo extra-ocular que produz extorsão.

extra- [L.] – elemento de palavra, *externo; além do alcance de; além de.*

ex·tra·an·a·tom·ic (eks"trah-an"ah-tom'ik) – extraanatômico; que não segue o trajeto anatômico normal.

ex·tract (eks'trakt) – extrato; preparação concentrada de uma droga vegetal ou animal.

ex·trac·tion (eks-trak'shun) – extração: 1. processo ou ato de puxar ou retirar; 2. preparação de um extrato. **breech e.** – e. de nádegas; extração de um bebê do útero em apresentação pélvica. **flap e.** – e. de retalho; extração de catarata por meio de incisão que faz um retalho de córnea. **serial e.** – e. seriada; extração seletiva de dentes decíduos durante um período de tempo extenso para permitir um ajuste autônomo.

ex·trac·tive (-tiv) – extrativo; extraível; qualquer substância presente em um tecido organizado, ou em mistura em quantidade pequena, e que exige extração por meio de método especial.

ex·trac·tor (-ter) – extrator; instrumento para a remoção de um cálculo ou corpo estranho. **basket e.** – e. em cesta; dispositivo para a remoção de cálculos do trato urinário superior. **vacuum e.** – e. a vácuo; dispositivo para auxiliar o parto que consiste de uma ventosa de tração metálica presa à cabeça do feto; aplica-se pressão negativa e realiza-se uma tração em corrente passada através do tubo de sucção.

ex·tra·em·bry·on·ic (eks"trah-em"bre-on'ik) – extraembrionário; externo ao embrião propriamente dito (como o celoma extra-embrionário ou as membranas extra-embrionárias).

ex·tra·mal·le·o·lus (-mah-le'o-lus) – extramaléolo; maléolo externo.

ex·tra·med·ul·la·ry (-med'u-lar"e) – extramedular; situado ou que ocorre exteriormente a uma medula, especialmente a medula oblonga.

ex·tra·mu·ral (-mŭr'il) – extramural; situado ou que ocorre exteriormente à parede de um órgão ou estrutura.

ex·tra·nu·cle·ar (-noo'kle-er) – extranuclear; situado ou que ocorre externamente a um núcleo celular.

ex·tra·pla·cen·tal (-plah-sen'til) – extraplacentário; do lado de fora ou independente da placenta.

ex·trap·o·la·tion (ek-strap"ah-la'shun) – extrapolação; inferência de um valor com base no que se conhece ou se observa.

ex·tra·pul·mo·na·ry (eks"trah-pul'mo-nar"e) – extrapulmonar; não-conectado aos pulmões.

ex·tra·py·ram·i·dal (-pĭ -ram'ĭ -d'l) – extrapiramidal; exterior aos tratos piramidais; ver em *system.*

ex·tra·stim·u·lus (-stim'u-lus) – extra-estímulo; estímulo prematuro provocado, unicamente ou em um grupo de vários estímulos, a intervalos precisos durante uma extra-sístole para concluí-la.

ex·tra·sys·to·le (-sis'to-le) – extra-sístole; contração cardíaca prematura independente do ritmo normal e que surge em resposta a um impulso exterior ao nódulo sinoatrial. **atrial e.** – e. atrial; complexo prematuro atrial. **atrioventricular (AV) e.** – e. atrioventricular; complexo prematuro juncional atrioventricular. **infranodal e.** – e. infranodal; e. ventricular. **interpolated e.** – e. interpolada; ver em *beat*. **junctional e.** – e. juncional; complexo prematuro juncional atrioventricular. **nodal e.** – e. nodal; e. atrioventricular. **retrograde e.** – e. retrógrada; contração ventricular prematura, acompanhada de contração atrial prematura, devida à transmissão do estímulo para trás, geralmente sobre o feixe de His. **ventricular e.** – e. ventricular; complexo prematuro ventricular.

ex·trav·a·sa·tion (ek-strav"ah-za'shun) – extravasamento: 1. descarga ou escape (como de sangue) a partir de um vaso no interior dos tecidos; sangue ou outra substância descartada dessa forma; 2. processo de ser extravasado; derrame.

ex·tra·ver·sion (eks"trah-ver'zhun) – extraversão: 1. em Ortodontia, má-oclusão na qual os dentes ficam mais distantes do plano mediano que o normal; 2. extroversão; ver *extroversion* (2).

ex·trem·i·tas (eks-trem'ĭ-tas) [L.] pl. *extremitates* – extremidade.

ex·trem·i·ty (eks-trem'ĭ-te) – extremidade: 1. porção distal ou terminal de estruturas alongadas ou pontiagudas; 2. braço ou perna.

ex·trin·sic (eks-trin'sik) – extrínseco; de origem externa.

ex·tro·ver·sion (eks"tro-ver'zhun) – extroversão: 1. rotação de dentro para fora; extrofia; 2. direcionamento das energias e da atenção do indivíduo para fora de si mesmo; 3. extraversão; ver *extraversion* (1).

ex·tro·vert (eks'tro-vert) – extrovertido; pessoa cujo interesse se volta para o exterior.

ex·trude (ek-strōōd') – lançar; expelir; protrair: 1. forçar para fora ou ocupar uma posição distal à normalmente ocupada; 2. em Odontologia, ocupar uma posição oclusal à normalmente ocupada.

ex·tu·ba·tion (eks"too-ba'shun) – extubação; remoção de uma sonda utilizada em intubação.

ex·u·ber·ant (eg-zu'ber-int) – exuberante; abundante ou excessivo em produção; que demonstra proliferação excessiva.

ex·u·date (eks'u-dāt) – exsudato; fluido com alto teor de proteínas e de restos celulares que escapa de vasos sangüíneos e se deposita em tecidos ou sobre superfícies teciduais, geralmente como resultado de inflamação.

ex·um·bil·i·ca·tion (eks"um-bil"ĭ-ka'shun) – exumbilicação: 1. protrusão acentuada do umbigo; 2. hérnia umbilical.

ex·u·vi·a·tion (eg-zoo've-a'shun) – desprendimento de uma exúvia ou esfacelo, ou seja, de uma estrutura epitelial como os dentes decíduos.

ex vi·vo (eks ve'vo) – fora do organismo vivo; denota a remoção de um órgão (como, o rim) para cirurgia reparadora, após a qual é retornado ao local original.

eye (i) – olho; órgão da visão; ver Prancha XIII. **black e.** – o. preto; equimose tecidual ao redor do olho marcada por descoloração, tumefação e dor. **compound e.** – o. composto; olho multifacetado dos insetos. **crossed e's** – olhos cruzados; esotropia. **exciting e.** – o. excitado; olho primariamente lesionado e a partir do qual começam influências que envolvem o outro olho em oftalmia simpática. **Klieg e.** – o. de Klieg; conjuntivite; edema das pálpebras, lacrimejamento e fotofobia devidos a exposição a luzes intensas (luzes de Klieg). **pink e.** – conjuntivite contagiosa aguda. **shipyard e.** – ceratoconjuntivite epidêmica. **wall e.** – 1. leucoma corneano; 2. exoforia.

eye·ball (i'bawl") – globo ocular; esfera ou globo do olho.

eye·brow (-brow") – sobrancelha: 1. supercílio; elevação transversal na junção da testa e da pálpebra superior; 2. supercílios; pêlos que crescem nessa elevação.

eye·cup (-kup") – escavação ocular: 1. pequeno recipiente para a aplicação de uma solução limpadora ou medicada em área exposta do globo ocular; 2. escavação fisiológica.

eye·glass (-glas") – óculos; lente para ajudar na visão.

eye·ground (-grownd") – fundo do olho; conforme se observa ao oftalmoscópio.

eye·lash (-lash") – cílio; pestana; um dos pêlos que crescem na borda da pálpebra.

eye·lid (-lid") – pálpebra; uma das duas dobras móveis (superior e inferior) que protegem a superfície anterior do globo ocular. **third e.** – terceira p.; membrana nictitante.

eye·piece (-pēs) – ocular do microscópio; lente ou sistema de lentes de um microscópio (ou telescópio) mais próximos do olho do usuário, servindo para aumentar adicionalmente a imagem produzida pela objetiva.

eye·strain (-strān) – esforço ocular; fadiga ocular decorrente de uso excessivo ou de defeito não-corrigido no foco do olho.

F

F – fluorine; farad; fertility (plasmid); visual field; French (scale) (flúor; farad; fertilidade [plasmídeo]; campo visual; francesa [escala]).

F – faraday; force (faraday; força).

F_1 – first filial generation (primeira geração filial).

F_2 – second filial generation (segunda geração filial).

f – femto- (fento-).

f – frequency (2) (freqüência).

Fab – *f*ragment, *a*ntigen-*b*inding (fragmento ligado a antígeno) originalmente, um de dois fragmentos idênticos, cada um contendo um local de combinação de antígeno, obtidos através da clivagem papaínica da molécula da imunoglobulina IgG; atualmente é em geral utilizado como adjetivo para se referir a um "braço" de qualquer monômero imunoglobulínico.

fa·bel·la (fah-be'ah) [L.] pl. *fabellae* – fabela; ver *Tabela de Ossos.*

FACD – Fellow of the American College of Dentists (Membro da Associação Americana de Dentistas).

face (fãs) – face: 1. porção anterior ou ventral da cabeça da testa ao queixo, incluindo os mesmos; 2. qualquer face ou superfície de apresentação. **fa'cial** – adj. facial. **moon f.** – f. de lua cheia; face redonda peculiar observada em várias afecções (como a síndrome de Cushing) ou após a administração de corticóides adrenais.

face·bow (fãs'bo") – arco facial; dispositivo utilizado em Odontologia para registrar as relações posicionais da arcada maxilar com as articulações temporomandibulares e orientar os moldes dentários nessa mesma relação com o eixo de abertura do articulador.

fac·et (fas'it) – faceta; pequena superfície plana em um corpo duro, como um osso.

fac·e·tec·to·my (fas"ĕ-tek'tah-me) – facetectomia; excisão da faceta articular de uma vértebra.

faci(o)- [L.] – facio-, elemento de palavra, *face.*

-facient [L.] – -faciente, elemento de palavra *fazer; fazer com que se torne.*

fa·ci·es (fa'she-ēz) [L.] pl. *facies* – face; expressão: 1. face; 2. superfície específica de uma estrutura corporal, parte ou órgão; 3. expressão ou a aparência da face.

fa·cil·i·ta·tion (fah-sil"ĭ-ta'shun) [L.] – facilitação: 1. aceleração de ou assistência a um processo natural; 2. em Neurofisiologia, o efeito de um impulso nervoso que age através de uma sinapse e resulta em aumento do potencial pós-sináptico de impulsos subseqüentes nessa fibra nervosa ou em outras fibras nervosas convergentes.

fa·cil·i·ta·tive (fah-sil'ĭ-tāt-iv) – facilitador; em Farmacologia, denota a reação que surge como o resultado indireto da ação de uma droga à medida que se desenvolve a partir de uma infecção após a microflora normal ter-se alterado por um antibiótico.

fac·ing (fãs'ing) – revestimento; pedaço de porcelana cortado para representar a superfície externa de um dente.

fa·cio·bra·chi·al (fa"she-o-bra'ke-il) – faciobraquial; relativo à face e ao braço.

fa·cio·lin·gual (-ling'gwil) – faciolingual; relativo à face e à língua.

fa·cio·plas·ty (fa'she-o-plas"te) – facioplastia; cirurgia restauradora ou plástica da face.

fa·cio·ple·gia (fa"she-o-ple'jah) – facioplegia; paralisia facial. **faciople'gic** – adj. facioplégico.

FACOG – Fellow of the American College of Obstetricians and Gynecologists (Membro da Associação Americana de Obstetras e Ginecologistas).

FACP – Fellow of the American College of Physicians (Membro da Associação Americana de Médicos).

FACS – Fellow of the American College of Surgeons (Membro da Associação Americana de Cirurgiões).

FACSM – Fellow of the American College of Sports Medicine (Membro da Associação Americana de Medicina Esportiva).

fac·ti·tial (fak-tish'il) – artificial; artificialmente produzido; não-intencionalmente produzido.

fac·tor (fak'ter) – fator; agente ou elemento que contribui para a produção de um resultado. **accelerator f.** – f. acelerador; fator de coagulação V. **angiogenesis f.** – f. da angiogênese; substância que causa o desenvolvimento de novos vasos sangüíneos, encontrada nos tecidos com altas exigências metabólicas e também liberada por macrófagos para iniciar a revascularização na cicatrização de um ferimento. **antihemophilic f.** – f. anti-hemofílico; preparação de Fator VIII utilizada para o tratamento da hemofilia ou prevenção e tratamento da hemorragia nos hemofílicos. **antinuclear f. (ANF)** – f. antinuclear; ver em *antibody.* **f. B** – f. B; componente de complemento (proativador C3) que participa da via de complemento alternativo. **B cell differentiation f's (BCDF)** – fatores de diferenciação celular B; fatores derivados das células T que estimulam as células B a se diferenciarem em células secretoras de anticorpos. **B lymphocyte stimulatory f's (BSF)** – fatores estimuladores de linfócitos B; sistema de nomenclatura para fatores que estimulam as células B, substituindo os nomes individuais dos fatores com a designação FEB (BSF) e anexando um código descritivo. **clonal inhibitory f.** – f. inibidor clonal (CIF); linfocina que exibe um efeito citostático contra linhagens celulares tumorais de cultura tecidual de crescimento ativo. **C3 nephritic f. (C3 Nef)** – f. nefrítico C3; gamaglobulina (que não é uma imunoglobulina) no plasma de alguns indivíduos com glomerulonefrite membranoproliferativa com hipocomplementemia; inicia a via de complemento alternativo. **coagulation f's** – fatores de coagulação; fatores essenciais para a coagulação sangüínea normal, cuja ausência, diminuição ou excesso podem levar à anormalidade do mecanismo de coagulação. Foram descritos doze fatores, comumente designados por numerais romanos (I a V e VII a XIII), acrescentando a notação "a" para indicar o estado ativado (não se considera o fator VI que mais tem função coagulante). Os fatores de plaqueta, designados por numerais árabes, também exercem um papel na coagulação; *Fator I,* fibrinogênio; é convertido em fibrina pela ação da trombina. A deficiência resulta em afibrinogenemia ou hipofibrinogenemia; *Fator II,* protrombina; é convertido em trombina pelo princípio conversor da protrombina extrínseco. A deficiência leva à hipoprotrombinemia; *Fator III,* tromboplastina tecidual; é importante na formação do princípio conversor da protrombina extrínseca; *Fator IV,* cálcio; *Fator V,* proacelerina; funciona nas vias tanto intrínseca como extrínseca de coagulação sangüínea. A deficiência leva à para-hemofilia; *Fator VII,* proconvertina; funciona na via extrínseca de coagulação sangüínea. A deficiência, seja hereditária ou adquirida (associada a deficiência de vitamina K), leva à tendência hemorrágica; *Fator VIII,* fator anti-hemofílico; funciona somente na via intrínseca de coagulação sangüínea. A deficiência (uma característica ligada ao sexo) resulta em hemofilia clássica; *Fator IX*, componente da tromboplastina plasmática; fator Christmas; funciona somente na via intrínseca de coagulação sangüínea. A deficiência resulta em hemofilia B; *Fator X*, fator Stuart; funciona nas vias tanto extrínseca como intrínseca de coagulação. A deficiência pode resultar em coagulopatia sistêmica; *Fator XI*, antecedente da tromboplastina plasmática; funciona no trajeto intrínseco de coagulação. A deficiência resulta em hemofilia C; *Fator XII*, fator de Hageman; inicia o processo intrínseco de coagulação sangüínea *in vitro; Fator XIII, fator estabilizador da* fibrina; polimeriza os monômeros fibrínicos. A deficiência causa diátese hemorrágica clínica. **colony-stimulating f's** – fatores estimuladores de colônia; grupo de linfocinas glicoprotéicas produzidas por monócitos sangüíneos, macrófagos teciduais e linfócitos estimulados e exigidas para a diferenciação das células precursoras em colônias de células de granulócitos e monócitos; elas estimulam a produção de granulócitos e de macrófagos e têm sido utilizadas experimentalmente como agentes cancerígenos. **f. D** – f. D; fator que, quando ativado, serve como serina esterase; ele divide o fator B a partir do C3b na via de complemento alternativo. **endothelial-derived relaxant f., endothelium-derived relaxing f. (EDRF)** – f. relaxante derivado do endotélio; f. relaxador derivado do endotélio; substância dilatadora de vida curta liberada das células endoteliais vasculares em resposta à ligação dos vasodilatadores; ela inibe a contração muscular e produz relaxamento. **extrinsic f.** – f. extrínseco; cianocobalamina. **F (fertility) f.** – f. F (fertilidade); plasmídeo F. **glucose tolerance f.** – f. de tolerância de glicose; complexo biologicamente ativo de cromo e ácido nicotínico que facilita a reação da insulina com os sítios receptores nos tecidos. **granulocyte colony-stimulating f. (G-CSF)** – f. estimulante de colônias de granulócitos; fator estimulante de colônias que estimula a produção de neutrófilos a partir de células precursoras. **granulocyte-macrophage colony-stimulating f. (GM-CSF)** – f. estimulante de colônias de granulócitos-macrófagos; fator estimulante de colônias que se liga com células precursoras e a maioria dos mielócitos e estimula a sua diferenciação em granulócitos e macrófagos. Uma forma recombinante é chamada de sargramostima (*sargramostim*). **growth f.** – f. de crescimento; qualquer substância que promove crescimento esquelético ou somático, geralmente um mineral, hormônio ou vitamina. **growth inhibitory f's** – fatores inibidores de crescimento; ver *clonal inhibitory f.* e *proliferation inhibitory f.* **Hageman f. (HF)** – f. de Hageman; fator de coagulação XII. **histamine releasing f.** – f. liberador de histamina; linfocina produzida por linfócitos ativados que induz a liberação da histamina por parte dos basófilos. **insulin-like growth f's (IGF)** – fatores de crescimento semelhantes à insulina; substâncias semelhantes à insulina no soro que não reagem com anticorpos da insulina;

eles são dependentes do hormônio de crescimento e possuem todas as propriedades de promoção de crescimento das somatomedinas. **intrinsic f.** – f. intrínseco; glicoproteína produzida pelas células parietais das glândulas gástricas, necessária para a absorção da vitamina B_{12}. A falta do fator intrínseco, com conseqüente deficiência de vitamina B_{12}, resulta em anemia perniciosa. **LE f.** – f. LE; imunoglobulina (um anticorpo 7S) que reage com núcleos de leucócitos, encontrada no soro no caso do lúpus eritematoso sistêmico. **leukocyte inhibitory f. (LIF)** – f. inibidor de leucócitos; linfocina que impede que os leucócitos polimorfonucleares migrem. **lymph node permeability f. (LNPF)** – f. de permeabilidade do linfonodo; substância proveniente de linfonodos normais que produz permeabilidade vascular. **lymphocyte mitogenic f. (LMF)** – f. mitogênico linfocitário; macromolécula termoestável não-dialisável liberada por linfócitos estimulados por um antígeno específico; causa transformação blástica e divisão celular nos linfócitos normais. **lymphocyte transforming f. (LTF)** – f. transformador de linfócitos; linfocina que causa transformação e expansão clonal de linfócitos não-sensibilizados. **myocardial depressant f. (MDF)** – f. depressor miocárdico; peptídeo formado em resposta a queda de pressão sangüínea sistêmica; tem um efeito negativamente inotrópico nas fibras musculares miocárdicas. **osteoclast activating f. (OAF)** – f. ativador de osteoclastos; linfocina produzida por linfócitos que facilita a reabsorção óssea. **platelet f's** – fatores plaquetários; fatores importantes na hemostasia que ficam contidos ou presos nas plaquetas; *fator plaquetário 1,* fator de coagulação V proveniente do plasma; *fator plaquetário 2,* acelerador da reação trombina-fibrinogênio; *fator plaquetário 3,* participa da geração do princípio conversor de protrombina intrínseco; *fator plaquetário 4,* capaz de inibir a atividade da heparina. **platelet activating f. (PAF)** – f. ativador de plaquetas; substância imunologicamente produzida que é um mediador da aglutinação e desgranulação de plaquetas sangüíneas e de broncoconstrição. **platelet-derived growth f.** – f. de crescimento dos derivados de plaquetas; substância contida nos grânulos alfa de plaquetas sangüíneas cuja ação contribui para o reparo das paredes danificadas dos vasos sangüíneos. **proliferation inibitory f. (PIF)** – f. inibidor de proliferação; linfocina que inibe a mitose nas células de cultura tecidual. **R f.** – f. R; ver em *plasmid.* **releasing f's** – fatores de liberação; fatores elaborados em uma estrutura (como o hipotálamo) que efetuam a liberação de hormônios a partir de outra estrutura (como a partir da hipófise anterior), incluindo o fator liberador de corticotropina, o fator liberador do hormônio estimulador de melanócitos e o fator liberador de prolactina. Aplicado a substâncias de estrutura química desconhecida, enquanto as substâncias de identidade química estabelecida são chamadas de *hormônios liberadores.* **resistance transfer f. (RTF)** – f. de transferência de resistência; a porção de um plasmídio R que contém os genes para ligação e replicação. **Rh f., Rhesus f.** – f. Rh; f. Rhesus; antígenos geneticamente determinados presentes na superfície das hemácias; a incompatibilidade para esses antígenos entre mãe e filho é responsável pela eritroblastose fetal. **rheumatoid f. (RF)** – f. reumatóide; proteína (IgM) detectável por meio de testes sorológicos, encontrada no soro da maioria dos pacientes com artrite reumatóide e de outras doenças relacionadas ou não e algumas vezes em pessoas aparentemente normais. **risk f.** – f. de risco; ocorrência ou característica definida que se associa à taxa aumentada de uma doença subseqüentemente ocorrente. **Stuart f., Stuart-Prower f.** – f. de Stuart; f. de Stuart-Prower; fator de coagulação X. **transforming growth f. (TGF)** – f. transformador de crescimento; qualquer das várias proteínas secretadas por células transformadas e que causa o crescimento de células normais, embora não cause a transformação.

fac·ul·ta·tive (fak'ul-ta"tiv) – facultativo; não-obrigatório; relativo à capacidade de se ajustar a circunstâncias particulares ou assumir um papel particular.

fac·ul·ty (fak'il-te) – faculdade: 1. capacidade ou função normal, especialmente da mente; 2. corpo docente de uma instituição de ensino.

FAD – flavin-adenine dinucleotide (dinucleotídeo de flavina adenina).

fae- – fae-; ver prefixo *fe-*

fail·ure (fāl'yer) – insuficiência; incapacidade de desempenhar ou funcionar apropriadamente. **acute congestive heart f.** – i. cardíaca congestiva aguda; deficiência do débito cardíaco que ocorre rapidamente por meio de congestão venocapilar, hipertensão e edema. **back·ward heart f.** – i. cardíaca retrógrada; conceito de insuficiência cardíaca que enfatiza a contribuição causadora do ingurgitamento passivo do sistema venoso sistêmico, como resultado de disfunção em um ventrículo e pressão subseqüente que aumenta por trás dele. **congestive heart f. (CHF)** – i. cardíaca congestiva; insuficiência caracterizada por falta de ar e retenção anormal de sódio e água, resultando em edema com congestão dos pulmões ou da circulação periférica ou de ambos. **diastolic heart f.** – i. cardíaca diastólica; insuficiência cardíaca devida a defeito no enchimento ventricular causada por anormalidade na função diastólica. **forward heart f.** – i. cardíaca anterógrada; conceito de insuficiência cardíaca que enfatiza a inadequação do débito cardíaco com relação às necessidades orgânicas e considera a distensão venosa como secundária. **heart f.** – i. cardíaca; incapacidade do coração bombear sangue a uma velocidade adequada para atender as exigências metabólicas teciduais ou a capacidade de fazê-lo somente a uma pressão de enchimento elevada; definida clinicamente como síndrome de disfunção ventricular com redução da capacidade de exercício e outras respostas hemodinâmicas, renais, nervosas e hormonais hemodinâmicas características. **high-output heart f.** – i. cardíaca de débito elevado; insuficiência na qual o débito cardíaco permanece alto; associada

a hipertireoidismo, anemia, fístulas arteriovenosas, beribéri, osteíte deformante ou sépsis. **low-output heart f.** – i. cardíaca de débito baixo; insuficiência na qual o débito cardíaco se reduz, como na maioria das formas de cardiopatia, levando a manifestações de deficiência da circulação periférica e de vasoconstrição. **kidney f.** – i. renal. **left-sided heart f., left ventricular f.** – i. cardíaca do lado esquerdo; i. ventricular esquerda; insuficiência de débito adequado por parte do ventrículo esquerdo, manifestada por congestão pulmonar e edema. **renal f.** – i. renal; incapacidade do rim excretar os metabólitos em níveis plasmáticos normais sob carga normal ou incapacidade de reter eletrólitos, quando o consumo é normal; na forma aguda, manifesta-se por uremia e geralmente por oligúria, com hipercalemia e edema pulmonar. **right-sided heart f., right ventricular f.** – i. cardíaca do lado direito; i. ventricular direita; insuficiência de débito adequado por parte do ventrículo direito, manifestada por ingurgitamento venoso, aumento de volume hepático e edema profundo. **systolic heart f.** – i. cardíaca sistólica; insuficiência cardíaca devida a defeito na expulsão do sangue causada por anormalidade na função sistólica.

faint (fānt) – débil; síncope (*syncope*).

fal·cate (fal'kāt) – falcado; falciforme.

fal·cial (-shil) – falcial; relativo à foice.

fal·ci·form (-sĭ-form) – falciforme; em forma de foice.

fal·cu·lar (-kūl-er) – falcular; falciforme.

false-neg·a·tive (fawls neg'ah-tiv) – falso negativo: 1. denota um resultado de teste que erroneamente exclui um indivíduo de uma categoria; 2. indivíduo excluído dessa forma; 3. um caso de resultado falso negativo.

false-pos·i·tive (pos'it-iv) – falso positivo: 1. denota um resultado de teste que erroneamente designa um indivíduo a uma categoria; 2. indivíduo classificado dessa forma; 3. um caso de um resultado falso positivo.

fal·si·fi·ca·tion (fawl"sĭ-fĭ-ka'shun) – falsificação; mentira. **retrospective f.** – f. retrospectiva; distorção inconsciente de experiências passadas para se conformar às necessidades emocionais presentes.

falx (falks) pl. *falces* [L.] – foice; estrutura semelhante a uma foice. **f. cerebel'li** – f. do cerebelo; uma dobra da dura-máter que separa os hemisférios cerebelares. **f. ce'rebri** – f. do cérebro; a dobra da dura-máter na fissura longitudinal, separando os hemisférios cerebrais. **f. inguina'lis** – f. inguinal; ligamento de Henle.

fa·mil·i·al (fah-mil'e-il) – familiar; que afeta mais membros de uma família do que a expectativa de ocorrer fortuitamente.

fam·i·ly (fam'ĭ-le) – família: 1. grupo que descende de um ancestral comum; 2. subdivisão taxonômica subordinada a uma ordem (ou subordem) e superior a uma tribo (ou subfamília).

fam·o·ti·dine (fam-o'tĭ-dēn) – famotidina; antagonista da histamina H_2 utilizado no tratamento das úlceras duodenais.

F and R – force and rhythm (of pulse) (força e ritmo [pulso]).

fang (fang) – presa; dente de um carnívoro com o qual captura e rasga sua presa ou o dente envenenado de uma serpente.

Fan·nia (fan'e-ah) – *Fannia;* gênero de moscas cujas larvas causam miíase intestinal e urinária no homem.

fan·ta·sy (fan'tah-se) – fantasia; seqüência imaginada de eventos que satisfaz os desejos inconscientes ou exprime os conflitos inconscientes do indivíduo.

FAPHA – Fellow of the American Public Health Association (Membro da Associação Americana de Saúde Pública).

far·ad (far'ad) – farad; unidade de capacitância elétrica; capacitância de um condensador que, carregado com um coulomb, resulta em uma diferença de potencial de 1 volt. Símbolo F.

far·a·day (far'ah-da) – faraday; a carga elétrica conduzida por um mol de elétrons ou um equivalente de íons, igual a $9,649 \times 10^4$ coulombs. Símbolo *F*.

far·cy (fahr'se) – farcinose; ver *glanders.*

far·sight·ed·ness (far-sī t'ed-nes) – hiperopia; ver *hyperopia.*

fas·cia (fash'e-ah) [L.] pl. *fasciae* – fáscia; lâmina ou faixa de tecido fibroso como a que se aloja profundamente à pele ou reveste os músculos e vários órgãos corpóreos. **fas'cial** – adj. fascial. **f. adhe'rens** – f. aderente; a porção do complexo juncional das células de um disco intercalado que corresponde a uma contraparte da zônula aderente das células epiteliais. **f. cribro'sa** – f. cribrosa; fáscia superficial da coxa que recobre o orifício safeno. **endothoracic f.** – f. endotorácica; fáscia por baixo do revestimento seroso da cavidade torácica. **extrapleural f.** – f. extrapleural; prolongamento da fáscia endotorácica, algumas vezes encontrado na base do pescoço, importante como um possível modificador dos sons auscultatórios no vértice do pulmão. **f. profun'da** – f. profunda; f. de Buck; membrana fibrosa densa e firme que reveste tronco e membros e origina as bainhas de vários músculos. **Scarpa's f.** – f. de Scarpa; camada membranosa profunda da fáscia abdominal subcutânea. **f. of Tenon** – f. de Tenon; ver em *capsule.* **thyrolaryngeal f.** – f. tireolaríngea; fáscia que recobre o corpo da tireóide e se prende à cartilagem cricóide. **Tyrrell's f.** – f. de Tyrrell; septo retovesical.

fas·ci·cle (fas'ĭ -k'l) – fascículo: 1. pequeno feixe ou grupo, especialmente de fibras nervosas, tendíneas ou musculares; 2. trato, feixe ou grupo de fibras nervosas mais ou menos associadas funcionalmente. **fascic'ular** – adj. fascicular.

fas·cic·u·lat·ed (fah-sik'ŭl-āt-id) – fasciculado; agrupado ou que ocorre em feixes ou fascículos.

fas·cic·u·la·tion (fah-sik"ŭl-a'shun) – fasciculação: 1. formação de fascículos; 2. pequena contração muscular involuntária local visível sob a pele, representando a descarga espontânea das fibras inervadas por um único filamento nervoso motor. **fascic'u·lus** (fah-sik'u-lus) [L.] pl. *fasciculi* – fascículo. **f. cuneatus of medulla oblongata** – f. cuneado ou cuneiforme da medula oblonga; continuação, dentro da medula oblonga do fascículo cuneado da medula espinhal. **f. cuneatus of spinal cord** – f. cuneado ou cuneiforme da medula espinhal;

porção lateral do funículo posterior da medula espinhal, composto de fibras ascendentes que terminam no núcleo cuneado. **f. gracilis of medulla oblongata** – f. grácil da medula oblonga; continuação, dentro da medula oblonga, do fascículo grácil da medula espinhal. **f. gracilis of spinal cord** – f. grácil da medula espinhal; porção mediana do funículo posterior da medula espinhal, composto de fibras ascendentes que terminam no núcleo grácil. **mamillothalamic f.** – f. mamilotalâmico; feixe de fibras compactas do corpo mamilar ao núcleo anterior do tálamo.

fas·ci·itis (fah-si'tis) – fasciíte; inflamação de uma fáscia. **eosinophilic f.** – f. eosinófila; inflamação das fáscias das extremidades, associada à eosinofilia, edema e inchaço e freqüentemente precedida de exercício vigoroso. **necrotizing f.** – f. necrosante; infecção necrótica fulminante e formadora de gás da fáscia superficial e profunda, resultando em trombose dos vasos subcutâneos e gangrena dos tecidos subjacentes. É geralmente causada por patógenos múltiplos e associa-se freqüentemente ao diabetes melito. **nodular f.** – f. nodular; proliferação reativa benigna de fibroblastos nos tecidos subcutâneos, afetando comumente a fáscia profunda, geralmente nos adultos jovens. **proliferative f.** – f. proliferativa; proliferação reativa benigna de fibroblastos nos tecidos subcutâneos semelhante à fasciíte nodular mas se caracteriza também por células gigantes basófilas e pela ocorrência em músculos esqueléticos nos adultos mais velhos. **pseudosarcomatous f.** – f. pseudo-sarcomatosa; f. nodular.

fas·ci·od·e·sis (fas"e-od'ĭ -sis) – fasciodese; sutura de uma fáscia em inserção esquelética.

Fas·ci·o·la (fah-si'ol-ah) – *Fasciola;* gênero de trematódeos, que inclui a *F. hepatica* (trematódeo hepático comum dos herbívoros), encontrada ocasionalmente no fígado humano.

fas·ci·o·la (fah-si'o-lah) [L.] pl. *fasciolae* – fascíola: 1. pequena faixa ou estrutura semelhante a uma faixa; 2. atadura pequena; 3. trematódeo.

fasci'olar – adj. fasciolar.

fas·cio·li·a·sis (fas"e-o-li'ah-sis) – fasciolíase; infecção por uma espécie de *Fasciola.*

fas·ci·o·lop·si·a·sis (-lop-si'ah-sis) – fasciolopsíase; infecção por *Fasciolopsis.*

Fas·ci·o·lop·sis (-lop'sis) – *Fasciolopsis;* gênero de trematódeos que inclui a *F. buski* (o maior dos trematódeos intestinais), encontrado no intestino delgado dos habitantes da Ásia.

fas·ci·ot·o·my (fas"e-ot'ah-me) – fasciotomia; incisão de uma fáscia.

fast (fast) – durável; resistente: 1. imóvel ou inalterável, resistente à ação de uma droga específica, agente descorante ou outro agente; 2. jejum; abstenção de alimento.

fas·tig·i·um (fas-tij'e-um) [L.] – fastígio; acme: 1. o ponto mais alto no teto do quarto ventrículo cerebral; 2. acme ou ponto mais alto. **fastig'ial** – adj. fastigial.

fat (fat) – gordura: 1. tecido adiposo que forma coxins macios entre os órgãos, uniformizando e arredondando os contornos corporais e proporcionando reserva de energia; 2. éster de glicerol com ácidos graxos, geralmente os ácidos oléico, palmítico ou esteárico. **fat'ty** – adj. gorduroso, graxo. **polyunsaturated f.** – g. poliinsaturada; gordura que contém ácidos graxos poliinsaturados. **saturated f.** – g. saturada; gordura que contém ácidos graxos saturados. **unsaturated f.** – g. insaturada; gordura que contém ácidos graxos insaturados.

fat·i·ga·bil·i·ty (fat"ĭ -gah-bil'it-e) – fatigabilidade; suscetibilidade fácil à fadiga.

fa·tigue (fah-tēg') – fadiga; estado de desconforto aumentado e redução da eficiência devido a exercício prolongado ou excessivo; perda de força ou de capacidade para responder a estímulos.

fat·ty ac·id (fat'e) – ácido graxo; qualquer cadeia pura de ácido monocarboxílico, especialmente as que naturalmente ocorrem nas gorduras. **essential f. a.** – a.g. essencial; qualquer ácido graxo que não possa ser formado no corpo e, portanto, tenha de ser fornecido pela dieta; os mais importantes são os ácidos linoléico, linolênico e araquidônico. **free f. a's (FFA)** – ácidos graxos livres; ácidos graxos não-esterificados. **monounsaturated f. a's** – ácidos graxos monoinsaturados; ácidos graxos insaturados que contém apenas uma ligação dupla e ocorrem predominantemente como ácido oléico nos óleos de amendoim, oliva e canola. **nonesterified f. a's (NEFA)** – ácidos graxos não-esterificados; fração dos ácidos graxos plasmáticos não na forma de ésteres de glicerol. **ω-3 f. a's, omega-3 f. a's** – ácidos graxos ω-3; ácidos graxos insaturados no quais a ligação dupla mais próxima da terminação metil se encontra no terceiro carbono de trás para frente; presentes nas gorduras de animais marinhos e em alguns óleos vegetais e mostram afetar os níveis e a composição de leucotrienos, prostaglandinas, lipoproteínas e lipídeos. **ω-6 f. a's, omega-6 f. a's** – ácidos graxos ω-6; ácidos graxos insaturados nos quais a ligação dupla mais próxima da terminação metil encontra-se no sexto carbono de trás para frente; presentes predominantemente nos óleos vegetais. **polyunsaturated f. a's** – ácidos graxos poliinsaturados; ácidos graxos insaturados que contêm duas ou mais ligações duplas e ocorrem predominantemente como ácidos linoléico, linolênico e araquidônico, nos legumes e verduras e nos óleos de sementes. **saturated f. a's** – ácidos graxos saturados; ácidos graxos sem ligações duplas que ocorrem predominantemente em gorduras animais e em óleos tropicais ou são produzidos através da hidrogenação de ácidos graxos insaturados. **unsaturated f. a's** – ácidos graxos insaturados; ácidos graxos que contêm uma ou mais ligações duplas, predominantemente na maioria das gorduras de origem vegetal.

fau·ces (faw'sēz) – fauce; passagem entre a garganta e faringe. **fau'cial** – adj. faucial.

fau·na (faw'nah) – fauna; coletivo de organismos animais de uma dada localidade.

fa·ve·o·late (fah-ve'o-lāt) – faveolado; em forma de favos de mel; alveolar.

fa·vid (fa'vid) – fávide; erupção cutânea secundária devida a alergia no caso de tinha favosa.

fa·vism (fa'vizm) – favismo; anemia hemolítica aguda precipitada por algumas espécies de feijões (ingestão ou inalação de pólen), geralmente causada por deficiência de glicose 6-fosfato desidrogenase nas hemácias.

fa·vus (fa'vus) – favos; tinha favosa; tipo de tinha da cabeça, com a formação de massas semelhantes a favos de mel proeminentes, devida a infecção pelo fungo Trichophyton schoenleinii. **f. of fowl** – tinha favosa das galinhas; dermatomicose crônica que afeta a crista das galinhas, causada pela espécie Trichophyton gallinae.

Fc – fragment; crystallizable (fragmento; cristalizável); fragmento originário da digestão de papaína das moléculas de imunoglobulina. Contém a maior parte dos determinantes antigênicos.

Fc' – fragmento produzido em quantidades diminutas pela digestão de papaína das moléculas de imunoglobulina. Contém a principal parte da porção terminal C de dois fragmentos Fc.

Fd – porção de cadeia pesada de um fragmento Fab produzido pela digestão de papaína de uma molécula de IgG.

FDI – Fédération Dentaire Internationale (Federação Dentária Internacional).

Fe – símbolo químico, ferro (L. ferrum); ver iron.

fear (fēr) – medo; resposta emocional normal, em oposição à ansiedade e fobia, a fontes externas conscientemente reconhecidas de perigo, que se manifesta por meio de alarme, apreensão ou inquietação.

feb·ri·cant (feb'rĭ -kant) – febrifaciente; que provoca febre.

feb·ri·cide (-sĭ d) – febricida: 1. que reduz a temperatura corporal na febre; 2. agente que abaixa a febre.

fe·bric·i·ty (feb-ris'it-e) – febricidade; estado febril, tornar-se febril.

feb·ri·fa·cient (feb"rĭ -fa'shint) – febrifaciente; que produz febre.

fe·brif·ic (feb-rif'ik) – febrífico; que produz febre.

fe·brif·u·gal (-u-gil) – febrífugo; que reduz a febre.

feb·rile (feb'ril) – febril; relativo à febre.

fe·bris (fe'bris) [L.] – febre (fever). **f. meliten'sis** – f. de Malta; brucelose.

fe·ca·lith (fe'kah-lith) – fecalito; concreção intestinal formada ao redor de um centro de matéria fecal.

fe·cal·oid (fe'kil-oid) – fecalóide; semelhante a fezes.

fe·ces (fe'sēz) [L.] – fezes; excremento expelido dos intestinos. **fe'cal** – adj. fecal.

fec·u·la (fek'ūl-ah) – fécula; amilo: 1. borra ou sedimento; 2. amido.

fec·u·lent (-int) – feculento; fecal; sujo: 1. que tem borras ou sedimentos; 2. excrementício.

fe·cun·da·tion (fe"kun-da'shun) – fecundação; fertilização; impregnação.

fe·cun·di·ty (fĕ-kun'dit-e) – fecundidade; capacidade de produzir descendentes freqüentemente e em grande número. Em demografia, a capacidade fisiológica de se reproduzir, em oposição à fertilidade.

feed·back (fēd'bak) – retroalimentação; realimentação; o retorno, como estímulo ou inibição de uma parte do débito, de forma a atuar como mecanismo regulador de um determinado sistema; a retroalimentação é negativa quando o retorno exerce controle inibitório; é *positiva* quando exerce efeito estimulador.

feed·for·ward (fēd-for'wird) – pré-alimentação; efeito antecipatório que um intermediário em um sistema de controle endócrino ou metabólico exerce em um outro intermediário posteriormente ao longo de uma via; esse efeito pode ser positivo ou negativo.

feed·ing (fēd'ing) – alimentação; consumo ou recepção de alimento. **artificial f.** – a. artificial; alimentação de um bebê com outro alimento que não o leite materno. **breast f.** – a. mamária; ver em *breast-feeding*. **forced f.** – a. forçada; administração de um alimento à força a quem não pode ingeri-lo.

fel·la·tio (fě-la'she-o) – felação; estimulação ou manipulação oral do pênis.

fe·lo·di·pine (fě-lo'di-pēn) – felodipina; bloqueador de canal de cálcio utilizado como vasodilatador no tratamento da hipertensão.

fel·on (fel'on) – panarício; infecção purulenta que envolve a polpa da falange distal de um dedo.

felt·work (felt'werk) – neuropilema; complexo de fibras intimamente entrelaçadas, como as fibras nervosas.

fem·i·nism (fem'ĭ-nizm) – feminização; aparecimento ou existência de características sexuais secundárias femininas no homem.

fem·i·ni·za·tion (fem"ĭ-nĭ-za'shun) – feminização: 1. indução ou desenvolvimento normal de características sexuais femininas; 2. indução ou desenvolvimento de características sexuais secundárias femininas no homem. **testicular f.** – f. testicular; afecção na qual o indivíduo torna-se fenotipicamente uma mulher, mas não tem a cromatina sexual nuclear e tem um sexo cromossômico XY.

fem·o·ral (fem'or-al) – femoral; relativo ao fêmur ou à coxa.

fem·o·ro·cele (fem'ah-ro-sēl") – femorocele; hérnia femoral.

femto- (fem'to) – fento-, forma combinante utilizada para denominar a unidade de medição para indicar um quadrilionésimo (10^{-15}) da unidade designada pela raiz com a qual se combinou. Símbolo f.

fe·mur (fe'mer) [L.] pl. *femora, femurs* – fêmur: 1. ver *Tabela de Ossos*; 2. coxa.

fe·nes·tra (fě-nes'trah) [L.] pl. *fenestrae* – janela; abertura semelhante a uma janela. **f. coch'leae** – j. da cóclea; abertura redonda na parede interna do ouvido médio coberta pela membrana timpânica secundária. **f. ova'lis** – j. oval; j. do vestíbulo. **f. rotun'da** – j. redonda; j. da cóclea. **f. vesti'buli** – j. do vestíbulo; abertura oval na parede interna do ouvido médio, que se fecha através da base do estribo.

fen·es·tra·tion (fen"is-tra'shun) – fenestração: 1. ato de perfuração ou a condição de ser perfurado; 2. criação cirúrgica de uma nova abertura no labirinto do ouvido para a restauração da audição no caso de otosclerose. **aorticopulmonary f.** – f. aorticopulmonar; defeito septal aórtico.

fen·flur·amine (fen-flōōr'ah-men) – fenfluramina; derivado anfetamínico, utilizado como anoréxico em forma de sal de cloridrato.

fen·o·pro·fen cal·ci·um (fen"o-pro'fen) – fenoprofeno cálcico; antiinflamatório, analgésico e antipirético não-esteróide.

fen·ta·nyl (fen'tah-nil) – fentanil; derivado de piperidina; utiliza-se o sal de citrato como um analgésico narcótico e, em combinação com o droperidol, como neuroleptanalgésico.

fer·ment (fer-ment') – fermento; sofrer fermentação; utilizado para a decomposição de carboidratos.

fer·men·ta·tion (ferm"en-ta'shun) – fermentação; conversão enzimática anaeróbica dos compostos orgânicos, especialmente de carboidratos em compostos mais simples, especialmente o álcool etílico, produzindo energia na forma de ATP.

fer·mi·um (ferm'e-um) – férmio; elemento químico (ver *Tabela de Elementos*), número atômico 100, símbolo Fm.

fern·ing (fern'ing) – samambaia; aparecimento de um padrão semelhante a uma samambaia em uma amostra ressecada de muco cervical, uma indicação da presença de estrogênios.

-ferous [L.] – -fero, elemento de palavra, *apresentar; produzir.*

fer·re·dox·in (fer"ě-dok'sin) – ferredoxina; proteína que contém ferro não-hêmico e que tem um potencial de redução-oxidação muito baixo; as ferredoxinas participam da condução de elétrons na fotossíntese, na fixação de nitrogênio e em vários outros processos biológicos.

fer·ric (fer'ik) – férrico; que contém ferro em seu estado de oxidação mais-três Fe(III), também escrito Fe^{3+}.

fer·ri·tin (-ĭ-tin) – ferritina; complexo ferro-apoferritina, que constitui uma das formas principais nas quais se armazena o ferro no corpo.

fer·ro·ki·net·ics (fer"o-kĭ-net'iks) – ferrocinética; a movimentação ou taxa de alteração de ferro no corpo.

fer·ro·pro·tein (-pro'tēn) – ferroproteína; proteína combinada com um radical que contém ferro; as ferroproteínas são transportadores respiratórios.

fer·rous (fer'us) – ferroso; que contém ferro em seu estado de oxidação mais-dois Fe(II), algumas vezes designado Fe^{2+}.

fer·ru·gi·nous (fe-roo'jin-is) – ferruginoso: 1. que contém ferro ou ferrugem; 2. da cor da ferrugem.

fer·rum (fer'um) [L.] – ferro, símbolo Fe; ver *iron.*

fer·til·i·ty (fer-til'ĭ-e') – fertilidade; capacidade de conceber ou induzir uma concepção. **fer'tile** – adj. fértil.

fer·ti·li·za·tion (fer"til-ĭ-za'shun) – fertilização; união dos elementos masculino e feminino, levando ao desenvolvimento de um novo indivíduo. **external f.** – f. externa; união dos gametas exteriormente aos corpos dos organismos originários, como no caso da maioria dos peixes. **internal f.** – f. interna; união dos gametas no interior do corpo da fêmea, transferindo-se os espermatozóides do corpo do macho por meio de um órgão sexual acessório ou outros meios.

fer·ves·cence (fer-ves'ins) – fervescência; aumento da febre ou temperatura corporal.

fes·ter (fes'ter) – infeccionar; ulcerar; supurar superficialmente.

fes·ti·na·tion (fes"tĭ-na'shun) – festinação; qualquer tendência involuntária a dar passos curtos e acelerados ao caminhar.

fes·toon (fes-tōōn') – festão; entalhe no material de base de uma dentadura que simula os contornos dos tecidos naturais a serem substituídos.

fe·tal (fe'tal) – fetal; de ou relativo a um feto ou ao período do seu desenvolvimento.

fe·tal·iza·tion (fe"tal-ĭ-za'shun) – fetalização; retenção no adulto das características que em um estágio anterior de evolução eram somente infantis e se perdiam rapidamente à medida que o organismo atingia a maturidade.

fe·ta·tion (fe-ta'shun) – fetação: 1. desenvolvimento do feto; 2. gravidez (*pregnancy*).

fe·ti·cide (fēt'ĭ-sīd) – feticídio; destruição do feto.

fet·id (fe'tid, fet'id) – fétido; que tem odor rançoso e desagradável.

fet·ish (fet'ish) – fetiche; objeto simbolicamente imbuído de significado especial; objeto ou parte do corpo carregados com interesse erótico especial.

fet·ish·ism (-izm) – fetichismo: 1. religião primitiva marcada pela crença em fetiches; 2. parafilia marcada por impulsos sexuais recorrentes e fantasias da utilização de fetiches, geralmente artigos de vestuário, para excitação sexual ou orgasmo. **transvestic f.** – f. com transvestismo; impulsos sexuais recorrentes para a fantasias de utilização de roupas do outro sexo.

fe·tol·o·gy (fe-tol'ah-je) – fetologia; ramo da Medicina que lida com o feto no útero.

fe·tom·e·try (fe-tom'ĭ-tre) – fetometria; medição do feto, especialmente da sua cabeça.

α-fe·to·pro·tein (fe"to-pro'tēn) – α-fetoproteína (*alpha-fetoprotein*).

fe·tor (fe'tor) – fedor; mau-cheiro ou odor ofensivo. **f. hepa'ticus** – f. hepático; odor peculiar da respiração característico de uma hepatopatia. **f. o'ris** – f. oral; halitose.

fe·to·scope (fēt'ah-skōp) – fetoscópio: 1. estetoscópio especialmente projetado para auscultar o batimento cardíaco fetal; 2. endoscópio para observar o feto no útero.

fe·tus (fēt'us) [L.] – feto; filho em desenvolvimento no interior do útero, especificamente o descendente não-nascido no período pós-embrionário, no homem, a partir de sete ou oito semanas após a fertilização até o nascimento. **harlequin f.** – f. arlequim; bebê recém-nascido com a forma mais severa de descamação lamelar típica. **mummified f.** – f. mumificado; feto ressecado e enrugado. **f. papyra'ceus** – f. papiráceo; feto morto achatado pelo crescimento de um gêmeo vivo. **parasitic f.** – f. parasita; feto menor incompleto preso a um feto maior e mais completamente desenvolvido ou autósito.

FEV – forced expiratory volume (volume expiratório forçado).

fe·ver (fe'ver) – febre: 1. pirexia; elevação da temperatura corporal acima do normal (98,6°F ou 37°C); 2. qualquer doença caracterizada pela elevação da temperatura corporal. **blackwater f.** – f. hemoglobinúrica; complicação perigosa da malária falcípara, com eliminação de urina vermelho-escura ou negra, intoxicação severa e alta mortalidade. **boutonneuse f.** – f. botonosa; doença originária de carrapatos endêmica da área do Mediterrâneo, Criméia, África e Índia, devida a infecção por *Rickettsia conorii*, com calafrios, febre, lesão cutânea primária (mancha negra) e exantema aparecendo no segundo ao quarto dia. **cat-scratch f.** – f. da arranhadura de gato; ver em *disease*. **central f.** – f. central; febre persistente que resulta de danos aos centros termorregulatórios do hipotálamo. **childbed f.** – f. puerperal; septicemia puerperal. **Colorado tick f.** – f. do carrapato do Colorado; doença viral febril, não-exantematosa e proveniente de carrapatos, que ocorre nas regiões das Montanhas Rochosas dos Estados Unidos. **continued f.** – f. contínua; febre que não varia mais do que 0,56 a 0,84°C em 24h. **drug f.** – f. por medicamentos; reação febril a um agente terapêutico, incluindo vacinas, antineoplásicos, antimicrobianos etc. **elephantoid f.** – f. elefantóide; afecção febril aguda recorrente que ocorre em caso de filaríase; pode associar-se a elefantíase ou a linfangite. **enteric f.** – f. entérica: 1. f. tifóide; 2. paratifóide. **epidemic hemorrhagic f.** – f. hemorrágica epidêmica; doença infecciosa aguda caracterizada por febre, púrpura, colapso vascular periférico e insuficiência renal aguda, causada por vírus do gênero *Hantavirus*, que se acredita sejam transmitidos ao homem pelo contato com saliva e excreções de roedores infectados. **familial Mediterranean f.** – f. familiar do Mediterrâneo; doença hereditária que ocorre geralmente nos armênios e nos judeus sefarditas e é marcada por ataques recorrentes curtos de febre com dor no abdômen, no peito ou nas articulações e um eritema semelhante ao observado na erisipela; é algumas vezes complicada por amiloidose. **Haverhill f.** – f. de Haverhill; forma bacilar da febre por mordedura de ratos, devida a *Streptobacillus moniliformis*, e transmitida através de leite cru contaminado e seus derivados. **hay f.** – f. do feno; forma sazonal de rinite alérgica com conjuntivite aguda, lacrimejamento, prurido, inchaço da mucosa nasal, catarro, ataques súbitos de espirros e freqüentemente sintomas asmáticos; considerada como uma afecção anafilática ou alérgica excitada por um alérgeno específico (por exemplo, pólen) ao qual a pessoa é sensível. **hay f., nonseasonal, hay f., perennial** – f. do feno; f. do feno não-sazonal; perene; rinite alérgica não-sazonal. **hemorrhagic f's** – febres hemorrágicas; grupo de infecções virais severas e diversas de distribuição mundial, mas que ocorre principalmente em climas tropicais, geralmente transmitida ao homem por meio de picadas de artrópodos ou do contato com roedores infectados por vírus e que dividem determinadas características comuns, incluindo febre, manifestações hemorrágicas, trombocitopenia, choque e distúrbios neurológicos. **humidifier f.** – f. do umidificador; síndrome de mal-estar, febre, tosse e mialgia causada por inalação de ar que tenha passado por umidificadores, desumidificadores ou condicionadores contaminados por fungos, amebas ou actinomicetos termofílicos. **intermittent f.** – f. intermitente; ataque de malária ou de outra febre, com paroxismos recorrentes de temperatura elevada separados por intervalos durante os quais a temperatura é normal. **Katayama f.** – f. de Katayama; febre associada a infecções esquistossomais severas, acompanhadas de hepatoesplenomegalia e eosinofilia. **Lassa f.** – f. de Lassa; doença febril aguda e altamente fatal causada por um arenavírus extremamente virulento, que ocorre na África Ocidental e se caracteriza por prostração progressiva, dor de garganta, ulcerações da boca ou da garganta, exantema e acne, bem como dores em geral. **mud f.** – f. da lama; icterícia leptospirótica. **Oroya f.** – f. de Oroya; ver *bartonellosis*. **paratyphoid f.** – f. paratifóide. **parenteric f.** – f. parentérica; doença semelhante clinicamente à febre tifóide e paratifóide, mas não é causada por *Salmonella*. **parrot f.** – f. do papagaio; psitacose. **pharyngoconjunctival f.** – f. faringoconjuntival; doença epidêmica devida a um adenovírus que ocorre principalmente em crianças escolares, com febre, faringite, conjuntivite, rinite e dilatação dos linfonodos cervicais. **phlebotomus f.** – f. do flebótomo; doença viral febril de curta duração, transmitida pelo mosquito-pólvora *Phlebotomus papatasi*, com sintomas semelhantes à dengue, e que ocorre nos países do Mediterrâneo e do Oriente Médio. **Pontiac f.** – f. de Pontiac; doença autolimitada que se manifesta por febre, tosse, dores musculares, calafrios, dor de cabeça, dor no peito, confusão e pleurite, causada por uma cepa da *Legionella pneumophila*. **pretibial f.** – f. pré-tibial; infecção devida à *Leptospira autumnalis*, caracterizada por exantema na região pré-tibial, com dor lombar e pós-orbitária, mal-estar, coriza e febre. **puerperal f.** – f. puerperal; septicemia acompanhada de febre, na qual o foco de infecção é uma lesão da membrana mucosa do canal parturiente decorrente de traumatismo durante o parto; geralmente devido a um estreptococo. **Q f.** – f. Q; infecção rickettsial febril, geralmente respiratória e descrita primeiramente na Austrália, causada pela *Coxiella burnetii*. **relapsing f.** – f. recorrente: 1. qualquer doença de um grupo de doenças infecciosas devidas a várias espécies de *Borrelia*, marcadas por períodos alternados de febre e de apirexia, cada um deles durando de cinco a sete dias. **rat-bite f.** – f. da mordida de rato; uma de duas doenças infecciosas agudas e clinicamente semelhantes, geralmente transmitidas através de mordedura de rato, sendo uma das formas (bacilar) causada pela *Streptobacillis moniliformis* e a outra forma (espirilar) causada pela *Spirillum minor*. **recurrent f.** – f. recorrente: 1. recorrente; 2. febre paroxística recorrente que ocorre em várias doenças como a malária. **remittent f.** – f. remitente; febre que varia 1,11°C ou mais em 24h, mas sem retornar à temperatura normal. **rheumatic f.** – f. reumática; doença febril que ocorre como seqüela de infecções estreptocócicas hemolíticas do Grupo A, caracterizada por lesões inflamatórias focais múltiplas das estruturas de tecido conjuntivo, especialmente coração, vasos sangüíneos e articulações e pela presença de corpúsculos de Aschoff no miocárdio e na pele. **Rift Valley f.** – f. do Vale Rift; doença febril com sintomas semelhantes aos da dengue, devida a um arbovírus e

transmitida por mosquitos ou por contato com animais doentes; observada pela primeira vez no vale do Rift, Quênia. **Rocky Mountain spotted f.** – f. maculosa das Montanhas Rochosas; infecção por *Rickettsia rickettsii*, transmitida por carrapatos e que se manifesta por febre, dor muscular e fraqueza, acompanhadas de erupção petequial macular que começa nas mãos e nos pés e se propaga para o tronco e a face, por sintomas do sistema nervoso central etc. **rose f.** – f. das rosas; forma de febre do feno sazonal causada por pólens de grama, que são liberados enquanto as rosas e outras flores estão florescendo. **scarlet f.** – f. escarlatina; doença aguda causada por estreptococos β-hemolíticos do Grupo A e marcada por faringotonsilite e exantema cutâneo causado por toxina eritrogênica produzida pelo microrganismo; o exantema é um eritema escarlate-brilhante e difuso com muitos pontos de vermelho mais escuro. A descamação da pele começa como uma descamação fina eventualmente ocorrendo nas palmas das mãos e plantas dos pés. **Sennetsu f.** – f. de Sennetsu; doença febril que ocorre no Japão e na Malásia e é causada pela *Ehrlichia sennetsu*, caracterizada por dor de cabeça, náuseas, linfocitose e linfadenopatia. **septic f.** – f. séptica; febre devida a septicemia. **South African tickbite f.** – f. da picada de carrapato sul-africano; infecção originária de carrapatos da África do Sul, devida à *Rickettsia conorii*, o agente etiológico da febre botonosa. **typhoid f.** – f. tifóide, infecção pela *Salmonella typhi* que envolve principalmente os folículos linfóides do íleo, com calafrios, febre, dor de cabeça, tosse, prostração, distensão abdominal, esplenomegalia e exantema maculopapular; perfuração do intestino ocorre em cerca de 5% dos casos não-tratados. **yellow f.** – f. amarela; doença viral originária de mosquitos, infecciosa e aguda, endêmica primariamente na América do Sul tropical e na África e caracterizada por febre, icterícia devida à necrose hepática e albuminúria.

FFA – free fatty acids (ácidos graxos livres).

FIAC – Fellow of the International Academy of Cytology (Membro da Academia Internacional de Citologia).

fi·ber (fi'ber) – fibra: 1. estrutura filamentar alongada; 2. f. nervosa; 3. em Nutrição, a soma dos constituintes da dieta não-digeridos pelas enzimas gastrointestinais. **A f's** – fibras A; fibras aferentes ou eferentes mielinizadas do sistema nervoso somático que têm um diâmetro de 1 a 22μm e uma velocidade de condução de 5 a 120m/s; incluem as fibras alfa, beta, delta e gama. **accelerating f's, accelerator f's** – fibras aceleradoras; fibras adrenérgicas que transmitem os impulsos que aceleram o batimento cardíaco. **adrenergic f's** – fibras adrenérgicas; fibras nervosas, geralmente simpáticas, que liberam adrenalina ou substâncias relacionadas tais como neurotransmissores. **afferent f's, afferent nerve f's** – fibras aferentes; fibras nervosas aferentes; fibras nervosas que conduzem os impulsos sensoriais da periferia para o sistema nervoso central. **alpha f's** – fibras alfa; fibras proprioceptivas e motoras do tipo A, que têm velocidades de condução de 70 a 120m/s e variam de 13 a 22µm de diâmetro. **alveolar f's** – fibras alveolares; fibras do ligamento periodontal, que se estendem do cimento da raiz dentária até as paredes dos alvéolos. **arcuate f's** – fibras arqueadas; fibras em forma de arco no cérebro, como as que conectam os giros adjacentes no córtex cerebral ou as fibras arqueadas externas ou internas da medula oblonga. **association f's** – fibras de associação; fibras nervosas que interconectam porções do córtex cerebral dentro de um hemisfério. As fibras de associação curtas interconectam os giros adjacentes; fibras longas interconectam os giros mais largamente separados e se dispõem em feixes de fascículos. **B f's** – fibras B; axônios autônomos pré-ganglionares mielinizados que têm um diâmetro de fibra de ≤ 3µm e uma velocidade de condução de 3 a 15m/s; incluem somente fibras eferentes. **basilar f's** – fibras basilares; fibras que formam a camada média da zona arqueada e da zona pectinada do órgão de Corti. **beta f's** – fibras beta; fibras motoras e proprioceptivas do tipo A, que têm velocidades de condução de 30 a 70m/s e variam de 8 a 13µm de diâmetro. **C f's** – fibras C; fibras pós-ganglionares não-mielinizadas do sistema nervoso autônomo, também as fibras não-mielinizadas nas raízes dorsais e nas terminações nervosas livres, que têm uma velocidade de condução de 0,6 a 2,3m/s e um diâmetro de 0,3 a 1,3µm. **collagen f's, collagenic f's, collagenous f's** – fibras colágenas; fibras brancas, macias e flexíveis que correspondem ao constituinte mais característico de todos os tipos de tecido conjuntivo, consistindo de colágeno protéico e compostas de feixes de fibrilas que por sua vez são compostas de unidades menores (microfibrilas), que demonstram um enfaixamento cruzado característico com uma periodicidade maior de 65 nm. **dietary f.** – f. dietética; a porção de grãos inteiros, verduras e legumes, frutas e nozes que resiste à digestão no trato gastrointestinal; consiste de carboidratos (celulose, etc.) e lignina. **efferent f's, efferent nerve f's** – fibras eferentes; fibras nervosas eferentes; fibras nervosas que conduzem impulsos motores para fora do sistema nervoso central, em direção à periferia. **elastic f's** – fibras elásticas; fibras amareladas de qualidade elástica que atravessam a substância intercelular do tecido conjuntivo. **fusimotor f's** – fibras fusimotoras; fibras A eferentes que inervam as fibras intrafusais do fuso muscular. **gamma f's** – fibras gama; quaisquer fibras A que conduzam a velocidades de 15 a 40m/s e variem de 3 a 7µm de diâmetro, compreendendo as fibras fusimotoras. **Gottstein's f's** – fibras de Gottstein; células externas e fibras nervosas associadas a elas, formando parte da expansão do nervo auditivo na cóclea. **gray f's** – fibras cinzentas; fibras nervosas não-mielinizadas encontradas predominantemente nos nervos simpáticos. **intrafusal f's** – fibras intrafusais; fibras musculares modificadas que, circundadas por fluidos e envolvidas por tecido conjuntivo, compõem o fuso muscular. **Mahaim f's** – fibras de Mahaim; tecido especializado que conecta os componentes do sistema de condução diretamente ao septo ventricular. **medullated f's, medullated nerve f's** – fibras nervosas medulares; fibras mielinizadas. **motor f.** – f. motora; fibra eferente de um neurônio motor a um músculo. **Müller's f's** – fibras de Müller; células neurogliais alongadas que atravessam todas as camadas da retina, formando o seu principal elemento de sustentação. **muscle f.** – f. muscular; uma das células do tecido muscular esquelético ou cardíaco. As fibras musculares esqueléticas são células multinucleadas cilíndricas que contêm miofibrilas contráteis, através das quais correm estriações transversais. As fibras musculares cardíacas têm um ou, algumas vezes, dois núcleos, contêm miofibrilas e se separam entre si por meio de um disco intercalado; embora sejam estriadas, as fibras musculares cardíacas se ramificam para formar uma rede entrelaçante. Ver Prancha XIV. **nerve f.** – f. nervosa; processo delgado de um neurônio, especialmente o axônio prolongado que conduz os impulsos nervosos para fora da célula; classificada com base na presença ou ausência de uma bainha mielínica como mielinizada e não-mielinizada. Ver Prancha XI. **nonmedullated f's** – fibras não-mielinizadas. **osteogenetic f's, osteogenic f's** – fibras osteogênicas; fibras pré-colagenosas formadas pelos osteoclastos e que se tornam o componente fibroso da matriz óssea. **preganglionic f's** – fibras pré-ganglionares; os axônios dos neurônios pré-ganglionares. **pressor f's** – fibras pressoras: 1. fibras nervosas que, quando estimuladas reflexamente, causam ou aumentam o tônus vasomotor; 2. fibras pressoras cardíacas. **Purkinje f's** – fibras de Purkinje; fibras musculares cardíacas modificadas compostas de células de Purkinje, que ocorrem como uma rede entrelaçante no tecido subendotelial e constituem as ramificações terminais do sistema condutor cardíaco. **radicular f's** – fibras radiculares; fibras nas raízes dos nervos espinhais. **reticular f's** – fibras reticulares; fibras de tecido conjuntivo imaturas que se coram com prata, formando a estrutura reticular dos tecidos linfóide e mielóide e ocorrendo no tecido intersticial de órgãos glandulares, camada papilar da pele e em qualquer lugar. **Sharpey's f's** – fibras de Sharpey: 1. fibras colagenosas que saem do periósteo e se incrustam nas lâminas circular externa e intersticial dos ossos; 2. porções terminais das fibras principais que se inserem no interior do cimento dentário. **somatic nerve f's** – fibras nervosas somáticas; fibras nervosas que estimulam e ativam os tecidos muscular esquelético e somático (*fibras eferentes somáticas*) ou recebem impulsos a partir deles (*fibras aferentes somáticas*). **spindle f's** – fibras em fuso; microtúbulos que se irradiam a partir dos centríolos durante a mitose e tomam a configuração de fuso. **traction f's** – fibras de tração; fibras em fuso. **unmyelinated f's** – fibras não-mielinizadas; fibras nervosas que não têm a bainha mielínica. **vasomotor f's** – fibras vasomotoras; fibras nervosas não-mielinizadas que vão principalmente para os músculos arteriolares. **visceral nerve f's** – fibras nervosas viscerais; fibras nervosas, aferentes ou eferentes, que inervam os tecidos muscular liso e glandular. **white f's** – fibras brancas; fibras colagenosas.

fi·ber·il·lu·mi·nat·ed (-ĭ -loo'mĭ -nãt"ed) – iluminado por fibra óptica; que transmite luz por meio de feixes de fibras de vidro ou de plástico, utilizando um sistema de lentes para transmitir a imagem; diz-se de endoscópios com essas características.

fi·ber·op·tics (fi"ber-op'tiks) – fibróptica; transmissão de uma imagem ao longo de feixes flexíveis de fibras de vidro ou de plástico, em que cada uma delas transporta um elemento da imagem.

fi·bra (fi'brah) [L.] pl. *fibrae* – fibra (*fiber*).

fi·bric ac·id (fi'brik) – ácido fíbrico; substância de um grupo de compostos estruturalmente relacionados ao clofibrato que podem reduzir os níveis plasmáticos dos triglicerídeos e do colesterol; utilizado para tratar a hipertrigliceridemia e a hipercolesterolemia.

fibr(o)- [L.] – fibro–, elemento de palavra, *fibra; fibroso.*

fi·bril (fi'bril) – fibrila; fibra ou filamento diminutos. **fibril'lar, fib'rillary** – adj. fibrilar. **dentinal f's** – fibras dentinárias; fibrilas componentes da matriz dentinal.

fi·bril·la (fi-bril'ah) [L.] pl. *fibrillae* – fibrila.

fi·bril·la·tion (fĭ "brĭ -la'shun) – fibrilação: 1. qualidade de se constituir de fibrilas; 2. pequena contração muscular involuntária local, devido a ativação espontânea de células ou fibras musculares únicas cujo suprimento nervoso foi danificado ou interrompido; 3. alterações degenerativas iniciais na osteoartrite, marcadas pelo amolecimento da cartilagem articular e desenvolvimento das fendas verticais entre os grupos de células cartilaginosas. **atrial f.** – f. atrial; arritmia atrial marcada por contrações aleatórias rápidas de pequenas áreas do miocárdio atrial, causando uma freqüência ventricular totalmente irregular e quase sempre rápida. **ventricular f.** – f. ventricular; arritmia cardíaca marcada por contrações fibrilares do músculo ventricular devidas a excitação repetitiva rápida das fibras miocárdicas sem contração ventricular coordenada e através da ausência da atividade atrial.

fi·brin (fi'brin) – fibrina; proteína insolúvel essencial para coagular o sangue, formada a partir do fibrinogênio através da ação da trombina.

fi·brin·ase (-ãs) – fibrinase; fator de coagulação XIII.

fi·bri·no·cel·lu·lar (fi"brĭ -no-sel'ŭl-er) – fibrinocelular; constituído de fibrina e de células.

fi·brin·o·gen (fi-brin'o-jen) – fibrinogênio: 1. fator de coagulação I; 2. fibrinogênio humano: uma fração estéril do plasma humano normal, administrada para aumentar a coagulabilidade do sangue.

fi·bri·no·gen·ic (fi"brĭ -no-jen'ik) – fibrinogênico; que produz ou causa a formação de fibrina.

fi·bri·no·ge·nol·y·sis (-jĕ-nol'ĭ -sis) – fibrinogenólise; destruição proteolítica do fibrinogênio no sangue circulante. **fibrinogenolyt'ic** – adj. fibrinogenolítico.

fi·brino·geno·pe·nia (fi-brin"o-jen"o-pe'ne-ah) – fibrinogenopenia; deficiência de fibrinogênio no sangue. **fibrinogenope'nic** – adj. fibrinogenopênico.

fi·brin·oid (fi'brĭ -noid) – fibrinóide: 1. semelhante à fibrina; 2. substância refrátil homogênea, eosinofílica e relativamente acelular com algumas das características de coloração da fibrina.

fi·bri·nol·y·sin (fi"brĭ -nol'ĭ -sin) – fibrinolisina: 1. plasmina; 2. preparação de enzimas proteolíticas formadas a partir da profibrinolisina (plasminogênio); para promover a dissolução de trombos.

fi·bri·no·pe·nia (fi"brĭ -no-pe'ne-ah) – fibrinopenia; deficiência de fibrinogênio no sangue.

fi·bri·no·pep·tide (-pep'tĭ d) – fibrinopeptídeo; um dos dois peptídeos (A e B) separados do fibrinogênio durante a coagulação através da ação da trombina.

fi·bri·no·pu·ru·lent (-pu'roo-lent) – fibrinopurulento; caracterizado pela presença tanto de fibrina como de pus.

fi·brin·uria (fi"brĭ -nu're-ah) – fibrinúria; presença de fibrina na urina.

fi·bro·ad·e·no·ma (fi"bro-ad"ĕ-no'mah) – fibroadenoma; adenofibroma. **giant f. of the breast** – f. mamário gigante; tumor filodo.

fi·bro·ad·i·pose (-ad'ĭ -pōs) – fibroadiposo; tanto fibroso como gorduroso.

fi·bro·are·o·lar (-ah-re'ol'er) – fibroareolar; tanto fibroso como areolar.

fi·bro·blast (fi'bro-blast) – fibroblasto: 1. célula produtora de fibras imatura do tecido conjuntivo, capaz de se diferenciar em condroblasto, colagenoblasto ou osteoblasto; 2. colagenoblasto; célula produtora de colágeno. Eles também se proliferam no local de uma inflamação crônica. **fibroblas'tic** – adj. fibroblástico.

fi·bro·blas·to·ma (fi"bro-blas-to'mah) – fibroblastoma; qualquer tumor que surja a partir dos fibroblastos, dividido em fibromas e fibrossarcomas.

fi·bro·bron·chi·tis (-brong-ki'tis) – fibrobronquite; bronquite crupal.

fi·bro·cal·cif·ic (-kal-sif'ik) – fibrocalcificado; relativo ou caracterizado por tecido fibroso parcialmente calcificado.

fi·bro·car·ci·no·ma (-kahr"sĭ -no'mah) – fibrocarcinoma; carcinoma cirroso.

fi·bro·car·ti·lage (-kahr'tĭ -lij) – fibrocartilagem; cartilagem de feixes colagenosos paralelos, espessos e compactos, separados por fendas estreitas que contêm as células cartilaginosas típicas (condrócitos). **fibrocartilag'inous** – adj. fibrocartilaginoso. **elastic f.** – f. elástica; fibrocartilagem que contém fibras elásticas. **interarticular f.** – f. interarticular; qualquer disco articular.

fi·bro·car·ti·la·go (kahr"tĭ -lah'go) [L.] pl. *fibrocartila-gines* – fibrocartilagem.

fi·bro·chon·dri·tis (-kon-drĭ 't'is) – fibrocondrite; inflamação de uma fibrocartilagem.

fi·bro·col·lag·e·nous (-kol-laj'ĭ -nus) – fibrocolagenoso; tanto fibroso como colagenoso; relativo ou composto de tecido fibroso composto principalmente de colágeno.

fi·bro·cys·tic (-sis'tik) – fibrocístico; caracterizado pelo supercrescimento de tecido fibroso e desenvolvimento de espaços císticos, especialmente em uma glândula.

fi·bro·cyte (fi'bro-sĭ t) – fibrócito; fibroblasto (*fibroblast*).

fi·bro·dys·pla·sia (fi"bro-dis-pla'zhah) – fibrodisplasia; displasia fibrosa.

fi·bro·elas·tic (-e-last'ik) – fibroelástico; tanto fibroso como elástico.

fi·bro·elas·to·sis (-e"las-to'sis) – fibroelastose; supercrescimento de elementos fibroelásticos. **endocardial f.** – f. endocárdica; espessamento irregular difuso do endocárdio mural, particularmente no ventrículo esquerdo, devido a proliferação de tecido colagenoso e elástico; freqüentemente associada a malformações cardíacas congênitas.

fi·bro·ep·i·the·li·o·ma (-ep"ĭ-thēl"e-o'mah) – fibroepitelioma; tumor composto tanto de elementos fibrosos como epiteliais.

fi·bro·fol·lic·u·lo·ma (-fah-lik"-u-lo'mah) – fibrofoliculoma; tumor benigno do tecido conjuntivo perifolicular que ocorre como uma ou mais pápulas amareladas em forma de cúpula, geralmente na face.

fi·broid (fi'broid) – fibróide: 1. que tem estrutura fibrosa; semelhante ao fibroma; 2. fibroma; 3. leiomioma; 4. no plural, um termo clínico coloquial para o leiomioma uterino.

fi·broid·ec·to·my (fi"broid-ek'tah-me) – fibroidectomia; miomectomia uterina.

fi·bro·la·mel·lar (fi"bro-lah-mel'er) – fibrolamelar; caracterizado pela formação de fibras colagenosas em camadas.

fi·bro·li·po·ma (-lĭ-po'mah) – fibrolipoma; lipoma com tecido fibroso excessivo. **fibrolipo'matous** – adj. fibrolipomatoso.

fi·bro·ma (fi-bro'mah) pl. *fibromas, fibromata* – fibroma; tumor composto principalmente de tecido conjuntivo fibroso ou completamente desenvolvido. **ameloblastic f.** – f. ameloblástico; tumor odontogênico caracterizado pela proliferação simultânea de tecidos tanto epiteliais como mesenquimatosos, sem a formação de esmalte ou dentina. **cementifying f.** – f. cimentante; tumor de tecido fibroblástico que contém massas de um tecido semelhante ao cimento, geralmente na mandíbula de pessoas idosas. **chondromyxoid f.** – f. condromixóide; tumor ósseo benigno, raro e de crescimento lento de origem condroblástica, geralmente afetando os ossos longos grandes da extremidade inferior. **cystic f.** – f. cístico; fibroma que sofreu degeneração cística. **f. mollus'cum** – f. moluscóide; pequenos nódulos subcutâneos disseminados sobre a superfície corporal; visto em algumas formas de neurofibromatose. **nonossifying f., nonosteogenic f.** – f. não-ossificante; f. não-osteogênico; lesão degenerativa e proliferativa dos tecidos medular e cortical do osso. **ossifying f., ossifying f. of bone** – f. ossificante; f. ossificante ósseo; tumor ósseo central benigno e de crescimento relativamente lento, geralmente das mandíbulas, e composto de tecido conjuntivo fibroso dentro do qual se forma o osso. **ossifying f., peripheral** – f. ossificante periférico; epúlide; fibroma, geralmente gengival, que mostra áreas de calcificação ou ossificação. **perifollicular f.** – f. perifolicular; uma ou mais lesões foliculares papulares pequenas e cor da pele na cabeça e no pescoço. **periungual f.** – f. periungueal; um dos múltiplos nódulos protrusos, firmes e lisos que ocorrem nas dobras ungueais que são patognomônicos da esclerose tuberosa.

fi·bro·ma·to·sis (fi"bro-mah-to'sis) – fibromatose: 1. presença de fibromas múltiplos; 2. formação de nódulo fibroso semelhante a um tumor que surge a partir da fáscia profunda, com tendência à recorrência local. **aggressive f.** – f. agressiva; desmóide, particularmente um desmóide extraabdominal. **f. gengi'vae, gingival f.** – f. gengival; hiperplasia fibrosa não-inflamatória da gengiva manifestada como supercrescimento uniforme ou nodular, difuso e denso dos tecidos gengivais. **palmar f.** – f. palmar; fibromatose envolvendo a fáscia palmar e resultando em contratura de Dupuytren's. **plantar f.** – f. plantar; fibromatose que envolve a fáscia plantar, manifestada como inchaço nodular único ou múltiplo, algumas vezes acompanhado de dor, mas geralmente não-associado a contraturas.

fi·bro·my·itis (fi"bro-mi-ī't'is) – fibromiite; inflamação de um músculo com degeneração fibrosa.

fi·bro·my·o·ma (-mi-o'mah) – fibromioma; mioma que contém elementos fibrosos.

fi·bro·myx·o·ma (-mik-so'mah) – fibromixoma; mixofibroma (*myxofibroma*).

fi·bro·myx·o·sar·co·ma (-mik"so-sahr-ko'-mah) – fibromixossarcoma; sarcoma que contém elementos fibromatosos e mixomatosos.

fi·bro·nec·tin (-nek'tin) – fibronectina; glicoproteína adesiva; uma das formas circula no plasma, agindo como uma opsonina, a outra é uma proteína de superfície celular que media interações adesivas celulares.

fi·bro·odon·to·ma (-o"don-to'mah) – odontofibroma; tumor que contém elementos tanto fibrosos como odontogênicos.

fi·bro·pap·il·lo·ma (-pap"ĭ-lo'mah) – fibropapiloma; fibropapiloma epitelial.

fi·bro·pla·sia (-pla'zhah) – fibroplasia; formação de tecido fibroso. **fibroplas'tic** – adj. fibroplástico. **retrolental f. (RLF)** – f. retrolenticular; retinopatia do prematuro.

fi·bro·sar·co·ma (-shar-ko'mah) – fibrossarcoma; tumor maligno e localmente invasivo, que se espalha hematogenicamente e deriva de fibroblastos produtores colágeno que são, por outro lado, não-diferenciados. **ameloblastic f.** – f. ameloblástico; tumor odontogênico que é a contraparte maligna de um fibroma ameloblástico, dentro do qual ele geralmente surge. **odontogenic f.** – f. odontogênico; tumor maligno das mandíbulas, que se origina a partir de um dos componentes mesenquimatosos do dente ou da camada germinativa de um dente.

fi·bro·sis (fi-bro'sis) – fibrose; formação de tecido fibroso; degeneração fibróide. **fibrot'ic** – adj. fibrótico. **congenital hepatic f.** – f. hepática congênita; hepatopatia de desenvolvimento marcada pela formação de faixas largas irregulares de tecido fibroso que contêm cistos múltiplos formados por ductos biliares terminais desordenados, resultando em constrição vascular e hipertensão portal. **cystic f., cystic f. of the pancreas** – f. cística; f. cística do pâncreas; distúrbio hereditário generalizado de bebês, crianças e adultos jovens, associado a disfunção disseminada das glândulas exócrinas, marcado por sinais de doença pulmonar crônica, obstrução dos ductos pancreáticos por meio de concreções eosinófilas amorfas com deficiência enzimática pancreática conseqüente, por níveis eletrolíticos anormalmente altos no suor e ocasionalmente por cirrose biliar. **endomyocardial f.** – f. endomiocárdica; miocardiopatia idiopática que ocorre endemicamente em várias regiões da África e raramente em outras áreas, caracterizada por cardiomegalia, espessamento acentuado do endocárdio com um tecido fibroso branco denso que se estende freqüentemente para envolver o terço interno ou a metade do miocárdio e insuficiência cardíaca congestiva. **idiopathic pulmonary f.** – f. pulmonar idiopática; inflamação crônica e fibrose progressiva das paredes alveolares pulmonares, com dispnéia constantemente progressiva, resultando em morte a partir de falta de oxigênio ou insuficiência cardíaca direita. **mediastinal f.** – f. mediastínica; desenvolvimento de um tecido fibroso duro e esbranquiçado na porção superior do mediastino, algumas vezes obstruindo as vias aéreas e os grandes vasos sangüíneos. **nodular subepidermal f.** – f. subepidérmica nodular; formação subepidérmica de nódulos fibrosos múltiplos como resultado de inflamação produtiva, um tipo de histiocitoma fibroso benigno e algumas vezes empregado como sinônimo para o dermatofibroma.

fi·bro·si·tis (fi"bro-si't'is) – fibrosite; hiperplasia inflamatória do tecido fibroso branco, especialmente das bainhas musculares e das camadas fasciais do sistema locomotor.

fi·bro·tho·rax (-thor'aks) – fibrotórax; aderência das duas camadas pleurais, sendo o pulmão recoberto por um tecido fibroso espesso e não-expansível.

fi·bro·xan·tho·ma (-zan-tho'mah) – fibroxantoma; tipo de xantoma que contém elementos fibromatosos, algumas vezes descrito como sinônimo de subtipo de histiocitoma fibroso tanto benigno como maligno. **atypical f. (AFX)** – f. atípico; pequena neoplasia nodular cutânea que geralmente ocorre em áreas da face e do pescoço expostas ao sol; algumas vezes descrito como relacionado a um subtipo de histiocitoma fibroso tanto benigno como maligno.

fi·bro·xan·tho·sar·co·ma (-zan"tho-sahr-ko'-mah) – fibroxantossarcoma; histiocitoma fibroso maligno.

fib·u·la (fib'ūl-ah) [L.] – fíbula; perônio; ver *Tabela de Ossos.* **fib'ular** – adj. fibular.

fib·u·lo·cal·ca·ne·al (fib"ūl-o-kal-ka'ne-il) – fibulocalcâneo; relativo à fíbula e ao calcâneo.

fi·cain (fi'kăn) – ficina; enzima derivada da seiva das figueiras que catalisa a clivagem de ligações específicas em proteínas; potencializa a aglutinação de hemácias com anticorpos IgG e é, portanto, utilizada na determinação do fator Rh.

FICD – Fellow of the International College of Dentists (Membro da Associação Internacional de Dentistas).

fi·cin (fi'sin) – ficina (*ficain*).

FICS – Fellow of the International College of Surgeons (Membro da Associação Internacional de Cirurgiões).

field (fēld) – campo: 1. área ou espaço aberto, como um campo cirúrgico ou campo visual; 2. extensão de especialização no conhecimento, estudo ou ocupação; 3. em Embriologia, a região de desenvolvimento dentro de uma variação de fatores modificantes. **auditory f.** – c. auditivo; o espaço ou variação dentro da qual pode-se perceber estímulos como som. **individuation f.** – c. de individualização; região na qual um organizador influencia um tecido adjacente para se tornar parte de um embrião total. **morphogenetic f.** – c. morfogenético; região embrionária a partir da qual se desenvolvem normalmente estruturas definidas. **visual f.** – c. visual; área dentro da qual os estímulos produzirão a sensação da visão estando o olho em posição frontal.

FIGLU – formiminoglutamic acid (ácido formiminoglutâmico).

fig·ure (fig'yer) – figura; objeto de forma particular. **mitotic f's** – figuras mitóticas; estágios de agregação cromossômica que exibem um padrão característico de mitose.

fi·la (fi'lah) [L.] – plural de *filum.*

fil·a·ment (fil'ah-ment) – filamento; fibra ou fio delicados. **actin f.** – f. actínico; um dos miofilamentos contráteis finos em uma miofibrila. **intermediate f's** – filamentos intermediários; classe de filamentos citoplasmáticos que agem predominantemente como componentes estruturais do citoesqueleto e também efetuam vários movimentos nos processos celulares. **muscle f.** – f. muscular; miofilamento. **myosin f.** – f. de miosina; um dos miofilamentos contráteis grossos em uma miofibrila. **thick f's** – filamentos grossos; filamentos de miosina bipolares em um músculo estriado. **thin f's** – filamentos finos; filamentos actínicos que ocorrem em um músculo estriado, associados a troponina e tropomiosina.

fil·a·men·tous (fil"ah-ment'us) – filamentoso; composto de estruturas longas e filiformes.

fil·a·men·tum (fil"ah-men'tum) [L.] pl. *filamenta* – filamento.

Fi·la·ria (fĭ-lar'e-ah) – Filaria; nome genérico antigo para os membros da superfamília Filarioidea. **F. bancrof'ti** – *F. bancrofti; Wuchereria bancrofti.* **F. medinen'sis** – *F. medinensis; Dracunculus medinensis.* **F. san'guinis-ho'minis** – *F. sanguinis-hominis; Wuchereria bancrofti.*

fi·la·ria (fĭ-lar'e-ah) [L.] pl. *filariae* – filária; verme nematódeo da superfamília Filarioidea. **fila'rial** – adj. filarial.

fi·lar·i·cide (fi-lar'ĭ-sīd) – filaricida; agente que destrói filárias. **filaricid'al** – adj. filaricídico.

Fi·lar·i·oi·dea (fĭ-lar"e-oi'de-ah) – Filarioidea; superfamília ou ordem de nematódeos parasitas, em que os adultos são vermes filamentosos que invadem os tecidos e as cavidades corporais, onde a fêmea deposita as microfilárias (pré-larvas).

fil·gras·tim (fil-gras'tim) – filgrastima; fator estimulante de colônias de granulócitos humanos produzido pela tecnologia recombinante; utilizado como adjuvante no tratamento de pacientes que recebem quimioterapia mielossupressiva para malignidades não-mielóides.

fil·i·form (fil'ĭ -form, fi'lĭ -form) – filiforme: 1. filamentar; filamentoso; 2. algália extremamente delgada.

fil·let (fil'et) – filete; lemnisco: 1. alça (como o cordão ou fita) para realizar tração no feto; 2. no sistema nervoso, faixa longa de fibras nervosas.

fill·ing (fil'ing) – enchimento: 1. material inserido em uma cavidade dentária preparada; 2. restauração da coroa com material apropriado após a remoção do tecido cariado de um dente. **complex f.** – e. complexo; enchimento para uma cavidade complexa. **composite f.** – e. composto; enchimento que consiste de resina composta. **compound f.** – e. composto; enchimento para uma cavidade que envolve duas superfícies de um dente.

film (film) – filme; película: 1. camada ou revestimento finos; 2. lâmina fina de material (por exemplo, gelatina e acetato de celulose) especialmente tratado para o uso em fotografia ou radiografia; utilizado também para designar a lâmina após a exposição à energia à qual é sensível. **bite-wing f.** – f. de asa mordida; f. oclusal; filme de raio X para radiografias de estruturas orais com uma aba protrusa para ser mantida entre os dentes superiores e inferiores. **gelatin f., absorbable** – f. de gelatina absorvível; filme de gelatina hidrossolúvel, absorvível; não-antigênico e estéril utilizado como hemostático local. **plain f.** – f. simples; radiografia feita sem empregar meio de contraste. **spot f.** – f. produzido para obter radiografia de uma área anatômica pequena obtida ou através de rápida exposição durante fluoroscopia para proporcionar um registro permanente de uma anormalidade transitoriamente observada ou através de limitação da radiação que passa através da área para melhorar a definição e o detalhe da imagem produzida. **x-ray f.** – f. de raio X; filme sensibilizado a raios X, seja antes ou depois da exposição.

fi·lo·po·di·um (fi"lo-po'de-um) [L.] pl. *filopodia* – filópodio; pseudópodo filamentoso de ectoplasma.

fi·lo·pres·sure (fi'lo-presh"er) – filopressão; compressão de um vaso sangüíneo por meio de ligadura filiforme.

Fi·lo·vi·ri·dae (fi"o-vir'ĭ -de) – Filoviridae; vírus de Marburg e Ebola; família de vírus do RNA com virions filamentosos com envoltórios e genoma de RNA monofilamentar de sentido negativo; o único gênero é o *Filovirus*.

Fi·lo·vi·rus (fi'lo-vi"rus) – *Filovirus;* vírus de Marburg e Ebola; gênero de vírus da família Filoviridae que causam febres hemorrágicas (doença do vírus de Marburg e doença do vírus Ebola).

fil·ter (fil'ter) – filtro; dispositivo para eliminar determinados elementos, como (1) partículas de tamanho determinado de uma solução, ou (2) raios de determinado comprimento de onda de uma corrente de energia radiante. **membrane f.** – f. de membrana; filtro constituído de um filme fino de colódio, de acetato de celulose ou outro material, disponível em ampla variedade de tamanhos de poros. **Millipore f.** – f. Millipore; marca registrada para qualquer filtro de vários filtros de membrana.

fil·ter·a·ble (-ah-b'l) – filtrável; capaz de passar através dos poros de um filtro.

fil·trate (fil'trāt) – filtrado; líquido que passou através de um filtro.

fil·tra·tion (fil-tra'shun) – filtração; ato de passar através de um filtro ou de um material que impede a passagem de determinadas moléculas.

fi·lum (fi'lum) [L.] pl. *fila* – filamento; estrutura ou parte filamentar. **f. termina'le** – f. terminal; prolongamento filiforme delgado da medula espinhal do cone medular ao dorso do cóccix.

fim·bria (fim'bre-ah) [L.] pl. *fimbriae* – fímbria: 1. franja, borda ou margem; estrutura semelhante a uma franja; 2. pêlo; ver *pilus* (2). **f. hippocam'pi** – f. do hipocampo; faixa de substância branca ao longo da borda mediana da superfície ventricular do hipocampo. **fimbriae of uterine tube** – fímbrias da tuba uterina; vários processos semelhantes a franjas divergentes na parte distal do infundíbulo da tuba uterina.

fim·bri·at·ed (fim'bre-āt"ed) – fimbriado; franjado.

fim·brio·cele (fim'bre-o-sēl") – fimbriocele; hérnia que contém as fímbrias da tuba uterina.

fi·nas·te·ride (fĭ -nas'ter-ī d) – finasterida; inibidor da 5α-redutase utilizado no tratamento da hiperplasia prostática benigna.

fin·ger (fing'ger) – dedo; um dos cinco dígitos da mão ou do pé. **baseball f.** – d. de beisebol; flexão permanente parcial da falange terminal de um dedo causada por bola ou outro objeto que bata na extremidade ou no dorso do dedo, resultando em ruptura da inserção do tendão extensor. **clubbed f.** – d. em baqueta; dedo com aumento de volume da falange terminal sem alterações ósseas constantes. **index f.** – d. indicador; segundo dedo da mão. **ring f.** – d. anular; quarto dedo da mão. **webbed f's** – dedos palmados; sindactilia; dedos mais ou menos unidos por faixas de tecido.

fin·ger·print (-print) – impressão digital: 1. impressão das cristas cutâneas da porção distal carnosa de um dedo; 2. em Bioquímica, o padrão característico de um peptídeo após a sujeição a uma técnica analítica.

first aid (furst ād) – primeiros socorros; cuidados emergenciais e tratamento de uma pessoa lesada ou doente antes que um tratamento médico e cirúrgico possa ser administrado.

fis·sion (fish'in) – fissão: 1. ato de separar; 2. reprodução assexuada na qual a célula se divide em duas (*f. binária*) ou mais (*f. múltipla*) partes-filhas, cada uma delas tornando-se um organismo individual; 3. fissão nuclear; divisão do núcleo atômico com liberação de energia.

fis·sip·a·rous (fi-sip'ah-ris) – fissíparo; propagado através de fissão.

fis·su·la (fis'ŭl-ah) [L.] – fendícula; fenda pequena.

fis·su·ra (fis-u'rah) [L.] pl. *fissurae* – fissura. **f. in a'no** – fissura anal.

fis·sure (fish'er) – fissura: 1. qualquer fenda ou sulco, normal ou não, especialmente uma dobra profunda no córtex cerebral que envolve sua espessura completa; 2. falha na superfície de esmalte de um dente. **abdominal f.** – f. abdominal; fenda congênita na parede abdominal. **anal f., f. in ano** – f. anal; úlcera linear dolorosa na margem do ânus. **anterior median f.** – f. mediana anterior; sulco longitudinal ao longo da linha média da face anterior da medula espinhal e da medula oblonga. **basisylvian f.** – f. basal de Sylvius; parte da fissura de Sylvius entre o lobo temporal e a superfície orbitária do osso frontal. f. **of Bichat** – f. de Bichat; f. transversa; ver *transverse f.* (2). **branchial f's** – fissuras branquiais; ver em *cleft.* **calcarine f.** – f. calcarina; ver em *sulcus.* **central f.** – f. central; ver em *sulcus.* **collateral f.** – f. colateral; ver em *sulcus.* **enamel f.** – f. do esmalte; fissura; ver *fissure* (2). **hippocampal f.** – f. hipocampal; ver em *sulcus.* **palpebral f.** – f. palpebral; abertura longitudinal entre as pálpebras. **parieto-occipital f.** – f. parietoccipital; ver em *sulcus.* **portal f.** – f. porta; porta hepática. **posterior median f.** – f. mediana posterior; ver em *sulcus.* **presylvian f.** – pré-f. de Sylvius; ramo anterior da fissura de Sylvius. **primary f.** – f. primária; fissura que separa os lobos cranial e caudal no cerebelo. **f. of Rolando** – f. de Rolando; sulco central cerebral. **spheno-occipital f.** – f. esfenoccipital; fissura entre a parte basilar do osso occipital e o osso esfenóide. **sylvian f., f. of Sylvius** – f. de Sylvius; fissura que se estende lateralmente entre os lobos temporal e frontal, e se vira posteriormente entre os lobos temporal e parietal. **transverse f.** – f. transversa: 1. porta hepática; 2. fissura cerebral transversal entre o diencéfalo e os hemisférios cerebrais.

fis·tu·la (fis'tu-lah) [L.] pl. *fistulas* ou *fistulae* – fístula; passagem ou comunicação anormal, geralmente entre dois órgãos internos ou que sai de um órgão interno para a superfície corporal. **anal f.** – f. anal; fístula próxima ao ânus, que pode ou não se comunicar com o reto. **arteriovenous f.** – f. arteriovenosa: 1. fístula entre uma artéria e uma veia; 2. conexão arteriovenosa cirurgicamente criada que proporciona um local de acesso para uma tubulação de hemodiálise. **blind f.** – f. cega; fístula aberta somente em uma extremidade, abrindo-se na pele (*f. cega externa)* ou em uma superfície mucosa interna (*f. cega interna)*. **branchial f.** – f. branquial; fenda branquial persistente. **cerebrospinal fluid f.** – f. do líquido cerebroespinhal; fístula entre o espaço subaracnóide e uma cavidade corporal, com escape de líquido cerebroespinhal, geralmente na forma de otorréia ou rinorréia. **craniosinus f.** – f. craniossinusal; fístula entre o espaço cerebral e um dos seios, permitindo o escape de líquido cerebroespinhal no interior do nariz. **fecal f.** – f. fecal; fístula cólica que se abre na superfície corporal externa, eliminando fezes. **gastric f.** – f. gástrica; passagem anormal que se comunica com o estômago; freqüentemente aplicado a abertura cirurgicamente criada a partir do estômago através da parede abdominal. **incomplete f.** – f. incompleta; f. cega. **pulmonary arteriovenous f.** – f. arteriovenosa pulmonar; comunicação anômala congênita entre os sistemas arterial e venoso pulmonares, permitindo que o sangue não-oxigenado entre na circulação sistêmica. **salivary f.** – f. salivar; passagem anormal que se comunica com um ducto salivar. **Thiry's f.** – f. de Thiry; abertura criada no interior do intestino para se obter amostras de suco intestinal em animais experimentais. **umbilical f.** – f. umbilical; fístula que se comunica com o intestino ou o úraco no umbigo.

fis·tu·la·tome (-tõm") – fistulátomo; instrumento para incisar uma fístula.

fis·tu·li·za·tion (fis"tu-lĭ -za'shun) – fistulização; fistulação: 1. processo de se tornar fistuloso; 2. criação cirúrgica de uma fístula.

fis·tu·lot·o·my (fis"tu-lot'ah-me) – fistulotomia; incisão de uma fístula.

fit (fit) – ataque; crise: 1. convulsão; ver *seizure* (2); 2. adaptação de uma estrutura em outra.

fix·a·tion (fik-sa'shun) – fixação: 1. processo de manutenção, sutura ou aperto em uma posição fixa; 2. condição de manter-se preso em posição fixa; 3. em Psiquiatria: (*a)* cessação do desenvolvimento em um estágio particular, ou (*b)* ligação de fixação a outra pessoa, especialmente a uma personagem da infância, como um parente; 4. uso de fixador para preservar amostras histológicas ou citológicas; 5. em Química, o processo através do qual se remove uma substância da fase gasosa ou de solução e localizada; 6. em Oftalmologia, direcionamento do olhar de forma que a imagem visual do objeto caia na fóvea central; 7. no processamento de um filme, remoção de todos os sais não-desenvolvidos da emulsão do filme, deixando somente a prata desenvolvida para formar uma imagem permanente. **complement f., f. of complement** – f. do complemento; adição de outro soro que contém anticorpo e antígeno correspondentes a um soro hemolítico, tornando o complemento incapaz de produzir hemólise.

fix·a·tive (fik'sit-iv) – fixador; agente utilizado na preservação de uma amostra histológica ou patológica de forma a manter a estrutura normal de seus elementos constituintes.

flac·cid (flak'sid) – flácido; fraco; frouxo.

flag·el·late (flaj'ĕ-lāt) – flagelado: 1. qualquer microrganismo que tem flagelos; 2. qualquer protozoário do subfilo Mastigophora; 3. que tem flagelos; 4. flagelar, praticar a flagelação.

flag·el·la·tion (flaj"ĕ-la'shun) – flagelação; chicotear ou ser chicoteado para atingir prazer erótico.

flag·el·lin (flah-jel'in) – flagelina; proteína dos flagelos bacterianos; é composta de subunidades num arranjo de várias hélices enroladas.

flag·el·lo·sis (flaj"il-o'sis) – flagelose; infestação de protozoários flagelados.

fla·gel·lo·spore (flah-jel'o-spōr) – flagelósporo; zoósporo (*zoospore).*

fla·gel·lum (flah-jel'um) [L.] pl. *flagella* – flagelo; apêndice semelhante a um chicote longo e móvel, que surge do corpúsculo basal na superfície de uma célula, servindo como organela locomotora; nas células eucarióticas os flagelos contêm nove pares de microtúbulos, dispostos ao redor de um par central; nas bactérias, eles contêm fios de flagelina firmemente entretecidos.

Flag·yl (flag"l) – Flagyl, marca registrada de preparação de metronidazol.

flail (flāl) – mobilidade; que exibe mobilidade anormal ou patológica, como o tórax móvel ou a articulação móvel.

flame (flãm) – flama: 1. aparência irregular e luminosa que geralmente acompanha a combustão ou a aparência semelhante a esta; 2. flambar; tornar um objeto estéril através da exposição a uma flama.

flange (flanj) – aleta; borda ou margem que se projeta; em Odontologia, a parte da base da dentadura que se estende a partir do dente incrustado na borda de dentadura.

flank (flank) – flanco; lado do corpo entre as costelas e o ílio.

flap (flap) – retalho: 1. massa de tecido para fazer enxerto (geralmente incluindo a pele), removida apenas parcialmente de uma parte do corpo, de forma que retenha o seu próprio suprimento sangüíneo durante a transferência para outro local; 2. movimento não-controlado. **bone f.** – r. ósseo; craniotomia que envolve a elevação de uma secção do crânio. **free f.** – r. livre; retalho insular destacado do corpo e refixado em um local receptor distante através de anastomose microvascular. **jump f.** – r. em salto; retalho cortado do abdômen e fixado a um retalho do mesmo tamanho no antebraço; o retalho do antebraço é transferido posteriormente para alguma outra parte do corpo para preencher um defeito local. **myocutaneous f.** – r. miocutâneo; retalho composto de pele e de músculos com vascularização adequada de modo a permitir que se transfira tecido suficiente para o local receptor. **rope f.** – r. em corda; retalho feito através da elevação de uma longa tira de tecido de seu leito, com exceção das duas extremidades, suturando-se as bordas cortadas para formar um tubo. **skin f.** – r. cutâneo; massa de espessura completa ou retalho de tecido que contém epiderme, derme e tecido subcutâneo. **sliding f.** – r. deslizante; retalho transportado para a sua nova posição através de técnica de deslizamento.

flare (flãr) – rubor; vermelhidão; área difusa de vermelhidão na pele ao redor do ponto de aplicação de um irritante, devido a reação vasomotora.

flask (flask) – frasco: 1. recipiente laboratorial, geralmente de vidro e com gargalo estreito; 2. estojo de metal no qual se colocam os materiais utilizados na confecção de dentaduras artificiais para processamento. **Erlenmeyer f.** – f. de Erlenmeyer; frasco de vidro cônico com base larga e gargalo estreito. **volumetric f.** – f. volumétrico; recipiente de vidro e de gargalo estreito, calibrado para conter ou administrar um volume exato a certa temperatura.

flat·foot (flat'foot) – pé chato; condição em que um ou mais arcos do pé se aplanam.

flat·ness (-nes) – macicez; som peculiar que não tem ressonância, auscultado na percussão de uma parte anormalmente sólida.

flat·u·lence (flat'u-lens) – flatulência; formação excessiva de gases no estômago ou no intestino.

fla·tus (flãt'is) [L.] – flato: 1. gás ou ar no trato gastrointestinal; 2. gás ou ar expulsos através do ânus.

flat·worm (flat'wurm) – verme plano; organismo individual do filo Platyhelminthes.

flav(o)- [L.] – elemento de palavra, *amarelo*.

fla·vin (fla'vin) – flavina; qualquer substância de um grupo de pigmentos amarelos hidrossolúveis largamente distribuídos em animais e plantas, incluindo a riboflavina e as enzimas amarelas. **f. adenine dinucleotide (FAD)** – dinucleotídeo de flavina-adenina; coenzima composta de 5'-fosfato de riboflavina (FMN) e de 5'-fosfato de adenosina em uma ligação de pirofosfato; forma o grupo protético de determinadas enzimas, incluindo a D-aminoácido oxidase e a xantina oxidase, servindo como um condutor de elétrons ao ser alternadamente oxidado (FAD) e reduzido (FADH$_2$). É importante na condução de elétrons na mitocôndria. **f. mononucleotide (FMN)** – mononucleotídeo de flavina; 5'-fosfato de riboflavina; atua como coenzima para várias enzimas oxidativas, incluindo a NADH desidrogenase, servindo como condutor de elétrons ao ser alternadamente oxidado (FMN) e reduzido (FMNH$_2$).

Fla·vi·vi·ri·dae (fla"vĭ -virī-de) – Flaviviridae; arbovírus do grupo B: família de vírus de RNA com genoma de RNA monofilamentar de sentido positivo; existe um único gênero, *Flavivirus*.

Fla·vi·vi·rus (fla'vĭ -vi"rus) – *Flavivirus;* arbovírus do grupo B; gênero de vírus da família Flaviviridae, da qual muitos membros causam doenças no homem e nos animais, incluindo os agentes de febre amarela, dengue, encefalite de St. Louis e outras formas de encefalite.

fla·vi·vi·rus (fla'vĭ -vi"rus) – flavivírus; qualquer vírus da família Flaviviridae.

Fla·vo·bac·te·ri·um (fla"vo-bak-tēr'e-um) – *Flavobacterium;* gênero de esquizomicetos (família Achromobacteriaceae), que produzem caracteristicamente pigmento amarela, laranja, vermelha ou marrom-amarelada, encontrada no solo e na água; acredita-se que algumas espécies sejam patogênicas.

fla·vo·en·zyme (-en'zĩ m) – flavoenzima; qualquer enzima que contenha um nucleotídeo de flavina (FMN ou FAD) como o grupo protético.

fla·vo·noid (fla'vah-noid) – flavonóide; substância de um grupo de compostos que contêm um núcleo aromático característico e se distribuem largamente nos vegetais superiores, freqüentemente como um pigmento; os bioflavonóides são um subgrupo com atividade biológica nos mamíferos.

fla·vox·ate (fla-voks'ãt) – flavoxato; relaxante de musculatura lisa; utiliza-se o sal de cloridrato para o tratamento de espasmos do trato urinário.

flax·seed (flak'sēd) – semente de linho.

fl dr – fluid dram (dracma líquida).

flea (fle) – pulga; pequeno inseto sugador de sangue e sem asas; muitas pulgas são parasitas e podem agir como portadoras de doenças.

fleece (flēs) – velo; massa de fibrilas entrelaçadas. **f. of Stilling** – v. de Stilling; entrelaçamento de fibras mielinizadas ao redor do núcleo denteado.

flesh (flesh) – carne: 1. tecido muscular; 2. pele; **goose f.** – pele de ganso; cútis anserina. **proud f.** – c. esponjosa; quantidades exuberantes de tecido granulomatoso, edematoso e macio, que se desenvolve durante a cicatrização de grandes ferimentos superficiais.

fleur·ette (floor-et') [Fr.] – roseta; tipo de célula encontrado em grupos nos retinoblastomas e retinocitomas, representando a diferenciação de células tumorais em fotorreceptores.

Flex·er·il (flek'sĕ-ril) – Flexeril, marca registrada de preparação de cloridrato de ciclobenzaprina.

flex·i·bil·i·tas (flek"sī-bil'ĭ-tas) [L.] – flexibilidade. **f. cérea** – f. cérea.

flex·i·bil·i·ty (-ĭ-te) – flexibilidade; estado de ser incomumente flexível. **waxy f.** – f. cérea; estado cataléptico em que os membros retêm qualquer posição na qual são colocados.

flex·ion (flek'shun) – flexão; ato de se curvar ou a condição de ser curvado.

flex·or (flek'ser) – flexor; qualquer músculo que flexiona uma articulação; ver *Tabela de Músculos*.

flex·u·ra (flek-shoo'rah) [L.] pl. *flexurae* – flexura.

flex·ure (flek'sher) – flexura; curva ou dobra; curvatura. **caudal f.** – f. caudal; curva na extremidade aboral do embrião. **cephalic f.** – f. cefálica; curva no cérebro médio do embrião. **cervical f.** – f. cervical; curva no tubo neural do embrião, na junção do cérebro e da medula espinhal. **cranial f.** – f. craniana; f. cefálica. **dorsal f.** – f. dorsal; uma das flexuras na região medio-dorsal do embrião. **duodenojejunal f.** – f. duodenojejunal; curva na junção do duodeno e do jejuno. **lumbar f.** – f. lombar; curvatura ventral na região lombar das costas. **mesencephalic f.** – f. mesencefálica; curva no tubo neural do embrião no nível do mesencéfalo. **nuchal f.** – f. nucal; f. cervical. **pontine f.** – f. pontina; flexura no cérebro posterior no embrião. **sacral f.** – f. sacral; f. caudal. **sigmoid f.** – f. sigmóide; ver em *colon*.

float·ers (flōt'ers) – moscas volantes; depósitos no humor vítreo ocular, geralmente movimentando-se e provavelmente representando agregados finos de proteína vítrea que ocorrem como alteração degenerativa benigna.

floc·cil·la·tion (flok"sī-la'shun) – flocilação; movimento irriquieto dos dedos que apanham as cobertas de cama por parte de um paciente em delírio, demência, febre ou exaustão.

floc·cose (flok'ōs) – flocose; lanoso; diz-se do crescimento bacteriano de cadeias curtas e curvas, variavelmente dispostas.

floc·cu·la·tion (flok"u-la'shun) – floculação; fenômeno coloidal no qual a fase dispersa se separa em partículas discretas e geralmente visíveis em vez de se congelarem em uma massa contínua, como na coagulação.

floc·cu·lus (flok'u-lus) [L.] pl. *flocculi* – flóculo: 1. pequeno tufo ou massa, como a de lã ou outro material fibroso; 2. pequena massa no lado inferior de cada hemisfério cerebral, contínua com o nódulo vermicular. **floc'cular** – adj. flocular.

flood·ing (flud'ing) – em Terapia Comportamental, o tratamento de fobias e ansiedades através de exposição repetida a estímulos aversivos, seja em imaginação ou na vida real.

floor (flor) – assoalho; superfície interna inferior de um órgão oco ou outro espaço.

flo·ra (flor'ah) [L.] – flora: 1. coletividade de organismos vegetais de determinada localidade; 2. bacté-

rias e fungos, que tanto ocorrem normal como patologicamente, e são encontrados em ou sobre um órgão. **intestinal f.** – f. intestinal; bactérias encontradas normalmente no lúmen intestinal.

flow·me·ter (flo'mĕt-er) – fluxímetro; aparelho para medir a velocidade de fluxo de líquidos ou de gases.

flox·uri·dine (floks-ūr'ĭ-dēn) – floxuridina; derivado da fluorouracil ($C_9H_{11}FN_2O_5$) utilizado como agente antiviral e antineoplásico. Abreviação: FUDR.

fl oz – fluid ounce (onça líquida).

flu (floo) – forma coloquial de gripe (*influenza*).

flu·co·na·zole (floo-kon'ah-zōl) – fluconazol; agente antifúngico utilizado no tratamento sistêmico da candidíase e da meningite criptocócica.

fluc·tu·a·tion (fluk"choo-a'shun) – flutuação; variação, como aquela ao redor de um valor ou de massa fixos; movimento ondulatório.

flu·cy·to·sine (floo-si'to-sēn) – flucitosina; antifúngico utilizado no tratamento de infecções por *Candida* e criptocócicas severas.

flu·dar·a·bine phos·phate (floo-dar'ah-bēn) – fosfato de fludarabina; análogo de adenina e antimetabólito purínico utilizado como antineoplásico no tratamento da leucemia linfocítica crônica.

flu·dro·cor·ti·sone (floo"dro-kor'tĭ-sōn) – fludrocortisona; corticóide adrenal sintético com efeitos semelhantes aos da hidrocortisona e desoxicorticosterona.

fluid (floo'id) – fluido: 1. líquido ou gás; qualquer líquido do organismo; 2. composto de moléculas que alteram livremente suas posições relativas sem separação da massa. **amniotic f.** – líquido amniótico; líquido no interior do âmnion que banha o feto em desenvolvimento e o protege de lesões mecânicas. **cerebrospinal f. (CSF)** – líquido cerebroespinhal; líquido contido no interior dos ventrículos cerebrais, espaço subarcnóide e canal central da medula espinhal. **interstitial f.** – líquido intersticial; fluido extracelular que banha a maioria dos tecidos, excluindo o fluido no interior dos vasos linfáticos e sangüíneos. **intracellular f.** – líquido intracelular; porção da água total do organismo com os seus solutos dissolvidos que se encontra no interior das membranas celulares. **Müller's f.** – líquido de Müller; fluido para preservar amostras anatômicas. **Scarpa's f.** – líquido de Scarpa; endolinfa. **seminal f.** – líquido seminal; sêmen.

flu·id·ex·tract (floo"id-ek'strakt) – extrato fluido; preparação líquida de um medicamento vegetal que contém álcool como solvente ou preservativo, elaborado de modo que cada mililitro contenha a extração de 1g do medicamento padrão que representa.

flu·i·drachm (floo'ĭ-dram) – dracma líquida.

fluke (flook) – qualquer trematódeo.

flu·ma·ze·nil (floo-ma'zĕ-nil) – flumazenil; agonista benzodiazepínico utilizado para reverter os efeitos das benzodiazepinas após sedação, anestesia geral ou superdosagem.

flu·men (floo'men) [L.] pl. *flumina* – flúmen; fluxo; correnteza. **flu'mina pilo'rum** – fluxos dos pêlos; linhas ao longo dos quais os pêlos do corpo dispõem-se à medida que crescem.

flu·meth·a·sone (floo-meth'ah-sōn) – flumetasona; glicocorticóide antiinflamatório utilizado topicamente em forma de base ou de sal de pivalato para tratar determinadas dermatoses.

flu·o·cin·o·lone acet·o·nide (flo"ah-sin'ah-lōn) – fluocinolona acetonida; glicocorticóide sintético utilizado topicamente para aliviar inflamação e prurido em dermatoses sensíveis a corticosteróides.

flu·o·cin·o·nide (-nīd) – fluocinonida; éster da fluocinolona acetonida; utilizada topicamente para tratar dermatoses.

flu·o·res·ce·in (flōō-res'ēn) – fluoresceína; corante fluorescente ($C_{20}H_{10}O_5$); utiliza-se o seu sal sódico em solução para revelar lesões corneanas e como teste de circulação na retina e extremidades.

flu·o·res·cence (-ens) – fluorescência; propriedade de emitir luz quando exposto à luz, sendo o comprimento de onda da luz emitida mais longo que o da luz absorvida. **fluores'cent** – adj. fluorescente.

flu·o·ri·da·tion (floor"ī-da'shun) – fluoretação; tratamento com fluoretos; adição de fluoretos ao suprimento de água destinada à população como medida de saúde pública para reduzir a incidência de cáries dentárias.

flu·o·rim·e·ter (flōō-rim'ĕ-ter) – fluorímetro; fluorômetro; ver *fluometer* (3).

flu·o·rine (floor'ēn) – flúor; elemento químico (ver *Tabela de Elementos*), número atômico 9, símbolo F.

flu·o·ro·chrome (floor'o-krōm) – fluorocromo; componente fluorescente usado como corante para marcar proteínas com um sinal fluorescente.

flu·o·rom·e·ter (flōō-rom'ĕ-ter) – fluorômetro: 1. aparelho para medir a quantidade de raios emitidos por um tubo de raio X; 2. dispositivo aplicável ao fluoroscópio para assegurar um contorno correto e não-distorcido do objeto e localizá-lo corretamente; 3. instrumento utilizado em fluorometria que consiste de uma fonte energética (por exemplo, lâmpada de arco de mercúrio ou lâmpada de xenônio) para induzir fluorescência, monocromadores para a seleção do comprimento de onda e um detector.

flu·o·ro·meth·o·lone (floor"o-meth'ah-lōn) – fluorometolona; glicocorticóide sintético utilizado topicamente em afecções oculares alérgicas e inflamatórias responsivas a corticosteróides.

flu·o·rom·e·try (flōō-rom'ī-tre) – fluorometria; técnica analítica para identificar quantidades diminutas de uma substância através da detecção e medição do comprimento de onda característico da luz que emite durante a fluorescência.

flu·o·ro·neph·e·lom·e·ter (floor'o-nef'ĕ-lom'ĕ-ter) – fluoronefelômetro; instrumento para a análise de uma solução através da medição da luz dispersa ou emitida por ela.

flu·o·ro·pho·tom·e·try (-fo-tom'ĕ-tre) – fluorofotometria; medição da luz emitida por substâncias fluorescentes. **vitreous f.** – f. vítrea; medição da luz emitida por fluoresceína injetada endovenosamente que extravasou pelos vasos retinianos no interior do humor vítreo; realizada para detectar a deterioração da barreira hematorretiniana, alteração ocular precoce no diabetes melito.

flu·o·ro·scope (floor'o-skōp) – fluoroscópio; instrumento para a observação visual da forma e movimento das estruturas profundas do corpo através de contornos de raio X projetados em uma tela fluorescente.

flu·o·ros·co·py (flōō-ros'kah-pe) – fluoroscopia; exame através do fluoroscópio.

flu·o·ro·sis (flōō-ro'sis) – fluorose: 1. condição devida a ingestão de quantidades excessivas de flúor; 2. intoxicação por fluoreto que pode se dever a fatores como ingestão acidental de inseticidas e rodenticidas que contêm fluoreto, inalação crônica de pós ou gases industriais que contenham fluoretos ou ingestão prolongada de água com grandes quantidades de fluoretos; caracterizada por alterações esqueléticas, que consistem de osteosclerose e osteomalacia combinadas (osteofluorose) e por esmalte mosqueado dos dentes quando a exposição ocorre durante a formação do esmalte. **endemic f., chronic** – f. endêmica crônica; fluorose devida a concentrações incomumente altas de flúor no suprimento de água potável natural, causando tipicamente fluorose dentária, mas também osteosclerose e osteomalacia combinadas.

flu·o·ro·ura·cil (floor"o-u-rah-sil) – fluorouracil; antimetabólito ativado semelhante ao uracil, utilizado como agente antineoplásico.

Flu·o·thane (floo'o-thān) – Fluothane, marca registrada de preparação de halotano.

flu·ox·e·tine (floo-of'sĕ-tēn) – fluoxetina; antidepressivo.

flu·ox·y·mes·ter·one (floo-ok"se-mes'ter-ōn) – fluoximesterona; androgênio utilizado no tratamento do hipogonadismo masculino e na terapia paliativa de determinados cânceres de mama.

flu·pen·thix·ol (floo"pen-thik'sol) – flupentixol; derivado de tioxanteno utilizado no tratamento dos sintomas dos distúrbios psicóticos.

flu·phen·a·zine (floo-fen'ah-zēn) – flufenazina; tranqüilizante maior, utilizado como sais de decanoato, enantato e cloridrato.

flur·an·dren·o·lide (floor"an-dren'ah-līd) – flurandrenolida; glicocorticóide sintético utilizado topicamente para aliviar inflamação e prurido nas dermatoses.

flu·raz·e·pam (flŏō-raz'ĕ-pam) – flurazepam; hipnótico e sedativo utilizado como sal de cloridrato no tratamento da insônia.

flush (flush) – rubor; vermelhidão; geralmente transitória, da face e do pescoço; jato de água.

flut·ter (flut'er) – agitação; adejamento; tremulação; vibração ou pulsação rápida, termo geralmente usado em inglês. **atrial f.** – f. atrial; arritmia cardíaca em que as contrações atriais tornam-se rápidas (250 a 350/min), mas regulares. **diaphragmatic f.** – f. diafragmático; fibrilações semelhantes a ondas peculiares do diafragma, de causa desconhecida. **impure f.** – f. impuro; agitação atrial em que o eletrocardiograma mostra períodos alternados de agitação e de fibrilação atriais ou períodos indefinidos de um ou de outro. **mediastinal f.** – f. mediastínico; mobilidade anormal do mediastino durante a respiração. **pure f.** – f. puro; f. atrial. **ventricular f. (VFl)** – f. ventricular;

possível estágio transicional entre a taquicardia ventricular e a fibrilação ventricular, em que o eletrocardiograma mostra oscilações regulares, uniformes e rápidas, 250/min ou mais.

flut·ter-fib·ril·la·tion (-fĭ´-brĭ´-la'shun) – flutter-fibrilação; agitações impuras que variam constantemente em sua semelhança com a agitação ou a fibrilação, respectivamente.

flux (fluks) – fluxo: 1. secreção ou emissão excessiva; 2. material excretado.

fly (flī) – mosca; inseto díptero (com duas asas) que constitui freqüentemente um vetor de organismos que causam doenças. **tsetse f.** – m. tse-tsé; ver *Glossina*.

Fm – símbolo químico, férmio (*fermium*).

FMN – flavin mononucleotide (mononucleotídeo de flavina).

fo·cus (fo'kus) [L.] pl. *foci* – foco: 1. ponto de convergência de raios luminosos ou ondas sonoras; 2. centro principal de um processo mórbido. **fo'cal** – adj. focal. **epileptogenic f.** – f. epileptogênico; área do córtex cerebral responsável por causar crises epilépticas. **Ghon f.** – f. de Ghon; lesão parenquimatosa primária da tuberculose pulmonar primária nas crianças.

fo·cus·ing (-ing) – focalização; ato de convergir em um ponto. **isoelectric f.** – f. isoelétrica; eletroforese na qual a mistura protéica se sujeita a um campo elétrico em um meio de gel em que se estabeleceu um gradiente de pH; cada proteína então migra até alcançar o local onde o pH é equivalente ao seu ponto isoelétrico.

foe – consultar *fe-*.

fog (fog) – nebulização; sistema coloidal no qual o meio de dispersão é um gás e as partículas dispersas são líquidas.

fog·ging (fog'ing) – desacomodação por miopização; em Oftalmologia, método de determinação do erro refrativo no astigmatismo, tornando-se primeiramente o paciente míope artificialmente para relaxar a acomodação; fraqueza da visão.

foil (foil) – folha; metal na forma de lâmina extremamente fina e flexível.

fo·late (fo'lāt) – folato: 1. forma aniônica do ácido fólico; 2. em termos genéricos, substância de um grupo de substâncias que contém uma forma de ácido pteróico conjugado com o ácido L-glutâmico e tem várias substituições.

fold (fōld) – prega; dobra; margem ou duplicação fina e recurvada. **amniotic f.** – p. amniótica; margem dobrada do âmnion onde se eleva e finalmente envolve o embrião. **aryepiglottic f.** – p. ariepiglótica; prega de membrana mucosa que se estende de cada lado entre a borda lateral da epiglote e o ápice da cartilagem aritenóide. **costocolic f.** – p. costocólica; ligamento frenocólico. **Douglas' f.** – p. de Douglas; linha semilunar que marca a terminação da camada posterior da bainha do músculo reto abdominal, imediatamente abaixo do nível da crista ilíaca. **gastric f's** – pregas gástricas; série de pregas na membrana mucosa do estômago. **gluteal f.** – p. glútea; vinco que separa as nádegas das coxas. **head f.** – p. da cabeça; prega blastodérmica na extremidade cefálica do embrião em desenvolvimento. **lacri-**

mal f. – p. lacrimal; prega de membrana mucosa na abertura inferior do ducto nasolacrimal. **Marshall's f.** – p. de Marshall; p. vestigial. **medullary f.** – p. medular; p. neural. **mesonephric f.** – p. mesonéfrica, ver em *ridge*. **nail f.** – p. ungueal; prega de pele palmar ao redor da base e lados de uma unha. **neural f.** – p. neural; uma das pregas pareadas que se situam em cada lado da placa neural que forma o tubo neural. **semilunar f. of conjunctiva** – p. semilunar da conjuntiva; prega mucosa no ângulo medial ocular. **skin f.** – p. cutânea. **tail f.** – p. caudal; prega blastodérmica na extremidade caudal do embrião em desenvolvimento. **urogenital f.** – p. urogenital; ver em *ridge*. **ventricular f., vestibular f.** – p. ventricular vestibular; corda vocal falsa. **vestigial f. of Marshall** – p. vestigial de Marshall; prega pericárdica que envolve o remanescente da veia cardinal anterior esquerda embrionária. **vocal f.** – prega vocal; corda vocal verdadeira.

fo·lic ac·id (fo'lik) – ácido fólico; vitamina hidrossolúvel do complexo B (ácido pteroilglutâmico ou derivados relacionados), envolvida na hematopoiese e na síntese de aminoácidos e de DNA; sua deficiência causa a anemia megaloblástica. Ver *tetrahydrofolic acid* e *antagonist, folic acid*.

fo·lie (fo-le') [Fr.] – loucura; psicose; insanidade. **f. à deux** – insanidade dupla; ocorrência de psicose idêntica simultaneamente em duas pessoas intimamente associadas. **f. du doute** – mania de dúvida; incapacidade patológica de tomar as decisões mais insignificantes. **du pourquoi** – psicose do por quê; questionamento psicopatológico constante. **f. gémellaire** – psicose gemelar; psicose que ocorre simultaneamente em gêmeos. **f. raisonnante** – forma delirante de qualquer psicose.

fo·lin·ic ac·id (fo-lin'ik) – ácido folínico; leucovorina; derivado 5-formil do ácido tetraidrofólico; pode agir como condutor de coenzima em determinadas reações mediadas pelo folato e é utilizado, como sal de leucovorina cálcico no tratamento de alguns distúrbios de deficiência de ácido fólico.

fo·li·um (fo'le-um) [L.] pl. *folia* – folha; estrutura semelhante a uma folha, especialmente uma das subdivisões semelhantes a folhas do córtex cerebelar.

fol·li·cle (fo'ĭ-k'l) – folículo; saco, depressão ou cavidade semelhante a uma bolsa. **follic'ular** – adj. folicular. **atretic f.** – f. atrésico; folículo ovariano involuído. **gastric f's** – folículos gástricos; massas linfóides na mucosa gástrica. **graafian f's** – folículos de Graaf; folículos ovarianos vesiculares. **hair f.** – f. piloso; uma das invaginações tubulares da epiderme que envolve os pêlos e a partir das quais estes crescem. **intestinal f's** – folículos intestinais; ver em *gland*. **lingual f's** – folículos linguais; massas nodulares de tecido linfóide na raiz da língua que constituem a tonsila lingual. **lymph f., lymphatic f.** – f. linfático: 1. pequena coleção de linfócitos de proliferação ativa no córtex de um linfonodo; 2. pequena coleção de tecido linfóide na membrana mucosa do trato gastrointestinal, onde ocorre isoladamente (*f. linfático solitário*) ou intimamente agrupada com outras (folículos linfáticos agregados). **Naboth's f's, nabothian f's** – folículos de Naboth; formações cistiformes devidas ao fechamento do lúmen das glândulas na mucosa da cérvix uterina, fazendo com que se distendam com a secreção retida. **ovarian f.** – f. ovariano; o óvulo e as suas células envolventes em qualquer estágio de desenvolvimento. **ovarian f's, primary** – folículos ovarianos primários; folículos ovarianos imaturos, cada um deles compreendendo um óvulo imaturo e as poucas células epiteliais especializadas que o circundam. **ovarian f's, vesicular** – folículos ovarianos vesiculares; folículos de Graaf; folículos ovarianos em amadurecimento, entre os quais começa-se a acumular líquido celular, levando à formação de uma cavidade única e deixando o óvulo localizado no cúmulo oóforo. **primordial f.** – f. primordial; folículo ovariano que consiste de um ovo envolvido por uma só camada de células. **sebaceous f.** – f. sebáceo; folículo piloso com uma glândula sebácea relativamente grande, produzindo um pêlo relativamente insignificante. **solitary f's** – folículos solitários: 1. áreas de tecido linfático concentrado na mucosa do cólon; 2. pequenos folículos linfáticos espalhados por toda a mucosa e submucosa do intestino delgado.

fol·lic·u·li (fo-lik'u-li) [L.] – plural de folliculus.

fol·lic·u·li·tis (fo-lik"u-li'tis) – foliculite; inflamação de um folículo. **f. bar'bae** – f. da barba; sicose da barba. **f. decal'vans** – f. decalvans; decalvante; foliculite supurativa que leva à formação de cicatriz com perda de pêlos permanente na área envolvida. **keloidal f., f. keloida'lis** – f. quelóide; infecção dos folículos pilosos no dorso do pescoço, com formação de pápulas foliculares duras, persistentes, levando ao desenvolvimento de placas quelóides típicas. **f. ulerythemato'sa reticula'ta** – f. uleritematosa reticulada; afecção na qual aparecem pequenas áreas atróficas numerosas e intimamente agrupadas, separadas por cristas estreitas na face, em que as áreas afetadas tornam-se eritematosas e a pele se estira e endurece. **f. variolifor'mis** – f. varioliforme; ver em acne.

fol·lic·u·lo·sis (fo-lik"u-lo'sis) – foliculose; desenvolvimento excessivo dos folículos linfóides.

fol·lic·u·lus (fo-lik'u-lus) [L.] pl. folliculi – folículo.

fo·men·ta·tion (fo"men-ta'shun) – fomentação; cataplasma; compressa; tratamento por meio de aplicações úmidas mornas; também a substância aplicada deste modo.

fo·mes (fo'mēz) [L.] pl. fomites – fomito; objeto inanimado ou material no qual pode-se transportar agentes produtores de doenças.

fo·mite (fo'mīt) – fomito.

fon·ta·nel (fon"tah-nel') – fontanela.

fon·ta·nelle (fon"tah-nel') – fontanela; ponto macio, como um ponto dos espaços recobertos por membranas que permanecem na junção das suturas no crânio incompletamente ossificado do feto ou do bebê.

fon·tic·u·lus (fon-tik'u-lus) [L.] pl. folliculi – fontanela.

foot (foot) – pé: 1. porção distal da perna, sobre a qual um indivíduo fica em pé e anda; no homem,

tarso, metatarso, falanges e tecido circundante; 2. alguma coisa semelhante a essa estrutura; 3. unidade de medida linear (12 polegadas), equivalente a 30,48cm. **athlete's f.** – p. de atleta; tinha podal. **club f.** – p. torto; ver talipes. **dangle f., drop f.** – em gota; pé caído. **flat f.** – pé chato. **immersion f.** – p. de imersão; afecção semelhante ao pé de trincheira que ocorre em pessoas que passaram longos períodos na água. **Madura f.** – p. de Madura; maduromicose. **march f.** – p. forçado; inchaço doloroso do pé, comumente na fratura do osso metatársico após esforço podal excessivo. **pericapillary end f., perivascular f., sucker f.** – pedículo terminal pericapilar; pedículo perivascular; expansão terminal do processo citoplasmático de um astrócito contra a parede de um capilar no sistema nervoso central. **trench f.** – p. de trincheira; condição do pé semelhante ao congelamento, devida à ação prolongada da água na pele combinada com distúrbio circulatório devido ao frio e à inação.

foot·drop (foot'drop) – pé caído; queda do pé a partir de uma lesão fibular ou tibial que cause paralisia dos músculos anteriores da perna.

foot·plate (-plāt) – plataforma; porção achatada do estribo, que se encaixa na janela oval, na parede medial do ouvido interno.

foot·pound (-pound) – pé-libra; a energia necessária para elevar 1 libra de massa a uma distância de 1 pé.

fo·ra·men (fo-ra'men) [L.] pl. foramina – forame; orifício; abertura ou passagem natural, especialmente no interior ou através de um osso. **aortic f.** – f. aórtico; hiato aórtico. **apical f. of tooth** – f. apical do dente; abertura no ou próxima ao vértice da raiz do dente, dando passagem às estruturas vasculares, linfáticas e neurais que suprem a polpa. **auditory f., external** – f. auditivo externo; meato acústico externo. **auditory f., internal** – f. auditivo interno; passagem para os nervos auditivo e facial no osso petroso. **cecal f., f. ce'cum** – f. cego: 1. abertura cega entre a crista frontal e a crista de galo; 2. depressão no dorso da língua no sulco mediano. **cotyloid f.** – f. cotilóide; passagem entre a margem do acetábulo e o ligamento transversal. **epiploic f.** – f. epiplóico; abertura que conecta os dois sacos do peritônio, abaixo e atrás da porta hepática. **esophageal f.** – f. esofágico; ver em hiatus. **ethmoidal foramina, fora'mina ethmoida'lia** – forames etmóides; pequenas aberturas no osso etmóide na junção da parede medial com o teto da órbita, com as anteriores transmitindo o ramo nasal do nervo oftálmico e os vasos etmóides anteriores e as posteriores transmitindo os vasos etmóides posteriores. **incisive f.** – f. incisivo; uma das aberturas dos canais incisivos no interior da fossa incisiva do palato duro. **infraorbital f.** – f. infra-orbitário; uma passagem para o nervo e a artéria infra-orbitários. **interventricular f.** – f. interventricular; comunicação entre os ventrículos lateral e terceiro. **intervertebral f.** – f. intervertebral; passagem para um nervo espinhal e vasos que é formada por chanfraduras nos pedículos de vértebras adjacentes. **jugular f.** – f. jugular; abertura formada pelas chanfraduras jugulares nos ossos temporais e occipitais. **f. of Key and Retzius** – f. de Key e de Retzius; uma abertura na extremidade de cada recesso lateral do quarto ventrículo por meio da qual a cavidade ventricular se comunica com o espaço subaracnóide. **f. la'cerum** – f. lácero; intervalo formado na junção da asa maior do osso esfenóide, ponta da parte petrosa do osso temporal e parte basilar do osso occipital. **f. la'cerum ante'rius** – f. lácero anterior; fenda alongada entre as asas do osso esfenóide, transmitindo nervos e vasos. **f. la'cerum m'edium** – f. lácero médio; f. lácero. **f. l'acerum poste'rius** – f. lácero posterior; f. jugular. **f. of Magendie** – f. de Magendie; deficiência na parte inferior do teto do quarto ventrículo, através da qual a cavidade ventricular se comunica com o espaço subaracnóide. **f. mag'num** – f. magno; grande abertura na parte inferior anterior do osso occipital, entre a cavidade cranial e o canal vertebral. **mastoid f.** – f. mastóide; abertura no osso temporal por trás do processo mastóide. **medullary f.** – f. medular; f. vertebral. **nutrient f.** – f. nutriente; uma das passagens que admitem vasos nutrientes para a cavidade medular óssea. **obturator f.** – f. obturador; a grande abertura entre o púbis e o ísquio. **olfactory f.** – f. olfatório; uma das muitas aberturas da placa crivada do osso etmóide. **optic f.** – f. óptico: 1. (da esclera) lâmina cribrosa; ver *lamina cribosa* (3); 2. (do osso esfenóide) ver em *canal*. **f. ova'le** – f. oval: 1. abertura fetal entre os átrios cardíacos; 2. abertura na asa maior do esfenóide para vasos e nervos. **palatine f., anterior** – f. palatino anterior; f. incisivo. **palatine f., greater** – f. palatino maior; abertura inferior do canal palatino maior, encontrada lateralmente na placa horizontal de cada osso palatino, transmitindo um nervo e uma artéria palatinos. **pterygopalatine f.** – f. pterigopalatino; f. palatino maior. **quadrate f.** – f. quadrado; f. da veia cava. **f. rotun'dum os'sis sphenoida'lis** – f. redondo do osso esfenóide; abertura redonda na asa maior do esfenóide para o ramo maxilar do nervo trigêmeo. **Scarpa's f.** – f. de Scarpa; abertura por trás de cada incisivo medial superior para o nervo nasopalatino. **sciatic f.** – f. ciático; um dos dois forames (os forames ciáticos maior e menor) formados pelos ligamentos sacrotuberal e sacroespinhal na chanfradura ciática do osso coxal. **sphenopalatine f.** – f. esfenopalatino: 1. espaço entre os processos orbitário e esfenóide do osso palatino, que se abre na cavidade nasal e transmite a artéria esfenopalatina e os nervos nasais; 2. f. palatino maior. **spinous f.** – f. espinhoso; orifício na asa maior do esfenóide para a artéria meníngea média. **stylomastoid f.** – f. estilomastóide; abertura entre os processos estilóide e mastóide para o nervo facial e a artéria estilomastóide. **supraorbital f.** – f. supra-orbitário; passagem no osso frontal para a artéria e o nervo supra-orbitários; freqüentemente presente como uma chanfradura ligada somente por tecido fibroso. **thebesian foramina** – forames de Thebezius; aberturas diminutas nas paredes do átrio direito através das quais as menores veias cardíacas se escoam no coração.

thyroid f. – f. tireóideo: 1. abertura inconstante na cartilagem tireóidea, devido a união incompleta da quarta e quinta cartilagens branquiais; 2. f. obturador. **vena caval f.** – f. da veia cava; abertura no diafragma para a veia cava inferior e alguns ramos do nervo vago direito. **vertebral f.** – f. vertebral; grande abertura em uma vértebra formada pelo corpo e seu arco. **f. of Vesalius** – f. de Vesalius; abertura ocasional medial ao forame oval do esfenóide, para a passagem de uma veia do seio cavernoso. **Weitbrecht's f.** – f. de Weitbrecht; forame na cápsula da articulação escapular. **f. of Winslow** – f. de Winslow; f. epiplóico. **zygomaticotemporal f.** – f. zigomaticotemporal; abertura na superfície temporal do osso zigomático.

fo·ram·i·na (fo-ram'ï-nah) – plural de *foramen*.

force (fors) – força; energia ou poder; que pode originar ou parar um movimento. Símbolo *F*. **electromotive f.** – f. eletromotriz; força que provoca um fluxo de eletricidade de um lugar para outro, dando origem a uma corrente elétrica. Abreviação EMF. Símbolo *E*. **occlusal f.** – f. oclusal; força exercida nos dentes opostos quando as mandíbulas são aproximadas. **reserve f.** – f. de reserva; energia acima da exigida para um funcionamento normal; no coração, a força que cuida da carga circulatória adicional imposta pelo exercício. **van der Waals f's** – forças de van der Waals; forças de atração relativamente fracas e de pequeno alcance que existem entre os átomos e as moléculas, resultando na atração de compostos orgânicos não-polares entre si (ligação hidrofóbica).

for·ceps (fôr'seps) [L.] – fórceps; pinça; instrumento de duas lâminas com um cabo para comprimir ou segurar tecidos em operações cirúrgicas e para manipular curativos estéreis etc.; 2. qualquer órgão ou parte em forma de pinça. **alligator f.** – pinça-jacaré; pinça denteada forte que tem um aperto duplo. **artery f.** – pinça arterial; pinça para segurar e comprimir uma artéria. **axis-traction f.** – f. de tração axial; fórceps obstétrico especialmente articulado e feito de tal forma que se possa aplicar uma tração na linha do eixo pélvico. **bayonet f.** – f. pinça em baioneta; pinça cujas lâminas se destacam a partir do eixo do cabo. **Chamberlen f.** – f. de Chamberlen; forma original do fórceps obstétrico. **clamp f.** – pinça de fixação; fórceps semelhante a uma pinça com uma trava automática para comprimir artérias etc. **dental f.** – f. dentário; fórceps para a extração de dentes; boticão. **dressing f.** – pinça de curativos; pinça com cabos semelhantes a uma tesoura para segurar curativos, drenos etc., utilizada para fazer curativos em ferimentos. **fixation f.** – p. de fixação; pinça para manter uma parte estável durante uma operação. **Kocher f.** – p. de Kocher; pinça forte para segurar tecidos durante uma operação ou para comprimir um tecido hemorrágico. **Levret's f.** – f. de Levret; fórceps obstétrico curvo para corresponder à curva do canal parturiente. **Löwenberg's f.** – p. de Löwenberg; pinça para remover um crescimento adenóide. **f. ma'jor** – f. maior; fibras terminais do corpo caloso que passam do esplênio para o interior dos lobos occipitais. **f. mi'nor** – f. menor; fibras terminais do corpo caloso que passam do corpo geniculado para os lobos frontais. **mouse-tooth f.** – pinça dente de rato; pinça com um ou mais dentes finos na ponta de cada lâmina. **obstetrical f.** – f. obstétrico; fórceps para extrair a cabeça fetal das passagens maternas. **Péan's f.** – p. de Péan; pinça para hemostasia. **roungeur f.** – p. em tesoura; pinça para usar no corte de ossos. **sequestrum f.** – pinça de seqüestro; pinça com mandíbulas serradas pequenas, porém fortes, para remover pedaços de osso que formam um seqüestro. **speculum f.** – p. de espéculo; pinça longa e delgada para se usar através de um espéculo. **tenaculum f.** – pinça de tenáculo; pinça com um gancho afiado na extremidade de cada mandíbula. **torsion f.** – pinça de torção; pinça para fazer uma torção em uma artéria a fim de parar uma hemorragia. **volsella f., vulsellum f.** – p. volsela; p. vulsela; pinça com um dente para segurar e aplicar tração. **Willett f.** – f. de Willett; vulsela para aplicar tração de garrote a fim de controlar uma hemorragia na placenta anterior.

for·ci·pate (fõr'sĭ -pãt) – forcipado; com a forma de um fórceps.

fore·arm (fõr'arm) – antebraço; a parte do braço entre o cotovelo e o pulso.

fore·brain (-brãn) – cérebro anterior; prosencéfalo: 1. a parte do cérebro desenvolvida a partir da mais anterior das três vesículas cerebrais primárias, compreendendo o diencéfalo e o telencéfalo; 2. a mais anterior das três vesículas cerebrais primárias.

fore·con·scious (-kon-shis) – ântero-consciência; pré-consciente; memória anterior.

fore·foot (-foot) – pata dianteira: 1. um dos pés dianteiros de um quadrúpede; 2. a parte anterior do pé.

fore·gut (-gut) – intestino anterior; canal endodérmico do embrião, cranial à junção da haste da gema, dando origem à faringe, pulmão, esôfago, estômago, fígado e à maior parte do intestino delgado.

fore·head (-hed) – fronte; a parte da face acima dos olhos.

fo·ren·sic (for-en'zik) – forense; relativo ou aplicado em procedimentos legais.

fore·play (for'pla) – prelúdio; estímulo sexual primário; excitação sexual primária que precede a relação sexual.

fore·skin (-skin) – prepúcio (*prepuce*).

fore·wa·ters (-wawt-erz) – a parte do saco amniótico que se invagina no interior da cérvix uterina antes da parte em apresentação do feto.

fork (fork) – garfo; instrumento com pontas. **replication f.** – bifurcação de replicação; local em uma molécula de DNA no qual ocorrem tanto o desenrolar das hélices e como a síntese de moléculas-filhas.

for·mal·de·hyde (for-mal'dĭ -hĭ d) – formaldeído; gás desinfetante poderoso (HCHO), geralmente utilizado em solução.

for·ma·lin (for'mah-lin) – formalina; solução de formaldeído.

for·mam·i·dase (for-mam'ĭ -dãs) – formamidase: 1. enzima que catalisa a desaminação hidrolítica da formamida para produzir o formato; também age em amidas semelhantes; 2. arilformamidase.

for·mate (for'mãt) – formato; sal do ácido fórmico.

for·ma·tio (for-ma'she-o) [L.] pl. *formationes* – formação.

fo·rma·tion (for-ma'shun) – formação: 1. processo de dar forma; criação de entidade ou estrutura de forma definida; 2. estrutura de forma definida. **reaction f.** – f. de reação; desenvolvimento de mecanismos mentais que neutralizam e reprimem os componentes de desejos proibidos. **reticular f.** – f. reticular: 1. qualquer de várias áreas de neurônios difusos que se assemelham coletivamente a uma rede e ocorrem na medula espinhal, tronco cerebral e tálamo; eles controlam muitas das atividades motoras inconscientes do corpo; 2. núcleo central de substância cinzenta do tronco cerebral.

forme (form) [Fr.] pl. *formes* – forma; formato. **f. fruste** – f. frustra; forma atípica, especialmente a forma suave ou incompleta, como a de uma doença. **f. tardive** – f. tardia; forma de ocorrência tardia de uma doença que geralmente aparece em idade precoce.

for·mic ac·id (for'mik) – ácido fórmico; ácido proveniente da destilação de formigas e derivável do ácido oxálico e da glicerina e da oxidação do formaldeído; suas atividades assemelham-se às do ácido acético, mas é muito mais irritante, picante e cáustico para a pele. O ácido e o seus sais sódico e cálcico são utilizados como preservativos alimentares.

for·mi·ca·tion (for"mĭ -ka'shun) – formigamento; formigação; sensação de pequenos insetos rastejando na pele.

for·mim·i·no·glu·tam·ic ac·id (for-mim"ĭ -no-glootam'ik) – ácido formiminoglutâmico (FIGLU); intermediário no trajeto catabólico da histidina ao glutamato; pode ser excretado na urina em caso de hepatopatia, deficiência de vitamina B_{12} ou de ácido fólico ou na deficiência de formiminotransferase glutâmica.

for·mol (for'mol) – formol; solução de formaldeído.

for·mu·la (for'mu-lah) [L.] pl. *formulas, formulae* – fórmula; expressão (que utiliza números ou símbolos) da composição ou orientações para preparar um composto (como um remédio) ou de um procedimento a ser seguido para se obter o resultado desejado ou de um conceito. **chemical f.** – f. química; combinação de símbolos utilizada para exprimir a composição química de uma substância. **dental f.** – f. dentária; expressão em símbolos do número e distribuição dos dentes nas mandíbulas. As letras representam os vários tipos de dentes: I, *incisor* (incisivo); C, *canine* (canino); P, *premolar* (pré-molar); M, *molar* (molar). Cada letra é seguida de uma linha horizontal. Os números acima da linha representam os dentes maxilares; os abaixo, os dentes mandibulares. A fórmula dentária humana é $I^2/_2 C^1/_1 M^2/_2 = 10$ (somente um lado) para os dentes decíduos e $I^2/_2 C^1/_1 P^2/_2 M^3/_3 = 16$ (somente um lado) para dentes permanentes. **empirical f.** – f. empírica; fórmula química que exprime as proporções dos elementos presentes em uma substância. **molecular f.** – f. molecular; fórmula química que expressa o número de átomos de cada elemento presente em uma molécula de uma substância, sem indicar como eles se ligam. **spatial f.**, **stereochemical f.** – f. espacial; f. estereoquímica; fórmula química que dá o número de átomos de cada elemento presente em uma molécula de uma substância, com qual átomo se liga, o tipo de ligações envolvidas e as posições relativas dos átomos no espaço. **structural f.** – f. estrutural; fórmula química que demonstra o número de átomos de cada elemento em uma molécula, seu arranjo espacial e a ligação entre si. **vertebral f.** – f. vertebral; expressão do número de vértebras em cada região da coluna espinhal; a fórmula vertebral humana é C7 T12 L5 S5 Cd4 = 33.

for·mu·lary (for'mu-lar"e) – formulário; coleção de fórmulas. **National F.** – F. Nacional; ver em *National Formulary*.

for·mu·late (for'mūl-āt) – formular: 1. declarar em forma de uma fórmula; 2. preparar de acordo com um método prescrito ou especificado.

for·mu·la·tion (for"mūl-a'shun) – formulação; ato ou produto de formular. **American Law Institute f.** – f. do Instituto Legal Americano, seção do American Law Institute's Model Penal Code (Código Penal Modelo do Instituto Legal Americano) que declara que "uma pessoa não é responsável por uma conduta criminosa se no momento de tal conduta, como resultado de doença ou de deficiência mentais, ela não tiver capacidade substancial tanto para avaliar a ilegalidade de sua conduta, como para conformar sua conduta à exigência da lei".

for·myl (for'mil) – formil; radical (HCO ou H.C:O–) do ácido fórmico.

for·nix (for'niks) [L.] pl. *fornices* – fórnice; fórnix: 1. estrutura semelhante a um arco ou o espaço semelhante a uma abóbada criado por tal estrutura; 2. trígono cerebral; um de um par de tratos fibrosos arqueados que se unem debaixo do corpo caloso, de forma que juntos compreendem duas colunas, um corpo e dois pedúnculos.

fos·car·net (fos-kahr'net) – fosfonoformato trissódico; agente virostático utilizado como sal de sódio no tratamento de retinite por citomegalovírus em pacientes imunocomprometidos.

fos·sa (fos'ah) [L.] pl. *fossae* – fossa; sulco ou canal; em Anatomia, uma área oca ou deprimida. **acetabular f.** – f. acetabular; área não-articular no assoalho do acetábulo. **adipose fossae** – fossas adiposas; espaços subcutâneos no seio feminino que contêm gordura. **canine f.** – f. canina; depressão na superfície externa da maxila súpero-lateral ao encaixe do dente canino. **condylar f.**, **condyloid f.** – f. condilar; f. condilóide; um de dois buracos na parte lateral do osso occipital. **coronoid f. of humerus** – f. coronóide do úmero; depressão no úmero para o processo coronóide ulnar. **cranial f.** – f. cranial; uma das três partes ocas (anterior, média e posterior) na base do crânio para os lobos cerebrais. **digastric f.** – f. digástrica; depressão na superfície interna da mandíbula, oferecendo uma inserção para a cinta anterior do músculo digástrico; 2. chanfradura mastóide. **digital f.** – f. digital: 1. f. trocantérica; 2. anel femoral; 3. depressão no lado interno da parede abdominal anterior lateral à dobra umbilical lateral. **duodenojejunal f.** – f. duodenojejunal; uma das duas bolsas peritoneais, uma atrás da dobra duodenal inferior e outra atrás da superior. **ethmoid f.** – f. etmóide; sulco na placa crivada dos ossos etmóides para o bulbo olfatório. **hyaloid f.** – f. hialóide; depressão na frente do corpo vítreo alojando o cristalino. **hypophyseal f.** – f. hipofisária; depressão no esfenóide que aloja a hipófise. **iliac f.** – f. ilíaca; área côncava que ocupa boa parte da superfície interna da asa do ílio, especialmente anteriormente; a partir de onde surge o músculo ilíaco. **incisive f. of maxilla** – f. incisiva maxilar; depressão ligeira na superfície anterior da maxila acima dos dentes incisivos. **infraspinous f.** – f. infra-espinhosa; área grande e ligeiramente côncava abaixo do processo espinhoso na superfície dorsal da escápula. **infratemporal f.** – f. infratemporal; cavidade de forma irregular, medial ou profundamente ao arco zigomático. **ischioanal f.**, **ischiorectal f.** – f. isquioanal; f. isquiorretal; espaço potencial entre o diafragma pélvico e a pele sob este; um recesso anterior se estende a uma distância variável entre os diafragmas pélvico e urogenital. **Jobert's f.** – f. de Jobert; fossa na região poplítea limitada pelos músculos adutor magno e grácil e sartório. **lacrimal f.** – f. lacrimal; depressão rasa no teto da órbita alojando a glândula lacrimal. **mandibular f.** – f. mandibular; depressão no osso temporal onde se situa o côndilo mandibular. **mastoid f.** – f. mastóide; pequena área triangular entre a parede posterior do meato acústico externo e a raiz posterior do processo zigomático do osso temporal. **nasal f.** – f. nasal; porção da cavidade nasal anterior ao meato médio. **navicular f.** – f. navicular: 1. vestíbulo vaginal entre o orifício vaginal e o frênulo dos lábios pudendos; 2. expansão lateral da uretra da glande peniana; 3. depressão no processo pterigóide interno do esfenóide, oferecendo inserção para o músculo tensor do véu palatino. **f. ova'lis cor'dis** – f. oval cardíaca; fossa no átrio direito do coração; os restos do forame oval fetal. **ovarian f.** – f. ovariana; bolsa rasa na superfície posterior do ligamento largo, onde se localiza o ovário. **rhomboid f.** – f. rombóide; assoalho do quarto ventrículo, constituído das superfícies dorsais da medula oblonga e da ponte. **Rosenmüller's f.** – f. de Rosenmüller; recesso faríngeo. **subarcuate f. of temporal bone** – f. subarqueada do osso temporal; depressão na superfície interna posterior da porção petrosa do osso temporal. **subsigmoid f.** – f. subsigmóide; a fossa entre o mesentério da flexura sigmóide e o do cólon descendente. **supraspinous f.** – f. supra-espinhosa; depressão acima da espinha da escápula. **sylvian f.** – f. de Sylvius: 1. fissura de Sylvius; 2. valécula de Sylvius. **tibiofemoral f.** – f. tibiofemoral; espaço entre as superfícies articulares da tíbia e do fêmur mesial ou lateralmente ao pólo inferior da patela. **trochanteric f.** – f. trocantérica; depressão na superfície medial do trocânter maior, recebendo o tendão do músculo obturador externo. **urachal f.** – f. uracal; fossa na parede abdominal interna, entre o úraco e a artéria hipogástrica. **Waldeyer's f.** – f. de Waldeyer; as duas fossas duodenais consideradas como uma só. **zygomatic f.** – f. zigomática; f. infratemporal.

fos·sette (fŏ-set') [Fr.] – fosseta: 1. pequena depressão; 2. pequena úlcera corneana profunda.

fos·su·la (fos'u-lah) [L.] pl. *fossulae* – fosseta; pequena fossa.

foun·da·tion (foun-da'shun) – fundação; estrutura ou base onde se constrói algo. **denture f.** – f. de dentadura; porção das estruturas e tecidos da boca disponíveis para sustentar uma dentadura.

four·chette (fōōr-shet') [Fr.] – fúrcula; frênulo dos lábios pudendos.

fo·vea (fo've-ah) pl. *foveae* [L.] – fóvea; pequeno orifício ou depressão. Termo freqüentemente utilizado apenas para indicar a fóvea central da retina. **central f. of retina** – f. central da retina; pequeno orifício no centro da mácula lútea, a área de visão mais clara, onde as camadas retinianas se estendem para os lados e a luz incide diretamente sobre os cones. **mandibular f.** – f. submandibular; depressão na face medial da mandíbula, alojando parte da glândula submandibular.

fo·ve·a·tion (fo"ve-a'shun) – foveação; formação de depressões em uma superfície como a pele; uma condição de escavação.

fo·ve·o·la (fo-ve'o-lah) [L.] pl. *foveolae* – fovéola; buraco ou depressão diminutos.

Fr – símbolo químico, frâncio (*francium*).

frac·tion·a·tion (frak"shin-a'shun) – fracionamento: 1. em Radiologia, divisão da dose total de radiação em doses pequenas administradas a intervalos; 2. em Química, separação de uma substância em componentes, como ocorre na destilação ou cristalização; 3. em Histologia, isolamento de componentes de células vivas por meio de centrifugação diferencial.

frac·ture (frak'cher) – fratura: 1. quebra de uma parte, especialmente de um osso; 2. quebra ou ruptura em um osso. **avulsion f.** – f. por avulsão; separação de um fragmento pequeno do córtex ósseo no local de união de um ligamento ou tendão. **axial compression f.** – f. por compressão axial; fratura de uma vértebra através de uma força vertical excessiva de forma que seus pedaços se movam para fora em direções horizontais. **Barton's f.** – f. de Barton; fratura da extremidade distal do rádio no interior da articulação do pulso. **Bennett's f.** – f. de Bennett; fratura da base do primeiro osso metacárpico, que corre no interior da articulação carpometacárpica, complicada por subluxação. **blow-out f.** – f. por explosão; fratura do assoalho orbitário causada por aumento súbito da pressão intra-orbitária devido a uma força traumática; o conteúdo orbitário forma hérnias no interior do seio maxilar de forma que os músculos reto inferior ou oblíquo inferior possam se encarcerar no local da fratura, produzindo diplopia na melhora. **burst f.** – f. por compressão axial. **capillary f.** – f. capilar; fratura que aparece em uma radiografia como uma linha fina e semelhante a um cabelo; e os segmentos ósseos não se

separam; algumas vezes observada nas fraturas do crânio. **Colles' f.** – f. de Colles; fratura da extremidade inferior do rádio, com o fragmento inferior se deslocando para trás; caso o fragmento inferior desloque-se para a frente, trata-se de uma *fratura de Colles reversa*. **comminuted f.** – f. cominutiva; fratura na qual o osso é estilhaçado ou esmagado. **complete f.** – f. completa; fratura que envolve a secção transversal completa do osso. **compound f.** – f. composta; f. aberta. **depressed f., depressed skull f.** – f. com afundamento; f. do crânio com afundamento; fratura do crânio na qual se deprime um fragmento. **de Quervain's f.** – f. de Quervain; fratura do osso navicular em conjunto com luxação volar do osso semilunar. **direct f.** – f. direta; fratura no local da lesão. **dislocation f.** – f. de luxação; fratura de um osso próxima a uma articulação com deslocamento concomitante desta. **Dupuytren's f.** – f. de Dupuytren; f. de Pott. **Duverney's f.** – f. de Duverney; fratura do ílio imediatamente abaixo da espinha inferior anterior. **fissure f.** – f. por fissura; fissura que se estende a partir de uma superfície no interior, mas não através, de um osso longo. **freeze f.** – f. por congelamento; ver *freeze-fracturing*. **greenstick f.** – f. em galho verde; fratura na qual um lado do osso se quebra e o outro se dobra. **hangman's f.** – f. de enforcador; fratura através dos pedículos do áxis (C2), com ou sem subluxação da segunda ou terceira vértebras subcervicais. **impacted f.** – f. impactada; fratura na qual se empurra firmemente um fragmento no interior do outro. **incomplete f.** – f. incompleta; fratura que não envolve a secção transversal completa do osso. **insufficiency f.** – f. por insuficiência; fratura por estresse que ocorre durante o estresse normal em um osso de densidade anormalmente reduzida. **interperiosteal f.** – f. interperióstica; f. incompleta ou em galho verde. **intrauterine f.** – f. intra-uterina; fratura de um osso fetal ocorrida no interior do útero. **Jefferson's f.** – f. de Jefferson; fratura do atlas (primeira vértebra cervical). **lead pipe f.** – f. em cano de chumbo; fratura na qual o córtex ósseo torna-se ligeiramente comprimido e avolumado em um lado, com fissura ligeira no outro lado. **Le Fort's f.** – f. de Le Fort; fratura horizontal bilateral da maxila. As fraturas de Le Fort são classificadas como se segue: *f. de Le Fort I*, fratura segmentada horizontal do processo alveolar da maxila, em que os dentes geralmente ficam contidos na porção descolada do osso. *f. de Le Fort II*, fratura unilateral ou bilateral da maxila, na qual o corpo da maxila se separa do esqueleto facial e a porção separada assume uma forma piramidal; a fratura pode se estender através do corpo da maxila para baixo da linha média do palato duro, através do assoalho da órbita e no interior da cavidade nasal. *f. de Le Fort III*, fratura na qual a maxila inteira e um ou mais ossos faciais se separam completamente do esqueleto craniofacial; tais fraturas quase sempre são acompanhadas de fraturas múltiplas dos ossos faciais. **Monteggia's f.** – f. de Monteggia; fratura na metade proximal do eixo da ulna com um deslocamento da cabeça do rádio.

open f. – f. aberta; fratura na qual um ferimento através dos tecidos moles adjacentes ou sobrejacentes, comunica-se com o local da fratura. **parry f.** – f. de parada; f. de Monteggia. **pathologic f.** – f. patológica; fratura devida a enfraquecimento da estrutura óssea por meio de processos patológicos, como neoplasia, osteomalacia ou osteomielite. **ping-pong f.** – f. em pingue-pongue; tipo de fratura de crânio com afundamento geralmente observado em crianças pequenas, que se assemelha a uma reentrância que pode ser produzida com o dedo em uma bola de pingue-pongue; quando elevada, reassume novamente e retém sua posição normal. **pyramidal f. (of maxilla)** – f. piramidal (maxilar); f. de Le Fort II. **sagittal slice f.** – f. cominutiva por impacto sagital; fratura de uma vértebra, que a quebra em sentido oblongo; desloca-se horizontalmente à coluna espinhal acima, geralmente causando paraplegia. **silver-fork f.** – f. em garfo; f. de Colles. **simple f.** – f. simples; f. fechada. **Smith's f.** – f. de Smith; f. de Colles reversa. **spiral f.** – f. espiral; fratura na qual o osso se retorceu para fora. **spontaneous f.** – f. espontânea; f. patológica. **sprain f.** – f. por arrancamento; f. por avulsão; separação de um tendão de sua inserção, levando consigo um pedaço do osso. **Stieda's f.** – f. de Stieda; fratura do côndilo interno do fêmur. **stress f.** – f. por tensão; fratura causada por tensão incomum ou repetida em um osso. **transverse facial f.** – f. facial transversa; f. de Le Fort III. **transverse maxillary f.** – f. maxilar transversal; termo algumas vezes utilizado para a fratura maxilar horizontal (f. de Le Fort I). **trophic f.** – f. trófica; fratura devida a distúrbio nutricional (trófico). **wedge-compression f.** – f. por compressão em cunha; fratura por compressão somente da parte anterior de uma vértebra, deixando-a com forma de cunha.

fra·gil·i·tas (frah-jil'ĭ-tas) [L.] – fragilidade. **f. cri'nium** – f. capilar; fragilidade do cabelo. **f. os'sium** – f. óssea; osteogênese imperfeita. **f. un'guium** – ungueal; fragilidade anormal das unhas.

fra·gil·i·ty (frah-jil'it-e) – fragilidade; suscetibilidade ou falta de resistência a influências capazes de causar interrupção de continuidade ou integridade. **f. of blood** – f. do sangue; f. eritrocitária. **capillary f.** – f. capilar: 1. fragilidade do cabelo; 2. suscetibilidade anormal das paredes dos capilares a uma ruptura. **erythrocyte f.** – f. eritrocitária; suscetibilidade das hemácias a hemólise quando expostas a soluções salinas crescentemente hipotônicas (f. osmótica) ou quando sujeitas a traumatismo mecânico (f. mecânica).

frag·men·tog·ra·phy, mass (frag''men-tog'rah-fe) – fragmentografia de massa; método instrumental no qual se separam as amostras por meio de cromatografia de massa e se identificam os componentes através de espectrometria de massa.

fram·be·sia (fram-be'zhah) – framboesia; bouba. **f. tro'pica** – f. tropical; bouba.

fram·be·si·o·ma (fram-be''ze-o'mah) – frambesioma; bouba materna.

frame (frãm) – estrutura; uma estrutura rígida para dar sustentação ou imobilizar uma parte. **Balkan f.** – e. de Balkan; aparelho para extensão contínua no tratamento de fraturas do fêmur, consistindo de uma barra superior com polias acopladas através das quais sustenta-se a perna em uma tipóia. **Bradford f.** – e. de Bradford; estrutura de tubos retangular e coberta de lona; utilizada como estrutura-cama no caso de doença da espinha ou da coxa. **quadriplegic standing f.** – e. de postura quadriplégica; dispositivo para sustentar um paciente com os quatro membros paralisados na posição ereta. **Stryker f.** – e. de Stryker; estrutura de lona esticada nas estruturas anterior e posterior, no qual se pode virar o paciente ao redor do seu eixo longitudinal. **trial f.** – e. de tentativa; armação de lente de vidro projetada de modo a permitir a inserção de lentes diferentes utilizadas para corrigir os erros de visão refratários.

Fran·ci·sel·la (fran''sĭ-sel'ah) – Francisella; gênero de microrganismos que inclui a F. (Pasteurella) tularensis, agente etiológico da tularemia.

fran·ci·um (fran'se-um) – frâncio; elemento químico (ver Tabela de Elementos), número atômico 87, símbolo Fr.

FRCP – Fellow of the Royal College of Physicians (Membro da Associação Real de Médicos).

FRCS – Fellow of the Royal College of Surgeons (Membro da Associação Real de Cirurgiões).

freck·le (frek''l) – sarda; efélide; mancha pigmentada na pele devida a acúmulo de melanina resultante de exposição à luz solar. **melanotic f. of Hutchinson** – s. melanótica de Hutchinson; lentigo maligno.

free·mar·tin (fre'mart-in) – terneira sexualmente mal desenvolvida nascida como gêmea de um bezerro macho normal; é geralmente estéril e intersexuada como resultado do hormônio masculino atingindo-a através de vasos placentários anastomosados.

freeze-dry·ing (frēz-drí'ing) – dessecamento a frio; método de preparação tecidual no qual a amostra tecidual é congelada e depois desidratada em baixa temperatura a vácuo alto.

freeze-etch·ing (ech'ing) – fixação por congelamento; método utilizado para estudar células não-fixadas por meio de microscopia eletrônica na qual o objeto a ser estudado é colocado em glicerol a 20%, congelado a −100°C e depois montado em um meio de transporte resfriado.

freeze-frac·tur·ing (-frak'cher-ing) – congelação e microtomia; método de preparação de células para exame de microscopia eletrônica; congela-se uma amostra tecidual a −150°C, inserindo-a em uma câmara de vácuo e fraturando-a através de um micrótomo; faz-se uma réplica de carbono platinado, solta-se a mesma da amostra subjacente e depois procede-se ao exame.

freeze-sub·sti·tu·tion (-sub-stĭ'-too'shun) – substituição por álcool durante congelamento; modificação do dessecamento a frio na qual se substitui o gelo dentro do tecido congelado por álcool ou outros solventes a temperatura muito baixa.

frem·i·tus (frem'it-us) – frêmito; vibração perceptível à palpação. **friction f.** – f. de fricção; vibração causada pelo esfregamento conjunto de duas superfícies corporais secas. **hydatid f.** – f. hidático; ver em *thrill*. **rhonchal f.** – f. brônquico, vibrações palpáveis produzidas pela passagem de ar através de um tubo bronquial grande e preenchido por muco. **tactile f.** – f. tátil; vibração como da parede torácica, sentida no tórax enquanto o paciente está falando. **tussive f.** – f. tussígeno; frêmito sentido no tórax quando o paciente tosse. **vocal f. (VF)** – f. vocal; frêmito causado ao falar, percebido na auscultação.

fre·no·plas·ty (fre'no-plas"te) – frenoplastia; correção de um freio anormalmente preso através de reposição cirúrgica.

fren·u·lum (fren'u-lum) [L.] pl. *frenula* – frênulo; freio; pequena dobra de tegumento interno ou de membrana mucosa que limita os movimentos de um órgão ou parte. **f. of clitoris** – f. do clitóris; dobra formada pela união dos lábios menores com o clitóris. **f. of ileocecal valve** – f. da válula ileocecal; dobra formada pelas extremidades articuladas da válvula ileocecal envolvendo parcialmente o lúmen do cólon. **f. of lip** – f. labial; dobra mediana de membrana mucosa que conecta o lado interno de cada lábio com a gengiva correspondente. **f. of prepuce of penis** – f. do prepúcio peniano; a dobra sob o pênis que se conecta com o prepúcio. **f. of pudendal labia, f. puden'di** – f. dos lábios pudendos; f. pudendo; união posterior dos pequenos lábios, anterior à comissura posterior. **f. of superior medullary velum** – f. do véu medular superior; faixa que se aloja no véu medular no seu ligamento com o colículo inferior. **f. of tongue** – f. da língua; dobra vertical da membrana mucosa sob a língua, prendendo-a ao assoalho da boca. **f. ve'li** – f. do véu; f. do véu medular superior.

fre·num (fre'num) [L.] pl. *frena* – freio; estrutura ou parte de contenção; ver *frenulum*. **fre'nal** – adj. frenal.

fre·quen·cy (fre'kwen-se) – freqüência: 1. número de ocorrências de um processo periódico em uma unidade de tempo. Símbolo *v*. 2. em Estatística, o número de ocorrências de uma entidade determinável por unidade de tempo ou população. Símbolo *f*. **urinary f.** – f. de micção; micção a intervalos curtos, sem aumento no volume ou escoamento urinário diário, devido a redução da capacidade da bexiga.

freud·i·an (froi'de-in) – freudiano; relativo a Sigmund Freud, o fundador da Psicanálise, e às suas doutrinas com relação às causas e tratamento das neuroses e psicoses.

fri·a·ble (fri'ah-b'l) – friável; facilmente pulverizado ou esmigalhado.

fric·tion (frik'shin) – fricção; atrito; ato de esfregar.

fri·gid·i·ty (fri-jid'ĭ -te) – frigidez: 1. frieza; 2. distúrbio de excitação sexual feminina.

frigo·la·ble (frig"o-la'bĭ l) – frigolábil; facilmente afetado ou destruído pelo frio.

frigo·sta·ble (-sta'b'l) – frigoestável; resistente ao frio ou a baixas temperaturas.

frit (frit) – frito; material imperfeitamente fundido utilizado como base para fazer vidro e na formação de dentes de porcelana.

frole·ment (frōl-maw') [Fr.] – leve fricção ou massagem com a palma da mão; som de sussurro freqüentemente ouvido à auscultação em caso de pericardiopatia.

frons (fronz) [L.] – fronte; testa (*forehead*).

fron·tad (frunt'ad) – frontal; em direção à fronte ou aspecto frontal.

fron·tal (frunt'il) – frontal: 1. relativo à testa; 2. denota um plano longitudinal do corpo.

fron·ta·lis (frun-ta'lis) [L.] – frontal.

fron·to·max·il·lary (frun"to-mak'sĭ -lar"e) – frontomaxilar; relativo ao osso frontal e à maxila.

fron·to·tem·por·al (-tem'por-il) – frontotemporal; relativo aos ossos frontal e temporal.

frost (frost) – congelação; deposição semelhante ao orvalho ou vapor congelado. **urea f.** – uridrose cristalina; aparecimento na pele de cristais de sal abandonados pela evaporação do suor em caso de uma uroidrose.

frost·bite (frost'bī t") – geladura; congelação; lesão a tecidos devido a exposição ao frio.

frot·tage [Fr.] (fro-tahzh') – fricção; gratificação sexual através da fricção em outra pessoa, inconscientemente da atividade, geralmente sem contato genital específico.

frot·teur (fro-tur') – pessoa que pratica a fricção como meio de obter prazer sexual.

fruc·tiv·o·rous (frook-tiv'er-is) – frugívoro; que subsiste com ou ingere frutas.

fruc·to·fu·ra·nose (frook"to-fu'rah-nōs) – frutofuranose; forma combinante e mais reativa da frutose.

fruc·to·ki·nase (-ki'nās) – frutocinase; enzima do fígado, intestino e córtex renal que catalisa a transferência de um grupo fosfato do ATP para a frutose como o passo inicial na sua utilização. A deficiência causa frutosúria essencial.

fruc·tose (frook'tōs) – frutose; açúcar ($C_6H_{12}O_6$) encontrado no mel e em muitas frutas doces; utilizado como repositor de fluidos e nutrientes.

fruc·tose-1,6-bis·phos·pha·tase (frook'tōs-bis-fos'fah-tās) – frutose-1,6-bifosfatase; enzima que catalisa parte da via da gliconeogênese no fígado e rins; a deficiência causa apnéia, hiperventilação, hipoglicemia, cetose e acidose láctica e pode ser fatal no período neonatal.

fruc·tos·e·mia (frook"to-se'me-ah) – frutosemia; presença de frutose no sangue, como em caso de intolerância hereditária à frutose e a frutosúria essencial.

fruc·to·side (frook'to-sī d) – frutosídeo; glicosídeo da frutose.

fruc·tos·uria (frook"to-su're-ah) – frutosúria; presença de frutose na urina. **essential f.** – f. essencial; distúrbio hereditário benigno do metabolismo dos carboidratos devido a defeito na frutocinase e manifestado somente através da frutose no sangue e na urina.

fruc·to·syl (frook'to-sil) – frutosil; radical da frutose.

FSH – follicle-stimulating hormone (hormônio folículoestimulante).

FSH/LH-RH – follicle-stimulating hormone and luteinizing hormone releasing hormone (hormônio folículoestimulante e hormônio liberador de hormônio luteinizante).

FSH-RH – follicle-stimulating hormone releasing hormone (hormônio liberador do hormônio folículoestimulante).

fuch·sin (fook'sin) – fucsina; um dos vários corantes vermelhos a roxos. **acid f.** – f. ácida; mistura de fucsinas sulfonadas; utilizada em vários corantes complexos. **basic f.** – f. básica; corante histológico, mistura de pararrosanilina, rosanilina e magenta II; também, mistura dos cloridratos de rosanilina e pararrosanilina, utilizada como antiinfeccioso local.

fuch·sin·o·phil·ia (fook"sin-o-fil'e-ah) – fucsinofilia; propriedade de se corar facilmente com corantes de fucsinas. **fuchsinophil'ic** – adj. fucsinófilo.

fu·cose (fu'kōs) – fucose; monossacarídeo que ocorre como L-fucose em vários oligo e polissacarídeos e fucosídeos, assim como na porção de carboidratos de alguns mucopolissacarídeos e algumas glicoproteínas, incluindo os antígenos de grupo sangüíneo A, B e O.

α-L-fu·co·si·dase (fu-ko'sĭ-dās) – α-L-fucosidase; enzima que catalisa a hidrólise dos resíduos de fucose provenientes dos fucosídeos; a deficiência resulta em fucosidose.

fu·co·si·do·sis (fu"ko-sĭ -do'sis) – fucosidose; doença de armazenamento lisossômico causada por atividade enzimática deficiente da fucosidase e acúmulo de glicoconjugados que contêm fucose em todos os tecidos; é marcada por deterioração psicomotora progressiva, retardo do crescimento, hepatoesplenomegalia, cardiomegalia e convulsões.

fu·gac·i·ty (fu-gas'it-e) – fugacidade; medida da tendência de escape de uma substância de uma fase a outra ou de parte de uma fase a outra parte da mesma fase.

-fugal [L.] – -fugal, elemento de palavra, *afastamento; que repele.*

fugue (fūg) – fuga; reação dissociativa na qual a amnésia é acompanhada de fuga física de lugares costumeiros.

ful·gu·rate (ful'gūr-āt) – fulgurar: 1. ir e vir como um clarão de relâmpago; 2. destruir através do contato com faíscas elétricas geradas por corrente de alta freqüência.

ful·mi·nate (ful'mĭ -nāt) – fulminar; ocorrer subitamente com grande intensidade. **ful'minant** – adj. fulminante.

fu·ma·gil·lin (fu"mah-jil'in) – fumagilina; antibiótico elaborado por cepas de *Aspergillus fumigatus.*

fu·ma·rase (fu'mah-rās) – fumarase; enzima que catalisa a interconversão de fumarato e malato.

fu·ma·rate (fu'mah-rāt) – fumarato; sal do ácido fumárico.

fu·mar·ic ac·id (fu-mar'ik) – ácido fumárico; ácido dibásico insaturado, o isômero *trans* do ácido maléico e intermediário no ciclo do ácido tricarboxílico.

fu·mi·ga·tion (fu"mĭ -ga'shun) – fumigação; exposição a vapores desinfetantes.

fum·ing (fūm'ing) – fumo; que emite um vapor visível.

func·tio (funk'she-o) [L.] – função; forma de funcionamento. **f. lae'sa** – perda de função; um dos quatro sinais de inflamação.

func·tion·al (funk'shun-al) – funcional: 1. relativo a uma função; 2. que afeta a função, mas não a estrutura.

fun·da·ment (fun'dah-ment) – fundamento: 1. base ou fundação, como parte inferior ou assento; 2. ânus e partes adjacentes a ele.

fun·di·form (fun'dĭ -form) – fundiforme; em forma de alça ou tipóia.

fun·do·pli·ca·tion (fun"do-plĭ -ka'shun) – fundoplicação; mobilização da extremidade inferior do esôfago e pregueamento do fundo do estômago ao redor dele.

fun·dus (fun'dus) [L.] pl. *fundi* – fundo; fundo ou a base de alguma coisa; fundo ou base de um órgão ou a parte de um órgão oco mais distante da sua boca. **fun'dal, fun'dic** – adj. fúndico. **f. of eye** – f. de olho; porção traseira do interior do globo ocular, visível através da pupila por meio do uso do oftalmoscópio. **f. of gall-bladder** – f. da vesícula biliar; porção dilatada inferior da vesícula biliar. **f. of stomach** – f. do estômago; parte do estômago à esquerda e acima do nível de abertura do esôfago. **f. tym'pani** – f. timpânico; assoalho da cavidade timpânica. **f. of urinary bladder** – f. da bexiga; base ou superfície posterior da bexiga. **f. of uterus** – f. do útero; parte do útero acima dos orifícios das tubas uterinas.

fun·du·scope (fun'dah-skōp) – fundoscópio; oftalmoscópio. **funduscop'ic** – adj. fundoscópico.

fun·gal (fun'g'l) – fúngico; relativo ou causado por um fungo.

fun·gate (fun'gāt) – 1. produzir crescimentos semelhantes aos dos fungos; 2. crescer rapidamente, como um fungo.

Fun·gi (fun'ji) [L.] – Fungi; reino de microrganismos heterotróficos eucarióticos que vivem como saprófitas ou parasitas, incluindo cogumelos, leveduras, mofos, bolores etc., e que têm paredes celulares rígidas, mas não têm clorofila.

fun·gi (fun'ji) [L.] – plural de *fungus.*

fun·gi·cide (fun'jĭ -sī d) – fungicida; agente que destrói fungos. **fungici'dal** – adj. fungicida.

fun·gi·sta·sis (fun"jĭ -sta'sis) – fungistase; inibição do crescimento de fungos. **fungistat'ic** – adj. fungistático.

fun·gi·tox·ic (-tok'sik) – fungitóxico; que exerce efeito tóxico em fungos.

fun·goid (fun'goid) – fungóide; semelhante a fungo.

fun·go·ma (fun-go'mah) – fungoma; bola de fungo.

fun·gos·i·ty (fun-gos'it-e) – fungosidade; crescimento ou excrescência fungóides.

fun·gus (fun'gus) [L.] pl. *fungi* – fungo; qualquer microrganismo que pertença ao Fungi. **cerebral f.** – f. cerebral; hérnia cerebral. **dimorphic f.** – f. dimórfico; fungo que vive como levedura ou bolor, dependendo das condições ambientais. **imperfect f.** – f. imperfeito; fungo cujo estágio perfeito (sexuado) é desconhecido. **mycelial f.** – f. micelial; qualquer fungo que forma micélios, ao contrário de um fungo levedura. **perfect f.** – f. perfeito; fungo para o qual se conhecem os tipos sexuados e assexuados de formação de esporos.

fu·ni·cle (fu'nĭ -k'l) – funículo (*funiculus*).

fu·nic·u·li·tis (fu-nik"ūl-ī't'is) – funiculite: 1. inflamação do cordão espermático; 2. inflamação da porção de uma raiz nervosa espinhal que se situa dentro do canal intervertebral.

fu·nic·u·lo·ep·i·did·y·mi·tis (fu-nik"u-lo-ep"ĭ -did"ĭ -mi'tis) – funiculoepididimite; inflamação do cordão espermático e epidídimo.

fu·nic·u·lus (fu-nik'u-lus) [L.] pl. *funiculi* – funículo; cordão; estrutura ou parte semelhante a um cordão. **funic'ular** – adj. funicular. **anterior f. of spinal cord** – f. anterior da medula espinhal; substância branca da medula espinhal que se situa em cada lado entre a fissura mediana anterior e a raiz ventral. **cuneate f.** – f. cuneado; ver em *fasciculus*. **lateral f.** – f. lateral: 1. substância branca da medula espinhal que se situa em cada lado entre as raízes dorsal e ventral; 2. continuação no interior da medula oblonga de todos os tratos de fibra do funículo lateral da medula espinhal com exceção do trato piramidal lateral. **posterior f. of spinal cord** – f. posterior da medula espinhal; substância branca da medula espinhal que se situa em cada lado entre o sulco mediano posterior e a raiz dorsal. **f. sperma'ticus** – f. espermático; cordão espermático.

fu·ni·form (fu'nĭ-form) – funiforme; semelhante a corda ou cordão.

fu·nis (fu'nis) – cordão; qualquer estrutura semelhante a um cordão, particularmente o cordão umbilical. **fu'nic** – adj. fúnico.

fu·ra·nose (fu'rah-nōs) – furanose; qualquer açúcar que contém a estrutura de anel furânico de quatro carbonos; é a forma cíclica que as cetoses e as aldoses podem assumir em uma solução.

fu·ra·zol·i·done (fū"rah-zol'ĭ-dōn) – furazolidona; antibacteriano e antiprotozoário eficaz contra muitos microrganismos entéricos Gram-negativos; utilizada no tratamento da diarréia e da enterite.

fur·ca·tion (fur-ka'shun) – bifurcação; área anatômica de um dente multirradiculado onde as raízes se dividem.

fur·fu·ra·ceous (fur"fu-ra'shus) – furfuráceo; fino e solto; diz-se de escamas semelhante a farelo ou caspa.

fur·fu·ral (fur'fu-ral) – furfural; composto aromático proveniente da destilação do farelo de trigo, serragem etc., que irrita as membranas mucosas e causa dessensibilidade e dores de cabeça.

fu·ror (fu'ror) – furor; cólera; raiva. **f. epilep'ticus** – f. epiléptico; ataque de raiva intensa que ocorre na epilepsia.

fu·ro·sem·ide (fu-ro'sĕ-mī d) – furosemida; diurético de alça utilizado no tratamento de edema associado a insuficiência cardíaca congestiva ou hepatopatia ou nefropatia e no tratamento da hipertensão.

fur·row (fur'o) – sulco; estria. **atrioventricular f.** – s. atrioventricular; sulco transversal que delimita os átrios cardíacos a partir dos ventrículos. **digital f.** – s. digital; uma das dobras transversais através das articulações na superfície palmar de um dedo. **genital f.** – s. genital; sulco que aparece no tubérculo genital do feto no final do segundo mês. **gluteal f.** – s. glúteo; sulco que separa as nádegas. **mentolabial f.** – s. mentolabial; sulco ime-diatamente acima do queixo. **nympholabial f.** – s. ninfolabial; sulco que separa o lábio maior e o menor em cada lado. **primitive f.** – s. primitivo. **scleral f.** – s. escleral.

fu·run·cle (fu'rung-k'l) – furúnculo; nódulo doloroso formado na pele através de inflamação circunscrita do cório e do tecido subcutâneo, envolvendo um esfacelo de pele ou "núcleo" central; devido a estafilococos que entram na pele através dos folículos pilosos. **furun'cular** – adj. furuncular.

fu·run·cu·lo·sis (fu-rung"ku-lo'sis) – furunculose: 1. ocorrência seqüencial persistente de furúnculos por um período de semanas ou meses; 2. ocorrência simultânea de vários furúnculos.

fu·run·cu·lus (fu-rung'ku-lus) [L.] pl. *furunculi* – furúnculo.

fus·cin (fu'sin) – fuscina; pigmento castanho do epitélio retiniano.

fu·si·ble (fu'zĭ-b'l) – fusível; passível de ser derretido.

fu·si·mo·tor (fu"sĭ-mōt'er) – fusimotor; que inerva as fibras intrafusais do fuso muscular; diz-se das fibras nervosas motoras dos motoneurônios gama.

fu·sion (fu'zhun) – fusão: 1. ato ou processo de derretimento; 2. união ou a coerência de partes ou corpos adjacentes; 3. superposição de imagens separadas do mesmo objeto nos dois olhos em apenas uma imagem; 4. formação cirúrgica de ancilose ou artrose. **anterior interbody f.** – f. intercorporal anterior; fusão espinhal na região lombar, utilizando uma abordagem retroperitoneal, com imobilização através de enxertos ósseos nas superfícies anterior e lateral. **diaphyseal-epiphyseal f.** – f. diafisária-epifisária; estabelecimento cirúrgico de união corporal entre a epífise e a diáfise de um osso. **spinal f.** – f. espinhal; imobilização ou ancilose cirúrgicas de duas ou mais vértebras, freqüentemente com discectomia ou laminectomia.

Fu·so·bac·te·ri·um (fu"zo-bak-tēr'e-um) – *Fusobacterium;* gênero de bactérias Gram-negativas anaeróbicas encontradas como flora normal na boca e no intestino grosso, e freqüentemente no tecido necrosado, provavelmente como invasores secundários. A espécie *F. plautivincenti* é encontrada na gengivite ulcerativa necrosante (boca sulcada) e na estomatite ulcerativa necrosante. A *F. necrophorum* é encontrada em abscessos do fígado, pulmões e outros tecidos e na úlcera crônica do cólon.

fu·so·cel·lu·lar (-sel'u-ler) – fusocelular; que tem células em forma de fuso.

fu·so·spi·ril·lo·sis (-spi"ril-o'sis) – fusoespirilose; gengivite ulcerativa necrosante.

fu·so·spi·ro·che·to·sis (-spi"ro-ke-to'sis) – fusoespiroquetose; infecção por bacilos e espiroquetas fusiformes.

FVC – forced vital capacity (CVF capacidade vital forçada).

G

G – gauss; giga-; gravida; guanidine or guanosine (gauss; giga-; grávida; guanidina ou guanosina).

G – conductance; Gibbs free energy (condutância; energia livre de Gibbs).

g – gram (grama).

g – standard gravity (gravidade padrão).

γ – gama, terceira letra do alfabeto grego; cadeia pesada da IgG; a cadeia γ da hemoglobina fetal; antigamente, micrograma.

γ- – prefixo que designa (1) a posição de um átomo ou grupo substituinte em um composto químico; (2) uma proteína plasmática que migra com a faixa g na eletroforese; (3) terceiro em uma série de três ou mais compostos químicos ou entidades relacionados.

Ga – símbolo químico, gálio (*galium*).

GABA – γ-aminobutyric acid (ácido γ-aminobutírico).

GABA·er·gic (gab"ah-er'jik) – GABAérgico; que transmite ou secreta ácido γ-aminobutírico.

gad·o·lin·i·um (gad"o-lin'e-um) – gadolínio, elemento químico (ver *Tabela de Elementos*), número atômico 64, símbolo Gd. **g. 153** – g. 153; isótopo artificial do gadolínio com meia-vida de 241,6 dias, utilizado na absorciometria fotônica dual.

gad·o·pen·te·tate di·meg·lu·mine (gad"o-pen'-tĕ-tāt) – dimeglumina gadopentetato; agente paramagnético utilizado como agente de contraste na obtenção de imagens por ressonância magnética de lesões intracranianas, espinhais e associadas.

gag (gag) – 1. dispositivo cirúrgico para manter a boca aberta; 2. estimular ou forçar um vômito.

gain (gān) – ganhar; adquirir; obter ou aumentar. **antigen g.** – ganho antigênico; aquisição, por parte de células, de novos determinantes antigênicos normalmente não-presentes ou não-acessíveis no tecido de origem. **secondary g.** – ganho secundário; vantagem externa ou acidental derivada de uma enfermidade, como repouso, presentes, atenção pessoal, liberação de responsabilidades e benefícios de incapacitação.

gait (gāt) – marcha; maneira ou o jeito de andar. **antalgic g.** – m. antálgica; claudicação adotada de forma a evitar dor nas estruturas de sustentação de peso, caracterizada por uma fase de postura muito curta. **ataxic g.** – m. atáxica; marcha inconstante e incoordenada, que emprega uma base larga e os pés jogados para fora. **festinating g.** – m. festinante; marcha na qual o paciente se move involuntariamente com passos curtos e acelerados, freqüentemente na ponta dos pés, como no caso da paralisia com agitação. **helicopod g.** – m. helicópode; marcha na qual os pés descrevem semicírculos, como em alguns distúrbios de conversão. **hip extensor g.** – m. extensora da anca; marcha na qual o movimento do calcanhar é seguido de uma jogada para frente do quadril e por uma jogada para trás do tronco e da pelve. **myopathic g.** – m. miopática; alternação exagerada dos movimentos do tronco lateral com elevação exagerada do quadril. **paraplegic**

spastic g. – m. espástica paraplégica; m. espástica. **quadriceps g.** – m. quadricipital; marcha na qual, a cada passo da perna afetada, o joelho se hiperestende e o tronco desvia-se subitamente para frente. **spastic g.** – m. espástica; marcha na qual as pernas se mantêm juntas e movem-se de modo rígido, com os dedos parecendo arrastar-se e estar presos. **stuttering g.** – m. gaguejante; marcha caracterizada por uma hesitação semelhante a gagueira. **step-page g.** – m. em passos altos; marcha em passos firmes nos quais a perna em avanço se eleva tanto que os dedos podem sair do chão. **tabetic g.** – m. tabética; marcha atáxica que acompanha o tabe dorsal. **waddling g.** – m. gingada; m. miopática.

ga·lac·ta·cra·sia (gah-lak"tah-kra'zhah) – galactacrasia; situação anormal do leite da mama.

ga·lac·ta·gogue (gah-lak'tah-gog) – galactagogo; que promove o fluxo de leite; agente que atua dessa forma.

ga·lac·tan (gah-lak'tan) – galactano; qualquer polímero composto de resíduos de galactose e que ocorre nos vegetais.

gal·ac·tis·chia (gal"ak-tis'ke-ah) – galactisquia; supressão da secreção de leite.

galact(o)- [Gr.] – elemento de palavra, *leite*.

ga·lac·to·cele (gah-lak'to-sēl) – galactocele: 1. aumento de volume cístico e que contém leite da glândula mamária; 2. hidrocele preenchida com líquido leitoso.

ga·lac·to·ce·re·bro·side (gah-lak'to-sĕ-re'bro-sī d) – galactocerebrosídeo; um dos cerebrosídeos nos quais o grupo principal é a galactose; são abundantes nas membranas celulares do tecido nervoso.

gal·ac·tog·ra·phy (gal"ak-tog'rah-fe) – galactografia; radiografia dos ductos mamários após injeção de uma substância radiopaca no interior do sistema de ductos.

ga·lac·to·ki·nase (gah-lak"to-ki'nās) – galactocinase; enzima que catalisa a transferência de um grupo fosfato rico em energia de um doador para a D-galactose, o passo inicial da utilização da galactose. A ausência da atividade enzimática resulta em galactosemia por deficiência de galactocinase.

gal·ac·toph·a·gous (gal"ak-tof'ah-gus) – galactófago; que subsiste com leite.

gal·ac·toph·ly·sis (gal"ak-tof'lĭ -sis) – galactóflise; erupção vesiculosa que contém um líquido leitoso.

ga·lac·to·phore (gah-lak'to-for) – galactóforo: 1. que conduz leite; 2. ducto lácteo.

gal·ac·toph·o·rous (gal"ak-tof'er-is) – galactóforo; que conduz leite.

gal·ac·toph·y·gous (gal"ak-tof'ĭ -gis) – galactófigo; que retém ou detém o fluxo de leite.

ga·lac·to·pla·nia (gah-lak"to-pla'ne-ah) – galactoplania; secreção de leite em alguma parte anormal.

ga·lac·to·poi·et·ic (-poi-et'ik) – galactopoiético: 1. relativo, marcado ou que promove a produção de leite; 2. agente que promove fluxo de leite.

ga·lac·tor·rhea (-re'ah) – galactorréia; fluxo lácteo excessivo ou espontâneo; secreção persistente de leite independentemente da amamentação.

ga·lac·tose (gah-lak'tōs) – galactose; aldose de seis carbonos epimérica com a glicose, mas menos doce, que ocorre naturalmente nas formas tanto D- como L- (a última nos vegetais). Constitui um componente da lactose e de outros oligossacarídeos, cerebrosídeos e gangliosídeos, bem como de glicolipídeos e de glicoproteínas.

ga·lac·tos·e·mia (gah-lak"to-se'me-ah) – galactosemia; um dos três distúrbios recessivos do metabolismo da galactose que causam acúmulo de galactose no sangue; a forma *clássica*, devida a deficiência da enzima galactose 1-fosfato-uridil-transferase, é marcada por cirrose hepática, hepatomegalia, catarata e retardamento mental nos sobreviventes. A *deficiência de galactocinase* resulta em acúmulo de galactitol no cristalino, causando catarata na infância. A *deficiência de galactose-epimerase* resulta em acúmulo benigno de galactose 1-fosfato nas hemácias.

ga·lac·to·si·dase (si'dās) – galactosidase; enzima que catalisa a clivagem dos resíduos terminais da galactose provenientes de vários substratos; várias dessas enzimas existem, cada qual específica para açúcares ligados a α- ou β- e adicionalmente específicas para substratos, por exemplo, lactase.

ga·lac·to·side (gah-lak'to-sī d) – galactosídeo; glicosídeo que contém galactose.

gal·ac·to·sis (gal"ak-to'sis) – galactose; formação de leite pelas glândulas lácteas.

gal·ac·tos·ta·sis (gal"ak-tos'tah-sis) – galactostasia: 1. cessação da secreção de leite; 2. acúmulo anormal de leite nas glândulas mamárias.

ga·lac·to·syl·trans·fer·ase (gal"ak-to"sil-trans'fer-ās) – galactosiltransferase; qualquer substância de um grupo de enzimas que transferem um radical de galactose de um doador para uma molécula receptora.

gal·ac·tu·ria (gal"ak-tu're-ah) – galactúria; quilúria (*chyluria*).

ga·lea (ga'le-ah) [L.] – gálea; estrutura em forma de elmo. **g. aponeuro'tica** – g. aponeurótica; aponeurose que conecta as duas cinturas do músculo occipitofrontal.

ga·len·i·cals (gah-len'ĭ -k'lz) – galênicos; remédios preparados de acordo com as fórmulas de Galeno; atualmente utilizado para denotar preparações padrão que contêm um ou vários ingredientes orgânicos, em contraste com as substâncias químicas puras.

ga·len·ics (gah-len'iks) – galênicos.

gall (gawl) – bile (*bile*).

gall·blad·der (gawl'blad-er) – vesícula biliar; reservatório para a bile na superfície póstero-inferior do fígado.

gal·li·um (gal'e-um) – gálio; elemento químico (ver *Tabela de Elementos*), número atômico 31, símbolo Ga. O sal de nitrato é um inibidor da reabsorção óssea de cálcio e é utilizado para tratar a hipercalcemia relacionada ao câncer. **g. Ga 67 citrate** – g. do citrato de Ga-67; agente de obtenção de imagens radiofarmacêuticas utilizado para

obter imagens de neoplasias, particularmente de tecidos moles e de locais de inflamação e abscesso.

gal·lon (gal'on) – galão; unidade de medida líquida (quatro quartos, 3,785L ou 3.785mL).

gal·lop (gal'op) – galope; ritmo desordenado do coração; ver também em *rhythm.* **atrial g.** – g. atrial; g. de S_4. **diastolic g.** – g. diastólico; g. de S_3. **presystolic g.** – g. pré-sistólico; g. de S_4. S_3 **g.** – g. de S_3; terceiro som cardíaco acentuado nos pacientes com cardiopatias caracterizadas por alterações patológicas no enchimento ventricular no início da diástole. S_4 **g.** – g. de S_4; quarto som cardíaco auscultável e acentuado, geralmente associado a cardiopatia, freqüentemente com complacência ventricular alterada. **summation g.** – g. de somação; galope no qual o terceiro e o quarto sons são superpostos, parecendo apenas um som alto; geralmente associado a cardiopatia. **ventricular g.** – g. ventricular; g. de S_3.

gall·sick·ness (gawl'sik-nis) – anaplasmose (*anaplasmosis*).

gall·stone (-stōn) – colélito; cálculo biliar; cálculo formado na vesícula biliar ou no ducto biliar.

GALT – gut-associated lymphoid tissue (tecido linfóide associado ao intestino).

gal·va·no·con·trac·til·i·ty (gal"vah-no-kon"-trak-til'it-e) – galvanocontratilidade; contratilidade em resposta a estímulo galvânico.

gal·va·nom·e·ter (gal"vah-nom'ĕ-ter) – galvanômetro; instrumento para medir a corrente por meio de ação eletromagnética.

gal·va·no·pal·pa·tion (gal"vah-no-pal-pa'-shun) – galvanopalpação; teste dos nervos da pele por meio de corrente galvânica.

gam·ete (gam'ēt) – gameta: 1. uma de duas células, masculina, o espermatozóide (*spermatozoon*) ou feminina; o óvulo (*ovum*), cuja união é necessária na reprodução sexuada para iniciar o desenvolvimento de um novo indivíduo; 2. parasita malárico em sua forma sexuada no estômago de um mosquito, seja masculino, o microgameta (*microgamete*) ou feminino; o macrogameta (*macrogamete*); o último é fertilizado pelo primeiro para se desenvolver em um oocineto. **gamet'ic** – adj. gamético.

ga·me·to·cide (gah-me'to-sī d") – gametocida; agente que destrói gametas ou gametócitos. **gametoci'dal** – adj. gametocídico.

ga·me·to·cyte (gah-me'to-sī t) – gametócito: 1. oócito ou espermatócito; célula que produz gametas; 2. a forma sexuada (masculina ou feminina) de determinados esporozoários, como os plasmódios maláricos, encontrada nas hemácias, que pode produzir gametas quando ingerida pelo hospedeiro secundário. Ver também *macrogametocyte* e *microgametocyte*.

gam·e·tog·o·ny (gam"i-tog'ah-ne) – gametogonia: 1. desenvolvimento de merozoítas de plasmódios maláricos e de outros esporozoários em gametas masculinos e femininos, que mais tarde se fundem formando um zigoto; 2. reprodução por meio de gametas.

gam·ma (gam'ah) – gama: 1. terceira letra do alfabeto grego; ver também γ-; 2. equivalente obsoleto para micrograma.

gam·ma-ami·no·bu·tyr·ic ac·id (gam"ah-ah-me"no-bu-tir'ik) – ácido gamaminobutírico; ácido γ-amino-butírico.

gam·ma ben·zene hex·a·chlo·ride (gam'ah ben'zēn hek"sah-klor'īd) – hexacloreto de gamabenzeno; lindano (*lindane*).

gam·ma glob·u·lin (glob'u-lin) – gamaglobulina; ver em *globulin*.

gam·ma-glob·u·li·nop·a·thy (gam"ah-glob"u-lin-op'ah-the) – gamaglobulinopatia; gamopatia.

Gam·ma·her·pes·vi·ri·nae (-her"pēz-vir-i'ne) – Gammaherpesvirinae; vírus associados aos linfócitos; subfamília dos Herpesviridae, cujos membros são específicos tanto para os linfócitos B como para os T; inclui o gênero *Lymphocryptovirus*.

gam·mop·a·thy (gam-op'ah-the) – gamopatia; proliferação anormal das células linfóides que produzem imunoglobulinas; as gamopatias incluem mieloma múltiplo, macroglobulinemia e doença de Hodgkin.

gamo·gen·e·sis (gam"o-jen'ě-sis) – gamogênese; reprodução sexuada. gamogenet'ic – adj. gamogenético.

gan·ci·clo·vir (gan-si'klo-vir) – ganociclovir; derivado do aciclovir utilizado em forma de base ou de sal sódico no tratamento de infecções por citomegalovírus.

gan·glia (gang'gle-ah) – plural de *ganglion*.

gan·gli·form (gang"glī-form) – gangliforme; que tem a forma de um gânglio.

gan·gli·tis (gang"gle-ī t'is) – gangliite; ganglionite.

gangli(o)- [Gr.] – elemento de palavra; *gânglio*.

gan·glio·blast (gang'gle-o-blast") – ganglioblasto; célula embrionária dos gânglios cerebroespinhais.

gan·glio·cy·to·ma (gang"gle-o-si-to'mah) – gangliocitoma; ganglioneuroma (*ganglioneuroma*).

gan·glio·form (gang'gle-ah-form") – ganglioforme; gangliforme.

gan·glio·gli·o·ma (gang"gle-o-gli-o'mah) – gangliogioma; ganglioneuroma no sistema nervoso central.

gan·glio·glio·neu·ro·ma (-gli"o-noor-o'mah) – ganglioglioneuroma.

gan·gli·o·ma (gang"gle-o'mah) – ganglioma; ganglioneuroma.

gan·gli·on (gang'gle-on) [Gr.] pl. *ganglia, ganglions* – gânglio: 1. nó ou massa semelhante a um nó; em Anatomia, um grupo de corpos celulares nervosos, localizado externamente ao sistema nervoso central; termo ocasionalmente aplicado a determinados grupos nucleares dentro do cérebro ou da medula espinhal, por exemplo, os gânglios basais; 2. uma forma de tumor cístico benigno em uma aponeurose ou tendão. **ganglial, ganglion'ic** – adj. ganglionar; gangliônico. **aberrant g.** – g. aberrante; pequeno gânglio algumas vezes encontrado em uma raiz nervosa cervical dorsal entre os gânglios espinhais e a medula espinhal. **Acrel's g.** – g. de Acrel; tumor cístico em um tendão extensor do pulso. **Andersch's g.** – g. de Andersch; g. inferior; ver *inferior g.* (1). **autonomic ganglia** – gânglios autônomos; agregados de corpos celulares de neurônios do sistema nervoso autônomo, divididos em simpático (*sympathetic g.*) e parassimpá-

tico (*parasympathetic g.*). **basal ganglia** – gânglios basais; ver em *nucleus*. **Bidder's ganglia** – gânglios de Bidder; gânglios nos nervos cardíacos, situados na extremidade inferior do septo atrial. **Bochdalek's g.** – g. de Bochdalek; plexo dentário superior. **cardiac ganglia** – gânglios cardíacos; gânglios do plexo cardíaco; próximos ao ligamento arterial. **carotid g.** – g. carotídeo; pequeno aumento de volume ocasional no plexo carotídeo interno. **celiac ganglia** – gânglios celíacos; dois gânglios de forma irregular, um em cada ramo do diafragma dentro do plexo celíaco. **cerebrospinal ganglia** – gânglios cerebroespinhais; gânglios associados aos nervos cranianis e espinhais. **cervical g.** – g. cervical: 1. um dos três gânglios (inferior, médio e superior) do tronco simpático na região do pescoço; 2. gânglio próximo à cérvix uterina. **cervicothoracic g.** – g. cervicotorácico; gânglio formado pela fusão dos gânglios cervicais inferiores e dos primeiros gânglios torácicos. **cervicouterine g.** – g. cervicouterino; g. cervical; ver *cervical g.* (2). **ciliary g.** – g. ciliar; gânglio parassimpático na parte posterior da órbita. **Cloquet's g.** – g. de Cloquet; tumefação do nervo nasopalatino no canal palatino anterior. **cochlear g.** – g. coclear; g. espiral. **Corti's g.** – g. de Corti; g. espiral. **dorsal root g.** – g. da raiz dorsal; g. espinhal. **Ehrenritter's g.** – g. de Ehrenritter; g. superior; ver *superrior g.* (1). **false g.** – g. falso; aumento de volume em um nervo que não tem uma estrutura ganglionar verdadeira. **gasserian g.** – g. de Gasser; g. trigêmeo. **geniculate g.** – g. geniculado; gânglio sensorial do nervo facial, no genículo do nervo facial. **g. im'par** – g. ímpar; gânglio comumente encontrado na frente do cóccix, onde os troncos simpáticos dos dois lados se unem. **inferior g.** – g. inferior: 1. o mais baixo dos dois gânglios no nervo glossofaríngeo à medida que este passa através do forame jugular; 2. gânglio do nervo vago, imediatamente abaixo do forame jugular. **jugular g.** – g. jugular; g. superior; ver *superior g.* (1, 2). **Lee's g.** – g. de Lee; g. cervical; ver *cervical g.* (2). **Ludwig's g.** – g. de Ludwig; gânglio próximo do átrio direito do coração, conectado ao plexo cardíaco. **lumbar ganglia** – gânglios lombares; gânglios na parte lombar do tronco simpático, geralmente quatro ou cinco em cada lado. **Meckel's g.** – g. de Meckel; g. pterigopalatino. **Meissner's g.** – g. de Meissner; um dos pequenos grupos de células nervosas no plexo de Meissner. **mesenteric g., inferior** – g. mesentérico inferior; um ou mais gânglios simpáticos laterais próximos da origem da artéria mesentérica inferior. **mesenteric g., superior** – g. mesentérico superior; um ou mais gânglios simpáticos laterais, ou imediatamente abaixo da artéria mesentérica superior. **otic g.** – g. ótico; gânglio parassimpático imediatamente abaixo do forame oval; suas fibras pós-ganglionares suprem a glândula parótida. **parasympathetic g.** – g. parassimpático; um dos agregados de corpos celulares de neurônios colinérgicos do sistema nervoso parassimpático; localizam-se próximo ou dentro da parede dos órgãos a serem inervados. **phrenic g.** – g. frênico; gânglio simpático freqüentemente encontrado dentro do plexo frênico em sua junção com o plexo cardíaco. **Remak's g.** – g. de Remak: 1. gânglio simpático na parede cardíaca, próximo à veia cava superior; 2. um dos gânglios simpáticos na abertura diafragmática para a veia cava inferior; 3. um dos gânglios no plexo gástrico. **Ribes' g.** – g. de Ribes; pequeno gânglio algumas vezes encontrado na terminação do plexo carotídeo interno ao redor da artéria comunicante anterior do cérebro. **sacral ganglia** – gânglios sacros; gânglios da parte sacral do tronco simpático, geralmente três ou quatro em cada lado. **Scarpa's g.** – g. de Scarpa; g. vestibular. **semilunar g.** – g. semilunar: 1. g. do nervo trigêmeo; 2. (pl.) gânglios celíacos. **sensory g.** – g. sensorial: 1. g. espinhal; 2. (pl.) gânglios nas raízes dos nervos craniais, que contêm os corpos celulares dos neurônios sensoriais; 3. ambas as definições consideradas em conjunto. **simple g.** – g. simples; tumor cístico em uma bainha tendínea. **sphenomaxillary g.**, **sphenopalatine g.** – g. esfenomaxilar; g. esfenopalatino; g. pterigopalatino. **spinal g.** – g. espinhal; gânglio na raiz posterior de cada nervo espinhal, composto de corpos de células nervosas unipolares dos neurônios sensoriais do nervo. **spiral g.** – g. espiral; gânglio do nervo coclear, localizado dentro do modíolo, e que envia fibras perifericamente ao órgão de Corti e centralmente aos núcleos cocleares do tronco cerebral. **splanchnic g.** – g. esplâncnico; gânglio no nervo esplâncnico maior, próximo à décima segunda vértebra torácica. **submandibular g.** – g. submandibular; gânglio parassimpático localizado superiormente à parte profunda da glândula submandibular, na superfície lateral do músculo hioglosso. **superior g.** – g. superior: 1. o mais superior de dois gânglios no nervo glossofaríngeo, à medida que este passa através do forame jugular; 2. gânglio pequeno no nervo vago, exatamente no local onde este passa através do forame jugular. **sympathetic g.** – g. simpático; um dos agregados de corpos celulares de neurônios adrenérgicos do sistema nervoso simpático; dispõem-se de modo semelhante a uma cadeia em cada lado da medula espinhal. **g. of trigeminal nerve** – g. do nervo trigêmeo; gânglio na raiz sensorial do quinto nervo craniano em uma fissura na dura-máter na superfície anterior da parte petrosa do osso temporal, originando os nervos oftálmico e maxilar e parte do nervo mandibular. **tympanic g.** – g. timpânico; aumento de volume no ramo timpânico do nervo glossofaríngeo. **vagal g.** – g. vagal: 1. g. inferior; ver *inferior g.* (2); 2. g. superior; ver *superior g.* (2). **ventricular g.** – g. ventricular; gânglios de Bidder. **vestibular g.** – g. vestibular; o gânglio sensorial da parte vestibular do oitavo nervo craniano, localizado na parte superior da extremidade lateral do meato acústico interno. **Wrisberg's ganglia** – gânglios de Wrisberg; gânglios cardíacos. **wrist g.** – g. de pulso; aumento de volume cístico de uma bainha tendínea no dorso do pulso.

gan·gli·on·ec·to·my (gang"gle-ah-nek'tah-me) – ganglionectomia; excisão de um gânglio.

gan·glio·neu·ro·ma (gang"gle-o-noō-ro'mah) – ganglioneuroma; neoplasia benigna composta de fibras nervosas e de células ganglionares maduras.

gan·gli·on·os·to·my (-nos'tah-me) – ganglionostomia; criação cirúrgica de uma abertura no interior de um tumor cístico em uma bainha tendínea ou em uma aponeurose.

gan·glio·pleg·ic (-ple'jik) – ganglioplégico: 1. que se refere a agentes que bloqueiam a transmissão de impulsos através dos gânglios simpáticos e parassimpáticos; 2. agente que atua dessa forma.

gan·glio·side (gang'gle-o-sīd) – gangliosídeo; qualquer substância de um grupo de glicoesfingolipídeos encontrados nos tecidos do sistema nervoso central e têm a composição básica do ácido ceramídeo-glicose-galactose-N-acetilneuramínico. A forma GM_1 acumula-se nos tecidos nas gangliosidoses GM_1 e a forma GM_2 nas gangliosidoses GM_2.

gan·gli·o·si·do·sis (gang"gle-o-si-do'sis) pl. *gangliosidoses* – gangliosidose; qualquer doença de um grupo de doenças de armazenamento lisossômico marcadas por acúmulo de gangliosídeos GM_1 ou GM_2 e glicoconjugados relacionados devidos a deficiência de hidrolases glisossômicas específicas e por deterioração psicomotora progressiva, começando geralmente na infância e quase sempre fatal. GM_1 **g.** – g. GM_1; gangliosidose devida a deficiência de atividade da β-galactosidase lisossômica, com acúmulo de gangliosídeo GM_1, de glicoproteínas e de sulfato de queratano. GM_2 **g.** – g. GM_2; gangliosidose devida a deficiência de atividade das isozimas hexosaminidases específicas, com acúmulo de gangliosídeo GM_2 e dos glicoconjugados relacionados; ela ocorre como três variantes bioquimicamente distintas, incluindo a doença de Sandhoff e a doença de Tay-Sachs.

gan·grene (gang'grēn) – gangrena; morte tecidual, quase sempre em massa considerável, geralmente com perda de suprimento vascular (nutritivo) e seguida de invasão bacteriana e putrefação. **diabetic g.** – g. diabética; gangrena úmida associada a diabetes. **dry g.** – g. seca; gangrena que ocorre sem decomposição bacteriana subsequente, em que os tecidos ressecam e atrofiam-se. **embolic g.** – g. embólica; afecção que se segue a interrupção do suprimento sangüíneo por meio de embolia. **gas g.** – g. gasosa; afecção dolorosa severa, aguda, na qual os músculos e os tecidos subcutâneos se enchem de gás e com um exsudato serossangüinolento; devido a infecção dos ferimentos por bactérias anaeróbicas entre as quais se encontram várias espécies de *Clostridium*. **moist g.** – g. úmida; gangrena associada a decomposição proteolítica resultando do ação bacteriana. **symmetric g.** – g. simétrica; gangrena de dedos correspondentes em ambos os lados, devido a distúrbios vasomotores.

gan·gre·no·sis (gang"grin-o'sis) – gangrenose; desenvolvimento de gangrena.

gan·o·blast (gan'ah-blast) – ganoblasto; ameloblasto (*ameloblast*).

Gan·tri·sin (gan'trī-sin) – Gantrisin, marca registrada de preparações de sulfisoxazol.

gap (gap) – intervalo; lacuna; espaço livre de tempo; diferença; abertura ou hiato. **air-bone g.** – diferença ar-osso; intervalo entre as curvas audiográficas para os estímulos conduzidos pelo ar e pelo osso, como a indicação de perda de condução óssea do ouvido. **anion g.** – hiato aniônico; concentração de ânions plasmáticos não rotineiramente medida pela triagem laboratorial, respondendo pela diferença entre ânions e cátions medidos. **auscultatory g.** – hiato auscultatório; período no qual o som não é ouvido no método auscultatório de esfigmomanometria. **interocclusal g.** – hiato interoclusal; ver em *distance*.

gar·gle (gar'g'l) – gargarejo; gargarejar: 1. solução para enxaguar a boca e a garganta; 2. enxaguar a boca e a garganta através da manutenção de uma solução na boca aberta, agitando-a por meio da expulsão de ar dos pulmões.

gar·goyl·ism (gar'goil-izm) – termo antigo designando face gargúlica e síndrome de Hurler.

gas (gas) – gás; qualquer fluido aeriforme elástico no qual as moléculas se separam entre si e dessa forma apresentam trajetos livres. **gas'eous** – adj. gasoso. **alveolar g.** – g. alveolar; gás no interior dos alvéolos pulmonares, onde ocorre a troca gasosa com o sangue capilar. **coal g.** – g. de carvão; gás venenoso por conter monóxido de carbono, produzido pela destilação destrutiva do carvão; muito utilizado na cozinha doméstica. **laughing g.** – g. hilariante; óxido nitroso. **tear g.** – g. lacrimogêneo; gás que produz lacrimejamento severo por meio de irritação das conjuntivas.

gas·kin (gas'kin) – anca; a coxa do cavalo.

gas·ter (gas'ter) [Gr.] – estômago (*stomach*).

Gas·ter·oph·i·lus (gas"ter-of'il-is) – *Gasterophilus;* gênero de moscas do berne cujas larvas se desenvolvem no trato gastrointestinal dos eqüinos e podem algumas vezes infectar o homem.

gas·trad·e·ni·tis (gas"trad-in-ī t'is) – gastroadenite; inflamação das glândulas gástricas.

gas·tral·gia (gas-tral'jah) – gastralgia; cólica gástrica.

gas·trec·to·my (gas-trek'tah-me) – gastrectomia; excisão do estômago (*g. total*) ou de uma porção dele (*g. parcial ou subtotal*).

gas·tric·sin (gas-trik'sin) – gastricsina; enzima proteolítica isolada do suco gástrico; seu precursor é o pepsinogênio, mas ele difere da pepsina no peso molecular e nos aminoácidos no N terminal.

gas·trin (gas'trin) – gastrina; hormônio polipeptídico secretado por determinadas células das glândulas pilóricas, que estimula fortemente a secreção de ácido gástrico e de pepsina, e estimula fracamente a secreção de enzimas pancreáticas e a contração da vesícula biliar.

gas·tri·no·ma (gas"trī -no'mah) – gastrinoma; ilhota de células não-beta secretoras de gastrina, geralmente no pâncreas; é a causa comum da síndrome de Zollinger-Ellison.

gas·tri·tis (gas-trī t'is) – gastrite; inflamação do estômago. **atrophic g.** – g. atrófica; gastrite crônica com infiltração da lâmina própria, envolvendo toda a espessura da mucosa, através de células inflamatórias. **catarrhal g.** – g. catarral; inflamação e hipertrofia da mucosa gástrica, com secreção excessiva de muco. **eosinophilic g.** – g. eosinófila; gastrite na qual ocorre edema considerável e infiltração de todos os revestimentos da

parede do antro pilórico pelos eosinófilos. **erosive g.**, **exfoliative g.** – g. erosiva; g. esfoliativa; gastrite na qual o epitélio da superfície gástrica sofre erosão. **giant hypertrophic g.** – g. hipertrófica gigante; proliferação excessiva da mucosa gástrica, produzindo espessamento difuso da parede gástrica. **hypertrophic g.** – g. hipertrófica; gastrite com infiltração e aumento de volume das glândulas. **polypous g.** – g. poliposa; gastrite hipertrófica com projeções polipóides da mucosa. **pseudomembranous g.** – g. pseudomembranosa; gastrite na qual ocorre uma falsa membrana em remendos dentro do estômago. **superficial g.** – g. superficial; inflamação crônica da lâmina própria, limitada ao terço externo da mucosa na área foveolar. **toxic g.** – g. tóxica; gastrite devida à ação de veneno ou agente corrosivo.

gastr(o)- [Gr.] – elemento de palavra, *estômago*.

gas·tro·anas·to·mo·sis (gas"tro-ah-nas"tah-mo'sis) – gastroanastomose; gastrogastrostomia (*gastrogastrostomy*).

gas·tro·cele (gas'tro-sēl) – gastrocele; protrusão hernial do estômago ou de uma bolsa gástrica.

gas·troc·ne·mi·us (gas"trok-ne'me-us) – gastrocnêmio; ver *Tabela de Músculos*.

gas·tro·coele (gas'tro-sēl) – gastrocele; arquentério (*archenteron*).

gas·tro·co·li·tis (gas"tro-ko-lī t'is) – gastrocolite; inflamação do estômago e do cólon.

gas·tro·co·los·to·my (-kol-os'tah-me) – gastrocolostomia; anastomose cirúrgica do estômago com o cólon.

gas·tro·cu·ta·ne·ous (-ku-ta'ne-us) – gastrocutâneo; relativo ao estômago e à pele, ou que se comunica com o estômago e a superfície cutânea do corpo, como uma fístula gastrocutânea.

gas·tro·cys·to·plas·ty (-sis'to-plas"te) – gastrocistoplastia; uso de uma porção do estômago para aumentar o tamanho da bexiga.

gas·tro·di·aph·a·ny (-di-af'ah-ne) – gastrodiafania; exame do estômago através de transiluminação das suas paredes com uma pequena lâmpada elétrica.

Gas·tro·dis·coi·des (-dis-koi'dēz) – *Gastrodiscoides;* gênero de trematódeos parasitas no trato intestinal.

gas·tro·du·o·de·ni·tis (-doo-od"in-ī t'is) – gastroduodenite; inflamação do estômago e do duodeno.

gas·tro·du·o·de·nos·to·my (-doo"od-in-os'tah-me) – gastroduodenostomia; anastomose cirúrgica do estômago com uma parte anteriormente remota do duodeno.

gas·tro·dyn·ia (-din'e-ah) – gastrodinia; dor no estômago.

gas·tro·en·ter·al·gia (-en"ter-al'jah) – gastroenteralgia; dor no estômago e no intestino.

gas·tro·en·ter·i·tis (-en"ter-ī t'is) – gastroenterite; gastrenterite; enterogastrite; inflamação do estômago e do intestino. **eosinophilic g.** – g. eosinófila; distúrbio comumente associado à intolerância a alimentos específicos, marcada por infiltração da mucosa do intestino delgado por eosinófilos, com edema, mas sem vasculite e por eosinofilia do sangue periférico. Os sintomas dependem do local e da extensão do distúrbio. O estômago também se envolve freqüentemente. **Norwalk g.** – g. de Norwalk; gastroenterite causada pelo vírus de Norwalk.

gas·tro·en·tero·anas·to·mo·sis (-en"ter-o-ah-nas"tah-mo'sis) – gastroenteroanastomose; anastomose entre o estômago e o intestino delgado.

gas·tro·en·ter·ol·o·gy (-en"ter-ol'ah-je) – gastroenterologia; estudo do estômago e do intestino e suas doenças.

gas·tro·en·ter·op·a·thy (-en"ter-op'ah-the) – gastroenteropatia; qualquer doença do estômago e intestinos. **allergic g.** – g. alérgica; gastrite eosinofílica de crianças com alergias alimentares, particularmente a leite bovino.

gas·tro·en·ter·ot·o·my (-en"ter-ot'ah-me) – gastroenterotomia; incisão no interior do estômago e do intestino.

gas·tro·ep·i·plo·ic (-ep"i-plo'ik) – gastroepiplóico; relativo ao estômago e ao epíplo (omento).

gas·tro·esoph·a·gi·tis (-ĕ-sof"ah-jī t'is) – gastroesofagite; inflamação do estômago e do esôfago.

gas·tro·fi·ber·scope (-fi'ber-skŏp) – gastrofibroscópio; fibroscópio para observar o estômago.

gas·tro·gas·tros·to·my (-gas-tros'tah-me) – gastrogastrostomia; anastomose cirúrgica de duas porções anteriormente distantes do estômago.

gas·tro·ga·vage (-gah-vahzh') – gastrogavagem; alimentação artificial através de sonda passada no interior do estômago.

gas·tro·hep·a·ti·tis (-hep"ah-tī t-'is) – gastro-hepatite; inflamação do estômago e do fígado.

gas·tro·il·e·itis (il"e-ī t'is) – gastroileíte; inflamação do estômago e do íleo.

gas·tro·il·e·os·to·my (-il"e-os'tah-me) – gastroileostomia; anastomose cirúrgica do estômago e do íleo.

gas·tro·je·ju·no·col·ic (-je-joo"no-kol'ik) – gastrojejunocólico; relativo ao estômago, jejuno e cólon.

gas·tro·li·e·nal (-li'in-il) – gastrolienal; gastroesplênico.

gas·tro·li·thi·a·sis (-lī -thi'ah-sis) – gastrolitíase; presença ou formação de cálculos no estômago.

gas·trol·y·sis (gas-trol'ĭ -sis) – gastrólise; divisão cirúrgica de aderências perigástricas para mobilizar o estômago.

gas·tro·ma·la·cia (gas"tro-mah-la'shah) – gastromalacia; amolecimento da parede gástrica.

gas·tro·meg·a·ly (-meg'ah-le) – gastromegalia; aumento de volume do estômago.

gas·tro·my·co·sis (-mi-ko'sis) – gastromicose; infecção fúngica do estômago.

gas·tro·myx·or·rhea (-mik"so-re-ah) – gastromixorréia; secreção excessiva de muco pelo estômago.

gas·trop·a·thy (gas-trop'ah-the) – gastropatia; qualquer doença do estômago.

gas·tro·pexy (gas-tro-pek"se) – gastropexia; fixação cirúrgica do estômago.

Gas·troph·i·lus (gas-trof'ĭ -lus) – *Gastrophilus; Gasterophilus.*

gas·tro·phren·ic (gas"tro-fen'ik) – gastrofrênico; relativo ao estômago e ao diafragma.

gas·tro·pli·ca·tion (-plī -ka'shun) – gastroplicatura; gastroplicação; tratamento de uma dilatação gástrica através de sutura de uma prega na parede gástrica.

gas·trop·to·sis (gas"trop-to'sis) – gastroptose; deslocamento para baixo do estômago.

gas·tro·py·lo·rec·to·my (gas"tro-pi"lo-rek'tah-me) – gastropilorectomia; excisão da parte pilórica do estômago.

gas·tror·rha·gia (-ra'jah) – gastrorragia; hemorragia proveniente do estômago.

gas·tror·rhea (-re'ah) – gastrorréia; secreção excessiva por parte das glândulas gástricas.

gas·tros·chi·sis (gas-tros'kĭ -sis) – gastrosquise; fissura congênita da parede abdominal.

gas·tro·scope (gas'tro-skŏp) – gastroscópio; endoscópio para inspecionar o interior do estômago. **gastroscop'ic** – adj. gastroscópico.

gas·tro·se·lec·tive (gas"tro-sĭ -lek'tiv) – gastrosseletivo; que tem afinidade por receptores envolvidos na regulação das atividades gástricas.

gas·tro·spasm (gas'tro-spazm) – gastrospasmo; espasmo gástrico.

gas·tro·stax·is (gas"tro-stak'sis) – gastrostaxe; exsudação de sangue a partir da mucosa gástrica.

gas·tros·to·ga·vage (gas-tros"to-gah-vahzh') – gastroestogavagem; alimentação através de uma fístula gástrica.

gas·tros·to·la·vage (-lah-vahzh') – gastroestolavagem; irrigação do estômago através de uma fístula gástrica.

gas·tros·to·my (gas-tros'tah-me) – gastrostomia; criação cirúrgica de uma abertura artificial no interior do estômago ou a abertura estabelecida dessa forma.

gas·trot·o·my (gas-trot'ah-me) – gastrotomia; incisão no interior do estômago.

gas·tro·to·nom·e·eter (gas"tro-to-nom'it-er) – gastrotonômetro; instrumento para medir a pressão intragástrica.

gas·tro·trop·ic (-trop'ik) – gastrotrópico; que tem afinidade ou exerce um efeito especial no estômago.

gas·tro·tym·pa·ni·tes (-tim"pah-ni'tĕz) – gastrotimpanite; distensão timpanítica do estômago.

gas·tru·la (gas'troo-lah) – gástrula; estado embrionário após a blástula; o tipo mais simples consiste de duas camadas (ectoderma e endoderma), que invaginaram para formar o arquentério e um abertura, o blastóporo.

gat·ing (gāt'ing) – fechamento; seleção de sinais elétricos por meio de um controle, passando somente os que preenchem critérios particulares.

gaunt·let (gawnt'let) – manopla; atadura que recobre a mão e os dedos como uma luva.

gauss (gous) – gauss; unidade CGS de densidade de fluxo magnético, equivalente a 10^{-4} teslas. Símbolo G.

gauze (gawz) – gaze; tecido leve e de malha aberta de musselina ou material semelhante. **absorbable g.** – g. absorvível; gaze confeccionada a partir de celulose oxidada. **absorbent g.** – g. absorvente; pano de algodão branco de várias contagens e pesos de fios, fornecido em vários comprimentos e larguras e em formas diferentes (rolos ou dobras). **petrolatum g.** – g. com petrolato; material estéril produzido através da saturação de uma gaze absorvente estéril com petrolato branco estéril. **zinc gelatin impregnated g.** – g. impregnada com gelatina de zinco; gaze absorvente impregnada com gelatina de zinco.

ga·vage (gah-vahzh') [Fr.] – gavagem: 1. alimentação forçada, especialmente através de sonda passada no interior do estômago; 2. superalimentação.

gaze (gāz) – olhar fixo; olhar fixamente em uma direção. **conjugate g.** – o.f. conjugado; movimento normal dos dois olhos simultaneamente na mesma direção para trazer algo à visão.

G-CSF – granulocyte colony-stimulating factor (FEC-G) fator estimulador de colônias de granulócitos).

Gd – símbolo químico, gadolínio (*gadolinium*).

Ge – símbolo químico, germânio (*germanium*).

ge·gen·hal·ten (ga"gen-hahl'tin) [Al.] – resistência involuntária a um movimento passivo, como pode ocorrer em caso de distúrbios corticais cerebrais.

gel (jel) – gel; gelatina; colóide firme, embora contenha muito líquido; colóide em forma gelatinosa. **aluminum carbonate g., basic** – g. de carbonato de alumínio básico; gel de hidróxido de alumínio-carbonato de alumínio, utilizado como antiácido para o tratamento da hiperfosfatemia na insuficiência renal, e evitar cálculos urinários de fosfato. **aluminum hydroxide g.** – g. de hidróxido de alumínio; suspensão de hidróxido de alumínio e óxido hidratado utilizado como antiácido gástrico, especialmente no tratamento da úlcera péptica e tratamento da nefrolitíase fosfática. **aluminum phosphate g.** – g. de fosfato de alumínio; suspensão aquosa de fosfato de alumínio e um agente aromatizante, utilizada como antiácido gástrico e para reduzir a excreção fecal de fosfatos. **sodium fluoride and phosphoric acid g.** – g. de fluoreto de sódio e ácido fosfórico; suspensão aquosa que contém fluoreto e carboximetilcelulose; utilizado como profilático tópico de cáries dentárias.

ge·las·mus (jĕ-laz'mis) – gelasmo; riso histérico.

gel·a·tin (jel'ah-tin) – gelatina; substância obtida por meio da hidrólise parcial de um colágeno derivado da pele, tecido conjuntivo branco e ossos dos animais; é utilizada como agente suspensor e na fabricação de cápsulas e supositórios; sugere-se o uso como substituto plasmático e é utilizada como alimento protéico adjuvante. **zinc g.** – g. zíncica; preparação de óxido de zinco, glicerina e água purificada, aplicada topicamente como um protetor.

ge·la·tion (jĕ-la'shun) – gelação; conversão de um sol em gel.

geld (geld) – castrar; remover os testículos, especialmente do cavalo.

Ge·mel·la (jĕ-mel'ah) [L.] – *Gemella;* gênero de cocos aeróbicos ou facultativamente anaeróbicos (família Streptoccocaceae), que ocorre isoladamente ou em pares com os lados adjacentes achatados; são encontrados como parasitas de mamíferos.

gem·el·lol·o·gy (jem"el-ol'ah-je) – gemelologia; estudo científico dos gêmeos e de gemelaridade.

gem·i·nate (jem'ĭ -nāt) – geminado; geminar; pareado; que ocorre em pares.

gem·ma·tion (jĕ-ma'shun) – gemação; brotamento; reprodução assexuada na qual se impulsiona para fora uma porção do corpo celular que depois é separada, formando um novo indivíduo.

gem·mule (jem'ūl) – gêmula: 1. broto reprodutivo; o produto imediato da gemulação; 2. um dos muitos processos pequenos semelhantes a espinhos nos dendritos de um neurônio.

-gen [Gr.] – -geno, elemento de palavra, *agente que produz.*

ge·nal (je'nil) – genal; relativo à bochecha; bucal.

gen·der (jen'der) – gênero; sexo; categoria em que se classifica um indivíduo com base no sexo.

gene (jēn) – gene; unidade biológica da hereditariedade, auto-reproduzível e localizada em posição definida (*locus*) em um cromossoma particular. **allelic g's** – genes alelos; genes situados em *loci* correspondentes em um par de cromossomas. **chimeric g.** – g. quimérico; gene artificial construído através da justaposição de fragmentos de genes não-relacionados ou de outros segmentos de DNA, que podem alterar a si próprios. **complementary g's** – genes complementares; dois pares independentes de genes não-alélicos, em que nenhum deles produz efeito na ausência do outro. **dominant g.** – g. dominante; gene fenotipicamente expresso quando presente em homozigotos ou heterozigotos. **H g., histocompatibility g.** – g. H; g. da histocompatibilidade; gene que determina a especificidade da antigenicidade tecidual (antígenos HLA), e consequentemente a compatibilidade do doador e do receptor em transplante tecidual e transfusão sangüínea. **holandric g's** – genes holoândricos; genes na região não-homóloga do cromossoma Y. **immune response (Ir) g's** – genes da resposta imunológica; genes do complexo de histocompatibilidade maior (MHC) que governam a resposta imunológica a imunógenos individuais. **Is g's** – genes Is; genes que governam a formação de linfócitos T supressores. **lethal g.** – g. letal; gene cuja presença acarreta a morte do organismo ou permite a sobrevivência somente sob determinadas condições. **mutant g.** – g. mutante; gene que sofreu mutação detectável. **operator g.** – g. operador; gene que serve como ponto de partida para a leitura do código genético e que, através da interação com um repressor, controla a atividade dos genes estruturais associados a ele no óperon. **recessive g.** – g. recessivo; gene que produz um efeito no organismo somente quando é homozigoto. **regulator g.** – g. regulador: 1. em Teoria Genética, gene que sintetiza um repressor, substância que através de uma interação com o operador desativa a ação dos genes estruturais associados a ele no óperon; 2. qualquer gene cujo produto afete a atividade de outros genes. **repressor g.** – g. repressor; g. regulador; ver *regulador g.* (1). **sex-linked g.** – g. ligado ao sexo; gene conduzido em um cromossoma sexual, especialmente num cromossoma X. **split g.** – g. dividido; gene que contém exons múltiplos e pelo menos um intron. **structural g.** – g. estrutural; gene que especifica a seqüência de aminoácidos de uma cadeia de polipeptídeos.

gen·era (jen'er-ah) – pl. de *genus.*

gen·er·a·tion (jen"ĕ-ra'shun) – geração: 1. processo de reprodução. 2. classe composta de todos os indivíduos removidos pelo mesmo número de ancestrais sucessivos a partir de um predecessor comum ou ocupando posições no mesmo nível em uma árvore genealógica (pedigree). **alternate g.** – g. alternada; geração alternada por meios assexuados e sexuados em uma espécie animal ou vegetal. **asexual g.** – g. assexuada; produção de um novo organismo não-originado de união de gametas. **first filial g.** – primeira g. filial; a primeira geração de descendentes de dois pais; símbolo F$_1$. **second filial g.** – segunda g. filial; todos os filhos produzidos por dois indivíduos da primeira geração filial; símbolo F$_2$. **parental g.** – g. paterna; geração na qual se inicia um estudo genético particular; símbolo P$_1$. **sexual g.** – g. sexuada; produção de um novo organismo a partir do zigoto formado pela união de gametas. **spontaneous g.** – g. espontânea; conceito desacreditado de geração contínua de organismos vivos a partir de matéria não-viva.

gen·er·a·tor (jen'er-a"tor) – gerador; alguma coisa que produz ou faz com que outra coisa exista; máquina que converte energia mecânica em elétrica. **pattern g.** – padrão gerador; rede de neurônios que produz uma forma estereotipada de movimento complexo (como mastigação ou ambulação), que é quase invariável de um desempenho para outro. **pulse g.** – g. de pulso; fonte de energia para um sistema de marca-passo cardíaco, geralmente energizado por uma bateria de lítio, suprindo impulsos para os eletrodos implantados, seja em freqüência fixa ou em padrão programado.

ge·ner·ic (jĕ-nĕ-rik) – genérico: 1. relativo a um gênero; 2. nome não registrado; denota um nome de medicamento não-protegido por marca registrada, geralmente descritivo da estrutura química da droga.

gen·e·sis (jen'ĕ-sis) [Gr.] – gênese; criação; origem.

-genesis [Gr.] – -gênese, elemento de palavra; formação, desenvolvimento.

ge·net·ic (jĕ-net'ik) – genético: 1. relativo à reprodução, nascimento ou origem; 2. herdado.

ge·net·ics (jĕ-net'iks) – genética; estudo da hereditariedade. **biochemical g.** – g. bioquímica; ciência relacionada à natureza química e física dos genes e o mecanismo pelo qual eles controlam o desenvolvimento e a manutenção do organismo. **clinical g.** – g. clínica; estudo dos fatores genéticos que influenciam a ocorrência de uma afecção patológica.

ge·neto·troph·ic (jĕ-net"o-trof'ik) – genetotrófico; relativo à genética e à nutrição; relacionado aos problemas de nutrição hereditários na natureza ou transmitidos através dos genes.

ge·ni·al (jĕ-ni-al) – mentoniano; relativo ao queixo.

gen·ic (jen'ik) – gênico; relativo ou causado pelos genes.

-genic [Gr.] – -gênico, elemento de palavra; que dá origem a; que causa.

ge·nic·u·lar (jĕ-nik'ŭl-er) – genicular; relativo ao joelho.

ge·nic·u·late (jĕ-nik'u-lāt) – geniculado; encurvado; como o joelho.

ge·nic·u·lum (jĕ-nik'u-lum) [L.] pl. *genicula* – genículo; joelho pequeno; utilizado na nomenclatura anatô-

mica para designar uma curvatura semelhante a um joelho definida em uma estrutura ou um órgão pequenos.

gen·i·tal (jen'ĭ -t'l) – genital: 1. relativo à reprodução ou aos órgãos reprodutivos; 2. [pl.] órgãos reprodutores.

gen·i·ta·lia (jen"ĭ -tāl'e-ah) – genitália; órgãos reprodutivos. **external g.** – g. externa; órgãos reprodutivos externos ao corpo, incluindo vulva, clitóris e uretra feminina na mulher, e bolsa escrotal, pênis e uretra masculina no homem. **indifferent g.** – g. indiferenciada; órgãos reprodutivos do embrião antes do estabelecimento do sexo definitivo.

genit(o)- [L.] – elemento de palavra, *órgãos da reprodução.*

gen·i·tog·ra·phy (jen"ĭ -tog'rah-fe) – genitografia; radiografia do seio urogenital e estruturas ductais internas após injeção de um meio de contraste através da abertura do seio.

gen·i·to·uri·nary (jen"it-o-ūr'in-e"re) – geniturinário; urogenital (*urogenital*).

geno·der·ma·to·sis (je"no-der"mah-to'sis) – genodermatose; distúrbio genético da pele, normalmente generalizado.

ge·nome (je'nōm) – genoma; conjunto completo de fatores hereditários contidos no conjunto haplóide de cromossomas. **genom'ic** – adj. genômico.

geno·type (jen"ah-tī p) – genótipo: 1. constituição genética total de um indivíduo; também, os alelos presentes em um ou mais *loci* específicos; 2. a espécie-tipo de um gênero. **genotyp'ic** – adj. genotípico.

-genous [Gr.] – -geno, elemento de palavra, *que surge ou resulta de; produzido por.*

gen·ta·mi·cin (jen"tah-mi'sin) – gentamicina; complexo antibiótico isolado a partir dos actinomicetos do gênero *Micromonospora*, eficazes contra muitas bactérias Gram-negativas, especialmente as espécies de *Pseudomonas*, bem como determinadas espécies Gram-positivas; também utilizada como sal de sulfato.

gen·tian (jen'shin) – genciana; rizoma e raízes secos da *Gentiana lutea*; utilizados como tônico amargo. **g. violet** – violeta de g.; corante antibacteriano, antifúngico e anti-helmíntico aplicado topicamente no tratamento de infecções da pele e das membranas mucosas associadas a bactérias Gram-positivas e bolores, e administrado oralmente em infecções por oxiúros ou trematódeos hepáticos.

gen·tian·o·phil·ic (jen"shin-o-fil'ik) – gencianofílico; que se cora facilmente com violeta de genciana.

gen·tian·o·pho·bic (-fo'bik) – gencianofóbico; que não se cora com violeta de genciana.

ge·nu (je'nu) [L.] pl. *genua* – joelho: 1. região entre a coxa e a canela; 2. qualquer estrutura semelhante ao joelho. **g. extror'sum** – j. varo. **g. intror'sum** – j. valgo. **g. recurva'tum** – j. recurvado; hiperextensibilidade da articulação do joelho. **g. val'gum** – j. valgo; tíbia valga. **g. va'rum** – j. varo; perna arqueada.

ge·nus (je'nus) [L.] pl. *genera* – gênero; categoria taxonômica subordinada a uma tribo (ou subtribo) e superior a uma espécie (ou subgênero).

ge(o)- [Gr.] – elemento de palavra, *a terra; o solo*.

ge·ode (je'ŏd) – geodo; espaço linfático dilatado.

geo·med·i·cine (je"o-med'ĭ-sin) – Geomedicina; ramo da Medicina que lida com a influência das situações climáticas e ambientais na saúde.

geo·pha·gia (-fa'jah) – geofagia; ingestão de terra (solo) ou lama.

geo·tri·cho·sis (-trĭ-ko'sis) – geotricose; infecção semelhante a candidíase, devida à *Geotrichum candidum*, que pode atacar brônquios, pulmões, boca ou trato intestinal.

Ge·ot·ri·chum (je-ah'trĭ-kum) – *Geotrichum;* gênero de fungos semelhantes a leveduras (incluindo a *G. candidum*), encontrados nas fezes e nos produtos lácteos.

ge·ot·ro·pism (je'ah-trah-pizm) – geotropismo; tendência de crescimento ou movimento em direção ou exterior à terra; influência da gravidade no crescimento.

ge·rat·ic (jĕ-rat'ik) – geriátrico; relativo à idade avançada.

ger·a·tol·o·gy (jĕ"rah-tol'ah-je) – geratologia; gerontologia.

ger·i·at·rics (jer"e-ă'triks) – geriatria; ramo da Medicina que lida especialmente com os problemas do envelhecimento e as doenças dos idosos. **geriat'ric** – adj. geriátrico. **dental g.** – g. dentária; gerodontia.

geri·odon·tics (-o-don'tiks) – geriodontia; gerodontia.

germ (jerm) – germe: 1. microrganismo patogênico; 2. substância viva capaz de se desenvolver em um órgão, parte ou organismo como um todo; primórdio. **dental g.** – g. dentário; tecidos coletivos a partir dos quais se forma um dente. **enamel g.** – g. do esmalte; rudimento epitelial del órgão do esmalte.

ger·ma·ni·um (jer-ma'ne-um) – germânio, elemento químico (ver *Tabela de Elementos*), número atômico 32, símbolo Ge.

ger·mi·ci·dal (jerm"ĭ-si'd'l) – germicida; letal a microrganismos patogênicos.

ger·mi·nal (jerm'ĭ-nil) – germinal; relativo ou da natureza de uma célula germinativa ou do estágio primitivo de desenvolvimento.

ger·mi·na·tion (jerm"ĭ-na'shun) – germinação; brotamento de semente, esporo ou embrião vegetal.

ger·mi·no·ma (jer"mĭ-no'mah) – germinoma; tipo de tumor de célula germinativa com grandes células redondas com núcleos vasculares, geralmente encontradas no ovário, testículo não-descido, mediastino anterior ou glândula pineal; nos homens, chama-se seminoma (*seminoma*), e nas mulheres, disgerminoma (*dysgerminoma*).

ger(o)- [Gr.] – elemento de palavra, *idade avançada; idoso*.

gero·der·ma, gero·der·mia (jer-o-der'mah; -der'me-ah) – gerodermia; distrofia da pele e dos genitais, conferindo a aparência de uma idade avançada.

ger·odon·tics (-don'tiks) – Gerodontia; Odontologia que se ocupa dos problemas dentários das pessoas idosas. **gerodon'tic** – adj. gerodôntico.

gero·ma·ras·mus (-mah-raz'mis) – geromarasmo; emaciação algumas vezes característica da idade avançada.

gero·mor·phism (-mor'fizm) – geromorfismo; senilidade prematura.

geront(o)- [Gr.] – elemento de palavra, *idade avançada; idoso*.

ger·on·tol·o·gy (jer"on-tol'ah-je) – Gerontologia; estudo científico dos problemas do envelhecimento em todos os seus aspectos.

ger·on·to·pia (jer"on-to'pe-ah) – gerontopia; senopia (*senopia*).

ger·on·to·ther·a·peu·tics (jer-on"to-ther"ah-pu'tiks) – Gerontoterapêutica; ciência do retardamento e da prevenção de muitos aspectos da senescência.

ger·on·tox·on (jer"on-tok'son) – gerontoxon; arco corneano.

gero·psy·chi·a·try (jer"o-si-ki'ah-tre) – Geropsiquiatria; subespecialidade da Psiquiatria que se ocupa das enfermidades mentais nos idosos.

ges·ta·gen (jes'tah-jen) – gestágeno; qualquer hormônio com atividade progestacional.

ge·stal·tism (gah-shtahlt'izm) – gestaltismo; teoria na Psicologia de que os objetos mentais (como se apresentam à experiência direta) vêm cada qual como um todo ou formas não-analisáveis completas (Gestalten) que não podem ser divididas em partes.

ges·ta·tion (jes-ta'shun) – gestação; gravidez; período de desenvolvimento da prole nos animais vivíparos, desde o momento da fertilização do óvulo até o nascimento; ver também *pregnancy*.

ges·to·sis (jes-to'sis) pl. *gestoses* – gestose; qualquer manifestação de pré-eclâmpsia na gravidez.

GeV, Gev – giga eletron volt (giga-elétron-volt).

GFR – glomerular filtration rate (TFG, taxa de filtração glomerular).

ghost (gōst) – fantasma; figura tênue ou sombria que não tem a substância costumeira da realidade. **red cell g.** – f. de hemácia; membrana de eritrócito que permanece intacta após hemólise.

GH-RH – growth hormone releasing hormone (hormônio liberador do hormônio do crescimento).

GI – gastrointestinal (gastrointestinal).

gi·ant·ism (ji'ant-izm) – gigantismo (*gigantism*); tamanho excessivo, como de células ou núcleos.

Gi·ar·dia (je-ar'de-ah) – *Giardia;* gênero de protozoários flagelados parasitas no trato intestinal de homem e animais que podem causar diarréia prolongada e intermitente com sintomas que sugerem má-absorção; *G. lamblia* (*G. intestinalis*) é a espécie encontrada no homem.

gib·bos·i·ty (gĭ-bos'it-e) – gibosidade; condição de ser corcunda; cifose.

gib·bus (gib'is) – giba; cifose; corcunda (*hump*).

gid (gid) – cenurose; doença do cérebro e da medula espinhal dos animais domésticos (especialmente dos ovinos), devida à *Coenurus cerebralis* e marcada por instabilidade na marcha.

giga- [Gr.] – elemento de palavra, *imenso;* utilizado na denominação de unidades de medida para designar uma quantidade 10^9 (um bilhão) vezes maior que o tamanho da unidade à qual se junta, por exemplo, giga-metro (10^9 metros); símbolo G.

gi·gan·tism (ji-gan'tizm) – gigantismo; supercrescimento; tamanho e estatura exagerados e anormais. **cerebral g.** – g. cerebral; gigantismo na

GHI

ausência de níveis elevados de hormônio de crescimento, atribuídos a defeito cerebral; os bebês são grandes e o crescimento acelerado continua durante os primeiros 4 ou 5 anos, o desenvolvimento torna-se normal depois disso. As mãos e os pés são grandes, a cabeça é grande e dolicocéfala, os olhos apresentam inclinação antimongolóide com hipertelorismo. A criança é desajeitada e geralmente se encontra presente um retardamento mental de grau variável. **pituitary g.** – g. hipofisário; síndrome de Launois.

gi·gan·to·cel·lu·lar (ji-gan"to-sel'u-ler) – gigantocelular; relativo a células gigantes.

gi·gan·to·mas·tia (-mas'te-ah) – gigantomastia; hipertrofia extrema da mama.

gin·ger (jin'jer) – gengibre; rizoma dessecado da planta tropical *Zingiber officinale*; utilizado como aromatizante.

gin·gi·va (jin'jĭ -vah, jin-ji'vah) [L.] pl. *gingivae* – gengiva; membrana mucosa (com o tecido fibroso de sustentação) que recobre a borda que sustenta os dentes da mandíbula. **gingi'val, gin'gival** – adj. gengival. **alveolar g.** – g. alveolar; porção que recobre o processo alveolar. **areola g.** – g. areolar; porção presa ao processo alveolar por meio de um tecido conjuntivo areolar frouxo, situando-se além da mucosa ceratinizada sobre o processo alveolar. **attached g.** – g. ligada; porção firme, elástica e ligada ao cimento e ao osso alveolar subjacentes. **free g.** – g. livre; porção da gengiva que circunda o dente e não se prende diretamente à superfície dentária. **marginal g.** – g. marginal; porção da gengiva livre localizada nas faces labial, bucal, lingual e palatal dos dentes; margem gengival.

gin·gi·val·ly (jin'jĭ -val"e) – gengivalmente; em direção à gengiva.

gin·gi·vec·to·my (jin"jĭ -vek'tah-me) – gengivectomia; excisão cirúrgica de todo o tecido gengival frouxo infectado e doente.

gin·gi·vi·tis (-vi'tis) – gengivite; inflamação da gengiva. **atrophic senile g.** – g. senil atrófica; inflamação e algumas vezes atrofia da mucosa gengival e oral nas mulheres na menopausa e pós-menopausa que se acredita dever-se ao metabolismo estrogênico alterado. **fusospirochetal g.** – g. fusoespiroquética; g. ulcerativa necrosante. **herpetic g.** – g. herpética; infecção das gengivas pelo vírus do herpes simples. **necrotizing ulcerative g.** – g. ulcerativa necrosante; boca de trincheira; infecção gengival marcada por vermelhidão e inchaço, necrose, dor, hemorragia, odor necrótico e freqüentemente pseudomembrana; ver também em *gingivostomatitis*. **pregnancy g.** – g. da gravidez; uma de várias alterações gengivais que variam de gengivite ao chamado tumor da gravidez. **Vincent's g.** – g. de Vincent; g. ulcerativa necrosante.

gingiv(o)- [L.] – gengiv(o)-, elemento de palavra, *gengiva*.

gin·gi·vo·sis (jin"jĭ -vo'sis) – gengivose; inflamação crônica e difusa da gengiva, com descamação do epitélio papilar e da membrana mucosa.

gin·gi·vo·sto·ma·ti·tis (jin"jĭ -vo-sto"mah-tī t'-is) – gengivoestomatite; inflamação da gengiva e mucosa oral. **herpetic g.** – g. herpética; gengivoestomati-

te devida a infecção pelo vírus do herpes simples, com vermelhidão dos tecidos orais, formação de vesículas múltiplas e úlceras dolorosas e febre. **necrotizing ulcerative g.** – g. ulcerative necrosante; gengivoestomatite devido a extensão da gengivite ulcerativa necrosante para outras áreas da mucosa oral.

gin·gly·moid (jing'glĭ -moid) – ginglimóide; semelhante a dobradiça; relativo a um gínglimo.

gin·gly·mus (-mus) – gínglimo; articulação que permite um movimento menos em um plano (para frente ou para trás), como a dobradiça de uma porta.

gir·dle (gir'd'l) – cintura; cíngulo; estrutura ou parte envolvente; qualquer coisa que circunda um corpo. **pectoral g.** – c. peitoral; c. escapular. **pelvic g.** – c. pélvica; estrutura óssea envolvente que sustenta os membros inferiores. **shoulder g., thoracic g.** – c. escapular; c. torácica; estrutura óssea envolvente que sustenta os membros superiores.

git·a·lin (jit'ah-lin) – gitalina; mistura de glicosídeos digitálicos que têm as mesmas ações e usos que os digitálicos.

giz·zard (giz'erd) – moela; segundo estômago muscular de uma ave.

gla·bel·la (glah-bel'ah) – glabela; área do osso frontal acima do násio e entre as pálpebras.

gla·brous (gla'brus) – glabro; liso e nu.

gla·di·o·lus (glah-di'o-lus) – gladíolo; corpo do esterno.

glairy (glār'e) – viscoso; mucóide, pegajoso; semelhante à clara do ovo.

gland (gland) – glândula; agregado de células especializadas em secretar ou excretar materiais não-relacionados a suas necessidades metabólicas comuns. **accessory g.** – g. acessória; massa menor de tecido glandular próxima ou a alguma distância de uma glândula de estrutura semelhante. **adrenal g.** – g. supra-renal; corpo achatado acima de cada rim, consistindo de um córtex e uma medula, com o primeiro elaborando hormônios esteróides e o último adrenalina e noradrenalina. **aggregate g's, agminated g's** – glândulas agregadas; glândulas geminadas; placas de Peyer. **apocrine g.** – g. apócrina; glândula cuja secreção descartada contém parte das células secretoras. **axillary g's** – glândulas axilares; linfonodos situados na axila. **Bartholin's g.** – g. de Bartholin; um de dois corpos pequenos em cada lado do orifício vaginal. **biliary g's, glands of biliary mucosa** – glândulas biliares; glândulas da mucosa biliar; glândulas tubuloalveolares na mucosa dos ductos biliares e do colo da vesícula biliar. **Blandin's g's** – glândulas de Blandin; glândulas linguais anteriores. **bronchial g's** – glândulas brônquicas, glândulas seromucosas na mucosa e submucosa das paredes brônquicas. **Bruch's g's** – glândulas de Bruch; folículos linfáticos na conjuntiva da pálpebra inferior. **Brunner's g's** – glândulas de Brunner; glândulas duodenais. **bulbocavernous g., bulbourethral g.** – g. bulbocavernosa; g. bulbouretral; uma de duas glândulas incrustadas na substância do esfíncter uretral, posterior à parte membranosa da uretra.

cardiac g's – glândulas cardíacas; glândulas secretoras de mucina da parte cardíaca (cárdia) do estômago. **celiac g's** – glândulas celíacas; linfonodos anteriores à aorta abdominal. **ceruminous g's** – glândulas ceruminosas; glândulas secretoras de cerúmen na pele do canal auditivo externo. **cervical g's** – glândulas cervicais: 1. linfonodos do pescoço; 2. fendas compostas na parede da cérvix uterina. **ciliary g's** – glândulas ciliares; glândulas sudoríparas que cessaram o seu desenvolvimento localizadas nas bordas das pálpebras. **circumanal g's** – glândulas circum-anais; glândulas sudoríparas e sebáceas especializadas ao redor do ânus. **closed g's** – glândulas fechadas; glândulas endócrinas. **coccygeal g.** – g. coccígea; glomo coccígeo. **compound g.** – g. composta; glândula composta de várias unidades pequenas, cujos ductos excretores se combinam para formar ductos de ordem progressivamente maior. **conglobate g.** – g. conglobada; linfonodo. **Cowper's g.** – g. de Cowper; g. bulbouretral. **ductless g.** – g. sem ducto e de secreção interna; ver *endocrines g's.* **duodenal g's** – glândulas duodenais; glândulas na submucosa do duodeno, abrindo-se no interior das glândulas do intestino delgado. **Ebner's g's** – glândulas de Ebner; glândulas serosas no dorso da língua, próximo às papilas gustativas. **eccrine g.** – g. écrina; uma das glândulas sudoríparas comuns ou simples, do tipo merócrino. **endocrine g's** – glândulas endócrinas; órgãos cujas secreções (hormônios) são liberadas diretamente no interior do sistema circulatório; incluem hipófise, tireóide, paratireóides e glândulas supra-renais, glândula pineal e gônadas. **exocrine g.** – g. exócrina; glândula cuja secreção é descarregada através de uma abertura ductal em uma superfície interna ou externa do corpo. **fundic g's, fundus g's** – glândulas do fundo; glândulas do fundo gástrico; glândulas tubulares na mucosa do fundo e no corpo do estômago, contendo células secretoras de ácido e de pepsina. **Galeati's g's** – glândulas de Galeati; glândulas duodenais. **gastric g's** – glândulas gástricas; glândulas secretoras do estômago, que incluem glândulas do fundo, cardíacas e pilóricas. **gastric g's, proper** – glândulas gástricas; glândulas do fundo. **Gay's g's** – glândulas de Gay; glândulas circum-anais. **glossopalatine g's** – glândulas glossopalatinas; glândulas mucosas na extremidade posterior das glândulas sublinguais menores. **guttural g.** – g. gutural; uma das glândulas mucosas da faringe. **Harder's g's, harderian g's** – glândulas de Harder; glândulas lacrimais acessórias no canto inferior do olho nos animais que têm uma membrana de nictação. **haversian g's** – glândulas de Havers; vilos sinoviais. **hemolymph g's** – glândulas hemolinfáticas. **holocrine g.** – g. holócrina; glândula cuja secreção descartada contém todas as células secretoras. **intestinal g's** – glândulas intestinais; glândulas tubulares retas na membrana mucosa intestinal abrindo-se no interior do intestino delgado, entre as bases dos vilos e contendo células argentafins. **jugular g.** – g. jugular; glândulas lacrimais acessórias profundamente no tecido conjuntivo conjuntival, principalmente próximo ao fórnice superior. **lacrimal g.** – g. lacrimal; qualquer par de glândulas que secretam lágrimas. **g's of Lieberkühn** – glândulas de Lieberkühn; glândulas intestinais. **lingual g's** – glândulas linguais; glândulas seromucosas na superfície da língua. **lingual g's, anterior** – glândulas linguais anteriores; glândulas seromucosas profundamente posicionadas próximo ao vértice da língua. **Littre's g's** – glândulas de Littre: 1. glândulas prepuciais; 2. glândulas uretrais (homem). **lymph g.** – g. linfática; ver em *node.* **mammary g.** – g. mamária; glândula especializada da pele dos mamíferos fêmea, que secreta leite para a alimentação do filhote. **meibomian g's** – glândulas meibomianas; folículos sebáceos entre a cartilagem e a conjuntiva das pálpebras. **merocrine g.** – g. merócrina; glândula na qual as células secretoras mantêm sua integridade por todo o ciclo secretor. **mixed g's** – glândulas mistas; 1. glândulas seromucosas; 2. glândulas que têm porções tanto exócrinas como endócrinas. **monoptychic g.** – g. monoptíquica; glândula na qual os túbulos ou alvéolos são revestidos com uma única camada de células secretoras. **Morgagni's g's** – glândulas de Morgagni; glândulas uretrais (homem). **mucous g.** – g. mucosa; glândula que secreta muco. **nabothian g's** – glândulas de Nabothian; ver em *follicle.* **Nuhn's g's** – glândulas de Nuhn; glândulas linguais anteriores. **olfactory g's** – glândulas olfatórias; pequenas glândulas mucosas na mucosa olfatória. **parathyroid g's** – glândulas paratireóides; pequenos corpos na região da glândula tireóide, desenvolvidas a partir do entoderma das fendas branquiais, ocorrendo em um número variável de pares, comumente dois; secretam o paratormônio e se relacionam principalmente ao metabolismo do cálcio e do fósforo. **paraurethral g's** – glândulas parauretrais; ver em *duct.* **parotid g.** – g. parótida; a maior das três glândulas salivares pareadas, localizadas à frente do ouvido. **Peyer's g's** – glândulas de Peyer; ver em *patch.* **pharyngeal g's** – glândulas faríngeas; glândulas mucosas por baixo da túnica mucosa da faringe. **pineal g.** – g. pineal; g. epífise; ver em *body.* **pituitary g.** – g. hipofisária; corpo epitelial de origem dual na base do cérebro na sela turca, presa por meio de uma haste ao hipotálamo; consiste de dois lobos principais: *lobo anterior ou adeno-hipófise,* que secreta a maior dos hormônios, e *lobo posterior ou neuro-hipófise,* que armazena e libera os neuro-hormônios que recebe do hipotálamo. **preen g.** – g. de envaidecimento; g. uropígea; uma grande estrutura alveolar composta no dorso das aves, acima da base da cauda que secreta um material "à prova d'água" oleoso que a ave aplica em suas penas e na pele através do alisamento. **preputial g's** – glândulas prepuciais; pequenas glândulas sebáceas da coroa peniana e da superfície interna do prepúcio que secretam esmegma. **prostate g.** – g. prostática; ver *prostate.* **pyloric g's** – glândulas pilóricas; glândulas secretoras de mucina da parte pilórica do estômago. **racemose g's** – glândulas racemosas; glândulas compostas de ácinos

glanders   334

arranjados de modo semelhante a uvas em cacho. **saccular g.** – g. sacular; glândula que consiste de um saco ou sacos, revestidos com epitélio glandular. **salivary g's** – glândulas salivares;
glândulas da cavidade oral cuja secreção combinada constitui a saliva, incluindo as glândulas
parótida, sublingual e submandibular e numerosas glândulas pequenas na língua, lábios, bochechas e palato. **sebaceous g's** – glândulas sebáceas; glândulas holócrinas no cório, que secretam uma substância oleosa e sebo. **seromucous
g.** – g. seromucosa; glândula que contém tanto
células secretoras serosas como mucosas. **serous
g.** – g. serosa; glândula que secreta um material
albuminoso aquoso, comumente (mas nem sempre) contendo enzimas. **sexual g.** – g. sexual; ver
testis e *ovary*. **simple g.** – g. simples; glândula
com um ducto não-ramificado. **Skene's g's** –
glândulas de Skene; ductos parauretrais. **solitary
g's** – glândulas solitárias; ver em *folicle*.
submandibular g., submaxillary g. – g.
submandibular; g. submaxilar; glândula salivar no
lado inferior de cada ramo da mandíbula inferior.
suprarenal g. – g. supra-renal; g. adrenal.
Suzanne's g. – g. de Suzanne; sulco alveolingual.
sweat g's – glândulas sudoríparas; glândulas
que secretam suor, situadas no cório ou no tecido
subcutâneo, abrindo-se através de um ducto na
superfície corporal. As *glândulas sudoríparas
écrinas ou normais* distribuem-se sobre a maior
parte da superfície corporal e promovem o resfriamento através da evaporação da secreção; as
glândulas sudoríparas apócrinas esvaziam-se na
porção superior de um folículo piloso em vez de
diretamente sobre a pele e só são encontradas
em determinadas áreas corporais, como ao redor
do ânus e na axila. **target g.** – g.-alvo; glândula
especificamente afetada por um hormônio hipofisário. **tarsal g's, tarsoconjunctival g's** – glândulas társicas; glândulas tarsoconjuntivais; glândulas meibomianas. **thymus g.** – g. do timo; ver
thymus. **thyroid g.** – g. tireóide; glândula endócrina que consiste de dois lobos, um em cada lado
da traquéia, reunidos por meio de um istmo estreito, produzindo hormônios (tireoxina e triiodotireonina), que requerem iodo para a sua elaboração e se relacionam à regulação da taxa metabólica; também secreta calcitonina. **g's of Tyson** –
glândulas de Tyson; glândulas prepuciais.
unicellular g. – g. unicelular; célula única que
funciona como uma glândula, por exemplo, uma
célula caliciforme. **urethral g's** – glândulas uretrais; glândulas mucosas na parede da uretra.
Virchow's g. – g. de Virchow; nódulo sentinela.
vulvovaginal g. – g. vulvovaginal; g. de Bartholin.
Waldeyer's g's – glândulas de Waldeyer; glândulas na borda presa da pálpebra. **Weber's g's** –
glândulas de Weber; glândulas mucosas tubulares da língua. **g's of Zeis** – glândulas de Zeis;
glândulas sebáceas rudimentares modificadas
presas diretamente aos folículos dos cílios.
glan·ders (glan'derz) – mormo; doença contagiosa
dos eqüinos, transmissível ao homem, devida à
Pseudomonas mallei, e marcada por inflamação
purulenta das membranas mucosas e erupções

cutâneas dos nódulos que coalescem e se rompem, formando úlceras profundas, que podem
terminar em necrose cartilaginosa e óssea; a
forma mais crônica e constituiconal é conhecida
como farcinose (*farcy*).
glan·di·lem·ma (glan"dĭ-lem'ah) – glandilema; cápsula ou invólucro externo de uma glândula.
glan·du·la (glan'du-lah) [L.] pl. *glandulae* – glândula
(*gland*).
glan·dule (glan'dŭl) – pequena glândula.
glans (glanz) [L.] pl. *glandes* – glande; pequena
massa arredondada ou um corpo semelhante a
uma glândula. **g. clito'ridis, g. of clitoris** – g. do
clitóris; g. clitorídica; tecido erétil na extremidade
livre do clitóris. **g. pe'nis** – g. peniana; expansão
em forma de capuz do corpo esponjoso na extremidade do pênis.
glan·u·lar (glan'u-ler) – glandular; relativo à glande
peniana ou à glande do clitóris.
glare (glâr) – ofuscação; desconforto no olho e
depressão na visão central produzidos quando
uma luz brilhante entra no campo de visão, particularmente quando o olho se encontra adaptado
à escuridão. Constitui ofuscação *direta* quando a
imagem da luz incide diretamente na fóvea e
ofuscação *indireta* quando incide externamente à
fóvea.
glass (glas) – vidro: 1. material duro e quebradiço,
freqüentemente transparente, que consiste geralmente de silicatos amorfos fundidos de potássio ou de sódio e de cálcio com sílica em excesso;
2. copo; recipiente, geralmente cilíndrico, feito de
vidro; 3. óculo (pl.) lentes utilizadas para ajudar ou
melhorar a visão; ver também *glasses* e *lens*.
glass·es (glas'iz) – óculos; lentes colocadas em uma
estrutura que as mantêm em posição apropriada
diante dos olhos como um auxílio à visão. **bifocal
g.** – o. bifocais; óculos cujas lentes têm duas
capacidades refratárias diferentes, uma para visão distante e outra para visão próxima. **trifocal
g.** – o. trifocais; óculos com lentes com três
capacidades refratárias diferentes, uma para visão distante, outra para visão intermediária e uma
terceira para visão próxima.
glau·co·ma (glaw-ko'mah) – glaucoma; grupo de
doenças oculares caracterizado pelo aumento da
pressão intra-ocular, causando alterações patológicas no disco óptico e defeitos de campo visual
típicos. **congenital g.** – g. congênito; glaucoma
devido ao desenvolvimento defeituoso das estruturas na e ao redor da câmara anterior do olho e
resultando em dano do humor aquoso; ver *infantile
g.* **Donders' g.** – g. de Donders; g. em ângulo
aberto avançado. **infantile g.** – g. infantil; buftalmo;
hidroftalmo; glaucoma congênito que pode se
desenvolver completamente no nascimento com
olhos aumentados de tamanho e córneas opa-
cas, ou a qualquer momento até dois ou três anos
de idade. **narrow-angle g.** – g. de ângulo estreito;
forma de glaucoma primário em um olho caracterizada por uma câmara anterior rasa e um ângulo
estreito, onde se compromete a filtração com
resultado de bloqueio do ângulo pela íris. **open-
angle g.** – g. de ângulo aberto; forma de glaucoma primário em um olho no qual o ângulo da

câmara anterior permanece aberto, mas a filtração se reduz gradualmente devido aos tecidos do ângulo. **primary g.** – g. primário; aumento da pressão intra-ocular que ocorre em um olho sem uma doença prévia.

glaze (glãz) – esmalte; em Odontologia, verniz cerâmico adicionado a uma restauração de porcelana, para simular o esmalte.

gleet (glēt) – corrimento: 1. uretrite gonorréica crônica; 2. descarga uretral, especialmente mucosa ou purulenta.

gle·noid (gle'noid) – glenóide; semelhante a uma cavidade ou encaixe.

glia (gli'ah) – glia; neuróglia.

glia·cyte (-sī t) – gliócito; célula da neuróglia.

gli·a·din (-din) – gliadina; proteína presente no trigo; ela contém o fator tóxico associado à doença celíaca.

gli·al (gli"l) – glial; de ou relativo à neuróglia.

glic·la·zide (glik'lah-zī d) – gliclazida; composto de sulfoniluréia utilizado como hipoglicêmico no tratamento do diabetes não-dependente de insulina.

glio·blas·to·ma (gli"o-blas-to'mah) – glioblastoma; qualquer astrocitoma maligno. **g. multifor'me** – g. multiforme; tipo mais maligno de astrocitoma, composto de espongioblastos, astroblastos e astrócitos; geralmente ocorre no cérebro, mas pode ocorrer no tronco cerebral ou na medula espinhal.

gli·o·ma (gli-o'mah) – glioma; tumor composto de neuróglia em qualquer dos seus estados de desenvolvimento; termo algumas vezes extensivo a todas as neoplasias intrínsecas do cérebro e da medula espinhal, como astrocitomas, ependimomas etc. **glio'matous** – adj. gliomatoso. **g. re'tinae** – g. da retina; retinoblastoma.

gli·o·ma·to·sis (gli"o-mah-to'sis) – gliomatose; formação difusa de gliomas.

gli·o·sis (gli-o'sis) – gliose; excesso de astróglia em áreas danificadas do sistema nervoso central.

glis·sade (glis-ãd') [Fr.] – movimento de rotação involuntária do olho na mudança do ponto de fixação; é mais lento e mais uniforme que um movimento sacádico. **glissad'ic** – adj. glissádico.

glis·so·ni·tis (gli"ah-nī t'is) – glissonite; inflamação da cápsula de Glisson.

glo·bi (glo'bi) – globos: 1. plural de *globus;* 2. massas globulares encapsuladas que contêm bacilos; observados em esfregaços de lesões lepromatosas de lepra.

glo·bin (glo'bin) – globina; constituinte protéico da hemoglobina; também, qualquer membro de um grupo de proteínas semelhantes à globina típica.

glob·o·side (glob'o-sī d) – globosídeo; glicoesfingolipídeo que contém glicosaminas acetiladas e hexoses simples que se acumulam nos tecidos na doença de Sandhoff, mas não na doença de Tay-Sachs.

glob·ule (glob'ūl) – glóbulo; pequena massa esférica; um pequeno globo ou pílula, como de um remédio. **glob'ular** – adj. globular.

glob·u·lin (glob-u-lin) – globulina; classe de proteínas insolúveis em água, mas solúveis em soluções salinas (euglobinas) ou proteínas hidrossolúveis (pseudoglobulinas); suas outras propriedades físicas assemelham-se às das globulinas verdadeiras; ver *serum g.* **α-g's** – α-globulinas; globulinas séricas com mobilidade eletroforética mais rápida, posteriormente subdividida em α_1-globulinas (mais rápidas) e α_2-globulinas (mais lentas). **AC g., accelerator g.** – g. AC; g. aceleradora; fator de coagulação V. **alpha g's** – alfaglobulinas; α-globulinas. **antihemophilic g. (AHG)** – g. anti-hemofílica; fator de coagulação VIII. **β-g's** – β-globulinas; globulinas plasmáticas que, em soluções neutras ou alcalinas, apresentam mobilidade eletroforética entre as das alfa- e gamaglobulinas. **bacterial polysaccharide immune g. (BPIG)** – imunoglobulina polissacarídica bacteriana; imunoglobulina humana derivada do plasma sangüíneo de doadores humanos adultos imunizados com as vacinas polissacarídicas de *Haemophilus influenzae* do tipo b, pneumocócicas e meningocócicas; utilizada na imunização passiva de bebês abaixo de 18 meses de idade. **beta g's** – β-globulinas; beta-g. **γ-g's, gamma g's** – γ-globulinas; gamaglobulinas; globulinas séricas que têm a mobilidade eletroforética menos rápida; a fração é composta quase que inteiramente de imunoglobulinas. **hepatitis B immune g.** – imunoglobulina da hepatite B; imunoglobulina específica derivada do plasma sangüíneo de doadores humanos com altos títulos de anticorpos contra o antígeno de superfície da hepatite B; utilizado como agente imunizante passivo. **human rabies immune g. (HRIG)** – imunoglobulina (humana) contra a raiva; imunoglobulina específica derivada do plasma ou do soro sangüíneos de doadores humanos que foram imunizados com a vacina anti-rábica e têm altos títulos de anticorpo contra a raiva; utilizada como agente imunizante passivo. **immune g.** – imunoglobulina; preparação concentrada de gamaglobulinas, predominantemente de IgG, de um grupo de doadores humanos, utilizada como profilaxia do sarampo ou da hepatite A e como tratamento da hipogamaglobulinemia em pacientes imunodeficientes. **pertussis immune g.** – imunoglobulina contra a coqueluche; imunoglobulina específica derivada do plasma sangüíneo de doadores humanos imunizados com a vacina contra coqueluche; utilizada para profilaxia e tratamento da coqueluche. **rabies immune g.** – imunoglobulina contra a raiva; imunoglobulina contra a raiva humana. **RH₀(D) immune g.** – imunoglobulina $Rh_0(D)$; imunoglobulina específica derivada do plasma sangüíneo humano que contém anticorpos para o fator eritrocitário $Rh_0(D)$; utilizada para suprimir a formação de anticorpos de Rh_0 ativos em mães Rh_0-negativas após parto ou aborto de um bebê ou feto Rh_0-positivo, e conseqüentemente para evitar eritroblastose fetal na próxima gravidez se a criança for RH_0-positiva. **serum g's** – globulilnas séricas; todas as proteínas plasmáticas, exceto a albumina (que não é uma globulina) e o fibrinogênio (que não se encontra no soro); são subdivididas em α-, β- e γ-globulinas. **specific immune g.** – imunoglobulina específica; preparação de imunoglobulinas derivadas de um grupo de doadores pré-selecionados para um alto título de anticorpos contra um antígeno específico. **tetanus immune g.** – imunoglobulina contra o tétano; imunoglobulina específica derivada do plasma sangüíneo de doadores humanos que foram imunizados com o toxóide do tétano; utilizados na profilaxia e tratamento do tétano. **vaccinia immune g.** (VIG) – imunoglobulina contra a vacínia; imunoglobulina específica derivada do plasma sangüíneo de doadores humanos que foram imunizados com a vacina contra vacínia; utilizada como agente imunizador passivo.

glo·bus (glo'bus) [L.] pl. *globi* – globo: 1. esfera ou bola; estrutura esférica; 2. ver *globi* (2). **g. hyste'ricus** – g. histérico; sensação subjetiva de uma massa na garganta. **g. pal'lidus** – g. pálido; parte menor e mais medial do núcleo lentiforme.

glo·man·gi·o·ma (glo-man"je-o-mah) – glomangioma; tumor glômico; ver *glomus tumor* (1), em *tumor.*

glom·era (glom'er-ah) – plural de *glomus.*

glo·mer·u·lar (glo-mer-ūl-er) – glomerular; relativo ou da natureza de um glomérulo, especialmente de um glomérulo renal.

glo·mer·u·li (glo-mer'u-li) – plural de *glomerulus.*

glo·mer·u·lo·ne·phri·tis (glo-mer"u-lo-ne-fri'-tis) – glomerulonefrite; nefrite com inflamação das alças capilares nos glomérulos renais. **diffuse g.** – g. difusa; forma severa com alterações proliferativas em mais da metade dos glomérulos, freqüentemente com formação e necrose epiteliais crescentes; freqüentemente observada no caso do lúpus eritematoso sistêmico. **IgA g.** – g. por IgA; forma crônica marcada por hematúria e proteinúria e por depósitos de imunoglobulina A nas áreas mesangiais dos glomérulos renais, com hiperplasia reativa subseqüente de células mesangiais. **lobular g., membranoproliferative g., mesangiocapillary g.** – g. lobular; g. membranoproliferativa; g. mesangiocapilar; glomerulonefrite crônica e lentamente progressiva na qual os glomérulos aumentam de volume como resultado da proliferação de células mesangiais e espessamento irregular das paredes capilares, que estreitam o lúmen dos capilares.

glo·mer·u·lop·a·thy (glo-mer"ūl-op'ah-the) – glomerulopatia; qualquer doença dos glomérulos renais. **g. diabetic** – g. diabética; glomerulosclerose intercapilar.

glo·mer·u·lo·scle·ro·sis (glo-mer"u-lo-sklě-ro'sis) – glomerulosclerose; glomeruloesclerose; fibrose e formação de cicatriz que resultam em senescência dos glomérulos renais. **g. intercapilar** – complicação degenerativa do diabetes, manifestada como albuminúria, edema nefrótico, hipertensão, insuficiência renal e retinopatia.

glo·mer·u·lus (glo-mer'u-lus) [L.] pl. *glomeruli* – glomérulo; pequeno tufo ou agregado, como um de vasos sangüíneos ou fibras nervosas; termo freqüentemente utilizado para designar apenas um dos glomérulos renais. **olfactory g.** – g. olfatório; uma das pequenas massas globulares de neurópilo denso no bulbo olfatório, que contém a primeira sinapse no trajeto olfatório. **renal glomeruli** – glomérulos renais; tufos globulares de capilares, em que se projeta na extremidade

ou na cápsula expandida de cada um dos túbulos uriníferos e que juntamente com a cápsula glomerular constituem o corpúsculo renal.

glo·mus (glo'mus) [L.] pl. *glomera* – glomo: 1. pequeno corpo histologicamente reconhecível composto de arteríolas finas que se conectam diretamente às veias e têm um rico suprimento nervoso; 2. desvio arteriovenoso especializado que ocorre predominantemente na pele das mãos e dos pés, regulando o fluxo sangüíneo e a temperatura. **glo'mera aor'tica** – glomérulos aórticos; corpos aórticos. **g. caro'ticum** – g. carótico; corpo carotídeo. **choroid g., g. choroi'deum** – g. coróide; aumento de volume de plexo coróide do ventrículo lateral. **coccygeal g., g. coccy'geum** – g. coccígeo; conjunto de anastomoses arteriovenosas próximo à ponta do cóccix, formado pela artéria sacral média. **g. jugular're** – g. jugular; corpo timpânico.

glos·sec·to·my (glos-ek'tah-me) – glossectomia; excisão de toda ou de uma porção da língua.

Glos·si·na (glos-i'nah) – *Glossina;* gênero de moscas que picam (moscas tsé-tsé) que servem como vetores dos tripanossomas que causam várias formas de tripanossomíase no homem e nos animais.

glos·si·tis (glos-ī't'is) – glossite; inflamação da língua. **g. area'ta exfoliati'va, benign migratory g.** – g. areata descamativa; g. migratória benigna; doença inflamatória da língua caracterizada por áreas anulares múltiplas de descamação das papilas filiformes, apresentando-se como lesões avermelhadas delineadas em amarelo que mudam de área para área a cada poucos dias. **median rhomboid g.** – g. rombóide mediana; anomalia congênita da língua com uma placa avermelhada na linha média da superfície dorsal.

gloss(o)- [Gr.] – elemento de palavra; *língua.*

glos·so·cele (glos'o-sēl) – glossocele; inchaço e protrusão da língua.

glos·so·graph (-graf) – glossógrafo; aparelho para registrar os movimentos da língua durante a fala.

glos·sol·o·gy (glo-ol'ah-je) – glossologia: 1. soma de conhecimentos relativos à língua; 2. tratado de nomenclatura.

glos·so·plas·ty (glos'o-plas"te) – glossoplastia; cirurgia plástica da língua.

glos·sor·rha·phy (glos-or'ah-fe) – glossorrafia; sutura da língua.

glos·so·trich·ia (glos"o-trik'e-ah) – glossotriquia; língua peluda.

glot·tic (glot'ik) – glótico; relativo à glote ou à língua.

glot·tis (glot'is) [Gr.] pl. *glottides* – glote; aparelho vocal da laringe, que consiste de cordas vocais verdadeiras e da abertura entre elas. **glot'tal** – adj. glótico.

glot·tog·ra·phy (glŏ-tog'rah-fe) – glotografia; registro dos movimentos das cordas vocais durante a respiração e a fonação.

Glu – glutamic acid (ácido glutâmico).

glu·ca·gon (gloo'kah-gon) – glucagon; hormônio polipeptídico secretado pelas células alfa das ilhotas de Langerhans em resposta a hipoglicemia ou a estimulação por parte do hormônio do crescimento, que estimula a glicogenólise no fígado; utilizado em forma de sal de cloridrato como um anti-hipoglicêmico.

glu·ca·gon·o·ma (gloo"kah-gon-o'mah) – glucagonoma; tumor secretor de glucagon das células alfa das ilhotas de Langerhans.

glu·can (gloo'kan) – glicano; qualquer polissacarídeo composto somente de unidades recorrentes de glicose; homopolímero de glicose.

glu·cep·tate (gloo-sep'tāt) – gliceptato; contração da USAN para o glicoeptonato.

glu·ci·tol (gloo'sĭ -tol) – glicitol; sorbitol (*sorbitol*).

glu·co·am·y·lase (gloo"ko-am'ĭ -lās) – glicoamilase; maltase ácida.

glu·co·cer·e·bro·side (-ser'ĕ-bro-sī d") – glicocerebrosídeo; cerebrosídeo com um açúcar de glicose.

glu·co·cor·ti·coid (-kor'tĭ -koid) – glicocorticóide: 1. substância de um grupo de corticosteróides predominantemente envolvidos no metabolismo dos carboidratos, e também no metabolismo das gorduras e proteínas e em muitas outras atividades (por exemplo, alteração da resposta do tecido conjuntivo a lesão e inibição das reações inflamatórias e alérgicas); alguns também exibem graus variáveis de atividade mineralocorticóide. No homem, os glicocorticóides mais importantes são o cortisol (hidrocortisona) e a cortisona; 2. de, relativo ou semelhante a um glicocorticóide.

glu·co·fu·ra·nose (-fu'rah-nōs) – glicofuranose; glicose na configuração de furanose cíclica, um constituinte menor das soluções de glicose.

glu·co·ki·nase (-ki'nās) – glicocinase: 1. enzima dos invertebrados e dos microrganismos que catalisa a fosforilação da glicose em 6-fosfato de glicose; 2. isozima hepática da hexocinase.

glu·co·ki·net·ic (-kĭ -net'ik) – glicocinético; que ativa o açúcar de forma a manter o nível de açúcar no sangue.

glu·com·e·ter (gloo-kom'ĕ-ter) – glicômetro; instrumento utilizado na determinação da proporção de glicose na urina.

glu·co·nate (gloo'ko-nāt) – gliconato; sal, éster ou forma aniônica do ácido glicônico.

glu·co·neo·gen·e·sis (gloo"ko-ne"o-jen'ĕ-sis) – gliconeogênese; síntese de glicose a partir de moléculas que não são carboidratos, como aminoácidos e ácidos graxos.

glu·con·ic ac·id (gloo-kon'ik) – ácido glicônico; ácido hexônico derivado da glicose através da oxidação do aldeído C-1 em um grupo carboxila.

glu·co·phore (gloo'ko-for) – glicóforo; grupo de átomos em uma molécula que dá ao composto um sabor doce.

glu·co·py·ra·nose (-pir'ah-nōs) – glicopiranose; glicose na configuração de piranose cíclica, a forma predominante.

glu·co·reg·u·la·tion (-reg"ŭl-a-shun) – glicorregulação; regulação do metabolismo da glicose.

glu·co·sa·mine (gloo-ko'sah-mēn) – glicosamina; derivado amínico da glicose ($C_6H_{13}NO_5$) que ocorre em muitos polissacarídeos.

glu·co·san (gloo'ko-san) – glicosano; glicano (*glucan*).

glu·cose (gloo'kōs) – glicose; aldose de seis carbonos que ocorre na forma D e é encontrada como um monossacarídeo livre em frutas e outros vegetais ou combinado em glicosídeos, bem como di,

oligo e polissacarídeos. Constitui o produto final do metabolismo dos carboidratos, é a fonte principal de energia para os organismos vivos, sendo sua utilização controlada pela insulina. A glicose em excesso é convertida em glicogênio e armazenada no fígado e nos músculos para uso segundo a necessidade e, além disso, é convertida em gordura e armazenada como tecido adiposo. A glicose aparece na urina no diabetes melito. Em Farmacêutica, chama-se *dextrose*. **liquid g.** – g. líquida; líquido doce, xaroposo e espesso que consiste principalmente de dextrose (com dextrina, maltose e água), obtido através da hidrólise incompleta do amido; utilizada como agente aromatizante, alimento e no tratamento da desidratação. **g. 1-phosphate** – g. 1-fosfato; intermediário no metabolismo dos carboidratos. **g. 6-phosphate** – g. 6-fosfato; intermediário no metabolismo dos carboidratos.

glu·cose-6-phos·pha·tase (fos'fah-tās") – glicose-6-fosfatase; enzima que catalisa a desfosforilação hidrolítica da glicose 6-fosfato, a via principal para a gliconeogênese hepática; a deficiência causa a doença do armazenamento de glicogênio do tipo I.

glu·cose-6-phos·phate de·hydro·gen·ase (G6PD) (fos'fāt de-hi'dro-jen-ās) – glicose 6-fosfato desidrogenase; enzima do trajeto do fosfato de pentose, com o $NADP^+$ como coenzima, e que catalisa a oxidação do 6-fosfato de glicose em lactona. A deficiência da enzima causa anemia hemolítica severa.

glu·co·si·dase (gloo-ko'sĭ -dās) – glicosidase; qualquer substância de um grupo de enzimas da classe da hidrolase, que hidrolisa os resíduos de glicose provenientes dos glicosídeos; são específicas para as configurações α- e β-, bem como para configurações de substrato particulares (por exemplo, a maltase).

glu·co·side (gloo'ko-sī d) – glicosídeo; glicosídeo no qual o açúcar constituinte é a glicose.

glu·cu·ron·ic ac·id (gloo-ku-ron'ik) – ácido glicurônico; ácido urônico derivado da glicose; é um constituinte de vários glicosaminoglicanos e também forma conjugados (glicuronídeos) com drogas e toxinas em sua biotransformação.

β-glu·cu·ron·i·dase (gloo"ku-ron'ĭ -dās) – β-glicuronidase; enzima que ataca as ligações glicosídicas terminais nos glicuronídeos naturais e sintéticos e que está implicada no metabolismo de estrogênios e na divisão celular; ocorre no baço, fígado e glândulas endócrinas; a deficiência resulta na síndrome de Sly.

glu·cu·ron·ide (gloo-ku'ron-ī d) – glicuronídeo; qualquer composto glicosídico do ácido glicurônico; constituem conjugados solúveis comuns formados como uma fase no metabolismo e na excreção de muitas toxinas e drogas, como os fenóis e os alcoóis.

glu·ta·mate (gloo'tah-māt) – glutamato; sal do ácido glutâmico; em Bioquímica o termo é freqüentemente utilizado intercambiavelmente com o ácido glutâmico.

glu·ta·mate for·mim·i·no·trans·fer·ase (for-mim"ĭ -no-trans'fer-ās) – glutamato formiminotransferase; transferase que catalisa uma fase na degrada-

GHI

ção da histidina; a redução da atividade enzimática associa-se à excreção urinária de formiminoglutamato e ao retardamento mental.

glu·tam·ic ac·id (gloo-tam'ik) – ácido glutâmico; aminoácido não-essencial dibásico e cristalino, largamente distribuído nas proteínas, um neurotransmissor que inibe a excitação neural no sistema nervoso central; seu sal de cloridrato é utilizado como acidificante gástrico. O sal monossódico do ácido L-glutâmico (*sodium, glutamate*) é utilizado no tratamento das encefalopatias associadas a hepatopatia, e para potencializar o sabor de alimentos e do tabaco.

glu·tam·i·nase (gloo-tam'ĭ-nās) – glutaminase; enzima que catalisa a desaminação da glutamina para formar glutamato e um íon de amônio; a maior parte do último se converte em uréia através do ciclo da uréia.

glu·ta·mine (gloōt'ah-mēn) – glutamina; monoamida do ácido glutâmico ($C_5H_{10}N_2O_3$), aminoácido que ocorre nas proteínas; constitui um carreador importante da amônia urinária e é decomposta no rim através da enzima glutaminase.

glu·ta·ral·de·hyde (gloōt''ah-ral'dē-hīd) – glutaraldeído; desinfetante ($C_5H_8O_2$) utilizado em solução aquosa para a esterilização de equipamento não-resistente ao calor; também utilizado topicamente como anidrótico e como fixador tecidual para a microscopia luminosa e eletrônica.

glu·tar·ic ac·id (gloo-tar'ik) – ácido glutárico; ácido dicarboxílico intermediário no metabolismo do triptofano e da lisina.

glu·tar·ic·ac·i·de·mia (gloo-tar''ik-as''ĭ-de'me-ah) – glutaricacidemia: 1. glutaricacidúria; ver *glutaricaciduria* (1); 2. excesso de ácido glutárico no sangue.

glu·tar·ic·ac·id·uria (-du're-ah) – glutaricacidúria: 1. aminoacidopatia caracterizada por acúmulo e excreção de ácido glutárico, ocorrendo em dois tipos (I e II) devido a deficiências enzimáticas diferentes e com um espectro de manifestações fenotípicas; 2. excreção de ácido glutárico na urina.

glu·ta·thi·one (gloo''tah-thi'ōn) – glutationa; tripeptídeo de ácido glutâmico, cisteína e glicina, que existe nas formas reduzida (GSH) e oxidada (GSSG) e age em várias reações de redução-oxidação: na destruição dos peróxidos e radicais livres, como um co-fator para enzimas e na destoxicação de compostos prejudiciais. Também participa da formação e manutenção das ligações de dissulfito nas proteínas e transporte de aminoácidos através das membranas celulares.

glu·ta·thi·one syn·the·tase (sin'thĕ-tās) – glutationa-sintetase; ligase que catalisa a formação de glutationa; a atividade deficiente causa redução dos níveis de glutationa e aumento dos níveis de 5-oxoprolina e de cisteína. Se for confinada a hemácias, a deficiência resulta em anemia hemolítica bem-compensada; se for generalizada, também pode ocorrer acidose metabólica e disfunção neurológica.

glu·te·al (gloo'te-al) – glúteo; relativo às nádegas.

glu·ten (gloo'ten) – glúten; proteína do trigo e de outros grãos que concede à massa de pão sua característica elástica uniforme.

glu·teth·i·mide (gloo-teth'ĭ-mīd) – glutetimida; não-barbitúrico utilizado como hipnótico e sedativo.

glu·ti·nous (gloōt'ins-is) – glutinoso; adesivo; viscoso.

Gly – glycine (glicina).

gly·can (gli'kan) – glicano; polissacarídeo (*polysaccharide*).

gly·ce·mia (gli-se'me-ah) – glicemia; presença de glicose no sangue.

glyc·er·al·de·hyde (glis''er-al'dĕ-hīd) – gliceraldeído; aldose, forma de aldeído do açúcar de três carbonos derivado da oxidação do glicerol; isômero da diidroxiacetona. O derivado 3-fosfato é um intermediário no metabolismo da glicose, tanto no trajeto de Embden-Meyerhof como no do fosfato de pentose.

glyc·er·ic ac·id (glĭ-sēr'ik) – ácido glicérico; $CH_2OH\cdot CHOH\cdot COOH$; produto intermediário na transformação corpórea do carboidrato em ácido láctico, formado através da oxidação do glicerol.

glyc·er·ide (glis'er-īd) – glicerídeo; acilglicerol; éster ácido orgânico do glicerol, designado (de acordo com o número de ligações éster) como mono, di ou triglicerídeo.

glyc·er·in (glis'er-in) – glicerina; líquido xaroposo, incolor e claro obtido como um subproduto do sabão ou por meio de fermentação de carboidratos e utilizado como catártico, diurético e umectante e solvente para drogas. Cf. *glycerol.*

glyc·er·ol (glis'er-ol) – glicerol; álcool triidroxílico açucarado que constitui a espinha dorsal de muitos lipídeos sendo um intermediário importante no metabolismo dos carboidratos e lipídeos. As preparações farmacêuticas são chamadas glicerinas (*glycerin*).

glyc·er·ol·ize (-īz) – glicerolizar; tratar com ou preservar em glicerol, como no caso da exposição de hemácias a uma solução de glicerol de forma que o mesmo se difunda no interior das células antes de congelá-las para a preservação.

glyc·er·yl (glis'er-il) – gliceril; radical mono, di ou trivalente formado através da remoção do hidrogênio de um, dois ou três dos grupos hidroxila do glicerol. **g. monostearate** – monoestearato de g.; agente emulsificante. **g. trinitrate** – trinitrato de g.; nitroglicerina.

gly·cine (gli'sēn) – glicina; aminoácido não-essencial que ocorre como um constituinte de proteínas e funciona como neurotransmissor inibidor do sistema nervoso central; utilizado como antiácido gástrico e suplemento dietético, e para irrigar a bexiga no caso de prostatectomia uretral.

gly·co·cal·yx (gli''ko-kal'iks) – glicocálice; revestimento de glicoproteínas-polissacarídeos que circunda muitas células.

gly·co·cho·late (-ko'lāt) – glicocolato; sal do ácido glicocólico.

gly·co·cho·lic ac·id (-ko'lik) – ácido glicocólico; coliiglicina (*cholylglycine*).

gly·co·con·ju·gate (-kon'joo-gat) – glicoconjugado; uma das moléculas complexas que contêm ligações glicosídicas, como glicolipídeos, glicopeptídeos, oligossacarídeos ou glicosaminoglicanos.

gly·co·gen (gli'ko-jen) – glicogênio; polissacarídeo altamente ramificado de cadeias de glicose, o principal material de armazenamento de carboidratos nos animais, armazenado primariamente no fígado e nos músculos; é sintetizado e degradado para fornecer energia conforme o necessário. **glycogen'ic** – adj. glicogênico.

gly·co·gen·e·sis (gli"ko-jen'ĕ-sis) – glicogênese; conversão de glicose em glicogênio para armazenamento no fígado. **glycogenet'ic** – adj. glicogenético.

gly·co·ge·nol·y·sis (-jĕ-nol'ĭ-sis) – glicogenólise; divisão do glicogênio no fígado, produzindo a glicose. **glycogenolyt'ic** – adj. glicogenolítico.

gly·co·ge·no·sis (-jĕ-no'sis) – glicogenose; doença do armazenamento de glicogênio.

gly·co·gen phos·phor·y·lase (gli'ko-jen fos-for''ĭ-lās) – glicogênio fosforilase; ver *phosphorylase*.

gly·co·geu·sia (gli"ko-goo'ze-ah) – glicogeusia; sabor adocicado na boca.

gly·co·he·mo·glo·bin (-he"mo-glo'bin) – glico-hemoglobina; hemoglobina glicosilada.

gly·col (gli'kol) – glicol; qualquer substância de um grupo de alcoóis diídricos alifáticos com propriedades higroscópicas acentuadas e úteis como solventes e plastificantes.

gly·col·ic acid (gli-kol'ik) – ácido glicólico; intermediário na conversão da serina em glicina; é acumulado e excretado na hiperoxalúria primária (do tipo I).

gly·co·lip·id (gli"ko-lip'id) – glicolipídeo; lipídeo que contém grupos carboidratos (geralmente galactose, mas também glicose, inositol ou outros); embora possa descrever os lipídeos derivados a partir tanto do glicerol como da esfingosina, com ou sem fosfatos, o termo é geralmente utilizado para denotar os derivados esfingosínicos que não têm grupos fosfato (glicoesfingolipídeos).

gly·col·y·sis (gli-kol'ĭ-sis) – glicólise; conversão enzimática anaeróbica de glicose em compostos mais simples de lactato ou piruvato, resultando em energia armazenada na forma de ATP, como ocorre nos músculos. **glycolyt'ic** – adj. glicolítico.

gly·co·neo·gen·e·sis (gli"ko-ne"o-jen'ĭ-sis) – gliconeogênese; ver *gluconeogenesis*.

gly·co·pe·nia (-pe'ne-ah) – glicopenia; deficiência de açúcar nos tecidos.

gly·co·pep·tide (-pep'tĭ d) – glicopeptídeo; qualquer substância de uma classe de peptídeos que contêm carboidratos, incluindo os que contêm glicosaminas.

gly·co·phil·ia (-fil'e-ah) – glicofilia; condição na qual uma pequena quantidade de glicose produz hiperglicemia.

gly·co·phor·in (-for'in) – glicoforina; proteína que se projeta através da espessura da membrana celular das hemácias; prende-se a oligossacarídeos na superfície externa da membrana celular e a proteínas contráteis (espectrina e actina) na superfície citoplasmática.

gly·co·pro·tein (-pro'tēn) – glicoproteína; proteína conjugada covalentemente ligada a um ou mais grupos carboidrato; tecnicamente, as proteínas com menos de 4% de carboidratos, mas freqüentemente expandidas para incluir mucoproteínas e proteoglicanos.

gly·co·pyr·ro·late (-pir'o-lāt) – glicopirrolato; anticolinérgico sintético utilizado em distúrbios gastrointestinais caracterizados por hiperacidez, hipermotilidade ou espasmos.

gly·cor·rhea (-re'ah) – glicorréia; qualquer descarga de açúcares a partir do corpo.

gly·cos·ami·no·gly·can (gli"kōs-ah-me"no-gli'kan) – glicosaminoglicano; qualquer substância de um grupo de polissacarídeos lineares de alto peso molecular com várias unidades dissacarídicas repetidas e geralmente ocorrendo em proteoglicanos, incluindo sulfatos de condroitina, sulfatos de dermatan, sulfatos de heparan e heparina, sulfatos de queratano e ácido hialurônico. Abreviação: GAG.

gly·co·se·cre·to·ry (gli"ko-se-krēt'er-e) – glicossecretor; relacionado à secreção de glicogênio.

gly·co·se·mia (-sēm-e-ah) – glicemia.

gly·co·si·a·lia (-si-a'le-ah) – glicossialia; açúcar na saliva.

gly·co·si·a·lor·rhea (-si"ah-lo-re'ah) – glicossialorréia; fluxo excessivo de saliva contendo glicose.

gly·co·si·dase (gli-ko'sĭ-dās) – glicosidase; qualquer substância de um grupo de enzimas hidrolíticas que catalisam a clivagem das ligações hemiacetais dos glicosídeos. **β-g.** – β-g.: 1. glicosidase que cliva especificamente os resíduos de açúcar β-ligados provenientes dos glicosídeos; 2. ver em *complex*.

gly·co·side (gli'ko-sĭ d) – glicosídeo; qualquer composto que contenha uma molécula de carboidrato (açúcar), particularmente qualquer produto natural desse tipo em vegetais, conversível (através de clivagem hidrolítica) em um açúcar e um componente de não-açúcar (aglicona) e denominado especificamente quanto ao açúcar contido, como glicosídeo (glicose), pentosida (pentose), frutosida (frutose) etc. **cardiac g.** – g. cardíaco; qualquer substância de um grupo de glicosídeos que ocorrem em determinados vegetais (por exemplo, *Digitalis, Strophanthus* e *Urginea*), agindo na força contrátil do músculo cardíaco; alguns são utilizados como cardiotônicos e antiarrítmicos.

digitalis g. – g. digitálico; qualquer substância de muitos glicosídeos cardiotônicos e antiarrítmicos derivados da *Digitalis purpurea* e *D. lanata*, ou qualquer droga química e farmacologicamente relacionada a esses glicosídeos.

gly·co·sphingo·lip·id (gli"ko-sfing"go-lip'id) – glicoesfingolipídeo; qualquer esfingolipídeo em que o grupo de cabeça é um mono ou um oligossacarídeo; encontram-se incluídos cerebrosídeos, sulfatidas e gangliosídeos.

gly·co·stat·ic (stat'ik) – glicostático; que tende a manter um nível constante de açúcar.

gly·cos·uria (-su're-ah) – glicosúria; presença de glicose na urina. **renal g.** – g. renal; glicosúria devido a incapacidade herdada dos túbulos renais em reabsorver completamente a glicose.

gly·co·syl (gli'ko-sil) – glicosil; radical derivado de um carboidrato através da remoção do grupo hidroxila anomérico.

gly·co·syl·a·tion (gli-ko"sĭ -la'shun) – glicosilação; formação de ligações de grupos glicosil.

gly·co·syl·cer·am·i·dase (gli-ko"sil-sĕ-ram'ĭ-dās) – glicosilceramidase; enzima que catalisa a clivagem hidrolítica dos resíduos de açúcar β-ligados provenientes dos β-glicosídeos com grandes agliconas hidrofóbicas; tal atividade ocorre como parte do complexo da β-glicosidase, junto com a lactase, na membrana intestinal em borda de escova.

gly·co·trop·ic (gli"ko-trop'ik) – glicotrópico; glicotrófico; que tem afinidade por açúcares, antagoniza os efeitos da insulina, causa hiperglicemia.

gly·cu·re·sis (gli"kūr-e'sis) – glicurese; aumento normal no teor de glicose da urina que se segue a ingestão normal de carboidratos.

glyc·yr·rhi·za (glis"ĭ-ri'zah) – glicirriza; alcaçuz; rizoma e raízes dessecados do legume *Glycyrrhiza glabra*, utilizados como veículo aromatizante para medicamentos.

gly·ox·yl·ic ac·id (gli-ok-sil'ik) – ácido glioxílico; cetoácido formado na conversão do ácido glicólico em glicina; é o precursor primário do ácido oxálico.

gm – gram (g, grama).

GMP – guanosine monophosphate (monofosfato de guanosina).

gnat (nat) – maruim; pequeno inseto díptero. Na Grã-Bretanha, o termo é aplicado aos mosquitos; na América, a insetos menores que os mosquitos.

gnath·i·on (na'the-on) – gnátio; ponto mais externo e evertido na curvatura do perfil do queixo.

gnath·itis (na-thĭ t'is) – gnatite; inflamação da mandíbula.

gnath(o)- [Gr.] – gnat(o)-, elemento de palavra; *mandíbula*.

gnatho·dy·na·mom·e·ter (nath"o-di"nah-mom'it-er) – gnatodinamômetro; instrumento para medir a força exercida no fechamento das mandíbulas.

gnath·ol·o·gy (nah-thol'ah-je) – Gnatologia; ciência que lida com o aparelho mastigatório como um todo, incluindo morfologia, anatomia, histologia, fisiologia, patologia e terapêutica. **gnatholog'ic** – adj. gnatológico.

gnath·os·chi·sis (nah-thos'kĭ -sis) – gnatosquise; fissura congênita da mandíbula superior, como no caso do palato fendido.

Gnath·os·to·ma (nah-thos'tah-mah) – *Gnathostoma;* gênero de nematódeos parasitas de gatos, suínos, bovinos e algumas vezes do homem.

gnatho·sto·mi·a·sis (nath"o-sto-mi'ah-sis) – gnatostomíase; infecção pelo nematódeo *Gnathostoma spinigerum,* adquirida ingerindo-se peixe mal cozido infectado com as larvas.

gno·sia (no'se-ah) – gnose; faculdade de perceber e reconhecer. **gnos'tic** – adj. gnóstico.

gno·to·bi·ol·o·gy (nŏt"o-bi-ol'ah-je) – Gnotobiologia; Gnotobiótica.

gno·to·bio·ta (-bi-ŏt'ah) – gnotobiota; microfauna e microflora específica e completamente conhecidas de um animal de laboratório especialmente criado.

gno·to·bi·ote (-bi'ŏt) – gnotobioto; animal de laboratório especialmente criado do qual se conhece completamente sua microflora e microfauna. **gnotobiot'ic** – adj. gnotobiótico.

Gn-RH – gonadotropin-releasing hormone (hormônio liberador de gonadotropinas).

goi·ter (goit'er) – bócio; aumento de volume da tireóide, causando tumefação na parte dianteira do pescoço. **goi'trous** – adj. bociado. **aberrant g.**

– b. aberrante; bócio de uma glândula tireóide supranumerária. **adenomatous g.** – b. adenomatoso; bócio causado por adenoma ou nódulos coloidais múltiplos da tireóide. **Basedow's g.** – b. de Basedow; bócio coloidal que se tornou hiperfuncionante após a administração de iodo. **colloid g.** – b. colóide; tireóide grande e macia com espaços distendidos e enchidos com colóide. **diving g.** – b. do mergulhador; bócio móvel, localizado algumas vezes acima e algumas vezes abaixo da chanfradura esternal. **exophthalmic g.** – b. exoftálmico; bócio caracterizado por exoftalmia; ver *disease, Graves'.* **fibrous g.** – b. fibroso; bócio no qual a cápsula e o estroma da tireóide tornam-se hiperplásicos. **follicular g.** – b. folicular; b. parenquimatoso. **intrathoracic g.** – b. intratorácico; bócio no qual uma porção da glândula aumentada de volume encontra-se no interior da cavidade torácica. **iodide g.** – b. por iodeto; bócio que ocorre em reação a altas concentrações de iodetos, devido à inibição da organificação do iodo. **lingual g.** – b. lingual; aumento de volume da extremidade superior do ducto tireoglosso, formando um tumor na parte posterior do dorso da língua. **lymphadenoid g.** – b. linfadenóide; estroma linfomatoso. **multinodular g.** – b. multinodular; bócio com nódulos circunscritos dentro da glândula. **nontoxic g.** – b. atóxico; bócio que ocorre esporadicamente e não se associa a hiper ou hipotireoidismo. **parenchymatous g.** – b. parenquimatoso; bócio marcado pelo aumento de volume nos folículos e proliferação do epitélio. **simple g.** – b. simples; hiperplasia simples da glândula tireóide. **suffocative g.** – b. sufocante; bócio que causa dispnéia por meio de pressão. **toxic g., diffuse** – b. tóxico; b. difuso; doença de Graves. **wandering g.** – b. migratório; b. de mergulhador.

goi·trin (goi'trin) – goitrina; substância bociogênica isolada a partir do nabo sueco e do nabo comum.

gold (gŏld) – ouro, elemento químico (ver *Tabela de Elementos*), número atômico 79, símbolo Au; os compostos de ouro (todos venenosos) são utilizados pela Medicina, principalmente no tratamento da artrite. **g. Au 198** – o. Au-198; radioisótopo do ouro que tem uma meia-vida de 2,7 dias e emite radiação gama e beta. **cohesive g.** – o. coeso; ouro quimicamente puro que forma uma massa sólida quando apropriadamente condensado no interior de uma cavidade dentária. **g. sodium thiomalate** – tiomalato de sódio e o.; sal de ouro monovalente utilizado no tratamento da artrite reumatóide. **g. thioglucose** – tioglicose de ouro; aurotioglicose.

go·mit·o·li (go-mit'o-li) – rede de capilares no tronco infundibular superior (do hipotálamo) que circunda as arteríolas terminais das artérias hipofisárias superiores e leva ao interior das veias portas até a adeno-hipófise.

gom·pho·sis (gom-fo'sis) – gonfose; tipo de articulação fibrosa na qual um processo cônico se insere no interior de uma porção semelhante a um soquete.

go·nad (go'nad, gon'ad) – gônada; glândula produtora de gametas; ovário ou testículo. **gonad'al,**

gonad'ial – adj. gonadal. **indifferent g.** – g. indiferenciada; gônada sexualmente não-diferenciada do embrião primordial.

go·nado·rel·in (go-nad"o-rel'in) – gonadorelina; hormônio liberador de hormônio luteinizante sintético; utilizado como sal de cloridrato na avaliação do hipogonadismo e no tratamento do atraso da puberdade e da amenorréia.

go·nado·trope (go-nad"o-trōp) – gonadotrofo; célula basófila da hipófise anterior especializada para secretar o hormônio folículo-estimulante ou o hormônio luteinizante.

go·nado·troph (-trōf) – gonadotrofo.

go·nado·troph·ic (-trōf'ik) – gonadrotrófico; ver *gonadotropic*.

go·nado·trop·ic (-trop'ik) – gonadotrópico; que estimula as gônadas; aplicado aos hormônios da hipófise anterior que influenciam as gônadas.

go·nado·tro·pin (-trōp'in) – gonadotropina; qualquer hormônio que estimula as gônadas, especialmente o hormônio folículo-estimulante e o hormônio luteinizante. **chorionic g.** – g. coriônica; princípio estimulante das gônadas produzido pelas células citotrofoblásticas da placenta e excretado através dos rins; constitui a base para a maioria dos testes de gravidez comumente utilizados. Também é utilizada farmaceuticamente para tratar determinados casos de criptorquidismo e de hipogonadismo masculino e para induzir ovulação e gravidez em determinadas mulheres anovulatórias inférteis.

gon·ag·ra (go-nag'rah) – gonagra; gota no joelho.

go·nal·gia (go-nal'jah) – gonalgia; dor no joelho.

gon·ar·thri·tis (gon"ahr-thrī'tis) – gonartrite; inflamação da articulação do joelho.

gon·ar·throc·a·ce (-ahr-throk'ah-se) – gonartrócace; artrite tuberculosa do joelho.

gon·e·cys·tis (gon"e-sis'tis) – gonecisto; vesícula seminal.

gon·e·cys·ti·tis (-sis-ti'tis) – gonecistite; inflamação de uma vesícula seminal.

gon·e·cys·to·py·o·sis (-sis"to-pi-o'sis) – gonecistopiose; supuração em uma vesícula seminal.

go·ni·om·e·ter (go"ne-om'ĕ-ter) – goniômetro: 1. instrumento para medir ângulos; 2. prancha que pode ser inclinada em uma extremidade a qualquer altura, utilizada em um teste de doença do labirinto. **finger g.** – g. digital; goniômetro para medir os limites de flexão e extensão das articulações interfalângicas dos dedos.

go·ni·om·e·try (go"ne-om'ĕ-tre) – goniometria; medição de ângulos, particularmente aqueles da extensão do movimento de uma articulação.

go·ni·on (go'ne-on) [Gr.] pl. *gonia* – gônio; ponto mais inferior, posterior e lateral no ângulo externo da mandíbula. **go'nial** – adj. goníaco.

go·nio·punc·ture (go"ne-o-punk'cher) – goniopunção; inserção de uma lâmina de bisturi através da córnea limpa, bem dentro do limbo, através da câmara anterior do olho e da parede corneoscleral oposta no tratamento do glaucoma.

go·nio·scope (go'ne-ah-skōp") – gonioscópio; instrumento óptico para examinar a câmara anterior do olho e para demonstrar a motilidade e rotação oculares.

go·ni·ot·o·my (go'ne-ot'ah-me) – goniotomia; operação para glaucoma; consiste na abertura do canal de Schlemm sob visão direta.

gon(o)- [Gr.] – elemento de palavra, *semente; sêmen*.

gono·cele (gon'o-sēl) – gonocele; espermatocele (*spermatocele*).

gono·coc·ce·mia (gon"o-kok-sēm'e-ah) – gonococcemia; presença de gonococos no sangue.

gono·coc·cus (-kok'us) pl. *gonococci* – gonococo; indivíduo da espécie *Neisseria gonorrhoeae*, o agente etiológico da gonorréia. **gonococ'cal, gonococ'cic** – adj. gonocócico.

gono·cyte (gon'o-sīt) – gonócito; célula reprodutiva primitiva do embrião.

gono·phore (-fōr) – gonóforo; órgão gerador acessório, como o oviduto.

gon·or·rhea (gon"ah-re'ah) – gonorréia; infecção por *Neisseria gonorrhoeae*, mais freqüentemente transmitida por via venérea, e marcada nos homens por uretrite com dor e descarga purulenta; comumente assintomática nas mulheres, mas pode se propagar produzindo salpingite, ooforite, abscesso tubovariano e peritonite. Pode ocorrer bacteremia em ambos os sexos, causando lesões cutâneas, artrite e raramente meningite ou endocardite. **gonorrhe'al** – adj. gonorréico.

Gony·au·lax (gon"e-aw'laks) – *Gonyaulax;* gênero de dinoflagelados encontrados em água doce, salgada ou salobra e apresentando cromatóforos amarelos a castanhos; inclui a *G. catanella* (espécie venenosa), que ajuda a formar a maré vermelha destrutiva no oceano; ver também *poison*.

gony·camp·sis (gon"ī-kamp'sis) – gonicampsia; curvatura anormal do joelho.

gonyo·cele (gon'e-o-sēl") – goniocele; sinovite ou artrite tuberculosa do joelho.

gony·on·cus (gon"e-ong'kus) – gonioncose; tumor do joelho.

gor·get (gor'jet) – gorjal; orientador de litotomia de sulco largo.

go·se·rel·in (go'sĕ-rel"in) – goserelina; análogo da gonadorelina utilizado em forma de sal de acetato para tratar tumores malignos prostáticos.

GOT – glutamic-oxaloacetic transaminase (transaminase glutâmico-oxaloacética); ver *aspartate transaminase*.

gouge (gouj) – goiva; cinzel curvo para cortar e remover ossos.

goun·dou (gōōn'doo) – gundu; seqüela da bouba e da sífilis endêmica, caracterizada por dor de cabeça, descarga nasal purulenta e formação de exostoses ósseas no lado do nariz.

gout (gout) – gota; grupo de distúrbios do metabolismo de purinas e pirimidinas, caracterizado por tofos que causam ataques paroxísticos recorrentes de artrite inflamatória aguda, geralmente afetando apenas uma articulação periférica, geralmente responsivos à colchicina e geralmente acompanhados de remissão completa; também se encontram presentes hiperuricemia e urolitíase de ácido úrico nos casos completamente desenvolvidos. **gout'y** – adj. gotoso. **latent g., masked g.** – g. latente; g. mascarada; litemia sem as características típicas da gota. **rheumatic g.** – g. reumática; artrite reumatóide.

GP – general practitioner; general paresis (clínico geral; paresia geral).

G6PD – glucose-6-phosphate dehydrogenase (glicose 6-fosfato desidrogenase).

GPT – glutamic-pyruvic transaminase (transaminase glutâmico-pirúvica); ver *alanine transaminase*.

gr – grain (grão).

gra·di·ent (gra'de-ent) – gradiente; taxa de aumento ou decréscimo de um valor variável ou sua representação gráfica.

grad·u·at·ed (graj'oo-āt"id) – graduado; marcado por uma sucessão de linhas, fases ou graus.

graft (graft) – enxerto: 1. qualquer tecido ou órgão para implante ou transplante; 2. implantar ou transplantar tal tecido. Ver também *bypass* e *flap*. **accordion g.** – e. em sanfona; enxerto de espessura completa no qual foram feitas fendas de forma que ele possa ser estirado para cobrir uma área maior. **arteriovenous g.** – e. arteriovenoso; fístula arteriovenosa que consiste de auto-enxerto ou de xenoenxerto venosos, ou de tubo sintético enxertado sobre a artéria e a veia. **autodermic g., autoepidermic g.** – e. autodérmico; e. autoepidérmico; enxerto cutâneo coletado do próprio corpo do paciente. **avascular g.** – e. avascular; enxerto tecidual no qual não se obtém sempre uma vascularização transitória completa. **Blair-Brown g.** – e. de Blair-Brown; enxerto cutâneo dividido de espessura intermediária. **bone g.** – e. ósseo; pedaço de osso utilizado para assumir o lugar de um osso removido ou de um defeito ósseo. **cable g.** – e. em cabo; enxerto nervoso constituído de várias secções nervosas em forma de cabo. **coronary artery bypass g. (CABG)** – e. de desvio da artéria coronária; ver em *bypass*. **delayed g.** – e. retardado; enxerto cutâneo suturado de volta ao seu leito e subseqüentemente desviado para um novo local receptor. **dermal g., dermic g.** – e. dérmico; pele na qual se removeu a epiderme e a gordura subcutânea; utilizado em vez da fáscia em vários procedimentos plásticos. **epidermic g.** – e. epidérmico; pedaço de epiderme implantado em uma superfície esfolada. **fascia g.** – e. de fáscia; enxerto coletado da fáscia lata ou da fáscia lombar. **fascicular g.** – e. fascicular; enxerto nervoso no qual se aproximam e se suturam separadamente os feixes de fibras nervosas. **full-thickness g.** – e. de espessura total; enxerto cutâneo que consiste da espessura completa da pele, com pouco ou nenhum tecido subcutâneo. **heterodermic g.** – e. heterodérmico; enxerto cutâneo coletado de um doador de outra espécie. **heterologous g., heteroplastic g.** – e. heterólogo; e. heteroplástico; xenoenxerto. **homologous g., homoplastic g.** – e. homólogo; e. homoplástico; aloenxerto. **isogeneic g., isologous g., isoplastic g.** – e. isogênico; e. isólogo; e. isoplástico; sinenxerto. **Krause-Wolfe g.** – e. de Krause-Wolfe; de espessura total. **lamellar g.** – e. lamelar; reposição das camadas superficiais de uma córnea opaca por meio de uma camada fina de córnea limpa proveniente de olho doador. **nerve g.** – e. nervoso; reposição de uma área de nervo defeituoso com um segmento proveniente de um nervo sadio. **omental g's** – enxertos omentais; segmentos livres ou presos de omento utilizados para cobrir linhas de sutura após uma cirurgia gastrointestinal ou colônica. **pedicle g.** – e. pedicular; ver em *flap*. **penetrating g.** – e. penetrante; transplante corneano de espessura completa. **periosteal g.** – e. perióstico; pedaço de periósteo para cobrir um osso desnudado. **pinch g.** – e. em beliscadura; pedaço de enxerto cutâneo de cerca de 0,63cm de diâmetro, obtido através da elevação da pele com uma agulha e seu fatiamento com um bisturi. **Reverdin g.** – e. de Reverdin; e. epidérmico. **sieve g.** – e. em peneira; enxerto cutâneo a partir do qual se removem pequeninas ilhas circulares de pele de forma que se possa cobrir uma área desnudada maior, com a porção semelhante a uma peneira sendo colocada sobre uma área, e as ilhas individuais sobre as áreas circundantes ou outras áreas desnudadas. **split-skin g.** – e. de espessura parcial; enxerto cutâneo que consiste somente de uma porção da espessura da pele. **thick-split g.** – e. laminar; e. de espessura parcial; enxerto cutâneo cortado em pedaços, incluindo freqüentemente cerca de dois terços da espessura completa da pele. **Thiersch's g.** – e. de Thiersch; e. de Ollier-Tiersch. **white g.** – e. branco; e. avascular.

grain (grãn) – grão: 1. semente, especialmente a semente de cereal; 2. décima segunda parte de um escrúpulo; 0,065g. Abreviação: gr.

gram (gram) – grama; unidade básica de massa do sistema CGS; equivale ao peso de um mililitro de água a 4°C. Símbolo g.

-gram [Gr.] – -grama; elemento de palavra, *escrito; registrado*.

gram·i·ci·din (gram"ĭ -si'din) – gramicidina; polipeptídeo antibacteriano produzido pela espécie *Bacillus brevis* e um dos dois principais componentes da tirotricina; é aplicada topicamente em infecções devidas a organismos Gram-positivos suscetíveis.

gram·i·niv·o·rous (-niv'ĕ-rus) – graminívoro; que ingere ou subsiste em grãos de cereais.

gram-neg·a·tive (-neg'ah-tiv) – Gram-negativo; que perde a coloração ou se descolora através do álcool no método de coloração de Gram, característico de bactérias que têm a superfície da parede celular mais complexa na composição química que as bactérias Gram-positivas.

gram-pos·i·tive (-poz'it-iv) – Gram-positivo; que retém a coloração ou resiste à descoloração através do álcool no método de coloração de Gram, uma característica primária de bactérias cuja parede celular é composta de peptidoglicanos e ácido teicóico.

gra·na (gra'nah) – grãos; corpúsculos verde-escuros que contêm clorofila nos cloroplastos das células vegetais.

gran·di·ose (gran'dĭ -ōs) – grandioso; em Psiquiatria, relativo à crença exagerada ou a afirmações de importância ou identidade do indivíduo, freqüentemente manifestada através de delírios de grande riqueza, poder ou fama.

grand mal (grahn mal) [Fr.] – grande mal; ver em *epilepsy*.

gran·u·la·tio (gran"u-la'she-o) [L.] pl. *granulationes* – granulação; grânulo ou massa granular.

gran·u·la·tion (-shun) – granulação: 1. divisão de uma substância dura em partículas pequenas; 2. formação em ferimentos de pequenas massas arredondadas de tecido durante a cicatrização; também, a massa formada dessa forma. **arachnoidal g's, cerebral g's** – granulações aracnóides; granulações cerebrais; vilos aracnóides aumentados de volume, que se projetam no interior dos seios venosos e criam depressões ligeiras na superfície craniana. **exuberant g's** – granulações exuberantes; proliferação excessiva de tecido de granulação nos ferimentos em cicatrização.

gran·ule (gran'ŭl) – grânulo: 1. pequena partícula ou grão; 2. pequena pílula feita de sacarose. **acidophil g's** – grânulos acidófilos; grânulos que se coram com corantes ácidos. **acrosomal g.** – g. acrossômico; grande glóbulo contido dentro de uma vesícula acrossômica limitada por uma membrana, que aumenta de volume posteriormente para se tornar o núcleo do acrossoma de um espermatozóide. **alpha g's** – grânulos alfa: 1. grânulos ovais encontrados nas plaquetas sangüíneas; são lisossomas que contêm fosfatase ácida; 2. grânulos grandes nas células alfa das ilhotas de Langerhans; secretam glucagon; 3. grânulos acidofílicos nas células alfa da adeno-hipófise. **amphophil g's** – grânulos anfófilos; grânulos que se coram com corantes tanto ácidos como básicos. **azurophil g.** – g. azurófilo; grânulo que se cora facilmente com corantes azur; correspondem a grânulos avermelhados grosseiros observados em muitos linfócitos. **basal g.** – g. basal; ver em *body*. **basophil g's** – grânulos basófilos; grânulos que se coram com corantes básicos, como os das células beta da adeno-hipófise. **beta g's** – grânulos beta: 1. grânulos nas células beta das ilhotas de Langerhans; secretam insulina; 2. grânulos basofílicos nas células beta da adeno-hipófise. **Birbeck g's** – grânulos de Birbeck; grânulos de Langerhans. **elementary g's** – grânulos elementares; hemocônia. **eosinophil g's** – grânulos eosinófilos; grânulos que se coram com eosina. **iodophil g's** – grânulos iodófilos; grânulos que se coram de marrom com iodo, observados em leucócitos polimorfonucleares em várias doenças infecciosas agudas. **keratohyalin g's** – grânulos ceratoialinos, grânulos de forma irregular; que representam depósitos ceratoialinos nas tonofibrilas na camada granular da epiderme. **Langerhans' g's** – grânulos de Langerhans; estruturas ligadas à membrana em forma de bastão peculiares, com uma densidade linear central, encontrados nas células de Langerhans da epiderme. **membrane-coating g.** – g. de revestimento de membrana; ceratinossoma. **metachromatic g.** – g. metacromático; inclusão celular granular presente em muitas células bacterianas, apresentando avidez para corantes básicos e causando coloração irregular da célula. **Nissl's g's** – grânulos de Nissl; ver em *body*. **oxyphil g's** – grânulos oxífilos; grânulos acidófilos. **pigment g's** – grânulos pigmentares; pequenas massas de matéria

colorida nas células pigmentares. **proacrosomal g.** – g. proacrossômico; dos pequenos corpos densos encontrados dentro de um dos vacúolos do complexo de Golgi, que se fundem para formar um grânulo acrossômico. **Schüffner's g's** – grânulos de Schüffner. **seminal g's** – grânulos seminais; pequenos corpos granulares no fluido espermático. **specific atrial g's** – grânulos atriais específicos; grânulos esféricos ligados à membrana com um interior homogêneo denso concentrados no núcleo do sarcoplasma do músculo cardíaco atrial, difundindo-se em qualquer direção a partir dos pólos do núcleo, geralmente próximo ao complexo de Golgi; constituem o local de armazenamento do peptídeo natriurético atrial.

gran·u·lo·ad·i·pose (gran"ŭl-o-ad'ĭ-pōs) – granuloadiposo; que mostra degeneração gordurosa contendo grânulos de gordura.

gran·u·lo·blast (gran'ŭl-o-blast") – granuloblasto; mieloblasto (*myeloblast*).

gran·u·lo·blas·to·sis (gran"ŭl-o-blas-to'sis) – granuloblastose; leucose aviária com elevação nas células sangüíneas granulares imaturas no sangue circulante; pode ocorrer infiltração do fígado e baço.

gran·u·lo·cyte (gran'u-lo-sīt") – granulócito; qualquer célula que contenha grânulos, especialmente um leucócito granular. **granulocyt'ic** – adj. granulocítico. **band-form g.** – g. em forma de faixa; célula em faixa.

gran·u·lo·cy·to·pe·nia (gran"u-lo-si"to-pe'ne-ah) – granulocitopenia; agranulocitose (*agranulocytosis*).

gran·u·lo·cy·to·poi·e·sis (-sī"t"o-poi-e'sis) – granulocitopoiese; produção de granulócitos. **granulocytopoiet'ic** – adj. granulocitopoiético.

gran·u·lo·cy·to·sis (-si-to'sis) – granulocitose; excesso de granulócitos no sangue.

gran·u·lo·ma (gran"u-lo'mah) pl. *granulomas, granulomata* – granuloma; termo impreciso para (1) qualquer agregado delimitado, nodular e pequeno de células inflamatórias mononucleares ou (2) uma coleção de macrófagos modificados que se assemelham a células epiteliais, geralmente circundados por uma borda de linfócitos. **apical g.** – g. apical; tecido de granulação modificado que contém elementos de inflamação crônica, localizados nas adjacências do vértice da raiz de um dente com polpa necrótica infectada. **coccidioidal g.** – g. coccidióide; coccidioidomicose. **eosinophilic g.** – g. eosinófilo: 1. granulomatose de células de Langerhans; 2. distúrbio semelhante à gastroenterite eosinófila, caracterizado por lesões nodulares ou pedunculadas localizadas da submucosa e das paredes musculares, especialmente da área pilórica do estômago, causados pela infiltração de eosinófilos, mas sem eosinofilia periférica ou sintomas alérgicos; 3. anisaquíase. **g. fissura'tum** – g. fissurado; granuloma fibrosado, fissurado, avermelhado e firme da gengiva e da mucosa bucal que ocorre sobre uma crista alveolar desdentada entre a crista e a bochecha; causado por dentadura de encaixe ruim. **giant cell reparative g., peripheral** – g. reparador de células gigantes; g. periférico; epúlide de célula gigante. **infectious g.** – g. infeccioso;

granuloma devido a um microrganismo específico, como um bacilo tuberculoso. **g. inguina'le** – g. inguinal; doença venérea granulomatosa, geralmente observada em pessoas de pele escura, marcado por ulceração purulenta dos genitais externos e causado pela *Calymmatobacterium granulomatis.* **lethal midline g.** – g. letal de linha média; granuloma necrosante letal raro que resulta na destruição da linha média da face; é quase sempre precedido por inflamação inespecífica de longa duração do nariz ou dos seios nasais, com descarga purulenta e freqüentemente sanguinolenta. **lipoid g.** – g. lipóide; granuloma que contém células lipóides; xantoma. **lipophagic g.** – g. lipofágico; granuloma acompanhado de perda de gordura subcutânea. **midline g.** – g. de linha média; g. letal de linha média. **paracoccidioidal g.** – g. paracoccidióide; paracoccidioidomicose. **pyogenic g.** – g. piogênico; nódulo solitário benigno semelhante a tecido de granulação, encontrado em qualquer parte do corpo, em geral intraoralmente e no local de um traumatismo como resposta dos tecidos a uma infecção inespecífica. **reticulohistiocytic g.** – g. retículo-histiocítico; retículo-histiocitoma solitário não-associado a envolvimento sistêmico. **swimming pool g.** – g. da piscina; lesão granulomatosa que complica lesões obtidas em piscinas e atribuída à *Mycobacterium balnei;* tende a cicatrizar espontaneamente em poucos meses a anos. **trichophytic g.** – g. tricofítico; forma de tinha corporal que ocorre principalmente na porção inferior das pernas, devida a infecção dos pêlos por *Trichophyton* no local de envolvimento e marcada por granulomas elevados e circunscritos em vez de afundáveis, disseminados ou arranjados em cadeias; as lesões são lentamente absorvidas ou sofrem necrose, deixando cicatrizes achatadas.
gran·u·lo·ma·to·sis (gran"u-lo"mah-to'sis) – granulomatose; formação de granulomas múltiplos. **Langerhans' cell g.** – g. de célula de Langerhans; distúrbio benigno em duas formas: *unifocal,* caracterizado por uma só lesão osteolítica em um osso longo ou chato, algumas vezes com dor, inchaço ou fraturas; e *multifocal,* caracterizado por lesões ósseas e algumas vezes por envolvimento pulmonar, cutâneo ou gengival. **g. sidero'tica** – g. siderótica; afecção na qual são observados nódulos amarronzados no baço aumentado de volume. **Wegener's g.** – g. de Wegener; doença progressiva, com lesões granulomatosas do trato respiratório, arteriolite necrosante focal e, finalmente, inflamação disseminada de todos os órgãos do corpo.
gran·u·lo·mere (gran"ūl-o-mēr") – granulômero; porção central de uma plaqueta em um esfregaço sangüíneo corado e seco, aparentemente preenchido com grânulos vermelhos finos.
gran·u·lo·pe·nia (gran"u-lo-pe'ne-ah) – granulopenia; agranulocitose.
gran·u·lo·plas·tic (-plas'tik) – granuloplástico; que forma grânulos.
gran·u·lo·poi·e·sis (-poi-e'sis) – granulopoiese; formação de granulócitos. **granulopoiet'ic** – adj. granulopoiético.

gran·u·lo·sa (gran"u-lo'sah) – granuloso; relativo às células do cúmulo oóforo.
gran·u·lo·sis (gran"u-lo'sis) – granulose; formação de grânulos. **g. ru'bra na'si** – g. rubra nasal; vermelhidão e inchaço acentuado confinados ao nariz e à área circundante da face, com pápulas vermelhas e algumas vezes muitas vesículas pequenas, observada mais freqüentemente em crianças e geralmente desaparecendo na puberdade.
gra·num (gra'num) [L.] pl. *grana* – grão.
graph (graf) – gráfico; diagrama ou curva que representa as relações variáveis entre grupos de dados.
-graph [Gr.] – -grafo, elemento de palavra, *instrumento de escrita ou de registro; registro feito através de tal instrumento.*
-graphy [Gr.] – -grafia, elemento de palavra, *que escreve ou registra; um método de registro.* **-graph'ic** – adj. -gráfico.
grat·tage (grah-tahzh') [Fr.] – raspagem; curetagem; remoção de granulações por meio de raspagem ou escovadura.
gra·ve·do (grah-ve'do) – resfriado; coriza; catarro nasal.
grav·el (grav''l) – cálculo; concreção que ocorre em pequenas partículas.
grav·id (grav'id) – grávido.
grav·i·da (grav'ĭ-dah) – grávida; mulher grávida; chamada de *g. I (primigrávida)* durante a primeira gravidez, *g. II (secundigrávida)* durante a segunda e assim sucessivamente. Símbolo G. Cf. *para.*
grav·i·do·car·di·ac (grav"ĭ-do-kar'de-ak) – gravidocardíaco; relativo a cardiopatia na gravidez.
grav·i·met·ric (grav"ĭ-mĕ'trik) – gravimétrico; relativo à medição pelo peso; realizado através do peso, como o método gravimétrico de ensaio de drogas.
grav·i·ty (grav'it-e) – gravidade; peso; tendência em direção ao centro da terra. **specific g.** – g. específica; densidade específica; p. específico; peso de uma substância comparado ao de outra tomada como padrão.
gray (gra) – cinza: 1. matiz entre o branco e o preto; 2. unidade de dose de radiação absorvida equivalente a 100rads. Abreviação: Gy.
grease (grēs) – inflamação do boleto dos cavalos; inchaço inflamatório na perna de um eqüino, com formação de rachaduras na pele e excreção de um material oleoso.
green (grēn) – verde: 1. cor da grama e da esmeralda; 2. corante verde. **brilliant g.** – v.-brilhante; corante básico que tem propriedades bacteriostáticas poderosas para organismos Gram-positivos; utilizado topicamente como anestésico. **indocyanine g.** – v. indocianina; corante tricarbocianínico utilizado endovenosamente na determinação do volume sangüíneo, rendimento cardíaco e função hepática. **malachite g.** – v. malaquita; corante trifenilmetânico utilizado como corante para bactérias e um anti-séptico para ferimentos.
GRH – growth hormone releasing hormone (hormônio liberador do hormônio do crescimento).

grid (grid) – grade: 1. gradil; em Radiologia, dispositivo que consiste de uma série de tiras de chumbo estreitas proximamente espaçadas em suas bordas e separadas por espaçadores de um material de baixa densidade; utilizado para reduzir a quantidade de radiação disseminada que atinge o filme de raio X; 2. gráfico com linhas horizontais e perpendiculares para projetar curvas. **baby g.** – g. do bebê; gráfico de leitura direta acerca do crescimento de um bebê. **Potter-Bucky g.** – g. de Potter-Bucky; utilizada em radiografia; impede que a radiação espalhada atinja o filme (assegurando, portanto, melhores contraste e definição) e se move durante a exposição de forma que não apareçam linhas na radiografia. **Wetzel g.** – g. de Wetzel; gráfico de leitura direta para a avaliação da aptidão física em termos de construção corporal, nível de desenvolvimento e metabolismo basal.

grip (grip) – gripe; influenza. **devil's g.** – pleurodinia epidêmica.

grippe (grip) [Fr.] – gripe; influenza.

gris·eo·ful·vin (gris"e-o-ful'vin) – griseofulvina; antibiótico produzido pela *Penicillium griseofulvum* ou por outros meios; utilizado como fungistático em dermatofitoses.

groove (grōōv) – sulco; estria; cavidade ou depressão linear estreita. **branchial g.** – s. branquial; ranhura externa revestida com ectoderma, que ocorre no embrião entre os dois arcos branquiais. **Harrison's g.** – s. de Harrison; sulco horizontal ao longo da borda inferior do tórax, correspondendo à inserção costal do diafragma; observado no raquitismo avançado em crianças. **medullary g., neural g.** – s. medular; s. neural; sulco formado pelo início da invaginação da placa neural do embrião para formar o tubo neural.

group (grōōp) – grupo: 1. reunião de objetos que têm determinadas coisas em comum; 2. número de átomos que forma uma porção reconhecível e geralmente transferível de uma molécula. **azo g.** – azo g.; grupo químico bivalente composto de dois átomos de nitrogênio (–N:N–). **blood g.** – g. sangüíneo; ver em *blood group*. **diagnosis-related g's** – grupos relacionados ao diagnóstico; agrupamentos de categorias diagnósticas utilizados como base para esquemas de pagamento de hospitais através do Medicare ou outros convênios médicos. **dorsal respiratory g.** – g. respiratório dorsal; parte do centro respiratório medular cuja função principal é o controle do ritmo básico de respiração. **encounter g.** – g. de encontro; grupo de sensibilidade em que os membros se esforçam para obter um discernimento mais emocional que intelectual, com ênfase na expressão dos sentimentos interpessoais em situação de grupo. **prosthetic g.** – g. protético; composto não-protéico de baixo peso molecular que se liga com um componente protéico (uma apoproteína, especificamente a apoenzima) para formar uma proteína (por exemplo, holoenzima) com atividade biológica. **sensitivity training g., T g., training g.** – g. de treinamento de sensibilidade; g. T; g. de treinamento; grupo não-clínico, não-orientado para pessoas com problemas emocionais severos, que focaliza a autoconsciência e a compreensão, bem como as interações interpessoais em um esforço de desenvolver os valores de liderança, administração, aconselhamento ou outros desempenhos. **ventral respiratory g.** – g. respiratório ventral; parte do centro respiratório medular cujos neurônios funcionam principalmente durante uma respiração ativa forte, movimentando os músculos voluntários no controle da inspiração e da expiração ou modificando o comportamento de outros motoneurônios respiratórios.

group-trans·fer (-trans'fer) – transferência de grupo; denota uma reação química (excluindo oxidação e redução) na qual as moléculas trocam os grupos funcionais, constituindo um processo catalisado por enzimas chamadas de transferases.

growth (grōth) – crescimento: 1. processo normal de aumento no tamanho de um organismo como resultado de um acréscimo de tecidos semelhantes aos originalmente presentes; 2. formação anormal (como um tumor); 3. proliferação de células (como em uma cultura bacteriana). **appositional g.** – c. aposicional; crescimento através da adição na periferia de uma parte específica. **interstitial g.** – c. intersticial; crescimento que ocorre no interior de estruturas já formadas. **new g.** – novo c.; neocrescimento; neoplasia.

gru·mous (groo'mus) – grumoso; encaroçado ou coagulado.

gry·po·sis (grĭ-po'sis) [Gr.] – gripose; curvatura anormal, como das unhas.

GSH – reduced glutathione (glutationa reduzida).

GSSG – oxidized glutathione (glutationa oxidada).

gt. [L.] – *gutta* (gota) (*drop*).

GTP – guanosine triphosphate (trifosfato de guanosina).

gtt. [L.] – *guttae* (gotas) (*drops*).

GU – genitourinary (geniturinário).

guai·ac (gwi'ak) – guáiaco; resina proveniente da madeira das árvores do gênero *Guajacum*, utilizada como reagente e antigamente, no tratamento do reumatismo.

guai·fen·e·sin (gwi-fen'ĕ-sin) – guaifenesina; éster gliceril do guaiacol, utilizado como expectorante.

guai·thyl·line (gwi'thĭ-lĕn) – guaitilina; broncodilatador e expectorante.

guan·a·benz (gwan'ah-benz) – guanabenz; agonista α_2-adrenérgico utilizado em forma de base ou de éster de acetato como anti-hipertensivo.

guan·ase (gwahn'ās) – guanase; guanina desaminase.

guan·eth·i·dine (gwahn-eth'ĭ-dēn) – guanetidina; agente bloqueador adrenérgico, utilizado em forma de sal de sulfato como anti-hipertensivo.

guan·fa·cine (gwahn'fah-sēn) – guanfacina; agonista α_2-adrenérgico, utilizado em forma de sal de cloridrato como anti-hipertensivo.

guan·i·dine (gwahn'ĭ-dēn) – guanidina; composto $NH=C(NH_2)_2$, uma base forte encontrada na urina como resultado do metabolismo das proteínas e utilizado no laboratório como desnaturador protéico. O sal de cloridrato é utilizado no tratamento da miastenia grave.

guan·i·di·no·a·ce·tic ac·id (gwan"ĭ -de"no-ah-se'tik) – ácido guanidinoacético; produto intermediário formado enzimaticamente no fígado, pâncreas e rim na síntese da creatina.

guan·ine (gwahn'ēn) – guanina; base purínica que ocorre nas células animais e vegetais geralmente condensada com uma ribose ou uma desoxirribose para formar guanosina e desoxiguanosina, constituintes dos ácidos nucléicos. Símbolo G.

guan·o·sine (gwahn'o-sēn) – guanosina; nucleosídeo purínico, correspondendo à guanina ligada a uma ribose; é um componente do RNA e os seus nucleotídeos são importantes no metabolismo. Símbolo G. **cyclic g. monophosphate (cyclic GMP, cGMP, 3',5'-GMP)** – monofosfato de g. cíclico (GMP cíclico ou cGMP ou 3',5'-GMP); nucleotídeo cíclico que age como segundo mensageiro semelhante em ação ao monofosfato de adenosina cíclica, mas geralmente produzindo efeitos opostos na função celular. **g. monophosphate (GMP)** – monofosfato de g.; nucleotídeo importante no metabolismo e na síntese do RNA. **g. triphosphate (GTP)** – trifosfato de g.; composto rico em energia, envolvido em várias reações metabólicas e um precursor ativado na síntese do RNA.

gu·ber·nac·u·lum (goo"ber-nak'u-lum) [L.] pl. *gubernacula* – gubernáculo; estrutura de orientação. **g. tes'tis** – g. do testículo; ligamento fetal preso em uma extremidade à extremidade inferior do epidídimo e do testículo e em sua outra extremidade ao fundo do escroto; encontra-se presente durante a descida do testículo no interior do escroto e depois atrofia.

guil·lo·tine (ge'o-tēn) [Fr.] – guilhotina; instrumento com uma lâmina que desliza para excisar uma tonsila ou a úvula.

gul·let (gul'it) – garganta; esôfago.

gum (gum) – goma: 1. excreção mucilagenosa de várias plantas; 2. gengiva. **g. arabic** – goma arábica; acácia. **karaya g.** – goma caraia; exsudação pastosa e dessecada proveniente das espécies de *Sterculia*, que torna-se gelatinosa quando do se acrescenta umidade; utilizado como laxante de volume. Devido às suas propriedades adesivas, os produtos que contêm goma caraia são utilizados como adesivos dentários e cutâneos, bem como barreiras protetoras cutâneas no encaixe e cuidado de dispositivos de colostomia e em outras situações em que existe um estoma. **sterculia g.** – goma de estercúlia; g. caraia.

gum·boil (gum'boil) – parúlide; parúlia; abscesso gengival.

gum·ma (gum'ah) pl. *gummas, gumata* – goma: 1. tumor pastoso macio, como o que ocorre em caso da sífilis terciária; 2. sífilis benigna tardia.

gur·ney (gur'ne) – gurnei; maca com rodas utilizadas nos hospitais.

gus·ta·tion (gus-ta'shun) – gustação; gosto. **gus'tatory** – adj. gustativo.

gus·tin (gus'tin) – gustina; polipeptídeo presente na saliva e que contém dois átomos de zinco; é necessário ao desenvolvimento normal das papilas gustativas.

gut (gut) – intestino: 1. intestino; ver *bowel*; 2. tubo digestivo primitivo que consiste dos intestinos anterior, médio e posterior; 3. categute. **blind g.** – i. cego; ceco. **postanal g.** – i. pós-anal; extensão do intestino embrionário caudal à cloaca. **preoral g.** – i. pré-oral; bolsa de Seessel. **primitive g.** – i. primitivo; arquentério. **tail g.** – i. caudal; i. pós-anal.

gut·ta (gut'ah) [L.] pl. *guttae* – gota (*drop*).

gut·ta-per·cha (gut"ah-pur'chah) – guta-percha; látex coagulado de várias árvores da família Sapotaceae; utilizado como cimento dentário e em talas.

Guttat. [L.] – abreviação de *guttatim* (gota a gota).

gut·ta·tim (gah-ta'tim) [L.] – gota a gota.

gut·tur·al (gut'er-il) – gutural; relativo à garganta.

Gy – gray.

gym·nas·tics (jim-nas'tiks) – ginástica; exercício muscular sistemático. **Swedish g.** – g. sueca; sistema que segue um padrão de movimentos rígido, utilizando pouco equipamento e salientando a postura corporal correta.

Gym·no·din·i·um (jim"no-din'e-um) – *Gymnodinium;* gênero de dinoflagelados, sendo a maioria das espécies dotada de muitos cromatóforos coloridos; é encontrada na água; quando presentes em grande número, ajudam a formar a maré vermelha destrutiva no oceano.

gynaec(o)- – ver também *gyneco-*.

gy·nan·drism (jĭ -nan'drizm) – ginandrismo: 1. hermafroditismo; 2. pseudo-hermafroditismo feminino.

gy·nan·dro·blas·to·ma (jĭ -nan"dro-blas-to'-mah) – ginandroblastoma; tumor ovariano que contém elementos tanto de arrenoblastoma como de tumor de célula granulosa.

gy·nan·dro·mor·phism (-mor'fizm) – ginandromorfismo; presença de cromossomas de ambos os sexos em tecidos diferentes do corpo, produzindo um mosaico de características sexuais masculinas e femininas. **gynandromorph'ous** – adj. ginandromórfico.

gyne- – gino-, ver *gynec(o)-*.

gy·nec·ic (jĭ -nes'ik) – ginécico; relativo à mulher.

gynec(o)- [Gr.] – ginec(o)-, elemento de palavra; *mulher.*

gyne·co·gen·ic (jin"ě-ko-jen'ik) – ginecogênico; que produz características femininas.

gyn·e·coid (jin-ě-koid) – ginecóide; característico ou semelhante à mulher.

gy·ne·col·o·gy (jin"ě-kol'ah-je, gi"nĭ -) – ginecologia; ramo da Medicina que se ocupa das doenças do trato genital nas mulheres. **gynecolog'ic** – adj. ginecológico.

gyne·co·ma·nia (jin"ě-ko-ma'ne-ah) – ginecomania; satiríase.

gyne·co·mas·tia (-mas'te-ah) – ginecomastia; desenvolvimento excessivo das glândulas mamárias masculinas até um estado funcional.

Gyne-Lo·tri·min (gi"ně-lo'trĭ -min) – Gyne-Lotrimin, marca registrada de preparação de clotrimazol.

gyne·pho·bia (jin"ě-fo'be-ah) – ginefobia; medo irracional ou aversão a mulheres.

gyn(o)- – gin(o)-, ver *gynec(o)-*.

gyno·gen·e·sis (jin"o-jen'ě-sis) – ginogênese; desenvolvimento de um óvulo estimulado por um espermatozóide na ausência de qualquer participação do núcleo espermático.

gyno·plas·tics (jin'o-plas"tiks) – ginoplastia; cirurgia plástica ou reconstrutiva dos órgãos reprodutivos femininos. **gynoplas'tic** – adj. ginoplástico.

gyp·sum (jip'sum) – gesso; sulfato diidratado de cálcio nativo; quando calcinado torna-se o *plaster of Paris* (gesso), muito utilizado para fazer curativos permanentes para fraturas e em Odontologia para tirar impressões dentárias.

gy·ra·tion (ji-ra'shun) – giração; revolução ao redor de um centro fixo.

gy·rec·to·my (ji-rek'tah-me) – girectomia; excisão ou remoção de um giro cerebral ou de uma porção do córtex cerebral.

Gy·ren·ceph·a·la (ji"ren-sef'ah-lah) – Gyrencephala; grupo de mamíferos superiores (que incluem o homem) com cérebro marcado por convoluções.

gy·ri (ji'ri) – plural de *gyrus*.

gy·rose (ji'rōs) – giroso; marcado por linhas curvas ou círculos.

gy·ro·spasm (ji'ro-spazm) – girospasmo; espasmo rotatório da cabeça.

gy·rous (ji'rus) – girose.

gy·rus (ji'rus) [L.] pl. *gyri* – giro; uma das convoluções na superfície do cérebro causadas pela invaginação do córtex. **angular g.** – g. angular; giro que se arqueia sobre o sulco temporal superior, contínuo com o giro temporal médio. **gy'ri bre'ves in'sulae** – giros curtos da ínsula; pequenos giros rostralmente posicionados na superfície da ínsula. **Broca's g.** – g. de Broca; ver em *convolution*. **central g., anterior** – g. central anterior; g. pré-central. **central g., posterior** – g. central posterior; g. pós-central. **cerebral gyri** – giros cerebrais; convoluções tortuosas na superfície do hemisfério cerebral, causadas pela invaginação do córtex e separadas por fissuras ou sulcos. **cingulate g.** – g. cingulado; convolução em forma de arco imediatamente acima do corpo caloso. **g. descen'dens** – g. descendente; área elevada posterior aos giros occipitais superior e inferior e anterior ao sulco semilunar quando este se encontra presente. **g. fornica'tus** – g. do fórnice; porção marginal do córtex cerebral na face medial

do hemisfério, incluindo o giro cingulado, o giro para-hipocampal e outros. **frontal g.** – g. frontal; um dos quatro giros (inferior, medial, médio e superior) do lobo frontal. **fusiform g.** – g. fusiforme; giro na superfície inferior do hemisfério entre os giros temporal inferior e para-hipocampal, consistindo de uma parte lateral (*occipitotemporal lateral g.*) e uma parte medial (*occipitotemporal medial g.*). **g. geni'culi** – g. genicular; giro vestigial na extremidade anterior do corpo caloso. **infracalcarine g.** – g. infracalcarino; g. lingual. **interlocking gyri** – giros conectados; pequenos giros nas paredes opostas do sulco central que se entrelaçam entre si como engrenagens. **lingual g.** – g. lingual; giro no lobo occipital, formando o lábio inferior do sulco calcarino e, com o cúneo, o córtex visual. **g. lon'gus in'sulae** – g. longo da ínsula; giro longo e occipitalmente orientado na superfície da ínsula. **occipital g.** – g. occipital; um dos dois giros (superior e inferior) do lobo occipital. **occipitotemporal g., lateral** – g. occipitotemporal lateral; porção lateral do giro fusiforme. **occipitotemporal g., medial** – g. occipitotemporal medial; porção medial do giro fusiforme. **orbital gyri** – giros orbitários; giros irregulares na superfície orbitária do lobo frontal. **parahippocampal g.** – g. para-hipocampal; g. hipocampal. **postcentral g.** – g. pós-central; convolução do lobo frontal entre os sulcos póscentral e central; área sensorial primária do córtex cerebral. **precentral g.** – g. pré-central; convolução do lobo frontal entre os sulcos pré-central e central; área motora primária do córtex cerebral. **g. rec'tus** – g. reto; giro na superfície orbital do lobo frontal. **supramarginal g.** – g. supramarginal; parte da convolução parietal inferior que se curva ao redor da extremidade superior da fissura de Sylvius. **temporal g.** – g. temporal; um dos giros do lobo temporal, incluindo os giros temporais inferior, médio, superior e transversal; com o mais proeminente deles (*g. temporal transversal anterior*) representando o centro cortical da audição. **gy'ri transiti'vi ce'rebri** – giros transitivos cerebrais; várias dobras pequenas na superfície cerebral demasiadamente irregulares para terem nomes individuais.

H

H – hidrogen; henry; hyperopia (hidrogênio; henry; hiperopia).

H – enthalpy (entalpia).

h – hecto-; hour (hora).

Ha – símbolo químico, *hânio (hahnium).*

HAA – hepatitis-associated antigen (AAH, antígeno associado à hepatite).

ha·be·na (hah-be'nah) [L.] pl. *habenae* – habena; qualquer estrutura anatômica semelhante a uma faixa. **habe'nal, habe'nar** – adj. habenal.

ha·ben·u·la (hah-ben'u-lah) [L.] pl. *habenulae* – habênula: 1. frênulo ou estrutura semelhante a uma rédea como a de um grupo de estruturas na cóclea; 2. pequena proeminência na superfície dorsomedial do tálamo, imediatamente em frente à comissura posterior. **haben'ular** – adj. habenular.

hab·it (hab'it) – hábito: 1. ato que se torna automático ou característico pela repetição; 2. predisposição; disposição corporal.

hab·i·tat (hab'ĭ -tat) – hábitat; domicílio natural de uma espécie animal ou vegetal.

ha·bit·u·a·tion (hah-bich"u-a'shun) – habituação: 1. adaptação gradual a um estímulo ou ambiente; 2. situação devida a consumo repetido de uma droga, com desejo de continuar usando-a, mas com pouca ou nenhuma tendência a aumentar a dose.

hab·i·tus (hab'it-us) [L.] – hábito: 1. atitude; ver *attitude* (2); 2. físico; biotipo.

Hab·ro·ne·ma (hab"ro-ne'mah) – *Habronema;* gênero de nematódeos parasitas no estômago dos eqüinos; suas larvas podem se transmitir para a pele do eqüino, onde podem causar dermatite e um tipo de granuloma; na conjuntiva, causam granulomas que contêm vermes.

hae- – ver também *he-*.

Hae·ma·dip·sa (he"mah-dip'sah) – *Haemadipsa;* gênero de sanguessugas.

Hae·ma·phys·a·lis (he"mah-fis'ah-lis) – *Haemaphysalis;* gênero de carrapatos de corpo duro, cujas espécies constituem vetores de doenças importantes.

Hae·mo·bar·to·nel·la (he"mo-bahr"to-nel'ah) – *Haemobartonella;* gênero de microrganismos da família Bartonellaceae, cujas espécies parasitam vários animais inferiores.

Hae·moph·i·lus (he-mof'il-us) – *Haemophilus;* gênero de bactérias Gram-negativas hemofílicas (família Pasteurellaceae), incluindo a *H. aegypticus* (causa da conjuntivite contagiosa aguda); *H. ducreyi* (causa do cancróide); *H. influenzae* (que se acreditava fosse a causa da gripe epidêmica; a causa da meningite letal em crianças); e *H. vaginalis* (associado a, e possivelmente a causa da, vaginite).

haf·ni·um (haf'ne-um) – háfnio, elemento químico (ver *Tabela de Elementos*), número atômico 72, símbolo Hf.

hah·ni·um (hah'ne-um) – hânio, elemento transurânico (ver *Tabela de Elementos*), número atômico 105, símbolo Ha.

hair (hãr) – pêlo; cabelo; estrutura filamentar, especialmente a estrutura epidérmica especializada composta de ceratina e que se desenvolve a partir de uma papila imersa no cório, produzida somente pelos mamíferos e característica deste grupo de animais. Também designa o agregado desses pêlos. **bamboo h.** – p. em bambu; tricorrexe nodosa. **beaded h.** – p. em contas; pêlo marcado com inchaços e constrições alternados como no caso do moniletrix. **burrowing h.** – p. encravado; pêlo que cresce horizontalmente sob a superfície da pele. **club h.** – p. em taco; pêlo cuja raiz é circundada por um aumento de volume bulboso composto de células ceratinizadas, preliminares a uma perda normal de pêlo a partir do folículo. **ingrown h.** – p. encravado; pêlo que emerge da pele, mas se encurva e reentra nela. **lanugo h.** – p. de lanugem; pêlo fino no corpo do feto, que constitui a lanugem. **resting h.** – p. em repouso; ver *telogen.* **sensory h's** – pêlos sensoriais; projeções piliformes nas células do epitélio sensorial. **tactile h's** – pêlos táteis; pêlos sensíveis ao toque. **taste h's** – pêlos gustativos; grupos de microvilos que formam pequenos processos piliformes que se projetam no interior do lúmen de um poro gustativo a partir das extremidades periféricas das células gustativas. **terminal h.** – p. terminal; pêlo rudimentar em várias áreas do corpo durante a fase adulta. **twisted h.** – p. retorcido; pêlo que se retorce a intervalos através de um eixo de 180°C, aplanando-se anormalmente no local de retorcimento.

hair·ball (hãr'bawl) – bola de pêlo; tricobezoar.

hal·a·tion (hal-a'shun) – halo; auréola; imagem indistinta causada por iluminação que provém da mesma direção do objeto a ser observado.

hal·a·zone (hal'ahzōn) – halazona; desinfetante para suprimentos de água ($C_7H_5Cl_2NO_4S$).

hal·cin·o·nide (hal-sin'ah-nī d) – halcinonida; corticosteróide sintético utilizado topicamente como antiinflamatório e antipruriginoso.

half-life (haf'lī f) – meia-vida; tempo exigido para a redução de metade de uma amostra de partículas de um radionuclídeo ou de partículas elementares; símbolo $t_{1/2}$ ou $T_{1/2}$. **antibody h.-l** – meia-vida de anticorpo; medida do tempo de sobrevivência médio das moléculas de anticorpo após sua formação, geralmente expressa como o tempo exigido para eliminar 50% de uma quantidade conhecida de imunoglobulina proveniente do corpo de um animal. A meia-vida varia de uma classe de imunoglobulina para outra. **biological h. -l** – meia-vida biológica; o tempo exigido para um órgão, tecido vivo ou organismo eliminar metade de uma substância radioativa que neles foi introduzida.

half-val·ue (haf-val'u) – valor médio.

half·way house (haf'wa hows) – instalação para pacientes (por exemplo, pacientes psiquiátricos, viciados em drogas e alcoólicos) que não exigem hospitalização, mas necessitam de um grau intermediário de cuidados até que possam retornar à comunidade.

ha·lis·te·re·sis (hah-lis"ter-e'sis) – halisterese; osteomalacia. **halisteret'ic** – adj. halisterético.

hal·i·to·sis (hal"ī -to'sis) – halitose; odor desagradável da respiração.

hal·i·tus (hal'it-us) – hálito; exalação de vapor; ar expirado.

hal·lu·ci·na·tion (hah-loo"sin-a'shun) – alucinação; percepção sensorial (visão, tato, audição, olfato ou gustação) que não tem base em estimulação externa. **hallu'cinatory** – adj. alucinatório. **haptic h.** – a. háptica; a. tátil. **hypnagogic h.** – a. hipnagógica; alucinação que ocorre entre o dormir e o despertar. **olfactory h.** – a. olfatória; alucinação do olfato. **tactile h.** – a. tátil; alucinação do tato.

hal·lu·ci·no·gen (hah-loo'sin-ah-jen") – alucinógeno; agente capaz de produzir alucinações. **hallucinogen'ic** – adj. alucinogênico.

hal·lu·ci·no·sis (hah-loo"sĭ -no'sis) – alucinose; psicose caracterizada por alucinações. **organic h.** – a. orgânica; síndrome cerebral orgânica caracterizada por alucinações causadas por fator orgânico específico e não-associada a delírios.

hal·lux (hal'uks) [L.] pl. *halluces* – hálux; o dedo grande do pé. **h. doloro'sus** – h. doloroso; afecção dolorosa do grande artelho, geralmente associada ao pé-chato. **h. flex'us** – h. fletido; h. rígido. **h. mal'leus** – artelho em martelo; artelho em martelo que afeta o hálux. **h. ri'gidus** – h. rígido; deformidade de flexão dolorosa do hálux com limitação do movimento na articulação metatarsofalângica. **h. val'gus** – h. valgo; angulação do hálux em direção aos outros dedos. **h. va'rus** – h. varo; angulação do hálux para fora dos outros dedos.

hal·ma·to·gen·e·sis (hal"mah-to-jen'ĕ-sis) – halmatogênese; alteração súbita de um tipo de geração para outra.

ha·lo (ha'lo) – halo: 1. círculo luminoso ou colorido como o observado ao redor de uma luz em caso de glaucoma; 2. anel observado ao redor da mácula lútea em exames oftalmoscópicos; 3. impressão dos processos ciliares no humor vítreo; 4. faixa de metal ou plástico que envolve a cabeça ou pescoço, proporcionando suporte e estabilidade a uma ortose. **Fick's h.** – h. de Fick; círculo colorido que aparece ao redor de uma luz devido ao uso de lentes de contato. **h. glaucomato'sus, glaucomatous h.** – h. glaucomatoso; atrofia peripapilar observada no caso de glaucoma severo ou crônico. **senile h.** – h. senil; zona de largura variável ao redor da papila óptica, decorrente de exposição de vários elementos da coróide como resultado de atrofia senil do epitélio pigmentado.

halo·du·ric (hal"o-du'rik) – halodúrico; capaz de subsistir em um meio que contém alta concentração de sal.

ha·lo·fan·trine (-fan'trēn) – halofantrina; antimalárico utilizado como sal de cloridrato no tratamento da malária aguda devida a *Plasmodium falciparum* e *P. vivax.*

hal·o·gen (hal'o-jen) – halogênio; halógeno; qualquer dos elementos não-metálicos do sétimo grupo da tabela periódica: cloro, iodo, bromo, flúor e astatínio.

ha·lom·e·ter (hah-lom'it-er) – halômetro: 1. instrumento para medir os halos oculares; 2. instrumento para avaliar o tamanho das hemácias através da medição dos halos de difração que elas produzem.

hal·o·peri·dol (hal"o-per'ĭ-dol) – haloperidol; tranqüilizante com ações antiemética, hipotensiva e hipotérmica; utilizado especialmente no tratamento de psicoses e para controlar expressões vocais e tiques da síndrome de Gilles de la Tourette; também utilizado como éster de decanoato na terapia de manutenção de distúrbios psicóticos.

hal·o·phil·ic (-fil'ik) – halófilo; relativo ou caracterizado pela afinidade por sal; que exige alta concentração de sal para o crescimento ideal.

hal·o·pro·gin (-pro'jin) – haloprogina; antifúngico tópico sintético utilizado no tratamento da tinha.

hal·o·thane (hal'o-thān) – halotano; anestésico inalatório utilizado para indução e manutenção da anestesia geral.

ham·ar·tia (ham-ahr'she-ah) – amártia; defeito na combinação de tecidos durante o desenvolvimento.

ham·ar·to·ma (ham"ahr-to'mah) – hamartoma; nódulo semelhante a um tumor benigno composto de supercrescimento de células maduras e tecidos normalmente presentes na parte afetada, mas com desorganização e freqüentemente predominância de um elemento.

ham·ate (ham'āt) – hamato; uncinado; em gancho como o osso uncinado.

ham·mer (ham'er) – martelo: 1. instrumento com cabeça projetada para golpes fortes; 2. osso martelo; ver *malleus* (1).

ham·ster (ham'ster) – criceto; pequeno roedor semelhante ao rato (mais comumente a espécie *Cricetus cricetus*), utilizado amplamente em experimentos de laboratório.

ham·string (ham'string) – jarrete; um dos tendões que delimitam o espaço poplíteo lateral e medialmente. **inner h.** – j. interno; tendões dos músculos grácil, sartório e dos dois outros músculos da perna. **outer h.** – j. externo; tendão do bíceps flexor femoral.

ham·u·lus (ham'u-lus) [L.] pl. *hamuli* – hâmulo; qualquer processo em forma de gancho. **ham'ular** – adj. hamular.

hand (hand) – mão; extremidade do braço, consistindo do carpo, metacarpo e dedos. **ape h.** – m. de macaco; mão com o polegar permanentemente estendido. **claw h.** – m. em garra; ver *claw-hand.* **cleft h.** – m. fendida; malformação em que a divisão entre os dedos estende-se no interior do metacarpo; também, a mão com os dedos médios ausentes. **club h.** – m. em clava; ver *club-hand.* **drop h.** – m. em pêndulo; punho caído. **lobster-claw h.** – m. em garra de lagosta; m. fendida. **writing h.** – m. de escritor; na paralisia com agitação, a adoção de uma posição em que se segura comumente uma caneta.

H and E – H e E; hematoxilina e eosina (corantes).

hand·ed·ness (hand'id-nis) – destreza; uso preferencial de uma das mãos em atos motores voluntários.

hand·i·cap (han'dĭ-kap) – desvantagem; qualquer defeito mental ou físico, congênito ou adquirido, que restrinja ou impeça uma pessoa de participar de uma vida normal ou, ainda, limite sua capacidade de trabalho.

hand·piece (hand'pēs) – mandril; parte de um motor dentário mantida na mão do operador para fixar a broca ou o ponto de trabalho enquanto gira.

hang·nail (hang'nāl) – unheiro; tira de eponíquio em uma dobra ungueal proximal ou lateral.

Han·ta·vi·rus (han'tah-vi"rus) – *Hantavirus;* gênero de vírus da família Bunyaviridae, que causa a febre hemorrágica epidêmica ou pneumonia; compreendendo os vírus de Hantaan, Puumala e Seul.

hap·loid (hap'loid) – haplóide: 1. que tem metade do número de cromossomas característico encontrado nas células somáticas (diplóides) de um organismo; típico dos gametas de uma espécie, cuja união restaura o número diplóide; 2. indivíduo ou célula que tem somente um membro de cada par de cromossomas homólogos.

hap·lo·iden·ti·cal (hap"lo-i-den'tĭ-k'l) – haploidêntico; que reparte um haplótipo; que tem os mesmos alelos em um grupo de genes intimamente ligados em um cromossoma.

hap·lo·iden·ti·ty (i-den'tit-e) – haploidentidade; condição de ser haploidêntico.

hap·lo·scope (-skŏp) – haploscópio; estereoscópio para testar o eixo visual.

hap·lo·type (-tī p) – haplótipo: grupo de alelos de genes ligados (por exemplo, o complexo HLA), cedidos por ambos os pais; constituição genética haplóide cedida por cada um dos pais.

hap·ten (hap'ten) – hapteno: antígeno parcial; substância não-protéica específica que não dispara por si mesma a formação de anticorpos, mas induz resposta imunológica quando acoplada a proteína portadora. **hapten'ic** – adj. haptênico.

hap·tics (hap'tiks) – háptica; ciência do sentido do tato.

hap·to·glo·bin (hap"to-glo'bin) – haptoglobina; glicoproteína plasmática com mobilidade eletroforética que se liga irreversivelmente a hemoglobina livre, resultando em remoção do complexo pelo fígado e impedindo que a hemoglobina livre se perca na urina; possui duas variantes genéticas principais: Hp 1 e Hp 2.

hare·lip (hăr'lip) – lábio leporino; fissura congênita do lábio superior.

har·vest (har'vist) – colheita; remover tecidos ou células de um doador e preservá-los para transplante.

hash·ish (hă-shēsh') [Árabe] – haxixe; preparação da resina não-adulterada raspada das pontas em florescência das plantas de haxixe femininas (*Cannabis sativa*), fumada ou mastigada devido a seus efeitos intoxicantes. É muito mais potente que a marijuana.

haus·tel·lum (haw-stel'um) [L.] pl. *haustra* – haustelo; tubo oco com um grupo eversível de cinco estiletes, através do qual determinados ectoparasitas (por exemplo, percevejos e piolhos) prendem-se ao hospedeiro e sugam o sangue.

haus·tra·tion (haws-tra'shun) – haustração: 1. formação de um haustro; 2. haustro.

haus·trum (haws'trum) [L.] pl. *haustra* – haustro; recesso. **haus'tral** – adj. haustral. **haus'tra co'li** – haustros do cólon; saculações na parede do cólon produzidas pela adaptação de seu comprimento às tênias do cólon ou pelo arranjo das fibras musculares circulares.

HAV – hepatitis A virus (vírus da hepatite A).

haw·kin·sin·u·ria (haw"kin-sin-u're-ah) – hawkinsinúria; forma rara de tirosinemia manifestada por excreção urinária de hawkinsina, aminoácido cíclico que constitui um metabólito da tirosina.

HB – hepatitis B (hepatite B).

Hb – hemoglobin (hemoglobina).

HBcAg – hepatitis B core antigen (antígeno nuclear da hepatite B).

HbCV – *Haemophilus influenza* b conjugate vaccine (vacina conjugada da *Haemophilus influenzae* b).

HbPV – *Haemophilus influenza* b polysaccharide vaccine (vacina polissacarídica da *Haemophilus influenzae* b).

HBeAg – hepatitis Be antigen (antígeno da hepatite Be).

HBsAg – hepatitis B surface antigen (antígeno de superfície da hepatite B).

HBV – hepatitis B virus (vírus da hepatite B).

HC – Hospital Corps (Corpo Hospitalar).

HDL – high-density lipoprotein (lipoproteína de densidade alta).

He – símbolo químico, hélio (*helium*).

head (hed) – cabeça; extremidade superior, anterior ou proximal de uma estrutura, especialmente a parte de um organismo que contém o cérebro e órgãos especiais dos sentidos. **big h.** – macrocéfalo (*bighead*).

head·ache (hed'ăk) – cefaléia; cerebralgia; encefalalgia; dor de cabeça. **cluster h.** – c. em cacho; distúrbio semelhante à enxaqueca, marcado por crises de dor unilateral intensa nos olhos e testa, com vermelhidão e secreção aquosa dos olhos e nariz; as crises duram cerca de uma hora e ocorrem em conjunto. **exertional h.** – c. por exercício; dor de cabeça que ocorre após um exercício. **histamine h.** – c. histamínica; c. em cacho. **migraine h.** – c. hemicrânia; enxaqueca, ver *migraine*. **post-coital h.** – c. pós-coital; dor de cabeça que ocorre durante ou após a atividade sexual, geralmente nos homens. **sick h.** – c. do enfermo; enxaqueca. **tension h.** – c. de tensão; tipo devido a sobrecarga de trabalho prolongada, tensão emocional ou ambos, afetando especialmente a região occipital.

heal·ing (hēl'ing) – cura; cicatrização; processo de cura; a restauração da integridade de um tecido lesado. **h. by first intention** – c. por primeira intenção; cicatrização em que ocorre união ou restauração da continuidade diretamente sem a intervenção de granulações. **h. by second intention** – c. por segunda intenção; união através do fechamento de um ferimento com granulações.

health (helth) – saúde; estado de bem-estar físico, mental e social. **public h.** – s. pública; campo da Medicina relacionado à segurança e melhora da saúde da comunidade como um todo.

health main·te·nance or·ga·ni·za·tion (HMO) – organização para manutenção de saúde; termo amplo que engloba vários sistemas de administração de cuidados de saúde, que utilizam um corpo de médicos e outros profissionais associados e proporcionam alternativas ao atendimento particular.

hear·ing (hēr'ing) – audição; sentido através do qual se percebem os sons; capacidade de perceber os sons. **color h.** – a. colorida; forma de cromestesia em que os sons causam sensações de cor.

hear·ing loss (los) – surdez; perda parcial ou completa da audição; ver também *deafness*. **Alexander's h.l.** – s. de Alexander; surdez congênita decorrente de aplasia coclear que envolve principalmente o órgão de Corti e as células ganglionares adjacentes à mola basal da cóclea; resulta em perda de audição de alta freqüência. **conductive h.l.** – s. condutiva; perda de audição devido a defeito do aparelho de condução do som, ou seja, do canal auditivo externo ou ouvido médio. **pagetoid h.l.** – s. pagetóide; perda de audição que ocorre no caso de osteíte deformante dos ossos do crânio. **paradoxic h.l.** – s. paradoxal; perda de audição em que a audição melhora durante um ruído alto. **sensorineural h.l.** – s. sensorineural; perda de audição devido a o defeito no ouvido interno ou nervo acústico. **transmission h.l.** – s. por transmissão; s. condutiva.

heart (hahrt) – coração; víscera do músculo cardíaco; que mantém a circulação do sangue; ver Prancha VI. **artificial h.** – c. artificial; mecanismo bombeador que duplica a freqüência, débito e pressão sangüínea do coração natural; pode substituir a função de uma parte ou de todo o coração. **athletic h.** – c. atlético; hipertrofia do coração sem valvulopatia, algumas vezes observada em atletas. **extracorporeal h.** – c. extracorporal; coração artificial localizado externamente ao corpo e geralmente realizando as funções de bombeamento e oxigenação. **fatty h.** – c. adiposo: 1. coração que sofreu degeneração gordurosa; 2. afecção em que se acumulou gordura ao redor e dentro do músculo cardíaco. **fibroid h.** – c. fibróide; coração em que o tecido fibroso substitui porções do miocárdio, como pode ocorrer em caso de miocardite crônica. **horizontal h.** – c. horizontal; rotação contrária ao sentido horário do eixo elétrico (desvio para a esquerda) do coração. **irritable h.** – c. irritável; astenia neurocirculatória. **left h.** – c. esquerdo; átrio e ventrículo esquerdos, que propelem o sangue através da circulação sistêmica. **right h.** – c. direito; átrio e ventrículo direitos que propelem o sangue venoso na circulação pulmonar. **soldier's h.** – c. de soldado; astenia neurocirculatória. **stone h.** – c. de pedra; necrose em faixa de contração maciça em um coração hipertrofiado irreversivelmente não-complacente, que ocorre como complicação de cirurgia cardíaca; acredita-se dever-se aos baixos níveis de ATP e a sobrecarga de cálcio. **three-chambered h.** – c. de três câmaras; anomalia de desenvolvimento em que o coração perde o septo interventricular ou interatrial e tem somente três compartimentos. **water-bottle h.** – c. em garrafa d'água; sinal radiográfico de derrame pericárdico, em que a silhueta cardiopericárdica aumenta de volume e assume a forma de um frasco ou garrafa d'água.

heart·beat (hahrt'bēt") – batimento cardíaco; ciclo cardíaco completo, durante o qual se conduz o impulso elétrico e ocorre a contração mecânica.

heart block (blok) – bloqueio cardíaco; deficiência de condução de um impulso em uma excitação cardíaca; freqüentemente aplicado especificamente ao bloqueio atrioventricular. Quanto aos tipos específicos, ver em *block*.

heart·burn (-burn) – azia; pirose; sensação retroesternal de queimação que ocorre em ondas e sobe em direção ao pescoço; pode-se acompanhar do refluxo de fluido no interior da boca e se associa freqüentemente ao refluxo gastroesofágico.

heart fail·ure (fāl'yer) – insuficiência cardíaca; ver em *failure*.

heart·wa·ter (-waw-ter) – caudriose; doença rickettsial fatal dos bovinos, ovinos e caprinos, que se caracteriza pelo acúmulo de fluido no pericárdio e cavidade pleural.

heart·worm (-wurm) – dirofilária; membro da espécie *Dirofilaria immitis*.

heat (hēt) – calor: 1. sensação de elevação na temperatura; 2. energia que produz essa sensação; existe em forma de vibração molecular ou atômica e pode ser transferida, como resultado de um gradiente de temperatura. Símbolo *Q* ou *q*; 3. estro. **conductive h.** – c. condutor; calor transmitido por contato direto como no caso de uma garrafa de água quente. **convective h.** – c. por convecção; calor transportado por correntes de um meio quente como o ar ou a água. **conversive h.** – c. por conversão; calor desenvolvido nos tecidos pela resistência à passagem de radiações de alta energia. **prickly h.** – c. pruriginoso; miliária rubra.

heat·stroke (hēt'strōk") – insolação; ver em *stroke*.

heaves (hēvz) – asma eqüina; enfisema pulmonar crônico dos eqüinos.

he·bet·ic (hě-bet'ik) – hebético; relativo à puberdade.

heb·e·tude (heb'ě-tōod) – hebetude; estupidez; apatia.

hecto- [Fr.] – elemento de palavra, *centena;* utilizado na denominação de unidades de medida que designam uma quantidade 100 vezes (10^2) o tamanho da unidade à qual se reúne; símbolo h.

he·do·nism (he'din-izm) – hedonismo; devoção excessiva ao prazer.

heel (hēl) – calcanhar; parte mais traseira do pé. **cracked h's** – calcanhares rachados; ceratólise depressível.

height (hīt) – altura; medida vertical de um objeto ou corpo. **h. of contour** – a. de contorno: 1. linha que circunda um dente, representando sua circunferência maior; 2. linha que circunda um dente em um plano mais ou menos horizontal e passa através do ponto superficial do raio maior; 3. linha que circunda um dente em sua saliência ou seu diâmetro maiores, com relação a um trajeto de inserção selecionado.

hel·coid (hel'koid) – helcóide; como uma úlcera.

hel·i·cal (hel'ĭ-k'l) – helicoidal; de forma semelhante a uma hélice.

hel·i·cine (hel'ĭ-sēn) – helicina: 1. de forma espiral; 2. de ou relativo a uma hélice.

He·li·co·bac·ter (hel"ĭ-ko-bak'ter) – *Helicobacter;* gênero de bactérias microaerófilas Gram-negativas da família Spirillaceae; a *H. cinaedi* causa proctite e colite em homens homossexuais e é implicado em septicemias em recém-nascidos e pacientes imunocomprometidos; a *H. pylori* causa gastrite e úlceras pilóricas e está implicado no carcinoma gástrico.

hel·i·co·tre·ma (hel"ĭ-ko-tre'mah) – helicotrema; forame entre a rampa timpânica e a rampa vestibular.

heli(o)- [Gr.] – elemento de palavra, *sol.*

he·li·um (hēl'e-um) – hélio; elemento químico (ver *Tabela de Elementos*), número atômico 2, símbolo He. É obtido a partir do gás natural. Utilizado como diluente para outros gases, sendo especialmente útil com o oxigênio no tratamento de determinados casos de obstrução respiratória, e como veículo para anestésicos gerais.

he·lix (he'liks) [Gr.] pl. *helices, helixes* – hélice: 1. estrutura espiralada; 2. margem livre superior e posterior da orelha. α-h., **alpha-h.** – α-h.; alfa-h.; arranjo estrutural de partes de moléculas protéicas em que uma cadeia polipeptídica única forma uma hélice destra estabilizada por uma intracadeia de ligações de hidrogênio. **double h., Watson-Crick h.** – h. dupla; h. de Watson-Crick; representação da estrutura do DNA, que consiste de duas cadeias espiraladas arranjadas antiparalelamente uma à outra, contendo cada uma delas informações que especificam completamente a outra cadeia.

hel·minth (hel'minth) – helminto; verme parasita.

hel·min·tha·gogue (hel-min'thah-gog) – helmintagogo; anti-helmíntico.

hel·min·them·e·sis (hel"min-them´ĭ-sis) – helmintêmese; vômito de vermes.

hel·min·thol·o·gy (hel"min-thol'ah-je) – helmintologia; estudo científico dos vermes parasitas.

he·lo·ma (hēl-o'mah) – heloma; calo; cravo. **h. du'rum** – h. duro; calo duro. **h. mo'le** – h. mole; calo macio.

he·lot·o·my (hēl-ot'ah-me) – helotomia; excisão ou ato de aparar calos.

hema·cy·tom·e·ter (he"mah-si-tom´ĭ-ter) – hemacitômetro; ver *hemocytometer.*

he·mad·sorp·tion (hem"ad-sorp'shun) – hemadsorção; aderência de hemácias a outras células, partículas ou superfícies. **hemadsor'bent** – adj. hemadsorvente.

he·mag·glu·ti·nin (-glōōt'in-in) – hemaglutinina; hemoaglutinina; anticorpo que causa aglutinação de hemácias. **cold h.** – h. fria; hemaglutinação que age somente em temperaturas próximas a 4°C. **warm h.** – h. quente; hemaglutinação que age somente em temperaturas próximas a 37°C.

he·mal (he'm'l) – hêmico; hemal: 1. relativo ao sangue ou vasos sangüíneos; 2. ventral ao eixo espinhal, onde o coração e os grandes vasos se localizam como os arcos hêmicos.

hem·al·um (he'mah-lum) – hemalume; mistura de hematoxilina e alume utilizada como corante nuclear.

hem·a·nal·y·sis (he"mah-nal´ĭ-sis) – hemanálise; análise sangüínea.

hemangi(o)- [Gr.] – elemento de palavra, *vasos sangüíneos.*

he·man·gio·amelo·blas·to·ma (he-man"je-o-ah-mel"o-blas-to'mah) – hemangioameloblastoma; ameloblastoma altamente vascularizado.

he·man·gio·blast (he-man'je-o-blast) – hemangioblasto; célula mesodérmica que dá origem tanto ao endotélio vascular como aos hemocitoblastos.

he·man·gio·blas·to·ma (he-man"je-o-blast-to'mah) – hemangioblastoma; tumor de vaso sangüíneo benigno do cerebelo, medula espinhal ou retina, que consiste de células de vasos sangüíneos e angioblastos proliferados.

he·man·gio·en·do·the·lio·blas·to·ma (-en"do-thēl"e-o-blas-to'mah) – hemangioendotelioblastoma; tumor de origem mesenquimatosa a partir do qual as células tendem a formar células endoteliais e revestir vasos sangüíneos.

he·man·gio·en·do·thel·lio·ma (-en"do-the"le-o'-mah) – hemangioendotelioma; neoplasia verdadeira de origem vascular, caracterizada por proliferação de células endoteliais dentro e ao redor do lúmen vascular; algumas vezes utilizado para denotar o hemangiossarcoma.

he·man·gio·en·do·the·lio·sar·co·ma (-en"do-the"le-o-sahr-ko'mah) – hemangioendoteliossarcoma; hemangiossarcoma (*hemangiosarcoma*).

he·man·gi·o·ma (he-man"je-o'mah) – hemangioma: 1. tumor benigno, geralmente em bebês ou crianças, constituído de vasos sangüíneos recém-formados e resultante de malformação de tecido angioblástico da vida fetal; 2. tumor vascular benigno ou maligno semelhante ao tipo clássico, mas que ocorre em qualquer idade. **ameloblastic h.** – h. ameloblástico; hemangioameloblastoma. **capillary h.** – h. capilar: 1. tipo mais comum, composto de agregados intimamente reunidos de capilares, geralmente de calibre normal, separados por um estroma conjuntivo escasso; 2. h. em morango. **cavernous h.** – h. cavernoso; tumor esponjoso vermelho-azulado constituído de estrutura de tecido conjuntivo que envolve grandes espaços vasculares cavernosos que contêm sangue. **sclerosing h.** – h. esclerosante; forma de histiocitoma fibroso benigno caracterizada por elementos histiocíticos e fibroblásticos, numerosos vasos sangüíneos e depósitos de hemossiderina. **strawberry h.** – h. em morango: 1. hemangioma em forma de cúpula, firme e vermelho-opaco, presente no nascimento ou início da infância, geralmente na cabeça ou pescoço, crescendo rapidamente e geralmente regredindo e involuindo sem formar cicatriz; 2. nervo vascular. **venous h.** – h. venoso; tipo de hemangioma cavernoso em que os vasos dilatados têm paredes fibrosas espessas.

he·man·gio·peri·cy·to·ma (he-man"je-o-per´ĭ-si-to'mah) – hemangiopericitoma; tumor composto de células fusiformes com uma rede vascular rica, que aparentemente surge a partir dos pericitos. **h. of kidney** – h. renal; tumor de célula justaglomerular.

he·man·gio·sar·co·ma (-sahr-ko'mah) – hemangiossarcoma; tumor maligno de origem vascular, formado pela proliferação do tecido endotelial que reveste os canais vasculares irregulares.

he·ma·phe·re·sis (hem"ah-fē-rĭ´sis) – hemaférese; qualquer procedimento em que se retira sangue, separando-se e retendo-se uma porção (plasma, leucócitos, plaquetas etc.) retransfundindo-se o restante ao doador.

he·mar·thro·sis (he"mahr-thro'sis) – hemartrose; extravasamento de sangue em uma articulação ou em sua cavidade sinovial.

he·ma·tem·e·sis (he"mah-tem'ĕ-sis) – hematêmese; vômito de sangue.

he·ma·ther·mous (-ther'mus) – hematérmico; homotérmico.

he·mat·ic (he-mat'ik) – hemático: 1. relativo ou que contém sangue; 2. hematínico; hêmico.

he·ma·tid·ro·sis (he"mah-tĭ-dro'sis) – hematidrose; excreção de suor sanguinolento.

he·ma·tin (he'mah-tin) – hematina: 1. hidróxido de heme; estimula a síntese de globina, inibe a síntese de porfirina e é um componente de citocromos e peroxidases; também é utilizado como reagente; 2. hemina.

he·ma·tin·ic (he"mah-tin'ik) – hematínico: 1. relativo à hematina (heme); 2. agente que melhora a qualidade do sangue, aumentando o nível hemoglobínico e o número de hemácias.

he·ma·tin·uria (he"mah-tǐ´-nu're-ah) – hematinúria; presença de hematina (heme) na urina.

hemat(o)- [Gr.] – elemento de palavra, *sangue*. Ver também palavras que começam com *hem-* e *hemo-*.

he·ma·to·cele (he'mah-to-, hem'ah-to-sēl") – hematocele; derrame de sangue no interior de uma cavidade, especialmente no interior da túnica vaginal testicular. **parametric h., pelvic h., retrouterine h.** – h. paramétrica; h. pélvica; h. retrouterina; edema formado por derrame de sangue no interior da bolsa de Douglas.

he·ma·to·che·zia (he"mah-to-ke'ze-ah) – hematoquezia; eliminação de fezes sanguinolentas.

he·ma·to·chy·lu·ria (-ki-lu're-ah) – hematoquilúria; descarga de sangue e quilo junto com a urina, devido à *Wuchereria bancrofti.*

he·ma·to·coe·lia (-sēl'e-ah) – hematocelia; derrame de sangue no interior da cavidade peritoneal.

he·ma·to·col·po·me·tra (-kol"po-me'trah) – hematocolpometria; acúmulo de sangue menstrual na vagina e útero.

he·ma·to·col·pos (-kol'pos) – hematocolpo; acúmulo de sangue na vagina.

he·ma·to·crit (he-mat'o-krit) – hematócrito; porcentagem volumétrica de hemácias no sangue completo; também, o aparelho ou o procedimento utilizado em sua determinação.

he·ma·to·cy·tu·ria (he"mah-to-si-tu're-ah) – hematocitúria; presença de hemácias na urina.

he·ma·to·gen·ic (-jen'ik) – hematogênico: 1. hematopoiético; 2. hematogênico.

he·ma·tog·e·nous (he"mah-toj'ĭ-nus) – hematogênico: 1. produzido ou derivado do sangue; 2. disseminado pela corrente sanguínea.

he·ma·toid·in (he"mah-toid'in) – hematoidina; substância aparentemente idêntica à bilirrubina quimicamente, mas formada nos tecidos a partir da hemoglobina, particularmente sob condições de diminuição da tensão de oxigênio.

he·ma·tol·o·gy (he"mah-tol'ah-je) – hematologia; ciência relacionada à morfologia do sangue e tecidos formadores de sangue, e sua fisiologia e patologia.

he·ma·to·lymph·an·gi·o·ma (hem"ah-to-lim-fan"je-o'mah) – hematolinfangioma; tumor benigno composto de vasos sangüíneos e linfáticos.

he·ma·tol·y·sis (he"mah-tol'ĭ-sis) – hematólise; hemólise. **hematolyt'ic** – adj. hematolítico.

he·ma·to·ma (he"mah-to'mah) pl. *hematomas* – hematoma; coleção localizada de sangue extravasado, geralmente coagulado, em um órgão, espaço ou tecido. **subdural h.** – h. subdural; coágulo sangüíneo maciço por baixo da dura-máter, que causa sintomas neurológicos pela pressão no cérebro.

he·ma·to·me·di·as·ti·num (hem"ah-to-me"de-as-ti'num) – hematomediastino; hemomediastino.

he·ma·to·me·tra (-me'trah) – hematometria; acúmulo de sangue no útero.

he·ma·tom·e·try (he"mah-tom'ě-tre) – hematometria; medição da hemoglobina e estimativa da porcentagem de várias células no sangue.

he·ma·to·my·e·lia (hem"ah-to-mi-e'le-ah) – hematomielia; hemorragia no interior da substância da medula espinhal.

he·ma·to·my·eli·tis (-mi"il-ī t'is) – hematomielite; mielite aguda com derrame sanguinolento no interior da medula espinhal.

he·ma·to·my·elo·pore (-mi'il-por) – hematomieloporo; formação de canais na medula espinhal devido a hemorragia.

he·ma·to·pa·thol·o·gy (-pah-thol'ah-je) – hematopatologia; estudo das doenças do sangue.

he·ma·to·pha·gia (-fa'jah) – hematofagia; 1. que bebe sangue; 2. que subsiste com sangue; 3. hemocitofagia. **hematoph'agous** – adj. hematófago.

he·ma·to·poi·e·sis (-poi-e'sis) – hematopoiese; formação e desenvolvimento de células sangüíneas. **extramedullary h.** – h. extramedular; hematopoiese que ocorre externamente à medula óssea como no baço, fígado e linfonodos.

he·ma·to·poi·et·ic (-poi-et'ik) – hematopoiético: 1. relativo ou que afeta a formação de células sangüíneas; 2. agente que promove a formação de células sangüíneas.

he·ma·to·por·phy·rin (-por'fǐ-rin) – hematoporfirina; derivado sem ferro da heme, produto da decomposição da hemoglobina.

he·ma·tor·rha·chis (he"mah-tor'ah-kis) – hematorraquia; hematomielia (*hematomyelia*).

he·ma·tor·rhea (he"mah-to-re'ah) – hematorréia; hemorragia abundante.

he·ma·to·sal·pinx (-sal'pinks) – hematossalpinge; acúmulo de sangue na tuba uterina.

he·ma·to·sper·mato·cele (-sper-mat'o-sēl) – hematospermatocele; espermatocele que contém sangue.

he·ma·tos·te·on (he"mah-tos'te-on) – hematósteo; hemorragia no interior da cavidade medular de um osso.

he·ma·to·tox·ic (he"mah-to-tok'sik) – hematotóxico: 1. relativo a intoxicação sangüínea; 2. venenoso ao sangue e ao sistema hematopoiético.

he·ma·to·trop·ic (-trop'ik) – hematotrópico; que tem afinidade específica ou que exerce um efeito específico no sangue ou células sangüíneas.

he·ma·tox·y·lin (he"mah-tok'sǐ-lin) – hematoxilina; material corante ácido proveniente do cerne da *Haematoxylon campechianum;* utilizado como corante histológico e também como indicador.

he·ma·tu·ria (he"mah-tu're-ah) – hematúria; presença de sangue na urina. **endemic h.** – h. endêmica; esquistossomíase urinária. **enzootic bovine h.** – h. enzoótica bovina; doença dos bovinos, que se caracteriza por sangue na urina, anemia e debilitação. **essential h.** – h. essencial; hematúria para qual não se determinou nenhuma causa. **false h.** – h. falsa; vermelhidão da urina em conseqüência de ingestão de alimento ou drogas que contenham pigmentos. **renal h.** – h. renal; hematúria em que o sangue provém do rim. **urethral h.** – h.

GHI

uretral; hematúria em que o sangue provém da uretra. **vesical h.** – h. vesical; hematúria em que o sangue provém da bexiga.

heme (hēm) – heme; composto de ferro da protoporfirina que constitui a porção pigmentar ou a parte sem proteínas da molécula de hemoglobina e é responsável por suas propriedades de transporte de oxigênio.

hem·er·a·lo·pia (hem"er-ah-lo'pe-ah) – hemeralopia; cegueira diurna.

hemi- [Gr.] – elemento de palavra, *metade.*

hemi·achro·ma·top·sia (hem"e-ah"kro-mah-top'se-ah) – hemiacromatopsia; cegueira colorida na metade ou metades correspondentes do campo visual.

hemi·ageu·sia (-ah-goo'ze-ah) – hemiageusia; ageusia em um lado da língua.

hemi·amy·os·the·nia (-ah-mi"os-the'ne-ah) – hemiamiostenia; falta de força muscular em um lado do corpo.

hemi·an·al·ge·sia (-an"al-je'ze-ah) – hemianalgesia; analgesia em um lado do corpo.

hemi·an·es·the·sia (-an"es-the'zhah) – hemianestesia; anestesia unilateral; anestesia de um lado do corpo. **crossed h., h. crucia'ta** – h. cruzada; perda da sensação em um lado da face e perda de sensação de dor e da temperatura no lado oposto do corpo.

hemi·an·o·pia (-an-o'pe-ah) – hemianopia; visão defeituosa ou cegueira na metade do campo visual de um ou ambos os olhos; imprecisamente, um escotoma em menos da metade do campo visual de um ou ambos os olhos. **absolute h.** – h. absoluta; cegueira à luz, às cores e à forma em metade do campo visual. **binasal h.** – h. binasal; hemianopia em que o defeito se encontra na metade nasal do campo visual de cada olho. **binocular h.** – h. binocular; h. verdadeira. **bitemporal h.** – h. bitemporal; hemianopia em que o defeito se encontra na metade temporal do campo visual de cada olho. **complete h.** – h. completa; hemianopia que afeta toda a metade do campo visual em cada olho. **congruous h.** – h. congruente; hemianopia em que o defeito é aproximadamente o mesmo em cada olho. **crossed h.** – h. cruzada; h. heterônima. **heteronymous h.** – h. heterônima; hemianopia que afeta tanto as metades nasais como as temporais do campo de visão. **homonymous h.** – h. homônima; hemianopia que afeta a metade nasal do campo de visão de um olho e a metade temporal do outro. **nasal h.** – h. nasal; hemianopia que afeta a metade medial do campo visual, ou seja, a metade mais próxima do nariz. **quadrant h., quadrantic h.** – h. quadrântica; quadrantanopia. **temporal h.** – h. temporal; hemianopia que afeta a metade vertical lateral do campo visual, ou seja, a metade mais próxima da têmpora.

hemi·aprax·ia (-ah-prak'se-ah) – hemiapraxia; apraxia somente em um lado do corpo.

hemi·atax·ia (-ah-tak'se-ah) – hemiataxia; ataxia em um lado do corpo.

hemi·ath·e·to·sis (-ath"ĭ -to'sis) – hemiatetose; atetose de um lado do corpo.

hemi·at·ro·phy (-ă-tro-fe) – hemiatrofia; atrofia de um lado do corpo ou de metade de um órgão ou parte.

hemi·ax·i·al (-ak'se-al) – hemiaxial; em qualquer ângulo oblíquo ao eixo longitudinal do corpo ou uma parte.

hemi·bal·lis·mus (-bah-liz'mus) – hemibalismo; forma violenta de discinesia que envolve um lado do corpo, e mais acentuada na extremidade superior.

hemi·blad·der (hem'e-blad"er) – hemibexiga; meia-bexiga; anomalia de desenvolvimento em que a bexiga se forma como duas partes fisicamente separadas, cada uma delas com o seu próprio ureter.

hemi·block (-blok) – hemibloqueio; falha na condução do impulso cardíaco em qualquer das duas divisões principais do ramo esquerdo do feixe de His; a interrupção pode ocorrer tanto na divisão anterior (superior) como na posterior.

he·mic (he'mik, hem'ik) – hêmico; hemal; relativo ao sangue.

hemi·car·dia (hem"e-kahr'de-ah) – hemicardia: 1. anomalia congênita caracterizada pela presença de quatro câmaras somente de um lado de um coração; 2. Qualquer metade lateral de um coração normal.

hemi·cen·trum (-sen'trum) – hemicentro; qualquer metade lateral de um centro vertebral.

hemi·cho·rea (-kor'e-ah) – hemicoréia; coréia que afeta somente um lado do corpo.

hemi·chro·ma·top·sia (-kro"mah-top'se-ah) – hemicromatopsia; cegueira colorida em metade do campo visual.

hemi·cra·nia (-kra'ne-ah) – hemicrânia; enxaqueca: 1. dor de cabeça unilateral; 2. anencefalia incompleta. **chronic paroxysmal h.** – h. paroxística crônica; tipo de dor de cabeça unilateral semelhante à dor de cabeça em cacho, mas que ocorre em paroxismos de meia-hora ou menos, várias vezes ao dia, algumas vezes ao ano.

hemi·cra·ni·o·sis (-kra"ne-o'sis) – hemicraniose; hiperostose de um lado do crânio e da face.

hemi·des·mo·some (-des'mo-sōm) – hemidesmossoma; estrutura que representa a metade de um desmossoma; encontrado na superfície basal de algumas células epiteliais, formando o local de ligação entre a superfície basal da célula e a membrana basal.

hemi·dia·pho·re·sis (-di"ah-for-e'sis) – hemidiaforese; hemi-hiperidrose.

hemi·dys·es·the·sia (-dis"es-the'zhah) – hemidisestesia; disestesia em um lado do corpo.

hemi·epi·lep·sy (-pe'il-ep"se) – hemiepilepsia; epilepsia que afeta um lado do corpo.

hemi·fa·cial (-fa'shil) – hemifacial; relativo ou que afeta metade da face.

hemi·gas·trec·to·my (-gas-trek'tah-me) – hemigastrectomia; excisão de metade do estômago.

hemi·geu·sia (-goo'ze-ah) – hemigeusia; hemiageusia (*hemiageusia*).

hemi·glos·sec·to·my (-glos-ek'tah-me) – hemiglossectomia; excisão de um lado da língua.

hemi·glos·si·tis (-glos-ī't'is) – hemiglossite; inflamação de metade da língua.

hemi·hi·dro·sis (-hi-dro'sis) – hemidrose; sudorese somente em um lado do corpo.

hemi·hy·pal·ge·sia (-hī p"al-je'ze-ah) – hemi-hipalgesia; redução da sensibilidade à dor em um lado do corpo.

hemi·hy·per·es·the·sia (-hi"per-es-the'zhah) – hemi-hiperestesia; aumento da sensibilidade de um lado do corpo.

hemi·hy·per·idro·sis (-hi"per-i-dro'sis) – hemi-hiperidrose; transpiração excessiva em um lado do corpo.

hemi·hy·per·tro·phy (-hi-per'trah-fe) – hemi-hipertrofia; crescimento excessivo de um lado do corpo ou uma parte.

hemi·hy·pes·the·sia (-hi"pes-the'zhah) – hemi-hipestesia; redução da sensibilidade em um lado do corpo.

hemi·hy·po·to·nia (-hi"po-to'ne-ah) – hemi-hipotonia; diminuição do tônus muscular de um lado do corpo.

hemi·in·at·ten·tion (-in-ah-ten'shun) – hemidesatenção; negligência unilateral.

hemi·lam·i·nec·to·my (-lam"ĭ-nek'tah-me) – hemilaminectomia; remoção de uma lâmina vertebral somente em um lado.

hemi·lar·yn·gec·to·my (-lar"in-jek'tah-me) – hemilaringectomia; excisão da metade lateral da laringe.

hemi·lat·er·al (-lat'er-al) – hemilateral; que afeta somente uma metade lateral do corpo.

he·min (he'min) – hemina: 1. quelato porfirínico de ferro, derivado das hemácias; cloreto de heme. É utilizada para tratar os sintomas de várias porfirias; 2. hematina.

hemi·ne·phrec·to·my (hem"e-nĕ-frek'tah-me) – heminefrectomia; excisão de parte (metade) de um rim.

hemi·opia (-o'pe-ah) – hemiopia; hemianopia (*hemianopia*). **hemiop'tic** – adj. hemióptico.

hemi·par·a·ple·gia (-par"ah-ple'jah) – hemiparaplegia; paralisia da metade inferior de um lado.

hemi·pa·re·sis (-pah-re'sis) – hemiparesia; paresia que afeta um lado do corpo.

hemi·pa·ret·ic (-pah-ret'ik) – hemiparético: 1. relativo a hemiparesia; 2. pessoa afetada por hemiparesia.

hemi·pla·cen·ta (-plah-sen'tah) – hemiplacenta; órgão composto do córion, saco vitelino e, geralmente, do alantóide, que coloca os embriões marsupiais em relacionamento temporário com o útero materno.

hemi·ple·gia (-ple'jah) – hemiplegia; paralisia de um lado do corpo. **hemiple'gic** – adj. hemiplégico. **alternate h.** – h. alternada; paralisia de um lado da face e do lado oposto do corpo. **cerebral h.** – h. cerebral; hemiplegia decorrente de lesão cerebral. **crossed h.** – h. cruzada; h. alternada. **facial h.** – h. facial; paralisia de um lado da face. **spastic h.** – h. espástica; hemiplegia com espasticidade dos músculos afetados e aumento dos reflexos tendíneos. **spinal h.** – h. espinhal; hemiplegia decorrente de lesão da medula espinhal.

He·mip·tera (he-mip'ter-ah) – Hemiptera; ordem de insetos (alados ou não) que inclui os percevejos comuns, tendo partes bucais adaptadas para perfurar e sugar; hemípteros.

hemi·ra·chis·chi·sis (hem"ĭ -rah-kis'kĭ -sis) – hemirraquisquise; raquisquise sem o prolapso da medula espinhal.

hemi·sec·tion (-sek'shun) – hemissecção: 1. bissecção; 2. divisão em duas partes iguais.

hemi·spasm (hem'ĭ -spazm) – hemiespasmo; espasmo que afeta somente um lado.

hemi·sphere (hem'is-fēr) – hemisfério; metade de uma estrutura ou órgão esféricos ou irregularmente esféricos. **cerebellar h.** – h. cerebelar; um dos dois lobos do cerebelo laterais ao verme cerebelar. **cerebral h.** – h. cerebral; uma das estruturas pareadas que formam o volume do cérebro humano, que juntas compreendem o córtex cerebral, centro semi-oval, gânglios basais e rinencéfalo e contêm os ventrículos laterais. **dominant h.** – h. dominante; hemisfério cerebral que se relaciona mais que o outro à integração das sensações e controle das funções voluntárias.

hemi·sphe·ri·um (hem"is-fe're-um) [L.] pl. *hemispheria* – hemisfério; ambos os hemisférios cerebrais.

hemi·ver·te·bra (hem"ĭ -vurt'ĭ -brah) – hemivértebra; anomalia de desenvolvimento em que um lado de uma vértebra desenvolve-se incompletamente.

hemi·zy·gos·i·ty (-zi-gos'ĭ -te) – hemizigosidade; estado de ter somente um de um par de alelos que transmitem uma característica específica. **hemizy'gous** – adj. hemizigótico.

hem(o)- [Gr.] – elemento de palavra, *sangue*. Ver também as palavras com prefixo *hemato-*.

he·mo·blast (he'mo-blast) – hemoblasto; hemocitoblasto. **lymphoid h. of Pappenheim** – h. linfóide de Pappenheim; pronormoblasto.

he·mo·ca·ther·e·sis (-kah-ther'ĭ -sis) – hemocaterese; destruição de células sangüíneas. **hemocatheret'ic** – adj. hemocaterético.

He·moc·cult (he'mo-kult) – Hemoccult, marca registrada de reagente guáiaco na prova de fita para sangue oculto.

he·mo·cho·ri·al (he"mo-kor'e-al) – hemocorial; denota um tipo de placenta em que o sangue materno tem contato direto com o córion.

he·mo·chro·ma·to·sis (-kro"mah-to'sis) – hemocromatose; distúrbio do metabolismo do ferro com deposição excessiva de ferro nos tecidos, pigmentação bronzeada da pele, cirrose hepática e diabetes melito. **hemochromatot'ic** – adj. hemocromatótico.

he·mo·con·cen·tra·tion (-kon"sen-tra'shun) – hemoconcentração; decréscimo do teor hídrico do sangue com aumento resultante na concentração de seus elementos formados.

he·mo·co·nia (-ko'ne-ah) [L.] – hemocônia; pequenos corpúsculos redondos ou em forma de halteres que exibem um movimento browniano, observados nas plaquetas sangüíneas em microscopia de campo escuro de um filme úmido de sangue.

he·mo·cy·a·nin (-si'ah-nin) – hemocianina; pigmento respiratório azul que contém cobre, e ocorre no sangue de moluscos e artrópodos.

he·mo·cyte (he'mo-sīt) – hemócito; célula sangüínea.

he·mo·cy·to·blast (he"mo-si'to-blast") – hemocitoblasto; célula mesenquimatosa livre a partir da qual, de acordo com alguns teóricos, todas as outras células sangüíneas são derivadas.

he·mo·cy·to·blas·to·ma (-si"to-blas-to'mah) – hemocitoblastoma; leucemia não-diferenciada aguda.

he·mo·cy·to·ca·ther·e·sis (-kah-ther'ĭ-sis) – hemocitoaterese; hemólise (*hemolysis*).

he·mo·cy·tom·e·ter (-si-tom'it-er) – hemocitômetro; instrumento utilizado na contagem de células sangüíneas.

he·mo·cy·to·trip·sis (-si"to-trip'sis) – hemocitotripsia; desintegração das células sangüíneas por meio de pressão.

he·mo·di·ag·no·sis (-di"ag-no'sis) – hemodiagnóstico; diagnóstico por meio de exame de sangue.

he·mo·di·al·y·sis (-di-al'ĭ-sis) – hemodiálise; remoção de determinados elementos do sangue em virtude da diferença nas velocidades de sua difusão através de uma membrana semipermeável, enquanto circulam externamente ao corpo.

he·mo·di·a·lyz·er (-di-ah-lī z"er) – hemodialisador; aparelho para realizar hemodiálise.

he·mo·di·lu·tion (-di-loo'shun) – hemodiluição; aumento no teor fluidico do sangue, resultando em diminuição na concentração de elementos formados.

he·mo·dy·nam·ics (-di-nam'iks) – hemodinâmica; estudo dos movimentos do sangue e das forças implicadas no processo. **hemodynam'ic** – adj. hemodinâmico.

he·mo·en·do·the·li·al (-en-do-thēl'e-al) – hemoendotelial; denota um tipo de placenta em que o sangue materno entra em contato com o endotélio dos vasos coriônicos.

he·mo·fil·tra·tion (-fil-tra'shun) – hemofiltração; remoção dos detritos provenientes do sangue pela passagem do sangue através de filtros extracorporais.

he·mo·flag·el·late (-flaj'ĕ-lāt) – hemoflagelado; qualquer parasita protozoário flagelado do sangue; o termo inclui os gêneros *Trypanosoma* e *Leishmania*.

he·mo·fus·cin (-fūs'in) – hemofuscina; pigmento amarelo-amarronzado que resulta da decomposição da hemoglobina; concede à urina uma cor vermelho-escura.

he·mo·glo·bin (he'mo-glo"bin) – hemoglobina; pigmento que transporta oxigênio das hemácias, formado pelo desenvolvimento de hemácias na medula óssea, constituído de quatro cadeias polipeptídicas de globinas diferentes, cada uma delas composta de várias centenas de aminoácidos. A hemoglobina A é a hemoglobina adulta normal. Descreveram-se muitas hemoglobinas anormais, incluindo a E, H, M e S; a homozigosidade para a hemoglobina S resulta em anemia falciforme, heterozigosidade resulta em característica de célula falciforme. Símbolo Hb. **fetal h.** – h. fetal; hemoglobina que forma mais da metade da hemoglobina fetal, presente em quantidades mínimas nos adultos e anormalmente elevada em determinados distúrbios sangüíneos. **muscle h.** – h. do músculo; mioglobina. **reduced h.** – h.

reduzida; hemoglobina não-combinada com o oxigênio.

he·mo·glo·bin·emia (he"mo-glo"bin-ēm'e-ah) – hemoglobinemia; presença de um excesso de hemoglobina no plasma sangüíneo.

he·mo·glo·bin·ol·y·sis (-ol'ĭ-sis) – hemoglobinólise; divisão da hemoglobina.

he·mo·glo·bin·om·e·ter (-om'it-er) – hemoglobinômetro; instrumento laboratorial para a determinação colorimétrica do teor de hemoglobina do sangue.

he·mo·glo·bin·op·a·thy (-op'ah-the) – hemoglobinopatia; distúrbio hematológico resultante de alteração na estrutura molecular geneticamente determinada da hemoglobina, com anomalias clínicas e laboratoriais características e freqüentemente anemia definida.

he·mo·glo·bin·uria (-ūr-e-ah) – hemoglobinúria; presença de hemoglobina livre na urina. **hemoglobinu'ric** – adj. hemoglobinúrico. **bacillary h.** – h. bacilar; doença toxêmica infecciosa devido à *Clostridium haemolyticum*, que afeta primariamente os bovinos; os sintomas incluem febre, diarréia sangüinolenta, urina vermelho-escura, anemia e hemoglobinúria. **march h.** – h. de marcha; hemoglobinúria que ocorre após exercício prolongado. **paroxysmal nocturnal h. (PNH)** – h. noturna paroxística; discrasia de células sangüíneas adquirida crônica, marcada por episódios de hemólise intravascular e trombose venosa. **toxic h.** – h. tóxica; hemoglobinúria em conseqüência de ingestão de vários venenos.

he·mo·his·tio·blast (-his-te-o-blast") – hemo-histioblasto; célula mesenquimatosa hipotética a partir da qual todas as células sangüíneas derivam.

he·mo·ki·ne·sis (-kĭ-ne'sis) – hemocinese; fluxo de sangue no corpo. **hemokinet'ic** – adj. hemocinético.

he·mo·lymph (he'mo-limf") – hemolinfa: 1. sangue e linfa; 2. fluido semelhante ao sangue dos invertebrados que apresentam sistema vascular sangüíneo aberto.

he·mol·y·sin (he-mol'ĭ-sin) – hemolisina; substância que libera a hemoglobina das hemácias através da interrupção de sua integridade estrutural.

he·mol·y·sis (he-mol'ĭ-sis) – hemólise; liberação de hemoglobina, consistindo na separação da hemoglobina das hemácias e de seu aparecimento no plasma. **hemolyt'ic** – adj. hemolítico. **immune h.** – h. imune; lise por complemento das hemácias sensibilizadas como conseqüência de interação com anticorpos específicos para as hemácias.

he·mo·lyze (he'mo-līz) – hemolisar; sujeitar-se a ou sofrer hemólise.

he·mo·me·di·as·ti·num (he"mo-me"de-as-ti'-num) – hemomediastino; derrame de sangue no mediastino.

he·mo·me·tra (-me'trah) – hemometria; hematometria.

he·mo·pa·thol·o·gy (-pah-thol'ah-je) – hemopatologia; estudo das doenças do sangue.

he·mop·a·thy (he-mop'ah-the) – hemopatia; qualquer doença do sangue. **hemopath'ic** – adj. hemopático.

he·mo·peri·car·di·um (he"mo-pĕ"ri-kahr'de-um) – hemopericárdio; derrame de sangue no pericárdio.

he·mo·pex·in (-pek'sin) – hemopexina; glicoproteína sérica que se liga à heme.

he·mo·phago·cyte (-fag'o-sī t) – hemofagócito; fagócito que destrói células sangüíneas.

he·mo·phil (hĕm-o-fil) – hemófilo: 1. organismo que sobrevive com sangue; 2. microrganismo que cresce melhor em meios que contêm hemoglobina.

he·mo·phil·ia (he"mo-fil'e-ah) – hemofilia; diátese hemorrágica hereditária devido a deficiência de um fator de coagulação sangüínea. **h. A** – h. A; hemofilia clássica; uma forma recessiva ligada ao cromossoma X que afeta os homens, decorrente de deficiência do fator de coagulação VIII. **h. B** – h. B; deficiência do fator IX; ver *coagulation factors*, em *factor*. **h. C** – h. C; deficiência do fator XI; ver *coagulation factors*, em *factor*. **classical h.** – h. clássica; h. A. **vascular h.** – h. vascular; moléstia de von Willebrand.

he·mo·phil·ic (-fil'ik) – hemofílico: 1. que tem afinidade por sangue; em Bacteriologia, que cresce bem em meios de cultura que contêm sangue ou com afinidade nutricional por constituintes do sangue fresco; 2. relativo ou caracterizado por hemofilia.

he·mo·phil·i·oid (-fil'e-oid) – hemofilióide; semelhante clinicamente à hemofilia clássica; aplicado a vários distúrbios hemorrágicos hereditários ou adquiridos que não se devem somente à deficiência do fator de coagulação VIII.

He·moph·i·lus (he-mof'il-us) – *Hemophilus; Haemophilus.*

he·mo·plas·tic (he"mo-plas'tik) – hemoplásico; hematopoiético.

he·mo·pneu·mo·peri·car·di·um (-noo"mo-per"-ĭ-kahr'de-um) – hemopneumopericárdio; pneumohemopericárdio (*pneumohemopericardium*).

he·mo·pneu·mo·tho·rax (-noo"mo-thor'aks) – hemopneumotórax; pneumotórax com derrame hemorrágico.

he·mo·pre·cip·i·tin (-pre-sip'it-in) – hemoprecipitina; precipitina sangüínea.

he·mo·pro·tein (-pro'tēn) – hemoproteína; proteína conjugada que contém heme como o grupo prostético.

he·mop·so·nin (he"mop-so'nin) – hemopsonina; opsonina que torna as hemácias mais sujeitas à fagocitose.

he·mop·ty·sis (he-mop'tĭ-sis) – hemoptise; ato de emitir sangue ou esputo tingido de sangue. **parasitic h.** – h. parasitária; doença em conseqüência de infecção dos pulmões por trematódeos pulmonares do gênero *Paragonimus*, com tosse e expectoração de sangue e deterioração gradual da saúde.

hem·or·rhage (hem'ah-rij) – hemorragia; escape de sangue a partir dos vasos; sangramento. **hemorrag'ic** – adj. hemorrágico. **capillary h.** – h. capilar; exsudação de sangue a partir dos vasos diminutos. **cerebral h.** – h. cerebral; hemorragia no interior do cérebro; ver *stroke syndrome*, em *syndrome*. **concealed h.** – h. oculta; h. interna. **fibrinolytic h.** – h. fibrinolítica; hemorragia devido a anomalias no sistema fibrinolítico. **internal h.** – h. interna; hemorragia em que o sangue extravasado permanece no interior do corpo. **nasal h.** – h. nasal; epistaxe. **petechial h.** – h. petequial; hemorragia subcutânea que ocorre em manchas diminutas. **postpartum h.** – h. pós-parto; hemorragia que se segue ao parto ou nascimento.

hem·or·rha·gin (hem'ah-ra'jin) – hemorragina; citolisina em determinados venenos ou peçonhas que é destrutiva a células endoteliais e vasos sangüíneos.

he·mor·rhea (he'mo-re'ah) – hemorréia; hematorréia (*hematorrhea*).

he·mor·rhe·ol·o·gy (he"mo-re-ol'ah-je) – hemorreologia; estudo das propriedades de deformação e fluxo dos componentes celulares e plasmáticos do sangue nas dimensões macroscópica, microscópica e submicroscópica e das propriedades reológicas da estrutura dos vasos com as quais o sangue entra em contato direto.

hem·or·rhoid (hem"ah-roid) – hemorróida; dilatação varicosa de uma veia do plexo hemorroidal superior ou inferior. **hemorrhoi'dal** – adj. hemorroidal; hemorroidário. **external h.** – h. externa; dilatação varicosa de uma veia do plexo hemorroidal inferior, distal à linha pectinada e recoberta com pele anal modificada. **internal h.** – h. interna; dilatação varicosa de uma veia do plexo hemorroidal superior, originando-se acima da linha pectinada e recoberta pela membrana mucosa. **prolapsed h.** – h. prolapsada; hemorróida interna que desceu abaixo da linha pectinada e protraiu-se para fora do esfíncter anal. **strangulated h.** – h. estrangulada; hemorróida interna que se protraiu suficientemente e por um tempo longo o bastante para interromper seu suprimento sangüíneo através da ação constritora do esfíncter anal. **thrombosed h.** – h. trombosada; hemorróida que contém sangue coagulado.

hem·or·rhoid·ec·to·my (hem"ah-roi-dek'tah-me) – hemorroidectomia; excisão de hemorróidas.

he·mo·sid·er·in (he"mo-sid'er-in) – hemossiderina; forma insolúvel de ferro de armazenamento tecidual, visível microscopicamente com ou sem o uso de corantes especiais.

he·mo·sid·er·o·sis (-sid"er-o'sis) – hemossiderose; aumento focal ou generalizado dos depósitos teciduais de ferro sem danos teciduais associados. **pulmonary h.** – h. pulmonar; deposição de quantidades anormais de hemossiderina nos pulmões, devido a sangramento no interstício pulmonar.

he·mo·sta·sis (he"mo-sta'sis, he-mos'tah-sis) – hemostasia: 1. interrupção do sangramento através das propriedades fisiológicas da vasoconstrição e coagulação ou por meios cirúrgicos; 2. interrupção do fluxo sangüíneo através de qualquer vaso ou qualquer área anatômica.

he·mo·stat (he'mo-stat) – hemostato: 1. pequena pinça cirúrgica para constrição dos vasos sangüíneos; 2. agente anti-hemorrágico.

he·mo·ther·a·py (he"mo-thĕ'rah-pe) – hemoterapia; uso de sangue ou seus produtos no tratamento de uma doença.

he·mo·tho·rax (-thor'aks) – hemotórax; derrame de sangue no interior da cavidade pleural.

he·mo·tox·ic (-tok'sik) – hemotóxico; hematotóxico (*hematotoxic*).

he·mo·tox·in (-tok'sin) – hemotoxina; exotoxina que se caracteriza pela atividade hemolítica.

he·mo·troph (he'mo-trōf) – hemotrofo; soma total de substâncias nutritivas fornecidas ao embrião a partir do sangue materno. **hemotroph'ic** – adj. hemotrófico.

hen·ry (hen're) – henry; unidade de indutância elétrica, equivalente a um weber por ampère. Símbolo H.

HEP – hepatoerythropoietic porphyria (porfiria hepatoeritropoiética).

Hep·ad·na·vi·ri·dae (hep-ad"nah-vir'ī -de) – Hepadnaviridae; vírus semelhantes aos da hepatite B: uma família de vírus de DNA que causa infecções e se associa a doenças crônicas e neoplasias; existe um único gênero (*Hepadnavirus*).

Hep·ad·na·vi·rus (hep-ad'nah-vi"rus) – *Hepadnavirus*; vírus semelhantes aos da hepatite B: um gênero de vírus da família Hepadnaviridae que se multiplicam nos núcleos dos hepatócitos e induzem infecção persistente, incluindo o vírus da hepatite B, vírus da hepatite B dos patos e outros patógenos animais.

he·par (he'par) [Gr.] – fígado (*liver*).

hep·a·ran sul·fate (hep'ah-ran) – sulfato de heparan; glicosaminoglicano que ocorre na membrana celular da maioria das células, consistindo de unidade dissacarídica repetida e resíduos de ácido urônico e glicosamina, que podem se acetilar e sulfatar; ele se acumula em várias mucopolissacaridoses.

hep·a·rin (hep'ah-rin) – heparina; glicosaminoglicano sulfatado de composição mista, liberada por mastócitos e basófilos sangüíneos em muitos tecidos (especialmente no fígado e pulmões), e apresentando propriedades anticoagulantes potentes. Também possui propriedades lipotróficas, promovendo a transferência de gordura do sangue para os depósitos de gordura pela ativação da lipoproteína lipase. É utilizada como sal cálcico ou sódico na profilaxia e tratamento de distúrbios em que ocorre coagulação excessiva ou indesejável e como preservativo para amostras sangüíneas.

hep·a·ri·nize (hep'ah-rin-ī z") – heparinizar; tornar o sangue incoagulável com heparina.

hep·a·ta·tro·phia (hep"it-ah-tro'fe-ah) – hepatatrofia; atrofia do fígado.

he·pat·ic (hĕ-pat'ik) – hepático; relativo ao fígado.

hepatic(o)- [Gr.] – elemento de palavra, *ducto hepático.*

he·pat·i·co·du·o·de·nos·to·my (hĕ-pat"ī -ko-doo"o-dĕ-nos'tah-me) – hepaticoduodenostomia; hepatoduodenostomia; anastomose hepática do duodeno.

he·pat·i·co·gas·tros·to·my (-gas-tros'tah-me) – hepaticogastrostomia; anastomose do ducto hepático com o estômago.

he·pat·i·co·li·thot·o·my (-lī -thot'ah-me) – hepaticolitotomia; incisão do ducto hepático, com remoção de cálculos.

he·pat·i·cos·to·my (hĕ-pat"ī -kos'tah-me) – hepaticostomia; fistulização do ducto hepático.

he·pat·ic phos·phor·y·lase (hĕ-pat'ik fos-for'ī -lās) – fosforilase hepática; isozima hepática da fosforilase

do glicogênio; a deficiência causa distúrbio do armazenamento de glicogênio do tipo VI.

hep·a·ti·tis (hep"ah-ti'tis) pl. *hepatitides* – hepatite; inflamação do fígado. **h. A** – h. A; h. viral do tipo A; doença viral autolimitada de distribuição mundial, geralmente transmitida por ingestão oral de material infectado, mas algumas vezes transmitida parenteralmente; a maioria dos casos é clinicamente inaparente ou tem sintomas semelhantes aos de uma gripe; apresenta icterícia suave. **anicteric h.** – h. anictérica; hepatite viral sem icterícia. **h. B** – h. B; h. viral do tipo B; doença viral aguda transmitida principalmente por via parenteral, mas também oralmente, por meio de contato pessoal íntimo e da mãe para o recém-nascido. Os sintomas prodrômicos de febre, mal-estar, anorexia, náusea e vômito se reduzem com o início da icterícia clínica, do angioedema, das lesões cutâneas de urticária e artrite. Depois de 3 a 4 meses, a maioria dos pacientes recupera-se completamente, mas alguns podem se tornar portadores ou permanecer doentes cronicamente. **h. C** – h. C; h. viral do tipo C; doença viral causada pelo vírus da hepatite C, ocorrendo comumente após transfusão ou abuso de drogas parenterais; geralmente progride para uma forma crônica que é geralmente assintomática, mas pode envolver cirrose. **cholangiolitic h.** – h. colangiolítica; h. colestática (1). **cholestatic h.** – h. colestática: 1. inflamação dos ductos biliares do fígado, associada a icterícia obstrutiva; 2. inflamação hepática e colestase resultantes de reação a drogas, como estrogênios ou clorpromazinas. **h. D, delta h.** – h. D; h. delta; h. viral do tipo D; infecção pelo vírus da hepatite D, que ocorre simultaneamente ou como superinfecção no caso da hepatite B, cuja severidade ela pode aumentar. **h. E** – h. E; h. viral do tipo E; tipo transmitido por via oral-fecal, geralmente por meio de água contaminada; não ocorre infecção crônica, mas a infecção aguda pode ser fatal nas mulheres grávidas. **enterically transmitted non-A, non-B h. (ET-NANB)** – h. não-A; não-B; transmitida entericamente; h. E. **infectious h.** – h. infecciosa; h. A. **infectious necrotic h. of sheep** – h. necrótica infecciosa de ovinos; doença negra. **lupoid h.** – h. lupóide; hepatite ativa crônica com manifestações auto-imunes. **neonatal h.** – h. neonatal; hepatite de etiologia incerta que ocorre logo após o nascimento e manifesta-se por icterícia persistente prolongada que pode progredir para cirrose. **non-A, non-B** – h. não-A; não-B; síndrome de hepatite viral aguda que ocorre sem os marcadores sorológicos da hepatite A ou B, incluindo a hepatite C e a hepatite E. **post-transfusion h.** – h. pós-transfusão; hepatite viral (atualmente primariamente a hepatite C) transmitida por transfusão de sangue ou produtos sangüíneos, especialmente de produtos de doadores múltiplos reunidos como os concentrados de fatores de coagulação. **serum h.** – h. sérica; h. B. **transfusion h.** – h. por transfusão; h. pós-transfusão. **viral h.** – h. viral; h. A, h. B, h. C, h. D e h. E.

hep·a·ti·za·tion (hep"ah-tī -za'shun) – hepatização; transformação em uma massa semelhante ao fígado, especialmente o estado solidificado do pulmão em caso de pneumonia lobar. O estágio inicial (em que o exsudato pulmonar se tinge de sangue) chama-se *h. vermelha*. O estágio final (em que as hemácias se desintegram e persiste um exsudato fibrinossupurativo) chama-se *h. cinzenta*.

hepat(o)- [Gr.] – elemento de palavra, *fígado*.

hep·a·to·blas·to·ma (hep"ah-to-blas-to'mah) – hepatoblastoma; tumor intra-hepático maligno que consiste principalmente de tecido embrionário, e ocorre em bebês e crianças.

hep·a·to·car·ci·no·ma (-kahr"sin-o'mah) – hepatocarcinoma; carcinoma hepatocelular.

hep·a·to·cele (hep'ah-to-sēl) – hepatocele; hérnia hepática.

hep·a·to·cho·lan·gio·car·ci·no·ma (hep"ah-to-kolan"je-o-kahr"sin-o'mah) – hepatocolangiocarcinoma; colângio-hepatoma.

hep·a·to·cir·rho·sis (-sī'-ro'sis) – hepatocirrose; cirrose hepática.

hep·a·to·cyte (hep'ah-to-sī't") – hepatócito; célula hepática.

hep·a·to·gas·tric (hep"ah-to-gas'trik) – hepatogástrico; relativo ao fígado e estômago.

hep·a·to·gram (hep'ah-to-gram") – hepatograma: 1. traçado do pulso hepático no esfigmograma; 2. radiografia do fígado.

hep·a·toid (hep'ah-toid) – hepatóide; semelhante ao fígado.

hep·a·to·jug·u·lar (hep"ah-to-jug'u-lar) – hepatojugular; relativo ao fígado e à veia jugular; ver em *reflux*.

hep·a·to·lith (hep'ah-to-lith") – hepatólito; cálculo biliar no fígado.

hep·a·to·li·thi·a·sis (hep"ah-to-lī'-thi'ah-sis) – hepatolitíase; presença de cálculos nos ductos biliares hepáticos.

hep·a·tol·o·gy (hep"ah-tol'ah-je) – hepatologia; estudo científico do fígado e suas doenças.

hep·a·tol·y·sin (hep"ah-tol'ī-sin) – hepatolisina; citolisina que destrói células hepáticas.

hep·a·tol·y·sis (hep"ah-tol'ī-sis) – hepatólise; destruição de células hepáticas. **hepatolyt'ic** – adj. hepatolítico.

hep·a·to·ma (hep"ah-to'mah) – hepatoma: 1. tumor do fígado; 2. carcinoma hepatocelular (h. maligno).

hep·a·to·meg·a·ly (hep"ah-to-meg'ah-le) – hepatomegalia; aumento de volume do fígado.

hep·a·to·mel·a·no·sis (-mel"ah-no'sis) – hepatomelanose; melanose hepática.

hep·a·tom·pha·lo·cele (hep"ah-tom'fah-lo-sēl") – hepatonfalocele; hérnia umbilical com envolvimento hepático no saco herniário.

hep·a·to·pexy (hep'ah-to-pek'se) – hepatopexia; fixação cirúrgica de um fígado deslocado.

hep·a·to·pneu·mon·ic (hep'ah-to-noo-mon'-ik) – hepatopneumônico; relativo que afeta ou que se comunica com o fígado e pulmões.

hep·a·to·por·tal (-port'il) – hepatoportal; relativo ao sistema porta do fígado.

hep·a·to·re·nal (-rēn'il) – hepatorrenal; relativo ao fígado e aos rins.

hep·a·tor·rhex·is (hep"ah-to-rek'sis) – hepatorrexe; ruptura do fígado.

hep·a·to·sis (hep"ah-to'sis) – hepatose; qualquer distúrbio funcional do fígado. **serous h.** – h. serosa; hepatopatia venoclusiva.

hep·a·to·sple·ni·tis (hep"ah-to-splen-ī't'is) – hepatosplenite; inflamação do fígado e baço.

hep·a·to·sple·no·meg·a·ly (-splen"o-meg'ah-le) – hepatosplenomegalia; aumento de volume do fígado e baço.

hep·a·to·tox·in (-tok'sin) – hepatotoxina; toxina que destrói células hepáticas. **hepatotox'ic** – adj. hepatotóxico.

hept-, hepta- [Gr.] – elemento de palavra, *sete*.

hep·ta·chro·mic (hep"tah-kro'mik) – heptacrômico: 1. relativo ou que exibe sete cores; 2. com capacidade de distinguir as sete cores do espectro.

-hep·ta·ene – -heptaeno, sufixo que denota um composto químico no qual existem sete ligações duplas conjugadas.

hep·ta·no·ate (hep"tah-no'āt) – heptanoato; enantato.

hep·tose (hep'tōs) – heptose; açúcar cuja molécula contém sete átomos de carbono.

herb (erb, herb) – erva; qualquer planta folhosa sem caule lenhoso, especialmente aquela utilizada como remédio doméstico ou condimento.

her·biv·o·rous (her-biv'ah-ris) – herbívoro; que subsiste com plantas.

he·red·i·ty (hĕ-red'it-e) – hereditariedade: 1. transmissão genética de uma qualidade ou característica particular do genitor ao descendente; 2. constituição genética de um indivíduo.

her·e·do·fa·mil·i·al (hĕ"red-o-fah-mil'e-il) – heredofamiliar; que ocorre em determinadas famílias sob circunstâncias que implicam uma base hereditária.

He·rel·lea (hĕ-rel'e-ah) – *Herellea;* nos sistemas de classificação antigos, um gênero de bactérias cujas espécies hoje se incluem no gênero *Acinetobacter*. **H. vagini'cola** – *H. vaginicola; Acinetobacter calcoaceticus*.

her·i·ta·bil·i·ty (her"it-ah-bil'it-e) – hereditariedade; qualidade de ser hereditário; medida da extensão em que um fenótipo é influenciado pelo genótipo.

her·maph·ro·di·tism (her-maf'ro-di-tizm") – hermafroditismo; estado caracterizado pela presença tanto de tecidos ovarianos como testiculares e de critérios sexuais morfologicamente ambíguos; ver também *pseudohermaphroditism*. **bilateral h.** – h. bilateral; hermafroditismo em que ocorrem tecidos gonadais típicos de ambos os sexos em cada lado do corpo. **false h.** – h. falso; pseudo-hermafroditismo. **lateral h.** – h. lateral; presença de tecidos gonadais típicos de um sexo de um lado do corpo e de tecidos típicos do outro sexo no lado oposto. **transverse h.** – h. transverso; hermafroditismo em que os órgãos genitais externos são típicos de um sexo e as gônadas são típicas do outro sexo. **true h.** – h. verdadeiro; ver *hermaphroditism*.

her·met·ic (her-met'ik) – hermético; impermeável ao ar.

her·nia (her'ne-ah) [L.] – hérnia; rotura; protrusão de uma porção de um órgão ou tecido através de uma abertura anormal. **her'nial** – adj. herniário. **abdominal h.** – h. abdominal; hérnia através da

GHI

parede abdominal. **Barth's h.** – h. de Barth; hérnia entre a serosa da parede abdominal e a serosa de um ducto vitelino persistente. **Béclard's h.** – h. de Béclard; hérnia femoral na abertura safena. **Bochdalek's h.** – h. de Bochdalek; hérnia diafragmática congênita decorrente de deficiência no fechamento do hiato pleuroperitoneal. **h. ce'rebri** – h. cerebral; protrusão da substância cerebral através do crânio. **Cloquet's h.** – h. de Cloquet; h. crural do pectíneo. **complete h.** – h. completa; hérnia na qual o saco herniário e o seu conteúdo passam através do orifício herniário. **diaphragmatic h.** – h. diafragmática; hérnia através do diafragma. **diverticular h.** – h. diverticular; protrusão de um divertículo intestinal congênito. **epigastric h.** – h. epigástrica; hérnia através da linha alba, acima do umbigo. **extrasaccular h.** – h. extra-sacular; h. deslizante. **fat h.** – h. de gordura; protrusão herniária da gordura peritoneal através da parede abdominal. **femoral h.** – h. femoral; protrusão de uma alça intestinal no interior do canal femoral. **gastroesophageal h.** – h. gastroesofágica; hérnia hiatal em que o esôfago distal e parte do estômago protraem-se no interior do tórax. **Hesselbach's h.** – h. de Hesselbach; hérnia femoral com uma bolsa através da fáscia cribriforme. **hiatal h., hiatus h.** – h. do hiato; protrusão de qualquer estrutura através do hiato esofágico do diafragma. **Holthouse's h.** – h. de Holthouse; hérnia inguinal que se everteu na virilha. **incarcerated h.** – h. encarcerada; hérnia tão fechada que não pode retornar por meio de manipulação; pode ou não estar estrangulada. **incisional h.** – h. incisional; hérnia que ocorre através de incisão abdominal antiga. **inguinal h.** – h. inguinal; hérnia no interior do canal inguinal. **intermuscular h., interparietal h.** – h. intermuscular; h. interparietal; hérnia intersticial situada entre um ou outro dos planos fasciais ou musculares do abdômen. **interstitial h.** – h. intersticial; hérnia na qual dobra intestinal se situa entre duas camadas da parede abdominal. **ischiatic h.** – h. isquiática; hérnia através do forame sacrociático. **labial h.** – h. labial; hérnia no interior do lábio maior. **mesocolic h.** – h. mesocólica; hérnia intra-abdominal na qual o intestino delgado faz uma rotação incompleta durante o desenvolvimento e se prende no mesentério cólico. **obturator h.** – h. obturadora; protrusão através do forame obturador. **paraduodenal h.** – h. paraduodenal; h. mesocólica. **paraesophageal h.** – h. paraesofágica; hérnia hiatal na qual parte ou quase todo o estômago protrai-se através do hiato no interior do tórax à esquerda do esôfago, com a junção gastroesofágica permanecendo no lugar. **properitoneal h.** – h. pró-peritoneal; hérnia intersticial situada entre o peritônio parietal e a fáscia transversal. **reducible h.** – h. redutível; hérnia que pode ser revertida por meio de manipulação. **retrograde h.** – h. retrógrada; herniação de duas alças intestinais, com a porção entre as alças situando-se dentro da parede abdominal. **Richter's h.** – h. de Richter; hérnia encarcerada ou estrangulada na qual só se envolve

uma porção da circunferência da parede intestinal. **scrotal h.** – h. escrotal; hérnia inguinal que passou ao interior do escroto. **sliding h.** – h. por deslizamento; hérnia do ceco (à direita) ou do cólon sigmóide (à esquerda) na qual a parede da víscera forma uma porção do saco herniário, sendo o restante do saco formado pelo peritônio parietal. **sliding hiatal h.** – h. hiatal por deslizamento; hérnia hiatal na qual o estômago superior e a junção gastroesofágica protraem-se para cima no interior do mediastino posterior; a protrusão, que pode ser fixa ou intermitente, fica parcialmente coberta por um saco peritoneal. **strangulated h.** – h. estrangulada; hérnia encarcerada tão firmemente contraída que compromete o suprimento sangüíneo do saco herniário, levando à gangrena do saco e seu conteúdo. **synovial h.** – h. sinovial; protrusão da membrana de revestimento interna através do estrato fibroso de uma cápsula articular. **umbilical h.** – h. umbilical; herniação de parte do umbigo, apresentando defeito na parede abdominal e o intestino protraído sendo coberto com pele e tecido subcutâneo. **h. u'teri inguina'le** – h. uterina inguinal; ver d. of Müller, Müllerian duct, em duct. **vaginal h.** – h. vaginal; hérnia no interior da vagina; colpocele. **ventral h.** – h. ventral; hérnia através da parede abdominal.

her·ni·a·tion (her"ne-a-shun) – herniação; protrusão anormal de um órgão ou outra estrutura corporal através um defeito ou abertura natural em um revestimento, membrana, músculo ou osso. **h. of intervertebral disk** – h. do disco intervertebral; protrusão do núcleo pulposo ou ânulo fibroso do disco, que pode invadir as raízes nervosas. **h. of nucleus pulposus** – h. do núcleo pulposo; ruptura ou prolapso do núcleo pulposo no interior da medula espinhal. **tentorial h.** – h. tentorial; deslocamento para baixo das estruturas cerebrais mais medialmente posicionadas através da chanfradura tentorial, causado pela massa supratentorial.

her·nio·plas·ty (her'ne-o-plas"te) – hernioplastia; operação para o reparo de uma hérnia.

her·ni·or·rha·phy (her"ne-or'ah-fe) – herniorrafia; reparo cirúrgico de uma hérnia, com sutura.

her·ni·ot·o·my (her"ne-ot'ah-me) – herniotomia; cirurgia de corte para o reparo de uma hérnia.

her·o·in (hĕ'ro-in) – heroína; diacetilmorfina; um derivado da morfina altamente viciante ($C_{21}H_{23}NO_5$); a importação de heroína e seus sais pelos Estados Unidos, bem como seu uso na Medicina, é ilegal.

herp·an·gi·na (her"pan-ji'nah) – herpangina; doença febril infecciosa que se deve ao vírus Coxsackie, marcada por lesões vesiculares ou ulceradas nas fauces ou palato mole.

her·pes (her'pēz) – herpes; doença inflamatória de pele marcada pela formação de pequenas vesículas em grupos; o termo geralmente restringe-se àquelas doenças causadas por herpesvírus e é utilizado isoladamente para se referir a herpes simples ou herpes zóster. **herpet'ic** – adj. herpético. **h. febri'lis** – h. febril; ver h. simplex. **genital h., h. genita'lis** – h. genital; herpes simples dos genitais; nas mulheres, o estágio vesicular pode dar origem a ulcerações dolorosas confluentes e pode se acompanhar de sintomas neurológicos. **h. gestatio'nis** – h. gestacional; variante da dermatite herpetiforme, peculiar às mulheres grávidas, e desaparece ao término da gravidez. **h. progenita'lis** – h. pró-genital; h. genital. **h. sim'plex** – h. simples; doença viral aguda marcada por grupos de vesículas na pele, freqüentemente nas bordas dos lábios e narinas (*sore, cold*) ou nos genitais (*h. genital*); é freqüentemente acompanhada de febre; vesículas febris (*blister, fever*) ou h. febril. **h. zos'ter** – h. zóster; "cobreiro"; doença inflamatória autolimitada, unilateral e aguda dos gânglios cerebrais e gânglios das raízes nervosas dorsais e nervos periféricos em uma distribuição segmentada, causada pelo vírus da varicela e caracterizada por grupos de pequenas vesículas nas áreas cutâneas ao longo do curso dos nervos afetados e associada a dor neurálgica. **h. zos'ter ophthal'micus** – h. zóster oftálmico; herpes zóster que compromete o nervo oftálmico, com exantema eritematoso vesicular ao longo do trajeto nervoso (testa, pálpebra e córnea) precedido por dor lancinante; ocorre iridociclite e envolvimento corneano pode levar à ceratite e anestesia corneana. **h. zos'ter o'ticus** – h. zóster óptico; síndrome de Ramsay Hunt.

her·pes·vi·rus (-vi"rus) – herpesvírus; vírus de um grupo de vírus de DNA que inclui os agentes etiológicos do herpes simples, herpes zóster, varicela e doença de inclusões citomegálicas no homem e pseudo-raiva e outras doenças em animais.

Her·pes·vi·rus hom·i·nis (hom'í-nis) – *Herpesvirus hominis*; vírus do herpes simples; ocorre em dois tipos imunológicos: tipo I (primariamente infecções não-genitais) e tipo II (primariamente infecções genitais).

her·sage (ār-sahzh') [Fr.] – separação cirúrgica das fibras em uma área com cicatriz de um nervo periférico.

hertz (hurts) – hertz; unidade de freqüência equivalente a um ciclo por segundo. Símbolo Hz.

hes·per·i·din (hes-per'í-din) – hesperidina; bioflavonóide predominante nos limões e laranjas.

het·a·cil·lin (het"ah-sil'in) – hetacilina; penicilina semi-sintética que se converte em ampicilina no organismo, e tem ações e usos semelhantes aos da ampicilina; utilizada também como sal potássico.

het·er·e·cious (het"er-e'shus) – heterécio; parasita em hospedeiros diferentes em vários estágios de sua existência.

het·er·es·the·sia (es-the'zhah) – heterestesia; variação da sensibilidade cutânea em áreas próximas.

het·er·er·gic (-er'jik) – heterérgico; que tem efeitos diferentes, diz-se de duas drogas em que uma delas produz um efeito particular e a outra não.

heter(o)- [Gr.] – elemento de palavra, *outro; dessemelhante.*

het·er·o·ag·glu·ti·na·tion (het"er-o-ah-glōōt'in-a'shun) – heteroaglutinação; aglutinação de antígenos particulados de uma espécie por meio de aglutininas derivadas de outra espécie.

het·ero·an·ti·body (-an'tĭ-bod"e) – heteroanticorpo; anticorpo que combina com antígenos que se originam de uma espécie estranha ao produtor de anticorpos.

het·ero·an·ti·gen (-an'tĭ-jen) – heteroantígeno; antígeno que se origina de uma espécie estranha ao produtor de anticorpos.

het·ero·blas·tic (-blas'tik) – heteroblástico; que se origina em um tipo diferente de tecido.

het·ero·cel·lu·lar (-sel'ŭl-er) – heterocelular; composto de células de tipos diferentes.

het·ero·chro·ma·tin (-kro'mah-tin) – heterocromatina; estado da cromatina em que esta permanece escura, geneticamente ativa e firmemente espiralada.

het·ero·chro·mia (-kro'me-ah) – heterocromia; diversidade de cor em uma parte normalmente de uma só cor. **h. i'ridis** – h. da íris; diferença de cores nas duas íris ou em áreas diferentes da mesma íris.

het·ero·crine (het'er-o-krin) – heterócrino; que secreta mais de um tipo de material.

het·ero·cyc·lic (het"er-o-si'klik) – heterocíclico; que tem uma cadeia fechada ou formação anelar incluindo átomos de elementos diferentes.

het·ero·cy·to·trop·ic (-si"to-trop'ik) – heterocitotrópico; que tem afinidade por células de espécies diferentes.

het·ero·der·mic (-derm'ik) – heterodérmico; que denota um enxerto cutâneo proveniente de um indivíduo de outra espécie.

het·ero·dont (het'er-o-dont") – heterodonte; que tem dentes de formas diferentes, como molares, incisivos etc.

het·er·od·ro·mous (het"er-od'ro-mus) – heterodrômico; que se move, age ou se dispõe em direção oposta.

het·ero·er·o·tism (het"er-o-ĕ-rah-tizm) – heteroerotismo; atração sexual orientada para outra pessoa.

het·ero·gam·e·ty (-gam'it-e) – heterogametia; produção por meio de um indivíduo de um sexo (como o homem) de gametas diferentes com relação ao cromossoma sexual. **heterogamet'ic** – adj. heterogamético.

het·er·og·a·my (het"er-og'ah-me) – heterogamia; reprodução que resulta da união de gametas diferentes em tamanho e estrutura. **heterog'a·mous** – adj. heterogâmico.

het·ero·ge·ne·ous (het"er-oj'ē-nus) – heterogêneo; que não tem composição, qualidade ou estrutura uniformes.

het·ero·gen·e·sis (het"er-o-jen'ē-sis) – heterogênese: 1. alternância de gerações; reprodução que difere quanto ao tipo em gerações sucessivas; 2. geração assexuada. **heterogenet'ic** – adj. heterogenético.

het·ero·geu·sia (-goo'ze-ah) – heterogeusia; qualquer parageusia na qual todos os estímulos gustativos são distorcidos de modo semelhante.

het·er·og·o·ny (het"er-og'ah-ne) – heterogonia; heterogênese (*heterogenesis*).

het·ero·graft (het'er-o-graft") – heteroenxerto; xenoenxerto (*xenograft*).

het·ero·hem·ag·glu·ti·na·tion (het"er-o-hem"-ah-glōōt"in-a'shun) – hetero-hemaglutinação; aglutinação

GHI

de eritrócitos de uma espécie através de hemaglutinina derivada de um indivíduo de espécie diferente.

het·ero·he·mol·y·sin (-he-mol'ĭ-sin) – hetero-hemolisina; hemolisina que destrói glóbulos vermelhos de animais de espécies diferentes da espécie do animal em que se formou; pode ocorrer naturalmente ou ser induzida por meio de imunização.

het·ero·im·mu·ni·ty (ĭ -mūn'it-e) – heteroimunidade: 1. estado imune induzido em um indivíduo através de imunização com células de um animal de outra espécie; 2. estado em que a resposta exógena (por exemplo, drogas ou patógenos) resulta em alterações imunopatológicas. **heteroimmune'** – adj. heteroimune.

het·ero·ker·a·to·plas·ty (-ker'ah-to-plas"te) – heteroceratoplastia; enxerto de tecido corneano coletado a partir de um indivíduo de outra espécie.

het·ero·ki·ne·sis (-kĭ -ne'sis) – heterocinese; distribuição diferencial de cromossomas sexuais nos gametas em desenvolvimento de um organismo heterogamético.

het·er·ol·o·gous (het"er-ol'ah-gus) – heterólogo: 1. constituído de um tecido que não é normal à parte; 2. xenogênico.

het·er·ol·y·sis (het"er-ol'ĭ -sis) – heterólise; lise das células de uma espécie através de uma lisina proveniente de espécie diferente. **heterolyt'ic** – adj. heterolítico.

het·ero·mer·ic (het"er-o-mĕ'rik) – heteromérico; que envia processos através de uma das comissuras para a substância branca do lado oposto da medula espinhal; diz-se de neurônios.

het·ero·meta·pla·sia (-met"ah-pla'zhah) – heterometaplasia; formação de um tecido estranho à parte onde foi formado.

het·ero·me·tro·pia (-mĕ-tro'pe-ah) – heterometropia; estado em que o grau de refração difere nos dois olhos.

het·ero·mor·pho·sis (-mor-fo'sis) – heteromorfose; desenvolvimento, na regeneração, de um órgão ou estrutura diferente de outro que se perdeu.

het·ero·mor·phous (-mor'fus) – heteromorfo; de forma ou estrutura anormais.

het·er·on·o·mous (het"er-onĭ -mus) – heterônomo: 1. em Biologia, sujeito a leis de crescimento diferentes; especializado ao longo de linhagens diferentes; 2. em Psicologia, sujeito à vontade de outra pessoa.

het·er·on·y·mous (het"er-onĭ -mus) – heterônimo; que se mantém em relações opostas.

het·ero·os·teo·plas·ty (het"er-o-os'te-o-plas"-te) – heterosteoplastia; osteoplastia com osso coletado de um indivíduo de outra espécie.

het·ero·phago·some (-fag'o-sōm) – heterofagossoma; vacúolo intracitoplasmático formado através de fagocitose ou pinocitose, que se funde a um lisossoma, sujeitando seu conteúdo à digestão enzimática.

het·er·oph·a·gy (het"er-of'ah-je) – heterofagia; entrada de material exógeno em uma célula através de fagocitose ou pinocitose e a digestão do material ingerido após a fusão do vacúolo recém-formado com um lisossoma.

het·ero·phil (het'er-o-fil") – heterófilo: 1. leucócito granular representado por neutrófilos no homem, mas caracterizado em outros mamíferos por grânulos que têm tamanhos e características corantes variáveis; 2. heterofílico.

het·ero·phil·ic (het"er-o-fil'ik) – heterofílico: 1. que tem afinidade por antígenos ou anticorpos além daqueles para os quais são específicos; 2. que se cora com outro tipo de corante que não o normal.

het·ero·pho·ria (-for'e-ah) – heteroforia; incapacidade dos eixos visuais permanecerem paralelos após a eliminação de estímulos fusionais visuais. **heterophor'ic** – adj. heterofórico.

het·er·oph·thal·mia (het"er-of-thal'me-ah) – heteroftalmia; diferença de direção dos eixos visuais, ou de cor, dos dois olhos.

Het·er·oph·y·es (het"er-ofĭ -ēz) – *Heterophyes*; gênero de minúsculos vermes trematódeos parasitas do intestino de mamíferos que se alimentam de peixes.

het·ero·pla·sia (het"er-o-pla'zhah) – heteroplasia; substituição de tecido normal por anormal; máposição de células normais. **heteroplas'tic** – adj. heteroplásico.

het·ero·plas·ty (het"er-o-plas"te) – heteroplastia; heterotransplante.

het·ero·ploi·dy (-ploi"de) – heteroploidia; condição de ter um número anormal de cromossomas.

het·er·op·sia (het"er-op'se-ah) – heteropsia; visão desigual nos dois olhos.

het·ero·pyk·no·sis (het"er-o-pik-no'sis) – heteropicnose: 1. a qualidade de mostrar variações na densidade; 2. estado de condensação diferencial observado em cromossomas diferentes ou em regiões diferentes do mesmo cromossoma; pode ser atenuada (*h. negativa*) ou acentuada (*h. positiva*). **heteropyknot'ic** – adj. heteropicnótico.

het·ero·sex·u·al (-sek'shoo-al) – heterossexual: 1. relativo, característico ou orientado em direção ao sexo oposto; 2. alguém sexualmente atraído por pessoas do sexo oposto.

het·er·o·sis (het"er-o'sis) – heterose; existência, na primeira geração híbrida, de um vigor maior que o demonstrado por qualquer cepa predecessora.

het·er·os·po·rous (het"er-os'po-rus) – heterósporo; que tem dois tipos de esporos, os quais se reproduzem assexuadamente.

het·ero·sug·ges·tion (het"er-o-sug-jes'chun) – heterossugestão; sugestão recebida de outra pessoa, em oposição à auto-sugestão.

het·ero·to·nia (-to'ne-ah) – heterotonia; caracterizado por variações na tensão ou tônus. **heteroton'ic** – adj. heterotônico.

het·ero·to·pia (-to'pe-ah) – heterotopia; deslocamento ou má-posição de partes; presença de um tecido em localização anormal. **heterotop'ic** – adj. heterotópico.

het·ero·trans·plan·ta·tion (-trans"plan-ta'-shun) – heterotransplante; transplante de tecidos ou células de um indivíduo para outro de espécie diferente (xenoenxerto).

het·ero·troph·ic (-trŏf'ik) – heterotrófico; que não se auto-sustenta; diz-se de microrganismos que exigem uma forma de carbono reduzida para energia e síntese.

het·ero·tro·pia (-tro'pe-ah) – heterotropia; estrabismo.

het·ero·typ·ic (-tip'ik) – heterotípico; relativo, característico ou pertencente a um tipo diferente.

het·ero·typ·i·cal (-tip'ĭ -k'l) – heterotípico.

het·er·ox·e·nous (het"er-ok'sin-is) – heteroxeno; que requer mais de um hospedeiro para completar o ciclo vital.

het·ero·zy·gos·i·ty (het"er-o-zi-gos'it-e) – heterozigosidade; condição de ter alelos diferentes com relação a uma dada característica. **heterozy'gous** – adj. heterozigótico.

heu·ris·tic (hu-ris'tik) – heurístico; que estimula ou promove uma pesquisa, conduzindo a uma descoberta.

hex(a)- [Gr.] – elemento de palavra, seis.

hexa·chlo·ro·phene (hek"sah-klor'o-fēn) – hexaclorofeno; antibacteriano eficaz contra microrganismos Gram-positivos; utilizado como anti-séptico local e detergente para aplicação na pele, e também utilizado para combater trematódeos nos ruminantes.

hex·ad (hek'sad) – hexavalente: 1. grupo ou combinação de seis entidades semelhantes ou relacionadas; 2. elemento com valência de seis.

hexa·dac·ty·ly (hek"sah-dak'til-e) – hexadactilia; existência de seis dedos em um membro.

hexa·me·tho·ni·um (-mĕ-tho'ne-um) – hexametônio; agente bloqueador ganglionar utilizado em forma de sais para produzir hipotensão.

hex·ane (hek'sān) – hexano; hidrogênio saturado obtido por meio de destilação de petróleo.

hexa·vi·ta·min (hek"sah-vī t'ah-min) – hexavitamina; preparação de vitaminas A e D, ácido ascórbico, cloridrato de tiamina, riboflavina e niacinamida.

hexo·bar·bi·tal (hek"so-bahr'bĭ -tal) – hexobarbital; barbitúrico de curta duração, sedativo e hipnótico, também utilizado como sal sódico para induzir anestesia geral.

hexo·cy·cli·um meth·yl·sul·fate (-si'kle-um) – metilsulfato de hexocíclio; anticolinérgico que tem atividades anti-secretórias e antiespasmódicas; utilizado no tratamento de úlceras pépticas e outros distúrbios gastrointestinais acompanhados de hiperacidez, hipermotilidade e espasmo.

hexo·ki·nase (-ki'nās) – hexocinase; enzima que catalisa a transferência de um grupo fosfato rico em energia para uma hexose, passo inicial na utilização celular das hexoses livres. A enzima ocorre em todos os tecidos, como várias isozimas com especificidades variáveis; a isozima hepática (tipo IV) é específica para a glicose e é geralmente chamada glicocinase (glucokinase).

hex·os·amine (hek-sōs'ah-mēn) – hexosamina; qualquer substância de uma classe de hexoses nas quais o grupo hidroxila é substituído por um amino.

hex·os·amin·i·dase (hek"sōs-ah-min'ĭ -dās) – hexosaminidase: 1. qualquer das enzimas que clivam as hexosaminas ou hexosaminas acetiladas a partir de gangliosídeos ou outros glicosídeos; 2. hexosaminidase específica que age no sulfato de queratano e no gangliosídeo GM_2 e em compostos relacionados.

hex·ose (hek'sōs) – hexose; monossacarídeo que contém seis átomos de carbono em uma molécula.

hex·uron·ic ac·id (hek"su-ron'ik) – ácido hexurônico; qualquer ácido urônico formado pela oxidação de uma hexose.

hex·yl·caine (hek'sil-kān) – hexilcaína; anestésico local utilizado como sal de cloridrato.

hex·yl·re·sor·ci·nol (hek"sil-rĭ -sor'sĭ -nol) – hexilresorcinol; um fenol substituído com propriedades bactericidas, utilizado como anti-séptico em lavagens bucais e lavagens de ferimentos cutâneos.

HF – Hageman factor (coagulation factor XII) (fator de Hageman [fator de coagulação XII]).

Hf – símbolo químico, háfnio (hafnium).

Hg – símbolo químico, mercúrio (mercury) (L., hydrargyrum).

Hgb – hemoglobin (hemoglobina).

HGH, hGH – human growth hormone (hormônio do crescimento humano).

HHS – Department of Health and Human Services (Departamento de Saúde e Serviços Humanos).

hi·a·tus (hi-a'tus) [L.] – hiato; intervalo, fissura ou abertura. **hia'tal** – adj. hiatal. **aortic h.** – h. aórtico; abertura no diafragma através da qual a aorta e o ducto torácico passam. **esophageal h.** – h. esofágico; abertura no diafragma para a passagem do esôfago e nervos vagos. **saphenous h.** – h. safeno; a depressão na fáscia lata, ligada com a fáscia cribriforme, e perfurada pela veia safena magna. **semilunar h.** – h. semilunar; sulco no osso etmóide através do qual as células aéreas etmóides anteriores, o seio maxilar e algumas vezes o ducto frontonasal drenam por meio do infundíbulo etmóide.

hi·ber·na·tion (hi"ber-na'shun) – hibernação: 1. estado dormente no qual determinados animais passam o inverno, caracterizado por narcose e redução acentuada na temperatura corporal e metabolismo; 2. redução temporária análoga na função, como a de um órgão. **artificial h.** – h. artificial; estado de redução do metabolismo, relaxamento muscular e sono crepuscular semelhante à narcose, produzido por inibição controlada do sistema nervoso simpático e causando atenuação das reações homeostáticas do organismo. **myocardial h.** – h. miocárdica; disfunção cardíaca crônica, mas potencialmente reversível, causada por isquemia miocárdica crônica, persistindo pelo menos até se restaurar o fluxo sangüíneo.

hi·ber·no·ma (-no'mah) – hibernoma; tumor de tecido mole benigno e raro, que surge a partir de vestígios de gordura marrom semelhante aos de determinadas espécies animais hibernantes; é uma pequena lesão lobulada e não-sensível, que ocorre geralmente no mediastino ou região intraescapular.

hic·cough, hic·cup (hik'up) – soluço; som inspiratório nítido, com espasmo da glote e diafragma.

hi·drad·e·ni·tis (hi"drad-ĕ-ni'tis) – hidradenite; inflamação das glândulas sudoríparas. **h. suppurati'va** – h. supurativa; infecção supurativa recorrente, crônica e severa das glândulas sudoríparas apócrinas.

hi·drad·e·no·car·ci·no·ma (hi-drad"ĕ-no-kahr"-sĭ -no'mah) – hidradenocarcinoma; carcinoma das glândulas sudoríparas.

hi·drad·e·noid (hi-drad'ĕ-noid) – hidradenóide; semelhante à glândula sudorípara; que tem componentes que se parecem com os elementos de uma glândula sudorípara.

hi·drad·e·no·ma (hi"drad-ĕ-no'mah) – hidradenoma; tumor benigno que se origina no epitélio de uma glândula sudorípara; os subtipos são variadamente designados de acordo com o padrão histológico.

hidr(o)- [Gr.] – elemento de palavra, *suor*.

hi·dro·ac·an·tho·ma (hi"dro-ak"an-tho'mah) – hidroacantoma; tumor benigno de uma glândula écrina.

hi·dro·cys·to·ma (-sis-to'mah) – hidrocistoma: 1. cisto de retenção de uma glândula sudorípara; 2. siringocistoma.

hi·dro·poi·e·sis (-poi-e'sis) – hidropoiese; formação de suor. **hidropoiet'ic** – adj. hidropoiético.

hi·dros·che·sis (hi-dros'kis-is) – hidrosquese; anidrose.

hi·drot·ic (hi-drot'ik) – hidrótico; relativo, caracterizado ou que produz suor.

hi·li·tis (hi-li'tis) – hilite; inflamação de um hilo.

hi·lum (hi'lum) [L.] pl. *hila* – hilo; depressão ou cavidade em um órgão, correspondendo à entrada e saída para vasos e nervos. **hi'lar** – adj. hilar.

hi·lus (hi'lus) [L.] pl. *hili* – hilo.

hind·brain (hīnd'brān) – metencéfalo; rombencéfalo.

hind·foot (-foot) – dorso do pé; parte superior do pé, compreendendo a região do tornozelo e calcanhar.

hind·gut (-gut) – intestino posterior; estrutura embrionária a partir da qual se forma o intestino caudal, principalmente o cólon.

hip (hip) – quadril; coxa; área lateral e que inclui a articulação coxofemoral; imprecisamente, a articulação coxofemoral. **snapping h.** – q. estalante; deslizamento da articulação coxofemoral, algumas vezes com um estalo audível, devido ao deslizamento de uma faixa tendínea sobre o trocânter maior.

hip·po (hip'o) – hipo; ipeca (*ipecac*).

hip·po·cam·pus (hip"o-kam'pus) [L.] – hipocampo; elevação curva no assoalho do corno inferior do ventrículo lateral; componente funcional do sistema límbico, com suas projeções eferentes formando o fórnice. **hippocam'pal** – adj. hipocampal.

Hip·poc·ra·tes (hĭ-pol'rah-tēz) – Hipócrates; médico grego (5º século a.C.) considerado o "Pai da Medicina". Boa parte de seus escritos e os de sua escola sobreviveram, entre os quais se destaca o Juramento Hipocrático, o guia ético da profissão médica. **hippocrat'ic** – adj. hipocrático.

hip·pu·ria (hip-u're-ah) – hipúria; excesso de ácido hipúrico na urina.

hip·pu·ric ac·id (hĭ-pūr'ik) – ácido hipúrico; ácido carboxílico cristalino que ocorre na urina de alguns animais e do homem.

hip·pus (hip'us) – hipo; exagero anormal da contração rítmica e dilatação da pupila, independentemente de alterações na iluminação e fixação dos olhos.

hir·ci (hir'si) [L.] – hircos; pêlos que crescem na axila.

hir·cus (hir'kus) [L.] pl. *hirci* – hirco; singular de *hirci*.

hir·sut·ism (hir'soot-izm) – hirsutismo; pilosidade anormal, especialmente em mulheres.

hi·ru·di·cide (hĭ-rōōd'is-īd) – hirudicida; agente destrutivo a sanguessugas. **hirudici'dal** – adj. hirudicídico.

hi·ru·din (hĭ-rōōd'in) – hirudina; princípio ativo da secreção bucal das sanguessugas; impede a coagulação agindo como antitrombina.

Hir·u·din·ea (hir"oo-din'e-ah) – Hirudinea; uma classe de anelídeos; sanguessugas.

Hi·ru·do (hĭ-roo'do) [L.] – *Hirudo;* gênero de sanguessugas, que inclui a *H. medicinalis* (utilizado extensivamente para sangrias medicinais).

his·ta·mine (his'tah-mēn) – histamina; amina ($C_5H_9N_3$) produzida pela descarboxilação da histidina e encontrada em todos os tecidos. Induz dilatação capilar, que aumenta a permeabilidade capilar e abaixa a pressão sangüínea, contração da maior parte do tecido muscular liso, aumento da secreção de ácido gástrico e aceleração da freqüência cardíaca. É também um mediador de hipersensibilidade imediata. Existem dois tipos de receptores celulares de histamina: receptores H_1 (que mediam a contração da musculatura lisa e a dilatação capilar) e os receptores H_2 (que mediam a aceleração da freqüência cardíaca e a promoção da secreção de ácido gástrico). Ambos os receptores H_1 e H_2 mediam a contração da musculatura lisa vascular. A histamina também pode ser um neurotransmissor do sistema nervoso central. É utilizada como auxílio diagnóstico no teste da secreção gástrica e no diagnóstico do feocromocitoma. **histamin'ic** – adj. histamínico.

his·ta·min·er·gic (his"tah-min-er'jic) – histaminérgico; relativo aos efeitos da histamina nos receptores histamínicos dos tecidos-alvo.

his·ti·dase (his'tĭ-dās) – histidase; enzima hepática que converte a histidina em ácido urocânico.

his·ti·dine (his'tĭ-din, -dēn) – histidina; aminoácido obtenível a partir de muitas proteínas através da ação do ácido sulfúrico e água; é essencial para o crescimento ideal dos bebês. Sua descarboxilação resulta em formação de histamina.

his·ti·din·emia (his"tĭ-din-e'me-ah) – histidinemia; aminoacidopatia hereditária que se caracteriza pelo excesso de histidina no sangue e urina devido a deficiência na atividade da histidase; é geralmente benigna, mas pode causar disfunção branda do sistema nervoso central.

his·ti·din·uria (his"tĭ-dĭ-nu're-ah) – histidinúria; excesso de histidina na urina, geralmente associado à histidinemia ou à gravidez.

histi(o)- [Gr.] – elemento de palavra, *tecido*.

his·tio·cyte (his'te-o-sīt") – histiócito; macrófago. **histiocyt'ic** – adj. histiocítica.

his·tio·cyt·oma (his"te-o-si-to'mah) – histiocitoma; tumor que contém histiócitos (macrófagos). **benign fibrous h.** – h. fibroso benigno; uma de um grupo de neoplasias benignas que ocorrem na derme e se caracterizam por histiócitos e fibroblastos; termo algumas vezes engloba vários tipos de neoplasias, como o dermatofibroma, fibrose subepidérmica nodular e hemangioma esclerosante e algumas vezes torna-se sinônimo de uma delas. **malignant fibrous h.** – h. fibroso maligno; uma de um grupo de neoplasias malignas que contêm células que se assemelham a histiócitos e fibroblastos.

his·tio·cy·to·sis (-si-to'sis) – histiocitose; histocitose; afecção que se caracteriza pela aparência anormal dos histiócitos no sangue. **h. X** – h. X; termo genérico que engloba o granuloma eosinófilo, a doença de Letterer-Siwe e a doença de Hand-Schüller-Christian.

his·ti·o·gen·ic (-jen'ik) – histiogênico; histogênico.

his·to·blast (his'to-blast) – histoblasto; célula que forma tecidos.

his·to·chem·is·try (his"to-kem'is-tre) – histoquímica; ramo da histologia que lida com a identificação dos componentes químicos nas células e tecidos. **histochem'ical** – adj. histoquímico.

his·to·clin·i·cal (-klin'ĭ -k'l) – histoclínico; que combina as avaliações histológica e clínica.

his·to·com·pa·ti·bil·i·ty (-kom-pat"ĭ -bil'it-e) – histocompatibilidade; qualidade de ser aceito e permanecer funcional; diz-se do relacionamento entre os genótipos doador e receptor, no qual geralmente não se rejeitará um enxerto, relação esta determinada pela presença de antígenos HLA. **histocompat'ible** – adj. histocompatível.

his·to·dif·fer·en·ti·a·tion (-dif'er-en"she-a'-shun) – histodiferenciação; aquisição de características teciduais por parte de grupos celulares.

his·to·gen·e·sis (-jen'is-is) – histogênese; formação ou desenvolvimento de tecidos a partir de células não-diferenciadas da camada germinativa do embrião. **histogenet'ic** – adj. histogenético.

his·tog·e·nous (his-toj'in-is) – histogênico; formado pelos tecidos.

his·to·gram (his'to-gram) – histograma; gráfico onde se representam os valores encontrados em um estudo estatístico por meio de barras ou retângulos verticais.

his·toid (his'toid) – históide: 1. desenvolvido um único tipo de tecido; 2. semelhante a um dos tecidos corporais.

his·to·in·com·pat·i·bil·i·ty (his"to-in"kom-pat"-ĭ -bil'it-e) – histoincompatibilidade; qualidade de não ser aceito ou de não permanecer funcional; diz-se do relacionamento entre os genótipos do doador e receptor no qual geralmente se rejeitará um enxerto. **histoincompat'ible** – adj. histoincompatível.

his·to·ki·ne·sis (-kĭ -ne'sis) – histocinese; movimento nos tecidos corporais.

his·tol·o·gy (his-tol'ah-je) – histologia; departamento da anatomia que lida com a estrutura minúscula, composição e função dos tecidos. **histolog'ic, histolog'ical** – adj. histológico. **pathologic h.** – h. patológica; ciência dos tecidos doentes.

his·tol·y·sis (his-tol'ĭ -sis) – histólise; dissolução ou desintegração de tecidos. **histolyt'ic** – adj. histolítico.

His·to·mo·nas (his-to'mo-nas) – *Histomonas;* gênero de protozoários parasitas no ceco, fígado e em outros tecidos de várias aves.

his·to·mo·ni·a·sis (his"to-mo-ni'ah-sis) – histomoníase; infecção por Histomonas. **h. of turkeys** – h. dos perus; comedão (*blackhead*); doença infecciosa dos perus, devido à *Histomonas meleagridis,* com lesões intestinais e hepáticas e descoloração escura da crista.

his·tone (his'tōn) – histona; proteína simples, solúvel em água e insolúvel em amônia diluída, encontrada em combinação com sais e substâncias ácidas, como por exemplo, proteína combinada com ácido nucleico ou a globina da hemoglobina.

his·to·phys·i·ol·o·gy (his"to-fiz"e-ol'ah-je) – histofisiologia; correlação da função com a estrutura microscópica das células e tecidos.

His·to·plas·ma (-plaz'mah) – *Histoplasma;* gênero de fungos que inclui a *H. capsulatum,* que causa histoplasmose no homem.

his·to·plas·min (-plaz'min) – histoplasmina; preparação de produtos de crescimento da *Histoplasma capsulatum* injetada intracutaneamente como um teste para a histoplasmose.

his·to·plas·mo·ma (-plaz-mo-mah) – histoplasmoma; densidade granulomatosa arredondada do pulmão decorrente de infecção por *Histoplasma capsulatum;* observada radiograficamente como uma lesão em forma de moeda.

his·to·plas·mo·sis (-plaz-mo'sis) – histoplasmose; infecção pela *Histoplasma capsulatum;* é geralmente assintomática, mas pode causar pneumonia aguda ou hiperplasia reticuloendotelial disseminada com hepatoesplenomegalia e anemia, ou enfermidade semelhante à gripe com derrame articular e eritema nodoso. A infecção reativada compromete os pulmões, meninges, coração, peritônio e supra-renais. **ocular h.** – h. ocular; coroidite disseminada que resulta em cicatrizes na periferia do fundo próximo ao nervo óptico e lesões maculares disciformes características; implica-se fortemente a *Histoplasma capsulatum* como agente causador.

his·to·throm·bin (-throm'bin) – histotrombina; trombina derivada do tecido conjuntivo.

his·tot·o·my (his-tot'ah-me) – histotomia; dissecção tecidual; microtomia.

his·to·tox·ic (his"to-tok'sik) – histotóxico; venenoso a um tecido.

his·to·troph (his'to-trōf) – histotrofo; soma total de substâncias nutritivas fornecidas ao embrião nos animais vivíparos a partir de outras fontes que não o sangue materno.

his·to·troph·ic (his"to-trōf'ik) – histotrófico: 1. que estimula a formação de tecidos; 2. relativo ao histótrofo.

his·to·trop·ic (-trop'ik) – histotrópico; que tem afinidade por células teciduais.

his·trel·in (his-trel'in) – histrelina; preparação sintética do hormônio liberador de gonadotropinas, utilizada como éster de acetato no tratamento da puberdade precoce.

his·tri·o·nism (his'tre-o-nizm") – histrionismo; comportamento excitável, dramático e que procura atenções. **histrion'ic** – adj. histriônico.

HIV – human immunodeficiency virus (vírus da imunodeficiência humana).

hives (hī vz) – urticária (*urticaria*).

H⁺, K⁺ -ATPase (a-te-pe'ās) – H⁺,K⁺-ATPase; enzima ligada à membrana que ocorre na superfície das células parietais; usa a energia derivada da hidrólise do ATP para ativar a troca de íons (prótons, íons de cloreto e íons de potássio) através da membrana celular, secretando ácido no interior do lúmen gástrico.

HI – latent hyperopia (hiperopia latente).

HLA – ver em *antigen*.

Hm – manifest hyperopia (hiperopia manifesta).

HMO – health maintenance organization (organização de manutenção da saúde).

Ho – símbolo químico, hólmio (*holmium*).

hock (hok) – jarrete; articulação társica ou a região da perna posterior do eqüino e do bovino.

ho·do·neu·ro·mere (ho"do-noor'o-mēr) – hodoneurômero; segmento do tronco embrionário com seu par de nervos e suas ramificações.

hol·an·dric (hol-an'drik) – holândrico; herdado exclusivamente através do descendente masculino; transmitido através dos genes localizados no cromossoma Y.

hol·ism (hōl'izm) – holismo; concepção do homem funcionando como um todo. **holis'tic** – adj. holístico.

hol·mi·um (hol'me-um) – holmium, elemento químico (ver *Tabela de Elementos*), número atômico 67, símbolo Ho.

hol(o)- [Gr.] – elemento de palavra, *inteiro; todo*.

holo·blas·tic (ho"lo-blas'tik) – holoblástico; que sofre clivagem em que o óvulo todo participa; que se divide completamente.

holo·crine (ho'lo-krin) – holocrino; que exibe secreção glandular em que se descarta toda a célula secretória carregada com seus produtos secretados.

holo·di·a·stol·ic (hōl"o-di"ah-stol'ik) – holodiastólico; relativo a uma diástole completa.

holo·en·dem·ic (-en-dem'ik) – holoendêmico; que afeta praticamente todos os moradores de uma região específica.

holo·en·zyme (-en'zīm) – holoenzima; composto ativo formado pela combinação de uma coenzima com uma apoenzima.

hol·og·ra·phy (hōl-og'rah-fe) – holografia; registro sem lente de imagens tridimensionais em um filme através de feixes de laser.

holo·phyt·ic (hōl"o-fit'ik) – holofítico; que obtém o alimento como um vegetal; diz-se de determinados protozoários.

holo·pros·en·ceph·a·ly (-pros"en-sef'ah-le) – holoprosencefalia; deficiência de desenvolvimento de clivagem do prosencéfalo, com deficiência no desenvolvimento facial da linha média e ciclopia na forma severa; algumas vezes devido a trissomia 13–15.

holo·ra·chis·chi·sis (rah-kis'kĭ-sis) – holorraquisquise; fissura de toda a medula espinhal.

holo·zo·ic (-zo'ik) – holozóico; que tem as características nutricionais de um animal, ou seja, que digere proteínas.

hom·al·uria (hom"ah-lu're-ah) – homalúria; produção e excreção de urina em taxa normal e uniforme.

ho·mat·ro·pine (ho-mat'ro-pēn) – homatropina; éster de tropina do ácido mandélico, que tem efeitos anticolinérgicos semelhantes porém mais fracos que os da atropina; o sal de bromidrato é utilizado como midriático e cicloplégico e o sal de metilbrometo é utilizado como inibidor do espasmo e secreção gástricos.

ho·max·i·al (ho-mak'se-il) – homoaxial; que tem eixos do mesmo comprimento.

home(o)-, homoe(o)-, homoi(o)- [Gr.] – elemento de palavra, *semelhante; mesmo; inalterado*.

ho·me·op·a·thy (ho"me-op'ah-the) – homeopatia; sistema de terapêutica baseado na administração de doses mínimas de drogas capazes de produzir em pessoas saudáveis sintomas semelhantes aos da doença tratada. **homeopath'ic** – adj. homeopático.

ho·meo·pla·sia (ho"me-o-pla'zhah) – homeoplasia; formação de tecido novo semelhante ao normal existente na parte. **homeoplas'tic** – adj. homeoplásico.

ho·meo·sta·sis (-sta'sis) – homeostasia; homeostase; tendência à estabilidade nos estados fisiológicos normais do organismo. **homeostat'ic** – adj. homeostático.

ho·meo·ther·a·py (-ther'ah-pe) – homeoterapia; tratamento ou prevenção de uma doença com uma substância semelhante ao agente causador da doença.

ho·meo·ther·my (ho-me'o-ther"me) – homeotermia; manutenção de uma temperatura corporal constante apesar da temperatura ambiental variável. **homeother'mic** – adj. homeotérmico.

hom·er·gic (hōm-er'jik) – homérgico; que tem o mesmo efeito; diz-se de duas drogas, cada uma produzindo o mesmo efeito manifesto.

Ho·mo (ho'mo) [L.] – *Homo;* gênero de primatas que contém uma única espécie, *H. sapiens* (homem).

hom(o)- [Gr.] – 1. elemento de palavra, *mesmo; 2.* prefixo químico que indica adição de um grupo CH_2 ao composto principal.

ho·mo·bio·tin (ho"mo-bi'o-tin) – homobiotina; homólogo da biotina que tem um grupo CH_2 adicional na cadeia lateral e age como antagonista da biotina.

ho·mo·car·no·sine (-kahr'no-sēn) – homocarnosina; dipeptídeo que consiste de ácido γ-aminobutírico e histidina; no homem; só é encontrada no tecido cerebral.

ho·mo·cys·te·ine (-sis'te-ēn) – homocisteína; aminoácido que contém enxofre, homólogo da cisteína e produzido pela desmetilação da metionina; pode formar a cistina ou metionina.

ho·mo·cys·tine (-sis'tēn) – homocistina; homólogo da cistina formado a partir de duas moléculas de homocisteína; constitui uma fonte de enxofre para o corpo.

ho·mo·cys·tin·uria (-sis"tin-u're-ah) – homocistinúria; excreção de um excesso de homocistina na urina, tendo várias causas, sendo algumas genéticas; caracteriza-se por retardo de desenvolvimento, deficiência de crescimento, anomalias neurológicas e outras características específicas de causas individuais; algumas vezes, implica-se especificamente o distúrbio como resultante da falta da enzima cistationina-β-sintase.

ho·mo·cy·to·trop·ic (-sī"to-trop'ik) – homocitotrópico; que tem afinidade por células da mesma espécie.

ho·mod·ro·mous (ho-mod'rah-mus) – homódromo; que se move ou age na mesma direção ou na direção normal.

ho·mo·ga·met·ic (ho"mo-gah-met'ik) – homogamético; que tem somente um tipo de gametas com relação aos cromossomas sexuais, como no caso da mulher.

ho·mog·e·nate (ho-moj'in-āt) – homogeneizado; material obtido por meio de homogeneização.

ho·mo·ge·ne·ous (ho"mo-je'ne-us) – homogêneo; de qualidade, composição ou estrutura gerais uniformes.

ho·mo·gen·e·sis (-jen'ĭ -sis) – homogênese; reprodução através do mesmo processo em cada geração. **homogenet'ic** – adj. homogenético.

ho·mog·e·nize (ho-moj'in-ī z) – homogeneizar; tornar homogêneo.

ho·mo·gen·tis·ic ac·id (ho"mo-jen-tis'ik) – ácido homogentísico; hidrocarboneto aromático formado como intermediário no metabolismo da tirosina e da fenilalanina e acumulado e excretado na urina no caso de alcaptonúria.

ho·mo·graft (ho'mo-graft) – homoenxerto; aloenxerto (*allograft*).

ho·mol·o·gous (ho-mol'ah-gus) – homólogo: 1. correspondente em estrutura, posição, origem etc.; 2. alogênico.

ho·mo·logue (hom'ah-log) – homólogo: 1. qualquer órgão ou parte homólogos; 2. em Química, uma substância de uma série de compostos distintos pela adição de um grupo CH_2 em membros sucessivos.

ho·mol·y·sin (ho-mol'ĭ -sin) – homolisina; lisina produzida pela injeção de um antígeno no corpo derivado de um indivíduo da mesma espécie.

ho·mon·o·mous (ho-mon'om-us) – homônomo; que designa partes seriadas homólogas, como os somitos.

ho·mon·y·mous (ho-mon'ĭ -mus) – homônimo: 1. que tem o mesmo som ou nome correspondentes; 2. relativo às metades verticais correspondentes dos campos visuais de ambos os olhos.

ho·mo·phil·ic (ho"mo-fil'ik) – homofílico; que reage somente com um antígeno específico.

ho·mo·plas·tic (-plas'tik) – homoplásico: 1. relativo à homoplastia; 2. denota órgãos ou partes (como as asas das aves e insetos) semelhantes entre si em estrutura e função, mas não em origem ou desenvolvimento.

ho·mo·poly·sac·cha·ride (-pol"e-sak'ah-rī d) – homopolissacarídeo; polissacarídeo que consiste de apenas uma unidade monossacarídica recorrente.

hom·or·gan·ic (hom"or-gan'ik) – homorgânico; produzido pelo mesmo órgão ou órgãos homólogos.

ho·mo·sex·u·al (ho"mo-sek'shoo-il) – homossexual: 1. sexualmente atraído por pessoas do mesmo sexo; 2. indivíduo homossexual.

ho·mo·top·ic (-top'ik) – homotópico; que ocorre no mesmo lugar sobre o corpo.

ho·mo·type (ho'mo-tī p) – homótipo; parte que apresenta simetria reversa com sua companheira, como no caso da mão. **homotyp'ic** – adj. homotípico.

ho·mo·va·nil·lic ac·id (ho"mo-vah-nil'ik) – ácido homovanílico; metabólito urinário terminal importante, convertido da dopa, dopamina e noradrenalina.

ho·mo·zy·go·sis (-zi-go'sis) – homozigose; formação de um zigoto através da união de gametas que têm um ou mais alelos idênticos.

hoof-bound (hoof'bownd) – encastelado; condição de ressecamento e contração do casco de um eqüino, causando claudicação.

hook (hook) – gancho; instrumento curvo para tração ou apreensão. **palate h.** – g. palatal; gancho para elevar o palato em uma rinoscopia posterior. **Tyrrell's h.** – g. de Tyrrell; gancho delgado utilizado em cirurgia ocular.

hook·worm (hook'werm) – ancilóstomo duodenal; nematódeo parasita dos intestinos do homem e outros vertebrados; as duas espécies importantes são a *Necator americanus* (a. americano ou do Novo Mundo) e *Ancylostoma duodenale* (a. do Velho Mundo). A infecção pode causar enfermidade séria; ver em *disease* e *itch, ground*.

hoose (hooz) – bronquite; bronquite verminosa; broncopneumonia; doença broncopulmonar dos bovinos, ovinos e suínos, causada por nematódeos.

hor·de·o·lum (hor-de'o-lum) – hordéolo; terçol; infecção inflamatória purulenta localizada de uma glândula sebácea (meibomiana ou de Zeis) da pálpebra; o *h. externo* ocorre na superfície cutânea na borda da pálpebra, e o *h. interno* ocorre na superfície conjuntival.

ho·ri·zon (hah-ri'zin) – horizonte; estágio anatômico específico de desenvolvimento embrionário, tendo já definidos 23, começando com a fertilização e terminando com o estágio fetal.

hor·mi·on (hor'me-on) – hórmio; ponto de união do osso esfenóide com a borda posterior do vômer.

hor·mone (hor'mōn) – hormônio; substância química produzida no corpo, que tem um efeito regulador específico na atividade de determinadas células ou de determinado órgão ou órgãos. **hormo'nal** – adj. hormonal. **adrenocortical h.** – h. adrenocortical; qualquer dos corticosteróides elaborados pelo córtex da suprarenal sendo os principais glicocorticóides e mineralocorticóides, e incluindo alguns androgênios, progesterona e talvez estrogênios. **adrenocorticotropic h.** – h. adrenocorticotrópico; corticotropina. **adrenomedullary h's** – hormônios adrenomedulares; substâncias secretadas pela medula adrenal, incluindo a adrenalina e a noradrenalina. **androgenic h's** – hormônios androgênicos; hormônios masculinizantes: androsterona e testosterona. **antidiuretic h.** – h. antidiurético; vasopressina. **corpus luteum h.** – h. do corpo lúteo; hormônio secretado pelo corpo lúteo, em geral especificamente a progesterona. **cortical h.** – h. cortical; h. adrenocortical. **corticotropin-releasing h. (CRH)** – h. liberador de corticotropina; neuropeptídeo elaborado pela proeminência mediana do hipotálamo e também produzido no pâncreas e cérebro, que estimula a secreção de corticotropina. **ectopic h.** – h. ectópico; hormônio liberado a partir de uma neoplasia ou de células fora da origem normal do hormônio. **eutopic h.** – h. eutópico; hormônio liberado de seu local normal ou de uma neoplasia desse tecido. **fibroblast growth h.** – h. de crescimento

GHI

fibroblástico; hormônio peptídico secretado pela adeno-hipófise, que é um mitógeno potente das células endoteliais vasculares e regulador da vascularização tecidual. **follicle-stimulating h. (FSH)** – h. foliculoestimulante; um dos hormônios gonadotrópicos da hipófise anterior, que estimula o crescimento e a maturação dos folículos de Graaf no ovário e a espermatogênese no homem. Ver também *menotropins*. **follicle-stimulating hormone-releasing h. (FSH-RH)** – h. liberador do hormônio foliculoestimulante; hormônio que se diz ser secretado pelo hipotálamo e promover a liberação do hormônio foliculoestimulante. **gonadotropic h.** – h. gonadotrópico; gonadotropina. **gonadotropin-releasing h. (Gn-RH)** – h. liberador de gonadotropina: 1. h. liberador do hormônio luteinizante; 2. qualquer fator hipotalâmico que estimule a liberação tanto do hormônio foliculoestimulante como do hormônio luteinizante. **growth h. (GH)** – h. do crescimento; substância que estimula o crescimento, especialmente a secreção da hipófise anterior, que influencia diretamente o metabolismo das proteínas, carboidratos e lipídios e controla a velocidade de crescimento esquelético e visceral. **growth hormone-releasing h. (GH-RH)** – h. liberador do hormônio do crescimento; hormônio elaborado pelo hipotálamo, que estimula a liberação do hormônio do crescimento a partir da hipófise. **interstitial cell-stimulating h.** – h. estimulante das células intersticiais; h. luteinizante. **lactation h., lactogenic h.** – h. lactogênico; prolactina. **luteinizing h.** – h. luteinizante; hormônio gonadotrópico da hipófise anterior, que age com o hormônio folículo-estimulante, causando ovulação dos folículos maduros e secreção de estrogênio por parte das células tecais e granulosas do ovário; também se relaciona à formação do corpo lúteo. No homem, estimula o desenvolvimento das células intersticiais dos testículos e sua secreção de testosterona. **luteinizing hormone-releasing h.** – h. liberador do hormônio luteinizante; hormônio gonadotrópico glicoproteico da hipófise anterior, que age com o hormônio foliculoestimulante para promover a ovulação e promover secreção de androgênio e progesterona. Utiliza-se uma preparação de seus sais no diagnóstico diferencial de disfunção hipotalâmica, hipofisária e gonádica, bem como no tratamento de algumas formas de infertilidade e hipogonadismo. **melanocyte-stimulating h., melanophore-stimulating h. (MSH)** – h. estimulante de melanócitos; hormônio estimulante dos melanóforos; um de vários peptídeos secretados na hipófise anterior no homem e na fossa rombóide nos vertebrados inferiores, que influencia a formação e a deposição da melanina no corpo e causa alterações de cor na pele dos anfíbios, peixes e répteis. **neurohypophysial h's** – hormônios neuro-hipofisários; hormônios hipofisários posteriores. **ovarian h.** – h. ovariano; hormônio secretado pelo ovário, como um estrogênio. **parathyroid h.** – h. paratireóideo; paratormônio; hormônio polipeptídico secretado pelas glândulas paratireóides, que influencia o metabolismo do cálcio e fósforo e a formação dos ossos.

placental h's – hormônios placentários; hormônios secretados pela placenta, que incluem a gonadotropina coriônica, a relaxina e outras substâncias que têm atividade estrogênica, progestacional ou adrenocorticóide. **plant h.** – h. vegetal; fito-hormônio. **posterior pituitary h's** – hormônios hipofisários posteriores; hormônios liberados a partir do lobo posterior da hipófise, incluindo a ocitocina e a vasopressina. **progestational h.** – h. progestacional: 1. progesterona; 2. [pl.] ver em *agent*. **sex h's** – hormônios sexuais; hormônios que têm atividade estrogênica (*hormônios sexuais femininos*) ou androgênica (*hormônios sexuais masculinos*). **somatotrophic h., somatotropic h.** – h. somatotrófico; h. somatotrópico; h. do crescimento. **somatototropin-releasing h. (SRH)** – h. liberador da somatotropina; h. liberador do hormônio do crescimento. **thyroid h's** – hormônios tireóideos; tireoxina, calcitonina e triiodotironina; no singular, tireoxina e/ou triiodotironina. **thyrotropic h.** – h. tireotrópico; tireotropina. **thyrotropin-releasing h. (TRH)** – h. liberador da tireotropina; hormônio tripeptídico hipotalâmico, que estimula a liberação da tireotropina a partir da hipófise. No homem, também age como fator de liberação da prolactina. É utilizado no diagnóstico do hipertireoidismo suave e da doença de Graves, bem como na diferenciação entre os hipotireoidismos primário, secundário e terciário.

hor·mon·o·gen (hor'mon-o-jen") – hormonógeno; pró-hormônio.

horn (horn) – chifre; corno; projeção pontiaguda como os processos pareados na cabeça de vários animais; qualquer estrutura em forma de chifre. **horn'y** – adj. córneo. **cicatricial h.** – c. cicatricial; c. ceratinoso; proeminência dura e seca a partir de uma cicatriz comumente escamosa e raramente óssea. **cutaneous h.** – c. cutâneo; proeminência córnea na pele comumente na face ou couro cabeludo; freqüentemente sobrepõe-se a lesões pré-malignas ou malignas. **h. of pulp** – c. da polpa; extensão da polpa no interior de uma acentuação do teto da câmara pulpar diretamente embaixo de uma cúspide ou um lobo de desenvolvimento do dente. **h. of spinal cord** – c. da medula espinhal; estrutura em forma de corno, anterior ou posterior, observada em corte transversal da medula espinhal; o corno anterior é formado pela coluna anterior da medula e o posterior é formado pela coluna posterior.

ho·rop·ter (hor-op'ter) – horóptero; soma de todos os pontos observados na visão binocular com os olhos fixos.

hor·ror (hor'er) [L.] – horror; pavor; terror. **h. auto·tox'icus** – h. de auto-envenenamento; antigo nome para autotolerância.

horse·pox (hors'poks) – varíola eqüina; forma suave da varíola que afeta os eqüinos.

hos·pice (hos'pis) – hospedaria; instalação que proporciona cuidados paliativos e de suporte para pacientes em estágio terminal de uma doença, e suas famílias, seja diretamente ou em base de consulta.

hos·pi·tal (hos'pit'l) – hospital; instituto para o tratamento de doentes. **lying-in h., maternity h.** – h. –

maternidade; hospital para o cuidado de pacientes de obstetrícia. **open h.** – h. aberto: 1. hospital ou seção de um hospital psiquiátrico, sem portas fechadas ou outras formas de contenção física; 2. hospital onde os médicos que não sejam membros da equipe podem enviar seus próprios pacientes e supervisionar seu tratamento. **teaching h.** – h.-escola; hospital que realiza programas de educação formal ou cursos de instrução que levam à obtenção de certificados, diplomas ou graduações reconhecidos ou exigidos para a graduação ou a licenciatura profissionais. **voluntary h.** – h. voluntário; hospital privado e não-lucrativo; h. filantrópico que fornece cuidados não-remunerados para os pobres.

hos·pi·tal·iza·tion (hos"pit'l-iz-a'shun) – hospitalização: 1. internação de um paciente em um hospital para tratamento; 2. termo de internação em um hospital. **partial h.** – h. parcial; programa de tratamento psiquiátrico para pacientes que não necessitam de hospitalização completa, envolvendo instalação especial ou disposição dentro de um prédio hospitalar para onde o paciente pode vir para tratamento somente durante o dia, à noite ou fim de semana.

host (hŏst) – hospedeiro: 1. organismo que alberga ou nutre outro organismo (parasita); 2. receptor de um órgão ou tecido derivado de outro organismo (doador). **accidental h.** – h. acidental; hospedeiro que alberga acidentalmente um organismo normalmente não-parasitário naquela determinada espécie. **definitive h., final h.** – h. definitivo; h. final; organismo onde um parasita passa sua existência adulta e sexuada. **intermediate h.** – h. intermediário; h. secundário; organismo no qual um parasita passa a sua existência larval ou não-sexuada. **paratenic h.** – h. paratênico; animal que age como hospedeiro intermediário substituto de um parasita, geralmente adquirindo o parasita por meio de ingestão do hospedeiro original. **primary h.** – h. primário; h. definitivo. **reservoir h.** – h. reservatório; reservatório; ver *reservoir* (3).

hot line (hot līn) – linha direta; assistência telefônica por meio de canal direto para comunicação de emergência para os que necessitam de intervenção súbita e realizada por não-profissionais, tendo profissionais da área psiquiátrica servindo como conselheiros ou em condição de apoio.

HP – house physician (médico residente).

HPLC – high-performance liquid chromatography (cromatografia líquida de alto desempenho).

HPV – human papillomavirus (papilomavírus humano).

HRCT – high-resolution computed tomography (tomografia computadorizada de alta resolução).

HRIG – human rabies immune globulin (imunoglobulina da raiva humana).

HSV – herpes simplex virus (vírus do herpes simples).

HTLV – human T-cell leukemia/lymphoma virus (vírus da leucemia/linfoma de células T humana).

hum (hum) – frêmito; zumbido; som prolongado, baixo e uniforme. **venous h.** – f. venoso; murmúrio de pomba; murmúrio contínuo que soa, toca ou

zumbe, que se ouve na ausculta sobre a veia jugular direita na posição sentada ou ereta; constitui um sinal inocente, suprimido ao assumir-se a posição de recúbito ou ao exercer-se pressão sobre a veia.

hu·mec·tant (hu-mek'tant) – umectante: 1. umedecedor; 2. remédio umedecedor ou diluente.

hu·mer·us (hu'mer-us) [L.] pl. *humeri* – úmero; ver *Tabela de Ossos*.

hu·mor (hu'mer) [L.] pl. *humors, humores* – humor; qualquer líquido ou semilíquido corporal. **hu'moral** – adj. humoral. **aqueous h.** – h. aquoso; líquido produzido no olho e que preenche os espaços (anterior e posterior) em frente do cristalino e seus ligamentos. **ocular h.** – h. ocular; qualquer dos humores (aquoso e vítreo) ocular. **vitreous h.** – h. vítreo: 1. porção líquida do corpo vítreo; 2. corpo vítreo.

hump (hump) – corcunda; proeminência arredondada. **dowager's h.** – nome popular para a cifose dorsal causada por fraturas em cunha múltiplas das vértebras torácicas observadas em caso de osteoporose.

hump·back (hump'bak) – corcunda; cifose (*kyphosis*).

hunch·back (hunch'bak) – corcunda: 1. cifose; 2. pessoa com cifose.

hun·ger (hung'er) – fome; necessidade, como a de alimento. **air h.** – f. aérea; dispnéia aflitiva que ocorre nos paroxismos.

HVL – half-value layer (camada de valor médio).

hy·a·lin (hi'ah-lin) – hialina; produto albuminóide translúcido da degeneração amilóide.

hy·a·line (hi'ah-līn) – hialino; vítreo e transparente ou semelhante.

hy·a·li·no·sis (hi"ah-lin-o'sis) – hialinose; degeneração hialina.

hy·a·li·tis (hi"ah-lī t'is) – hialite; inflamação do corpo vítreo ou da membrana vítrea (hialóide). **asteroid h.** – h. asteróide; ver em *hyalosis*. **suppurative h.** – h. supurativa; inflamação purulenta do corpo vítreo.

hyal(o)- [Gr.] – hial(o)-, elemento de palavra, *vítreo*.

hy·al·o·gen (hi-al'o-jen) – hialogênio; substância albuminosa que ocorre na cartilagem, no corpo vítreo etc., e conversível em hialina.

hy·a·lo·hy·pho·my·co·sis (hi"ah-lo-hi"fo-mi-ko'sis) – hialo-hifomicose; qualquer infecção oportunista causada por fungos miceliais com paredes incolores.

hy·a·lo·mere (hi'ah-lo-mĕr") – hialômero; porção pálida e homogênea de uma plaqueta sangüínea em esfregaço sangüíneo seco e corado.

Hy·a·lom·ma (hi"ah-lom'ah) – *Hyalomma*; gênero de carrapatos da África, Ásia e Europa; ectoparasitas de animais e do homem, podem transmitir doenças e causar lesões sérias por meio de sua picada.

hy·a·lo·mu·coid (hi"ah-lo-mu'koid) – hialomucóide; mucóide do corpo vítreo.

hy·a·lo·nyx·is (-nik'sis) – hialonixe; punção do corpo vítreo.

hy·a·lo·pha·gia (-fa'jah) – hialofagia; ingestão de vidro.

hy·a·lo·plasm (hi'ah-lo-plazm") – hialoplasma; substância finamente granular e mais líquida do citoplasma de uma célula. **nuclear h.** – h. nuclear; cariolinfa.

hy·a·lo·se·ro·si·tis (hi"ah-lo-sēr"o-sīt'is) – hialosserosite; inflamação das membranas serosas, com hialinização do exsudato seroso em um envoltório perolado do órgão afetado. **progressive multiple h.** – h. múltipla progressiva; doença de Concato.

hy·a·lo·sis (hi"ah-lo'sis) – hialose; alterações degenerativas no humor vítreo. **asteroid h.** – h. asteróide; presença de opacidades esféricas ou em forma de estrela no humor vítreo.

hy·al·o·some (hi-al'o-sōm) – hialossoma; estrutura semelhante ao nucléolo de uma célula, mas se cora somente ligeiramente.

hy·al·uro·nate (hi"al-lŏŏ'ro-nāt) – hialuronato; sal, ânion ou éster do ácido hialurônico.

hy·al·uron·ic ac·id (hi"ah-lŏŏ-ron'ik) – ácido hialurônico; glicosaminoglicano encontrado nos proteoglicanos lubrificantes do líquido sinovial, humor vítreo, cartilagem, vasos sangüíneos, pele e cordão umbilical. Constitui uma cadeia linear de cerca de 2.500 unidades dissacarídicas repetidas.

hy·al·uron·i·dase (hi"ah-lŏŏ-ron'ī-dās) – hialuronidase; uma de três enzimas que catalisam a hidrólise do ácido hialurônico e de glicosaminoglicanos semelhantes, encontrados no veneno de cobra e aranha e nos tecidos testicular e esplênico dos mamíferos, e produzidos por várias bactérias patogênicas, permitindo que se propaguem através dos tecidos; utiliza-se uma preparação proveniente dos testículos humanos para promover a absorção e a difusão de soluções injetadas subcutaneamente.

hy·ben·zate (hi-ben'zāt) – hibenzato; contração da USAN para o *o*-(4-hidroxibenzoil)benzoato.

hy·brid (hi'brid) – híbrido; descendente de genitores de cepas, variedades ou espécies diferentes.

hy·brid·iza·tion (hi"brid-ī-za'shun) – hibridização: 1. reprodução cruzada; ato ou processo de produzir híbridos; 2. h. molecular; 3. formação de um heterocárion através da fusão de duas células somáticas, geralmente de espécies diferentes; 4. em Química; procedimento através do qual se constroem orbitais de energia intermediária e um caráter direcional desejado. **in situ h.** – h. local; hibridização molecular utilizada para analisar células ou cortes histológicos preparados localmente para analisar a distribuição intracelular ou intracromossômica; transcrição ou outras características de ácidos nucléicos específicos. **molecular h.** – h. molecular; formação de um duplo de ácido nucléico parcial ou completamente complementar através de associação de filamentos únicos, para detectar e isolar seqüências específicas, medir a homologia ou definir outras características de um ou ambos os filamentos.

hy·brid·o·ma (hi"brid-o'mah) – hibridoma; híbrido de célula somática formado pela fusão de linfócitos normais e células tumorais.

hy·clate (hi'klāt) – hiclato; contração da USAN para o monocloridrato de hemietanolato hemiidratado.

hy·da·tid (hi'dah-tid) – hidátide: 1. cisto hidático; 2. qualquer estrutura cistiforme. **h. of Morgagni** – h. de Morgagni; resíduo cistiforme do ducto de Müller,

preso ao testículo ou ao oviduto. **sessile h.** – h. séssil; hidátide de Morgagni conectada a um testículo.

hy·da·tid·i·form (hi"dah-tid'ī-form) – hidatidiforme; semelhante a um cisto hidático; ver em *mole³*.

hy·da·tid·o·sis (hi"dah-tī-do'sis) – hidatidose; doença hidática.

hy·da·tid·os·to·my (hi"dah-tī-dos'tah-me) – hidatidostomia; incisão e drenagem de um cisto hidático.

Hy·der·gine (hi'der-jēn) – Hydergine, marca registrada de preparação de alcalóides ergóticos diidrogenados, utilizada no tratamento da depressão e confusão nos idosos.

hy·dra·gogue (hi'drah-gog) – hidragogo: 1. que produz uma descarga aquosa, especialmente a partir dos intestinos; 2. catártico que causa purgação aquosa.

hy·dral·a·zine (hi-dral'ah-zēn) – hidralazina; vasodilatador periférico utilizado em forma de sal de cloridrato como anti-hipertensivo.

hy·dran·en·ceph·a·ly (hi"dran-en-sef'ah-le) – hidranencefalia; ausência dos hemisférios cerebrais, sendo seu local normal ocupado por fluido cerebroespinhal. **hydranencephal'ic** – adj. hidranencefálico.

hy·drar·gyr·ia, hy·drar·gy·rism (hi"drahr-jir'e-ah; hi-drahr'jī-rizm) – hidrargiria; envenenamento com mercúrio; ver *mercury*.

hy·drar·gy·rum (hi-drahr'jī-rum) [L.] – hidrargírio; mercúrio; ver *mercury*.

hy·drar·thro·sis (hi"drar-thro'sis) [L.] – hidrartrose; acúmulo de derrame de líquido aquoso em uma cavidade articular. **hydrarthro'dial** – adj. hidrartrodial.

hy·dra·tase (hi'drah-tās) – hidratase; hidroliase que catalisa uma reação na qual o equilíbrio se dá em direção à hidratação.

hy·drate (hi'drāt) – hidrato: 1. qualquer composto de um radical com água; 2. qualquer sal ou outro composto que contenha água de cristalização.

hy·dra·tion (hi-dra'shun) – hidratação; absorção ou a combinação com água.

hy·drau·lics (hi-draw'liks) – hidráulica; ciência que lida com a mecânica dos líquidos.

hy·dra·zine (hi'dra-zēn) – hidrazina; diamina gasosa (H_4N_2) ou um de seus derivados de substituição.

hy·dren·ceph·a·lo·me·nin·go·cele (hi"dren-sef'ah-lo-mē-ning'go-sēl) – hidrencefalomeningocele; hidrencefalocele (*hydroencephalocele*).

hy·dri·od·ic ac·id (hi"dri-od'ik) – ácido iodídrico; ácido haló ide gasoso (HI); sua solução aquosa e seu xarope são utilizados como alteradores.

hydr(o)- [Gr.] – elemento de palavra, *hidrogênio; água.*

hy·droa (hi-dro'ah) – hidroa; erupção vesicular, com prurido e queimação intensos, que ocorrem em superfícies cutâneas expostas à luz solar.

hy·dro·bro·mic ac·id (hi"dro-bro'mik) – ácido bromídrico; ácido haló ide gasoso (HBr).

hy·dro·ca·ly·co·sis (hi"dro-kal"ī-ko'sis) – hidrocalicose; dilatação cística geralmente assintomática de um cálice renal maior, revestida por um epitélio transicional e decorrente de obstrução do infundíbulo.

hy·dro·car·bon (hi'dro-kahr"bon) – hidrocarboneto; composto orgânico que contém somente carbono e hidrogênio. **alicyclic h.** – h. alicíclico; hidrocarboneto que tem uma estrutura cíclica e propriedades alifáticas. **aliphatic h.** – h. alifático; hidrocarboneto que não contém um anel aromático. **aromatic h.** – h. aromático; hidrocarboneto que tem uma estrutura cíclica e um sistema conjugado fechado de ligações duplas. **chlorinated h.** – organoclorado; qualquer substância de um grupo de compostos tóxicos utilizados principalmente como refrigerantes industriais, solventes industriais e líquidos de limpeza a seco e antigamente como anestésicos.

hy·dro·cele (hi'dro-sēl) – hidrocele; coleção de líquido circunscrita, especialmente na túnica vaginal do testículo ou ao longo do cordão espermático.

hy·dro·ceph·a·lo·cele (hi"dro-sef'ah-lo-sēl") – hidrocefalocele; hidrencefalocele (*hydroencephalocele*).

hy·dro·ceph·a·lus (sef'ah-lus) – hidrocefalia; afecção congênita ou adquirida marcada por dilatação dos ventrículos cerebrais, que em geral ocorre secundariamente a obstrução dos trajetos do líquido cerebroespinhal e acompanhada de acúmulo de líquido cerebroespinhal dentro do crânio; tipicamente; ocorre aumento de volume da cabeça, proeminência da testa, atrofia cerebral, deterioração mental e convulsões. **hydrocephal'ic** – adj. hidrocefálico. **communicating h.** – h. comunicante; hidrocefalia na qual ocorre um acesso livre de fluido entre os ventrículos cerebrais e o canal espinhal. **noncommunicating h.** – h. não-comunicante; h. obstrutiva. **normal-pressure h., normal-pressure occult h.** – h. com pressão normal; h. oculta com pressão normal; demência, ataxia e incontinência urinária com aumento de volume dos ventrículos associado a inadequação dos espaços subaracnóides, mas com pressão de fluido cerebroespinhal normal. **obstructive h.** – h. obstrutiva; hidrocefalia devida a obstrução do fluxo do fluido cerebroespinhal dentro dos ventrículos cerebrais ou através de seus forames de saída. **otitic h.** – h. otítica; hidrocefalia causada pela disseminação de inflamação de uma otite média para a cavidade craniana. **h. ex va'cuo** – h. *ex vacuo;* substituição compensatória por fluido cerebroespinhal do volume de tecido perdido em uma atrofia cerebral.

hy·dro·chlo·ric ac·id (-klor'ik) – ácido clorídrico; cloreto de hidrogênio em solução aquosa (HCl), um ácido mineral altamente corrosivo; é utilizado como reagente laboratorial e é um constituinte do suco gástrico, secretado pelas células parietais gástricas.

hy·dro·chlo·ride (-klor'īd) – cloridrato; sal do ácido clorídrico.

hy·dro·chlo·ro·thi·a·zide (-klor"o-thi'ah-zīd) – hidrocloridrotiazida; diurético e hipertensivo eficiente por via oral.

hy·dro·cho·le·cys·tis (-ko"le-sis'tis) – hidrocoleciste; distensão da vesícula biliar com um líquido aquoso.

hy·dro·cho·le·re·sis (-ko"lě-re'sis) – hidrocolerese; colerese marcada por aumento do escoamento de água ou indução da excreção de bile relativa-

mente baixa quanto à densidade específica, viscosidade e teor total de sólidos.

hy·dro·cir·so·cele (-sir'so-sēl) – hidrocirsocele; hidrocele combinada com varicocele.

hy·dro·co·done (-ko'dōn) – hidrocodona; derivado semi-sintético da codeína que tem efeitos analgésicos semelhantes, porém mais ativos que os da codeína; utilizado como antitussígeno em forma de bitartarato e de derivados poliestirécicos.

hy·dro·col·loid (-kol'oid) – hidrocolóide; sistema coloidal no qual a água é o meio de dispersão.

hy·dro·cor·ti·sone (-kor'tĭ-sōn) – hidrocortisona; nome dado ao cortisol natural ou sintético quando utilizado como produto farmacêutico; tem propriedades de manutenção da vida e uma atividade mineralocorticóide limitada. A base e seus sais são utilizados no tratamento de inflamações, alergias, prurido, colagenopatias, deficiência adrenocortical, estado asmático severo, choque e determinadas neoplasias.

hy·dro·cy·an·ic ac·id (-si-an'ik) – ácido cianídrico; cianeto de hidrogênio; ver em *hydrogen.*

hy·dro·de·lin·e·a·tion (-de-lin"e-a'shun) – hidrodiérese; injeção de fluido entre as camadas do núcleo do cristalino utilizando uma agulha cega; feito para delinear as zonas nucleares durante uma cirurgia de catarata.

hy·dro·dis·sec·tion (-di-sek'shun) – hidrodissecção; injeção de pequena quantidade de fluido no interior da cápsula do cristalino para dissecção e manipulação durante uma cirurgia extracapsular ou de facoemulsificação.

hy·dro·en·ceph·a·lo·cele (-en-sef'ah-lo-sēl) – hidroencefalocele; encefalocele no interior de um saco distendido que contém líquido cerebroespinhal.

hy·dro·flu·me·thi·a·zide (-floo"mě-thi'ah-zīd) – hidroflumetiazida; diurético tiazídico utilizado no tratamento de hipertensão e edema.

hy·dro·flu·o·ric ac·id (-floor'ik) – ácido fluorídrico; ácido halóide gasoso (HF), extremamente venenoso e corrosivo.

hy·dro·gen (hi'dro-jen) – hidrogênio; elemento químico (ver *Tabela de Elementos*), número atômico 1, símbolo H; ele existe como o isótopo de massa 1 prótio; h. leve ou h. comum; o isótopo de massa 2 deutério ou h. pesado (*deuterium*); e o isótopo de massa 3 trítio (*tritium*). **h. cyanide** – cianeto de h.; líquido ou gás extremamente venenoso (HCN), utilizado como rodenticida e inseticida. **h. peroxide** – peróxido de h.; água oxigenada; líquido fortemente desinfetante, limpador e alvejante (H_2O_2), utilizado em solução diluída em água. **h. sulfide** – sulfeto de h., um gás venenoso, incolor e de mau odor (H_2S).

hy·dro·ki·net·ic (hi"dro-kĭ-net'ik) – hidrocinético; relacionado ao movimento da água ou outro líquido, como no caso de um banho de turbilhão.

hy·dro·ki·net·ics (-kĭ-net'iks) – hidrocinética; ciência que trata dos líquidos em movimento.

hy·dro·lase (hi'dro-lās) – hidrolase; uma das seis principais classes de enzimas, que compreende todas as enzimas que catalisam a clivagem hidrolítica de um composto.

GHI

hy·dro·ly·ase (hi"dro-li'ās) – hidroliase; liase que catalisa a remoção da água a partir de um substrato através da quebra de uma ligação de carbono-oxigênio, levando à formação de uma ligação dupla.

hy·dro·lymph (hi'dro-limf) – hidrolinfa; líquido nutritivo aquoso e fino de determinados animais inferiores.

hy·drol·y·sate (hi-drol'ī -sāt) – hidrolisado; qualquer composto produzido por hidrólise. **protein h.** – h. protéico; solução estéril de aminoácidos e de peptídeos de cadeia curta; utilizado como repositor de líquidos e de nutrientes.

hy·drol·y·sis (hi-drol'ī -sis) pl. *hydrolyses* – hidrólise; clivagem de um composto através da adição de água, com o grupo hidroxila incorporando-se em um fragmento e o átomo de hidrogênio em outro. **hydrolyt'ic** – adj. hidrolítico.

hy·dro·ma (hi-dro'mah) – hidroma; higroma (*hygroma*).

hy·dro·me·nin·go·cele (hi"dro-mě-ning'go-sēl) – hidromeningocele; meningocele que forma um saco que contém líquido cerebroespinhal, mas não contém substância cerebral ou de medula espinhal.

hy·drom·e·ter (hi-drom'it-er) – hidrômetro; instrumento para determinar a densidade específica de um fluido.

hy·dro·me·tro·col·pos (hi"dro-me"tro-kol'-pos) – hidrometrocolpo; coleção de líquido aquoso no útero e na vagina.

hy·drom·e·try (hi-drom'ī -tre) – hidrometria; medição da densidade específica com um hidrômetro.

hy·dro·mi·cro·ceph·a·ly (hi"dro-mi"kro-sef'-ah-le) – hidromicrocefalia; pequenez da cabeça com uma quantidade anormal de líquido cerebroespinhal.

hy·dro·mor·phone (-mor'fōn) – hidromorfona; alcalóide morfínico que tem efeitos analgésicos narcóticos semelhantes mas ainda maiores e de duração mais curta que as da morfina; utilizada como sais de cloridrato ou de sulfato.

hy·dro·my·e·lia (-mi-ēl'e-ah) – hidromielia; dilatação do canal central da medula espinhal com um acúmulo anormal de líquido.

hy·dro·my·elo·me·nin·go·cele (-mi"ě-lo-mě-ning'go-sēl) – hidromielomeningocele; mielomeningocele que contém tanto líquido cerebroespinhal como tecido da medula espinhal.

hy·dro·my·o·ma (-mi-o'mah) – hidromioma; leiomioma uterino com degeneração cística.

hy·dro·ne·phro·sis (-ně-fro'sis) – hidronefrose; distensão da pelve e cálices renais com urina, devido a obstrução do ureter, com atrofia do parênquima renal. **hydronephrot'ic** – adj. hidronefrótico.

hy·dro·ni·um (hi-dro'ne-um) – hidrônio; próton hidratado (H_3O^+); é a forma na qual o próton (íon de hidrogênio, H^+) existe em solução aquosa, uma combinação de H^+ e H_2O.

hy·dro·peri·car·di·tis (hi"dro-per"ī -kahr-dī t'-is) – hidropericardite; pericardite com derrame aquoso.

hy·dro·peri·to·ne·um (-per"it-o-ne'im) – hidroperitônio; ascite (*ascites*).

hy·dro·phil·ic (-fil'ik) – hidrofílico; que absorve facilmente umidade; higroscópico; que tem grupos fortemente polares que interagem facilmente com a água.

hy·dro·pho·bia (-fo'be-ah) – hidrofobia; raiva (*rabies*).

hy·dro·pho·bic (-fo'bik) – hidrofóbico: 1. relativo à hidrofobia (raiva); 2. que não absorve facilmente água ou que é afetado adversamente pela água; 3. que não tem grupos polares e portanto é insolúvel em água.

hy·droph·thal·mos (hi"drof-thal'mos) – hidroftalmia; distensão do globo ocular no glaucoma infantil.

hy·drop·ic (hi-drop'ik) – hidrópico; relativo ou afetado de hidropisia.

hy·dro·pneu·ma·to·sis (hi"dro-noo"mah-to'-sis) – hidropneumatose; coleção de líquido e gás nos tecidos.

hy·dro·pneu·mo·go·ny (-noo-mo'go-ne) – hidropneumogonia; injeção de ar no interior de uma articulação para detectar a presença de derrame.

hy·dro·pneu·mo·peri·to·ne·um (-noo"mo-per"-it-o-ne'um) – hidropneumoperitônio; coleção de líquido e gás na cavidade peritoneal.

hy·dro·pneu·mo·tho·rax (-thor'aks) – hidropneumotórax; coleção de fluido e gás dentro da cavidade pleural.

Hy·dro·pres (hi'dro-pres) – Hydropres, marca registrada de uma preparação de combinação fixa de hidroclorotiazida e reserpina.

hy·drops (hi'drops) [L.] – hidropisia; edema. **fetal h., h. feta'lis** – h. fetal; edema macroscópico do corpo inteiro, associado a anemia severa, ocorrendo no caso da doença hemolítica do recém-nascido.

hy·dro·quin·one (hi"dro-kwī -nōn') – hidroquinona; forma reduzida da quinona, utilizado topicamente como agente despigmentador cutâneo.

hy·dror·rhea (-re'ah) – hidrorréia; derrame aquoso abundante. **h. gravida'rum** – h. da gravidez; derrame aquoso da vagina durante a gravidez.

hy·dro·sar·co·cele (-sahr'ko-sēl) – hidrossarcocele; hidrocele e sarcocele conjuntamente.

hy·dro·sol (hi'dro-sawl) – hidrossol; solução na qual o meio de dispersão é a água.

hy·dro·stat·ics (hi"dro-stat'iks) – hidrostática; ciência do equilíbrio dos líquidos e das pressões que eles exercem. **hydrostat'ic** – adj. hidrostático.

hy·dro·tax·is (-tak'sis) – hidrotaxia; taxia em resposta à influência da água ou umidade.

hy·dro·thio·ne·mia (-thi"on-ēm'e-ah) – hidrotionemia; sulfeto de hidrogênio no sangue.

hy·dro·tho·rax (-thor'aks) – hidrotórax; coleção de líquido seroso dentro da cavidade pleural.

hy·drot·ro·pism (hi-drot'ro-pizm) – hidrotropismo; resposta de crescimento de um organismo não-mótil à presença de água ou umidade.

hy·dro·tu·ba·tion (hi"dro-too-ba'shun) – hidrotubação; introdução no interior da trompa uterina de hidrocortisona em solução salina, seguida de quimiotripsina em solução salina para manter sua desobstrução.

hy·dro·ure·ter (-ūr-ēt'er) – hidroureter; distensão do ureter com urina ou líquido aquoso, devido a obstrução.

hy·drox·ide (hi-drok'sī d) – hidróxido; composto que contém um grupo hidroxila.

hy·droxo·co·bal·a·min (hi-drok"so-ko-bal'ah-min) – hidroxicobalamina; derivado cobalamínico com hidroxila substituída, a forma ocorrente natural de vitamina B$_{12}$ e algumas vezes utilizada como fonte dessa vitamina.

hydroxy- – hidroxi-, prefixo químico que indica a presença do radical univalente OH.

hy·droxy·am·phet·amine (hi-drok"se-am-fet'-ah-mēn) – hidroxianfetamina; amina simpatomimética, cujo sal de bromidrato é utilizado como descongestionante nasal, pressionador e midriático.

hy·droxy·ap·a·tite (-ap'ah-tīt) – hidroxiapatita; constituinte da matriz óssea e dentária que contém cálcio inorgânico, concedendo rigidez a essas estruturas. Utilizam-se compostos sintéticos com estrutura semelhante, como os suplementos de cálcio e auxílios de próteses (ver *durapatite*).

hy·droxy·bu·ty·rate (-bu'tĭ -rāt) – hidroxibutirato; sal ou forma aniônica do ácido hidroxibutírico.

hy·droxy·bu·tyr·ic ac·id (-bu-tir'ik) – ácido hidroxibutírico; um dos vários hidroxiderivados do ácido butírico; *a. β-h. (a. 3-h.)* é um corpo cetônico e se eleva no sangue e na urina no caso de cetose, e o *a. γ-h (a. 4-h.)* se eleva em líquidos corporais em caso de alguma deficiência de semialdeído-desidrogenase.

4-hy·droxy·bu·tyr·ic·ac·id·uria, γ-hy·droxy·bu·tyr·ic·ac·id·uria (-bu-tir"ik-as"ĭ -du're-ah) – 4-hidroxibutiricacidúria; γ-hidroxibutiricacidúria; deficiência de semialdeído desidrogenase succínica; ver *succinate semialdehyde dehydrogenase*.

hy·droxy·chlo·ro·quine (-klor'o-kwin) – hidroxicloroquina; antiinflamatório e antiprotozoário utilizado como sal de sulfato no tratamento da malária, lúpus eritematoso, artrite reumatóide e giardíase sintomática.

25-hy·droxy·cho·le·cal·cif·e·rol (-ko"lĕ-kal-sif'er-ol) – 25-hidroxicolecalciferol; intermediário na ativação hepática do colecalciferol.

hy·droxy·cor·ti·co·ste·roid (-kor"tĭ -ster'-oid) – hidroxicorticosteróide; corticosteróide que tem uma substituição hidroxílica; os hidroxicorticosteróides *17* são intermediários na biossíntese dos hormônios esteróides e se acumulam e são excretados anormalmente em vários distúrbios da esteroidogênese.

hy·droxy·glu·tar·ic ac·id (-gloo-tar'ik) – ácido hidroxiglutárico; um dos vários derivados hidroxilados do ácido glutárico, alguns dos quais acumulam-se e são excretados em formas específicas de glutaricacidúria.

5-hy·droxy·in·dole·ace·tic ac·id (-in"dŏl-ah-se'tik) – ácido 5-hidroxiindolacético; produto do metabolismo da serotonina presente em quantidades elevadas na urina em pacientes com tumores carcinóides.

3-hy·droxy·iso·va·ler·ic ac·id (-i"so-vah-ler'-ik) – ácido 3-hidroxiisovalérico; forma metilada do ácido isovalérico acumulada e excretada na urina em caso de alguns distúrbios do catabolismo da leucina.

hy·drox·yl (hi-drok'sil) – hidroxila; radical univalente OH.

hy·drox·yl·ap·a·tite (hi-drok"sil-ap'ah-tī t) – hidroxilapatita; hidroxiapatita (*hidroxyapatite*).

hy·drox·y·lase (hi-drok'sĭ -lās) – hidroxilase; substância de um grupo de enzimas que catalisam a formação de um grupo hidroxila em um substrato através da incorporação de um átomo (monooxigenases) ou dois átomos (dioxigenases) de oxigênio a partir do O$_2$. **11 β-h.** – 11 β-h.; enzima que catalisa a hidroxilação dos esteróides na posição 11, uma fase na síntese dos hormônios esteróides; a deficiência causa uma forma de hiperplasia adrenal congênita. **17** α-h. – 17 α-h.; enzima que catalisa a oxidação dos esteróides na posição 17, uma fase na síntese dos hormônios esteróides; a deficiência causa uma forma de hiperplasia adrenal congênita e, se ocorrer durante a gestação, pode causar pseudo-hermafroditismo masculino. **18-h.**, 18 h; enzima que catalisa várias fases na biossíntese da aldosterona a partir dos corticosteróides; a deficiência causa desperdício de sal. **21-h.**, 21 h; enzima que catalisa a hidroxilação dos esteróides na posição 21, uma fase na síntese dos hormônios esteróides; a deficiência prejudica a capacidade de produzir todos os glicocorticóides e causa uma forma de hiperplasia adrenal congênita.

hy·droxy·preg·nen·o·lone (hi-drok"se-preg-nēn'ah-lōn) – hidroxipregnenolona; intermediário na biossíntese dos hormônios esteróides, acumulado e excretado anormalmente em alguns distúrbios da esteroidogênese.

hy·droxy·pro·ges·ter·one (-pro-jes'ter-ōn) – hidroxiprogesterona: 1. 17 α-h.; 2. progestina sintética utilizada como sal de caproato no tratamento de sangramento uterino disfuncional, anormalidades do ciclo menstrual, endometriose e câncer endometrial. **17 α-h.** – 17 α-h.; intermediário formado na conversão do colesterol em cortisol, androgênios e estrogênios.

hy·droxy·pro·line (-pro'lēn) – hidroxiprolina; forma hidroxilada da prolina, que ocorre no colágeno e em outras proteínas do tecido conjuntivo.

hy·droxy·pro·lin·e·mia (-pro"lĭ -ne'me-ah) – hidroxiprolinemia: 1. excesso de hidroxiprolina no sangue; 2. distúrbio do metabolismo dos aminoácidos caracterizado por excesso de hidroxiprolina livre no plasma e na urina, devido a defeito na enzima hidroxiprolina-oxidase; pode se associar ao retardamento mental.

hy·droxy·pro·pyl meth·yl·cel·lu·lose (-pro'pilmeth"il-sel'u-lōs) – hidroxipropilmetilcelulose; éster propilenoglicólico da metilcelulose; utilizado como agente suspensor e aumentador da viscosidade e excipiente de comprimidos em produtos farmacêuticos, e aplicado topicamente na conjuntiva para proteger a córnea durante determinados procedimentos oftálmicos e para lubrificar a córnea.

8-hy·droxy·quin·o·line (-kwin'o-lēn) – 8-hidroxiquinolina; oxiquinolina (*oxyquinoline*).

hy·droxy·ste·roid (-ster'oid) – hidroxiesteróide; esteróide que tem um grupo hidroxila.

5-hy·droxy·tryp·ta·mine (5-HT) (-trip'tahmēn) – 5-hidroxitriptamina (5-HT); serotonina (*serotonin*).

hy·droxy·urea (-u-re'ah) – hidroxiuréia; antineoplásico que inibe uma fase na síntese do DNA; primariamente utilizado no tratamento da leucemia granulocítica crônica, alguns carcinomas, melanoma maligno e policitemia verdadeira.

25-hy·droxy·vi·ta·min D (-vi'tah-min) – 25-hidroxivitamina D; 25-hidroxicolecalciferol, o hidroxiderivado correspondente do ergocalciferol ou ambos em conjunto.

hy·droxy·zine (hi-drok'sĭ-zēn) – hidroxizina; depressor do sistema nervoso central que tem ações antiespasmódica, anti-histamínica e antifibrilatória; utilizado como sal de cloridrato ou pamoato.

hy·dru·ria (hi-drōōr'e-ah) – hidrúria; excreção de urina de baixa osmolalidade ou baixa densidade específica.

hy·giene (hi'jēn) – higiene; ciência da saúde e sua preservação. **higien'ic** – adj. higiênico. **oral h.** – h. oral; cuidado apropriado da boca e dos dentes.

hy·gien·ist (hi-jen'ist, hi"je-en'ist) – higienista; especialista em higiene. **dental h.** – h. dentário; membro auxiliar da profissão dentária, especializado na arte de remoção de depósitos calcários e manchas das superfícies dentárias e no fornecimento de serviços e informações adicionais para a prevenção das doenças orais.

hygr(o)- [Gr.] – higr(o)-, elemento de palavra, *umidade.*

hy·gro·ma (hi-gro'mah) pl. *hygromas, hygromata* – higroma; acúmulo de líquido em um saco, cisto ou bursa. **hygrom'atous** – adj. higromatoso. **h. col'li** – h. do pescoço; tumor aquoso no pescoço. **cystic h., h. cys'ticum** – h. cístico; linfangioma que ocorre geralmente no pescoço e é composto de grandes cistos multiloculares e de parede espessa.

hy·grom·e·try (hi-grom'ě-tre) – higrometria; medição da umidade na atmosfera.

hy·gro·scop·ic (hi"gro-skop'ik) – higroscópico; que absorve facilmente a umidade.

Hy·gro·ton (hi'gro-ton) – Hygroton, marca registrada de uma preparação de clortalidona.

hy·men (hi'men) – hímen; prega membranosa que fecha parcial ou completamente o orifício vaginal externo. **hy'menal** – adj. himenal.

hy·me·no·lep·i·a·sis (hi"mě-no-lep'i'ah-sis) – himenolepíase; infecção por *Hymenolepis.*

Hy·me·nol·e·pis (hi"mě-nol'ě-pis) – *Hymenolepis;* gênero de cestódeos, que inclui a *H. nana,* encontrada em roedores e no homem, especialmente nas crianças.

hy·men·ol·o·gy (hi"men-ol'ah-je) – himenologia; ciência que lida com as membranas do corpo.

Hy·men·op·tera (op'ter-ah) – Hymenoptera; ordem de insetos com dois pares de asas membranosas bem-desenvolvidas, como as abelhas e as vespas; himenópteros.

hyo·epi·glot·tic (hi"o-ep"ĭ-glot'ik) – hioepiglótico; relativo ao osso hióide e à epiglote.

hyo·epi·glot·tid·e·an (-glŏ-tid'e-in) – hioepiglótico.

hyo·glos·sal (-glos"l) – hioglóssico; relativo ao osso hióide e à língua ou ao músculo hioglosso.

hy·oid (hi'oid) – hióide; com uma forma semelhante à letra grega ípsilon (υ); relativo ao osso hióide.

hyo·scine (hi'o-sīn) – hioscina; escopolamina (*scopolamine*).

hyo·scy·amine (hi"o-si'ah-mēn) – hiosciamina; alcalóide anticolinérgico, geralmente obtido a partir de espécies de *Hyoscyamus* e de outras plantas solanáceas; constitui o componente levorrotatório da atropina racêmica, com ações e usos semelhantes aos da atropina, mas com efeitos centrais e periféricos mais potentes; utilizado como sal de bromidrato ou de sulfato.

hyp·al·ge·sia (hi"pal-he'ze-ah) – hipalgesia; redução da sensação da dor. **hypalge'sic** – adj. hipalgésico.

hyp·am·ni·os (hīp-am'ne-os) – hipâmnio; deficiência de líquido amniótico.

hyp·ana·ki·ne·sis (hīp"an-ah-kĭ-ne'sis) – hipanacinesia; hipocinesia (*hypokinesia*).

hyp·ar·te·ri·al (-ahr-tēr'e-il) – hiparterial; sob uma artéria.

hyp·ax·i·al (hi-pak'se-al) – hipaxial; ventral ao eixo longitudinal do corpo.

hyper- [Gr.] – hiper-, elemento de palavra, *anormalidade aumentada; excessivo.*

hy·per·ac·id (hi"per-as'id) – hiperácido; anormal ou excessivamente ácido.

hy·per·ac·tiv·i·ty (-ak-tiv'it-e) – hiperatividade: 1. hipercinese; 2. atividade excessiva ou anormalmente aumentada; 3. ver *disorder, attention-deficit hyperactivity.*

hy·per·acu·sis (-ah-koo'sis) – hiperacusia; sentido de audição excepcionalmente agudo, com um limiar muito baixo.

hy·per·ad·e·no·sis (-ad"in-o'sis) – hiperadenose; aumento de volume das glândulas.

hy·per·ad·i·po·sis (-ad"ĭ-po'sis) – hiperadiposidade; gordura extrema.

hy·per·adre·nal·ism (-ah-drēn'ah-lizm) – hiperadrenalismo; superatividade das glândulas supra-renais.

hy·per·adre·no·cor·ti·cism (-ah-drēn"o-kort'ĭ-sizm) – hiperadrenocorticismo; hipersecreção do córtex supra-renal.

hy·per·al·dos·ter·on·ism (-al-dos'tě-ro-nizm) – hiperaldosteronismo; aldosteronismo (*aldosteronism*).

hy·per·al·ge·sia (-al-je'ze-ah) – hiperalgesia; sensação de dor anormalmente aumentada. **hyperalge'sic** – adj. hiperalgésico.

hy·per·al·i·men·ta·tion (-al"ĭ-men-ta'shun) – hiperalimentação; ingestão ou administração de uma quantidade de nutrientes maior do que a ideal. **parenteral h.** – h. parenteral; nutrição parenteral total.

hy·per·al·pha·lipo·pro·tein·emia (-al"fah-lip"o-pro"te-ne'me-ah) – hiperalfalipoproteinemia; presença de níveis anormalmente altos de lipoproteínas de alta densidade no soro.

hy·per·am·mo·ne·mia (-am"o-ne'me-ah) – hiperamonemia; distúrbio metabólico marcado por níveis elevados de amônia no sangue.

hy·per·ana·ki·ne·sia (-an"ah-kĭ-ne'zhah) – hiperanacinese; hiperanacinesia; hiperdinamia (*hyperdinamia*).

hy·per·aphia (-a'fe-ah) – hiperafia; hiperestesia tátil. **hyperaph'ic** – adj. hiperáfico.

hy·per·arou·sal (-ah-rou'z'l) – hiperexcitação ou superexcitação; estado de tensão psicológica e fisiológica aumentada, que se manifesta por efeitos como redução da tolerância à dor, insônia, fadiga e acentuação das características de personalidade.

hy·per·azo·te·mia (-az"o-těm'e-ah) – hiperazotemia; excesso de material nitrogenado no sangue.

hy·per·bar·ic (-bar'ik) – hiperbárico; caracterizado por um peso maior que o normal; aplicado a gases sob uma pressão maior que a atmosférica ou a uma solução de densidade específica maior que outra tomada como padrão de referência.

hy·per·bar·ism (-bar'izm) – hiperbarismo; situação devida a exposição a uma pressão gasosa ambiental ou a pressões atmosféricas que excedam a pressão dentro do corpo.

hy·per·be·ta·lipo·pro·tein·emia (-bāt"ah-lip"o-pro"te-ne'me-ah) hiperbetalipoproteinemia; aumento do acúmulo de lipoproteínas de baixa densidade no sangue.

hy·per·bil·i·ru·bin·emia (-bil"ĭ -roo"bĭ -ne'me-ah) – hiperbilirrubinemia; excesso de bilirrubina no sangue; classificada como conjugada ou não-conjugada, de acordo com a forma predominante de bilirrubina presente.

hy·per·brady·ki·nin·ism (-brad"ĭ -ki'nin-izm) – hiperbradicininismo; síndrome na qual a bradicininemia se associa à queda na pressão sangüínea sistólica na posição em pé, aumento da pressão diastólica e freqüência cardíaca, bem como descoloração arroxeada e equimoses nas pernas.

hy·per·cal·ce·mia (-kal-sěm'e-ah) – hipercalcemia; excesso de cálcio no sangue. **idiopathic h.** – h. idiopática; afecção de crianças muito pequenas associada a intoxicação com vitamina D, caracterizada por níveis séricos de cálcio elevados, aumento da densidade esquelética, deterioração mental e nefrocalcinose.

hy·per·cap·nia (-kap'ne-ah) – hipercapnia; excesso de dióxido de carbono no sangue. **hypercap'nic** – adj. hipercapnéico.

hy·per·car·bia (-kahr'be-ah) – hipercarbia; hipercapnia.

hy·per·car·o·ten·emia (-kar"o-tĕ-ne'me-ah) – hipercarotenemia; nível elevado de caroteno no sangue, freqüentemente caracterizado por amarelecimento da pele (carotenose).

hy·per·ca·thar·sis (-kah-thahr'sis) – hipercatarse; purgação excessiva. **hypercathar'tic** – adj. hipercatártico.

hy·per·cel·lu·lar·i·ty (-sel"ŭl-ar'it-e) – hipercelularidade; aumento anormal no número de células presentes, como na medula óssea. **hypercell'ular** – adj. hipercelular.

hy·per·chlor·emia (-klor-ēm-e-ah) – hipercloremia; excesso de cloretos no sangue. **hyperchlore'mic** – adj. hiperclorêmico.

hy·per·chlor·hy·dria (-klor-hi'dre-ah) – hipercloridria; excesso de ácido clorídrico no suco gástrico.

hy·per·cho·les·ter·ol·emia (-kol-es"ter-ol-e'-me-ah) – hipercolesterolemia; excesso de colesterol no sangue. **hypercholesterole'mic** – adj. hipercolesterolêmico. **familial h.** – h. familiar; distúrbio herdado do metabolismo das lipoproteínas devido a defeitos no receptor de lipoproteínas de baixa densidade (LDL), com xantomas, arcos corneanos, aterosclerose corneana prematura e um fenótipo bioquímico de hiperlipoproteinemia do tipo II, com elevação das LDL e do colesterol plasmáticos.

hy·per·chro·ma·sia (-kro-ma'zhah) – hipercromasia; hipercromatismo.

hy·per·chro·ma·tism (-kro'mah-tizm) – hipercromatismo: 1. pigmentação excessiva; 2. degeneração dos núcleos celulares, que se preenchem com partículas de pigmento (cromatina); 3. aumento da capacidade de corar. **hyperchromat'ic** – adj. hipercromático.

hy·per·chro·mia (-kro'me-ah) – hipercromia: 1. hipercromatismo; 2. aumento anormal no teor de hemoglobina das hemácias.

hy·per·chy·lia (-kī'l-e-ah) – hiperquilia; secreção excessiva de suco gástrico.

hy·per·chy·lo·mi·cron·emia (-ki"lo-mi"kro-ne'-me-ah) – hiperquilomicronemia; presença no sangue de um número excessivo de quilomícrons. **familial h.** – h. familiar; distúrbio herdado do metabolismo lipoprotéico, caracterizado pela elevação dos quilomícrons e triglicerídeos plasmáticos, pancreatite, xantomas cutâneos e hepatoesplenomegalia; geralmente se deve a uma deficiência da lipase lipoprotéica ou do seu co-fator apolipoproteína C-II.

hy·per·cor·ti·cism (-kort"ĭ -sizm) – hipercorticismo; hiperadrenocorticismo (*hyperadrenocorticism*).

hy·per·cry·al·ge·sia (-kri"al-je'ze-ah) – hipercrialgesia; hipercriestesia.

hy·per·cry·es·the·sia (-kri"es-the'zhah) – hipercriestesia; excessiva sensibilidade ao frio.

hy·per·cu·pre·mia (-ku-pre'me-ah) – hipercupremia; excesso de cobre no sangue.

hy·per·cy·a·not·ic (-si"ah-not'ik) – hipercianótico; extremamente cianótico.

hy·per·cy·the·mia (-si-thěm'e-ah) – hipercitemia; excesso de hemácias no sangue.

hy·per·cy·to·sis (-si-to'sis) – hipercitose; número anormalmente elevado de células, especialmente de leucócitos.

hy·per·di·crot·ic (-di-krot'ik) – hiperdicrótico; acentuadamente dicrótico.

hy·per·dis·ten·tion (-dis-ten'shun) – hiperdistensão; distensão excessiva.

hy·per·dy·na·mia (-di-na'me-ah) – hiperdinamia; hipercinese; geralmente limitado à de origem orgânica. **hyperdynam'ic** – adj. hiperdinâmico.

hy·per·eche·ma (-e-kěm'ah) – hiperequema; exagero das sensações auditivas.

hy·per·em·e·sis (-em'ĭ -sis) – hiperêmese; vômito excessivo. **hyperemet'ic** – adj. hiperemético. **h. gravida'rum** – h. da gravidez; vômito prejudicial da gravidez. **h. lacten'tium** – h. de lactantes; vômito excessivo nos bebês em amamentação.

hy·per·emia (-e'me-ah) – hiperemia; excesso de sangue em uma parte. **hypere'mic** – adj. hiperêmico. **active h., arterial h.** – h. ativa; h. arterial; hiperemia devida a relaxamento arteriolar local ou geral. **exercise h.** – h. por exercício; vasodilatação dos capilares nos músculos em resposta ao início de um exercício, proporcional à força das contrações musculares. **fluxionary h.** – h. de fluxo; h. ativa. **passive h.** – h. passiva; hiperemia decorrente de obstrução do fluxo de sangue de uma área. **reactive h.** – h. reativa; hiperemia devida a aumento no fluxo sangüíneo após sua interrupção temporária. **venous h.** – h. venosa; h. passiva.

GHI

hy·per·eo·sin·o·phil·lia (-e"o-sin"o-fil'e-ah) – hipereosinofilia; eosinofilia; ver *eosinophilia* (2).

hy·per·equi·lib·ri·um (-e"kwĭ-lib're-um) – hiperequilíbrio; tendência excessiva à vertigem.

hy·per·eso·pho·ria (-es"o-for'e-ah) – hiperesoforia; desvio dos eixos visuais para cima e para baixo.

hy·per·es·the·sia (-es-the'zhah) – hiperestesia; aumento da sensibilidade a estímulos, particularmente táteis. **hyperesthet'ic** – adj. hiperestésico. **acoustic h., auditory h.** – h. acústica; h. auditiva; hiperacusia. **cerebral h.** – h. cerebral; hiperestesia devida a lesão cerebral. **gustatory h.** – h. gustativa; hipergeusia. **muscular h.** – h. muscular; supersensibilidade muscular à dor ou à fadiga. **olfactory h.** – h. olfatória; hiperosmia. **oneiric h.** – h. onírica; aumento da sensibilidade ou da dor durante o sono e os sonhos. **optic h.** – h. óptica; sensibilidade anormal do olho à luz. **tactile h.** – h. tátil; sensibilidade excessiva do sentido do toque.

hy·per·exo·pho·ria (-ek"so-for'e-ah) – hiperexoforia; desvio dos eixos visuais para cima e para baixo.

hy·per·fer·re·mia (-fĕ-rēm'e-ah) – hiperferremia; excesso de ferro no sangue. **hyperferre'mic** – adj. hiperferrêmico.

hy·per·fi·bri·no·ge·ne·mia (-fi-brin"o-jĕ-ne'me-ah) – hiperfibrinogenemia; excesso de fibrinogênio no sangue.

hy·per·fil·tra·tion (-fil-tra'shun) – hiperfiltração; elevação na taxa de filtração glomerular, quase sempre um sinal precoce de diabetes melito dependente de insulina.

hy·per·frac·tion·a·tion (-frak"shun-a'shun) – hiperfracionamento; subdivisão de um esquema de tratamento de radiação com certa redução da dose por exposição, de forma a diminuir os efeitos colaterais enquanto ainda se administra uma dose total de radiação equivalente ou maior durante o curso.

hy·per·func·tion·ing (-fungk'shun-ing) – hiperfuncionamento; funcionamento excessivo de uma parte ou órgão.

hy·per·ga·lac·tia (-gah-lak'she-ah) – hipergalactia; secreção excessiva de leite.

hy·per·gal·ac·to·sis (-gal"ak-to'sis) – hipergalactose; hipergalactia.

hy·per·gam·ma·glob·u·lin·emia (-gam"ah-glob"u-lĭ-ne'me-ah) – hipergamaglobulinemia; aumento das gamaglobulinas no sangue. **hypergammaglobuline'mic** – adj. hipergamaglobulinêmico. **monoclonal h's** – hipergamaglobulinemias monoclonais; discrasias plasmocitárias.

hy·per·gen·e·sis (-jen'ĕ-sis) – hipergenesia; desenvolvimento excessivo. **hypergenet'ic** – adj. hipergenético.

hy·per·geus·es·the·sia (-gōōs"es-the-zhah) – hipergeusestesia; hipergeusia (*hypergeusia*).

hy·per·geu·sia (-goo'ze-ah) – hipergeusia; sensibilidade anormal do sentido do paladar.

hy·per·glu·ca·gon·emia (-gloo"kah-gon-e'me-ah) – hiperglucagonemia; níveis anormalmente altos de glucagon no sangue.

hy·per·gly·ce·mia (-gli-se'me-ah) – hiperglicemia; teor anormalmente elevado de glicose no sangue.

hy·per·gly·ce·mic (-gli-sēm'ik) – hiperglicêmico: 1. relativo, caracterizado ou que causa hiperglicemia; 2. agente que eleva o nível de glicose no sangue.

hy·per·glyc·er·i·de·mia (-gli"er-i-de'me-ah) – hipergliceridemia; excesso de glicerídeos no sangue.

hy·per·glyc·er·ol·emia (-glis"er-i-de'me-ah) – hiperglicerolemia: 1. acúmulo e excreção de glicerol devido a deficiência de uma enzima que catalisa sua fosforilação; a forma infantil se deve a deleção cromossômica que também pode envolver os *loci* que causam a distrofia muscular de Duchenne ou a hiperplasia adrenal congênita ou ambas; 2. excesso de glicerol no sangue.

hy·per·gly·cin·e·mia (-gli"sĭ-ne'me-ah) – hiperglicinemia; excesso de glicina no sangue ou em outros líquidos corporais; a *h. cetótica* inclui distúrbios cetóticos secundários a várias acidemias orgânicas; a *h. não-cetótica* é um distúrbio hereditário de início neonatal, devido a um defeito no sistema de clivagem da glicina, com letargia, ausência de desenvolvimento cerebral, convulsões, espasmos mioclônicos e freqüentemente coma e insuficiência respiratória.

hy·per·gly·cin·uria (-gli"sĭ-nu're-ah) – hiperglicinúria; excesso de glicina na urina; ver *hyperglycinemia*.

hy·per·gly·co·gen·ol·y·sis (-gli"ko-jin-ol'ĭ-sis) – hiperglicogenólise; glicogenólise excessiva, que resulta em um excesso de dextrose no corpo.

hy·per·gly·cor·rha·chia (-gli"ko-ra'ke-ah) – hiperglicorraquia; excesso de açúcar no líquido cerebroespinhal.

hy·per·go·nad·ism (-go'nad-izm) – hipergonadismo; atividade funcional anormalmente aumentada das gônadas, com crescimento excessivo e desenvolvimento sexual precoce.

hy·per·he·do·nia (-he-dōn'e-ah) – hiperedonia; aumento mórbido da sensação de prazer em atos agradáveis.

hy·per·hi·dro·sis (-hi-dro'sis) – hiperidrose; transpiração excessiva. **hyperhidrot'ic** – adj. hiperidrótico. **emotional h.** – h. emocional; distúrbio herdado das glândulas sudoríparas écrinas, no qual os estímulos emocionais causam sudorese axilar ou volar.

hy·per·hy·dra·tion (-hi-dra'shun) – hiperidratação; teor de água anormalmente elevado no corpo.

hy·per·im·mune (-ĭ-mūn') – hiperimune; que possui quantidades muito grandes de anticorpos específicos no soro.

hy·per·im·mu·no·glob·u·lin·emia (-im"ūn-o-glob"u-lin'ĕm'e-ah) – hiperimunoglobulinemia; níveis anormalmente altos de imunoglobulinas no soro.

hy·per·in·su·lin·ism (-in'sūl-in-izm") – hiperinsulinismo: 1. secreção excessiva de insulina; 2. choque insulínico.

hy·per·ir·ri·ta·bil·i·ty (-ir"it-ah-bil'it-e) – hiperirritabilidade; responsividade patológica a estímulos ligeiros.

hy·per·iso·ton·ic (-i"so-ton'ik) – hiperisotônico; denota uma solução que contém mais de 0,45% de sal, na qual as hemácias se crenam como resultado de exosmose.

hy·per·ka·le·mia (-kal-ēm'e-ah) – hipercalemia; excesso de potássio no sangue; hiperpotassemia. **hyperkale'mic** – adj. hipercalêmico.

hy·per·ker·a·tin·iza·tion (-ker"ah-tin"ĭ-za'-shun) – hiperceratinização; desenvolvimento excessivo ou retenção de ceratina na epiderme.

hy·per·ker·a·to·sis (-ker"ah-to'sis) – hiperceratose: 1. hipertrofia da camada córnea da pele ou qualquer doença assim caracterizada; 2. hipertrofia da córnea; 3. espessamento da camada córnea da pele nos bovinos, devido a ingestão de gordura que contenha altos níveis de organoclorados. **hyperkeratot'ic** – adj. hiperceratótico. **epidermolytic h.** – h. epidermolítica; doença hereditária, com hiperceratose, vesículas e eritema; no nascimento, a pele recobre-se completamente de placas córneas, espessas e semelhantes a armaduras logo descartadas, deixando uma superfície esfolada na qual as escamas reformam-se novamente. **h. follicula'ris in cu'tem pe'netrans** – h. folicular penetrante na pele; doença de Kyrle.

hy·per·ke·ton·emia (-ke"to-ne'me-ah) – hipercetonemia; concentração anormalmente elevada de corpos cetônicos no sangue.

hy·per·ki·ne·mia (-kĭ-ne'me-ah) – hipercinemia; débito cardíaco anormalmente alto; aumento da velocidade do fluxo cardíaco através do sistema circulatório. **hyperkine'mic** – adj. hipercinêmico.

hy·per·ki·ne·sia (-kĭ-ne'zhah) – hipercinesia; hipercinese.

hy·per·ki·ne·sis (hi"per-kĭ-ne'sis) – hipercinese; função ou atividade musculares anormalmente elevadas, tanto neurogênicas como psicogênicas. **hyperkine'tic** – adj. hipercinético.

hy·per·lac·ta·tion (-lak-ta'shun) – hiperlactação; lactação em quantidade maior do que a normal ou por período mais longo que o normal.

hy·per·li·pe·mia (-lĭ-pe'me-ah) – hiperlipemia; hiperlipidemia. **carbohydrate-induced h.** – h. induzida por hidratos de carbono; lipídeos sangüíneos elevados, particularmente triglicerídeos, depois da ingestão de hidratos de carbono; algumas vezes utilizado como sinônimo dos fenótipos de hiperlipoproteinemia dos tipos IV ou V ou distúrbios genéticos que os causam. **combined fat- and carbohydrate-induced h.** – h. induzida por gordura e hidratos de carbono combinados; níveis sangüíneos persistentemente elevados de lipoproteínas de densidade muito baixa e quilomícrons após ingestão de gorduras ou hidratos de carbono; algumas vezes utilizado como sinônimo de hiperlipoproteinemia do tipo V ou distúrbios genéticos que a causam. **endogenous h.** – h. endógena; lipídeos plasmáticos elevados derivados dos depósitos corporais (ou seja, lipoproteínas de densidade muito baixa), em vez de fontes dietéticas; utilizado como descritor genérico do fenótipo de hiperlipoproteinemia do tipo IV. **essential familial h.** – h. familiar essencial; distúrbio herdado que causa um fenótipo de hiperlipoproteinemia do tipo I ou o próprio fenótipo. **exogenous h.** – h. exógena; níveis plasmáticos elevados de lipoproteínas derivadas de fontes dietéticas (ou seja, quilomícrons); utilizado como descritor genérico do fenótipo da hiperlipoproteinemia do tipo I. **familial fat-induced h.** – h. familiar induzida por gorduras; quilomícrons sangüíneos persistentemente elevados após ingestão de gordura; algumas vezes utilizado como sinônimo de um fenótipo de hiperlipoproteinemia do tipo I ou distúrbios gené-

ticos que o causam. **mixed h.** – h. mista; designação genérica para a hiperlipoproteinemia na qual se elevam várias classes de lipoproteínas; termo geralmente utilizado para denotar um fenótipo do tipo V, mas algumas vezes empregado para um fenótipo do tipo II-b.

hy·per·lip·id·emia (-lip"ĭ-de'me-ah) – hiperlipidemia; termo genérico para concentrações elevadas de um ou todos os lipídeos no plasma, incluindo a hipertrigliceridemia, hipercolesterolemia etc. **hyperlipide'mic** – adj. hiperlipidêmico. **combined h.** – h. combinada; designação genérica para a hiperlipidemia na qual se elevam várias classes de lipídeos; termo geralmente utilizado para denotar o fenótipo de hiperlipoproteinemia do tipo II-b. **familial combined h.** – h. familiar combinada; distúrbio herdado do metabolismo das lipoproteínas manifestado na idade adulta como hipercolesterolemia, hipertrigliceridemia ou combinação, com elevação da apolipoproteína B plasmática e aterosclerose coronária prematura. **mixed h.** – h. mista; ver em *hyperlipemia*. **remnant h.** – h. residual; forma na qual as lipoproteínas acumuladas são normalmente intermediários transitórios, resíduos de quilomícrons e lipoproteínas de densidade intermediária; um descritor genérico para o fenótipo da hiperlipoproteinemia do tipo III.

hy·per·lipo·pro·tein·emia (-lip"o-pro"te-ne'-me-ah) – hiperlipoproteinemia; excesso de lipoproteínas no sangue, devido a distúrbio do metabolismo lipoproteico; pode ser adquirido ou familiar. É subdividido com base no fenótipo bioquímico, cada tipo apresentando uma descrição genérica e várias causas: *tipo I*, hiperlipemia exógena; *tipo II-a*, hipercolesterolemia; *tipo II-b*, hiperlipidemia combinada; *tipo III*, hiperlipidemia residual; *tipo IV*, hiperlipidemia endógena; *tipo V*, hiperlipidemia mista.

hy·per·li·thu·ria (-lĭ-thu'e-ah) – hiperlitúria; excesso de ácido lítico (úrico) na urina.

hy·per·lu·cen·cy (-loo'sen-se) – hiperluminosidade; radioluminosidade excessiva.

hy·per·ly·sin·e·mia (-li-sĭ-ne'me-ah) – hiperlisinemia; 1. excesso de lisina no sangue; 2. aminoacidopatia caracterizada por excesso de lisina (e algumas vezes de sacaropina) no sangue e na urina, possivelmente associada a retardamento mental.

hy·per·mag·ne·se·mia (-mag"nĕ-se-me-ah) – hipermagnesemia; teor anormalmente grande de magnésio no plasma sangüíneo.

hy·per·mas·tia (-mas-te-ah) – hipermastia: 1. presença de uma ou mais glândulas mamárias supranumerárias; 2. hipertrofia da glândula mamária.

hy·per·men·or·rhea (-men"or-e'ah) – hipermenorréia; sangramento menstrual excessivo, mas que ocorre a intervalos regulares e tem duração normal.

hy·per·me·tab·o·lism (-mĕ-tab'o-lizm) – hipermetabolismo; aumento do metabolismo. **extrathyroidal h.** – h. extratireóideo; metabolismo basal anormalmente elevado não-associado a tireoidopatia.

hy·per·me·tria (-me'tre-ah) – hipermetria; ataxia na qual os movimentos ultrapassam o objetivo pretendido.

hy·per·met·rope (-mĕ-trōp) – hipermétrope; hipérope (*hyperope*).

hy·per·me·tro·pia (-mĕ-tro'pe-ah) – hipermetropia; hiperopia.

hy·per·morph (hi'per-morf) – hipermorfo: 1. uma pessoa alta, mas com baixa estatura em posição sentada; 2. em Genética, um gene mutante que demonstra aumento na atividade que ele influencia. **hypermor'fic** – adj. hipermórfico.

hy·per·mo·til·i·ty (hi"per-mo-til'it-e) – hipermotilidade; motilidade anormalmente aumentada, como a do trato gastrointestinal.

hy·per·my·ot·ro·phy (-mi-ah'trah-fe) – hipermiotrofia; desenvolvimento excessivo do tecido muscular.

hy·per·na·sal·i·ty (-na-zal'it-e) – hipernasalidade; qualidade da voz na qual a emissão de ar através do nariz é excessiva devido a incompetência velofaríngea; causa deterioração da inteligibilidade do discurso.

hy·per·na·tre·mia (-na-tre'me-ah) – hipernatremia; excesso de sódio no sangue. **hypernatre'mic** – adj. hipernatrêmico.

hy·per·neo·cy·to·sis (-ne"o-si-to'sis) – hiperneocitose; leucocitose com um número excessivo de formas imaturas de leucócitos.

hy·per·ne·phro·ma (-nĕ-fro'mah) – hipernefroma; carcinoma de célula renal.

hy·per·nu·tri·tion (-noo-trish'un) – hipernutrição; superalimentação e seus efeitos patológicos.

hy·per·ope (hi'per-ōp) – hiperope; indivíduo que sofre hiperopia (hipermetropia).

hy·per·opia (hi"per-o'pe-ah) – hiperopia; hipermetropia; defeito visual no qual os raios luminosos paralelos que atingem o olho chegam em um foco atrás da retina, ficando melhor a visão para objetos distantes do que próximos. Símbolo H. **hypero'pic** – adj. hipérope; hipermétrope. **absolute h.** – h. absoluta; hiperopia que não pode ser corrigida por meio de acomodação. **axial h.** – h. axial; hiperopia devida ao encurtamento do diâmetro ântero-posterior do olho. **facultative h.** – h. facultativa; hiperopia que pode ser corrigida completamente por meio de acomodação. **latent h.** – h. latente; grau de hiperopia total corrigido através do tônus fisiológico do músculo ciliar, revelado por um exame cicloplégico. **manifest h.** – h. manifesta; grau de hiperopia total não corrigido através do tônus fisiológico do músculo ciliar, revelado por exame cicloplégico. **relative h.** – h. relativa; h. facultativa. **total h.** – h. total; hiperopia manifesta e latente combinadas.

hy·per·or·chi·dism (-or'kid-izm) – hiperorquidismo; atividade funcional excessiva dos testículos.

hy·per·orex·ia (-o-rek'se-ah) – hiperorexia; apetite excessivo.

hy·per·or·ni·thin·emia (-or"nĭ-thī'-ne'me-ah) – hiperornitinemia; excesso de ornitina no plasma.

hy·per·or·tho·cy·to·sis (-or"tho-si-to'sis) – hiperortocitose; leucocitose com proporção normal das várias formas de leucócitos.

hy·per·os·mo·lal·i·ty (-oz"mol-al'it-e) – hiperosmolalidade; aumento na osmolalidade dos líquidos corporais.

hy·per·os·mo·lar·i·ty (oz"mol-ar'it-e) – hiperosmolaridade; concentração osmolar anormalmente elevada.

hy·per·os·to·sis (-os-to'sis) – hiperostose; hipertrofia óssea. **hyperostot'ic** – adj. hiperostótico. **h. cortica'lis defor'mans juveni'lis** – h. cortical deformante juvenil; distúrbio herdado de fraturas e arqueamento das extremidades, espessamento dos ossos cranianos, osteoporose e níveis elevados de fosfatase alcalina sérica e de hidroxiprolina urinária. **h. cra'nii** – h. craniana; hiperostose que envolve os ossos cranianos. **h. fronta'lis inter'na** – h. frontal interna; espessamento da faceta interna do osso frontal, que pode se associar a hipertricose e obesidade, afetando mais comumente mulheres próximas da menopausa. **h. cortica'lis generalisa'ta** – h. cortical generalizada; distúrbio hereditário que começa durante a puberdade, marcado principalmente por osteoesclerose do crânio, mandíbula, clavículas, costelas e diáfises dos ossos longos, associada a elevação da fosfatase alcalina sangüínea. **infantile cortical h.** – h. cortical infantil; doença de bebês, com inchaço do tecido mole sobre os ossos afetados, febre, irritabilidade e períodos de remissão e exacerbação.

hy·per·ox·al·uria (-ok"sah-lu"re-ah) – hiperoxalúria; excesso de oxalato na urina. **enteric h.** – h. entérica; formação de cálculos de oxalato de cálcio no trato urinário, ocorrendo após ressecção extensa ou ileopatia, devido a absorção excessiva de oxalato a partir do cólon. **primary h.** – h. primária; erro metabólico inato, com excreção urinária excessiva de oxalato, nefrolitíase, nefrocalcinose, início precoce de insuficiência renal e freqüentemente deposição generalizada de oxalato de cálcio, resultante de defeito no metabolismo do glioxalato.

hy·per·ox·ia (-ok'se-ah) – hiperoxia; excesso de oxigênio no sistema. **hyperox'ic** – adj. hiperóxico.

hy·per·par·a·site (-par'ah-sīt) – hiperparasita; parasita que preda em um parasita. **hyperparasit'ic** – adj. hiperparasitário.

hy·per·para·thy·roid·ism (-par"ah-thi'roid-izm) – hiperparatireoidismo; atividade excessiva das glândulas paratireóides. O *h. primário* associa-se a neoplasia ou hiperplasia; o excesso de paratormônio leva a alteração na função das células ósseas, túbulos renais e mucosa gastrointestinal. O *h. secundário* ocorre quando o cálcio sérico tende a cair abaixo do normal, como no caso de nefropatia crônica etc. O *h. terciário* refere-se a adenoma paratireóideo que surge de hiperplasia secundária causada por insuficiência renal crônica.

hy·per·peri·stal·sis (-per"ĭ-stal'sis) – hiperperistaltismo; peristaltismo excessivamente ativo.

hy·per·pha·lan·gism (-fal'an-jizm) – hiperfalangismo; presença de falange supranumerária em um dedo.

hy·per·phen·yl·al·a·nin·emia (-fen"il-al"ah-nĭ-ne'me-ah) hiperfenilalaninemia: 1. um dos vários defeitos herdados na hidroxilação da fenilalanina que faz com que se acumule e seja excretada; alguns desses defeitos são benignos, enquanto outros causam fenilcetonúria, com pelo menos um tipo não-responsivo ao tratamento e sendo rapidamente fatal; 2. excesso de fenilalanina no sangue.

hy·per·pho·ne·sis (-fōn-e'sis) – hiperfonese; intensificação do som na auscultação ou na percussão.

hy·per·pho·ria (-for'e-ah) – hiperforia; desvio ascendente do eixo visual de um olho na ausência de estímulos fusionais visuais.

hy·per·phos·pha·ta·se·mia (-fos"fah-ta-se'me-ah) – hiperfosfatasemia; altos níveis de fosfatase alcalina no sangue.

hy·per·phos·pha·ta·sia (-fos"fah-ta'zhah) – hiperfosfatasia; hiperfosfatasemia.

hy·per·phos·pha·tu·ria (-fos"fah-tu're-ah) – hiperfosfatúria; excesso de fosfatos na urina.

hy·per·phre·nia (-frēn'e-ah) – hiperfrenia: 1. excitação mental extrema; 2. atividade mental acelerada.

hy·per·pig·men·ta·tion (-pig"men-ta'shun) – hiperpigmentação; pigmentação anormalmente elevada.

hy·per·pi·tu·i·ta·rism (-pǐ -tu'it-er-izm") – hiperpituitarismo; afecção devida a atividade patologicamente aumentada da hipófise, seja das células basófilas (resultando em adenoma basófilo, que causa compressão da hipófise), seja das células eosinófilas (produzindo supercrescimento, acromegalia e gigantismo [h. verdadeiro]).

hy·per·pla·sia (-pla'zhah) – hiperplasia; aumento anormal no número de células normais na distribuição usual em um órgão ou tecido, aumentando seu volume. hyperplas'tic – adj. hiperplásico. benign prostatic h. – h. prostática benigna; aumento de volume da próstata associado a idade e resultante tanto da proliferação dos elementos estromais como dos glandulares; pode causar obstrução e compressão uretrais. C-cell h. – h. de célula C; estágio pré-maligno no desenvolvimento das formas familiares do carcinoma tireóideo medular, caracterizado por focos multicêntricos de células parafoliculares (células C). congenital adrenal h. (CAH) – h. congênita da supra-renal; grupo de distúrbios herdados da biossíntese do cortisol que resultam em hipersecreção compensatória de corticotropina e subseqüente hiperplasia supra-renal, produção excessiva de androgênios e vários fenótipos. cutaneous lymphoid h. – h. linfóide cutânea; grupo de distúrbios cutâneos benignos com lesões semelhantes clínica e histologicamente às do linfoma maligno. focal nodular h. (FNH) – h. nodular focal; tumor hepático benigno, firme, nodular e altamente vascularizado, semelhante à cirrose. intravascular papillary endothelial h. – h. endotelial papilar intravascular; tumor vascular benigno que ocorre geralmente como um nódulo solitário na cabeça, pescoço ou dedo, semelhante a um angiossarcoma. nodular h. of the prostate – h. nodular da próstata; h. benigna da próstata. verrucous h. – h. verrucosa; lesão hiperplásica superficial e tipicamente branca da mucosa oral, ocorrendo geralmente em homens idosos e que se acredita ser um precursor do carcinoma verrucoso.

hy·per·plas·mia (-plaz'me-ah) – hiperplasmia: 1. excesso na proporção de plasma sangüíneo em relação aos corpúsculos; 2. aumento no tamanho das hemácias devido a absorção de plasma.

hy·per·ploi·dy (hi'per-ploid"e) – hiperploidia; estado de se ter mais que o número típico de cromossomas em séries desequilibradas como na síndrome de Down.

hy·per·pnea (hi"perp-ne'ah) – hiperpnéia; aumento anormal na profundidade e freqüência respiratórias. hyperpne'ic – adj. hiperpnéico.

hy·per·po·lar·iza·tion (hi"per-pōl"er-iz-a'-shun) – hiperpolarização; aumento na quantidade de carga elétrica separada pela membrana celular, e conseqüentemente, na força do potencial transmembranoso.

hy·per·po·ne·sis (-po-ne'sis) – hiperponese; produção excessiva de potencial de ação a partir de áreas motoras e pré-motoras do córtex. hiperponet'ic – adj. hiperponético.

hy·per·po·sia (-po'ze-ah) – hiperposia; ingestão anormalmente aumentada de líquidos por períodos relativamente breves.

hy·per·po·tas·se·mia (-pot"ah-se'me-ah) – hiperpotassemia; hipercalemia.

hy·per·prax·ia (-prak'se-ah) – hiperpraxia; atividade mental anormal; inquietação.

hy·per·pre·be·ta·lipo·pro·tein·emia (-pre-ba"-tah-lip"o-pro"te-ne'me-ah) – hiperprebetalipoproteinemia; excesso de pré-beta lipoproteínas (lipoproteínas de densidade muito baixa) no sangue.

hy·per·pro·in·su·lin·emia (-pro-in"sūl-in-ēm'e-ah) – hiperproinsulinemia; níveis elevados de proinsulina ou de um material semelhante à proinsulina no sangue.

hy·per·pro·lin·emia (-pro"lǐ -ne'me-ah) – hiperprolinemia: 1. uma de várias aminoacidopatias benignas marcadas por excesso de prolina nos líquidos corporais; 2. excesso de prolina no sangue.

hy·per·pro·sex·ia (-pro-sek'se-ah) – hiperprosexia; fixação em uma idéia, com exclusão de todas as outras.

hy·per·pro·te·o·sis (-prōt"e-o'sis) – hiperproteose: condição devida a excesso de proteínas na dieta.

hy·per·py·rex·ia (-pi-rek'se-ah) – hiperpirexia; temperatura corporal excessivamente alta; hipertermia. hyperpyrex'ial, hyperpyret'ic – adj. hiperpirético. malignant h. – h. maligna; ver em hyperthermia.

hy·per·e·ac·tive (-re-ak'tiv) – hiper-reativo; apresenta uma resposta maior do que a normal a estímulos.

hy·per·re·flex·ia (-re-flek'se-ah) – hiper-reflexia; resposta desordenada a estímulos caracterizada por exagero dos reflexos. autonomic h. – h. autônoma; hipertensão paroxística, bradicardia, transpiração na testa, dor de cabeça e pele anserina devido a distensão da bexiga e do reto, associadas a lesões acima do fluxo dos nervos esplâncnicos. detrusor h. – h. detrusora; aumento da atividade contrátil do músculo detrusor da bexiga, resultando em incontinência urinária.

hy·per·re·nin·emia (-re"nǐ -ne-me-ah) – hiper-reninemia; níveis elevados de renina no sangue, podendo levar a aldosteronismo e hipertensão.

hy·per·res·o·nance (-rez'on-ans) – hiper-ressonância; ressonância exagerada na percussão.

GHI

hy·per·sal·i·va·tion (-sal"ĭ -va'shun) – hipersalivação; ptialismo.

hy·per·sar·co·sin·e·mia (-sahr"ko-si-ne'me-ah) – hipersarcosinemia; sarcosinemia (*sarcosinemia*).

hy·per·se·cre·tion (-se-kre'shun) – hipersecreção; secreção excessiva.

hy·per·sen·si·tiv·i·ty (-sen"sĭ -tiv'it-e) – hipersensibilidade; estado de reatividade alterada no qual o corpo reage com uma resposta imune exagerada a um agente estranho. **hypersen'sitive** – adj. hipersensível. **contact h.** – h. de contato; hipersensibilidade produzida pelo contato da pele com uma substância química que tenha as propriedades de um antígeno ou hapteno; inclui dermatite de contato. **delayed h. (DH)** – h. tardia; desenvolvimento progressivo na resposta imunológica mediada por células (linfócitos T) a um antígeno específico (como ocorre nos casos de rejeição de enxerto, doenças auto-imunes etc.). **immediate h.** – h. imediata; hipersensibilidade mediada por anticorpos, caracterizada pela liberação de mediadores a partir de mastócitos sensibilizados com reagina, causando aumento da permeabilidade vascular, edema e contração da musculatura lisa; inclui anafilaxia e atopia.

hy·per·som·nia (-som'ne-ah) – hipersônia; um dos grupos de distúrbios do sono caracterizados por sono ou entorpecimento patologicamente excessivos.

hy·per·som·no·lence (-som'no-lens) – hipersonolência; hipersônia (*hypersomnia*).

hy·per·splen·ism (-splen'izm) – hiperesplenismo; afecção caracterizada por exagero da função hemolítica do baço (resultando em deficiência dos elementos sangüíneos periféricos) e hipercelularidade da medula óssea e esplenomegalia.

hy·per·sthe·nia (-sthēn'e-ah) – hiperestenia; grande força ou tonicidade. **hypersthen'ic** – adj. hiperestênico.

hy·per·telo·rism (-te'lor-izm) – hipertelorismo; distância anormalmente aumentada entre dois órgãos ou partes. **ocular h., orbital h.** – h. ocular; h. orbitário; aumento na distância inter-orbitário, freqüentemente associada à disostose cleidocranial ou craniofacial e algumas vezes à deficiência mental.

hy·per·ten·sion (-ten'shun) – hipertensão; pressão sangüínea arterial persistentemente elevada; pode não ter nenhuma causa conhecida (*h. essencial, idiopática ou primária*) ou pode se associar a outras doenças (*h. secundária*). **accelerated h.** – h. acelerada; hipertensão progressiva com alterações vasculares fundoscópicas da hipertensão maligna, mas sem papiledema. **adrenal h.** – h. supra-renal; hipertensão associada a tumor adrenal que secreta corticosteróides minerais. **borderline h.** – h. limítrofe; afecção na qual a pressão sangüínea arterial encontra-se algumas vezes no âmbito da variação normotensiva e algumas vezes dentro da variação hipertensiva. **Goldblatt h.** – h. de Goldblatt; hipertensão causada por um rim de Goldblatt. **labile h.** – h. lábil; h. limítrofe. **malignant h.** – h. maligna; estado hipertensivo severo com papiledema do fundo ocular e lesões hemorrágicas vasculares, espessamento das artérias pequenas e arteríolas, hipertrofia ventricular esquerda e mau prognóstico. **ocular h.** – h. ocular; pressão intra-ocular persistentemente elevada na ausência de quaisquer outros sinais de glaucoma; pode ou não progredir para um glaucoma simples crônico. **portal h.** – h. porta; pressão anormalmente elevada na circulação porta. **pulmonary h.** – h. pulmonar; pressão anormalmente elevada na circulação pulmonar. **renal h.** – h. renal; hipertensão associada ou devida a nefropatia, com um fator de isquemia parenquimatosa. **renovascular h.** – h. causada por obstrução renal; hipertensão devida a doença oclusiva das artérias renais. **systemic venous h.** – h. venosa sistêmica; elevação da pressão venosa sistêmica, geralmente detectada por inspeção das veias jugulares.

hy·per·ten·sive (-ten'siv) – hipertensivo: 1. marcado pelo aumento da pressão sangüínea; 2. indivíduo com pressão sangüínea anormalmente elevada.

hy·per·the·co·sis (-the-ko'sis) – hipertecose; hiperplasia e luteinização excessiva das células da camada estromal interna do ovário.

hy·per·the·lia (-thēl'e-ah) – hipertelia; presença de mamilos supranumerários.

hy·per·ther·mal·ge·sia (-therm"al-je'ze-ah) – hipertermalgesia; sensibilidade anormal ao calor.

hy·per·ther·mia (-therm'e-ah) – hipertermia; temperatura corporal muito elevada. **hyperther'mal, hiperther'mic** – adj. hipertérmico. **malignant h.** – h. maligna; afecção herdada autossômica dominante que afeta pacientes que passam por anestesia geral, marcada pela elevação rápida e súbita na temperatura corporal, associada a sinais de aumento do metabolismo muscular e, geralmente, rigidez muscular.

hy·per·thy·mia (-thi'me-ah) – hipertimia; emotividade excessiva.

hy·per·thy·mism (-thi'mizm) – hipertimismo; atividade excessiva do timo.

hy·per·thy·roid·ism (-thi'roid-izm) – hipertireoidismo; atividade excessiva da tireóide, marcada por aumento da taxa metabólica, bócio e distúrbios no sistema nervoso autônomo e no metabolismo da creatina; termo algumas vezes utilizado para se referir à doença de Graves (*Graves' disease*). **hyperthy'roid** – adj. hipertireóideo.

hy·per·to·nia (tōn-e-ah) – hipertonia; condição de um tônus excessivo dos músculos esqueléticos; aumento da resistência muscular a um estiramento passivo.

hy·per·ton·ic (-ton'ik) – hipertônico: 1. denota tônus ou tensão aumentados; 2. denota uma solução com pressão osmótica maior que a solução com a qual é comparada.

hy·per·to·nic·i·ty (-to-nis'it-e) – hipertonicidade; estado ou qualidade de ser hipertônico.

hy·per·tri·cho·sis (-trĭ -ko'sis) – hipertricose; crescimento de pêlos excessivo. Cf. *hirsutism.*

hy·per·tri·glyc·er·i·de·mia (-tri-glis"er-i-de'-me-ah) – hipertrigliceridemia; excesso de triglicerídeos no sangue.

hy·per·tro·phy (hi-per'tro-fe) – hipertrofia; aumento de volume ou supercrescimento de um órgão ou parte devido ao aumento no tamanho de suas células constituintes. **hypertroph'ic** – adj. hipertrófico. **asymmetrical septal h. (ASH)** – h. septal assimétrica; miocardiopatia hipertrófica, algumas vezes especificamente a miocardiopatia em que a hipertrofia se localiza no septo interventricular. **ventricular h.** – h. ventricular; hipertrofia do miocárdio de um ventrículo, devida a sobrecarga de pressão crônica.

hy·per·tro·pia (hi"per-tro'pe-ah) – hipertropia; estrabismo no qual ocorre um desvio ascendente permanente do eixo visual de um olho.

hy·per·ty·ro·sin·emia (-ti"ro-sĭ -ne'me-ah) – hipertirosinemia: 1. concentração elevada de tirosina no sangue; 2. tirosinemia.

hy·per·uri·ce·mia (-u"rĭ -se'me-ah) – hiperuricemia; excesso de ácido úrico no sangue. **hyperurice'mic** – adj. hiperuricêmico.

hy·per·val·i·ne·mia (-val"ĭ -ne'me-ah) – hipervalinemia: 1. aminoacidopatia caracterizada por níveis elevados de valina no plasma e urina e por dificuldade de se desenvolver; 2. níveis elevados de valina no plasma.

hy·per·ven·ti·la·tion (-ven"til-a'shun) – hiperventilação; ventilação pulmonar anormalmente elevada, resultando em redução da pressão de dióxido de carbono que, se for prolongada, pode levar a alcalose.

hy·per·vis·cos·i·ty (-vis'kos'it-e) – hiperviscosidade; viscosidade excessiva, como a do sangue.

hy·per·vi·ta·min·o·sis (-vĭ t"ah-min-o'sis) – hipervitaminose; afecção devida à ingestão excessiva de uma ou mais vitaminas; os complexos sintomáticos associa-se um consumo excessivo das vitaminas A e D. **hypervitaminot'ic** – adj. hipervitaminótico.

hy·per·vo·le·mia (-vol-ēm-'e-ah) – hipervolemia; aumento anormal no volume plasmático do corpo.

hyp·es·the·sia (hi"pes-the'zhah) – hipestesia; hipoestesia.

hy·pha (hi'fah) [Gr.] pl. *hyphae* – hifa: 1. um dos filamentos que compõem o micélio de um fungo; 2. proeminências filamentosas ramificadas produzidas por determinadas bactérias, algumas vezes formando um micélio. **hy'phal** – adj. hifal.

hyp·he·do·nia (hĭ p"hĕ-do'ne-ah) – hipoedonia; diminuição da capacidade de prazer.

hy·phe·ma (hi-fe'mah) – hifema; hemorragia dentro da câmara anterior do olho.

hy·phe·mia (hi-fe'me-ah) – hifemia; hifema.

hyp·hid·ro·sis (hĭ p"hi-dro'sis) – hifidrose; transpiração demasiadamente escassa.

Hy·pho·my·ce·tes (hi'fo-mi-sēt'ēz) – Hyphomycetes; classe de fungos miceliais (hifais), ou seja, bolores.

hy·pho·my·co·sis (-mi-ko'sis) – hifomicose; ver *hyalohyphomicosis* e *phaeohyphomycosis*. **h. de'struens e'qui** – h. destruidora eqüina; pitiose.

hyp·na·gogue (hip'nah-gog) – hipnagogo: 1. hipnótico; relativo a entorpecimento; 2. agente que induz sono ou entorpecimento.

hyp·nal·gia (hip-nal'jah) – hipnalgia; dor durante o sono.

hypn(o)- [Gr.] – hipn(o)-, elemento de palavra, *sono; hipnose.*

hyp·no·anal·y·sis (hip"no-ah-nal'ĭ -sis) – hipnoanálise; método de Psicoterapia que combina Psicanálise com hipnose.

hyp·no·don·tics (-don'tiks) – hipnodontia; aplicação de hipnose e sugestão controlada na prática da Odontologia.

hyp·no·gen·ic (-jen'ik) – hipnogênico; que induz o sono ou estado hipnótico.

hyp·noid (hip'noid) – hipnóide; semelhante à hipnose.

hyp·no·lep·sy (hip'no-lep"se) – hipnolepsia; narcolepsia (*narcolepsy*).

hyp·nol·o·gy (hip-nol'ah-je) – hipnologia; estudo científico do sono ou do hipnotismo.

hyp·no·sis (hip-no'sis) – hipnose; estado passivo artificialmente induzido no qual ocorre aumento da receptividade e responsividade a sugestões e comandos. **hypnot'ic** – adj. hipnótico.

hyp·not·ic (hip'not'ik) – hipnótico: 1. que induz o sono; também, um agente que atua dessa forma; 2. relativo ou da natureza do hipnotismo.

hyp·no·tism (hip'no-tizm) – hipnotismo: 1. método ou prática de induzir a hipnose; 2. hipnose.

hyp·no·tize (-tī z) – hipnotizar; colocar em condição de hipnose.

hyp(o)- [Gr.] – hip(o)-, elemento de palavra, *por baixo; embaixo; deficiente.* Em Química, indica um composto que contém a mais baixa proporção de oxigênio de uma série de compostos semelhantes.

hy·po (hi'po) – hipo: 1. coloquialismo para inoculação ou seringa hipodérmicas; 2. tiossulfito de sódio.

hy·po·acu·sis (hi"po-ah-ku'sis) – hipoacusia; sensibilidade auditiva ligeiramente reduzida.

hy·po·adren·a·lism (-ah-dre'nal'izm) – hipoadrenalismo; deficiência da atividade supra-renal, como no caso da doença de Addison.

hy·po·adre·no·cor·ti·cism (-ah-drēn"o-kort'is-izm) – hipoadrenocorticismo; atividade deficiente do córtex supra-renal.

hy·po·al·bu·min·o·sis (-al-bu"min-o'sis) – hipoalbuminose; nível anormalmente baixo de albumina.

hy·po·al·i·men·ta·tion (-al"ĭ -men-ta'shun) – hipoalimentação; nutrição insuficiente.

hy·po·al·pha·lipo·pro·tein·emia (-al"fah-lip"o-pro"te-ne'me-ah) – hipoalfalipoproteinemia: 1. deficiência de lipoproteínas de densidade alta (alfa) no sangue; 2. doença de Tangier.

hy·po·azo·tu·ria (-az"o-tu're-ah) – hipoazotúria; redução do material nitrogenado na urina.

hy·po·bar·ic (-bar'ik) – hipobárico; caracterizado por pressão ou peso menores do que os normais; aplicado a gases sob pressão menor que a atmosférica ou a soluções de densidade específica mais baixa do que a tomada como padrão de referência.

hy·po·bar·ism (-bar-izm) – hipobarismo; situação que resulta quando a pressão atmosférica ou gasosa ambiental encontra-se abaixo da pressão do interior do corpo.

hy·po·bar·op·a·thy (-bar-op'ah-the) – hipobaropatia; distúrbios experimentados em grandes altitudes devido a redução da pressão do ar.

hy·po·blast (hi'po-blast) – hipoblasto; precursor embrionário do entoderma. **hypoblas'tic** – adj. hipoblástico.

hy·po·cal·ce·mia (hi"po-kal-se'me-ah) – hipocalcemia; redução do cálcio sangüíneo abaixo do normal, caracterizada por reflexos tendíneos profundos hiperativos, um sinal de Chvostek, câimbras musculares e abdominais e espasmo carpopedal. **hypocalce'mic** – adj. hipocalcêmico.

hy·po·cap·nia (-kap'ne-ah) – hipocapnia; deficiência de dióxido de carbono no sangue. **hypocap'nic** – adj. hipocapnéico.

hy·po·car·bia (-kahr"be-ah) – hipocarbia; hipocapnia.

hy·po·chlor·emia (-klor-ēm'e-ah) – hipocloremia; níveis anormalmente reduzidos de cloreto no sangue. **hypochlore'mic** – adj. hipoclorêmico.

hy·po·chlor·hy·dria (-klor-hi'dre-ah) – hipocloridria; falta de ácido clorídrico no suco gástrico.

hy·po·chlo·rite (-klor'īt) – hipocloreto; sal do ácido hipocloroso; utilizado como agente medicinal com ação desinfetante, particularmente como solução diluída de hipocloreto de sódio.

hy·po·chlo·ri·za·tion (-klor"ī-za'shun) – hipoclorização; redução do sal de cloreto de sódio na dieta.

hy·po·chlo·rous ac·id (-klor'us) – ácido hipocloroso; composto instável com desinfetante e alvejante.

hy·po·cho·les·te·re·mia (-kol-es"ter-ēm'e-ah) – hipocolesteremia; hipocolesterolemia.

hy·po·cho·les·ter·ol·emia (-kol-es"ter-ol-e'me-ah) – hipocolesterolemia; níveis anormalmente baixos de colesterol no sangue. **hypocholesterole'mic** – adj. hipocolesterolêmico.

hy·po·chon·dria (-kon'dre-ah) pl. *hypochondrium* – hipocondria.

hy·po·chon·dri·ac (-kon'dre-ak) – hipocondríaco: 1. relativo ao hipocôndrio ou a hipocondria; 2. pessoa afetada por hipocondria.

hy·po·chon·dri·a·sis (-kon-dri'ah-sis) – hipocondria; ansiedade mórbida do indivíduo acerca da própria saúde, com sintomas numerosos e variados que não podem ser atribuídos a doença orgânica. **hypochondri'acal** – adj. hipocondríaco.

hy·po·chon·dri·um (hi"po-kon'dre-um) pl. *hypochondria* – hipocôndrio; região abdominal lateral superior, sobrejacente às cartilagens costais, em cada lado do epigástrio. **hypochon'drial** – adj. hipocondríaco.

hy·po·chro·ma·sia (-kro-ma'zhah) – hipocromasia: 1. condição de corar menos intensamente do que o normal; 2. redução da hemoglobina nos eritrócitos, de forma que estes tornam-se anormalmente pálidos. **hypochromat'ic** – adj. hipocromático.

hy·po·chro·ma·tism (-kro-mat'izm) – hipocromatismo; pigmentação anormalmente deficiente, especialmente a deficiência de cromatina em um núcleo celular.

hy·po·chro·ma·to·sis (-kro"mah-to'sis) – hipocromatose; desbotamento e desaparecimento graduais do núcleo celular (cromatina).

hy·po·chro·mia (-kro'me-ah) – hipocromia: 1. hipocromasia; ver *hypochromatism* (2); 2. hipocromatismo. **hypochro'mic** – adj. hipocrômico.

hy·po·com·ple·men·te·mia (-kom"plē-men-te'-me-ah) – hipocomplementemia; diminuição dos níveis de complemento no sangue.

hy·po·cor·ti·cism (-kort'is-izm) – hipocorticismo; hipoadrenocorticismo (*hypoadrenocorticism*).

hy·po·cy·clo·sis (-si-klo'sis) – hipociclose; acomodação insuficiente no olho.

hy·po·cy·the·mia (-si-thēm'e-ah) – hipocitemia; deficiência no número de eritrócitos no sangue.

Hy·po·der·ma (-derm'ah) – *Hypoderma;* gênero de moscas de berne ou do verme bovinas, cujas larvas causam miíase nos bovinos e uma forma de *larva migrans* no homem.

hy·po·der·mi·a·sis (-der-mi'ah-sis) – hipodermíase; erupção serpiginosa da pele no homem e nos bovinos, causada pelas larvas do *Hypoderma.*

hy·po·der·mic (-derm'ik) – hipodérmico; aplicado ou administrado sob a pele.

hy·po·der·mis (-derm'is) – hipoderme: 1. tecido subcutâneo; 2. camada celular externa dos invertebrados que secreta o exoesqueleto cuticular.

hy·po·der·mo·cly·sis (-der-mok'lī-sis) – hipodermóclise; injeção subcutânea de líquidos (por exemplo, solução salina).

hy·po·dip·sia (-dip'se-ah) – hipodipsia; sede anormalmente diminuída.

hy·po·don·tia (-don'shah) – hipodontia; anodontia parcial.

hy·po·dy·na·mia (-di-nóm-e-ah) – hipodinamia; força anormalmente reduzida. **hypodynam'ic** – adj. hipodinâmico.

hy·po·ec·cris·ia (-ĕ-kris'e-ah) – hipoecrisia; excreção anormalmente diminuída. **hypoeccrit'ic** – adj. hipoecrítico.

hy·po·echo·ic (-ĕ-ko'ik) – hipoecóico; em ultra-sonografia, que emite poucos ecos; diz-se de tecidos ou de estruturas que refletem relativamente poucas das ondas ultra-sônicas direcionadas a eles.

hy·po·er·gia (-er'jah) – hipoergia; hipossensibilidade a alérgenos. **hypoer'gic** – adj. hipoérgico.

hy·po·eso·pho·ria (-es"o-for'e-ah) – hipoesoforia; desvio dos eixos visuais para baixo e para dentro.

hy·po·es·the·sia (-es-the'zhah) – hipoestesia; sensibilidade anormalmente reduzida, particularmente ao tato. **hypoesthet'ic** – adj. hipoestésico.

hy·po·exo·pho·ria (-ek"so-for'e-ah) – hipoexoforia; desvio dos eixos visuais para baixo e lateralmente.

hy·po·fer·re·mia (-fĕ-rĕm-e-ah) – hipoferremia; deficiência de ferro no sangue.

hy·po·fer·til·i·ty (-fer-til'it-e) – hipofertilidade; capacidade reprodutiva reduzida. **hypofer'tile** – adj. hipofértil.

hy·po·fi·brin·o·gen·emia (-fi-brin"o-jin-ēm'e-ah) – hipofibrinogenemia; deficiência de fibrinogênio no sangue.

hy·po·ga·lac·tia (-gah-lak'she-ah) – hipogalactia; deficiência de secreção láctea. **hypogalac'tous** – adj. hipogaláctico.

hy·po·gam·ma·glob·u·lin·emia (-gam"ah-glob"u-lin-ēm'e-ah) – hipogamaglobulinemia; estado de deficiência imunológica marcado por níveis anormalmente baixos de, geralmente, todas as classes de gamaglobulinas séricas, com aumento da suscetibilidade a doenças infecciosas. Pode ser congênita ou secundária, ou fisiológica (ocorrendo em bebês normais e, quando prolongada, é chamada de *h. passageira*). **hypogammaglobuline'mic** – adj. hipogamaglobulinêmico. **com-**

mon variable h. – h. variável comum; ver em *immunodeficiency.*

hy·po·gan·gli·o·no·sis (-gang"gle-on-o'sis) – hipoganglionose; deficiência no número de células ganglionares mientéricas no segmento distal do intestino grosso, resultando em constipação; uma variante do megacólon congênito.

hy·po·gas·tri·um (-gas'tre-um) – hipogástrio; região púbica, a região abdominal média mais baixa.

hy·po·gas·tros·chi·sis (-gas-tros'kĭ-sis) – hipogastrosquise; fissura congênita do hipogástrio.

hy·po·gen·e·sis (-jen'ĭ-sis) – hipogênese; desenvolvimento embrionário defeituoso. **hypogenet'ic** – adj. hipogenético.

hy·po·gen·i·tal·ism (-jen'ĭ-t'l-izm") – hipogenitalismo; hipogonadismo (*hypogonadism*).

hy·po·geus·es·the·sia (-gōōs'es-the'zhah) – hipogeusestesia; hipogeusia.

hy·po·geu·sia (-goo'ze-ah) – hipogeusia; sentido do paladar anormalmente diminuído.

hy·po·glu·ca·gon·emia (-gloo"kah-gon-e'me-ah) – hipoglucagonemia; níveis anormalmente reduzidos de glucagon no sangue.

hy·po·gly·ce·mia (-gli-sēm'e-ah) – hipoglicemia; deficiência da concentração de glicose no sangue, que pode levar a nervosismo, hipotermia, dor de cabeça, confusão e algumas vezes, convulsões e coma.

hy·po·gly·ce·mic (-gli-sēm-ik) – hipoglicêmico: 1. relativo, caracterizado ou que causa hipoglicemia; 2. agente que abaixa os níveis sangüíneos de glicose.

hy·po·gly·cor·rha·chia (-gli"ko-ra'ke-ah) – hipoglicorraquia; teor de açúcar anormalmente baixo no líquido cerebroespinhal.

hy·po·go·nad·ism (-go'nad-izm) – hipogonadismo; redução da atividade funcional das gônadas, com atraso de crescimento e do desenvolvimento sexual.

hy·po·gon·a·do·trop·ic (-gon"ah-do-trop'ik) – hipogonadotrópico; relativo ou causado por deficiência de gonadotropina.

hy·po·hi·dro·sis (-hi-dro'sis) – hipoidrose; secreção anormalmente diminuída de suor. **hypohidrot'ic** – adj. hipoidrótico.

hy·po·ka·le·mia (-kah-lēm'e-ah) – hipocalemia; níveis anormalmente baixos de potássio no sangue, que podem levar a distúrbios neuromusculares e renais e a anormalidades eletrocardiográficas; hipopotassemia.

hy·po·ka·le·mic (-kah-lēm'ik) – hipocalêmico: 1. relativo ou caracterizado por hipocalemia; 2. agente que abaixa os níveis sangüíneos de potássio.

hy·po·ki·ne·sia (-kĭ-ne'zhah) – hipocinesia; função ou atividade motoras anormalmente reduzidas. **hypokinet'ic** – adj. hipocinético.

hy·po·lac·ta·sia (-lak-ta'zhah) – hipolactasia; deficiência da atividade lactásica nos intestinos; ver *lactase deficiency.*

hy·po·ley·dig·ism (-līd'ig-izm) – hipoleidigismo; secreção anormalmente reduzida de androgênios por parte das células de Leydig.

hy·po·lip·id·emic (-lip"id-ēm'ik) – hipolipidêmico; que promove a redução de concentrações lipídicas no soro.

hy·po·mag·ne·se·mia (-mag"nes-ēm'e-ah) – hipomagnesemia; teor de magnésio anormalmente baixo do sangue, manifestado principalmente por hiperirritabilidade neuromuscular.

hy·po·ma·nia (-mān'e-ah) – hipomania; mania do tipo moderado. **hypoman'ic** – adj. hipomaníaco.

hy·po·men·or·rhea (-men"o-re'ah) – hipomenorréia; diminuição do fluxo ou da duração da menstruação.

hy·po·mere (hi'po-mēr) – hipômero: 1. porção ventrolateral de um miótomo, inervada por um ramo anterior de um nervo espinhal; 2. placa lateral do mesoderma que se desenvolve nas paredes das cavidades corporais.

hy·po·me·tria (-me'tre-ah) – hipometria; ataxia na qual os movimentos tornam-se mais curtos que o objetivo pretendido.

hy·pom·ne·sis (hi"pom-ne'sis) – hipomnésia; memória defeituosa.

hy·po·morph (hi'po-morf) – hipomorfo: 1. uma pessoa que é baixa na posição em pé em relação à altura sentada; 2. em Genética, um gene mutante que apresenta redução parcial na atividade de que ele influencia. **hypomor'phic** – adj. hipomórfico.

hi·po·myx·ia (hi"po-mik'se-ah) – hipomixia; redução da secreção de muco.

hy·po·na·sal·i·ty (-na-zal'it-e) – hiponasalidade; qualidade de voz na qual ocorre perda completa de emissão de ar e de ressonância nasal, de forma que o locutor fala como se estivesse resfriado.

hy·po·na·tre·mia (-na-trēm'e-ah) – hiponatremia; deficiência de sódio no sangue; esgotamento de sal.

hy·po·neo·cy·to·sis (-ne"o-si-to'sis) – hiponeocitose; leucopenia com a presença de leucócitos imaturos no sangue.

hy·po·noia (-noi'ah) – hiponóia; atividade mental lenta.

hy·po·nych·i·um (-nik'e-um) – hiponíquio; epiderme espessada sob a extremidade distal livre da unha. **hyponych'ial** – adj. hiponiquial.

hy·po·or·tho·cy·to·sis (or"tho-si-to'sis) – hiportocitose; leucopenia em que há uma proporção normal das várias formas de leucócitos.

hy·po·para·thy·roid·ism (-par"ah-thi'roid-izm) – hipoparatireoidismo; afecção produzida pela redução muito grande da função ou remoção das glândulas paratireóides, com hipocalcemia que pode levar a tetania, hiperfosfatemia com redução da reabsorção óssea e outros sintomas.

hy·po·per·fu·sion (-per-fu'zhun) – hipoperfusão; redução do fluxo sangüíneo através de um órgão, como no caso de choque circulatório; se for prolongada, pode resultar em disfunção celular permanente e morte.

hy·po·phar·ynx (-fā'rinks) – hipofaringe; laringofaringe (*laryngopharynx*).

hy·po·pho·ne·sis (-fo-ne'sis) – hipofonese; diminuição do som na auscultação ou na percussão.

hy·po·pho·nia (-fo'ne-ah) – hipofonia; voz fraca devido a incoordenação dos músculos vocais.

hy·po·pho·ria (-for'e-ah) – hipoforia; desvio descendente do eixo visual de um olho na ausência de estímulos fusionais visuais.

hy·po·phos·pha·ta·sia (-fos"fah-ta'zhah) – hipofosfatasia; erro inato de metabolismo marcado por atividade de fosfatase alcalina sérica anormalmente baixa e excreção de fosfoetanolamina na urina. Manifesta-se através de raquitismo nos bebês e nas crianças e por meio de osteomalacia nos adultos. É mais severa nos bebês com menos de seis meses de idade.

hy·po·phos·pha·te·mia (-fos"fah-te'me-ah) – hipofosfatemia; deficiência de fosfatos no sangue, como pode ocorrer nos casos de raquitismo e osteomalacia. Ver também *hypophosphatasia*. **hypophosphate'mic** – adj. hipofosfatêmico. **familial h.** – h. familiar; raquitismo hipofosfatêmico familiar. **X-linked h.** – h. ligada ao cromossoma X; forma de raquitismo hipofosfatêmico familiar.

hy·po·phos·phor·ous ac·id (-fos-for'us) – ácido hipofosforoso; ácido monobásico tóxico, com propriedades fortemente redutoras (H_3PO_2), que forma hipofosfitos.

hy·po·phre·nia (-fre'ne-ah) – hipofrenia; retardamento mental. **hypophren'ic** – adj. hipofrênico.

hy·po·phys·ec·to·my (hi-pof"ĭ-sek'tah-me) – hipofisectomia; excisão da hipófise.

hy·po·phys·eo·por·tal (hi"po-fiz"e-o-por't'l) – hipofisoportal; denota o sistema porta da hipófise, no qual as vênulas hipotalâmicas conectam-se aos capilares da hipófise anterior.

hy·po·phys·io·priv·ic (-fiz"e-o-priv'ik) – hipofisoprivo; relativo a deficiência de secreção hormonal da glândula pituitária (hipófise).

hy·poph·y·sis (hi-pof'ĭ-sis) [Gr.] – hipófise; glândula pituitária. **hypophys'eal** – adj. hipofisário. **pharyngeal h.** – h. faríngea; massa na parede faríngea, com estrutura semelhante à da hipófise.

hy·po·pi·e·sis (hi"po-pi-e'sis) – hipopiese; pressão anormalmente baixa, como a pressão sangüínea baixa. **hypopiet'ic** – adj. hipopiético.

hy·po·pi·tu·i·ta·rism (-pĭ -tu'it-ar-izm") – hipopituitarismo; afecção que resulta de diminuição ou interrupção da secreção hormonal hipofisária, especialmente da hipófise anterior.

hy·po·pla·sia (-pla-zhah) – hipoplasia; desenvolvimento incompleto ou subdesenvolvimento de um órgão ou tecido. **hypoplas'tic** – adj. hipoplásico. **enamel h.** – h. do esmalte; desenvolvimento incompleto ou defeituoso do esmalte dos dentes; pode ser hereditário ou adquirido. **oligomeganephronic renal h.** – h. renal oligomeganefrônica; oligomeganefronia.

hy·pop·nea (hi-pop'ne-ah) – hipopnéia; redução anormal na profundidade e freqüência de respiração. **hypopne'ic** – adj. hipopnéico.

hy·po·po·ro·sis (hi"po-por-o'sis) – hipoporose; formação deficiente de calo após fratura óssea.

hy·po·po·tas·se·mia (-po"tah-se'me-ah) – hipopotassemia; hipocalemia.

hy·po·pros·o·dy (-pros'o-de) – hipoprosódia; diminuição da variação normal do acento, entonação e ritmo da fala.

hy·po·psel·a·phe·sia (hi"pop-sel"ah-fe'zhah) – hipopselafesia; embotamento do sentido do tato.

hy·po·pty·al·ism (-ti'ah-lizm) – hipoptialismo; secreção anormalmente reduzida de saliva.

hy·po·py·on (hi-po'pe-on) – hipópio; acúmulo de pus na câmara anterior do olho.

hy·po·sal·i·va·tion (hi"po-sal"ĭ -va'shun) – hipossalivação; hipoptialismo.

hy·po·se·cre·tion (-sē-kre'shun) – hipossecreção; redução da secreção, como a de uma glândula.

hy·po·sen·si·tive (-sen'sit-iv) – hipossensível: 1. que apresenta sensibilidade anormalmente reduzida; 2. que é menos sensível a um alérgeno específico após doses repetidas e gradualmente crescentes da substância ofensora.

hy·pos·mia (hi-poz'me-ah) – hiposmia; redução da acuidade do sentido do olfato.

hy·po·so·mato·tro·pism (hi"po-so"mat-o-tro'-pizm) – hipossomatotropismo; secreção deficiente de somatotropina (hormônio do crescimento) ou secreção inadequada da mesma, resultando em baixa estatura.

hy·po·som·nia (-som'ne-ah) – hipossonia; redução do período de sono.

hy·po·spa·di·as (-spa'de-is) – hipospádia; anomalia de desenvolvimento na qual a uretra masculina abre-se no lado inferior do pênis ou no períneo. **female h.** – h. feminina; anomalia de desenvolvimento na mulher, na qual a uretra se abre no interior da vagina.

hy·po·splen·ism (splen-izm) – hiposplenismo; redução do funcionamento do baço, resultando em aumento dos elementos sangüíneos periféricos.

hy·pos·ta·sis (hi-pos'tah-sis) – hipóstase; má-circulação ou circulação estagnada em uma parte dependente do corpo ou de um órgão.

hy·pos·tat·ic (hi"po-stat'ik) – hipostático: 1. relativo, devido, ou associado à hipóstase; 2. anormalmente estático; diz-se de determinadas características herdadas sujeitas a serem suprimidas por outras características.

hy·pos·the·nia (hi"pos-the'ne-ah) – hipostenia; estado debilitado; fraqueza. **hyposthen'ic** – adj. hipostênico.

hy·po·styp·sis (hi"po-stip'sis) – hipostipsia; adstringência moderada. **hypostyp'tic** – adj. hipostíptico.

hy·po·syn·er·gia (-sĭ -ner'jah) – hipossinergia; dissinergia.

hy·po·telo·rism (-tēl'er-izm) – hipotelorismo; distância anormalmente reduzida entre dois órgãos ou partes. **ocular h., orbital h.** – h. ocular, h. orbitário; redução anormal na distância intra-orbitária.

hy·po·ten·sion (-ten'shun) – hipotensão; pressão sangüínea anormalmente baixa.

hy·po·ten·sive (-ten'siv) – hipotensivo; marcado por pressão sangüínea baixa ou que serve para reduzir a pressão sangüínea.

hy·po·thal·a·mus (-thal'ah-mus) – hipotálamo; parte do diencéfalo que forma o assoalho e a parte da parede lateral do terceiro ventrículo; anatomicamente, inclui o quiasma óptico, corpos mamilares, tuberosidade cinérea, infundíbulo e hipófise, mas para propósitos fisiológicos, considera-se a hipófise como uma estrutura distinta. Os núcleos hipotalâmicos servem para ativar, controlar e integrar os mecanismos autônomos periféricos, as atividades endócrinas e muitas funções somáticas. **hypothalam'ic** – adj. hipotalâmico.

hy·poth·e·nar (hi-poth'en-ar) – hipotenar: 1. a proeminência carnosa na palma ao longo da margem ulnar; 2. relacionado a essa proeminência.

hy·po·ther·mia (hi"po-therm'e-ah) – hipotermia; baixa temperatura corporal, como a resultante de exposição a clima frio ou um estado induzido como meio de redução do metabolismo e portanto da exigência de oxigênio, conforme utilizado em vários procedimentos cirúrgicos. **hypother'mal, hypother'mic** – adj. hipotérmico.

hy·poth·e·sis (hi-poth'ĕ-sis) – hipótese; suposição que surge para explicar um grupo de fenômenos e que é assumida como base de raciocínio e experimentação. **biogenic amine h.** – h. da ligação amina biogênica com depressão; hipótese de que a depressão associa-se a deficiência de catecolaminas (especialmente da noradrenalina) em sítios receptores funcionalmente importantes no cérebro e a alegria se associa ao excesso dessas aminas. **jelly roll h.** – h. do rolo de gelatina na formação da mielina; teoria que explica a formação da mielina nervosa, afirmando que ela consiste de várias camadas da membrana plasmática de uma célula de Schwann em espiral ao redor do axônio na forma de um rolo de gelatina. **lattice h.** – h. da treliça; teoria acerca da natureza da reação antígeno-anticorpo que postula uma reação entre os antígenos multivalentes e os anticorpos divalentes para resultar em um complexo antígeno-anticorpo de estrutura semelhante a uma treliça. **Lyon h.** – h. de Lyon; inativação alternativa e fixa (na forma da cromatina sexual) de um cromossoma X nas células dos mamíferos em um estágio inicial da embriogênese, levando a mosaicismo dos cromossomas X paternos e maternos na mulher. **one gene-one polypeptide chain h.** – h. da cadeia de um gene-um polipeptídeo; um gene é a seqüência de DNA que codifica a produção de uma cadeia polipeptídica. Os anticorpos são uma exceção; os genes separados para regiões variáveis e constantes rearranjam-se para codificar para um único polipeptídeo. **response-to-injury h.** – h. da resposta à lesão; hipótese que explica a aterogênese como iniciando-se com alguma lesão às células endoteliais que revestem as paredes arteriais, que causam disfunção endotelial e levam a interações celulares anormais e ao início e progressão de uma aterogênese. **sliding-filament h.** – h. do filamento deslizante; estiramento de fibras musculares individuais eleva o número de pontes de desenvolvimento de tensão entre os elementos protéicos contráteis deslizantes (actina e miosina) e conseqüentemente aumenta a força da próxima contração muscular. **Starling's h.** – h. de Starling; a direção e a freqüência de transferência de líquido entre o plasma sangüíneo nos capilares e líquidos nos espaços teciduais dependendo da pressão hidrostática em cada lado da parede capilar, da pressão osmótica das proteínas no plasma e no líquido tecidual e das propriedades das paredes capilares como membrana filtrante. **wobble h.** – h. da oscilação no metabolismo do RNA; hipótese que descreve como uma molécula de RNA de transferência (tRNA) específica pode traduzir códons diferentes em um molde de RNA-mensageiro (mRNA). Ela afirma que a terceira base do anticódon do tRNA não tem de se parear com um códon complementar (como as duas primeiras), mas pode formar pares de bases com um dos vários códons relacionados.

hy·po·thy·mia (hi"po-thi'me-ah) – hipotimia; emotividade anormalmente reduzida.

hy·po·thy·mism (-thi'mizm) – hipotimismo; redução da atividade tímica.

hy·po·thy·roid·ism (-thi'roid-izm) – hipotireoidismo; deficiência da atividade tireóidea. Nos adultos, é marcado pela redução da taxa metabólica, esgotamento e letargia. Ver também *cretinism* e *myxedema*. **hypothy'roid** – adj. hipotireóideo.

hy·po·to·nia (-tŏn'e-ah) – hipotonia; redução do tônus dos músculos esqueléticos.

hy·po·ton·ic (-ton'ik) – hipotônico: 1. denota redução do tônus ou da tensão; 2. denota uma solução que tem pressão osmótica menor que a substância com a qual se compara.

hy·po·tri·cho·sis (-trĭ-ko'sis) – hipotricose; presença de uma quantidade de pêlos menor do que a normal.

hy·pot·ro·phy (hi-pah-trah-fe) – hipotrofia; abiotrofia (*abiotrophy*).

hy·po·tro·pia (hi"po-tro'pe-ah) – hipotropia; estrabismo no qual ocorre um desvio descendente permanente do eixo visual de um olho.

hy·po·tym·pa·not·o·my (-tim"pah-not'ah-me) – hipotimpanotomia; abertura cirúrgica do hipotímpano.

hy·po·tym·pa·num (-tim'pah-num) – hipotímpano; parte inferior da cavidade do ouvido médio, no osso temporal.

hy·po·uri·ce·mia (-ur"is-ĕm-e-ah) – hipouricemia; deficiência de ácido úrico no sangue, junto com xantinúria, decorrente de deficiência de xantinaoxidase, a enzima exigida para a conversão da hipoxantina em xantina e da xantina em ácido úrico.

hy·po·ven·ti·la·tion (-ven"tĭ-la'shun) – hipoventilação; redução na quantidade de ar que entra nos alvéolos pulmonares. **primary alveolar h.** – h. alveolar primária; degeneração do controle automático da respiração, resultando em apnéia durante o sono.

hy·po·vo·le·mia (-vŏl-ĕm-e-ah) – hipovolemia; volume anormalmente reduzido do líquido circulante (plasma) no corpo. **hypovole'mic** – adj. hipovolêmico.

hy·po·vo·lia (-vŏl'e-ah) – hipovolia; redução do teor ou do volume de água, como do líquido extracelular.

hy·po·xan·thine (-zan'thĕn) – hipoxantina; base purínica formada como um intermediário na degradação das purinas e dos nucleosídeos purínicos em ácido úrico e na recuperação das purinas livres. Em complexo com a ribose, corresponde a inosina.

hy·pox·emia (hi"pok-sĕm'e-ah) – hipoxemia; oxigenação deficiente do sangue.

hy·pox·ia (hi-pok'se-ah) – hipoxia; redução do suprimento de oxigênio para um tecido abaixo dos níveis fisiológicos, apesar da perfusão adequada do tecido por parte do sangue. **hypox'ic** – adj. hipóxico. **anemic h.** – h. anêmica; hipoxia devida

GHI

à redução da capacidade de transporte de oxigênio do sangue, como resultado de redução na hemoglobina total ou de alteração dos constituintes hemoglobínicos. **histotoxic h.** – h. histotóxica; hipoxia devida a falha de utilização de oxigênio pelos tecidos. **hypoxic h.** – h. hipóxica; hipoxia devida a oxigênio insuficiente que atinge o sangue. **stagnant h.** – h. estagnante; hipoxia devida a falha no transporte de oxigênio suficiente devido a um fluxo sangüíneo inadequado.

hyp·sar·rhyth·mia (hip"sah-rith'me-ah) – hipsarritmia; anormalidade eletroencefalográfica que se associa comumente a convulsões fortes, com ondas lentas e aleatórias de alta voltagem e picos que se propagam para todas as áreas corticais.

hyp·so·ki·ne·sis (hip"so-kĭ-ne'sis) – hipsocinese; inclinação ou queda para trás na posição ereta; observada no caso de paralisia com agitação, da doença de Wilson e afecções semelhantes.

hys·ter·ec·to·my (his"ter-ek'tah-me) – histerectomia; excisão do útero. **abdominal h.** – h. abdominal; histerectomia realizada através da parede abdominal. **cesarean h.** – h. cesariana; cesariana seguida de remoção do útero. **complete h.** – h. completa; h. total. **partial h.** – h. parcial; h. subtotal. **radical h.** – h. radical; excisão do útero, vagina superior e paramétrio. **subtotal h.** – h. subtotal; histerectomia na qual se deixa a cérvix no local. **total h.** – h. total; histerectomia na qual se excisam completamente o útero e a cérvix. **vaginal h.** – h. vaginal; histerectomia realizada através da vagina.

hys·te·re·sis (his"tě-re'sis) [Gr.] – histerese: 1. um intervalo na ocorrência de dois fenômenos associados, como entre causa e efeito; 2. em terminologia do marca-passo cardíaco, o número de pulsos por minuto abaixo do índice de marcação programada em que o coração deve cair para causar o início da marcação.

hys·ter·eu·ry·sis (-u'rě-sis) – histereurise; dilatação da abertura uterina.

hys·ter·ia (his-ter'e-ah) – histeria; no passado, termo largamente utilizado em Psiquiatria. Seus significados incluem (1) a histeria clássica, hoje distúrbio de somatização (*disorder, somatization*); (2) a neurose histérica, hoje dividida em distúrbio de conversão (*disorder, conversion*) e distúrbios dissociativos (*disorder, dissociative*); (3) histeria da ansiedade; e (4) personalidade histérica, hoje personalidade histriônica (*personality, histrionic*). **hyster'ical** – adj. histérico. **anxiety h.** – h. de ansiedade; histeria com ataques recorrentes de ansiedade. **conversion h.,** – h. de conversão; h. dissociativa; ver *hysteria.* **fixation h.** – h. de fixação; histeria com sintomas baseados nos de uma doença orgânica. **h. ma'jor** – h. maior; histeria com início súbito de estados oníricos, letargias e paralisias.

hys·ter·ics (his-tě'riks) – histérico; termo popular para uma crise emocional incontrolável.

hyster(o)- [Gr.] – hister(o)-, elemento de palavra, *útero; histeria.*

hys·tero·cele (his'ter-o-sēl") – histerocele; metrocele (*metrocele*).

hys·tero·clei·sis (his"ter-kli'sis) – histeroclise; fechamento cirúrgico da abertura uterina.

hys·tero·ep·i·lep·sy (-ep'il-ep"se) – histeroepilepsia; histeria severa com convulsões epileptiformes.

hys·ter·og·ra·phy (his"ter-og'rah-fe) – histerografia: 1. registro gráfico da força das contrações uterinas no parto; 2. radiografia do útero após instilação de um meio de contraste.

hys·ter·oid (his'ter-oid) – histeróide; semelhante à histeria.

hys·ter·o·lith (his"ter-o-lith") – histerólito; cálculo uterino.

hys·ter·ol·y·sis (his"ter-ol'ĭ-sis) – histerólise; que livra o útero de aderências.

hys·tero·myo·ma (his"ter-o-mi-o'mah) – histeromioma; leiomioma uterino.

hys·tero·myo·mec·to·my (-mi"o-mek'tah-me) – histeromiomectomia; miomectomia uterina.

hys·tero·my·ot·o·my (-mi-ot'ah-me) – histeromiotomia; incisão do útero para a remoção de um tumor sólido.

hys·tero·pexy (his'ter-o-pek"se) – histeropexia; fixação cirúrgica de um útero deslocado.

hys·ter·op·to·sis (his"ter-op-to'sis) – histeroptose; metroptose (*metroptosis*).

hys·ter·or·rha·phy (his"ter-or'ah-fe) – histerorrafia: 1. sutura do útero; 2. histeropexia.

hys·ter·or·rhex·is (his"ter-o-rek'sis) – histerorrexia; metrorrexe.

hys·tero·sal·pin·gec·to·my (-sal"pin-jek'tah-me) – histerossalpingectomia; excisão do útero e das tubas uterinas.

hys·tero·sal·pin·gog·ra·phy (-sal"ping-gog'-rah-fe) – histerossalpingografia; radiografia do útero e das tubas uterinas.

hys·tero·sal·pin·go·ooph·o·rec·to·my (-sal"-ping-go-o"of-o-rek'tah-me) – histerossalpingooforectomia; excisão do útero, das tubas uterinas e dos ovários.

hys·tero·sal·pin·gos·to·my (-sal"ping-gos'tah-me) – histerossalpingostomia; anastomose de uma tuba uterina com o útero.

hys·tero·scope (his'ter-o-skōp") – histeroscópio; endoscópio para exame visual direto do canal cervical e da cavidade uterina.

hys·tero·spasm (-sapzm") – histerospasmo; espasmo uterino.

hys·ter·ot·o·my (his"ter-ot'ah-me) – histerotomia; incisão do útero realizada tanto transabdominal (*h. abdominal*) como vaginalmente (*h. vaginal*).

hys·tero·tra·chel·or·rha·phy (his"ter-o-tra"-kel-or'ah-fe) – histerotraquelorrafia; sutura da cérvix uterina.

hys·tero·tra·chel·ot·o·my (-tra"kel-ot'ah-me) – histerotraquelotomia; incisão da cérvix uterina.

hys·tero·tu·bog·ra·phy (-too-bog'rah-fe) – histerotubografia; histerossalpingografia.

Hz – hertz.

I

I – incisor (tooth); iodine; inosine (in nucleotides) (incisivo [dente]; inosina [nos nucleotídeos]); símbolo químico, iodo (*iodine*).

-ia – elemento de palavra, *estado; condição.*

IAEA – International Atomic Energy Agency (Agência Internacional de Energia Atômica).

-iasis [Gr.] – -iase, elemento de palavra, *condição; estado.*

iatr(o)- [Gr.] – elemento de palavra, *Medicina; médico.*

iat·ric (i-ă'trik) – iátrico, relativo à Medicina ou a um médico.

-iatrics [Gr.] – -iatria, elemento de palavra; *tratamento médico.*

iat·ro·gen·ic (i-at"ro-jen'ik) – iatrogênico; que resulta da atividade de médicos; diz-se de qualquer situação adversa em um paciente resultante de um tratamento feito por um médico ou um cirurgião.

-iatry [Gr.] – elemento de palavra, *tratamento médico.*

ibu·pro·fen (i"bu-pro'fen) – ibuprofeno; agente antiinflamatório não-esteróide, que também tem ações analgésicas e antipiréticas; utilizado para o alívio da dor e no tratamento da artrite reumatóide e da osteoartrite.

IC – inspiratory capacity; irritable colon (CI; capacidade inspiratória; cólon irritável).

ICD – International Classification of Diseases; intrauterine contraceptive device (Classificação Internacional de Doenças, da Organização Mundial da Saúde; dispositivo contraceptivo intra-uterino).

ich·tham·mol (ik-tham'ol) – ictamol; líquido viscoso marrom-avermelhado a negro-acastanhado derivado de determinados xistos betuminosos; utilizado como antiinfeccioso cutâneo local.

ichthy(o)- [Gr.] – icti(o)-, elemento de palavra; *peixe.*

ich·thy·oid (ik'the-oid) – ictióide; semelhante a um peixe.

ich·thy·ol·o·gy (ik"the-ol'ah-je) – ictiologia; estudo dos peixes.

ich·thyo·sar·co·tox·in (ik"the-o-sar"ko-tok'-sin) – ictiossarcotoxina; toxina encontrada na carne de peixes venenosos.

ich·thyo·sar·co·tox·ism (-sar"ko-tok'sizm) – ictiossarcotoxismo; envenenamento pela ingestão de peixe venenoso, marcado por distúrbios gastrointestinais e neurológicos.

ich·thy·o·sis (ik"the-o'sis) – ictiose: 1. um dos vários distúrbios cutâneos generalizados marcados por ressecamento, aspereza e descamação, devidos a hipertrofia da camada córnea resultante de produção excessiva ou retenção de ceratina ou de um defeito molecular na ceratina; 2. i. vulgar. **ichthyot'ic** – adj. ictiótico. **i. hys'trix** – i. histrix; forma rara de hiperceratose epidermolítica, marcada por cristas verrucóides lineares marrom-escuras generalizadas, um pouco semelhantes à pele dos porcos-espinho. **lamellar i.** – i. lamelar; doença hereditária presente no ou logo após o nascimento com grandes escamas marrom-acinzentadas quadrilaterais; pode-se associar a estatura baixa, oligofrenia, paralisia espástica, hipoplasia genital, hipotriquia ou diminuição da expectativa de vida. **i. sim'plex** – i. simples; i. vulgar. **i. u'teri** – i. do útero; transformação do epitélio colunar do endométrio em um epitélio escamoso estratificado. **i. vulga'ris** – i. vulgar; ictiose hereditária presente ao nascimento ou imediatamente após, com grandes escamas secas e grossas no pescoço, orelhas, couro cabeludo, face e superfícies flexurais.

ICN – International Council of Nurses (Conselho Internacional de Enfermeiras).

ICS – International College of Surgeons (Associação Internacional de Cirurgiões).

ICSH – interstitial cell-stimulating hormone (hormônio estimulador de células intersticiais).

ic·tal (ik't'l) – ictal; relativo, caracterizado ou devido a ataque ou crise epiléptica agudos.

ic·tero·gen·ic (ik"ter-o-jen'ik) – icterogênico; que causa icterícia.

ic·tero·hep·a·ti·tis (-hep"ah-tĭ t'is) – icteroepatite; íctero-hepatite; inflamação do fígado com icterícia acentuada.

ic·ter·us [L.] – icterícia. **icter'ic** – adj. ictérico. **i. neonato'rum** – icterícia do recém-nascido; icterícia em recém-nascidos.

ic·tus (ik'tus) [L.] pl. *ictus* – icto; convulsão; crise; golpe ou ataque súbito. **ic'tal** – adj. ictal.

ICU – intensive care unit (UTI, unidade de terapia intensiva).

ID₅₀ – median infective dose (DI₅₀, dose infectante média).

id¹ (id) – em Teoria Psicanalítica, aspecto primitivo, inconsciente e inato da personalidade, dominado pelo princípio do prazer.

id² (id) – ide; erupção cutânea estéril que ocorre como reação alérgica a um agente que causa infecção primária em qualquer lugar; também utilizado como sufixo ligado a uma raiz que especifica o fator causador.

ida·ru·bi·cin (i"dah-roo'bĭ-sin) – idarrubicina; antineoplásico antraciclínico utilizado no tratamento da leucemia mielógena aguda.

IDD – insulin-dependent diabetes (diabetes dependente de insulina).

-ide (id) – -ide, -eto, -ídio, sufixo que indica um composto químico binário.

idea (i-de'ah) – idéia; impressão ou conceito mentais. **autochthonous i.** – i. autóctone; idéia estranha que vem à mente de maneira inesperada, mas não é uma alucinação. **compulsive i.** – i. compulsiva; idéia que persiste apesar da razão e da vontade e prossegue em direção a algum ato impróprio. **dominant i.** – i. dominante; impressão mórbida que controla ou dá sentido a cada ação e pensamento. **fixed i.** – i. fixa; impressão ou crença mórbida persistente, que não pode ser mudada pela razão. **i. of reference** – i. de referência; idéia incorreta de um indivíduo de que palavras e ações dos outros se referem a si próprio ou a projeção das causas das próprias dificuldades imaginárias sobre terceiros. **ide·al** (i-de'il) – ideal; padrão ou conceito de perfeição. **ego i.** – i. do ego; padrão de perfeição inconscientemente criado por uma pessoa para si mesma.

ide·al·iza·tion (i-de"il-iz-a'shun) – idealização; mecanismo mental consciente ou inconsciente, no qual o indivíduo superestima um aspecto ou um atributo admirado de outra pessoa.

ide·a·tion (i"de-a'shun) – ideação; formação de idéias ou imagens. **idea'tional** – adj. ideacional.

idée fixe (e-da'fĕks) [Fr.] – idéia fixa.

iden·ti·fi·ca·tion (i-den"tĭ-fĭ-ka'shun) – identificação; mecanismo de defesa inconsciente através do qual o indivíduo se padroniza a partir de outra pessoa.

iden·ti·ty (i-den'tit-e) – identidade; conjunto de características através das quais um indivíduo é reconhecido por si mesmo e pelos outros. **gender i.** – i. de gênero; conceito de um indivíduo sobre si mesmo como sendo homem e masculino ou mulher e feminino ou ambivalente.

idi(o)- [Gr.] – elemento de palavra; si mesmo; peculiar a uma substância ou a um organismo.

ideo·ge·net·ic (i"de-o-jĕ-net'ik) – ideogenético; relacionado aos processos mentais nos quais se utilizam imagens de impressões dos sentidos em vez de idéias prontas para a expressão verbal.

ide·og·e·nous (i"de-oj'ĕ-nus) – ideógeno; ideogenético.

ide·ol·o·gy (i"de-ol'ah-je, id"e-) – ideologia: 1. ciência do desenvolvimento de idéias; 2. corpo de idéias característico de um indivíduo ou unidade social.

ideo·mo·tion (i"de-o-mo'shin) – ideomoção; ação muscular induzida por uma idéia dominante.

ideo·mo·tor (-mŏt'er) – ideomotor; que surgiu através de uma idéia ou pensamento; diz-se de um movimento involuntário surgido dessa forma.

id·i·o·cy (id'e-ah-se) – idiotia; retardamento mental severo. **amaurotic i., amaurotic familial i.** – i. amaurótica; i. familiar amaurótica; termo geral para várias lipidoses genéticas de características bioquímicas e clínicas diversas, incluindo as doenças de Jansky-Bielschowsky, de Tay-Sachs e de Vogt-Spielmeyer. **cretinoid i.** – i. cretinóide; cretinismo. **microcephalic i.** – i. microcefálica; idiotia associada a microcefalia. **mongolian i.** – i. mongolóide; síndrome de Down.

id·io·glos·sia (id"e-o-glos'e-ah) – idioglossia; articulação extremamente defeituosa, com emissão de sons vocais virtualmente ininteligíveis. **idioglot'tic** – adj. idioglótico.

id·io·gram (id'e-ah-gram) – idiograma; desenho ou fotografia dos cromossomas de uma célula particular.

id·io·path·ic (id"e-o-path'ik) – idiopático; auto-originado; que ocorre sem causa conhecida.

id·io·syn·cra·sy (-sing'krah-se) – idiossincrasia: 1. hábito peculiar de um indivíduo; 2. suscetibilidade anormal a um agente (por exemplo, uma droga) peculiar a um indivíduo. **idiosyncrat'ic** – adj. idiossincrático.

id·i·ot (id'e-it) – idiota; pessoa acometida de retardamento mental severo. **i. savant** – i. -prodígio; pessoa mentalmente retardada com uma capacidade mental específica desenvolvida em um grau incomumente alto, na matemática, música etc.

id·io·troph·ic (id"e-o-trof'ik) – idiotrófico; capaz de escolher a sua própria nutrição.

id·io·ven·tric·u·lar (-ven-trik'u-ler) – idioventricular; relativo aos ventrículos cardíacos isoladamente.

IDL – intermediate-density lipoprotein (proteína de densidade intermediária).

idox·ur·i·dine (i"doks-u'rĭ -dēn) – idoxuridina; análogo da pirimidina que inibe a síntese de DNA viral; utilizado como agente antiviral no tratamento da ceratite do herpes simples.

IDU – idoxuridine (idoxuridina).

id·uron·ic ac·id (i"du-ron'ik) – ácido idurônico; ácido urônico que é um constituinte do sulfato de dermatan; sulfato de heparan e heparina.

L-id·uron·i·dase (i"du-ron'ĭ -dās) – L-iduronidase; hidrolase que catalisa uma fase na degradação dos glicosaminoglicanos sulfato de dermatano e sulfato de heparan; a deficiência leva à mucopolissacaridose do tipo I.

Ig – immunoglobulin of any of the five classes: IgA, IgD, IgE, IgG, and IgM (imunoglobulina de qualquer das cinco classes: IgA, IgD, IgE, IgG e IgM).

IHD – ischemic heart disease (cardiopatia isquêmica).

ile(o)- [L.] – elemento de palavra, íleo.

il·e·ac (il'e-ak) – ileal: 1. da natureza do íleo; 2. relativo ao íleo.

il·e·itis (-ī'tis) – ileíte; inflamação do íleo. **distal i., regional i.** – i. distal; i. regional; doença de Crohn que afeta o íleo.

il·eo·ce·cos·to·my (il"e-ō-se-kos'tah-me) – ileocecostomia; anastomose cirúrgica do íleo ao ceco.

il·eo·co·li·tis (-ko-lī'tis) – ileocolite; inflamação do íleo e do cólon. **i. ulcero'sa chro'nica** – i. ulcerosa crônica; ileocolite crônica com febre, pulso rápido, anemia, diarréia e dor ilíaca direita.

il·eo·co·los·to·my (-kol-os'tah-me) – ileocolostomia; anastomose cirúrgica do íleo ao cólon.

il·eo·cys·to·plas·ty (-sis'tah-plas"te) – ileocistoplastia; reparo da parede da bexiga com um segmento isolado da parede do íleo.

il·eo·cys·tos·to·my (-sis-tos'tah-me) – ileocistostomia; uso de um segmento isolado do íleo para criar uma passagem da bexiga para uma abertura na parede abdominal.

il·eo·ile·os·to·my (il"e-o-os'tah-me) – ileoileostomia; anastomose cirúrgica entre duas partes do íleo.

il·e·or·rha·phy (il"e-or'ah-fe) – ileorrafia; sutura do íleo.

il·eo·sig·moi·dos·to·my (il"e-o-sig"moi-dos'tah-me) – ileossigmoidostomia; anastomose cirúrgica do íleo ao cólon sigmóide.

il·e·os·to·my (il"e-os-tah-me) – ileostomia; criação cirúrgica de uma abertura no interior do íleo, com um estoma na parede abdominal.

il·e·ot·o·my (-ot'ah-me) – ileotomia; incisão do íleo.

il·e·um (il'e-um) – íleo; porção distal do intestino delgado; que se estende do jejuno ao ceco. **duplex i.** – i. duplo; duplicação congênita do íleo.

il·e·us (il'e-us) – íleo; obstrução intestinal. adynamic i. – i. adinâmico; íleo devido a inibição da motilidade intestinal. dynamic i., hyperdynamic i. – i. dinâmico; i. hiperdinâmico; i. espástico. mechanical i. – i. mecânico; íleo devido a causas mecânicas, como hérnia, aderências, vólvulo etc. meconium i. – i. meconial; íleo no recém-nascido devido a obstrução do intestino com espessamento de mecônio. occlusive i. – i. oclusivo; i. mecânico. paralytic i., i. paraly'ticus – i. paralítico; i. adinâmico. spastic i. – i. espástico; íleo mecânico devido a contratura persistente de um segmento intestinal. subpar'ta – íleo devido à pressão do útero grávido no cólon pélvico.

ili(o)- [L.] – elemento de palavra, ílio.

il·io·fem·or·al (il"e-o-fem'er-il) – iliofemoral; relativo ao ílio e ao fêmur.

il·io·lum·bar (-lum'bar) – iliolumbar; relativo às regiões ilíaca e lombar.

il·io·pec·tin·e·al (-pek-tin'e-al) – iliopectíneo; relativo ao ílio e ao púbis.

il·i·um (il'e-um) pl. ilia [L.] – ílio; ver Tabela de Ossos.

ill (il) – doente: 1. que não se encontra bem; enfermo; 2. enfermidade; doença ou distúrbio. louping i. – encefalite ovina; encefalomielite viral originária de carrapatos dos ovinos. navel i. – mal do umbigo, septicemia que afeta potros, bezerros e cordeiros com onfaloflebite e abscessos nas articulações causando poliartrite; devido a infecção por vários microrganismos através do umbigo aberto.

ill·ness (il'nes) – enfermidade; afecção caracterizada por um desvio do estado normal; moléstia. emotional i. – e. emocional; coloquialismo para distúrbio mental, mas que geralmente não inclui distúrbios mentais orgânicos ou retardamento mental. mental i. – e. mental; ver em disorder.

il·lu·mi·na·tion (ĭ-loo"mĭ-na'shun) – iluminação: 1. iluminação de uma parte, órgão ou objeto para inspeção; 2. fluxo luminoso por unidade de área de uma dada superfície; unidade: lux. Símbolo E. darkfield i., dark'ground i. – i. em campo escuro; i. de fundo escuro; distribuição de raios luminosos periféricos em um objeto microscópico a partir do lado, com bloqueio dos raios centrais; o objeto aparece brilhante em um fundo escuro.

il·lu·sion (il-oo'zhin) – ilusão; impressão mental derivada de má-interpretação de uma experiência real. illu'sional – adj. ilusório.

Il·o·sone (il'o-sōn) – Ilosone, marca registrada de preparações de estolato de eritromicina.

IM – intramuscularly (intramuscularmente).

im- – prefixo que substitui o in- antes de palavras que comecem com b, m e p.

im·age (im'ij) – imagem; quadro ou conceito semelhante a uma realidade objetiva. body i. – i. corporal; conceito tridimensional de si mesmo, registrado no córtex através da percepção de posturas corporais alteráveis e que se altera constantemente com estas. false i. – i. falsa; imagem formada pelo olho desviado por estrabismo. mirror i. – i. em espelho; imagem com relações direita e esquerda reversas, como reflexão de um objeto em um espelho. Purkinje-Sanson mirror i's – imagens em espelho de Purkinje-Sanson; três imagens refletidas de um objeto na observação da pupila; duas nas superfícies posterior e anterior do cristalino e duas na superfície anterior da córnea. motor i. – i. motora; modelo cerebral organizado dos movimentos possíveis do corpo. real i. – i. real; imagem formada onde se coletam os raios emanantes, na qual o objeto é registrado como invertido. virtual i. – i. virtual; quadro proveniente de raios luminosos projetados e interceptados antes da focalização.

imag·ing (im'ah-jing) – representação; produção de imagens diagnósticas (por exemplo, radiografia, ultra-sonografia ou cintilografia). color flow Doppler i. – r. de Doppler de fluxo colorido; método de visualização da direção e velocidade de um movimento utilizando a ultra-sonografia de Doppler e codificando-as como cores e sombras, respectivamente. echo planar i. – r. ecoplanar; técnica para obtenção de uma imagem de ressonância magnética em menos de 50 milissegundos. electrostatic i. – r. eletrostática; método de visualização de estruturas corporais profundas no qual se passa um feixe de elétrons através do paciente, em que o raio emergente atinge uma placa eletrostaticamente carregada, dissipando a carga de acordo com a força do feixe. Faz-se então um filme a partir da placa. gated cardiac blood pool i. – r. da reserva sangüínea cardíaca controlada; angiocardiografia de radionuclídeos em equilíbrio. gated magnetic resonance i. – imagem de ressonância magnética controlada; método para obtenção de imagens por ressonância magnética na qual a aquisição de sinais é controlada para minimizar o movimento ou outros artefatos. hot spot i., infarct avid i. – r. por mancha de calor ou r. ávida por infartos, ver em scintigraphy. magnetic resonance i. (MRI) – imagem de ressonância magnética; método de visualização de tecidos moles do corpo através da aplicação de um campo magnético externo que torna possível distinguir os átomos de hidrogênio em ambientes diferentes. myocardial perfusion i. – r. por perfusão miocárdica; ver scintigraphy. pyrophosphate i. – r. com pirofosfato; cintilografia ávida por infartos. technetium Tc 99m pyrophosphate i. – r. com pirofosfato de tecnécio Tc99m: 1. cintilografia ávida por infartos; 2. qualquer tipo de obtenção de imagens que utiliza o pirofosfato de tecnécio Tc99m como agente de imagens.

ima·go (ĭ-ma'go) [L.] pl. imagoes, imagines – imago: 1. forma adulta ou definitiva de um inseto; 2. memória ou fantasia da infância de uma pessoa amada que persiste na vida adulta.

im·bal·ance (im-bal'ans) – desequilíbrio; falta de equilíbrio, especialmente entre os músculos, como no caso de insuficiência dos músculos oculares. autonomic i. – d. autônomo; coordenação defeituosa entre os sistemas nervosos simpático e parassimpático, especialmente com relação às atividades vasomotoras. sympathetic i. – d. simpático; vagotonia. vasomotor i. – d. vasomotor; d. autônomo.

GHI

im·be·cil·i·ty (im"bĭ-sil'it-e) – imbecilidade; retardamento mental menos severo que a idiotia, porém mais severo que a debilidade.

im·bi·bi·tion (im"bĭ-bish'in) – embebição; absorção de um líquido.

im·bri·cat·ed (im'brĭ-kāt"id) – imbricado; sobreposto como telhas.

ImD₅₀ – median immunizing dose (DIm_{50}, dose imunizante média).

im·id·az·ole (im"id-az'ōl) – imidazol; base encontrada combinada com alanina na histidina; constitui um antimetabólito e um inibidor da histidina sendo utilizado como inseticida; qualquer substância de uma classe de compostos fungistáticos que contém esta estrutura.

im·ide (im'īd) – imida; qualquer composto que contenha o grupo bivalente =NH, ao qual só se fixam radicais ácidos.

imido- – prefixo que denota a presença do grupo bivalente =NH fixado a dois radicais ácidos.

imino- – prefixo que denota a presença do grupo bivalente =NH fixado a radicais não-ácidos.

im·i·no·gly·cin·uria (ĭ-me"no-gli"sin-ūr'e-ah) – iminoglicinúria; distúrbio hereditário benigno da reabsorção tubular renal de glicina e iminoácidos (prolina e hidroxiprolina), marcado por níveis excessivos das três substâncias na urina.

im·i·no·stil·bene (im"ĭ-no-stil'bēn) – iminestilbeno; classe de anticonvulsivantes utilizados no tratamento da epilepsia.

im·i·pen·em (im"ĭ-pen'em) – imipenem; antibacteriano derivado da tienamicina com amplo espectro de atividade.

imip·ra·mine (ĭ-mip'rah-mēn) – imipramina; antidepressivo da classe das benzodiazepinas, utilizado como sal de cloridrato ou de pamoato.

im·mer·sion (ĭ-mer'zhun) – imersão: 1. colocação de um corpo sob um líquido; 2. uso do microscópio tanto com o objeto como com a objetiva, ambos são imersos em um líquido.

im·mis·ci·ble (ĭ-mis'ĭ-b'l) – imiscível; não-suscetível a ser misturado.

im·mo·bil·iza·tion (im-mo"bil-iz-a'shun) – imobilização; tornar uma parte incapaz de se mover.

im·mor·tal·iza·tion (ĭ-mor"tah-lĭ-za'shun) – imortalização; obtenção de imunidade às limitações normais do crescimento ou da expectativa de vida, algumas vezes obtido em células animais *in vitro* ou células tumorais.

im·mune (ĭ-mūn') – imune: 1. resistente a uma doença devido à formação de anticorpos humorais ou ao desenvolvimento de imunidade celular ou a ambos ou ainda a partir de algum outro mecanismo (como a atividade da interferon nas infecções virais); 2. caracterizado pelo desenvolvimento de anticorpos humorais ou de imunidade celular ou ambos após um desafio antigênico; 3. produzido em resposta a um desafio antigênico como uma globulina sérica imune.

im·mu·ni·ty (-it-e) – imunidade: 1. condição de se tornar imune; segurança contra uma doença particular; não-suscetibilidade a efeitos invasivos ou patogênicos de microrganismos estranhos ou do efeito tóxico de substâncias antigênicas. Ver também *active i.*, *nonspecific i.* e *passive i.*; 2. aumento da responsividade a um desafio antigênico; levando à ligação ou eliminação do antígeno mais rápidas que no estado não-imune; 3. capacidade de distinguir o material estranho de seu próprio e de neutralizar, eliminar ou metabolizar o que for estranho através dos mecanismos fisiológicos da resposta imunológica. **acquired i.** – i. adquirida; imunidade que ocorre como resultado de exposição anterior a um agente infeccioso ou seus antígenos (*active i.*) ou de transferência passiva de anticorpos ou de células linfóides imunes (*passive i.*). **active i.** – i. ativa; ver *acquired i.* **artificial i.** – i. artificial; imunidade adquirida (ativa ou passiva) produzida por exposição deliberada a um antígeno, como na vacinação. **cell-mediated i. (CMI), cellular i.** – i. mediada pela célula; i. celular; imunidade adquirida na qual o papel dos linfócitos T é predominante. **genetic i.** – i. genética; i. inata. **herd i.** – i. de rebanho; resistência de um grupo a um ataque por parte de uma doença à qual uma grande proporção dos membros se encontra imune. **humoral i.** – i. humoral; imunidade adquirida na qual o papel dos anticorpos circulantes é predominante. **inherent i., innate i.** – i. inerente; i. inata; imunidade determinada pela constituição genética do indivíduo. **maternal i.** – i. materna; imunidade humoral passivamente transferida através da placenta da mãe para o feto. **natural i.** – i. natural; resistência de um animal normal a uma infecção. **nonspecific i.** – i. inespecífica; imunidade que não envolve a imunidade humoral ou mediada por células mas que inclui a atividade da lisozima e do interferon etc. **passive i.** – i. passiva; ver *acquired i.* **specific i.** – i. específica; imunidade contra doença ou antígeno específicos.

im·mu·ni·za·tion (im"ūn-iz-a'shun) – imunização; processo de tornar um sujeito imune ou de se tornar imune. **active i.** – i. ativa; estimulação com um antígeno específico para induzir uma resposta imune. **passive i.** – i. passiva; conferir uma reação imune específica em indivíduos previamente não-imunes por meio da administração de células linfóides sensibilizadas ou de soro provenientes de indivíduos imunes.

im·mu·no·ad·ju·vant (im"u-no-aj'ŏ͞o-vant, -ad-joo'vant) – imunoadjuvante; estimulador inespecífico da resposta imune (por exemplo, a vacina BCG ou os adjuvantes completo e incompleto de Freund).

im·mu·no·ad·sor·bent (-ad-sor'bint) – imunoadsorvente; preparação de antígenos ligados a um suporte sólido ou a um antígeno na forma insolúvel, que adsorve anticorpos homólogos a partir de uma mistura de imunoglobulinas.

im·mu·no·as·say (-as'a) – imunoensaio; determinação quantitativa de substâncias antigênicas (por exemplo, hormônios, drogas e vitaminas) por meios sorológicos (como por meio de técnicas imunofluorescentes, radioimunoensaio etc.).

im·mu·no·bio·log·i·cal (-bi"o-lojĭ'-k'l) – imunobiológico; preparação antigênica ou que contém anticorpos derivada de um conjunto de doadores humanos e utilizada para imunização e imunoterapia.

im·mu·no·bi·ol·o·gy (-bi-ol'ah-je) – imunobiologia; ramo da Biologia que lida com efeitos imunológicos em fenômenos como uma doença infecciosa, crescimento e desenvolvimento, fenômenos de identificação, hipersensibilidade, hereditariedade, envelhecimento, câncer e transplante.

im·mu·no·blas·tic (-blas'tik) – imunoblástico; relativo ou que envolve as células-tronco (imunoblastos) do tecido linfóide.

im·mu·no·blot (im'u-no-blot") – imunomácula; técnica para análise ou a mácula desta resultante, ou uma identificação de proteínas através de reações específicas de antígeno-anticorpo, tal como no caso da técnica da mancha ocidental.

im·mu·no·chem·is·try (im"u-no-kem'is-tre) – imunoquímica; estudo da base química física dos fenômenos imunes e suas interações.

im·mu·no·che·mo·ther·a·py (-ke"mo-thē'rah-pe) – imunoquimioterapia; combinação de imunoterapia e quimioterapia.

im·mu·no·com·pe·tence (-kom'pit-ins) – imunocompetência; capacidade de desenvolver uma resposta imunológica após exposição a um antígeno. **immunocom'petent** – adj. imunocompetente.

im·mu·no·com·plex (-kom'pleks) – imunocomplexo; complexo antígeno-anticorpo.

im·mu·no·com·pro·mised (-kom'prom-īzd) – imunocomprometido; que tem a resposta imunológica atenuada através da administração de drogas imunossupressoras, irradiação, má-nutrição e de determinados processos patológicos (por exemplo, o câncer).

im·mu·no·con·glu·ti·nin (-kon-glōōt'in-in) – imunoconglutinina; anticorpo formado contra componentes de complemento que fazem parte de um complexo de antígeno-anticorpo, especialmente o C$\overline{3}$.

im·mu·no·cyte (im'u-no-sīt") – imunócito; qualquer célula da série linfóide que pode reagir com um antígeno para produzir anticorpos ou participar em reações mediadas por células.

im·mu·no·cy·to·ad·her·ence (im"ūn-o-sīt"o-ad-hēr'ins) – imunocitoaderência; agregado de hemácias para formar rosetas ao redor de linfócitos com imunoglobulinas de superfície.

im·mu·no·de·fi·cien·cy (-dĕ-fish'en-se) – imunodeficiência; deficiência da resposta imunológica devido a hipoatividade ou redução do número de células linfóides. **immunodefi'cient** – adj. imunodeficiente. **common variable i.** – i. variável comum; hipogamaglobulinemia de início tardio que se manifesta por aumento da incidência de infecções piogênicas recorrentes, especialmente da pneumonia pneumocócica; em alguns indivíduos ocorre disfunção imunológica celular. **severe combined i. (SCID)** – i. severa combinada; grupo de distúrbios genéticos marcado por imunidade humoral mediada por células defeituosas e manifestado por falta de formação de anticorpos e hipersensibilidade retardada, bem como incapacidade em rejeitar transplantes teciduais estranhos.

im·mu·no·der·ma·tol·o·gy (-durm"ah-tol'ah-je) – imunodermatologia; estudo de como os fenômenos imunológicos afetam os distúrbios cutâneos e seu tratamento ou profilaxia.

im·mu·no·dif·fu·sion (-dī-fu'zhun) – imunodifusão; qualquer técnica que envolva a difusão de um antígeno ou anticorpo através de um meio semi-sólido, geralmente gel de ágar ou de agarose, resultando em uma reação de precipitina.

im·mu·no·dom·i·nance (-dom'in-ins) – imunodominância; grau em que uma subunidade de um determinante antigênico participa da ligação ou reação a um anticorpo.

im·mu·no·elec·tro·pho·re·sis (-e-lek"tro-for-e'-sis) – imunoeletroforese; método de distinção de proteínas e outros materiais com base em sua mobilidade eletroforética e suas especificidades antigênicas. **rocket i.** – i. -foguete; eletroforese na qual o antígeno migra de um depósito através de um gel de ágar que contenha anti-soro, formando faixas de precipitina cônicas (projéteis).

im·mu·no·flu·o·res·cence (-flo"or-es'ins) – imunofluorescência; método de determinação da localização de um antígeno (ou anticorpo) em um corte ou esfregaço teciduais através do padrão de fluorescência que resulta quando a amostra é exposta a um anticorpo (ou antígeno) específico marcado com fluorocromo.

im·mu·no·gen (im'u-no-jen) – imunógeno; qualquer substância capaz de disparar uma resposta imunológica.

im·mu·no·ge·net·ics (im"un-o-jě-net'iks) – imunogenética; estudo dos fatores genéticos que controlam a resposta imunológica de um indivíduo e a transmissão desses fatores de uma geração a outra. **immunogenet'ic** – adj. imunogenético.

im·mu·no·ge·nic·i·ty (-jě-nis'it-e) – imunogenicidade; propriedade que permite que uma substância provoque uma resposta imunológica ou o grau no qual uma substância possui essa propriedade. **immunogen'ic** – adj. imunogênico.

im·mu·no·glob·u·lin (-glob'ūl-in) – imunoglobulina; proteína de origem animal com atividade de anticorpos conhecida, sintetizada por linfócitos e plasmócitos e encontrada no soro e em outros fluidos e tecidos corporais. Abreviação: Ig. Existem cinco classes distintas baseadas nas propriedades estruturais e antigênicas: IgA, IgD, IgE, IgG e IgM. **secretory i. A** – i. A secretória; imunoglobulina na qual duas moléculas de IgA ligam-se por meio de um polipeptídeo (peça secretória) e por uma cadeia J; é a imunoglobulina predominante.

im·mu·no·glob·u·lin·op·a·thy (im"u-no-glob"u-lin-op'ah-te) – imunoglobulinopatia; gamopatia (*gammopathy*).

im·mu·no·hem·a·tol·o·gy (-hem"ah-tol'ah-je) – imunoematologia; imuno-hematologia; estudo de reações antígeno-anticorpo tal como se relacionam com distúrbios sangüíneos.

im·mu·no·his·to·chem·i·cal (-his"to-kem'ī-k'l) – imunoistoquímico; imuno-histoquímico; denota a aplicação de interações antígeno-anticorpo com técnicas histoquímicas, como no uso da imunofluorescência.

im·mu·no·in·com·pe·tent (-in-kom'pit-int) – imunoincompetente; que não tem a capacidade de desenvolver uma resposta imunológica a um desafio antigênico.

im·mu·nol·o·gy (im"u-nol'ah-je) – imunologia; ramo da ciência biomédica relacionado à resposta do organismo a um desafio antigênico, identificando

AS IMUNOGLOBULINAS HUMANAS

	Peso em Mols	Número de Subclasses	Função
IgM	900.000	2	Ativação do trajeto de complemento clássico; opsonização
IgG	150.000	4	Ativação dos trajetos de complemento clássico e alternativo; opsonização (somente IgG1 e IgG3); única classe transferida por através da placenta, fornecendo conseqüentemente ao feto e ao neonato uma proteção contra infecções
IgA	155.000 (IgA sérica); 325.000 (IgA secretória)	2	Ativação do trajeto de complemento alternativo; a IgA secretória é a imunoglobulina predominante nas secreções
IgD	180.000	—	Ainda não determinada
IgE	190.000	—	Mediação das reações de hipersensibilidade imediata

o que é do que não é seu, e todos os efeitos biológicos, sorológicos e fisicoquímicos dos fenômenos imunológicos. **immunolog'ic** – adj. imunológico.

im·mu·no·lym·pho·scin·tig·ra·phy (im"u-no-lim"fo-sin-tig'rah-fe) – imunolinfocintilografia; imunocintilografia utilizada para detectar um tumor metastático nos linfonodos.

im·mu·no·mod·u·la·tion (-mod"ūl-a'shun) – imunomodulação; ajuste da resposta imunológica a um nível desejado, como no caso de imunopotenciação, imunossupressão ou indução de tolerância imunológica.

im·mu·no·patho·gen·e·sis (-path"o-jen'ĭ -sis) – imunopatogênese; processo de desenvolvimento de uma doença na qual estão envolvidos uma resposta imunológica ou os produtos de uma reação imunológica.

im·mu·no·pa·thol·o·gy (-pah-thol'ah-je) – imunopatologia: 1. o ramo da ciência biomédica relacionado às reações imunológicas associadas a uma doença, sejam reações benéficas, sem efeito ou prejudiciais; 2. manifestações estruturais e funcionais associadas às respostas imunológicas a uma doença. **immunopatholog'ic** – adj. imunopatológico.

im·mu·no·phe·no·type (-fe'no-tī p) – imunofenótipo; fenótipo de células de neoplasias hematopoiéticas definido de acordo com sua semelhança com células T e B normais.

im·mu·no·po·ten·cy (-pōt"n-se) – imunopotência; capacidade imunogênica de um determinante antigênico individual em uma molécula antigênica para iniciar uma síntese de anticorpos.

im·mu·no·po·ten·ti·a·tion (-po-ten"she-a'-shun) – imunopotenciação; acentuação da resposta a um imunógeno através da administração de outra substância.

im·mu·no·pre·cip·i·ta·tion (-pre-sip"ĭ -ta'shun) – precipitação imunológica; precipitação que resulta da interação de um anticorpo e um antígeno específicos.

im·mu·no·pro·lif·er·a·tive (-pro-lif'er-it-iv) – imunoproliferativo; caracterizado pela proliferação das células linfóides que produzem imunoglobulinas, como no caso das gamopatias.

im·mu·no·ra·di·om·e·try (-ra"de-om'ĭ -tre) – imunorradiometria; uso de um anticorpo radiomarcado (em lugar de um antígeno radiomarcado) em técnicas de radioimunoensaio. **immunoradiomet'ric** – adj. imunorradiométrico.

im·mu·no·reg·u·la·tion (-reg"ūl-a'shun) – imunorregulação; controle de respostas imunológicas específicas e interações entre os linfócitos B e T e os macrófagos.

im·mu·no·re·spon·sive·ness (-re-spon'siv-nes) – imunorresponsividade; capacidade de reagir imunologicamente.

im·mu·no·scin·tig·raphy (-sin-tig'rah-fe) – imunocintilografia; obtenção de imagens cintilográficas de uma lesão utilizando anticorpos monoclonais radiomarcados ou fragmentos de anticorpos específicos para o antígeno associado à lesão.

im·mu·no·sor·bent (-sor'bent) – imunossorvente; suporte insolúvel para antígenos ou anticorpos utilizado para absorver anticorpos ou antígenos homólogos, respectivamente, a partir de uma mistura; anticorpos ou antígenos assim removidos podem então ser eluídos em uma forma pura.

im·mu·no·stim·u·la·tion (-stim"ūl-a'shun) – imunoestimulação; estimulação de uma resposta imunológica (por exemplo, através do uso de vacina BCG).

im·mu·no·sup·pres·sion (-sah-presh'un) – imunossupressão; prevenção artificial da resposta imunológica como através do uso de radiação, antimetabólitos etc.

im·mu·no·sup·pres·sive (-sah-pres'iv) – imunossupressivo: 1. relativo ou que induz imunossupressão; 2. agente que induz imunossupressão.

im·mu·no·ther·a·py (-thĕ'rah-pe) – imunoterapia; imunização passiva de um indivíduo através da administração de anticorpos pré-formados (soro ou gamaglobulinas) ativamente produzidos em outro indivíduo; por extensão o termo veio a incluir o uso de imunopotenciadores, reposição de tecido linfóide imunocompetente (por exemplo, medula óssea ou timo), etc.

im·mu·no·tox·in (-tok'sin) – imunotoxina; qualquer antitoxina.

im·mu·no·trans·fu·sion (-trans-fu'zhun) – imunotransfusão; transfusão de sangue de um doador anteriormente tornado imune à doença que afeta o paciente.

im·pact·ed (im-pak'ted) – impactado; estar apertado firme ou intimamente, como um dente impactado ou gêmeos impactados.

im·pac·tion (im-pak'shun) – impactação: 1. condição de ser impactado; 2. em obstetrícia, reentrâncias de quaisquer partes fetais de um gêmeo sobre a superfície de seu co-gêmeo, de forma que se permita o encontro parcial simultâneo de ambos os gêmeos. **dental i.** – i. dentária; prevenção da erupção, oclusão normal ou remoção rotineira de um dente confinado em uma posição por meio de um osso, de restauração dentária ou das superfícies dos dentes adjacentes. **fecal i.** – i. fecal; acúmulo de fezes endurecidas no reto ou no sigmóide.

im·pal·pa·ble (im-pal'pah-b'l) – impalpável; não-detectável pelo toque.

im·ped·ance (im-pēd'ans) – impedância; obstrução ou oposição à passagem ou ao fluxo como no caso de uma corrente elétrica ou de outra forma de energia. Símbolo Z. **acoustic i.** – i. acústica; expressão da oposição à passagem de ondas sonoras, correspondendo ao produto da densidade de uma substância e da velocidade do som nela. **aortic i.** – i. aórtica; soma dos fatores externos que resistem à ejeção ventricular.

im·per·fo·rate (im-pur'for-āt) – imperfurado; não-perfurado; não-aberto; anormalmente fechado.

im·per·me·a·ble (im-purm'e-ah-b'l) – impermeável; que não permite a passagem, como a de um líquido.

im·pe·ti·go (im"pě-ti'go) – impetigo; impetigo contagioso; infecção cutânea estreptocócica ou estafilocócica marcada por vesículas ou bolhas que se tornam pustulares, rompem-se e formam crostas amarelas. **impetig'inous** – adj. impetiginoso. **i. bullo'sa** – i. bolhoso; impetigo no qual as vesículas em desenvolvimento progridem para formar bolhas, que colapsam e tornam-se recobertas por crostas. **contagio'sa** – i. contagioso; impetigo. **i. herpetifor'mis** – i. herpetiforme; dermatite aguda muito rara com lesões pustulares simetricamente aneladas que ocorre principalmente em mulheres grávidas e se associa a sintomas constitucionais severos. **neonato'rum** – i. do recém-nascido; impetigo bolhoso dos recém-nascidos. **i. vulga'ris** – i. vulgar; impetigo.

im·plant¹ (im-plant') – implantar; inserir ou enxertar (tecido ou material inerte ou radioativo) em tecidos intactos ou em uma cavidade corporal.

im·plant² (im'plant) – implante; objeto ou material inserido ou enxertado no interior do corpo com propósitos protéticos, terapêuticos, diagnósticos ou experimentais. **penile i.** – i. peniano; ver em *prosthesis*. **subperiosteal i.** – i. subperióstico; estrutura metálica implantada sob o periósteo e situada sobre o osso, com uma protração posterior no interior da cavidade oral; utilizado particularmente para pontes fixas superiores e reparos de palato fendido. **transmandibular i.** – i. transmandibular; implante dentário para pacientes com atrofia alveolar mandibular severa; é fixo na borda sinfisial e atravessa a mandíbula para se

prender diretamente em uma dentadura, suportando a dentadura diretamente.

im·plan·ta·tion (im"plan-ta'shun) – implantação: 1. ligação do blastocisto com o revestimento epitelial uterino, bem como sua penetração através do epitélio e, no homem, está incrustada na camada compacta do endométrio, que ocorre seis ou sete dias após a fertilização do óvulo; 2. inserção de um órgão ou tecido em um novo local no corpo; 3. inserção ou enxerto de um material biológico, vivo, inerte ou radioativo no corpo.

im·plo·sion (im-plo'zhun) – implosão; em Terapia Comportamental, o tratamento das fobias através de exposição repetida às piores situações fóbicas possíveis. Apresentam-se ao paciente ou este é instruído a imaginar os objetos mais assustadores e causadores de ansiedade até que esta não ocorra mais.

im·po·tence (im'po-tens) – impotência: 1. falta de força; 2. especificamente, falta de capacidade copulatória no homem devido a dificuldade em iniciar uma ereção ou mantê-la até a ejaculação; geralmente considerada como decorrente de distúrbio físico (*i. orgânica*) ou de condição psicológica subjacente (*i. psicogênica*).

im·preg·na·tion (im"preg-na'shun) – impregnação: 1. ato de fertilização; 2. saturação.

im·pres·sio (im-pres'e-o) [L.] pl. *impressiones* – impressão; ver *impression* (1).

im·pres·sion (im-presh'un) – impressão: 1. reentrância ligeira como a produzida na superfície de um órgão através da pressão exercida por outro órgão; 2. marca negativa de um objeto feita em algum material plástico, que mais tarde se solidifica; 3. efeito produzido sobre a mente, corpo ou sentidos por alguns estímulos ou agentes externos. **basilar i.** – i. basilar; deformidade de desenvolvimento do osso occipital e espinha cervical superior, na qual a última parece ter empurrado o assoalho do osso occipital para cima. **cardiac i.** – i. cardíaca; impressão feita pelo coração em outro órgão. **dental i.** – i. dentária; impressão da mandíbula e/ou dos dentes em algum material plástico que é mais tarde enchida com gesso para produzir uma cópia das estruturas orais presentes.

im·print·ing (im'print-ing) – impressão; tipo de aprendizado rápido e espécie-específico durante um período crítico do início da vida em que se estabelecem as ligações e a identificação sociais.

im·pulse (im'puls) – impulso: 1. força impulsionante súbita; 2. determinação incontrolável súbita de agir; 3. i. nervoso. **cardiac i.** – i. cardíaco; movimento da parede torácica causado pelo batimento cardíaco. **ectopic i.** – i. ectópico: 1. impulso que causa um batimento ectópico; 2. impulso nervoso patológico que começa no meio de um axônio e prossegue simultaneamente em direção ao corpo celular e à periferia. **nerve i.** – i. nervoso; processo eletroquímico propagado ao longo das fibras nervosas.

im·pul·sion (im-pul'shun) – impulsão; obediência cega a comandos internos, sem preocupação com a aceitação por parte de outros ou a pressão do superego; observada em crianças e em adultos com organização psíquica fraca.

In – símbolo químico, índio (*indium*).

in-[1] [L.] – prefixo, *em; dentro ou no interior de.*

in-[2] [L.] – prefixo, *não.*

INA – International Neurological Association (Associação Neurológica Internacional).

in·ac·ti·va·tion (in-ak"tĭ-va'shun) – inativação; destruição da atividade biológica (como a de um vírus) através da ação do calor ou outro agente.

in·an·i·mate (-an'im-it) – inanimado: 1. sem vida; 2. que não tem animação.

in·a·ni·tion (in"ah-nish'un) – inanição; estado de exaustão devido à subnutrição prolongada; fome.

in·ap·pe·tence (in-ap'it-ins) – inapetência; falta de apetite ou desejo.

in·ar·tic·u·late (in"ar-tik'ŭl-it) – inarticulado: 1. que não tem articulações; 2. pronunciado de forma ininteligível; incapaz de fala articulada.

in·ar·tic·u·lo mor·tis (in ahr-tik'ŭl-o-mor'tis) [L.] – *in articulo mortis*; no momento da morte.

in·born (in'born") – inato; congênito; formado ou adquirido durante a vida intra-uterina.

in·breed·ing (-brēd-ing) – endogamia; cruzamento de indivíduos estreitamente relacionados ou de indivíduos que possuem constituições genéticas intimamente semelhantes.

in·car·cer·a·tion (in-kar"se-a'shun) – encarceramento; retenção ou confinamento não-naturais de uma parte.

in·cest (in'sest") – incesto; atividade sexual entre pessoas tão intimamente relacionadas que o casamento entre elas é legal ou culturalmente proibido.

in·ci·dence (-sid-ins) – incidência; taxa em que ocorre um determinado evento como o número de casos novos de uma doença específica que ocorre durante determinado período.

in·ci·dent (-sid-int) – incidente; que se focaliza sobre algo, como a radiação incidente.

in·ci·sion (in-sizh'in) – incisão: 1. corte ou ferimento feitos através de instrumento afiado; 2. ato de cortar.

in·ci·sor (-si'zer) – incisivo: 1. adaptado para cortar; 2. um dos quatro dentes incisivos frontais em cada maxilar.

in·ci·su·ra (in-si-su'rah) [L.] pl. *incisurae* – incisura.

in·ci·sure (-si'zher) [L.] – incisura; fissura; incisão ou chanfradura. **i's of Lanterman, Lanterman-Schmidt i's** – incisuras de Lanterman; incisuras de Lanterman-Schmidt; entalhes ou linhas oblíquos na bainha das fibras nervosas medulares. **Rivinus' i.** – i. de Rivinus; chanfradura timpânica; defeito na parte timpânica superior do osso temporal, preenchida pela porção superior da membrana timpânica.

in·cli·na·tio (in"klĭ-na'she-o) [L.] pl. *inclinationes* – inclinação.

in·cli·na·tion (-klĭ-na'shun) – inclinação; declive ou tendência; ângulo de desvio de uma linha ou plano de referência particulares; em Odontologia, o desvio de um dente da posição vertical. **pelvic i.** – i. pélvica; ângulo entre o plano da entrada pélvica e o plano horizontal.

in·clu·sion (in-kloo'zhun) – inclusão: 1. ato de envolver ou condição de ser envolvido; 2. qualquer coisa que está envolvida; inclusão celular. **cell i.**

– i. celular; constituinte geralmente não-vivo e freqüentemente temporário no citoplasma de uma célula. **dental i.** – i. dentária: 1. dente tão envolto por tecido ósseo que se torna incapaz de irromper; 2. cisto de tecido mole ou osso orais.

in·com·pat·i·ble (in"kom-pat'ĭ-b'l) – incompatível; não-adequado a uma combinação, administração simultânea ou transplante; mutuamente repelente.

in·com·pe·tent (in-kom'pit-int) – incompetente: 1. incapaz de funcionar apropriadamente; 2. pessoa que por determinação de uma corte judicial é julgada incapaz de gerenciar seus próprios assuntos.

in·con·ti·nence (-kon'tĭ-nens) – incontinência: 1. incapacidade de controle das funções excretoras; 2. imoderação ou excesso. **incon'tinent** – adj. incontinente. **fecal i.** – i. fecal; passagem involuntária de fezes e flato. **intermittent i.** – i. intermitente; perda de controle da urina a um movimento súbito ou à pressão na bexiga, devida a interrupção do trajeto voluntário acima do centro lombar. **overflow i.** – de fluxo constante; incontinência urinária devida à pressão da urina retida na bexiga após esta ter se contraído em seu limite com gotejamento de urina. **passive i.** – i. passiva; incontinência de urina na qual a bexiga fica cheia e não pode ser esvaziada de modo normal, a urina goteja a partir de mera pressão. **stress i.** – i. por estresse; escape involuntário de urina devido a esforço no orifício vesical como no caso de tosse ou espirro. **urge i., urgency i.** – i. de urgência; descarga involuntária de urina devido a deslocamento anatômico que exerce um esforço no orifício vesical como no caso de espirro ou tosse. **urinary i.** – i. urinária; incapacidade de controlar o escoamento de urina.

in·con·ti·nen·tia (-kon"tĭ-nen'she-ah) [L.] – incontinência. **i. al'vi** – i. alva; i. fecal. **i. pigmen'ti** – i. pigmentar; distúrbio hereditário no qual lesões cutâneas inicialmente vesiculares e posteriormente verrucosas e bizarramente pigmentadas associam-se a anomalias oculares, ósseas e do sistema nervoso central.

in·co·or·di·na·tion (in"ko-or"dĭ-na'shun) – incoordenação; ataxia (*ataxia*).

in·cor·po·ra·tion (-kor"por-a'shun) – incorporação: 1. união de uma substância com outra, ou outras, em uma massa composta; 2. mecanismo mental inconsciente pelo qual as atitudes de outra pessoa são absorvidas na mente de um indivíduo.

in·cre·ment (in'krĭ-mint) – incremento; aumento ou adição; quantidade pela qual um valor ou quantidade aumentam. **incremen'tal** – adj. incremental.

in·crus·ta·tion (in"krus-ta'shun) – incrustação: 1. formação de crosta; 2. crosta, escara ou escama.

in·cu·bate (in'ku-bāt) – incubar: 1. sujeitar-se ou sofrer uma incubação; 2. incubado, material que sofreu incubação.

in·cu·ba·tion (in"ku-ba'shun) – incubação: 1. ato de proporcionar condições apropriadas para o crescimento e desenvolvimento, como para culturas bacterianas ou teciduais; 2. desenvolvimento de doença infecciosa do momento de entrada do patógeno até o aparecimento dos sintomas clínicos; 3. desenvolvimento do embrião nos ovos de animais ovíparos; 4. manutenção de um ambiente artificial para um bebê, especialmente o prematuro.

in·cu·ba·tor (in'ku-bāt-er) – incubadora; incubadeira; aparelho para manter condições ideais (temperatura, umidade etc.) para crescimento e desenvolvimento, como o utilizado nos cuidados iniciais de bebês prematuros ou para culturas.

in·cu·bus (in'ku-bis) – íncubo: 1. pesadelo; 2. carga mental pesada.

in·cu·dal (-ku-dil) – incudal; relativo à bigorna.

in·cu·do·mal·le·al (in"ku-do-mal'e-il) – incudomaleal; relativo à bigorna e ao martelo.

in·cu·do·sta·pe·di·al (-stah-pe'de-il) – incudoestapedial; relativo à bigorna e ao estribo.

in·cur·a·ble (in-kŭr'ah-b'l) – incurável: 1. não-suscetível a ser curado; 2. pessoa com doença que não pode ser curada.

in·cus (ing'kus) [L.] – bigorna; ver *Tabela de Ossos*.

in·cy·clo·pho·ria (in"si-klo-for'e-ah) – incicloforia; cicloforia na qual o pólo superior do eixo visual desvia-se em direção ao nariz.

in·cy·clo·tro·pia (-tro'pe-ah) – iniciclotropia; ciclotropia na qual o pólo superior do eixo vertical desvia-se em direção ao nariz.

in·dane·di·one (in"dăn-di'ōn) – indanediona; substância de um grupo de anticoagulantes sintéticos derivados da 1,3-indanediona (por exemplo, fenindiona), que prejudicam a síntese hepática dos fatores de coagulação dependentes da vitamina K (protrombina, fatores VII, IX e X).

in·dap·amide (in-dap'ah-mīd) – indapamida; anti-hipertensivo e diurético com ações e usos semelhantes aos da clorotiazida.

In·der·al (in'der-al) – Inderal, marca registrada de preparação de cloridrato de propranolol.

in·dex (in'deks) [L.] pl. *indexes*, *indices* – indicador: 1. segundo dedo da mão; índice; 2. quantidade adimensional, geralmente uma proporção de duas quantidades mensuráveis que têm as mesmas dimensões ou essa proporção multiplicada por 100. **body mass i. (BMI)** – i. de massa corporal; peso em quilogramas dividido pelo quadrado da altura em metros, utilizado na avaliação do subpeso e da obesidade. **Colour i.** – I. de Cor (IC); publicação da Society of Dyers and Colourists (Sociedade de Tintureiros e Coloristas) e da American Association of Textile Chemists and Colorists (Associação Americana de Químicos Têxteis e Coloristas) que contém uma lista extensa de corantes e intermediários de corantes. Cada composto quimicamente distinto é identificado por um número específico (o número do IC), evitando a confusão de nomes triviais utilizados para corantes na indústria de corantes. **I. Medicus** – I. Médico; publicação mensal da National Library of Medicine (Biblioteca Nacional de Medicina) na qual apresenta-se um índice da principal literatura biomédica mundial por autor e assunto. **mitotic i.** – i. mitótico; proporção do número de células em uma população que sofre mitose com o número que não sofre mitose. **opsonic i.** – i. opsônico; medida da atividade opsônica determinada pela proporção do número de microrganismos fagoci-

tados por leucócitos normais na presença de soro proveniente de um indivíduo infectado pelo microrganismo, com o número fagocitado no soro proveniente de um indivíduo normal. **phagocytic i.** – i. fagocitário; número médio de bactérias ingeridas por leucócitos do sangue do paciente. **Quetelet i.** – i. de Quetelet; i. de massa corporal; **refractive i.** – i. de refração; poder refratário de um meio comparado com o do ar (que se assume ser 1). Símbolo n ou *n*. **short increment sensitivity i. (SISI)** – i. de sensibilidade em incrementos pequenos; teste auditivo no qual se sobrepõem disparos de timbres de 0,5 segundo em aumentos de 1 a 5 decibéis de intensidade em um timbre transportador que tenha a mesma freqüência e uma intensidade de 20 decibéis acima do limiar de reconhecimento de fala. **therapeutic i.** – i. terapêutico; originalmente, a proporção da dose tolerada máxima com a dose curativa mínima; atualmente definido como a proporção da dose letal média (LD_{50}) com a dose efetiva média (ED_{50}). É utilizado na avaliação da segurança de uma droga. **i. vital** – proporção de nascimentos em relação aos óbitos em um certo período em uma população.

in·di·can (in'dĭ-kan) – indican; sulfato indoxílico de potássio, formado pela decomposição do triptofano nos intestinos e excretado na urina.

in·di·ca·tor (in'dĭ-kāt"er) – indicador: 1. dedo indicador ou músculo extensor do dedo indicador; 2. qualquer substância que indique aparecimento ou desaparecimento de uma substância química por meio da alteração da coloração ou por atingir um determinado pH.

in·di·ges·tion (in"dĭ-jes'chin) – indigestão; ausência ou deficiência de digestão; comumente utilizado para denotar desconforto abdominal vago após as refeições. **acid i.** – i. ácida; hiperclorídria. **fat i.** – i. de gordura; esteatorréia. **gastric i.** – i. gástrica; indigestão que ocorre no estômago ou deve-se a um distúrbio deste. **intestinal i.** – i. intestinal; distúrbio da função digestiva intestinal. **sugar i.** – i. por açúcar; capacidade defeituosa de digerir açúcar, resultando em diarréia fermentativa.

in·dig·i·ta·tion (in-dig"ĭ-ta'shin) – indigitação; intussuscepção; ver *intussusception* (1).

in·di·go (in'dĭ-go) – índigo; material corante azul proveniente de várias leguminosas e outras plantas, correspondendo à aglicona do indican, sendo também fabricado sinteticamente; algumas vezes encontrado no suor e na urina.

in·di·go·tin (in"dĭ-go'tin) – indigotina; pó azul-escuro neutro, sem gosto e insolúvel; principal ingrediente do índigo comercial.

in·di·go·tindi·sul·fon·ate so·di·um (in"dĭ-go"-tin-di-sul'fon-āt) – indigotindissulfonático de sódio; corante que ocorre como um pó azul-arroxeado escuro ou grânulos azuis, utilizado como auxílio diagnóstico na cistoscopia.

in·di·um (in'de-um) – índio; elemento químico (ver *Tabela de Elementos)*, número atômico 49, símbolo In. **i.-111** – isótopo artificial que tem uma meia-vida de 2,83 dias e desintegra-se através de captura de elétrons; é utilizado para marcar vários compostos da Medicina Nuclear.

GHI

in·di·vid·u·a·tion (in"dĭ-vij"oo-a'shin) – individualização: 1. processo de desenvolvimento de características individuais; 2. atividade regional diferencial no embrião que ocorre em resposta a uma influência organizadora.

In·do·cin (in'do-sin) – Indocin, marca registrada de preparação de indometacina.

in·dole (in'dōl) – indol; composto obtido a partir do alcatrão e do índigo e produzida pela decomposição do triptofano no intestino, o que contribui para o odor peculiar das fezes. É excretado na urina na forma de indican.

in·do·lent (in'do-lent) – indolente; que causa pouca dor; de crescimento lento.

in·do·meth·a·cin (in"do-meth'ah-sin) – indometacina; agente antiinflamatório não-esteróide utilizado no tratamento dos distúrbios artríticos e da artropatia degenerativa; o sal sódico triidratado é utilizado para induzir fechamento em determinados casos de ducto arterioso patente.

in·dox·yl (in-dok'sil) – indoxil; produto de oxidação do indol, formado na decomposição do triptofano e excretado na urina como indican.

in·duc·er (in-dōōs'er) – indutor; molécula que faz com que uma célula ou um organismo acelere a síntese de uma enzima ou de uma seqüência de enzimas em resposta a um sinal de desenvolvimento.

in·du·ci·ble (in-doo'sĭ-b'l) – que pode ser induzido; produzido devido à estimulação por parte de um indutor.

in·duc·tion (in-duk'shun) – indução: 1. processo ou ato de induzir ou fazer com que algo ocorra; 2. produção de um efeito morfogenético específico no embrião através de evocadores ou organizadores; 3. produção de anestesia ou inconsciência pelo uso de agentes apropriados; 4. geração de corrente elétrica ou de propriedades magnéticas em um corpo devido à sua proximidade com outra corrente elétrica ou campo magnético.

in·duc·tor (-ter) – indutor; tecido que elabora uma substância química que age para determinar o crescimento e a diferenciação das partes embrionárias.

in·du·ra·tion (in"dūr-a'shin) – endurecimento; qualidade de tornar-se duro; processo de endurecimento; ponto ou lugar anormalmente duro. **in'durative** – adj. indurativo; endurecedor. **black i.** – e. negro; endurecimento e pigmentação do tecido pulmonar, como no caso de pneumonia. **brown i.** – e. castanho: 1. depósito de pigmento sangüíneo alterado no pulmão em caso de pneumonia; 2. aumento de tecido conjuntivo e pigmentação excessiva pulmonares, devidos a congestão crônica a partir de cardiopatia valvular ou de antracose. **cyanotic i.** – e. cianótico; endurecimento de um órgão a partir de uma congestão venosa crônica. **granular i.** – e. granular; cirrose. **gray i.** – e. cinza; endurecimento do tecido pulmonar durante ou após uma pneumonia, sem pigmentação. **red i.** – e. vermelho; pneumonia intersticial na qual o pulmão fica vermelho e congesto.

in·du·si·um gris·e·um (in-du'ze-um gris'e-um) [L.] – indúsio gríseo; camada fina de substância cinzenta na superfície dorsal do corpo caloso.

in·dwell·ing (in'dwel-ing) – drenagem de manutenção ou manutenção de drenagem; relativo a um cateter ou outro tubo deixado dentro de um órgão ou passagem corporal para drenagem, de modo a manter uma desobstrução ou para a administração de medicamentos ou nutrientes.

in·e·bri·a·tion (in-e"bre-a'shun) – inebriação; condição de estar bêbado.

inert (in-ert') – inerte; inativo.

in·ertia (in-er'shah) [L.] – inércia; inatividade; incapacidade de mover-se espontaneamente. **colonic i.** – i. cólica; atividade muscular fraca do cólon, levando a distensão do órgão e constipação. **uterine i.** – i. uterina; lentidão das contrações uterinas no parto.

in ex·tre·mis (in ek-stre'mis) [L.] – *in extremis*; no momento da morte.

in·fant (in'fint) – lactante; lactente; criança do momento do nascimento até os dois anos de idade. **dysmature i.** – I. dismaturo; bebê com síndrome de dismaturidade. **floppy i.** – I. flexível. **immature i.** – I. imaturo; bebê que geralmente pesa menos de 2.500g ao nascer e não se encontra fisiologicamente bem-desenvolvido. **low birth weight (LBW)** – I. de peso baixo ao nascimento; bebê que pesa menos de 2.500g ao nascer. **mature i.** – I. maduro; bebê que pesa 2.500g (5,5 libras) ou mais ao nascer, geralmente no ou próximo do termo completo, fisiologicamente bem-desenvolvido e apresentando probabilidade ideal de sobrevivência. **moderately low birth weight (MLBW)** – I. de peso moderadamente baixo ao nascimento; bebê que pesa pelo menos 1.500g, mas menos de 2.500g ao nascer. **newborn i.** – I. recém-nascido; criança durante as primeiras quatro semanas após o nascimento. **postmature i., post-term i.** – I. pós-maduro; I. pós-termo: 1. bebê nascido em qualquer momento após o início da 42ª semana (288 dias) de gestação; 2. I. dismaturo. **premature i.** – I. prematuro; bebê geralmente nascido após completar a 10ª semana e antes do termo completo e arbitrariamente definido como pesando de 500 a 2.499g ao nascer, tendo uma chance de sobrevivência de má a boa, dependendo do peso. Nos países onde os adultos são de estatura inferior que nos Estados Unidos, o limite superior pode ser menor. **preterm i.** – I. pré-termo; bebê nascido em qualquer momento antes da 37ª semana completada (259 dias) de gestação. **term i.** – I. a termo; bebê nascido em qualquer momento do início da 38ª semana (260 dias) até o final da 41ª semana (287 dias) de gestação. **very low birth weight (VLBW)** – I. de peso muito baixo ao nascimento; bebê que pesa menos de 1.500g ao nascer.

in·fan·ti·lism (in'fan-til'izm", in-fan'til-izm") – infantilismo; persistência de características infantis na vida adulta, marcada por retardamento mental, subdesenvolvimento dos órgãos sexuais e freqüentemente nanismo. **cachectic i.** – i. caquético; infantilismo devido a infecção ou envenenamento crônicos. **hypophysial i.** – i. hipofisário; tipo de nanismo com retenção de características infantis, devido a subsecreção do hormônio de crescimento e deficiência de gonadotrofina. **sexual i.** – i. sexual; continuação das características e do comportamento sexuais pré-púberes após a idade normal de puberdade. **universal i.** – i. universal; nanismo geral, com ausência de características sexuais secundárias.

in·farct (in'farkt) – infarto; área localizada de necrose isquêmica produzida pela oclusão do suprimento arterial ou da drenagem venosa da parte. **anemic i.** – i. anêmico; infarto devido a interrupção súbita da circulação em um vaso ou a descoloração do sangue hemorrágico. **hemorrhagic i.** – i. hemorrágico; infarto vermelho devido a exsudação de hemácias na área lesada.

in·farc·tion (in-fark'shun) – infartação; infarto: 1. formação de um infarto; 2. infarto. **acute myocardial i. (AMI)** – i. miocárdico agudo; infarto que ocorre durante o período em que a circulação para uma região do coração se obstrui e ocorre necrose. **cardiac i.** – i. cardíaco; i. miocárdico. **cerebral i.** – i. cerebral; condição isquêmica do cérebro que causa um déficit neurológico focal persistente na área afetada. **mesenteric i.** – i. mesentérico; necrose de coagulação dos intestinos devida à redução no fluxo sangüíneo na vasculatura mesentérica. **migrainous i.** – i. de enxaqueca; defeito neurológico focal que fazia parte de uma aura de enxaqueca, mas que pode persistir por um período longo e tornar-se permanente. **myocardial i. (MI)** – i. miocárdico; necrose macroscópica do miocárdio, devido a interrupção do suprimento sangüíneo para a área. **pulmonary i.** – i. pulmonar; necrose localizada do tecido pulmonar devido a obstrução do suprimento sangüíneo arterial. **silent myocardial i.** – i. miocárdico silencioso; infarto miocárdico que ocorre sem dor ou outros sintomas; freqüentemente detectado somente através de exame eletrográfico ou *postmortem*. **watershed i.** – i. divisório; infarto cerebral em uma área divisória durante um período de hipotensão sistêmica prolongada.

in·fec·tion (-fek'shun) – infecção: 1. invasão e multiplicação de microrganismos nos tecidos corporais, especialmente os que causam lesão celular local devida a metabolismo competitivo, toxinas, replicação intracelular ou resposta antígeno-anticorpo; 2. doença infecciosa. **airborne i.** – i. transmitida pelo ar; infecção contraída pela inalação de microrganismos ou esporos suspensos no ar, em gotículas de água ou em partículas de pó. **droplet i.** – i. por perdigoto; infecção devida à inalação de patógenos respiratórios suspensos em partículas líquidas exaladas por alguém já infectado (*núcleos goticulares*). **endogenous i.** – i. endógena; infecção devida a uma reativação dos organismos presentes em um foco dormente, como ocorre no caso de tuberculose etc. **tunnel i.** – i. em túnel; infecção subcutânea de uma passagem artificial no interior do corpo mantida desobstruída.

in·fe·ri·or (-fēr'e-er) – inferior; caudal; situado abaixo ou direcionado para baixo; em Anatomia, utilizado com referência à superfície inferior de uma estrutura ou à mais inferior de duas (ou mais) estruturas semelhantes.

in·fer·til·i·ty (in"fer-til'it-e) – infertilidade; diminuição ou ausência da capacidade de produzir descendentes. **infer'tile** – adj. infértil.

in·fes·tat·ion (-fes-ta'shun) – infestação; ataque ou manutenção de parasitas na pele e/ou em seus apêndices, como a de insetos, ácaros ou carrapatos; termo algumas vezes utilizado para denotar invasão parasitária dos órgãos e tecidos, como a de helmintos.

in·fib·u·la·tion (in-fib"u-la'shun) – infibulação; ato de afivelar ou apertar como se com fivelas; particularmente a prática de aproximar o prepúcio ou os lábios menores para evitar a cópula.

in·fil·tra·tion (in"fil-tra'shun) – infiltração; difusão ou acúmulo em um tecido ou células de substâncias anormais a eles ou em quantidades além do normal; também o material assim acumulado. **adipose i.** – i. adiposa; i. gordurosa. **calcareous i.** – i. calcárea; depósito de calcário e sais de magnésio nos tecidos. **cellular i.** – i. celular; migração e acúmulo de células no interior dos tecidos. **fatty i.** – i. gordurosa: 1. depósito de gordura nos tecidos, especialmente entre as células; o termo descreve um conceito mais antigo, hoje incluído na alteração gordurosa (*change, fatty*); 2. presença de vacúolos gordurosos no citoplasma celular.

in·firm (in-furm') – enfermo; fraco; débil, como ocorre em doença ou na idade avançada.

in·fir·ma·ry (-ah-re) – enfermaria; hospital ou lugar onde os doentes ou inválidos são mantidos ou tratados.

in·flam·ma·gen (in-flam'ah-jen) – flegmatogênico; irritante que dispara tanto uma resposta de edema como uma resposta celular inflamatória.

in·flam·ma·tion (in"flah-ma'shin) – inflamação; resposta tecidual protetora a uma lesão ou destruição de tecidos, que serve para destruir, diluir ou encarcerar tanto o agente lesivo como os tecidos lesados. Os sinais clássicos de inflamação aguda correspondem à dor, calor, vermelhidão (rubor), inchaço (tumor) e perda de função (lesão funcional). **inflam'matory** – adj. inflamatório. **acute i.** – i. aguda; inflamação, geralmente de início súbito, marcada pelos sinais clássicos (ver *inflammation*), na qual predominam os processos vasculares e exsudativos. **catarrhal i.** – i. catarral; forma que afeta principalmente uma superfície mucosa, marcado por descarga abundante de muco e restos epiteliais. **chronic i.** – i. crônica; inflamação prolongada e persistente, marcada principalmente pela formação de um tecido conjuntivo novo; pode corresponder à continuação de uma forma aguda ou de uma forma de grau baixo prolongada. **exudative i.** – i. exsudativa; inflamação na qual a característica proeminente é um exsudato. **fibrinous i.** – i. fibrinosa; inflamação marcada por um exsudato de fibrina coagulada. **granulomatous i.** – i. granulomatosa; forma (geralmente crônica) marcada pela formação de um granuloma. **hyperplastic i.** – i. hiperplásica; inflamação que leva à formação de novas fibras de tecido conjuntivo. **interstitial i.** – i. intersticial; inflamação que afeta principalmente o estroma de um órgão. **parenchymatous i.** – i. parenquimatosa; inflamação que afeta principalmente os elementos teciduais essenciais de um órgão. **plastic i., productive i., proliferous i.** – i. plástica; i. produtiva; i. prolífera; i. hiperplásica. **pseudomembranous i.** – i. pseudomembranosa; resposta inflamatória aguda a uma toxina necrosante poderosa (por exemplo, toxina diftérica), com formação (em uma superfície mucosa) de uma falsa membrana composta de fibrina precipitada, epitélio necrosado e leucócitos inflamatórios. **purulent i.** – i. purulenta; i. supurativa. **serous i.** – i. serosa; inflamação que produz um exsudato seroso. **subacute i.** – i. subaguda; condição intermediária entre uma inflamação crônica e uma aguda, exibindo algumas das características de cada uma. **suppurative i.** – i. supurativa; inflamação marcada pela formação de pus. **ulcerative i.** – i. ulcerativa; inflamação na qual a necrose na superfície ou próxima a esta leva a perda de tecido e à criação de um defeito local (úlcera).

in·fla·tion (in-fla'shun) – inflação; distensão ou o ato de distender com ar, gás ou líquido.

in·flec·tion, inflex·ion (-flek'shun) – inflexão; ato de curvar-se para dentro ou o estado de estar curvado para dentro.

in·flu·en·za (in"floo-en'zah) – influenza; gripe; infecção viral aguda do trato respiratório que ocorre em casos isolados, epidemias ou pandemias, com inflamação da mucosa nasal, faringe e conjuntiva, dor de cabeça e mialgia severa e freqüentemente generalizada. **influen'zal** – adj. gripal.

In·flu·en·za·vi·rus (-vi"rus) – *Influenzavirus;* gênero de vírus (família Orthomyxoviridae), que contém os agentes das gripes A e B; vírus da influenza.

in·fold·ing (in-fold'ing) – envolver: 1. pregueamento para dentro de uma camada de tecido, tal como na formação do tubo neural no embrião; 2. encarceramento de tecido supérfluo através da sutura conjunta das paredes do órgão em cada lado da lesão.

infra- [L.] – elemento de palavra; *por baixo de.*

in·fra·bulge (in'frah-bulj) – abaixo da saliência; superfície de um dente gengival com a altura do contorno ou inclinando-se cervicalmente.

in·fra·clu·sion (in"frah-kloo'zhun) – infra-oclusão; condição na qual a superfície ocludente de um dente não atinge o plano oclusal normal e encontra-se fora de contato com o dente oposto.

in·frac·tion (in-frak'shin) – fratura sem diástase; fratura óssea incompleta, sem deslocamento.

in·fra·den·ta·le (in"frah-den-ta'le) – infradental; ponto de referência cefalométrico, correspondendo ao ponto anterior mais alto na gengiva entre os incisivos mediais (centrais) mandibulares.

in·fra·di·an (-de'in) – infradiano; relativo a um período maior que 24h; aplicado ao comportamento cíclico de determinados fenômenos nos organismos vivos (ritmo infradiano).

in·fra·duc·tion (-duk'shin) – infradução; rotação de um olho para baixo ao redor de seu eixo horizontal.

in·fra·red (-red') – infravermelho; denota uma radiação eletromagnética de comprimento de onda maior que o da extremidade vermelha do espectro, apresentando comprimentos de onda de 0,75–1.000µm; algumas vezes subdividido em *i. de onda longa* ou *distante* (cerca de 3–1.000µm) e *i. de onda curta* ou *próxima* (cerca de 0,75–3µm).

in·fra·son·ic (-son'ik) – infra-sônico; abaixo da variação de freqüência das ondas sonoras.

in·fra·spi·nous (-spi'nis) – infra-espinhoso; por baixo da espinha da escápula.

in·fra·ver·sion (-ver'zhin) – infraversão: 1. infraclusão; 2. desvio para baixo de um olho; 3. rotação descendente conjugada de ambos os olhos.

in·fun·dib·u·lec·to·my (in"fun-dib"u-lek'tah-me) – infundibulectomia; excisão do infundíbulo cardíaco.

in·fun·dib·u·li·form (in"fun-dib"ŭl-ĭ-form") – infundibuliforme; de forma semelhante à de um funil.

in·fun·dib·u·lo·ma (in"fun-dib"ŭl-o'mah) – infundibuloma; tumor da haste (infundíbulo) da hipófise.

in·fun·dib·u·lum (in"fun-dib'u-lum) [L.] pl. *infundibula* – infundíbulo: 1. qualquer passagem em forma de um funil; 2. cone arterioso; 3. i. hipotalâmico. **infundib'ular** – adj. infundibular. **ethmoidal i.** – i. etmóide: 1. passagem que conecta a cavidade nasal com as células etmóides anteriores e o seio frontal; 2. passagem sinuosa que conecta o meato nasal médio às células etmóides anteriores e freqüentemente ao seio frontal. **i. of hypothalamus** – i. hipotalâmico; massa oca e em forma de funil em frente à tuberosidade cinérea, que se estende até o lobo posterior da hipófise. **i. of uterine tube** – i. da trompa uterina; porção em forma de funil, distal à trompa uterina.

in·fu·sion (in-fu'zhun) – infusão: 1. saturação de uma substância em água para serem obtidos seus princípios solúveis; 2. produto obtido através desse processo; 3. introdução terapêutica lenta de outro líquido que não sangue em uma veia.

in·ges·tant (-jes'tint) – ingesta; substância que é ou pode ser consumida pelo corpo através da boca ou do sistema digestivo.

in·ges·tion (-chun) – ingestão; consumo de alimentos, drogas etc., pelo organismo através da boca.

in·gra·ves·cent (in"grah-ves'ent) – ingravescente; agravador; que se torna gradualmente mais severo.

in·guen (ing'gwen) [L.] pl. *inguina* – virilha.

in·gui·nal (in'gwĭ-n'l) – inguinal; relativo à virilha.

in·hal·ant (in-hăl'ant) – inalante: 1. substância que é ou pode ser consumida pelo corpo através do nariz e da traquéia (pelo sistema respiratório); 2. classe de substâncias psicoativas cujos vapores voláteis estão sujeitos a abuso. **antifoaming i.** – i. antiespumante; agente inalado como vapor para evitar a formação de espuma nas passagens respiratórias de um paciente com edema pulmonar.

in·ha·la·tion (in"hah-la'shin) – inalação; aspiração: 1. entrada de ar ou de outras substâncias no interior dos pulmões; 2. qualquer medicamento ou solução de medicamentos administrados (tanto através de nebulizadores como de aerossóis) por via nasal ou respiratória oral.

in·her·i·tance (in-her'it-ins) – herança: 1. aquisição de características ou qualidades através da transmissão dos genitores para o descendente; 2. o que é transmitido dos genitores para o descendente. **cytoplasmic i.** – h. citoplasmica; h. mitocondrial. **dominant i.** – h. dominante; ver em *gene.* **extrachromosomal i.** – h. extracromossômica; h.

mitocondrial. **intermediate i.** – h. intermediária; herança na qual o fenótipo do heterozigoto situa-se entre os de cada um dos homozigotos. **maternal i.** –h. materna; h. mitocondrial. **mitochondrial i.** – h. mitocondrial; herança de características controladas por genes no DNA das mitocôndrias no ooplasma; conseqüentemente, os genes são herdados completamente do lado materno, segregados aleatoriamente na meiose ou na mitose e variavelmente expressos. **recessive i.** – h. recessiva; ver em *gene*. **sex-linked i.** – h. ligada ao sexo; ver em *gene*.

in·hi·bi·tion (in"hĭ -bish'un) – inibição; interrupção ou contenção de um processo; em Psiquiatria, a contenção inconsciente de um impulso instintivo. **inhib'itory** – adj. inibitório. **competitive i.** – i. competitiva; inibição da atividade enzimática na qual o inibidor (um análogo do substrato) compete com o substrato pelos sítios de ligação nas enzimas. **contact i.** – i. contato; inibição da divisão e motilidade celulares em células animais normais quando se encontram em contato íntimo. **end-product i., feedback i.** – i. de produto final; i. por retroalimentação; inibição das fases iniciais de um processo através do produto final de uma reação. **noncompetitive i.** – i. não-competitiva; inibição da atividade enzimática por substâncias que se combinam com a enzima em um local diferente do utilizado pelo substrato.

in·hi·bi·tor (in-hib'it-er) – inibidor: 1. qualquer substância que interfira em uma reação química, crescimento ou outra atividade biológica; 2. substância química que inibe ou impede a ação de um organizador tecidual ou o crescimento de microrganismos; 3. efetor que reduz a atividade catalítica de uma enzima. **alfa₁-proteinase i.** – i. da alfa₁-proteinase – alfa₁-antitripsina. **carbonic anhydrase i.** – i. da anidrase carbônica; qualquer substância de uma classe de agentes que inibe a atividade da anidrase carbônica; utilizado principalmente para o tratamento do glaucoma e epilepsia, paralisia periódica familiar, enfermidade das montanhas e cálculos renais de ácido úrico. **monoamine oxidase i. (MAOI)** – i. da monoaminoxidase; qualquer substância de um grupo de drogas antidepressivas que age pelo bloqueio da ação da monoaminoxidase, a enzima que catalisa a desaminação das monoaminas. α_2 **plasmin i.** – i. da α_2 plasmina; proteína plasmática que neutraliza a atividade proteolítica da plasmina livre para formar um complexo estável com ela; ele também se incorpora a coágulos de fibrina e inibe a ligação do plasminogênio com a fibrina. **plasminogen activator i. (PAI)** – i. do ativador de plasminogênio; regulador do sistema fibrinolítico que age ligando-se com e inibindo o ativador de plasminogênio livre.

in·i·on (in'e-on) – ínio; protuberância occipital externa. **in'ial** – adj. inial.

ini·ti·a·tion (ĭ -nĭ "she-a'shun) – início; iniciação; criação de uma pequena alteração no código genético de uma célula através de um baixo nível de exposição a um carcinógeno, impedindo que a célula sofra transformação neoplásica em exposição posterior a um carcinógeno ou um promotor.

in·i·tis (ĭ -nī t'is) – inite; inflamação da substância de um músculo.

in·jec·tion (in-jek'shin) – injeção: 1. administração forçada de um líquido no interior de uma parte, como no interior dos tecidos subcutâneos, da árvore vascular ou de um órgão; 2. substância forçada ou administrada dessa forma; em Farmácia, solução de um medicamento adequada para uma injeção; 3. congestão. **hypodermic i.** – i. hipodérmica; injeção no interior dos tecidos subcutâneos. **intracutaneous i., intradermal i.** – i. intracutânea; i. intradérmica; injeção feita no interior do cório ou da substância da pele. **intramuscular i.** – i. intramuscular; injeção feita no interior da substância de um músculo. **intravenous i.** – i. intravenosa; i. endovenosa; injeção feita no interior de uma veia. **Ringer's i.** – i. de Ringer; solução estéril de cloreto de sódio, cloreto de potássio e cloreto de cálcio em água para injeção; utilizado como repositor de fluidos e de eletrólitos. **sodium chloride i.** – i. de cloreto de sódio; solução isotônica estéril de cloreto de sódio em água para injeção; utilizado como repositor de líquidos e de eletrólitos, como solução de irrigação e veículo para medicamentos. **subcutaneous i.** – i. subcutânea; i. hipodérmica.

in·ju·ry (in'jer-e) – lesão; dano; ferida; ferimento; geralmente aplicado a dano infligido ao corpo por força externa. **birth i.** – l. de nascimento; dano da função ou estrutura corporal devido a influências adversas às quais o bebê foi submetido no nascimento. **Goyrand's i.** – l. de Goyrand; deslocamento do cotovelo. **whiplash i.** – l. em chicotada; termo inespecífico popular aplicado a uma lesão espinhal ou da medula espinhal devida à extensão súbita do pescoço.

in·lay (-la) – incrustação; enxerto; material depositado no interior de um defeito em um tecido; em Odontologia, preenchimento feito externamente ao dente para corresponder à forma da cavidade e depois cimentado no dente.

in·let (-let) – entrada; meio ou via de entrada. **pelvic i.** – estreito pélvico; limite superior da cavidade pélvica. **thoracic i.** – e. torácica; abertura elíptica no ápice do tórax.

INN – International Nonproprietary Names (Nomes Internacionais Não-registrados); as designações recomendadas pela Organização Mundial da Saúde para produtos farmacêuticos.

in·nate (ĭ -nāt') – inato; hereditário; congênito.

in·ner·va·tion (in"er-va'shun) – inervação: 1. distribuição do suprimento de nervos em uma parte; 2. suprimento de energia nervosa ou estímulos nervosos enviados a uma parte.

in·nid·i·a·tion (ĭ -nid"e-a'shun) – inidação; colonização; desenvolvimento de células em uma parte para onde foram transportadas através de metástase.

in·nom·i·nate (ĭ -nom'ĭ -nāt) – inominado; sem nome.

ino·chon·dri·tis (in"o-kon-drī t'is) – inocondrite; inflamação de uma fibrocartilagem.

in·oc·u·la·ble (ĭ -nok'ŭl-ah-b'l) – inoculável: 1. suscetível a ser inoculado; transmissível através de inoculação; 2. não-imune contra uma doença transmissível por inoculação.

in·oc·u·la·tion (ĭ-nok"ŭl-a'shin) – inoculação; introdução de microrganismos, material infectante, soro ou outras substâncias no interior de tecidos de organismos vivos ou meios de cultura; introdução de um agente patológico em um indivíduo saudável para produzir uma forma suave da doença seguida de imunidade.

in·oc·u·lum (ĭ-nok'u-lum) pl. inocula – inóculo; material utilizado na inoculação.

ino·di·la·tor (in"o-di-la'ter) – inodilatador; agente com efeitos tanto inotrópicos positivos como vasodilatadores.

in·op·er·a·ble (in-op'er-ah-b'l) – inoperável; não-suscetível a tratamento por meio de cirurgia.

in·or·gan·ic (in"or-gan'ik) – inorgânico: 1. que não tem órgãos; 2. de origem não-orgânica.

in·os·co·py (in-os'kah-pe) – inoscopia; diagnóstico de uma doença por meio de digestão artificial e exame das fibras ou do material fibrinoso do esputo, sangue, derrames etc.

in·o·se·mia (in"o-se'me-ah) – inosemia: 1. presença de inositol no sangue; 2. excesso de fibrina no sangue.

in·o·sine (in'o-sēn) – inosina; nucleosídeo de purina que contém a base hipoxantina e o açúcar ribose, ocorrendo em RNA de transferência e como intermediário na degradação das purinas e nucleosídeos de purinas em ácido úrico e nos trajetos de recuperação das purinas. i. monophosphate (IMP) – monofosfato de i.; nucleotídeo produzido pela desaminação do monofosfato de adenosina (AMP); é o precursor do AMP e GMP na biossíntese das purinas e intermediário na recuperação das purinas e degradação das mesmas.

ino·si·tol (in-o'sĭ-tol) – inositol; álcool de açúcar cíclico, o derivado completamente hidroxilado do cicloexano; geralmente refere-se ao isômero mais abundante (o mio-inositol), que ocorre em muitos tecidos vegetais e animais e microrganismos e é um membro do complexo vitamínico B. i. 1,4,5-triphosphate (InsP₃, IP₃) – 1,4,5-trifosfato de i. (InsP₃ ou IP₃); segundo mensageiro que causa a liberação de cálcio de determinadas organelas intracelulares.

in·o·trop·ic (in'o-trop"ik) – inotrópico; que afeta a força das contrações musculares.

in·quest (in'kwest) – inquérito; investigação legal diante do magistrado ou examinador médico, e geralmente um júri, acerca da causa de uma morte.

in·sa·lu·bri·ous (in"sah-loo'bre-sis) – insalubre; lesivo à saúde.

in·san·i·ty (in-san'it-e) – insanidade; termo legal para enfermidade mental, imprecisamente equivalente a psicose e que implica na incapacidade de alguém responder por seus próprios atos. insane' – adj. insano.

in·scrip·tio (-skrip'she-o) [L.] pl. inscriptiones – inscrição. i. tendi'nea – i. tendínea; ver em intersectio.

in·scrip·tion (-skrip'shun) – inscrição: 1. marca ou linha; 2. parte de uma receita que contém os nomes e as quantidades dos ingredientes.

In·sec·ta (-sek'tah) – Insecta; classe de artrópodos cujos membros caracterizam-se por dividir-se em três partes: cabeça, tórax e abdômen.

in·sem·i·na·tion (-sem"in-a'shun) – inseminação; depósito de líquido seminal dentro da vagina ou da cérvix. artificial i. – i. artificial; inseminação realizada através de meios artificiais.

in·sen·si·ble (-sen'sĭ-b'l) – insensível: 1. sem sensibilidade ou consciência; 2. não-perceptível aos sentidos.

in·ser·tion (-ser'shun) – inserção: 1. ato de implantar ou condição de ser implantado; 2. local de ligação, como de um músculo com o osso que ele move. velamentous i. – i. velamentosa; ligação do cordão umbilical com as membranas.

in·sid·i·ous (-sid'e-is) – insidioso; que chega furtivamente; de desenvolvimento gradual e sutil.

in·sight (in'sīt") – autocrítica; discernimento; autocompreensão; em Psiquiatria, refere-se à extensão na qual o paciente encontra-se ciente de sua enfermidade e entende sua natureza.

in si·tu (in si'too) [L.] – in situ; em seu local normal; confinado ao local de origem.

in·sol·u·ble (in-sol'u-b'l) – insolúvel; não-suscetível a ser dissolvido.

in·som·nia (-som'ne-ah) – insônia; incapacidade de dormir; vigília anormal.

in·so·nate (-so'nāt) – insonar; expor a ondas de ultra-som.

in·sorp·tion (-sorp'shun) – insorção; movimento de uma substância no interior do sangue, especialmente do trato gastrointestinal no interior do sangue circulante.

in·sper·sion (-sper'shun) – inspersão; borrifamento, como o de um pó.

in·spi·ra·tion (in"spĭ-ra'shun) – inspiração; entrada de ar nos pulmões. inspi'ratory – adj. inspiratório.

in·spis·sat·ed (in-spis'āt-id) – inspissado; tornar-se espessado, ressecado ou tornar-se menos líquido por meio de evaporação.

in·star (in'stahr) – instar; qualquer estágio da metamorfose de um artrópodo.

in·step (-step) – peito do pé; a parte dorsal do arco podal.

in·stil·la·tion (in"stil-a'shun) – instilação; administração de um líquido gota a gota.

in·stinct (in'stinkt) – instinto; complexo de respostas não-aprendidas características de uma espécie. death i. – i. mortal; em Psicanálise, o impulso instintivo latente voltado à morte. herd i. – i. de rebanho; instinto ou impulso de fazer parte de um grupo e de se conformar a seus padrões de conduta e opinião.

in·sti·tu·tion·al·iza·tion (in"stĭ-too"shun-al-ĭ-za'shun) – institucionalização: 1. internação de um paciente em uma instituição de cuidados de saúde para tratamento, freqüentemente psiquiátrico; 2. em pacientes hospitalizados com um longo período, o desenvolvimento de dependência excessiva de uma instituição e suas rotinas.

in·stru·men·ta·tion (in"strŏo-men-ta'shun) – instrumentação; uso de instrumentos; trabalho realizado com instrumentos.

in·su·date (in-soo'dāt) – insudato; substância acumulada em uma insudação.

in·su·da·tion (in"su-da'shun) – insudação; acúmulo (por exemplo, no rim) de substâncias derivadas do sangue.

in·suf·fi·cien·cy (-sah-fish'in-se) – insuficiência; incapacidade de realizar apropriadamente uma função designada. **adrenal i.** – i. adrenal; hipoadrenalismo. **aortic i.** – i. aórtica; funcionamento defeituoso da válvula aórtica, com o fechamento incompleto resultando em regurgitação aórtica. **cardiac i.** – i. cardíaca. **coronary i.** – i. coronária; redução no fluxo sangüíneo através dos vasos sangüíneos coronários. **i. of the externi** – i. dos externos; força deficiente nos músculos externos do olho, resultando em exoforia. **ileocecal i.** – i. ileocecal; incapacidade da válvula ileocecal impedir um refluxo de conteúdo do ceco para o íleo. **i. of the interni** – i. dos internos; força deficiente nos músculos internos do olho, resultando em exoforia. **mitral i.** – i. mitral; funcionamento defeituoso da válvula mitral, com fechamento incompleto causando regurgitação mitral. **pulmonary i.** – i. pulmonar; funcionamento defeituoso da válvula pulmonar, com fechamento incompleto causando regurgitação pulmonar. **thyroid i.** – i. tireóidea; hipotireoidismo. **tricuspid i.** – i. tricúspide; funcionamento defeituoso da válvula tricúspide, com fechamento incompleto causando regurgitação tricúspide; é geralmente secundária a sobrecarga sistólica. **valvular i.** – i. valvular; disfunção de uma válvula cardíaca, com fechamento incompleto resultando em regurgitação valvular; nomeada de acordo com a válvula envolvida. **velopharyngeal i.** – i. velofaríngea; insuficiência do fechamento velofaríngeo devida a palato fendido, disfunção muscular etc., resultando em fala defeituosa. **venous i.** – i. venosa; inadequação das válvulas venosas com prejuízo da drenagem venosa, resultando em edema. **vertebrobasilar i.** – i. vertebrobasilar; isquemia transitória do tronco cerebral e do cerebelo devida a estenose das artérias vertebral ou basilar.

in·suf·fla·tion (-sah-fla'shun) – insuflação: 1. o ato de soprar um pó, vapor ou gás no interior de uma cavidade corporal; 2. drogas finamente pulverizadas ou líquidas transportadas para o interior das passagens respiratórias por meio de dispositivos como os aerossóis. **perirenal i.** – i. perirrenal; injeção de ar ao redor do rim para exame radiográfico das glândulas supra-renais. **tubal i.** – i. tubária; ver *test, Rubin's.*

in·su·la (in'sŏŏ-lah) pl. *insulae* [L.] – ínsula; ilha: 1. estrutura semelhante a uma ilha; 2. área triangular do córtex cerebral que forma o piso da fossa cerebral.

in·su·lar (-sūl'er) – insular; relativo à ínsula ou ilhota, como as ilhotas de Langerhans.

in·su·la·tion (in'sŏŏ-la'shun) – isolamento: 1. envolvimento de um espaço ou corpo com um material destinado a evitar a entrada ou o escape de energia radiante ou elétrica; 2. material utilizado dessa forma.

in·su·lin (in'sŏŏ-lin) – insulina; hormônio protéico de cadeia dupla, formado a partir da proinsulina nas células beta das ilhotas de Langerhans pancreáticas. O principal hormônio regulador de combustível, é secretada no sangue em resposta a uma elevação na concentração da glicose ou dos aminoácidos sangüíneos. A insulina promove o armazenamento de glicose e o consumo de aminoácidos, aumenta a síntese de proteínas e lipídeos e inibe a lipólise e a gliconeogênese. Utiliza-se uma solução estéril de insulina no tratamento do diabetes melito. **globin zinc i.** – i. globinozíncica; insulina de ação intermediária que consiste de insulina modificada pela adição de cloreto de zinco e globina. **isophane i., NPH i.** – i. isófana; i. NPH; insulina de protamina-zinco cristalina neutra de ação intermediária. **protamine zinc i.** – i. de protamina-zinco; insulina modificada pela adição de cloreto de zinco e de protamina. **regular i.** – i. regular; o princípio ativo do pâncreas de animais de abatedouro (bovinos ou suínos) utilizado em uma solução acidificada estéril.

in·su·lin·o·gen·e·sis (in"sŏŏ-lin"o-jen'Ĭ-sis) – insulinogênese; formação e liberação de insulina pelas ilhotas de Langerhans.

in·su·li·no·ma (in"sŏŏ-lin'o-mah) – insulinoma; tumor das células beta das ilhotas de Langerhans; embora seja geralmente benigno, corresponde a uma das principais causas de hipoglicemia.

in·su·lin·o·pe·nic (in"sŏŏ-lin"o-pe'nik) – insulinopênico; que diminui ou se relaciona a uma redução no nível da insulina circulante.

in·su·li·tis (in"sūl-Ĭt'is) – insulite; infiltração celular das ilhotas de Langerhans, possivelmente em resposta a invasão por agente infeccioso.

in·sus·cep·ti·bil·i·ty (in"sah-sep"tĬ-bil'it-e) – insuscetibilidade; o estado de não ser afetado; imunidade.

in·take (in'tāk") – consumo; substâncias (ou as quantidades delas) consumidas e utilizadas pelo corpo.

in·te·gra·tion (in"tĕ-gra'shun) – integração; assimilação harmoniosa em um corpo ou atividade comuns; atividade anabólica.

in·te·grin (in'tĕ-grin) – integrina; qualquer substância de uma família de receptores de aderência celular heterodiméricos, com cada um deles consistindo de uma cadeia polipeptídica α e uma β, que mediam as interações das células entre si e das células com a matriz extracelular.

in·teg·u·men·ta·ry (in-teg"u-men'tĕ-re) – integumentar: 1. relativo ou composto pela pele; 2. que serve como revestimento.

in·teg·u·men·tum (-tum) [L.] – integumento.

in·tel·lect (in'tĬ-lekt) – intelecto; mente, faculdade de pensar ou compreender.

in·tel·lec·tu·al·iza·tion (in"tĬ-lek"choo-il-Ĭ-za'-shun) – intelectualização; processo mental no qual o raciocínio é utilizado como defesa contra um conflito inconsciente confrontante e suas emoções estressantes.

in·ten·tion (in-ten'shun) – intenção: 1. um modo de cicatrização; ver em *healing.* 2. objetivo ou fim desejado.

inter- [L.] – elemento de palavra; *entre.*

in·ter·ac·tion (in"ter-ak'shun) – interação; qualidade, estado ou processo de (duas ou mais coisas) agir entre si. **drug i.** – i. de drogas; ação de uma droga sobre a eficácia ou a toxicidade de outra (ou outras).

in·ter·brain (in'ter-brān") – intercéfalo: 1. talamoencéfalo; 2. diencéfalo.

in·ter·ca·lary (in-turk'ah-lĕ"re) – intercalar; inserido entre dois outros; interposto.

in·ter·car·ti·lag·i·nous (in"ter-kart"il-aj'ĭ-nis) – intercartilaginoso; entre ou que conecta cartilagens.

in·ter·cos·tal (-kos't'l) – intercostal; entre duas costelas.

in·ter·course (in-ter-kors) – intercurso; intercâmbio; troca mútua. sexual i. – i. sexual: 1. relação sexual; 2. qualquer contato físico entre dois indivíduos que envolva a estimulação dos órgãos genitais de pelo menos um deles.

in·ter·cri·co·thy·rot·o·my (in"ter-krīk"o-thi-rot'ah-me) – intercricotireotomia; incisão da laringe através da membrana cricotireóide; laringotomia inferior.

in·ter·cri·ti·cal (-krit'ĭ-k'l) – intercrítico; denota um período entre ataques, como o de gota.

in·ter·cur·rent (-kur'int) – intercorrente; interveniente; que ocorre durante o curso de outra doença e o modifica.

in·ter·cusp·ing (-kusp'ing) – intercúspide; oclusão das cúspides dos dentes de uma mandíbula com as depressões dos dentes da outra mandíbula.

in·ter·den·tal (-den't'l) – interdentário; entre as superfícies proximais de dentes adjacentes da mesma arcada.

in·ter·den·ti·um (-den'she-um) – interdentário: espaço interproximal.

in·ter·dig·i·ta·tion (-dij"ĭ-ta'shun) – interdigitação: 1. entrelaçamento de partes através de processos semelhantes a dedos; 2. um dos processos de um grupo de processos semelhantes a dedos.

in·ter·face (in'ter-fās) – interface; limite entre dois sistemas ou fases.

in·ter·fas·cic·u·lar (in"ter-fah-sik'ūl-er) – interfascicular; entre fascículos adjacentes.

in·ter·fem·o·ral (-fem'er-il) – interfemoral; entre as coxas.

in·ter·fer·on (-fēr'on) – interferon; substância de uma família de glicoproteínas, cuja produção pode ser estimulada por infecção viral, parasitas intracelulares e bactérias e endotoxinas bacterianas, que exerçam atividade antiviral e tenham funções imunorreguladoras; os interferons também inibem o crescimento da parasitas intracelulares não-virais. Os interferons são designados α, β e γ com base na associação com determinadas células produtoras e funções; no entanto, todas as células animais podem produzir interferons e algumas células podem produzir mais de um tipo. O interferon α tem sido utilizado no tratamento experimental de alguns tipos de neoplasia.

in·ter·ic·tal (-ik't'l) – interictal; que ocorre entre ataques ou convulsões.

in·ter·ki·ne·sis (-ki-ne'sis) – intercinese; período entre a primeira e a segunda divisões em uma meiose.

in·ter·leu·kin (-loo'kin) – interleucina; termo genérico para um grupo de citocinas multifuncionais produzidas por várias células linfóides e não-linfóides e cujos efeitos ocorrem pelo menos parcialmente dentro do sistema linfopoiético. i.-2 (IL-2) – interleucina produzida pelas células T em resposta a estimulação antigênica ou mitogênica; ela estimula a produção de células T específicas e de interferon γ, sendo utilizada como antineoplásico.

in·ter·lo·bi·tis (-lo-bīt'is) – interlobite; pleurisia interlobular.

in·ter·lob·u·lar (-lob'ūl-er) – interlobular; entre lóbulos.

in·ter·me·di·ate (-me'de-it) – intermediário: 1. entre; interposto; semelhante, em parte, a cada um de dois extremos; 2. substância formada em processo químico essencial para a formação do produto final do processo.

in·ter·me·din (-mĕd'in) – intermedina; hormônio estimulante dos melanócitos.

in·ter·me·di·us (-med'e-is) [L.] – intermédio; intermediário; em Anatomia, denota uma estrutura que se situa entre uma estrutura lateral e uma medial.

in·ter·mit·tent (-mit'ent) – intermitente; marcado por períodos alternados de atividade e inatividade.

in·ter·mu·ral (-mu'ral) – intermural; situado entre as paredes dos órgãos.

in·tern (in'tern) – interno; residente; graduado médico que presta serviços clínicos em um hospital preparatório para ser licenciado na prática de medicina.

in·ter·nal (in-tern"l) – interno; situado ou que ocorre do lado de dentro; em Anatomia, muitas das estruturas anteriormente denominadas internas hoje são chamadas de mediais.

in·ter·nal·iza·tion (in-tern"nal-iz-a'shun) – internalização; interiorização; mecanismo mental através do qual se coletam inconscientemente determinados atributos externos, atitudes ou padrões de outros como se fossem de si próprio.

in·ter·na·tal (in"ter-năt"l) – internatal; entre as nádegas.

in·ter·neu·ron (-noor'on) – interneurônio: 1. neurônio entre o neurônio sensorial primário e o motoneurônio final; 2. qualquer neurônio cujos processos se confinam completamente dentro de uma área específica, como dentro do lobo olfatório.

in·tern·is (in-tern'ist) – internista; clínico geral; especialista em Medicina interna.

in·tern·ship (in'tern-ship) – residência; posição ou o termo de serviço de um residente em um hospital.

in·ter·nu·cle·ar (in"ter-nook'le-er) – internuclear; situado entre os núcleos ou entre as camadas nucleares da retina.

in·ter·nun·ci·al (-nun'shil) – internuncial; que transmite impulsos entre duas partes diferentes.

in·ter·nus (in-tern'us) [L.] – interno; em Anatomia, denota uma estrutura mais próxima ao centro de um órgão ou parte.

in·ter·oc·clu·sal (in"ter-ah-klōōz"l) – interoclusal; situado entre as superfícies oclusais de dentes opostos nas duas arcadas dentárias.

in·tero·cep·tor (-sep'ter) – interoceptor; terminação nervosa sensorial localizada internamente e que transmite impulsos provenientes das vísceras. interocep'tive – adj. interoceptivo.

in·ter·pa·ri·e·tal (-pah-ri'ĕ-t'l) – interparietal: 1. intermural; 2. entre os ossos parietais.

in·ter·phase (in'ter-fāz) – interfase; intervalo entre duas divisões celulares sucessivas, durante o qual os cromossomas não se tornam individualmente distinguíveis.

in·ter·plant (-plant) – interplante; parte embrionária isolada através da transferência para um ambiente indiferente proporcionado por outro embrião.

in·ter·po·la·tion (in-ter"pil-a'shun) – interpolação: 1. implantação cirúrgica de um tecido; 2. determinação de valores intermediários em uma série com base nos valores observados.

in·ter·pre·ta·tion (-prĭ -ta'shun) – interpretação; em Psicoterapia, explanação do terapeuta ao paciente acerca dos significados latentes ou ocultos do que este diz, faz ou experimenta.

in·ter·prox·i·mal (in"ter-prok'sĭ -mal) – interproximal; entre duas superfícies contíguas.

in·ter·sec·tio (-sek'she-o) [L.] pl. *intersectiones* – intersecção; interseção. **i. tendi'nea** – i. tendinosa; faixa fibrosa que atravessa a parte ventral de um músculo, dividindo-o em duas partes.

in·ter·sec·tion (-sek'shun) – intersecção; interseção; local no qual uma estrutura cruza-se com outra.

in·ter·sex (in'ter-seks) – intersexuado: 1. intersexualidade; 2. um indivíduo que manifesta intersexualidade. **female i.** – i. feminino; pseudo-hermafrodita feminino. **male i.** – i. masculino; pseudohermafrodita masculino. **true i.** – i. verdadeiro; hermafrodita verdadeiro.

in·ter·sex·u·al·i·ty (in"ter-sek"shoo-al'it-e) – intersexualidade; entremistura (em graus variáveis) das características de cada um dos sexos (incluindo forma física, tecidos reprodutivos e o comportamento sexual) em um indivíduo, como resultado de algum defeito no desenvolvimento embrionário; ver *hermaphroditism* e *pseudohermaphroditism*. **intersex'ual** – adj. intersexual.

in·ter·space (in'ter-spãs) – interespaço; espaço entre estruturas semelhantes.

in·ter·stice (in-ters'tis) – interstício; pequeno intervalo ou espaço em um tecido ou estrutura.

in·ter·sti·tial (in"ter-stish"l) – intersticial; relativo a partes ou interespaços de um tecido.

in·ter·sti·ti·um (-stish'ĭ -um) – interstício; tecido intersticial.

in·ter·trans·verse (-tranz-vers') – intertransverso; entre os processos transversais vertebrais.

in·ter·tri·go (-tri'go) – intertrigo; erupção cutânea eritematosa que ocorre em superfícies cutâneas aproximadas; assadura.

in·ter·ure·ter·al (-ūr-ēt'er-il) – interureteral; interuretérico.

in·ter·ure·ter·ic (-ūr-ĭ -ter'ik) – interuretérico; entre os ureteres.

in·ter·vag·i·nal (-vajĭ -nil) – intervaginal; entre bainhas.

in·ter·val (in'ter-val) – intervalo; espaço entre dois objetos ou partes; o lapso de tempo entre dois eventos. **atrioventricular (AV) i.** – i. atrioventricular (A–H); tempo entre o início da sístole atrial e o início da sístole ventricular, equivalente ao intervalo P–R da eletrocardiografia. **cardioarterial i.** – i. cardioarterial; tempo entre o batimento apical e a pulsação arterial. **coupling i.** – i. de acoplamento; extensão de tempo entre um batimento ectópico e o batimento sinusal que o precede; em uma arritmia caracterizada por tais batimentos, os intervalos podem ser constantes (*intervalos de acoplamento fixos*) ou inconstantes (*intervalos de acoplamento variáveis*). **escape i.** – i. de escape; intervalo entre um batimento de escape e o batimento normal que o precede. **interdischarge i.** – i. interdescargas; tempo entre duas descargas do potencial de ação de uma única fibra muscular. **interpotential i.** – i. interpotenciais; tempo entre as descargas de potenciais de ação de duas fibras diferentes provenientes de uma mesma unidade motora. **lucid i.** – i. lúcido; período breve de remissão dos sintomas de uma psicose. **pacemaker escape i.** – i. de escape do marcapasso; período entre a última atividade cardíaca espontânea sentida e o primeiro batimento estimulado pelo marca-passo artificial. **P–P i.** – i. P–P (P–P); tempo do início de uma onda P até o início da próxima onda P, representando a extensão do ciclo cardíaco. **P–R i.** – i. P–R; porção do eletrocardiograma entre o início da onda P (despolarização atrial) e o complexo QRS (despolarização ventricular). **QRS i.** – i. QRS; intervalo do início da onda Q até o término da onda S, representando o tempo para a despolarização ventricular. **QRST i., Q–T i.** – i. QRST, i. Q–T; tempo do início da onda Q até o final da onda T, representando duração da atividade elétrica ventricular. **systolic time i's (STI)** – intervalos de tempo sistólico; um dos vários intervalos medidos para avaliar o desempenho ventricular esquerdo, particularmente o tempo de ejeção ventricular esquerda, a sístole eletromecânica e o período de pré-ejeção. **V–A i.** – i. V–A; tempo entre um estímulo ventricular e o estímulo atrial que o segue.

in·ter·ven·tion (in"ter-ven'shun) – intervenção: 1. ato ou fato de interferir de forma a modificar; 2. qualquer medida cujo propósito seja melhorar a saúde ou alterar o curso de uma doença; **crisis i.** – i. na crise: 1. abordagem Psicoterapêutica imediata e de curta duração, cujo objetivo é ajudar a resolver uma crise pessoal no ambiente imediato do indivíduo; 2. procedimentos envolvidos na resposta a uma emergência.

in·ter·vil·lous (-vil'is) – interviloso; entre vilosidades.

in·tes·tine (in-tes'tin) – intestino; parte do canal alimentar que se estende da abertura pilórica do estômago até o ânus. Ver Pranchas IV, V e XV. **intes'tinal** – adj. intestinal. **large i.** – i. grosso; porção distal do intestino, de cerca de 1,5m de comprimento, e que se estende da junção com o intestino delgado até o ânus, compreendendo o ceco, cólon, reto e canal anal. **small i.** – i. delgado; porção proximal do intestino, com cerca de 6m de comprimento, menor em diâmetro que o intestino grosso, e se estende do piloro até o ceco, compreendendo o duodeno, jejuno e íleo.

in·tes·ti·num (in"tes-ti'num) [L.] pl. *intestina* – intestino.

in·ti·ma (in'tĭ -mah) – íntima; estrutura mais interna; ver *tunica intima*. **in'timal** – adj. íntima.

in·ti·mi·tis (in"tĭ -mī t'is) – intimite; endarterite; ver *endarteritis*.

in·tol·er·ance (in-tol'er'ins) – intolerância; incapacidade de suportar ou consumir; incapacidade de absorver ou metabolizar nutrientes. **drug i.** – i. a medicamentos; estado de reação a doses farmacológicas normais de um medicamento com sintomas de superdosagem. **disaccharide i.** – i. a dissacarídeos; complexo de sintomas abdominais após a ingestão de quantidades normais de carboidratos dietéticos, incluindo diarréia, flatulência, distensão e dor; geralmente se deve a deficiência de uma ou mais dissacaridases, mas pode decorrer de deficiência de absorção ou outras causas. **hereditary fructose i.** – i. hereditária à frutose; distúrbio herdado do metabolismo da frutose devido a deficiência enzimática, com início na infância, caracterizada por hipoglicemia com manifestações variáveis de frutosúria, frutosemia, anorexia, vômito, icterícia, esplenomegalia e aversão a alimentos que contêm frutose. **lactose i.** – i. à lactose; intolerância a dissacarídeos específica para a lactose, geralmente devido a deficiência herdada da atividade da lactase na mucosa intestinal, que pode não se manifestar até a idade adulta. A *i. à lactose congênita* pode se dever a deficiência imediata herdada da atividade da lactase ou constituir um distúrbio mais severo, com vômito, desidratação, insuficiência de desenvolvimento, dissacaridúria e catarata, provavelmente devido a permeabilidade anormal da mucosa gástrica. **lysine i., congenital** – i. à lisina congênita; distúrbio herdado devido a defeito na degradação da lisina, caracterizado por vômito, rigidez e coma, e altos níveis de amônia, lisina e arginina no sangue. **lysinuric protein i.** – i. a proteínas lisinúricas; distúrbio hereditário do metabolismo, que envolve defeito no transporte de aminoácidos dibásicos; caracterizado por retardo de crescimento, hiperamonemia episódica, ataques convulsivos, retardamento mental, hepatomegalia, fraqueza muscular e osteopenia; pode ser tratada com suplementação de citrulina. **sucrose i., congenital** – i. à sacarose congênita; intolerância a dissacarídeos específica para a sacarose, geralmente devida a defeito congênito no complexo enzimático sacarase-isomaltase; ver *sucrase-isomaltase deficiency.*

in·tor·sion (-tor'shun) – intorção; rotação para dentro do pólo superior do meridiano vertical de cada olho em direção à linha média da face.

in·tox·i·ca·tion (-tok"sĭ-ka'shun) – intoxicação: 1. envenenamento; condição de estar envenenado; 2. condição causada pelo uso excessivo de álcool; embriaguez simples; 3. síndrome mental orgânica marcada pela presença de uma substância psicoativa exógena no organismo que produz uma síndrome específica de efeitos no sistema nervoso central e leva a um comportamento inadaptado ou atuação social inadequada ou ocupacional. **alcohol idiosyncratic i.** – i. idiossincrática com álcool; alteração comportamental inadaptativa, geralmente beligerância, decorrente de consumo insuficiente de álcool que cause intoxicação na maioria das pessoas. **pathological i.** – i. patológica; i. idiossincrática com álcool.

intra- [L.] – elemento de palavra, *lado de dentro; dentro.*

in·tra·can·a·lic·u·lar (in"trah-kan"al-ik'ŭl-er) – intracanalicular; dentro dos canalículos.

in·tra·car·di·ac (-kar'de-ak) – intracardíaco; endocardíaco; dentro do coração.

in·tra·cel·lu·lar (-sel'ŭl-er) – intracelular; dentro de uma célula ou células.

in·tra·cer·vi·cal (-ser'vĭ-k'l) – intracervical; dentro do canal da cérvix uterina.

in·tra·crine (in'trah-krin) – denota um tipo de função hormonal na qual o fator regulador age citoendocrinamente que o sintetiza através da ligação com receptores intracelulares.

in·trac·ta·ble (in-trakt'ah-b'l) – intratável; refratário; resistente à cura, alívio ou controle.

in·tra·cys·tic (in"trah-sis'tik) – intracístico; dentro da bexiga ou de um cisto.

in·tra·du·ral (-dūr"l) – intradural; dentro ou por baixo da dura-máter.

in·tra·fat (-fat') – intragorduroso; situado ou introduzido no tecido gorduroso, como o tecido subcutâneo.

in·tra·fu·sal (-fu'z'l) – intrafusal; relativo às fibras estriadas dentro de um fuso muscular.

in·tra·lob·u·lar (-lob'u-ler) – intralobular; dentro de um lóbulo.

in·tra·med·ul·lary (-med'u-lar"e) – intramedular; dentro (1) da medula espinhal, (2) da medula oblonga ou (3) da cavidade medular de um osso.

in·tra·mus·cu·lar (-mus'kŭler) – intramuscular; dentro da substância muscular.

in·tra·op·er·a·tive (-op'er-āt"iv) – intra-operatório; que ocorre durante uma operação cirúrgica.

in·tra·pa·ri·e·tal (-pah-ri'ě-t'l) – intraparietal: 1. intramural; 2. dentro da região parietal do cérebro.

in·tra·par·tal (in"trah-pahr'tal) – intrapartal; intraparto.

in·tra·par·tum (-pahrt'um) – intraparto; que ocorre durante o nascimento ou durante o parto.

in·tra·psy·chic (-si'kik) – intrapsíquico; que ocorre na mente.

intra·spi·nal (-spīn"l) – intra-espinhal; intra-raquidiano; intra-raquiano; dentro da coluna espinhal.

in·tra·the·cal (-the'k'l) – intratecal; dentro de uma bainha; através da teca da medula espinhal no interior do espaço subaracnóide.

in·tra·tra·che·al (-tra'ke-il) – intratraqueal; endotraqueal.

in·tra·tym·pan·ic (-tim-pan'ik) – intratimpânico; dentro da cavidade timpânica.

in·trav·a·sa·tion (in-trä"vah-sa'shun) – intravasamento; a entrada de material estranho no interior dos vasos.

in·tra·vi·tal (in"trah-vīt"l) – intravital; que ocorre durante a vida.

in·tra vi·tam (in'trah vīt'am) [L.] – *intra vitam;* durante a vida.

in·trin·sic (in-trin'sik) – intrínseco; situado completamente dentro ou relacionado exclusivamente a uma parte.

in·troi·tus (-troĭ'-tus) [L.] pl. *introitus* – intróito; entrada para uma cavidade ou espaço.

in·tro·jec·tion (in"tro-jek'shun) – introjeção; mecanismo mental no qual os objetos externos amados e odiados são inconsciente e simbolicamente assumidos pelo indivíduo.

in·tro·mis·sion (-mish'un) – intromissão; entrada de uma parte ou objeto em outro.

in·tron (in'tron) – íntron; seqüência não-codificante entre duas seqüências codificantes dentro de um gene, processada na formação do mRNA maduro.

in·tro·spec·tion (in"tro-spek'shun) – introspecção; contemplação ou observação dos próprios pensamentos e sentimentos; auto-análise. **introspec'tive** – adj. introspectivo.

in·tro·sus·cep·tion (-sah-sep'shin) – introssuscepção; intussuscepção (*intussusception*).

in·tro·ver·sion (-vur'zhin) – introversão: 1. rotação de fora para dentro, de modo mais ou menos completo, de um órgão; 2. preocupação consigo mesmo, com redução de interesse pelo mundo externo.

in·tu·ba·tion (in"too-ba'shin) – intubação; inserção de um tubo no interior de um canal corporal ou órgão oco, como no interior da traquéia. **endotracheal i.** – i. endotraqueal; inserção de uma sonda no interior da traquéia para administração de anestesia; manutenção das vias aéreas, aspiração de secreções, ventilação dos pulmões ou prevenção da entrada de material estranho no interior da árvore traqueobrônquica. Pode-se inserir a sonda através do nariz (*i. nasotraqueal*) ou da boca (*i. orotraqueal*). **nasal i.** – i. nasal; inserção de uma sonda no interior do trato respiratório ou gastrointestinal através do nariz. **oral i.** – i. oral; inserção de uma sonda no interior do trato respiratório ou gastrointestinal através da boca.

in·tu·mes·cence (in"too-mes'ins) – intumescência: 1. inchaço normal ou anormal; 2. processo de tumefação. **intumes'cent** – adj. intumescente.

in·tu·mes·cen·tia (in-too-mĕ-sen'she-ah) [L.] pl. *intumescentiae* – intumescência.

in·tus·sus·cep·tion (in"tah-sah-sep'shun) – intussuscepção; prolapso de uma parte do intestino no interior do lúmen de uma parte imediatamente adjacente.

in·tus·sus·cep·tum (-sep'tum) – intuscepto; porção do intestino prolapsada em intussuscepção.

in·tus·sus·cip·i·ens (-sip'e-ens) – intussuscipiente; porção do intestino que contém a intussuscepção.

in·u·lin (in'ŭl-in) – inulina; alantoamida; amido que ocorre no rizoma de determinadas plantas, produzindo frutose na hidrólise e utilizado em testes de função renal.

in·unc·tion (in-unk'shin) – inunção: 1. ato de untar ou aplicar uma pomada através de fricção; 2. pomada feita com lanolina como mênstruo.

in utero (in ūt'er-o) [L.] – *in utero;* dentro do útero.

in vac·uo (vak'u-o) [L.] – *in vacuo;* no vácuo.

in·vag·i·na·tion (in-vaj"in-a'shin) – invaginação: 1. embainhamento de uma parte dentro de outra parte ou estrutura, como o da blástula durante a gastrulação; 2. intussuscepção.

in·va·sion (-va'zhun) – invasão: 1. ataque ou início de uma doença; 2. entrada simples e sem danos de bactérias no interior do corpo ou à sua deposição em um tecido, em oposição à infecção; 3. infiltração e destruição do tecido circundante, características dos tumores malignos.

in·va·sive (-siv) – invasivo: 1. que tem a qualidade da invasividade; 2. que envolve punção da pele ou inserção de um instrumento ou material estranho no interior do corpo; diz-se de técnicas diagnósticas.

in·va·sive·ness (-nis) – invasividade: 1. capacidade de microrganismos entrarem no corpo e se propagarem nos tecidos; 2. capacidade de se infiltrar e destruir ativamente o tecido circundante, uma propriedade dos tumores malignos.

in·ver·sion (in-ver'zhun) – inversão: 1. rotação para dentro, de dentro para fora ou outra reversão da relação normal de uma parte; 2. termo utilizado por Freud para a homossexualidade; 3. aberração cromossômica devida a reunião invertida do segmento médio após a ruptura de um cromossoma em dois pontos, resultando em alteração na seqüência de genes ou nucleotídeos. **i. of uterus** – i. do útero; rotação do útero através da qual o fundo é forçado através da cérvix, protraindo-se no interior ou completamente para fora da vagina. **visceral i.** – i. visceral; transposição mais ou menos completa das vísceras para a esquerda ou direita.

in·ver·tebrate (-vert'ĭ-brăt) – invertebrado: 1. que não tem coluna vertebral; 2. qualquer animal que não tem coluna vertebral.

in·vest·ment (-vest'mint) – revestimento; material no qual se envolve uma dentadura, coroa ou modelo de restauração dentária para tratamento, solda ou moldagem, ou o processo de revestimento.

in·vet·er·ate (-vet'er-ăt) – inveterado; confirmado e crônico; estabelecido há tempos e difícil de curar.

in vi·tro (in ve'tro) [L.] – *in vitro;* dentro de um vidro; observável em tubo de ensaio; em ambiente artificial.

in vi·vo (ve'vo) [L.] – *in vivo;* em um organismo vivo.

in·vo·lu·crum (in"vo-loo'krum) [L.] pl. *involucra* – invólucro; revestimento ou bainha, como o de um seqüestro.

in·vo·lu·tion (-shun) – involução: 1. volta ou rotação para dentro; 2. um dos movimentos na gastrulação de muitos animais; 3. alteração retrógrada do corpo ou um órgão, como as alterações retrógradas nos órgãos genitais femininos que voltam ao tamanho normal após o parto; 4. degeneração progressiva que ocorre naturalmente com a idade, resultando em atrofia dos órgãos ou tecidos. **involu'tional** – adj. involucional.

io·ce·tam·ic ac·id (i"o-se-tam'ik) – ácido iocetâmico; meio de contraste de raio X radiopaco, iodado e hidrossolúvel.

iod·ic ac·id (i-o'dik) – ácido iódico; ácido monobásico (HIO_3) formado pela oxidação do iodo com o ácido nítrico ou cloratos, apresentando propriedades redutoras e de ácido forte.

io·dide (i'o-dĭ d) – iodeto; composto binário de iodo.

io·din·a·tion (i"o-din-a'shun) – iodação; incorporação ou adição de iodo a um composto.

io·dine (i'o-dī n) – iodo; elemento químico (ver *Tabela de Elementos*), número atômico 53, símbolo I; é essencial na nutrição, sendo necessário à síntese dos hormônios tireóideos tireoxina e triiodotireonina. Utiliza-se uma solução de iodo como antiinfeccioso tópico. **protein-bound i.** – i. ligado à proteína; iodo firmemente ligado a uma proteína no soro, cuja determinação constitui um teste da função tireóidea. **radioactive i.** – i. radioativo; radioiodo.

io·din·oph·i·lous (i"o-din-of'ĭ -lis) – iodófilo; facilmente corável com iodo.

io·dip·amide (i"o-dip'ah-mī d) – iodipamida; meio radiopaco ($C_{20}H_{14}I_6N_2O_6$) utilizado na forma dos seus sais meglumínico e sódico na colecistografia.

io·dism (i'o-dizm) – iodismo; intoxicação crônica por iodo ou iodetos, com coriza, ptialismo, cefaléia frontal, emaciação, fraqueza e erupções cutâneas.

io·do·der·ma (i-o"do-der'mah) – iododermia; qualquer lesão cutânea resultante do iodismo.

io·do·form (i-o'do-form) – iodofórmio; antiinfeccioso local (CHI_3).

io·do·hip·pu·rate so·di·um (i"o-do'hip'ŭr-āt) – iodoipurato sódico; composto que contém iodo ($C_9H_7INNaO_3$), administrado como um meio radiopaco na pielografia. Quando marcado com iodo radioativo, pode ser utilizado como auxílio diagnóstico na determinação da função renal.

io·do·meth·yl·nor·cho·les·ter·ol (i-o"do-meth"-il-nor"ko-les'ter-ol) – iodometilnorcolesterol; análogo do colesterol radiomarcado, utilizado na obtenção de imagens com radionuclídeos do córtex supra-renal.

io·do·phil·ia (-fil'e-ah) – iodofilia; reação mostrada pelos leucócitos em determinadas afecções patológicas (como toxemia ou anemia severa), na qual os polimorfonucleares apresentam coloração amarronzada difusa quando tratados com iodo ou iodetos.

io·dop·sin (i"o-dop'sin) – iodopsina; pigmento violeta fotossensível encontrado nos cones retinianos de alguns animais e importante para a visão colorida.

io·do·quin·ol (i-o"do-kwin'ol) – iodoquinol; amebicida utilizado no tratamento da amebíase intestinal e da vaginite por Trichomonas vaginalis.

io·hex·ol (i"o-hek'sol) – ioexol; meio radiopaco de baixa osmolalidade, hidrossolúvel e não-iônico.

ion (i'on) – íon; átomo ou molécula que ganhou ou perdeu um ou mais elétrons e adquiriu uma carga positiva (um cátion) ou uma carga negativa (um ânion). **ion'ic** – adj. iônico. **dipolar i.** – i. dipolar; i. bipolar; híbrido.

Io·na·min (i-o-nah-min) – Ionamin, marca registrada de preparação de fentermina.

ion·iza·tion (i"on-iz-a'shun) – ionização: 1. dissociação de uma substância em solução em íons; 2. iontoforese.

ion·o·phore (i'on-ah-for") – ionóforo; qualquer molécula (como de uma droga) que aumenta a permeabilidade das membranas celulares a um íon específico.

ion·to·pho·re·sis (i-on"to-for-e'sis) – iontoforese; introdução de íons de sais solúveis no interior do corpo através de uma corrente elétrica.

iontophoret'ic – adj. iontoforético.

io·pa·no·ic ac·id (i"o-pah'no-ik) – ácido iopanóico; meio radiopaco utilizado na colecistografia.

io·phen·dy·late (-fen'dĭ -lāt) – iofendilato; meio radiopaco utilizado em mielografia.

io·thal·a·mate (-thal'ah-māt) – iotalamato; meio radiopaco para a urografia e a urografia.

iox·ag·late (i"ok-sag'lāt) – ioxaglato; meio radiopaco de baixa osmolalidade, utilizado como sal meglumínico ou sódico.

IP – intraperitoneally; isoelectric point (intraperitonealmente; ponto isoelétrico).

IPAA – International Psychoanalytical Association (Associação Psicanalítica Internacional).

ip·e·cac (ip'ĕ-kak) – ipeca; rizoma e raízes ressecados da Cephaelis ipecacuanha ou C. acuminata; utilizados como emético ou expectorante.

ipo·date (i'po-dāt) – ipodato; meio de contraste radiopaco, utilizado como sal de cálcio na colecistografia.

IPPB – intermittent positive pressure breathing (respiração sob pressão positiva intermitente).

ipsi– [L.] – elemento de palavra, mesmo; si próprio.

ip·si·lat·er·al (ip"sĭ -lat'er-al) – ipsilateral; situado ou que afeta o mesmo lado.

IQ – intelligence quotient (QI, quociente de inteligência).

Ir – símbolo químico, irídio (iridium).

irid(o)– [Gr.] – elemento de palavra, íris do olho; círculo colorido.

ir·id·aux·e·sis (ir"id-awk-se'sis) – iridauxese; espessamento da íris.

iri·dec·to·me·so·di·al·y·sis (ir"ĭ -dek"to-me"so-di-al'ĭ -sis) – iridectomesodiálise; excisão e separação das aderências ao redor da borda interna da íris.

iri·dec·to·my (-me) – iridectomia; excisão de uma parte da íris.

iri·dec·tro·pi·um (ir"ĭ -dek-tro'pe-um) – iridectrópio; eversão da íris.

iri·de·mia (ir"ĭ -dēm'e-ah) – iridemia; hemorragia a partir da íris.

iri·den·clei·sis (ir"ĭ -den-kli'sis) – iridenclise; encarceramento cirúrgico de uma fatia da íris dentro de uma incisão corneana ou límbica para agir como um canal para a drenagem aquosa no caso de glaucoma.

iri·den·tro·pi·um (ir"ĭ -den-tro'pe-um) – iridentrópio; inversão da íris.

iri·de·re·mia (ir"ĭ -der-e'me-ah) – irideremia; ausência congênita da íris.

iri·des (ir"ĭ -dēz) [Gr.] pl. de iris – íris.

iri·des·cence (ir"ĭ -des'ins) – iridescência; condição de cintilação com cores brilhantes e alteráveis. **irides'cent** – adj. iridescente.

irid·e·sis (i-rid'ĭ -sis) – iridese; reposicionamento da pupila através da fixação de um setor da íris em uma incisão corneana ou límbica.

irid·ic (-ik) – irídico; relativo à íris.

irid·i·um (ĭ -rid'e-um, i-rid'e-um) – irídio; elemento químico (ver Tabela de Elementos), número atômico 77, símbolo Ir. **i.-Ir192** – i.-Ir192; isótopo radioativo artificial, com uma meia-vida de 75 dias, utilizado em radioterapia.

iri·do·avul·sion (ir"ĭ -do-ah-vul'shin) – iridoavulsão; remoção completa da íris a partir da sua periferia.

iri·do·cele (i-rid'ah-sēl) – iridocele; protrusão herniária de parte da íris através da córnea.

iri·do·col·o·bo·ma (ir"ĭ -do-kol"ah-bo'mah) – iridocoloboma; fissura congênita ou coloboma da íris.

iri·do·con·stric·tor (-kon-strik'ter) – iridoconstritor; elemento muscular ou agente que atua na constrição da pupila ocular.

iri·do·cy·cli·tis (-si-klī t'is) – iridociclite; inflamação da íris e do corpo ciliar. **heterochromic i.** – i.

heterocrômica; forma de baixo grau e unilateral, que leva à despigmentação da íris do olho afetado.

iri·do·cys·tec·to·my (-sis-tek'tah-me) – iridocistectomia; excisão de parte da íris para formar uma pupila artificial.

iri·dod·e·sis (ir"ĭ-dod'ĭ-sis) – iridodese; iridese (*iridesis*).

iri·do·di·al·y·sis (ir"ĭ-do-di-al'ĭ-sis) – iridodiálise; separação ou afrouxamento da íris a partir de suas ligações.

iri·do·di·la·tor (-di-lāt'er) – iridodilatador; elemento muscular ou agente que atua na dilatação da pupila ocular.

iri·do·do·ne·sis (-do-ne'sis) – iridodonese; tremulação da íris em um movimento ocular, que ocorre em caso de subluxação do cristalino.

iri·do·ker·a·ti·tis (-ker"ah-tīt'is) – iridoceratite; inflamação da íris e da córnea.

iri·do·ki·ne·sia (-kĭ-ne'zhah) – iridocinesia.

iri·do·ki·ne·sis (-kĭ-ne'sis) – iridocinesia; contração e expansão da íris. **iridokinet'ic** – adj. iridocinético.

iri·do·lep·tyn·sis (-lep-tin'sis) – iridoleptinse; adelgaçamento ou atrofia da íris.

iri·do·ma·la·cia (-mah-la'shah) – iridomalacia; amolecimento da íris.

iri·do·me·so·di·al·y·sis (-me"so-di-al'ĭ-sis) – iridomesodiálise; afrouxamento cirúrgico das aderências ao redor da borda interna da íris.

iri·do·mo·tor (-mōt'er) – iridocinético; relativo aos movimentos da íris.

iri·don·cus (ir"id-ong'kus) – iridonco; tumor ou tumefação oculares.

iri·do·peri·pha·ki·tis (ir"ĭ-do-per"ĭ-fah-kīt'is) – iridoperifaquite; iridoperifacite; inflamação da cápsula do cristalino.

iri·do·ple·gia (-ple'je-ah) – iridoplegia; paralisia do esfíncter irídico.

iri·dop·to·sis (ir"id-op-to'sis) – iridoptose; prolapso da íris.

iri·dor·rhex·is (ir"ĭ-do-rek'sis) – iridorrexe: 1. ruptura da íris; 2. remoção da íris.

iri·dos·chi·sis (ir"ĭ-dos'kĭ-sis) – iridosquise; divisão do estroma mesodérmico da íris em duas camadas, em que as fibrilas da camada anterior flutuam no humor aquoso.

iri·do·ste·re·sis (ir"ĭ-do-stĕ-re'sis) – iridosterese; remoção de toda ou de parte da íris.

iri·dot·a·sis (ir"ĭ-dot'ah-sis) – iridotase; estiramento cirúrgico da íris em caso de glaucoma.

iri·dot·o·my (-ah-me) – iridotomia; incisão irídica.

iris (i'ris) [Gr.] pl. *irides* – íris; membrana pigmentada circular por trás da córnea, perfurada pela pupila. Ver Prancha XIII.

iri·tis (i-rīt'is) – irite: inflamação da íris. **irit'ic** – adj. irítico. **serous i.** – i. serosa; irite com exsudato seroso.

iri·to·ec·to·my (ir"it-o-ek'tah-me) – iritoectomia; excisão cirúrgica de depósitos pós-catarata (iritos) sobre a íris, em conjunto com iridectomia, para formar uma pupila artificial.

irit·o·my (i-rit'ah-me) – iritomia; iridotomia (*iridotomy*).

iron (i'ern) – ferro; elemento químico (ver *Tabela de Elementos*), número atômico 26, símbolo Fe; é um constituinte essencial da hemoglobina, citocromo e outros componentes dos sistemas enzimáticos respiratórios. O esgotamento dos depósitos de ferro pode resultar em anemia por deficiência de ferro.

irot·o·my (i-rot'ah-me) – irotomia; iridotomia (*iridotomy*).

ir·ra·di·ate (ĭ-rād'e-āt) – irradiar; tratar com energia radiante.

ir·re·duc·i·ble (ir"ĭ-doo'sĭ-b'l) – irredutível; não suscetível a redução (como fratura, hérnia ou substância química).

ir·ri·ga·tion (ir"ĭ-ga'shin) – irrigação; lavagem por meio de uma corrente de água ou outro líquido.

ir·ri·ta·bil·i·ty (ir"ĭ-tah-bil'ĭ-te) – irritabilidade; qualidade de ser irritável. **myotatic i.** – i. miotática; capacidade de um músculo contrair-se em resposta a estiramento.

ir·ri·ta·ble (ir"ĭ-tah-b'l) – irritável: 1. capaz de reagir a um estímulo; 2. anormalmente sensível a estímulos; 3. propenso a raiva, irritação ou impaciência excessivas.

ir·ri·ta·tion (ir"ĭ-ta'shin) – irritação: 1. ato de estimular; 2. estado de superexcitação e sensibilidade excessiva. **ir'ritative** – adj. irritativo.

IRV – inspiratory reserve volume (volume reserva inspiratória).

is·che·mia (is-ke'me-ah) – isquemia; deficiência de sangue em uma parte, geralmente devida a constrição funcional ou obstrução real de um vaso sangüíneo. **ische'mic** – adj. isquêmico. **silent i.** – i. silenciosa; isquemia cardíaca sem dor ou outros sintomas.

ischi(o)- [Gr.] – isqui(o)-, elemento de palavra, *ísquio*.

is·chi·al (is'ke-il) – isquiático.

is·chi·at·ic (is"ke-at'ik) – isquiático; relativo ao ísquio.

Is·chio·cap·su·lar (is"ke-o-kap'sūl-er) – isquiocapsular; relativo ao ísquio e ao ligamento capsular da articulação coxofemoral.

is·chio·coc·cyg·e·al (-kok-sij'e-il) – isquiococcígeo; relativo ao ísquio e ao cóccix.

is·chio·dyn·ia (-din'e-ah) – isquiodinia; dor no ísquio.

is·chio·pu·bic (-pu'bik) – isquiopubiano; relativo ao ísquio e ao púbis.

is·chi·um (is'ke-um) [L.] pl. *ischia* – ísquio; ver *Tabela de Ossos* e Prancha II.

isch·uria (is-kūr'e-ah) – iscúria; retenção ou supressão da urina. **ischuret'ic** – adj. iscurético.

is·ei·ko·nia (i"si-ko'ne-ah) – isoicoinia (*isoiconia*). **iseikon'ic** – adj. isoicônico.

is·eth·i·o·nate (is"eth-i'ah-nāt) – isetionato; contração da USAN para o 2-hidroxietanossulfonato.

is·land (i'lind) – ilha; grupo de células ou um pedaço isolado de tecido. **blood i's** – ilhotas sangüíneas; agregados de células mesenquimatosas no angioblasto do embrião, desenvolvendo-se no endotélio vascular e células sangüíneas. **bone i.** – i. óssea; foco benigno de osso cortical maduro dentro do osso trabecular em uma radiografia. **i's of Langerhans** – ilhotas de Langerhans; ver em *islet*. **i's of pancreas** – ilhotas pancreáticas; ilhotas de Langerhans. **i. of Reil** – ilha de Reil; ínsula.

is·let (-lit) – ilhota; ilha. **i's of Langerhans, pancreatic i's** – ilhotas de Langerhans; ilhotas pancreáticas; estruturas microscópicas irregulares disseminadas por todo o pâncreas e compreendendo sua porção endócrina. Eles contêm as células alfa (*cells, alpha*) que secretam o fator hiperglicêmico glucagon; as células beta (*cells, beta*) que secretam a insulina; as células delta (*cells, delta*) que secretam a somatostatina; e as células PP ou F que secretam o polipeptídeo pancreático. A degeneração das células beta constitui uma das causas do diabetes melito.

iso- [Gr.] – elemento de palavra, *igual; semelhante; o mesmo; uniforme.*

iso·ag·glu·ti·nin (i"so-ah-glōōt'in-in) – isoaglutinina; isoantígeno que age como uma aglutinina.

iso·al·lele (-ah-lēl') – isoalelo; gene alélico que é considerado normal, mas pode ser distinto dos outros alelos através de sua expressão fenotípica diferente quando em combinação com um alelo mutante dominante.

iso·an·ti·body (-an'tĭ-bod"e) – isoanticorpo; anticorpo produzido por um indivíduo que reage com isoantígenos de outro indivíduo da mesma espécie.

iso·an·ti·gen (-jen) – isoantígeno; antígeno que existe em formas alternativas (alélicas), induzindo conseqüentemente uma resposta imunológica quando uma forma se transfere a membros que não a possuem; os antígenos dos grupos sangüíneos constituem isoantígenos típicos.

iso·bar (i'so-bahr) – isóbaro; uma de duas ou mais espécies químicas com o mesmo peso atômico, mas com números atômicos diferentes.

iso·car·box·a·zid (i"so-kahr-bok'sah-zid) – isocarboxazida; inibidor da monoaminoxidase, utilizado como antidepressivo.

iso·cel·lu·lar (-sel'ūl-er) – isocelular; constituído de células idênticas.

iso·chro·mat·ic (-kro-mat'ik) – isocromático; da mesma cor em toda a sua extensão.

iso·chro·mo·some (-kro'mah-sōm) – isocromossoma; cromossoma anormal que possui um centrômero mediano e dois braços idênticos, formados por uma divisão transversal (em vez de longitudinal normal) de um cromossoma em replicação.

iso·chron·ic (-kron'ik) – isocrônico; isócrono.

isoch·ro·nous (i-sok'rah-nus) – isócrono; realizado em tempos semelhantes; diz-se de movimentos e vibrações que ocorrem ao mesmo tempo e têm duração equivalente.

iso·ci·trate (i"so-sī'trāt) – isocitrato; sal do ácido isocítrico.

iso·cit·ric ac·id (-sit'rik) – ácido isocítrico; intermediário no ciclo do ácido tricarboxílico, formado a partir do ácido oxaloacético e convertido em ácido cetoglutárico.

iso·co·ria (-kor'e-ah) – isocoria; equivalência de tamanho das pupilas dos dois olhos.

iso·cor·tex (-kor'teks) – isocórtex; neocórtex em oposição ao alocórtex.

iso·cy·tol·y·sin (-si-tol'ĭ-sin) – isocitolisina; isoantígeno que age como uma citolisina.

iso·cy·to·sis (-si-to'sis) – isocitose; equivalência de tamanho de células, especialmente de hemácias.

iso·dac·tyl·ism (-dak'tĭ-izm) – isodactilismo; comprimento relativamente uniforme dos dedos.

iso·dose (i"so-dōs) – isodose; dose de radiação de intensidade equivalente para mais de uma área corporal.

iso·elec·tric (i"so-e-lek'trik) – isoelétrico; que não demonstra nenhuma variação no potencial elétrico.

iso·en·er·get·ic (-en"er-jet'ik) – isoenergético; que apresenta energia equivalente.

iso·en·zyme (-en'zīm) – isoenzima; isozima (*isozyme*).

iso·eth·a·rine (-eth'ah-rēn) – isoetarina; adrenérgico utilizado em forma de sal de cloridrato ou de mesilato no tratamento da asma brônquica ou do broncospasmo.

iso·flu·ro·phate (-flōōr'ah-fāt) – isoflurofato; fluorofosfato ou fosforofluoridrato de diisopropila; uma anticolinesterase utilizada topicamente como miótico no glaucoma.

iso·gam·e·ty (-gam'it-e) – isogametismo; produção por um indivíduo de um sexo de gametas idênticos com relação ao cromossoma sexual.

isogamet'ic – adj. isogamético.

isog·a·my (i-sog'ah-me) – isogamia; reprodução que resulta da união de dois gametas idênticos em tamanho e estrutura, como nos protozoários.

isog'amous – adj. isógamo.

iso·ge·ne·ic (i"so-jĭ-ne'ik) – isogênico; singênico (*syngeneic*).

iso·gen·e·sis (-jen'i-sis) – isogênese; semelhança nos processos de desenvolvimento.

iso·gen·ic (-jen'ik) – isogênico; singênico (*syngeneic*).

iso·graft (i'so-graft) – isoenxerto; sinenxerto (*syngraft*).

iso·hem·ag·glu·ti·nin (i"so-hem"ah-glōōt'in-in) – isoemaglutinina; iso-hemaglutinina; isoantígeno que aglutina hemácias.

iso·he·mol·y·sin (-he-mol'ĭ-sin) – isoemolisina; iso-hemolisina; isoantígeno que causa hemólise.

iso·co·nia (-i-ko'ne-ah) – isoiconia; condição na qual a imagem de um objeto é a mesma em ambos os olhos. **isoicon'ic** – adj. isoicônico.

iso·im·mu·ni·za·tion (-im"ūn-iz-a'shun) – isoimunização; desenvolvimento de anticorpos em resposta a isoantígenos.

iso·ki·net·ic (-kĭ-net'ik) – isocinético; diz-se de um tipo de exercício que mantém um torque ou tensão constantes à medida que os músculos se encurtam ou estiram.

iso·late (i'so-lāt) – isolar: 1. separar de outros um grupo de indivíduos; 2. um grupo de indivíduos impedidos de procriar com indivíduos do mesmo grupo devido a barreiras geográficas, genéticas, ecológicas, sociais e artificiais.

iso·la·tion (I"so-la'shun) – isolamento; o ato de isolar ou o estado de estar isolado, como (*a*) separação fisiológica de uma parte, como por cultura tecidual ou interposição de material inerte; (*b*) segregação de pacientes com doença transmissível; (*c*) propagação sucessiva de crescimento de microrganismos até que se obtenha uma cultura pura; (*d*) extração química de uma substância desconhecida na forma pura a partir de um tecido; (*e*) mecanismo mental inconsciente no qual ocorre uma falha defensiva ao conectar-se o comportamento a motivos ou atitudes, bem como a comportamentos contraditórios entre si.

iso·lec·i·thal (-les'ĭ-thil) – isolécito; que tem um vitelo uniformemente distribuído por todo o citoplasma do óvulo.

iso·leu·cine (-loo'sēn) – isoleucina; aminoácido produzido através da hidrólise da fibrina e outras proteínas; essencial para o crescimento ideal dos bebês e para o equilíbrio de nitrogênio nos adultos.

isol·o·gous (i-sol'ah-gis) – isólogo; caracterizado por um genótipo idêntico.

isol·y·sin (i-sol'ĭ -sin) – isolisina; lisina que age em células de animais da mesma espécie da qual se derivou.

iso·mal·tase (i"so-mawl'tās) – isomaltase; α-dextrinase.

iso·mer (i'sah-mer) – isômero; qualquer composto que apresente ou seja capaz de apresentar isomerismo. **isomer'ic** – adj. isomérico.

isom·er·ase (i-som'er-ās) – isomerase; classe importante de enzimas que compreende as enzimas que catalisam o processo de isomerização.

isom·e·rism (-ah-rizm) – isomerismo; existência de dois ou mais compostos distintos da mesma fórmula molecular, cada um deles apresentando o mesmo número de átomos de cada elemento, mas em arranjo diferente. **geometric i.** – i. geométrico; estereoisomerismo que se diz dependente de alguma forma de rotação restrita, permitindo que os componentes moleculares ocupem posições espaciais diferentes. **optical i.** – i. óptico; estereoisomerismo no qual um número apreciável de moléculas mostra efeitos diferentes em luz polarizada. **structural i.** – i. estrutural; isomerismo no qual os compostos têm a mesma fórmula molecular mas fórmulas estruturais diferentes, e ligações dos átomos diferentes.

isom·er·iza·tion (i-som"er-ĭ -za'shin) – isomerização; processo através do qual um isômero converte-se em outro isômero, geralmente exigindo condições especiais de temperatura, pressão ou catalisadores.

iso·meth·ep·tene (i"so-mĕ-thep'tēn) – isometepteno; amina simpatomimética que age indiretamente, utilizada no tratamento de cefaléias vasculares e decorrentes de tensão.

iso·met·ric (-met'rik) – isométrico; que mantém, é relativo ou tem a mesma medida de comprimento; de dimensões equivalentes.

iso·me·tro·pia (-mĭ -tro'pe-ah) – isometropia; equivalência na refração dos dois olhos.

iso·mor·phism (-mor'fizm) – isomorfismo; identidade na forma; em Genética, refere-se a genótipos de organismos poliplóides que produzem gametas semelhantes mesmo quando contêm genes em combinações diferentes em cromossomas homólogos. **isomor'phous** – adj. isomorfo.

iso·ni·a·zid (-ni'ah-zid) – isoniazida; antibacteriano utilizado como tuberculostático.

iso·pho·ria (-for'e-ah) – isoforia; equivalência na tensão dos músculos verticais de cada olho.

iso·pre·cip·i·tin (-pre-sip'it-in) – isoprecipitina; isoantígeno que age como uma precipitina.

iso·pro·pa·mide io·dide (-pro'pah-mī d) – iodeto de isopropamida; anticolinérgico utilizado como antisecretório e antiespasmódico em distúrbios gastrointestinais.

iso·pro·pa·nol (-pro'pah-nol) – isopropanol; álcool isopropílico.

iso·pro·te·re·nol (-pro"tah-re'nol) – isoproterenol; simpatomimético utilizado principalmente em forma de sais de cloridrato e sulfato como broncodilatador e estimulante cardíaco.

isop·ter (i-sop'ter) – isóptero; curva que representa áreas de acuidade visual equivalentes no campo visual.

iso·pyk·no·sis (i"so-pik-no'sis) – isopicnose; qualidade de apresentar densidade uniforme em toda a extensão, especialmente a uniformidade de condensação observada na comparação de cromossomas diferentes ou em áreas diferentes do mesmo cromossoma. **isopyknot'ic** – adj. isopicnótico.

Isor·dil (i'sor-dil) – Isordil, marca registrada de preparações de dinitrato de isossorbida.

isor·rhea (i"sor-e'ah) – isorréia; equilíbrio entre consumo e evacuação, pelo corpo, de água e solutos. **isorrhe'ic** – adj. isorréico.

iso·sen·si·ti·za·tion (i"so-sen"sit-iz-a'shun) – isossensibilização; alossensibilização (*allosensitization*).

iso·sex·u·al (-sek'shoo-il) – isossexual; relativo ou característico do mesmo sexo.

isos·mot·ic (i"soz-mot'ik) – isosmótico; que tem a mesma pressão osmótica.

iso·sor·bide (i"so-sor'bī d) – isossorbida; diurético osmótico ($C_6H_{10}O_4$); o dinitrato de isossorbida é utilizado como vasodilatador coronário na insuficiência coronária e angina peitoral.

Isos·po·ra (i-sos'por-ah) – *Isospora*; gênero de parasitas esporozoários (ordem Coccidia), encontrados em aves, anfíbios, répteis e em vários mamíferos, incluindo o homem; a *I. belli* e *I. hominis* causam coccidiose no homem.

iso·spore (i'so-spor) – isósporo: 1. isogameta de microrganismos que se reproduzem por esporos; 2. esporo assexuado produzido por um microrganismo homósporo.

isos·then·uria (i"sos-thin-ūr'e-ah) – isostenúria; manutenção de uma osmolalidade constante da urina, independentemente das alterações na pressão osmótica do sangue.

iso·tone (i'so-tōn) – isótono; um dos vários nuclídeos que apresentam o mesmo número de nêutrons, mas diferem no número de prótons em seus núcleos.

iso·to·nia (i"so-tōn-e-ah) – isotonia: 1. situação de tônus, tensão ou atividade equivalentes; 2. equivalência de pressão osmótica entre dois elementos de uma solução ou entre duas soluções diferentes.

iso·ton·ic (-ton'ik) – isotônico: 1. denota uma solução na qual as células corporais podem ser banhadas por um fluxo líquido de água através da membrana celular semipermeável; 2. denota uma solução que tenha a mesma tonicidade de outra solução com a qual é comparada; 3. que mantém um tônus uniforme.

iso·tope (i'so-tōp) – isótopo; elemento químico que tem o mesmo número atômico de outro (ou seja, o mesmo número de prótons nucleares), mas com massa atômica diferente (ou seja, um número diferente de nêutrons nucleares).

iso·tret·i·noin (i"so-tret'in-oin) – isotretinoína; forma sintética do ácido retinóico, utilizada oralmente para limpar o acne cística e englobada.

iso·trop·ic (-trop'ik) – isotrópico: 1. que tem o mesmo valor de uma propriedade (por exemplo, o poder de refração) em todas as direções; 2. que é unicamente refrativo.

iso·va·ler·ic ac·id (i"so-vah-ler'ik) – ácido isovalérico; ácido carboxílico que ocorre em excesso no plasma e na urina em caso de isovalericacidemia.

iso·va·ler·ic·ac·i·de·mia (-vah-ler"ik-as"ĭ -de'-me-ah) – isovalericacidemia; aminoacidopatia devida a defeito no trajeto do catabolismo da leucina, caracterizado por níveis elevados de ácido isovalérico no plasma e na urina, causando um odor característico de pé suado (chulé), acidose e cetose severas, letargia, convulsões, vômito pernicioso, retardamento psicomotor e, nos casos severos, coma e morte.

iso·vo·lu·mic (-vah-loo'mik) – isovolumétrico; que mantém o mesmo volume.

isox·su·prine (i-sok'su-prēn) – isoxissuprina; adrenérgico utilizado como vasodilatador em forma de sal de cloridrato.

iso·zyme (i'so-zīm) – isozima; uma das formas múltiplas nas quais uma enzima pode existir em um organismo ou em espécies diferentes, em que as várias formas diferem química, física ou imunologicamente, mas catalisam a mesma reação.

is·rad·i·pine (is-rad'ĭ -pēn) – isradipina; agente bloqueador de canal de cálcio utilizado isoladamente ou com um diurético tiazídico no tratamento da hipertensão.

is·sue (ish'oo) – vazão; saída; descarga de pus, sangue ou outro material; lesão supurativa que emite um fluxo.

isth·mec·to·my (is-mek'tah-me) – istmectomia; excisão de um istmo, especialmente do istmo tireóideo.

isth·mo·pa·ral·y·sis (is"mo-pah-ral'ĭ -sis) – istmoparalisia; istmoplegia.

isth·mus (is'mus) pl. *isthmi* – istmo; conexão estreita entre dois corpos ou partes maiores. **isth'mian** – adj. ístmico. **i. of auditory tube, i. of eustachian tube** – i. da tuba auditiva; i. da trompa de Eustáquio; a parte mais estreita da tuba auditiva na junção de suas partes óssea e cartilaginosa. **i. of fauces** – i. das fauces; abertura constrita entre a cavidade oral e faringe. **i. of rhombencephalon** – i. rombencefálico; segmento estreito do cérebro fetal, que forma o plano de separação entre o rombencéfalo e o cérebro propriamente dito. **i. of thyroid gland** – i. da tireóide; faixa de tecido que reúne os lobos da tireóide. **i. of uterine tube** – i. da trompa uterina; porção mais estreita e de parede mais espessa da trompa uterina, mais próxima do útero. **i. of uterus** – i. do útero; parte constrita do útero entre a cérvix e o corpo uterino.

itch (ich) – prurido; distúrbio cutâneo relacionado ao prurido. **bakers' i.** – p. dos padeiros; uma das várias dermatoses inflamatórias das mãos (especialmente a paroníquia monilial crônica), observadas com freqüência especial nos padeiros.

barbers' i. – p. do barbeiro: 1. tinha da barba; 2. sicose vulgar. **grain i.** – p. dos grãos; dermatite com prurido devida a um ácaro (*Pyemotes ventricosus)*, que preda determinadas larvas de insetos que vivem na palha, nos grãos e em outros vegetais. **grocers' i.** – p. dos merceeiros; dermatite vesicular causada por determinados ácaros encontrados em couros armazenados, frutas secas, grãos, copra e queijo. **ground i.** – ancilostomíase cutânea; erupção com prurido causada pela entrada na pele das larvas de *Ancylostoma duodenale* ou *Necator americanus;* ver *disease, hookworm.* **jock i.** – p. do jóquei; tinha da virilha. **swimmers' i.** – p. dos nadadores; dermatite com prurido devido à penetração na pele das formas larvais (cercárias) dos esquistossomas, ocorrendo em banhistas em águas infestadas desses microrganismos.

itch·ing (ich'ing) – prurido; sensação cutânea desagradável, que provoca o desejo de se coçar ou arranhar a pele.

iter (it'er) – iter; passagem tubular. **i'teral** – adj. iteral. **i. ad infundi'bulum** – i. infundibular; passagem do terceiro ventrículo cerebral para o infundíbulo; ver *infundibulum* (1). **i. chor'dae ante'rius** – i. da corda anterior; abertura através da qual o nervo da corda timpânica sai da cavidade timpânica. **i. chor'dae poste'rius** – i. da corda posterior; abertura através da qual o nervo da corda timpânica entra na cavidade timpânica. **i. den'tium** – i. dos dentes; passagem pela qual um dente permanente irrompe através da gengiva.

-itis [Gr.] – -ites, elemento de palavra; *inflamação.*

IU – immunizing unit; international unit (UI, unidade imunizante; unidade internacional).

IUCD – intrauterine contraceptive device (dispositivo anticoncepcional intra-uterino).

IUD – intrauterine contraceptive device (dispositivo contraceptivo intra-uterino).

IUGR – intrauterine growth retardation (retardamento do crescimento intra-uterino).

IV – intravenously (endovenosamente).

Ix·o·des (iks-o'dēz) – *Ixodes;* gênero de carrapatos parasitas (família Ixodidae; algumas espécies são vetores de doenças.

ix·o·di·a·sis (ik"sah-di'ah-sis) – ixodíase; doença ou lesão devida a picadas de carrapatos; infestação de carrapatos.

ix·o·did (ik'so-did) – ixodídio; carrapato (ou relativo a um carrapato) do gênero *Ixodes.*

Ix·od·i·dae (iks-od'ĭ -de) – Ixodidae; família de carrapatos (superfamília Ixodoidea) que compreende os carrapatos de corpo duro.

Ix·od·i·des (-dēz) – Ixodides; carrapatos; subordem da Acarina, que inclui a superfamília Ixodoidea.

Ix·o·doi·dea (iks"o-doid'e-ah) – Ixodoidea; superfamília de artrópodes (subordem Ixodides), que compreende tanto os carrapatos de corpo duro como os de corpo mole.

J – joule.

jack·et (jak'it) – colete; jaqueta; estrutura envolvente ou envoltório para o tronco ou a parte superior do corpo. **plaster-of-Paris j.** – c. de gesso; invólucro de gesso que envolve o corpo para corrigir deformidades. **strait j.** – c. reto; c. estreito camisa-de-força; nome informal para *camisole*.

jack·screw (-skroo) – macaco-de-rosca; dispositivo de rosca para expandir a arcada dentária e mover dentes individuais.

jac·ti·ta·tion (jak"tǐ-ta'shin) – jactação; extrema inquietação para trás e para frente em uma enfermidade aguda.

jaun·dice (jawn'dis) – icterícia; coloração amarelada da pele, escleras, membranas mucosas e excreções devido a hiperbilirrubinemia e deposição de pigmentos biliares. **acholuric j.** – i. acolúrica; icterícia sem bilirrubinemia, associada à elevação da bilirrubina não-conjugada que não é excretada pelo rim. **acholuric familial j.** – i. familiar acolúrica; esferocitose hereditária. **breast milk j.** – i. do leite da mama; elevação da bilirrubina não-conjugada em alguns bebês alimentados na mama devido à presença do 5-β-pregnano-3-α-20-β-diol no leite da mama (o que inibe a atividade conjugante da glicuroniltransferase) ou a desidratação. **cholestatic j.** – i. colestática; icterícia que resulta de fluxo biliar anormal no fígado. **hemolytic j.** – i. hemolítica; icterícia devida à elevação da produção de bilirrubina a partir da hemoglobina sob condições que causam aceleração da degradação de eritrócitos. **hepatocellular j.** – i. hepatocelular; icterícia decorrente de lesão ou doença das células hepáticas. **hepatogenic j., hepatogenous j.** – i. hepatogênica; icterícia resultante de hepatopatia. **leptospiral j.** – i. por *Leptospira*; síndrome de Weil. **mechanical j.** – i. mecânica; i. obstrutiva. **j. of the newborn** – i. do recém-nascido; i. neonatal. **nuclear j.** – i. nuclear. **obstructive j.** – i. obstrutiva; icterícia devida a bloqueio do fluxo biliar. **physiologic j.** – i. fisiológica; icterícia neonatal suave dos primeiros dias de vida. **retention j.** – i. por retenção; icterícia decorrente de incapacidade do fígado em secretar a bilirrubina fornecida pelo sangue circulante.

jaw (jaw) – mandíbula; uma das duas estruturas ósseas que suportam os dentes (mandíbula e maxila) na cabeça dos vertebrados com dentes. **Hapsburg j.** – m. de Hapsburg; mandíbula prognática, freqüentemente acompanhada de lábio dos Hapsburg. **lumpy j.** – actinomicose dos bovinos. **phossy j.** – fosfonecrose; necrose tóxica da gengiva por fósforo. **rubber j.** – amolecimento da mandíbula em animais, devido a reabsorção e substituição do osso por tecido fibroso, ocorrendo em caso de osteodistrofia renal.

JCV – JC virus (vírus JC).

je·ju·nec·to·my (jě"joon-nek'tah-me) – jejunectomia; excisão do jejuno.

je·ju·no·ce·cos·to·my (je-jōōn-"o-se-kos'tah-me) – jejunocecostomia; anastomose do jejuno com o ceco.

je·ju·no·il·e·itis (-il"e-ī't'is) – jejunoileíte; inflamação do jejuno e do íleo.

je·ju·no·je·ju·nos·to·my (-jě"jōōn-os'tah-me) – jejunojejunostomia; anastomose entre duas porções do jejuno.

je·ju·nos·to·my (jě"joo-nos'tah-me) – jejunostomia; a criação de uma abertura permanente entre o jejuno e a superfície da parede abdominal.

je·ju·not·o·my (-not'ah-me) – jejunotomia; incisão do jejuno.

je·ju·num (jě-jōōn'im) – jejuno; a parte do intestino delgado que se estende do duodeno ao íleo.

jeju'nal – adj. jejunal.

jel·ly (jel'e) – geléia; substância elástica e macia; geralmente uma massa semi-sólida coloidal. **cardiac j.** – g. cardíaca; substância presente no endocárdio, que se transforma no tecido conjuntivo do mesmo. **contraceptive g.** – g. contraceptiva; geléia não-gordurosa utilizada na vagina para a prevenção da concepção. **petroleum j.** – g. de petróleo; petrolato. **Wharton's j.** – g. de Wharton; substância intracelular do cordão umbilical.

jerk (jurk) – puxão abrupto; movimento brusco; reflexo súbito ou movimento involuntário. **Achilles j., ankle j.** – reflexo de Aquiles; reflexo aquileu; reflexo tornozelar; reflexo do tríceps sural. **biceps j.** – reflexo bicipital; ver em *reflex*. **elbow j.** – patelar reflexo tricipital. **jaw j.** – reflexo mandibular; ver em *reflex*. **knee j., quadriceps j.** – reflexo patelar; reflexo do quadríceps. **tendon j.** – reflexo tendinoso; ver em *reflex*. **triceps surae j.** – r. do tríceps sural; ver em *reflex*.

joint (joint) – articulação; junta; local de junção ou de união entre dois ou mais ossos, especialmente o que admite o movimento de um ou mais ossos. **amphidiarthrodial j.** – a. anfidiartrodial; anfidiartrose. **arthrodial j.** – a. artrodial; a. plana. **ball-and-socket j.** – a. esferoidal; a. esferóide. **biaxial j.** – a. biaxial; articulação com dois eixos de movimento principais, em ângulos retos entre si. **bilocular j.** – a. bilocular; articulação com dois compartimentos sinoviais separados por uma cartilagem interarticular. **cartilaginous j.** – a. cartilaginosa; articulação na qual os ossos se unem por meio de uma cartilagem. **Charcot's j.** – a. de Charcot; artropatia neuropática. **Chopart's j.** – a. de Chopart; articulação entre o calcâneo e o osso cubóide e o astrágalo e entre o osso navicular. **cochlear j.** – a. coclear; articulação em dobradiça que permite um pouco de movimento lateral ou rotatório. **composite j., compound j.** – a. composta; articulação na qual vários ossos se articulam. **condyloid j.** – a. condilóide; articulação na qual a cabeça ovóide de um osso se move na cavidade elíptica de outro, permitindo todos os movimentos, exceto a rotação axial. **diarthrodial j.** – a. diartrodial; a. sinovial. **elbow j.** – a. do cotovelo; articulação entre o úmero, a ulna e o rádio. **ellipsoidal j.** – a. elipsoidal; articulação que parece uma articulação esferoidal, mas que tem uma superfície articular elipsoidal. **enarthrodial j.** – a. enartrodial; a. esferoidal. **facet j's** – articulações em faceta; articulações da coluna vertebral. **false j.** – a. falsa; pseudoartrose. **fibrocartilaginous j.** – a. fibrocartilaginosa; sínfise. **fibrous j.** – a. fibrosa; articulação na qual os ossos se unem por meio de um tecido fibroso interposto contínuo. **flail j.** – a. instável; articulação incomumente móvel. **ginglymoid j.** – a. ginglimóide; gínglimo. **gliding j.** – a. deslizante; a. plana. **hinge j.** – gínglimo. **hip j.** – a. coxofemoral; articulação esferoidal entre a cabeça do fêmur e o acetábulo do osso coxal. **immovable j.** – a. imóvel; a. fibrosa. **intercarpal j's** – articulações intercárpicas; articulações entre os ossos cárpicos. **knee j.** – a. do joelho; articulação composta entre o fêmur, a patela e a tíbia. **Lisfranc's j.** – a. de Lisfranc; articulação entre os ossos társicos e metatársicos. **mixed j.** – a. mista; articulação que combina características de diferentes tipos de articulações. **multiaxial j.** – a. multiaxial; a. esferoidal. **neurocentral j.** – a. neurocentral; sincondrose entre o centro de uma vértebra e cada uma das metades do arco vertebral. **peg-and-socket j.** – gonfose. **pivot j.** – a. em pivô; articulação uniaxial na qual o osso gira dentro de um anel ósseo ou osseoligamentoso. **plane j.** – a. plana; articulação sinovial na qual as superfícies opostas são chatas ou somente ligeiramente curvas. **polyaxial j.** – a. poliaxial; a. esferoidal. **rotary j.** – a. rotatória; a. em pivô. **saddle j.** – a. em sela; articulação que tem duas superfícies em forma de sela, com ângulos retos entre si. **simple j.** – a. simples; articulação na qual somente dois ossos se articulam. **spheroidal j.** – a. esferoidal; articulação sinovial na qual uma superfície esferoidal em um osso ("bola") se move dentro de uma concavidade ("encaixe") em outro osso. **spiral j.** – a. espiral; a. coclear. **stifle j.** – soldra; articulação dos quadrúpedes que corresponde à articulação do joelho no homem, consistindo de duas articulações: uma entre o fêmur e a tíbia, e outra entre o fêmur e a patela. **synarthrodial j's** – articulações sinartrodiais; articulações fibrosas. **synovial j.** – a. sinovial; articulação que permite um movimento mais ou menos livre, sendo a união dos elementos ósseos circundada por uma cápsula articular, que envolve uma cavidade revestida por uma membrana sinovial. **temporomandibular j.** – a. temporomandibular; articulação bicondilar formada pela cabeça da mandíbula e a fossa mandibular e o tubérculo articular do osso temporal. **trochoid j.** – a. trocóidea; a. em pivô. **uniaxial j.** – a. uniaxial; articulação que permite movimentos somente em um eixo. **unilocular j.** – a. unilocular; articulação sinovial que só tem uma cavidade.

joule (jōol) – joule; unidade SI de energia, correspondendo ao trabalho realizado pela força de um newton agindo à distância de um metro. Símbolo J.

ju·gal (joo'g'l) – jugal; relativo à bochecha.

ju·ga·le (joo-ga'le) – ponto jugal.

jug·u·lar (jug'u-lar) – jugular: 1. relativo ao pescoço; 2. veia jugular.

ju·gum (joo'gum) [L.] pl. *juga* – jugo; depressão ou crista que une duas estruturas.

juice (jōos) – suco; seiva; qualquer líquido proveniente de um tecido animal ou vegetal. **gastric j.** – s. gástrico; secreção das glândulas gástricas. **intestinal j.** – s. intestinal; secreção das glândulas do revestimento intestinal. **pancreatic j.** – s. pancreático; secreção que contém enzimas do pâncreas, transportada através de seus ductos ao duodeno. **jump·ing** (jump'ing) – salto: 1. salto de várias fases em uma série; 2. ver em *disease*.

junc·tio (junk'she-o) [L.] pl. *junctiones* – junção.

junc·tion (-shun) – junção; local de encontro ou de reunião. **junc'tional** – adj. juncional. **adherent j.** – j. aderente; tipo de junção intercelular que liga membranas celulares e elementos citoesqueléticos dentro e entre células, conectando mecanicamente células adjacentes. **amelodentinal j.** – j. amelodentária; j. amelodentinária. **atrioventricular j., AV j.** – j. atrioventricular; parte da ou toda a região que compreende o nódulo atrioventricular e o feixe de His, com os ramos do feixe algumas vezes especificamente excluídos. **dentinocemental j.** – j. dentinocimentária; a linha de encontro da dentina e do cimento na raiz de um dente. **dentinoenamel j.** – j. amelodentinária; o plano de encontro entre a dentina e o esmalte na coroa de um dente. **esophagogastric j.** – j. esofagogástrica; local de transição do epitélio escamoso estratificado do esôfago ao epitélio colunar simples da cárdia gástrica. **gap j.** – j. do hiato; nexo; porção estreitada do espaço intercelular que contém canais que ligam células adjacentes e através dos quais passam íons, a maioria dos açúcares, aminoácidos, nucleotídeos, vitaminas, hormônios e AMP cíclico. Nos tecidos eletricamente excitáveis, essas junções de hiato transmitem impulsos elétricos através de correntes iônicas e são conhecidas como *sinapses eletrotônicas*. **gastroesophageal j.** – j. esofagogástrica. **ileocecal j.** – j. ileocecal; junção do íleo e do ceco, localizada no lado direito inferior do abdômen e fixa na parede abdominal posterior. **intercellular j's** – junções intercelulares; regiões especializadas nas bordas das células que proporcionam conexões entre células adjacentes. **mucocutaneous j.** – j. mucocutânea; local de transição entre a pele e a membrana mucosa. **mucogingival j.** – j. mucogengival; linha histologicamente distinta que marca a separação do tecido gengival da mucosa oral. **myoneural j., neuromuscular j.** – j. mioneural; j. neuromuscular; local de aproximação entre uma fibra nervosa e a placa final motora do músculo esquelético que ela inerva. **occluding j.** – j. oclusiva; j. estreita. **sclerocorneal j.** – j. esclerocorneana; linha de união da esclera e córnea. **tight j.** – j. estreita; junção intercelular na qual membranas plasmáticas adjacentes unem-se estreitamente por meio de fileiras interligadas de proteínas integrais de membrana, que limitam ou eliminam a passagem intercelular de moléculas.

junc·tu·ra (junk'too-rah) [L.] pl. *juncturae* – junção; junta; articulação.

jur·is·pru·dence (jōōr"is-proo'dens) – jurisprudência; a ciência da lei. **medical j.** – Medicina Legal; a ciência da lei aplicada à prática da Medicina.
ju·ve·nile (ju'vin-īl) – juvenil: 1. relativo à juventude ou à infância; 2. jovem ou criança; um filhote de animal; 3. célula ou organismo intermediários entre as formas imatura e madura.

juxta- [L.] – justa, elemento de palavra; *situado próximo de; contíguo*.
jux·ta·glo·mer·u·lar (juks"tah-glo-mer'ūl-er) – justaglomerular; próximo a ou contíguo a um glomérulo renal.
jux·ta·po·si·tion (-pah-zish'un) – justaposição; aproximação.

K

K [L.] – símbolo químico, potássio (*kalium*); kelvin.
K$_M$, K$_m$ – Michaelis constant (constante de Michaelis).
k – k kilo (quilo).
κ- – kappa; a décima letra do alfabeto grego; um dos tipos de cadeias leves de imunoglobulinas.
kak – para palavras com este prefixo; ver também *cac-*.
ka·la·zar (kah"lah-ah'zahr') [Hindi] – calazar; leishmaniose visceral.
ka·lio·pe·nia (ka"le-o-pe'ne-ah) – caliopenia; hipocalemia. **kaliope'nic** – adj. caliopênico.
ka·li·um (ka'le-um) [L.] – potássio; símbolo K.
kal·li·din (kal'ī-din) – calidina; cinina liberada pela ação da calicreína em uma globulina plasmática. A calidina do tipo I é o mesmo que bradicinina.
kal·li·kre·in (kal"ī-kre'in) – calicreína; substância de um grupo de enzimas presentes no plasma, em várias glândulas, na urina e na linfa, cuja principal ação é a liberação de cininas a partir das α-2-globulinas.
kal·li·krei·no·gen (-kri'nah-jen) – calicreinogênio; precursor inativo da calicreína, normalmente presente no sangue.
kan·a·my·cin (kan"ah-mi'sin) – canamicina; antibiótico hidrossolúvel derivado da *Streptomyces kanamyceticus*, eficaz contra bacilos Gram-negativos aeróbicos e algumas bactérias Grampositivas, incluindo as micobactérias; utilizada como sal de sulfato.
ka·o·lin (ka'ah-lin) – caulim; caolim; silicato de alumínio hidratado natural, pulverizado e livre de partículas saibrosas por meio de elutriação; utilizado como adsorvente e em mistura de caulim com pectina.
ka·o·lin·o·sis (ka"o-lin-o'sis) – caolinose; pneumonoconiose proveniente da inalação de partículas de caulim.
kary(o)- [Gr.] – cari(o)-, elemento de palavra, *núcleo*.
kary·og·a·my (kar"e-og'ah-me) – cariogamia; conjugação celular com união de núcleos.
karyo·ki·ne·sis (kar"e-o-ki-ne'sis) – cariocinese; divisão do núcleo, geralmente em um estágio inicial no processo da divisão celular ou da mitose. **karyokinet'ic** – adj., cariocinético.
karyo·lymph (kar'e-o-limf") – cariolinfa; porção líquida do núcleo de uma célula, onde os outros elementos se dispersam.
kary·ol·y·sis (kar"e-ol'ī-sis) – cariólise; dissolução do núcleo de uma célula. **karyolyt'ie** – adj. cariolítico.

karyo·mor·phism (kar"e-o-mor'fizm) – cariomorfismo; a forma de um núcleo celular.
kary·on (kar'e-on) – cárion; o núcleo de uma célula.
kary·o·phage (kar"e-o-fāj") – cariófago; protozoário que fagocita o núcleo da célula que ele infecta.
karyo·plasm (-plazm") – carioplasma; nucleoplasma.
karyo·pyk·no·sis (kar"e-o-pik-no'sis) – cariopicnose; encolhimento de um núcleo celular, com condensação da cromatina. **karyopyknot'ic** – adj. cariopicnótico.
kary·or·rhex·is (-rek'sis) – cariorrexe; ruptura do núcleo celular, na qual a cromatina se desintegra em grânulos sem forma, expulsos da célula. **karyorrhec'tic** – adj. cariorréxico.
karyo·some (kar'e-o-sōm") – cariossoma; qualquer dos agregados irregulares e condensados de cromatina dispersos na rede cromatínica de uma célula.
karyo·type (-tīp") – cariótipo; constituição cromossômica do núcleo celular; por extensão, a fotomicrografia dos cromossomas dispostos de acordo com a classificação de Denver.
kat – katal (catal).
kat(a)- [Gr.] – cat(a)-, elemento de palavra, *para baixo; contra*. Ver também palavras com o prefixo *cat(a)-*.
kat·al (kat'al) – catal; unidade de medida proposta para exprimir as atividades de todos os catalisadores, correspondendo à quantidade de uma enzima que catalisa a velocidade de reação de 1 mol de substrato por segundo. Símbolo kat.
ka·tol·y·sis (kah-tol'ī-sis) – católise; a conversão incompleta ou intermediária de corpos químicos complexos em compostos mais simples; aplicado especialmente aos processos digestivos.
kcal – kilocarie (quilocaloria).
kD, kDa – kilodalton (quilodalton).
Kef·lex (kef'leks) – Keflex, marca registrada de uma preparação de cefalexina.
ke·loid (ke'loid) – quelóide; cicatriz claramente elevada, de forma irregular e que aumenta de volume progressivamente, devido a formação excessiva de colágeno no cório durante reparo de tecido conjuntivo. **keloid'al** – adj. quelóideo.
ke·lo·so·mus (ke"lo-so'mus) – quelossomo; celossomo.
kel·vin (kel'vin) – kelvin; unidade SI de temperatura termodinâmica, equivalente a 1/273,15 da temperatura absoluta do ponto triplo da água. Símbolo K.

Ken·a·log (ken"ah-log) – Kenalog, marca registrada de preparações de triancinolona acetonida.

ken(o)- [Gr.] – quen(o)-, elemento de palavra, *vazio*.

Ke·pone (ke'pōn) – Kepone, marca registrada de uma cetona policlorada não-biodegradável, utilizada como inseticida; os trabalhadores expostos a ela sofrem sintomas sintomas neurológicos, como tremores e fala arrastada.

ker·a·sin (ker'ah-sin) – cerasina; nome obsoleto para um glicocerebrosídeo no qual o ácido graxo é o ácido lignocérico.

kerat(o)- [Gr.] – cerat(o)- ou querat(o)-, elemento de palavra, *tecido córneo; córnea.*

ker·a·tan sul·fate (ker'ah-tan) – sulfato de queratano; qualquer substância de dois glicosaminoglicanos (tipos I e II), que consistem de unidades dissacarídicas repetidas de N-acetil-glicosamina e galactose, mas que diferem ligeiramente no teor e na localização dos carboidratos. Ocorre na cartilagem, córnea e núcleo pulposo e também constitui um produto de acumulação na síndrome de Morquio.

ker·a·tec·ta·sia (ker"ah-tek-ta'ze-ah) – ceratectasia; protrusão de uma córnea afinada e com cicatriz.

ker·at·ic (ker-at'ik) – 1. cerático; querático; córneo; relativo à ceratina; 2. relativo à córnea.

ker·a·tin (ker'ah-tin) – ceratina; queratina; substância de uma família de escleroproteínas que correspondem aos principais constituintes da epiderme, pêlos, unhas e tecidos córneos. Os polipeptídeos ceráticos ricos em enxofre das estruturas ectodermicamente derivadas (por exemplo, os pêlos e as unhas, também são chamados de *ceratinas duras*.

ker·a·tin·ase (-ās) – ceratinase; enzima proteolítica que catalisa a clivagem da ceratina.

ke·rat·i·no·cyte (ker-at'in-o-sīt) – ceratinócito; queratinócito; célula epidérmica que sintetiza a ceratina, conhecida em seus estágios sucessivos nas camadas da pele como células basal, célula espinhosa e célula granulosa.

ker·a·tin·oid (ker'ah-tin-oid") – ceratinóide; forma de comprimido revestido com ceratina, insolúvel no estómago, mas facilmente solúvel no intestino.

ke·rat·i·no·some (kĕ-rat'ĭ-no-sōm) – ceratinossoma; um dos grânulos esféricos formados próximo ao aparelho de Golgi na pele, que migram para o citoplasma e descarregam o seu conteúdo no interior do espaço intercelular, onde se acredita que funcionem como barreira à penetração de substâncias estranhas.

ker·a·ti·tis (ker"ah-tī t'is) – ceratite; inflamação da córnea. **k. bullo'sa** – c. bolhosa; presença de bolhas sobre a córnea. **dendriform k., dendritic k.** – c. dendriforme; c. dendrítica; ceratite herpética que resulta em ulceração ramificada da córnea. **herpetic k.** – c. herpética: 1. ceratite, comumente com ulceração dendrítica (*dendriform k., dendritic k.*), devida a infecção pelo vírus do herpes simples; 2. ceratite que ocorre no caso de herpes zóster oftálmico. **interstitial k.** – c. intersticial; ceratite crônica com depósitos profundos na córnea, que se torna borrada. **lattice k.** – c. em treliça; distrofia corneana hereditária bilateral com formação de lesões filamentosas entrelaçadas.

microbial k. – c. microbiana; ceratite que resulta de infecção bacteriana ou fúngica da córnea, geralmente associada ao uso de lente de contato mole. **neuroparalytic k.** – c. neuroparalítica; ceratite devida a lesão do nervo trifacial que impede o fechamento das pálpebras, caracterizada por ressecamento e fissuramento do epitélio corneano. **phlyctenular k.** – c. flictenular; ceratoconjuntivite; ver em *keratoconjuntivitis*. **punctate k.** – c. pontilhada; termo antigo para a ceratite caracterizada por opacidades pontilhadas discretas. **sclerosing k.** – c. esclerosante; ceratite com esclerite. **trachomatous k.** – c. tracomatosa; pano tracomatoso. **ulcerative k.** – c. ulcerativa; ceratite com ulceração do epitélio corneano, freqüentemente resultante de invasão bacteriana da córnea.

ker·a·to·ac·an·tho·ma (ker"ah-to-ak"an-tho'-mah) – ceratoacantoma; tumor epitelial benigno e localmente destrutivo, que se assemelha muito ao carcinoma de célula escamosa, e manifesta-se como uma ou mais crateras, sendo cada uma delas preenchida com um tampão de ceratina, e geralmente resolve espontaneamente.

ker·a·to·cele (ker'ah-to-sēl") – ceratocele; protrusão herniária da membrana de Descemet.

ker·a·to·cen·te·sis (ker"ah-to-sen'te'sis) – ceratocentese; punção da córnea.

ker·a·to·con·junc·ti·vi·tis (-kon-junk"tĭ-vī t'is) – ceratoconjuntivite; inflamação da córnea e da conjuntiva. **epidemic k.** – c. epidêmica; forma altamente infecciosa, comumente com envolvimento regional de linfonodos, e que ocorre em epidemias; tem-se isolado repetidamente um adenovírus de pacientes afetados. **phlyctenular k.** – c. flictenular; forma caracterizada pela formação de uma pequena lesão circunscrita cinzenta no limbo corneano. **k. sic'ca** – c. seca; afecção caracterizada por hiperemia da conjuntiva, espessamento e ressecamento do epitélio corneano, prurido e queimação do olho e, freqüentemente, redução da acuidade visual. **viral k.** – c. viral; c. epidêmica.

ker·a·to·co·nus (-ko'nus) – ceratocone; protrusão cônica da parte central da córnea.

ker·a·to·cyst (ker"ah-to-sist) – ceratocisto; cisto odontogênico revestido de uma camada de epitélio escamoso ceratinizado e comumente associado a um cisto primordial.

ker·a·to·der·ma (ker"ah-to-der'mah) – 1. ceratoderma; hipertrofia da camada córnea da pele; 2. pele ou revestimento córneos. **k. blennorrha'gicum** – c. blenorrágico; psoríase pustular associada 2. gonorréia. **k. climacte'ricum** – c. climatérico; uma forma adquirida nas palmas das mãos e plantas dos pés, algumas vezes com fissuramento de manchas espessadas, em mulheres na perimenopausa. **palmoplantar k.** – c. palmoplantar; espessamento hereditário congênito da pele das palmas das mãos e plantas dos pés, algumas vezes com fissuramento doloroso; freqüentemente associada a outras anomalias.

ker·a·tog·e·nous (ker"ah-tojĭ -nus) – ceratógeno; que dá origem a um crescimento de material córneo.

ker·a·to·glo·bus (ker"ah-to-glo'bus) – ceratoglobo; anomalia bilateral na qual a córnea aumenta de volume e assume uma forma globular.

ker·a·to·hel·co·sis (-hel-ko'sis) – cerato-helcose; ceratelcose; ulceração da córnea.

ker·a·to·hy·a·lin (-hi'ah-lin) – ceratoialina; cerato-hialina: 1. substância no interior dos grânulos da camada granulosa da epiderme, que pode se envolver na ceratinização; 2. substância encontrada em grânulos nos corpúsculos de Hassall do timo.

ker·a·to·hy·a·line (-hi'ah-lῑn) – ceratoialino: 1. tanto córneo como hialino; 2. relativo à ceratoialina ou aos grânulos ceratoialínicos ou à camada granulosa da epiderme (camada ceratoialina).

ker·a·to·i·ri·tis (-i-rῑ t'is) – ceratoirite; inflamação da córnea e da íris.

ker·a·to·lep·tyn·sis (-lep-tin'sis) – ceratoleptinse; remoção da porção anterior da córnea e substituição pela conjuntiva bulbar.

ker·a·to·leu·ko·ma (-loo-ko'mah) – ceratoleucoma; opacidade branca da córnea.

ker·a·tol·y·sis (ker"ah-tol'ῑ -sis) – ceratólise; afrouxamento ou separação da camada córnea da epiderme. **pitted k.**, **k. planta're sulca'tum** – c. depressível; c. plantar sulcada; doença tropical marcada por espessamento e fissuramento profundo da pele das plantas dos pés, e que ocorre durante a estação chuvosa.

ker·a·to·ma (ker"ah-to'mah) pl. *keratomas, keratomata* – ceratoma; calo ou calosidade.

ker·a·to·ma·la·cia (ker"ah-to-mah-la'shah) – ceratomalacia; amolecimento e necrose da córnea associados a deficiência de vitamina A.

ker·a·tome (ker'ah-tõm) – ceratótomo; bisturi para incisar a córnea.

ker·a·tom·e·try (ker"ah-tom'ῑ -tre) – ceratometria; medição das curvas corneanas. **keratomet'ric** – adj. ceratométrico.

ker·a·to·mi·leu·sis (ker"ah-to-mῑ -loo'sis) – ceratomileuse; ceratoplastia na qual se remove uma lamela da córnea do paciente, na forma da curvatura desejada, e depois sutura-se a mesma na córnea restante para corrigir um erro óptico.

ker·a·to·my·co·sis (-mi-ko'sis) – ceratomicose; infecção fúngica da córnea. **k. lin'guae** – c. lingual; língua negra.

ker·a·to·nyx·is (-nik'sis) – ceratonixe; ceratocentese.

ker·a·top·a·thy (ker"ah-top'ah-the) – ceratopatia; doença não-inflamatória da córnea. **band k.** – c. em faixa; afecção caracterizada por uma faixa circuncórnea cinzenta anormal.

ker·a·to·pha·kia (ker"ah-to-fa'ke-ah) – ceratofaquia; ceratoplastia na qual se modela uma lamela da córnea do doador a uma curvatura desejada e insere-se a mesma entre as camadas da córnea do receptor para alterar a sua curvatura.

ker·a·to·plas·ty (ker'ah-to-plas"te) – ceratoplastia; cirurgia plástica da córnea; enxerto corneano. **optic k.** – c. óptica; transplante de material corneano para substituir um tecido de cicatriz que interfira na visão. **refractive k.** – c. refratária; remoção de uma secção da córnea de um paciente ou doador, a qual se modela na curvatura desejada e insere tanto entre (ceratofaquia) as camadas como sobre (ceratomileuse) a córnea do paciente para alterar sua curvatura e corrigir

erros ópticos. **tectonic k.** – c. tectônica; transplante de material corneano para substituir o que foi perdido.

ker·a·to·rhex·is, ker·a·tor·rhex·is (ker"ah-to-rek'sis) – ceratorrexe; ruptura da córnea.

ker·a·tos·co·py (ker"ah-tos'kah-pe) – ceratoscopia; inspeção da córnea.

ker·a·to·sis (ker"ah-to'sis) pl. *keratoses* – ceratose; ceratíase; qualquer crescimento córneo, como uma verruga ou calosidade. **keratot'ic** – adj. ceratótico. **actinic k.** – c. actínica; crescimento verrucoso ou ceratótico claramente delineado, que pode se desenvolver em um corno cutâneo e se tornar maligno; geralmente ocorre em pessoas de meia-idade ou idosas e se deve à exposição excessiva ao sol. **k. blennorrha'gica** – c. blenorrágica; ceratoderma blenorrágico. **k. follicula'ris** – c. folicular; forma hereditária marcada por áreas de formação de crostas, prurido, crescimentos papulares verrucosos que podem se fundir formando crescimentos papilomatosos e verrucosos fétidos. **inverted follicular k.** – c. folicular invertida; tumor epitelial benigno e geralmente solitário, que se origina em um folículo piloso e ocorre como um nódulo ou pápula cor-de-carne. **k. lin'guae** – c. lingual; leucoplaquia lingual. **k. palma'ris et planta'ris** – c. palmar e plantar; ceratoderma palmoplantar. **k. pharyn'gea** – c. faríngea; ceratite caracterizada por projeções córneas a partir das tonsilas e orifícios dos folículos linfóides nas paredes faríngeas. **k. pila'ris** – c. pilosa; hiperceratose limitada aos folículos pilosos. **k. puncta'ta** – c. pontilhada; hiperceratose hereditária na qual as lesões se localizam em pontos múltiplos nas palmas das mãos e plantas dos pés. **seborrheic k., k. seborrhe'ica** – c. seborréica; tumor benigno de origem epidérmica, marcado por placas friáveis macias, com pigmentação ligeira a intensa, mais freqüentemente na face, tronco e extremidades. **senile k., solar k.** – c. senil; c. solar; c. actínica.

ker·a·to·sul·fate (ker"ah-to-sul'făt) – ceratossulfato; sulfato de queratano.

ker·a·tot·o·my (ker"ah-tot'ah-me) – ceratotomia; incisão da córnea. **radial k.** – c. radial; uma série de incisões feitas na córnea a partir de sua borda externa em direção ao centro de maneira semelhante ao raio de uma roda; feita de modo a aplanar a córnea e conseqüentemente corrigir uma miopia.

ker·a·to·to·rus (ker"ah-to-tor'is) – ceratotoro; protrusão semelhante à abóbada da córnea.

ke·ri·on (kĕr'e-on) – quérion; tumefação exsudativa pegajosa recoberta com pústulas; associada a infecções por tinha.

ker·nic·ter·us (ker-nik'ter-us) [Al.] – icterícia nuclear; afecção com sintomas nervosos severos, associada a altos níveis de bilirrubina no sangue.

keta·mine (ke'tah-mēn) – cetamina; anestésico geral de ação rápida, utilizado como sal de cloridrato.

keto- – ceto-, elemento de palavra, *grupo cetona*.

ke·to ac·id (ke'to) – cetoácido; um ácido carboxílico que contém um grupo carbonila.

ke·to·ac·i·do·sis (ke"to-as'ῑ -do'sis) – cetoacidose; acidose acompanhada de acúmulo de corpos cetônicos nos tecidos e fluidos corporais. **diabetic k.** – c. diabética; ver em *acidosis.*

ke·to·ac·id·uria (-as"id-ūr'e-ah) – cetoacidúria; presença de cetoácidos na urina. **branched-chain k.** – c. de cadeia ramificada; urinopatia do xarope de bordo.

ke·to·a·mi·no·ac·i·de·mia (-ah-me"no-as"ĭ-de'-meah) – cetoaminoacidemia; urinopatia do xarope de bordo.

β-ke·to·bu·tyr·ic ac·id (-bu-ter'ik) – ácido β-cetobutírico; ácido acetoacético.

ke·to·gen·e·sis (-jen'ĕ-sis) – cetogênese; produção de corpos cetônicos. **ketogenet'ic** – adj. cetogênico.

α-ke·to·glu·ta·rate (-glōōt'ah-rāt) – α-cetoglutarato; sal ou ânion do ácido α-cetoglutárico.

α-ke·to·glu·tar·ic ac·id (-gloo-tar'ik) – ácido α-cetoglutárico; intermediário metabólico envolvido no ciclo do ácido tricarboxílico; no metabolismo dos aminoácidos e nas reações de transaminação como aceptor do grupo amina.

ke·tol·y·sis (ke-tol'ĭ-sis) – cetólise; divisão dos corpos cetônicos. **ketolyt'ic** – adj. cetolítico.

ke·tone (ke'tōn) – cetona; qualquer substância de uma classe de compostos orgânicos que contenham o grupo carbonila (C=O), cujo átomo de carbono se une a dois outros átomos de carbono, ou seja, ao grupo carbonila que ocorre dentro da cadeia carbônica.

ke·ton·uria (ke"to-nu're-ah) – cetonúria; excesso de corpos cetônicos na urina.

ke·to·ro·lac tro·meth·amine (ke"to-ro'lak) – agente antiinflamatório não-esteróide utilizado para o tratamento fugaz da dor.

ke·tose (ke'tōs) – cetose; subgrupo de monossacarídeos, correspondendo aos monossacarídeos que apresentam um grupo carbonila (ceto) não-terminal.

ke·to·sis (ke-to'sis) – cetose; acúmulo de quantidades excessivas de corpos cetônicos nos tecidos e fluidos corporais, ocorrendo quando os ácidos graxos se metabolizam incompletamente. **ketot'ic** – adj. cetótico.

ke·to·ste·roid (ke"to-ster'oid) – cetoesteróide; esteróide que apresenta um grupo cetona nos átomos de carbono funcionais. Os *17-cetoesteróides,* encontrados na urina normal e em excesso no caso de determinados tumores e da hiperplasia suprarenal congênita, apresentam um grupo cetona no décimo sétimo átomo de carbono e incluem determinados hormônios androgênicos e adrenocorticais.

keV, kev – kilo electron volt (keV, kev, quiloelétronvolt).

kg – kilograma (quilograma).

kHz – kilohertz (quilohertz).

kid·ney (kid'ne) – rim; um dos dois órgãos na região lombar que filtram o sangue, excretando os produtos finais do metabolismo corporal na forma de urina e regulando as concentrações de hidrogênio, sódio, potássio, fosfato e outros íons no fluido extracelular. **abdominal k.** – r. abdominal; rim ectópico situado acima da crista ilíaca, com o hilo adjacente à segunda vértebra lombar. **amyloid k.** – r. amilóide; amiloidose renal. **artificial k.** – r.

artificial; dispositivo extracorporal através do qual o sangue pode circular para a remoção de elementos que normalmente são excretados na urina; hemodialisador. **cake k.** – r. único; órgão sólido e irregularmente lobado, de forma bizarra, formado pela fusão de dois primórdios renais. **cicatricial k.** – r. cicatricial; rim atrofiado, irregular e cheio de cicatrizes, decorrente de pielonefrite supurativa. **contracted k.** – r. contraído; rim atrofiado que pode estar cheio de cicatrizes e apresentar-se granuloso. **fatty k.** – r. gorduroso; rim afetado de degeneração gordurosa. **flea-bitten k.** – r. picado por pulgas; rim com pequenas petéquias aleatoriamente distribuídas em sua superfície. **floating k.** – r. flutuante; r. hipermóvel. **fused k.** – r. fundido; órgão anômalo único desenvolvido como resultado da fusão dos primórdios renais. **Goldblatt k.** – r. de Goldblatt; rim com obstrução do seu próprio fluxo sangüíneo, resultando em hipertensão renal. **head k.** – cabeça renal; pronefro. **horseshoe k.** – r. em ferradura; órgão anômalo resultante da fusão dos pólos correspondentes dos primórdios renais. **hypermobile k.** – r. hipermóvel; rim que se move livremente. **lumbar k.** – r. lombar; rim ectópico, situado opostamente ao promontório sacral, na fossa ilíaca, anteriormente aos vasos ilíacos. **lump k.** – rim único; rim em massa informe. **middle k.** – r. médio; mesonefro. **pelvic k.** – r. pélvico; rim ectópico situado opostamente ao sacro e abaixo da bifurcação aórtica. **polycystic k's** – rins policísticos; ver *polycystic disease of kidney,* em *disease.* **primordial k.** – r. primordial; pronefro. **sigmoid k.** – r. sigmóide; rim deformado e fundido, em que o pólo superior de um rim funde-se ao pólo inferior do outro. **sponge k.** – r. esponjoso; afecção congênita geralmente assintomática, na qual pequenas dilatações císticas múltiplas dos túbulos coletores da porção medular das pirâmides renais conferem ao órgão a consistência e aparência porosas e esponjosas. **thoracic k.** – r. torácico; rim ectópico que se protrai parcial ou completamente acima do diafragma, no interior do mediastino posterior. **wandering k.** – r. flutuante; r. hipermóvel. **waxy k.** – r. céreo; r. amilóide.

kilo- [Gr.] – quilo-, elemento de palavra, *mil* (10^3) utilizado na denominação de unidades de medida. Símbolo k.

kilo·cal·o·rie (kil'o-kal"o-re) – quilocaloria; unidade de calor, equivalente a 1.000 calorias. Abreviação: kcal.

kilo·dal·ton (kil'o-dawl'ton) – quilodálton; unidade de massa, correspondente a 1.000 daltons; abreviado kD ou kDa.

kilo·gram (kil'o-gram) – quilograma; unidade de massa básica do sistema SI, correspondente a 1.000g ou a um decímetro cúbico de água; equivalente a 2,205 libras avoirdupois. Abreviação: kg.

kilo·hertz (-hurts) – quilohertz; mil (10^3) hertz; abreviação: kHz.

ki·lom·e·ter (kil'o-me"ter, kĭ-lom'ĕ-ter) – quilômetro; 1.000m; 3.280,83 pés; cinco oitavos de uma milha. Abreviação: km.

kilo·volt (kil'ah-volt) – quilovolt; 1.000 volts. Símbolo kV.

kin·an·es·the·sia (kin"an-es-the'zhah) – cinanestesia; acinestesia (*akinestesia*).

ki·nase (ki'nās) – cinase: 1. subclasse de transferases, que compreende as enzimas que catalisam
a transferência de um grupo rico em energia de
um doador (geralmente o ATP) para um aceptor;
2. sufixo utilizado nos nomes de algumas enzimas
que convertem uma forma inativa ou precursora.

kine- [Gr] – elemento de palavra, *movimento*. Ver
também palavras com prefixo *cine-*.

kine·plas·ty (kin'ĕ-plas"te) – cineplastia; utilização
do coto de uma extremidade amputada para
produzir a movimentação de uma prótese.

kine·scope (-skōp) – cinescópio; instrumento para
avaliar a refração ocular.

kinesi(o)- [Gr.] – cinesi(o)-, elemento de palavra,
movimento.

ki·ne·sia (kĭ-ne'zhah) – cinesia; doença do movimento.

ki·ne·sics (ki-ne'siks) – Cinésica; estudo do movimento corporal como parte do processo de comunicação.

ki·ne·si·gen·ic (kĭ-ne"sĭ-jen'ik) – cinesigênico; causado por um movimento.

kine·sim·e·ter (kin'ĕ-sim'ĕ-ter) – cinesímetro; instrumento para a medição quantitativa dos movimentos.

ki·ne·si·ol·o·gy (ki-ne"se-ol'ah-je) – cinesiologia; estudo científico do movimento das partes corporais.

ki·ne·sio·neu·ro·sis (ki-ne"se-o-nōōr-o'sis) – cine-
sioneurose; distúrbio nervoso funcional caracterizado por distúrbios motores.

ki·ne·sis (kĭ-ne'sis) [Gr.] – cinese: 1. movimento; 2.
movimento induzido por um estímulo responsivo
somente à intensidade do estímulo, e não à
direção; cf. *taxis*.

-kinesis – -cinese, sufixo, *movimento ou ativação*.

ki·ne·si·ther·a·py (kĭ-ne'sĭ-ther'ah-pe) – cinesioterapia; tratamento de uma doença através de
movimentos ou exercícios.

kin·es·the·sia (kin"es-the'zhah) – cinestesia: 1. consciência da posição, peso, tensão e movimento; 2.
sensação do movimento. **kinesthet'ic** – adj. cinestésico.

kin·es·the·sis (-sis) – cinestesia.

ki·net·ics (kĭ-net'iks, ki-net'iks) – cinética; estudo
científico do movimento total ou velocidade de
alteração; de um fator específico no corpo, comumente expressos em unidades de quantidade por
unidade de tempo. **chemical k.** – c. química;
estudo das velocidades e mecanismos das reações químicas.

ki·ne·to·car·dio·gram (kĭ-ne"to-kahr'de-o-gram") –
cinetocardiograma; registro gráfico obtido por meio
de cinetocardiografia.

ki·ne·to·car·di·og·ra·phy (-kar"de-og'rah-fe) – cinetocardiografia; registro gráfico de vibrações lentas da parede torácica anterior na região do
coração, em que as vibrações representam o
movimento absoluto em um dado ponto no tórax.

ki·ne·to·chore (ki-nĕt'ah-kōr) – cinetócoro;
centrômero (*centromere*).

ki·ne·to·gen·ic (ki-ne"to-jen'ik) – cinetogênico; que
causa ou produz movimento.

ki·ne·to·plast (ki-nĕt'o-plast) – cinetoplasto; estrutura associada ao corpo basal em muitos protozoários, primariamente Mastigophora; é rico em DNA
e, como o corpo basal, replica-se independentemente.

ki·ne·to·sis (kĭ"nĕ-to'sis) pl. *kinetoses* – cinetose;
qualquer distúrbio devido a movimentos não-
costumeiros; ver *motion, sickness*.

king·dom (king'dum) – reino; uma das três categorias principais nas quais geralmente se classificam os objetos naturais: o animal, incluindo todos
os animais; o vegetal, incluindo todas as plantas;
e o mineral, incluindo todas as substâncias e
objetos inanimados. Um quarto reino, o Protista,
inclui todos os microrganismos unicelulares.

ki·nin (ki'nin) – cinina; qualquer substância de um
grupo de peptídeos endógenos que aumentam a
permeabilidade vascular, causam hipotensão e
induzem contração da musculatura lisa.

ki·nin·ase II (-ās) – cininase II; enzima que catalisa
a clivagem dos dipeptídeos C-terminais provenientes dos oligopeptídeos. Quando age na angiotensina I (convertendo-a em angiotensina II), é
chamada de *enzima conversora da angiotensina*.

ki·nin·o·gen (ki-nin'o-jen) – cininogênio; α_{-2}-globuli-
na plasmática que constitui um precursor das
cininas.

ki·no·cil·i·um (ki"no-sil'e-um) pl. *kinocilia* – cinocílio;
filamento protoplasmático e móvel na superfície
livre de um cílio.

kin·ship (kin'ship) – parentesco; grupo de indivíduos
de graus variáveis de descendência a partir de um
ancestral comum.

Kleb·si·el·la (kleb"se-el'ah) – *Klebsiella*; gênero de
bactérias Gram-negativas (tribo Escherichieae),
que inclui a *K. pneumoniae* (*K. friedländeri*), agente etiológico da pneumonia de Friedländer e outras infecções respiratórias.

klee·blatt·schä·del (kla"blaht-sha'd'l) [Al.] – crânio
em folha de trevo; anomalia congênita na qual
ocorre sinostose intra-uterina de todas ou várias
suturas cranianas.

klep·to·ma·nia (klep"to-ma'ne-ah) – cleptomania; roubo
compulsivo; os objetos tomados geralmente possuem um valor simbólico do qual o indivíduo não
tem consciência, em vez de um valor intrínseco.

km – kilometer (quilômetro).

knee (ne) – joelho; ponto de articulação do fêmur
com a tíbia. Também, qualquer estrutura semelhante ao joelho. **housemaid's k.** – j. inchado de
criada; inflamação da bursa da patela, com acúmulo de fluido em seu interior. **knock k.** – joelho
valgo. **trick k.** – j. travado; termo popular para
uma articulação genicular suscetível de travamento em posição, devendo-se, em sua maioria,
quase sempre, a uma divisão longitudinal do
menisco medial.

knock-knee (nok'ne) – joelho valgo; deformação da
coxa ou da perna ou ambas, na qual os joelhos
ficam anormalmente muito juntos e aumenta o
espaço entre os tornozelos.

knot (not) – nó: 1. entrelaçamento das extremidades ou
das partes de um ou mais fios, suturas ou fitas de
pano; 2. em Anatomia, intumescimento ou protuberância semelhante a um botão. **primitive k.** – n.

JKL

primitivo; massa de células na extremidade cranial da linha primitiva no embrião inicial. **surgeon's k., surgical k.** – n. cirúrgico; n. de cirurgião; nó no qual se passa o fio duas vezes antes da primeira laçada.

knuck·le (nuk"l) – nó; nodosidade; junta; articulação; face dorsal de qualquer articulação falângica ou qualquer estrutura encurvada de modo semelhante.

knuck·ling (nuk'ling) – talipes no cavalo; deslocamento ascendente e para frente da articulação do boleto de um eqüino.

koil(o)- [Gr.] – elemento de palavra, *oco; côncavo*.

koi·lo·cyte (koi-lo-sīt") – cilócito; célula côncava ou oca.

koi·lo·cy·to·sis (koi"lo-si-to'sis) – cilocitose; presença de cilócitos anormais vacuolizados, com um citoplasma claro ou halos perinucleares e picnose nuclear. **koilocytot'ic** – adj., cilocitótico.

koil·onych·ia (-nik'e-ah) – quiloníquia; celoníquia; distrofia das unhas dos dedos na qual elas se afinam e ficam côncavas, com bordas elevadas.

koi·lor·rhach·ic (-rak'ik) – celorráquico; que tem uma coluna vertebral na qual a curvatura lombar encontra-se anteriormente côncava.

koi·lo·ster·nia (-sturn'e-ah) – celosternia; tórax em funil.

kolp- – para palavras com este prefixo ver também *colp-*.

ko·ly·pep·tic (ko"le-pep'tik) – colipéptico; que retarda ou inibe a digestão.

Kr – símbolo químico, criptônio *(krypton)*.

krau·ro·sis (kraw-ro'sis) – craurose; afecção atrofiada e ressecada. **k. vul'vae** – c. vulvar; atrofia da genitália externa feminina, resultando em ressecamento e atrofia, com manchas leucopláquicas na mucosa e prurido intenso.

kre(o)- – ver também *cre(o)-*.

krypt(o)- – ver também *crypt(o)-*.

kryp·ton (krip'ton) – criptônio; elemento químico (ver *Tabela de Elementos*), número atômico 36, símbolo Kr.

ku·ru (koo'roo) – distúrbio do sistema nervoso central, fatal e progressivo, devido a um vírus lento e transmissível a primatas sub-humanos. Só é observado na Nova Guiné e se acredita estar associado ao canibalismo.

kV – kilovolt (quilovolt).

kVp – kilovolts peak (pico de quilovolts).

kwash·i·or·kor (kwahsh"e-or'kor) – pelagra infantil; forma de desnutrição de energia protéica produzida por deficiência protéica severa; o consumo calórico também é geralmente deficiente. Os sintomas incluem retardo do crescimento, alterações nos pigmentos da pele e pêlos, edema, imunodeficiência e alterações patológicas no fígado. **marasmic k.** – p.i. marásmica; afecção na qual ocorre deficiência tanto de calorias como de proteínas, com emaciação tecidual severa, perda de gordura subcutânea e geralmente desidratação.

Kwell (kwel) – Kwell, marca registrada de uma preparação de lindano.

ky·ma·tism (ki'mah-tizm) – quimatismo; mioquimia *(myokymia)*.

ky·mo·graph (-graft) – quimógrafo; instrumento para registrar variações e ondulações, arteriais ou outras.

kyn·uren·ic ac·id (kin"u-ren'ik) – ácido quinurênico; composto aromático bicíclico formado a partir da quinurrenina no trajeto do catabolismo do triptofano e excretado na urina em vários distúrbios do catabolismo do triptofano.

kyn·ure·nine (kin"u-rě-nēn) – quinurenina; aminoácido aromático, isolado primeiramente a partir da urina canina; é um intermediário no catabolismo do triptofano.

ky·phos (ki'fos) – cifose; corcova; curvatura na espinha no caso de cifose.

ky·pho·sco·li·o·sis (ki"fo-skōl"e-o'sis) – cifoescoliose; curvatura para trás e lateral da coluna vertebral.

ky·pho·sis (ki-fo'sis) – cifose; corcunda; convexidade anormalmente elevada na curvatura da espinha torácica quando vista a partir do lado. **kyphot'ic** – adj. cifótico. **k. dorsa'lis juveni'lis, juvenile k., Scheuermann's k.** – c. dorsal juvenil; c. juvenil; c. de Scheuermann; osteocondrose vertebral.

kyr·tor·rhach·ic (kir"to-rak'ik) – cirtorráquico; que tem coluna vertebral cuja curvatura lombar é anteriormente convexa.

kyt(o)- – ver também *cy(to)-*.

L

L – left; limes *(boundary)*; liter; lung; lumbar vertebrae (L1–L5) (esquerdo; cal [*delimitação*]; pulmão; vértebras lombares (L1–L5).

L [L.] – libra (pound) (lb, libra*)*.

L- – prefixo químico que especifica a configuração relativa de um enantiômero, indicando um carboidrato com a mesma configuração ao redor de um átomo de carbono específico, como o L-gliceraldeído) ou um aminoácido que tenha a mesma

configuração, como a L-serina. Oposto a D-.

l – liter (litro).

l- [L.] – *ligamentum* (ligamento).

l – length (c, comprimento).

l- – left, counterclockwise, levorotatory (esquerda, contra o sentido horário, levorrotatório). Abreviação química, *levo-*. Oposto a *d-*.

λ – lambda, décima primeira letra do alfabeto grego; (wavelength; one of two types of immunoglobulin light chains); comprimento de onda; um dos dois tipo de cadeias leves de imunoglobulinas.

La – símbolo químico, lantânio (*lanthanum*).

la·bet·a·lol (lah-bet'ah-lol) – labetalol; agente bloqueador β-adrenérgico com alguma atividade bloqueadora α-adrenérgica; utilizado em forma de sal de cloridrato como anti-hipertensivo.

la·bia (la'be-ah) – plural de *labium.*

la·bi·al·ly (la'be-il-e) – labialmente; em direção aos lábios.

la·bile (la'bī l) – lábil: 1. que desliza; que se move de um ponto a outro sobre a superfície; instável; flutuante; 2. quimicamente instável.

la·bil·i·ty (lah-bil'it-e) – labilidade: 1. qualidade de ser lábil; 2. em Psiquiatria, instabilidade emocional.

labio- [L.] – elemento de palavra, *lábio.*

la·bio·al·ve·o·lar (la"be-o-al-ve'ah-ler) – labioalveolar: 1. relativo ao lábio e aos alvéolos dentários; 2. relativo à porção lateral de um alvéolo dentário.

la·bio·cer·vi·cal (-serv'ik'l) – labiocervical: 1. relativo à superfície labial do colo de um dente anterior; 2. labiogengival.

la·bio·cho·rea (-kor-e'ah) – labiocoréia; afecção coréica dos lábios na fala, com gagueira.

la·bio·cli·na·tion (-kli-na'shun) – labioclinação: desvio de um dente anterior a partir da posição vertical, em direção aos lábios.

la·bio·gin·gi·val (-jin-ji'val, -jin'jĭ -val) – labiogengival; relativo ou formado pelas paredes labial e gengival de uma cavidade dentária.

la·bio·graph (la'be-o-graf") – labiógrafo; instrumento para registrar movimentos labiais na fala.

la·bio·men·tal (la"be-o-ment"l) – labiomentoniano; relativo ao lábio e ao queixo.

la·bio·place·ment (-plãs'mint) – labiocolocação; deslocamento de um dente em direção ao lábio.

la·bio·ver·sion (-ver'zhun) – labioversão; deslocamento labial de um dente a partir da linha de oclusão.

la·bi·um (la'be-um) [L.] pl. *labia* – lábio; borda ou margem carnosa. **la'bial** – adj. labial. **l. ma'jus puden'di** – grande lábio pudendo; dobra alongada na mulher, em cada lado da rima pudenda. **l. mi'nus puden'di** – l. pudendo menor; pequena dobra de pele em cada lado, entre o lábio maior e a abertura vaginal. **la'bia o'ris** – lábios da boca.

la·bor (la'ber) [L.] – trabalho de parto; função da mulher pela qual o bebê é expulso através da vagina para o mundo exterior; *o primeiro estágio* começa com o início das contrações uterinas regulares e termina quando a abertura dilata-se completamente e se nivela com a vagina; o *segundo estágio* estende-se do final do primeiro estágio até completar-se a expulsão do bebê; o *terceiro estágio* se estende da expulsão do bebê até a expulsão da placenta e das membranas; o *quarto estágio* denota uma ou duas horas após o parto, quando se restabelece o tônus uterino. **artificial l.** – t. de parto artificial; t. de parto induzido. **dry l.** – t. de parto seco; trabalho no qual o líquido amniótico escapa antes do início das contrações uterinas. **false l.** – t. de parto falso; ver *false p's,* em *pain.* **induced l.** – t. de parto induzido; trabalho levado a efeito por meios mecânicos

ou outros meios externos, geralmente através da infusão endovenosa de ocitocina. **missed l.** – t. de parto ausente; trabalho no qual as contrações começam e em seguida cessam, com retenção do feto durante semanas ou meses. **postmature l., postponed l.** – t. de parto pós-maduro; t. de parto adiado; trabalho que ocorre duas semanas ou mais após a data esperada de parto. **precipitate l.** – t. de parto precipitado; trabalho que ocorre com rapidez indevida. **premature l.** – t. de parto prematuro; expulsão de um bebê viável antes do término normal da gestação; geralmente aplicado à interrupção da gravidez entre a vigésima oitava e a trigésima sétima semanas.

lab·o·ra·to·ry (lab'rah-tor"e) – laboratório; um lugar equipado para fazer testes ou realizar trabalho experimental. **clinical l.** – l. clínico; laboratório para o exame de materiais derivados do corpo humano com o propósito de fornecer informações acerca do diagnóstico, prevenção ou tratamento de uma doença.

la·brum (la'brum) [L.] pl. *labra* – borda ou lábio.

lab·y·rinth (lab'ĭ -rinth) – labirinto; ouvido interno, constituído do vestíbulo, cóclea e canais. Ver Prancha XII. **labyrin'thine** – adj. labiríntico. **bony l.** – l. ósseo; a parte óssea do ouvido interno. **cochlear l.** – l. coclear; a parte do labirinto membranoso que inclui o espaço perilinfático e o ducto coclear. **endolymphatic l.** – l. endolinfático; l. membranoso. **ethmoidal l.** – l. etmoidal; qualquer das massas laterais pareadas do osso etmóide, consistindo de muitas cavidades celulares de parede fina, as células etmoidais. **membranous l.** – l. membranoso; um sistema de sacos e ductos epiteliais comunicantes dentro do labirinto ósseo, que contém a endolinfa. **osseous l.** – l. ósseo. **perilymphatic l.** – l. perilinfático; espaço perilinfático. **vestibular l.** – l. vestibular; a parte do labirinto membranoso que inclui o utrículo e o sáculo e os ductos semicirculares.

lab·y·rin·thi·tis (lab"ĭ -rin-thi'tis) – labirintite; inflamação do labirinto; otite interna. **circumscribed l.** – l. circunscrita; labirintite decorrente de erosão da parede óssea de um canal semicircular, com exposição do labirinto membranoso.

lab·y·rin·thus (lab"ĭ -rin'thus) [L.] pl. *labyrinthi* – labirinto.

lac (lak) [L.] – leite: 1. leite; 2. qualquer preparação medicinal semelhante ao leite.

lac·er·a·tion (las"er-a'shun) – laceração: 1. ato de lacerar; 2. ferimento roto, áspero ou lacerado.

la·cer·tus (lah-ser'tus) [L.] – lacerto; nome dado a determinadas inserções fibrosas musculares.

lac·ri·ma·tion (lak"rĭ -ma'shun) – lacrimejamento; secreção e descarga de lágrimas.

lac·ri·ma·tor (kal'rĭ -măt"er) – lacrimejante; lacrimogênio agente, como o gás lacrimogêneo, que induz o fluxo de lágrimas.

lac·ri·mot·o·my (lak"rĭ -mot'ah-me) – lacrimotomia; incisão da glândula, ducto ou saco lacrimais.

lac·ta·gogue (lak'tah-gog) – lactagogo; galactagogo (*galactagogue*).

lac·tam (lak'tam) – lactam; amida cíclica formada a partir de ácidos aminocarboxílicos através da eliminação de água; os lactans são isoméricos dos lactins, que são formas enólicas dos lactans.

β-lac·ta·mase (lak'tah-mās) – β-lactamase; substância de um grupo de enzimas, produzidas por quase todas as bactérias Gram-negativas, e que hidrolisam o anel β-lactâmico das penicilinas e cefalosporinas, destruindo sua atividade antibiótica. As enzimas individuais podem ser chamadas de penicilinases (*penicillinases*) ou cefalosporinases (*cephalosporinases*) com base em suas especificidades.

lac·tase (lak'tās) – lactase; β-galactosidase que ocorre na membrana da borda em escova da mucosa intestinal, catalisando a clivagem da lactose em galactose e glicose; faz parte do complexo enzimático das β-glicosidases.

lac·tase de·fi·cien·cy – deficiência de lactase; redução ou ausência da atividade da lactase na mucosa intestinal; a forma adulta hereditária é o estado normal na maioria da população que não a de europeus brancos do norte e pode se caracterizar por dor abdominal, flatulência e diarréia após a ingestão de leite – intolerância à lactose (*intolerance, lactose*); a forma congênita rara caracteriza-se por diarréia, vômito e falha no crescimento – intolerância à lactose congênita (*intolerance, congenital lactose*).

lac·tate (lak'tāt) – lactato: 1. qualquer sal ou éster do ácido láctico; 2. secretar leite.

L-lac·tate de·hy·dro·gen·ase (LDH) (de-hi'-drojen·ās) – L-lactato desidrogenase; enzima que catalisa a interconversão do lactato e do piruvato. Encontra-se amplamente distribuída nos tecidos e é abundante no rim, musculatura esquelética, fígado e miocárdio, aparecendo em concentrações elevadas no sangue quando se lesam esses tecidos.

lac·ta·tion (lak-ta'shun) – lactação: 1. secreção de leite; 2. período de secreção de leite.

lac·te·al (lak'te-il) – lácteo: 1. relativo ao leite; 2. um dos vasos linfáticos intestinais que transportam o quilo.

lac·tes·cence (lak-tes'ins) – lactescência; semelhante ao leite.

lac·tic (lak'tik) – láctico; relativo ao leite.

lac·tic ac·id (lak'tik) – ácido láctico (CH₃CHOHCOOH); um composto formado no corpo no metabolismo anaeróbico dos carboidratos e também produzido pela ação bacteriana no leite. O sal sódico do ácido láctico racêmico ou inativo (*lactato de sódio*) é utilizado como repositor de eletrólitos e fluidos.

lac·tic·ac·i·de·mia (lak"tik-as"ĭ-de'me-ah) – laticacidemia; excesso de ácido láctico no sangue.

lac·ti·ce·mia (lak"tĭ-se'me-ah) – laticemia; laticacidemia.

lac·tif·er·ous (lak-tif'er-is) – lactífero; lactígero que transporta leite.

lac·ti·fuge (lak'tĭ-fūj) – lactífugo: que impede ou cessa a secreção de leite; também um agente com esta ação.

lac·tig·e·nous (lak-tij'in-is) – lactígeno; que produz leite.

lac·tig·er·ous (lak-tij'er-us) – lactígero; lactífero.

lac·tim (lak'tim) – lactim; ver *lactam*.

lac·tiv·o·rous (lak-tiv'er-is) – lactívoro; que se alimenta ou subsiste com leite.

lact(o)- [L.] – elemento de palavra, *leite*.

Lac·to·bac·il·la·ceae (lak"to-bas"il-a'se-e) – Lactobacillaceae; família de bactérias (ordem Eubacteriales).

Lac·to·bac·il·leae (-bah-sil'e-e) – Lactobacilleae; tribo de bactérias (família Lactobacillaceae).

Lac·to·bac·il·lus (-bah-sil'us) – *Lactobacillus;* gênero da tribo Lactobacilleae, sendo algumas das espécies consideradas etiologicamente relacionadas à cárie dentária, mas são de outra forma não-patogênicas; produzem ácido láctico por meio de fermentação; lactobacilo.

lac·to·bac·il·lus (-bah-sil'us) pl. *lactobacilli* – lactobacilo; microrganismo do gênero *Lactobacillus*.

lac·to·cele (lak'to-sēl) – lactocele; galactocele (*galactocele*).

lac·to·gen (lak'to-jen) – lactogênio; qualquer substância que potencialize a lactação. **human placental l.** – l. placentário humano; hormônio secretado pela placenta; apresenta atividade lactogênica, luteotrófica e promotora do crescimento, e inibe a atividade da insulina materna.

lac·to·glob·u·lin (lak"to-glob'ŭl-in) – lactoglobulina; globulina que ocorre no leite.

lac·tone (lak'tōn) – lactona: 1. líquido aromático proveniente do ácido láctico; 2. um composto orgânico cíclico cuja cadeia é mais fechada pela formação de um éster entre os grupos carboxila e hidroxila na mesma molécula.

lac·tor·rhea (lak-tor-e'ah) – lactorréia; galactorréia (*galactorrhea*).

lac·tose (lak'tōs) – lactose; dissacarídeo que ocorre no leite dos mamíferos, e na hidrólise, produz glicose e galactose; utilizada como diluente de comprimidos e cápsulas; agente avolumador de pó e componente das fórmulas alimentares para bebês.

lac·to·side (lak'to-sīd) – lactóside; glicosídeo no qual o constituinte de açúcar é a lactose.

lac·tos·uria (-su're-ah) – lactosúria; lactose na urina.

lac·to·syl·cer·a·mi·do·sis (lak-to"sil-ser"ah-mi-do'sis) – lactosilceramidose; esfingolipidose na qual a lactosilceramida acumula-se no tecido nervoso e visceral devido a uma β-galactosidase deficituosa.

lac·to·trope (lak'to-trōp) – lactótropo; lactótrofo.

lac·to·troph (-trōf) – lactótrofo; um dos tipos celulares da adeno-hipófise, que se acredita secrete a prolactina.

lac·to·tro·phin, lac·to·tro·pin (lak"to-tro'fin; -tro'pin) – lactotrofina; lactotropina; prolactina.

lac·to·ve·ge·tar·i·an (-vej"ĕ-tār'e-an) – lactovegetariano: 1. pessoa que restringe a dieta a produtos lácteos e verduras e legumes; 2. relativo a essa dieta.

lac·tu·lose (lak'tu-lōs) – lactulose; dissacarídeo sintético utilizado como catártico e para potencializar a excreção ou a formação de amônia no tratamento de encefalopatia portossistêmica.

la·cu·na (lah-ku'nah) [L.] pl. *lacunae* – lacuna: 1. pequeno buraco ou cavidade oca; 2. defeito ou intervalo, como no campo visual (escotoma).

lacu'nar – adj. lacunar. **absorption l.** – l. de absorção; l. de reabsorção. **bone l.** – l. óssea; uma pequena cavidade dentro da matriz óssea, que contém um osteócito; a partir dela, canalículos delgados irradiam-se e penetram nas lamelas adjacentes para se anastomosar com os canalículos das lacunas vizinhas, formando conseqüentemente um sistema de cavidades interconectadas por canais diminutos. **cartilage l.** – l. cartilaginosa; uma das pequenas cavidades no interior da matriz cartilaginosa, e que contêm um condrócito. **Howship's l.** – l. de Howship; l. de reabsorção. **intervillous l.** – l. intervilosa; uma lacuna dos espaços sangüíneos da placenta, na qual se encontram os vilos fetais. **lateral lacunae** – lacunas laterais; emaranhados venosos dentro da dura-máter em cada lado do seio sagital superior. **l. mag'na** – l. magna; fossa navicular; ver *fossa, navicular* (2). **osseous l.** – l. óssea. **l. pharyn'gis** – l. da faringe; depressão na extremidade faríngea da trompa de Eustáquio. **reabsorption l.** – l. de reabsorção; depressão ou um sulco no osso em desenvolvimento que sofre reabsorção; freqüentemente encontrada contendo osteoclastos. **trophoblastic l.** – l. trofoblástica; l. intervilosa.

la·cu·nule (lah-ku'nŭl) – lacúnula; lacuna diminuta.

la·cus (lah'kus) [L.] pl. *lacus* – lago.

lae– – ver também *le*.

La·e·trile (la'ĕ-tril) – Laetrile, marca registrada do ácido *l*-mandelonitrila-β-glicurônico, derivado da hidrólise da amigdalina e oxidação da *l*-mandelonitrila-β-glicosídeo resultante; afirma-se que tem propriedades antineoplásicas. Algumas vezes utilizado intercambiavelmente com a amigdalina (*amygdalin*).

lae·ve (le've) [L.] – não-viloso.

lag (lag) – intervalo; demora: 1. período entre a aplicação de um estímulo e a reação; 2. período após a inoculação de bactérias em um meio de cultura, no qual o crescimento ou a divisão celular são lentos.

la·ge·na (lah-je'nah) – lagena: 1. parte da extremidade superior do ducto coclear; 2. órgão de audição nos vertebrados não-mamíferos.

la·gen·i·form (lah-jen'ĭ -form) – lageniforme; em forma de frasco.

lag·oph·thal·mos (lag"of-thal'mos) – lagoftalmia; incapacidade de fechar os olhos completamente.

lake (lāk) – lago: 1. realizar a separação da hemoglobina das hemácias; 2. coleção circunscrita de fluido em uma cavidade oca ou deprimida. Ver também *lacuna*. **lacrimal l.** – l. lacrimal; espaço triangular no ângulo medial do olho, onde se coletam as lágrimas. **marginal l's** – lagos marginais; lacunas venosas descontínuas, relativamente livres de vilos, próximas à borda da placenta, formadas pela fusão das porções marginais do espaço interviloso com o lago subcorial. **subchorial l.** – l. subcorial; porção da placenta relativamente livre de vilos, imediatamente abaixo da placa coriônica; na borda da placenta, ela se torna contínua com canais irregulares formando lagos marginais.

lal·la·tion (lah-la'shun) – lalação; balbucio; forma infantil de falar.

lalo- [Gr.] – elemento de palavra, *fala; balbucio*.

lalo·ple·gia (lal"o-ple'jah) – laloplegia; logoplegia.

lal·or·rhea (-re'ah) – lalorréia; fluxo excessivo de palavras.

lamb·da (lam'dah) – lambda; ponto de união das suturas lambdóide e sagital.

lamb·doid (lam'doid) – lambdóide; com forma semelhante à letra grega lambda Λ ou λ.

Lam·blia (lam'ble-ah) – *Lamblia; Giardia*.

lam·bli·a·sis, lam·bli·o·sis (lam-bli'ah-sis; lam"bleo'sis) – lambíase; giardíase.

lame (lām) – coxo; incapaz de locomoção normal; desvio da marcha normal.

la·mel·la (lah-mel'ah) [L.] pl. *lamellae* – lamela: 1. folha ou placa fina, como a de um osso; 2. disco ou lâmina medicados a serem inseridos debaixo da pálpebra. **lamel'lar** – adj. lamelar. **circumferential l.** – l. circunferencial; uma das camadas ósseas subjacentes ao periósteo e ao endósteo. **concentric l.** – l. concêntrica, l. de Havers. **endosteal l.** – l. endósteo; uma das placas ósseas que se situam debaixo do endósteo. **ground l.** – l. intersticial. **haversian l.** – l. de Havers; lamela das placas ósseas concêntricas que circundam um canal haversiano. **intermediate l., interstitial l.** – l. intermediária; l. intersticial; uma das placas ósseas que se encaixam entre os sistemas haversianos. **vitreous l.** – l. vítrea; lâmina basal.

la·mel·li·po·dia (lah-mel"ĭ -po'de-ah) sing. *lamellipodium* – lamelipódios; extensões citoplasmáticas delicadas e semelhantes a folhas, que formam aderências transitórias com o substrato celular e ondulam suavemente, permitindo que a célula se mova junto com o substrato.

lam·i·na (lam'ĭ -nah) [L.] pl. *laminae* – lâmina; uma camada chata e fina; termo utilizado na nomenclatura anatômica para designar uma estrutura ou camada de estrutura composta. Freqüentemente utilizado apenas com o significado de lâmina vertebral. **basal l.** – l. basal: 1. camada de membrana basal que se situa próxima à superfície basal da camada celular adjacente, compreendendo duas camadas: a lâmina lúcida (elétron-brilhante) e a lâmina densa (elétron-densa); 2. algumas vezes, toda a membrana basal; 3. l. **basa'lis** – l. basal; uma de um par de zonas longitudinais do tubo neural embrionário, a partir das quais se desenvolvem as colunas cinzentas ventrais do medula espinhal e os centros motores cerebrais. **l. basila'ris** – l. basilar; parede posterior do ducto coclear, que o separa da rampa do tímpano. **Bowman's l.** – l. de Bowman; ver um *membrane*. **l. choroidocapilla'ris** – l. coroidocapilar; camada interna da coróide, composta de uma rede de camada única de capilares pequenos. **l. cribro'sa** – l. cribrosa: 1. fáscia cribrosa; 2. (*do osso etmóide*) a placa horizontal do osso etmóide, que forma o teto da cavidade nasal e encontra-se perfurada por muitos forames para a passagem de nervos olfatórios; 3. (*da esclera*) a parte perfurada da esclera por onde passam os axônios das células ganglionares retinianas. **l. den'sa** – l. densa; ver *basal l*. (1). **elastic l.** – l. elástica: 1. membrana de Bowman; 2. membrana de Descemet. **epithelial l.** – l. epitelial; a camada de células ependimais que recobre o plexo coróide. **l. lu'cida** – l. lúcida; ver *basal l*. (1). **nuclear l.** – l. nuclear; malha estreitamente tecida que reveste o lado nuclear da membrana nuclear interna; acredita-se que controle a forma do núcleo. **l. pro'pria** – l. própria: 1. camada de tecido conjuntivo da membrana mucosa; 2. a camada fibrosa média da membrana timpânica. **l. ra'ra** – l. rara; l. lúcida; ver *basal l.* (1). Nos alvéolos pulmonares e nos glomérulos renais, pode ocorrer uma lâmina rara em cada lado da lâmina densa. **reticular l.** – l. reticular: 1. camada da membrana basal, adjacente ao tecido conjuntivo, observada em alguns epitélios; 2. l. reticular. **l. reticula'ris** – l. reticular; membrana hialina perfurada que recobre o órgão de Corti. **Rexed's laminae** – lâminas Rexed; esquema arquitetônico utilizado para classificar a estrutura da medula espinhal, com base nas características citológicas dos neurônios em regiões diferentes da substância cinzenta. **l. spira'lis** – l. espiral: 1. placa óssea dupla que se enrola espiralmente ao redor do modíolo, dividindo o canal espiral da cóclea na rampa timpânica e na rampa vestibular; 2. projeção óssea na parede externa da cóclea na parte inferior da primeira volta. **terminal l.** of **hypothalamus** – l. hipotalâmica terminal; placa fina derivada do telencéfalo, e que forma a parede anterior do terceiro ventrículo cerebral. **l. of vertebra, l. of vertebral arch** – l. vertebral; l. do arco vertebral; uma de um par de placas ósseas largas que se sobressaem dos pedículos dos arcos vertebrais e se fundem juntas na linha média para completar a parte posterior do arco e fornecer uma base para o processo espinhoso.

lam·i·nag·ra·phy (lam''ĭ -nag'rah-fe) – laminografia; tomografia (*tomography*).

lam·i·na·plas·ty (lam'in-ah-plas''te) – laminoplastia; alívio de uma compressão da medula espinhal ou das raízes nervosas por meio de incisão através de toda uma lâmina do arco vertebral, com a criação de uma bandeja na lâmina contralateral e uma abertura do arco semelhante a uma porta.

lam·i·nec·to·my (lam''ĭ -nek'tah-me) – laminectomia; excisão do arco posterior de uma vértebra.

lam·i·not·o·my (lam''ĭ -not'ah-me) – laminotomia; transecção da lâmina de uma vértebra.

lamp (lamp) – lâmpada; um aparelho para fornecer calor ou luz. **annealing l.** – l. maleável de álcool; lâmpada a álcool para aquecer uma lâmina de ouro para preenchimentos dentários. **mercury arc l., mercury vapor l.** – l. de arco de mercúrio; l. de vapor de mercúrio; lâmpada na qual o arco se encontra em vapor de mercúrio; fechado em um aquecedor de quartzo; utilizada na terapia com luz; pode ser resfriada com ar ou água. **quartz l.** – l. de quartzo; l. de vapor de mercúrio. **xenon arc l.** – l. de arco de xenônio; lâmpada que produz luz de alta intensidade em uma série ampla de comprimentos de onda; utilizada com filtros ópticos para simular a radiação solar; fonte de luz.

lam·ziek·te (lam'zēk-te) [Hol.] – botulismo; doença de bovinos da África do Sul, caracterizada por paralisia motora e devida à ingestão de ossos contaminados pela toxina produzida pela *Clostridium botulinum* por parte de animais deficientes em fósforo; ver *botulism.*

la·nat·o·side C (lah-nat'o-sīd) – lanatosídeo; glicosídeo cardiotônico proveniente das folhas da *Digitalis lanata;* utilizada como digitálico.

lance (lans) – bisturi: 1. lanceta; 2. lancetar, cortar ou incisar com lanceta.

lan·cet (lan'set) – lanceta; um pequeno bisturi cirúrgico, pontiagudo e com duas bordas.

lan·ci·nat·ing (lan'sĭ -nāt''ing) – lancinante; que dilacera; dá pontadas ou corta profundamente; diz-se de uma dor.

lan·o·lin (lan'ah-lin) – lanolina; substância semelhante à gordura, purificada e proveniente da lã do carneiro (*Ovis aries*), misturada com 25 a 30% de água; utilizada como base de linimento de água em óleo. **anhydrous l.** – l. anidra; lanolina que não contém mais que 0,25% de água; utilizada como base de linimento absorvente.

La·nox·in (lah-nok'sin) – Lanoxin, marca registrada de preparações de digoxina.

lan·tha·num (lan'thah-num) – lantânio; elemento químico (ver *Tabela de Elementos*), número atômico 57, símbolo La.

la·nu·go (lah-noo'go) – lanugo; pêlos finos sobre o corpo do feto.

lapar(o)- [Gr.] – elemento de palavra, *lombo ou flanco;* por extensão, *abdômen.*

lap·a·ro·sal·pin·gos·to·my (lap''ah-ro-sal''ping-gos' tah-me) – laparossalpingostomia; formação de uma abertura no oviduto através de incisão abdominal.

lap·a·ro·scope (lap'ah-rah-skōp'') – laparoscópio; endoscópio para examinar a cavidade peritoneal.

lap·a·ros·co·py (lap''ah-ros'kah-pe) – laparoscopia; exame ou tratamento do interior do abdômen por meio de um laparoscópio.

lap·a·rot·o·my (lap''ah-rot'ah-me) – laparotomia; incisão através do flanco ou, de modo geral, através de qualquer parte da parede abdominal.

lap·in·iza·tion (lap''in-ĭ -za-shun) – lapinização; passagem seriada de um vírus ou de uma vacina em coelhos para modificar suas características.

lard (lahrd) – toucinho; gordura interna purificada do abdômen do suíno.

Lar·o·tid (lar'o-tid) – Larotid, marca registrada de preparações de amoxicilina.

lar·va (lahr'vah) [L.] pl. *larvae* – larva; estágio de desenvolvimento independente, móvel e algumas vezes com alimentação, na história natural de um animal. **l. cur'rens** – l. corrente; variante da larva migrante causada por *Strongyloides stercoralis,* na qual a progressão da lesão linear é muito mais rápida. **l. mi'grans** – *l. migrans;* erupção serpiginosa; erupção cutânea filamentosa, pruriginosa e eritematosa, papular ou vesicular, que parece migrar, causada pela escavação por baixo da pele das larvas de vermes cilíndricos (particularmente as larvas do *Ancylostoma*). Também aplicado a lesões semelhantes causadas por outros parasitas. **l. migrans, ocular** – *l. migrans* ocular; infecção do olho pelas larvas da *Toxocara canis* ou *T. cati,* que podem se alojar na coróide ou na retina ou migrar para o humor vítreo; com a morte das larvas, ocorre inflamação granulomatosa, em que a lesão varia de uma elevação translúcida da retina até o descolamento retiniano maciço e pseudoglioma. **l. migrans, visceral** – *l. migrans* visceral; afecção resultante de migração prolongada de larvas de nematódeos de outros tecidos humanos além da pele; comumente causada pelas larvas da *Toxocara canis* ou *T. cati*, que não completam o seu ciclo vital nos humanos.

lar·vate (-vāt) – larváceo; mascarado; oculto; diz-se de uma doença ou sintoma de uma doença.

lar·yn·ge·al (lah-rin'je-il) – laríngeo; relativo à laringe.

lar·yn·gis·mus (lar"in-jiz'mus) – laringismo; espasmo laríngeo. **laryngis'mal** – adj. laringísmico. **l. paraly'ticus** – l. paralítico; estridor. **l. stri'dulus** – l. estriduloso; espasmo laríngeo súbito, com inspiração sonora e cianose.

lar·yn·gi·tis (-jī t'is) – laringite; inflamação da laringe. **laryngit'ic** – adj. laringítico. **atrophic l.** – l. atrófica; forma extrema de laringite catarral crônica. **chronic catarrhal l.** – l. catarral crônica; forma caracterizada por atrofia das glândulas da membrana mucosa. **subglottic l.** – l. subglótica; inflamação da superfície inferior das cordas vocais.

laryng(o)- [Gr.] – laring(o)-, elemento de palavra, *laringe*.

la·ryn·go·cele (lah-ring'gah-sēl) – laringocele; saco aéreo anômalo e congênito, comunicante com a cavidade laríngea, e que pode se protrair exteriormente no pescoço.

la·ryn·go·fis·sure (-fish"er) – laringofissura; laringotomia mediana.

lar·yn·gog·ra·phy (lar"ing-gog'rah-fe) – laringografia; radiografia da laringe.

lar·yn·gol·o·gy (-gol'ah-je) – laringologia; ramo da Medicina que se ocupa da garganta, faringe, laringe, nasofaringe e árvore traqueobrônquica.

lar·yn·gop·a·thy (-gop'ah-the) – laringopatia; qualquer distúrbio da laringe.

la·ryn·go·phar·yn·gec·to·my (lar"ing-go-far"-in-jek'tah-me) – laringofaringectomia; excisão da laringe e da faringe.

la·ryn·go·phar·ynx (-far'inks) – laringofaringe; porção da faringe abaixo da borda superior da epiglote, que se abre na laringe e no esôfago.

lar·yn·goph·o·ny (lar"ing-gof'ah-ne) – laringofonia; som vocal ouvido na auscultação da laringe.

la·ryn·go·plas·ty (lah-ring'go-plas"te) – laringoplastia; reparo plástico da laringe.

la·ryn·go·ple·gia (lah-ring"go-ple'je-ah) – laringoplegia; paralisia da laringe.

la·ryn·go·pto·sis (-to'sis) – laringoptose; abaixamento e mobilização da laringe, como algumas vezes se observa nos idosos.

la·ryn·go·rhi·nol·o·gy (-ri-nol'ah-je) – laringorrinologia; ramo da Medicina que lida com a laringe e o nariz.

lar·yn·gos·co·py (lar"ing-gos'kah-pe) – laringoscopia; exame visual da laringe interior. **laryngoscop'ic** – adj. laringoscópico.

la·ryn·go·ste·no·sis (lah-ring"go-stē-no'sis) – laringoestenose; estreitamento ou estenose da laringe.

lar·yn·gos·to·my (lar"ing-gos'tah-me) – laringostomia; fistulização cirúrgica da laringe.

lar·yn·got·o·my (-got'ah-me) – laringotomia; incisão da laringe. **inferior l.** – l. inferior; laringotomia através da membrana cricotireóide. **median l.** – l. mediana; laringotomia através da cartilagem tireóidea. **superior l., subhyoid l.** – l. superior; l.

sub-hióide, laringotomia através da membrana tireo-hióide.

la·ryn·go·tra·che·itis (lah-ring"go-tra"ke-ī t'-is) – laringotraqueíte; inflamação da laringe e da traquéia. **avian l., infectious l.** – l. aviária; l. infecciosa; doença viral das aves domésticas, caracterizada por distúrbio respiratório, arquejo e expectoração de exsudato sanguinolento.

la·ryn·go·tra·che·ot·o·my (-tra"ke-ot'ah-me) – laringotraqueotomia; incisão da laringe e da traquéia.

la·ryn·go·xe·ro·sis (-ze-ro'sis) – laringoxerose; ressecamento da laringe.

lar·ynx (lar'inks) [L.] pl. *larynges* – laringe; órgão da voz; passagem aérea entre a faringe inferior e a traquéia, que contém as cordas vocais e é formada por nove cartilagens: tireóide, cricóide e epiglote e as cartilagens pareadas aritenóides, corniculadas e cuneiformes. Ver Pranchas VI e VII.

la·ser (la'zer) – (*light amplification by stimulated emission of radiation*) laser; dispositivo que transmite luz de freqüências variadas em um feixe intenso, pequeno e quase não-divergente de radiação monocromática na região visível, com todas as ondas em fase; capaz de mobilizar calor e força imensos quando focalizado a uma distância muito próxima; é utilizado como um instrumento na cirurgia, diagnóstico e estudos fisiológicos. **argon l.** – l. de argônio; laser com argônio ionizado como meio ativo, cujo feixe se encontra no espectro de luz visível azul e verde; utilizado para fotocoagulação. **carbon-dioxide l.** – l. de dióxido de carbono; laser com gás de dióxido de carbono como meio ativo, que produz uma radiação infravermelha a 10.600 nm; utilizado para excisar e incisar tecidos e vaporizar. **dye l.** – l. com corante; laser com um corante orgânico como meio ativo, cujo feixe se encontra no espectro de luz visível. **excimer l.** – l. excimer; laser com halóides de gases nobres como meio ativo, cujo feixe se encontra no espectro ultravioleta e só penetra nos tecidos a curta distância; utilizado em procedimentos oftalmológicos e na angioplastia a laser. **helium-neon l.** – l. de hélio-neônio; laser com uma mistura dos gases hélio e neônio ionizados como meio ativo, cujo feixe se encontra no espectro de luz visível vermelho; utilizado como feixe-guia para lasers que operam em comprimentos de onda não-visíveis. **krypton l.** – l. de criptônio; laser com criptônio ionizado por meio de uma corrente elétrica como meio ativo, cujo feixe se encontra no espectro de luz visível amarelo-vermelho; utilizado para fotocoagulação. **KTP l.** – l. de KTP; laser no qual se direciona um feixe gerado por um laser de neodímio:YAG através de um cristal de fosfato titanílico de potássio para produzir um feixe no espectro visível verde; utilizado para fotoablação e fotocoagulação. **neodymium:-yttrium-aluminum-garnet (Nd:YAG) l.** – l. de neodímio:ítrio-alumínio-granada (Nd:YAG); laser cujo meio ativo é um cristal de ítrio, alumínio e granada revestido com íons de neodímio, e cujo feixe se encontra no espectro infravermelho próximo, a 1.060nm; utilizado para fotocoagulação e fotoablação. **potassium titanyl phosphate l.** – l. de fosfato titanílico de potássio; l. de KTP.

JKL

las·si·tude (lasΓ-tōod) – lassitude; prostração; fraqueza; exaustão.

la·ten·cy (la'ten-se) – latência: 1. estado de inatividade aparente; 2. período entre o instante da estimulação e o início de uma resposta; 3. ver em *stage*.

la·ten·ti·a·tion (la-ten"she-a'shun) – processo de se tornar latente; em Farmacologia, modificação química de um composto biologicamente ativo para afetar sua absorção, distribuição etc., sendo o composto modificado transformado após a administração em composto ativo por meio de processos biológicos.

lat·er·ad (lat'er-ad) – lateral; em direção à face lateral.

lat·er·al (-il) – lateral: 1. denota uma posição mais distante do plano medial ou da linha média do corpo ou estrutura; 2. relativo a um lado.

lat·er·a·lis (lat"er-a'lis) [L.] – lateral.

lat·er·al·i·ty (lat"er-al'it-e) – lateralidade; tendência a utilizar preferencialmente os órgãos (mão, pé, ouvido e olho) do mesmo lado em atos motores voluntários. **crossed l.** – l. cruzada; uso preferencial de membros contralaterais dos diferentes pares de órgãos em atos motores voluntários, por exemplo, o olho direito e a mão esquerda. **dominant l.** – l. dominante; dominância lateral.

lat·ero·duc·tion (lat"er-o-duk'shun) – látero-ducção; movimento de um olho para qualquer lado.

lat·ero·flex·ion (-flek'shun) – látero-flexão; flexão para um lado.

lat·ero·tor·sion (-tor'shun) – látero-torção; torção do meridiano vertical ocular para qualquer lado.

lat·ero·ver·sion (-vur'zhun) – látero-versão; rotação anormal para um lado.

la·tex (la'teks) – látex; suco leitoso e viscoso secretado por algumas plantas sementíferas.

lath·y·rism (lath'Γ-rizm) – latirismo; afecção mórbida caracterizada por paraplegia espástica, dor, hiperestesia e parestesia, devida a ingestão excessiva de sementes de plantas leguminosas do gênero *Lathyrus*, que inclui muitos tipos de ervilhas. **lathyrit'ic** – adj. latirítico.

la·tis·si·mus (lah-tis'Γ-mus) [L.] – o mais largo; grande; o mais amplo; em Anatomia, denota uma estrutura larga.

lat·ro·dec·tism (lat"ro-dek'tizm) – latrodectismo; intoxicação devida ao veneno de aranhas do gênero *Latrodectus*.

Lat·ro·dec·tus (-dek'tus) – *Latrodectus;* gênero de aranhas venenosas, que inclui a *L. mactans* (viúva-negra), cuja picada pode causar sintomas severos ou até morte.

LATS – long-acting thyroid stimulator (estimulador tireóideo de ação longa).

la·tus¹ (la'tus) – largo; amplo; extenso.

la·tus² (la'tus) [L.] pl. *latera* – lado; flanco.

lau·rate (law'rāt) – laurato; sal, éster ou forma aniônica do ácido láurico.

lau·ric ac·id (-rik) – ácido láurico; ácido graxo de doze carbonos saturados, encontrado em muitas gorduras vegetais, particularmente no óleo de coco e óleo de semente de palmeira.

la·vage (lah-vahzh') – lavagem: 1. irrigação ou lavagem de um órgão, como do estômago ou intestino; 2. lavar; irrigar.

law (law) – lei; fato ou princípio uniforme ou constante. **Allen's paradoxic l.** – l. paradoxal de Allen; quanto mais açúcar se oferece a uma pessoa, mais este é utilizado; o reverso vale no caso dos diabéticos. **all-or-none l.** – l. do tudo ou nada; ver *all or none*. **Beer's l.** – l. de Beer; em espectrofotometria, a absorbância de uma solução é proporcional à concentração do soluto absorvente e à extensão do trajeto do feixe luminoso através da solução. **Boyle's l.** – l. de Boyle; a uma temperatura constante, o volume de um gás perfeito varia inversamente à pressão, e a pressão varia inversamente ao volume. **Charles' l.** – l. de Charles; a uma pressão constante, o volume de uma certa massa de um gás perfeito varia diretamente com a temperatura absoluta. **l. of conservation of energy** – l. da conservação da energia; em qualquer sistema, a quantidade de energia é constante; a energia nem é criada e nem destruída, mas somente transformada de uma forma para outra. **l. of conservation of matter** – l. da conservação da matéria; em qualquer reação química, não se criam e nem se destroem átomos; a massa total do sistema permanece constante. **Dalton's l.** – l. de Dalton; a pressão exercida por uma mistura de gases não-reagentes equivale à soma das pressões parciais dos componentes separados. **Hellin's l., Hellin-Zeleny l.** – l. de Hellin; l. de Hellin-Zeleny; em cerca de 89 gestações ocorre o nascimento de gêmeos; em uma dentre 89 x 89 (7.921), ocorre o nascimento de trigêmeos; e em uma dentre 89 x 89 x 89 (704.969) ocorre o nascimento de quadrigêmeos. **Henry's l.** – l. de Henry; a solubilidade de um gás em uma solução líquida é proporcional à pressão parcial do gás. **l. of independent assortment** – l. da segregação independente; os genes não-alelos distribuem-se nos gametas independentemente; uma das leis de Mendel. **Mendel's l's, mendelian l's** – leis de Mendel; duas leis de hereditariedade de características de gene único, que formam a base da genética: a *lei da segregação* e a *lei da segregação independente*. **Nysten's l.** – l. de Nysten; o *rigor mortis* afeta primeiro os músculos da mastigação, depois os da face e pescoço, em seguida os do tronco e braços e por último os das pernas e pés. **Ohm's l.** – l. de Ohm; a força de uma corrente elétrica varia diretamente com a força eletromotriz e inversamente com a resistência. **Raoult's l.** – l. de Raoult: 1. para os pontos de congelamento (*freezing, point*) a depressão do ponto congelante de um mesmo tipo de eletrólito dissolvido em determinado solvente é proporcional à concentração molecular do soluto; 2. (*para as pressões de vapor*) (*a*) a pressão de vapor de uma substância volátil proveniente de uma solução líquida equivale à fração molar dessa substância multiplicada por sua pressão de vapor em estado puro; (*b*) quando um não-eletrólito não-volátil se dissolve em um solvente, a redução da pressão de vapor desse solvente equivale à fração molar do soluto multiplicada pela pressão de vapor do solvente puro. **l. of segregation** – l. da segregação; os membros de um par de genes alélicos são separados um do outro e passam para gametas diferentes; uma das leis de Mendel. **l's of thermodynamics** – leis da termodinâmica; *Lei zero*: dois sistemas em equilíbrio térmico com um terceiro se encontram em equilíbrio térmico entre si. *Primeira lei*: a energia se conserva em qualquer processo. *Segunda lei*: ocorre sempre um aumento na entropia de qualquer processo de ocorrência natural. *Terceira lei*: o zero absoluto é inatingível.

law·ren·ci·um (law-ren'se-um) – laurêncio; elemento químico (ver *Tabela de Elementos*), número atômico 103, símbolo Lw.

lax·a·tive (lak'sit-iv) – laxativo: 1. aperiente; suavemente catártico; 2. catártico ou purgativo. **bulk l., bulk-forming l.** – l. de volume; l. formador de volume; laxativo que promove a evacuação intestinal através de aumento do volume fecal. **contact l.** – l. de contato; laxativo que aumenta a atividade motora do trato intestinal. **lubricant l.** – l. lubrificante; laxativo que promove amolecimento das fezes e facilita a passagem das mesmas pelos intestinos com seu efeito lubrificante. **saline l.** – l. salino; sal administrado em solução hipertônica para puxar água para o interior do lúmen intestinal por meio de osmose, distendendo-o e promovendo peristaltismo e evacuação. **stimulant l.** – l. estimulante; l. de contato.

lax·a·tor (lak-sa'tor) – relaxador; que afrouxa ou relaxa.

lax·i·ty (lak'sǐ-te) – frouxidão; afrouxamento ou deslocamento no movimento de uma articulação.

lay·er (la'er) – camada; estrato; lâmina; massa de tecido semelhante a uma lâmina, de espessura quase uniforme, podendo-se sobrepor várias delas, uma sobre a outra, como na epiderme. **bacillary l.** – c. bacilar; c. de bastonetes e cones. **basal l.** – c. basal: 1. camada mais profunda da epiderme; 2. camada mais profunda da mucosa uterina. **blastodermic l.** – c. blastodérmica; c. germinativa. **l's of cerebral cortex** – camadas do córtex cerebral; seis divisões anatômicas do córtex cerebral (especificamente o neocórtex), distinguidas de acordo com os tipos de células e fibras que elas contêm. **clear l. of epidermis** – c. clara da epiderme; camada translúcida clara da epiderme, imediatamente abaixo da camada córnea. **columnar l.** – c. colunar; c. do manto. **compact l.** – c. compacta; camada do endométrio mais próxima da superfície, que contém os colos das glândulas uterinas. **enamel l.** – c. de esmalte; uma das duas paredes (parede côncava interna e parede convexa externa) do órgão do esmalte. **functional l.** – c. funcional; camadas compacta e esponjosa do endométrio, consideradas em conjunto, cujas células são descartadas na menstruação e no parto; conhecida como decídua (*decidua*) durante a gravidez. **ganglionic l. of cerebellum** – c. ganglionar do cerebelo; c. de Purkinje. **germ l.** – c. germinativa; uma das três camadas primárias de células do embrião (ectoderma, entoderma e mesoderma), a partir das quais se desenvolvem os tecidos e os órgãos. **germinative l.** – c. germinativa; c. de Malpighi; 3. c. basal; ver *basal l.* (1). **granular l.** – c. granular:

1. camada da epiderme entre as camadas clara e de células espinhosas; 2. camada profunda do córtex cerebelar; 3. camada de células foliculares que reveste a teca dos folículos ovarianos vesiculares; 4. uma das duas camadas do córtex cerebral, também designadas interna ou externa; 5. uma das duas camadas do bulbo olfatório, também designadas interna ou externa. **Henle's l.** – c. de Henle; a camada mais externa da bainha radicular interna do folículo piloso. **horny l.** – c. córnea: 1. estrato córneo; a camada mais externa da epiderme; consiste de células mortas e descamadas; 2. a camada compacta externa da unha. **malpighian l.** – c. de Malpighi; a camada basal e a camada de células espinhosas da epiderme consideradas em conjunto. **mantle l.** – c. do manto; zona do manto; camada média da parede do tubo neural primitivo, que contém as células nervosas primitivas e posteriormente forma a substância cinzenta do sistema nervoso central. **odontoblastic l.** – c. odontoblástica; camada epitelióide de odontoblastos em contato com a dentina dos dentes. **Purkinje l., Purkinje cell. l.** – c. de Purkinje; c. de células de Purkinje; camada de neurônios de Purkinje situada entre a camada molecular externa e a camada granular interna do córtex cerebelar. **prickle cell l.** – c. de células espinhosas; estrato espinhoso; camada da epiderme entre as camadas granular e basal, caracterizada pela presença de células espinhosas. **Rauber's l.** – c. de Rauber; a mais externa das três camadas que formam o blastodisco no embrião inicial. **l. of rods and cones** – c. de bastonetes e cones; camada da retina imediatamente abaixo do epitélio pigmentado, entre este e a membrana limitante externa, e que contém os bastonetes e os cones. **spongy l.** – c. esponjosa; camada média do endométrio, que contém as porções retorcidas das glândulas uterinas; ver também c. funcional (*functional l.*). **subendocardial l.** – c. subendocárdica; camada de tecido fibroso frouxo que une o endocárdio e o miocárdio, e contém os vasos e nervos do sistema condutor do coração.

lb [L.] – *libra* (pound) (libra).

LBBB – left brindle branch block (BRFE, bloqueio de ramo de feixe esquerdo); ver *bundle branch block*, em *block*.

LD₅₀ LD_{50} – median lethal dose (dose letal média).

LDL – low-density lipoprotein (lipoproteína de baixa densidade).

L-dopa – ver *dopa*.

LE – lupus erythematosus; left eye (lúpus eritematoso; OE, olho esquerdo).

lead[1] (led) – chumbo; elemento químico (ver *Tabela de Elementos*), número atômico 82, símbolo Pb. Ocorre intoxicação pela absorção ou ingestão do chumbo afetando o cérebro, os sistemas nervoso e digestivo e também o sangue.

lead[2] (lēd) – derivação; um dos condutores conectados ao eletrocardiógrafo, cada qual compreendendo dois ou mais eletrodos presos em locais corporais específicos e utilizados para examinar uma atividade elétrica através da monitoração de alterações no potencial elétrico entre eles. **l. l** – d.

JKL

I; derivação de membro bipolar padrão presa nos braços direito e esquerdo. **I. II** – d. II; derivação de membro bipolar padrão presa no braço direito e na perna esquerda. **I. III** – d. III; derivação de membro bipolar padrão presa no braço esquerdo e na perna esquerda. **augmented unipolar limb I.** – d. de membro unipolar potencializada; derivação de membro unipolar modificada; as três derivações padrão são: aV_F (perna esquerda), aV_L (braço esquerdo) e aV_R (braço direito). **aV_FI.** – d. aV_F; derivação de membro unipolar potencializada na qual o eletrodo positivo situa-se na perna esquerda. **aV_L I.** – d. aV_L; derivação de membro unipolar potencializada na qual o eletrodo positivo situa-se no braço esquerdo. **aV_R I.** – d. aV_R; derivação de membro unipolar potencializada na qual o eletrodo positivo situa-se no braço direito. **bipolar I.** – d. bipolar; arranjo que envolve dois eletrodos posicionados em dois locais corporais diferentes. **limb I.** – d. de membro; arranjo no qual quaisquer eletrodos de registro prendem-se nos braços. **pacemaker I., pacing I.** – d. de marca-passo; conexão entre o coração e a fonte de energia de um marca-passo cardíaco artificial. **precordial I's** – derivações precordiais; derivações nas quais o eletrodo de exploração se posiciona no tórax e o outro se conecta a uma ou mais extremidades; geralmente utilizado para denotar uma das derivações V. **standard I's** – derivações padronizadas; as 12 derivações utilizadas em um eletrocardiograma padrão, compreendendo as derivações de membro bipolares padrão I–III, as derivações de membro unipolares potencializadas e as derivações precordiais padrão. **unipolar I.** – d. unipolar; arranjo de dois eletrodos, sendo somente um deles que transmite uma variação de potencial. **V I's** – derivações V; a série de derivações unipolares padrão nas quais o eletrodo de exploração se prende no tórax, e designadas V_1 a V_6. **XYZ I's** – derivações XYZ; derivações utilizadas em um sistema de vetorcardiografia espacial.

learn·ing (lern'ing) – aprendizado; alteração comportamental adaptativa de longa duração decorrente de experiência. **latent I.** – a. latente; aprendizado que ocorre sem reforço, tornando-se aparente apenas ao se introduzir um reforço ou uma recompensa.

lec·i·thal (les'ĭ -thil) – lecítico; que tem vitelo ou gema; utilizado especialmente como terminação de palavra isolécito etc. (*isolecithal*).

lec·i·thin (les'ĭ -thin) – lecitina; fosfatidilcolina (*phosphatidylcholine*).

lec·i·thin-cho·les·ter·ol ac·yl·trans·fer·ase (LCAT) (les'ĭ -thin kŏ-les'ter-ol a''sil-trans'-fer-ās) – lecitina colesterol aciltransferase; enzima que catalisa a formação de ésteres colesterílicos em lipoproteínas de alta densidade; a deficiência da atividade enzimática, um distúrbio herdado, resulta em acúmulo de colesterol e fosfatidilcolina no plasma e tecidos, que causa opacidades corneanas, anemia e freqüentemente proteinúria.

lecith(o)- [Gr.] – lecit(o)-, elemento de palavra, *vitelo (ou gema) de um ovo* ou *óvulo.*

lec·i·tho·blast (les'ĭ -tho-blast") – lecitoblasto; entoderma primitivo de um blastodisco de duas camadas.

lec·tin (lek'tin) – lectina; substância de um grupo de proteínas hemoaglutinantes encontradas primariamente nas sementes vegetais, que se ligam especificamente com moléculas de açúcar ramificadas de glicoproteínas e glicolipídeos na superfície das células.

leech (lēch) – sanguessuga; um dos anelídeos da classe Hirudinea, especialmente a *Hirudo medicinalis;* algumas espécies são sugadoras de sangue e eram antigamente utilizadas para retirada de sangue.

leg (leg) – perna; membro inferior, especialmente o segmento do joelho ao pé. **bandy I.** – joelho varo; perna arqueada. **bayonet I.** – luxação incompleta dos ossos da perna; ancilose do joelho após deslocamento para trás da tíbia e da fíbula. **bow I.** – joelho varo; ver *bowleg.* **milk I.** – p. de leite; leucoflegmasia dolorosa. **restless I's** – pernas inquietas; sensação irritante e desconfortável de formigamento nas pernas, geralmente a parte inferior, só aliviada através de caminhada ou mantendo-se as pernas em movimento. **scissor I.** – p. em tesoura; deformidade com cruzamento das pernas ao caminhar.

Le·gion·el·la (le''jah-nel'ah) – *Legionella;* gênero de bactérias em forma de bastonete, aeróbicas e Gram-negativas, que normalmente habitam lagos, correntes e solo úmido; os microrganismos são geralmente isolados a partir da água de torres de resfriamento, condensadores evaporativos, água de torneira, duchas e esgoto tratado. **L. micda'dei** – *L. micdadei;* espécie que é o agente causador da pneumonia de Pittsburgh. **L. pneumo'phila** – *L. pneumophila;* espécie que é o agente causador da doença dos legionários.

le·gion·el·lo·sis (le''jin-el-o'sis) – legionelose; doença causada por infecção por *Legionella pneumophila;* ver *legionnaire's, disease* e *fever, Pontiac.*

le·gume (lĕ'gūm) – legume; vagem ou fruta de uma planta leguminosa, como as ervilhas ou os feijões.

leio·der·mia (li''o-derm'e-ah) – leiodermia; condição anormal em que a pele se apresenta lisa e brilhante.

leio·myo·fi·bro·ma (-mi''o-fi-bro'mah) – leiomiofibroma; leiomioma epitelióide.

leio·myo·ma (-mi-o'mah) – leiomioma; tumor benigno derivado da musculatura lisa, mais freqüentemente do útero. **I. cu'tis** – dermatomioma; um ou mais nódulos dolorosos, firmes, macios e freqüentemente céreos, que surgem das fibras musculares lisas cutâneas ou subcutâneas. **epithelioid I.** – I. epitelióide; leiomioma (geralmente do estômago), no qual as células são poligonais em vez de fusiformes.

leio·my·o·ma·to·sis (li''o-mi''o-mah-to'sis) – leiomiomatose; ocorrência de leiomiomas múltiplos por todo o corpo.

leio·myo·sar·co·ma (-sahr-ko'mah) – leiomiossarcoma; sarcoma que contém células fusiformes de musculatura lisa.

Leish·ma·nia (lēsh-ma'ne-ah) – *Leishmania;* gênero de protozoários parasitas, que inclui várias espécies patogênicas ao homem. Em algumas classificações, os microrganismos são colocados em quatro complexos que compreendem espécies e subespécies: a *L. donovani* (que causa a leishmaniose visceral), a *L. tropica* (que causa a forma do Velho Mundo de leishmaniose cutânea), a *L. mexicana* (que causa a forma do Novo Mundo de leishmaniose cutânea) e a *L. viannia* (que causa a leishmaniose mucocutânea).

leish·ma·ni·a·sis (lēsh"mah-ni'ah-sis) – leishmaniose; leishmaníase; infecção por *Leishmania.* **American l.** – l. americana; um dos tipos de leishmaniose cutânea ou visceral que ocorrem na América do Sul, América Central ou México. **cutaneous l.** – l. cutânea; doença granulomatosa endêmica, dividida em duas formas: uma forma do Velho Mundo (causada por *Leishmania major, L. tropica* ou *L. aethiopica*) e uma forma do Novo Mundo (causada por *L. mexicana* ou *L. viannia*). **lupoid l.** – l. lupóide; l. recidivante. **mucocutaneous l.** – l. mucocutânea; disseminação metastática, progressiva e crônica das lesões da leishmaniose do Novo Mundo, causado pela *Leishmania viannia braziliensis* nas mucosas nasal, faríngea e bucal bem depois do aparecimento da lesão cutânea inicial, causando destruição disseminada de tecidos, com deformidade acentuada. **post-kalazar dermal l.** – l. cutânea pós-calazar; afecção associada à leishmaniose visceral, caracterizada por máculas hipopigmentadas ou eritematosas na face e algumas vezes também nas extremidades e no tronco, com lesões faciais progredindo para pápulas e nódulos que parecem os da lepra lepromatosa. **l. reci'divans** – l. recidivante; forma recidivante prolongada de leishmaniose cutânea, semelhante à tuberculose cutânea. **visceral l.** – l. visceral; doença infecciosa crônica e altamente fatal se não for tratada, causada pela *Leishmania donovani,* e caracterizada por hepatosplenomegalia, febre, calafrios, vômito, anemia, leucopenia, hipergamaglobulinemia e coloração cinza-terrosa da pele. **visceriform l.** – l. visceriforme; forma suave de leishmaniose visceral caracterizada por febre, calafrios, mal-estar e esplenomegalia suave.

-lemma [Gr.] – -lema, elemento de palavra; *bainha.*

lem·mo·blas·tic (lem"o-blas'tik) – lemoblástico; que forma ou se desenvolve no tecido de um neurolema.

lem·nis·cus (lem-nis'kus) [L.] – lemnisco: 1. faixa; 2. filete ou feixe de fibras no sistema nervoso central.

length (length) – comprimento; a maior dimensão de um objeto ou a medida entre duas extremidades. **crown-heel l. (CHL)** – c. calvária-tornozelo; distância da coroa da cabeça até o tornozelo nos embriões, fetos e bebês; o equivalente da altura em pé nas pessoas mais velhas. **crown-rump l. (CRL)** – c. vértice-nádega; distância da coroa da cabeça até as nádegas nos embriões, fetos e bebês; o equivalente da altura sentada nas pessoas mais velhas. **focal l.** – c. focal; distância entre uma lente e um objeto a partir do qual todos os raios de luz chegam a um foco.

lens (lenz) – lente; cristalino: 1. fragmento de vidro ou outro material transparente, com uma forma de modo a convergir ou espalhar raios luminosos;

ver também *glasses;* 2. lente do cristalino; corpo transparente e biconvexo que separa a câmara posterior e o corpo vítreo e constitui parte do mecanismo de refração do olho; ver Prancha XIII. **achromatic l.** – l. acromática; lente corrigida quanto a uma aberração cromática. **aplanatic l.** – l. aplanática; lente que serve para corrigir aberrações esféricas. **bandage l.** – l.-atadura; lente de contato mole utilizada em uma córnea doente ou lesada para protegê-la ou tratá-la. **biconcave l.** – l. bicôncava; lente côncava em ambas as faces. **biconvex l.** – l. biconvexa; lente convexa em ambas as faces. **bifocal l.** – l. bifocal; ver em *glasses.* **concavoconvex l.** – l. côncavo-convexa; lente com uma face côncava e uma face convexa. **contact l.** – l. de contato; uma concha curva de vidro ou de plástico aplicada diretamente sobre o globo ou córnea para corrigir erros refratários. Pode ser uma *l. de contato mole (hidrofílica)* (flexível e hidroabsorvente) ou uma *l. de contato dura (hidrofóbica)* (rígida e não-hidroabsorvente); o último tipo é subdividido em lentes permeáveis a gases e não-permeáveis a gases, geralmente de polimetilmetacrilato (PMMA). **convexoconcave l.** – l. convexo-côncava; lente que tem uma face convexa e uma face côncava. **crystalline l.** – l. do cristalino; cristalino (2). **decentered l.** – l. descentrada; lente na qual o eixo óptico não passa pelo centro. **honey bee l.** – l. de abelha; lente ocular de aumento projetada para assemelhar-se ao olho multifacetado da abelha. Consiste de três ou seis pequenos telescópios montados na porção superior dos óculos e orientados em direção ao centro e aos campos visuais direito e esquerdo. Incluem-se prismas para proporcionar um campo visual aumentado, contínuo e não-interrompido. **omnifocal l.** – l. omnifocal; lente cujo poder aumenta contínua e regularmente em uma direção descendente, evitando a descontinuidade no campo e no poder inerentes às lentes bi e trifocais. **planoconvex l.** – l. planoconvexa; lente com um lado plano e o outro convexo. **spherical l.** – l. esférica; lente que é um segmento de uma esfera. **trial l.** – l. de prova; lente dentro um grupo de lentes utilizadas na determinação da acuidade visual. **trifocal l.** – l. trifocal; ver em *glasses.*

len·ti·co·nus (len"tĭ-ko'nus) – lenticone; projeção cônica, anterior ou posteriormente, do cristalino do olho.

len·tic·u·lar (len-tik'ŭl-er) – lenticular: 1. relativo ou com forma semelhante a uma lente; 2. relativo ao cristalino; 3. relativo ao núcleo lenticular.

len·ti·form (len'tĭ-fōrm) – lentiforme; em forma de lente.

len·tig·i·nes (len-tij'ĭ-nēz) – plural de *lentigo.*

len·tig·i·no·sis (len-tĭj"i'ĭ-no'sis) – lentiginose; afecção marcada por lentigos múltiplos. **progressive cardiomyopathic l.** – l. miocardiopática progressiva; lentigos simétricos múltiplos; miocardiopatia obstrutiva hipertrófica e crescimento retardado, algumas vezes com retardamento mental.

len·ti·glo·bus (len"tĭ-glo'bus) – lentiglobo; curvatura exagerada do cristalino, produzindo abaulamento esférico anterior.

len·ti·go (len-ti'go) [L.] pl. *lentigines* – lentigo; lentícula; mancha achatada na pele, com pigmentos, devida a aumento da deposição de melanina e do número de melanócitos. **l. malig'na** – l. maligno; mancha macular circunscrita (com tons marrom-escuro, castanho ou preto), que aumenta progressivamente e pode ser precursora de um melanoma de lentigo maligno.

Len·ti·vi·ri·nae (len"tĭ -vir-i'ne) – Lentivirinae; vírus semelhantes ao HIV; uma subfamília de vírus da família Retroviridae, que contém um único gênero (*Lentivirus*).

Len·ti·vi·rus (len'tĭ -vi"rus) – *Lentivirus;* vírus semelhantes ao HIV; gênero de vírus da subfamília Lentivirinae, que causam infecção persistente que resulta tipicamente em doença crônica, progressiva e geralmente fatal; inclui o vírus da imunodeficiência humana; lentivírus.

len·ti·vi·rus (len'tĭ -vi"rus) – lentivírus; vírus da subfamília Lentivirinae.

le·on·ti·a·sis (le"on-ti'ah-sis) – leontíase; fácies leonina da lepra lepromatosa, em razão de invasão nodular do tecido subcutâneo. **l. os'sea,l. os'sium** – l. óssea; hipertrofia dos ossos do crânio e da face, conferindo a esta uma aparência vagamente leonina.

lep·er (lep'er) – leproso; pessoa com lepra; termo hoje em desuso.

le·pid·ic (lě-pid'ik) – lepídico; relativo a escamas.

lep·ra (lep'rah) – lepra; antes de 1850, psoríase.

lep·re·chaun·ism (lep'rě-kon"izm) – leprechaunismo; condição congênita familiar letal na qual o bebê é, pequeno e apresenta fácies de elfo e vários distúrbios endócrinos, como o indicado por um clitóris e mamas aumentados de tamanho.

lep·rid (lep'rid) – lépride; lesão ou lesões cutâneas da lepra tuberculóide; nódulos ou placas hipopigmentados ou eritematosos, que não apresentam bacilos.

lep·ro·ma (lep-ro'mah) – leproma; nódulo granulomatoso superficial, rico em bacilos da lepra, constituindo a lesão característica da lepra lepromatosa.

lep·ro·ma·tous (-tus) – lepromatoso; relativo a lepromas; ver *leprosy.*

lep·ro·min (lep'rah-min) – lepromina; suspensão repetidamente fervida, autoclavada e filtrada em gaze de tecido lepromatoso finamente triturado e de bacilos da lepra; utilizada no teste cutâneo quanto à resistência tecidual à lepra.

lep·ro·stat·ic (-stat'ik) – leprostático; que inibe o crescimento da *Mycobacterium leprae;* um agente que atua dessa forma.

lep·ro·sy (lep'rah-se) – lepra; doença contagiosa crônica, causada pela *Mycobacterium leprae,* e caracterizada pela produção de lesões granulomatosas da pele, membranas mucosas e sistema nervoso periférico. Reconhecem-se dois tipos principais ou polares: o lepromatoso e o tuberculóide. Antes de cerca de 1850, era conhecida como psoríase. **lepromatous l.** – l. lepromatosa; forma caracterizada pelo desenvolvimento de lepromas e por abundância de bacilos da lepra desde o início; os danos nervosos ocorrem muito lentamente, e a reação cutânea à lepromina é negativa. É a única forma que pode servir regularmente como fonte de infecção. **tuberculoid l.** – l. tuberculóide; forma na qual os bacilos da lepra são poucos ou encontram-se ausentes e os danos nervosos ocorrem precocemente, de forma que todas as lesões cutâneas tornam-se denervadas desde o início, freqüentemente com dissociação das sensações; a reação cutânea à lepromina é positiva e o paciente raramente constitui uma fonte de infecção para outros.

lept(o)- [Gr.] – elemento de palavra, *delgado; delicado.*

lep·to·ceph·a·lus (lep"to-sef'ah-lus) – leptocéfalo; indivíduo com crânio anormalmente alto e estreito.

lep·to·cyte (lep'to-sĭ t) – leptócito; hemácia caracterizada por uma borda de hemoglobina circundando uma área clara, contendo um centro de pigmento.

lep·to·me·nin·ges (lep"to-mě-nin'jēz) sing. *leptomeninx* – leptomeninges; a pia-máter e a aracnóide em conjunto; pia-aracnóide. **leptomenin'geal** – adj. leptomeníngeo.

lep·to·me·nin·gi·tis (-men"in-jī t'is) – leptomeningite; inflamação das leptomeninges.

lep·to·men·in·gop·a·thy (-men"ing-gop'ah-the) – leptomeningopatia; qualquer doença da leptomeninge.

lep·to·mo·nad (-mo'nad) – leptomônada: 1. da ou relativo a *Leptomonas;* 2. denota a forma leptomonádica; ver *promastigote;* 3. protozoário que exibe a forma leptomonádica (promastigoto).

Lep·to·mo·nas (-mo'nis) – *Leptomonas;* gênero de protozoários da família Trypanosomatidae, parasitas do trato digestivo dos insetos.

lep·to·pel·lic (-pel'ik) – leptopélico; leptopélvico; que tem pelve estreita.

Lep·to·spi·ra (-spi'rah) – *Leptospira;* gênero de bactérias aeróbias (família Leptospiraceae); todas as cepas são patogênicas (ou seja, as que causam a leptospirose) encontram-se contidas na espécie *L. interrogans,* que se divide em vários sorogrupos, que por sua vez se dividem em sorotipos.

Lep·to·spi·ra·ceae (-spi-ra'se-e) – Leptospiraceae; família de bactérias (ordem Spirochaetales), que consiste de células helicoidais flexíveis aeróbicas; consiste de um gênero: *Leptospira.*

lep·to·spi·ro·sis (-spi-ro'sis) – leptospirose; qualquer doença infecciosa devida a determinados sorotipos de *Leptospira,* manifestada por meningite linfocítica, hepatite e nefrite, separadamente ou em combinação, e variando quanto à severidade do estado de portador suave até a doença fatal.

lep·to·tene (lep'to-tēn) – leptóteno; estágio da meiose no qual os cromossomas assumem uma forma filamentosa.

lep·to·thri·co·sis (lep"to-thrī -ko'sis) – leptotricose (*leptotrichosis*).

Lep·tothrix (lep'tah-thriks) – *Leptothrix;* gênero de esquizomicetos (família Chlamydobacteriaceae), amplamente distribuídos e geralmente encontrados em água doce.

lep·to·tri·cho·sis (lep"to-trī -ko'sis) – leptotricose; qualquer infecção por *Leptothrix.* **l. conjuncti'vae**

– I. conjuntival; síndrome oculoglandular de Parinaud, causada pelo *Leptothrix*.

les·bi·an·ism (lez'be-in-izm") – lesbianismo; homossexualidade entre mulheres.

le·sion (le'zhun) – lesão; qualquer descontinuidade patológica ou traumática de um tecido ou perda da função de uma parte. **angiocentric immunoproliferative** I. – I. imunoproliferativa angiocêntrica; doença multissistêmica que consiste em invasão e destruição de tecidos e estruturas corporais através de células linfocitóides e plasmocitóides atípicas, semelhantes a um linfoma, e freqüentemente progredindo para um linfoma. **Armanni-Ebstein** I. – I. de Armanni-Ebstein; vacuolização do epitélio tubular renal no caso de diabetes. **benign lymphoepithelial** I. – I. linfoepitelial benigna; aumento de volume das glândulas salivares com infiltração do parênquima por células B e T policlonais, atrofia dos ácinos e formação de ilhotas linfoepiteliais. **Blumenthal** I. – I. de Blumenthal; lesão vascular proliferativa nas artérias menores no diabetes. **central** I. – I. central; qualquer lesão do sistema nervoso central. **Ghon's primary** I. – I. primária de Ghon; foco de Ghon. **Janeway** I. – I. de Janeway; pequena lesão eritematosa ou hemorrágica, geralmente nas palmas das mãos ou plantas dos pés, em caso de endocardite bacteriana. **primary** I. – I. primária; lesão original que se manifesta como doença, como um cancro.

leth·ar·gy (leth'ar-je) – letargia: 1. nível reduzido de consciência, com entorpecimento, desânimo e apatia; 2. situação de indiferença.

leu·cine (loo'sēn) – leucina; aminoácido essencial para o crescimento ideal nos bebês e ao equilíbrio de nitrogênio nos adultos.

leuc(o)- – ver também *leuko-*.

Leu·co·nos·toc (loo"ko-nos'tok) – *Leuconostoc;* gênero de bactérias saprófitas formadoras de limo (tribo Streptococcaceae), encontradas no leite e sucos de frutas, incluindo as espécies *L. citrovorum, L. dextranicum* e *L. mesenteroides*.

leu·co·vo·rin (-vor'in) – leucovorina; ácido folínico; utilizada como antídoto para os antagonistas do ácido fólico, por exemplo, o metotrexato, e no tratamento das anemias megaloblásticas decorrentes de deficiência de ácido fólico.

leu·ka·phe·re·sis (loo"kah-fē-re'sis) – leucaferese; separação e remoção seletivas de leucócitos do sangue coletado, sendo o restante do sangue retransfundido depois ao doador.

leu·ke·mia (loo-ke'me-ah) – leucemia; doença maligna progressiva dos órgãos formadores de sangue, caracterizada por proliferação e desenvolvimento distorcidos dos leucócitos e seus precursores no sangue e na medula óssea. **leuke'mic** adj. leucêmico. **acute** I. – I. aguda; leucemia na qual a linhagem celular envolvida demonstra pouca ou nenhuma diferenciação, geralmente consistindo de blastócitos; compreende dois tipos: a leucemia linfocítica aguda e a leucemia mielógena aguda. **acute granulocytic** I. – I. granulocítica aguda; I. mielógena aguda. **acute lymphoblastic** I. **(ALL)** – I. linfoblástica aguda; das duas categorias principais da leucemia aguda, caracterizada

por anemia, fadiga, perda de peso, equimoses brandas, trombocitopenia, granulocitopenia com infecções bacterianas, dor óssea, linfadenopatia, hepatoesplenomegalia e algumas vezes, disseminação para o sistema nervoso central. É subclassificada com base nos antígenos de superfície expressos, por exemplo, em *tipo de célula B* e *T.* **acute lymphocytic** I. – I. linfocítica aguda; I. linfoblástica aguda. **acute megakaryoblastic** I., **acute megakaryocytic** I. – I. megacarioblástica aguda; I. megacariocítica aguda; forma de leucemia mielógena aguda na qual os megacariócitos predominam e as plaquetas se elevam no sangue. **acute monocytic** I. – I. monocítica aguda, uma forma incomum de leucemia mielógena aguda na qual as células predominantes são os monócitos. **acute myeloblastic** I. – I. mieloblástica aguda: 1. tipo comum de leucemia mielógena aguda na qual os mieloblastos predominam; divide-se em dois tipos com base no grau de diferenciação celular; 2. I. mielógena aguda. **acute myelocytic** I. – I. mielocítica aguda; I. mielógena aguda. **acute myelogenous** I. **(AML)** – I. mielógena aguda; uma das duas categorias principais da leucemia aguda, com sintomas que incluem anemia, fadiga, perda de peso, equimoses brandas, trombocitopenia e granulocitopenia. **acute myeloid** I. – I. mielóide aguda: 1. I. mieloblástica aguda; ver *acute myeloblastic I.* (1); 2. I. mielógena aguda. **acute myelomonocytic** I. – I. mielomonocítica aguda; tipo comum de leucemia mielógena aguda, tanto com monócitos como monoblastos malignos. **acute nonlymphocytic** I. – I. não-linfocítica aguda; I. mielógena aguda. **acute promyelocytic** I. – I. promielocítica aguda; leucemia mielógena aguda na qual mais da metade das células é de promielócitos malignos. **acute undifferentiated** I. **(AUL)** – I. indiferenciada aguda; leucemia mielógena aguda na qual a célula predominante é tão imatura que não pode ser classificada. **adult T-cell** I./ **lymphoma (ATL)** – I. de célula T adulta/linfoma; malignidade subaguda ou crônica dos linfócitos T maduros, com início na idade adulta, e que se acredita seja causada pelo vírus linfotrópico humano do tipo I. **aleukemic** I. – I. aleucêmica; forma na qual a contagem de leucócitos total no sangue periférico não se eleva; pode ser linfocítica, monocítica ou mielógena. **basophilic** I. – I. basófila; leucemia na qual os leucócitos basófilos predominam. **chronic** I. – I. crônica; leucemia na qual a linhagem celular envolvida encontra-se bem diferenciada, geralmente linfócitos B, mas imunologicamente incompetente. **chronic granulocytic** I. – I. granulocítica crônica; leucemia crônica do tipo mielógeno, geralmente associada à anormalidade cromossômica específica e que ocorre na idade adulta. **chronic lymphocytic** I. **(CLL)** – I. linfocítica crônica; leucemia crônica do tipo linfoblástico, caracterizada por linfadenopatia, fadiga, envolvimento renal e infiltrados leucêmicos pulmonares. **chronic myelocytic** I., **chronic myelogenous** I., **chronic myeloid** I. – I. mielocítica crônica; I. mielógena crônica; I. mielóide crônica; I. granulocítica crônica. **chronic myelomonocytic** I. – I.

mielomonocítica crônica; forma crônica de progressão lenta, caracterizada por monócitos e mieloblastos malignos, esplenomegalia e trombocitopenia. **l. cu'tis** – l. cutânea; manifestação cutânea de leucemia que resulta de infiltração da pele por leucócitos malignos. **eosonophilic l.** – l. eosinófila; uma forma na qual os eosinófilos constituem as células predominantes. **granulocytic l.** – l. granulocítica; l. mielógena. **hairy cell l.** – l. de células pilosas; leucemia crônica caracterizada por esplenomegalia e abundância de grandes células mononucleares anormais, com numerosas projeções citoplasmáticas irregulares, que lhes conferem a aparência flagelada ou pilosa na medula óssea, baço, fígado e sangue periférico. **histiocytic l.** – l. histiocítica; l. monocítica aguda. **lymphatic l., lymphoblastic l., lymphocytic l., lymphogenous l., lymphoid l.** – l. linfática; l. linfoblástica; l. linfocítica; l. linfógena; l. linfóide; uma forma associada a hiperplasia e superatividade do tecido linfóide, com níveis elevados de linfócitos ou linfoblastos malignos circulantes. **lymphosarcoma cell l.** – l. de células linfossarcomatosas; l. linfoblástica aguda (do tipo de células B). **mast cell l.** – l. de mastócitos; uma forma rara caracterizada por um número esmagador de mastócitos teciduais no sangue periférico. **megakaryoblastic l.** – l. megacarioblástica; l. megacariocítica aguda. **megakaryocytic l.** – l. megacariocítica aguda: 1. l. megacariocítica aguda; 2. trombocitopenia hemorrágica. **micromyeloblastic l.** – l. micromieloblástica; uma forma de leucemia mielógena na qual as células que contêm nucléolos imaturos ficam pequenas e semelhantes a linfócitos. **monocytic l.** – l. monocítica; l. monocítica aguda. **myeloblastic l.** – l. mieloblástica: 1. l. mielógena; 2. l. mieloblástica aguda. **myelocytic l., myelogenous l., myeloid granulocytic l.** – l. mielocítica; l. mielógena; l. granulocítica mielóide; uma forma que surge a partir do tecido mielóide, na qual predominam os leucócitos polimorfonucleares granulares e os seus precursores. Ver também *acute myelogenous l.* e *chronic granulocytic l.* **myelomonocytic l.** – l. mielomonocítica; l. mielomonocítica aguda. **plasma cell l., plasmacytic l.** – l. de células plasmáticas; uma forma na qual a célula predominante no sangue periférico é a célula plasmática. **promyelocytic l.** – l. promielocítica; l. promielocítica aguda. **Rieder's cell l.** – l. de células de Rieder; uma forma de leucemia mielógena aguda na qual o sangue contém células assincronicamente desenvolvidas, com citoplasma imaturo e núcleo lobulado, relativamente mais maduro. **stem cell l.** – l. de célula-tronco; l. indiferenciada aguda.

leu·ke·mid (loo-kēm'id) – leucêmide; uma das erupções cutâneas polimórficas associadas a leucemia; clinicamente, podem ser inespecíficas; ou seja, papulares, maculares, purpúricas etc., mas histopatologicamente podem representar infiltrações leucêmicas verdadeiras.

leu·ke·mo·gen (loo-kēm'ah-jen) – leucemógeno; qualquer substância que provoque leucemia. **leukemogen'ic** – adj. leucemogênico.

leu·ke·moid (loo-kēm'oid) – leucemóide; que apresenta o sangue e, algumas vezes achados clínicos, semelhantes aos de leucemia verdadeira, mas devidos a outra causa.

leu·kin (loo'kin) – leucina; substância bactericida proveniente de um extrato leucocítico.

leuk(o)- [Gr.] – leuc(o)-, elemento de palavra, *branco*; *leucócito.*

leu·ko·ag·glu·ti·nin (loo"ko-ah-gloo'ti-nin) – leucoaglutinina; aglutinina que age em leucócitos.

leu·ko·blast (loo'ko-blast) – leucoblasto; leucócito granular imaturo. **granular l.** – l. granular; promielócito.

leu·ko·blas·to·sis (loo"ko-blas-to'sis) – leucoblastose; termo genérico para a proliferação de leucócitos.

leu·ko·ci·din (-si'din) – leucocidina; substância produzida por algumas bactérias patogênicas que é tóxica para os leucócitos polimorfonucleares (neutrófilos).

leu·ko·crit (loo'ko-krit) – leucócrito; porcentagem de volume de leucócitos no sangue completo.

leu·ko·cyte (-sīt) – leucócito; glóbulo branco; corpúsculo sangüíneo incolor, capaz de movimentos amebóides, cuja principal função é proteger o corpo contra os microrganismos que causam as doenças, e podem ser classificados em dois grupos principais: *granulares* e *não-granulares.* **leukocyt'ic** – adj. leucocítico; leucocitário. **agranular l's** – leucócitos agranulares; leucócitos não-granulares. **basophilic l.** – l. basófilo; basofilócito; basófilo; ver *basophil* (2). **endothelial l.** – l. endotelial; nome dado por Mallory às grandes células migratórias do sangue circulante e dos tecidos, que possuem propriedades fagocíticas notáveis; ver *endotheliocyte.* **eosinophilic l.** – l. eosinófilo; eosinófilo; ver *eosinophil* (2). **granular l's** – leucócitos granulares; granulócitos; leucócitos que contêm grânulos abundantes em seu citoplasma, incluindo neutrófilos, eosinófilos e basófilos. **hyaline l.** – l. hialino; monócito. **lymphoid l's l.** – leucócitos linfóides; leucócitos não-granulares. **neutrophilic l.** – l. neutrófilo; neutrófilo; ver *neutrophil* (2). **nongranular l's** – leucócitos não-granulares; leucócitos sem grânulos específicos em seu citoplasma, incluindo linfócitos e monócitos.

leu·ko·cy·the·mia (loo"ko-si-thēm'e-ah) – leucocitemia; leucemia (*leukemia*).

leu·ko·cy·to·blast (-sī't'ah-blast) – leucocitoblasto; leucoblasto (*leukoblast*).

leu·ko·cy·to·gen·e·sis (-sī t"ah-jen'ĭ-sis) – leucocitogênese; formação de leucócitos.

leu·ko·cy·tol·y·sis (-si-tol'ĭ-sis) – leucocitólise; desintegração de leucócitos. **leukocytolyt'ic** – adj. leucocitolítico.

leu·ko·cy·to·ma (-si-to'mah) – leucocitoma; massa de leucócitos semelhante a um tumor.

leu·ko·cy·to·pe·nia (-sī t"ah-pēn'e-ah) – leucocitopenia; leucopenia.

leu·ko·cy·to·pla·nia (-sī t"ah-plān'e-ah) – leucocitoplania; migração de leucócitos; passagem de leucócitos através de uma membrana.

leu·ko·cy·to·poi·e·sis (-sī t"ah-poi-e'sis) – leucocitopoiese; leucopoiese.

leu·ko·cy·to·sis (-si-to'sis) – leucocitose; aumento transitório do número de leucócitos no sangue, devido a várias causas. **basophilic l.** – l. basófila; aumento do número de leucócitos basófilos no sangue. **mononuclear l.** – l. mononuclear; mononucleose. **pathologic l.** – l. patológica; leucocitose devida a alguma reação mórbida, por exemplo, infecção ou traumatismo).

leu·ko·cy·to·tax·is (-sī t"ah-tak'sis) – leucocitotaxia; leucotaxia.

leu·ko·cy·to·tox·ic·i·ty (-sī t"ah-tok-sis'it-e) – leucocitotoxicidade; linfocitotoxicidade (*lymphocytotoxicity*).

leu·ko·der·ma (-der'mah) – leucodermia; condição adquirida com perda de pigmentação localizada da pele. **l. acquisi'tum centri'fugum** – l. adquirida centrífuga; nevo com halo. **syphilitic l.** – l. sifilítica; hipopigmentação indistinta e asperamente mosqueada, geralmente nos lados do pescoço, em caso de sífilis secundária tardia.

leu·ko·dys·tro·phy (-dis'trah-fe) – leucodistrofia; distúrbio da substância branca do cérebro; ver também *leukoencephalopaty*. **globoid cell l.** – l. de células globóides; doença de Krabbe. **hereditary adult-onset l.** – l. de início na idade adulta hereditária; leucoencefalopatia herdada, caracterizada por degeneração progressiva da substância branca, com distúrbios motores, incontinência intestinal e vesical e hipotensão ortostática. **metachromatic l.** – l. metacromática; distúrbio herdado devido a acúmulo de sulfatidas nos tecidos com perda difusa de mielina no sistema nervoso central; ocorre em várias formas, de acordo com a idade de início é proporcional a redução da severidade, sempre apresentando inicialmente regressão mental e distúrbios motores.

leu·ko·ede·ma (-ĕ-de'mah) – leucoedema; anormalidade da mucosa bucal, que consiste de aumento na espessura do epitélio e edema intracelular da camada espinhosa ou de Malpighi.

leu·ko·en·ceph·a·li·tis (-en-sef"il-ī t'is) – leucoencefalite: 1. inflamação da substância branca cerebral; 2. envenenamento com forragem, uma doença contagiosa dos eqüinos.

leu·ko·en·ceph·a·lop·a·thy (-en-sef"ah-lop'ah-the) – leucoencefalopatia; doença de um grupo de doenças que afetam a substância branca cerebral. O termo leucodistrofia *(leukodistrophy)* é utilizado para denotar tais distúrbios devidos a formação e manutenção defeituosas de mielina nos bebês e crianças. **progressive multifocal l.** – l. multifocal progressiva; forma devida à infecção oportunista do sistema nervoso central pelo vírus JC, ocorrendo desmielinização geralmente nos hemisférios cerebrais e raramente no tronco cerebral e cerebelo.

leu·ko·eryth·ro·blas·to·sis (-ĕ-rith"ro-blas-to'sis) – leucoeritroblastose; afecção anêmica associada a lesões que ocupam espaço na medula óssea, caracterizada por um número variável de células eritróides e mielóides imaturas na circulação.

leu·ko·ker·a·to·sis (-ker"ah-to'sis) – leucoceratose; leucoplaquia *(leukoplakia)*.

leu·ko·ko·ria (-kor'e-ah) – leucocoria; qualquer afecção caracterizada pelo aparecimento de um reflexo esbranquiçado ou massa na área pupilar atrás do cristalino.

leu·ko·krau·ro·sis (-kraw-ro'sis) – leucocraurose; craurose vulvar.

leu·ko·lym·pho·sar·co·ma (-lim"fo-sahr-ko'-mah) – leucolinfossarcoma; leucossarcoma *(leukosarcoma)*.

leu·ko·ma (loo-ko'mah) [Gr.] pl. *leukomata* – leucoma: 1. opacidade corneana branca e densa; 2. leucoplaquia da mucosa bucal. **leukom'atous** – adj. leucomatoso. **adherent l.** – l. aderente; tumor branco da córnea, que envolve uma íris aderente prolapsada.

leu·ko·my·eli·tis (loo"ko-mi"ĕ-li'tis) – leucomielite; inflamação da substância branca da medula espinhal.

leu·ko·ne·cro·sis (-nĕ-kro'sis) – leuconecrose; gangrena com a formação de tecido necrosado branco.

leu·ko·nych·ia (-nik'e-ah) – leuconíquia; esbranquiçamento anormal das unhas, seja total ou em manchas ou riscos.

leu·ko·path·ia (-path'e-ah) – leucopatia: 1. leucodermia; 2. doença dos leucócitos. **l. un'guium** – l. ungueal; leuconíquia.

leu·ko·pe·de·sis (-pĕ-de'sis) – leucopedese; diapedese dos leucócitos através das paredes dos vasos sangüíneos.

leu·ko·pe·nia (-pe'ne-ah) – leucopenia; redução do número de leucócitos no sangue, equivalendo a contagem a 5.000 ou menos por mm cúbico. **leukope'nic** – adj. leucopênico. **basophilic l.** – l. basófila; redução anormal do número de leucócitos basófilos no sangue. **malignant l., pernicious** – l. maligna; l. perniciosa, agranulocitose.

leu·ko·pla·kia (-pla'ke-ah) – leucoplaquia: 1. mancha branca em uma membrana mucosa, que não se consegue remover facilmente; 2. l. oral; **atrophic l.** – l. atrófica; líquen escleroso em mulheres. **oral l.** – l. oral; manchas brancas e espessas na mucosa oral devidas a hiperceratose do epitélio, produzindo situações favoráveis para o desenvolvimento de carcinoma epidermóide; ocorre freqüentemente nas bochechas *(l. bucal)*, na gengiva ou na língua *(l. lingual)*. **oral hairy l.** – l. pilosa oral; mancha branca filiforme a achatada na língua ou na mucosa bucal, causada por infecção pelo vírus Epstein-Barr e associada a infecção pelo vírus da imunodeficiência humana. **l. vul'vae** – l. da vulva: 1. líquen escleroso em mulheres; 2. qualquer lesão com aparência branca da vulva.

leu·ko·poi·e·tin (-poi-ĕt"n) – leucopoietina; substância hipotética que se acredita sirva como regulador humoral da leucopoiese; granulopoietina.

leu·kor·rhea (-re'ah) – leucorréia; excreção viscosa e esbranquiçada a partir da vagina e da cavidade uterina.

leu·ko·sar·co·ma (-sahr-ko'mah) – leucossarcoma; desenvolvimento de leucemia em pacientes que originalmente apresentam um tipo linfocítico bem-diferenciado de linfoma maligno.

leu·ko·sis (loo-ko'sis) pl. *leukoses* – leucose; proliferação do tecido formador de leucócitos. **avian l., fowl l.** – l. aviária; l. das aves domésticas; grupo de doenças virais transmissíveis das galinhas, caracterizadas por proliferação de células eritróides, mielóides ou linfóides imaturas.

JKL

leu·ko·tax·is (loo"ko-tak'sis) – leucotaxia; citotaxia dos leucócitos; a tendência dos leucócitos a se reunir em regiões de lesão e inflamação. **leukotac'tic** – adj. leucotáctico.

leu·ko·tome (loo'ko-tõm) – leucótomo; cânula através da qual se passa uma alça de arame para realizar uma leucotomia ou lobotomia.

leu·ko·tox·in (loo"ko-tok'sin) – leucotoxina; citotoxina que destrói leucócitos.

leu·ko·trich·ia (-trik-e'ah) – leucotríquia; enbranquecimento do cabelo.

leu·ko·tri·ene (-tri'ēn) – leucotrieno; substância de um grupo de compostos biologicamente ativos, derivados do ácido araquidônico e que funcionam como reguladores das reações alérgicas e inflamatórias. São identificados pelas letras A, B, C, D e E, com numerais subscritos indicando o número de ligações duplas em cada molécula.

lev·al·lor·phan (lev"ah-lor'fan) – levalorfano; um análogo do levorfanol, que age como antagonista dos narcóticos analgésicos; utilizado como sal de tartarato no tratamento da depressão respiratória produzida por analgésicos narcóticos.

lev·ar·te·re·nol (lev"ar-tĕ-re'nol) – levarterenol; noradrenalina (norepinephrine).

le·va·tor (le-va'tor) pl. levatores – elevador: 1. músculo que eleva um órgão ou estrutura; 2. instrumento para elevar fragmentos ósseos deprimidos em fraturas.

lev·i·ga·tion (lev"ĭ-ga'shun) – levigação; moagem até a pulverização de uma substância dura ou úmida.

lev(o)- [L.] – elemento de palavra, esquerda.

le·vo·car·dia (le"vo-kahr'de-ah) – levocardia; termo que denota a posição normal do coração, associada a transposição das outras vísceras (local inverso).

le·vo·car·ni·tine (-kahr'nĭ-tēn) – levocarnitina; preparação do L-isômero biologicamente ativo da carnitina, utilizada no tratamento da deficiência de carnitina sistêmica primária.

le·vo·cli·na·tion (-klĭ-na'shun) – levoclinação; rotação dos pólos superiores dos meridianos verticais de ambos os olhos para a esquerda.

le·vo·do·pa (-do'pah) – levodopa; isômero levorrotatório da dopa, utilizado como agente antiparquinsoniano.

le·vo·nor·ges·trel (-nor-jes'trel) – levonorgestrel; forma levorrotatória do norgestrel, utilizada em combinação com um componente estrogênico, como contraceptivo oral.

le·vo·pro·pox·y·phene (-pro-pol'sĭ-fēn) – levopropoxifeno; levoisômero do propoxifeno; o napsilato de levopropoxifeno é utilizado como antitussígeno.

le·vo·ro·ta·to·ry (-ro'tah-tor"e) – levorrotatório; que gira o plano de polarização da luz polarizada para a esquerda.

le·vor·pha·nol (le-vo'fah-nol) – levorfanol; analgésico narcótico com propriedades e ações semelhantes às da morfina; utilizado como sal de bitartarato.

le·vo·thy·rox·ine (le"vo-thi-rok'sēn) – levotiroxina; isômero levorrotatório da tireoxina; utilizado como sal sódico na terapia da substituição da tireóide.

le·vo·tor·sion (-tor'shun) – levotorção; levoclinação (levoclination).

le·vo·ver·sion (-ver'zhun) – levoversão; giro em direção à esquerda.

lev·u·lose (lev'u-lōs) – levulose; nome antigo para a frutose; ver fructose.

LFA – left frontoanterior (position of the fetus) (FAE, fronto-anterior esquerda [posição do feto]).

LFP – left frontoposterior (position of the fetus) (FPE, fronto-posterior esquerda [posição do feto]).

LFT – left frontotransverse (position of the fetus) (FTE, fronto-transversal esquerda [posição do feto]).

LH – luteinizing hormone (hormônio luteinizante).

LH-RH – luteinizing hormone – releasing hormone (hormônio liberador do hormônio luteinizante).

Li – símbolo químico, lítio (lithium).

li·bi·do (lĭ-be'do, lĭ-bi'do) [L.] pl. libidines – libido: 1. desejo sexual; 2. energia derivada dos impulsos primitivos. Em Psicanálise, aplica-se o termo à força motriz da vida sexual; em Psicologia freudiana, aplica-se à energia psíquica em geral. **libid'inal** – adj. libidinoso.

li·bra (le'brah, li'brah) [L.] pl. librae – libra (pound).

Lib·ri·um (lib're-um) – Librium, marca registrada de preparações de clordiazepóxido.

lice (lĭs) – plural de louse.

li·cen·ti·ate (li-sen'she-āt) – licenciado; indivíduo que possui licença proveniente de agência autorizada a intitulá-lo à prática de uma profissão específica.

li·chen (lĭ k"n) – líquen: 1. um dentre determinados vegetais formados pela combinação mutualística de uma alga e um fungo; 2. uma das várias cutaneopatias papulares nas quais as lesões correspondem a pápulas tipicamente pequenas e firmes, posicionadas muito próximas entre si, sendo o tipo específico indicado por um termo modificante. **l. amyloido'sus** – l. amiloidoso; afecção caracterizada por amiloidose cutânea localizada. **l. fibromucinoido'sus, l. myxedemato'sus** – l. fibromucinoidoso; l. mixedematoso; afecção semelhante ao mixedema mas que não se associa ao hipotireoidismo, caracterizada pela proliferação fibrocística, aumento da deposição de mucopolissacarídeos ácidos na pele e presença de paraproteína circulante; pode se encontrar presente como pápulas liquenóides ou placas e nódulos semelhantes a urticária. **l. ni'tidus** – l. nítido; erupção inflamatória crônica que consiste de muitas pápulas discretas, brilhantes, precisamente marginadas, achatadas, pálidas e do tamanho da cabeça de um alfinete, e pouco elevadas acima do nível da pele. **l. planopila'ris** – l. planopiloso; variante do líquen plano, caracterizado pela formação de pápulas córneas acuminadas ao redor dos folículos pilosos, além das lesões típicas do líquen plano comum. **l. pla'nus** – l. plano; cutaneopatia inflamatória com pápulas largas, achatadas, violáceas e brilhantes em manchas circunscritas; pode envolver folículos pilosos, unhas e mucosa bucal. **l. ru'ber monilifor'mis** – l. rubro moniliforme; variante do líquen simples crônico com pápulas dispostas em faixas peroladas lineares. **l. ruber pla'nus** – l. rubro plano; l. plano. **l. sclero'sus** –

l. esclerose; cutaneopatia atrófica crônica caracterizada por pápulas brancas com halo eritematoso e tampão ceratótico. Algumas vezes, afeta a vulva, craurose vulvar (*kraurosis vulvae*) ou o pênis (*balanite xerótica obliterante*). **l. scrofuloso'rum, l. scrofulo'sus** – l. escrofuloso; erupção de pápulas foliculares liquenóides avermelhadas, diminutas, em crianças e adultos jovens com tuberculose. **l. sim'plex chro'nicus** – l. simples crônico; dermatose de origem psicogênica, caracterizada por erupção papular discreta pruriginosa ou, mais freqüentemente, confluente, geralmente confinada a uma área localizada. **l. spinulo'sus** – l. espinhoso; afecção na qual ocorre um corno ou espinho no centro de cada folículo piloso. **l. stria'tus** – l. estriado; afecção autolimitante caracterizada por erupção liquenóide linear, geralmente em crianças.

li·chen·i·fi·ca·tion (li-ken"i-fī-ka'shun) – liquenificação; espessamento e endurecimento da pele, com exagero de suas marcas normais.

Li·dex (li'deks) – Lidex, marca registrada de preparações de fluocinonida.

li·do·caine (li'do-kān) – lidocaína; anestésico com propriedades sedativas, analgésicas e depressivas cardíacas, aplicado topicamente como anestésico local e utilizado como sal de cloridrato como antiarrítmico cardíaco e para produzir anestesia por infiltração e bloqueio nervoso periférico e epidural.

lie (li) – posição; situação do eixo longitudinal do feto com relação ao da mãe; ver *presentation*. **oblique l.** – p. oblíqua; situação durante o parto quando o eixo longitudinal do corpo fetal cruza o eixo longitudinal do corpo materno em um ângulo próximo a 45°. **transverse l.** – p. transversa; situação durante o parto quando o eixo longitudinal do feto cruza o eixo longitudinal da mãe; ver tabela em *position*.

li·en (li'en) – baço. **lie'nal** – adj. lienal; esplênico. **l. acesso'rius** – b. acessório; um baço a mais. **l. mo'bilis** – b. móvel; baço flutuante.

lien(o)- [L.] – elemento de palavra, *baço;* ver também as palavras com prefixo *esplen(o)-*.

li·eno·cele (li-e'no-sēl) – lienocele; hérnia esplênica.

li·eno·tox·in (-tok"sin) – lienotoxina; esplenotoxina.

li·en·tery (li'en-tĕ"re) – lienteria; diarréia com evacuação de alimento não-digerido. **lienter'ic** – adj. lientérico.

li·en·un·cu·lus (li"en-ung'kūl'us) – lienúnculo; baço acessório.

LIF – left iliac fossa; leukocyte inhibitory factor (FIE, fossa ilíaca esquerda; FIL, fator inibitório leucocitário).

life (līf) – vida; o agregado de fenômenos vitais; qualidade ou princípio pelos quais as coisas vivas se distinguem da matéria inorgânica, conforme manifestado por fenômenos como metabolismo, crescimento, reprodução, adaptação etc.

lig·a·ment (lig'ah-mint) – ligamento: 1. faixa de tecido fibroso que conecta ossos ou cartilagens, servindo para sustentar e reforçar articulações; 2. camada dupla de peritônio que se estende a partir de um órgão visceral a outro; 3. restos filamentosos de estruturas tubulares fetais que se encontram não-funcionais após o nascimento. **ligamen'tous** – adj. ligamentoso. **accessory l.** – l. acessório; ligamento que reforça ou suporta outro. **alar l's** – ligamentos alares: 1. duas faixas que passam do vértice do dente para o lado medial de cada côndilo occipital; 2. um par de dobras da membrana sinovial da articulação do joelho. **annular stapedial l.** – l. estapedial anular; anel de tecido fibroso que prende a base do estribo à janela vestibular do ouvido interno. **arcuate l's** – ligamentos arqueados; ligamentos arqueados que conectam o diafragma às costelas inferiores e a primeira vértebra lombar. **Bérard's l.** – l. de Bérard; ligamento suspensor do pericárdio. **Bertin's l., Bigelow's l.** – l. de Bertin; l. de Bigelow; l. iliofemoral. **l. of Botallo** – l. de Botallo; cordão fibromuscular grosso e forte que se estende da artéria pulmonar ao arco aórtico; constitui os restos do ducto arterioso. **Bourgery's l.** – l. de Bourgery; ligamento poplíteo oblíquo; faixa larga de fibras que se estende do côndilo medial tibial através do dorso da articulação do joelho até o epicôndilo lateral do fêmur. **broad l.** – l. largo: 1. dobra larga de peritônio que sustenta o útero, estendendo-se do útero até a parede da pelve em cada lado; 2. dobra sagital falciforme do períneo, que ajuda a prender o fígado no diafragma e separar os lobos hepáticos esquerdo e direito; 3. dobra pleural vertical que se estende do hilo para baixo até a base na superfície medial do pulmão. **Brodie's l.** – l. de Brodie; l. transversal do úmero. **Burns' l.** – l. de Burns; processo falciforme; ver *process, falciform* (1). **Campbell's l.** – l. de Campbell; l. suspensor; ver *suspensory l.* **Camper's l.** – l. de Camper; diafragma urogenital. **cardinal l.** – l. cardinal; parte de um espessamento da fáscia pélvica visceral ao lado da cérvix e da vagina, que passa lateralmente para se fundir com a fáscia superior do diafragma pélvico. **Colle's l.** – l. de Colles; faixa triangular de fibras que surge do ligamento lacunar e do osso púbico e passa para a linha alba. **conoid l.** – l. conóide; porção póstero-medial do ligamento coracoclavicular, que se estende do processo coracóide até a superfície inferior da clavícula. **conus l.** – l. cônico; faixa colagenosa que conecta a superfície posterior do ânulo pulmonar e o infundíbulo muscular à raiz da aorta. **Cooper's l.** – l. de Cooper; l. pectineal. **coracoclavicular l.** – l. coracoclavicular; faixa que reúne o processo coracóide da escápula e a extremidade acromial da clavícula, que consiste de dois ligamentos: conóide e trapezóide. **cotyloid l.** – l. cotilóide; anel de fibrocartilagem conectado à borda do acetábulo. **cruciate l's of knee** – ligamentos cruzados do joelho; ligamentos mais ou menos em forma de cruz (um anterior e um posterior), que surgem do fêmur e passam através do espaço intercondilar para se prender à tíbia. **cysticoduodenal l.** – l. cisticoduodenal; dobra anômala de peritônio que se estende entre a vesícula biliar e o duodeno. **diaphragmatic l.** – l. diafragmático; crista urogenital involutiva que se torna o ligamento suspensor ovariano. **falciform l.** – l. falciforme; dobra sagital falciforme de peritônio que ajuda a prender o fígado no diafragma.

glenohumeral l's – ligamentos glenoumerais; faixas (geralmente três) na superfície interna da cápsula articular umeral, estendendo-se do lábio glenóide ao colo anatômico umeral. **glenoid l.** – l. glenóide: 1. anel de fibrocartilagem conectado à borda da fossa mandibular; 2. (pl.) faixas densas nas superfícies plantares das articulações metatarsofalângiacas; 3. ver em *lip*. **Henle's l.** – l. de Henle; expansão lateral da borda lateral do músculo reto abdominal, que se prende ao osso púbico. **Hey's l.** – l. de Hey; processo falciforme; ver *process, falciform* (1). **iliofemoral l.** – l. iliofemoral; faixa triangular ou em forma de Y invertida muito forte, que recobre as porções anterior e superior da articulação coxofemoral. **iliotrochanteric l.** – l. iliotrocantérico; porção da cápsula articular da articulação coxofemoral. **inguinal l.** – l. inguinal; faixa fibrosa que corre da espinha superior anterior do ílio à espinha do púbis. **lacunar l.** – l. lacunar; membrana com a base exatamente medial ao anel femoral, com um lado preso ao ligamento inguinal e o outro à linha pectineal do púbis. **Lisfranc's l.** – l. de Lisfranc; faixa fibrosa que se estende do osso cuneiforme medial ao segundo metatársico. **Lockwood's l.** – l. de Lockwood; bainha suspensora que suporta o globo ocular. **medial l.** – l. medial; grande ligamento em forma de leque no lado medial do tornozelo. **meniscofemoral l's** – ligamentos meniscofemorais; duas pequenas faixas fibrosas da articulação genicular presas ao menisco lateral, uma delas, a anterior, estendendo-se até o ligamento cruzado anterior e a outra, a posterior, ao côndilo femoral medial. **nephrocolic l.** – l. nefrocólico; fascículos oriundos da cápsula gordurosa renal que passam sob o lado direito à parede posterior do cólon ascendente e o lado esquerdo à parede posterior do cólon descendente. **nuchal l.** – l. da nuca; septo sagital largo, fibroso e irregularmente triangular no dorso do pescoço, separando os lados direito e esquerdo. **patellar l.** – l. patelar; continuação da porção central do tendão do músculo quadríceps femoral; distal à patela, e que se estende da patela à tuberosidade tibial. **pectineal l.** – l. pectíneo; continuação lateral aponeurótica forte do ligamento lacunar ao longo da linha pectínea do púbis. **phrenicocolic l.** – l. frenicocólico; dobra peritoneal que passa da flexura cólica esquerda à parte adjacente do diafragma. **Poupart's l.** – l. de Poupart; l. inguinal. **pulmonary l.** – l. pulmonar; dobra vertical que se estende do hilo à base pulmonar. **rhomboid l. of clavicle** – l. rombóide clavicular; ligamento que conecta a cartilagem da primeira costela à superfície inferior da clavícula. **Robert's l.** – l. de Robert; l. meniscofemoral posterior. **round l.** – l. redondo: 1. (do fêmur) ligamento largo que surge do coxim gorduroso do acetábulo e inserido na cabeça do fêmur; 2. (do fígado) um cordão fibroso do umbigo à borda anterior do fígado; 3. (do útero) uma faixa fibromuscular presa ao útero próximo à trompa uterina, passando através do anel inguinal para o lábio maior. **Schlemm's l's** – ligamentos de Schlemm; duas faixas ligamentosas da cápsula da articula-

ção escapular. **subflaval l's** – ligamentos subflavais; uma das faixas de uma série de tecido elástico amarelo entre as porções ventrais das lâminas de duas vértebras adjacentes. **suspensory l.** – l. suspensor: 1. (do cristalino) zônula ciliar; 2. (da axila) uma camada ascendente proveniente da fáscia axilar e que envolve o músculo peitoral menor; 3. (do ovário) a porção do ligamento largo lateral e acima do ovário; 4. (da mama) um dos numerosos processos fibrosos que se estendem do corpo da glândula mamária ao cório; 5. (do clitóris) uma faixa fibrosa forte que prende a raiz do clitóris à linha alba e à sínfise púbica; 6. (do pênis) uma faixa fibrosa forte que prende a raiz do pênis à linha alba e à sínfise púbica. **synovial l.** – l. sinovial; grande dobra sinovial. **tendinotrochanteric l.** – l. tendinotrocantérico; uma porção da cápsula da articulação coxofemoral. **tracheal l's** – ligamentos traqueais; ligamentos horizontais circulares que reúnem as cartilagens traqueais. **transverse l.** – l. transversal; fibras curtas que conectam a superfície posterior do colo de uma costela à superfície anterior do processo transversal da vértebra correspondente. **transverse humeral l.** – l. transversal do úmero; faixa de fibras que liga o sulco intertubercular umeral e mantém o tendão no sulco. **trapezoid l.** – l. trapezóide; porção ântero-lateral do ligamento coracoclavicular, que se estende da superfície superior do processo coracóide à linha trapezóide clavicular. **umbilical l., medial** – l. umbilical medial; cordão fibroso remanescente da artéria umbilical obliterada, que corre em direção cranial, ao lado da bexiga, até o umbigo. **uteropelvic l's** – ligamentos uteropélvicos; expansões de tecido muscular no ligamento largo, que se irradiam a partir da fáscia, sobre o músculo obturador interno, até o lado do útero e da vagina. **ventricular l. of larynx** – l. ventricular laríngeo; l. vestibular. **vesicoumbilical l.** – l. vesicoumbilical; l. umbilical medial. **vesicouterine l.** – l. vesicouterino; ligamento que se estende da face anterior do útero à bexiga. **vestibular l.** – l. vestibular; membrana que se estende da porção frontal da cartilagem tireóide até a superfície dorsal ântero-lateral da cartilagem aritenóide. **vocal l.** – l. vocal; membrana de tecido elástico que se estende da porção frontal da cartilagem tireóide até o processo vocal dorsal da cartilagem aritenóide. **Weitbrecht's l.** – l. de Weitbrecht; pequena faixa ligamentosa que se estende da tuberosidade ulnar ao rádio. **Wrisberg's l.** – l. de Wrisberg; l. meniscofemoral posterior. **Y l.** – l. em Y; l. iliofemoral.

lig·a·men·to·pexy (lig"ah-men'to-pek"se) – ligamentopexia; fixação do útero através de encurtamento ou sutura do ligamento redondo.

lig·a·men·tum (lig"ah-men'tum) [L.] pl. *ligamenta* – ligamento.

li·gand (li'gand, lig'and) – ligando; ligante; molécula orgânica que doa os elétrons necessários para formar ligações covalentes coordenadas com íons metálicos. Também, um íon ou uma molécula que reage para formar um complexo com outra molécula.

li·gase (li'gãs, lig'ãs) – ligase; substância de uma classe de enzimas que catalisam a reunião de duas moléculas acopladas com a decomposição de uma ligação pirofosfato em ATP ou de um trifosfato semelhante.

lig·a·ture (lig'ah-cher) – ligadura; qualquer material, como um filete ou fio metálico, utilizado para amarrar um vaso ou formar uma constrição.

light (līt) – luz; radiação eletromagnética com variação de comprimento de onda entre 3.900 (violeta) e 7.700 (vermelho) angstrons, capaz de estimular a sensação subjetiva da visão; algumas vezes considera-se que inclui também as radiações ultravioleta e infravermelha. **idioretinal l.** – l. idiorretiniana; sensação de luz na completa ausência de estímulos externos. **intrinsic l. (of retina)** – l. intrínseca (retiniana); luz obscura sempre presente no campo visual. **polarized l.** – l. polarizada; luz da qual as vibrações são feitas sobre um plano ou em círculos ou elipses. **Wood's l.** – l. de Wood; radiação ultravioleta proveniente de uma fonte de vapor de mercúrio, transmitida através de um filtro de óxido de zinco (filtro ou lâmpada de Wood), que retém toda a luz (menos alguns raios violeta) e passa comprimentos de onda ultravioleta de cerca de 365 nm.

light·en·ing (līt'en-ing) – abrandamento; sensação de redução da distensão abdominal produzida pela descida do útero no interior da cavidade pélvica, duas a três semanas antes do parto começar.

lig·no·cer·ic ac·id (lig"no-sĕr'ik) – ácido lignocérico; ácido graxo saturado de 24 carbonos que ocorre na esfingomielina e como constituinte menor de muitas gorduras vegetais.

limb (lim) – membro: 1. um dos apêndices pareados do corpo utilizados na locomoção ou apreensão; no homem, um braço ou perna com todas as suas partes componentes; 2. estrutura ou parte semelhante a um braço ou uma perna. **anacrotic l.** – pilar anacrótico; porção ascendente de um traçado de pulso arterial. **catacrotic l.** – pilar catacrótico; porção descendente de um traçado de pulso arterial. **pectoral l.** – m. peitoral; braço ou parte homóloga. **pelvic l.** – m. pélvico; perna ou parte homóloga. **phantom l.** – m. fantasma; sensação, após a amputação de um membro, de que a parte ausente ainda se encontra presente; podem também ocorrer parestesias, dores transitórias e dor intermitente ou contínua percebida como se fosse originada no membro ausente. **thoracic l.** – m. torácico; m. peitoral.

lim·bic (lim'bik) – límbico; relativo a um limbo ou margem; ver também em *system*.

lim·bus (lim'bus) [L.] pl. *limbi* – limbo: 1. borda, orla ou margem; 2. l. da córnea. **l. of cornea** – l. da córnea; a borda da córnea, onde ela se une à esclera. **l. la'minae spira'lis os'seae** – l. borda da lâmina espiral óssea; periósteo espessado da lâmina espiral óssea coclear.

lime (līm) – 1. cal, óxido de cálcio; 2. fruto ácido da árvore tropical *Citrus aurantifolia*, cujo suco contém ácido ascórbico.

li·men (li'men) [L.] pl. *limina* – limiar ou limite. **l. of insula, l. in'sulae** – l. da ilhota; l. da ínsula; ponto no qual o córtex insular se encontra contínuo com o córtex do lobo frontal. **l. na'si** – l. do nariz; crista que marca o limite entre o vestíbulo nasal e a cavidade nasal propriamente dita.

lim·i·nal (lim'ĭ-n'l) – limiar; pouco perceptível; relativo a um limiar.

lim·i·nom·e·ter (lim"ĭ-nom'it-er) – liminômetro; instrumento para medir a força de um estímulo que induz imediatamente um reflexo tendíneo.

lim·i·tans (lim'ĭ-tanz) [L.] – limitante.

lim·it dex·trin·ase (lim'it deks'trin-ās) – dextrinase limite; α-dextrinase.

limp (limp) – claudicação; coxeadura; marcha que evita a sustentação do peso em uma perna.

lin·co·my·cin (lin"ko-mi'sin) – lincomicina; antibiótico (primariamente um antibacteriano específico Gram-positivo) produzido por uma variante da *Streptomyces lincolnensis*.

lin·dane (lin'dān) – lindano; isômero gama do hexacloreto de benzeno, utilizado como pediculocida ou escabicida tópicos.

line (līn) – linha; listra, risca, marca ou crista estreita; freqüentemente uma linha imaginária que conecta pontos de referência anatômicos diferentes. **lin'ear** – adj. linear. **absorption l's** – linhas de absorção; linhas escuras no espectro devidas à absorção de luz pela substância através da qual a luz passou. **base l.** – l. de base: 1. linha da crista infra-orbitária ao meato auditivo externo e à linha média do occipúcio; 2. quantidade conhecida ou um conjunto de quantidades conhecidas utilizadas como ponto de referência na avaliação de dados semelhantes. **Beau's l's** – linhas de Beau; sulcos transversais nas unhas dos dedos das mãos; geralmente um sinal de doença sistêmica, mas também devidos a outras causas. **bismuth l.** – l. do bismuto; linha negro-azulada fina ao longo da margem gengival no envenenamento com bismuto. **blood l.** – l. sangüínea; linhagem; linha de descida direta através de várias gerações. **cement l.** – l. de cimento; linha visível no exame microscópico de um osso em corte transversal, marcando o limite de um ósteon (sistema de Havers). **cleavage l's** – linhas de clivagem; fendas lineares na pele, indicativas da direção das fibras. **costoclavicular l.** – l. costoclavicular; l. paraesternal. **l. of Douglas** – l. de Douglas; linha em meia-lua que marca a terminação da camada posterior da bainha do músculo reto abdominal. **epiphyseal l.** – l. epifisária: 1. plano ou placa em um osso longo, visível como uma linha, marcando a junção da epífise e da diáfise; 2. faixa de menor densidade na radiografia de um osso longo, representando esse plano ou placa. **l's of expression** – linhas de expressão; linhas e vincos cutâneos naturais da face e do pescoço; as linhas de incisão preferidas na cirurgia facial e cervical. **gingival l.** – l. gengival: 1. linha determinada pelo nível no qual a gengiva se estende em um dente; 2. marca linear visível na superfície da gengiva. **gluteal l.** – l. glútea; uma de três linhas curvas rugosas (anterior, inferior e posterior) na superfície glútea da asa ilíaca. **Harris l's** – linhas de Harris; linhas de crescimento retardado observadas radiograficamente nas epífises dos ossos longos. **hot l.** – l. direta; ver *hot line*. **iliopectineal**

JKL

l. – l. iliopectínea; crista no ílio e no púbis, mostrando a orla da pelve verdadeira. **intertrochanteric l.** – l. intertrocantérica; linha que corre obliquamente do trocânter maior ao menor na superfície anterior do fêmur. **lead l.** – l. de chumbo; linha cinzenta ou negro-azulada na margem gengival no caso de envenenamento com chumbo. **mamillary l.** – l. mamilar; linha vertical imaginária que passa pelo centro do mamilo. **median l.** – l. mediana; linha imaginária que divide a superfície corporal igualmente em lados direito e esquerdo. **milk l.** – l. láctea; crista de epitélio espessado da axila à virilha no embrião dos mamíferos, ao longo da qual se desenvolvem os mamilos e as glândulas mamárias; todos os pares, menos um, desaparecem no homem. **mylohyoidean l.** – l. miloióide; crista na superfície interna da mandíbula inferior, da base da sínfise até os ramos ascendentes atrás do último molar. **nasobasilar l.** – l. nasobasilar; linha através do básio e do násio. **Nélaton's l.** – l. de Nélaton; linha da espinha superior anterior do ílio até a parte mais proeminente da tuberosidade do ísquio. **nuchal l's** – linhas nucais; três linhas (inferior, superior e supra-superior) na superfície externa do osso occipital; ver também *crest, external occipital.* **parasternal l.** – l. paraesternal; linha imaginária a meio caminho entre a linha mamilar e a borda do esterno. **pectinate l.** – l. pectinada; linha que marca a junção da zona do canal anal revestida com um epitélio escamoso estratificado e a zona revestida com o epitélio colunar. **pectineal l.** – l. pectínea: 1. linha que desce a partir da superfície posterior do eixo do fêmur, conferindo uma inserção ao músculo pectíneo; 2. borda anterior do ramo superior do púbis. **semilunar l.** – l. semilunar; linha curva ao longo da borda lateral de cada músculo reto abdominal, marcando o encontro das aponeuroses dos músculos oblíquo interno e abdominal transversal. **Shenton's l.** – l. de Shenton; linha curva observada em radiografias da articulação coxofemoral normal, formadas pela parte superior do forame obturador. **sternal l.** – l. esternal; linha vertical imaginária na superfície corporal anterior, correspondente à borda lateral do esterno. **subcostal l.** – l. subcostal; linha transversal na superfície do abdômen ao nível da borda inferior da décima cartilagem costal. **Sydney l.** – l. de Sydney; vinco palmar correlacionado a um aumento do risco de leucemia e outras malignidades na infância. **temporal l's** – linhas temporais; cristas curvas (inferior e superior) no lado externo do osso parietal, em continuidade à linha temporal do osso frontal, uma crista que se estende superior e posteriormente a partir do processo zigomático do osso frontal. **terminal l. of pelvis** – l. terminal pélvica; linha na superfície interna de cada osso pélvico, da articulação sacroilíaca à proeminência iliopúbica anteriormente, separando a pelve falsa da verdadeira. **trapezoid l.** – l. trapezóide; crista na superfície inferior da clavícula, para a inserção do ligamento trapezóide. **Voigt's l's** – linhas de Voigt; linha de demarcação pigmentada dorsoventral na pele, ao longo da crista lateral do músculo bíceps; observadas em 20 a 26% dos negros e raramente nos brancos.

lin·ea (lin'e-ah) [L.] pl. *lineae* – linha; em Anatomia, crista ou risco estreitos na superfície de uma estrutura. **l. al'ba** – l. branca; linha mediana tendínea na parede abdominal anterior entre os dois músculos retos. **l. as'pera fe'moris** – l. áspera femoral; linha longitudinal rugosa no dorso do fêmur para inserções musculares. **li'neae atro'phicae** – linhas atróficas; estrias atróficas. **l. epiphysia'lis** – l. epifisária. **l. glu'tea** – l. glútea. **l. ni'gra** – l. negra; linha alba quando se pigmenta na gravidez. **l. splen'dens** – l. de Haller; bainha da artéria espinhal anterior, formada pela pia-máter na fissura mediana anterior da medula espinhal.

lin·er (lī'n'er) – revestimento; material aplicado ao lado interno das paredes de uma cavidade ou recipiente para proteção ou isolamento da superfície.

lin·gua (ling'gwah) [L.] pl. *linguae* – lingual. **lin'gual** – adj. l. lingual. **l. geogra'phica** – língua geográfica; glossite migratória benigna. **l. ni'gra** – l. negra. **l. plica'ta** – língua fissurada; l. sulcada.

lin·gual (ling'gwal) – lingual; relativo ou próximo à língua.

Lin·guat·u·la (ling-gwat'u-lah) – *Linguatula;* gênero de artrópodos vermiformes, cujos adultos habitam o trato respiratório dos vertebrados; as larvas são encontradas nos pulmões e em outros órgãos internos. Inclui a *L. serrata* (*L. rhinaria*), que parasita os cães e os gatos e algumas vezes o homem.

lin·gu·la (ling'gu-lah) [L.] pl. *lingulae* – língula; pequena estrutura semelhante à língua, como a projeção da porção inferior do lobo superior do pulmão esquerdo (*l. pulmonar esquerda*) ou a crista óssea entre o corpo e a grande asa do esfenóide (*l. esfenoidal*). **lin'gular** – adj. lingular.

lin·gu·lec·to·my (ling'gu-lek'tah-me) – lingulectomia; excisão da língula do pulmão esquerdo.

lingu(o)- [L.] – elemento de palavra, *língua.*

lin·guo·dis·tal (ling"gwo-dis'tal) – linguodistal; relativo às superfícies lingual e distal de um dente ou às paredes lingual e distal de uma cavidade dentária.

lin·guo·pap·il·li·tis (-pap"ĭ-lī'tis) – linguopapilite; inflamação ou ulceração das papilas das bordas da língua.

lin·guo·ver·sion (-ver'zhun) – linguoversão; deslocamento em sentido lingual de um dente a partir da linha de oclusão.

lin·i·ment (lin'ĭ-mint) – linimento; preparação medicinal em veículo oleoso, saponáceo ou alcoólico, que se pretende seja esfregada na pele como contra-irritante ou anódino.

li·ni·tis (lĭ-ni'tis) – linite; inflamação do tecido celular gástrico. **l. plas'tica** – l. plástica; proliferação fibrosa difusa do tecido conjuntivo submucoso do estômago, resultando em espessamento e fibrose, de forma que o órgão fique constrito, inelástico e rígido (como uma garrafa de couro).

link·age (lingk'ij) – ligação: 1. conexão entre átomos diferentes em composto químico ou símbolo que a representa em fórmulas estruturais; ver também em *bond;* 2. em Genética, a associação de genes que possuem *loci* no mesmo cromossoma, o que resulta na tendência de um grupo de tais genes não-alélicos associar-se na hereditariedade; 3. em Psicologia, conexão entre um estímulo e sua resposta.

li·no·le·ate (lĭ'-no'le-āt) – linoleado; sal (sabão), éster ou forma aniônica do ácido linoléico.

lin·o·le·ic ac·id (lin"o-le'ik) – ácido linoléico; ácido graxo poliinsaturado que ocorre como um constituinte importante de muitos óleos vegetais; é utilizado na biossíntese das prostaglandinas e membranas celulares.

li·no·le·nate (lĭ'-no'lĕ-nāt) – linolenato; sal (sabão), éster ou forma aniônica do ácido linolênico.

lin·o·len·ic ac·id (lin"o-len'ik) – ácido linolênico; ácido graxo essencial, de 18 carbonos e poliinsaturado, que ocorre em alguns óleos de peixe e em muitos óleos derivados de sementes.

lint (lint) – fiapos de tecido; linho preparado; material de curativo cirúrgico absorvente.

li·o·thy·ro·nine (li"o-thi'ro-nēn) – liotironina; isômero levorrotatório da triiodotireonina, utilizado como sal sódico no tratamento do hipotireoidismo e bócio simples.

li·o·trix (li'o-triks) – liotrix; mistura de liotireonina sódica e levotironina sódica em proporção de 1:4 em termos de peso; utilizado em terapia de reposição no hipotireoidismo.

lip (lip) – lábio: 1. margem muscular superior ou inferior da boca; 2. qualquer parte semelhante a um lábio. **cleft l.** – l. fendido; l. leporino. **glenoid l.** – l. glenóide; anel de fibrocartilagem acoplado à borda da cavidade glenóide. **Hapsburg l.** – l. de Hapsburg; lábio inferior superdesenvolvido e espesso que freqüentemente acompanha a mandíbula de Hapsburg.

lip·ac·i·du·ria (lip"as-ĭ-du're-ah) – lipacidúria; ácidos graxos na urina.

lip·ase (li'pās, lip'ās) – lipase; qualquer enzima que catalisa a clivagem de um ânion de ácido graxo a partir de um triglicerídeo ou fosfolipídeo.

li·pec·to·my (li-pek'tah-me) – lipectomia; excisão de massa de tecido adiposo subcutâneo. **suction l.** – l. por aspiração; lipossucção.

lip·ede·ma (lip"ĕ-de'mah) – lipedema; acúmulo de gordura e líquidos em excesso no tecido subcutâneo.

lip·emia (lĭ'-pe'me-ah) – lipemia; hiperlipidemia. **lipe'mic** – adj. lipêmico. **alimentary l.** – l. alimentar; lipemia que ocorre após a ingestão de alimentos. **l. retina'lis** – l. retiniana; lipemia manifestada pela aparência leitosa das veias e artérias retinianas.

lip·id (lip'id) – lipídeo; substância de um grupo heterogêneo de gorduras e substâncias semelhantes a gorduras, que incluem os ácidos graxos, gorduras neutras, ceras e esteróides, que são hidroinsolúveis e solúveis em solventes não-polares. Os lipídeos, que são facilmente armazenados no corpo, servem como fonte de combustível, correspondem a um importante constituinte da estrutura celular e servem para outras funções biológicas. Os lipídeos compostos compreendem glicolipídeos, lipoproteínas e fosfolipídeos.

lip·i·de·mia (lip"ĭ-dēm'e-ah) – lipidemia; hiperlipidemia (*hyperlipidemia*).

lip·i·do·sis (lip"ĭ-do'sis) pl. *lipidoses* – lipidose; distúrbio do metabolismo de lipídeos que envolve acúmulo anormal de lipídeos nas células reticuloendoteliais.

lip(o)- [Gr.] – elemento de palavra, *gordura*; *lipídeo*.

lipo·am·ide (lip"o-am'ĭd) – lipoamida; forma funcional de ácido lipóico, ligada à cadeia lateral de lisina de um dos vários complexos enzimáticos que catalisam a descarboxilação oxidativa dos cetoácidos.

lipo·ar·thri·tis (lip"o-ar-thrĭ'tis) – lipoartrite; inflamação do tecido gorduroso de uma articulação.

lipo·at·ro·phy (-ă'trah-fe) – lipoatrofia; atrofia dos tecidos gordurosos subcutâneos do corpo.

lipo·blast (lip'o-blast) – lipoblasto; célula de tecido conjuntivo que se desenvolve em uma célula de gordura. **lipoblas'tic** – adj. lipoblástico.

lipo·blas·to·ma (lip"o-blas-to'mah) – lipoblastoma; tumor gorduroso benigno composto de uma mistura de células lipoblásticas embrionárias em um estroma mixóide e de células de gordura maduras, com as células dispostas em lóbulos.

lipo·blas·to·ma·to·sis (-blas-to"mah-to'sis) – lipoblastomatose; ocorrência de linfoblastomas múltiplos localmente difusos, mas sem tendência à metastatização.

lipo·car·di·ac (-kahr'de-ak) – lipocardíaco; relativo a coração gorduroso.

lipo·chon·dro·ma (-kon-dro'mah) – lipocondroma; condrolipoma.

lipo·chrome (lip'o-krōm) – lipocromo; substância de um grupo de pigmentos de hidrocarbonetos lipossolúveis, como caroteno, xantofila, luteína, cromófano e material de coloração natural da manteiga, gema do ovo e milho amarelo.

lipo·cyte (-sĭ't) – lipócito: 1. célula de gordura; 2. célula hepática de armazenamento de gordura.

lipo·dys·tro·phia (lip"o-dis-tro'fe-ah) – lipodistrofia. **l. progressi'va** – lipodistrofia progressiva.

lipo·dys·tro·phy (-dis-trah-fe) – lipodistrofia; qualquer distúrbio do metabolismo da gordura. **congenital generalized l., congenital progressive l.** – l. generalizada congênita; l. progressiva congênita. **l. total. generalized l.** – l. generalizada; l. total. **intestinal l.** – l. intestinal; doença de Whipple. **partial l., progressive l.** – l. parcial; l. progressiva; perda de gordura subcutânea progressiva e simétrica a partir de partes acima da pelve, começando com emaciação facial e progredindo para baixo, resultando em acúmulo aparente e possivelmente real de gordura ao redor das coxas e nádegas. **total l.** – l. total; afecção recessiva caracterizada pela ausência virtual de tecido adiposo subcutâneo, macrossomia, visceromegalia, hipertricose, acantose nigricante e redução da tolerância à glicose na presença de altos níveis de insulina.

lipo·fi·bro·ma (-fi-bro'mah) – lipofibroma; fibrolipoma (*fibrolipoma*).

lipo·fus·cin (-fu'sin) – lipofuscina; substância de uma classe de pigmentos gordurosos formados através da solução de um pigmento em gordura.

lipo·fus·cin·o·sis (-fu"sin-o'sis) – lipofuscinose; qualquer distúrbio devido a armazenamento anormal de lipofuscina. **neuronal ceroid l.** – l. ceróide neuronal; classe de doenças neurodegenerativas herdadas da infância e caracterizadas pelo acúmulo em neurônios e outros tecidos de ceróide e lipofuscina; inclui a doença de Jansky-Bielschowsky (*disease, Jansky-Bielschowsky*) e a doença de Vogt-Spielmeyer (*disease, Vogt-Spielmeyer*).

lipo·gen·e·sis (-jen'ĕ-sis) – lipogênese; formação de gordura; transformação de materiais alimentares não-gordurosos em gordura corporal. **lipogenet'ic** – adj. lipogenético.

lip·o·gen·ic (-jen'ik) – lipogênico; que forma, produz ou é causado por gordura.

lipo·gran·u·lo·ma (-gran"u-lo'mah) – lipogranuloma; inflamação de corpo estranho do tecido adiposo contendo um tecido de granulação e cistos de óleo.

lipo·gran·u·lo·ma·to·sis (-gran"u-lo"mah-to'-sis) – lipogranulomatose; condição de falha do metabolismo lipídico na qual se depositam nódulos amarelos de material lipóide na pele e nas mucosas, dando origem a reações granulomatosas.

lipo·hy·per·tro·phy (hi-per'tro-fe) – lipo-hipertrofia; hipertrofia da gordura subcutânea. **insulin I.** – I. insulínica; hipertrofia localizada da gordura subcutânea nos locais de injeção de insulina, causada pelo efeito lipogênico da insulina.

lipo·ic ac·id (lip-o'ik) – ácido lipóico; co-fator necessário aos vários complexos enzimáticos envolvidos na descarboxilação oxidativa dos cetoácidos, onde ocorre na forma lipoamídica.

lip·oid (lip'oid) – lipóide; semelhante à gordura.

li·pol·y·sis (lĭ -pol'ĭ -sis) – lipólise; divisão ou decomposição de gorduras. **lipolyt'ic** – adj. lipolítico.

lip·o·ma (lip-o'mah) – lipoma; tumor encapsulado benigno, macio e flexível de tecido adiposo, geralmente composto de células de gordura maduras.

li·po·ma·to·sis (lip"o-mah-to'sis) – lipomatose; afecção caracterizada por acúmulos de gordura localizados ou semelhantes a tumores anormais nos tecidos. **renal I.** – I. renal; massas gordurosas dentro do rim.

lipo·me·nin·go·cele (-mĕ-ning'go-sēl) – lipomeningocele; meningocele associada a lipoma sobrejacente, como no caso de espinha bífida.

lipo·my·e·lo·me·nin·go·cele (-mi"ĕ-lo-mĕ-ning-go'sēl) – lipomielomeningocele; mielomeningocele com lipoma sobrejacente.

lipo·my·o·ma (-mi-o'mah) – lipomioma; miolipoma (*myolipoma*).

lipo·myx·o·ma (-mik-so'mah) – lipomixoma; mixolipoma (*myxolipoma*).

lipo·pe·nia (-pĕn'e-ah) – lipopenia; deficiência de lipídeos no corpo.

lipo·phage (lip'o-fāj) – lipófago; célula que absorve ou ingere gordura.

lipo·pha·gia (lip"o-fa'je-ah) – lipofagia. **I. granuloma·to'sis** – I. granulomatosa; lipodistrofia intestinal.

li·poph·a·gy (lĭ -pof'ah-je) – lipofagia; absorção de gordura, lipólise. **lipopha'gic** – adj. lipofágico.

lipo·phil·ia (lip"o-fil'e-ah) – lipofilia: 1. afinidade por gordura; 2. solubilidade em lipídeos. **lipophil'ic** – adj. lipofílico.

lipo·plas·ty (lip'o-plas"te) – lipoplastia; lipossucção (*liposuction*).

lipo·poly·sac·cha·ride (lip"o-pol"e-sak'ah-rī d) – lipopolissacarídeo: 1. molécula na qual os lipídeos

e os polissacarídeos se ligam; 2. componente importante da parede celular das bactérias Gram-negativas; os lipopolissacarídeos são endotoxinas e antígenos importantes.

lipo·pro·tein (-prō'tēn) – lipoproteína; complexo de lipídeos e apolipoproteínas, a forma na qual os lipídeos são transportados no sangue. **α-I., alfa I.** – alfa-I.; I. α.; lipoproteína com mobilidade eletroforética equivalente à das α-1-globulinas, como por exemplo, lipoproteína de alta densidade. **β-I., beta I.** – beta-I.; I. β.; lipoproteína com uma mobilidade eletroforética equivalente à das β-globulinas, por exemplo, lipoproteína de baixa densidade. **floating beta I's** – beta-lipoproteínas flutuantes; β-VLDL. **high-density I. (HDL)** – I. de alta densidade; classe de lipoproteínas plasmáticas que promovem o transporte de colesterol do tecido extra-hepático para o fígado para a excreção na bile; os níveis séricos se correlacionam negativamente à cardiopatia coronária prematura. **intermediate-density I. (IDL)** – I. de densidade intermediária; classe de lipoproteínas formadas na degradação das lipoproteínas de densidade de muito baixa; algumas são depuradas muito rapidamente no interior do fígado e algumas se degradam em lipoproteínas de densidade baixa. **low-density I. (LDL)** – I. de baixa densidade; classe de lipoproteínas que transportam o colesterol para tecidos extra-hepáticos; os altos níveis séricos se correlacionam à cardiopatia coronária prematura. **Lp(a) I.** – I. Lp(a); partícula lipoprotéica que contém apolipoproteína B-100, bem como apolipoproteína antigenicamente exclusiva; sua ocorrência em níveis altos no plasma se correlaciona ao aumento do risco de cardiopatia. **pre-β-I., pre-beta-I.** – I. pré-beta; I. pré-β; I. de densidade muito baixa. **sinking pre-β-I.** – I. pré-β. afundante; I. Lp(a). **very-high-density I. (VHDL)** – I. de densidade muito alta; classe de lipoproteínas composta predominantemente de proteínas e que também contém alta concentração de ácidos graxos livres. **very-low-density I. (VLDL)** – I. de densidade muito baixa; classe de lipoproteínas que transportam triglicerídeos do intestino e do fígado aos tecidos adiposo e muscular; elas contêm primariamente triglicerídeos com alguns ésteres colesterílicos.

lipo·pro·tein li·pase (li'pās) – lipoproteína lipase; enzima que catalisa a clivagem hidrolítica dos ácidos graxos a partir dos triglicerídeos (ou di ou monoglicerídeos) em quilomicrons, lipoproteínas de densidade muito baixa e lipoproteínas de densidade baixa.

lipo·sar·co·ma (lip"-o-sahr-ko'mah) – lipossarcoma; tumor mesenquimatoso maligno que geralmente ocorre na fáscia intermuscular na coxa superior, caracterizado por células lipoblásticas primitivas com graus variáveis de diferenciação lipoblástica ou lipomatosa, algumas vezes com focos de células de gordura normais.

li·po·sis (lĭ -po'sis) – lipose; lipomatose (*lipomatosis*).

lipo·sol·u·ble (lip"o-sol'u-b'l) – lipossolúvel; solúvel em gorduras.

lipo·suc·tion (lip'o-suk"shun) – lipossucção; remoção cirúrgica de depósitos gordurosos localizados com um vácuo de alta pressão, que se aplica através de uma cânula inserida subdermicamente por meio de uma pequena incisão.

li·pot·ro·phy (lĭ-pot'rah-fe) – lipotrofia; aumento da gordura corporal. **lipotroph'ic** – adj. lipotrófico.

lipo·trop·ic (lip"o-trop'ik) – lipotrópico; que age no metabolismo das gorduras através da aceleração da remoção ou da redução da deposição de gorduras no fígado; também, um agente com tais efeitos.

β-lipo·tro·pin (-tro'pin) – β-lipotropina; polipeptídeo sintetizado por células da adeno-hipófise, que promove a mobilização de gorduras e o escurecimento da pele através da estimulação dos melanócitos. É a precursora dos hormônios estimulantes dos melanócitos e endorfinas.

lipo·vac·cine (-vak'sēn) – lipovacina; vacina em um veículo de óleo vegetal.

li·pox·i·dase (lĭ-pok'si-dās) – lipoxidase; lipoxigenase.

li·poxy·ge·nase (lĭ-pok'sĭ-jĕ-nās) – lipoxigenase; enzima que catalisa a oxidação dos ácidos graxos poliinsaturados para formar peróxido do ácido.

lip·ping (lip'ing) – labiação: 1. silhueta cuneiforme na radiografia de um condrossarcoma entre o córtex e o periósteo elevado; 2. supercrescimento ósseo no caso de osteoartrite.

liq·ue·fa·cient (lik"wi-fa'shint) – liquefaciente: 1. que produz ou é relativo à liquefação; 2. agente que produz liquefação.

liq·ue·fac·tion (-fak'shun) – liquefação; conversão em forma líquida.

liq·uid (lik'wid) – líquido: 1. substância que flui facilmente em seu estado natural; 2. que flui facilmente; nem sólido nem gasoso.

li·quor (lik'er, li'kwor) [L.] pl. *liquors, liquores* – líquido: 1. especialmente uma solução aquosa que contenha uma substância medicinal; 2. termo aplicado a determinados fluidos corporais. **l. am'nii** – l. amniótico; líquido amniótico. **l. cerebrospina'lis** – l. cerebroespinhal; l. cefalorraquidiano (LCR); líquido cefalorraquidiano. **l. cotun'nii** – perilinfa. **l. folli'culi** – l. folicular; fluido no interior de um folículo ovariano em desenvolvimento.

li·sin·o·pril (li-sin'o-pril) – lisinoprila; um derivado da enalaprila, que inibe a ativação da angiotensina; utilizada no tratamento da hipertensão.

lis·sen·ceph·a·ly (lis"en-sef'ah-le) – lissencefalia; agiria. **lissencephal'ic** – adj. lissencefálico.

Lis·ter·el·la (lis"ter-el'ah) – *Listerella; Listeria.*

Lis·te·ria (lis-tēr'e-ah) – *Listeria;* gênero de bactérias Gram-negativas (família Corynebacterium); a única espécie (*L. monocytogenes*) é encontrada principalmente nos animais inferiores. No homem, produz uma doença respiratória superior, septicemia e encefalopatia.

lis·ter·ism (lis'ter-izm) – listerismo; os princípios e a prática de cirurgia anti-séptica e asséptica.

li·ter (lēt'er) – litro; a unidade de volume no sistema métrico, equivalente a 1.000 centímetros cúbicos ou a 1 decímetro cúbico ou ainda a 1,0567 quartos de medida líquida. Abreviação: l.

lith(o)- [Gr] – lit(o)-, elemento de palavra, *pedra; cálculo.*

li·thec·ta·sy (lĭ-thek'tah-se) – litectasia; extração de cálculos através da uretra mecanicamente dilatada.

li·thi·a·sis (lĭ-thi'ah-sis) – litíase: 1. afecção caracterizada pela formação de cálculos e concreções; 2. diátese gotosa.

lith·i·um (lith'e-um) – lítio: elemento químico (ver *Tabela de Elementos*), número atômico 3, símbolo Li. Seus sais, especialmente o *carbonato de l.*, são utilizados no tratamento de manias e outros distúrbios psiquiátricos.

litho·clast (lith'ah-klast) – litoclasto; litótrito.

litho·cys·tot·o·my (lith"o-sis-tot'ah-me) – litocistotomia; incisão da bexiga para a remoção de cálculos.

litho·di·al·y·sis (-di-al'ĭ-sis) – litodiálise: 1. dissolução de cálculos na bexiga através de solventes injetados; 2. litolapaxia (*litholapaxy*).

litho·gen·e·sis (-jen'ĭ-sis) – litogênese; formação de cálculos. **lithogen'ic, lithog'enous** – adj. litogênico.

li·thol·a·paxy (li-thol"ah-pak'se) – litolapaxia; litotripsia (*lithotripsy*).

li·thol·y·sis (lĭ-thol'ĭ-sis) – litólise; dissolução de cálculos. **litholyt'ic** – adj. litolítico.

litho·ne·phri·tis (lith"o-ne-frit'is) – litonefrite; inflamação do rim devido a irritação por cálculos.

litho·scope (-skōp) – litoscópio; instrumento para detectar os cálculos na bexiga.

li·thot·o·my (lĭ-thot'ah-me) – litotomia; litectomia; incisão de um ducto ou órgão para remoção de cálculos.

litho·trip·sy (lith'o-trip"se) – litotripsia; esmagamento de um cálculo no sistema urinário ou na vesícula biliar, seguido imediatamente de lavagem e retirada dos fragmentos; pode ser realizada cirurgicamente ou por métodos não-invasivos, como laser ou ondas de choque. **extracorporeal shock wave l.** – l. por onda de choque extracorporal; um procedimento para tratar as pedras do trato urinário superior; o paciente fica imerso em uma grande banheira de água e gera-se uma onda de choque de alta energia através de uma faísca de alta voltagem focalizada no cálculo por meio de um refletor elipsóide. O cálculo se desintegra em partículas, que são então eliminadas na urina.

litho·trip·tic (lith"o-trip'tik) – litotríptico; que dissolve cálculos vesicais; também, um agente que atua dessa forma.

li·thot·ri·ty (lĭ-thah'trit-e) – litotricia; litotripsia.

lith·ous (lith'is) – lítico; relativo ao cálculo ou à sua natureza.

lith·ure·sis (lith"ūr-e'sis) – liturese; a passagem de cálculos na urina.

lit·mus (lit'mus) – litmo; pigmento preparado a partir da *Rocella tinctoria* e outros líquens; utilizado como indicador ácido-básico (de pH).

lit·ter (lit'er) – padiola; maca: 1. leito de lona portátil para transportar doentes ou feridos; 2. ninhada; descendentes produzidos em um só nascimento por um animal multíparo.

li·ve·do (lĭ-ve'do) [L.] – livedo; mancha descolorida na pele. **l. racemo'sa, l. reticula'ris** – l. racemoso; l. reticular; mosqueamento purpúreo da pele e semelhante a uma rede nas extremidades e no tronco, que se torna mais intensa com a exposição ao frio.

liv·e·doid (liv'id-oid) – livedóide; relativo à livedo.

liv·er (liv'er) − fígado; grande glândula vermelho-escura na parte superior do abdômen no lado direito, imediatamente abaixo do diafragma. Ver Prancha IV. Suas funções múltiplas incluem armazenamento e filtração de sangue, secreção de bile, conversão de açúcares em glicogênio e muitas outras atividades metabólicas. **fatty l.** − f. gorduroso; fígado afetado por infiltração gordurosa, gordura em gotas grandes, bem como ocorre aumento de volume do fígado, mas sua consistência é normal. **hobnail l.** − f. tacheado; fígado cuja superfície encontra-se marcada com pontos semelhantes a unhas decorrentes de cirrose.

liv·er phos·phor·y·lase (fos-for'ĭ-lās) − fosforilase hepática; isozima hepática da glicogênio-fosforilase; a deficiência causa a doença do armazenamento de glicogênio do tipo VI.

liv·er phos·phor·y·lase ki·nase (ki'nās) − fosforilase-cinase hepática; isozima hepática da fosforilase-cinase; a falta causa deficiência de fosforilase-b-cinase.

liv·id (liv'id) − lívido; descolorido; como em caso de contusão ou equimose; coloração azulada.

li·vor (li'vor) [L.] pl. *livores* − livor; descoloração. **l. mor'tis** − *l. mortis*; descoloração das partes dependentes do corpo após a morte.

lix·iv·i·a·tion (lik-siv"e-a'shun) − lixiviação; separação do material solúvel do insolúvel pelo uso de um solvente apropriado e remoção da solução.

LM − light minimum; linguomesial (ML, mínimo de luz; LM linguomesial).

LMA − left mentoanterior (position of fetus) (MAE, mentoanterior esquerda [posição do feto]).

LMP − left mentoposterior (position of fetus) (MPE, mentoposterior esquerda [posição do feto]).

LMT − left mentotransverse (position of fetus) (MTE, mento-transversal esquerda [posição do feto]).

LNPF − lymph node permeability factor (fator de permeabilidade do linfonodo).

LOA − left occipitoanterior (position of fetus) (OAE, occípito-anterior esquerda [posição do feto]).

Loa (lo'ah) − *Loa;* gênero de nematódeos filariais, que incluem a *L. loa,* espécie da África Ocidental que migra livremente por todo o tecido conjuntivo subcutâneo, observado especialmente ao redor da órbita e até debaixo da conjuntiva e ocasionalmente causando inchaços edematosos.

load·ing (lōd'ing) − carga; administração de quantidades suficientes de uma substância para testar a capacidade de um indivíduo metabolizá-la ou absorvê-la.

lo·bate (lo'bāt) − lobado; loboso; dividido em lobos.

lo·ba·tion (lo-ba'shun) − lobação; formação de lobos; condição de ter lobos. **renal l.** − l. renal; aparecimento em filmes de raio X de pequenas chanfraduras ao longo da superfície renal, indicando a localização dos lobos renais.

lobe (lōb) − lobo: 1. porção mais ou menos definida de um órgão ou glândula; 2. uma das principais divisões de uma coroa dentária. **lo'bar** − adj. lobar. **caudate l. of liver** − l. caudado hepático; pequeno lobo hepático entre a veia cava inferior e o lobo esquerdo. **ear l.** − lóbulo da orelha; parte carnosa inferior da orelha externa. **frontal l.** − l. frontal; a porção rostral (anterior) do hemis-

fério cerebral. **hepatic l's** − lobos hepáticos; os lobos do fígado, designados como direito e esquerdo e caudado e quadrado. **insular l.** − l. insular; ínsula. **occipital l.** − l. occipital; a porção mais posterior do hemisfério cerebral, formando uma pequena parte de sua superfície dorsolateral. **parietal l.** − l. parietal; porção central superior do hemisfério cerebral, entre os lobos frontal e occipital e acima do lobo temporal. **polyalveolar l.** − l. polialveolar; distúrbio congênito caracterizado, no início da infância pela presença de um número bem maior do que o normal de alvéolos em um lobo pulmonar; subseqüentemente, não ocorre multiplicação normal dos alvéolos e eles aumentam de volume, ou seja, tornam-se enfisematosos. **quadrate l.** − l. quadrado: 1. précúneo; 2. pequeno lobo hepático, entre a vesícula biliar na direita e o lobo esquerdo. **spigelian l.** − l. de Spigelius; l. caudado hepático. **temporal l.** − l. temporal; lobo lateral inferior do hemisfério cerebral.

lo·bec·to·my (lo-bek'tah-me) − lobectomia; excisão de um lobo, como do pulmão, cérebro ou fígado.

lo·bo·po·di·um (lo"bo-po'de-um) [L.] *lobopodia* − lobopódio; pseudópode cego composto tanto de ectoplasma como de endoplasma.

lo·bot·o·my (lo-bot'ah-me) − lobotomia; incisão de um lobo; em Psicocirurgia, incisão de todas as fibras de um lobo cerebral.

lob·u·lat·ed (lob'ūl-āt-id) − lobulado; constituído de lóbulos.

lob·ule (lob'ūl) − lóbulo; pequeno segmento ou lobo, especialmente uma das menores divisões que constituem um lobo. **lob'ular** − adj. lobular. **l's of epididymis** − lóbulos do epidídimo; partes cuneiformes da cabeça do epidídimo, cada uma delas compreendendo um dúctulo eferente testicular. **hepatic l's** − lóbulos hepáticos; pequenas unidades vasculares que constituem a substância hepática. **l's of lung** − lóbulos pulmonares; segmentos broncopulmonares. **paracentral l.** − l. paracentral; lobo na superfície medial do hemisfério cerebral, em continuidade aos giros pré e pós-centrais, limitado pelo sulco cingulado. **parietal l.** − l. parietal; uma das duas divisões (inferior e superior) do lobo parietal cerebral. **portal l.** − l. porta; massa poligonal de tecido hepático que contém porções dos três lóbulos hepáticos adjacentes e possui uma veia porta em seu centro e uma veia central perifericamente a cada canto. **primary l. of lung, respiratory l.** − l. primário pulmonar; l. respiratório, unidade respiratória; terminal.

lob·u·lus (lob'u-lus) [L.] pl. *lobuli* − lóbulo.

lo·bus (lo'bus) [L.] pl. *lobi* − lobo (*lobe*).

lo·cal·iza·tion (lo"kal-ĭ-za'shun) − localização: 1. restrição a uma área circunscrita ou limitada; 2. determinação do local ou posição de qualquer processo ou lesão. **cerebral l.** − l. cerebral; determinação de áreas do córtex envolvidas no desempenho de determinadas funções. **germinal l.** − l. germinativa; localização em um blastoderma dos órgãos prospectivos.

lo·ca·tor (lo'kāt-er) − localizador; dispositivo para determinar a posição de objetos estranhos no corpo.

O CORPO HUMANO
MÚSCULOS ESQUELÉTICOS

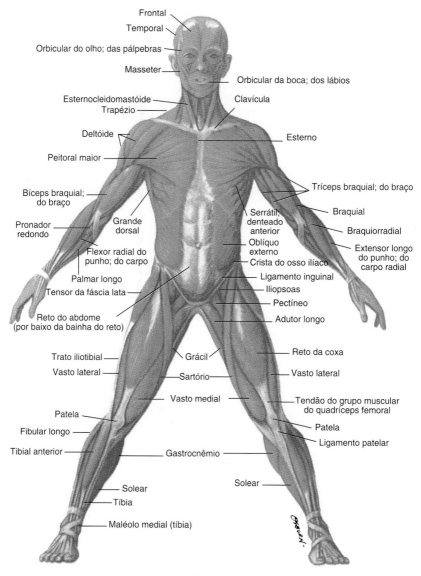

Frontal

Temporal

Orbicular do olho; das pálpebras

Masseter

Orbicular da boca; dos lábios

Esternocleidomastóide

Clavícula

Trapézio

Deltóide

Esterno

Peitoral maior

Tríceps braquial; do braço

Bíceps braquial; do braço

Braquial

Pronador redondo

Grande dorsal

Serrátil; denteado anterior

Braquiorradial

Flexor radial do punho; do carpo

Oblíquo externo

Extensor longo do punho; do carpo radial

Crista do osso ilíaco

Palmar longo

Ligamento inguinal

Tensor da fáscia lata

Iliopsoas

Pectíneo

Reto do abdome (por baixo da bainha do reto)

Adutor longo

Trato iliotibial

Grácil

Reto da coxa

Vasto lateral

Sartório

Vasto lateral

Vasto medial

Tendão do grupo muscular do quadríceps femoral

Patela

Fibular longo

Patela

Tibial anterior

Gastrocnêmio

Ligamento patelar

Solear

Solear

Tíbia

Maléolo medial (tíbia)

PRANCHA I

OSSOS

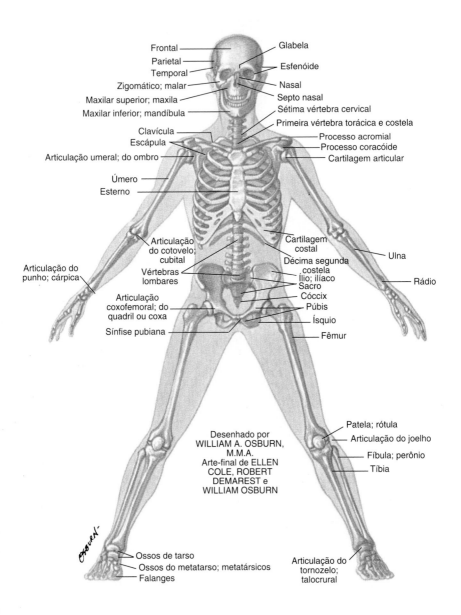

Frontal — Glabela
Parietal — Esfenóide
Temporal
Zigomático; malar — Nasal
Maxilar superior; maxila — Septo nasal
Maxilar inferior; mandíbula — Sétima vértebra cervical
Primeira vértebra torácica e costela
Clavícula — Processo acromial
Escápula — Processo coracóide
Articulação umeral; do ombro — Cartilagem articular
Úmero
Esterno
Articulação do cotovelo; cubital — Cartilagem costal
Articulação do punho; cárpica — Ulna
Vértebras lombares — Décima segunda costela
Articulação coxofemoral; do quadril ou coxa — Ílio; ilíaco
Sacro
Cóccix
Púbis
Ísquio
Sínfise pubiana — Fêmur
Rádio
Patela; rótula
Desenhado por
WILLIAM A. OSBURN,
M.M.A.
Arte-final de ELLEN
COLE, ROBERT
DEMAREST e
WILLIAM OSBURN
Articulação do joelho
Fíbula; perônio
Tíbia
Ossos de tarso
Ossos do metatarso; metatársicos
Falanges
Articulação do tornozelo; talocrural

PRANCHA II

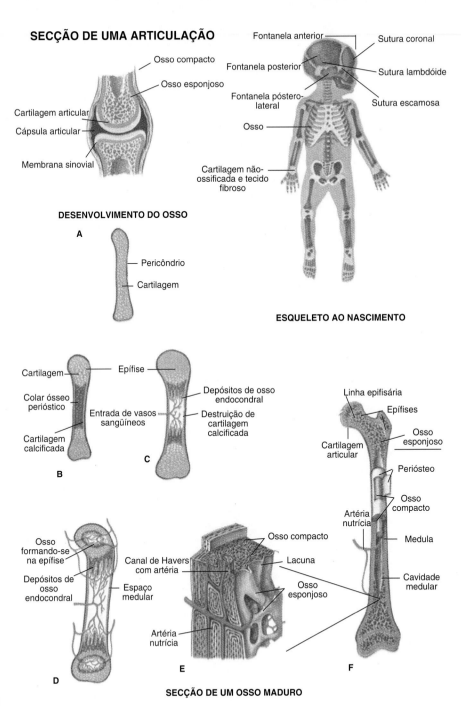

SECÇÃO DE UMA ARTICULAÇÃO

Osso compacto
Osso esponjoso
Cartilagem articular
Cápsula articular
Membrana sinovial

Fontanela anterior
Fontanela posterior
Fontanela póstero-lateral
Osso
Cartilagem não-ossificada e tecido fibroso

Sutura coronal
Sutura lambdóide
Sutura escamosa

DESENVOLVIMENTO DO OSSO

A

Pericôndrio
Cartilagem

ESQUELETO AO NASCIMENTO

Cartilagem
Epífise
Colar ósseo perióstico
Entrada de vasos sangüíneos
Cartilagem calcificada
Depósitos de osso endocondral
Destruição de cartilagem calcificada

Linha epifisária
Epífises
Cartilagem articular
Osso esponjoso
Periósteo
Osso compacto

B

C

Osso formando-se na epífise
Depósitos de osso endocondral
Canal de Havers com artéria
Espaço medular
Artéria nutrícia

Osso compacto
Lacuna
Osso esponjoso
Artéria nutrícia
Medula
Cavidade medular

D

E

F

SECÇÃO DE UM OSSO MADURO

PRANCHA III

ÓRGÃOS DA DIGESTÃO

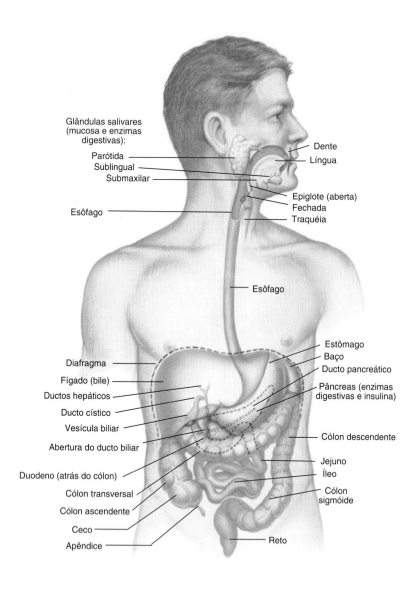

Glândulas salivares (mucosa e enzimas digestivas):
- Parótida
- Sublingual
- Submaxilar

Dente
Língua

Esôfago

Epiglote (aberta)
Fechada
Traquéia

Esôfago

Diafragma
Fígado (bile)
Ductos hepáticos
Ducto cístico
Vesícula biliar
Abertura do ducto biliar
Duodeno (atrás do cólon)
Cólon transversal
Cólon ascendente
Ceco
Apêndice

Estômago
Baço
Ducto pancreático
Pâncreas (enzimas digestivas e insulina)

Cólon descendente

Jejuno
Íleo
Cólon sigmóide

Reto

PRANCHA IV

SECÇÃO DA PAREDE DO ESTÔMAGO

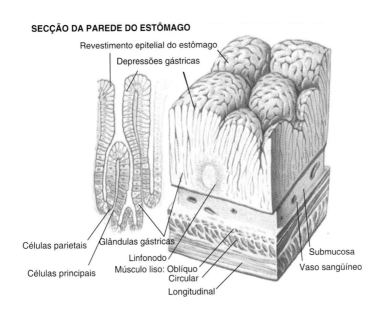

Revestimento epitelial do estômago

Depressões gástricas

Células parietais

Células principais

Glândulas gástricas

Linfonodo

Músculo liso: Oblíquo
Circular
Longitudinal

Submucosa

Vaso sangüíneo

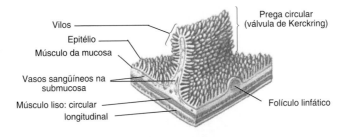

Vilos

Epitélio

Músculo da mucosa

Vasos sangüíneos na submucosa

Músculo liso: circular
longitudinal

Prega circular
(válvula de Kerckring)

Folículo linfático

SECÇÕES DA PAREDE DO INTESTINO DELGADO

SECÇÃO DO INTESTINO GROSSO (CÓLON)

Revestimento epitelial

Aberturas das glândulas

Glândula intestinal

Vasos sangüíneos da submucosa

Músculo liso
(circular)

Tênia cólica (faixa muscular
longitudinal)

DEMAREST

PRANCHA V

ÓRGÃOS DA RESPIRAÇÃO E CORAÇÃO

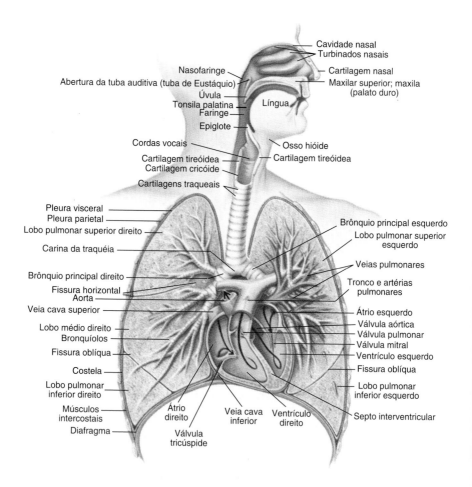

Cavidade nasal
Turbinados nasais
Nasofaringe
Cartilagem nasal
Abertura da tuba auditiva (tuba de Eustáquio)
Maxilar superior; maxila (palato duro)
Úvula
Tonsila palatina
Língua
Faringe
Epiglote
Cordas vocais
Osso hióide
Cartilagem tireóidea
Cartilagem tireóidea
Cartilagem cricóide
Cartilagens traqueais
Pleura visceral
Pleura parietal
Brônquio principal esquerdo
Lobo pulmonar superior direito
Lobo pulmonar superior esquerdo
Carina da traquéia
Veias pulmonares
Brônquio principal direito
Fissura horizontal
Tronco e artérias pulmonares
Aorta
Veia cava superior
Átrio esquerdo
Válvula aórtica
Lobo médio direito
Válvula pulmonar
Bronquíolos
Válvula mitral
Fissura oblíqua
Ventrículo esquerdo
Costela
Fissura oblíqua
Lobo pulmonar inferior direito
Lobo pulmonar inferior esquerdo
Músculos intercostais
Átrio direito
Veia cava inferior
Ventrículo direito
Septo interventricular
Diafragma
Válvula tricúspide

PRANCHA VI

VISTA SUPERIOR DA LARINGE

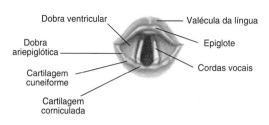

Dobra ventricular — Valécula da língua

Dobra ariepiglótica — Epiglote

Cartilagem cuneiforme — Cordas vocais

Cartilagem corniculada

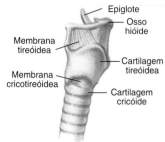

Epiglote
Osso hióide

Membrana tireóidea

Membrana cricotireóidea

Cartilagem tireóidea

Cartilagem cricóide

VISTA LATERAL DA LARINGE

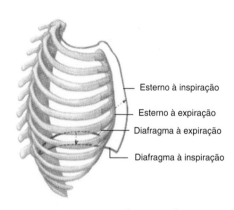

Esterno à inspiração

Esterno à expiração

Diafragma à expiração

Diafragma à inspiração

MOVIMENTOS RESPIRATÓRIOS TORÁCICOS

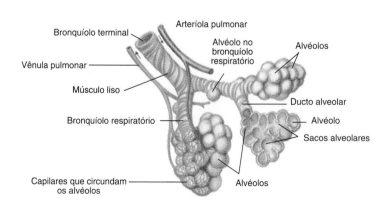

Bronquíolo terminal

Arteríola pulmonar

Alvéolo no bronquíolo respiratório

Alvéolos

Vênula pulmonar

Músculo liso

Ducto alveolar

Bronquíolo respiratório

Alvéolo

Sacos alveolares

Capilares que circundam os alvéolos

Alvéolos

LÓBULO RESPIRATÓRIO PRIMÁRIO

PRANCHA VII

VASOS SANGÜÍNEOS PRINCIPAIS

VEIAS

ARTÉRIAS

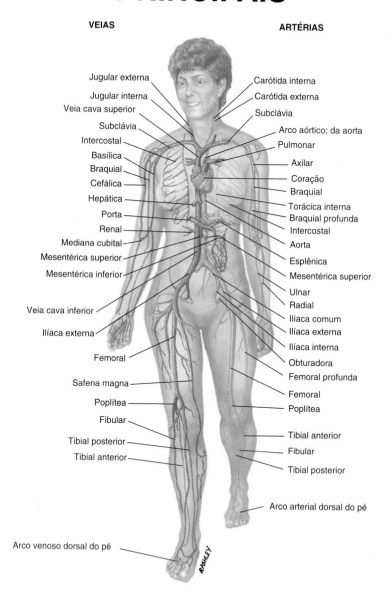

Jugular externa
Jugular interna
Veia cava superior
Subclávia
Intercostal
Basílica
Braquial
Cefálica
Hepática
Porta
Renal
Mediana cubital
Mesentérica superior
Mesentérica inferior
Veia cava inferior
Ilíaca externa
Femoral
Safena magna
Poplítea
Fibular
Tibial posterior
Tibial anterior
Arco venoso dorsal do pé

Carótida interna
Carótida externa
Subclávia
Arco aórtico; da aorta
Pulmonar
Axilar
Coração
Braquial
Torácica interna
Braquial profunda
Intercostal
Aorta
Esplênica
Mesentérica superior
Ulnar
Radial
Ilíaca comum
Ilíaca externa
Ilíaca interna
Obturadora
Femoral profunda
Femoral
Poplítea
Tibial anterior
Fibular
Tibial posterior
Arco arterial dorsal do pé

PRANCHA VIII

DETALHES DAS ESTRUTURAS CIRCULATÓRIAS

VEIA   ARTÉRIA GRANDE

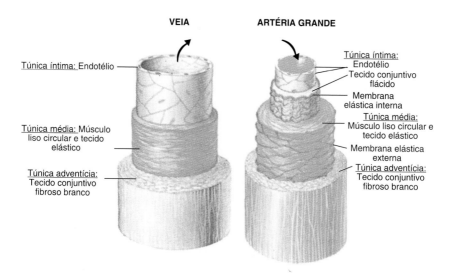

Túnica íntima: Endotélio

Túnica média: Músculo
liso circular e tecido
elástico

Túnica adventícia:
Tecido conjuntivo
fibroso branco

Túnica íntima:
Endotélio
Tecido conjuntivo
flácido
Membrana
elástica interna
Túnica média:
Músculo liso circular e
tecido elástico
Membrana elástica
externa
Túnica adventícia:
Tecido conjuntivo
fibroso branco

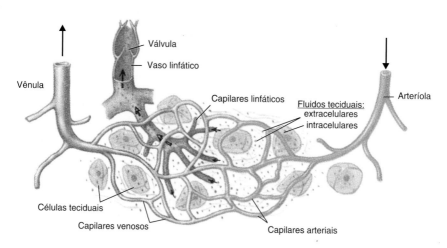

Válvula
Vaso linfático
Vênula
Capilares linfáticos
Fluidos teciduais:
extracelulares
intracelulares
Arteríola
Células teciduais
Capilares venosos
Capilares arteriais

LEITO CAPILAR

PRANCHA IX

CÉREBRO E NERVOS ESPINHAIS

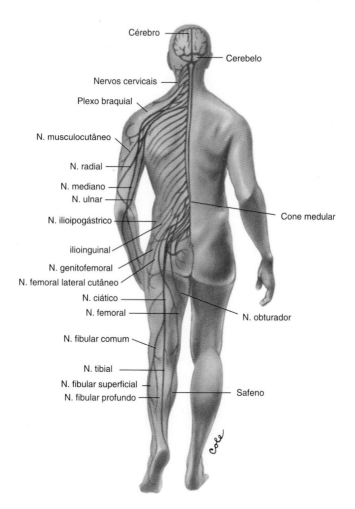

Cérebro

Cerebelo

Nervos cervicais

Plexo braquial

N. musculocutâneo

N. radial

N. mediano

N. ulnar

N. ilioipogástrico

Cone medular

ilioinguinal

N. genitofemoral

N. femoral lateral cutâneo

N. ciático

N. femoral

N. obturador

N. fibular comum

N. tibial

N. fibular superficial

N. fibular profundo

Safeno

NERVOS ESPINHAIS PRINCIPAIS

PRANCHA X

DETALHES DAS ESTRUTURAS NEURAIS

CÉLULA NERVOSA

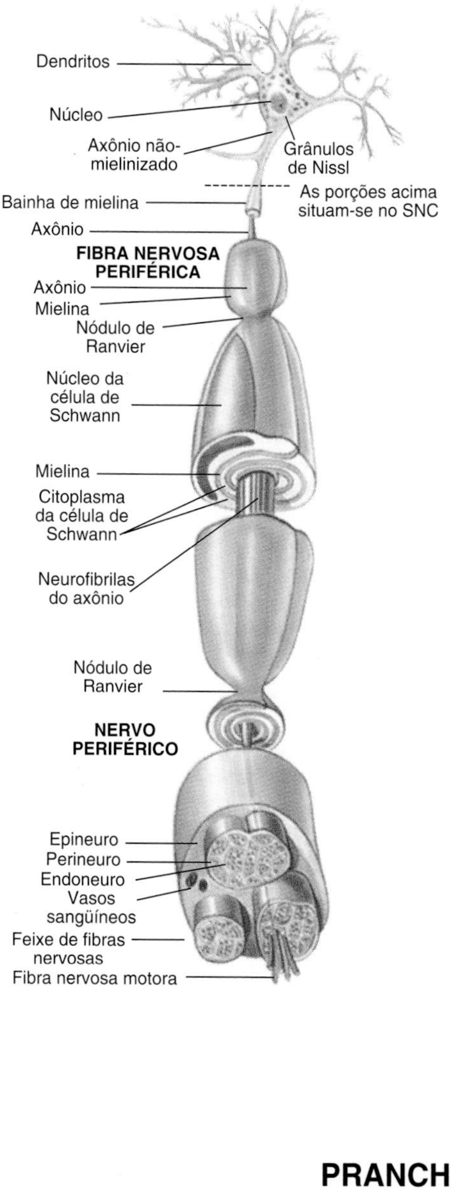

CÉREBRO

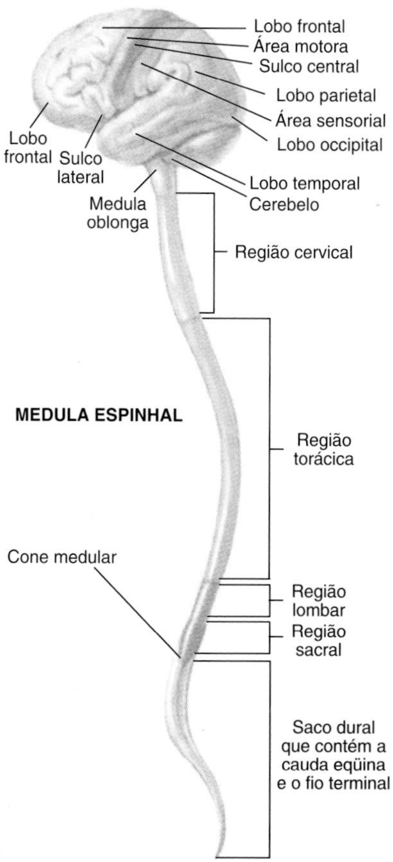

Dendritos

Núcleo

Axônio não-mielinizado

Grânulos de Nissl

As porções acima situam-se no SNC

Bainha de mielina

Axônio

FIBRA NERVOSA PERIFÉRICA

Axônio

Mielina

Nódulo de Ranvier

Núcleo da célula de Schwann

Mielina

Citoplasma da célula de Schwann

Neurofibrilas do axônio

Nódulo de Ranvier

NERVO PERIFÉRICO

Epineuro

Perineuro

Endoneuro

Vasos sangüíneos

Feixe de fibras nervosas

Fibra nervosa motora

Lobo frontal

Área motora

Sulco central

Lobo parietal

Área sensorial

Lobo occipital

Lobo frontal

Sulco lateral

Lobo temporal

Cerebelo

Medula oblonga

Região cervical

MEDULA ESPINHAL

Região torácica

Cone medular

Região lombar

Região sacral

Saco dural que contém a cauda eqüina e o fio terminal

PRANCHA XI

ÓRGÃOS ESPECIAIS DOS SENTIDOS

OUVIDO

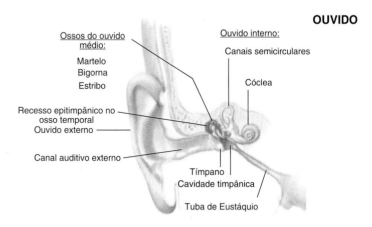

Ossos do ouvido médio:
- Martelo
- Bigorna
- Estribo

Recesso epitimpânico no osso temporal
Ouvido externo

Canal auditivo externo

Ouvido interno:
Canais semicirculares

Cóclea

Tímpano
Cavidade timpânica

Tuba de Eustáquio

ÓRGÃO DA AUDIÇÃO

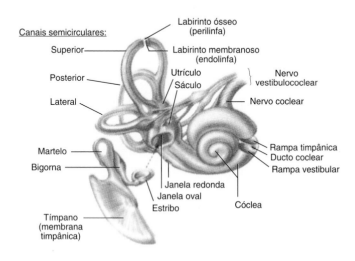

Canais semicirculares:
- Superior
- Posterior
- Lateral

Labirinto ósseo (perilinfa)

Labirinto membranoso (endolinfa)

Utrículo
Sáculo

Nervo vestibulococlear

Nervo coclear

Martelo
Bigorna

Tímpano (membrana timpânica)

Janela redonda
Janela oval
Estribo

Cóclea

Rampa timpânica
Ducto coclear
Rampa vestibular

OUVIDO MÉDIO E OUVIDO INTERNO

PRANCHA XII

APARELHO LACRIMAL E OLHO

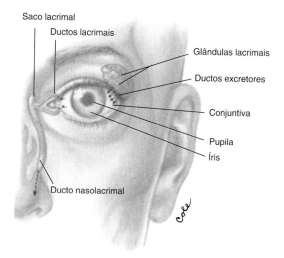

Saco lacrimal
Ductos lacrimais
Glândulas lacrimais
Ductos excretores
Conjuntiva
Pupila
Íris
Ducto nasolacrimal

APARELHO LACRIMAL

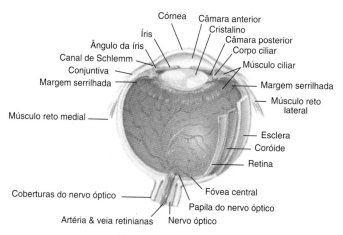

Córnea
Íris
Ângulo da íris
Canal de Schlemm
Conjuntiva
Margem serrilhada
Músculo reto medial

Câmara anterior
Cristalino
Câmara posterior
Corpo ciliar
Músculo ciliar
Margem serrilhada
Músculo reto lateral
Esclera
Coróide
Retina

Coberturas do nervo óptico
Artéria & veia retinianas

Fóvea central
Papila do nervo óptico
Nervo óptico

SECÇÃO HORIZONTAL DO OLHO

PRANCHA XIII

DETALHES ESTRUTURAIS

MUSCULOESQUELÉTICO

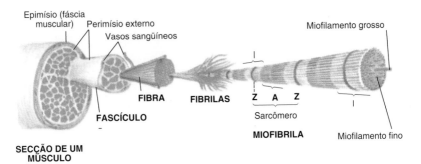

Epimísio (fáscia muscular)
Perimísio externo
Vasos sangüíneos
Miofilamento grosso

FIBRA **FIBRILAS** Z A Z

FASCÍCULO

Sarcômero

MIOFIBRILA Miofilamento fino

SECÇÃO DE UM MÚSCULO

CÉREBRO

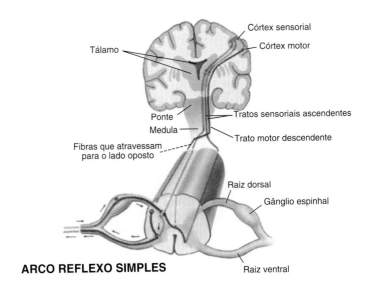

Córtex sensorial
Córtex motor
Tálamo
Ponte
Medula
Tratos sensoriais ascendentes
Trato motor descendente
Fibras que atravessam para o lado oposto
Raiz dorsal
Gânglio espinhal

ARCO REFLEXO SIMPLES
Raiz ventral

MEDULA ESPINHAL

PRANCHA XIV

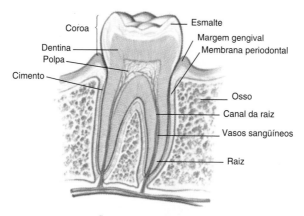

SECÇÃO DE UM DENTE MOLAR

Coroa

Dentina

Polpa

Cimento

Esmalte

Margem gengival

Membrana periodontal

Osso

Canal da raiz

Vasos sangüíneos

Raiz

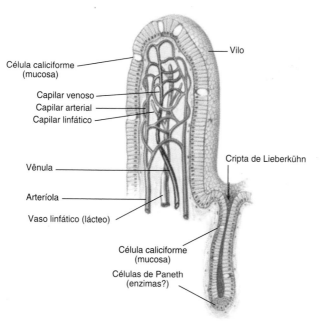

Vilo

Célula caliciforme
(mucosa)

Capilar venoso

Capilar arterial

Capilar linfático

Vênula

Arteríola

Vaso linfático (lácteo)

Cripta de Lieberkühn

Célula caliciforme
(mucosa)

Células de Paneth
(enzimas?)

Glândula intestinal

SECÇÃO DA PAREDE DO INTESTINO DELGADO

PRANCHA XV

SEIOS PARANASAIS

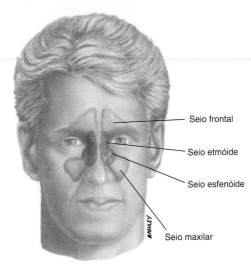

- Seio frontal
- Seio etmóide
- Seio esfenóide
- Seio maxilar

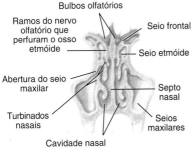

Bulbos olfatórios

Ramos do nervo olfatório que perfuram o osso etmóide

Seio frontal

Seio etmóide

Abertura do seio maxilar

Septo nasal

Turbinados nasais

Seios maxilares

Cavidade nasal

SECÇÃO FRONTAL DO NARIZ

Bulbo olfatório e filamentos nervosos que perfuram o osso etmóide

Seio frontal

Seio etmóide

Abertura do seio esfenóide

Turbinado médio (corte)

Abertura do seio maxilar

Abertura da tuba auditiva (tuba de Eustáquio)

SECÇÃO SAGITAL DO NARIZ

Seio maxilar

PRANCHA XVI

electroacoustic l. – l. eletroacústico; dispositivo que amplifica em um clique audível o contato de uma sonda com um objeto sólido em um tecido.

lo·chia (lo'ke-ah) – lóquios; secreção vaginal que ocorre durante a primeira ou segunda semana após o parto. **lo'chial** – adj. loquial. **l. al'ba** – lóquios brancos; secreção vaginal final após o parto, quando se reduz a quantidade de sangue e se aumentam os leucócitos. **l. cruen'ta** – lóquios cruentos; lóquios rubros. **l. ru'bra** – lóquios rubros; lóquios que ocorrem imediatamente após o parto, consistindo quase que completamente de sangue. **l. sanguinolen'ta** – lóquios sanguinolentos; lóquios serosos. **l. sero'sa** – lóquios serosos; descarga vaginal serosa que ocorre quatro ou cinco dias após o parto.

lo·chio·me·tra (lo"ke-o-me'trah) – loquiometria; distensão do útero por lóquios retidos.

lo·chio·me·tri·tis (-me-trīt'is) – loquiometrite; metrite puerperal.

lo·chi·or·rha·gia (-ra'je-ah) – loquiorragia; loquiorréia.

lo·chi·or·rhea (-re'ah) – loquiorréia; lóquios anormalmente abundantes.

lo·chi·os·che·sis (lo"ke-os'kĕ-sis) – loquiosquese; retenção de lóquios.

lock·jaw (lok'jaw) – 1. tétano; 2. trismo.

lo·co (lo'ko) [Esp.] – doença do astrágalo: 1. uma das várias plantas leguminosas dos gêneros *Astragalus, Hosackia, Sophora* e *Oxytropis*, venenosas para os animais domésticos em regiões áridas devido ao selênio que elas contêm.

lo·co·mo·tion (lo"kah-mo'shun) – locomoção; movimento ou capacidade de se mover de um lugar a outro. **locomo'tive** – adj. locomotor; locomotivo. **brachial l.** – l. braquial; braquiação.

lo·co·re·gion·al (lo"ko-re'jun-al) – locorregional; limitado a uma área localizada, em contraste com o sistêmico ou o metastático.

loc·u·lus (lok'u-lus) [L.] pl. *loculi* – lóculo: 1. pequeno espaço ou cavidade; 2. aumento de volume no útero, em alguns mamíferos, que contém um embrião. **loc'ular** – adj. locular.

lo·cum (lo'kum) [L.] – lugar. **l. te'nens, l. te'nent** – diz-se do profissional que temporariamente assume o lugar de outro.

lo·cus (lo'kus) [L.] pl. *loci, loca* – *locus*; local; lugar: 1. situação; local; 2. em Genética, o local específico de um gene ou um cromossoma. **l. caeru'leus** – l. cerúleo. **l. ceruleus** – l. cerúleo; proeminência pigmentada no ângulo superior do assoalho do quarto ventrículo cerebral.

log(o)- [Gr.] – elemento de palavra, *palavras*; *discurso.*

log·a·dec·to·my (log"ah-dek'tah-me) – logadectomia; excisão de uma porção da conjuntiva.

log·am·ne·sia (log"am-ne'zhah) – logamnésia; afasia receptiva.

log·a·pha·sia (log"ah-fa'zhah) – logafasia; afasia expressiva.

logo·ma·nia (-ma'ne-ah) – logomania; logorréia (*logorrhea*).

log·op·a·thy (log-op'ah-the) – logopatia; qualquer distúrbio da fala devido a desarranjo do sistema nervoso central.

logo·pe·dics (log"o-pe'diks) – logopedia; o estudo e o tratamento dos defeitos da fala.

logo·ple·gia (-ple'jah) – logoplegia; paralisia dos órgãos da fala.

log·or·rhea (-re'ah) – logorréia; volubilidade excessiva, com uma fala rápida e pressionada.

logo·spasm (log'o-spazm) – logoespasmo; pronúncia espasmódica de palavras.

-logy [Gr.] – -logia, elemento de palavra, *ciência*; *tratado*; *soma do conhecimento acerca de uma matéria particular.*

lo·i·a·sis (lo-i'ah-sis) – loíase; infecção por nematódeos do gênero *Loa.*

loin (loin) – flanco; região lombar; parte das costas entre o tórax e a pelve.

Lo·mo·til (lo'mo-til) – Lomotil, marca registrada de preparações de difenoxilato.

lo·mus·tine (lo-mus'tēn) – lomustina; agente alcilante do grupo nitrosuréia; utilizado como antineoplásico no tratamento da doença de Hodgkin e dos tumores cerebrais.

lon·gis·si·mus (lon-jis'ĭ-mus) [L.] – o mais longo; longo.

lon·gi·tu·di·na·lis (long"ji-tōōd"in-a'lis) [L.] – longitudinal; no sentido do comprimento.

longus (long'gus) [L.] – longo.

loop (lōōp) – alça; volta ou curva precisa em uma estrutura em cordão. **capillary l's** – alças capilares; tubos endoteliais diminutos que transportam o sangue nas papilas dérmicas. **closed l.** – a. fechada; um tipo de retroalimentação em que a entrada de um ou mais subsistemas é afetada por sua própria saída. **l. of Henle, Henle's l.** – a. de Henle; a longa parte em forma de U do túbulo renal, que se estende através da medula a partir do final do túbulo contorcido proximal. Começa com o *ramo descendente* (que compreende o *túbulo reto proximal* e o *túbulo fino*), seguido de *ramo ascendente* e terminando com o *túbulo reto distal*. **open l.** – a. aberta; sistema no qual uma entrada altera a saída, mas a saída não tem efeito na entrada.

loo·sen·ing (loo'sen-ing) – afrouxamento de associação; em Psiquiatria, distúrbio do pensamento no qual as associações das idéias se tornam tão diminuídas, fragmentadas e perturbadas que lhes falta relação lógica.

LOP – left occipitoposterior (position of fetus) (OPE), occípito-posterior esquerda [posição do feto]).

lo·per·amide (lo-per'ah-mīd) – loperamida; antiperistáltico utilizado em forme de sal de cloridrato como antidiarréico e para reduzir o volume de descarga das ileostomias.

lo·phot·ri·chous (lo-fot'rĭ-kus) – lofotríquio; que tem dois ou mais flagelos em uma extremidade (de uma célula bacteriana).

Lo·pres·sor (lo-pres'or) – Lopressor, marca registrada de preparações de tartarato de metoprolol.

lor·a·ze·pam (lor-az'ĕ-pam) – lorazepam; derivado benzodiazepínico utilizado por seus efeitos antiansiedade e sedativos; também utilizado como antiemético na quimioterapia do câncer.

lor·do·sis (lor-do'sis) – lordose; curvatura para frente da espinha lombar. **lordot'ic** – adj. lordótico.

LOT – left occipitotranverse (position of fetus) (OTE), occípito-transversal esquerda [posição do feto]).

lo·tio (lo'she-o) [L.] – loção (*lotion*).

lo·tion (lo'shun) – loção; suspensão ou dispersão líquidas para aplicação externa no corpo.

Lo·trim·in (lo-trim'in) – Lotrimin, marca registrada de preparações de clotrimazol.

loupe (lo͞op) [Fr.] – lupa; lente de aumento.

louse (lous) pl. **lice** – piolho; um dos vários insetos parasitas; as espécies que parasitam o homem são a *Pediculus humanus capitis* (p. da cabeça), *P. humanus corporis* (p. do corpo ou p. das roupas) e *Phthirus pubis* (p.-caranguejo ou p. pubiano). Os piolhos são vetores importantes do tifo, febre recorrente e febre das trincheiras.

lov·a·sta·tin (lo'vah-stat"in) – lovastatina; inibidor da biossíntese do colesterol, utilizado no tratamento da hipercolesterolemia.

lox·a·pine (lok'sah-pēn) – loxapina; agente antipsicótico tricíclico com ações antieméticas, sedativas, anticolinérgicas e α-antiadrenérgicas, também utilizado como sais de succinato e cloridrato.

lox·os·ce·lism (lok-sos'sil-izm) – loxoscelismo; condição mórbida devida à picada das aranhas *Loxosceles laeta* e *L. reclusa* (tarântulas), começando com uma vesícula eritematosa dolorosa e progredindo para o descolamento gangrenoso da área afetada.

lox·ot·o·my (lok-sot'ah-me) – loxotomia; amputação oval.

loz·enge (loz'enj) [Fr.] – pastilha; losango: 1. tablete ou disco medicado; trocisco; 2. losango; área triangular de tecido marcada para excisão em uma cirurgia plástica.

Lp(a) – ver em *lipoprotein.*

LPN – Licensed Practical Nurse (Enfermeira Prática Graduada).

LPV – lymphotropic papovavirus (PVL, papovavírus linfotrópico).

LSA – left sacroanterior (position of fetus) (SAE, sacroanterior esquerda [posição do feto]).

LScA – left scapuloanterior (position of fetus) (EAE, escápulo-anterior esquerda [posição do feto]).

LScP – left scapuloposterior (position of fetus) (EPE, escápulo-posterior esquerda [posição do feto]).

LSD – lysergic acid diethylamide (dietilamida do ácido lisérgico).

LSP – left sacroposterior (position of fetus) (SPE, sacroposterior esquerda [posição do feto]).

LST – left sacrotransverse (position of fetus) (STE, sacrotransversal esquerda [posição do feto]).

LTF – lymphocyte transformig factor (fator transformador de linfócitos).

Lu – símbolo químico, lutécio *(lutetium).*

lubb-dupp (lub-dup') – sílabas utilizadas para representar a primeira e a segunda bulhas cardíacas.

lu·bri·cant (loo'brĭ-kant) – lubrificante; substância aplicada como uma película de superfície para reduzir a fricção entre partes móveis.

lu·cid·i·ty (loo-sid'it-e) – lucidez; clareza mental. **lu'cid** – adj. lúcido.

lu·es (loo'ēz) – lues; sífilis. **luet'ic** – adj. luético.

lum·ba·go (lum-ba'go) – lumbago; dor na região lombar.

lum·bar (lum'bar) – lombar; relativo ao lombo.

lum·bar·iza·tion (lum"bar-ĭ-za'shun) – lombarização; não-fusão do primeiro e do segundo segmentos do sacro de forma que exista uma vértebra articulada adicional, e o sacro consiste de apenas quatro segmentos.

lumb(o)- [Gr.] – elemento de palavra, *lombo.*

lum·bo·dyn·ia (lum"bo-din'e-ah) – lombodinia; lumbago.

lum·bo·in·gui·nal (-ing'gwĭ-nil) – lomboinguinal; relativo ao lombo e à virilha.

lum·bri·cide (lum'bri-sid) – lombricida; agente que extermina lombrigas (ascarídeos).

lum·bri·coid (-koid) – lumbricóide; semelhante à minhoca; utilizado particularmente para a *Ascaris lumbricoides.*

lum·bri·co·sis (lum"brĭ-ko'sis) – lumbricose; infecção por lombrigas (ascarídeos).

lum·bri·cus (lum-bri'kus) [L.] pl. *lumbrici* – lombriga: 1. minhoca; 2. áscaris.

lum·bus (lum'bus) [L.] – lombo; flanco.

lu·men (loo'men) [L.] pl. *lumina* – lúmen; luz: 1.cavidade ou canal no interior de um tubo ou órgão tubular; 2. lúmen; unidade de fluxo luminoso; corresponde ao fluxo emitido em um ângulo sólido unitário por meio de uma fonte puntiforme uniforme com a intensidade luminosa de uma candela. **lu'minal** – adj. luminal. **residual l.** – l. residual; restos da bolsa de Rathke, entre a parte distal e a parte intermediária da hipófise.

lu·mi·nes·cence (loo"mĭ-nes'ens) – luminescência; propriedade de emitir luz sem um grau correspondente de calor.

lu·mi·no·phore (loo'mĭ-nah-for") – luminóforo; grupo químico que confere a propriedade de luminescência a compostos orgânicos.

lu·mi·rho·dop·sin (loo"mĭ-rah-dop'sin) – lumirrodopsina; produto intermediário da exposição da rodopsina à luz.

lum·pec·to·my (lum-pek'tah-me) – lumpectomia: 1. excisão cirúrgica somente da lesão palpável em caso de carcinoma de mama; 2. remoção cirúrgica de uma massa.

lu·nate (loo'nāt) – luniforme: 1. em forma de lua ou meia-lua; 2. osso semilunar; ver *Tabela de Ossos.*

lung (lung) – pulmão; órgão da respiração; um de um par de órgãos que efetuam a aeração do sangue, situando-se em cada lado do coração dentro da cavidade torácica. Ver Pranchas VI e VII. **black l.** – p. negro; pneumoconiose de mineiros de carvão. **brown l.** – p. marrom; bissinose. **farmer's l.** – p. de fazendeiro; afecção mórbida devida à inalação de pó de feno embolorado. **humidifier l.** – p. de umidificador; alveolite alérgica extrínseca causada pela inalação de ar que tenha passado através de umidificadores, desumidificadores ou condicionadores de ar contaminados por quaisquer de vários fungos, amebas ou actinomicetos termofílicos. **iron l.** – p. de aço; nome popular para o respirador de Drinker. **white l.** – p. branco; pneumonia branca.

lung·worm (-wurm") – verme pulmonar; qualquer verme parasita que invade os pulmões, por exemplo, o *Paragonimus westermani* no homem.

lu·nu·la (loo'nu-lah) [L.] pl. *lunulae* – lúnula; uma pequena área ou estrutura em forma de lua ou meia-lua, por exemplo, a área branca na base das unhas de um dedo ou artelho, ou um dos segmentos das válvulas semilunares cardíacas.

lu·poid (loo'poid) – lupóide; relativo ou semelhante ao lúpus.

lu·pus (loo'pus) – lúpus; uma de um grupo de cutaneopatias nas quais as lesões caracteristicamente sofrem erosão. **drug-induced l.** – l. induzido por drogas; síndrome muito semelhante ao lúpus eritematoso sistêmico, precipitado pelo uso prolongado de determinadas drogas (mais comumente hidralazina, isoniazida, vários anticonvulsivantes e procainamida). **l. erithemato'sus (LE)** – l. eritematoso (LE); grupo de doenças crônicas do tecido conjuntivo; que se manifestam em dois tipos principais; ver *l. erythematosus, cutaneous* e *l. erythematosus, systemic*. **l. erythematosus chilblain** – l. eritematoso por geladura; forma de lúpus eritematoso resultante de lesão microvascular induzida pelo frio e agravada pelo mesmo, com lesões iniciais semelhantes a frieiras, mas finalmente assumindo a forma do lúpus eritematoso discóide. **l. erythematosus, cutaneous** – l. eritematoso cutâneo; uma das duas formas principais do lúpus eritematoso, em que a pele pode ser o único ou o primeiro órgão ou sistema envolvido. Pode ser crônico (ver *l. erythematosus, discoid*), subagudo (ver *l. erythematosus, systemic*) ou agudo (caracterizado por erupção eritematosa, edematosa e aguda). **l. erythematosus, discoid (DLE)** – l. discóide eritematoso; forma crônica de lúpus eritematoso sistêmico caracterizada por máculas vermelhas cutâneas cobertas com escamas aderentes escassas, que caem, deixando escaras; as lesões formam tipicamente um padrão de borboleta sobre a ponte do nariz e bochechas, mas podem se envolver outras áreas. **l. erythematosus, hypertrophic** – l. eritematoso hipertrófico; forma de lúpus discóide eritematoso caracterizada por lesões hiperceratóticas verrucosas. **l. erythematosus, systemic (SLE)** – l. eritematoso sistêmico (LES); distúrbio generalizado e crônico do tecido conjuntivo, que varia de suave a fulminante, e é caracterizado por erupções cutâneas, artralgia, artrite, leucopenia, anemia, lesões viscerais, manifestações neurológicas, linfadenopatia, febre e outros sintomas constitucionais. Tipicamente, ocorrem muitos fenômenos imunológicos anormais, incluindo hipergamaglobulinemia e hipocomplementemia, deposição de complexos antígeno-anticorpo e a presença de anticorpos antinucleares e células LE. **l. erythemato'sus profun'dus** – l. eritematoso profundo; forma de lúpus eritematoso cutâneo na qual ocorrem endurecimentos fortes e profundos ou nódulos subcutâneos sob uma pele normal ou, menos freqüentemente, uma pele envolvida; a pele sobrejacente pode tornar-se eritematosa, atrófica e ulcerada e na cicatrização pode deixar uma marca deprimida. **l. erythemato'sus tu'midus** – l. eritematoso túmido; variante do lúpus discóide eritematoso ou sistêmico em que as lesões consistem de placas marrons ou roxo-avermelhadas elevadas. **l. hypertro'phicus** – l. hipertrófico: 1. variante do lúpus vulgar na qual as lesões consistem de crescimento vegetativo verrucoso, freqüentemente com crosta ou ligeiramente exsudativo, ocorrendo geralmente em áreas úmidas próximas a orifícios corporais; 2. lúpus eritematoso hipertrófico. **l. milia'ris dissemina'tus fa'ciei** – l. miliar disseminado da face; forma caracterizada por nódulos múltiplos, discretos e superficiais na face; particularmente nas pálpebras, lábio superior, queixo e narinas. **neonatal l.** – l. neonatal; exantema semelhante ao lúpus discóide eritematoso, algumas vezes com anormalidades sistêmicas, como bloqueio cardíaco ou hepatoesplenomegalia em bebês de mulheres com lúpus eritematoso sistêmico; é geralmente benigno e autolimitante. **l. per'nio** – l. pérnio: 1. manifestação cutânea da sarcoidose, que consiste de placas brilhantes, lisas e violáceas nas orelhas, testa, nariz e dedos, freqüentemente associadas a cistos ósseos; 2. lúpus eritematoso por queimadura de frio. **l. vulga'ris** – l. vulgar; forma mais comum e severa de tuberculose cutânea, que afeta mais freqüentemente a face e é caracterizada pela formação de manchas marrom-avermelhadas de nódulos no cório, que se espalham perifericamente de modo progressivo com atrofia central, causando ulceração e formação de cicatrizes, bem como destruição da cartilagem nos locais envolvidos.

lu·te·al (loo͞t'e-il) – lúteo; relativo ou que tem as propriedades do corpo lúteo ou de seu princípio ativo.

lu·te·in (-in) – luteína: 1. lipocromo proveniente do corpo lúteo, das células de gordura e da gema do ovo; 2. qualquer lipocromo.

lu·te·in·iza·tion (loo͞t"e-in"iz-a'shun) – luteinização: processo pelo qual um folículo ovariano pós-ovulatório se transforma em um corpo lúteo através de vascularização, hipertrofia de célula folicular e acúmulo de lipídeos, com o último deles concedendo a cor amarela em algumas espécies.

lu·te·o·ma (loo"te-o'mah) – luteoma: 1. tumor de célula da teca e da granulosa luteínica; 2. hiperplasia nodular das células luteínicas ovarianas que ocorre algumas vezes no último trimestre de gravidez.

lu·teo·trop·ic (loo"te-o-trop'ik) – luteotrópico; luteotrófico; que estimula a formação do corpo lúteo.

lu·te·ti·um (loo-te'she-um) – lutécio; elemento químico (ver *Tabela de Elementos*), número atômico 71, símbolo Lu.

Lut·zo·my·ia (loo͞t"zo-mi'ah) – *Lutzomyia;* gênero de mosquitos-pólvora da família Psychodidae, cujas fêmeas sugam sangue.

lux (luks) – luz; a unidade SI de iluminação, correspondendo a 1 lúmen por metro quadrado.

lux·a·tion (luk-sa'shun) – luxação; deslocamento.

lux·us (luk'sus) [L.] – luxo; excesso.

LVAD – left ventricular assist device (dispositivo de assistência ventricular esquerda); ver *ventricular assist device*, em *device*.

LVN – Licensed Vocational Nurse (Enfermeira Vocacional Licenciada).

Lw – símbolo químico, laurêncio *(lawrencium)*.

ly·ase (li'ās) – liase; qualquer substância de uma classe de enzimas que removem grupos de seus substratos (outros processos que não sejam hidrólise ou oxidação), deixando ligações duplas, ou que acrescentam inversamente grupos a ligações duplas.

ly·can·thro·py (li-kan'thrah-pe) – licantropia; delírio em que o paciente acredita ser um lobo.

ly·co·pene (li'ko-pēn) – licopeno; pigmento carotenóide vermelho dos tomates e de várias bagas e frutas.

ly·co·per·do·no·sis (li"ko-per"do-no'sis) – licoperdonose; doença respiratória devida à inalação de esporos do fungo bufa-de-lobo *Lycoperdon*.

ly·ing·in (li'ing-in) – confinamento; parto; obstétrico: 1. puerperal; 2. puerpério.

lymph (limf) – linfa; líquido transparente, em geral ligeiramente amarelo e freqüentemente opalescente, encontrado dentro dos vasos linfáticos e coletado dos tecidos em todas as partes do corpo e retornado ao sangue através do sistema linfático. O seu componente celular consiste principalmente de linfócitos. **aplastic l., corpuscular l.** – l. aplástica; l. aplásica; l. corpuscular; linfa que contém excesso de leucócitos e não tende a se organizar. **euplastic l., fibrinous l.** – l. euplástica; l. fibrinosa; linfa que tende a coagular e a se organizar. **inflammatory l.** – l. inflamatória; linfa produzida por inflamação, como em ferimentos. **tissue l.** – l. tecidual; linfa derivada dos tecidos corporais e não do sangue.

lym·pha (lim'fah) [L.] – linfa.

lym·phad·e·ni·tis (lim-fad"ě-ni'tis) – linfadenite; inflamação de um ou mais linfonodos.

lym·phad·e·no·cele (lim-fad'ě-no-sēl) – linfadenocele; cisto de um linfonodo.

lym·phad·e·nog·ra·phy (lim"fad-in-og'rah-fe) – linfadenografia; radiografia dos linfonodos após injeção de um meio de contraste no interior de um vaso linfático.

lym·phad·e·noid (lim-fad'ě-noid) – linfadenóide; semelhante ao tecido dos linfonodos.

lym·phad·e·no·ma (lim-fad"in-o'mah) – linfadenoma; linfoma.

lym·phad·e·nop·a·thy (-op'ah-the) – linfadenopatia; doença dos linfonodos. **angioimmunoblastic l., angioimmunoblastic l. with dysproteinemia (AILD)** – l. angioimunoblástica; l. angioimunoblástica com disproteinemia; distúrbio semelhante ao linfoma sistêmico caracterizado por mal-estar, linfadenopatia generalizada e sintomas constitucionais; é uma reação hiperimune não-maligna a estimulação antigênica crônica. **dermatopathic l.** – l. dermatopática; aumento de volume de um linfonodo regional associado a melanodermia e outras dermatoses caracterizadas por eritrodermia crônica. **immunoblastic l.** – l. imunoblástica; l. angioimunoblástica.

lym·pha·gogue (lim'fah-gog) – linfagogo; agente que promove a produção de linfa.

lym·phan·gi·ec·ta·sia (lim-fan"je-ek-ta'zhah) – linfangiectasia.

lym·phan·gi·ec·ta·sis (-ek'tah-sis) – linfangiectasia; dilatação dos vasos linfáticos. **lymphangiectat'ic** – adj. linfangiectásico.

lym·phan·gio·en·do·the·li·o·ma (lim-fan"je-o-en"do-the"le-o'mah) – linfangioendotelioma; endotelioma dos vasos linfáticos.

lym·phan·gi·og·ra·phy (lim-fan"je-og'rah-fe) – linfangiografia; radiografia dos canais linfáticos após a introdução de um meio de contraste.

lym·phan·gi·ol·o·gy (-ol'ah-je) – linfoangiologia; estudo científico do sistema linfático.

lym·phan·gi·o·ma (-o'mah) – linfangioma; tumor composto de espaços e canais linfáticos recém-formados. **cavernous l.** – l. cavernoso: 1. linfangioma profundamente alojado, composto de espaços linfáticos cavernosos e que ocorre na cabeça ou pescoço; 2. higroma cístico. **cystic l., l. cys'ticum** – l. cístico; higroma cístico.

lym·phan·gio·my·o·ma·to·sis (lim-fan"je-o-mi"o-mah-to'sis) – linfangiomiomatose; distúrbio progressivo de mulheres em idade de gestação, caracterizado pela proliferação intersticial difusa e nodular da musculatura lisa nos pulmões, linfonodos e ducto torácico.

lym·phan·gio·phle·bi·tis (-flē-bī't'is) – linfangioflebite; inflamação dos vasos linfáticos e veias.

lym·phan·gio·sar·co·ma (-sahr-ko'mah) – linfangiossarcoma; tumor maligno de células endoteliais vasculares que surgem a partir dos vasos linfáticos, geralmente em um membro que é o local de um linfedema crônico.

lym·phan·gi·tis (lim"fan-ji'tis) – linfangite; inflação de um vaso ou vasos linfáticos. **lymphangi'tic** – adj. linfangítico.

lym·pha·phe·re·sis (lim"fah-fě'rĭ -sis) – linfaférese; linfocitaferese.

lym·phat·ic (lim-fat'ik) – linfático: 1. relativo à linfa ou a um vaso linfático; 2. vaso linfático.

lym·pha·tism (lim'fah-tizm) – linfatismo; estado linfático.

lym·pha·ti·tis (lim"fah-tī t'is) – linfatite; inflamação de uma parte do sistema linfático.

lym·pha·tol·y·sis (-tol'ĭ -sis) – linfatólise; destruição do tecido linfático. **lymphatolyt'ic** – adj. linfatolítico.

lym·phec·ta·sia (lim"fek-ta'zhah) – linfectasia; distensão com linfa.

lym·phe·de·ma (lim"fah-de'mah) – linfedema; tumefação crônica de uma parte devido a acúmulo de fluido intersticial (edema) secundário à obstrução de vasos linfáticos ou linfonodos. **congenital l.** – l. congênito; doença de Milroy.

lymph·no·di·tis (limf"no-di'tis) – linfonodite; linfadenite (*lymphadenitis*).

lymph(o)- [L.] – linf(o)-, elemento de palavra, *linfa; tecido linfóide; linfático; linfócitos*.

lym·pho·blast (lim'fo-blast) – linfoblasto; linfócito morfologicamente imaturo, que representa um linfócito ativado que se transformou em resposta à estimulação antigênica. **lymphoblas'tic** – adj. linfoblástico.

lym·pho·blas·to·ma (lim"fo-blas-to'mah) – linfoblastoma; linfoma maligno linfocítico pouco diferenciado.

lym·pho·blas·to·sis (-blas-to'sis) – linfoblastose; excesso de linfoblastos no sangue.

Lym·pho·cryp·to·vi·rus (lim"fo-krip'to-vir"-rus) – *Lymphocryptovirus;* vírus semelhante ao Epstein-Barr; gênero de vírus da subfamília Gammaherpesvirinae, que contém tanto patógenos animais como humanos, incluindo o vírus Epstein-Barr e o vírus da doença de Marek.

lym·pho·cy·ta·phe·re·sis (-si"tah-fĕ-rĭ'-sis) – linfocitaferese; linfaferese; remoção seletiva de linfócitos do sangue coletado, que é depois retransfundido ao doador.

lym·pho·cyte (lim'fo-sīt) – linfócito; leucócito nãogranular e mononuclear com um núcleo que se cora profundamente e contém cromatina densa e citoplasma que se cora de azul-pálido. É principalmente um produto do tecido linfóide e participa da imunidade. **lymphocyt'ic** – adj. linfocítico. **B l's** – linfócitos B; células B; linfócitos dependentes da bursa; precursores das células produtoras de anticorpos (plasmócitos) e das células primariamente responsáveis pela imunidade humoral. **cytotoxic T l's (CTL)** – linfócitos T citotóxicos; linfócitos T diferenciados que podem reconhecer e lisar células-alvo que portam antígenos específicos reconhecidos por seus receptores antigênicos; são importantes na rejeição de enxertos e no extermínio de células tumorais e células do hospedeiro infectadas por vírus. **Rieder's l**. – l. de Rieder; mieloblasto algumas vezes observado na leucemia aguda e leucemia linfocítica crônica, apresentando um núcleo com várias endentações largas e profundas, sugerindo lobulação. **T l's** – linfócitos T; células T; linfócitos dependentes do timo; linfócitos que passam através do timo ou são influenciados por este antes de migrarem para os tecidos; são responsáveis pela imunidade mediada por células e pela hipersensibilidade retardada.

lym·pho·cy·to·blast (lim'fo-sīt t'ah-blast) – linfocitoblasto; linfoblasto (*lymphoblast*).

lym·pho·cy·to·ma (-si-to'mah) – linfocitoma; linfoma maligno linfocítico bem-diferenciado. **l. cu'tis** – l. cutâneo; manifestação de hiperplasia linfóide cutânea, caracterizada por uma ou mais lesões cutâneas que envolvem preferencialmente a face e as orelhas, as extremidades e as aréolas dos seios.

lym·pho·cy·to·pe·nia (-sī t"o-pēn'e-ah) – linfocitopenia; redução do número de linfócitos no sangue.

lym·pho·cy·to·phe·re·sis (-sī t"ah-fĕ'rĭ'-sis) – linfocitaferese; ver *lymphocytapheresis*.

lym·pho·cy·to·sis (-si-to'sis) – linfocitose; excesso de linfócitos normais no sangue ou num derrame.

lym·pho·cy·to·tox·ic·i·ty (-sī t"o-tok-sis'it-e) – linfocitotoxicidade; qualidade ou capacidade de lisar linfócitos, como em procedimentos nos quais os linfócitos que apresentam um antígeno de superfície celular específico são lisados quando incubados com anti-soros e complementos.

lym·pho·duct (lim'fah-dukt) – linfoduto; vaso linfático.

lym·pho·epi·the·li·o·ma (lim"fo-ep"ĭ -thēl"e-o'-mah) – linfoepitelioma; carcinoma pouco diferenciado e pleomórfico que surge de um epitélio modificado sobreposto ao tecido linfóide da nasofaringe.

lym·phog·e·nous (lim-foj'ĕ-nus) – linfógeno: 1. que produz linfa; 2. produzido a partir da linfa ou nos vasos linfáticos.

lym·pho·glan·du·la (lim"fo-glan'du-lah) pl. *lymphoglandulae* – linfoglândula; linfonodo.

lym·pho·gran·u·lo·ma (-gran"u-lo'ma) – linfogranuloma; doença de Hodgkin. **l. inguina'le, l. vene'reum** – l. inguinal; l. venéreo; infecção venérea devida a cepas da *Chlamydia trachomatis*, caracterizada por lesão ulcerativa transitória primária dos genitais, seguida de linfadenopatia aguda. Nos homens, a infecção primária no pênis leva geralmente à linfadenite inguinal; nas mulheres, a infecção primária dos lábios, vagina ou cérvix leva freqüentemente à proctocolite hemorrágica e pode progredir para ulcerações, estenoses retais, fístulas retovaginais e elefantíase genital.

lym·pho·gran·u·lo·ma·to·sis (-gran"u-lo"mah-to'sis) – linfogranulomatose; sinônimo europeu para a doença de Hodgkin.

lym·phog·ra·phy (lim-fog'rah-fe) – linfografia; radiografia dos canais linfáticos e linfonodos após injeção de material radiopaco.

lym·pho·kine (lim'fo-kīn) – linfocina; termo genérico para mediadores protéicos solúveis que se postula serem liberados por linfócitos sensibilizados em contato com antígenos, e se acredita exerçam um papel na ativação de macrófagos, na transformação de linfócitos e na imunidade mediada por células.

lym·pho·ki·ne·sis (lim"fo-kī n-e'sis) – linfocinese: 1. movimento da endolinfa nos canais semicirculares; 2. circulação da linfa no corpo.

lym·pho·lyt·ic (-lit'ik) – linfolítico; que causa destruição de linfócitos.

lym·pho·ma (lim-fo'mah) – linfoma; qualquer distúrbio neoplásico do tecido linfóide. Freqüentemente utilizado para denotar um l. maligno (*malignant l.*), cujas classificações baseiam-se no tipo celular predominante e no grau de diferenciação; podem-se subdividir várias categorias em tipos nodulares e difusos, dependendo do padrão predominante de arranjo celular. **adult T-cell i., adult T-cell leukemia/l.** – l. de células T adultas; ver em *leukemia*. **B-cell monocytoid l**. – l. monocitóide de células B; linfoma de baixo grau em que as células parecem as de leucemia de células pilosas. **Burkitt's l**. – l. de Burkitt; forma de linfoma de células não-clivadas, que geralmente ocorre na África, manifestado geralmente como uma grande lesão osteolítica na mandíbula ou uma massa abdominal; implicou-se o vírus Epstein-Barr como agente causador. **diffuse l**. – l. difuso; segundo um método de classificação mais antigo, linfoma maligno no qual as células neoplásicas se infiltram difusamente em todo o linfonodo, sem qualquer padrão de organização definido; atualmente dividido em *l. difuso de células grandes*; *l. difuso de células grandes e pequenas mistas* e *l. difuso de células pequenas clivadas* com base no tipo celular. **follicular l**. – l. folicular; um dos vários tipos de linfoma não-Hodgkin, nos quais as células linfomatosas agrupam-se em nódulos ou folículos. **follicular center cell l**. – l. de células de centro folicular; linfoma de células B classificado pela semelhança do tamanho celular e características nucleares com os das células de centro folicular normais; os quatro subtipos anteriores dispersam-se entre vários tipos de linfomas foliculares e difusos. **giant follicular l**. – l. folicular gigante; l. folicular. **granulomatous l**. – l. granulomatoso; doença de Hodgkin. **histiocytic l**. – l. histiocítico; tipo raro de linfoma não-Hodgkin caracterizado pela presença de grandes células tumorais semelhantes morfologicamente a histiócitos, mas que são consideradas como de origem linfóide. **Hodgkin's I.** – I. de Hodgkin; ver em *disease*. **intermediate lymphocytic I.** – I. linfocítico intermediário; I. da zona do manto. **large cell I.** – I. de células grandes; um dos vários tipos de linfoma caracterizados pela formação de um ou mais tipos de linfócitos grandes malignos, como as grandes células de centro folicular clivadas ou não-clivadas, em um padrão difuso. **large cell, immunoblastic I.** – I. imunoblástico de células grandes; tipo altamente maligno de linfoma não-Hodgkin caracterizado por linfoblastos grandes (linfoblastos B ou T ou uma mistura) semelhantes a histiócitos e têm um padrão difuso de infiltração. **Lennert's I.** – I. de Lennert; tipo de linfoma não-Hodgkin com alto teor de histiócitos epitelióides e freqüentemente com envolvimento da medula óssea. **lymphoblastic I.** – I. linfoblástico; tipo altamente maligno de linfoma não-Hodgkin composto de uma proliferação difusa e relativamente uniforme de células com núcleos redondos e convolutos e citoplasma escasso. **lymphocytic I., plasmacytoid** – I. linfocítico plasmocitóide; variedade rara de pequeno linfoma linfocítico em que o tipo celular predominante é o plasmócito. **malignant I.** – I. maligno; um grupo de malignidades caracterizadas pela proliferação de células nativas dos tecidos linfóides (ou seja, linfócitos, histiócitos e seus precursores e derivados); o grupo se divide em duas categorias clinicopatológicas importantes: doença de Hodgkin (*disease, Hodgkin's*) e linfoma não-Hodgkin (*nonHodgkin's I.*). **mantle zone I.** – I. da zona do manto; forma rara de linfoma não-Hodgkin que tem um padrão geralmente difuso tanto com linfócitos pequenos como com células clivadas pequenas. **mixed lymphocytic-histiocytic I.** – I. linfocítico-histiocítico misto; linfoma não-Hodgkin caracterizado por uma população mista de células, as células menores se parecem com linfócitos e as maiores com histiócitos. **nodular I.** – I. nodular; I. folicular. **non-Hodgkin's I.** – I. não-Hodgkin; um grupo heterogêneo de linfomas malignos, sendo a única característica comum a ausência de células gigantes de Reed-Sternberg características da doença de Hodgkin. **small B-cell I.** – I. de células B pequenas; tipo comum de linfoma linfocítico de células pequenas, apresentando predominantemente linfócitos B. **small cleaved cell I.** – I. de células clivadas pequenas; um grupo de linfomas não-Hodgkin caracterizados pela formação de células de centro folicular clivadas pequenas e malignas, tanto com padrão folicular como com difuso. **small lymphocytic I.** – pequeno I. linfocítico; forma difusa de linfoma não-Hodgkin que representa a proliferação neoplásica de linfócitos B bem-diferenciados, com aumento do volume de linfonodos focais ou linfadenopatia e esplenomegalia generalizadas. **small non-cleaved cell I.** – I. de células não-clivadas pequenas; tipo altamente maligno de linfoma não-Hodgkin caracterizado pela formação de pequenas células de centro folicular não-clivadas, geralmente em padrão difuso. **T-cell I's** – linfomas de células T; grupo heterogêneo de neoplasias linfóides que representam uma transformação maligna dos linfócitos T. **T-cell I., convoluted** – I. de células T convolutas; linfoma linfoblástico com núcleos acentuadamente convo-

lutos. **T-cell I., cutaneous** – I. cutâneo de células T; grupo de linfomas que exibem (1) expansão clonal de linfócitos T malignos interrompidos em estágios variáveis de diferenciação celular relacionados à série de células T auxiliares; e (2) infiltração maligna da pele, que pode corresponder à única ou principal manifestação da doença. **T-cell I., small lymphocytic** – pequeno I. linfocítico de células T; pequeno linfoma linfocítico que tem predominantemente linfócitos T. **U-cell I., undefined I.** – I. de células U; I. indefinido; uma categoria de linfomas não-Hodgkin que não podem ser classificados em um tipo definido por meio de marcadores morfológicos ou imunocitoquímicos conhecidos. **undifferentiated I.** – I. indiferenciado; I. de células não-clivadas pequenas.

lym·pho·ma·to·sis (lim"fo-mah-to'sis) – linfomatose; formação de linfomas múltiplos no corpo. **avian I., I. of fowl** – I. aviária; I. das aves domésticas; leucose aviária que envolve principalmente os linfócitos.

lym·pho·myx·o·ma (-mik-so'mah) – linfomixoma; crescimento benigno que consiste de tecido adenóide.

lym·pho·no·dus (-no'dus) pl. *lymphonodi* – linfonodo.

lym·pho·path·ia (-path'e-ah) – linfopatia: **I. venérea** – I. venérea ver em *lymphogranuloma*.

lym·pho·pe·nia (-pēn'e-ah) – linfopenia; redução no número de linfócitos no sangue.

lym·pho·plas·ma·phe·re·sis (-plaz-mah-fě'ris-is) – linfoplasmaferese; separação e remoção seletivas do plasma e dos linfócitos a partir do sangue coletado, sendo o restante do sangue depois retransfundido ao doador.

lym·pho·pro·lif·er·a·tive (-pro-lif'er-ah-tiv") – linfoproliferativo; relativo ou caracterizado pela proliferação das células do sistema linforreticular.

lym·pho·re·tic·u·lar (-rě-tik'u-ler) – linforreticular; relativo às células ou tecidos de ambos os sistemas linfóides e reticuloendoteliais.

lym·pho·re·tic·u·lo·sis (-re-tik"ul-o'sis) – linforreticulose; proliferação das células reticuloendoteliais dos linfonodos. **benign I.** – I. benigna; febre da arranhadura de gato.

lym·phor·rha·gia (-ra'je-ah) – linforragia; linforréia.

lym·phor·rhea (-re'ah) – linforréia; fluxo de linfa a partir de vasos linfáticos cortados ou rompidos.

lym·phor·rhoid (lim'fah-roid) – linforróide; dilatação localizada de um canal linfático perianal, semelhante à hemorróida.

lym·pho·sar·co·ma (lim"fo-sahr-ko'mah) – linfossarcoma; termo genérico aplicado a distúrbios neoplásicos malignos do tecido linfóide, mas que não incluem a doença de Hodgkin; ver *lymphoma*.

lym·pho·scin·tig·ra·phy (-sin-tig'rah-fe) – linfocintilografia; detecção cintilográfica de um tumor metastático em linfonodos radioativamente marcados.

lym·phos·ta·sis (lim"fo-tak'sis) – linfostase; interrupção do fluxo linfático.

lym·pho·tax·is (lim"fo-tak'sis) – linfotaxia; propriedade de atrair ou repelir linfócitos.

lym·pho·tox·in (-tok'sin) – linfotoxina; linfocina que efetua a lise de determinadas células-alvo, como fibroblastos cultivados. Em baixas concentrações, pode ter um outro efeito, como inibição clonal ou inibição da proliferação. Abreviação: LT.

ly·on·iza·tion (li"in-ī -za'shun) – lionização; processo ou a situação em que todos os cromossomas X das células em excesso de um indivíduo são inativados em base aleatória.

lyo·phil·ic (li"o-fil'ik) – liofílico; que tem afinidade por uma solução ou é estável na mesma.

ly·oph·i·li·za·tion (li-of"ī -lī -za'shun) – liofilização; criação de preparação estável de uma substância biológica através de congelamento rápido e desidratação do produto congelado sob grande vácuo.

lyo·pho·bic (li"ah-fo'bik) – liofóbico; liófobo; que não tem afinidade por uma solução ou é instável na mesma.

lyo·trop·ic (-trop'ik) – liotrópico; facilmente solúvel.

ly·pres·sin (li-pres'in) – lipressina; forma de vasopressina que contém lisina; utiliza-se uma preparação sintética como antidiurético e vasoconstritor no tratamento do diabetes insípido devido à deficiência de hormônio antidiurético hipofisário posterior endógeno (vasopressina).

lyse (lī z) – lise; lisar: 1. causar ou produzir a desintegração de um composto, substância ou célula; 2. sofrer lise.

ly·ser·gic ac·id di·eth·yl (li-ser'jik as"id di-eth'il-ah-mī d) – dietil do ácido lisérgico (LSD); psicomimético de amplo abuso, derivado do ácido lisérgico, com efeitos bloqueadores tanto simpatomiméticos como serotoninérgicos, e utilizado experimentalmente no estudo e tratamento de distúrbios mentais. Os efeitos colaterais incluem distúrbios da percepção visual, comportamento bizarro e psicose.

ly·ser·gide (li-ser'jī d) – lisergida; dietilamida do ácido lisérgico.

ly·sin (li'sin) – lisina; anticorpo capaz de causar dissolução de células, incluindo a hemolisina, bacteriolisina etc.

ly·sine (li'sēn) – lisina; aminoácido de ocorrência natural, essencial para o crescimento ideal em bebês e para a manutenção do equilíbrio de nitrogênio em adultos.

ly·sin·o·gen (li-sin'ah-jen) – lisinogênio; lisógeno (*lysogen*).

ly·sis (li'sis) – lise: 1. destruição ou decomposição, como de uma célula ou outra substância, sob a influência de um agente específico; 2. mobiliza-

ção de um órgão através da divisão de aderências de contenção; 3. diminuição gradual dos sintomas de uma doença.

-lysis [Gr.] – -lise, elemento de palavra; *dissolução, redução, abatimento, alívio*. **-lyt'ic** – adj. -lítico.

ly·so·gen (li'sah-jen) – lisógeno; antígeno que induz a formação de lisina.

ly·so·ge·nic·i·ty (-jin-is'it-e) – lisogenicidade: 1. capacidade de produzir lisinas ou de causar lise; 2. potencialidade de uma bactéria de produzir um fago; 3. associação específica do genoma do fago (profago) com o genoma bacteriano de modo que só se transcrevam alguns (se tanto) genes de fago.

ly·so·ki·nase (-ki'nās) – lisocinase; termo genérico para substâncias do sistema fibrinolítico que ativam os pró-ativadores plasmáticos.

ly·so·so·mal α-**glu·co·si·dase** (li'so-so'mal gloo-ko'sī -dās) – α-glicosidase lisossômica; maltase ácida.

ly·so·some (li'so-sōm) – lisossoma; um dos corpúsculos diminutos que ocorrem em muitos tipos de células e contêm várias enzimas hidrolíticas e participam normalmente do processo de digestão intracelular localizada. **lysoso'mal** – adj. lisossômico. **secondary l.** – l. secundário; lisossoma que se fundiu com um fagossoma (ou pinossomo), colocando as hidrolases em contato com o material ingerido e resultando na digestão do material.

ly·so·zyme (-zī m) – lisozima; enzima presente na saliva, lágrimas, clara do ovo e muitos líquidos animais, funcionando como agente antibacteriano através da catalisação da hidrólise de ligações glicosídicas específicas nos peptidoglicanos e na quitina, decompondo algumas paredes celulares bacterianas.

lys·sa (lis'ah) [Gr.] – lissa; raiva. **lys'sic** – adj. líssico.

Lys·sa·vi·rus (lis'ah-vi"rus) – *Lyssavirus*; vírus semelhantes ao da raiva; gênero de vírus da família Rhabdoviridae, que compreende o vírus da raiva e outros vírus africanos relacionados que infectam os mamíferos e os artrópodos.

lys·so·pho·bia (lis"o-fo'be-ah) – lissofobia; medo mórbido da raiva.

lyt·ic (lit'ic) – lítico: 1. relativo à lise ou lisina; 2. que produz lise.

-lytic – -lítico, sufixo que denota a lise da susbtância indicada pelo radical ao qual se afixou.

lyze (liz) – lise (*lyse*).

M

M – mega-; molar[1]; molar[2]; myopia (mega-; molar[1]; molar[2]; miopia).

M – molar[1].

M_r – massa molecular relativa (ver *molecular weight*, em *weight*).

m – median; meter; milli- (mediano; metro; mili-).

m. [L.] – minim (mínimo); *musculus* (músculo).

m – mass; molal (massa; molal).

m- – ver meta-(2).

μ – mu, micro-; micron; heavy chain of IgM (mu; mi; micro-; micrômetro; cadeia pesada de IgM (ver *immunoglobulin*); décima segunda letra do alfabeto grego).

MA – Master of Arts, meter angle; mental age (Mestre em Artes; AM, ângulo em metros; IM, idade mental).

mA – milliampere (miliampère).

mac·er·ate (mas'er-āt) – macerar; amolecer por meio de umedecimento ou embebição.

ma·chine (mah-shěn') – máquina; dispositivo mecânico para realizar um trabalho ou gerar energia. heart-lung m. – m. coração-pulmão; uma combinação de bomba de sangue (coração artificial) e oxigenador de sangue (pulmão artificial) utilizado em cirurgia de peito aberto. macr(o)- [Gr.] – elemento de palavra, *grande*, *tamanho anormal*.

Mac·ra·can·tho·rhyn·chus (mak"rah-kan"-thoring'kus) – *Macracanthorhynchus*; gênero de vermes parasitas (filo Acanthocephala), que inclui a *M. hirudinaceus* encontrada nos suínos.

mac·ren·ceph·a·ly (mak"ren-sef'ah-le) – macroencefalia; hipertrofia cerebral.

mac·ro·ad·e·no·ma (mak"ro-ad"ě-no'mah) – macroadenoma; adenoma hipofisário com mais de 10 mm de diâmetro.

mac·ro·am·y·lase (-am'ĭ-lās) – macroamilase; complexo no qual a amilase sérica normal conjuga-se a várias proteínas de ligação específicas, formando um complexo demasiadamente grande para a excreção renal.

mac·ro·bi·o·ta (-bi-ōt'ah) – macrobiota; organismos macroscópicos vivos de uma região. macrobiot'ic – adj. macrobiótico.

mac·ro·blast (mak'ro-blast) – macroblasto; hemácia nucleada anormalmente grande; um grande normoblasto imaturo com características megaloblásticas.

mac·ro·ble·pha·ria (mak"ro-blě-fār'e-ah) – macroblefaria; tamanho anormalmente grande da pálpebra.

mac·ro·ceph·a·ly (-sef'ah-le) – macrocefalia; tamanho excessivo da cabeça.

mac·ro·chei·lia (-ki'le-ah) – macroquilia; tamanho excessivo do lábio.

mac·ro·chei·ria (-ki're-ah) – macroquiria; megaloquiria; ver *megalocheiria*.

mac·ro·co·lon (mak'ro-ko"lon) – macrocólon; megacólon; ver *megacolon*.

mac·ro·cra·nia (mak"ro-kra'ne-ah) – macrocrânio; aumento anormal no tamanho do crânio, em comparação à face parece pequena.

mac·ro·cyte (mak'ro-sĭt) – macrócito; hemácia anormalmente grande. macrocyt'ic – adj. macrocítico.

mac·ro·cy·the·mia (mak"ro-si-thěm'e-ah) – macrocitemia; presença de macrócitos no sangue.

mac·ro·cy·to·sis (-si-to'sis) – macrocitose; macrocitemia; ver *macrocythemia*.

mac·ro·dac·ty·ly (-dak'tĭ-le) – macrodactilia; megalodactilia; ver *megalodactyly*.

Mac·ro·dan·tin (-dan'tin) – Macrodantina; marca registrada de preparação de nitrofurantoína.

mac·ro·el·e·ment (-el'ě-ment) – macroelemento; um dos macronutrientes que são elementos químicos.

mac·ro·fau·na (-faw'nah) – macrofauna; organismos macroscópicos animais de uma região.

mac·ro·flo·ra (-flor'ah) – macroflora; organismos macroscópicos vegetais de uma região.

mac·ro·gam·ete (-gam'ět) – macrogameta; gameta feminino maior e menos ativo no caso de anisogamia, que é fertilizado pelo gameta masculino menor (microgameta).

mac·ro·ga·me·to·cyte (-gah-mět'ah-sĭt) – macrogametócito: 1. célula que produz macrogametas; 2. gametócito feminino de determinados esporozoários como os plasmódios maláricos, que amadurecem em um macrogameta.

mac·ro·gen·i·to·so·mia (-jen"it-ah-so'me-ah) – macrogenitossomia; desenvolvimento corporal excessivo, com aumento de volume anormal dos órgãos genitais. m. pre'cox – m. precoce; macrogenitossomia que ocorre em idade precoce.

mac·rog·lia (mah-krog'le-ah) – macróglia; células neurogliais de origem ectodérmica, ou seja, os astrócitos e oligodendrócitos são considerados em conjunto).

mac·ro·glob·u·lin (mak"ro-glob'ŭl-in) – macroglobulina; globulina de peso molecular incomumente alto, no âmbito de 1.000.000.

mac·ro·glob·u·lin·emia (-glob"ŭl-in-ěm'e-ah) – macroglobulinemia; níveis elevados de macroglobulinas no sangue. Waldenström's m. – m. de Waldenström; discrasia plasmocítica semelhante à leucemia, com células de morfologia linfocítica, plasmocítica ou intermediária que secretam um componente M de IgM, infiltração difusa da medula óssea, fraqueza, fadiga, distúrbios hemorrágicos e distúrbios visuais.

mac·ro·gna·thia (-nath'e-ah) – macrognatia; aumento de volume da mandíbula. macrognath'ic – adj. macrognático.

mac·ro·gy·ria (-ji're-ah) – macrogiria; redução moderada no número de sulcos cerebrais, algumas vezes com aumento na substância cerebral, resultando em tamanho excessivo dos giros.

mac·ro·lide (mak'ro-lĭd) – macrolídeo: 1. um composto caracterizado por um grande anel de lactonas com grupos ceto e hidroxila múltiplos; 2. substância de um grupo de antibióticos que contêm esse anel ligado a um ou mais açúcares, produzidos por determinadas espécies de *Streptomyces*.

mac·ro·mas·tia (mak"ro-mas'te-ah) – macromastia; tamanho excessivo das mamas.

mac·ro·me·lia (-měl'e-ah) – macromelia; aumento de volume congênito de um ou mais membros.

mac·ro·meth·od (mak'ro-meth"id) – macrométodo; método químico que utiliza quantidades costumeiras (não diminutas) da substância que está sendo analisada.

mac·ro·mol·e·cule (mak"ro-mol'ĭ-kūl) – macromolécula; molécula muito grande que tem uma estrutura de cadeia polimérica, como no caso de proteínas, polissacarídeos, etc. macromolec'ular – adj. macromolecular.

mac·ro·mono·cyte (-mon'ah-sĭt) – macromonócito; monócito gigante.

mac·ro·my·elo·blast (-mi'ĭ-lo-blast") – macromieloblasto; grande mieloblasto.

mac·ro·nor·mo·blast (-nor'mah-blast) – macronormoblasto; macroblasto; ver *macroblast*.

mac·ro·nu·cle·us (-noo'kle-us) – macronúcleo; o maior de dois tipos de núcleos quando se encontram presentes mais de um em uma célula.

mac·ro·nu·tri·ent (-noo'tre-ent) – macronutriente; nutriente essencial exigido em quantidades relativamente grandes, como cálcio, cloreto ou sódio.

mac·ro·nych·ia (-nik'e-ah) – macroníquia; comprimento anormal das unhas.

mac·ro·phage (mak'ro-fāj) – macrófago; uma das grandes células mononucleares altamente fagocitárias, derivadas dos monócitos que ocorrem nas paredes dos vasos sangüíneos (células adventícias) e no tecido conjuntivo flácido (histiócitos e células reticulares fagocitárias). São componentes do sistema reticuloendotelial. Os macrófagos são geralmente imóveis, mas se tornam ativamente móveis quando estimulados por uma inflamação; também interagem com os linfócitos para facilitar a produção de anticorpos. **alveolar m.** – m. alveolar; um dos fagócitos mononucleares granulares arredondados dentro dos alvéolos pulmonares que ingerem material particulado inalado. **armed m's** – macrófagos armados; macrófagos capazes de induzir citotoxicidade como conseqüência de ligação com antígenos por parte de anticorpos citofílicos em suas superfícies ou por fatores derivados dos linfócitos T.

mac·roph·thal·mia (mak"rof-thal'me-ah) – macroftalmia; aumento de volume anormal do globo ocular.

mac·ro·poly·cyte (mak"ro-pol'ĭ -sĭ t) – macropolícito; leucócito polimorfonuclear hipersegmentado de tamanho maior que o normal.

mac·rop·sia (mak-rop'se-ah) – macropsia; distúrbio da percepção visual em que os objetos parecem maiores que o seu tamanho real.

mac·ro·scop·ic (mak"ro-shop'ik) – macroscópico; de tamanho grande; visível a olho nu.

mac·ro·shock (mak'ro-shok") – macrochoque; em Cardiologia, um nível de moderado a alto de corrente elétrica que passa por duas áreas de pele intacta, que pode causar fibrilação ventricular.

mac·ro·so·ma·tia (mak"ro-so-ma'shah) – macrossomia; grande tamanho corporal.

mac·ro·sto·mia (-sto'me-ah) – macrostomia; tamanho bastante exagerado da boca.

mac·ro·tia (mak-ro'shah) – macrotia; aumento de volume anormal do pavilhão auditivo auricular.

mac·u·la (mak'u-lah) [L.] pl. *maculae* – mácula: 1. coloração, mancha ou espessamento; em Anatomia, uma área distinguível por cor ou de outra forma das estruturas circundantes. Termo freqüentemente utilizado para se referir apenas à mácula retiniana; 2. mácula; mancha descolorida na pele que não se eleva acima da superfície; 3. cicatriz corneana, observada como uma mancha cinzenta. **mac'ular, mac'ulate** – adj. macular. **acoustic maculae, ma'culae acus'ticae** – máculas acústicas; mácula sacular e mácula utricular consideradas em conjunto. **m. adhe'rens** – máculas aderentes; desmossoma. **ma'culae atro'phicae** – máculas atróficas; manchas semelhantes a cicatrizes brancas formadas na pele por meio de atrofia. **ma'culae ceru'leae** – máculas cerúleas; manchas azul-acinzentadas esmaecidas algumas vezes encontradas perifericamente na axila ou na virilha no caso de pediculose. **cerebral m.** – m. cerebral (*tache cérébrale*). **ma'culae cribro'sae** – máculas cribrosas; três áreas perfuradas (inferior, medial e superior) na parede vestibular através das quais os ramos do nervo vestibulococlear passam para o sáculo, utrículo e canais semicirculares. **m. den'sa** – m. densa;

uma zona de células fortemente nucleadas no interior do túbulo renal distal. **m. fla'va laryn'gis** – m. amarela laríngea; nódulo amarelo em uma extremidade de uma corda vocal. **m. folli'culi** – m. folicular; estigma folicular. **m. germinati'va** – m. germinativa; disco embrionário. **m. lu'tea, m. lu'tea re'tinae, m. re'tinae** – m. lútea; m. amarela; máculas lúteas da retina; máculas da retina; depressões amareladas irregulares na retina, lateral e ligeiramente abaixo do disco óptico. **m. sac'culi** – m. do sáculo; espessamento na parede do sáculo onde o epitélio contém células pilosas que são estimuladas pela aceleração e desaceleração lineares e pela gravidade. **m. utri'culi** – m. do utrículo; espessamento na parede do utrículo onde o epitélio contém células pilosas que são estimuladas pela aceleração e desaceleração lineares e pela gravidade.

mac·ule (mă'kŭl) – mancha; mácula.

mac·u·lo·cer·e·bral (mă"kŭl-o-ser'ĭ -bril) – maculocerebral; relativo à mácula lútea e ao cérebro.

mac·u·lop·a·thy (mak"u-lop'ah-the) – maculopatia; qualquer afecção patológica da mácula da retina. **bull's eye m.** – m. em centro de alvo; aumento de pigmentação de uma área circular da mácula da retina que acompanha a degeneração, ocorrendo em vários estados tóxicos e doenças.

mad·a·ro·sis (mad"ah-ro'sis) – madarose; perda dos cílio ou das sobrancelhas.

Mad·u·rel·la (mad"ŭr-el'ah) – *Madurella;* gênero de fungos imperfeitos. A *M. grisea* e *M. mycetomi* são os agentes etiológicos da maduromicose.

ma·du·ro·my·co·sis (mah-doo"ro-mi-ko'sis) – maduromicose; doença crônica devida a vários fungos ou actinomicetos, que afeta pé, mãos, pernas ou órgãos internos; a forma mais comum é a do pé (*pé de Madura*), caracterizado por formação sinusóide, necrose e inchaço.

maf·en·ide (maf'in-ī d) – mafenida; antibacteriano utilizado topicamente como sais de monoacetato e cloridrato em infecções superficiais.

mag·al·drate (mag'al-drāt) – magaldrato; uma combinação de hidróxido de alumínio e hidróxido de magnésio utilizada como antiácido.

ma·gen·ta (mah-jen'tah) – magenta; fucsina ou outro sal de rosanilina.

mag·got (mag'it) – larva; larva de corpo mole de um inseto, especialmente a forma que vive em carne em decomposição.

mag·ma (mag'mah) – magma: 1. suspensão de material finamente dividido em uma pequena quantidade de água; 2. substância fina e semelhante a pasta, composta de material orgânico.

mag·ne·sia (mag-ne'zhah) – magnésia; óxido de magnésio.

mag·ne·si·um (mag-ne'ze-um) – magnésio; elemento químico (ver *Tabela de Elementos*), número atômico 12, símbolo Mg; seus sais são essenciais na nutrição, sendo exigidos para a atividade de muitas enzimas, especialmente as relacionadas à fosforilação oxidativa. **m. carbonate** – carbonato de m.; antiácido. **m. citrate** – citrato de m.; catártico suave. **m. hydroxide** – hidróxido de m.; catártico e antiácido. **m. oxide** – óxido de m.; antiácido e laxante, bem como sorvente em preparações farmacêuticas. **m. phosphate** – fosfato de m.; fosfato de magnésio tribásico; antiácido. **m. salicylate** – salicilato de m.; sal magnésico do ácido salicílico, utilizado como antiartrítico. **m. sulfate** – sulfato de m.; sais de Epsom; anticonvulsivante e repositor de eletrólitos, também utilizado como catártico e antiinflamatório local. **m. trisilicate** – trissilicato de m.; combinação de óxido de magnésio e dióxido de silício com proporções variáveis de água; antiácido.

mag·net (mag'nit) – magneto; ímã; objeto que tem polaridade e é capaz de atrair ferro.

mag·net·ro·pism (mag-nḕ'trah-pizm) – magnetropismo; resposta de crescimento em um organismo imóvel sob a influência de um magneto.

mag·ni·fi·ca·tion (mag"nĭ-fĭ-ka'shun) – ampliação; magnificação: 1. aumento aparente de tamanho, como sob o microscópio; 2. processo de fazer com que algo pareça maior, como através do uso de lentes; 3. proporção entre o tamanho aparente (imagem) e o tamanho real.

main·te·nance (mān'tĕ-nas) – manutenção; estabelecimento de condição estável por um longo período ou a condição estável produzida dessa forma.

mal (mal) [Fr.] – mal; distúrbio; doença. **m. de caderas** – m. de cadeiras; tripanossomíase emaciadora e fatal dos eqüinos na América do Sul, com fraqueza (especialmente dos quartos traseiros) e andadura oscilante e cambaleante. **grand m.** – grande m., ver em *epilepsy*. **m. de Meleda** – m. de Meleda; hiperceratose simétrica, herdada e crônica das palmas das mãos e plantas dos pés, com propagação para as faces dorsais e outras partes do corpo; as lesões cutâneas são eritematosas, descamantes, malcheirosas e fissuradas. **petit m.** – pequeno m.; ver em *epilepsy*. **m. de mer** – m. do mar; doenças do mar.

ma·la (ma'lah) – maçã do rosto: 1. bochecha; 2. osso zigomático. **ma'lar** – adj. malar.

mal·ab·sorp·tion (mal"ab-sorp'shun) – má-absorção; deficiência da absorção intestinal de nutrientes.

ma·la·cia (mah-la'sha) – malacia; amolecimento ou maciez mórbidos de uma parte ou tecido; também utilizado como terminação de palavra, como no caso de osteomalacia.

mal·a·co·ma (mal"ah-ko'mah) – malacoma; parte ou mancha morbidamente mole.

mal·a·co·pla·kia (mal"ah-ko-pla'ke-ah) – malacoplaquia; formação de manchas macias na membrana mucosa de um órgão oco. **m. vesi'cae** – m. vesical; crescimento semelhante a um fungo, amarelado e macio, na mucosa da bexiga e ureteres.

mal·a·co·sis (mal"ah-ko'sis) – malacose; malacia; ver *malacia*.

mal·a·cos·te·on (mal"ah-kos'te-on) – malacosteose; osteomalacia.

mal·ad·just·ment (mal"ah-just'ment) – desajuste; em Psiquiatria, inadaptação ao ambiente.

mal·a·dy (mal'ah-de) – doença ou enfermidade.

mal·aise (mal-āz') – mal-estar; sensação vaga de desconforto e indisposição.

mal·align·ment (mal"ah-lī n'ment) – mau alinhamento; deslocamento, especialmente dos dentes em sua relação normal com a linha da arcada dentária.

ma·lar·ia (mah-lār'e-ah) – malária; doença febril infecciosa causada por protozoários do gênero *Plasmodium*, que parasitam hemácias; é transmitida pelos mosquitos *Anopheles* e é caracterizada por ataques de calafrios, febre e sudorese que ocorrem a intervalos que dependem do tempo exigido para o desenvolvimento de uma nova geração de parasitas no corpo. **malar'ial** – adj. malárico. **falciparum m.** – m. falcípara; a forma mais séria, devida à *Plasmodium falciparum*, com sintomas constitucionais severos e algumas vezes causando a morte. **ovale m.** – m. oval; forma suave devida à *Plasmodium ovale*, com paroxismos febris recidivantes e tendência a terminar com recuperação espontânea. **quartan m.** – m. quartã; malária na qual os paroxismos febris ocorrem a cada 72h ou a cada quatro dias, contando-se o dia de ocorrência como o primeiro dia de cada ciclo; devida à *Plasmodium malariae*. **quotidian m.** – m. cotidiana; malária vivax na qual os paroxismos febris ocorrem diariamente. **tertian m.** – m. terçã; malária vivax na qual os paroxismos febris ocorrem a cada 42 a 47h ou a cada três dias, contando-se o dia de ocorrência como o primeiro dia do ciclo. **vivax m.** – m. vivax; malária devida à *Plasmodium vivax*, na qual os paroxismos febris ocorrem comumente a cada três dias (*tertian m.*), mas podem ocorrer diariamente (*quotidian m.*), se houver duas gerações de parasitas segmentando-se em dias alternados.

Mal·as·se·zia (mal"ah-se'ze-ah) – *Malassezia;* nero de fungos da antiga classe Hyphomycetes, que inclui a *M. furfur* (que causa a tinha versicolor em indivíduos suscetíveis) e *M. pachydermatis*. **M. fur'fur** – *M. furfur*, espécie lipofílica normalmente presente na pele, causando a tinha versicolor em indivíduos suscetíveis.

mal·as·sim·i·la·tion (mal"ah-sim"il-a'shun) – má-assimilação: 1. assimilação imperfeita ou desordenada; 2. incapacidade do trato gastrointestinal em consumir os nutrientes ingeridos, devido a digestão deficiente (má-digestão) ou a deficiência do transporte na mucosa intestinal (má-absorção).

ma·late (ma'lāt) – malato; qualquer sal do ácido málico.

mal·a·thi·on (mal-ah-thi'on) – malation; composto organofosforado utilizado como inseticida.

mal·ax·a·tion (mal"ak-sa'shun) – malaxação; ato de amassar.

mal·de·vel·op·ment (-dĭ -vel'op-mint) – mau desenvolvimento; crescimento ou desenvolvimento anormais.

male (māl) – macho; masculino; o sexo que produz espermatozóides.

mal·e·ate (mal'e-āt) – maleato; qualquer sal ou éster do ácido maléico.

ma·le·ic ac·id (mah-le'ik) – ácido maléico; ácido dibásico insaturado, o *cis*-isômero do ácido fumárico.

mal·erup·tion (mal"e-rup'shun) – má-erupção; erupção de um dente fora de sua posição normal.

mal·for·ma·tion (-for-ma'shun) – malformação; má-formação; formação defeituosa ou anormal; aberração anatômica, especialmente a adquirida durante o desenvolvimento.

mal·ic ac·id (mal'ik) – ácido málico; ácido cristalino proveniente dos sucos de muitas frutas e vegetais e um intermediário no ciclo do ácido tricarboxílico.

ma·lig·nant (mah-lig'nant) – maligno: 1. que tende a piorar e terminar com a morte; 2. que tem as propriedades da anaplasia, invasividade e metastatização; diz-se de tumores.

ma·lin·ger·ing (mah-ling'er-ing) – simulação; fingimento ou exagero fraudulentos voluntários dos sintomas de uma enfermidade ou lesão para conseguir um fim deliberadamente desejado.

mal·le·a·ble (mal'e-ah-b'l) – maleável; suscetível de ser transformado em uma placa fina.

mal·leo·in·cu·dal (mal"e-o-ing'kud'l) – maleoincudal; relativo ao martelo e à bigorna no tímpano.

mal·le·o·lus (mah-le'o-lus) [L.] pl. *malleoli* – maléolo; processo arredondado, como a protuberância em cada lado da articulação do tornozelo na extremidade inferior da fíbula e da tíbia. **malle'olar** – adj. maleolar.

mal·le·ot·o·my (mal"e-ot'ah-me) – maleotomia: 1. divisão cirúrgica do martelo; 2. separação cirúrgica de maléolos.

mal·le·us (mal'e-us) [L.] – martelo: 1. ver *Tabela de Ossos*; 2. mormo.

mal·nu·tri·tion (mal"noo-trish'un) – desnutrição; qualquer distúrbio da nutrição.

mal·oc·clu·sion (-ah-klo'zhun) – má-oclusão; relações impróprias dos dentes em aposição quando as mandíbulas se põem em contato.

mal·po·si·tion (-pah-zish'un) – má-posição; posicionamento anormal ou anômalo.

mal·prac·tice (mal-prak'tis) – imperícia; má-prática; prática imprópria ou lesiva; tratamento cirúrgico ou médico deficiente e inábil.

mal·pres·en·ta·tion (mal"prez-en-ta'shun) – má-apresentação apresentação fetal defeituosa.

mal·ro·ta·tion (-ro-ta'shun) – má-rotação: 1. rotação patológica ou anormal, como a da coluna vertebral; 2. deficiência na rotação normal de um órgão, como o intestino, durante o desenvolvimento embriológico.

mal·tase (mawl'tās) – maltase: 1. α-glicosidase; 2. qualquer enzima com atividade glicolítica semelhante, clivando os resíduos de glicose ligados à posição α-1,4 e algumas vezes à α-1,6 de produtos terminais não-redutores; no homem, considera-se que existam quatro dessas enzimas: duas são enzimas termoestáveis, geralmente chamadas de maltases, constituindo o complexo glicoamilase; as outras duas são enzimas termolábeis, geralmente chamadas de sacarase e isomaltase.

mal·tose (mawl'tōs) – maltose; dissacarídeo composto de dois resíduos de glicose: a unidade estrutural fundamental do glicogênio e amido.

ma·lum (ma'lum) [L.] – mal; doença. **m. articulo'rum seni'lis** – mal senil da articulação; estado degenerativo doloroso de uma articulação, resultante do envelhecimento.

mal·un·ion (mal-ūn'yin) – má-união; união defeituosa dos fragmentos de um osso fraturado.

ma·mil·la (mah-mil'ah) [L.] – mamilo: 1. o bico da mama; 2. qualquer proeminência semelhante a um bico. **mam'illary** – adj. mamilar.

mam·il·la·tion (mam"ĭ-la'shun) – mamilação; elevação ou projeção semelhante a um mamilo.

ma·mil·li·plas·ty (mah-mil'ĭ-plas"te) – mamiloplastia; teloplastia.

mam·il·li·tis (mam"il-ī t'is) – mamilite; telite (*thelitis*).

mamm(o)- [L.] – mam(o)-, elemento de palavra, *mama; glândula mamária.*

mam·ma (mam'ah) [L.] – mama; ver *breast.*

mam·mal (mam"l) – mamífero; indivíduo da classe Mammalia.

mam·mal·gia (mah-mal'je-ah) – mamalgia; mastalgia (*mastalgia*).

Mam·ma·lia (mah-māl'e-ah) – Mammalia; classe de animais vertebrados de sangue quente, que inclui todos os que têm pêlos e amamentam seus filhotes.

mam·ma·ry (mam'ah-re) – mamário; relativo à glândula mamária ou à mama.

mam·mec·to·my (mah-mek'tah-me) – mamectomia; mastectomia.

mam·mil·li·tis (mam"il-ī t'is) – mamilite; telite (*thelitis*).

mam·mi·tis (mah-mī t'is) – mamite; mastite (*mastitis*).

mam·mo·gram (mam'o-gram) – mamograma; radiografia das mamas.

mam·mog·ra·phy (mah-mog'rah-fe) – mamografia; radiografia da glândula mamária.

mam·mo·pla·sia (mam"ah-pla'zhah) – mamoplasia; desenvolvimento de tecido mamário.

mam·mo·plas·ty (mam'ah-plas"te) – mamoplastia; reconstrução plástica da mama, tanto para aumentar como para reduzir seu tamanho.

mam·mose (mam'ōs) – mamoso: 1. que tem mamas grandes; 2. mamilado.

mam·mot·o·my (mah-mot'ah-me) – mamotomia; mastotomia.

mam·mo·troph·ic (mam"ah-trof'ik) – mamotrófico; mamotrópico.

mam·mo·trop·ic (-trop'ik) – mamotrópico; mamotrófico; que tem efeito estimulante na glândula mamária.

mam·mot·ro·pin (mah-mot'ro-pin) – mamotropina; prolactina (*prolactin*).

man·del·ic acid (man-del'ik) – ácido mandélico; $C_8H_8O_3$, proveniente da amigdalina; utilizado geralmente como sal amônico, cálcico ou sódico como anti-séptico urinário.

man·di·ble (man'dĭ-b'l) – mandíbula; maxilar inferior; ver *Tabela de Ossos*. **mandib'ular** – adj. mandibular.

man·dib·u·la (man-dib'u-lah) [L.] pl. *mandibulae* – mandíbula.

man·drel (man'dril) – mandril; haste ou cabo na qual um instrumento dentário é preso para rotação através do motor dentário.

man·drin (-drin) – mandril; guia metálica para um cateter flexível.

ma·neu·ver (mah-noo'ver) – manobra; procedimento habilidoso ou com perícia. **Bracht's m.** – m. de Bracht; método de extração da cabeça do feto em apresentação de nádegas. **Brandt-Andrews m.** – m. de Brandt-Andrews; método de remoção da placenta do útero. **forward-bending m.** – m. de flexão para a frente; método de detecção de sinais de retração em alterações neoplásicas nas mamas; o paciente se curva para a frente a partir da cintura, mantendo o queixo para cima e os braços estendidos em direção ao examinador. Caso se encontre presente uma retração, observa-se uma assimetria nos seios. **Heimlich m.** – m. de Heimlich; método de desalojamento de alimento ou outro material da garganta de uma vítima de engasgo: envolvem-se os braços ao redor da vítima, permitindo que o tórax superior penda para a frente; deve-se estar com ambas as mãos contra o abdômen da vítima (ligeiramente acima do umbigo e abaixo do gradil costal), deve-se fechar uma das mãos, segurando-a com a outra e pressionando-a com força no abdômen, dar um empurrão rápido para cima. Repete-se várias vezes a manobra, se for necessário. **Pajot's m.** – m. de Pajot; método de extração com fórceps da cabeça fetal. **Pinard's m.** – m. de Pinard; método de trazer para baixo os pés em uma extração de nádegas. **Prague m.** – m. de Praga; método de extração da cabeça do feto em apresentação de nádegas. **Scanzoni m.** – m. de Scanzoni; aplicação dupla de lâminas de fórceps para o parto de um feto na posição de occipitoposterior. **Toynbee m.** – m. de Toynbee; pressão das narinas e deglutição; se a tuba auditiva estiver desobstruída, a membrana timpânica retrair-se-á medialmente. **Valsalva's m.** – m. de Valsalva: 1. aumento na pressão intratorácica através de esforço de exalação forçada contra a glote fechada; 2. aumento na pressão da tuba de Eustáquio e ouvido médio através de esforço de exalação forçada contra as narinas e boca fechadas.

man·ga·nese (man'gah-nēs) – manganês; elemento químico (ver *Tabela de Elementos*), número atômico 25, símbolo Mn; seus sais ocorrem nos tecidos corporais em quantidades muito pequenas e servem como ativadores da arginase hepática e outras enzimas. O envenenamento, geralmente devido à inalação de pó de manganês, manifesta-se através de sintomas que incluem distúrbios mentais que acompanham a síndrome semelhante a paralisia com agitação e por inflamação do sistema respiratório.

mange (mänj) – sarna; rabugem; cutaneopatia dos animais domésticos, devida a ácaros.

ma·nia (ma'ne-ah) – mania: 1. uma fase de um distúrbio bipolar, caracterizada por expansividade, elação, agitação, hiperexcitabilidade, hiperatividade e aumento de rapidez do pensamento e idéias; 2. utilizado como prefixo, denotando preocupação excessiva com alguma coisa, como no caso da piromania. **mani'acal, man'ic** – adj. maníaco.

man·ic·de·pres·sive (man"ik-de-pres'iv) – maníaco-depressivo; que alterna ataques de mania e depressão; ver em *psychosis*.

man·i·kin (man'ĭ-kin) – manequim; modelo para ilustrar a anatomia ou no qual se praticam manipulações cirúrgicas ou outras.

ma·nip·u·la·tion (mah-nip"ŭl-a-shun) – manipulação; tratamento com habilidade ou destreza através das mãos.

man·ni·tol (man'ĭ -tol) – manitol; um álcool de açúcar formado pela redução da manose ou frutose e amplamente distribuído em plantas e fungos; utilizado em testes diagnósticos da função renal e como diurético; o derivado do hexanitrato é utilizado como vasodilatador.

man·nose (man'ōs) – manose; açúcar epimérico de seis carbonos com glicose, que ocorre em oligossacarídeos de muitas glicoproteínas e glicolipídeos.

man·no·si·do·sis (man"ōs-ĭ -do'sis) – manosidose; doença de armazenamento lisossômico devida a defeito na atividade da α-manosidase, que resulta em acúmulo lisossômico de substratos ricos em manose; caracteriza-se por uma fácies grosseira, problemas das vias respiratórias superiores, retardamento mental, hepatoesplenomegalia e catarata.

ma·nom·e·ter (mah-nom'it-er) – manômetro; instrumento para medir a pressão de líquidos ou gases. **manomet'ric** – adj. manométrico.

ma·nom·e·try (-ĕ-tre) – manometria; medição da pressão através de manômetro. **anal m.** – m. anal; medição da pressão gerada pelo esfíncter anal; utilizada na avaliação da incontinência fecal.

Man·son·el·la (man"son-el'ah) – *Mansonella;* gênero de nematódeos filariais. A *M. ozzardi* é encontrada no mesentério e na gordura visceral do homem no Panamá, Iucatã, Guiana, Suriname e Argentina.

Man·so·nia (man-so'ne-ah) – *Mansonia;* gênero de mosquitos, dos quais várias espécies transmitem a *Brugia malayi;* algumas espécies também podem transmitir vírus, como os da encefalomielite eqüina.

man·tle (man't'l) – manto: 1. revestimento ou camada envolvente; 2. córtex cerebral.

ma·nu·bri·um (mah-noo'bre-um) [L.] pl. *manubria* – manúbrio; estrutura ou parte semelhante a um cabo, como o manúbrio do esterno. **m. mal'lei, m. of malleus** – m. do martelo; cabo do martelo; o processo mais longo do martelo; prende-se à camada média da membrana timpânica e tem o músculo tensor timpânico preso a ele. **m. ster'ni, m. of sternum** – m. esternal; m. do esterno; parte cranial do esterno, que se articula com as clavículas e os dois primeiros pares de costelas.

ma·nus (ma'nus) [L.] pl. *manus* – mão; ver *hand*.

MAO – monoamine oxidase (monoamina-oxidase).

map (map) – mapa; representação gráfica bidimensional de um arranjo no espaço. **cytogenetic m., cytologic m.** – m. citogenético; m. citológico; mapa de genes que dá a posição dos *loci* gênicos com relação às faixas cromossômicas. **fate m.** – m. de destino; representação gráfica de uma blástula ou outro estágio inicial de um embrião, mostrando o significado presumível de determinadas áreas no desenvolvimento normal. **gene m.** – m. gênico; representação gráfica do arranjo linear dos genes em um cromossoma. **genetic m., linkage m.** – m. genético; m. de ligações; m. gênico. **physical m.** – m. físico; mapa de genes que mostra as localizações dos marcadores genéticos com as distâncias físicas entre eles.

restriction m. – m. de restrição; mapa físico que indica os locais de clivagem de uma enzima de restrição. **transduction m.** – m. de transdução; em Genética bacteriana, mapa de genes que dá as distâncias entre os *loci* com base nas freqüências relativas de co-transdução.

ma·pro·ti·line (mah-pro'tĭ-lēn) – maprotilina; antidepressivo tetracíclico com ações semelhantes às dos antidepressivos tricíclicos; utilizado como sal de cloridrato.

ma·ras·mus (mah-raz'mus) – marasmo; uma forma de má-nutrição protéico-energética predominantemente devida a um déficit calórico severo e prolongado, que ocorre predominantemente no primeiro ano de vida, com atraso do crescimento e emaciação da gordura e dos músculos subcutâneos. **maran'tic, maras'mic** – adj. marásmico.

march (mahrch) – marcha; progressão de uma atividade elétrica através do córtex motor. **jacksonian m.** – m. de Jackson; disseminação de uma atividade elétrica anormal de uma área do córtex cerebral para áreas adjacentes, característica da epilepsia de Jackson.

mar·fan·oid (mahr'fan-oid) – marfanóide; que tem os sintomas característicos da síndrome de Marfan.

mar·gin (mahr'jin) – margem; borda ou beira; limite. **mar'ginal** – adj. marginal. **dentate m.** – m. dentada; linha pectinada. **gingival m., gum m.** – m. gengival; borda da gengiva que circunda, mas não se prende à substância dos dentes.

mar·gi·na·tion (mar"jĭ -na'shun) – marginação; acúmulo e aderência de leucócitos às células epiteliais das paredes dos vasos sangüíneos no local de uma lesão nos estágios iniciais de uma inflamação.

mar·gino·plas·ty (mar'jin-o-plas"te) – marginoplastia; restauração cirúrgica de uma borda, como de uma pálpebra.

mar·go (mahr'go) pl. *margines* – margem; ver *margin*.

mar·i·hua·na (mar"ĭ -hwah-nah) – maconha; marijuana.

mar·i·jua·na (mar"ĭ -hwah'nah) – marijuana; preparação das folhas e brotos florescentes da maconha (*Cannabis sativa*), geralmente fumada em cigarros devido às suas propriedades eufóricas.

mark (mahrk) – marca; mancha ou outra área circunscrita visível em uma superfície. **birth m.** – m. de nascença; ver *birthmark*. **port-wine m.** – m. de vinho do Porto; nevo flâmeo. **strawberry m.** – m. em morango: 1. hemangioma em morango; ver *hemangioma* (1); 2. hemangioma cavernoso.

mark·er (mahrk'er) – marcador; alguma coisa que identifica ou é utilizada para identificar. **tumor m.** – m. tumoral; substância bioquímica indicativa de neoplasia, teoricamente específica, sensível e proporcional à carga tumoral.

mar·row (mar'o) – medula; material orgânico mole que preenche as cavidades ósseas (*medula óssea*). **spinal m.** – m. espinhal; medula espinhal.

Mar·su·pi·a·lia (mahr-soo"pe-al'e-ah) – Marsupialia; ordem de mamíferos caracterizada pela possessão de um marsupial, incluindo gambás, cangurus, cangurus-mirins, coalas e vombates.

mar·su·pi·al·iza·tion (mahr-soo"pe-al-ĭ -za'shun) – marsupialização; conversão de uma cavidade fechada em bolsa aberta, através da incisão e sutura das bordas da sua parede nas bordas do ferimento.

mar·su·pi·um (mahr-soo'pe-um) [L.] pl. *marsupia* – saco: 1. escroto; 2. bolsa ou dobra de pele abdominal externa para transportar os filhotes e que contém as glândulas mamárias, ocorrendo nos marsupiais e nas équidnas; também, uma estrutura semelhante para transportar ovos e/ou filhotes, como no caso do cavalo-marinho macho.

mas·cu·line (mas'kŭl-in) – masculino; relativo ao sexo masculino ou que tem qualidades normalmente características do macho.

mas·cu·lin·iza·tion (mas"kŭl-in-ĭ -za'shun) – masculinização; desenvolvimento normal das características sexuais masculinas no macho; também, o desenvolvimento de características sexuais secundárias masculinas na fêmea.

ma·ser (ma'zer) – maser; dispositivo que produz um feixe extremamente intenso, pequeno e quase não-divergente de radiação monocromática na região das microondas, com todas as ondas em fase.

mask (mask) – máscara; mascarar: 1. cobrir ou esconder; 2. em audiometria, obscurecer ou diminuir um som pela presença de outro som de freqüência diferente; 3. máscara; cobertura ou aplicação para sombrear, proteger ou medicar a face; 4. em Odontologia, camuflar partes de metal de uma prótese recobrindo-a com um material opaco.

maso·chism (mas'ah-kizm) – masoquismo; perversão na qual a imposição de dor proporciona gratificação sexual para o receptor. **masochis'tic** – adj. masoquista.

mass (mas) – massa: 1. conjunto ou coleção de partículas coesas; 2. mistura coesa a ser transformada em pílulas; 3. característica da matéria que lhe concede inércia. Símbolo *m*. **atomic m.** – m. atômica; massa de um átomo neutro de um nuclídeo, geralmente expressa como unidades de massa atômica (*amu*). **inner cell m.** – m. celular interna; grupo celular no pólo embrionário de um blastocisto, a partir do qual se desenvolve o embrião propriamente dito. **lean body m.** – m. corporal magra; a parte do corpo que inclui todos os seus componentes, exceto os lipídeos de armazenamento neutro; em essência, a massa corporal sem gordura. **molar m.** – m. molar; massa de uma molécula em gramas (ou quilogramas) por mol. **molecular m.** – m. molecular; massa de uma molécula em dáltons, derivada da adição das massas atômicas componentes. Seu equivalente adimensional é o peso molecular. Símbolo *M*. **relative molecular m.** – m. molecular relativa; termo tecnicamente preferível para o *peso molecular*. Símbolo *M*ᵣ.

mas·sa (mas'ah) [L.] pl. *massae* – massa; ver *mass* (1).

mas·sage (mah-sahzh') – massagem; fricção, batidas ou manipulações terapêuticas sistemáticas do corpo. **cardiac m.** – m. cardíaca; compressão intermitente do coração através de pressão aplicada sobre o esterno (*m. cardíaca fechada*) ou

MNO

diretamente no coração através de uma abertura na parede torácica (*m. cardíaca aberta*); feita para reinstalar e manter a circulação. **carotid sinus m.** – m. do seio carotídeo; pressão rotatória firme aplicada em um lado do pescoço sobre o seio carotídeo, causando estimulação vagal e utilizada para retardar ou fazer cessar a taquicardia. **electrovibratory m.** – m. eletrovibratória; massagem realizada com vibrador elétrico. **vibratory m.** – m. vibratória; m. eletrovibratória.

mas·se·ter (mas-ět'er) – masseter; ver *Tabela de Músculos*. **masseter'ic** – adj. massetérico.

mas·seur (mah-sur') [Fr.] – massagista: 1. homem que faz massagem; 2. instrumento para realizar massagem.

mas·seuse (-sōōz') [Fr.] – massagista; mulher que faz massagem.

MAST – acrônimo para Military Anti-Shock Trousers (Calças Militares Antichoque), calças infláveis utilizadas para induzir autotransfusão de sangue da parte inferior para a parte superior do corpo.

mas·tad·e·ni·tis (mast"ad-in-īt'is) – mastadenite; mastite; ver *mastitis*.

Mas·tad·e·no·vi·rus (mast-ad'ě-no-vi"rus) – *Mastadenovirus;* adenovírus de mamíferos; gênero de vírus da família Adenoviridae que infectam os mamíferos, causando doenças do trato gastrointestinal, conjuntiva, sistema nervoso central e trato urinário; muitas espécies induzem malignidades.

mas·tal·gia (mas-tal'je-ah) – mastalgia; dor na mama.

mas·tat·ro·phy (mast-ã'trah-fe) – mastatrofia; atrofia da mama.

mas·tec·to·my (mast-ek'tah-me) – mastectomia; excisão da mama. **modified radical m.** – m. radical modificada; mastectomia total com dissecção nodular axial, mas deixando os músculos peitorais intactos. **radical m.** – m. radical; amputação da mama com excisão larga dos músculos peitorais e dos linfonodos axilares. **subcutaneous m.** – m. subcutânea; excisão do tecido mamário com preservação da pele sobrejacente, mamilo e aréola de forma que se possa reconstruir a forma do seio.

mas·ti·ca·tion (mas"tĭ-ka'shun) – mastigação; processo de mastigação da comida.

Mas·ti·goph·o·ra (mas"tĭ-gof'-o-rah) – Mastigophora; subfilo dos Protozoa que compreende os protozoários que apresentam um ou mais flagelos durante a maior parte do seu ciclo vital, e um núcleo simples e centralmente localizado; muitos são parasitas tanto em invertebrados como em vertebrados, incluindo o homem.

mas·ti·gote (mas'tĭ-gōt) – mastigota; qualquer membro do Mastigophora.

mas·ti·tis (mas-ti'tis) – mastite; inflamação da mama. **m. neonato'rum** – m. do recém-nascido; qualquer afecção anormal da mama no recém-nascido. **periductal m.** – m. periductal; inflamação dos tecidos ao redor dos ductos da glândula mamária. **plasma cell m.** – m. das células plasmáticas; infiltração do estroma mamário com plasmócitos e proliferação das células que revestem os ductos.

mast(o)- [Gr.] – elemento de palavra, *mama; processo mastóide.*

mas·to·cyte (mas'tah-sīt) – mastócito; ver *cell, mast.*

mas·to·cy·to·sis (-si-to'sis) – mastocitose; acúmulo, local ou sistêmico, de mastócitos nos tecidos; conhecido como urticária pigmentar (*urticaria pigmentosa*) quando se dissemina pela pele.

mas·toid (mas'toid) – mastóide: 1. em forma de mama; 2. processo mastóide; 3. mastóide, relativo ao processo mastóide.

mas·toid·al·gia (mas"toid-al'jah) – mastoidalgia; dor na região mastóide.

mas·toi·deo·cen·te·sis (mas-toid"e-o-sen-te'sis) – mastoideocentese; paracentese dos mastócitos.

mas·toid·itis (mas"toid-īt'is) – mastoidite; inflamação do antro mastóide e mastócitos.

mas·top·a·thy (mas-top'ah-the) – mastopatia; qualquer doença da glândula mamária.

mas·to·pexy (mas'to-pek"se) – mastopexia; fixação cirúrgica de mama caída.

mas·to·plas·ty (mas'to-plas"te) – mastoplastia; mamoplastia; ver *mammoplasty.*

mas·to·pto·sis (mas"to-to'sis) – mastoptose; mamas caídas.

mas·to·scir·rhus (-skir'us) – mastocirro; endurecimento da glândula mamária.

mas·to·squa·mous (-skwa'mus) – mastoescamoso; relativo ao mastóide e à escama do osso temporal.

mas·tur·ba·tion (mas"ter-ba'shun) – masturbação; indução do orgasmo pela auto-estimulação dos genitais.

match·ing (mach'ing) – comparação; comparação para selecionar objetos que tenham características semelhantes ou idênticas; em imunologia dos transplantes, método de medição da compatibilidade tecidual entre indivíduos. **cross m.** – c. cruzada; determinação da compatibilidade do sangue de um doador e um receptor antes de uma transfusão através da colocação das células do doador no soro do receptor e das células do receptor no soro do doador; a ausência de aglutinação, hemólise e citotoxicidade indica compatibilidade.

ma·te·ria (mah-tēr'e-ah) [L.] – matéria; material; substância. **m. al'ba** – m. branca; depósitos esbranquiçados nos dentes, compostos de muco e células epiteliais que contêm bactérias e microrganismos filamentosos. **m. me'dica** – m. médica; farmacologia.

ma·ter·ni·ty (mah-turn'it-e) – 1. maternidade; 2. hospital para partos.

mat·ing (mãt'ing) – acasalamento; pareamento de indivíduos de sexos opostos, especialmente para a reprodução. **assortative m., assorted m., assortive m.** – a. concordante; acasalamento de indivíduos com qualidades ou constituições semelhantes. **random m.** – a. aleatório; acasalamento de indivíduos sem qualquer relação de semelhança entre eles.

ma·trix (ma'triks) [L.] pl. *matrices* – matriz: 1. substância intercelular de um tecido ou o tecido a partir do qual uma estrutura se desenvolve; 2. base; a base na qual ou a partir da qual uma coisa se desenvolve; 3. molde ou forma para moldagem; 4. fita de metal ou plástico utilizada para dar forma a uma restauração dentária; 5. fase contínua de uma restauração dentária composta. **bone m.** – m. óssea; substância intercelular do osso, que consiste de fibras colagenosas, substância basal e sais inorgânicos. **cartilage m.** – m. de cartilagem; substância intercelular da cartilagem, que consiste de células e fibras extracelulares, incrustadas em substância basal amorfa. **extracellular m. (ECM)** – m. extracelular; qualquer substância produzida por células e excretada para o espaço extracelular dentro dos tecidos, servindo como armação para manter os tecidos juntos e ajudar a determinar suas características. **interterritorial m.** – m. interterritorial; região de coloração mais pálida entre matrizes territoriais mais escuras. **nail m.** – m. da unha; leito da unha; m. ungueal. **territorial m.** – m. territorial; matriz basofílica ao redor de grupos de células cartilaginosas. **m. un'guis** – m. da unha; leito ungueal; também, a parte proximal do leito ungueal, onde ocorre o crescimento.

mat·ter (mat'er) – matéria; substância: 1. qualquer coisa que ocupe espaço; 2. pus. **gray m.** of **nervous system** – s. cinzenta do sistema nervoso; ver em *substance*. **white m. of nervous system** – s. branca do sistema nervoso; ver em *substance*.

mat·u·ra·tion (mach"u-ra'shun) – maturação: 1. processo de se tornar maduro; 2. alcançar a maturidade emocional e intelectual; 3. em Biologia, processo de divisão celular durante o qual se reduz o número de cromossomas nas células germinativas para a metade do número característico da espécie; 4. supuração.

ma·tu·ti·nal (mah-too'tĭ-nil) – matutino; que ocorre pela manhã.

max·il·la (mak'sil'ah) [L.] pl. *maxillas, maxillae* – maxilar; maxila; osso do maxilar superior; ver *Tabela de Ossos*. **max'illary** – adj. maxilar.

max·il·lo·eth·moi·dec·to·my (mak"sil-o-eth"-moidek'tah-me) – maxiloetmoidectomia; excisão da porção da maxila que circunda o seio maxilar e placa cribriforme, assim como das células etmóides anteriores.

max·il·lo·man·dib·u·lar (-man-dib'ŭl-er) – maxilomandibular; relativo aos maxilares superior e inferior.

max·il·lot·o·my (mak"sil-ot'ah-me) – maxilotomia; corte cirúrgico da maxila que permite o movimento de todo o maxilar ou de parte do mesmo na posição desejada.

max·i·mum (mak'sĭ-mum) [L.] pl. *maxima* – máximo: 1. efeito ou quantidade maior possível ou real; 2. o maior; o extremo. **max'imal** – adj. máximo.

tubular m. – m. tubular; taxa mais alta em miligramas por minuto na qual os túbulos renais podem transferir uma substância do fluido luminal tubular para o fluido intersticial ou vice-versa.

maze (māz) – labirinto; sistema complicado de trajetos intersseccionais utilizado em testes de inteligência e na demonstração do aprendizado em animais experimentais.

ma·zin·dol (ma'zin-dŏl) – mazindol; adrenérgico que tem ações semelhantes às da anfetamina; utilizado como anoréxico.

ma·zo·pexy (ma'zo-pek"se) – mazopexia; mastopexia; ver *mastopexy*.

ma·zo·pla·sia (ma"zo-pla'zhah) – mazoplasia; hiperplasia epitelial degenerativa dos ácinos mamários.

MB [L.] – *Medicinae Baccalaureus* (Bacharel em Medicina).

MC [L.] – *Magister Chirurgiae; Medical Corps* (Mestre em Cirurgia; Corpo Médico).

mC – millicurie (milicurie).

μC – microcurie; ver *microcurie*.

mcg – microgram (micrograma).

MCH – mean corpuscular hemoglobin (hemoglobina corpuscular média), o teor hemoglobínico médio de um eritrócito.

MCHC – mean corpuscular hemoglobin concentration (concentração hemoglobínica corpuscular média), a concentração hemoglobínica média nos eritrócitos.

MCV – mean corpuscular volume (volume corpuscular médio).

MD [L.] – *Medicinae Doctor* (Doutor em Medicina).

Md – símbolo químico, mendelévio (*mendelevium*).

meal (mēl) – refeição; uma porção de alimento ou alimentos consumidos em determinada hora, esta geralmente definida ou estabelecida. **Boyden m.** – r. de Boyden; refeição de prova para o estudo da evacuação da vesícula biliar em estudos colecistográficos. **test m.** – r. de prova; refeição que contém um dado material para auxiliar em exame diagnóstico do estômago.

mean (mēn) – média; um valor numérico intermediário entre dois extremos. **arithmetic m.** – m. aritmética; a soma de *n* números dividida por *n*. **geometric m.** – m. geométrica; a raiz *enésima* do produto de *n* números.

mea·sles (mēz"lz) – sarampo; rubéola; infecção viral altamente contagiosa, geralmente da infância, que envolve primariamente o trato respiratório e os tecidos reticuloendoteliais, caracterizada por erupção de pápulas vermelhas discretas, que confluem, achatam-se, tornam-se castanhas e descamam. **atypical m.** – s. atípico; forma de infecção de sarampo natural que afeta os que receberam anteriormente uma vacina de vírus de sarampo morto. **black m.** – s. negro; forma severa na qual a erupção é muito escura e petequial. **German m.** – s. alemão; rubéola alemã. **hemorrhagic m.** – s. hemorrágico; s. negro.

meas·ure (mezh'er) – medida; ver as tabelas relativas a *weight*.

me·a·tor·rha·phy (me"ah-tor'ah-fe) – meatorrafia; sutura do ferimento feito em meatotomia.

me·a·tos·co·py (me"ah-tos'ko-pe) – meatoscopia; inspeção de qualquer meato, especialmente do meato uretral.

me·a·tus (me-a'tus) [L.] pl. *meatus* – meato; abertura ou passagem. **mea'tal** – adj. meatal. **acoustic m., m. acus'ticus** – m. acústico; uma das duas passagens no ouvido, uma levando à membrana timpânica (*m. acústico externo*) e uma por onde passam os nervos facial, intermediário e vestibulococlear e a artéria labirintina (*m. acústico interno*). **auditory m.** – m. auditivo; m. acústico. **m. na'si, m. of nose** – m. do nariz; uma das quatro porções (comum, inferior, média e superior) da cavidade nasal em cada lado do septo. **m.**

MNU

urina'rius, urinary m. – m. urinário; abertura da uretra na superfície corporal através da qual a urina é excretada.

me·ben·da·zole (mě-ben'dah-zōl) – mebendazol; anti-helmíntico utilizado contra tricuríase, enterobíase, ascaridíase e ancilostomíase.

mec·a·myl·amine (mek"ah-mil'ah-min) – mecamilamina; agente bloqueador ganglionar utilizado em forma de sal de cloridrato como anti-hipertensivo.

me·chan·ics (mě-kan'iks) – Mecânica; ciência que lida com os movimentos dos corpos. **body m.** – m. do corpo; a aplicação da cinesiologia para impedir e corrigir problemas relacionados à postura.

mech·a·nism (mek'ah-nizm) – mecanismo: 1. máquina ou estrutura semelhante a uma máquina; 2. modo de combinação de partes, processos; etc., que promovem uma função comum. **defense m.** – m. de defesa; mecanismo mental através do qual a tensão psíquica diminui, por exemplo, repressão, racionalização etc.). **escape m.** – m. de escape; no coração, o mecanismo de iniciação do impulso por parte de centros inferiores em resposta a ausência de propagação de impulsos por parte do nódulo sinoatrial. **mental m.** – m. mental: 1. organização de operações mentais; 2. maneira inconsciente e indireta de se gratificar um desejo reprimido.

mech·a·no·re·cep·tor (mek"ah-no-re-sep'ter) – mecanorreceptor; receptor excitado por pressões ou distorções mecânicas, como os que respondem ao toque ou a contrações musculares.

me·cha·no·sen·so·ry (-sen'sō-re) – mecanossensorial; relativo a ativação sensorial em resposta a pressões ou distorções mecânicas.

mech·lor·eth·amine (mek"lor-eth'ah-mēn) – mecloretamina; uma das mostardas nitrogenadas, utilizadas em forma de sal de cloridrato como antineoplásico, particularmente na doença de Hodgkin disseminada.

mec·li·zine (mek'lǐ-zēn) – meclizina; anti-histamínico utilizado em forma de sal de cloridrato como antinauseante na doença do movimento.

me·co·ni·um (mǐ-ko'ne-um) – mecônio; material mucilagenoso verde-escuro no intestino do recém-nascido.

me·dia (me'de-ah) – média: 1. plural de *medium*; 2. meio.

me·di·al (me'de-il) – medial; situado na direção da linha média do corpo ou de uma estrutura.

me·di·a·lis (me"de-a'lis) [L.] – medial.

me·di·an (me'de-in) – mediano; relativo ou situado na linha média.

me·di·a·nus (me"de-a'nus) [L.] – mediano.

me·di·as·ti·ni·tis (me"de-as"tǐ -nǐ t'is) – mediastinite; inflamação do mediastino.

me·di·as·ti·nog·ra·phy (me"de-as"tǐ -nog'rah-fe) – mediastinografia; radiografia do mediastino.

me·di·as·ti·no·peri·car·di·tis (me"de-as"tǐ -no-per"ǐ -kar-dī t'is) – mediastinopericardite; pericardite com aderências que se estendem do pericárdio ao mediastino.

me·di·as·ti·nos·co·py (me"de-as"ti-nos'kah-pe) – mediastinoscopia; exame do mediastino através de um endoscópio inserido por meio de incisão na linha média anterior imediatamente acima da entrada torácica.

me·di·as·ti·num (me"de-ah-sti'num) [L.] pl. *mediastina* – mediastino: 1. septo ou divisão medianos; 2. massa de tecidos e órgãos que separa os dois sacos pleurais, entre as partes frontal do esterno e posterior da coluna vertebral, contendo o coração e seus grandes vasos, traquéia, esôfago, timo, linfonodos e outras estruturas e tecidos; divide-se nas regiões superior e inferior, subdividindo-se a última nas partes anterior, média e posterior. **mediasti'nal** – adj. mediastinal. **m. tes'tis** – m. do testículo; septo parcial do testículo formado próximo à sua borda posterior pela continuação da túnica albugínea.

me·di·ate (me'de-āt; me'de-it) – intermediário; mediar: 1. servir como agente intermediário; 2. intermediário indireto; realizado através de um meio interposto.

med·i·ca·ble (medʼǐ -kah-b'l) – medicável; sujeito a tratamento com expectativa de cura razoável.

med·i·cal (medʼǐ -k'l) – médico; relativo à Medicina.

med·i·ca·ment (mě-dik'ah-ment, medʼǐ -kah-ment) – medicamento; agente medicinal.

Med·i·care (medʼǐ -kār) – Medicare; programa da Social Security Administration (Administração de Segurança Social), que proporciona cuidados médicos aos idosos.

med·i·cat·ed (medʼǐ -kāt"id) – medicado; impregnado com substância medicinal.

med·i·ca·tion (medʼǐ -ka'shun) – medicação: 1. impregnação com um remédio; 2. administração de remédios; 3. medicamento. **ionic m.** – m. iônica; iontoforese.

me·dic·i·nal (mǐ -dis'in-il) – medicinal; que tem qualidades curativas; relativo a um remédio.

med·i·cine (medʼǐ -sin) – remédio; Medicina: 1. qualquer droga ou remédio medicinais; 2. diagnóstico e tratamento de uma doença e manutenção da saúde; 3. tratamento não-cirúrgico de uma doença. **aviation m.** – m. da aviação; Medicina que lida com problemas fisiológicos, médicos, psicológicos e epidemiológicos envolvidos na aviação. **clinical m.** – M. Clínica: 1. estudo de uma doença através do exame direto do paciente vivo; 2. os últimos dois anos do currículo normal de uma Faculdade de Medicina. **emergency m.** – M. de Emergência; especialidade que lida com os agudamente doentes ou lesados, exigindo tratamento médico imediato. **emporiac m.** – Medicina dos viajantes; subespecialidade da medicina tropical que consiste no diagnóstico e tratamento ou na prevenção de doenças dos viajantes. **environmental m.** – M. Ambiental; medicina que lida com os efeitos do ambiente no homem, incluindo o rápido crescimento populacional, poluição de água e do ar, viagens etc. **experimental m.** – M. Experimental; estudo das doenças com base na experimentação em animais. **family m.** – M. Familiar. **forensic m.** – M. forense; Medicina Legal. **geographic m.** – M. Geográfica: 1. Geomedicina; 2. M. Tropical. **group m.** – M. de Grupo; a prática da Medicina por um grupo de médicos, geralmente representando várias especialidades, associados para diagnóstico, tratamento e prevenção cooperativos de uma doença. **internal m.** – M. Interna; medicina que lida com diagnóstico e tratamento médico de doenças e distúrbios das estruturas internas do corpo. **legal m.** – M. Legal; jurisprudência médica. **nuclear m.** – M. Nuclear; ramo da Medicina relacionado ao uso de radionuclídeos no diagnóstico e tratamento de uma doença. **occupational m.** – M. Ocupacional; M. do Trabalho; ramo que lida com o estudo, prevenção e tratamento das lesões relacionadas ao local de trabalho e doenças ocupacionais. **patent m.** – medicamento patenteado; droga ou remédio protegidos por marca registrada, disponível sem receita. **physical m.** – M. Física; Fisiatria. **preclinical m.** – M. Pré-clínica: 1. M. Preventiva; 2. os primeiros dois anos do currículo normal em uma Faculdade de Medicina. **preventive m.** – M. Profilática; ciência destinada à prevenção das doenças. **proprietary m.** – medicamento patenteado; remédio cuja fórmula é de posse exclusiva do fabricante e que é comercializado geralmente sob um nome registrado como marca de fábrica. **psychosomatic m.** – M. Psicossomática; estudo das relações entre os processos corporais e a vida emocional. **rehabilitation m.** – M. Reabilitacional; ramo da Fisiatria relacionado à restauração da forma e função após lesão ou enfermidade. **socialized m.** – M. Socializada; sistema de cuidados médicos controlado pelo governo. **space m.** – M. Espacial; ramo da Medicina da aviação relacionado às condições encontradas no espaço. **sports m.** – M. Desportiva; campo da Medicina relacionado às lesões sofridas por atletas, incluindo sua prevenção, diagnóstico e tratamento. **travelers' m.** – M. dos Viajantes. **tropical m.** – M. Tropical; ciência médica aplicada às doenças que ocorrem nos trópicos e subtrópicos. **veterinary m.** – M. Veterinária; diagnóstico e tratamento das doenças dos animais.

med·i·co·le·gal (med"ĭ-ko-le'g'l) – médico-legal; relativo à jurisprudência médica.

med·i·co·so·cial (-so'shil) – médico-social; que tem tanto aspectos médicos como sociais.

me·dio·lat·er·al (me"de-o-lat'er-il) – mediolateral; relativo à linha média e a um lado.

me·dio·ne·cro·sis (-nĕ-kro'sis) – medionecrose; necrose da túnica média de um vaso sangüíneo.

me·di·um (me'de-um) [L.] pl. *medium, media* – meio: 1. média; 2. substância que transmite impulsos; 3. meio de cultura; ver em *culture*; 4. preparação utilizada no tratamento de amostras histológicas. **active m.** – m. ativo; átomos, íons ou moléculas agregados e contidos na cavidade óptica de um laser, onde ocorrerá uma emissão estimulada sob a excitação apropriada. **clearing m.** – m. de clareamento; substância para tornar amostras histológicas transparentes. **contrast m.** – m. de contraste; substância radiopaca utilizada em radiografia para permitir a visualização de estruturas corporais internas. **culture m.** – m. de cultura; ver em *culture*. **dioptric media** – meios refringentes; meios refratários. **disperse m., dispersion m., dispersive m.** – m. de dispersão; fase contínua de um sistema coloidal; o meio no qual um colóide se dispersa, análogo ao solvente em uma

solução verdadeira. **nutrient m.** – m. nutritivo; meio de cultura no qual se acrescentaram materiais nutrientes. **refracting media** – meios refratários; tecidos e fluidos transparentes oculares através dos quais os raios luminosos passam e são refratados e focalizados na retina. **transport m.** – m. de transporte; meio de cultura utilizado para o transporte de amostras clínicas para exame bacteriológico.

me·di·us (me'de-us) [L.] – médio; situado no meio.

Med·rol (med'rol) – Medrol, marca registrada de preparação de metilprednisolona.

med·roxy·pro·ges·ter·one (med-rok"se-pro-jes'ter-ōn) – medroxiprogesterona; progestina utilizada em forma de éster de acetato no tratamento da amenorréia secundária e da hemorragia uterina funcional, como contraceptivo e antineoplásico no tratamento do carcinoma endometrial e renal metastático.

me·dul·la (mĕ-dul'ah) [L.] pl. *medullae* – medula; parte mais interna. **med'ullary** – adj. medular. **adrenal m.** – m. supra-renal; a parte mais interna, marrom-avermelhada e macia da glândula supra-renal; ela sintetiza, armazena e libera as catecolaminas. **m. of bone** – m. óssea. **m. ne'phrica** – m. néfrica; no rim. **m. oblonga'ta** – m. oblonga; parte do tronco cerebral contínua com a ponte acima e com a medula espinhal abaixo. **m. os'sium** – m. óssea. **m. re'nis** – m. do rim; parte interna da substância renal, composta principalmente de elementos coletores, alças de Henle e vasos retos, organizados irregularmente em pirâmides. **spinal m., m. spina'lis** – m. espinhal; cordão espinhal. **m. of thymus** – do timo; a porção central da cada lobo do timo; ela contém muito mais células reticulares e bem menos linfócitos que o córtex circundante.

med·ul·lat·ed (med'u-la"ted) – medulado; mielinizado.

med·ul·li·za·tion (med"u-li-za'shun) – medulização; aumento de volume dos espaços medulares, como no caso de osteíte rarefaciente.

me·dul·lo·blast (mĕ-dul'ah-blast) – meduloblasto; célula indiferenciada do tubo neural que pode se desenvolver tanto em neuroblasto como em espongioblasto.

me·dul·lo·epi·the·li·o·ma (-ep"ĭ-the-le-o'mah) – meduloepitelioma; um tipo raro de tumor neuroepitelial, geralmente no cérebro ou retina, composto de células neuroepiteliais primitivas que revestem os espaços tubulares.

mega- [Gr.] – elemento de palavra, *grande;* utilizado na denominação de unidades de medição para designar uma quantidade 10^6 (um milhão) de vezes o tamanho da unidade à qual se uniu, como megacuries (10^6 curies); símbolo M.

mega·cal·y·co·sis (meg"ah-kal"ĭ-ko'sis) – megacalicose; dilatação não-obstrutiva dos cálices renais decorrente da má-formação das papilas renais.

mega·caryo·cyte (-kar'e-o-sīt) – megacariócito.

mega·co·lon (meg"ah-ko"lon) – megacólon; cólon gigante; dilatação e hipertrofia do cólon. **acquired m.** – m. adquirido; aumento de volume cólico associado a constipação crônica, mas com inervação de células ganglionares normais. **aganglio-**

MNO

nic m., congenital m. – m. congênito; megacólon devido à ausência congênita das células ganglionares mioentéricas em um segmento distal do intestino grosso, com perda da função motora no segmento aganglionar e dilatação hipertrófica maciça do cólon proximal normal. idiopathic m. – m. idiopático; m. adquirido. toxic m. – m. tóxico; megacólon associado a colite amebiana ou ulcerativa.

mega·esoph·a·gous (meg"ah-ĕ-sof'ah-gus) – megaesôfago; ver achalasia.

mega·hertz (meg'ah-hertz) – mega-hertz; um milhão (10⁶) hertz (ciclos por segundo). Abreviação: MHz.

mega·karyo·blast (meg"ah-kar'e-o-blast") – megacarioblasto; o primeiro precursor citologicamente identificável na série trombocítica, que amadurece para formar o promegacariócito.

mega·karyo·cyte (-sī t") – megacariócito; célula gigante da medula óssea, que contém um núcleo bastante lobulado, e da qual se originam as plaquetas sangüíneas maduras.

meg·al·gia (meg-al'jah) – megalgia; dor severa.

megal(o)- [Gr.] – elemento de palavra, grande; aumento de volume anormal.

meg·a·lo·blast (meg'ah-lo-blast") – megaloblasto; precursor imaturo, grande e nucleado de uma série eritrocítica anormal. megaloblas'tic – adj. megaloblástico.

meg·a·lo·ceph·a·ly (-sef'ah-le) – megalocefalia: 1. macrocefalia; 2. leontíase óssea. megalocephal'ic – adj. megalocefálico.

meg·a·lo·chei·ria (-ki're-ah) – megaloquiria; megaloqueiria; aumento de volume anormal das mãos.

meg·a·lo·cyte (meg'ah-lo-sī t") – megalócito; hemácia extremamente grande.

meg·a·lo·dac·ty·ly (meg"ah-lo-dak'tī -le) – megalodactilia; tamanho excessivo dos dedos. megalodac'tylous – adj. megalodáctilo.

meg·a·lo·esoph·a·gus (-ĕ-sof'ah-gus) – megaloesôfago; ver achalasia.

meg·a·lo·gas·tria (-gas'tre-ah) – megalogastria; aumento de volume ou tamanho anormalmente grande do estômago.

meg·a·lo·kar·y·o·cyte (-kar'e-o-sī t") – megalocariócito; megacariócito (megakaryocyte).

meg·a·lo·ma·nia (-ma'ne-ah) – megalomania; convicção irracional de um indivíduo de grandeza extrema, divindade ou poder.

meg·a·lo·pe·nis (-pe'nis) – megalopênis; tamanho anormalmente grande do pênis.

meg·a·loph·thal·mos (meg"ah-lof-thal'mos) – megaloftalmia; buftalmo (buphtalmos).

meg·a·lo·pia (meg"al-o'pe-ah) – megalopia; macropsia (macropsia).

meg·a·lo·po·dia (meg"ah-lo-po'de-ah) – megalopodia; tamanho anormalmente grande do pé.

meg·a·lop·sia (meg"ah-lop'se-ah) – megalopsia; macropsia (macropsia).

meg·a·lo·syn·dac·ty·ly (meg"ah-lo-sin-dak'tī -le) – megalossindactilia; condição na qual os dedos tornam-se muito grandes e mais ou menos palmados entre si.

meg·a·lo·ure·ter (-ūr-ēt'er) – megaloureter; dilatação ureteral congênita sem causa demonstrável.

-megaly [Gr.] – -megalia, elemento de palavra, aumento de volume.

mega·vi·ta·min (-vī t'ah-min) – megavitamina; dose de vitamina(s) que excede amplamente a quantidade recomendada para o equilíbrio nutricional.

mega·volt (meg'ah-volt) – megavolt; um milhão de volts.

me·ges·trol (mĕ-jes'trol) – megestrol; agente progestacional sintético, utilizado em forma de sal de acetato no tratamento paliativo de alguns carcinomas mamários e endometriais e na síndrome de imunodeficiência adquirida.

meg·lu·mine (meg'loo-mēn) – meglumina; base cristalina utilizada na preparação de sais de determinados ácidos para uso como meios radiopacos diagnósticos (diatrizoato de m., iodipamida meglumínica e iotalamato de m.).

meg·ohm (meg'ōm) – megohm; um milhão de ohms.

meg·oph·thal·mos (meg"of-thal'mos) – megoftalmo; buftalmia; hidroftalmia.

mei·o·sis (mi-o'sis) – meiose; divisão celular que ocorre na maturação das células sexuais, na qual, depois de duas divisões celulares sucessivas, cada núcleo-filho recebe metade do número de cromossomas típico das células somáticas da espécie, de forma que os gametas tornam-se haplóides. meiot'ic – adj. meiótico.

mel (mel) [L.] – mel.

mel·ag·ra (mel-ag'rah) – melagra; dor muscular nos membros.

mel·al·gia (mel-al'jah) – melalgia; dor nos membros.

mel·an·cho·lia (mel"an-kōl'e-ah) – melancolia; estado emocional deprimido e infeliz com inibição anormal da atividade mental e corporal. m. agita'ta, agitated m. – m. agitada; forma em que ocorre movimentação constante e sinais de grande excitação emocional. involutional m. – m. involucional; distúrbio afetivo que ocorre no final da meia-idade, com agitação, ansiedade, preocupações somáticas e mentais, insônia e algumas vezes reações paranóicas.

mel·a·nin (mel'ah-nin) – melanina; pigmento escuro da pele, pêlos, revestimento coróide do olho, da substância negra e de vários tumores; é produzido pela polimerização dos produtos da oxidação dos compostos de tirosínicos e de diidroxifenólicos.

mel·a·nism (mel'ah-nizm) – melanismo; pigmentação ou enegrecimento excessivos dos integumentos ou outros tecidos, geralmente de origem genética.

melan(o)- [Gr.] – elemento de palavra, preto; melanina.

mel·a·no·a·melo·blas·to·ma (mel"ah-no-ah-mel"o-blas-to'mah) – melanoameloblastoma; tumor neuroectodérmico melanótico.

mel·a·no·blast (mel'ah-no-blast") – melanoblasto; célula que se origina da crista neural e se desenvolve em melanócito.

mel·a·no·blas·to·ma (mel"ah-no-blas-to'mah) – melanoblastoma; melanoma maligno.

mel·a·no·car·ci·no·ma (-kar"sī -no'mah) – melanocarcinoma; melanoma maligno.

mel·a·no·cyte (mel'ah-no-sī t, mĕ-lan'o-sī t) – melanócito; uma das células claras dendríticas da epiderme que sintetizam a tirosinase e, em seus

melanossomas, o pigmento melanina; os melanossomas são então transferidos dos melanócitos para os ceratinócitos. **melanocyt'ic** – adj. melanocítico.

mel·a·no·cy·to·ma (mel"ah-no-si-to'mah) – melanocitoma; neoplasia ou hamartoma composto de melanócitos.

mel·a·no·der·ma (-der'mah) – melanoderma; aumento anormal de melanina da pele.

mel·a·no·der·ma·ti·tis (-der"mah-tĩ t'is) – melanodermatite; dermatite com depósito de melanina na pele.

me·lan·o·gen (mĕ-lan'o-jen) – melanogênio; cromógeno incolor, conversível em melanina, que pode ocorrer na urina em determinadas doenças.

mel·a·no·gen·e·sis (mel"ah-no-jen'ĩ -sis) – melanogênese; produção de melanina.

mel·a·no·glos·sia (-glos'e-ah) – melanoglossia; língua negra.

mel·a·noid (mel'ah-noid) – melanóide: 1. semelhante à melanina; 2. substância semelhante à melanina.

mel·a·no·leu·ko·der·ma (mel"ah-no-loo"ko-der'mah) – melanoleucodermia; aparência mosqueada da pele. **m. col'li** – m. do colo; leucodermia sifilítica ao redor do pescoço.

mel·a·no·ma (mel"ah-no'mah) – melanoma: 1. qualquer tumor composto de células pigmentadas com melanina; 2. melanoma maligno. **acrallentiginous m.** – m. lentiginoso das extremidades; mácula negra irregular e crescente, com um estágio não-invasivo prolongado, que ocorre principalmente nas palmas das mãos e plantas dos pés; constitui o tipo mais comum de melanoma em pessoas não-brancas. **amelanotic m.** – m. amelanótico; melanoma maligno não-pigmentado. **juvenile m.** – m. juvenil; nevo de células fusiformes e epitelióides. **lenti'go malig'na m.** – m. lentiginoso maligno; melanoma maligno cutâneo que surge no local de um lentigo maligno preexistente, ocorrendo em áreas expostas ao sol, particularmente na face. **nodular m.** – m. nodular; tipo de melanoma maligno sem fase de crescimento radial perceptível, e que geralmente ocorre na cabeça, pescoço ou tronco como um nódulo que aumenta de volume rapidamente, pigmentação uniforme, elevado e bizarramente colorido, que termina por ulcerar. **ocular m.** – m. ocular; melanoma maligno que surge a partir de estruturas oculares, freqüentemente metastatizando e causando rapidamente a morte. **subungual m.** – m. subungueal; melanoma lentiginoso das extremidades na dobra ou no leito ungueais. **superficial spreading m.** – m. superficial disseminante; melanoma maligno caracterizado por um período de crescimento radial atípico de melanócitos epidérmicos, que pode ser acompanhado de crescimento invasivo ou regredir; geralmente ocorre como uma pequena mácula ou pápula pigmentada com um contorno irregular no membro inferior ou nas costas. **uveal m.** – m. uveal; melanoma ocular que consiste do supercrescimento dos melanócitos uveais. **malignant m.** – m. maligno; tumor maligno que geralmente se desenvolve a partir de um nevo ou lentigo maligno e consiste de massas negras de células com tendência acentuada à metástase.

mel·a·no·nych·ia (mel"a-no-nik'e-ah) – melanoníquia; enegrecimento das unhas por pigmentação melanínica.

mel·a·no·phage (mel'ah-no-fāj") – melanófago; histiócito carregado com melanina fagocitada.

mel·a·no·phore (-for") – melanóforo; célula pigmentar que contém melanina, especialmente tal célula nos peixes, anfíbios e répteis.

mel·a·no·pla·kia (mel"ah-no-pla'ke-ah) – melanoplaquia; formação de manchas melanóticas na mucosa oral.

mel·a·no·sis (mel"ah-no'sis) – melanose: 1. afecção caracterizada por depósitos pigmentares escuros; 2. distúrbios do metabolismo pigmentar. **m. co'li** – m. do cólon; descoloração negra ou marrom-escura da mucosa cólica devida à presença de macrófagos carregados com pigmentos (melanina não-verdadeira) no interior da lâmina própria. **neurocutaneous m.** – m. neurocutânea; nevo piloso gigante acompanhado de melanomas malignos das meninges.

mel·a·no·some (mel'ah-no-sōm") – melanossoma; um dos grânulos nos melanócitos, que contêm tirosinase e sintetizam melanina; são transferidos dos melanócitos para os ceratinócitos.

mel·a·no·troph (-trōf") – melanótrofo; célula hipofisária que elabora o hormônio estimulante dos melanócitos (MSH).

mel·an·uria (mel"an-ūr'e-ah) – melanúria; excreção de urina de coloração escura. **melanu'ric** – adj. melanúrico.

me·lar·so·prol (mĕ-lar'so-prol) – melarsoprol; antiprotozoário efetivo contra o *Trypanosoma*.

me·las·ma (mĕ-laz'mah) – melasma; máculas pigmentares marrons, precisamente demarcadas, geralmente em distribuição simétrica nas bochechas e testa e algumas vezes no lábio superior e pescoço, freqüentemente associadas à gravidez ou outro estado hormonal alterado.

mel·a·to·nin (mel"ah-to'nin) – melatonina; hormônio catecolamínico sintetizado e liberado pela pineal; nos mamíferos, influencia a produção hormonal e, em muitas espécies, regula as alterações sazonais, como o padrão reprodutivo e a coloração da pelagem. No homem, implica-se na regulação do sono, humor, puberdade e ciclos ovarianos.

me·le·na (mĕ-le'nah) – melena; evacuação de fezes escuras com sangue alterado.

me·li·oi·do·sis (mel"e-oi-do'sis) – melioidose; doença dos roedores semelhante ao mormo, transmissível ao homem e causada pela *Pseudomonas pseudomallei*.

mel·i·to·pty·a·lism (mel"it-o-ti'il-izm) – melitoptialismo; secreção de saliva que contém glicose.

Mel·la·ril (mel'ah-ril) – Mellaril, marca registrada de preparação de tioridazina.

melo·plas·ty (mel'o-plas"te) – meloplastia; cirurgia plástica das bochechas.

melo·rhe·os·to·sis (mel"ō-re"os-to'sis) – melorreostose; forma de osteoesclerose, cujas traves lineares estendendo-se através de um osso longo; ver *rheostosis* .

mel·pha·lan (mel'fah-lan) – melfalan; agente alcilante citotóxico de mostarda nitrogenada, utilizado como antineoplásico.

MNO

mem·ber (mem'ber) – membro; uma parte distinta do corpo, especialmente braço ou perna.
mem·bra (mem'brah) [L.] – pl. de *membrum* – membro.
mem·bra·na (mem-bra'nah) [L.] pl. *membranae* – membrana.
mem·brane (mem'brān) – membrana; camada fina de tecido que recobre uma superfície, reveste uma cavidade ou divide um espaço ou órgão. **mem'branous** – adj. membranoso. **alveoloca-pillary m.** – m. alveolocapilar; barreira tecidual fina através da qual se trocam gases entre o ar alveolar e o sangue nos capilares pulmonares. **alveolodental m.** – m. alveolodentária; periodonto. **arachnoid m.** – m. aracnóide; aracnóide; ver *arachnoid* (2). **atlanto-occipital m.** – m. atlantoccipital; uma das duas estruturas ligamentosas na linha média, uma (*anterior*) passando do arco anterior do atlas até a margem anterior do forame magno e a outra (*posterior*) conectando as faces posteriores das mesmas estruturas. **basement m.** – m. basal; uma folha de material extracelular amorfo sobre a qual repousam as superfícies basais das células epiteliais; também se associa a células musculares, células de Schwann, células de gordura e capilares, interpostas entre elementos celulares e a camada conjuntiva subjacente. **basilar m. of cochlear duct** – m. basilar; m. do ducto coclear; lâmina basilar. **Bichat's m.** – m. de Bichat; m. fenestrada. **Bowman's m.** – m. de Bowman; camada fina de córnea entre a camada externa do epitélio estratificado e a substância própria. **Bruch's m.** – m. de Bruch; camada interna da coróide, que a separa da camada pigmentar da retina. **Brunn's m.** – m. de Brunn; epitélio da região olfatória do nariz. **cloacal m.** – m. da cloaca; barreira temporária fina entre o intestino posterior embrionário e o exterior. **Corti's m.** – m. de Corti; massa gelatinosa que repousa sobre o órgão de Corti, conectada aos pêlos das células pilosas. **croupous m.** – falsa m.; falsa membrana do crupe verdadeiro. **cytoplasmic m.** – m. citoplasmática; m. plasmática. **decidual m's, deciduous m's** – membranas decíduas; decíduas. **Descemet's m.** – m. de Descemet; membrana hialina fina entre a substância própria e a camada endotelial da córnea. **diphtheritic m.** – m. diftérica; membrana falsa característica da difteria, formada por necrose de coagulação. **drum m.** – m. do tímpano; m. timpânica. **elastic m.** – m. elástica; membrana constituída em grande parte de fibras elásticas. **enamel m.** – m. de esmalte: 1. cutícula dentária; 2. camada interna de células dentro do órgão do esmalte do germe dentário fetal. **extra-embryonic m's** – membranas extra-embrionárias; membranas que protegem o embrião ou o feto e proporcionam sua nutrição, respiração e excreção: o saco vitelino (vesícula umbilical), alantóide, âmnion, cório, decídua e placenta. **fenestrated m.** – m. fenestrada; uma das folhas elásticas perfuradas da túnica íntima e túnica média das artérias. **fetal m's** – membranas fetais; membranas extra-embrionárias. **fibroelastic m. of larynx** – m. fibroelástica da laringe; a camada fibroelástica por baixo do revestimento mucoso da laringe.

germinal m. – m. germinativa; blastoderma. **glomerular m.** – m. glomerular; membrana que recobre um capilar glomerular. **hyaline m.** – m. hialina: 1. membrana entre a folha radicular externa e a camada fibrosa interna de um folículo piloso; 2. camada de material hialino eosinófilo que reveste os alvéolos, ductos alveolares e os bronquíolos, encontrada na autópsia de bebês que morreram em razão da síndrome do distúrbio respiratório do recém-nascido. **hyaloid m.** – m. hialóide; m. vítrea; ver *vitreous m.* (1). **Jackson's m.** – m. de Jackson; teia de aderências que algumas vezes recobre o ceco e causa obstrução intestinal. **keratogenous m.** – m. ceratogênica; matriz ungueal. **limiting m.** – m. limitante; membrana que constitui a borda de um tecido ou estrutura. **medullary m.** – m. medular; endósteo. **mucous m.** – m. mucosa; membrana que reveste vários canais e cavidades do corpo. **Nasmyth's m.** – m. de Nasmyth; cutícula dentária. **nictitating m.** – m. nictitante; terceira pálpebra; dobra de pele transparente que se situa profundamente nas pálpebras, e pode cobrir a frente do globo ocular; encontrada nos répteis, aves e em muitos mamíferos. **nuclear m.** – m. nuclear: 1. uma das membranas (interna e externa) que compreendem o envoltório nuclear; 2. envoltório nuclear. **olfactory m.** – m. olfatória; porção olfatória da membrana mucosa que reveste a fossa nasal. **ovular m.** – m. ovular; m. vitelina. **peridental m.** – m. peridentária; periodonto. **periodontal m.** – m. periodontal. **placental m.** – m. placentária; membrana que separa o sangue fetal do sangue materno na placenta. **plasma m.** – m. plasmática; estrutura composta de lipídeos, proteínas e alguns carboidratos, que envolve o citoplasma de uma célula, formando uma barreira seletivamente permeável. **Reissner's m.** – m. de Reissner; parede anterior fina do ducto coclear, separando-o da rampa vestibular. **reticular m., reticulated m.** – m. reticular; m. reticulada; membrana semelhante a uma rede sobre o órgão espiral do ouvido, e através da qual passam as extremidades livres das células pilosas externas. **m. of round window** – m. da janela redonda; m. timpânica secundária. **Ruysch's m., ruyschian m.** – m. de Ruysch; lâmina coroidocapilar. **Scarpa's m.** – m. de Scarpa; m. timpânica secundária. **schneiderian m.** – m. de Schneider; a membrana mucosa que reveste o nariz. **serous m.** – m. serosa; túnica serosa. **Shrapnell's m.** – m. de Shrapnell; parte superior fina da membrana timpânica. **striated m.** – m. estriada; zona pelúcida. **synaptic m.** – m. sináptica; a parte da membrana plasmática de um neurônio que se encontra dentro de uma sinapse. **synovial m.** – m. sinovial: 1. camada interna das duas camadas da cápsula articular de uma articulação sinovial, composta de tecido conjuntivo flácido e que possui uma superfície lisa livre que reveste a cavidade articular; 2. uma das duas membranas (superior e inferior) que revestem a cápsula articular da articulação temporomandibular. **tectorial m.** – m. tectorial; m. de Corti. **tympanic m.** – m. timpânica; a separação fina entre os meatos acústicos externos e o ouvido médio. **tympanic m., secondary** – m. timpânica secundária; membrana que envolve a fenestra coclear. **undulating m.** – m. ondulatória; membrana protoplasmática que corre como uma nadadeira ao longo do corpo de determinados protozoários. **unit m.** – m. unitária; estrutura trilaminar da membrana plasmática e de outras membranas celulares; por exemplo, as membranas nucleares e membranas mitocondriais) reveladas pelo microscópio eletrônico. **vestibular m. of cochlear duct** – m. vestibular do ducto coclear; parede anterior fina do ducto coclear, que a separa da rampa timpânica. **vitelline m.** – m. vitelina; membrana citoplasmática não-celular que circunda os óvulos de vários animais. **vitreous m.** – m. vítrea: 1. camada limítrofe delicada que envolve o corpo vítreo; 2. m. de Bruch; 3. m. de Descemet; 4. m. hialina; ver *hyaline m.* (1). **yolk m.** – m. vitelina. **Zinn's m.** – m. de Zinn; zônula ciliar.

mem·bra·no·car·ti·lag·i·nous (mem"brah-no-kart"il-aj'ĭ -nus) – membranocartilaginoso: 1. desenvolvido tanto na membrana como na cartilagem; 2. parcialmente cartilaginoso e parcialmente membranoso.

mem·bra·noid (mem"brăh-noid) – membranóide; semelhante a membrana.

mem·bran·ol·y·sis (mem"brón-ol'ĭ -sis) – membranólise; destruição de uma membrana celular.

mem·brum (mem'brum) [L.] pl. *membra* – membro; segmento ou membro do corpo; termo genérico para um dos membros, ou seja, o superior (braço, antebraço, mão) ou inferior (coxa, perna, pé). **m. mulie'bre** – m. feminino; m. da mulher; clitóris. **m. viri'le** – m. viril; m. masculino; pênis.

mem·o·ry (mem'ah-re) – memória; faculdade através da qual se armazenam e recuperam sensações, impressões e idéias. **remote m.** – m. remota; memória durável para eventos há muito passados, mas incapaz de acrescentar novas recordações. **replacement m.** – m. de substituição; substituição de uma lembrança por outra. **screen m.** – m. de análise; memória conscientemente tolerável que serve como "cobertura" para outra lembrança que possa ser perturbadora ou emocionalmente dolorosa se for recuperada. **short-term m.** – m. a curto prazo; memória que se perde dentro de um período breve (de uns poucos segundos a um máximo de cerca de 30min) a menos que seja reforçada.

me·nac·me (mě-nak'me) – menacma; período da vida de uma mulher marcado por atividade menstrual.

men·a·di·ol (men"ah-di'ol) – menadiol; análogo da vitamina K; o seu sal de difosfato de sódio é utilizado como vitamina protrombinogênica.

men·a·di·one (men"ah-di'ŏn) – menadiona; vitamina K_3: 1. vitamina lipossolúvel sintética que pode se converter no corpo em vitamina K; utilizada como fonte de vitamina K no tratamento de afecções hemorrágicas associadas a hipoprotrombinemia; 2. estrutura quinônica básica de anel duplo que é a estrutura parental dos compostos relacionados à atividade da vitamina K, que pode ser formada pela adição de substituintes de cadeia lateral longa.

men·a·quin·one (men"ah-kwin'ŏn) – menaquinona; vitamina K_2; qualquer de uma série de compostos que têm atividade de vitamina K e estruturalmente semelhantes à fitonadiona (vitamina K_1), mas com uma cadeia lateral diferente; sintetizada pela flora intestinal.

me·nar·che (mě-narh'ke) – menarca; estabelecimento ou início da função menstrual. **menar'chial** – adj. menárquico.

men·de·le·vi·um (men"dě-le've-um) – mendelévio; elemento químico (ver *Tabela de Elementos*), número atômico 101, símbolo Md.

me·nin·ges (mĕn-in'jĕz) – meninge; uma das três membranas que recobrem o cérebro e a medula espinhal: dura-máter, aracnóide e pia-máter. **menin'geal** – adj. meníngeo.

me·nin·gi·o·ma (mě-nin"je-o'mah) – meningioma; tumor benigno das meninges de crescimento lento, geralmente próximo à dura-máter, que pode invadir o crânio ou causar hiperostose e freqüentemente causa aumento da pressão intracraniana; é geralmente subclassificado com base na localização anatômica. **angioblastic m.** – m. angioblástica; meningioma que contém muitos vasos sangüíneos de vários tamanhos. **convexity m's** – meningiomas de convexidade; grupo diverso de meningiomas localizado dentro dos sulcos do cérebro, geralmente anterior à fissura rolândica. **psammomatous m.** – m. psamomatoso; meningioma que contém muitos corpos psamômicos.

me·nin·gism (men'in-jizm) – meningismo; sintomas de meningite com uma enfermidade febril aguda ou desidratação sem infecção das meninges.

me·nin·gis·mus (men"in-jiz'mus) – meningismo.

men·in·gi·tis (men"in-ji'tis) [Gr.] pl. *meningitides* – meningite; inflamação das meninges. **meningit'ic** – adj. meningítico. **basilar m.** – m. basilar; meningite que afeta as meninges na base do cérebro. **cerebral m.** – m. cerebral; inflamação das membranas cerebrais. **cerebrospinal m.** – m. cerebroespinhal; inflamação das membranas cerebrais e da medula espinhal; m. meningocócica. **chronic m.** – m. crônica; síndrome variável de febre prolongada, dor de cabeça, letargia, pescoço rígido, confusão, náuseas e vômito, com pleocitose; devida a várias causas infecciosas e não-infecciosas. **cryptococcal m.** – m. criptocócica; criptococose na qual as meninges são invadidas pelo Cryptococcus. **epidemic cerebrospinal m.** – m. cerebroespinhal epidêmica; m. cefalorraquidiana epidêmica; m. meningocócica. **meningococcal m.** – m. meningocócica; doença infecciosa aguda e geralmente epidêmica acompanhada de meningite seropurulenta, devida à *Neisseria meningitidis*, geralmente com erupção cutânea eritematosa, herpética ou hemorrágica. **occlusive m.** – m. oclusiva; leptomeningite das crianças, com fechamento das aberturas lateral e mediana do quarto ventrículo. **m. ossi'ficans** – m. ossificante; ossificação das meninges cerebrais. **otitic m.** – m. otítica; meningite secundária à otite média. **spinal m.** – m. espinhal; inflamação das membranas da medula espinhal. **tubercular m., tuberculous m.** – m. tuberculosa; meningite severa devida à *Mycobacterium* *tuberculosis.* **viral m.** – m. viral; meningite devida a um dos vários vírus, por exemplo, Coxsackievirus, vírus da caxumba e vírus da coriomeningite linfocítica) caracterizada por mal-estar, febre, cefaléia, náuseas, pleocitose do líquido cerebroespinhal (principalmente linfocítica), dor abdominal, pescoço e costas rígidos e um curso breve e não-complicado.

mening(o)- [Gr.] – elemento de palavra, *meninge; membrana.*

me·nin·go·cele (mĕ-ning'gah-sĕl) – meningocele; protrusão herniária das meninges através de um defeito no crânio ou coluna vertebral.

me·nin·go·coc·ce·mia (mĕ-ning"go-kok-sĕm'-e-ah) – meningococcemia; invasão do sangue por meningococos.

me·nin·go·coc·cus (mĕ-ning"go-kok'us) pl. *meningococci* – meningococo; microrganismo individual da *Neisseria meningitidis.* **meningococ'cal, meningococ'cic** – adj. meningocócico.

me·nin·go·cyte (mĕ-ning'go-sῑ t) – meningócito; histiócito das meninges.

me·nin·go·en·ceph·a·li·tis (mĕ-ning"go-en-sef"ah-lῑ t'is) – meningoencefalite; inflamação do cérebro e meninges. **toxoplasmic m.** – m. toxoplásmica; meningoencefalite que ocorre na toxoplasmose com convulsões e confusão mental acompanhada de coma; freqüentemente fatal se não for tratada.

me·nin·go·en·ceph·a·lo·cele (-en-sef'ah-lo-sĕl") – meningoencefalocele; encefalocele; ver *encephalocele.*

me·nin·go·en·ceph·a·lop·a·thy (-en-sef"ah-lop'ah-the) – meningoencefalopatia; doença não-inflamatória das meninges cerebrais e cérebro.

me·nin·go·gen·ic (-jen'ik) – meningogênico; que surge nas membranas.

me·nin·go·ma·la·cia (-mah-la'she-ah) – meningomalacia; amolecimento de uma membrana.

me·nin·go·my·eli·tis (-mi"ĕ-li'tis) – meningomielite; inflamação da medula espinhal e suas membranas.

me·nin·go·my·elo·ra·dic·u·li·tis (-mi"ĕ-lo-rah-dik"u-li'tis) – meningomielorradiculite; inflamação das meninges, medula espinhal e raízes dos nervos espinhais.

me·nin·go·os·teo·phle·bi·tis (-os"te-oflῑ -bῑ t'-is) – meningo-osteoflebite; meningosteoflebite; periostite com inflamação das veias de um osso.

men·in·gop·a·thy (men"in-gop'ah-the) – meningopatia; qualquer doença das meninges.

me·nin·go·ra·dic·u·lar (mĕ-ning"go-rah-dik'-ūl-er) – meningorradicular; relativo às meninges e raízes nervosas cranianas ou espinhais.

me·nin·gor·rha·gia (-ra'je-ah) – meningorragia; hemorragia das membranas cerebral e espinhal.

men·in·go·sis (men"ing-go'sis) – meningose; ligação dos ossos por meio de uma membrana.

me·ninx (me'ninks) [Gr.] – singular de *meninges.*

men·is·ci·tis (men"ῑ -sῑ t'is) – meniscite; inflamação de um menisco da articulação genicular.

me·nis·co·cyte (mĕ-nis'kah-sῑ t) – meniscócito; célula falciforme.

me·nis·co·cy·to·sis (mĕ-nis"ko-si-to'sis) – meniscocitose; anemia falciforme.

me·nis·co·syn·o·vi·al (-sin-o've-il) – meniscossinovial; relativo ao menisco e à membrana sinovial.

me·nis·cus (mĕ-nis'kus) [L.] pl. *menisci* – menisco; alguma coisa em forma de crescente, como a superfície côncava ou convexa de uma coluna de líquido em uma pipeta ou bureta, ou uma cartilagem semilunar na articulação genicular. **menis'cal** – adj. meniscal. **tactile m.** – m. tátil; uma das pequenas terminações nervosas caliciformes encontradas na epiderme profunda nos folículos pilosos e palato duro; funcionam como receptores táteis.

men(o)- [Gr.] – elemento de palavra, *menstruação.*

meno·lip·sis (men"ah-lip'sis) – menolipse; interrupção temporária da menstruação.

meno·met·ror·rha·gia (-mĕ-trah-ra'je-ah) – menometrorragia; sangramento uterino excessivo entre e durante os períodos menstruais.

meno·pause (men'ah-pawz) – menopausa; cessação da menstruação. **men'opausal** – adj. menopáusico.

men·or·rhal·gia (-al'je-ah) – menorralgia; dismenorréia; ver *dysmenorrhea.*

me·nos·che·sis (mĕ-nos'kĕ-sis) – menosquese; retenção da menstruação.

meno·sta·sia, meno·sta·sis (men"o-sta'zhah, men" o-sta'sis) – menostasia; amenorréia.

meno·stax·is (men"ah-stak'sis) – menostaxia; período menstrual prolongado.

meno·tro·pins (-tro'pins) – menotropinas; preparação purificada de gonadotrofinas extraídas da urina de mulheres na pós-menopausa, que contém o hormônio folículo-estimulante (FSH) e o hormônio luteinizante (LH); utilizado no tratamento da infertilidade.

men·ses (men'sez) – menstruação; fluxo mensal de sangue do trato genital feminino. **men'strual** – adj. menstrual.

men·stru·a·tion (men"stroo-a'shun) – menstruação; descarga fisiológica cíclica, através da vagina, de sangue e tecidos da mucosa provenientes do útero não-grávido; encontra-se sob controle hormonal e normalmente se repete a intervalos de aproximadamente quatro semanas, exceto durante a gravidez e lactação em todo o período reprodutivo (puberdade até menopausa). **anovular m., anovulatory m.** – m. anovulatório; m. não-ovulatória; sangramento uterino periódico sem ovulação precedente. **vicarious m.** – m. vicariante; descarga de sangue a partir de uma fonte extragenital no momento em que se espera normalmente a menstruação.

men·stru·um (men'stroo-um) – mênstruo; meio solvente.

men·su·ra·tion (men"ser-a'shun) – mensuração; ato ou processo de medir.

men·tal (ment"l) – 1. mental; relativo à mente; 2. mentoniano; relativo ao queixo.

men·thol (men'thol) – mentol; álcool proveniente de vários óleos de menta; utilizado localmente para aliviar prurido e em inaladores para tratar distúrbios do trato respiratório superior.

men·to·plas·ty (men'to-plas"te) – mentoplastia; cirurgia plástica do queixo; correção cirúrgica das deformidades e defeitos do queixo.

men·tum (men'tum) [L.] – mento; queixo; ver *chin*.

me·pen·zo·late (mĕ-pen-zo-lāt) – mepenzolato; composto de amônio quaternário com efeitos antimuscarínicos, utilizado na forma de sal de brometo no tratamento de úlceras pépticas e distúrbios caracterizados por hipermotilidade do cólon.

meperidine (mĕ-per'ĭ -dēn) – meperidina; analgésico narcótico, utilizado como sal de cloridrato.

me·phen·ter·mine (mĕ-fen'ter-mēn) – mefentermina; adrenérgico utilizado como sal de sulfato devido aos seus efeitos vasopressores no tratamento de determinados estados hipotensivos.

me·phen·y·to·in (mĕ-fen'ĭ -to"in) – mefenitoína; anticonvulsivante utilizado no controle de várias crises epilépticas.

me·phit·ic (mĕ-fit'ik) – mefítico; repugnante; que emite odor fétido.

meph·o·bar·bi·tal (mef"o-bahr'bĭ -tal) – mefobarbital; barbitúrico de ação longa utilizado como anticonvulsivante e sedativo.

me·pi·va·caine (mĕ-pi'vah-kān) – mepivacaína; análogo lidocaínico utilizado em forma de sal de cloridrato como anestésico local.

me·pred·ni·sone (mĕ-pred'nĭ -sōn) – meprednisona; glicocorticóide oral utilizado como esteróide antiinflamatório, antialérgico e antineoplásico.

me·pro·ba·mate (mĕ-pro'bah-māt, mep"ro-bam'āt) – meprobamato; derivado carbamático com ações tranqüilizantes, relaxantes musculares e anticonvulsivantes.

mEq – milliequivalent (miliequivalente).

me·ral·gia (mĕ-ral'je-ah) – meralgia; dor na coxa. **m. paresthe'tica** – m. parestésica; parestesia, dor e entorpecimento na superfície externa da coxa decorrentes de aprisionamento do nervo cutâneo femoral lateral no ligamento inguinal.

mer·bro·min (mer-bro'min) – merbromina; antibacteriano tópico.

mer·cap·tan (mer-kap'tan) – mercaptano; qualquer composto que contenha o grupo – SH ligado a um carbono.

mer·cap·to·mer·in sul·fate (mer-kap"to-mer'-in) – sulfato de mercaptomerina; diurético mercurial orgânico; utilizado como sal dissódico.

mer·cap·to·pur·ine (-pūr'ēn) – mercaptopurina; um análogo purínico com um átomo de enxofre que substitui o átomo de oxigênio purínico; utilizado como antineoplásico e imunossupressivo.

mer·cu·ri·al (mer-kūr'e-il) – mercurial: 1. relativo ao mercúrio; 2. preparação que contém mercúrio.

mer·cur·ic (mer-kūr'ik) – mercúrico; relativo ao mercúrio como elemento bivalente. **m. oxide, yellow** – óxido de mercúrio amarelo; antiinfeccioso (HgO) utilizado em Oftalmologia.

Mer·cu·ro·chrome (mer-kūr'ah-krōm) – Mercurochrome, marca registrada de preparações de merbromina.

mer·cu·rous (mer'kūr-us) – mercuroso; relativo ao mercúrio como elemento monovalente. **m. chloride** – cloreto m.; calomelano.

mer·cu·ry (mer'kūr-e) – mercúrio; elemento químico (ver *Tabela de Elementos*), número atômico 80, símbolo Hg. O envenenamento mercurial agudo (devido à ingestão) é caracterizado por dor abdominal severa, vômito, diarréia sangüinolenta com fezes aquosas, oligúria ou anúria e corrosão e

ulceração do trato digestivo; na forma crônica (devida à absorção através da pele e membranas mucosas, à ingestão ou à inalação), ocorre estomatite, uma linha azul ao longo da borda gengival, gengiva hipertrofiada dolorida que sangra facilmente, afrouxamento dos dentes, eretismo, ptialismo, tremores e incoordenação. **ammoniated m.** – m. amoniacal; antiinfeccioso tópico. **m. oleate** – oleato de m.; mistura de óxido mercúrico amarelo e ácido oléico, utilizada topicamente em várias cutaneopatias.

mer·e·thox·yl·line (mer"ĕ-thok'sĭ -lēn) – meretoxilina; diurético mercurial utilizado em combinação com a procaína no tratamento de edema secundário a várias afecções.

me·rid·i·an (mĕ-rid'e-an) [L.] – meridiano; linha imaginária na superfície de um globo ou esfera, conectando os lados opostos do seu eixo. **me·rid'ional** – adj. meridional.

me·rid·i·a·nus (mĕ-rid"e-a'nus) [L.] pl. *meridiani* – meridiano.

mer(o)-¹ [Gr.] – elemento de palavra, *parte*.

mer(o)-² [Gr.] – elemento de palavra, *coxa*.

mero·blas·tic (mer-ah-blas'tik) – meroblástico; que divide parcialmente; que sofre clivagem na qual somente uma parte do óvulo participa.

mero·crine (mer'ah-krin) – merócrino; que descarrega somente o produto secretório e mantém a célula secretora intacta, por exemplo, as glândulas salivares e o pâncreas.

mero·gen·e·sis (mer"o-jen'ĭ -sis) – merogênese; clivagem de um óvulo. **merogenet'ic** – adj. merogenético.

me·rog·o·ny (mĕ-rog'ah-ne) – merogonia; desenvolvimento de somente uma porção de um óvulo. **merogon'ic** – adj. merogônico.

mero·myo·sin (mer"o-mi'ah-sin) – meromiosina; fragmento da molécula miosínica isolado através de tratamento com uma enzima proteolítica; existem dois tipos: pesada (meromiosina H) e leve (meromiosina L).

me·ro·pia (mĕ-ro'pe-ah) – meropia; cegueira parcial.

mero·ra·chis·chi·sis (me"ro-rah-kis'kĭ -sis) – merorraquisquise; fissura de uma parte da medula espinhal.

me·rot·o·my (mĕ-rot'ah-me) – merotomia; dissecção em segmentos, especialmente a dissecção de uma célula.

mero·zo·ite (mer"ah-zoᵀ t) – merozoíta; um dos microrganismos formados por fissão múltipla (esquizogonia) de um esporozoíto dentro do corpo do hospedeiro.

Mer·thi·o·late (mer-thi'ol-āt) – Merthiolate, marca registrada de preparações de timerosal.

mer·y·cism (mer'ĭ -sizm) – mericismo: 1. ruminação; 2. distúrbio ruminativo da infância.

me·sal·amine (mĕ-sal'ah-mēn) – mesalamina; ácido 5-aminossalicílico; metabólito ativo da sulfassalazina, utilizado no tratamento da colite ulcerativa distal, proctossigmoidite e proctite.

me·sal·a·zine (mĕ-sal'ah-zēn) – mesalazina; mesalamina.

mes·an·gio·cap·il·lary (mes-an"je-o-kap'il-er"e) – mesangiocapilar; relativo ou que afeta o mesângio e capilares associados.

MNO

mes·an·gi·um (mes-an'je-um) – mesângio; membrana fina que sustenta as alças capilares nos glomérulos renais. **mesan'gial** – adj. mesangial.

me·sati·pel·lic (mes-at"ĭ-pel'ik) – mesatipélico; que tem um diâmetro transversal da entrada pélvica quase idêntico ao do diâmetro conjugado verdadeiro.

mes·ax·on (mes-ak'son) – mesaxônio; um par de membranas paralelas que marcam a linha de contato borda a borda das células de Schwann que envolvem um axônio.

mes·ca·line (mes'kah-lēn) – mescalina; alcalóide venenoso proveniente de brotos florescentes (botões de mescal) de um cacto mexicano (*Lophophora williamsii*); produz intoxicação com delírios de cor e som.

mes·ec·to·derm (mĕ-sek'to-derm) – mesectoderma; células migratórias embrionárias derivadas da crista neural da cabeça que contribuem para a formação das meninges e se tornam células pigmentares.

mes·en·ceph·a·lon (mes"en-sef'ah-lon) – mesencéfalo; cérebro médio. **mesencephal'ic** – adj. mesencefálico.

mes·en·ceph·a·lot·o·my (-en-sef"ah-lot'ah-me) – mesencefalotomia; produção cirúrgica de lesões no cérebro médio, especialmente para o alívio de uma dor intratável.

mes·en·chy·ma (mĕ-seng'kĭ-mah) – mesênquima; rede de tecido conjuntivo embrionário no mesoderma a partir da qual se formam os tecidos conjuntivos corporais e os vasos sangüíneos e linfáticos. **mesen'chymal** – adj. mesenquimatoso.

mes·en·chyme (mes'eng-kĭm) – mesênquima.

mes·en·chy·mo·ma (mes"en-ki-mo'mah) – mesenquimoma; tumor mesenquimatoso misto composto de dois ou mais elementos celulares não comumente associados, exclusivo do tecido fibroso.

mes·en·ter·io·pexy (-en-ter'e-o-pek"se) – mesenteriopexia; fixação ou suspensão de um mesentério roto.

mes·en·ter·i·pli·ca·tion (-en-ter"ĭ-pli-ka'-shun) – mesenteriplicação; redução do mesentério por meio de pregueamento.

mes·en·ter·i·um (-en-ter'e-um) [L.] – mesentério.

mes·en·ter·on (mes-en'ter-on) – mesêntero; intestino médio.

mes·en·tery (mes'en-tĕ"re) – mesentério; prega membranosa que prende vários órgãos à parede corporal; especialmente a prega peritoneal que prende o intestino delgado à parede corporal dorsal. **mesenter'ic** – adj. mesentérico.

me·si·ad (me'ze-ad) – mesial; em direção do meio ou centro.

me·si·al (me'ze-il) – mesial; mais próximo do centro da arcada dentária.

me·si·al·ly (me'ze-il"e) – mesialmente; em direção à linha média.

me·sio·buc·cal (me"ze-o-buk"l) – mesiobucal; relativo ou formado de duas superfícies mesial e bucal de um dente ou cavidade dentária.

me·sio·clu·sion (-kloo'zhun) – mesioclusão; ânterooclusão; má-relação das arcadas dentárias com o arco mandibular anteriormente ao arco maxilar (prognatismo).

me·sio·dens (me'ze-o-dens) pl. *mesiodentes* – mesiodente; um pequeno dente supranumerário, que ocorre individualmente ou em pares, em geral palatalmente entre os incisivos maxilares centrais.

me·si·on (me'ze-on) – mésio; mesion; o plano que divide o corpo nas metades simétricas direita e esquerda.

me·sio·ver·sion (me"ze-o-ver'zhum) – mesioversão; deslocamento de um dente ao longo da arcada dentária em direção à linha média da face.

mes·mer·ism (mes'mer-izm) – mesmerismo; hipnotismo (*hypnotism*).

mes·na (mez'nah) – mesna; um composto sulfidrílico administrado com agentes antineoplásicos urotóxicos por inativar alguns de seus metabólitos urotóxicos.

mes(o)- [Gr.] – elemento de palavra, *meio*.

meso·ap·pen·dix (mes"o-ah-pen'diks) – mesoapêndice; prega peritoneal que une o apêndice ao íleo.

meso·bil·i·ru·bin·o·gen (-bil"ĭ-roo-bin'ah-jen) – mesobilirrubinogênio; forma reduzida de bilirrubina, formada no intestino e que, na oxidação, forma a estercobilina.

meso·blast (mes'o-blast) – mesoblasto; mesoderma, especialmente nos estágios iniciais.

meso·blas·te·ma (mes"o-blas-tēm'ah) – mesoblastema; células que compõem o mesoblasto.

meso·bron·chi·tis (-brong-kĭ't'is) – mesobronquite; inflamação do revestimento médio dos brônquios.

meso·car·dia (-kahr'de-ah) – mesocardia; localização atípica do coração, com o vértice na linha média do tórax.

meso·car·di·um (-kahr'de-um) – mesocárdio; parte do mesentério embrionário que une o coração à parede corporal frontal e posteriormente ao intestino anterior.

meso·ce·cum (-se'kum) – mesoceco; mesentério do ceco, que ocorre ocasionalmente.

meso·co·lon (mes'o-ko"lon) – mesocólon; processo peritoneal que prende o cólon à parede abdominal posterior e é chamado de ascendente, descendente etc., de acordo com a porção do cólon à qual se prende. **mesocol'ic** – adj. mesocólico.

meso·co·lo·pexy (mes"o-kōl'o-pek"se) – mesocolopexia; suspensão ou fixação do mesocólon.

meso·co·lo·pli·ca·tion (-kōl"o-pli-ka'shun) – mesocoloplicação; pregueamento do mesocólon para limitar sua mobilidade.

meso·cord (mes'o-kord) – mesocórdio; cordão umbilical aderente à placenta.

meso·cor·tex (mes"o-kor'teks) – mesocórtex; o córtex do giro cingulado, intermediário em forma entre o alocórtex e o isocórtex e tem cinco ou seis camadas.

meso·derm (mes"o-derm") – mesoderma; o meio das três camadas germinativas primárias do embrião; situada entre o ectoderma e o entoderma; a partir de onde derivam o tecido conjuntivo, ossos, cartilagens, músculos, sangue e vasos sangüíneos, vasos linfáticos, órgãos linfóides, notocórdio, pleura, pericárdio, peritônio, rins e gônadas. **mesoder'mal, mesoder'mic** – adj. mesodérmico.

meso·di·a·stol·ic (mes"o-di"ah-stol'ik) – mesodiastólico; relativo ao meio da diástole.

meso·du·o·de·num (-doo"o-de'num) – mesoduodeno; prega mesentérica que envolve o duodeno do feto inicial.

meso·epi·did·y·mis (-ep"ĭ-did'ĭ-mis) – mesoepididimo; dobra da túnica vaginal que algumas vezes une o epidídimo e o testículo.

meso·gas·tri·um (-gas'tre-um) – mesogástrio; porção do mesentério primitivo que envolve o estômago e a partir da qual se desenvolve o omento maior. **mesogas'tric** – adj. mesogástrico.

meso·glu·te·us (-gloōt'e-us) – mesoglúteo; músculo glúteo médio; ver *Tabela de Músculos.* **mesoglu'teal** – adj. mesoglúteo.

meso·ile·um (-il'e-um) – mesoíleo; mesentério do íleo.

meso·je·ju·num (-jĕ-joo'num) – mesojejuno; mesentério do jejuno.

meso·mere (mes'o-mēr) – mesômero: 1. blastômero de tamanho intermediário entre um macrômero e um micrômero; 2. zona média do mesoderma entre o epímero e o hipômero.

meso·me·tri·um (mes"o-me'tre-um) – mesométrio; porção do ligamento largo abaixo do mesovário.

meso·morph (mez'o-morf) – mesomorfo: 1. indivíduo que tem tipo de construção corporal em que predominam os tecidos mesodérmicos; ocorre a preponderância relativa de músculos, ossos e tecido conjuntivo, geralmente com um físico pesado e duro de contorno retangular; 2. indivíduo bem-proporcionado.

mes·on (me'zon, mes'on) – méson: 1. mesion; 2. partícula subatômica que tem massa em repouso intermediária entre a massa do elétron e a do próton, transportando uma carga elétrica positiva, negativa ou neutra.

mes·o·ne·phro·ma (mes"o-nĕ-fro'mah) – mesonefroma; tumor maligno derivado do ducto de Müller, que ocorre no trato genital feminino, geralmente no ovário; antigamente, acreditava-se que surgisse a partir de restos mesonéfricos.

meso·neph·ros (-nef'ros) pl. *mesonephroi* – mesonefro; órgão excretor do embrião, que surge caudalmente aos rudimentos pronéfricos ou ao pronefro e utiliza seus ductos. **mesoneph'ric** – adj. mesonéfrico.

meso·phile (mes'o-fīl) – mesófilo; microrganismo que cresce melhor a 20–55°C. **mesophil'ic** – adj. mesofílico.

meso·phle·bi·tis (mes"o-flĕ-bīt'is) – mesoflebite; inflamação do revestimento médio de uma veia.

me·soph·ry·on (mes-of're-on) – mesófrio; glabela ou seu ponto central.

meso·pul·mo·num (mes"o-pul-mōn'um) – mesopulmão; mesentério embrionário que envolve a porção do pulmão lateral.

me·sor·chi·um (mes-or'ke-um) – mesórquio; porção do mesentério primitivo que envolve o testículo fetal, representada no adulto por uma prega entre o testículo e o epidídimo. **mesor'chial** – adj. mesorquial.

meso·rec·tum (mes"o-rek'tum) – mesorreto; prega peritoneal que une a porção superior do reto ao sacro.

meso·rid·a·zine (-rid'ah-zēn) – mesoridazina; um membro do grupo fenotiazínico ($C_{21}H_{26}N_2OS_2$), utilizado como tranqüilizante maior.

meso·sal·pinx (mes"o-sal'pinks) – mesossalpinge; porção do ligamento largo acima do mesovário.

meso·sig·moid (-sig'moid) – mesossigmóide; prega peritoneal que prende a flexura sigmóide à parede abdominal posterior.

meso·sig·moido·pexy (-sig-moid'ah-pek"se) – mesossigmoidopexia; fixação do mesossigmóide em caso de prolapso retal.

meso·some (mes'o-sōm) – mesossomo; invaginação da membrana celular bacteriana que forma as organelas que se acredita serem o local das enzimas citocrômicas e enzimas da fosforilação oxidativa e do ciclo do ácido cítrico.

meso·ster·num (mes"o-stern'um) – mesoesterno; corpo do esterno.

meso·ten·din·e·um (-ten-din'e-um) – mesotendíneo; bainha de tecido conjuntivo que prende um tendão à sua bainha fibrosa.

meso·the·li·o·ma (mez"o-the'le-o-mah) – mesotelioma; tumor derivado do tecido mesotelial (peritônio, pleura e pericárdio), que ocorre tanto em forma benigna como maligna.

meso·the·li·um (-thēl'e-um) – mesotélio; camada de células derivadas do mesoderma, que reveste a cavidade corporal do embrião; no adulto, forma o epitélio escamoso simples que recobre todas as membranas serosas verdadeiras (peritônio, pericárdio e pleura). **mesothe'lial** – adj. mesotelial.

meso·tym·pa·num (-tim'pah-num) – mesotímpano; porção do ouvido médio medial à membrana timpânica.

mes·o·var·i·um (-vār'e-um) – mesovário; porção do ligamento largo entre o mesométrio e o mesossalpinge, que envolve e mantém o ovário na posição.

mes·sen·ger (mes'en-jer) – mensageiro; um transportador de informações; portador. **second m.** – segundo m.; uma das várias classes de sinais intracelulares que agem ou se situam dentro da membrana plasmática e traduzem as mensagens elétricas ou químicas provenientes do ambiente em respostas celulares.

mes·tra·nol (mes'trah-nol) – mestranol; agente estrogênico, utilizado em combinação com vários progestogênios como contraceptivo oral.

mes·y·late (mes'ĭ-lāt) – mesilato; contração da USAN para metanossulfonato.

meta- [Gr.] – elemento de palavra, (1) prefixo que indica (*a*) alteração; transformação; troca; (*b*) depois; em seguida; (2) símbolo *m*-, prefixo que indica uma posição substituída em 1,3- nos derivados benzênicos; (3) prefixo que indica um ácido polimérico anidrido.

meta·anal·y·sis (met"ah-ah-nal'ĭ-sis) – metaanálise; qualquer método sistemático que utiliza uma análise estatística para integrar os dados de vários estudos independentes.

me·tab·a·sis (mĕ-tab'ah-sis) – metábase; alteração nas manifestações ou evolução de uma doença.

meta·bi·o·sis (met"ah-bi-o'sis) – metabiose; organismo que depende de outro para sua existência; comensalismo.

me·tab·o·lism (mĕ-tab'ŏ-lizm) – metabolismo: 1. soma de todos os processos físicos e químicos através dos quais se produz e mantém (anabolismo) a substância organizada viva, e também, a transformação pela qual a energia se torna disponível aos usos do organismo (catabolismo); 2. biotransformação. **metabol'ic** – adj. metabólico. **basal m.** – m. basal; energia mínima gasta para manter a respiração, circulação, peristaltismo, tônus muscular, temperatura corporal, atividade glandular e outras funções vegetativas do corpo. **inborn error of m.** – erro inato de m.; distúrbio bioquímico geneticamente determinado no qual um defeito enzimático específico causa bloqueio metabólico que pode ter conseqüências patológicas ao nascimento ou posteriormente.

me·tab·o·lite (-lī t) – metabólito; qualquer substância produzida pelo metabolismo ou processo metabólico.

meta·car·pal (met"ah-kar'pil) – metacárpico: 1. relativo ao metacarpo; 2. osso metacárpico.

meta·car·pus (-kar'pus) – metacarpo; parte da mão entre o pulso e os dedos, sendo seu esqueleto composto de cinco ossos (metacárpicos), que se estendem do carpo às falanges.

meta·cen·tric (-sen'trik) – metacêntrico; que tem o centrômero próximo ao meio, de forma que os braços do cromossoma replicante sejam aproximadamente equivalentes em comprimento.

meta·cer·car·ia (-ser-ka're-ah) pl. *metacercariae* – metacercária; estágio encistado dormente ou de maturação de um parasita trematódeo nos tecidos de um hospedeiro intermediário ou em uma vegetação.

meta·chro·ma·sia (-kro-ma'zhah) – metacromasia: 1. falha em se corar verdadeiramente com um dado corante; 2. coloração diferente de vários tecidos produzida pelo mesmo corante; 3. alteração de cor produzida pelo corante. **metachro·mat'ic** – adj. metacromático.

meta·chro·mo·phil (-kro'mah-fil) – metacromófilo; que não se cora de maneira normal com um dado corante.

meta·chro·sis (-kro'sis) – metacrose; mudança de cor nos animais.

meta·cone (met'ah-kōn) – metacone; cúspide distobucal de um dente molar superior.

meta·con·id (met"ah-kōn'id) – metaconídio; cúspide mesiolingual de um dente molar inferior.

meta·gen·e·sis (-jen'ě-sis) – metagênese; alternância de gerações; alternação na seqüência regular de métodos reprodutivos assexuados e sexuados, como ocorre em determinados fungos.

Meta·gon·i·mus (-gon'ĭ -mus) – *Metagonimus;* gênero de trematódeos, que inclui a *M. yokogawai,* que parasita o intestino delgado dos humanos e outros mamíferos no Japão, China, Indonésia, Bálcãs e Israel.

meta·iodo·ben·zyl·guan·i·dine (-i"o-do-ben"-zil-gwahněn) – metaiodobenzilguanidina; um análogo noradrenalínico, marcado com iodo radioativo, que é ingerido pelas células neuroendócrinas e se concentra nas vesículas de armazenamento hormonal; utilizada para a obtenção de imagens medulares supra-renais e para a localização de feocromocitomas.

met·al (met"l) – metal; qualquer elemento marcado por brilho, maleabilidade, ductilidade e condutividade de eletricidade e calor e que se ionizará

positivamente em uma solução. **metal'lic** – adj. metálico. **alkali m.** – m. alcalino; metal de um grupo de metais monovalentes, que incluem lítio, sódio, potássio, rubídio e césio.

me·tal·lo·en·zyme (mě-tal"o-en'zī m) – metaloenzima; qualquer enzima que contenha átomos de um metal fortemente ligados, por exemplo, os citocromos.

me·tal·lo·por·phy·rin (mě-tal"o-por'fĭ -rin) – metaloporfirina; combinação de um metal com uma porfirina (como no caso da heme).

me·tal·lo·pro·tein (-pro-tēn) – metaloproteína; molécula de proteína com um íon metálico ligado, por exemplo, à hemoglobina.

met·al·lur·gy (met'al-urj-e) – metalurgia; a ciência e a arte de utilizar metais.

meta·mere (met'ah-mĕr) – metâmero: 1. um de uma série de segmentos homólogos do corpo de um animal; 2. em Teoria Genética, uma unidade de um número variável de unidades repetidas comuns que constituem o segmento repressor de um segmento cromossômico.

meta·mor·pho·sis (met"ah-mor'fah-sis) – metamorfose; alteração de estrutura e forma, particularmente a transição de um estágio de desenvolvimento para outro, como o de uma larva para a forma adulta. **metamor'phic** – adj. metamórfico. **fatty m.** – m. gordurosa; alteração gordurosa.

meta·my·elo·cyte (-mi'il-o-sī t") – metamielócito; precursor na série granulocítica, que constitui um intermediário no desenvolvimento entre um promielócito e o leucócito granular segmentado (polimorfonuclear) maduro e com núcleo em forma de U.

meta·neph·rine (-nef'rin) – metanefrina; metabólito da adrenalina excretado na urina e encontrado em determinados tecidos.

meta·neph·ros (-nef'ros) pl. *metanephroi* – metanefro; rim embrionário permanente, que se desenvolve mais posterior e caudalmente que o mesonefro. **metaneph'ric** – adj. metanéfrico.

meta·phase (met'ah-fāz) – metáfase; segundo estágio da divisão celular (mitose ou meiose), no qual os cromossomas (que caim consistindo de duas cromátides) distribuem-se no plano equatorial do fuso antes da separação.

meta·phos·phor·ic ac·id (met"ah-fos-for'ik) – ácido metafosfórico; um polímero do ácido fosfórico, utilizado como reagente para a análise química e como teste para a albumina na urina.

me·taph·y·sis (mě-tafĭ -sis) [Gr.] pl. *metaphyses* – metáfise; a parte mais larga na extremidade de um osso longo, adjacente ao disco epifisário. **metaphys'eal** – adj. metafisário.

meta·pla·sia (met"ah-pla'zhah) – metaplasia; alteração do tipo de células adultas em um tecido para uma forma anormal àquele tecido. **metaplas'tic** – adj. metaplásico. **myeloid m.** – m. mielóide; ocorrência de tecido mielóide em locais extramedulares; especificamente, síndrome caracterizada por esplenomegalia, anemia, hemácias nucleadas e granulócitos imaturos no sangue circulante e hematopoiese no fígado e baço. **myeloid m., agnogenic** – m. mielóide agnogênica; afecção caracterizada por focos de hematopoiese extramedular e esplenomegalia, células sangüíneas imaturas no sangue periférico e anemia de leve a moderada.

meta·plasm (met'ah-plazm) – metaplasma; deuteroplasma (*deuteroplasm*).

meta·pneu·mon·ic (met"ah-noo-mon'ik) – metapneumônico; que sucede ou acompanha uma pneumonia.

meta·pro·ter·e·nol (-pro-ter'ĕ-nol) – metaproterenol; um β-adrenérgico utilizado em forma de sal de sulfato como broncodilatador.

meta·psy·chol·o·gy (-si-kol'ah-je) – Metapsicologia; ramo da Psicologia especulativa relacionado ao significado dos processos mentais que se encontram além da verificação empírica.

meta·ram·i·nol (-ram'ĭ -nol) – metaraminol; agente simpatomimético que atua principalmente como um α-agonista, mas também estimula os receptores β-, -adrenérgicos do coração e tem atividade vasopressora potente; utilizado como sal de bitartarato.

meta·ru·bri·cyte (-roo"brĭ -sī t) – metarrubricito; normoblasto ortocromático.

me·tas·ta·sec·to·my (mĕ-tas"tah-sek'tah-me) – metastassectomia; excisão de uma ou mais metástases.

me·tas·ta·sis (mĕ-tas'tah-sis) pl. *metastases* – metástase: 1. transferência de uma doença de um órgão ou parte do corpo para outra não diretamente ligada a ele, devido a transferência de microrganismos patogênicos ou de células; todos os tumores malignos são capazes de se metastatizar; 2. crescimento de microrganismos patogênicos ou células anormais para locais distantes daquele primariamente envolvido pelo processo mórbido. **metastat'ic** – adj. metastático.

meta·tar·sal (met"ah-tar'sil) – metatársico: 1. relativo ao metatarso; 2. osso do metatarso.

meta·tar·sal·gia (-tar-sal'je-ah) – metatarsalgia; dor e sensibilidade na região metatársica.

meta·tar·sus (-tar'sus) – metatarso; parte do pé entre o tornozelo e os dedos, sendo o seu esqueleto constituído de cinco ossos (metatársicos), que se estendem do tarso às falanges.

meta·thal·a·mus (-thal'ah-mus) – metatálamo; parte do diencéfalo composta pelos corpos geniculados medial e lateral; freqüentemente considerada como parte do tálamo.

me·tath·e·sis (mĕ-tath'ĕ-sis) – metátese: 1. transferência artificial de um processo mórbido; 2. reação química na qual um elemento ou radical em um composto troca de lugar com outro elemento ou radical em outro composto.

meta·troph·ic (met"ah-trof'ik) – metatrófico; que utiliza a matéria orgânica como alimento.

me·tax·a·lone (mĕ-taks'ah-lōn) – metaxalona; relaxante de músculo lisos utilizado no tratamento de afecções musculoesqueléticas dolorosas.

Meta·zoa (met"ah-zo'ah) – Metazoa; divisão do reino animal que envolve os animais multicelulares cujas células diferenciam-se para formar tecidos, ou seja, todos os animais, exceto os Protozoa ou metazoários. **metazo'al, metazo'an** – adj. metazoário.

meta·zo·on (-zo'on) pl. *metazoa* – metazoário; microrganismo individual dos Metazoa.

met·en·ceph·a·lon (met"en-sef'ah-lon) [Gr.] – metencéfalo: 1. parte anterior do rombencéfalo, que compreende o cerebelo e a ponte; 2. ponte; 3. vesícula anterior de duas vesículas cerebrais formadas pela especialização do rombencéfalo no desenvolvimento embrionário.

me·te·or·ism (mĕt'e-ah-rizm") – meteorismo; timpanite; ver *tympanites*.

me·te·orot·ro·pism (mĕt"e-o-rah'trah-pizm) – meteorotropismo; resposta a influência de fatores meteorológicos observados em determinados eventos biológicos. **meteorotrop'ic** – adj. meteorotrópico.

me·ter (me'ter) – metro: 1. unidade básica de medida linear do sistema métrico, equivalente a 39,371 polegadas. Símbolo m.; 2. aparelho para medir a quantidade de qualquer coisa que passe através dele.

-meter [Gr.] – -metro, elemento de palavra, *relação com uma medida; instrumento para medir*.

meth·ac·ry·late (meth-ak'rĭ -lāt) – metacrilato; um éster do ácido orgânico metacrílico ácido, ou resina acrílica formada em sua polimerização, amplamente utilizados em Medicina e Odontologia, por exemplo, em lentes de contato, dentaduras e cola para articulações protéticas. **methyl m.** – m. metílico; éster metílico do metacrilato, um monômero de resina acrílica facilmente polimerizado. **polymethyl m.** – m. polimetílico; resina acrílica termoplástica formada pela polimerização do metacrilato metílico. Abreviação: PMMA.

meth·a·cy·cline (meth"ah-si'klēn) – metaciclina; um derivado tetraciclínico semi-sintético; seu cloridrato é utilizado como antibiótico oral de amplo espectro.

meth·a·done (meth'ah-dōn) – metadona; narcótico sintético com ação farmacológica semelhante à da morfina e heroína e quase equivalente na possibilidade de vício; o cloridrato é utilizado como antitussígeno e analgésico e como narcótico substituto no tratamento do vício da heroína.

meth·am·phet·amine (meth"am-fet'ah-mēn) – metanfetamina; substância pressionadora e estimulante do sistema nervoso central, com ações semelhantes às da anfetamina; utilizada como sal de cloridrato. O abuso pode levar à dependência.

meth·a·nal (meth'ah-nal) – metanal; formaldeído; ver formaldehyde.

meth·an·dro·sten·o·lone (meth-an"dro-sten'-ŏ-lōn) – metandrostenolona; esteróide anabólico com efeitos androgênicos, utilizado especialmente no tratamento adjunto da osteoporose senil e na pósmenopausa e em alguns casos de nanismo hipofisário.

meth·ane (meth'ān) – metano; gás explosivo e inflamável (CH_4), proveniente da decomposição de matéria orgânica.

meth·a·no·gen (meth'ah-nah-jen") – metanógeno; microrganismo anaeróbico que cresce em presença de dióxido de carbono e produz gás metano. Os metanógenos são encontrados no estômago dos bovinos, na lama dos pântanos e em outros ambientes, nos quais o oxigênio não se encontra presente.

meth·a·nol (meth'ah-nol) – metanol; líquido inflamável, incolor e claro (CH_3OH), utilizado como solvente.

meth·an·the·line (mĕ-than'thĕ-lēn) – metantelina; anticolinérgico de amônio quaternário utilizado para inibir a motilidade gastrointestinal e geniturinária, em caso de hiperidrose e controle da sudorese normal.

meth·a·pyr·i·lene (meth'ah-pir'ĭ-lēn) – metapirileno; anti-histamínico com ação sedativa; sais de fumarato e cloridrato são utilizados no tratamento de distúrbios alérgicos e de insônia e como anestésicos locais.

me·thar·bi·tal (mĕ-thahr'bĭ-tal) – metarbital; anticonvulsivante utilizado no controle de várias crises epilépticas.

meth·di·la·zine (meth-di'lah-zēn) – metedilazina; anti-histamínico utilizado oralmente como antiprurginoso em várias dermatoses.

met·hem·al·bu·min (met"hĕm-al-bu'min) – metemalbumina; pigmento amarronzado formado no sangue através da conjugação da albumina com o heme; indicativo de hemólise intravascular.

met·he·mo·glo·bin (met-he'mo-glo"bin) – metemoglobina um composto formado a partir da hemoglobina através da oxidação do átomo de ferro do estado ferroso para o férrico. Uma pequena quantidade de metemoglobina se encontra normalmente presente no sangue, mas uma lesão ou agentes tóxicos convertem uma proporção maior de hemoglobina em metemoglobina, que não funciona como transportador de oxigênio.

meth·en·amine (meth-en'ah-mēn) – metenamina; antibacteriano ($C_6H_{12}N_4$) utilizado em infecções do trato urinário. **m. mandelate** – mandelato de m.; sal da metenamina e ácido mandélico, utilizado como antibacteriano urinário. **m. silver** – m. prata; solução de metenamina e nitrato de prata, utilizada como corante histopatológico.

meth·i·cil·lin (meth"ĭ-sil'in) – meticilina; penicilina semi-sintética altamente resistente à inativação pela penicilinase; seu sal sódico é utilizado parenteralmente.

meth·im·a·zole (meth-im'ah-zōl) – metimazol; inibidor da tireóide utilizado no tratamento do hipertireoidismo.

me·thi·o·nine (me-thi'ō-nen) – metionina; aminoácido de ocorrência natural que constitui um componente essencial da dieta, fornecendo tanto os grupos metila como o enxofre necessários para o metabolismo normal.

me·thix·ene (me-thik'sen) – metixeno; anticolinérgico com um efeito espasmolítico na musculatura lisa, utilizado em forma de sal de cloridrato no tratamento da hipermotilidade e espasmos gastrointestinais.

meth·o·car·ba·mol (meth"o-kahr'bah-mol) – metocarbamol; relaxante de músculos esqueléticos.

meth·od (meth'od) – método; maneira de realização de qualquer ato ou operação; um procedimento ou técnica. **dye dilution m.** – m. de diluição de corantes; um tipo de método de diluição de indicadores para avaliar o fluxo através do sistema circulatório, utilizando um corante como indicador. **indicator dilution m.** – m. de diluição de

indicadores; um dos vários métodos para avaliar o fluxo através do sistema circulatório por meio de injeção de quantidade conhecida de um indicador e pela monitoração da sua concentração por um período em um ponto específico no sistema.

meth·od·ol·o·gy (meth"od-ol'ah-je) – Metodologia; ciência do método; ciência que lida com os princípios de procedimento de pesquisa e estudo.

meth·o·hex·i·tal (meth"o-hek'sit-al) – metoexital; barbitúrico de ação ultracurta; seu sal sódico é utilizado endovenosamente como anestésico geral.

meth·o·trex·ate (-trek'sāt) – metotrexato; antagonista do ácido fólico utilizado como agente antineoplásico e como agente antipsoriático e anti-reumático.

meth·o·tri·mep·ra·zine (-tri-mep'rah-zēn) – metotrimeprazina; analgésico ($C_{19}H_{24}N_2OS$) administrado intramuscularmente.

me·thox·amine (mĕ-thok'sah-mēn) – metoxamina; vasopressor adrenérgico utilizado como sal de cloridrato.

me·thox·sa·len (mĕ-thok'sah-len) – metoxissaleno; composto ácido acrílico que induz a produção de melanina em uma exposição da pele à luz ultravioleta; utilizado no tratamento do vitiligo idiopático, produzindo uma reação fototóxica na psoríase e também como acelerador do bronzeamento e protetor solar.

meth·oxy·flu·rane (mĕ-thok"si-floor'ān) – metoxiflurano; anestésico inalatório geral.

me·thoxy·phen·amine (-fen'ah-mēn) – metoxifenamina; adrenérgico utilizado como broncodilatador e descongestionante nasal em forma de sal de cloridrato.

meth·sco·pol·amine bro·mide (meth"sko-pol'-ah-mēn) – brometo de metescopolamina; anticolinérgico derivado da escopolamina; possui um efeito inibitório na secreção gástrica e na motilidade gastrointestinal sendo utilizado no tratamento da úlcera péptica e outros distúrbios gástricos.

meth·sux·i·mide (meth-suk'sĭ-mīd) – metossuximida; anticonvulsivante utilizado para tratar o pequeno mal e a epilepsia psicomotora.

meth·y·clo·thi·a·zide (meth"ĭ-klo-thi'ah-zīd) – meticlotiazida; diurético e anti-hipertensivo tiazídico.

meth·yl (meth'il) – metila; metil; grupo ou radical químico CH_3–. **m. salicylate** – salicilato de metila; líquido oleoso obtido a partir das folhas da *Gaultheria procumbens* ou da casca da *Betula lenta* ou produzido sinteticamente; utilizado como agente aromatizante e como contra-irritante tópico para a dor muscular. **m. tert·butyl ether** – éter *t*-butílico metílico; solvente usado para dissolver cálculos de colesterol na vesícula biliar.

meth·yl·amine (meth'il-ah-mēn") – metilamina; gás explosivo e inflamável utilizado no curtimento e síntese orgânica e produzido naturalmente em alguns peixes em decomposição, determinadas plantas e no metanol bruto; é irritante aos olhos.

meth·yl·ate (meth'ĭ-lāt) – 1. metilato; composto de álcool metílico e uma base; 2. metilar, acrescentar um grupo metila a uma substância.

meth·yl·ben·ze·tho·ni·um (meth"il-ben"zĕ-tho'ne-um) – metilbenzetônio; antiinfeccioso local utilizado como sal de cloreto e aplicado à pele que entra em contato com urina, fezes ou transpiração.

meth·yl·cel·lu·lose (-sel'öl-ōs) – metilcelulose; éster metílico da celulose; utilizado como laxante de volume e como agente suspensor para drogas e aplicado topicamente na conjuntiva para proteger e lubrificar a córnea durante determinados procedimentos oftálmicos.

meth·yl·co·bal·a·min (-ko-bal'ah-min) – metilcobalamina; derivado cobalamínico metabolicamente ativo sintetizado com a ingestão de vitamina B_{12}.

meth·yl·do·pa (-do'pah) – metildopa; um derivado fenilalanínico utilizado no tratamento da hipertensão.

meth·yl·do·pate (-do'pãt) – metildopato; éster etílico da metildopa; seu sal de cloridrato é administrado endovenosamente como anti-hipertensivo.

meth·y·lene (meth'ĭ -lēn) – metileno; radical de hidrocarboneto divalente CH_2.

meth·y·lene·di·oxy·am·phet·amine (MDA) (meth'ĭ -lēn-di-ok"se-am-fet'ah-mēn) – metilenodioxianfetamina; composto alucinogênico quimicamente relacionado à anfetamina e mescalina; uso amplo e abusivo; causa dependência.

meth·yl·er·go·no·vine (meth"il-er"go-no'vēn) – metilergonovina; ocitócico utilizado como sal de maleato para evitar ou combater hemorragia e atonia pós-parto.

meth·yl·glu·ca·mine (-gloo'kah-mēn) – metilglucamina; meglumina; ver *meglumine.*

meth·yl·ma·lon·ic ac·id (-mah-lon'ik) – ácido metilmalônico; ácido carboxílico intermediário no metabolismo dos ácidos graxos.

meth·yl·ma·lon·ic·ac·i·de·mia (-mah-lon"ik-as"ĭ-de'me-ah) – acidemia metilmalônica: 1. aminoacidopatia caracterizada por excesso de ácido metilmalônico no sangue e urina, com cetoacidose metabólica, hiperglicinemia, hiperglicinúria e hiperamonemia, resultantes de qualquer dos vários defeitos enzimáticos; 2. excesso de ácido metilmalônico no sangue.

meth·yl·ma·lon·ic·ac·id·uria (-as"ĭ -du're-ah) – acidúria metilmalônica: 1. excesso de ácido metilmalônico na urina; 2. metilmalonicacidemia; ver *methylmalonicacidemia* (2).

meth·yl·phen·i·date (meth"il-fen'ĭ -dāt) – metilfenidato; estimulante central utilizado em forma de sal de cloridrato no tratamento do distúrbio de déficit de atenção/hiperatividade nas crianças, em vários tipos de depressão e narcolepsia.

meth·yl·pred·nis·o·lone (-pred-nis'ah-lōn) – metilprednisolona; glicocorticóide sintético derivado da progesterona, utilizado na terapia de reposição na insuficiência supra-renal e como antiinflamatório e imunossupressivo; também utilizado como éster de 21-acetato e hemissuccinato, 21-fosfato dissódico e sais de succinato sódico.

meth·yl·tes·tos·ter·one (-tes-tos'ter-ōn) – metiltestosterona; hormônio androgênico sintético com ações e usos semelhantes aos da testosterona.

5-meth·yl·tet·ra·hy·dro·fo·late (-te"rah-hi"-dro-fol'lāt) – 5-metiltetraidrofolato; derivado do ácido fólico que constitui a principal forma de ácido fólico durante o transporte e armazenamento no organismo e que também age como fonte de grupos metila para a regeneração da metionina.

meth·yl·trans·fer·ase (-trans'fer-ās) – metiltransferase; qualquer substância de um grupo de enzimas que catalisam a transferência de um grupo metila de um composto para outro.

meth·y·pry·lon (meth'ĭ -pri'lon) – metiprilona; sedativo ($C_{10}H_{17}NO_2$).

meth·y·ser·gide (-sur'jĭ d) – metissergida; antagonista potente da serotonina com efeitos vasoconstritores diretos, utilizado na profilaxia da hemicrânia; também disponível como sal de maleato.

met·myo·glo·bin (met-mi"ah-glo'bin) – metmioglobina; composto formado a partir da mioglobina através da oxidação do estado ferroso para o férrico.

met·o·cu·rine io·dide (met"o-kūr'ēn) – iodeto de metocurina; relaxante dos músculos esqueléticos ($C_{40}H_{48}I_2N_2O_6$).

me·to·la·zone (mĕ-tōl'ah-zōn) – metolazona; derivado sulfonamídico com ações semelhantes às dos diuréticos tiazídicos; utilizada no tratamento da hipertensão e do edema.

me·top·ic (mĕ-top'ik) – metópico; relativo à testa.

me·to·pi·on (mĕ-to'pe-on) – metópio; glabela (*glabella*).

met·o·pro·lol (met"ah-pro'lol) – metoprolol; agente bloqueador β^1-adrenérgico cardiosseletivo utilizado na forma de sal de tartarato no tratamento de hipertensão, angina peitoral crônica e infarto do miocárdio.

me·tox·e·nous (mĕ-tok'sĕ-nus) – metóxeno; que requer dois hospedeiros para o ciclo vital; diz-se de parasitas.

me·tra (me'trah) – metra; útero (*uterus*).

me·tra·to·nia (me"trah-to'ne-ah) – metratonia; atonia uterina.

me·tra·tro·phia (-tro'fe-ah) – metatrofia; atrofia uterina.

me·trec·to·pia (me"trek-to'pe-ah) – metrectopia; deslocamento uterino.

me·treu·ryn·ter (me"troo-rin'ter) – metreurínter; saco inflável para dilatar o canal cervical.

met·ric (mĕ'trik) – métrico: 1. relativo a medidas de medição; 2. que tem o metro como base.

me·tri·tis (me-trī't'is) – metrite; inflamação uterina.

me·triz·a·mide (mĕ-triz'ah-mī d) – metrizamida; meio de contraste radiográfico iodado hidrossolúvel e não-iônico utilizado na mielografia e cisternografia.

metr(o)- [Gr.] – elemento de palavra, *útero.*

me·tro·cele (me'tro-sēl) – metrocele; hérnia uterina.

me·tro·col·po·cele (me"tro-kol'pah-sēl) – metrocolpocele; hérnia uterina com prolapso para o interior da vagina.

me·tro·cys·to·sis (-sis-to'sis) – metrocistose; formação de cistos no útero.

me·tro·cyte (me'tro-sī t) – metrócito; célula-mãe.

me·tro·dyn·ia (me"tro-din'e-ah) – metrodinia; metralgia.

me·tro·leu·kor·rhea (-loo"kah-re'ah) – metroleucorréia; leucorréia de origem uterina.

me·tro·ma·la·cia (mah-la'she-ah) – metromalacia; amolecimento anormal uterino.

met·ro·ni·da·zole (-ni'dah-zōl) – metronidazol; antiprotozoário e antibacteriano eficaz contra anaeróbios obrigatórios.

me·tro·pa·ral·y·sis (-pah-ral'ĭ -sis) – metroparalisia; paralisia uterina.

me·trop·a·thy (me-trop'ah-the) – metropatia; qualquer doença ou distúrbio uterinos. **metropath'ic** – adj. metropático.

me·tro·peri·to·ni·tis (me"tro-per"ĭ -ton-ī t'is) – metroperitonite; inflamação do peritônio ao redor do útero.

me·tro·phle·bi·tis (-flĕ-bī t'is) – metroflebite; inflamação das veias uterinas.

me·trop·to·sis (me"tro-to'sis) – metroptose; deslocamento descendente ou prolapso do útero.

me·tror·rha·gia (me"tro-ra'je-ah) – metrorragia; sangramento uterino (geralmente de quantidade anormal) que ocorre a intervalos completamente irregulares, sendo algumas vezes prolongado o período de fluxo.

me·tror·rhea (-re'ah) – metrorréia; descarga uterina livre ou anormal.

me·tro·sal·pin·gog·ra·phy (-sal"ping-gog'rah-fe) – metrossalpingografia; histerossalpingografia.

me·tro·stax·is (-stak'sis) – metrostaxe; sangramento uterino ligeiro, mas persistente.

me·tro·ste·no·sis (-stĕ-no'sis) – metroestenose; contração ou estenose da cavidade uterina.

-metry [Gr.] – -metria, elemento de palavra, *medição*.

me·tyr·a·pone (mĕ-tēr'ah-pōn) – metirapona; composto sintético ($C_{14}H_{14}N_2O$) que inibe seletivamente uma enzima responsável pela biossíntese de corticosteróides; é utilizado como auxílio diagnóstico para a determinação da reserva adrenocortical hipotalâmico-hipofisária.

MeV, Mev – megaelectron volt (megaelétron-volt).

mex·il·e·tine (mek'sĭ -lĕ-tēn) – mexiletina; agente antiarrítmico utilizado como sal de cloridrato no tratamento de arritmias ventriculares.

mez·lo·cil·lin (mez"lo-sil'in) – mezlocilina; antibiótico penicilínico de amplo espectro semi-sintético utilizado como sal sódico, particularmente no tratamento de infecções mistas.

μF – microfarad (microfarad).

Mg – símbolo químico, magnésio (*magnesium*).

mg – milligram (miligrama).

μg – microgram (micrograma).

MHC – major histocompatibility complex (complexo de histocompatibilidade maior).

MHz – megahertz (mega-hertz).

MI – myocardial infarction (infarto do miocárdio).

MIBG – metaiodobenzylguanidine (metaiodobenzil-guanidina).

mi·ca·tion (mi-ka'shun) – micação; micagem; movimento rápido, como uma piscadela.

mi·con·a·zole (mi-kon'ah-zōl) – miconazol; agente antifúngico utilizado como base ou sal de nitrato contra a tinha do pé, tinha crural, tinha do corpo, tinha versicolor e candidíase cutânea e vulvovaginal.

micr(o)- [Gr.] – elemento de palavra, *pequeno*; utilizado na denominação de unidades de medida para designar uma quantidade de 10^{-6} (um milionésimo) do tamanho da unidade à qual se uniu, por exemplo, micrograma). Símbolo μ.

mi·cren·ceph·a·ly (mi"kren-sef'ah-le) – micrencefalia; diminuição anormal de volume e subdesenvolvimento do cérebro.

mi·cro·ad·e·no·ma (mi"kro-ad"ĕ-no'mah) – microadenoma; adenoma hipofisário de menos de 10 mm de diâmetro.

mi·cro·aero·phil·ic (-a"er-o-fil'ik) – microaerófilo; que requer oxigênio para o crescimento, mas em concentração inferior à presente na atmosfera; diz-se de bactérias.

mi·cro·ag·gre·gate (-ag'rĕ-gat) – microagregado; coleção microscópica de partículas, como plaquetas, leucócitos e fibrina que ocorre em sangue armazenado.

mi·cro·al·bu·min·uria (-al-bu-min-u're-ah) – microalbuminúria; aumento muito pequeno na albumina urinária.

mi·cro·anal·y·sis (-ah-nal'ĭ -sis) – microanálise; análise química de quantidades diminutas de um material.

mi·cro·anat·o·my (-ah-nat'ah-me) – microanatomia; histologia; ver *histology*.

mi·cro·an·eu·rysm (-an'ŭr-izm) – microaneurisma; aneurisma microscópico, uma característica da púrpura trombótica.

mi·cro·an·gi·op·a·thy (-an"je-op'ah-the) – microangiopatia; doença dos vasos sangüíneos pequenos. **microangiopath'ic** – adj. microangiopático. **thrombotic m.** – m. trombótica; formação de trombos nas arteríolas e capilares.

mi·crobe (mi'krōb) – micróbio; microrganismo, especialmente uma bactéria patogênica. **micro'bial**, **micro'bic** – adj. microbiano.

mi·cro·bi·cide (mi-kro'bĭ -sī d) – microbicida; agente que destrói micróbios.

mi·cro·bi·ol·o·gy (mi"kro-bi-ol'ah-je) – Microbiologia; ciência que trata do estudo dos microrganismos. **microbiolog'ical** – adj. microbiológico.

mi·cro·bio·pho·tom·e·ter (-bi"o-fo-tom'it-er) – microbiofotômetro; instrumento para medir o crescimento das culturas bacterianas pela turvação do meio.

mi·cro·bi·o·ta (-bi-ōt'ah) – microbiota; organismos vivos microscópicos de uma regão. **microbiot'ic** – adj. microbiótico.

mi·cro·blast (mi'kro-blast) – microblasto; eritroblasto de 5μ ou menos de diâmetro.

mi·cro·ble·pha·ria (mi"kro-blĕ-fâr'e-ah) – microbléfaro; diminuição de volume anormal das dimensões verticais das pálpebras.

mi·cro·body (mi'kro-bod"e) – microcorpo; uma das partículas citoplasmáticas granulares ovóides ou esféricas ligadas à membrana que contém enzimas e outras substâncias, que se originam do retículo endoplasmático no fígado dos vertebrados e células renais e outras células, e nos protozoários, leveduras e muitos tipos celulares dos vegetais superiores.

mi·cro·bu·ret (mi"kro-būr-et') – microbureta; bureta com capacidade da ordem de 0,1 a 10 ml, com intervalos graduados de 0,001 a 0,02ml.

mi·cro·car·dia (-kahr'de-ah) – microcardia; diminuição anormal do volume do coração.

mi·cro·chei·lia (-ki'le-ah) – microquilia; diminuição anormal do volume do lábio.

mi·cro·chei·ria (-ki're-ah) – microquiria; diminuição anormal do volume das mãos.

mi·cro·chem·is·try (-kem'is-tre) – microquímica; química relacionada a quantidades extremamente pequenas de substâncias químicas.

mi·cro·cin·e·ma·tog·ra·phy (-sin"ĭ-mah-tog'rah-fe) – microcinematografia; seqüência fotográfica em movimento (projetada em uma tela); filme cinematográfico de objetos microscópicos.

mi·cro·cir·cu·la·tion (-sur"kŭl-a'shun) – microcirculação; fluxo de sangue através de vasos finos (arteríolas, capilares e vênulas). **microcirculato'ry** – adj. microcirculatório.

Mi·cro·coc·ca·ceae (-kok-a'se-e) – Micrococcaceae; família de bactérias aeróbicas ou facultativamente anaeróbicas, Gram-positivas da ordem Eubacteriales, constituída de células esféricas que se dividem primariamente em dois ou três planos.

Mi·cro·coc·cus (-kok'us) – Micrococcus; gênero de bactérias Gram-positivas (família Micrococcaceae) encontradas no solo, na água etc.

mi·cro·coc·cus (mi"kro-kok'us) pl. micrococci – micrococo: 1. microrganismo do gênero Micrococcus; 2. organismo esférico muito pequeno.

mi·cro·co·ria (-kor'e-ah) – microcoria; diminuição do volume da pupila.

mi·cro·crys·tal·line (-kris'tah-lī n) – microcristalino; constituído de cristais diminutos.

mi·cro·cu·rie (mi'kro-ku"re) – microcurie; um milionésimo (10⁻⁶) curies; abreviação: μC.

mi·cro·cu·rie-hour (-our") – microcurie-hora; unidade de exposição equivalente à obtida pela exposição por uma hora a um material radioativo que se desintegra a uma velocidade de $3{,}7 \times 10^4$ átomos por segundo; abreviação: μChr.

mi·cro·cyte (-sī t) – micrócito: 1. hemácia anormalmente pequena, com 5μ ou menos de diâmetro; 2. célula microglial.

mi·cro·cy·to·tox·ic·i·ty (mi"kro-si"to-tok-sis'it-e) – microcitotoxicidade; capacidade de lisar ou danificar células conforme detectada, por exemplo, em procedimentos de linfotoxicidade) utilizando quantidades extremamente diminutas de material.

mi·cro·de·ter·mi·na·tion (-de-tur"mĭ-na'shun) – microdeterminação; exame químico de quantidades diminutas de uma substância.

mi·cro·dis·kec·to·my (-dis-kek'tah-me) – microdiscectomia; redução do volume de um núcleo pulposo herniado utilizando um microscópio ou lupa cirúrgicos para a magnificação.

mi·cro·dis·sec·tion (-dī -sek'shun) – microdissecção; dissecção de um tecido ou células sob o microscópio.

mi·cro·drep·a·no·cyt·ic (-drep"ah-no-sit'ik) – microdrepanocítico; que contém elementos microcíticos e drepanocíticos.

mi·cro·en·vi·ron·ment (-in-vi'rin-mint) – microambiente; ambiente ao nível microscópico ou celular.

mi·cro·eryth·ro·cyte (-ĕ-rith'ro-sī t) – microeritrócito; micrócito; ver microcyte.

mi·cro·far·ad (-far'ad) – microfarad; um milionésimo (10⁻⁶) farads; símbolo μF.

mi·cro·fau·na (-faw'nah) – microfauna; organismos microscópicos animais de uma região especial.

mi·cro·fil·a·ment (-fil'ah-mint) – microfilamento; um dos filamentos submicroscópicos compostos principalmente de actina, encontrados na matriz citoplasmática de quase todas as células, freqüentemente com os microtúbulos.

mi·cro·fi·la·ria (-fi-la're-ah) [L.] – microfilária; estágio pré-larval da Filarioidea no sangue do homem e tecidos do vetor; algumas vezes incorretamente usado como nome de gênero.

mi·cro·flo·ra (-flor'ah) – microflora; organismos vegetais microscópicos de uma determinada região.

mi·cro·frac·ture (mi'kro-frak"cher) – microfratura; fratura incompleta e diminuta ou uma pequena área de descontinuidade em um osso.

mi·cro·gam·ete (mi"kro-gam'ĭ t) – microgameta; gameta masculino menor e ativamente móvel, que fertiliza o macrogameta em anisogamia.

mi·cro·ga·me·to·cyte (-gah-mēt'ah-sī t) – microgametócito: 1. célula que produz microgametas; 2. gametócito masculino de determinados esporozoários, como os plasmódios maláricos.

mi·crog·lia (mi-krog'le-ah) – micróglia; pequenas células não-neurais que formam uma parte da estrutura de suporte do sistema nervoso central. Elas são migratórias e agem como fagócitos para eliminar produtos do tecido nervoso. **microg'lial** – adj. microglial.

mi·crog·lio·cyte (mi-krog'le-o-sī t) – microgliócito; células microgliais.

mi·cro·glob·u·lin (mi"kro-glob'ŭl-in) – microglobulina; qualquer globulina ou fragmento de uma globulina de baixo peso molecular.

mi·cro·gna·thia (-nath'e-ah) – micrognatia; redução de volume incomum das mandíbulas, especialmente da mandíbula inferior. **micrognath'ic** – adj. micrognático.

mi·cro·go·nio·scope (-go'ne-o-skōp) – microgonioscópio; gonioscópio com lente de aumento.

mi·cro·gram (mi'kro-gram) – micrograma; um milionésimo (10⁻⁶) de grama; abreviação: μg ou mcg.

mi·cro·graph (-graf) – micrógrafo: 1. instrumento utilizado para registrar movimentos muito pequenos através da realização de uma fotografia bastante magnificada dos movimentos minúsculos de um diafragma; 2. fotografia de um objeto ou espécime diminutos como observados através de um microscópio.

mi·cro·graph·ia (mi"kro-graf'e-ah) – micrografia; caligrafia pequena ou caligrafia que se reduz do tamanho de normal a pequeno, observada na doença de Parkinson.

mi·cro·gyr·ia (-ji're-ah) pl. microgyri – microgiria; polimicrogiria (polymicrogyria).

mi·cro·gy·rus (-ji'rus) – microgiro; convolução cerebral malformada e anormalmente pequena.

mi·cro·in·cin·er·a·tion (-in-sin"er-a'shun) – microincineração; oxidação de uma pequena quantidade de material para a identificação dos elementos que o compõem através das cinzas.

mi·cro·in·farct (in'fahrkt) – microinfarto; infarto muito pequeno devido a obstrução da circulação nos capilares, arteríolas ou artérias pequenas.

mi·cro·in·jec·tor (in-jek'ter) – microinjetor; instrumento para infusão de quantidades muito pequenas de líquidos ou drogas.

mi·cro·in·va·sion (-in-va'zhun) – microinvasão; extensão microscópica de células malignas no tecido adjacente aos carcinomas in situ. **microin·va'sive** – adj. microinvasivo.

MNO

mi·cro·li·ter (mi'kro-lēt"er) – microlitro; um milionésimo (10⁻⁶) de litro; abreviação: μl.

mi·cro·li·thi·a·sis (mi"kro-lĭ-thi'ah-sis) – microlitíase; formação de concreções diminutas em um órgão.

m. alveola'ris pulmo'num, pulmonary alveolar m. – m. alveolar pulmonar; afecção decorrente de deposição de cálculos muitos pequenos nos alvéolos pulmonares, que aparecem radiograficamente como mosqueamento fino e semelhante à areia.

mi·cro·ma·nip·u·la·tor (-mah-nip'ŭl-āt-er) – micromanipulador; instrumento para movimentação, dissecção etc. de amostras diminutas sob o aumento de um microscópio.

mi·cro·mere (mi'kro-mēr) – micrômero; um dos pequenos blastômeros formados por clivagem desigual de um óvulo fertilizado (no pólo animal).

mi·cro·me·tas·ta·sis (mi"kro-mĕ-tas'tah-sis) – micrometástase; disseminação de células cancerosas do tumor primário para locais distantes para formar tumores secundários microscópicos. **micrometastat'ic** – adj. micrometastático.

mi·crom·e·ter¹ (mi-krom'ĕ-ter) – micrômetro¹; instrumento para medir objetos vistos através do microscópio.

mi·cro·me·ter² (mi'kro-me"ter) – micrômetro²; um milionésimo (10⁻⁶) de um metro. Abreviação: μm.

mi·cro·meth·od (-meth"id) – micrométodo; qualquer técnica que lida com quantidades extremamente pequenas de material.

micromicro- – micromicro-, elemento de palavra que designa 10⁻¹² (um trilionésimo); atualmente substituído por *pico*-.

mi·cro·my·e·lia (-mi-ĕl'e-ah) – micromielia; diminuição anormal de volume da medula espinhal.

mi·cro·my·elo·blast (-mi'ĕ-lo-blast) – micromieloblasto; pequeno mielócito imaturo. **micromyeloblas'tic** – adj. micromieloblástico.

mi·cron (mi'kron) pl. *microns, micra* – mícron; micrômetro; um milésimo (10⁻³) de um milímetro ou um milionésimo (10⁻⁶) de um metro; símbolo μ.

mi·cro·nee·dle (mi"kro-ne'd'l) – microagulha; uma agulha fina de vidro utilizada em micromanipulação.

mi·cro·neu·ro·sur·gery (-noor"o-sur'jĕ-re) – microneurocirurgia; cirurgia realizada sob alta magnificação, com instrumentos miniaturizados em vasos e estruturas microscópicos do sistema nervoso.

mi·cro·nu·cle·us (-noo'kle-us) – micronúcleo: 1. nos protozoários ciliados, o menor de dois tipos de núcleos em cada célula, que funciona na reprodução sexuada; cf. *macronucleus;* 2. núcleo pequeno; 3. nucléolo.

mi·cro·or·gan·ism (-or'gah-nizm) – microrganismo; organismo microscópico; os microrganismos de interesse médico incluem bactérias, rickéttsias, vírus, fungos e protozoários.

mi·cro·pa·thol·o·gy (-pah-thol'ah-je) – micropatologia: 1. a soma do conhecimento acerca de pequenas alterações patológicas; 2. patologia das doenças causadas por microrganismos.

mi·cro·per·fu·sion (-per-fu'zhun) – microperfusão; perfusão de uma quantidade mínima de uma substância.

mi·cro·phage (mi'kro-fāj) – micrófago; pequeno fagócito; leucócito neutrofílico ativamente móvel e capaz de fagocitose.

mi·cro·pha·kia (mi"kro-fa'ke-ah) – microfaquia; redução anormal de volume do cristalino.

mi·cro·phone (mi'krah-fōn) – microfone; dispositivo para captar sons para amplificação ou transmissão.

mi·cro·phon·ic (mi"kro-fon'ik) – microfônico: 1. o que serve para amplificar sons; 2. m. coclear. **cochlear m's** – microfônicos cocleares; potenciais elétricos gerados nas células pilosas do órgão de Corti em resposta a um estímulo acústico.

mi·cro·pho·to·graph (-fōt'ah-graf) – microfotografia; fotografia de tamanho pequeno.

mi·croph·thal·mos (mi"krof-thal'mos) – microftalmia; redução anormal de volume em todas as dimensões de um ou ambos os olhos.

mi·cro·pi·no·cy·to·sis (mi"kro-pi"no-si-to'sis) – micropinocitose; captura no interior de uma célula de macromoléculas específicas através da invaginação da membrana plasmática que depois se desprende, resultando em pequenas vesículas no citoplasma.

mi·cro·pi·pet (-pi-pet') – micropipeta; pipeta para manipular pequenas quantidades de líquidos (até 1ml).

mi·cro·pleth·ys·mog·raphy (-pleth"is-mog'-rah-fe) – micropletismografia; registro de alterações mínimas no tamanho de uma parte conforme se produzem pela circulação sangüínea.

mi·cro·probe (mi'kro-prōb") – microssonda; sonda muito pequena, como a utilizada em microcirurgia.

mi·crop·sia (mi-krop'se-ah) – micropsia; distúrbio visual no qual os objetos parecem menores que seu tamanho real.

mi·cro·pyle (mi-kro-pīl) – micrópila; abertura na membrana de revestimento de determinados óvulos, através da qual um espermatozóide entra.

mi·cro·ra·di·og·ra·phy (mi"kro-ra"de-og'rah-fe) – microrradiografia; radiografia sob condições que permitem um exame microscópico subseqüente ou aumento da radiografia em várias centenas de vezes de magnificação linear.

mi·cro·re·frac·tom·e·ter (-re"frak-tom'it-er) – microrrefratômetro; refratômetro para discriminação de variações em estruturas muito pequenas.

mi·cro·res·pi·rom·e·ter (-res"pī-rom'it-er) – microrrespirômetro; aparelho para investigar o uso de oxigênio em tecidos isolados.

mi·cro·scope (mi'krah-skōp) – microscópio; instrumento utilizado para se obter uma imagem aumentada de objetos pequenos e revelar detalhes estruturais não distinguíveis de outra forma. **acoustic m.** – m. acústico; microscópio que utiliza ondas ultra-sônicas de freqüência muito alta, focalizadas no objeto; o raio refletido é convertido em imagem por meio de processamento eletrônico. **binocular m.** – m. binocular; microscópios com duas oculares, que permitem o uso de ambos os olhos. **compound m.** – m. composto; microscópio cujo consiste de dois sistemas de lentes. **corneal m.** – m. corneano; microscópio com uma lente de alta capacidade de ampliação para observar alterações diminutas na córnea e íris. **darkfield m.** – m. de campo escuro; microscópio projetado para permitir o desvio dos raios luminosos e da iluminação de um lado, de forma que os detalhes apareçam iluminados contra um fundo escuro. **electron m.** – m. eletrônico; microscópio no qual um feixe de elétrons (em vez de luz) forma uma imagem para se observar em tela fluorescente ou para fotografia. **fluorescence m.** – m. de fluorescência; microscópio utilizado para o exame de amostras coradas com fluorocromo ou complexos fluorocrômicos, por exemplo, anticorpos marcados com fluoresceína, que fluorescem em luz ultravioleta. **infrared m.** – m. infravermelho; microscópio no qual se utiliza uma radiação de comprimento de onda de 800 nm ou mais como energia formadora de imagem. **light m.** – m. luminoso; microscópio no qual se observa o espécime sob luz visível. **phase m., phase-contrast m.** – m. de fase; microscópio que altera as relações de fase da luz que passa através e ao redor do objeto, com o contraste permitindo visualização sem a necessidade de corante ou outra preparação especial. **scanning m., scanning electron m.** – m. eletrônico de varredura; microscópio eletrônico no qual um feixe de elétrons examina um espécime em todos os pormenores e constrói uma imagem tridimensional na tela fluorescente de um tubo de raio catódico. **simple m.** – m. simples; microscópio que consiste de uma única lente. **slit lamp m.** – m. de lâmpada de fenda; microscópio corneano com uma ligação especial que permite o exame do endotélio na superfície posterior da córnea. **stereoscopic m.** – m. estereoscópico; microscópio binocular modificado para dar uma visão tridimensional do espécime. **ultraviolet m.** – m. ultravioleta; microscópio que utiliza estrutura óptica ou quartzo refletores e outras lentes transmissoras de ultravioleta. **x-ray m.** – m. de raios X; microscópio no qual se utilizam os raios X em vez da luz, sendo a imagem geralmente reproduzida em um filme.

mi·cros·co·py (mi-kros'kah-pe) – microscopia; exame ou observação por meio de microscópio.

mi·cro·sec·ond (mi'kro-sek"ond) – microssegundo; um milionésimo (10^{-6}) de um segundo; abreviação μs ou μseg.

mi·cro·shock (-shok") – microchoque; em cardiologia, o nível baixo de corrente elétrica aplicado diretamente no tecido miocárdico; um mínimo de 0,1 mA causa fibrilação ventricular.

mi·cros·mat·ic (mi"kros-mat'ik) – microsmático; que tem o sentido do olfato fracamente desenvolvido, como o homem.

mi·cro·some (mi'krah-sōm) – microssoma; um dos fragmentos vesiculares de retículo endoplasmático formados após destruição e centrifugação de células. **microso'mal** – adj. microssômico.

mi·cro·spec·tro·scope (mi"kro-spek'trah-skōp) – microespectroscópio; espectroscópio e microscópio combinados.

mi·cro·sphe·ro·cyte (-sfēr'ah-sīt) – microesferócito; esferócito (*spherocyte*).

mi·cro·sphero·cy·to·sis (-sfēr"o-si-to'sis) – microesferocitose; esferocitose (*spherocytosis*).

mi·cro·sphyg·mia (-sfig'me-ah) – microesfigmia; pulso difícil de se perceber através do dedo.

mi·cro·sple·nia (-sple'ne-ah) – microesplenia; redução de volume do baço.

Mi·cros·po·ron (mi-kros'pŏ-ron) – *Microsporum*.

Mi·cros·po·rum (-um) – *Microsporum*; gênero de fungos que causam várias cutâneo e pilopatias, incluindo as espécies *M. audouini, M. canis, M. fulvum* e *M. gypseum*.

Mi·cro·stix-3 (mi'kro-stiks) – Microstix-3, marca registrada de uma fita reagente com uma área de teste químico para reconhecimento do nitrito na urina (que se torna rosa em contato com o nitrato) e duas área de cultura para uma semiquantificação do crescimento bacteriano após 18–24h de incubação; uma área de cultura sustenta tanto microrganismos Gram-negativos como Gram-positivos e a outra, somente microrganismos Gram-negativos.

mi·cro·sur·gery (mi'kro-sur"jĕ-re) – microcirurgia; dissecção de estruturas diminutas sob o microscópio por meio de instrumentos manuais.

mi·cro·syr·inge (-sĭ-rinj') – microsseringa; seringa provida de um micrômetro de parafuso para precisa medição de quantidades diminutas.

mi·cro·tia (mi-kro'she-ah) – microtia; redução de volume anormal do pavilhão auricular.

mi·cro·tome (mi'krah-tōm) – micrótomo; histótomo; instrumento para fazer cortes finos para estudo microscópico.

mi·cro·tu·bule (mi"kro-too'būl) – microtúbulo; uma das estruturas tubulares delgadas e compostas principalmente de tubulina, encontradas na substância basal citoplasmática de quase todas as células; participa da manutenção da forma celular e do movimento das organelas e inclusões, e formam as fibras fusiformes da mitose.

mi·cro·vas·cu·la·ture (-vas'kūl-ah-cher) – microvasculatura; vasos corporais finos, como arteríolas, capilares e vênulas. **microvas'cular** – adj. microvascular.

mi·cro·vil·lus (-vil'us) – microvilosidade; processo diminuto a partir da superfície livre de uma célula, especialmente de células da convolução proximal nos túbulos renais e do epitélio intestinal.

mi·cro·volt (mi'kro-volt) – microvolt; um milionésimo de um volt; símbolo μV.

mi·cro·wave (-wāv) – microonda; uma onda de radiação eletromagnética entre as ondas distantes infravermelhas e de rádio, que se considera ter uma extensão de 300.000 a 100 megahertz (comprimento de onda de 1 mm a 30 cm).

mi·cro·zo·on (mi"kro-zo'on) pl. *microzoa* – microzoário; organismo animal microscópico.

mi·crur·gy (mi'krur-je) – micrurgia; técnica manipulatória no campo de um microscópio. **micrur'gic** – adj. micrúrgico.

mic·tu·rate (mik'cher-āt) – urinar.

mid·azo·lam (mid'a-zo-lam") – midazolam; tranqüilizante benzodiazepínico utilizado como éster de maleato na indução de anestesia.

mid·brain (mid'brān) – cérebro médio; mesencéfalo; a parte do cérebro desenvolvida a partir do meio das três vesículas cerebrais primárias, compreendendo o teto e os pedúnculos cerebrais e atravessada pelo aqueduto.

mid·get (mij'it) – pigmeu; nanico; anão normal; uma pessoa com um tamanho abaixo do normal, mas perfeitamente formada.

mid·gut (mid'gut) – intestino médio; região do tubo digestivo embrionário no interior da qual o saco vitelino se abre; à frente do mesmo encontra-se o intestino anterior e caudalmente o intestino posterior.

mid·riff (-rif) – diafragma; a região entre a mama e a cintura.

mid·wife (-wĩ f) – parteira; pessoa que pratica a obstetrícia; ver *nurse-midwife.*

mi·graine (mi'grãn) – hemicrânia; enxaqueca; um complexo de sintomas de cefaléias periódicas, geralmente temporais e unilaterais, freqüentemente com irritabilidade, náuseas, vômito, constipação ou diarréia e fotofobia, precedidas pela constrição das artérias craniais, quase sempre com sintomas sensoriais prodrômicos sensoriais, especialmente oculares (aura) e começando com a vasodilatação que as acompanham. **mi'grainous** – adj. hemicrânico. **abdominal m.** – e. abdominal; enxaqueca na qual os sintomas abdominais predominam. **basilar m., basilar artery m.** – e. basilar; e. da artéria basilar; um tipo de hemicrânia oftálmica cuja aura preenche ambos os campos visuais e pode se acompanhar de disartria e distúrbios de equilíbrio. **ophthalmic m.** – e. oftálmica; enxaqueca acompanhada de ambliopia, teicopsia ou outros distúrbios visuais. **ophthalmoplegic m.** – e. oftalmoplégica; enxaqueca periódica acompanhada de oftalmoplegia. **retinal m.** – e. retiniana; um tipo de enxaqueca oftálmica com sintomas retinianos, provavelmente secundária à constrição de uma ou mais artérias retinianas.

mi·gra·tion (mi-gra'shun) – migração: 1. mudança de lugar aparentemente espontânea, como de sintomas; 2. diapedese.

mikr(o)- – ver também *micr(o)-.*

mil·dew (mil'doo) – mofo; coloquialismo para qualquer crescimento fúngico superficial em plantas ou qualquer material orgânico.

mil·i·a·ria (mil"e-ar'e-ah) – miliária; cutaneopatia com retenção de suor, que se extravasa em níveis diferentes na pele; quando utilizado isoladamente, o termo refere-se à *m. rubra.* **m. ru'bra** – m. rubra; exantema por calor; calor pruriginoso; afecção devida à obstrução dos ductos das glândulas sudoríparas; o suor escapa na epiderme, produzindo papulovesículas vermelhas pruriginosas.

mil·i·ary (mil'e-ar"e) – miliar: 1. semelhante a sementes de painço (milhete); 2. caracterizado por lesões semelhantes a sementes de painço (milhete).

mil·i·um (mil'e-um) [L.] pl. *milia* – milio; pequeno cisto epitelial esferoidal que se situa superficialmente no interior da pele (geralmente da face), contendo ceratina lamelar e freqüentemente associado aos folículos pilosos da lanugem.

milk (milk) – leite: 1. secreção líquida da glândula mamária, que constitui o alimento natural dos mamíferos jovens; 2. qualquer substância láctea e esbranquiçada, por exemplo, o leite de coco ou o látex vegetal; 3. líquido (emulsão ou suspensão)

semelhante à secreção da glândula mamária. **acidophilus m.** – l. acidófilo; leite fermentado com culturas de *Lactobacillus acidophilus;* utilizado em distúrbios gastrointestinais para modificar a flora do trato intestinal. **certified m.** – l. certificado; leite certificado quanto ao preenchimento de parâmetros especificados com relação ao teor de micróbios, processamento e condições; armazenamento e manipulação. **m. of magnesia** – l. de magnésia; supensão de hidróxido de magnésio utilizado como antiácido e catártico. **modified m.** – l. modificado; leite bovino modificado para corresponder à composição do leite humano. **soy m.** – l. de soja; um líquido extraído da soja, utilizado como substituto do leite e fonte de cálcio. **vitamin D m.** – l. enriquecido com vitamina D; leite bovino suplementado com 400 UI de vitamina D por quarto de litro. **witch's m.** – l. de bruxa; leite secretado pela mama de um bebê recém-nascido.

milk·ing (milk'ing) – ordenha; ato de forçar a saída do conteúdo de uma estrutura tubular por meio do deslizamento de um dedo ao longo da mesma.

milk·pox (-poks) – varíola modificada; varíola menor.

milli- [L.] – mili-, elemento de palavra, *um milésimo;* utilizado na denominação de unidades de medida para designar uma quantidade 10^{-3} vezes o tamanho da unidade à qual se uniu, por exemplo, miligrama. Símbolo m.

mil·li·am·pere (mil"e-am'pēr) – miliampère; um milésimo de um ampère.

mil·li·cu·rie (mil"e-kūr'e) – milicurie; um milésimo (10^{-3}) de um curie; abreviação: mC.

mil·li·equiv·a·lent (mil"e-e-kwiv'ah-lint) – miliequivalente; um milésimo (10^{-3}) de um equivalente químico; abreviação: mEq.

mil·li·gram (mil'ĩ -gram) – miligrama; um milésimo (10^{-3}) de um grama; abreviação: mg.

mil·li·li·ter (-lēt"er) – mililitro; um milésimo (10^{-3}) de um litro; abreviação: ml.

mil·li·me·ter (-mēt"er) – milímetro; um milésimo (10^{-3}) de um metro; abreviação: mm.

millmicr(o)- – milimicr(o)-, elemento de palavra que designa a bilionésima (10^{-9}) parte da unidade à qual se uniu; nano-.

mil·li·mole (mil'ĩ -mōl) – milimol; a milésima parte de um mol; símbolo mmol.

mil·li·os·mole (mil"e-oz'mōl) – miliosmol; um milésimo de um osmol.

mil·li·sec·ond (mil"ĩ -sek'ond) – milissegundo; um milésimo (10^{-3}) de segundo; abreviação: ms ou mseg.

mil·li·volt (mil'ĩ -volt) – milivolt; um milésimo de um volt; abreviação mV.

mil·pho·sis (mil-fo'sis) – milfose; queda dos cílios.

mi·me·sis (mi-me'sis) – mimese; estimulação de uma doença ou processo corporal por outra doença ou processo corporal.

min. – minim; minimum; minute (mínimo; minuto).

mind (mĩ nd) – mente; psique; faculdade ou função cerebral pela qual o indivíduo se torna consciente do que o cerca, bem como experimenta sensações, emoções e desejos sendo capaz de prestar atenção, raciocinar e tomar decisões.

min·er·al (min'er-al) – mineral; qualquer substância sólida homogênea e inorgânica da crosta terrestre. **trace m.** – m. vestigial; elemento vestigial mineral.

min·er·alo·cor·ti·cold (min"er-al-kor'tĭ-koid) – mineralocorticóide: 1. qualquer substância de um grupo de corticosteróides (principalmente a aldosterona) predominantemente envolvida na regulação dos eletrólitos e o equilíbrio hídrico através de seu efeito no transporte de íons nas células epiteliais dos túbulos renais, resultando em retenção de sódio e perda de potássio. Cf. *glucocorticoid;* 2. de, relativo ou semelhante ao mineralocorticóide.

mini·lap·a·rot·o·my (min"ĭ-lap"ah-rot'ah-me) – minilaparotomia; pequena incisão abdominal para biopsia hepática, colangiografia trans-hepática aberta ou esterilização por ligadura de trompas.

min·im (min'im) – mínimo; unidade de capacidade (medida líquida), correspondendo a $\frac{1}{60}$ de uma dracma líquida ou equivalendo a 0,0616 ml; 1 gota.

mini·plate (min'e-plāt) – miniplaca; pequena placa óssea.

Mi·no·cin (mĭ'no-sin) – Minocin, marca registrada de preparações de cloridrato de minociclina.

mi·no·cy·cline (mĭ'no-si'klēn) – minociclina; antibiótico semi-sintético de amplo espectro do grupo tetraciclina, também utilizado como sal de cloridrato.

mi·nox·i·dil (mĭ'nok'sĭ-dil) – minoxidil; vasodilatador potente e de longa ação que age primariamente nas arteríolas; utilizado como anti-hipertensivo, também é aplicado topicamente no caso da alopecia androgenética.

mi·nute (mi-nōōt') – diminuto; extremamente pequeno. **double m's** – fragmentos duplamente diminutos; fragmentos cromossômicos acêntricos criados por amplificação gênica e recém-integrados no interior do cromossoma; constituem marcadores tumorais indicativos de neoplasias sólidas com mau prognóstico.

mio·car·dia (mi"ah-kar'de-ah) – miocardia; sístole (systole).

mi·o·sis (mi-o'sis) – miose; contração da pupila.

mi·ot·ic (mi-ot'ik) – miótico: 1. relativo, caracterizado ou que produz miose; 2. agente que causa contração da pupila.

mi·ra·cid·i·um (mi"rah-sid'e-um) pl. *miracidia* – miracídio; primeiro estágio larval de um trematódeo, que se desenvolve posteriormente no corpo de um caramujo.

mire (mēr) [Fr.] – mira; uma das figuras no braço de um oftalmômetro, cujas imagens são refletidas na córnea; a medição de suas variações determina o grau de astigmatismo corneano.

mir·ror (mir'er) – espelho; superfície polida que reflete luz suficiente para produzir imagens de objetos à sua frente. **dental m.** – e. dentário; e. bucal. **frontal m., head m.** – e. frontal; e. de cabeça, espelho circular preso à cabeça do examinador; utilizado para refletir a luz no interior de uma cavidade, especialmente em exames nasais, faríngeos e laríngeos. **mouth m.** – e. bucal; pequeno espelho preso em ângulo em um cabo, para uso em Odontologia.

mis·an·thro·py (mis-an'thrah-pe) – misantropia; aversão a seres humanos.

mis·car·riage (mis'kar-ij) – abortamento; perda dos produtos de uma concepção a partir do útero antes do feto se tornar viável; aborto espontâneo.

mis·ceg·e·na·tion (mis"ĭ-jĭ-na'shun) – miscigenação; casamento ou cruzamento entre pessoas de raças diferentes.

mis·ci·ble (mis'ĭ-b'l) – miscível; passível de ser misturado.

mi·sog·a·my (mĭ-sog'ah-me) – misogamia; aversão mórbida ao casamento.

mi·sog·y·ny (mĭ-soj'ĭ-ne) – misoginia; aversão às mulheres.

mi·so·pro·stol (mi"so-pros'tol) – misoprostol; um análogo sintético protaglandínico E_1 utilizado para tratar irritação gástrica que resulta de terapia a longo prazo com drogas antiinflamatórias não-esteróides.

mite (mīt) – ácaro; qualquer artrópodo da ordem Acarina, exceto os carrapatos; são animais diminutos, geralmente transparentes ou semitransparentes, e podem ser parasitas do homem e animais domésticos, causando várias irritações cutâneas. **harvest m.** – a. da colheita; bicho-do-pé. **itch m., mange m.** – a. da sarna; a. da rabugem; ver *Notoedres* e *Sarcoptes*.

mith·ra·my·cin (mith"rah-mi'sin) – mitramicina; antibiótico antineoplásico produzido pela *Streptomyces plicatus*.

mith·ri·da·tism (mith'rĭ-dā"tizm) – mitridatismo; aquisição de imunidade a um veneno através da ingestão de quantidades gradativamente crescentes do mesmo.

mi·ti·cide (mĭt'ĭ-sīd) – acaricida; agente que extermina ácaros.

mi·to·chon·dria (mi"to-kon'dre-ah) [Gr.] sing. *mitochondrion* – mitocôndria; pequenas organelas citoplasmáticas da forma esférica de bastonete, envolvidas por duas membranas separadas por um espaço intermembranoso; a membrana interna se dobra, formando uma série de projeções (cristas). As mitocôndrias são os locais principais de síntese de ATP; elas contêm enzimas do ciclo do ácido tricarboxílico e da oxidação dos ácidos graxos, fosforilação oxidativa e muitos outros trajetos bioquímicos. Elas contêm seus próprios ácidos nucléicos e ribossomas, replicam-se independentemente e codificam a síntese de algumas de suas próprias proteínas. **mitochon'drial** – adj. mitocondrial.

mi·to·gen (mīt"o-jen) – mitógeno; substância que induz mitose e transformação celular, especialmente transformação linfocitária. **mitogen'ic** – adj. mitogênico.

mi·to·lac·tol (mi"to-lak'tol) – mitolactol; agente alcilante utilizado como antineoplásico no tratamento do carcinoma invasivo ovariano.

mi·to·my·cin (mi"to-mi'sin) – mitomicina; um grupo de antibióticos antitumorais (mitomicina A, B e C) produzido pela *Streptomyces caespitosus*.

mi·to·sis (mi-to'sis) – mitose; método de divisão celular indireto no qual os dois núcleos-filhos recebem normalmente complementos idênticos do número de cromossomas característicos das

MNIO

células somáticas da espécie. **mitot'ic** – adj. mitótico.

mi·to·tane (mi'to-tān) – mitotano; antineoplásico semelhante aos inseticidas DDT e DDD; utilizado no tratamento do carcinoma adrenocortical inoperável.

mi·to·xan·trone (mi"to-zan'trōn) – mitoxantrona; agente antineoplásico da família das antracenedionas, utilizado como sal de cloridrato no tratamento da leucemia não-linfocítica aguda.

mi·tral (mi'tril) – mitral; com forma semelhante à de mitra; relativo à válvula mitral.

mi·tral·iza·tion (mi"tril-ī-za'shun) – mitralização; retificação da borda esquerda da silhueta cardíaca, comumente observada radiograficamente no caso de estenose mitral.

mi·va·cu·rium (mi"vah-ku're-um) – mivacúrio; agente bloqueador neuromuscular não-despolarizante de curta duração, utilizado como sal de cloreto.

mix·ture (miks'cher) – mistura; combinação de drogas ou ingredientes diferentes, como a de fluido com outros fluidos ou sólidos, ou a de um sólido com um líquido.

Mi·ya·ga·wa·nel·la (me"yah-gah"wah-nel'ah) – *Miyagawanella;* gênero de microrganismos cujas espécies são hoje classificadas no gênero *Chlamydia* como se segue: *M. lymphogranulomatosis* e *M. bronchopneumoniae* sendo classificadas como *Chlamydia trachomatis,* e *M. bovis, M. felis, M. illinii, M. louisianae, M. opossumi, M. ornithosis, M. ovis, M. pecoris, M. pneumoniae* e *M. psittaci* como *C. psittaci.*

μl – microliter (μl, microlitro).

MLA – Medical Library Association (Associação de Biblioteca Médica).

MLD – 1. minimum lethal dose (dose letal mínima); 2. medial lethal dose (dose letal medial).

mL, ml – milliliter (ml, mililitro).

mm – millimeter (milímetro).

Mn – símbolo químico, manganês (*manganese*).

mne·mon·ics (ne-mon'iks) – mnemônica; melhora da memória através de métodos ou técnicas especiais. **mnemon'ic** – adj. mnemônico.

MO – Medical Officer (Diretor Médico).

Mo – símbolo químico, molibdênio (*molibdenium*).

mo·bi·li·za·tion (mo"bĭ-lĭ-za'shun) – mobilização; capacidade de tornar uma parte fixa móvel. **stapes m.** – m. do estribo; correção cirúrgica da imobilidade do estribo no tratamento da surdez.

Mo·bi·lun·cus (mo"bĭ-lung'kus) – *Mobiluncus;* gênero de bactérias anaeróbicas Gram-negativas, freqüentemente isoladas de mulheres com vaginite bacteriana.

mo·dal·i·ty (mo-dal'ĭ-te) – modalidade: 1. em Homeopatia, condição que modifica a ação de uma droga; condição sob a qual se desenvolvem sintomas, melhorando ou piorando; 2. método de aplicação ou o emprego de qualquer agente terapêutico; limitado geralmente a agentes físicos; 3. entidade sensorial específica, como o gosto.

mode (mōd) – moda; em Estatística, o valor ou informação em uma curva de variações que demonstra a freqüência de ocorrência máxima.

mod·el (mod"l) – modelo: 1. alguma coisa que representa ou simula outra coisa; 2. molde; ver *cast* (2);

3. imitar o comportamento de uma outra pessoa; 4. hipótese ou teoria.

mod·i·fi·ca·tion (mod"ĭ-fĭ-ka'shun) – modificação; processo ou resultado da alteração da forma ou características de um objeto ou substância. **behavior m.** – m. comportamental; ver em *therapy.*

mod·i·fi·er (mod'ĭ-fi"er) – modificador; agente que altera a forma ou características de um objeto ou substância. **biologic response m. (BRM)** – m. de resposta biológica; método ou agente que altera a interação hospedeiro-tumor, geralmente por meio da amplificação dos mecanismos antitumor do sistema imunológico ou de algum mecanismo que afete direta ou indiretamente as características das células do hospedeiro ou do tumor.

mo·di·o·lus (mo-di'o-lus) – modíolo; pilar central ou columela da cóclea.

mod·u·la·tion (mod"u-la'shun) – modulação: 1. ato de moderar; 2. capacidade normal da adaptabilidade celular ao seu ambiente; 3. indução embriológica em uma região específica. **antigenic m.** – m. antigênica; alteração dos determinantes antigênicos em uma membrana superficial de uma célula viva após interação com um anticorpo. **biochemical m.** – m. bioquímica; em quimioterapia de combinação, o uso de uma substância para modular os efeitos colaterais negativos do agente primário, aumentando sua efetividade ou permitindo que se utilize dose mais alta.

moi·e·ty (moi'it-e) – metade; qualquer parte equivalente; uma metade; também qualquer parte ou porção, como a porção de uma molécula.

mol (mol) – mole[1].

mo·lal (mo'lal) – molal; que contém um mole de soluto por kg de solvente. OBS.: *molal* refere-se ao peso do solvente, *molar* refere-se ao volume da solução. Símbolo *m.*

mo·lal·i·ty (mo-lal'it-e) – molalidade; número de moles por kg de um solvente puro.

mo·lar[1] (mo'lahr) – molar[1]: 1. relativo a 1 mol de uma substância; 2. medida da concentração de um soluto, expressa como o número de moles de soluto por litro de solução. Símbolo M, *M* ou mol/l.

mo·lar[2] (mo'lahr) – molar[2]: 1. adaptado para triturar; ver em *tooth* e Prancha XV; 2. relativo a um dente molar. Símbolo M.

mol·ar·i·ty (mo-lar'it-e) – molaridade; número de moles de um soluto por litro de solução.

mold (mōld) – matriz; molde; mofo: 1. fungo de um grupo de fungos parasitas e saprófitas que provocam um crescimento algodoado em substâncias orgânicas; também o depósito ou crescimento produzido por tais fungos; 2. molde; receptáculo na qual um objeto se forma ou se molda; 3. em Odontologia, a forma de um dente artificial.

mold·ing (mōld'ing) – moldagem; modelagem; o ajuste da forma e do tamanho da cabeça fetal no canal pélvico durante o parto.

mole[1] (mōl) – mol; quantidade de uma substância que contém o número de entidades elementares equivalente aos átomos de carbono existentes em 12 gramas de carbono 12 (^{12}C), $6,023 \times 10^{23}$.

mole[2] (mōl) – nevo; nevo nevocítico; também um crescimento carnoso pigmentado ou, genericamente, qualquer mancha da pele. **pigmented m.** – n. pigmentoso; ver em *nevus*.

mole³ (mōl) – mola; massa carnosa formada no útero por degeneração ou desenvolvimento abortivo de um óvulo. **hydatid m., hidatidiform m.** – m. hidática; m. hidatiforme; condição que resulta da deterioração da circulação das vilosidades coriônicas em um óvulo patológico, caracterizada por proliferação trofoblástica e dissolução edematosa, bem como cavitação cística do estroma avascular das vilosidades, que parecem cistos semelhantes a uvas.

mol·e·cule (mol'ĕ-kūl) – molécula; pequena massa de matéria; a menor quantidade de uma substância que pode existir por si mesma; agregação de átomos, especificamente a combinação química de dois ou mais átomos que formam uma substância química específica.

mo·li·men (mo-li'men) [L.] pl. *molimina* – esforço; esforço laborioso realizado no desempenho de qualquer função corporal normal, especialmente aquele manifestado por vários sintomas desagradáveis que precedem ou acompanham a menstruação.

mo·lin·done (mo-lin'dōn) – molindona; agente antipsicótico, utilizado como sal de cloridrato para tratar a esquizofrenia, psicoses reativas breves e distúrbios esquizofreniformes.

mol·li·ti·es (mo-lish'e-ēz) [L.] – amolecimento; moleza; amolecimento anormal. **m. os'sium** – m. óssea; osteomalacia.

mol·lus·cum (mŏ-lus'kum) – molusco: 1. uma das várias cutaneopatias caracterizadas pela formação de tumores cutâneos arredondados macios; 2. m. contagioso. **mollus'cous** – adj. muscóide; relativo a moluscos. **m. contagio'sum** – m. contagioso; cutaneopatia viral causada por um poxvírus, com pápulas firmes, redondas, translúcidas e crateriformes que contêm substância caseosa e corpos capsulados peculiares.

Mol wt – molecular weight (peso molecular).

mo·lyb·date (mo-lib'dāt) – molibdato; sal inorgânico utilizado na detecção de íons de metais pesados.

mo·lyb·den·um (mo-lib'dĭ -num) – molibdênio; elemento químico (ver *Tabela de Elementos*), número atômico 42, símbolo Mo.

mo·lyb·do·pro·tein (mo-lib''do-pro'tēn) – molibdoproteína; enzima que contém molibdênio (q.v. *molybdenum*).

mo·met·a·sone fu·ro·ate (mo-met'ah-sōn) – furoato de mometasona; corticosteróide sintético utilizado topicamente para o alívio de inflamação e prurido em dermatoses responsivas a corticosteróides.

mon·ad (mon'ad) – mônada: 1. protozoário ou coco; 2. radical ou elemento univalentes; 3. na meiose, o membro de uma tétrade.

mon·ar·thri·tis (mon''ar-thrī't is) – monoartrite; inflamação de apenas uma articulação.

mon·ar·tic·u·lar (-ahr-tik'u-ler) – monoarticular; relativo a apenas uma articulação.

mon·as·ter (mon-as'ter) – monáster; a única figura em forma de estrela no final da prófase na mitose.

mon·ath·e·to·sis (-ath''ĭ -to'sis) – monatetose; atetose de um membro.

mon·atom·ic (mon''ah-tom'ik) – monoatômico: 1. monovalente; ver *monovalent* (1); 2. monobásico; 3. que contém um átomo.

mo·ne·cious (mon-e'shus) – monécio; ver *monoecius*.

mon·es·thet·ic (mon''es-thet'ik) – monestético; relativo ou que afeta apenas um sentido ou sensação.

mon·go·lism (mong'go-lizm) – mongolismo; nome antigo para a síndrome de Down (*syndrome, Down*).

mo·nil·e·thrix (mo-nil'ĕ-thriks) – moniletrix; uma afecção hereditária em que os pêlos exibem constrições múltiplas acentuadas, conferindo-lhes um efeito de contas, bem como tornam-se muito quebradiços.

Mo·nil·ia (mo-nil'e-ah) – *Monilia*; *Candida*.

mo·nil·i·al (-al) – monilial; relativo ou causado por *Monilia* (*Candida*).

mo·nil·form (mo-nil'ĭ -form) – moniliforme; em contas.

Mo·nil·i·for·mis (mo-nil''ĭ -for'mis) – *Moniliformis*; gênero de vermes acantocéfalos. A *M. moniliformis* (parasita de roedores) é um parasita facultativo ocasional do homem.

Mon·i·stat (mon'ĭ -stat) – Monistat, marca registrada de preparações de nitrato de miconazol.

mon·i·tor (mon'it-er) – monitor: 1. monitorar, conferir constantemente uma dada situação ou fenômeno, por exemplo, pressão sangüínea ou freqüências cardíaca ou respiratória; 2. aparelho através do qual se podem observar ou registrar constantemente tais situações. **ambulatory ECG m., Holter m.** – m. de ECG ambulatorial; m. de Holter; registrador eletrocardiográfico contínuo portátil utilizado para detectar a freqüência e a duração dos distúrbios rítmicos.

mon(o)- [Gr.] – elemento de palavra, *um; único; limitado a uma parte; combinado com um átomo*.

mono·ac·yl·glyc·er·ol (mon''o-a''sil-glis'er-ol) – monoacilglicerol; monoglicerídeo.

mono·am·ide (mon''o-am'ĭ d) – monoamida; composto amídico com apenas um grupo amida.

mono·amine (mon''o-ah-mēn') – monoamina; amina que contém um grupo amina, por exemplo, serotonina, dopamina, adrenalina e noradrenalina.

mono·am·in·er·gic (-am''in-er'jik) – monoaminérgico; de ou relativo a neurônios que secretam neurotransmissores monoamínicos, por exemplo, dopamina e serotonina.

mono·am·ni·ot·ic (-am''ne-ot'ik) – monoamniótico; que tem ou se desenvolve dentro de uma cavidade amniótica única; diz-se de gêmeos monozigóticos.

mon·o·bac·tam (-bak'tam) – monobactam; classe de antibióticos sintéticos com um núcleo β-lactâmico simples.

mono·ba·sic (-ba'sik) – monobásico; que tem somente um átomo de hidrogênio substituível.

mono·blast (mon'o-blast) – monoblasto; o primeiro precursor na série monocítica, que amadurece para se desenvolver em promonócito.

mono·blep·sia (mon''o-blep'se-ah) – monoblepsia: 1. condição na qual a visão é melhor quando se usa somente um olho; 2. cegueira a todas as cores, com exceção de uma.

mono·cho·rea (-kor-e'ah) – monocoréia; coréia que afeta somente um membro.

mono·cho·ri·on·ic (-kor''e-on'ik) – monocoriônico; que tem ou se desenvolve em um saco coriônico comum; diz-se de gêmeos monozigóticos.

MNO

mono·chro·mat·ic (-kro-mat'ik) – monocromático: 1. que existe ou tem somente uma cor; 2. relativo ou afetado pelo monocromatismo; 3. que se cora somente com um corante por vez.

mono·chro·ma·tism (-kro'amh-tizm) – monocromatismo; cegueira completa para cores; incapacidade de discriminar matizes, em que todas as cores do espectro aparecem em tons cinza neutros com sombras variáveis de claro e escuro. **cone m.** – m. cônico; monocromatismo no qual ocorre alguma função cônica. **rod m.** – m. dos bastonetes; monocromatismo em que ocorre ausência completa de função cônica.

mono·chro·mato·phil (-kro-mat'ah-fil) – monocromatófilo: 1. corável com somente um tipo de corante; 2. qualquer célula ou outro elemento que aceite apenas um único corante.

mono·clo·nal (-klōn'al) – monoclonal: 1. derivado de uma única célula; 2. relativo a apenas um clone.

mon·oc·u·lar (mon-ok'ūl-er) – monocular: 1. relativo ou tem somente um olho; 2. que tem apenas uma ocular, como no caso de um microscópio.

mono·cyte (mon'o-sīt) – monócito; leucócito fagocítico mononuclear, com 13 a 25μm de diâmetro, com núcleo ovóide ou em forma de rim e grânulos citoplasmáticos azurófilos. Formados na medula óssea a partir dos promonócitos, os monócitos são transportados para os tecidos, como pulmão e fígado, onde se desenvolvem em macrófagos. **monocyt'ic** – adj. monocítico.

mono·cy·to·pe·nia (mon"o-si"to-pe'ne-ah) – monocitopenia; deficiência de monócitos no sangue.

mono·der·mo·ma (-der-mo'mah) – monodermoma; tumor desenvolvido a partir de uma camada germinativa.

mo·noe·cious (mon-e'shus) – monécio; hermafrodita; órgãos reprodutivos típicos de ambos os sexos em um só indivíduo.

mono·eth·a·nol·amine (mon"o-eth"ah-nōl'ah-men) – monoetanolamina; álcool amínico encontrado nas cefalinas e fosfolipídeos; utilizado como surfactante.

mono·io·do·ty·ro·sine (-i-o"do-ti'ro-sēn) – monoiododotirosina; aminoácido iodado intermediário na síntese da tireoxina e triiodotironina.

mono·kine (mon'o-kīn) – monocina; termo genérico para mediadores solúveis de respostas imunológicas que não são componentes de anticorpos ou de complementos e são produzidos por fagócitos mononucleares (monócitos ou macrófagos).

mono·loc·u·lar (mon"o-lok'u-lar) – monolocular; que tem somente uma cavidade ou compartimento, como um cisto.

mono·ma·nia (-ma'ne-ah) – monomania; psicose que se fixa em apenas um objeto ou classe de objetos.

mono·mer (mon'o-mer) – monômero: 1. molécula simples de peso molecular relativamente baixo, capaz de reagir para formar, por meio de repetição, um dímero, um trímero ou um polímero; 2. unidade básica de uma molécula, seja a própria molécula ou sua subunidade estrutural ou funcional.

mono·mer·ic (mon"o-mer'ik) – monomérico: 1. relativo, composto ou que afeta um único segmento;

2. em Genética, determinado por um gene ou genes em apenas um *locus*.

mono·mo·lec·u·lar (-mo-lek'ūl-er) – monomolecular; relativo a uma molécula ou camada de espessura molecular.

mono·mor·phic (-mor'fik) – monomórfico; que existe em somente uma forma; que mantém a mesma forma durante todos os estágios de desenvolvimento.

mono·neu·ri·tis (-nŏŏ-ri'tis) – mononeurite; inflamação de um só nervo. **m. mul'tiplex** – m. múltipla; ver em *mononeuropathy*.

mono·neu·rop·a·thy (-nŏŏ-rop'ah-the) – mononeuropatia; doença que afeta um só nervo. **multiple m., m. mul'tiplex** – m. múltipla; mononeuropatia de diversos nervos simultaneamente.

mono·nu·clear (-noo'kle-er) – mononuclear; que tem somente um núcleo.

mono·nu·cle·o·sis (-noo"kle-o'sis) – mononucleose; excesso de leucócitos mononucleares (monócitos) no sangue. **chronic m.** – m. crônica; síndrome da fadiga crônica. **cytomegalovirus m.** – m. citomegaloviral; doença infecciosa causada por um citomegalovírus e semelhante à mononucleose infecciosa. **infectious m.** – m. infecciosa; doença infecciosa aguda causada pelo vírus Epstein-Barr; os sintomas incluem febre, mal-estar, dor de garganta, linfadenopatia, linfócitos atípicos (semelhantes a monócitos) no sangue periférico e várias reações imunológicas.

mono·nu·cle·o·tide (-noo'kle-ah-tīd") – mononucleotídeo; nucleotídeo; ver *nucleotide*.

mono·oc·ta·no·in (-ok"tah-no'in) – monoctanoína; derivado semi-sintético do glicerol utilizado para dissolver cálculos de colesterol nos ductos biliares comum e intra-hepático.

mono·pha·sia (-faz'zhah) – monofasia; afasia com capacidade de pronunciar somente uma palavra ou frase. **monopha'sic** – adj. monofásico.

mono·phe·nol mono·oxy·gen·ase (-fe'nol mon"o-ok'sī-jen"ās) – monofenol monoxigenase; qualquer substância de um grupo de oxidorredutases que catalisam uma fase na formação de pigmentos de melanina a partir da tirosina.

mon·oph·thal·mus (mon"of-thal'mus) – monoftalmo; ciclopia (*cyclops*).

mono·phy·let·ic (mon"o-fil-let'ik) – monofilético; que descende de um ancestral ou célula precursora comuns.

mono·ple·gia (-ple'jah) – monoplegia; paralisia de uma só parte. **monople'gic** – adj. monoplégico.

mon·or·chid·ism (mon"o-or'kid-izm) – monorquidismo; monorquismo.

mon·or·chism (mon'or-kizm) – monorquismo; condição de ter somente um testículo ou em que apenas um testículo desceu.

mono·sac·cha·ride (mon"o-sak'ah-rīd) – monossacarídeo; um açúcar simples, que tem a fórmula geral $C_nH_{2n}O_n$; um carboidrato que não pode ser decomposto por meio de hidrólise.

mono·so·my (-so'me) – monossomia; existência de somente um membro em vez do par diplóide normal de um cromossoma específico em uma célula. **monoso'mic** – adj. monossômico.

mono·spasm (mon'o-spazm) – monoespasmo; espasmo de um só membro ou parte.

mono·spe·cif·ic (mon"o-spĕ-sif'ik) – monoespecífico; que tem efeito somente em um determinado tipo de célula ou tecido ou reage com um único antígeno, como um anti-soro monoespecífico.

Mono·spo·ri·um (-spor'e-um) – *Monosporium*; gênero de fungos, que inclui a *M. apiospermum;* causa da maduromicose.

mono·stra·tal (-străt"l) – monoestrático; relativo a uma só camada ou estrato.

mono·syn·ap·tic (-sĭ-nap'tik) – monossináptico; relativo ou que passa por apenas uma sinapse.

mono·ther·a·py (-ther'ah-pe) – monoterapia; tratamento de uma afecção por meio de um só medicamento.

mono·ther·mia (-ther'me-ah) – monotermia; manutenção da mesma temperatura corporal por todo o dia.

mo·not·o·cous (mo-not'ah-kis) – monótoco; que produz somente um descendente em cada parto.

mon·ot·ri·chous (mon-ot'rĭ-kis) – monótrico; que tem apenas um flagelo polar.

mono·un·sat·u·rat·ed (mon"o-un-sach'er-āt"-ed) – monoinsaturado; diz-se de um composto químico que contém uma ligação dupla ou tripla.

mono·va·lent (-va'lent) – monovalente: 1. que tem valência de um; 2. capaz de se combinar com uma só especificidade antigênica ou anticorpo.

mono·xen·ic (-zen'ik) – monoxênico; associado a apenas uma espécie conhecida de microrganismo; diz-se de animais de alguma forma livres de germes.

mo·nox·e·nous (mon-ok'sin-is) – monoxeno; que requer somente um hospedeiro para completar o ciclo vital.

mon·ox·ide (mon-ok'sid) – monóxido; óxido com um átomo de oxigênio na molécula.

mono·zy·got·ic (mon"o-zi-got'ik) – monozigótico; monozigoto; derivado de um só zigoto (óvulo fertilizado); diz-se de gêmeos.

mons (mons) [L.] – monte; proeminência. **m. pubis, m. ve'neris** – m. pubiano; m. de Vênus; proeminência carnosa arredondada sobre a sínfise pubiana na mulher.

mon·ster (mon'ster) – monstro; feto ou bebê com anomalias de desenvolvimento tão pronunciadas que chegam a ser grotescas e geralmente inviáveis. **autositic m.** – m. autósito; monstro capaz de vida independente, cuja circulação supre a nutrição do seu parceiro parasita. **compound m.** – m. composto; monstro que exibe alguma duplicação de partes. **double m.** – m. duplo; monstro que se origina de um único óvulo, mas com duplicação da cabeça, tronco ou membros. **parasitic m.** – m. parasita; feto imperfeito incapaz de existir por si mesmo e ligado a um parceiro autositário. **triplet m.** – m. triplo; monstro com triplicação de partes corporais. **twin m.** – m. gêmeo; m. duplo.

mon·tic·u·lus (mon-tik'u-lus) [L.] pl. *monticuli* – montículo; pequena proeminência. **m. cerebel'li** – m. cerebelar; parte que se projeta ou parte central do verme cerebelar.

mood (mo͞od) – humor; estado emocional de um indivíduo.

MOPP – a regimen of *m*echlorethamine, *o*ncovin (vincristine), *p*rocarbazine, and *p*rednisone (regime de *m*ecloretamina, *o*ncovin [vincristina], *p*rocarbazina e *p*rednisona); utilizado na quimioterapia do câncer.

Mo·rax·el·la (mo-rak-sel'ah) – *Moraxella;* gênero de bactérias encontradas como parasitas e patógenos nos animais de sangue quente.

mor·bid (mor'bid) – mórbido: 1. relativo, afetado por ou que induz uma doença; doente; 2. doentio ou insalubre.

mor·bid·i·ty (mor-bid'it-e) – morbidade; morbidez: 1. condição doentia ou morbidade; 2. índice de doentes; a proporção de pessoas doentes com relação às sãs em uma comunidade.

mor·bil·li (mor-bil'i) [L.] – sarampo (*measles*).

mor·bil·li·form (mor-bil'ĭ-form) – morbiliforme; semelhante ao sarampo; que se assemelha à erupção do sarampo.

Mor·bil·li·vi·rus (-vi"rus) – *Morbilivirus*; vírus semelhantes aos do sarampo; gênero de vírus da família Paramyxoviridae, que inclui os agentes do sarampo e da cinomose.

morbus (mor'bus) [L.] – doença; enfermidade (*disease*).

mor·cel·la·tion (mor"sil-a'shun) – fragmentação; divisão de um tecido sólido, em pedaços, como um tumor, seguida de sua remoção aos poucos.

mor·dant (mord'int) – mordente: 1. substância capaz de intensificar ou aprofundar a reação de um espécime a um corante; 2. sujeitar à ação de um mordente antes de uma coloração.

mor·gue (morg) – necrotério; morgue; um lugar onde se podem manter cadáveres para identificação ou até que sejam reclamados para enterro.

mo·ria (mor'e-ah) – moria; demência ou estupidez; em Psiquiatria; tendência mórbida para fazer piadas.

mor·i·bund (mor'ĭ-bund) – moribundo; em estado de morte iminente.

-morph [Gr.] – -morfo, elemento de palavra, *forma*.

mor·phea (mor-fe'ah) – morféia; hanseníase; afecção na qual ocorre substituição do tecido conjuntivo cutâneo e algumas vezes dos tecidos subcutâneos, com formação de manchas, faixas ou linhas rosadas ou branco-marfim firmes.

mor·phine (mor'fēn) – morfina; o principal e mais ativo alcalóide do ópio; seus sais de cloridrato e de sulfato são utilizados como analgésicos narcóticos.

mor·pho·gen (mor'fah-jen) – morfógeno; substância difusível em um tecido embrionário, postulada como formadora de um gradiente de concentração que influencia a morfogênese.

mor·pho·gen·e·sis (mor"fo-jen'is-is) – morfogênese; evolução e desenvolvimento de uma forma, como ocorre em determinado órgão ou parte do corpo, ou aquele sofrido por indivíduos que atingem o tipo ao qual a maioria dos indivíduos da espécie se aproximam. **morphogenet'ic** – adj. morfogenético.

mor·phol·o·gy (mor-fol'ah-je) – Morfologia; ciência da forma e estrutura dos organismos ou de determinado organismo, órgão ou parte. **morpholog'ic** – adj. morfológico.

mor·pho·sis (mor'fo'sis) – morfose; processo de formação de uma parte ou órgão. **morphot'ic** – adj. morfótico.

mor·rhu·ate (mor'u-āt) – morruato; ácidos graxos do óleo de fígado de bacalhau; o sal sódico é utilizado como agente esclerosante, especialmente para o tratamento de veias varicosas e hemorróidas.

mors (mŏrs) [L.] – morte (*death*).

mor·sus (mor'sus) [L.] – mordedura; mordida. **m. dia'boli** – m. do diabo; fímbrias na extremidade ovariana de um oviduto.

mor·tal (mort"l) – mortal: 1. destinado a morrer; 2. que causa ou termina em morte; fatal.

mor·tal·i·ty (mor-tal'it-e) – mortalidade: 1. qualidade de ser mortal; 2. ver *rate, death;* 3. índice de óbitos reais com relação à expectativa de óbitos.

mor·tar (mort'er) – almofariz; frasco em forma de sino ou urna onde se batem, esmagam ou trituram drogas com um pilão.

mor·ti·fi·ca·tion (mort'ĭ-fĭ-ka'shun) – mortificação; gangrena (*gangrene*).

mor·u·la (mor'ūl-ah) – mórula; massa sólida de células formada pela clivagem de um óvulo fertilizado.

mo·sa·i·cism (mo-za'ĭ-sizm) – mosaicismo; em Genética, a presença de duas ou mais linhagens celulares cariotípica ou genotipicamente distintas e derivadas de um só zigoto em um indivíduo.

mOsm – milliosmole (miliosmol).

mos·qui·to (mos-ke'to) [Esp.] – mosquito; inseto sugador de sangue e venenoso da família Culicidae, que inclui os gêneros *Aedes, Anopheles, Culex* e *Mansonia.*

mo·til·in (mo-til'in) – motilina; hormônio polipeptídico ' secretado pelas células enterocromafins do intestino; causa aumento da motilidade de várias porções do intestino e estimula a secreção de pepsina. Sua liberação é estimulada pela presença de ácido e gordura no duodeno.

mo·til·i·ty (mo-til'ite) – motilidade; mobilidade; capacidade de se mover espontaneamente. **mo'tile** – adj. móvel.

mo·to·neu·ron (mŏt"o-noor'on) – motoneurônio; neurônio motor; neurônio que tem função motora; neurônio eferente que transporta impulsos motores. **lower m's** – motoneurônios inferiores; neurônios periféricos cujos corpos celulares situam-se nas colunas cinzentas ventrais da medula espinhal e cujas terminações se encontram nos músculos esqueléticos. **peripheral m.** – m. periférico; em um arco reflexo, um motoneurônio que recebe impulsos a partir de interneurônios. **upper m's** – motoneurônios superiores; neurônios no córtex cerebral que conduzem impulsos do córtex motor aos núcleos motores dos nervos cerebrais ou às colunas cinzentas ventrais da medula espinhal.

mo·tor (mŏt'er) – motor: 1. músculo, nervo ou centro que efetua ou produz movimento; 2. que gera ou dá início movimento.

Mo·trin (mo'trin) – Motrin, marca registrada de preparação de ibuprofena.

mot·tling (mot'ling) – moteado; mosqueado; descoloração em áreas irregulares.

mou·lage (moo-lahzh') – moldagem; modelagem; confecção de moldes ou modelos em cera ou gesso; também, molde ou modelo assim produzido.

mound·ing (mound'ing) – mioedema; ver *myoedema* (1).

mount (mount) – montar: 1. fixar em ou sobre um suporte; 2. suporte sobre o qual pode-se fixar alguma coisa; 3. preparar espécimes e lâminas para estudo; 4. espécime ou lâmina para estudo.

mouse (mous) – camundongo: 1. pequeno roedor, de que se utilizam várias espécies em experimentos laboratoriais; 2. uma estrutura móvel ou de baixo peso. **joint m.** – c. articular; fragmento móvel de cartilagem ou outro corpo no interior de uma articulação. **peritoneal m.** – c. peritoneal; corpo solto na cavidade peritoneal, provavelmente uma pequena massa descolada do omento, algumas vezes visível radiograficamente.

mouth (mouth) – boca; cavidade oral; abertura, especialmente a abertura anterior do canal alimentar, cuja cavidade contém a língua e os dentes. **trench m.** – b. de trincheira; gengivite ulcerativa necrosante.

mouth·wash (mouth'wosh) – colutório; solução para enxaguar a boca, por exemplo, uma preparação de bicarbonato de potássio, borato de sódio, timol, eucaliptol, salicilato metílico, solução de amaranto, álcool, glicerina e água purificada.

move·ment (mōōv'mint) – movimento: 1. ato de movimentar; 2. ato de defecação. **ameboid m.** – m. amebóide; movimento semelhante ao de uma ameba, realizado através de protrusão do citoplasma celular. **associated m.** – m. associado: 1. movimento de partes que agem em conjunto, como os olhos; 2. sincinese. **brownian m.** – m. browniano; movimento de dança de partículas diminutas suspensas em um líquido, devido a agitação térmica. **vermicular m's** – movimentos vermiculares; movimentos vermiformes dos intestinos no peristaltismo.

mov·er (moo'ver) – movimentador; que produz movimento. **prime m.** – m. primário; músculo que age diretamente para realizar um movimento desejado.

mox·a·lac·tam (mok"sah-lak'tam) – moxalatam; antibiótico semi-sintético quimicamente relacionado às cefalosporinas de terceira geração e que têm amplo espectro de atividade antibacteriana; utilizado como sal dissódico.

MPD – maximum permissible dose máxima (dose máxima permissível).

MPH – Master of Public Health (Mestre em Saúde Pública).

MPO – myeloperoxidase (mieloperoxidase).

MR – mitral regurgitation (RM, regurgitação mitral).

mR – milliroentgen (miliroentgen).

MRA – Medical Record Administrator (Administrador de Registros Médicos).

MRC – Medical Reserve Corps (Corpo Médico de Reserva).

MRCP – Member of Royal College of Physicians (Membro da Associação Real de Médicos).

MRCS – Member of Royal College of Surgeons (Membro da Associação Real de Cirurgiões).

MRL – Medical Record Librarian (Bibliotecário de Registros Médicos), hoje chamado de Medical Record Administrator (Administrador de Registros Médicos).

mRNA – messenger RNA (RNAm, RNA-mensageiro).

MS – Master of Science; Master of Surgery; mitral stenosis; multiple sclerosis (Mestre em Ciência; Mestre em Cirurgia; estenose mitral; esclerose múltipla).

MSH – melanocyte-stimulating hormone (hormônio estimulador dos melanócitos).

MT – Medical Technologist (Tecnólogo Médico).

mtDNA – mitochondrial DNA (DNAmt, DNA mitocondrial).

mu·cif·er·ous (mu-sif'er-us) – mucífero; que secreta muco.

mu·ci·gen (mu'sĭ-jen) – mucígeno; substância da qual deriva a mucina.

mu·ci·lage (-lij) – mucilagem; solução aquosa de uma substância viscosa, utilizada como veículo ou demulcente. **mucilag'inous** – adj. mucilaginoso.

mu·cin (mu'sin) – mucina: 1. substância de um grupo de glicoconjugados que contêm proteínas e alto teor de ácido siálico ou polissacarídeos sulfatados, compondo o principal constituinte do muco; 2. substância de ampla variedade de glicoconjugados, que incluem mucoproteínas, glicoproteínas, glicosaminoglicanos e glicolipídeos.

mu·ci·noid (mu'sĭ-noid) – mucinóide; semelhante ou relativo à mucina.

mu·ci·no·sis (mu"sĭ-no'sis) – mucinose; estado com depósitos anormais de mucinas na pele. **follicular m.** – m. folicular; doença da unidade pilossebácea, caracterizada por placas de pápulas foliculares e alopecia.

mu·ci·nous (mu'sĭ-nis) – mucinoso; semelhante ou marcado pela formação de mucina.

mu·cin·uria (mu"sin-ūr'e-ah) – mucinúria; presença de mucina na urina, sugerindo contaminação vaginal.

mu·cip·a·rous (mu-sip'ah-rus) – mucíparo; que secreta mucina.

muc(o)- [L.] – elemento de palavra, *muco; relativo à membrana mucosa.*

mu·co·cele (mu'ko-sēl) – mucocele: 1. dilatação de uma cavidade com secreção mucosa; 2. pólipo mucoso.

mu·co·cil·i·ary (mu"ko-sil'e-ar-e) – mucociliar; relativo ao muco e aos cílios das células epiteliais das vias aéreas.

mu·co·en·ter·itis (-en"ter-i'tis) – mucoenterite; colite mucosa.

mu·co·ep·i·der·moid (-ep"ĭ-der'moid) – mucoepidermóide; composto de células epiteliais produtoras de muco.

mu·co·gin·gi·val (-jin'jĭ-val) – mucogengival; relativo à mucosa oral e à gengiva ou à linha de demarcação entre elas.

mu·coid (mu'koid) – mucóide: 1. relativo ou relacionado ao muco ou semelhante a este; 2. mucinóide.

mu·co·lip·i·do·sis (mu"ko-lip"ĭ-do'sis) pl. *mucolipidoses* – mucolipidose; doença de um grupo de doenças de armazenamento lisossômico na qual se acumulam tanto glicosaminoglicanos (mucopolissacarídeos) como lipídeos nos tecidos, mas sem excesso dos primeiros na urina.

mu·co·peri·chon·dri·um (-pĕ-re-kon'dre-um) – mucopericôndrio; pericôndrio que tem uma superfície mucosa, semelhante à do septo nasal. **mucoperichon'drial** – adj. mucopericondrial.

mu·co·peri·os·te·um (-os'te-um) – mucoperiósteo; periósteo que tem superfície mucosa. **mucope-rios'teal** – adj. mucoperióstico.

mu·co·poly·sac·cha·ride (-sak'ah-rĭd) – mucopolissacarídeo: 1. glicosaminoglicano; 2. polissacarídeo com alto teor de hexosamina, incluindo os glicosaminoglicanos e também os polissacarídeos neutros, como a quitina).

mu·co·pol·y·sac·cha·ri·do·sis (-sak"ah-ri-do'-sis) pl. *mucopolysaccharidoses* – mucopolissacaridose; doença de um grupo de doenças de armazenamento lisossômico decorrentes de metabolismo defeituoso dos glicosaminoglicanos, causando seu acúmulo e excreção e afetando o esqueleto ósseo, articulações, fígado, baço, olho, ouvido, pele, dentes e sistemas cardiovascular, respiratório e nervoso central.

mu·co·pro·tein (-pro-tēn) – mucoproteína; complexo covalentemente ligado de proteína-polissacarídeo, com o último contendo muitos resíduos hexosamínicos e constituindo 4 a 30% do peso do composto; ocorre principalmente nas secreções mucosas.

mu·co·pu·ru·lent (-pu'roo-lent) – mucopurulento; que contém tanto muco como pus.

mu·co·pus (mu'ko-pus) – mucopus; muco misturado com pus.

Mu·cor (mu'kor) – *Mucor;* gênero de fungos dos quais algumas espécies causam a mucormicose.

Mu·co·ra·les (mu"kor-a'lēz) – Mucorales; ordem de fungos que inclui os bolores do pão e fungos relacionados, a maioria dos quais saprófitas.

mu·cor·my·co·sis (-mi-ko'sis) – mucormicose; micose devida a fungos da ordem Mucorales, que inclui espécies de *Absidia, Mucor* e *Rhizopus,* geralmente ocorrendo em pacientes debilitados e freqüentemente começando no trato respiratório superior ou pulmões, de onde os crescimentos miceliais metastatizam-se para outros órgãos.

mu·co·sa (mu-ko'sah) [L.] – mucosa; membrana mucosa. **muco'sal** – adj. mucoso.

mu·cous (mu'kus) – mucoso: 1. relativo ou semelhante ao muco; 2 coberto com muco; 3. que secreta, produz ou contém muco.

mu·co·vis·ci·do·sis (mu"ko-vis"ĭ-do'sis) – mucoviscidose; fibrose cística pancreática.

mu·cus (mu'kis) – muco; líquido viscoso profuso das membranas mucosas, composto de secreção das glândulas, vários sais, células descamadas e leucócitos.

mu·li·e·bria (mu"le-eb're-ah) – muliébria; genitália feminina.

multi- [L.] – elemento de palavra, *muito.*

Mul·ti·ceps (mul'tĭ-seps) – *Multiceps;* gênero de tênias que inclui *M. multiceps,* cujo estágio adulto parasita é nos cães e o estágio larval (*Coenurus cerebralis*) geralmente se desenvolve no sistema nervoso central dos caprinos e ovinos e ocasionalmente no homem.

mul·ti·fid (-fid) – multífido; dividido em muitas partes.

mul·ti·form (-form) – multiforme; polimórfico (*polymorphic*).

mul·ti·grav·ida (mul'tĭ-gravĭ-dah) – multigrávida; gestante que já teve pelo menos duas gestações anteriores.

mul·ti·in·fec·tion (mul"te-in-fek'shun) – multiinfecção; infecção por vários tipos de patógenos.

mul·tip·a·ra (mul-tip'ah-rah) – multípara; mulher que em duas ou mais gestações deu à luz a fetos viáveis, independentemente dos descendentes estarem vivos ao nascimento. **multip'arous** – adj. multípara. **grand m.** – grande m.; mulher que tenha tido seis ou mais gestações resultantes em fetos viáveis.

mul·ti·par·i·ty (mul"tĭ-par'it-e) – multiparidade: 1. condição de ser multípara; 2. dar à luz a vários descendentes em uma gestação.

mul·ti·va·lent (-văl'int) – multivalente: 1. que tem a capacidade de se combinar com três ou mais átomos univalentes; 2. ativo contra várias cepas de um microrganismo.

mum·mi·fi·ca·tion (mum"ĭ-fĭ-ka'shun) – mumificação; enrugamento de um tecido, como no caso de gangrena gasosa ou feto morto e retido.

mumps (mumps) – caxumba; doença paramixoviral contagiosa aguda observada principalmente na infância, envolvendo principalmente as glândulas salivares (mais freqüentemente as parótidas), mas que também pode afetar outros tecidos, por exemplo, meninges e testículos nos homens pós-púberes.

mu·pir·o·cin (mu-pir'o-sin) – mupirocina; antibacteriano derivado da *Pseudomonas fluorescens*, eficaz contra estafilococos e estreptococos não-entéricos; utilizado no tratamento do impetigo.

mu·ral (mur"l) – mural; relativo ou que ocorre na parede de uma cavidade corporal.

mu·ram·i·dase (mu-ram'ĭ-das) – muramidase; lisozima (*lysozyme*).

mu·rex·ine (mu-rek'sin) – murexina; neurotoxina proveniente da glândula hipobranquial de caramujo *Murex*. É chamada purpurina quando derivada dos caramujos do gênero *Purpura*.

mu·rine (mūr'ēn) – murino; relativo aos camundongos ou ratos.

mur·mur (mur'mer) [L.] – sopro; som auscultatório, particularmente um som periódico de curta duração de origem cardíaca ou vascular. **anemic m.** – s. anêmico; sopro cardíaco ouvido em uma anemia. **aortic m.** – s. aórtico; som gerado pelo sangue que flui através de uma aorta ou válvula aórtica doentes. **arterial m.** – s. arterial; sopro sobre uma artéria, outras vezes aneurísmica e algumas vezes constrita. **Austin Flint m.** – s. de Austin Flint; sopro pré-sistólico ouvido no vértice na regurgitação aórtica. **cardiac m.** – s. cardíaco; sopro de extensão finita gerado pela turbulência do fluxo sangüíneo através do coração. **Carey Coombs m.** – s. de Carey Coombs; sopro mesodiastólico semelhante a um estrondo, que ocorre na fase ativa da febre reumática. **continuous m.** – s. contínuo; sopro semelhante a um zumbido ouvido durante toda a sístole e diástole. **Cruveilhier-Baumgarter m.** – s. de Cruveilher-Baumgarten; sopro ouvido na parede abdominal sobre as veias que conectam os sistemas porta e cava. **diastolic m's** – sopros diastólicos; sopros ouvidos durante a diástole, geralmente resultantes de regurgitação da válvula semilunar ou de alteração do fluxo sangüíneo através das válvulas atrioventriculares. **Duroziez's m.** – s. de Duroziez; sopro duplo sobre a artéria femoral ou outra grande artéria periférica; devido a insuficiência aórtica. **ejection m.** – s. de ejeção; tipo de sopro sistólico ouvido predominantemente na mesossístole quando o volume e a velocidade de ejeção do fluxo sangüíneo se encontram em seu máximo, como no caso de estenose aórtica ou pulmonar. **extracardiac m.** – s. extracardíaco; sopro ouvido sobre o coração, mas que se origina de outra estrutura. **friction m.** – s. de fricção; ver *rub.* **functional m.** – s. funcional; sopro cardíaco gerado na ausência de cardiopatia orgânica. **Gibson m.** – s. de Gibson; som longo e estrondeante que ocupa a maior parte da sístole e diástole, geralmente localizado no segundo interespaço esquerdo próximo do esterno, e geralmente indicativo de ducto arterioso permeável. **Graham Steell's m.** – s. de Graham Steell; sopro devido a regurgitação pulmonar em pacientes com hipertensão pulmonar e estenose mitral. **innocent m.** – s. inocente; s. funcional. **machinery m.** – s. de maquinaria; sopro contínuo, alto e estrondeante, como no caso de ducto arterioso permeável. **musical m.** – s. musical; sopro cardíaco que tem um padrão harmônico periódico. **organic m.** – s. orgânico; sopro devido a lesão em um órgão, por exemplo, coração, um vaso ou pulmão. **pansystolic m.** – s. pansistólico; sopro de regurgitação audível durante toda a sístole. **pericardial m.** – s. pericárdico; ver *rub.* **pre-diastolic m.** – s. pré-diastólico; sopro que ocorre imediatamente antes e com diástole; devido a obstrução mitral ou a regurgitação aórtica ou pulmonar. **presystolic m.** – s. pré-sistólico; sopro cardíaco que ocorre imediatamente antes de uma ejeção ventricular, geralmente associado a contração atrial e aceleração do fluxo sangüíneo através de uma válvula atrioventricular estreitada. **pulmonic m.** – s. pulmonar; sopro devido a doença da válvula ou artéria pulmonares. **regurgitant m.** – s. regurgitante; sopro devido a regurgitação de sangue através de um orifício valvular anormal. **seagull m.** – s. de gaivota; sopro rouco com qualidades musicais, como o audível ocasionalmente no caso de insuficiência aórtica. **Still's m.** – s. de Still; sopro cardíaco funcional vibratório ou sussurrante, de baixa freqüência, da infância, ouvido na mesossístole. **systolic m's** – sopros sistólicos; sopros que se ouvem durante uma sístole; geralmente devidos a regurgitação mitral ou tricúspide ou a obstrução aórtica ou pulmonar. **to-and-fro m.** – s. de vaivém; bulha ou sopro de atrito audível tanto na sístole como na diástole. **vascular m.** – s. vascular; sopro ouvido sobre um vaso sangüíneo. **vesicular m.** – s. vesicular; sons respiratórios normais ouvidos sobre os pulmões.

mu·ro·mo·nab-CD3 (mu"ro-mo'nab) – muromona-CD3; anticorpo monoclonal murino contra o antígeno CD3 das células T humanas, que funciona como imunossupressor no tratamento de rejeição de aloenxerto aguda de transplantes renais.

Mus (mus) – *Mus*; gênero de roedores, que inclui a *M. musculus*, o camundongo doméstico comum.

Mus·ca (mus-kah) [L.] – *Musca*; gênero de moscas, que inclui a mosca doméstica comum (*M. domestica*), que pode servir como vetor de vários patógenos; suas larvas podem causar miíase. **mus·ca** (mus'kah) pl. *muscae* – mosca. **mus'cae volitan'tes** – moscas volantes; pontos que flutuam diante dos olhos.

mus·ca·rine (-rēn) – muscarina; alcalóide fatal proveniente de vários cogumelos, por exemplo, a *Amanita muscaria* (agárico das moscas) e também de peixe podre.

mus·ca·rin·ic (mus"kah-rin'ik) – muscarínico; denota os efeitos colinérgicos da muscarina nos impulsos nervosos parassimpáticos pós-ganglionares.

mus·cle (mus"l) – músculo; tecido orgânico que através da contração produz o movimento de um organismo animal; ver *Tabela de Músculos* e Pranchas I e XIV. **agonistic m.** – m. agonista; músculo oposto em ação a outro músculo (a antagonista). **antagonistic m.** – m. antagonista; músculo que reage contra a ação de outro músculo (agonista). **articular m.** – m. articular; músculo que tem uma extremidade presa à cápsula articular. **Bell's m.** – m. de Bell; filamentos musculares entre os orifícios uretéricos e a úvula vesical, limitando o trígono vesical. **Brücke's m.** – m. de Brücke; fibras longitudinais do músculo ciliar. **cardiac m.** – m. do coração; músculo cardíaco, composto de fibras musculares estriadas (mas involuntárias), constituindo o componente principal do miocárdio e revestindo as paredes dos grandes vasos contíguos. **cervical m's** – músculos cervicais; músculos do pescoço, que incluem os músculos esternocleidomastóideo, longo do pescoço, supra-hióideo, infra-hióideo e escaleno. **m's of expression** – músculos de expressão; grupo de músculos cutâneos das estruturas faciais, que incluem os músculos do couro cabeludo, auriculares, palpebrais, nasais e bucais e o platisma. **extraocular m's** – músculos extra-oculares; seis músculos voluntários que movem o globo ocular: músculos retos superior, inferior, médio e lateral e oblíquos superior e inferior. **extrinsic m.** – m. extrínseco; músculo que não se origina no membro ou parte na qual se insere. **facial m's** – músculos faciais; m. de expressão. **fixation m's, fixator m's** – músculos fixadores; m. de fixação; músculos acessórios que servem para firmar uma parte. **hamstring m's** – músculos posteriores da coxa; músculos do dorso da coxa: músculos bíceps femoral, semitendinoso e semimembranoso. **Horner's m.** – m. de Horner; a parte lacrimal do músculo orbicular do olho. **Houston's m.** – m. de Houston; fibras do músculo bulbocavernoso que comprimem a veia dorsal do pênis. **intrinsic m.** – m. intrínseco; músculo cujas origem e inserção se encontram na mesma parte ou órgão. **involuntary m.** – m. involuntário; músculo que não se encontra sob o controle da vontade. **Landström's m.** – m. de Landström; fibras musculares diminutas na fáscia ao redor e atrás do globo ocular, presas frontalmente à fáscia orbitária anterior e às pálpebras. **lingual m's** – músculos linguais; músculos extrínsecos e intrínsecos que movem a língua. **masti-**

catory m's – m. da mastigação; grupo de músculos responsáveis pelo movimento das mandíbulas durante a mastigação, que incluem os músculos masseter, temporal e pterigóideo medial e lateral. **Müller's m.** – m. de Müller: 1. fibras circulares do músculo ciliar; 2. músculo orbitário; ver *Tabela de Músculos*. **orbicular m.** – m. orbicular; músculo que circunda uma abertura corporal, por exemplo, o olho ou a boca. **Reisseisen's m's** – músculos de Reisseisen; fibras musculares lisas dos brônquios menores. **Ruysch's m.** – m. de Ruysch; tecido muscular do fundo uterino. **skeletal m's** – músculos esqueléticos; músculos estriados presos a ossos, que atravessam pelo menos uma articulação. **smooth m.** – m. liso; músculo involuntário e não-estriado. **striated m., striped m.** – m. estriado; qualquer músculo cujas fibras sejam divididas por faixas transversais em estriações; tais músculos são voluntários. **synergic m's, synergistic m's** – músculos sinérgicos; m. sinergistas; músculos que auxiliam um outro em uma ação. **thenar m's** – músculos tenares; músculos abdutor e flexor do polegar. **voluntary m.** – m. voluntário; qualquer músculo que se encontre normalmente sob o controle da vontade. **yoked m's** – músculos conjugados; os músculos que normalmente agem simultânea e equivalentemente, como no caso da movimentação dos olhos.

mus·cle phos·pho·fruc·to·ki·nase (mus"l fos"-fo-frook"to-ki'nās) – fosfofrutocinase muscular; isozima muscular da 6-fosfofrutocinase.

mus·cle phos·phor·y·lase (fos-for'ĭ-lās) – fosforilase muscular; isozima muscular da glicogêniofosforilase; a deficiência causa a doença do armazenamento de glicogênio do tipo V.

mus·cu·la·ris (mus"ku-la'ris) [L.] – muscular; relacionado a um músculo, especificamente uma camada muscular (lâmina muscular) ou um revestimento muscular (túnica muscular).

mus·cu·la·ture (mus'kūl-ah-cher) – musculatura; aparelho muscular do corpo ou de uma parte.

mus·cu·lo·apo·neu·rot·ic (mus"kūl-o-ap"o-noor-ot'ik) – musculoaponeurótico; relativo a um músculo e à sua aponeurose.

mus·cu·lo·phren·ic (-fren'ik) – musculofrênico; relativo ou que supre o diafragma e músculos contíguos.

mus·cu·lo·skel·e·tal (-skel"ĕ-t'l) – musculoesquelético; relativo ou que compreende esqueleto e músculos.

mus·cu·lus (mus'ku-lus) [L.] pl. *musculi* – músculo; ver *Tabela de Músculos*.

mus·tard (mus'terd) – mostarda: 1. planta do gênero *Brassica*; 2. sementes maduras da *Brassica alba* e *B. nigra*, cujos óleos possuem propriedades irritantes e estimulantes. **nitrogen m.** – m. nitrogenada; mecloretamina. **nitrogen m's** – mostardas nitrogenadas; grupo de agentes alcilantes, vesicantes e tóxicos, homólogos do sulfeto de diclorodietila (gás de mostarda), alguns dos quais são utilizados como antineoplásicos. O grupo inclui a mecloretamina (m. nitrogenada), ciclofosfamida, tiotepa, clorambucila e melfalana.

TABELA DE MÚSCULOS

Nome Comum	Termo da Nomina Anatomica	Origem	Inserção	Inervação	Ação
m. abdutor do hálux; m. abdutor do grande artelho	m. abductor hallucis	tubérculo medial do calcâneo, fáscia plantar	local medial da base da falange proximal do hálux	plantar medial	abduz e flexiona o grande artelho
m. abdutor do dedo mínimo	m. abductor digiti minimi manus	osso pisiforme, tendão do m. flexor ulnar do punho	lado medial da base da falange proximal do dedo mínimo	ulnar	abduz o dedo mínimo
m. abdutor do artelho mínimo; m. abdutor do pequeno artelho	m. abductor digiti minimi pedis	tubérculos medial e lateral do calcâneo, fáscia plantar	porção lateral da base da falange proximal do artelho mínimo	plantar lateral	abduz o artelho mínimo
m. abdutor longo do polegar	m. abductor pollicis longus	superfícies posteriores do rádio e ulna	porção lateral do primeiro osso metacarpiano e do trapézio	interósseo posterior	abduz e estende o polegar
m. abdutor curto do polegar	m. abductor pollicis brevis	tubérculos do escafóide e do trapézio, retináculo flexor da mão	face lateral da base da falange proximal do polegar	mediano	abduz o polegar
m. grande adutor	m. adductor magnus	parte profunda – ramo inferior do púbis, ramo do ísquio; parte superficial – tuberosidade isquiática	parte profunda – linha áspera do fêmur; parte superficial – tubérculo adutor do fêmur	parte profunda – obturador; parte superficial – ciático	parte profunda – aduz a coxa; parte superficial – estende a coxa
m. adutor do grande artelho; m. adutor do hálux	m. adductor hallucis	cabeça obliqua – ligamento plantar longo; cabeça transversa – ligamentos plantares	face lateral da falange proximal do hálux	plantar lateral	flexiona e aduz o grande artelho
m. longo adutor	m. adductor longus	corpo do púbis	linha áspera do fêmur	obturador	aduz, gira e flexiona a coxa
m. adutor curto	m. adductor brevis	corpo e ramo inferior do púbis	parte superior da linha áspera do fêmur	obturador	aduz, gira e flexiona a coxa
m. adutor mínimo	m. adductor minimus	nome dado à porção anterior do m. grande adutor	ísquio, corpo e ramo do púbis	obturador, ciático	aduz a coxa
m. adutor do polegar	m. adductor pollicis	cabeça obliqua – segundo metacarpiano; capitato e trapezóide; cabeça transversa frente do terceiro metacarpiano	lado medial da base da falange proximal do polegar	ulnar	aduz e opõe o polegar
m. ancônio	m. anconeus	dorso do epicôndilo lateral do úmero	olecrânio e superfície posterior da ulna	radial	estende o antebraço
m. do antitrago	m. antitragicus	parte externa do antitrago	processo caudado da hélice e da anti-hélice	ramos temporal e auricular posterior do facial	
mm. arrectores pilorum	mm. arrectores pilorum	derme	folículos pilosos	simpáticos	eleva os pêlos cutâneos
m. eretores do pêlo					

Músculo	Nome latino	Origem	Inserção	Inervação	Ação
m. articular do cotovelo	m. articularis cubiti	nome aplicado a algumas fibras da superfície profunda do m. tríceps do braço que se insere no interior do ligamento posterior e da membrana sinovial da articulação do cotovelo			
m. articular do joelho	m. articularis genus	frente da parte inferior do fêmur	parte superior da cápsula da articulação do joelho	femoral	eleva a cápsula da articulação do joelho
m. ariepiglótico	pars ary-epiglottica musculi arytenoidei obliqui	nome aplicado às fibras inconstantes do m. arritenóideo oblíquo, do vértice da cartilagem aritenóide à margem lateral da epiglote		laríngeo recorrente	fecha a entrada da laringe
m. aritenóideo oblíquo	m. arytenoideus obliquus	processo muscular da cartilagem aritenóide	vértice da cartilagem aritenóide oposta	laríngeo recorrente	aproxima a cartilagem aritenóide
m. aritenóideo transversal	m. arytenoideus transversus	superfície medial da cartilagem aritenóide			
m. auricular anterior	m. auricularis anterior	fáscia temporal superficial	cartilagem da orelha	facial	puxa o pavilhão auricular para a frente
m. auricular oblíquo	m. obliquus auricularis	superfície cranial da concha	superfície cranial do pavilhão auricular acima da concha	auricular posterior, temporal	
m. auricular posterior	m. auricularis posterior	processo mastóide	cartilagem da orelha	facial	puxa o pavilhão auricular para trás
m. auricular superior	m. auricularis superior	gálea aponeurótica	cartilagem da orelha	facial	eleva o pavilhão auricular
m. biceps do braço	m. biceps branchii	cabeça longa—tubérculo supraglenóide da escápula; cabeça curta – vértice do processo coracóide	tuberosidade do rádio, fáscia antebraquial, ulna	musculocutâneo	flexiona e realiza a supinação do antebraço
m. biceps da coxa	m. biceps femoris	cabeça longa – tuberosidade de isquiática; cabeça curta – linha áspera do fêmur	cabeça da fíbula, côndilo lateral da tíbia	cabeça longa – tibial; cabeça curta – fibular, poplíteo	flexor, vira a perna lateralmente, estende a coxa
m. braquial	m. brachialis	face anterior do úmero	processo coronóide da ulna	musculocutâneo, radial	flexiona o antebraço
m. braquiorradial	m. brachioradialis	crista supracondilar lateral do úmero	superfície lateral da extremidade inferior do rádio	radial	flexiona o antebraço
m. broncoesofágico	m. broncho-oesophageous	nome aplicado às fibras musculares que se originam da parede do brônquio esquerdo, reforçando a musculatura do esôfago			
m. bucinador	m. buccinator	crista bucinadora da mandíbula, processos alveolares da maxila, ligamento pterigomandibular	m. orbicular da boca no ângulo da boca	ramo bucal do facial	comprime a bochecha e retrai o ângulo da boca

m. = músculo.

m. = [L.] musculus; mm. = [L. pl.] musculi.

MNO

(Continua)

TABELA DE MÚSCULOS (Cont.)

Nome Comum	Termo da Nomina Anatômica	Origem	Inserção	Inervação	Ação
m. bulbocavernoso	m. bulbocavernosus; m. bulbospongiosus	centro tendíneo do períneo, rafe mediana do bulbo	fáscia do pênis ou do clitóris	pudendo	contrai a uretra no homem e a vagina na mulher
m. canino. Ver m. elevador do ângulo da boca					
m. ceratocricóide	m. ceratocricoideus	nome aplicado às fibras musculares da cartilagem cricóide até o corno inferior da cartilagem tireóide			
m. do queixo	m. mentalis	fossa incisiva da mandíbula	pele do queixo	facial	franze a pele do queixo
m. condroglosso	m. chondroglossus	corno menor e corpo do osso hióide	substância da língua	hipoglosso	deprime e retrai a língua
m. ciliar	m. ciliaris	divisão longitudinal (m. de Brücke) – junção da córnea e esclera; divisão circular (m. de Müller) – esfíncter do corpo ciliar	camada externa dos processos coróide e ciliar	ciliar curto	torna o cristalino mais convexo na acomodação visual
m. coccígeo	m. coccygeus	espinha isquiática	borda lateral da parte inferior do sacro, cóccix	terceiro e quarto sacrais	sustenta e eleva o cóccix
m. constritor inferior da faringe	m. constrictor pharyngis inferior	superfícies inferiores das cartilagens cricóide e tireóide	rafe mediana da parede posterior da faringe	glossofaríngeo, plexo faríngeo, ramo externo do laríngeo superior e do laríngeo recorrente	contrai a faringe
m. constritor médio da faringe	m. constrictor pharyngis medius	cornos do osso hióide, ligamento estilóide	rafe mediana da parede posterior da faringe	plexo faríngeo do vago, glossofaríngeo	contrai a faringe
m. constritor superior da faringe	m. constrictor pharyngis superior	placa pterigóide, rafe pterigomandibular, crista milóide da mandíbula, membrana mucosa do assoalho da boca	rafe mediana da parede posterior da faringe	plexo faríngeo do vago	contrai a faringe
m. coracobraquial	m. coracobrachialis	processo coracóide da escápula	superfície medial do eixo do úmero	musculocutâneo	flexiona e aduz o braço
m. corrugador superciliar	m. corrugator supercilii	extremidade medial do arco superciliar	pele da sobrancelha	facial	puxa a pálpebra para baixo e medialmente
m. cremáster	m. cremaster	margem inferior do m. oblíquo interno do abdômen	tubérculo púbico	ramo genital do genitofemoral	eleva o testículo
m. cricoaritenóideo lateral	m. crico-arytenoideus lateralis	superfície lateral da cartilagem cricóide	processo muscular da cartilagem aritenóide	laríngeo recorrente	aproxima as cordas vocais
m. cricoaritenóideo posterior	m. crico-arytenoideus posterior	dorso da lâmina da cartilagem cricóide	processo muscular da cartilagem aritenóide	laríngeo recorrente	separa as cordas vocais

m. cricotireóideo	m. cricothyreoideus	frente e lado da cartilagem cricóide	lâmina e como inferior da cartilagem tireóide	ramo externo do laríngeo superior	retesa as cordas vocais
m. deltóide	m. deltoideus	clavícula, acrômio, espinha da escápula	tuberosidade deltóide do úmero	axilar	abduz, flexiona ou estende o braço
m. depressor do ângulo da boca	m. depressor anguli oris	borda lateral da mandíbula	ângulo da boca	facial	puxa para baixo o ângulo da boca
m. depressor do lábio inferior	m. depressor labii inferioris	superfície anterior da borda inferior da mandíbula	m. orbicular da boca e da pele do lábio inferior	facial	deprime o lábio inferior
m. depressor do septo do nariz	m. depressor septi nasi	fossa incisiva da maxila	asa e septo do nariz	facial	contrai as narinas e deprime a asa
m. depressor dos supercílios	m. depressor supercilii	nome aplicado a algumas fibras da parte orbitária do m. orbicular do olho que se inserem no supercílio, o qual deprimem			
m. detrusor da bexiga	m. detrusor vesicae	feixes de fibras musculares lisas que formam o revestimento muscular da bexiga, que se dispõem em uma camada longitudinal e uma camada circular e, em contração, servem para expelir a urina			
m. detrusor urinário. Ver m. detrusor da bexiga					
diafragma	diaphragma	dorso do processo xifóide, superfícies internas das 6 cartilagens costais inferiores e das 4 costelas inferiores, ligamentos arqueados medial e lateral, corpos das vértebras lombares superiores	tendão central do diafragma	frênico	aumenta o volume do tórax na inspiração
m. digástrico	m. digastricus	ventre anterior – fossa digástrica na borda inferior da mandíbula, próximo à sínfise; ventre posterior – chanfradura mastóide do osso temporal	tendão intermediário no osso hióide	ventre anterior – ramo miloióide do alveolar inferior; ventre posterior – ramo digástrico do facial	eleva o osso hióide e abaixa a mandíbula
m. dilatador da pupila	m. dilator pupillae	nome aplicado às fibras que se estendem radialmente do esfíncter da pupila à margem ciliar		simpático	dilata a íris
m. epicrânio	m. epicranius	nome aplicado à cobertura muscular do couro cabeludo, incluindo os músculos occipitofrontal e temporoparietal e a gálea aponeurótica			

m. = [L.] musculus;
mm. = [L. pl.] musculi.

m. = músculo.

(Continua)

MNO

TABELA DE MÚSCULOS (Cont.)

Nome Comum	Termo da Nomina Anatomica	Origem	Inserção	Inervação	Ação
m. eretor da espinha	m. erector spinae	nome aplicado às fibras dos mais superficiais dos músculos profundos das costas, que se originam do sacro, das espinhas das vértebras lombares e da décima primeira e décima segunda vértebras torácicas, e da crista ilíaca, que as divide e insere como os músculos iliocostal, longo e espinhal			
m. extensor dos dedos	m. extensor digitorum	epicôndilo lateral do úmero	expansão extensora dos 4 dedos mediais	interósseo posterior	estende a articulação do pulso e falanges
m. extensor longo do hálux	m. extensor hallucis longus	frente da fíbula, membrana interóssea	base da falange distal do hálux	fibular profundo	estende o grande artelho e dorsiflexiona a articulação do tornozelo
m. extensor curto do hálux	m. extensor hallucis brevis	nome aplicado a uma porção do músculo extensor curto dos dedos, que vai para o grande artelho			
m. extensor indicador	m. extensor indicis	superfície posterior da ulna, membrana interóssea	expansão extensora do dedo indicador	interósseo posterior	estende o dedo indicador
m. extensor do dedo mínimo	m. extensor digiti minimi	epicôndilo lateral do úmero	aponeurose extensora do dedo mínimo	ramo profundo do radial	estende o dedo mínimo
m. extensor longo do polegar	m. extensor pollicis longus	superfície posterior da ulna e membrana interóssea	dorso da falange distal do polegar	interósseo posterior	estende e aduz o polegar
m. extensor curto do polegar	m. extensor pollicis brevis	superfície posterior do rádio	dorso da falange proximal do polegar	interósseo posterior	estende o polegar
m. extensor longo dos artelhos	m. extensor digitorum longus	superfície anterior da fíbula, côndilo lateral da tíbia, membrana interóssea	expansão extensora dos 4 artelhos laterais	fibular profundo	estende os artelhos
m. extensor curto dos artelhos	m. extensor digitorum brevis	superfície superior do calcâneo	tendões extensores do primeiro, segundo, terceiro e quarto artelhos	fibular profundo	estende os artelhos
m. extensor longo radial do punho	m. extensor carpi radialis longus	crista supracondilar lateral do úmero	dorso da base do segundo osso metacarpiano	radial	estende e abduz a articulação do punho
m. extensor radial curto do punho	m. extensor carpi radialis brevis	epicôndilo lateral do úmero	dorso das bases do segundo e terceiro ossos metacarpianos	radial ou seu ramo profundo	estende e abduz a articulação do punho
m. extensor ulnar do punho	m. extensor carpi ulnaris	cabeça umeral – epicôndilo lateral do úmero; cabeça ulnar – borda posterior da ulna	base do quinto osso metacarpiano	ramo profundo radial	estende e abduz a articulação do punho

m. peroneiro. Ver m. fibular					
m. flexor profundo dos dedos	m. flexor digitorum profundus	eixo da ulna, processo coronóide, membrana interóssea	bases das falanges distais dos 4 dedos mediais	interósseo anterior, ulnar	flexiona as falanges distais
m. flexor superficial dos dedos	m. flexor digitorum superficialis	cabeça umeroulnar – epicôndilo medial do úmero, processo coronóide da ulna; cabeça radial – borda anterior do rádio	lados da falange média dos 4 dedos mediais	mediano	flexiona as falanges médias
m. flexor longo do hálux	m. flexor hallucis longus	superfície posterior da fíbula	base da falange distal do hálux	tibial	flexiona o hálux
m. flexor curto do hálux	m. flexor hallucis brevis	superfície inferior do cubóide, cuneiforme lateral	ambos os lados da base da falange proximal do grande artelho	plantar medial	flexiona o grande artelho
m. flexor curto do dedo mínimo	m. flexor digiti minimi brevis manus	gancho do osso uncinado, ligamento carpiano transversal	lado medial da falange proximal do dedo mínimo	ulnar	flexiona o dedo mínimo
m. flexor curto do artelho mínimo	m. flexor digiti minimis brevis pedis	bainha do músculo fibular longo	superfície lateral da base da falange proximal do artelho mínimo	plantar lateral	flexiona o artelho mínimo
m. flexor longo do polegar	m. flexor pollicis longus	superfície anterior do rádio, epicôndilo medial do úmero, processo coronóide da ulna	base da falange distal do polegar	interósseo anterior	flexiona o polegar
m. flexor curto do polegar	m. flexor pollicis brevis	tubérculo do trapézio, retináculo flexor	porção lateral da base da falange proximal do polegar	mediano, ulnar	flexiona e aduz o polegar
m. flexor longo dos artelhos	m. flexor digitorum longus pedis	superfície posterior do eixo da tíbia	falanges distais dos 4 artelhos laterais	tibial	flexiona os artelhos e estende o pé
m. flexor curto dos artelhos	m. flexor digitorum brevis pedis	tuberosidade medial do calcâneo, fáscia plantar	falanges mediais dos 4 artelhos laterais	plantar medial	flexiona os artelhos
m. flexor radial do punho	m. flexor carpi radialis	epicôndilo medial do úmero	bases do segundo e terceiro ossos metacarpianos	mediano	flexiona e abduz a articulação do punho
m. flexor ulnar do punho	m. flexor carpi ulnaris	cabeça umeral – epicôndilo medial do úmero; cabeça ulnar – olecrânio e borda posterior da ulna	osso pisiforme, gancho do osso uncinado, base do quinto osso metacarpiano	ulnar	flexiona e aduz a articulação do punho

m. = [L.] musculus;
mm. = [L. pl.] musculi.

m. = músculo.

MNO

(Continua)

TABELA DE MÚSCULOS (Cont.)

Nome Comum	Termo da Nomina Anatômica	Origem	Inserção	Inervação	Ação
m. gastrocnêmio	m. gastrocnemius	cabeça medial – superfície poplítea do fêmur, parte superior do côndilo medial, cápsula do joelho; cabeça lateral – côndilo lateral, cápsula do joelho	aponeurose une-se ao tendão do solear para formar o tendão de Aquiles	tibial	flexiona plantarmente o pé e flexiona a articulação do joelho
m. gemelar inferior	m. gemellus inferior	tuberosidade do ísquio	tendão do obturador interno	nervo para o músculo quadrado femoral	gira lateralmente a coxa
m. gêmeo superior	m. gemellus superior	espinha do ísquio	tendão do obturador interno	nervo para o obturador interno	gira lateralmente a coxa
m. genioglosso	m. genioglossus	tubérculo mentoniano superior	osso hióide, superfície inferior da língua	hipoglosso	protrai e deprime a língua
m. genioióideo	m. geniohyoideus	tubérculo mentoniano inferior	corpo do osso hióide	ramo do primeiro nervo cervical, através do hipoglosso	puxa o osso hióide para a frente
m. glossopalatino. Ver m. palatoglosso					
m. glúteo máximo	m. gluteus maximus	face dorsal do ílio, superfícies dorsais do sacro, ligamento sacrotuberoso do cóccix	trato iliotibial da fáscia lata, tuberosidade glútea do fêmur	glúteo inferior	estende, abduz e vira lateralmente a coxa
m. glúteo médio	m. gluteus medius	face dorsal do ílio, entre as linhas glúteas anterior e posterior	trocânter maior do fêmur	glúteo superior	abduz e gira medialmente a coxa
m. glúteo mínimo	m. gluteus minimus	face dorsal do ílio, entre as linhas glúteas anterior e posterior	trocânter maior do fêmur	glúteo superior	abduz e vira medialmente a coxa
m. grácil	m. gracilis	corpo e ramo inferior do púbis	superfície medial do eixo da tíbia	obturador	aduz a coxa e flexiona a articulação do joelho
m. maior da hélice	m. helicis major	espinha da hélice	borda anterior da hélix	auriculotemporal, auricular posterior	retesa a pele do meato acústico
m. da hélice menor	m. helicis minor	borda anterior da hélice	concha	temporal, auricular posterior	deprime e retrai a língua
m. hioglosso	m. hyoglossus	corpo e como maior do osso hióide	lado da língua	hipoglosso	deprime e retrai a língua
m. ilíaco	m. iliacus	fossa ilíaca, asa do sacro	tendão do psoas maior, trocânter menor do fêmur	femoral	flexiona a coxa e o tronco sobre o membro

Português	Latim	Descrição	Nervo	Ação
m. iliococcígeo	m. iliococcygeus	nome aplicado à porção posterior do músculo elevador do ânus, que inclui as fibras que se originam tão frontalmente quanto o canal obturador e se inserem no lado do cóccix e nos ligamentos anococcígeos		
m. iliocostal	m. iliocostalis	nome aplicado à divisão lateral do músculo eretor da espinha		
m. iliocostal lombar	m. iliocostalis lumborum	crista ilíaca / ângulos das 6 ou 7 costelas inferiores	torácicos e lombares	estende a espinha lombar
m. iliocostal do pescoço	m. iliocostalis cervicalis	ângulos da terceira, quarta, quinta e sexta costelas / processos transversais da quarta, quinta e sexta vértebras cervicais inferiores	cervicais	estende a espinha cervical
m. iliocostal torácico	m. iliocostalis thoracis	bordas superiores dos ângulos das 6 costelas inferiores / ângulos das costelas superiores e do processo transversal da sétima vértebra cervical	torácicos	mantém a espinha torácica ereta
m. iliopsoas	m. iliopsoas	nome aplicado coletivamente aos músculos ilíaco e psoas maior		
músculos incisivos inferiores do lábio	mm. incisivi labii inferioris	fossas incisivas da mandíbula / ângulo da boca	facial	tornam raso o vestíbulo da boca
músculos incisivos superiores do lábio	mm. incisivi labii superioris	fossas incisivas da maxila / ângulo da boca	facial	tornam raso o vestíbulo da boca
m. da incisura da hélice	m. incisurae helicis	nome aplicado a coberturas inconstantes de fibras que prolongam-se para a frente a partir do músculo do trago para ligar a chanfradura da parte cartilaginosa do meato		
m. infra-espinhal	m. infraspinatus	fossa infra-espinhal da escápula / tubérculo maior do úmero	supra-escapular	gira lateralmente o braço
músculos intercostais	mm. intercostales	nome aplicado à camada de fibras musculares separadas dos músculos intercostais internos pelos nervos e vasos intercostais		
músculos intercostais externos	mm. intercostales externi	borda inferior da costela / borda superior da costela e cartilagem costal inferior	intercostal	eleva as costelas na inspiração
músculos intercostais internos	mm. intercostales interni	borda inferior da costela e cartilagem costal / borda superior da costela e cartilagem costal abaixo	intercostal	age nas costelas na expiração
músculos interósseos dorsais do pé	mm. interossei dorsales pedis	lados dos ossos metatársicos adjacentes / base dos ossos metatársicos proximais do segundo, terceiro e quarto artelhos	plantar lateral	flexionam e abduzem os artelhos
músculos interósseos dorsais da mão	mm. interossei dorsales manus	cada um deles pelas duas cabeças dos lados adjacentes dos ossos metacarpianos / tendões extensores do segundo, terceiro e quarto dedos	ulnar	abduzem, flexionam proximalmente e estendem as falanges médias e distais

m. = [L.] musculus; mm. = [L. pl.] musculi.

m. = músculo.

(Continua)

MNO

TABELA DE MÚSCULOS (Cont.)

Nome Comum	Termo da Nomina Anatomica	Origem	Inserção	Inervação	Ação
músculos interósseos palmares	mm. interossei palmares	lados do primeiro, segundo, quarto e quinto ossos metacarpianos	tendões extensores do primeiro, segundo, quarto e quinto dedos	ulnar	aduzem, flexionam proximalmente e estendem as falanges médias e distais
músculos interósseos plantares	mm. interossei plantares	lado medial do terceiro, quarto e quinto ossos metatársicos	lado medial da base das falanges proximais do terceiro, quarto e quinto artelhos	plantar lateral	flexionam e abduzem os artelhos
músculos interespinhais	mm. interspinales	nome aplicado às faixas curtas de fibras musculares que se estendem em cada lado entre os processos espinhosos de vértebras contíguas		espinhais	estendem a coluna vertebral
músculos interespinhais da cabeça	mm. interspinales cervicis	estendem-se entre vértebras cervicais contíguas		espinhais	estendem a coluna vertebral
músculos interespinhais do lombo	mm. interspinales lumborum	estendem-se entre vértebras lombares contíguas		espinhais	estendem a coluna vertebral
músculos interespinhais torácicos	mm. interspinales thoracis	estendem-se entre vértebras torácicas contíguas		espinhais	estendem a coluna vertebral
músculos intertransversos	mm. intertransversarii	nome aplicado aos pequenos músculos que passam entre os processos transversais de vértebras adjacentes		espinhais	encurvam lateralmente a coluna vertebral
músculos intertransversos	mm. intertransversarii	nome aplicado aos pequenos músculos que passam entre os processos transversais de vértebras adjacentes		espinhais	encurvam lateralmente a coluna vertebral
m. isquiocavernoso	m. ischiocavernosus	ramo do ísquio	raiz do pênis ou clitóris	ramos perineais do pudendo	mantém a ereção do pênis ou clitóris
m. grande dorsal	m. latissimus dorsi	espinhas das vértebras torácicas inferiores, espinhas das vértebras lombares e sacrais através da ligação com a fáscia toracolombar, crista ilíaca, costelas inferiores, ângulo inferior da escápula	piso ou sulco intertubercular do úmero	toracodorsais	aduz, estende e gira medialmente o úmero
m. elevador do ângulo da boca	m. levator anguli oris	fossa canina da maxila	músculo orbicular da boca, pele no ângulo da boca	facial	eleva o ângulo da boca
m. elevador do ânus	m. levator ani	nome aplicado coletivamente a componentes musculares importantes do diafragma pélvico, que se originam principalmente do dorso do corpo do púbis e correm posteriormente em direção ao cóccix; inclui os músculos pubococcígeo (m. elevador da próstata no homem e m. pubovaginal na mulher); puborretal e iliococcígeo		terceiro e quarto sacrais	ajuda a sustentar as vísceras pélvicas e resiste à elevação da pressão intra-abdominal

m. elevador do palatino mole; m. elevador do palato	m. levator veli palatini	vértice da parte petrosa do osso temporal e cartilagem da tuba auditiva	aponeurose do palato mole	plexo faríngeo	eleva e puxa para baixo o palato mole
m. elevador da próstata	m. levator prostatae	nome aplicado a uma parte da porção anterior do músculo pubococcígeo, que no homem se insere na próstata e no centro tendíneo do períneo		sacro e pudendo	sustenta e comprime a próstata e ajuda a controlar a micção
músculos elevadores das costelas	mm. levatores costarum	processos transversais da sétima vértebra cervical e das primeiras 11 vértebras torácicas	medialmente ao ângulo da costela inferior	intercostais	ajuda a elevação das costelas na respiração
m. elevador da escápula	m. levator scapulae	processos transversais das 4 vértebras cervicais superiores	borda vertebral da escápula	terceiro e quarto cervicais	eleva a escápula
m. elevador da glândula tireóide	m. levator glandulae thyroidea	istmo ou lóbulo piramidal da glândula tireóide	corpo do osso hióide	ramo externo do laríngeo superior	
m. elevador da pálpebra superior	m. levator palpebrae superioris	osso esfenóide acima do forame óptico	pele e placa tarsal da pálpebra superior	oculomotor	eleva a pálpebra superior
m. elevador do lábio superior	m. levator labii superioris	margem inferior da órbita	musculatura do lábio superior	facial	eleva o lábio superior
m. elevador do lábio superior e da asa do nariz	m. levator labii superioris alaeque nasi	processo frontal da maxila	pele e cartilagem da asa do nariz, lábio superior	ramo infra-orbitário do facial	eleva o lábio superior e dilata a narina
m. longo da cabeça	m. longus capitis	processos transversais da terceira à sexta vértebras cervicais	porção basilar do osso occipital	cervicais	flexiona a cabeça
m. longo do pescoço	m. longus colli	porção oblíqua superior – processos transversais da terceira à quinta vértebras cervicais; porção oblíqua inferior – corpos da primeira à terceira vértebras torácicas; porção vertical – corpos das 3 vértebras torácicas superiores e das 3 vértebras cervicais inferiores	porção oblíqua superior – tubérculo do arco anterior do atlas; porção oblíqua inferior – processo transversal da quinta e sexta vértebras cervicais; porção vertical – corpos da segunda à quarta vértebras cervicais	cervical anterior	flexiona e sustenta as vértebras cervicais
m. longo da cabeça	m. longissimus capiti	processos transversais das 4 ou 5 vértebras torácicas superiores, processos articulares das 3 ou 4 vértebras cervicais inferiores	processo mastóide do osso temporal	cervical	puxa a cabeça para trás e gira a cabeça

m. = músculo.

m. = [L.] musculus;
mm. = [L. pl.] musculi.

(Continua)

MNO

TABELA DE MÚSCULOS (Cont.)

Nome Comum	Termo da Nomina Anatomica	Origem	Inserção	Inervação	Ação
m. longo do pescoço	m. longissimus cervicis	processos transversais das 4 ou 5 vértebras torácicas superiores	processos transversais da segunda ou terceira até a sexta vértebras cervicais	cervicais inferiores e torácicos superiores	estende as vértebras cervicais
m. longo do tórax	m. longissimus thoracis	processos transversais e articulares das vértebras lombares e fáscia toracolombar	processos transversais de todas as vértebras torácicas, 9 ou 10 vértebras inferiores	lombares e torácicos	estende as vértebras torácicas
m. longitudinal inferior da língua	m. longitudinalis inferior linguae	superfície inferior da língua na base	ponta da língua	hipoglosso	altera a forma da língua na mastigação e deglutição
m. longitudinal superior da língua	m. longitudinalis superior linguae	submucosa e septo da língua	margens da língua	hipoglosso	altera a forma da língua na mastigação e deglutição
músculos lumbricais do pé	mm. lumbricales pedis	tendões do músculo flexor longo dos artelhos	lado medial da base das falanges proximais dos 4 artelhos laterais	plantares medial e lateral	flexionam as articulações metatarsofalangianas e estendem as falanges distais
músculos lumbricais da mão	mm. lumbricales manus	tendões do músculo flexor longo dos dedos	tendões extensores dos 4 dedos laterais	mediano, ulnar	flexionam as articulações metacarpofalangianas e estendem as falanges médias e distais.
m. masseter	m. masseter	parte superficial – processo zigomático da maxila, borda inferior do arco zigomático; parte profunda – borda inferior e superfície medial do arco zigomático	parte superficial – ângulo e ramo da mandíbula; parte profunda – metade superior do ramo e superfície lateral do processo coronóide da mandíbula	massetérico, a partir da divisão mandibular do trigêmeo	eleva o maxilar e fecha os maxilares
músculos multífidos	mm. multifidi	sacro, ligamento sacroilíaco, processos mamilares das vértebras lombares, processos transversais das vértebras torácicas e processos articulares das vértebras cervicais	espinhas das vértebras contíguas acima	espinhais	estendem e viram a coluna vertebral
m. miloióideo	m. mylohyoideus	linha miloióidea da mandíbula	corpo do osso hióide, rafe mediana	ramo miloióideo do alveolar inferior	eleva o osso hióide e sustenta o assoalho da boca

m. nasal	m. nasalis	maxila	parte alar – asa do nariz; parte transversal – através de expansão aponeurótica com o correspondente do lado oposto	facial	parte alar – ajuda no alargamento da narina; parte transversal – deprime a cartilagem do nariz
m. oblíquo externo do abdômen	m. obliquus externus abdominis	8 costelas inferiores nas cartilagens costais	crista do ílio, linha branca através da bainha do reto	torácicos inferiores	flexiona e gira a coluna vertebral e comprime as vísceras abdominais
m. oblíquo interno do abdômen	m. obliquus internus abdominis	fáscia toracolombar, crista ilíaca, fáscia ilíaca, fáscia inguinal	3 ou 4 cartilagens costais inferiores, linha branca, tendão associado ao púbis	torácicos inferiores	flexiona e gira a coluna vertebral e comprime as vísceras abdominais
m. oblíquo inferior do globo ocular	m. obliquus inferior bulbi	superfície orbital da maxila	esclera	oculomotor	abduz e o globo ocular gira em sentido inferior e exterior
m. oblíquo superior do globo ocular	m. obliquus superior bulbi	asa menor do esfenóide acima do forame óptico	esclera	troclear	abduz e o globo ocular gira em sentido inferior e exterior
m. oblíquo inferior da cabeça	m. obliquus capitis inferior	processo espinhoso do eixo	processo transversal do atlas	espinhais	gira o atlas e a cabeça
m. oblíquo superior da cabeça	m. obliquus capitis superior	processo transversal do atlas	osso occipital	espinhais	estende e movimenta lateralmente a cabeça
m. obturador externo	m. obturatorius externus	púbis, ísquio, superfície externa da membrana obturadora	fossa trocantérica do fêmur	obturador	vira lateralmente a coxa
m. obturador interno	m. obturatorius internus	superfície pélvica do osso ilíaco e membrana obturadora, margem do forame obturador	trocânter maior do fêmur	quinto lombar, primeiro e segundo sacrais	vira lateralmente a coxa
m. occipitofrontal	m. occipitofrontalis	ventre frontal – gálea aponeurótica; ventre occipital – linha nucal superior do osso occipital	ventre frontal – pele da pálpebra, raiz do nariz; ventre occipital – gálea aponeurótica	ventre frontal – ramo temporal do facial; ventre occipital – ramo auricular posterior do facial	ventre frontal – eleva a pálpebra; ventre occipital – puxa para trás o couro cabeludo
m. omoióideo	m. omohyoideus	borda superior da escápula	corpo do osso hióide	cervical superior através da alça cervical	deprime o osso hióide
m. opositor do dedo mínimo	m. opponens digiti minimi manus	gancho do osso uncinado	frente do quinto metacarpiano	oitavo cervical através do ulnar	abduz, flexiona e gira o quinto metacarpiano
m. opositor do polegar	m. opponens pollicis	tubérculo do trapézio, retináculo dos flexores	face lateral do primeiro metacarpiano	sexto e sétimo metacarpianos através do mediano	flexiona e opõe o polegar

m. = [L.] musculus; mm. = [L. pl.] musculi.

m. = músculo.

MNO

(Continua)

TABELA DE MÚSCULOS (Cont.)

Nome Comum	Termo da Nomina Anatomica	Origem	Inserção	Inervação	Ação
m. orbicular do olho	m. orbicularis oculi	parte orbitária – margem medial da órbita, incluindo o processo frontal da maxila; parte palpebral – ligamento palpebral medial; parte lacrimal – crista lacrimal posterior	parte orbitária – perto da origem depois de envolver a órbita; parte palpebral – tubérculo orbitário do osso zigomático; parte lacrimal – rafe palpebral lateral	facial	fecha as pálpebras, enruga a testa e comprime o saco lacrimal
m. orbicular da boca	m. orbicularis oris	nome aplicado ao músculo esfincteriano complicado da boca, que compreende duas partes: parte labial – que consiste de fibras restritas ao lábio; parte marginal – que consiste de fibras misturadas às dos músculos adjacentes		facial	fecha e protrai os lábios
m. orbitário	m. orbitalis	liga a fissura orbitária inferior	fáscia da fissura orbitária inferior	fibras simpáticas	protrai o olho
m. palatoglosso	m. palatoglossus	superfície inferior do palato mole	lado da língua	plexo faríngeo	eleva a língua e contrai as fauces
m. palatofaríngeo	m. palatopharyngeus	borda posterior do palato ósseo, palatino, aponeurose	borda posterior da cartilagem tireóidea, lado da faringe e do esôfago	plexo faríngeo	contrai a faringe e ajuda a deglutição
m. palmar longo	m. palmaris longus	epicôndilo medial do úmero	retináculo dos flexores, aponeurose palmar	mediano	retesa a aponeurose palmar
m. palmar curto	m. palmaris brevis	aponeurose palmar	pele da borda medial da mão	ulnar	auxilia no aprofundamento da concavidade da palma
músculos papilares	mm. papillares	nome aplicado a projeções musculares cônicas provenientes das paredes do ventrículos cardíacos, presas às cúspides das válvulas atrioventriculares através dos cordões tendíneos			firmam e enrijecem as válvulas atrioventriculares e impedem a eversão das suas cúspides
músculos pectinados	mm. pectinati	nome aplicado a pequenas cristas de fibras musculares que se projetam das paredes internas das aurículas cardíacas e se estendem no átrio direito da aurícula à crista terminal			
m. pectíneo	m. pectineus	linha pectínea do púbis	linha pectínea do fêmur	femoral, obturador	flexiona e aduz a coxa
m. peitoral maior	m. pectoralis major	linha pectínea do púbis, clavícula, esterno, 6 cartilagens costais superiores, aponeurose do músculo oblíquo externo do abdome	crista do tubérculo maior do úmero	peitorais lateral e medial	aduz, flexiona e vira medialmente o braço
m. peitoral menor	m. pectoralis minor	segunda, terceira, quarta e quinta costelas	processo coracóide da escápula	peitorais medial e lateral	puxa o ombro para a frente e para baixo e eleva a terceira, quarta e quinta costelas na inspiração forçada

m. fibular longo; m. peroneiro longo	m. peroneus longus	côndilo lateral da tíbia, cabeça da fíbula, superfície lateral da fíbula	cuneiforme medial, primeiro metatársico	fibular superficial	flexiona plantarmente, everte e abduz o pé
m. fibular curto; m. peroneiro curto	m. peroneus brevis	superfície lateral da fíbula	tuberosidade do quinto metatársico	fibular superficial	everte, abduz e flexiona plantarmente o pé
m. fibular terceiro; m. peroneiro terceiro	m. peroneus tertius	superfície anterior da fíbula, membrana interóssea	fáscia ou base do quinto (ou quarto) metatársicos	fibular profundo	everte e dorsiflexiona o pé
m. piriforme	m. piriformis	ílio, segunda a quarta vértebras sacrais	trocânter maior do fêmur	primeiro e segundo sacrais	vira lateralmente a coxa
m. plantar	m. plantaris	superfície poplítea do fêmur	tendão de Aquiles ou dorso do calcâneo	tibial	flexiona plantarmente o pé e flexiona a perna
m. platisma	m. platysma	nome aplicado a um músculo semelhante a uma placa, que se origina da fáscia da região cervical e se insere no maxilar e na pele ao redor da boca		ramo cervical do facial	enruga a pele do pescoço e deprime o maxilar
m. pleuroesofágico	m. pleuroesophageus	nome aplicado a um feixe de fibras musculares lisas que geralmente unem o esôfago à pleura mediastínica esquerda			
m. poplíteo	m. popliteus	côndilo lateral do fêmur, menisco lateral	superfície posterior da tíbia	tibial	flexiona a perna e vira medialmente a perna
m. prócero	m. procerus	fáscia sobre os ossos nasais	pele da fronte	facial	traciona para baixo o ângulo medial dos supercílios
m. pronador quadrado	m. pronator quadratus	superfície anterior e borda do terço ou quarto distais da diáfise da ulna	superfície anterior e borda do quarto distal da diáfise do rádio	interósseo anterior	realiza a pronação do antebraço
m. pronador redondo	m. pronator teres	cabeça umeral – epicôndilo medial do úmero; cabeça ulnar – processo coronóide da ulna	superfície lateral do rádio	mediano	realiza a pronação e flexiona o antebraço
m. psoas maior	m. psoas major	vértebras lombares	trocânter menor do fêmur	segundo e terceiro lombares	flexiona a coxa ou tronco
m. psoas menor	m. psoas minor	última vértebra torácica e primeira vértebra lombar	linha arqueada do osso ilíaco	primeiro lombar	auxilia o músculo psoas maior
m. pterigóideo lateral (externo)	m. pterygoideus lateralis	cabeça superior – superfície infratemporal da asa maior do esfenóide; crista infratemporal; cabeça inferior – superfície lateral da placa pterigóide lateral	colo da mandíbula, cápsula da articulação temporomandibular	mandibular	protrai a mandíbula, abre os maxilares, movimenta a a mandíbula lateralmente

m. = músculo.

m. = [L.] musculus;
mm. = [L. pl.] musculi.

(Continua)

MNO

TABELA DE MÚSCULOS (Cont.)

Nome Comum	Termo da Nomina Anatomica	Origem	Inserção	Inervação	Ação
m. pterigóideo medial (interno)	m. pterygoideus medialis	superfície medial da placa pterigóide lateral, tuberosidade da maxila	superfície medial do ramo e do ângulo da mandíbula	mandibular	fecha os maxilares
m. pubococcígeo	m. pubococcygeus	nome aplicado à porção anterior do músculo elevador do ânus, que se origina na frente do canal obturador e se insere no ligamento anococcígeo e no lado do cóccix		terceiro e quarto sacrais	ajuda a sustentar as vísceras pélvicas e a resistir à elevação da pressão intra-abdominal
m. puboprostático	m. puboprostaticus	nome aplicado às fibras musculares lisas contidas no interior do ligamento puboprostático medial, que passam da próstata anteriormente ao púbis			
m. puborretal	m. puborectalis	nome aplicado a uma porção do músculo elevador do ânus, com uma origem mais lateral a partir do osso púbico e continua posteriormente com o músculo correspondente do lado oposto		terceiro e quarto sacrais	ajuda a sustentar as vísceras pélvicas e a resistir à elevação da pressão intra-abdominal
m. pubovaginal	m. pubovaginalis	nome aplicado a uma parte da porção anterior do músculo pubococcígeo, que se insere no interior da uretra e vagina		sacral e pudendo	ajuda a controlar a micção
m. pubovesical	m. pubovesicalis	nome aplicado às fibras musculares lisas que se estendem do colo da bexiga à uretra			
m. do esfíncter do piloro	m. sphincter pyloricus	espessamento do músculo circular do estômago ao redor da sua abertura no duodeno		último torácico	retesa a parede abdominal
m. piramidal	m. pyramidales	corpo do púbis	linha branca		
m. piramidal da orelha	m. pyramidalis auricularis	nome aplicado a um prolongamento inconstante das fibras do músculo do trago até a espinha da hélice			
m. quadrado lombar	m. quadratus lumborum	crista ilíaca, fáscia toraco-lombar	décima segunda costela, processos transversais das vértebras lombares	primeiro e segundo lombares, décimo segundo torácico	flexiona lateralmente o tronco
m. quadrado do lábio inferior. Ver m. depressor do lábio inferior					
m. quadrado da sola; m. quadrado plantar	m. quadratus plantae	calcâneo, fáscia plantar	tendões do músculo flexor longo dos artelhos	plantar lateral	auxilia na flexão dos artelhos
m. quadrado da coxa	m. quadratus femoris	tuberosidade do ísquio	crista intertrocantérica e tubérculo quadrado do fêmur	quarto e quinto lombares, primeiro sacral	aduz e vira lateralmente a coxa
m. quadrado do lábio superior. Ver m. elevador do lábio superior					

m. quadriceps da coxa; quadriceps femoral m. quadriceps femoris	nome aplicado coletivamente ao músculo reto da coxa e aos músculos vasto intermédio, lateral e medial, que se inserem através de um tendão comum que circunda a patela e termina na tuberosidade da tíbia		femoral	estende a perna sob a coxa
m. retococcígeo m. rectococcygeus	nome aplicado às fibras musculares lisas que se originam na superfície anterior da segunda e terceira vértebras coccígeas e se inserem na superfície posterior do reto		autônomos	retrai e eleva o reto
m. retouretral m. rectourethralis	nome aplicado a uma faixa de fibras musculares lisas no homem, que se estendem da flexura perineal do reto à parte membranosa da uretra			
m. retouterino m. rectouterinus	nome aplicado a uma faixa de fibras na mulher, que correm entre a cérvix uterina e o reto, na dobra retouterina			
m. retovesical m. rectovesicalis	nome aplicado a uma faixa de fibras no homem, que unem a musculatura longitudinal do reto ao revestimento muscular externo da bexiga			
m. reto do abdome m. rectus abdominis	crista e sínfise púbicas	processo xifóide, quinta, sexta e sétima cartilagens costais	torácicos inferiores	flexiona as vértebras lombares e sustenta o abdome
m. reto inferior do globo ocular m. rectus inferior bulbar	anel tendíneo comum	lado inferior da esclera	oculomotor	aduz e gira o globo ocular para baixo e medialmente
m. reto lateral do globo ocular m. rectus lateralis bulbi	anel tendíneo comum	lado lateral da esclera	abducente	abduz o globo ocular
m. reto medial do globo ocular m. rectus medialis bulbis	anel tendíneo comum	lado medial da esclera	oculomotor	aduz o globo ocular
m. reto superior do globo ocular m. rectus superior bulbi	anel tendíneo comum	lado superior da esclera	oculomotor	aduz e gira o globo ocular para cima e medialmente
m. reto anterior da cabeça m. rectus capitis anterior	massa lateral do atlas	parte basilar do osso occipital	primeiro e segundo cervicais	flexiona e sustenta a cabeça
m. reto lateral da cabeça m. rectus capitis lateralis	processo transversal do atlas	processo jugular do osso occipital	primeiro e segundo cervicais	flexiona e sustenta a cabeça
m. reto posterior maior da cabeça m. rectus capitis posterior major	processo espinhoso do áxis	osso occipital	suboccipital, occipital maior	estende a cabeça
m. reto posterior menor da cabeça m. rectus capitis posterior minor	tubérculo posterior do atlas	osso occipital	suboccipital, occipital maior	estende a cabeça
m. reto da coxa m. rectus femoris	espinha ilíaca inferior anterior, borda do acetábulo	base da patela, tuberosidade da tíbia	femoral	estende a perna e flexiona a coxa
m. rombóide maior m. rhomboideus major	processos espinhosos da segunda, terceira, quarta e quinta vértebras torácicas	margem vertebral da escápula	escapular dorsal	retrai e fixa a escápula

m. = músculo.

m. = [L.] musculus;
mm. = [L. pl.] musculi.

MNO

(Continua)

TABELA DE MÚSCULOS (Cont.)

Nome Comum	Termo da Nomina Anatomica	Origem	Inserção	Inervação	Ação
m. rombóide menor	m. rhomboideus minor	processos espinhosos da sétima vértebra cervical e da primeira vértebra torácica, parte inferior do ligamento nucal	margem vertebral da escápula na raiz da espinha	escapular dorsal	retrai e fixa a escápula
m. risório	m. risorius	fáscia sobre o masseter	pele no ângulo da boca	ramo bucal do facial	traciona lateralmente o ângulo da boca
músculos rotadores	mm. rotatores	nome aplicado a uma série de pequenos músculos profundamente no sulco entre os processos espinhosos e transversais das vértebras	parte posterior do palatofaríngeo	espinhais	estendem e giram a coluna vertebral em direção ao lado oposto
m. sacrococcígeo dorsal (posterior)		nome aplicado à capa muscular que passa da superfície dorsal do sacro ao cóccix			
m. sacrococcígeo ventral (anterior)		nome aplicado à capa musculotendínea que passa das vértebras sacrais inferiores ao cóccix			
m. sacroespinhal. Ver m. eretor da espinha					
m. salpingofaríngeo	m. salpingopharyngeus	cartilagem da tuba auditiva	parte posterior do palatofaríngeo	plexo faríngeo	eleva a faringe
m. sartório	m. sartorius	espinha ilíaca superior anterior	parte superior da superfície medial da tíbia	femoral	flexiona a coxa e a perna
m. escaleno anterior	m. scalenus anterior	processos transversais da terceira à sexta vértebras cervicais	tubérculo escaleno da primeira costela	segundo ao sétimo cervicais	eleva a primeira costela e flexiona lateralmente as vértebras cervicais
m. escaleno médio	m. scalenus medius	processos transversais da primeira à sétima vértebras cervicais	superfície superior da primeira costela	segundo ao sétimo cervicais	eleva a primeira costela e flexiona lateralmente as vértebras cervicais
m. escaleno da pleura. Ver m. escaleno menor					
m. escaleno posterior	m. scalenus posterior	processos transversais da quarta à sexta vértebras cervicais	segunda costela	segundo ao sétimo cervicais	eleva a primeira e a segunda da costelas e flexiona lateralmente as vértebras cervicais
m. escaleno menor	m. scalenus minimus	nome aplicado à faixa muscular ocasionalmente encontrada entre os músculos escalenos anterior e médio			
m. semimembranoso	m. semimembranosus	tuberosidade do ísquio	côndilo lateral do fêmur, côndilo medial e borda da tíbia	ciático	flexiona a perna e estende a coxa

m. = [L.] musculus;			
m. semi-espinhoso da cabeça	m. semispinalis capitis	processos transversais das vértebras torácicas superiores e cervicais inferiores	osso occipital	suboccipital, occipital maior, ramos dos cervicais	estende a cabeça
m. semi-espinhoso do pescoço	m. semispinalis cervicalis	processos espinhosos da segunda à quinta (ou quarta) vértebras cervicais	ramos dos cervicais	estende e gira a coluna vertebral
m. semi-espinhoso do tórax	m. semispinalis thoracis	processos transversais das vértebras torácicas inferiores	processos espinhosos das vértebras cervicais inferiores e das torácicas superiores	espinhais	estende e gira a coluna vertebral
m. semitendinoso; m. semitendíneo	m. semitendinosus	tuberosidade do ísquio	parte superior da superfície medial da tíbia	ciático	flexiona e gira medialmente a perna e estende a coxa
m. serrátil anterior	m. serratus anterior	8 costelas superiores	borda vertebral da escápula	torácico longo	traciona a escápula para a frente e gira a escápula para elevar o ombro na abdução do braço
serrátil ínfero-posterior	m. serratus posterior inferior	processos espinhosos das vértebras lombares superiores	costelas inferiores	nono ao décimo torácicos	abaixa as costelas na inspiração
m. serrátil póstero-superior	m. serratus posterior superior	ligamento nucal, processos espinhosos das vértebras torácicas superiores	segunda, terceira, quarta e quinta costelas	4 torácicos superiores	eleva as costelas na inspiração
m. solear	m. soleus	fíbula, arco tendíneo, tíbia	calcâneo através do tendão de Aquiles	tibial	flexiona plantarmente o pé
m. do esfíncter externo do ânus	m. sphincter ani externus	ponta do cóccix, ligamento anococcígeo	centro tendíneo do períneo	retal inferior, ramo perineal do quarto sacral	fecha o ânus
m. do esfíncter interno do ânus	m. sphincter ani internus	nome aplicado a um espessamento da camada circular da túnica muscular na extremidade caudal do reto			
m. esfíncter do ducto biliar	m. sphincter ductus choledochi	nome aplicado à bainha anular de fibras musculares que reveste o ducto biliar dentro da parede do duodeno			
m. esfíncter da ampola hepatopancreática	m. sphincter ampullae hepatopancreaticae	nome aplicado à faixa anular de fibras musculares que reveste a ampola hepatopancreática			
m. esfíncter da pupila	m. sphincter pupilae	nome aplicado às fibras circulares da íris	parassimpático através do ciliar	contrai a pupila
m. esfíncter do piloro	m. sphincter pylori	nome aplicado a um espessamento do músculo circular do estômago ao redor de sua abertura no piloro duodenal			
m. esfíncter da uretra	m. sphincter urethrae	rafe mediana atrás e na frente da uretra	ramo inferior do púbis	perineal	comprime a uretra membranosa
m. esfíncter da bexiga	m. sphincter vesicae urinariae	nome aplicado à camada circular de fibras que circundam o orifício uretral interno	vesical	fecha o orifício interno da uretra

m. = [L.] musculus;
mm. = [L. pl.] musculi.
m. = músculo.

(Continua)

TABELA DE MÚSCULOS (Cont.)

Nome Comum	Termo da Nomina Anatomica	Origem	Inserção	Inervação	Ação
m. espinhal da cabeça	m. spinalis capitis	processos espinhosos das vértebras torácicas superiores e cervicais inferiores	osso occipital	espinhais	estende a cabeça
m. espinhal do pescoço	m. spinalis cervicalis	processo espinhoso da sétima vértebra cervical, ligamento nucal	processos espinhosos do eixo	ramos dos cervicais	estende a coluna vertebral
m. espinhal do tórax	m. spinalis thoracis	processos espinhosos das vértebras lombares superiores e torácicas inferiores	processos espinhos das vértebras torácicas superiores	ramos dos espinhais	estende a coluna vertebral
m. esplênio da cabeça	m. splenius capitis	metade inferior do ligamento nucal, processos espinhosos da sétima vértebra cervical e das vértebras torácicas superiores	parte mastóidea do osso temporal, osso occipital	cervicais	estende e vira a cabeça
m. esplênio do pescoço	m. splenius cervicis	processo espinhoso das vértebras torácicas superiores	processos transversais das vértebras cervicais superiores	cervicais	estende e vira a cabeça e o pescoço
m. estapédio	m. stapedius	interior da proeminência piramidal da cavidade timpânica	colo do estribo	facial	amortece o movimento do estribo
m. esternal	m. sternalis	nome aplicado a uma faixa muscular ocasionalmente encontrada paralelamente ao esterno na cabeça esternocostal do m. peitoral maior			
m. esternocleidomastóideo	m. sternocleidomastoideus	cabeça esternal – manúbrio; cabeça clavicular – terço medial da clavícula	processo mastóide, linha nucal superior do osso occipital	acessório, plexo cervical	flexiona a coluna vertebral e vira a cabeça para o lado oposto
m. esternocostal. Ver m. transverso do tórax					
m. esternoióideo	m. sternohyoideus	manúbrio esternal e/ou clavícula	corpo do osso hióide	alça cervical	deprime o osso hióide e a laringe
m. esternotireóideo	m. sternothyroideus	manúbrio esternal	lâmina da cartilagem tireóide	alça cervical	deprime a cartilagem tireóidea
m. estiloglosso	m. styloglossus	processo estilóide	margem da língua	hipoglosso	eleva e retrai a língua
m. estiloióideo	m. stylohyoideus	processo estilóide	corpo do osso hióide	facial	traciona para cima e para trás o osso hióide e a língua

m. estilofaríngeo	m. stylopharyngeus	processo estilóide	cartilagem tireóidea, lado da faringe	glossofaríngeo, plexo faríngeo	eleva e dilata a faringe
m. subclávio	m. subclavius	primeira costela e sua cartilagem	superfície inferior da clavícula	nervo para o subclávio	deprime a extremidade lateral da clavícula
m. subcostais	mm. subcostales	borda inferior das costelas	borda superior da segunda ou terceira costela inferior	intercostais	eleva as costelas na inspiração
m. subescapular	m. subscapularis	fossa subscapular da escápula	tubérculo menor do úmero	subescapular	vira medialmente o braço
m. supinador	m. supinator	epicôndilo lateral do úmero, ligamentos do cotovelo	rádio	ramo profundo do radial	realiza a supinação do antebraço
m. supra-espinhoso	m. supraspinatus	fossa supra-espinhosa da escápula	tubérculo maior do úmero	supra-escapular	abduz o braço
m. suspensor	m. suspensorius	nome aplicado a uma faixa achatada de fibras musculares lisas que se originam do pilar esquerdo do diafragma e se inserem continuamente no revestimento muscular do duodeno em sua junção com o jejuno			
m. tarsal inferior	m. tarsalis inferior	m. reto inferior do globo ocular	placa tarsal da pálpebra inferior	simpáticos	alarga a fissura palpebral
m. tarsal superior	m. tarsalis superior	m. elevador da pálpebra superior	placa tarsal da pálpebra superior	simpáticos	alarga a fissura palpebral
m. temporal	m. temporalis	fossa e fáscia temporais	processo coronóide da mandíbula	mandibular	fecha os maxilares
m. temporoparietal	m. temporoparietalis	fáscia temporal acima da orelha	gálea aponeurótica	ramos temporais do facial	retesa o couro cabeludo
m. tensor da fáscia lata	m. tensor fasciae latae	crista ilíaca	trato iliotibial da fáscia lata	glúteo superior	flexiona e vira medialmente a coxa
m. tensor do palato mole	m. tensor veli palatini	fossa escafóide e espinha do esfenóide	aponeurose do palato mole, parede da tuba auditiva	mandibular	retesa a membrana timpânica, abre a tuba auditiva
m. tensor do tímpano	m. tensor tympani	porção cartilaginosa da tuba auditiva	cabo do martelo	mandibular	retesa a membrana timpânica
m. redondo maior	m. teres major	ângulo inferior da escápula	crista do tubérculo menor do úmero	subescapular inferior	aduz, estende e vira medialmente o braço
m. redondo menor	m. teres minor	margem lateral da escápula	tubérculo maior do úmero	axilar	vira lateralmente o braço
m. tireoaritenóideo	m. thyro-arytenoideus	superfície medial da lâmina da cartilagem tireóidea	processo muscular da cartilagem aritenóide	laríngeo recorrente	relaxa e encurta as cordas vocais
m. tireoepiglótico	pars thyro-epiglottica musculi thyro-arytnoidei	lâmina da cartilagem tireóidea	epiglote	laríngeo recorrente	fecha a entrada da laringe
m. tireoióideo	m. thyrohyoideus	lâmina da cartilagem tireóidea	corno maior do osso hióide	alça cervical	eleva e altera a forma da laringe

m. = músculo.

m. = [L.] musculus;
mm. = [L. pl.] musculi.

(Continua)

TABELA DE MÚSCULOS (Cont.)

Nome Comum	Termo da Nomina Anatomica	Origem	Inserção	Inervação	Ação
m. tibial anterior	m. tibialis anterior	côndilo lateral e superfície da tíbia, membrana interóssea	cuneiforme medial, base do primeiro metatársico	fibular profundo	dorsiflexiona e inverte o pé
m. tibial posterior	m. tibialis posterior	tíbia, fíbula, membrana interóssea	bases do segundo ao quarto ossos metatársicos e ossos társicos, exceto o astrágalo	tibial	flexiona plantarmente e vira o pé
m. traqueal	m. trachealis	nome aplicado às fibras musculares lisas transversais que preenchem o intervalo no dorso de cada cartilagem da traquéia		autônomos	diminui o calibre da traquéia
m. do trago	m. tragicus	nome aplicado à pequena faixa vertical achatada na superfície lateral do trago, inervada pelos nervos auriculotemporal e auricular posterior			
m. transverso do abdome	m. transversus abdominis	6 cartilagens costais inferiores, fáscia toracolombar, crista ilíaca	linha branca através da bainha do reto, tendão unido ao púbis	torácicos inferiores	comprime as vísceras abdominais
m. transverso da orelha	m. transversus auricularis	superfície cranial do pavilhão auditivo	circunferência do pavilhão auditivo	ramo auricular posterior do facial	retrai a hélice
m. transverso do queixo	m. transversus menti	nome aplicado às fibras superficiais do músculo depressor do ângulo da boca, que se viram medialmente e atravessam o lado oposto			
m. transverso da nuca	m. transversus nuchae	nome aplicado a um pequeno músculo freqüentemente presente, que passa da protuberância occipital ao músculo auricular posterior; pode ser tanto superficial como profundo com relação ao trapézio			
m. transverso profundo do períneo	m. transversus perinei profundus	ramo do ísquio	centro tendíneo do períneo	perineal	fixa o centro tendíneo do períneo
m. transverso superficial do períneo	m. transversus perinei superficialis	ramo do ísquio	centro tendíneo do períneo	perineal	fixa o centro tendíneo do períneo
m. transverso do tórax	m. transversus thoracis	superfície posterior do corpo do esterno e do processo xifóide	segunda à sexta cartilagens costais	intercostais	talvez estreite o peito
m. transverso da língua	m. transversus linguae	septo mediano da língua	dorso e margens da língua	hipoglosso	altera a forma da língua na mastigação e deglutição
m. transverso espinhal	m. transversospinalis	nome aplicado coletivamente aos músculos semi-espinhais, multífidos e rotadores			

m. trapézio	m. trapezius	osso occipital, ligamento nucal, processos espinhosos da sétima vértebra cervical e todas as vértebras torácicas	clavícula, acrômio, espinha da escápula	acessório, plexo cervical	eleva o ombro, gira a escápula para elevar o ombro na abdução do braço e tracionar a escápula para trás
m. triangular. Verm. depressor do ângulo da boca					
m. tríceps do braço (m. tríceps braquial)	m. triceps brachii	cabeça longa – tubérculo infraglenóide da escápula; cabeça lateral – superfície posterior do úmero; cabeça medial – superfície posterior do úmero abaixo do sulco para o nervo radial	olécrânio da ulna	radial	estende o antebraço; a cabeça longa aduz e estende o braço
m. tríceps da panturrilha (m. tríceps sural)	m. triceps surae	nome aplicado coletivamente aos músculos gastrocnêmio e solear			
m. da úvula	m. uvulae	espinha nasal posterior do osso palatino e aponeurose do palato mole	úvula	plexo faríngeo	eleva a úvula
m. vasto intermédio	m. vastus intermedius	superfícies anterior e lateral do fêmur	patela, tendão comum do músculo quadríceps da coxa	femoral	estende a perna
m. vasto lateral	m. vastus lateralis	faces laterais do fêmur	patela, tendão comum do músculo quadríceps da coxa	femoral	estende a perna
m. vasto medial	m. vastus medialis	face medial do fêmur	patela, tendão comum do músculo quadríceps da coxa	femoral	estende a perna
m. vertical da língua	m. verticalis linguae	fáscia dorsal da língua	lados e base da língua	hipoglosso	altera a forma da língua na mastigação e deglutição
m. vocal	m. vocalis	ângulo entre as lâminas da cartilagem tireóidea	processo vocal da cartilagem aritenóide	laríngeo recorrente	causa variações locais na tensão da corda vocal
m. zigomático maior	m. zygomaticus major	osso zigomático	ângulo da boca	facial	puxa para cima e para trás o ângulo da boca
m. zigomático menor	m. zygomaticus minor	osso zigomático	músculo orbicular da boca, músculo elevador do lábio superior	facial	traciona para cima e lateralmente o lábio superior

m. = [L.] musculus;
mm. = [L. pl.] musculi.

m. = músculo.

MNO

mu·ta·gen (mu-tah-jen) – mutágeno; agente que induz mutação genética.

mu·ta·gen·e·sis (mu"tah-jen'ĕ-sis) – mutagênese: 1. produção de alteração; 2. indução de mutação genética.

mu·ta·ge·nic·i·ty (-jĕ-nis'it-e) – mutagenicidade; a propriedade de ser apto a induzir mutação genética.

mu·tant (mūt"nt) – mutante: 1. organismo que tenha sofrido mutação genética; 2. produzido por mutação.

mu·ta·ro·tase (mu"tah-ro'tās) – mutarrotase; isomerase que catalisa a interconversão das formas α- e β- da D-glicose, L-arabinose, D-galactose, D-xilose, lactose e maltose.

mu·ta·ro·ta·tion (-ro-ta'shun) – mutarrotação; alteração na rotação óptica de um composto opticamente ativo em solução.

mu·tase (mu'tās) – mutase; grupo de enzimas (transferases) que catalisam a alteração intramolecular de um grupo químico de uma posição para outra.

mu·ta·tion (mu-ta'shun) – mutação; alteração transmissível permanente no material genético. Também, um indivíduo que exibe essa alteração; organismo que apresenta variações. **point m.** – m. pontual; mutação que resulta da alteração em um único par de bases na molécula de DNA. **somatic m.** – m. somática; mutação genética que ocorre em uma célula somática, proporcionando a base para a condição de mosaico. **suppressor m.** – m. supressora; mutação que mascara parcial ou completamente a expressão fenotípica de uma mutação, mas que ocorre em um local diferente de si própria (ou seja, causa supressão); pode ser intra ou intergênica. Termo utilizado particularmente para descrever a mutação secundária que suprime um códon sem sentido criado por mutação primária.

mute (mūt) – mudo: 1. incapaz de falar; 2. pessoa incapaz de falar.

mu·ti·la·tion (mūt"ĭ -la'shun) – mutilação; o ato de privar um indivíduo de um membro ou outra parte importante. Também, a condição daí resultante.

mu·tism (mūt'izm) – mutismo; incapacidade ou recusa em falar. **akinetic m.** – m. acinético; estado em que a pessoa não consegue fazer nenhum movimento ou som vocal espontâneos; freqüentemente causada por lesão no terceiro ventrículo. **elective m.** – m. eletivo; distúrbio mental da infância caracterizado pela recusa contínua de uma criança a falar em situações sociais, mas é capaz e tem vontade de falar com pessoas selecionadas.

mu·tu·al·ism (mu'choo-al-izm") – mutualismo; associação biológica de dois indivíduos ou populações de espécies diferentes, beneficiando-se ambas com o relacionamento e sendo algumas vezes incapazes de existir sem ele.

MV [L.] – *Medicus Veterinarius* (Médico Veterinário).

mV – millivolt (milivolt).

μV – μV, microvolt (microvolt).

MVP – mitral valve prolapse (prolapso da válvula mitral; ver em *syndrome*).

MW – molecular weight (peso molecular).

my(o)- [Gr.] – mi(o)-, elemento de palavra, *músculo.*

my·al·gia (mi-al'je-ah) – mialgia; dor muscular. **epidemic m.** – m. epidêmica; ver em *pleurodynia.*

my·as·the·nia (mi"as-the'ne-ah) – miastenia; debilidade ou fraqueza musculares. **myasthen'ic** – adj. miastênico. **angiosclerotic m.** – m. angioesclerótica; claudicação intermitente. **familial infantile m. gravis** – m. grave infantil familiar; distúrbio herdado dos bebês, caracterizado por dificuldades na alimentação, episódios de apnéia, oftalmoparesia e fraqueza ou fadiga, freqüentemente melhorando com a idade. **m. gas'trica** – m. gástrica; fraqueza e perda do tônus nos revestimentos musculares do estômago; atonia gástrica. **m. gra'vis, m. gra'vis pseudoparaly'tica** – m. grave; m. grave pseudoparalítica; distúrbio da função neuromuscular que se acredita dever-se à presença de anticorpos contra os receptores acetilcolínicos na junção neuromuscular, marcado por fadiga e exaustão do sistema muscular, quase sempre com flutuação da severidade e sem distúrbios sensoriais ou atrofias. **neonatal m.** – m. neonatal; miastenia transitória que afeta os descendentes de mulheres miastênicas.

my·a·to·nia (mi"ah-to'ne-ah) – miatonia; amiotonia; ver *amyotonia.*

my·at·ro·phy (mi-at'ro-fe) – miatrofia; atrofia de um músculo.

my·ce·li·um (mi-se'le-um) – micélio; massa de processos filamentosos (hifas) que constituem o talo de um fungo. **myce'lial** – adj. micelial.

my·cete (mi'sĕt) – miceto; fungo (*fungus*).

my·ce·tis·mus (mi"sĕ-tiz'mus) – micetismo; intoxicação por um fungo, especialmente por cogumelo; ver também *Amanita.*

my·ce·to·ma (mi"sĕ-to'mah) – micetoma; infecção destrutiva, progressiva e crônica dos tecidos cutâneos e subcutâneos, fáscias e ossos, causada por implantação traumática de determinados actinomicetos, fungos verdadeiros ou outros microrganismos; geralmente acomete o pé (*pé de Madura*) ou a perna.

myc(o)- [Gr.] – mic(o)-, elemento de palavra, *fungo.*

My·co·bac·te·ri·a·ceae (mi"ko-bak-tēr"e-a-se-e) – Mycobacteriaceae; família de bactérias (ordem Actinomycetales) encontradas no solo e em produtos lácteos e como parasitas no homem e outros animais.

My·co·bac·te·ri·um (-bak-tēr'e-um) – *Mycobacterium;* gênero de bactérias acidorresistentes e Gram-positivas (família Mycobacteriaceae), que inclui a *M. balnei* (*M. marinum*) (causa do granuloma das piscinas); *M. bovis* (causa da tuberculose bovina, transmitida ao homem através do leite); *M. kansasii* (causa de doença semelhante à tuberculose no homem); *M. leprae* (causa da lepra); *M. paratuberculosis* (causa da doença de Johne); e *M. tuberculosis* (bacilo da tuberculose; causa da tuberculose humana, mais comumente pulmonar).

my·co·bac·te·ri·um (mi"ko-ak-tēr'e-um) pl. *mycobacteria* – micobactéria; microrganismo individual do gênero *Mycobacterium.* **anonymous mycobacteria, atypical mycobacteria** – m. anônima; microbactérias atípicas; m. não-tuberculosas. **nontuberculous mycobacteria** – m. não-tuberculosas; micobactérias outras que não a *Mycobacterium tuberculosis* ou *M. bovis;* dividem-se em quatro grupos (I-IV), com base em várias características físicas. **Group I-IV mycobacteria** – micobatérias dos grupos I-IV; ver *nontuberculous mycobacteria.*

my·co·der·ma·ti·tis (-der"mah-ti-tis) – micodermatite; candidíase; ver *candidiasis.*

my·co·lo·gy (mi-kol'ah-je) – micologia; ciência e estudo dos fungos.

my·co·myr·in·gi·tis (mi"ko-mir"in-jī t'is) – micomiringite; miringomicose.

My·co·plas·ma (-plaz'mah) – *Mycoplasma*; gênero de microrganismos aeróbicos a facultativamente anaeróbicos, Gram-negativos e altamente pleomórficos, que não têm paredes celulares (família Mycoplasmataceae), que inclui os microrganismos semelhantes aos da pleuropneumonia (PPLO), separados em 15 espécies, que incluem a *M. hominis* (encontra-se associada à uretrite não-gonocócica e referida como causa de faringite branda nos humanos); *M. mycoides* (a espécie-tipo, que causa pleuropneumonia; ver *pleuropneumonia* [2]); e *M. pneumoniae* (causa da pneumonia atípica primária).

My·co·plas·ma·ta·ceae (-plaz"mah-ta-se-e) – Mycoplasmataceae; família de esquizomicetos, constituída de um único gênero, *Mycoplasma.*

my·co·sis (mi-ko'sis) – micose; qualquer doença causada por fungos. **m. fungoi'des** – m. fungóide; neoplasia linforreticular maligna e crônica da pele e, nos estágios posteriores, dos linfonodos e vísceras, com desenvolvimento de grandes tumores dolorosos e ulcerados.

My·co·stat·in (mi"ko-stat'in) – Mycostatin, marca registrada de preparações de nistatina.

my·cot·ic (mi-kot'ik) – micótico; relativo à micose; causado por fungos.

my·co·tox·i·co·sis (mi"ko-tok-sī´-ko'sis) – micotoxicose: 1. intoxicação devida à toxina fúngica ou bacteriana; 2. intoxicação devido à ingestão de fungos.

my·co·tox·in (-tok'sin) – micotoxina; toxina fúngica.

myd·ri·at·ic (mī´"dre-at'ik) – midriático: 1. que dilata a pupila; 2. droga que dilata a pupila.

my·ec·to·my (mi-ek'tah-me) – miectomia; excisão de um músculo.

my·ec·to·pia (mi"ek-to'pe-ah) – miectopia; deslocamento de um músculo.

my·el·ap·o·plexy (mi"il-ap'ah-plek"se) – mieloapoplexia; hematomielia; ver *hematomyelia.*

my·el·ate·lia (-ah-te'le-ah) – mielatelia; mielodisplasia; ver *myelodysplasia.*

my·el·at·ro·phy (-at-rah-fe) – mielatrofia; atrofia da medula espinhal.

my·el·emia (-ēm-e-ah) – mielemia; mielocitose; ver *myelocytosis.*

my·el·en·ceph·a·lon (-en-sef'ah-lon) – mielencéfalo: 1. parte posterior do metencéfalo, que compreende a medula oblonga e a parte inferior do quarto ventrículo; 2. a vesícula posterior das duas vesículas cerebrais formadas pela especialização do metencéfalo no desenvolvimento embrionário.

my·elin (mi'ĕ-lin) – mielina: 1. substância rica em lipídeos da membrana celular das células de

Schwann que se espirala para formar a bainha mielínica que circunda o axônio de fibras nervosas mielinizadas. **myelin'ic** – adj. mielínico.

my·eli·ni·za·tion (mi"ĕ-lin"ĭ´-za'shun) – mielinização; produção de mielina ao redor de um axônio.

my·eli·nol·y·sis (mi"ĕ-lin-ol'ĭ´-sis) – mielinólise; destruição da mielina; desmielinização.

my·eli·no·sis (-o'sis) – mielinose; degeneração adiposa com formação de mielina.

my·eli·no·tox·ic (mi"ĕ-lin"o-tok-sik) – mielinotóxico; que tem efeito deletério sobre a mielina; que causa desmielinização.

my·eli·tis (mi"ĕ-li'tis) – mielite: 1. inflamação da medula espinhal; freqüentemente expandido para incluir lesões não-inflamatórias da medula espinhal; 2. inflamação da medula óssea (osteomielite). **myelit'ic** – adj. mielítico.

myel(o)- [Gr.] – miel(o), elemento de palavra, *medula* (freqüentemente com referência específica a *medula espinhal*).

my·elo·ab·la·tion (mi"ĕ-lo-ab-la'shun) – mieloablação; mielossupressão severa. **myeloab'lative** – adj. mieloablativo.

my·elo·blast (mi'ĕ-lo-blast") – mieloblasto; célula imatura encontrada na medula óssea e não normalmente no sangue periférico; constitui o precursor mais primitivo na série granulocítica, que amadurece para se desenvolver no promielócito e finalmente no leucócito granular.

my·elo·blas·te·mia (mi"ĕ-lo-blas-tĕm'e-ah) – mieloblastemia; presença de mieloblastos no sangue.

my·elo·blas·to·ma (-blas-to'mah) – mieloblastoma; tumor maligno focal composto de mieloblastos observado no caso de leucemia mielocítica aguda.

my·elo·cele (mi'ĕ-lo-sēl") – mielocele; protrusão da medula espinhal através de um defeito na coluna vertebral.

my·elo·cyst (-sist") – mielocisto; cisto benigno desenvolvido a partir de canais medulares rudimentares.

my·elo·cys·to·cele (mi"ĕ-lo-sis'to-sēl) – mielocistocele; mielomeningocele; ver *myelomeningocele.*

my·elo·cys·to·me·nin·go·cele (-sis"to-mĕ-ning'go-sĕl) – mielocistomeningocele; mielomeningocele.

my·elo·cyte (mi'ĕ-lo-sī t") – mielócito; um precursor na série granulocítica, correspondendo a uma célula intermediária em desenvolvimento entre um promielócito e um metamielócito. **myelocyt'ic** – adj. mielocítico.

my·elo·cy·to·ma (-si-to'mah) – mielocitoma: 1. leucemia granulocítica crônica; 2. mieloma.

my·elo·cy·to·sis (mi"ĕ-lo-si-to'sis) – mielocitose; número excessivo de mielócitos no sangue.

my·elo·dys·pla·sia (-dis-pla'zhah) – mielodisplasia; desenvolvimento defeituoso de qualquer parte da medula espinhal.

my·elo·en·ceph·a·li·tis (-en-sef"ah-lī t'is) – mieloencefalite; inflamação da medula espinhal e do cérebro.

my·elo·fi·bro·sis (-fi-bro'sis) – mielofibrose; substituição da medula óssea por um tecido fibroso.

my·elo·gen·e·sis (-jen'ĕ-sis) – mielogênese; mielinização; ver *myelinization.*

my·elog·e·nous (mi"ĕ-loj'i-nus) – mielógeno; produzido na medula óssea.

my·elo·gone (mi'ĕ-lo-gōn") – mielogônio; leucócito da série mielóide que tem um núcleo violáceo reticulado, um nucléolo bem-corado e margem citoplasmática azul-escura. **myelogon'ic** – adj. mielogônico.

my·elog·ra·phy (mi"ĕ-log'rah-fe) – mielografia; radiografia da medula espinhal após a injeção de um meio de contraste no interior do espaço subaracnóide.

my·eloid (mi'ĕ-loid) – mielóide: 1. relativo, derivado ou semelhante à medula óssea; 2. relativo à medula espinhal; 3. que tem a aparência de mielócitos, mas não deriva da medula óssea.

my·eloi·do·sis (mi"ĕ-loi-do'sis) – mieloidose; formação de um tecido mielóide, especialmente o desenvolvimento hiperplásico desse tecido.

my·elo·li·po·ma (mi"ĕ-lo-lĭ"-po'mah) – mielolipoma; tumor benigno raro da glândula supra-renal, composto de tecido adiposo, linfócitos e células mielóides primitivas.

my·elo·ma (mi"ĕ-lo'mah) – mieloma; tumor composto de células do tipo normalmente encontrado na medula óssea. **giant cell m.** – m. de células gigantes; ver em *tumor* (1). **multiple m.** – m. múltiplo; um tipo disseminado de discrasia de células plasmáticas caracterizado por focos tumorais múltiplos de medula óssea e pela secreção de um componente M, manifestado através da destruição esquelética, fraturas patológicas, dor óssea, da presença de imunoglobulinas circulantes anômalas, proteinúria de Bence Jones e anemia. **plasma cell m.** – m. de células plasmáticas; m. múltiplo. **sclerosing m.** – m. esclerosante; mieloma associado a osteoesclerose, mais freqüentemente manifestado através de neuropatia periférica.

my·elo·ma·la·cia (mi"ĕ-lo-mah-la'she-ah) – mielomalacia; amolecimento mórbido da medula espinhal.

my·elo·ma·to·sis (-mah-to'sis) – mielomatose; mieloma múltiplo.

my·elo·men·in·gi·tis (-men"in-ji'tis) – mielomeningite; meningomielite; ver *meningomyelitis*.

my·elo·me·nin·go·cele (-mĕ-ning'go-sēl) – mielomeningocele; protrusão herniária da medula espinhal e suas meninges através de defeito na coluna vertebral.

my·elo·mere (mi'ĕ-lo-mēr") – mielômero; qualquer segmento do cérebro ou medula espinhal embrionários.

my·elop·a·thy (mi"ĕ-lop'ah-the) – mielopatia: 1. qualquer distúrbio funcional e/ou alteração patológica na medula espinhal; termo freqüentemente utilizado para denotar lesões inespecíficas, em oposição a mielite (*myelitis*); 2. alterações patológicas da medula óssea. **myelopath'ic** – adj. mielopático. **carcinomatous m.** – m. carcinomatosa; degeneração ou necrose rapidamente progressivas da medula espinhal associadas a um carcinoma. **chronic progressive m.** – m. progressiva crônica; paraparesia espástica gradualmente progressiva associada a infecção pelo vírus do linfoma/leucemia humanos tipo I. **HTLV-I- associated m.** – m. associada ao HTLV-1; m. progressiva crônica. **paracarcinomatous m.**,

paraneoplastic m. – m. paracarcinomatosa; m. paraneoplásica; m. carcinomatosa. **spondylotic cervical m.** – m. cervical espondilosa; mielopatia secundária à invasão da espondilose cervical sobre um canal espinhal cervical congenitamente pequeno. **transverse m.** – m. transversal; mielopatia que se estende através da medula espinhal. **vacuolar m.** – m. vacuolar; perda da mielina e degeneração esponjosa da medula espinhal com vacuolização microscópica, causada por infecção pelo vírus da imunodeficiência humana.

my·elo·per·ox·i·dase (mi"ĕ-lo-per-ok'sĭ"-das) – mieloperoxidase; hemoproteína verde nos neutrófilos e monócitos que catalisa a reação do peróxido de hidrogênio e íons halóides para formar ácidos citotóxicos e outros intermediários; essas substâncias exercem um papel no extermínio dependente de oxigênio de células tumorais e microrganismos. Abreviação: MPO.

my·elo·pe·tal (mi"ĕ-lop'ī-t'l) – mielópeto; que se move em direção à medula espinhal.

my·elo·phthi·sis (mi"ĕ-lo-thi'sis) – mielotísica: 1. emaciação da medula espinhal; 2. redução das funções formadoras de células da medula óssea.

my·elo·plast (mi'ĕ-lo-plast") – mieloplasto; qualquer leucócito da medula óssea.

my·elo·poi·e·sis (mi"ĕ-lo-poi-e'sis) – mielopoiese; formação da medula ou das células que dela se originam. **myelopoiet'ic** – adj. mielopoiético.

my·elo·pro·lif·er·a·tive (-pro-lif'er-ah-tiv) – mieloproliferativo; relativo ou caracterizado pela proliferação medular e extramedular dos constituintes da medula óssea; ver em *disorder*.

my·elo·ra·dic·u·li·tis (-rah-dik"ūl-ī'tis) – mielorradiculite; inflamação da medula espinhal e raízes nervosas posteriores.

my·elo·ra·dic·u·lo·dys·pla·sia (-rah-dik"u-lo-displa'zhah) – mielorradiculodisplasia; desenvolvimento anormal da medula espinhal e das raízes nervosas espinhais.

my·elo·ra·dic·u·lop·a·thy (-rah-dik"u-lop'ah-the) – mielorradiculopatia; doença da medula espinhal e raízes nervosas espinhais.

my·elor·rha·gia (-ra'jah) – mielorragia; hematomielia; ver *hematomyelia*.

my·elo·sar·co·ma (-shar-ko'mah) – mielossarcoma; crescimento sarcomatoso constituído de tecido mielóide ou de células da medula óssea.

my·elo·scle·ro·sis (-sklĕ-ro'sis) – mieloesclerose: 1. esclerose da medula espinhal; 2. obliteração da cavidade medular por pequenas espículas ósseas; 3. mielofibrose.

my·el·o·sis (mi"ĕ-lo'sis) – mielose: 1. mielocitose; 2. formação de tumor da medula espinhal. **erythremic m.** – m. eritrêmica; eritroleucemia.

my·elo·spon·gi·um (mi"ĕ-lo-spun'je-um) – mielospôngio; rede que se desenvolve na neuróglia.

my·elo·sup·pres·sive (-sŭ-pres'iv) – mielossupressor: 1. que inibe a atividade da medula óssea, resultando em redução da produção de células sangüíneas e plaquetas; 2. agente com essas propriedades.

my·en·ter·on (mi-en'ter-on) – miênteron; revestimento muscular do intestino. **myenter'ic** – adj. mioentérico.

my·es·the·sia (mi"es-the'zhah) – miestesia; sensação muscular; ver *sense, muscle* (1).

my·ia·sis (mi-i'ah-sis) – miíase; invasão do corpo por larvas de moscas, caracterizada como cutânea (tecido subdérmico), gastrointestinal, nasofaríngea, ocular ou urinária, dependendo da região invadida.

myo·ar·chi·tec·ton·ic (mi"o-ahr"kĭ-tek-ton'ik) – mioarquitetônico; relativo ao arranjo estrutural das fibras musculares.

myo·at·ro·phy (-ă-trah-fe) – mioatrofia; atrofia muscular.

myo·blast (mi'o-blast) – mioblasto; célula embrionária que se torna uma célula de fibra muscular. **myoblas'tic** – adj. mioblástico.

myo·blas·to·ma (mi"o-blas-to'mah) – mioblastoma; lesão circunscrita e benigna de um tecido mole, semelhante a um tumor possivelmente composta de mioblastos. **granular cell m.** – m. de células granulares; ver em *tumor*.

myo·car·di·op·a·thy (-kahr"de-op'ah-the) – miocardiopatia; cardiomiopatia; ver *cardiomyopathy*.

myo·car·di·tis (-kahr-di'tis) – miocardite; inflamação das paredes musculares cardíacas. **acute isolated m.** – m. aguda isolada; miocardite aguda, idiopática e freqüentemente fatal que afeta principalmente o tecido fibroso intersticial. **Fiedler's m.** – m. de Fiedler; m. aguda isolada. **giant cell m.** – m. de células gigantes; subtipo da miocardite aguda isolada, caracterizado pela presença de células gigantes multinucleadas e outras células inflamatórias e por dilatação ventricular, trombos murais e áreas largas de necrose. **granulomatous m.** – m. granulomatosa; miocardite de células gigantes, que também inclui a formação de granuloma. **hypersensitivity m.** – m. por hipersensibilidade; miocardite devida a reações alérgicas causadas por hipersensibilidade a vários agentes, particularmente às sulfonamidas, penicilinas e metildopa. **interstitial m.** – m. intersticial; miocardite que afeta principalmente o tecido fibroso intersticial.

myo·car·di·um (-kahr'de-um) – miocárdio; camada média e mais espessa da parede cardíaca, composta do músculo cardíaco. **myocar'dial** – adj. miocardíaco. **hibernating m.** – m. hibernante; ver *myocardial hibernation*, em *hibernation*. **stunned m.** – m. atordoado; ver *myocardial stunning*, em *stunning*.

myo·car·do·sis (-kahr-do'sis) – miocardose; qualquer miocardiopatia degenerativa e não-inflamatória.

myo·cele (mi'o-sēl) – miocele; protrusão de um músculo através de sua bainha rompida.

my·oc·lo·nus (mi-ok'lo-nus) – mioclonia; contrações semelhantes a choques de um músculo ou grupo de músculos. **myoclon'ic** – adj. mioclônico. **essential m.** – m. essencial; mioclonia de etiologia desconhecida, que envolve um ou mais músculos sendo desencadeado por excitação ou por tentativa de um movimento voluntário. **intention m.** – m. intencional; mioclonia que ocorre quando se inicia um movimento muscular voluntário. **nocturnal m.** – m. noturno; espasmos mioclônicos não-patológicos que ocorrem quando uma

pessoa está para adormecer ou se encontra adormecida. **palatal m.** – m. palatal; movimento para cima e para baixo, rápido e rítmico de um ou ambos os lados do palato, freqüentemente com movimentos clônicos síncronos do mesmo lado dos músculos da face, língua, faringe e diafragma.

myo·coele (mi'o-sēl) – miocele; cavidade dentro de um miótomo; ver *myotome* (2).

myo·cyte (-sīt) – miócito; célula muscular. **Anichkov's m.** – m. de Anichkov; ver em *cell*.

myo·cy·tol·y·sis (mi"o-si-tol'ĭ-sis) – miocitólise; desintegração de fibras musculares. **coagulative m.** – m. coagulativa; necrose das faixas de contração.

myo·dys·to·nia (-dis-to'ne-ah) – miodistonia; distúrbio do tônus muscular.

myo·dys·tro·phy (-dis-trah'fe) – miodistrofia: 1. distrofia muscular; 2. distrofia miotônica.

myo·ede·ma (-ě-de'mah) – mioedema: 1. elevação em uma protuberância por parte de um músculo emaciado quando este recebe um golpe; 2. edema muscular.

myo·epi·the·li·o·ma (-ep"ĭ-thēl"e-o-mah) – mioepitelioma; tumor composto de excrescências de células mioepiteliais provenientes de uma glândula sudorípara.

myo·epi·the·li·um (-ep"ĭ-thě'le-um) – mioepitélio; tecido constituído de células epiteliais contráteis. **myoepithe'lial** – adj. mioepitelial.

myo·fas·ci·al (-fash'e-al) – miofacial; relativo ou que envolve a fáscia circundante e associada a tecido muscular.

myo·fas·ci·tis (-fah-sīt'is) – miofascite; inflamação de um músculo e sua fáscia.

myo·fi·ber (mi'o-fi"ber) – miofibra; fibra muscular.

myo·fi·bril (mi"o-fril) – miofibrila; fibrila muscular, um dos filamentos delgados de uma fibra muscular, composto de vários miofilamentos. Ver Prancha XIV. **myofi'brillar** – adj. miofibrilar.

myo·fi·bro·blast (-fi'bro-blast) – miofibroblasto; fibroblasto atípico que combina as características ultra-estruturais de um fibroblasto e uma célula de músculo lisa.

myo·fi·bro·ma (-fi-bro'mah) – miofibroma; leiomioma; ver *leiomyoma*.

myo·fi·bro·sis (-fi-bro'sis) – miofibrose; substituição de um tecido muscular por um tecido fibroso.

myo·fi·bro·si·tis (-fi"bro-sīt'is) – miofibrosite; perimisiite; ver *perimysiitis*.

myo·fila·ment (-fil-ah-ment) – miofilamento; uma das estruturas filamentosas ultramicroscópicas que compõem as miofibrilas das fibras musculares estriadas; os filamentos grossos contêm miosina, os finos contêm actina e os intermediários contêm desmina e vimentina. Ver Prancha XIV.

myo·gen·e·sis (-jen'ĭ-sis) – miogênese; desenvolvimento do tecido muscular, especialmente seu desenvolvimento embrionário. **myogenet'ic** – adj. miogenético.

my·og·e·nous (mi-oj'in-is) – miogênico; que se origina na no tecido muscular.

myo·glo·bin (mi'o-glo"bin) – mioglobina; pigmento muscular que transporta oxigênio, uma proteína conjugada similar à subunidade única de hemoglobina, sendo composta de uma cadeia polipeptídica globínica e um grupo heme.

myo·glob·u·lin (mi"o-glob'ŭl-in) – mioglobulina; globulina proveniente do soro muscular.

myo·graph (mi'o-graf) – miógrafo; aparelho para registrar os efeitos da contração muscular.

my·og·ra·phy (mi-og-rah-fe) – miografia: 1. uso de miógrafo; 2. descrição dos músculos; 3. radiografia de um tecido muscular após injeção de um meio radiopaco. **myograph'ic** – adj. miográfico.

my·oid (mi'oid) – mióide; semelhante ao músculo.

myo·ki·nase (mi"o-ki'nās) – miocinase; cinase do ácido adenílico; enzima muscular que catalisa a fosforilação do ADP em moléculas de ATP e AMP.

myo·ki·ne·sis (-kĭ -ne'sis) – miocinese; movimento dos músculos, especialmente o deslocamento das fibras musculares em operação. **myokinet'ic** – adj. miocinético.

myo·kym·ia (-ki'me-ah) – mioquimia; afecção benigna marcada por contrações tetânicas espontâneas breves de unidades motoras ou de grupos de fibras musculares, geralmente grupos adjacentes de fibras que se contraem alternadamente.

myo·li·po·ma (-lĭ -po'mah) – miolipoma; mesenquimoma benigno que contém elementos gordurosos ou lipomatosos.

my·ol·o·gy (mi-ol'ah-je) – Miologia; estudo científico ou descrição dos músculos e estruturas acessórias (bursas e bainha sinovial).

my·ol·y·sis (mi-ol'ĭ -sis) – miólise; desintegração ou degeneração de um tecido muscular.

my·o·ma (mi-o'mah) pl. *myomas, myomata* – mioma; um tumor benigno formado por elementos musculares. **myom'atous** – adj. miomatoso. **uterine m.** – m. uterino; leiomioma uterino.

my·o·ma·to·sis (mi-o"mah-to'sis) – miomatose; formação de miomas múltiplos.

my·o·mec·to·my (mi"o-mek'tah-me) – miomectomia: 1. remoção cirúrgica de um mioma, particularmente do útero (leiomioma) 2. miectomia.

myo·mel·a·no·sis (-mel"ah-no'sis) – miomelanose; melanose de um tecido muscular.

myo·mere (mi'o-mēr) – miômero; miótomo; ver *myotome* (2).

my·om·e·ter (mi-om'it-er) – miômetro; aparelho para medir a contração muscular.

myo·me·tri·tis (mi"o-me-trī t'is) – miometrite; inflamação do miométrio.

myo·me·tri·um (-me'tre-um) – miométrio; túnica muscular do útero. **myome'trial** – adj. miometrial.

myo·neme (mi'o-nēm) – mionema; fibra contrátil fina encontrada no citoplasma de determinados protozoários.

myo·neu·ral (mi"o-noor'al) – mioneural; relativo às terminações nervosas nos músculos.

myo·pal·mus (-pal'mus) – miopalmo; contração muscular.

myo·pa·ral·y·sis (-pah-ral'ĭ -sis) – mioparalisia; paralisia de um músculo.

myo·par·e·sis (-pah-re'sis) – mioparesia; paralisia muscular ligeira.

my·op·a·thy (mi-op'ah-the) – miopatia; qualquer doença muscular. **myopath'ic** – adj. miopático.

centronuclear m. – m. centronuclear; m. miotubular. **mitochondrial m.** – m. mitocondrial; qualquer doença de um grupo de miopatias associadas a um número elevado de mitocôndrias grandes e freqüentemente anormais nas fibras musculares e manifestada por meio de intolerância a exercícios, fraqueza, acidose láctica, quadriparesia infantil, oftalmoplegia e anormalidades cardíacas. **myotubular m.** – m. miotubular; miopatia ligada ao cromossoma X e freqüentemente fatal, caracterizada por miofibras que parecem as do músculo fetal inicial. **nemaline m.** – m. nemalina; anormalidade congênita das miofibrilas na qual pequenas fibras filiformes se estendem através das fibras musculares; caracterizada por hipotonia e fraqueza muscular proximal. **ocular m.** – m. ocular; oftalmoplegia externa progressiva. **thyrotoxic m.** – m. tireotóxica; fraqueza e emaciação dos músculos esqueléticos, especialmente das cinturas pélvica e escapular, acompanhando o hipertireoidismo.

myo·peri·car·di·tis (mi"o-per"ĭ -kahr-di'tis) – miopericardite; miocardite combinada com pericardite.

myo·phos·phor·y·lase (mi"o-fos-for'ĭ -lās) – miofosforilase; a isozima muscular da glicogênio-fosforilase; a deficiência causa a doença do armazenamento de glicogênio do tipo V.

my·o·pia (mi-o'pe-ah) – miopia; ametropia em que os raios paralelos chegam em um foco à frente da retina, sendo melhor a visão para objetos próximos do que para distantes. **myop'ic** – adj. míope. **curvature m.** – m. de curvatura; miopia decorrente de alterações na curvatura das superfícies refratárias oculares. **index m.** – m. do índice; miopia devida à refratividade anormal dos meios oculares. **malignant m., pernicious m.** – m. maligna; m. perniciosa; miopia progressiva com doença da coróide, levando ao descolamento retiniano e cegueira. **progressive m.** – m. progressiva; miopia que aumenta durante a vida adulta; ver *nearsightedness*.

myo·plasm (mi'o-plazm) – mioplasma; parte contrátil de uma célula muscular ou miofibrila.

myo·plas·ty (-plas"te) – mioplastia; cirurgia plástica em um músculo. **myoplas'tic** – adj. mioplástico.

my·or·rhex·is (-rek'sis) – miorrexe; ruptura de um músculo.

myo·sar·co·ma (-sahr-ko'mah) – miossarcoma; tumor maligno derivado de um tecido muscular.

myo·scle·ro·sis (-skē-ro'sis) – mioesclerose; endurecimento de um tecido muscular.

my·o·sin (mi'o-sin) – miosina; proteína da miofibrila, que ocorre principalmente na faixa A; com a actina, ela forma a actomiosina, que é responsável pelas propriedades contráteis musculares.

myo·si·tis (mi"o-sī t'is) – miosite; inflamação de um músculo voluntário. **m. fibro'sa** – m. fibrosa; tipo de miosite que se forma em um tecido conjuntivo no interior do músculo. **inclusion body m.** – m. com corpo de inclusão; miopatia inflamatória progressiva que envolve os músculos da região pélvica e das pernas. **multiple m.** – m. múltipla; polimiosite. **m. ossi'ficans** – m. ossificante; miosite caracterizada por depósitos ósseos ou ossificação do músculo. **proliferative m.** – m. proliferativa; lesão nodular reativa, de crescimento rápido e benigna, semelhante à fasciíte nodular, mas caracterizada pela proliferação fibroblástica dentro do músculo esquelético. **trichinous m.** – m. triquinosa; miosite devida à presença da *Trichinella spiralis*.

myo·spasm (mi'o-spazm) – mioespasmo; espasmo muscular.

myo·tac·tic (mi"o-tak'tik) – miotátil; relativo à sensação proprioceptiva dos músculos.

my·ot·a·sis (mi-ot'ah-sis) – miotase; estiramento de um músculo. **myotat'ic** – adj. miotático.

myo·teno·si·tis (mi"o-ten"o-si'tis) – miotenosite; inflamação de um músculo e um tendão.

myo·tome (mi'o-tōm) – miótomo: 1. instrumento para realizar miotomia; 2. placa muscular ou porção de um somito, de onde se desenvolvem os músculos voluntários; 3. grupo de músculos inervados a partir de um segmento espinhal único. **myotom'ic** – adj. miotômico.

myo·to·nia (mi"o-to'ne-ah) – miotonia; distonia que envolve aumento da irritabilidade muscular e contratilidade, com redução da capacidade de relaxamento. **myoton'ic** – adj. miotônico. **m. atro'phica** – m. atrófica; distrofia miotônica. **m. conge'nita** – m. congênita; doença hereditária marcada por espasmo tônico e rigidez de determinados músculos quando se fazem tentativas para movê-los após repouso ou quando são mecanicamente estimulados. **m. dystro'phica** – m. distrófica; distrofia miotônica.

my·ot·o·noid (mi-ot'o-noid) – miotonóide; denota reações musculares marcadas por contração ou relaxamento lentos.

my·ot·o·nus (-nus) – miotônus; espasmo tônico de um músculo ou grupo de músculos.

myo·troph·ic (mi'o-tro"fik) – miotrófico: 1. que aumenta o peso de um músculo; 2. relativo à miotrofia.

my·ot·ro·phy (mi-ot"rah-fe) – miotrofia; nutrição muscular.

myo·tu·bule (mi"o-too'būl) – miotúbulo; fibra muscular em desenvolvimento, com núcleo centralmente localizado. **myotu'bular** – adj. miotubular.

Myr·i·ap·o·da (mir"e-ap'ah-dah) – Myriapoda; superclasse de artrópodos, que inclui centopéias e piolhos-de-cobra.

my·rin·ga (mĭ-ring'gah) – miringe; membrana timpânica.

my·rin·gec·to·my (mir"in-jek-tah-me) – miringectomia; miringodectomia.

my·rin·gi·tis (mir"in-jī't'is) – miringite; inflamação da membrana timpânica. **m. bullo'sa, bullous m.** – m. bolhosa; forma de otite média viral na qual aparecem vesículas serosas ou hemorrágicas na membrana timpânica e freqüentemente na parede adjacente do meato auditório.

myring(o)- [L.] – miring(o)-, elemento de palavra, *membrana timpânica*.

my·rin·go·my·co·sis (mĭ-ring"go-mi-ko'sis) – miringomicose; doença fúngica da membrana timpânica.

my·ris·tic ac·id (mĭ-ris'tik) – ácido mirístico; ácido graxo saturado de 14 carbonos que ocorre na maioria das gorduras animais e vegetais, particularmente na gordura da manteiga e nos óleos de coco, palmeira e noz-moscada.

My·so·line (mi'so-lēn) – Mysoline, marca registrada de preparações de primidona.

my·so·phil·ia (mi"so-fil'i-ah) – misofilia; parafilia caracterizada por uma atitude lasciva com relação às excreções.

my·so·pho·bia (-fo'be-ah) – misofobia; temor mórbido de contaminação e sujeira.

myx·ad·e·ni·tis (miks"ad-ĕ-ni'tis) – mixadenite; inflamação de glândula mucosa.

myx·as·the·nia (-as-the'ne-ah) – mixastenia; secreção deficiente de muco.

myx·ede·ma (mik"sĕ-de'mah) – mixedema; um tipo céreo e seco de inchaço (edema não-depressível) com depósitos anormais de mucina na pele (mucinose) e em outros tecidos, associado a hipotireoidismo; as alterações faciais são distintas, com lábios inchados e um nariz espessado. **myxedem'atous** – adj. mixedematoso. **congenital m.** – m. congênito; cretinismo. **papular m.** – m. papular; líquen mixedematoso. **pituitary m.** – m. hipofisário; mixedema devido à secreção deficiente do hormônio hipofisário tireotropina. **pretibial m.** – m. pré-tibial; edema localizado associado a hipertireoidismo e exoftalmia precedentes, que ocorre tipicamente na superfície anterior (pré-tibial) das pernas, com os depósitos de mucina aparecendo como placas e pápulas.

myx(o)- [Gr.] – mix(o)- elemento de palavra, *muco*.

myxo·chon·dro·ma (mik"so-kon-dro'mah) – mixocondroma; condroma com estroma semelhante ao tecido mesenquimatoso primitivo.

myxo·fi·bro·ma (-fi-bro'mah) – mixofibroma; fibroma que contém tecido mixomatoso.

myxo·fi·bro·sar·co·ma (-fi"bro-sahr-ko'mah) – mixofibrossarcoma; termo antigo para o subtipo mixóide do histiocitoma fibroso maligno.

myx·oid (mik'soid) – mixóide; mucóide; semelhante ao muco.

myxo·li·po·ma (mik"so-lĭ-po'mah) – mixolipoma; lipoma com focos de degeneração mixomatosa.

myx·o·ma (mik-so'mah) pl. *myxomas, myxomata* – mixoma; tumor benigno composto de células de tecido conjuntivo primitivo e estroma parecido com um mesênquima. **myxom'atous** – adj. mixomatoso.

myx·o·ma·to·sis (mik"so-mah-to'sis) – mixomatose: 1. desenvolvimento de mixomas múltiplos; 2. degeneração mixomatosa.

myx·or·rhea (mik"so-re-ah) – mixorréia; fluxo excessivo de muco.

myxo·sar·co·ma (-sahr-ko'mah) – mixossarcoma; sarcoma com tecido mixomatoso.

myxo·vi·rus (mik"so-vi"rus) – mixovírus; qualquer vírus de um grupo de vírus do RNA que inclui os vírus da gripe, parainfluenza, caxumba e doença de Newcastle, que causam caracteristicamente aglutinação de hemácias.

N

N – newton; nitrogen; normal (solution) (N, newton; nitrogênio; normal solução).

N – normal; number (normal [ver N]; número).

N$_A$ – Avogadro's number (número de Avogadro).

n – nano-; refractive index; neutron (índice refratário; nêutron).

n. [L.] – *nervus* (nervo); ver *nerve*.

n – haploid chromosome number; refractive index; sample size (statistics) (número haplóide de cromossomas; índice refratário; tamanho da amostra [estatística].

n- – normal (normal q.v. 2b).

ν – (nu, the thirteenth letter of the Greek alphabet); ver *frequency* (1) (ni, a décima terceira letra do alfabeto grego; freqüência).

Na [L.] – Na, símbolo químico, sódio (*sodium* [*natrium*]).

na·bu·me·tone (nah-bu'mĕ-tōn) – nabumetona; droga antiiflamatória não-esteróide utilizada no tratamento da artrite osteóide e artrite reumatóide.

na·cre·ous (na'kre-us) – nacarado; que tem brilho semelhante ao da pérola.

NAD – nicotinamide-adenine dinucleotide (dinucleotídeo de nicotinamida-adenina). *

NAD⁺ – the oxidized form of NAD (forma oxidada do NAD).

NADH – the reduced form of NAD (forma reduzida do NAD).

na·do·lol (na'do-lol) – nadolol; bloqueador de receptor β-adrenérgico não-seletivo utilizado no tratamento da angina do peito e hipertensão.

NADP – NADP; nicotinamide-adenine dinucleotide phosphate (fosfato de dinucleotídeo de nicotinamida adenina).

NADP⁺ – the oxidized form of NADP (forma oxidada do NADP).

NADPH – the reduced form of NADP (forma reduzida do NADP).

naf·a·rel·in (naf'ah-rel"in) – nafarelina; preparação sintética do hormônio liberador de gonadotropinas, utilizado como éster de acetato no tratamento da puberdade precoce.

naf·cil·lin (naf-sil'in) – nafcilina; penicilina resistente à penicilase e acidorresistente semi-sintética eficaz contra infecções estafilocócicas.

naf·ti·fine (naf'tĭ-fēn) – naftifina; agente antifúngico de amplo espectro.

nail (nāl) – unha: 1. placa cutânea córnea na superfície dorsal da extremidade distal de um dedo ou artelho; 2. bastonete de metal, osso ou outro material para a fixação de fragmentos de ossos fraturados. **ingrown n.** – u. encravada; crescimento aberrante de uma unha, em que uma ou ambas as margens laterais entram profundamente no interior do tecido mole adjacente. **racket n.** – u. em raquete; larga e curta. **spoon n.** – u. em colher; unha com superfície côncava.

Nai·ro·vi·rus (ni'ro-vi"rus) – *Nairovirus*; gênero de vírus da família Bunyaviridae, que inclui o vírus da febre hemorrágica da Criméia-Congo.

Na·ja (na'jah) – *Naja;* serpente de um gênero de serpentes venenosas (família Elapidae) encontradas na Ásia e África.

Na⁺,K⁺-ATP-ase (a-te-pe'ās) – enzima que atravessa a membrana plasmática e hidrolisa o ATP para providenciar a energia necessária para ativar a bomba de sódio celular.

Nal·fon (nal'fon) – Nalfon, marca registrada de preparação de cálcio fenoprofênico.

nal·i·dix·ic ac·id (nal-ī-dik'sik) – ácido nalidíxico; agente antibacteriano sintético utilizado no tratamento das infecções geniturinárias causadas por microrganismos Gram-negativos.

nal·or·phine (nal'or-fēn) – nalorfina; congênere semisintético da morfina; o sal de cloridrato é utilizado como antagonista da morfina e de narcóticos relacionados e no diagnóstico do vício em narcóticos.

nal·ox·one (nal-ok'sōn) – naloxona; antagonista de narcóticos estruturalmente relacionado à oximorfona, utilizado em forma de sal de cloridrato como antídoto da superdosagem de narcóticos e como antagonista da superdosagem de pentazocina.

nan·dro·lone (nan'dro-lōn) – nandrolona; esteróide anabólico androgênico; utilizado como ésteres de decanoato e de fenopropionato no tratamento do retardo severo de crescimento nas crianças e no câncer metastático de mama e como adjunto no tratamento das doenças de emaciação crônica e anemia associada à insuficiência renal.

na·nism (na'nizm) – nanismo (*dwarfism*).

nan(o)- [Gr.] – nan(o)-, elemento de palavra, anão; tamanho pequeno; utilizado pelo SI e sistema métrico na denominação de unidades de medida para designar uma quantidade 10^{-9} (um bilionésimo) do tamanho da unidade à qual se reuniu, por exemplo, nanocurie). Símbolo n.

nano·ceph·a·ly (nan"o-sef'ah-le) – nanocefalia; microcefalia. **nanoceph'alous** – adj. nanocéfalo.

nano·cor·mia (-kor'me-ah) – nanocormia; tamanho anormalmente pequeno do corpo ou tronco.

nano·gram (nan"o-gram) – nanograma; um bilionésimo (10^{-9}) de grama.

nan·oid (nan'oid) – nanóide; semelhante ao anão.

nan·om·e·lus (nan-om'ĕ-lus) – nanômelo; micrômelo.

nano·me·ter (nan'o-me"ter) – nanômetro; um bilionésimo (10^{-9}) de metro.

nan·oph·thal·mia (nan"of-thal'me-ah) – nanoftalmia; ver *nanophthalmos.*

nan·oph·thal·mos (nan"of-thal'mus) – nanoftalmia; tamanho anormalmente pequeno em todas as dimensões de um ou ambos os olhos na ausência de outros defeitos oculares; microftalmia pura.

nano·sec·ond (nan'o-sek'ond) – nanossegundo; um bilionésimo (10^{-9}) de segundo.

nan·ous (nan'us) – anão; que teve o crescimento interrompido.

na·nu·ka·ya·mi (nah"noo-kah-yah'me) – nanukayami; febre-dos-sete-dias do Japão; leptospirose marcada por febre e icterícia, descrita pela primeira vez no Japão, devida à *Leptospira hebdomidis.*

nape (nāp) – nuca; dorso do pescoço.

naph·az·o·line (naf-az'o-lēn) – nafazolina; adrenérgico utilizado em forma do sal de cloridrato como vasoconstritor para descongestionar as mucosas nasal e ocular.

naph·tha (naf'thah) – nafta; benzina de petróleo.

NAPNES – National Association for Practical Nurse Education and Services (Associação Nacional para a Educação e Serviços de Enfermeiras Práticas).

Na·pro·syn (nah-pro'sin) – Naprosyn, marca registrada de preparação de naproxeno.

nap·sy·late (nap'sĭ -lāt) – napsilato; contração da USAN para o 2-naftalenossulfonato.

nar·cis·sism (nar'sĭ -sizm) – narcisismo; autofilia; interesse predominante em si mesmo; egoísmo. **narcissis'tic** – adj. narcisista.

narco- [Gr.] – narco-, elemento de palavra, *entorpecimento; estado de entorpecimento.*

nar·co·anal·y·sis (nahr"ko-ah-nal'ĭ -sis) – narcoanálise; psicoterapia que utiliza barbitúricos para liberar os pensamentos suprimidos ou reprimidos.

nar·co·hyp·no·sis (-hip-no'sis) – narco-hipnose; sugestões hipnóticas feitas enquanto o paciente se encontra narcotizado.

nar·co·lep·sy (nahr'ko-lep"se) – narcolepsia; episódios breves, incontroláveis e recorrentes de sono, freqüentemente com alucinações hipnagógicas, cataplexia e paralisia no sono. **narcolep'tic** – adj. narcoléptico.

nar·co·sis (nahr-ko'sis) – narcose; depressão reversível do sistema nervoso central produzida por drogas, marcadas por entorpecimento ou insensibilidade.

nar·cot·ic (nahr-kot'ic) – narcótico: 1. relativo ou que produz narcose; 2. droga que produz insensibilidade ou entorpecimento, especialmente um opióide.

nar·co·tize (nahr'ko-tī z) – narcotizar; colocar sob a influência de um narcótico.

na·res (na'rēs) [L.] – narinas; aberturas externas da cavidade nasal.

na·sal (na'zil) – nasal; relativo ao nariz.

na·sa·lis (na-za'lis) [L.] – nasal.

nas·cent (nas'ent, na'sent) – nascente: 1. que nasce; que vem a existir; 2. imediatamente liberado de uma combinação química e, portanto, mais reativo por não estar combinado.

na·si·on (na'ze-on) – násio; ponto médio da sutura nasal frontal.

nas(o)- [L.] – nas(o)-, elemento de palavra, *nariz.*

na·so·an·tral (na"zo-an'tral) – nasoantral; relativo ao nariz e ao antro maxilar.

na·so·an·tros·to·my (-an-tros'tah-me) – nasoantrostomia; formação cirúrgica de uma janela nasoantral para drenagem de um seio maxilar obstruído.

na·so·cil·i·ary (-sil'e-ĕ"re) – nasociliar; relativo aos olhos, às sobrancelhas e à raiz do nariz.

na·so·fron·tal (-frunt"l) – nasofrontal; relativo aos ossos nasal e frontal.

na·so·gas·tric (-gas'trik) – nasogástrico; relativo ao nariz e ao estômago.

na·so·la·bi·al (-la'be-il) – nasolabial; relativo ao nariz e ao lábio.

na·so·lac·ri·mal (-lak'rim'l) – nasolacrimal; relativo ao nariz e ao aparelho lacrimal.

na·so·pal·a·tine (-pal'ah-tī n) – nasopalatino; relativo ao nariz e ao palato.

na·so·pha·ryn·gi·tis (-far"in-jī t'is) – nasofaringite; inflamação da nasofaringe.

na·so·pha·ryn·go·la·ryn·go·scope (-fah-ring"-go-lah-ring'gah-skŏp) – nasofaringolaringoscópio; endoscópio de fibra óptica flexível para examinar a nasofaringe e a laringe.

na·so·phar·ynx (-far'inks) – nasofaringe; a parte da faringe acima do palato mole. **nasopharyn'geal** – adj. nasofaríngeo.

na·so·si·nu·si·tis (-si"nis-ī t'is) – nasossinusite; inflamação dos seios acessórios do nariz.

na·sus (na'sus) – nariz (*nose*).

na·tal (nāt"l) – natal: 1. relativo ao nascimento; 2. relativo às nádegas.

na·tal·i·ty (na-tal'it-e) – natalidade; índice de nascimentos.

na·ti·mor·tal·i·ty (nāt"e-mor-tal'ĭ -te) – natimortalidade; índice de óbitos fetais.

Na·tion·al For·mu·lary – Formulário Nacional; compêndio de padrões de determinados produtos e preparações farmacêuticos não incluídos na USP; revisado a cada 5 anos e reconhecido como compêndio de padrões oficiais pelo Pure Food and Drug Act (Regulamentação de Alimentos e Drogas Puros) de 1906. Abreviação: NF.

na·tri·um (na'tre-um) [L.] – sódio, símbolo Na (*sodium*).

na·tri·ure·sis (na"tre-ūr-e'sis) – natriurese; excreção de quantidades anormais de sódio na urina.

na·tri·uret·ic (-ūr-et'ik) – natriurético: 1. relativo ou que promove natriurese; 2. agente que promove natriurese.

na·tur·op·a·thy (na"cher-op'ah-the) – naturopatia; sistema de cura sem drogas através do uso de métodos medicinais.

nau·sea (naw'ze-ah) – náusea; sensação desagradável vagamente localizada no epigástrio e abdômen, com tendência ao vômito. **n. gravidarum** – n. da gravidez; enjôo matutino da gestação.

nau·se·ant (naw'ze-int) – nauseante: 1. que induz náuseas; 2. agente que causa náuseas.

nau·se·ate (naw'ze-āt) – nausear; afetar com náuseas.

nau·seous (naw'shus) – nauseoso; relativo ou que provoca náuseas.

na·vel (na'v'l) – umbigo; ver *umbilicus.*

na·vi·cu·la (nah-vik'u-lah) – navícula; frênulo dos lábios pudendos.

na·vic·u·lar (-ler) – navicular; em forma de barco, como o osso navicular.

Nb – símbolo químico, nióbio (*niobium*).

NCI – National Cancer Institute (Instituto Nacional do Câncer).

NCN – National Council of Nurses (Conselho Nacional de Enfermeiras).

Nd – símbolo químico, neodímio (*neodymium*).

NDA – National Dental Association (Associação Dentária Nacional).

nDNA – nDNA; DNA nuclear.

Nd:YAG – Nd-YAG; neodímio:ítrio-alumínio-granada; ver em *laser.*

Ne – Ne, símbolo químico, neônio (*neon*).

near·sight·ed·ness (nĕr-sī't'id-nis) – miopia; ver *myopia*.

ne·ar·thro·sis (ne"ahr-thro'sis) – neartrose; articulação falsa ou artificial.

neb·u·la (neb'u-lah) [L.] pl. *nebulae* – névoa; nébula: 1. opacidade corneana leve; 2. preparação oleosa para uso em atomizador; 3. turvação da urina. **neb·u·li·za·tion** (neb"ūl-ī -za'shun) – nebulização: 1. conversão em spray; 2. tratamento por meio de spray.

neb·u·liz·er (neb'ūl-ī z"er) – nebulizador; atomizador; dispositivo para aplicar um spray.

Ne·ca·tor (ne-kāt'or) – *Necator*; gênero de ancilóstomos, que inclui a *N. americanus* (ancilóstomo americano ou do Novo Mundo), causa de ancilostomíase.

ne·ca·to·ri·a·sis (ne-kāt"or-i'ah-sis) – necatoríase; infecção por *Necator*; ver *disease, hookworm*.

neck (nek) – pescoço; colo; porção constrita, como a parte que une a cabeça e o tronco ou a parte constrita de um órgão ou outra estrutura. **anatomical n.** of humerus – c. anatômico do úmero; constrição do úmero imediatamente abaixo da sua superfície articular proximal. **bladder n.** – c. da bexiga; porção constrita da bexiga, formada pelo encontro de suas superfícies ínfero-laterais proximalmente à abertura da uretra. **n. of femur** – c. do fêmur; coluna óssea forte que une a cabeça do fêmur à diáfise. **Madelung's n.** – p. de Madelung; lipomas simétricos difusos do pescoço. **surgical n.** of humerus – c. cirúrgico do úmero; a parte constrita do úmero imediatamente abaixo das tuberosidades. **n. of tooth** – c. dentário; a parte estreitada de um dente entre a coroa e a raiz. **uterine n., n. of uterus** – c. do útero; cérvix uterina. **webbed n.** – p. alado; pterígio do pescoço. **wry n.** – p. torcido; torcicolo.

neck·lace (nek'lis) – colar; estrutura que envolve o pescoço. **Casal's n.** – c. de Casal; erupção em caso de pelagra, que envolve a parte inferior do pescoço.

nec·rec·to·my (nĕ-krek'tah-me) – necrectomia; excisão de tecido necrosado.

necr(o)- [Gr.] – necr(o)-, elemento de palavra, *morte*.

nec·ro·bac·il·lo·sis (nek"ro-bas"ī -lo'sis) – necrobacilose; infecção de animais pela *Fusobacterium necrophorum*.

nec·ro·bi·o·sis (-bi-o'sis) – necrobiose; inchaço, basofilia e distorção de feixes de colágenos na derme, algumas vezes com obliteração da estrutura normal, mas menos do que uma necrose verdadeira. **necrobiotic** – adj. necrobiótico.

nec·ro·cy·to·sis (-si-to'sis) – necrocitose; morte e decomposição das células.

nec·ro·gen·ic (-jen'ik) – necrogênico; que produz necrose ou morte.

ne·crog·e·nous (nĕ-kroj'ī -nis) – necrogênico; que se origina ou surge de matéria morta.

ne·crol·o·gy (nĕ-krol'ah-je) – necrologia; estatística ou registros de óbito.

ne·crol·y·sis (nĕ-krol'ī -sis) – necrólise; separação ou descamação de um tecido necrosado. **toxic epidermal n.** – n. epidérmica tóxica; reação cutânea severa, primariamente a drogas, mas também devida a outras causas, como infecções ou

doenças neoplásicas, caracterizada pela formação de bolhas, separação subepidérmica e perda disseminada de pele, deixando áreas sem pele.

ne·croph·a·gous (ne-krof'ah-gus) – necrófago; que se alimenta de carne putrefata.

nec·ro·phil·ia (nek"ro-fil'e-ah) – necrofilia; atração mórbida pela morte ou cadáveres; contato sexual com um cadáver.

nec·ro·phil·ic (-fil'ik) – necrófilo: 1. relativo à necrofilia; 2. que demonstra preferência por tecido morto, como as bactérias necrófilas.

ne·croph·i·lous (nĕ-krof"ī -lus) – necrófilo; ver *necrophilic*.

nec·ro·pho·bia (nek"ro-fo'be-ah) – necrofobia; vor mórbido da morte ou de cadáveres.

nec·rop·sy (ne-k'rop-se) – necropsia; exame de um corpo após a morte; autópsia.

nec·rose (nek-rōs') – necrosar; tornar-se necrosado ou sofrer necrose.

ne·cro·sis (nĕ-kro'sis) [Gr.] pl. *necroses* – necrose; alterações morfológicas indicativas de morte celular, causadas por degradação enzimática progressiva; pode afetar grupos de células ou parte de uma estrutura ou órgão. **necrot'ic** – adj. necrótico; necrosado. **aseptic n.** – n. asséptica; necrose sem infecção, geralmente na cabeça do fêmur após deslocamento coxofemoral traumático. **Balser's fatty n.** – n. gordurosa de Balser; pancreatite gangrenosa com bursite omental e manchas disseminadas de necrose dos tecidos gordurosos. **caseous n.** – n. caseosa; n. caseificante; n. de caseação. **central n.** – n. central; necrose que acomete a porção central de um osso, célula ou lóbulo hepático afetados. **cheesy n.** – n. caseosa; necrose na qual o tecido torna-se mole, seco e semelhante à ricota; mais freqüentemente observado na tuberculose e na sífilis. **coagulation n.** – n. de coagulação; necrose de porção de um órgão ou tecido, com formação de infartos fibrosos, o protoplasma das células fixa-se e torna-se opaco pela coagulação dos elementos protéicos, e o contorno celular persiste por um longo período. **colliquative n.** – n. coliquativa; necrose na qual o material necrótico se torna amolecido e liquefeito. **contraction band n.** – n. de faixa de contração; lesão cardíaca caracterizada por miofibrilas hipercontraídas e faixas de contração e danos mitocondriais causados pela entrada de cálcio no interior das células moribundas, resultando em suspensão das células no estado contraído. **fat n.** – n. gordurosa; necrose na qual as gorduras neutras no tecido adiposo divide-se em ácidos graxos e glicerol, geralmente afetando o pâncreas e a gordura peripancreática em caso de pancreatite hemorrágica aguda. **liquefaction n.** – n. liquefativa; n. coliquativa. **phosphorus n.** – n. fosfórica; necrose do osso da mandíbula devida à exposição ao fósforo. **postpartum pituitary n.** – n. hipofisária pós-parto; necrose da hipófise durante o período pós-parto, freqüentemente associada a choque e sangramento uterino excessivo durante o parto, e levando a padrões variáveis de hipopituitarismo. **subcutaneous fat n.** – n. gordurosa subcutânea; endurecimento da gordura subcutânea no recém-nascido e lactentes. **n. ustila-**

gi'nea – n. ustilagínea; gangrena seca devida ao ergotismo. **Zenker's n.** – n. de Zenker; ver em *degeneration*.

nec·ro·sper·mia (nek"ro-sperm'e-ah) – necrospermia; afecção na qual os espermatozóides do sêmen se encontram mortos ou imóveis. **necrospermic** – adj. necrospérmico.

nec·ro·tiz·ing (nek'ro-tīz"ing) – necrosante; que causa necrose.

ne·crot·o·my (nĕ-krot'ah-me) – necrotomia: 1. dissecção de um cadáver; 2. excisão de um seqüestro.

nee·dle (ne'd'l) – agulha: 1. instrumento afiado para suturar ou puncionar; 2. puncionar ou separar com uma agulha. **aneurysm n.** – a. aneurismática; a. arterial; agulha com cabo, utilizada para ligar vasos sangüíneos. **aspirating n.** – a. de aspiração; agulha longa e oca para remover o fluido de uma cavidade. **cataract n.** – a. de catarata; agulha usada na remoção de cataratas. **discission n.** – a. de discissão; forma especial de agulha de catarata. **hypodermic n.** – a. hipodérmica; agulha oca, delgada e curta, utilizada na injeção de drogas sob a pele. **stop n.** – a. cirúrgica; agulha com uma aba que impede a penetração demasiadamente profunda. **transseptal n.** – a. transeptal; agulha utilizada para puncionar o septo interatrial em cateterização transeptal.

neg·a·tiv·ism (neg'it-iv-izm) – negativismo; oposição a uma sugestão ou conselho; comportamento oposto ao apropriado em uma situação específica.

ne·glect (nĕ-glekt') – negligência; desconsideração ou falha na realização de alguma tarefa ou função. **unilateral n.** – n. unilateral; hemiapraxia com incapacidade de dar atenção aos cuidados corporais e estímulos em apenas um dos lados do corpo, geralmente resultante de lesão no sistema nervoso central.

Neis·se·ria (ni-sēr'e-ah) – *Neisseria*; gênero de bactérias Gram-negativas (família Neisseriaceae), que inclui a *N. gonorrhoeae*, o agente etiológico da gonorréia e a *N. meningitidis*, causa proeminente da meningite e o agente etiológico específico da meningite meningocócica.

Neis·se·ri·a·ceae (ni-sēr"e-a'se-e) – Neisseriaceae; família de bactérias parasitas (ordem Eubacteriales).

neis·se·ri·al (ni-sēr'e-al) – neisseriano; de, relativo ou causado por *Neisseria*.

nem·a·line (nem'ah-lēn) – nemalino; filiforme (nematóide).

Nem·a·thel·min·thes (nem"ah-thel-min'thēz) – Nemathelminthes; em algumas classificações, um filo que inclui o Acanthocephala e o Nematoda.

nem·a·to·cide (nem'ah-to-sī d") – nematocida: 1. que destrói nematódeos; 2. agente que elimina nematódeos.

Nem·a·to·da (nem"ah-to'dah) – Nematoda; classe de helmintos (filo Aschelminthes) que inclui os vermes cilíndricos, muitos dos quais são parasitas; em algumas classificações, são considerados um filo e algumas vezes são conhecidos como Nemathelminthes, ou uma classe desse filo.

nem·a·tode (nem'ah-tōd) – nematódeo; verme nematódeo; qualquer indivíduo da classe Nematoda.

ne(o)- [Gr.] – ne(o)-, elemento de palavra, *novo; recente*.

neo·ad·ju·vant (ne"o-aj'oo-vant) – neoadjuvante; refere-se à terapia do câncer preliminar, geralmente quimioterapia ou radioterapia, que precede uma segunda modalidade necessária de tratamento.

neo·an·ti·gen (-an'tĭ-jen) – neo-antígeno; antígeno associado a um tumor.

neo·blas·tic (-blas'tik) – neoblástico; que se origina ou tem a natureza de um tecido novo.

neo·cer·e·bel·lum (-sĕ"rĭ-bel'um) – neocerebelo; filogeneticamente, as partes mais recentes do cerebelo, que consistem das partes predominantemente supridas por fibras corticopontocerebelares.

ne·o·cor·tex (-kor'teks) – neocórtex; porção mais recente e em seis camadas do córtex cerebral, que mostra estratificação e organização mais altamente evoluídas. Cf. *archaeocortex* e *palaeocortex*.

neo·dym·i·um (-dim'e-um) – neodímio; elemento químico (ver tabela), número atômico 60, símbolo Nd.

neo·glot·tis (-glot'is) – neoglote; glote criada através da sutura da mucosa faríngea sobre a extremidade superior da traquéia seccionada transversalmente acima do traqueostoma primário e constituindo um estoma permanente na mucosa; realizada para permitir a fonação após laringectomia.

neoglo'tic – adj. neoglótico.

neo·ki·net·ic (-kĭ-net'ik) – neocinético; relativo ao mecanismo motor nervoso que regula o controle muscular.

ne·ol·o·gism (ne-ol'ah-jizm) – neologismo; palavra recém-criada; em Psiquiatria, uma nova palavra cujo significado só pode ser conhecido pelo paciente que a utiliza.

neo·mem·brane (ne"o-mem'brān) – neomembrana; membrana falsa.

neo·my·cin (-mi'sin) – neomicina; antibiótico antibacteriano de amplo espectro produzido pela *Streptomyces fradiae*, eficaz contra grande variedade de bacilos Gram-negativos e algumas bactérias Gram-positivas; também utilizada como sal de sulfato.

ne·on (ne'on) – neônio; elemento químico (ver tabela), número atômico 10, símbolo Ne.

neo·na·tal (ne"o-nāt"l) – neonatal; relativo às primeiras quatro semanas após o nascimento.

neo·nate (ne'o-nāt) – neonato; recém-nascido.

neo·na·tol·o·gy (ne"o-na-tol'ah-je) – neonatologia; diagnóstico e o tratamento dos distúrbios do recém-nascido.

neo·pal·li·um (-pal'e-um) – neopálio; neocórtex (*neocortex*).

neo·pla·sia (-pla'zhah) – neoplasia; formação de um tumor. **cervical intraepithelial n. (CIN)** – n. cervical intra-epitelial; displasia do epitélio cervical, freqüentemente pré-maligna, caracterizada por graus variáveis de hiperplasia, ceratinização anormal e presença de condilomas. **gestational trophoblastic n. (GTN)** – n. trofoblástica gestacional; grupo de distúrbios neoplásicos que se originam na placenta, incluindo o sinal congênito hidatiforme, o corioadenoma destruidor e coriocarcinoma. **multiple endocrine n. (MEN)** – n. endócrina múltipla; um grupo de doenças raras causadas por defeitos genéticos que levam à hiperplasia e hiperfuncionamento de dois ou mais componentes do sistema endócrino; o *tipo I* caracteriza-se por tumores da hipófise, glândulas paratireóides e células das ilhotas pancreáticas, com úlceras pépticas e algumas vezes a síndrome de Zollinger-Ellison; o *tipo II* caracteriza-se por carcinoma medular tireóideo, feocromocitoma e hiperplasia paratireóidea; o *tipo III* é semelhante ao tipo II, mas inclui neuromas da região oral, neurofibromas, ganglioneuromas do trato gastrointestinal e manchas café-com-leite.

neo·plasm (ne'o-plazm) – neoplasia; neoplasma; tumor; qualquer crescimento novo e anormal, especificamente aquele em que a multiplicação celular encontra-se descontrolada e progressiva. As neoplasias podem ser benignas ou malignas.

neo·plas·tic (ne"o-plas'tik) – neoplásico; relativo à neoplasia.

ne·op·ter·in (ne-op'ter-in) – neopterina: 1. derivado da pteridina excretado em níveis elevados na urina no caso de alguns distúrbios da síntese de tetraidrobiopterina, determinadas doenças malignas, infecção viral e rejeição de enxertos; 2. qualquer substância de uma classe de compostos relacionados.

Neo·rick·ett·sia (ne"o-rĭ̆-ket'se-ah) – *Neorickettsia;* gênero de rickéttsias (tribo Ehrlichieae) que inclui só uma espécie, a *N. helminthoeca.* É encontrada no parasita do salmão (*Troglotrema salmincola*), e de vários peixes (especialmente salmão e truta) e causa enterite hemorrágica nos indivíduos que ingerem peixes crus infectados.

neo·stig·mine (-stig'mēn) – neostigmina; composto de amônio quaternário com atividade colinérgica; utilizada terapeuticamente como sal de brometo no tratamento de miastenia grave e glaucoma e como sal de metilsulfato na prevenção e tratamento da distensão pós-operatória e retenção urinária, tratamento sintomático e como teste diagnóstico da miastenia grave, e como antídoto contra os princípios do curare.

neo·thal·a·mus (-thal'ah-mus) – neotálamo; a parte do tálamo unida ao neocórtex.

neph·e·lom·e·ter (nef"il-om'it-er) – nefelômetro; instrumento para medir a concentração de substâncias em suspensão por meio de luz espalhada por partículas suspensas.

ne·phral·gia (ne-fral'jah) – nefralgia; dor em um rim.

neph·rec·ta·sia (nef"rek'ta'zhah) – nefrectasia; distensão do rim.

ne·phrec·to·my (nĕ-frek'tah-me) – nefrectomia; excisão de um rim.

neph·ric (nef'rik) – néfrico; relativo ao rim.

ne·phrid·i·um (nĕ-frid'e-um) [L.] – nefrídio; um dos órgãos excretores pareados de determinados invertebrados, cuja extremidade inferior do túbulo abre-se no interior da cavidade celômica.

ne·phrit·ic (nĕ-frit'ik) – nefrítico: 1. relativo a ou afetado de nefrite; 2. relativo aos rins; renal; 3. agente útil em uma nefropatia.

ne·phri·tis (nĕ-fri'tis) pl. *nephritides* [Gr.] – nefrite; inflamação do rim; doença proliferativa ou destrutiva focal ou difusa que pode envolver o glomérulo, túbulo ou tecido renal intersticial. **glomerular n.** – n. glomerular; glomerulonefrite. **interstitial n.** – n. intersticial; doença primária ou secundária do tecido intersticial renal. **lupus n.** – n. por lúpus; glomerulonefrite associada ao lúpus eritematoso sistêmico. **parenchymatous n.** – n. parenquimatosa; nefrite que afeta o parênquima renal. **potassium-losing n.** – n. com perda de potássio; perdas de potássio urinário persistentes em presença de hipocalemia, como no caso de alcalose metabólica ou nefropatia intrínseca. **salt-losing n.** – n. com perda de sal; qualquer nefropatia intrínseca que cause perda de sódio urinário anormal até o ponto de uma hipotensão. **scarlatinal n.** – n. por escarlatina; nefrite aguda devida à escarlatina. **transfusion n.** – n. de transfusão; nefropatia após transfusão de um doador incompatível.

ne·phrit·o·gen·ic (nĕ-frit"o-jen'ik) – nefritogênico; que causa nefrite.

nephr(o)- [Gr.] – nefr(o)-, elemento de palavra, *rim.*

neph·ro·blas·to·ma·to·sis (nef"ro-blas-to"-mah-to'sis) – nefroblastomatose; agregados de células blastemáticas microscópicas, túbulos e células estromais na periferia dos lobos renais em um bebê; acredita-se que se trate de um precursor do tumor de Wilms.

neph·ro·cal·ci·no·sis (-kal"sĭ-no'sis) – nefrocalcinose; precipitação de fosfato de cálcio nos túbulos renais, resultando em insuficiência renal.

neph·ro·cap·sec·to·my (-kap-sek'tah-me) – nefrocapsectomia; excisão da cápsula renal.

neph·ro·cele (nef'ro-sēl) – nefrocele; hérnia de um rim.

neph·ro·col·ic (nef"ro-kol'ik) – nefrocólico: 1. relativo ao rim e ao cólon; 2. nefrocólica; cólica renal.

neph·ro·co·lop·to·sis (-ko"lop-to'sis) – nefrocoloptose; deslocamento descendente do rim e cólon.

neph·ro·cys·ti·tis (-sis-tĭ'tis) – nefrocistite; inflamação do rim e da bexiga.

neph·ro·gen·ic (-jen'ik) – nefrogênico; que produz o tecido renal.

ne·phrog·e·nous (nĕ-froj'ĭ-nus) – nefrógeno; que surge em um rim.

ne·phrog·ra·phy (nĕ-frog'rah-fe) – nefrografia; radiografia renal.

neph·ro·lith (nef'ro-lith) – nefrólito; cálculo renal.

neph·ro·li·thot·o·my (nef"ro-lĭ-thot'ah-me) – nefrolitotomia; incisão do rim para a remoção de cálculos.

ne·phrol·o·gy (nĕ-frol'ah-je) – Nefrologia; ramo da Ciência Médica que se ocupa dos rins.

ne·phrol·y·sis (nĕ-frol'ĭ-sis) – nefrólise: 1. liberar um rim de aderências; 2. destruição da substância renal. **nephrolyt'ic** – adj. nefrolítico.

ne·phro·ma (nĕ-fro'mah) – nefroma; tumor do rim ou do tecido renal. **congenital mesoblastic n.** – n. mesoblástico congênito; tumor renal semelhante ao tumor de Wilms, mas que aparece precocemente e se infiltra mais no tecido circundante.

neph·ro·meg·a·ly (nef"ro-meg'ah-le) – nefromegalia; aumento de volume renal.

neph·ron (nef'ron) – néfron; unidade estrutural e funcional renal, totalizando um número de cerca de um milhão no parênquima renal, sendo cada um deles capaz de formar urina; ver também *renal tubules*, em *tubule*.

neph·ron·oph·thi·sis (nef"ron-of'thĭ-sis) – nefrotísica; doença de emaciação da substância renal; tuberculose do rim. **familial juvenile n.** – n. juvenil familiar; nefropatia hereditária progressiva, caracterizada por anemia, poliúria e perda renal de sódio, progredindo para insuficiência renal crônica, atrofia tubular, fibrose intersticial, esclerose glomerular e cistos medulares.

ne·phrop·a·thy (nĕ-frop'ah-the) – nefropatia; doença dos rins. **nephropath'ic** – adj. nefropático. **IgA n.** – n. por IgA; ver em *glomerulonephritis*. **membranous n.** – n. membranosa; ver em *glomerulonephritis*. **minimal change n.** – n. de alteração mínima; ver em *disease*. **potassium-losing n.** – n. com perda de potássio; ver em *nephritis*. **reflux n.** – n. de refluxo; pielonefrite da infância na qual a formação de cicatriz renal resulta de refluxo vesicouretérico, com aparecimento radiológico do refluxo intra-renal.

neph·ro·pexy (nef'ro-pek"se) – nefropexia; fixação ou sustentação de um rim hipermóvel.

neph·rop·to·sis (nef"rop-to'sis) – nefroptose; nefroptosia; deslocamento descendente de um rim.

neph·ro·py·eli·tis (nef"ro-pi"il-ī t'is) – nefropielite; pielonefrite.

neph·ro·py·elog·ra·phy (-pi"il-og'rah-fe) – nefropielografia; radiografia do rim e sua pelve.

neph·ro·py·o·sis (-pi-o'sis) – nefropiose; supuração de um rim.

neph·ror·rha·gia (-ra'jah) – nefrorragia; hemorragia de um rim.

neph·ror·rha·phy (nef-ror'ah-fe) – nefrorrafia; sutura do rim.

neph·ro·scle·ro·sis (nef"ro-sklĕ-ro'sis) – nefrosclerose; endurecimento do rim; afecção do rim devida a renovasculopatia. **arteriolar n.** – n. arteriolar; nefrosclerose que envolve principalmente as arteríolas, com degeneração dos túbulos renais e espessamento fibrótico dos glomérulos.

neph·ro·scope (nef'rah-skōp) – nefroscópio; instrumento inserido no interior de uma incisão na pelve renal para observar o interior do rim.

ne·phro·sis (nĕ-fro'sis) [Gr.] – nefrose; qualquer nefropatia caracterizada por lesões puramente degenerativas dos túbulos renais. **nephrot'ic** – adj. nefrótico. **amyloid n.** – n. amilóide; amiloidose renal. **lipid n.** – n. lipídica; doença de alteração mínima. **lower nephron n.** – n. do néfron inferior; insuficiência renal que leva à uremia, devida a necrose das células do néfron inferior, bloqueando os lúmens tubulares dessa região; observada após lesões severas, especialmente lesões de esmagamento dos músculos (síndrome de esmagamento), ver *syndrome*, *crush*.

neph·ro·so·ne·phri·tis (nĕ-fro"so-nĕ-frī t'is) – nefropatia com componentes nefróticos e nefríticos.

ne·phros·to·my (nĕ-fros'tah-me) – nefrostomia; criação de uma fístula permanente que leva ao interior da pelve renal.

neph·ro·tome (nef'ro-tōm") – nefrótomo; uma das divisões segmentadas do mesoderma que unem o somito às placas laterais do mesoderma nãosegmentado, origem de boa parte do sistema urogenital.

neph·ro·to·mog·ra·phy (nef"ro-tah-mog'rah-fe) – nefrotomografia; visualização radiológica do rim através de tomografia. **nephrotomographic** – adj. nefrotomográfico.

ne·phrot·o·my (nĕ-frot'ah-me) – nefrotomia; incisão de um rim.

neph·ro·tox·ic (nef"ro-tok'sik) – nefrotóxico; que destrói células renais.

neph·ro·tox·in (-tok'sin) – nefrotoxina; toxina que tem efeito destrutivo específico nas células renais.

neph·ro·trop·ic (-trop'ik) – nefrotrópico; que tem afinidade especial pelo tecido renal.

neph·ro·tu·ber·cu·lo·sis (-tu-burk"u-lo'sis) – nefrotuberculose; nefropatia devida à *Mycobacterium tuberculosis*.

nep·tu·ni·um (nep-tun'e-um) – neptúnio; elemento químico (ver *Tabela de Elementos*), número atômico 93, símbolo Np.

nerve (nerv) – nervo; estrutura macroscópica em forma de cordão que compreende um conjunto de fibras nervosas que transportam impulsos entre uma parte do sistema nervoso central e outra região corporal. Ver *Tabela de Nervos* e Pranchas X e XI. **accelerator n's** – nervos aceleradores; nervos simpáticos cardíacos que, ao ser estimulados, aceleram a ação do coração. **afferent n.** – n. aferente; qualquer nervo que transmite impulsos da periferia em direção ao sistema nervoso central; ver *sensory n.* **autonomic n.** – n. autônomo; um dos nervos parassimpáticos ou simpáticos do sistema nervoso autônomo. **centrifugal n.** – n. centrífugo; n. eferente. **centripetal n.** – n. centrípeto; n. aferente. **depressor n.** – n. depressor: 1. nervo que reduz a atividade de um órgão; 2. nervo inibidor cuja estimulação deprime um centro motor. **efferent n.** – n. eferente; nervo que transporta impulsos do sistema nervoso central para a periferia, por exemplo, um nervo motor. **exciter n., excitor n.** – n. excitador; nervo que transmite impulsos que resultam em aumento de atividade funcional. **excitoreflex n.** – n. excitorreflexo; nervo visceral que produz ação reflexa. **furcal n.** – n. furcal; quarto nervo lombar. **fusimotor n's** – nervos fusimotores; nervos com terminações nervosas que inervam as fibras intrafusais do fuso muscular. **gangliated n.** – n. ganglionar; nervo do sistema nervoso simpático. **gustatory n's** – nervos gustativos; fibras nervosas sensoriais que inervam as papilas gustativas e se associam ao gosto, incluindo os ramos provenientes dos nervos lingual e glossofaríngeo. **inhibitory n.** – n. inibidor; nervo que transmite impulsos que resultam em redução de atividade funcional. **Jacobson's n.** – n. de Jacobson; n. timpânico. **mixed n., n. of mixed fibers** – n. misto; n. de fibras mistas; nervo composto tanto de fibras sensoriais como motoras. **motor n.** – n. motor; nervo eferente que estimula a contração muscular. **myelinated n.** – n. mielinizado; nervo

TABELA DE NERVOS

Nome Comum [Modalidade]	Termo da Nomina Anatomica	Origem	Ramos	Distribuição
n. abducente (sexto craniano) [motor]	n. abducens	núcleo na ponte, sob o assoalho do quarto ventrículo		músculo reto lateral do globo ocular
n. acessório (décimo primeiro craniano) [parassimpático, motor]	n. accessorius	através das raízes cranianas do lado da medula oblonga e através das raízes espinhais da medula espinhal		ramo interno para o vago, e então para o palato, faringe, laringe e vísceras torácicas; externo aos músculos esternocleidomastóideo e trapézio
n.acústico. Ver n. vestibulococlear				
n. alveolar inferior [motor, sensorial geral]	n. alveolaris inferior	n. mandibular	nervos dentário inferior, mentoniano e gengival inferior; n. miloióideo	dentes e gengiva da mandíbula inferior, pele do queixo e lábio inferior, músculo miloióide e ventre anterior do músculo digástrico
nervos alveolares superiores	nn. alveolares superiores		ramos alveolares superiores (anterior, médio e posterior) que surgem dos nervos infra-orbitário e maxilar, inervando os dentes da mandíbula superior e o seio maxilar e formando o plexo dentário superior	
n. ampular anterior	n. ampullaris anterior		ramo da porção vestibular do oitavo n. craniano (vestibulococlear) que inerva a ampola do ducto semicircular anterior, terminando ao redor das células pilosas da crista ampular	
n. ampular inferior. Ver n. ampular posterior				
n. ampular lateral	n. ampullaris lateralis		ramo da porção vestibular do oitavo n. craniano (vestibulococlear) que inerva a ampola do ducto semicircular lateral, terminando ao redor das células pilosas da crista ampular	
n. ampular posterior	n. ampullaris posterior		ramo do n. vestibular que inerva a ampola do ducto semicircular posterior, terminando ao redor das células pilosas da crista ampular	
n. ampular superior. Ver n. ampular anterior				
nervos anais inferiores. Ver nervos retais inferiores				
n. anococcígeo [sensorial geral]	n. anococcygeus	plexo coccígeo		articulação sacrococcígea, cóccix, pele sobre o cóccix
n.auditivo. Ver n. vestibulococlear				
nervos auriculares anteriores [sensorial geral]	nn. auriculares anteriores	n. auriculotemporal		pele da parte ântero-superior da orelha externa
n. auricular maior [sensorial geral]	n. auricularis magnus	cervical; plexo – C2-C3	ramos anterior e posterior	pele sobre a glândula parótida e o processo mastóideo e ambas as superfícies do pavilhão auricular

n. auricular posterior [motor, sensorial geral]	n. auricularis posterior	n. facial	ramo occipital	músculos auricular posterior e occipitofrontal, pele do meato acústico externo
n. auriculotemporal [sensorial geral]	n. auriculotemporalis	através de duas raízes do n. mandibular	n. auricular anterior, n. do meato acústico externo, ramos parotídeos, ramo para a membrana timpânica, ramo comunicante com o n. facial; os ramos terminais são temporais superficiais com relação ao couro cabeludo	glândula parótida, couro cabeludo na região temporal, membrana timpânica. Ver também n. auricular anterior e n. do meato acústico externo
n. axilar [motor, sensorial geral]	n. axillaris	cordão posterior do plexo braquial – C5-C6	n. cutâneo braquial superior lateral, ramos musculares	músculos deltóide e redondo menor, pele sobre o dorso do braço
n. bucal [sensorial geral]	n. buccalis	n. mandibular		pele e membrana mucosa das bochechas, gengiva e talvez dos primeiros dois molares e dos pré-molares
n. cardíaco cervical inferior [simpático (acelerador), aferente visceral (principalmente dor)]	n. cardiacus cervicalis inferior	gânglio cervicotorácico		coração através do plexo cardíaco
n. cardíaco cervical médio [simpático (acelerador), aferente visceral (principalmente dor)]	n. cardiacus cervicalis medius	gânglio cervical médio		coração
n. cardíaco cervical superior [simpático (acelerador)]	n. cardiacus cervicalis superior	gânglio cervical superior		coração
n. cardíaco inferior. Ver n. cardíaco cervical inferior				
n. cardíaco médio. Ver n. cardíaco cervical médio				
n. cardíaco superior. Ver n. cardíaco cervical superior				
nervos cardíacos torácicos [simpáticos (acelerador), aferente visceral (principalmente dor)]	rami cardiaci thoracici	gânglios T2-T4 ou T5 do tronco simpático	junto com o n. timpânico formam o plexo timpânico	coração
nervos caroticotimpânicos [simpáticos]	nn. caroticotympanici	plexo carotídeo interno	ajudam a formar o plexo timpânico	região timpânica, glândula parótida
nervos caroticotimpânicos inferior e superior [simpáticos]	nn. caroticotympanici	plexo carotídeo interno	com o n. timpânico, formam o plexo timpânico	região timpânica, glândula parótida

n. = nervo.　　　　　n. = [L] nervus; nn. = [L.pl.] nervi.

(Continua)

MNO

TABELA DE NERVOS

Nome Comum [Modalidade]	Termo da Nomina Anatomica	Origem	Ramos	Distribuição
nervos carotídeos externos [simpáticos]	nn. carotici externi	gânglio cervical superior		vasos sangüíneos e glândulas cranianos através do plexo carotídeo externo
n. carotídeo interno [simpático]	n. caroticus internus	gânglio cervical superior		vasos sangüíneos e glândulas cranianos através do plexo carotídeo interno
nervos cavernosos do clitóris [parassimpáticos, simpáticos, aferentes viscerais]	nn. cavernosi clitidis	plexo uterovaginal		tecido erétil do clitóris
nervos cavernosos do pênis [simpáticos, parassimpáticos, aferentes viscerais]	n. cavernosi penis	plexo prostático		tecido erétil do pênis
nervos cerebrais. Ver nervos cranianos				
nervos cervicais	nn. cervicales	Oito pares de nervos que surgem dos segmentos cervicais da medula espinhal, exceto o último par, deixam a coluna vertebral acima da vértebra correspondentemente numerada; os ramos ventrais dos 4 nervos superiores, em cada lado, unem-se para formar o plexo cervical; os ramos dos últimos 4, junto com o ramo ventral do primeiro n. torácico, formam a maior parte do plexo braquial		
n. cervical transversal [sensorial geral]	n. transversus colli	plexo cervical – C2-C3	ramos superior e inferior	pele do lado e frente do pescoço
nervos ciliares longos [simpáticos, sensoriais gerais]	nn. ciliares longi	n. nasociliar, a partir do n. oftálmico		músculo dilatador da pupila, úvea, córnea
nervos ciliares curtos [parassimpáticos, simpáticos, sensoriais gerais]	nn. ciliares breves	gânglio ciliar		músculos lisos e túnicas oculares
n. clúnios inferiores [sensoriais gerais]	rami clunium inferiores	n. cutâneo femoral posterior		pele da parte inferior das nádegas
nervos clúnios médios [sensoriais gerais]	rami clunium medii	plexo formado pelos ramos laterais dos ramos dorsais dos primeiros 4 nervos sacrais atrás do sacro e cóccix		ligamentos do sacro e da pele na parte posterior das nádegas
nervos clúnios superiores [sensoriais gerais]	rami clunium superiores	ramos laterais do ramo dorsal dos nervos lombares superiores		pele da parte superior das nádegas

n. coccígeo	n. coccygeus	um nervo do par de nervos que surge a partir do segmento coccígeo da medula espinhal	
n. coclear	n. cochlearis	a parte do n. vestibulococlear relacionada à audição, consistindo de fibras que surgem das células bipolares no gânglio espiral e têm seus receptores no órgão espiral da cóclea	
nervos cranianos	nn. craniales	os 12 pares de nervos ligados ao cérebro, incluindo os nervos olfatório (I), óptico (II), oculomotor (III), troclear (IV), trigêmeo (V), abducente (VI), facial (VII), vestibulococlear (VIII), glossofaríngeo (I), vago (X), acessório (XI) e hipoglosso (XII)	
n. cubital. Ver n. ulnar			
n. cutâneo lateral inferior do braço [sensorial geral]	n. cutaneus brachii lateralis inferior	n. radial	pele da superfície lateral do braço inferior
n. cutâneo lateral superior do braço [sensorial geral]	n. cutaneus brachii lateralis superior	n. axilar	pele do dorso do braço
n. cutâneo medial do braço [sensorial geral]	n. cutaneus brachii medialis	cordão medial do plexo braquial (T1)	pele das faces medial e posterior do braço
n. cutâneo posterior do braço [sensorial geral]	n. cutaneus brachii	n. radial na axila	pele no dorso do braço
n. cutâneo sural lateral [sensorial geral]	n. cutaneus surae lateralis	n. fibular comum	pele do lado lateral do dorso da perna, raramente pode continuar como n. sural
n. cutâneo sural medial [sensorial geral]	n. cutaneus surae medialis	n. tibial; geralmente se junta ao ramo comunicante fibular do n. fibular comum para formar o n. sural	pode continuar como n. sural
n. cutâneo dorsal intermediário [sensorial geral]	n. cutaneus dorsalis intermedius	n. fibular superficial	nervos digitais dorsais do pé — pele da frente do terço inferior da perna e do dorso do pé; tornozelo; pele e articulação dos lados adjacentes do terceiro e quarto e do quarto e quinto artelhos
n. cutâneo dorsal lateral [sensorial geral]	n. cutaneus dorsalis lateralis	continuação do n. sural	pele e articulações do lado lateral do pé e do quinto artelho
n. cutâneo dorsal medial [sensorial geral]	n. cutaneus dorsalis medialis	n. fibular superficial	pele e articulações do lado medial do pé e do hálux; lados adjacentes do segundo e terceiro artelhos
n. cutâneo lateral do antebraço [sensorial geral]	n. cutaneus antebrachii lateralis	continuação do n. musculocutâneo	pele do lado radial do antebraço; algumas vezes uma área de pele do dorso da mão
n. cutâneo medial do antebraço [sensorial geral]	n. cutaneus antebrachii medialis	cordão medial do plexo braquial (C8, T1)	anterior e ulnar — pele das faces dianteira, medial e póstero-medial do antebraço

n. = [L] nervus;
nn. = [L.pl.] nervi.

n. = nervo.

(Continua)

MNO

TABELA DE NERVOS

Nome Comum [Modalidade]	Termo da Nomina Anatomica	Origem	Ramos	Distribuição
n. cutâneo posterior do antebraço [sensorial geral]. n. cutâneo do pescoço anterior. Ver n. cutâneo transverso do pescoço	n. cutaneus antebrachii posterior	n. radial		pele da face dorsal do antebraço
n. cutâneo transverso do pescoço [sensorial geral]	n. transversus colli	plexo cervical – C2-C3	ramos superior e inferior	pele do lado e frente do pescoço
n. cutâneo lateral da coxa [sensorial geral]	n. cutaneus femoralis lateral	plexo lombar – L2-L3		pele da face lateral e da frente da coxa
n. cutâneo posterior da coxa [sensorial geral]	n. cutaneus femoralis posterior	plexo sacral – S1-S3	nervos clúnios inferiores, ramos perineais	pele das nádegas, genitália externa, dorso da coxa e panturrilha
nervos digitais dorsais radiais. Ver nervos digitais do n. radial dorsal				
nervos digitais dorsais ulnares. Ver nervos digitais do n. ulnar dorsal				
nervos digitais dorsais do pé [sensoriais gerais]	nn. digitales dorsales pedis	n. cutâneo dorsal intermediário		pele e articulação dos lados adjacentes ao terceiro e quarto e ao quarto e quinto artelhos
nervos digitais plantares comuns do n. plantar lateral [sensoriais gerais]	nn. digitales plantares communes nervi plantaris lateralis	nervos digitais plantares comuns	o n. medial dá origem aos 2 nervos digitais plantares próprios	um nervo lateral ao músculo flexor curto do artelho mínimo, pele e articulações do lado lateral da planta do pé e do artelho mínimo; um nervo medial aos lados adjacentes ao quarto e quinto artelhos
nervos digitais plantares próprios do n. plantar lateral [motores sensoriais gerais]	nn. digitales plantares proprii nervi plantaris lateralis	ramo superficial do n. plantar digital		músculo flexor curto do artelho mínimo, pele e articulações do lado lateral da planta do pé e do artelho mínimo e superfícies adjacentes ao quarto e quinto artelhos
nervos digitais dorsais da superfície lateral do grande artelho e da superfície medial dorsal do segundo artelho [sensoriais gerais]	nn. digitales dorsales hallucis lateralis et digiti secundi medialis	divisão terminal medial do n. fibular profundo		pele e articulações dos lados adjacentes ao primeiro e segundo artelhos

nervos digitais plantares comuns do n. plantar medial [motores, sensoriais gerais]	nn. digitales plantares communes nervi plantaris medialis	n. plantar medial	nervos musculares e digitais plantares próprios	músculos flexor curto do hálux e primeiro lumbrical, pele e articulações do lado medial do pé e do primeiro dedo e lados adjacentes ao primeiro e segundo, ao segundo e terceiro e ao terceiro e quarto artelhos
nervos digitais plantares próprios do n. plantar medial [sensoriais gerais]	nn. digitales plantares proprii nervi plantaris medialis	nervos digitais plantares comuns		pele e articulações do primeiro dedo e lados adjacentes ao primeiro e segundo, ao segundo e terceiro e ao terceiro e quarto artelhos; os nervos se estendem ao dorso para suprir os feitos ungueais e as pontas dos artelhos
nervos digitais palmares comuns do n. mediano [motores, sensoriais gerais]	nn. digitales palmares communes nervi mediani	divisões lateral e medial do n. mediano	nervos digitais palmares próprios	dedos polegar, indicador, médio e anular e os dois primeiros músculos lumbricais
nervos digitais palmares próprios do n. mediano [motores, sensoriais gerais]	nn. digitales palmares proprii nervi mediani	nervos digitais palmares comuns		dois primeiros músculos lumbricais, pele e articulações de ambos os lados e face palmar dos dedos polegar, indicador e médio, lado radial do dedo anular, dorso da face distal desses dedos
nervos digitais dorsais do n. radial [sensoriais gerais]	nn. digitales dorsales nervi radialis	ramo superficial do n. radial		pele e articulações do dorso do polegar, dedo indicador parte do dedo médio, tão longe distalmente quanto a falange digital
nervos digitais dorsais do n. ulnar [sensoriais gerais]	nn. digitales dorsales nervi ulnaris	ramo dorsal do n. ulnar		pele e articulações do lado medial do dedo mínimo, faces dorsais dos lados adjacentes aos dedos mínimo e anular e aos dedos anular e médio
nervos digitais palmares comuns do n. ulnar [sensoriais gerais]	nn. digitales palmares communes nervi ulnaris	ramo superficial do n. ulnar	nervos digitais palmares próprios	dedos mínimo e anular
nervos digitais palmares próprios do n. ulnar [sensoriais gerais]	nn. digitales palmares proprii nervi ulnaris	o nervo lateral dos dois nervos digitais palmares comuns a partir do ramo superficial do n. ulnar		pele e articulações dos lados adjacentes ao quarto e quinto dedos
n. dorsal do clitóris [sensorial geral, motor]	n. dorsalis clitoridis	n. pudendo		músculo transverso profundo do períneo, músculo esfinctérico da uretra, corpo cavernoso do clitóris e pele, prepúcio e glande clitórica

n. = nervo.

n. = [L.] nervus;
nn. = [L.pl.] nervi.

(Continua)

MNO

TABELA DE NERVOS

Nome Comum [Modalidade]	Termo da Nomina Anatomica	Origem	Ramos	Distribuição
n. dorsal do pênis [sensorial geral, motor]	n. dorsalis penis	n. pudendo		músculo transverso profundo do períneo, músculo esfinctérico da uretra, corpo cavernoso do pênis e pele, prepúcio e glande peniana
n. escapular dorsal [motor]	n. dorsalis scapulae	plexo braquial – ramo ventral de C5		músculos rombóides e ocasionalmente o músculo elevador da escápula
n. etmoidal anterior [sensorial geral]	n. ethmoidalis anterior	continuação do n. nasociliar, a partir do n. oftálmico	ramos nasais interno, externo, lateral e medial	mucosa do septo nasal superior e anterior, parede lateral da cavidade nasal, pele da ponte inferior e ponta do nariz
n. etmoidal posterior [sensorial geral]	n. ethmoidalis posterior	n. nasociliar, a partir do n. oftálmico		mucosa das células etmoidais posteriores e do seio esfenoidal
n. do meato acústico externo [sensorial geral]	n. meatus acustici externi	n. auriculotemporal		pele que reveste o meato acústico externo e a membrana timpânica
n. facial (sétimo craniano) [motor, parassimpático, sensorial geral, sensorial especial]. Ver também n. intermediário	n. facialis	borda inferior da ponte, entre a oliva e o pedúnculo cerebelar inferior	n. do músculo estapédio; n. auricular posterior; plexo parótido; ramos digástrico, temporal, zigomático, bucal, lingual, mandibular marginal e cervical e ramo comunicante com o plexo timpânico	várias estruturas da face, cabeça e pescoço (ver também os ramos individuais nesta tabela)
n. femoral [sensorial geral, motor]	n. femoralis	plexo lombar-L2-L4; desce atrás do ligamento inguinal até o triângulo femoral	n. safeno, ramos muscular e cutâneo anterior	pele da coxa e da perna, músculos da frente da coxa e articulações coxofemoral e genicular (ver também os ramos individuais nesta tabela)
n. fibular comum [sensorial geral, motor]	n. fibularis communis	n. ciático, na parte inferior da coxa		supre a cabeça pequena do músculo biceps femoral; dá origem ao n. cutâneo sural lateral e ramo comunicante à medida que desce na fossa poplítea, supre as articulações genicular e tibiofibular superior e o músculo tibial anterior; divide-se nos nervos fibulares superficial e profundo

Nome [tipo]	Nome latino	Origem	Ramos	Distribuição
n. fibular profundo [sensorial geral, motor]	n. fibularis profundus	n. fibular comum		enrola-se ao redor do colo da fíbula e desce sobre a membrana interóssea até a frente do tornozelo; os ramos musculares emitidos para os músculos tibial anterior, extensor do hálux, extensor digital longo e terceiro fibular e um pequeno ramo para a articulação do tornozelo; uma divisão terminal lateral supre o músculo extensor curto e articulações tarsais; a divisão terminal medial ou ramo digital divide-se em nervos digitais dorsais para a pele e articulações dos lados adjacentes ao primeiro e segundo artelhos
n. fibular superficial comum [sensorial geral, motor]	n. fibularis superficialis	n. fibular comum		desce na frente da fíbula, supre os músculos fibulares longo e curto e, na parte inferior da perna, divide-se em ramos musculares (nervos cutâneos dorsais mediais e intermediários)
n. frontal [sensorial geral]	n. frontalis	divisão oftálmica do n. trigêmeo; entra na órbita através da fissura orbitária superior	n. supra-orbitária e supratroclear	principalmente para a testa e couro cabeludo (ver os ramos individuais relacionados nesta tabela)
n. de Galeno	ramus communicans nervi laryngei superioris cum nervo laryngeo inferiore	interliga o ramo interno do n. laríngeo superior com o n. laríngeo inferior		
n. genitofemoral [sensorial geral, motor]	n. genitofemoralis	plexo lombar – L1-L2	ramos genital e femoral	músculo cremáster, pele do escroto ou do grande lábio e área adjacente à coxa e triângulo femoral
n. glossofaríngeo (nono craniano) [motor, parassimpático, geral, sensorial, sensorial especial, sensorial visceral]	n. glossopharyngeus	várias radículas a partir do lado lateral da medula oblonga superior, entre a oliva e o pedúnculo cerebelar inferior	n. timpânico, ramos faríngeo, estilofaríngeo, tonsilar e lingual, ramo para o seio carotídeo, ramo comunicante com o ramo auricular do n. vago	tem duas expansões (gânglios superior e inferior) e supre a língua, faringe e nervo parotídeo (ver também os ramos individuais nesta tabela)
n. glúteo inferior [motor]	n. gluteus inferior	plexo sacral – L5-S2		músculo glúteo máximo
n. glúteo superior [motor, sensorial geral]	n. gluteus superior	plexo sacral – L4-S1		músculos glúteo médio e mínimo, músculo tensor da fáscia lata e a articulação coxofemoral
nervos hemorroidários inferiores. Ver nervos retais inferiores.				
n. hipogástrico	n. hypogastricus (dexter/sinister)	tronco nervoso situado em cada lado (direito e esquerdo), interconectando os plexos hipogástricos superior e inferior		
n. hipoglosso (décimo segundo craniano) [motor]	n. hypoglossus	várias radículas no sulco ântero-lateral entre a oliva e a pirâmide da medula oblonga; passa através do canal hipoglossal para a língua	ramos linguais	músculos estiloglosso, hioglosso e genioglosso, músculos intrínsecos da língua
n. iliohipogástrico [motor, sensorial geral]	n. iliohypogastricus	plexo lombar – L1 (algumas vezes T12)	ramos cutâneos lateral e anterior	pele acima do púbis e face lateral das nádegas e ocasionalmente o músculo piramidal

n. = [L] nervus; nn. = [L.pl.] nervi.

n. = nervo.

(Continua)

TABELA DE NERVOS

Nome Comum [Modalidade]	Termo da Nomina Anatomica	Origem	Ramos	Distribuição
n. ilioinguinal [sensorial geral]	n. ilioinguinalis	plexo lombar – L1 (algumas vezes T12); acompanha o cordão espermático através do canal inguinal	ramos escrotal ou labial anteriores	pele do escroto ou dos grandes lábios e parte adjacente à coxa
n. infra-occipital. Ver n. suboccipital				
n. infra-orbitário [sensorial geral]	n. infraorbitalis	continuação do n. maxilar, entrando na órbita através da fissura orbitária inferior, ocupando sucessivamente o sulco, canal e forame infra-orbitários	ramos alveolares superiores médio e anterior, palpebral inferior, nasais interno e externo e labial superior	dentes incisivos, cúspides e pré-molares do maxilar superior, pele e conjuntiva da pálpebra inferior, septo móvel e pele do lado do nariz, membrana mucosa da boca, pele do lábio superior
n. infratroclear [sensorial geral]	n. infratrochlearis	n. nasociliar, a partir do n. oftálmico	ramos palpebrais	pele da raiz e da ponte superior do nariz e pálpebra inferior, conjuntiva, ducto lacrimal
n. intercostobraquial [sensorial geral]	n. intercostobrachialis	segundo e terceiro nervos intercostais		pele no dorso e na face medial do braço
n. intermediário [parassimpático, sensorial especial]	n. intermedius	raiz menor do n. facial, entre a raiz principal e o n. vestibulococlear	n. petroso maior, corda timpânica	glândulas lacrimal, nasal, palatina, submandibular e sublingual e dois terços anteriores da língua
n. intermediofacial. Ver n. facial e n. intermédio	n. intermediofacialis (alternativa da NA para os nervos facial e intermédio considerados em conjunto)			
n. interósseo anterior do antebraço [motor, sensorial geral]	n. interosseous [antebrachii] anterior	n. mediano		músculos longo flexor do polegar, flexor digital profundo e pronador quadrado e articulações intercárpicas
n. interósseo posterior do antebraço [motor, sensorial geral]	n. interosseus [antebrachii] posterior	continuação do ramo profundo do n. radial		músculo abdutor longo do polegar, músculos extensores dos dedos polegar e indicador e articulações do pulso e intercárpicas
n. interósseo da perna [sensorial geral]	n. interosseus cruris	n. tibial		membrana interóssea e sindesmose tibiofemoral
n. isquiático. Ver n. ciático				
n. jugular	n. jugularis	ramo do nervo cervical superior que se comunica com os nervos glossofaríngeo e vago		

nervos labiais anteriores [sensoriais gerais]	nn. labiales anteriores	n. ilioinguinal		pele da região labial anterior dos grandes lábios e parte adjacente à coxa
n. labiais posteriores [sensoriais gerais]	n. labiales posteriores	n. pudendo		grande lábio
n. lacrimal [sensorial geral]	n. lacrimalis	divisão oftálmica do n. trigêmeo, entrando na órbita pela fissura orbitária superior		glândula lacrimal, conjuntiva, comissura lateral do olho, pele da pálpebra superior
n. laríngeo externo [motor]	ramus externus nervi laryngei superioris	n. laríngeo superior		músculos cricotireóideo e constritor inferior da laringe
n. laríngeo inferior [motor]	n. laryngealis inferior	n. laríngeo recorrente, especialmente a porção terminal		músculos intrínsecos da laringe, exceto o cricotireóideo, comunica-se com o n. laríngeo interno
n. laríngeo interno [sensorial geral]	ramus internus nervi laryngealis superioris	n. laríngeo superior		mucosa da epiglote, base da língua e laringe
n. laríngeo recorrente [parassimpático, aferente visceral, motor]	n. laryngealis recorrens	n. vago (principalmente a parte craniana do n. acessório)	n. laríngeo inferior, ramos traqueal, esofágico e cardíaco inferior	mucosa traqueal, esôfago, plexo cardíaco (ver também os ramos individuais nesta tabela)
n. laríngeo superior [motor, sensorial geral, aferente visceral, parassimpático]	n. laryngealis superior	gânglio inferior do n. vago	ramos externo, interno e comunicante	músculos cricotireóideo e constritor inferior da faringe, membrana mucosa do dorso da língua e da laringe
n. lingual [sensorial geral]	n. lingualis	n. mandibular, descendo à língua, primeiro medialmente à mandíbula e depois sob o revestimento de mucosa da boca	n. sublingual, ramo lingual, ramo para o istmo das fauces, ramo comunicante com o n. hipoglosso e corda timpânica	dois terços anteriores da língua, áreas adjacentes à boca, gengiva e istmo das fauces
nervos lombares	nn. lumbales	os 5 pares de nervos que surgem dos segmentos lombares da medula espinhal, cada par deixando a coluna vertebral abaixo das vértebras correspondentemente numeradas; os ramos ventrais desses nervos participam da formação do plexo lombossacral		
n. mandibular (terceira divisão do n. trigêmeo) [sensorial geral, motor]	n. mandibularis	divisão mandibular (terceira divisão) do n. trigêmeo; gânglio trigeminal	ramo meníngeo, n. massetérico, temporal profundo, pterigóideos lateral e medial, bucal, auriculotemporal, lingual e alveolar inferior	distribuição extensa para os músculos da mastigação, pele da face, membrana mucosa da boca e dentes (ver também os ramos individuais nesta tabela)
n. massetérico [motor, sensorial geral]	n. massetericus	divisão mandibular do n. trigêmeo; gânglio trigeminal		músculo masseter, articulação temporomandibular
n. maxilar (segunda divisão do n. trigêmeo) [sensorial geral]	n. maxillaris	gânglio trigeminal	ramo meníngeo, n. zigomático, ramos alveolares superiores posteriores, nervos infra-orbitário, n. pterigopalatino e indiretamente os ramos do gânglio pterigopalatino	distribuição extensa para a pele da face e couro cabeludo, membrana mucosa do seio maxilar e cavidade nasal e dentes

n. = [L] nervus; nn. = [L.pl.] nervi.

n. = nervo.

(Continua)

MNO

TABELA DE NERVOS

Nome Comum [Modalidade]	Termo da Nomina Anatomica	Origem	Ramos	Distribuição
n. mediano [sensorial geral]	n. medianus	cordões lateral e medial do plexo braquial – C6-T1	n. interósseo anterior do antebraço, nervos digitais palmares comuns e ramos musculares e palmares e um ramo comunicante com o n. ulnar	finalmente, pele na frente da parte lateral da mão, maior parte dos músculos flexores da frente do antebraço, maior parte dos músculos curtos do polegar, articulação do cotovelo e muitas articulações da mão
n. mentoniano [sensorial geral]	n. mentalis	n. alveolar inferior	ramos mentoniano, gengival e labial inferior	pele do queixo, lábio inferior
n. musculocutâneo [sensorial geral, motor]	n. musculocutaneus	cordão lateral do plexo braquial – C5-C7	n. cutâneo lateral do antebraço, ramos musculares	músculos coracobraquial, bíceps e braquial, articulação do cotovelo, pele do lado radial do antebraço
n. musculocutâneo do pé. Ver n. fibular superficial				
n. musculocutâneo da perna. Ver n. fibular profundo				
n. miloióideo [motor]	n. mylohyoideus	n. alveolar inferior		músculo miloióideo, ventre anterior do músculo digástrico
n. nasociliar [sensorial geral]	n. nasociliaris	divisão oftálmica do nervo trigêmeo	n. ciliar longo, etmoidal posterior, etmoidal anterior e infratroclear e um ramo comunicante com o gânglio ciliar	(ver os ramos etmoidais nesta tabela)
n. nasopalatino [parassimpático, sensorial geral]	n. nasopalatinus	gânglio pterigopalatino		mucosa e glândulas da maior parte do septo nasal e da parte anterior do palato duro
n. obturador [sensorial geral, motor]	n. obturatorius	plexo lombar – L3-L4	ramos anterior, posterior e muscular	músculos grácil e adutor, pele da parte medial da coxa e articulação coxofemoral
n. obturador acessório [sensorial geral, motor]	n. obturatorius accessorius	ramos ventrais dos ramos ventrais de L3-L4		músculo pectíneo, articulação coxofemoral, nervo obturador
n. obturador interno [sensorial geral, motor]	n. musculi obturatorii interni	ramos ventrais dos ramos ventrais de L5, S1-S2		músculos gêmeo superior posterior e obturador interno
n. occipital maior [sensorial geral, motor]	n. occipitalis major	ramo medial do ramo dorsal de C2		músculo semi-espinhal da cabeça e da pele da cabeça tão longe em sentido frontal quanto o vértex
n. occipital menor [sensorial geral]	n. occipitalis minor	plexo cervical superficial – C2-C3		sobe atrás do pavilhão auricular e supre parte da pele do lado da cabeça e sobre a superfície cranial do pavilhão auricular

Nome em português	Latim	Origem	Ramos	Distribuição
terceiro n. occipital [sensorial geral]	n. occipitalis tertius	ramo medial do lado dorsal de C3	ramos superior e inferior	pele da parte superior do dorso do pescoço e da cabeça
n. oculomotor (terceiro craniano) [motor, parassimpático]	n. oculomotorius	tronco cerebral, emergindo medialmente aos pedúnculos cerebrais, corre para a frente no seio cavernoso	ramos superior e inferior	entra na órbita pela fissura orbitária superior, os ramos suprem o músculo elevador superior da pálpebra, todos os músculos extrínsecos exceto os músculos reto lateral e oblíquo superior e transporta fibras parassimpáticas do músculo ciliar para o esfíncter da pupila
nervos olfatórios (primeiros cranianos) [sensoriais especiais]	nn. olfactorii	nervos do olfato, que consistem de cerca de 20 feixes que surgem no epitélio olfatório e passam pela placa cribriforme do osso etmóide para o bulbo olfatório		
n. oftálmico (primeira divisão do n. trigêmeo) [sensorial geral]	n. ophthalmicus	gânglio trigeminal	ramos tentoriais, nervos frontal, lacrimal e nasociliar	globo ocular e conjuntiva, saco e glândulas lacrimais, mucosa nasal e seio frontal, nariz externo, supercílio, testa e couro cabeludo (ver também os ramos individuais nesta tabela)
n. óptico (segundo craniano) [sensorial especial]	n. opticus	nervo da visão, que consiste principalmente de axônios e processos centrais de células da camada ganglionar da retina, saindo da órbita através do canal óptico, reunindo-se no quiasma óptico (as fibras mediais atravessando para o lado oposto) e prosseguindo como trato óptico		
n. palatino anterior. Ver n. palatino maior				
n. palatino maior [parassimpático, simpático, sensorial geral]	n. palatinus major	gânglio pterigopalatino	ramos nasais inferiores [laterais] posteriores	emerge através do forame palatino maior e supre o palato
nervos palatinos menores [parassimpáticos, simpáticos, sensoriais gerais]	nn. palatini minores	gânglio pterigopalatino		emergem através do forame palatino menor e suprem o palato mole e tonsila
nervos perineais [motores, sensoriais gerais]	nn. perineales	n. pudendo, no canal pudendo	ramos musculares e nervos escrotal e labial posteriores	os ramos musculares suprem os músculos bulboesponjoso, isquiocavernoso, perineal transverso superficial e o bulbo peniano e, em parte, o esfíncter anal externo e o músculo elevador do ânus; os nervos escrotais (labiais) suprem o escroto ou o grande lábio

n. = nervo.

n. = [L] nervus; nn. = [L.pl.] nervi.

(Continua)

TABELA DE NERVOS

Nome Comum [Modalidade]	Termo da Nomina Anatomica	Origem	Ramos	Distribuição
nervos fibulares. Ver em n. fibular				
n. petroso profundo [simpático]	n. petrosus profundus	plexo carotídeo interno		junta-se ao n. petroso maior para formar o n. do canal pterigóideo e supre as glândulas lacrimais, nasais e palatinas através do gânglio pterigopalatino e dos seus ramos
n. petroso maior [parassimpático, sensorial geral]	n. petrosus major	n. intermediário, através do gânglio geniculado		corre para a frente a partir do gânglio geniculado, junta-se ao n. petroso profundo do canal pterigóide e alcança as glândulas lacrimais, nasais e palatinas e a nasofaringe através do gânglio pterigopalatino e seus ramos
n. petroso menor [parassimpático]	n. petrosus minor	plexo timpânico		glândula parótida através do gânglio ótico e do n. auriculotemporal
n. frênico [motor, sensorial geral]	n. phrenicus	plexo cervical – C4-C5	ramos pericárdico e frenicoabdominal	pleura, pericárdio, diafragma, peritônio, plexos simpáticos
nervos frênicos acessórios	n. phrenici accessorii	contribuição inconstante do quinto nervo cervical para o n. frênico; quando se encontram presentes, seguem um curso separado até a raiz do pescoço ou no interior do tórax antes de se juntar ao n. frênico		
n. piriforme [sensorial geral, motor]	n. musculi piriformis	ramos dorsais dos ramos ventrais de S1-S2		músculo piriforme anterior
n. plantar lateral [sensorial geral, motor]	n. plantaris lateralis	o menor dos ramos terminais do n. tibial	ramos musculares, superficiais e profundos	situa-se entre a primeira e a segunda camadas de músculos da planta do pé, supre os músculos quadrado plantar, abdutor do dedo mínimo, flexor curto do dedo mínimo, adutor do hálux, interósseos e segundos, terceiros e quartos lumbricais, e dá origem a pequenos ramos cutâneos e articulares em sentido lateral da planta do pé e quarto e quinto artelhos (ver também os ramos individuais nesta tabela)

Nome	Equivalente latino	Origem	Ramos	Distribuição
n. plantar medial [sensorial geral, motor]	n. plantaris medialis	o maior dos ramos terminais do n. tibial	nervos digitais plantares comuns e ramos musculares	músculos abdutor do hálux, flexor curto dos artelhos, flexor curto do hálux e primeiros músculos lumbricais e pequenos ramos cutâneos e articular para o lado medial da planta do pé e do primeiro ao quarto artelhos (ver também nesta tabela os ramos individuais nesta tabela)
n. pneumogástrico. Ver n. vago				
n. poplíteo externo. Ver n. fibular comum				
n. poplíteo lateral. Ver n. fibular comum				
n. pterigóideo lateral [motor]	n. pterygoideus lateralis	n. mandibular		músculos pterigóideo lateral, tensor do tímpano e tensor do véu palatino
n. pterigóideo medial [motor]	n. pterygoideus medialis	n. mandibular		músculo pterigóideo medial
n. do canal pterigóideo [parassimpático, simpático]	n. canalis pterygoidei	união dos nervos petrosos profundo e maior		gânglio pterigopalatino e ramos
nervos pterigopalatinos [sensoriais gerais]	nn. pterygopalatini	dois nervos que ligam o n. maxilar ao gânglio pterigopalatino; constituem as raízes sensoriais do gânglio		
n. pudendo [sensorial geral, motor, parassimpático]	n. pudendus	plexo sacral – S2-S4	entra no canal pudendo, dá origem ao n. retal inferior, depois se divide nos nervos perineal e dorsal do pênis (clitóris)	músculos, pele e tecido erétil do períneo (ver também os ramos individuais nesta tabela)
n. do músculo quadrado da coxa [sensorial, motor]	n. musculi quadrati femoris	ramos ventrais dos ramos ventrais de L4-L5		músculos gêmeo inferior e quadrado femoral anterior, articulação coxofemoral
n. radial [sensorial geral, motor]	n. radialis	cordão posterior do plexo braquial – C6-C8 e algumas vezes C5 e T1	nervos cutâneos posterior e lateral inferior do braço, n. cutâneo posterior do antebraço; ramos muscular, profundo e superficial	desce no dorso do braço e do antebraço, distribuindo-se finalmente na pele do dorso do antebraço, braço e mão e articulação do cotovelo e muitas articulações da mão
nervos retais inferiores [sensoriais gerais, motores]	nn. retales inferiores	n. pudendo ou independentemente a partir do plexo sacral		músculo do esfíncter externo do ânus, pele ao redor do ânus, revestimento do canal anal até a linha pectínea
n. recorrente. Ver n. laríngeo recorrente				
n. sacular	n. saccularis	ramo da parte vestibular do oitavo nervo craniano (vestibulococlear) que inerva a mácula do sáculo		

n. = nervo.

n. = [L] nervus;
nn. = [L.pl.] nervi.

(Continua)

MNO

TABELA DE NERVOS

Nome Comum [Modalidade]	Termo da Nomina Anatomica	Origem	Ramos	Distribuição
nervos sacrais [sensorial geral]	nn. sacrales	os 5 pares de nervos que surgem a partir dos segmentos sacrais da medula espinhal; os ramos ventrais dos primeiros 4 pares participam na formação do plexo sacral		
n. safeno [sensorial geral]	n. saphenus	terminação do n. femoral	ramos infrapatelar e cutâneo crural medial	articulação genicular, plexos subsartorial e patelar, pele no lado medial da perna e pé
n. ciático [sensorial geral, motor]	n. ischiadicus	plexo sacral – L4-S3; deixa a pelve através do forame ciático maior	divide-se nos nervos fibular comum e tibial, geralmente no terço inferior da coxa	(ver os ramos individuais nesta tabela)
n. escrotais anteriores [sensoriais gerais]	nn. escrotales anteriores	n. ilioinguinal		pele da região escrotal anterior
nervos escrotais posteriores [sensoriais gerais]	nn. escrotales posteriores	nervos perineais		pele do escroto
nervos estenopalatinos. Ver nervos pterigopalatinos				
nervos espinhais	nn. espinales	os 31 pares de nervos que surgem da medula espinhal e passam entre as vértebras, incluindo 8 cervicais, 12 torácicas, 5 lombares, 5 sacrais e 1 coccígeo		
n. esplâncnico maior [simpático pré-ganglionar, aferente visceral]	n. splanchnicus major	tronco simpático torácico e gânglios torácicos T5-T10 do tronco simpático		desce através do diafragma ou de sua abertura aórtica, termina nos gânglios e plexos celíacos, tendo comumente um gânglio esplâncnico próximo ao diafragma
n. esplâncnico menor [simpático pré-ganglionar, aferente visceral]	n. splanchnicus minor	gânglios torácicos T9, T10 ou tronco simpático	ramo renal	perfura o diafragma, junta-se ao gânglio aorticorrenal e ao plexo celíaco e se comunica com os plexos renal e mesentérico superior
n. esplâncnico inferior [simpático, aferente visceral]	n. splanchnicus imus	último gânglio do tronco simpático ou n. torácico inferior		gânglio aorticorrenal e plexo adjacente
nervos esplâncnicos lombares [simpáticos pré-ganglionares, aferentes viscerais]	nn. splanchnici lumbales	gânglios lombares ou tronco simpático		os nervos superiores juntam-se aos plexos celíaco e adjacentes, os nervos médios vão para os plexos mesentérico e adjacentes, os nervos inferiores descem para o plexo hipogástrico superior
nervos esplâncnicos pélvicos [simpáticos pré-ganglionares, aferentes viscerais]	nn. splanchnici pelvini	plexo sacral – S3-S4		saem do plexo sacral, entram no plexo hipogástrico inferior e suprem os órgãos pélvicos

nervos esplâncnicos sacrais [simpáticos pré-ganglionares, aferentes viscerais]	nn. splanchnici sacrales	parte sacral do tronco simpático	órgãos pélvicos e vasos sanguíneos através do plexo hipogástrico inferior
n. do músculo estapédio [motor]	n. stapedius	n. facial	músculo estapédio
n. subclávio [motor, sensorial geral]	n. subclavius	tronco superior do plexo braquial – C5	músculo subclávio, articulação esternoclavicular
n. subcostal [sensorial geral, motor]	n. subcostalis	ramo ventral de T12	pele do abdômen inferior e face lateral da região glútea, partes dos músculos transverso, oblíquo e reto e geralmente o músculo piramidal e o peritônio adjacente
n. sublingual [parassimpático, sensorial geral]	n. sublingualis	n. lingual	glândula sublingual e membrana mucosa sobrejacente
n. suboccipital [motor]	n. suboccipitalis	ramo dorsal de C1	emerge acima do arco posterior do atlas, supre os músculos do triângulo suboccipital e do músculo semi-espinhal da cabeça
n. subescapular [motor]	n. subscapularis	cordão posterior do plexo braquial – C5	geralmente dois ou mais nervos (superior e inferior), suprindo os músculos subescapular e redondo maior
nervos supraclaviculares anteriores. Ver nervos supraclaviculares mediais nervos supraclaviculares intermediários [sensoriais gerais]	nn. supraclaviculares intermedii	plexo cervical – C3-C4	descem no triângulo posterior, atravessam a clavícula, suprindo a pele nas regiões peitoral e deltóide
nervos supraclaviculares laterais [sensoriais gerais]	nn. supraclaviculares laterales	plexo cervical – C3-C4	descem no triângulo posterior, atravessam a clavícula, suprindo a pele das faces superior e posterior do ombro
nervos supraclaviculares mediais [sensoriais gerais]	nn. supraclaviculares mediales	plexo cervical – C3-C4	descem no triângulo posterior, atravessam a clavícula, suprindo a pele na região infraclavicular medial

n. = [L] nervus;
nn. = [L.pl.] nervi.

n. = nervo.

(Continua)

MNO

TABELA DE NERVOS

Nome Comum [Modalidade]	Termo da Nomina Anatomica	Origem	Ramos	Distribuição
nervos supraclaviculares médios. Ver nervos supraclaviculares intermediários				
nervos supraclaviculares posteriores. Ver nervos supraclaviculares laterais				
n. supra-orbitário [sensorial geral]	nn. supraorbitalis	continuação do n. frontal, a partir do n. oftálmico	ramos lateral e medial	deixam a órbita através da incisura ou forame supra-orbitárias, suprindo a pele da pálpebra superior, testa, parte anterior do couro cabeludo (até o vértice) e mucosa do seio frontal
n. supra-escapular [motor, sensorial geral]	n. suprascapularis	plexo braquial – C5-C6		desce através das chanfraduras supra-escapular e espinoglenóide, suprindo as articulações acromioclavicular e escapular e músculos supra-espinhoso e infra-espinhoso
n. supratroclear [sensorial geral]	n. supratrochlearis	n. frontal, a partir do n. oftálmico		deixa a órbita no final da margem supra-orbitária, suprindo a testa e a pálpebra superior
n. sural [sensorial geral]	n. suralis	sural medial e ramo comunicante do n. fibular comum	n. cutâneo dorsal lateral e ramos calcâneos laterais	pele no dorso da perna e pele e articulações na face lateral do pé e calcanhar
nervos temporais profundos [motores]	nn. temporales profundi			músculos temporais
nervo do músculo tensor do tímpano	n. musculi tensoris tympani	n. mandibular, através do nervo até o músculo pterigóideo medial e o gânglio ótico		músculo tensor do tímpano
n. do músculo tensor do palato mole [motor]	n. musculi tensoris veli palatini	n. mandibular, através do nervo até o músculo pterigóideo medial e o gânglio ótico		músculo tensor do palato mole
n. tentorial [sensorial geral]	ramus tentorii nervi ophthalmici	n. oftálmico		dura-máter do cerebelo tentório
nervos torácicos	nn. thoracici	os 12 pares de nervos espinhais que surgem dos segmentos torácicos da medula espinhal, cada par deixando a coluna vertebral abaixo da vértebra correspondentemente numerada		parede corporal do tórax e parte superior do abdômen
n. torácico longo [motor]	n. thoracicus longus	plexo braquial – ramos ventrais de C5-C7		desce atrás do plexo braquial até o músculo serrátil anterior

/9j/4Q

	n. esplâncnico torácico maior. Ver n. esplâncnico maior. n. esplâncnico torácico menor. Ver n. esplâncnico menor. n. esplâncnico torácico inferior. Ver n. esplâncnico inferior. n. toracodorsal [motor]			
n. thoracodorsalis	n. toracodorsal [motor]	cordão posterior do plexo braquial – C7-C8		músculo grande dorsal
n. tibialis	n. tibial [sensorial geral, motor]	n. ciático na porção inferior da coxa	n. interósseo da perna, n. cutâneo medial sural, nervos plantares medial e lateral e sural e ramos calcâneos muscular e medial	enquanto ainda se encontra incorporado ao n. ciático, supre os músculos semimembranoso e semitendinoso, a cabeça longa do bíceps e o músculo adutor magno; supre a articulação genicular à medida que desce na fossa poplítea; continuando no interior da perna, supre os músculos e a pele da panturrilha, planta dos pés e artelhos (ver também os ramos individuais nesta tabela)
n. trigeminus	n. trigêmeo (quinto craniano) [sensorial geral, motor]	emerge da superfície lateral da ponte como raiz motora e raiz sensorial, expandindo-se a última no gânglio trigeminal, a partir do qual surgem as 3 divisões do nervo (ver n. mandibular, n. maxilar e n. oftálmico)		face, dentes, boca, cavidade nasal, músculos da mastigação
n. trochlearis	n. troclear (quarto craniano) [motor]	as fibras de cada nervo (uma em cada lado) entrecruzam-se através do plano mediano e emergem de trás do tronco cerebral por baixo do colículo inferior correspondente		corre para a frente na parede lateral do seio cavernoso, atravessa a fissura orbitária superior, suprindo o músculo oblíquo superior do globo ocular
n. tympanicus	n. timpânico [sensorial geral, parassimpático]	gânglio inferior do n. glossofaríngeo	ajuda a formar o plexo timpânico	membrana mucosa da cavidade de timpânica, células aéreas mastóides, tuba auditiva e através do n. petroso menor e do gânglio ótico, glândula parótida
n. ulnaris	n. ulnar [sensorial geral, motor]	cordões medial e lateral do plexo braquial – C7-T1	ramos muscular, dorsal, palmar, superficial e profundo	finalmente até a pele nas partes dianteira e medial da mão, alguns músculos flexores na frente do antebraço, muitos músculos curtos da mão, articulação do cotovelo, muitas articulações da mão

n. = [L] nervus; nn. = [L.pl.] nervi.

n. = nervo.

(Continua)

TABELA DE NERVOS

Nome Comum [Modalidade]	Termo da Nomina Anatomica	Origem	Ramos	Distribuição
n. utricular	n. utricularis	ramo do n. vestibular que inerva a mácula do utrículo		
n. utriculoampular	n. utriculoampullaris	nervo que surge através da divisão periférica do n. vestibular e supre o utrículo e as ampolas dos ductos semicirculares		
nervos vaginais [simpáticos, parassimpáticos]	nn. vaginales	plexo uterovaginal		vagina
n. vago (décimo craniano) [parassimpático, aferente visceral, motor, sensorial geral]	n. vagus	através de numerosas radículas a partir da face lateral da medula oblonga no sulco entre a oliva e o pedúnculo cerebelar inferior	nervos laríngeos superior e recorrente, ramos meníngeo, auricular, faríngeo, cardíaco, brônquico, gástrico, hepático, celíaco e renal, plexos faríngeo, pulmonar e esofágico e troncos anterior e posterior	desce através do forame jugular, apresenta-se como um gânglio superior e um inferior, continua através do pescoço e do tórax no interior do abdômen, suprindo as fibras sensoriais até o ouvido, língua, faringe e laringe, fibras motoras até faringe, laringe e esôfago e fibras parassimpáticas e viscerais até as vísceras torácicas e abdominais (ver também os ramos individuais nesta tabela)
n. vertebral [simpático]	n. vertebralis	cervicotorácica e vertebral		sobe com a artéria vertebral e cede fibras às meninges espinhais, aos nervos cervicais e à fossa craniana posterior
n. vestibular	n. vestibularis	parte posterior do n. vestibulococlear, relacionada ao equilíbrio, consistindo de fibras que surgem de células bipolares no gânglio vestibular; divide-se perifericamente nas partes rostral e caudal, com receptores nas ampolas dos canais semicirculares, no utrículo e no sáculo		
n. vestibulococlear (oitavo craniano)	n. vestibulocochlearis	emerge do cérebro entre a ponte e a medula oblonga, no ângulo cerebelopontino e atrás do n. facial; divide-se próximo à extremidade lateral do meato acústico interno em dois componentes funcionalmente distintos e incompletamente unidos: o n. vestibular e o n. coclear, e unem-se ao cérebro através das raízes correspondentes (raízes vestibular e coclear)		
n. vidiano. Ver n. do canal pterigóideo				
n. vidiano profundo. Ver n. petroso profundo				
n. zigomático [sensorial geral]	n. zygomaticus	n. maxilar, entra na órbita através da fissura orbitária inferior	ramos zigomaticofacial e zigomaticotemporal	comunica-se com o nervo lacrimal, suprindo a pele das têmporas e partes adjacentes à face

cujos axônios são recobertos por uma bainha de mielina. **peripheral n.** – n. periférico; nervo exterior ao sistema nervoso central. **pressor n.** – n. pressor; nervo aferente cuja irritação estimula um centro vasomotor e aumenta a tensão intravascular. **secretory n.** – n. secretor; nervo eferente cuja estimulação aumenta a atividade glandular. **sensory n.** – n. sensitivo; n. sensorial; nervo periférico que conduz impulsos de um órgão sensorial para a medula espinhal ou cérebro. **somatic n's.** – nervos somáticos; nervos motores e sensoriais que suprem os músculos esqueléticos e os tecidos somáticos. **splanchnic n's.** – nervos esplâncnicos; nervos dos vasos sangüíneos e vísceras, especialmente os ramos viscerais das partes torácica, lombar e pélvica dos troncos simpáticos. **sympathetic n.** – n. simpático: 1. ver em *trunk;* 2. qualquer nervo do sistema nervoso simpático. **unmyelinated n.** – n. nãomielinizado; nervo cujos axônios não são envolvidos em uma bainha de mielina. **vasoconstrictor n.** – n. vasoconstritor; nervo cuja estimulação contrai os vasos sangüíneos. **vasodilator n.** – n. vasodilatador; nervo cuja estimulação dilata os vasos sangüíneos. **vasomotor n.** – n. vasomotor; nervo relacionado ao controle do calibre dos vasos, seja como vasoconstritor ou como vasodilatador.

ner·vi·mo·tor (nerv"ĭ-mŏt'or) – neuromotor; relativo a um nervo motor.

ner·vous (nerv'us) – nervoso: 1. relativo a um nervo ou nervos; 2. indevidamente excitável.

ner·vous break·down (nerv'us brăk'down) – colapso nervoso; nome popular para qualquer distúrbio mental que interfira nas atividade normais do indivíduo afetado e podendo incluir neurose, depressão ou psicose.

ner·vus (nerv'us) [L.] pl. *nervi* – nervo; ver *nerve.*

ne·sid·i·ec·to·my (ne-sid"e-ek'tah-me) – nesidiectomia; excisão das células das ilhotas pancreáticas.

ne·sid·io·blast (ne-sid"e-o-blast") – nesidioblasto; uma das células que dão origem às células das ilhotas pancreáticas.

nest (nest) – ninho; pequena massa de células estranhas à área onde se encontram. **junctional n.** – n. juncional; ninho de células displásicas observado na junção dermoepidérmica como parte de um nevo juncional.

net·il·mi·cin (net"il-mi'sin) – netilmicina; antibiótico aminoglicosídico semi-sintético com grande variação de atividade antibacteriana; utilizada como sal de sulfato no tratamento de infecções causadas por microrganismos Gram-negativos suscetíveis.

neu·ral (noor'al) – neural: 1. relativo a um nervo ou nervos; 2. situado na região do eixo espinhal, como o arco neural.

neu·ral·gia (nŏŏ-ral'jah) – neuralgia; neurodinia; dor paroxística que se estende ao longo do curso de um ou mais nervos. **neura'lgic** – adj. neurálgico. **n. facia'lis vera** – n. facial verdadeira; síndrome de Ramsay Hunt; ver *syndrome, Ramsay Hunt* (1). **geniculaten.** – n. facial verdadeira; otalgia geniculada; síndrome, de Ramsay Hunt; ver *syndrome, Ramsay Hunt* (1). **glossopharyngeal n.** – n. glossofaríngea; neuralgia que afeta os gânglios petroso e jugular do

nervo glossofaríngeo; marcada por dor paroxísmica severa que se origina no lado da garganta e se estende ao ouvido. **Hunt's n.** – n. de Hunt; síndrome de Ramsay Hunt; ver *syndrome, Ramsay Hunt* (1). **intercostal n.** – n. intercostal; neuralgia dos nervos intercostais. **mammary n.** – n. mamária; dor neurálgica na mama. **migrainous n.** – n. hemicrânica; cefaléia em cacho. **Morton's n.** – n. de Morton; forma de dor no pé (metatarsalgia) devida a compressão de um ramo do nervo plantar pelas cabeças metatársicas; pode levar à formação de um neuroma. **postherpetic n.** – n. pós-herpética; dor em queimação persistente e hiperestesia ao longo da distribuição de um nervo cutâneo após ataque de herpes zóster. **red n.** – n. vermelha; eritromelalgia. **trifacial n., trifocal n., trigeminal n.** – n. trifacial; n. trifocal; n. do trigêmeo; dor episódica torturante na área do nervo trigêmeo, freqüentemente precipitada pela estimulação de pontos de disparo bemdefinidos.

neu·ra·min·ic ac·id (noor"ah-minik) – ácido neuramínico; glicosamina de 9 carbonos cujos derivados *N*-acílicos são os ácidos siálicos.

neu·ra·min·i·dase (noor"ah-min'ĭ-dãs) – neuroaminidase; enzima do revestimento de superfície dos mixovírus que destrói o ácido neuroamínico da superfície celular durante a ligação, impedindo portanto a hemaglutinação.

neu·rana·gen·e·sis (-an-ah-jen'i-sis) – neuranagênese; regeneração do tecido nervoso.

neu·ra·poph·y·sis (-ah-pof'ĭ-sis) – neurapófise; estrutura que forma cada lado do arco nervoso.

neu·ra·prax·ia (-prak'se-ah) – neurapraxia; falha geralmente temporária da condução nervosa na ausência de alterações estruturais, resultante de lesão cega, compressão ou isquemia.

neu·ras·the·nia (-as-the'ne-ah) – neurastenia; categoria obsoleta de neurose, caracterizada por fraqueza crônica e fadiga fácil.

neu·rec·ta·sia (-ek-ta'zhah) – neurectasia; neurotonia; estiramento nervoso.

neu·rec·to·my (nŏŏ-rek'tah-me) – neurectomia; excisão de parte de um nervo.

neu·rec·to·pia (noor"ek-to'pe-ah) – neurectopia; deslocamento ou posição anormal de um nervo.

neu·ren·ter·ic (-en-ter'ik) – neurentérico; relativo ao tubo neural e arquentério do embrião.

neu·rer·gic (nŏŏ-rer'jik) – neurérgico; relativo ou dependente de uma ação nervosa.

neu·ri·lem·ma (noor"ĭ-lem'ah) – neurilema; membrana fina que envolve espiralmente as camadas mielínicas de determinadas fibras, especialmente dos nervos periféricos ou axônios de algumas fibras nervosas não-mielinizadas.

neu·ri·lem·mi·tis (-lĕ-mīt'is) – neurilemite; inflamação do neurilema.

neu·ri·le·mo·ma (-lĕ-mo'mah) – neurilemoma; tumor de uma bainha nervosa periférica (neurilema), o tipo mais comum de tumor neurogênico, geralmente benigno.

neu·ri·no·ma (-no'mah) – neurinoma; neurilemoma.

neu·ri·tis (nŏŏ-rīt'is) – neurite; inflamação de um nervo. **neurit'ic** – adj. neurítico. **hereditary optic n.** – n. óptica hereditária; neuropatia óptica hereditária de Leber. **multiple n.** – n. múltipla; polineu-

rite. optic n. – n. óptica; inflamação do nervo dentro do globo ocular papilite (*papillitis*) ou a parte detrás do globo ocular (*n. retrobulbar*). **retrobulbar optic n.** – n. óptica retrobulbar, ver *optic n.* **toxic n.** – m. tóxica; ver em *neuropathy.*

neur(o)- [Gr.] – neur(o)-, elemento de palavra, *nervo.*

neu·ro·anas·to·mo·sis (noor"o-ah-nas"tah-mo'sis) – neuroanastomose; anastomose cirúrgica de um nervo em outro.

neu·ro·anat·o·my (-ah-nat'ah-me) – neuroanatomia; anatomia do sistema nervoso.

neu·ro·ar·throp·a·thy (-ahr-throp'ah-the) – neuroartropatia; doença das estruturas articulares associada a doença do sistema nervoso central ou periférica.

neu·ro·as·tro·cy·to·ma (-as"tro-si-to'mah) – neuroastrocitoma; glioma composto principalmente de astrócitos, encontrado principalmente no assoalho do terceiro ventrículo e nos lobos temporais.

neu·ro·be·hav·ior·al (-be-hāv'ŭr'l) – neurocomportamental; relacionado ao estado neurológico conforme avaliado pela observação do comportamento.

neu·ro·bi·ol·o·gy (-bio-ol'ah-je) – Neurobiologia; Biologia do sistema nervoso.

neu·ro·blast (noor'o-blast) – neuroblasto; célula embrionária que se desenvolve em célula nervosa ou neurônio.

neu·ro·blas·to·ma (noor"o-blas-to'mah) – neuroblastoma; sarcoma de origem no sistema nervoso, composto principalmente de neuroblastos, afetando principalmente bebês e crianças pequenas, geralmente surgindo no sistema nervoso autônomo (simpaticoblastoma) ou na medula supra-renal.

neu·ro·car·di·ac (-kahr'de-ak) – neurocardíaco; relativo ao sistema nervoso e coração.

neu·ro·cen·trum (-sen'trum) – neurocentro; um dos elementos vertebrais embrionários a partir dos quais se desenvolvem os processos espinhosos das vértebras. **neurocen'tral** – adj. neurocentral.

neu·ro·chem·is·try (kem'is-tre) – neuroquímica; ramo da Neurologia que lida com a química do sistema nervoso.

neu·ro·cho·rio·ret·i·ni·tis (-ko"re-o-ret"in-īt'-is) – neurocoriorretinite; inflamação do nervo óptico, coróide e retina.

neu·ro·cho·roi·di·tis (-ko"roi-dīt'is) – neurocoroidite; inflamação do nervo óptico e coróide.

neu·ro·cir·cu·la·to·ry (-surk'ŭl-ah-tor"e) – neurocirculatório; relativo aos sistemas nervoso e circulatório.

neu·roc·la·dism (nŏŏ-rok'lah-dizm) – neurocladismo; formação de novos ramos pelo processo de um neurônio.

neu·ro·com·mu·ni·ca·tions (noor"o-kah-mūn"-ĭ-ka' shunz) – neurocomunicações; ramo da Neurologia que lida com a transferência e a integração da informação dentro do sistema nervoso.

neu·ro·cra·ni·um (-kra'ne-um) – neurocrânio; parte do crânio que envolve o cérebro. **neurocra'nial** – adj. neurocraniano.

neu·ro·cris·top·a·thy (-kris-top'ah-the) – neurocristopatia; qualquer doença que surge de um mau desenvolvimento da crista neural.

neu·ro·cu·ta·ne·ous (-ku-ta'ne-us) – neurocutâneo; relativo aos nervos e à pele ou aos nervos cutâneos.

neu·ro·cys·ti·cer·co·sis (-sis"tĭ-ser-ko'sis) – neurocisticercose; infecção do sistema nervoso central pelas formas larvais (cisticercos) da *Taenia solium*; as várias manifestações incluem convulsões, hidrocefalia e outras disfunções neurológicas.

neu·ro·cy·tol·y·sin (-si-tol'ĭ-sin) – neurocitolisina; constituinte de determinados venenos de cobra que lisam células nervosas.

neu·ro·cy·to·ma (-si-to'mah) – neurocitoma: 1. meduloepitelioma; 2. ganglioneuroma.

neu·ro·der·ma·ti·tis (-der"mah-ti'tis) [Gr.] – neurodermatite; termo genérico para dermatose eczematosa que se presume seja uma resposta cutânea à coçadura, escarificação ou beliscadura vigorosos para aliviar um prurido severo; alguns autores acreditam que se tratasse de distúrbio psicogênico.

neu·ro·dyn·ia (-din'e-ah) – neurodinia; neuralgia (*neuralgia*).

neu·ro·ec·to·derm (-ek'to-durm) – neuroectoderma; a porção do ectoderma do embrião inicial que dá origem aos sistemas nervosos central e periférico, incluindo algumas células gliais. **neuroecto-der'mal** – adj. neuroectodérmico.

neu·ro·ef·fec·tor (-ĕ-fek'ter) – neuroefetor; de ou relativo à junção entre um neurônio e o órgão efetor que ele inerva.

neu·ro·en·ceph·a·lo·my·elop·a·thy (-en-sef"ah-lomi"il-op'ah-the) – neuroencefalomielopatia; doença que envolve nervos, cérebro e a medula espinhal.

neu·ro·en·do·crine (-en'do-krin) – neuroendócrino; relativo à influência nervosa e endócrina e particularmente à interação entre os sistemas nervoso e endócrino.

neu·ro·en·do·cri·nol·o·gy (-en"do-krĭ-nol'ah-je) – neuroendocrinologia; estudo das interações dos sistemas nervoso e endócrino.

neu·ro·epi·the·li·o·ma (-ep"ĭ-thēl"e-o'mah) – neuroepitelioma; meduloepitelioma (*medulloepithelioma*).

neu·ro·epi·the·li·um (-ep"ĭ-thēl'e-um) – neuroepitélio: 1. epitélio constituído de células especializadas que serve como células sensoriais para a recepção de estímulos externos; 2. epitélio ectodérmico, a partir do qual deriva o sistema nervoso central.

neu·ro·fi·bril (-fi'bril) – neurofibrila; um dos filamentos delicados que correm em todas as direções através do citoplasma de uma célula nervosa, estendendo-se no interior do axônio e dendritos em preparação corada com prata; acredita-se que sejam feixes de neurofilamentos e talvez neurotúbulos, revestidos de prata.

neu·ro·fi·bro·ma (-fi-bro'mah) – neurofibroma; tumor dos nervos periféricos devido à proliferação das células de Schwann.

neu·ro·fi·bro·ma·to·sis (-fi-bro"mah-to'sis) – neurofibromatose; condição familiar caracterizada por alterações de desenvolvimento nos sistemas nervoso, músculos, ossos e pele e marcados pela formação de neurofibromas em todo o corpo associados a áreas de pigmentação.

neu·ro·fi·bro·sar·co·ma (-fi'bro-sahr-ko'mah) – neurofibrossarcoma; tipo maligno de schwannoma que se assemelha superficialmente ao fibrossarcoma, algumas vezes ocorrendo em associação com neurofibromatose que passa por transformação maligna.

neu·ro·fil·a·ment (-fil'ah-ment) – neurofilamento; filamento intermediário que ocorre com os neurotúbulos no interior dos neurônios e tem funções citoesqueléticas e talvez de transporte.

neu·ro·gen·e·sis (-jen'ĕ-sis) – neurogênese; desenvolvimento do tecido nervoso.

neu·ro·gen·ic (-jen'ik) – neurogênico: 1. que forma o tecido nervoso; 2. que se origina no sistema nervoso ou de uma lesão no sistema nervoso.

neu·rog·e·nous (nŏŏ-roj'ĕ-nus) – neurógeno; ver *neurogenic.*

neu·rog·lia (nŏŏ-rog'le-ah) – neuróglia; estrutura de sustentação do tecido nervoso, que consiste de uma teia fina de tecido que envolve as células neurogliais, que são de três tipos: astrócitos, oligodendrócitos e micrócitos. **neurog'lial** – adj. neuroglial.

neu·rog·lio·cyte (nŏŏ-rog'le-o-sīt) – neurogliócito; uma das células que compõem a neuróglia.

neu·rog·li·o·ma (nŏŏ-rog'le-o'mah) – neuroglioma; glioma. **n. gangliona're** – n. ganglionar; ganglioglioma.

neu·rog·li·o·sis (nŏŏ-rog'le-o'sis) – neurogliose; gliomatose.

neu·ro·gly·co·pe·nia (noor'o-gli''ko-pe'ne-ah) – neuroglicopenia; hipoglicemia crônica em grau suficiente para prejudicar a função cerebral, resultando em alterações de personalidade e deterioração intelectual.

neu·ro·his·tol·o·gy (-his-tol-ah-je) – neuro-histologia; neuristologia; histoneurologia; histologia do sistema nervoso.

neu·ro·hor·mone (noor'o-hor''mōn) – neuro-hormônio; hormônio secretado por um neurônio especializado no interior da corrente sangüínea, do líquido do cerebroespinal ou dos espaços intercelulares do sistema nervoso.

neu·ro·hy·poph·y·sis (noor''o-hi-pof'ĭ-sis) – neuro-hipófise; lobo posterior (ou nervoso) da hipófise. **neurohypophys'eal** – adj. neuro-hipofisário.

neu·ro·im·mu·nol·o·gy (-im''ŭn-ol'ah-je) – neuroimunologia; estudo dos efeitos da atividade nervosa autônoma na resposta imunológica. **neuroimmunolog'ic** – adj. neuroimunológico.

neu·ro·ker·a·tin (-ker'ah-tin) – neuroceratina; rede protéica observada em amostras histológicas da bainha mielínica após a mielina ser removida, provavelmente não existindo *in vivo.*

neu·ro·lep·tan·al·ge·sia (-lep''tan-al-je'ze-ah) – neuroleptanalgesia; estado de quiescência, consciência alterada e analgesia produzido por combinação de um analgésico narcótico e um neuroléptico.

neu·ro·lep·tic (-lep'tik) – neuroléptico; agente antipsicótico; ver *antipsychotic.*

neu·rol·o·gy (nŏŏ-rol'ah-je) – Neurologia; ramo da Ciência Médica relacionada ao sistema nervoso, tanto normal como doente. **neurolog'ic** – adj. neurológico. **clinical n.** – n. clínica; Neurologia

especialmente relacionada ao diagnóstico e tratamento dos distúrbios do sistema nervoso.

neu·rol·y·sin (nŏŏ-rol'ĭ-sin) – neurolisina; citolisina com ação destrutiva específica nos neurônios.

neu·rol·y·sis (nŏŏ-rol'ĭ-sis) – neurólise: 1. liberação de uma bainha nervosa por meio de secção longitudinal na mesma; 2. dissolução cirúrgica de aderências perineurais; 3. alívio de tensão sobre um nervo obtido por meio de estiramento; 4. destruição ou dissolução do tecido nervoso. **neurolyt'ic** – adj. neurolítico.

neu·ro·ma (nŏŏ-ro'mah) – neuroma; tumor que cresce a partir de um nervo ou é constituído principalmente de células e fibras nervosas. **neurom'atous** – adj. neuromatoso. **acoustic n.** – n. acústico; tumor benigno no interior do canal auditivo, que surge a partir das células de Schwann do oitavo nervo cranial (acústico). **amputation n.** – n. de amputação; n. traumático. **n. cutis** – n. cutâneo; neuroma na pele. **false n.** – n. falso: 1. neuroma que não consiste de células nervosas; 2. n. traumático. **Morton's n.** – n. de Morton; neuroma que resulta de uma neuralgia de Morton. **plexiform n.** – n. plexiforme; neuroma constituído de troncos nervosos contorcidos. **n. telangiecto'des** – n. telangiectóide; neuroma que contém um excesso de vasos sangüíneos. **traumatic n.** – n. traumático; massa bulbosa ou nodular não-neoplásica e desorganizada de fibras nervosas e células de Schwann produzida por hiperplasia das fibras nervosas e seus tecidos de sustentação após secção acidental ou proposital do nervo.

neu·ro·ma·la·cia (noor''o-mah-la'shah) – neuromalacia; amolecimento patológico dos nervos.

neu·ro·ma·to·sis (nŏŏ-ro''mah-to'sis) – neuromatose: 1. qualquer doença marcada pela presença de muitos neuromas; 2. neurofibromatose.

neu·ro·mere (noor'o-mēr) – neurômero: 1. uma de uma série de elevações segmentares transitórias na parede do tubo neural no embrião em desenvolvimento; também, tais elevações na parede do rombencéfalo maduro; 2. uma parte da medula espinhal à qual se fixam um par de raízes dorsais e um par de raízes ventrais.

neu·ro·mod·u·la·tion (noor''o-mod''u-la'shun) – neuromodulação: 1. estimulação elétrica de um nervo periférico, da medula espinhal ou do cérebro para alívio da dor; 2. efeito de um neuromodulador em outro neurônio.

neu·ro·mod·u·la·tor (-mod'u-la''ter) – neuromodulador; substância, que não um neurotransmissor, liberada por um neurônio e que transmite informações para outros neurônios, alterando suas atividades.

neu·ro·mus·cu·lar (-mus'ku-ler) – neuromuscular; relativo aos nervos e músculos ou à relação entre os mesmos.

neu·ro·my·eli·tis (-mi''ĕ-li'tis) – neuromielite; inflamação da substância nervosa e da substância medular; mielite acompanhada de neurite.

neu·ro·my·op·a·thy (-mi-op'ah-the) – neuromiopatia; qualquer doença tanto de músculos como de nervos, especialmente a doença muscular de origem nervosa. **neuromyopath'ic** – adj. neuromiopático.

neu·ro·myo·si·tis (-mi"o-si'tis) – neuromiosite; neurite misturada com miosite.

neu·ro·myo·to·nia (-mi"o-to'ne-ah) – neuromiotonia; miotonia causada pela atividade elétrica de um nervo periférico; caracterizada por rigidez, relaxamento retardado, fasciculações e mioquimia.

neu·ron (nur'on) – neurônio; célula nervosa; uma das células condutoras do sistema nervoso, que consistem de um corpo celular, contendo o núcleo e seu citoplasma circundante, bem como o axônio e os dendritos. Ver Prancha XI. **neuronal** – adj. neuronal. **afferent n.** – n. aferente; neurônio que conduz um impulso nervoso de um receptor para um centro. **efferent n.** – n. eferente; neurônio que conduz um impulso nervoso de um centro para um órgão de resposta. **Golgi n's** – n. de Golgi: 1. (*tipo I*): células piramidais com axônios longos, que deixam a substância cinzenta do sistema nervoso central, atravessam a substância branca e terminam na periferia; 2. (*tipo II*): neurônios estrelados com axônios curtos, particularmente numerosos nos córtex cerebral e cerebelar e na retina. **motor n.** – n. motor; motoneurônio. **multisensory n.** – n. multisensorial; neurônio no córtex cerebral ou nas regiões subcorticais que pode receber informações provenientes de mais de uma modalidade sensorial. **postganglionic n's.** – n. pós-ganglionares; neurônios cujos corpos cerebrais repousam nos gânglios autônomos e cujo propósito é retransmitir os impulsos além dos gânglios. **preganglionic n's** – neurônios pré-ganglionares; neurônios cujos corpos celulares repousam no sistema nervoso central e cujas fibras eferentes terminam nos gânglios autônomos. **sensory n.** – n. sensorial; qualquer neurônio que tem uma função sensorial; neurônio aferente que transporta impulsos sensoriais. O primeiro em um trajeto aferente é o *n. sensorial* primário e o segundo é o *n. sensorial* secundário.

neu·ro·ne·vus (noor"o-ne'vus) – neuronevo; nevo intradérmico no qual as células névicas diferenciam-se em direção a estruturas semelhantes a células nervosas; pode se assemelhar a um neurofibroma ou nevo pigmentado fibroso gigante.

neu·ro·ni·tis (-ni'tis) – neuronite; inflamação de um ou mais neurônios. **vestibular n.** – n. vestibular; distúrbio da função vestibular que consiste de um único ataque de vertigem severa com náuseas e vômito, mas sem sintomas auditivos.

neu·ro·nop·a·thy (noor"on-op'ah-the) – neuronopatia; polineuropatia que envolve a destruição dos corpos celulares dos neurônios.

neu·ro·oph·thal·mol·o·gy (noor"o-of"thal-mol'ah-je) – Neuroftalmologia; a especialidade que lida com as porções do sistema nervoso relacionadas aos olhos.

neu·ro·pap·il·li·tis (-pap"il-i't'tis) – neuropapilite; papilite; ver *papillitis* (2).

neu·ro·patho·ge·nic·i·ty (-path"ah-jin-is'it-e) – neuropatogenicidade; qualidade ou capacidade de produzir alterações patológicas no tecido nervoso.

neu·ro·pa·thol·o·gy (-pah-thol'ah-je) – neuropatologia; patologia das doenças do sistema nervoso.

neu·rop·a·thy (noo-rop'ah-the) – neuropatia; distúrbio funcional ou alteração patológica no sistema nervoso periférico, algumas vezes limitado a lesões não-inflamatórias em oposição às lesões de neurite. **neuropath'ic** – adj. neuropático. **angiopathic n.** – n. angiopática; neuropatia causada por arterite dos vasos sangüíneos que suprem os nervos, geralmente uma complicação sistêmica de uma doença. **axonal n.** – n. axônica; axonopatia. **diabetic n.** – n. diabética; qualquer neuropatia de vários tipos clínicos de neuropatia periférica (sensorial, motora, autônoma e mista) que ocorrem com o diabetes melito; a mais comum é a polineuropatia sensorial simétrica crônica que afeta primeiro os nervos dos membros inferiores e freqüentemente os nervos autônomos. **entrapment n.** – n. de encarceramento; neuropatia de um grupo de neuropatias, por exemplo, a síndrome do túnel carpiano, devida à pressão mecânica sobre um nervo periférico. **hereditary motor and sensory n. (HMSN)** – n. motora e sensorial hereditária; neuropatia de um grupo de polineuropatias hereditárias que envolvem fraqueza muscular, atrofia, déficits sensoriais e alterações vasomotoras nos membros inferiores. **hereditary optic n.** – n. óptica hereditária; n. óptica hereditária de Leber. **hereditary sensory n.** – n. sensorial hereditária; n. radicular sensorial hereditária. **hereditary sensory and autonomic n. (HSAN)** – n. sensorial e autônoma hereditária; qualquer das várias neuropatias herdadas que envolvem lenta ascendência de lesões dos nervos sensoriais, resultando em dor, úlceras tróficas distais e distúrbios autônomos. **hereditary sensory radicular n.** – n. radicular sensorial hereditária; polineuropatia hereditária caracterizada por sinais de perda sensorial radicular nas extremidades, pontadas, ulceração trófica crônica dos pés e algumas vezes surdez. **ischemic n.** – n. isquêmica; lesão em um nervo periférico causada por redução no suprimento sangüíneo. **Leber's hereditary optic n.** – n. óptica hereditária de Leber; distúrbio herdado da produção do ATP, geralmente em homens e quase sempre como atrofia óptica progressiva bilateral e perda de visão central que pode apresentar remissão espontânea. **multiple n.** – n. múltipla: 1. polineuropatia; 2. mononeuropatia múltipla. **peripheral n.** – n. periférica; polineuropatia. **pressure n.** – n. por pressão; n. de encarceramento. **progressive hypertrophic n.** – n. hipertrófica progressiva; doença familiar lentamente progressiva que começa no início da vida, é caracterizada por hiperplasia do tecido conjuntivo intersticial que causa espessamento dos troncos nervosos periféricos e das raízes posteriores, e por esclerose das colunas posteriores da medula espinhal. **sarcoid n.** – n. sarcóide; polineuropatia que algumas vezes ocorre no caso de sarcoidose, caracterizada tanto por polineurite craniana como por déficits nos nervos espinhais. **tomaculous n.** – n. tomaculosa; neuropatia herdada caracterizada por dor, fraqueza e paralisia por pressão nos braços e mãos, com inchaço das bainhas mielínicas. **toxic n.** – n. tóxica; neuropatia devida à ingestão de toxina. **vasculitic n.** – n. por vasculite; n. angiopática.

neu·ro·pep·tide (noor"o-pep'tīd) – neuropeptídeo; uma das moléculas compostas de pequenas cadeias de aminoácidos (endorfinas, encefalinas, vasopressina etc.) encontradas no tecido cerebral.

neu·ro·phar·ma·col·o·gy (-fahr"mah-kol'ah-je) – Neurofarmacologia; estudo científico dos efeitos dos medicamentos no sistema nervoso.

neu·ro·phy·sin (-fi'sin) – neurofisina; substância de um grupo de proteínas solúveis secretadas no hipotálamo, servindo como proteínas de ligação para a vasopressina e a ocitocina, desempenhando um papel no transporte destas no trato neurohipofisário, bem como em seu armazenamento na hipófise posterior.

neu·ro·phys·i·ol·o·gy (-fiz"e-ol'ah-je) – Neurofisiologia; fisiologia do sistema nervoso.

neu·ro·pil (noor'o-pil) – neurópilo; estrutura semelhante ao feltro de dendritos e axônios entrelaçados e células neurogliais na substância cinzenta do sistema nervoso central.

neu·ro·plasm (-plazm) – neuroplasma; protoplasma de uma célula nervosa. **neuroplas'mic** – adj. neuroplasmático.

neu·ro·plas·ty (-plas"te) – neuroplastia; reparo plástico de um nervo.

neu·ro·pore (-por) – neuroporo; extremidade anterior ou posterior aberta do tubo neural do embrião inicial; ele se fecha à medida que o embrião se desenvolve.

neu·ro·psy·chi·a·try (nur"o-si-ki'ah-tre) – Neuropsiquiatria; especialidades combinadas de Neurologia e Psiquiatria.

neu·ro·psy·chol·o·gy (-si-kol'ah-je) – Neuropsicologia; disciplina que combina Neurologia e Psicologia com o estudo do relacionamento entre o funcionamento do cérebro e os processos cognitivos ou o comportamento. **neuropsycholog'ical** – adj. neuropsicológico.

neu·ro·ra·di·ol·o·gy (-ra"de-ol'ah-je) – Neurorradiologia; radiologia do sistema nervoso.

neu·ro·ret·i·ni·tis (-ret"ĭ-ni'tis) – neurorretinite; inflamação do nervo óptico e retina.

neu·ro·ret·i·nop·a·thy (-ret"ĭ-nop'ah-the) – neurorretinopatia; envolvimento patológico do disco óptico e retina.

neu·ror·rha·phy (nŏŏ-ror'ah-fe) – neurorrafia; sutura de um nervo dividido.

neu·ro·sar·co·clei·sis (noor"o-sahr"ko-kli'sis) – neurossarcocleise; operação realizada em caso de neuralgia, para aliviar a pressão no nervo afetado por meio de ressecção parcial do canal ósseo através do qual ele passa e de transposição do nervo entre os tecidos moles.

neu·ro·sar·co·ma (-sahr-ko'mah) – neurossarcoma; sarcoma com elementos nervosos.

neu·ro·se·cre·tion (-sĭ-kre'shun) – neurossecreção: 1. atividades secretoras das células nervosas; 2. produto de tais atividades; uma substância neurossecretora. **neurosecre'tory** – adj. neurossecretor.

neu·ro·sis (nŏŏ-ro'sis) pl. *neuroses* – neurose: 1. nome antigo para uma categoria de distúrbios mentais caracterizados por ansiedade e comportamento fóbico, com sintomas que angustiam o paciente, teste de realidade intacta, sem violação

das normas sociais como um todo, nem etiologia orgânica aparente; 2. em Teoria Psicanalítica, o processo que dá origem a esses distúrbios, bem como a distúrbios de personalidade e alguns distúrbios psicóticos, correspondendo ao disparo de mecanismos de defesa inconscientes de conflitos não-resolvidos. **neurot'ic** – adj. neurótico. **anxiety n.** – n. de ansiedade; reação de ansiedade; neurose caracterizada por pavor mórbido e não-justificado, algumas vezes estendendo-se a pânico e frequentemente associada a sintomas somáticos. **character n.** – n. de caráter; neurose na qual determinadas características da personalidade tornam-se exageradas ou superdesenvolvidas. **combat n.** – n. de combate; termo aplicado a ocorrências psiquiátricas decorrentes de combate, especialmente aquelas em que há problemas neuróticos pré-mórbidos agravados por estresse de combate. **compensation n.** – n. de compensação; neurose qua acompanha uma lesão e é motivada em parte por perspectivas de compensação financeira. **compulsion n.** – n. compulsiva; distúrbio de personalidade obsessivo-compulsiva (*obsessive-compulsive personality disorder*); ver em *personality*. **conversion n.** – n. de conversão; ver em *disorder*. **depersonalization n.** – n. de despersonalização; neurose com sensação de irrealidade e estranhamento de um indivíduo sobre si mesmo, seu corpo ou seu ambiente. **depressive n.** – n. depressiva; neurose com reação de depressão excessiva, devida a conflito interno ou a evento identificável. **hypochondriacal n.** – n. hipocondríaca; neurose com a preocupação persistente com o corpo e medo de doenças presumidas de vários órgãos. **hysterical n.** – n. histérica; nome obsoleto para um grupo de afecções hoje divididas entre distúrbio de conversão (*disorder, conversion*) e distúrbios dissociativos (*disorder, dissociative*). **obsessional n.** – n. obsessiva; neurose marcada por obsessões que dominam a conduta do paciente. **obsessive-compulsive n.** – n. obsessivo-compulsiva; neurose caracterizada por intrusão persistente de pensamentos ou impulsos repetitivos que compelem ao desempenho de atos rituais. **phobic n.** – n. fóbica; neurose com medo intenso, que geralmente leva o indivíduo a evitar um objeto ou situação que conscientemente reconhece como inofensiva. **traumatic n.** – n. traumática; distúrbio de estresse pós-traumático.

neu·ro·spasm (noor'o-spazm) – neuroespasmo; espasmo causado por distúrbio no nervo motor que supre o músculo.

neu·ro·splanch·nic (noor"o-splank'nik) – neuroesplâncnico; relativo aos sistemas nervosos cerebroespinhal e simpático.

neu·ro·spon·gi·o·ma (-spun"je-o'mah) – neuroespongioma; glioma; ver *glioma*.

neu·ro·sur·gery (noor'o-sur"jer-e) – neurocirurgia; cirurgia do sistema nervoso.

neu·ro·su·ture (noor"o-soo'cher) – neurossutura; neurorrafia; ver *neurorrhaphy*.

neu·ro·syph·i·lis (noor"o-sif'il-is) – neurossífilis; sífilis do sistema nervoso central.

neu·ro·ten·di·nous (-ten'dĭ-nus) – neurotendinoso; relativo tanto a nervos como a tendões.

neu·ro·ten·sin (-ten'sin) – neurotensina; tridecapeptídeo encontrado no intestino delgado e no tecido cerebral; induz vasodilatação e hipotensão e, no cérebro, é um neurotransmissor.

neu·rot·ic (noor-ot'ik) – neurótico: 1. relativo ou afetado por neurose; 2. relativo aos nervos; 3. pessoa nervosa na qual as emoções predominam sobre a razão.

neu·rot·iza·tion (nŏŏ-rot"ĭ-za'shun) – neurotização: 1. regeneração de um nervo após sua divisão; 2. implantação de um nervo no interior de um músculo paralisado.

neu·rot·me·sis (noor"ot-me'sis) – neurotmese; ruptura parcial ou completo de um nervo, com destruição do axônio e sua bainha mielínica bem como dos elementos do tecido conjuntivo.

neu·ro·tome (noor'o-tōm) – neurótomo: 1. bisturi semelhante a uma agulha para dissecar nervos; 2. neurômero; ver neuromere (1).

neu·ro·to·mog·ra·phy (noor"o-tah-mog'rah-fe) – neurotomografia; tomografia do sistema nervoso central.

neu·rot·o·my (nŏŏ-rot'ah-me) – neurotomia; dissecção ou corte de nervos.

neu·rot·o·ny (nŏŏ-rot'ah-ne) – neurotonia; estiramento de um nervo.

neu·ro·tox·ic·i·ty (noor"o-tok-sis'it-e) – neurotoxicidade; qualidade de exercer um efeito destrutivo ou tóxico no tecido nervoso. **neurotox'ic** – adj. neurotóxico.

neu·ro·tox·in (-tok'sin) – neurotoxina; substância venenosa ou destrutiva ao tecido nervoso.

neu·ro·trans·duc·er (-tranz-doo'ser) – neurotransdutor; neurônio que sintetiza e libera hormônios que servem como ligação funcional entre o sistema nervoso e a hipófise.

neu·ro·trans·mit·ter (-tranz'mit-er) – neurotransmissor; substância liberada a partir do terminal axonal de um neurônio pré-sináptico em excitação, que se difunde através da fenda sináptica tanto para excitar como para inibir a célula-alvo. **false n.** – n. falso; amina que pode ser armazenada e liberada das vesículas pré-sinápticas, mas tem pouco efeito nos receptores pós-sinápticos.

neu·ro·trau·ma (-traw'mah) – neurotrauma; lesão mecânica a um nervo.

neu·rot·ro·pism (nŏŏ-rot'ro-pizm) – neurotropismo: 1. qualidade de ter afinidade especial pelo tecido nervoso; 2. tendência alegada das fibras nervosas regeneradas de crescer em direção a porções específicas da periferia. **neurotrop'ic** – adj. neurotrópico.

neu·ro·tu·bule (noor"o-too'būl) – neurotúbulo; microtúbulo que ocorre em um neurônio.

neu·ro·vac·cine (-vak'sēn) – neurovacina; vírus vacinal preparado através do crescimento do vírus em cérebro de coelho.

neu·ro·vas·cu·lar (-vas'kūl-er) – neurovascular; relativo a elementos tanto nervosos como vasculares ou aos nervos que controlam o calibre dos vasos sangüíneos.

neu·ro·vis·cer·al (-vis'er'l) – neurovisceral; neuroesplâncnico; ver neurosplanchnic.

neu·ru·la (noor'u-lah) – nêurula; estágio embrionário inicial que se segue à gástrula, marcado pela primeira evidência do sistema nervoso.

neu·ru·la·tion (noor-u-la'shun) – neurulação; formação da placa neural no embrião inicial, seguida de seu fechamento com o desenvolvimento do tubo neural.

neu·tral (noo'tril) – neutro; nem básico nem ácido.

neu·tro·cyte (noo'tro-sīt) – neutrócito; neutrófilo; ver neutrophil (2).

neu·tron (noo'tron) – nêutron; partícula eletricamente neutra ou não-carregada de matéria que existe junto com os prótons no núcleo dos átomos de todos os elementos, exceto do isótopo de massa 1 do hidrogênio. Símbolo n.

neu·tro·pe·nia (noo"tro-pe'ne-ah) – neutropenia; redução do número de neutrófilos no sangue.

neu·tro·phil (noo'tro-fil) – neutrófilo: 1. leucócito granular que tem um núcleo com três a cinco lobos ligados por cordões de cromatina e um citoplasma que contém grânulos muito finos; cf. heterophil; 2. qualquer célula, estrutura ou elemento histológico facilmente corável com corantes neutros. **rod n., stab n.** – n. em bastão; n. em punhal; neutrófilo cujo núcleo não se encontra dividido em segmentos.

neu·tro·phil·ia (noo"tro-fil'e-ah) – neutrofilia; aumento no número de neutrófilos no sangue.

neu·tro·phil·ic (-fil'ik) – neutrofílico: 1. relativo aos neutrófilos; 2. corável por corantes neutros.

ne·void (ne'void) – nevóide; semelhante ao nevo.

ne·vo·li·po·ma (ne"vo-lĭ-po'mah) – nevolipoma; nevo que contém grande quantidade de tecido fibrogorduroso.

ne·vus (ne'vus) [L.] pl. nevi – nevo: 1. qualquer lesão cutânea congênita; marca de nascença; 2. um tipo de hamartoma que representa a má-formação estável circunscrita da pele e ocasionalmente da mucosa oral, que não se deve a causas externas; o excesso (ou deficiência) de tecidos pode envolver elementos epidérmicos, do tecido conjuntivo, anexos, nervosos ou vasculares. **balloon cell n.** – n. de célula em balão; nevo intradérmico que consiste de células em balão com citoplasma pálido que contêm grandes vacúolos formados de melanossomas alterados. **blue n.** – n. azul; lesão nodular azul-escura composta de melanócitos e melanófagos intimamente agrupados e situados no mesoderma. **blue rubber bleb n.** – n. azul; afecção hereditária marcada por hemangiomas cutâneos azulados múltiplos com centros elevados e macios, freqüentemente associado a hemangiomas do trato gastrointestinal. **cellular blue n.** – n. celular azul; grande tumor nodular bem-circunscrito, multilobulado e negro-azulado, composto de melanócitos e células fusiformes, tendendo a ocorrer nas nádegas e região sacrococcígea e apresentando baixa incidência de transformação em melanoma. **compound n.** – n. composto; nevo nevocítico composto de ninhos completamente formados de células névicas na epiderme e formando novos ninhos na derme. **connective tissue n.** – n. de tecido conjuntivo; qualquer nevo de um grupo de hamartomas que envolvem vários componentes do tecido conjuntivo, geralmente presente ao nascimento ou logo após. **dysplastic n.** – n. displásico; nevo atípico adquirido, com borda irregular, margem indistinta e coloração mista, caracterizado por displasia melanocítica intra-epidérmica e correspondendo quase sempre ao precursor de um melanoma maligno. **n. flam'meus** – n. flâmeo; má-formação congênita comum que envolve capilares maduros, variando de rosa – mancha-salmão (*patch, salmon*) a vermelho-azulado escuro – mancha vinho-do-porto (*stain, port-wine*), geralmente ocorrendo na face e pescoço. **giant congenital pigmented n., giant hairy n., giant pigmented n.** – n. pigmentado congênito gigante; n. piloso gigante; n. pigmentado gigante; nevo de um grupo de grandes nevos pilosos e escuramente pigmentados, presentes ao nascimento; associam-se a outras lesões cutâneas e subcutâneas, neurofibromatose e melanocitose leptomeníngea e mostram predisposição ao desenvolvimento de melanomas malignos. **halo n.** – n. com halo; nevo pigmentado circundado por um anel de despigmentação. **intradermal n.** – n. intradérmico; nevo nevocítico, clinicamente indistinguível do nevo composto, no qual os ninhos das células névicas situam-se exclusivamente dentro da derme. **n. of Ito** – n. de Ito; lesão mongólica semelhante a uma pinta, e ao nevo de Ota, mas localizada em áreas de distribuição dos nervos braquiais cutâneo lateral e supraclavicular posterior. **junction n.** – n. juncional; nevo nevocítico no qual os ninhos de células névicas confinam-se à junção epidérmico-dérmico. **n. lipomato'sus** – n. lipomatoso; nevolipoma. **nevocytic n., nevus cell n.** – n. nevocítico; n. de célula névica; tumor composto de ninhos de células de nevo, geralmente apresentando-se como pequenas máculas ou pápulas castanhas a marrons com bordas arredondadas e bem-definidas; são subclassificados como compostos, intradérmicos e juncionais. **n. of Ota, Ota's n.** – n. de Ota; lesão mongólica semelhante a uma pinta, geralmente presente ao nascimento, e que envolve a conjuntiva e os lábios, bem como a pele facial adjacente, esclera, músculos oculares, periósteo e mucosa bucal, em geral unilateralmente. **pigmented n.** – n. pigmentado; nevo que contém melanina, geralmente restrito a nevos nevocíticos e manchas congênitas. **sebaceous n., n. sebaceus of Jadassohn** – n. sebáceo; n. sebáceo de Jadassohn; síndrome caracterizada por hamartomas únicos ou lineares do couro cabeludo, face ou pescoço que podem se alterar ao longo da vida; sintomas neurológicos e anormalidades oftálmicas podem se encontrar presentes. Com o tempo, algumas lesões tornam-se nodulares e tendem a desenvolver tumores anexos benignos ou malignos ou carcinomas de células basais. **n. spi'lus** – n. achatado; nevo macular uniforme, castanho a marrom, composto de melanócitos e salpicado com máculas menores e mais escuras. **spindle and epithelioid cell n.** – n. de célula epitelióide e fusiforme; nevo benigno composto, observado geralmente em crianças, composto de células fusiformes e epitelióides dérmicas, semelhantes histologicamente a um melanoma maligno e aparecendo como um nódulo ou pápula, uniformizado, elevado, firme, tom rosa a arroxeado. **n.**

spongio'sus al'bus muco'sae – n. esponjoso branco da mucosa; n. em esponja branco. **n. uni'us la'teris** – n. unilateral; nevo epidérmico verrucoso que ocorre como uma faixa linear, mancha ou risco, geralmente ao longo da margem entre dois neurômeros. **vascular n., n. vasculo'sus** – n. vascular; inchaço ou mancha avermelhados na pele devido à hipertrofia dos capilares cutâneos. **white sponge n.** – n. esponjoso branco; distúrbio hereditário congênito e benigno, caracterizado por embranquecimento esponjoso extenso e lesões fissuradas, moles e cinza-esbranquiçadas das membranas mucosas, especialmente da mucosa oral.

new·born (noo'born) – recém-nascido; bebê recentemente nascido.

new·ton (nōŏt'n) – newton; unidade SI de força; força que, quando aplicada a um corpo com massa de um quilograma, acelera-o na velocidade de um metro por segundo quadrado. Símbolo N.

nex·us (nek'sus) [L.] pl. *nexus* – nexo: 1. ligação, especialmente aquela entre membros de uma série ou grupo; 2. junção em intervalo.

NF – National Formulary (Formulário Nacional).

NFLPN – National Federation for Licensed Practical Nurses (Federação Nacional de Enfermeiras Práticas Graduadas).

ng – nanogram (nanograma).

Ni – símbolo químico, níquel (*nickel*).

ni·a·cin (ni'ah-sin) – niacina; ácido nicotínico; vitamina hidrossolúvel do complexo B ($C_6H_5NO_2$), que ocorre em vários tecidos animais e vegetais. É exigida pelo corpo para a formação das coenzimas NAD e NADP, importantes nas oxidações bioquímicas; também tem uma propriedade curativa de pelagra e ação vasodilatadora.

ni·a·cin·amide (ni"ah-sin'ah-mīd) – niacinamida; amida da niacina ($C_6H_6N_2O$), que não tem a ação vasodilatadora do composto original; utilizado na profilaxia e tratamento da pelagra.

NIAID – National Institute of Allergy and Infectious Diseases (Instituto Nacional de Alergia e Doenças Infecciosas).

ni·car·di·pine (ni-kahr'dǐ-pēn) – nicardipina; bloqueador do canal de cálcio que age como vasodilatador; utilizado como sal de cloridrato no tratamento da angina e hipertensão.

niche (nich) – nicho; defeito em uma superfície normalmente uniforme, especialmente uma depressão ou recesso na parede de um órgão oco, como se observa em uma radiografia, ou a depressão em um órgão visível a olho nu. **enamel n.** – n. de esmalte; uma das duas depressões entre a lâmina dentária e o núcleo dentário em desenvolvimento, uma em direção distal (*n. de esmalte distal*) e a outra mesialmente (*n. de esmalte mesial*). **Haudek's n.** – n. de Haudek.

NICHHD – National Institute of Child Health and Human Development (Instituto Nacional de Saúde Infantil e Desenvolvimento Humano).

nick·el (nik'l) – níquel, elemento químico (ver *tabela*), número atômico 28, símbolo Ni.

nick·ing (nik'ing) – entalhe; constrição localizada dos vasos sangüíneos retinianos.

nic·o·tin·a·mide (nik"o-tin'ah-maī d) – nicotinamida; niacinamida. **n. adenine dinucleotide (NAD)** – dinucleotídeo de nicotinamida-adenina (NAD); coenzima composta do mononucleotídeo nicotinamida em uma ligação pirofosfática com o monofosfato de adenosina; participa de numerosas reações enzimáticas, nas quais serve como condutor de elétrons por se oxidar (NAD⁺) e reduzir (NADH) alternadamente. **n. adenine dinucleotide phosphate (NADP)** – dinucleotídeo de nicotinamida-adenina-fosfato (NADP); coenzima composta de mononucleotídeo nicotinamida acoplado por uma ligação pirofosfática com o 2',5'-bifosfato de adenosina; serve como condutor de elétrons em várias reações, oxidando-se (NADP⁺) e reduzindo-se (NADPH) alternadamente.

nic·o·tine (nik'o-tēn, nik'o-tin) – nicotina; alcalóide muito tóxico, obtido a partir do tabaco ou produzido sinteticamente; utilizado como inseticida agrícola e em Medicina Veterinária como parasiticida externo.

nic·o·tin·ic (nik"o-tin'ik) – nicotínico; denota o efeito da nicotina ou outras drogas em uma estimulação inicial e subseqüentemente, em altas doses, inibição dos impulsos nervosos nos gânglios autônomos e na junção neuromuscular.

nic·o·tin·ic ac·id (nik"o-tin'ik) – ácido nicotínico; niacina (*niacin*).

nic·o·tin·ism (nik'ah-tin-izm) – nicotinismo; intoxicação por nicotina, caracterizado por estimulação e depressão subseqüente dos sistemas nervosos central e autônomo, com morte devida a parada respiratória.

nic·ti·ta·tion (nik"tĭ -ta'shun) – nictação; nictitação; o ato de pestanejar.

ni·dal (nī d'l) – nidal; relativo a um ninho.

ni·da·tion (ni-da'shun) – nidação; implantação do concepto no endométrio.

NIDR – National Institute of Dental Research (Instituto Nacional de Pesquisa Dentária).

ni·dus (ni'dus) [L.] pl. *nidi* – ninho: 1. ponto de origem ou foco de um processo mórbido; 2. núcleo; ver *nucleus* (2). **n. a'vis** – ninho de ave; depressão no cerebelo entre o véu posterior e a úvula.

night·mare (nī t'mâr") – pesadelo; sonho terrível.

night·shade (-shād") – erva-moura; planta do gênero *Solanum*. **deadly n.** – e.-m. mortal; beladona.

NIGMS – National Institute of General Medical Sciences (Instituto Nacional de Ciências Médicas Gerais).

ni·gra (ni'grah) – negra; substância negra. **ni'gral** – adj. relativo à substância negra.

ni·gro·sin (ni'gro-sin) [L.] – nigrosina; corante anilínico que tem afinidade especial pelas células ganglionares.

ni·gro·stri·a·tal (ni'gro-stri-āt"l) – nigroestriatal; que se projeta da substância negra para o corpo estriado; diz-se de um feixe de fibras nervosas.

NIH – National Institutes of Health (Institutos Nacionais de Saúde).

ni·keth·a·mide (nī -keth'ah-mī d) – niquetamida; estimulante central e respiratório utilizado para combater a depressão dos sistemas nervoso central e respiratório e insuficiência circulatória.

NIMH – National Institute of Mental Health (Instituto Nacional de Saúde Mental).

ni·mo·di·pine (ni-mo'dī -pēn) – nimodipina; bloqueador de canal de cálcio utilizado como vasodilatador no tratamento de espasmo arterial cerebral que acompanha uma hemorragia subaracnóide proveniente de aneurisma intracraniano.

ni·o·bi·um (ni-o'be-um) – nióbio, elemento químico (ver *Tabela de Elementos*), número atômico 41, símbolo NB.

nip·ple (nip"l) – mamilo; projeção pigmentada na superfície anterior da glândula mamária, circundada pela aréola; dá escoamento ao leite da mama. Também, qualquer estrutura de forma semelhante.

nit (nit) – lêndea; ovo de piolho.

ni·trate (ni'trāt) – nitrato; qualquer sal do ácido nítrico; os nitratos orgânicos são utilizados no tratamento da angina do peito.

ni·tric (ni'trik) – nítrico; relativo ou que contém nitrogênio em uma de suas valências maiores.

ni·tric ac·id (ni'trik) – ácido nítrico; líquido incolor (HNO₃) que se vaporiza no ar úmido e tem odor sufocante característico; é utilizado como agente cauterizante. Seu sal potássico (*nitrato de potássio*) é utilizado nas deficiências de potássio e como diurético; seu sal sódico (*nitrato sódico*) é utilizado como reagente.

ni·tri·fi·ca·tion (ni"trĭ -fĭ -ka'shun) – nitrificação; oxidação bacteriana da amônia em nitrito e depois em nitrato no solo.

ni·trite (ni'trī t) – nitrito; qualquer sal do ácido nitroso; os nitritos orgânicos são utilizados no tratamento da angina do peito.

ni·tro·cel·lu·lose (ni"tro-sel'ūl-ōs) – nitrocelulose; piroxilina.

ni·tro·fu·ran (-fu'ran) – nitrofurano; qualquer substância de um grupo de antibacterianos, que incluem a nitrofurantoína, nitrofurazona etc. eficazes contra grande variedade de bactérias.

ni·tro·fu·ran·to·in (-fu-ran'to-in) – nitrofurantoína; antibacteriano eficaz contra muitos microrganismos Gram-negativos e Gram-positivos; é utilizada no caso de infecções do trato urinário.

ni·tro·fu·ra·zone (-fūr'ah-zōn) – nitrofurazona; antibacteriano eficaz contra grande variedade de microrganismos Gram-positivos e Gram-negativos; utilizado topicamente como antiinfeccioso tópico.

ni·tro·gen (ni'tro-jen) – nitrogênio; elemento químico (ver *Tabela de Elementos*), número atômico 7, símbolo N. Ele forma cerca de 78% da atmosfera e é um constituinte de todas as proteínas e ácidos nucléicos. **n. mustards** – mostardas nitrogenadas; ver em *mustard*. **nonprotein n.** – n. não-protéico; constituintes nitrogenados do sangue afora os corpos protéicos, que consistem de nitrogênio da uréia, ácido úrico, creatina, creatinina, aminoácidos, polipeptídeos e uma parte não-determinada conhecida como *nitrogênio de repouso*.

ni·trog·e·nous (ni-troj'in-us) – nitrogenado; que contém nitrogênio.

ni·tro·glyc·er·in (ni"tro-glis'er-in) – nitroglicerina; vasodilatador utilizado especialmente na profilaxia e tratamento da angina do peito.

ni·tro·mer·sol (-murs'ol) – nitromersol; composto mercurial utilizado topicamente em solução como anti-séptico local.

ni·tro·so·urea (ni-tro"so-ūr-e'ah) – nitrosouréia; qualquer substância de um grupo de agentes alcilantes biológicos lipossolúveis, que incluem a carmustina e a lomustina, que atravessam a barreira hematocerebral e são utilizadas como agentes antineoplásicos.

Ni·tro·stat (ni'tro-stat) – Nitrostat, marca registrada de preparação de nitroglicerina.

ni·trous (ni'trus) – nitroso; relativo ao nitrogênio em sua valência mais baixa. **n. oxide** – óxido n.; gás (N_2O) utilizado como anestésico geral, geralmente em combinação.

ni·trous ac·id (ni'trus) – ácido nitroso; ácido fraco instável (HNO_2) com o qual os grupos amina livres reagem para formar grupos hidroxila; utilizado na determinação da uréia. Seus sais (o *nitrito de sódio* e, algumas vezes, o *nitrito de potássio*) são utilizados para o alívio da dor em determinadas afecções.

ni·za·ti·dine (nĭ -za'tĭ -děn) – nizatidina; antagonista dos receptores H_2 da histamina utilizados no tratamento das úlceras duodenais.

nl – nanoliter (nanolitro).

NLN – National League for Nursing (Liga Nacional de Enfermagem).

nm – nanometer (nanômetro).

NMR – nuclear magnetic resonance (ressonância magnética nuclear).

nn. [L., pl.] – *nervi* (nervos).

No – símbolo químico, nobélio (*nobelium*).

no·bel·i·um (no-bel'e-um) – nobélio, elemento químico (ver *Tabela de Elementos*), número atômico 102, símbolo No.

No·car·dia (no-kahr'de-ah) – *Nocardia;* gênero de bactérias (família Nocardiaceae), incluindo a *N. asteroides* (que produz infecção semelhante à tuberculose no homem), *N. farcinica* (provavelmente idêntica à *N. asteroides*, e produz infecção semelhante à tuberculose nos bovinos e causa micetoma actinomicótico) e *N. brasiliensis* (que causa nocardiose e o micetoma actinomicótico no homem).

no·car·di·al (-de-al) – nocardial; relativo ou causado por *Nocardia*.

no·car·di·o·sis (no-kahr"de-o'sis) – nocardiose; infecção por *Nocardia*.

noci- [L.] – noci-, elemento de palavra, *ferimento; lesão*.

no·ci·as·so·ci·a·tion (no"se-ah-so"se-a'shun) – nociassociação; descarga inconsciente de energia nervosa sob o estímulo de um traumatismo.

no·ci·cep·tion (no"sĭ -sep'shun) – nocicepção; sensação de dor.

no·ci·cep·tor (-sep'ter) – nociceptor; receptor para dor causada por lesão física ou química aos tecidos corporais. **nocicep'tive** – adj. nociceptivo.

no·ci·per·cep·tion (-per-sep'shun) – nocipercepção; sensação da dor.

noc·tal·bu·min·uria (nokt'al-būm"in-ūr'e-ah) – noctalbuminúria; excesso de albumina na urina secretada à noite.

noc·tu·ria (nok-tūr'e-ah) – noctúria; micção excessiva à noite.

node (nōd) – nodo; nodosidade; nódulo; pequena massa de tecido em forma de tumefação, nó ou protuberância, normal ou patológico. **no'dal** – adj. nodal. **atrioventricular n., AV n. (AVN)** – n. atrioventricular; coleção de fibras de Purkinje por baixo do endocárdio do átrio direito, contínua com as fibras musculares atriais e o feixe atrioventricular; recebe os impulsos cardíacos do nódulo sinoatrial e os passa para os ventrículos. **Bouchard's n's** – nodos de Bouchard; aumentos de volume cartilaginosos e ósseos das articulações interfalangianas proximais dos dedos no caso de artropatia degenerativa. **Dürck's n's** – nodos de Dürck; infiltrações perivasculares granulomatosas no córtex cerebral em caso de tripanossomíase. **Flack's n.** – n. de Flack; n. sinoatrial. **Haygarth's n's** – nodosidades de Haygarth; tumefação articular no caso de artrite deformante. **Heberden's n's** – nodos de Heberden; pequenos nódulos duros, geralmente nas articulações interfalangianas distais dos dedos, formados por esporas calcificadas da cartilagem articular e associadas a osteoartrite. **Hensen's n.** – n. de Hensen; nó primitivo. **Keith's n., Keith-Flack n.** – n. de Keith; n. de Keith-Flack; n. sinoatrial. **lymph n.** – linfonodo; um dos acúmulos de tecido linfóide organizados como os órgãos linfóides definidos, ao longo do curso dos vasos linfáticos, consistindo de uma parte cortical externa e uma parte medular interna; constituem a principal fonte de linfócitos do sangue periférico e, como parte do sistema reticuloendotelial, servem como mecanismo de defesa através da remoção dos agentes nocivos, por exemplo, bactérias e toxinas, e provavelmente participam da formação de anticorpos. **Meynet's n's** – nodos de Meynet; nódulos nas cápsulas articulares e tendões no caso de afecções reumáticas, especialmente em crianças. **Osler's n's** – nodos de Osler; pequenas áreas macias, elevadas e inchadas, azuladas ou algumas vezes rosadas ou vermelhas, que ocorrem comumente nos coxins dos dedos, proeminências tenares ou hipotenares ou plantas dos pés; são praticamente patognomônicas da endocardite bacteriana subaguda. **n's of Ranvier** – nodos de Ranvier; constrições de fibras nervosas mielinizadas em intervalos regulares nas quais a bainha mielínica se encontra ausente e o axônio só é envolvido pelos processos das células de Schwann; ver Prancha XI. **Schmorl's n.** – n. de Schmorl; defeito ósseo irregular ou hemisférico na margem superior ou inferior do corpo de uma vértebra. **sentinel n., signal n.** – n.-sentinela; linfonodo supraclavicular aumentado de volume; freqüentemente o primeiro sinal de um tumor abdominal maligno. **singer's n.** – nodos de cantor; um pequeno nódulo branco na corda vocal nas pessoas que utilizam a voz excessivamente. **sinoatrial n., sinuatrial n., sinus n.** – n. sinoatrial; n. sinusal; coleção microscópica de fibras musculares cardíacas atípicas (fibras de Purkinje) na junção da veia cava superior e do átrio direito, onde o ritmo cardíaco se origina normalmente e que é portanto chamada de marca-passo cardíaco. **teacher's n.** – n. dos professores; nodo do cantor. **Troisier's n.**, **Virchow's n.** – n. de Troisier; n. de Virchow; n. sentinela.

no·di (no'di) [L.] – nodos; plural de *nodus*.

no·dose (no'dōs) – nodoso; que tem nódulos ou projeções.

no·dos·i·ty (no-dos'it-e) – nodosidade: 1. nódulo; 2. qualidade do que é nodoso.

no·do·ven·tric·u·lar (no"do-ven-trik'u-lar) – nodoventricular; que une o nódulo atrioventricular ao ventrículo.

nod·ule (nod'ūl) – nódulo; pequena tumefação sólida, que pode ser detectada através do tato.

nod'ular – adj. nodular. **Albini's n's** – nódulos de Albini; nódulos cinzentos do tamanho de pequenos grãos, algumas vezes observados nas bordas livres das válvulas atrioventriculares dos recém-nascidos; correspondem a restos de estruturas fetais. **apple jelly n's** – nódulos de geléia de maçã; nódulos amarelados ou marrom-avermelhados diminutos e translúcidos, observados no exame diascópico das lesões do lúpus vulgar. **n's de Arantius** – nódulos de Arantius; ver em *body*. **Aschoff's n's** – nódulos de Aschoff; ver em *body*. **Bianchi's n's** – nódulos de Bianchi; corpúsculos de Arantius. **Brenner n's** – nódulos de Brenner; massas nodulares tumorais na parede cística nos casos de tumor de Brenner. **Gamna n's, Gandy-Gamna n's** – nódulos de Gamna; nódulos de Gandy-Gamna; nódulos pigmentados marrons ou amarelos algumas vezes observados em um baço aumentado de volume, por exemplo, no caso da doença de Gamna e esplenomegalia siderótica. **Jeanselme's n's** – nódulos de Jeanselme; nódulos justarticulares. **juxta-articular n's** – nódulos justarticulares; gomas da sífilis terciária e de doenças treponêmicas não-venéreas, localizadas nas cápsulas articulares, bursas ou bainhas tendíneas. **Lisch's n's** – nódulos de Lisch; hamartomas da íris que ocorrem em caso de neurofibromatose. **lymphatic n's** – nódulos linfáticos: 1. linfonodos; 2. folículos linfáticos; 3. pequenos acúmulos densos e temporários de linfócitos dentro do córtex do linfonodo, que expressam funções citogenéticas e de defesa teciduais. **milker's n's** – nódulos do leiteiro; paravacínia. **Morgagni's n's** – nódulos de Morgagni; corpúsculos de Arantius. **pulp n.** – n. pulpar; dentículo; ver *denticle* (2). **rheumatic n's** – nódulos reumáticos; nódulos pequenos, redondos ou ovais e predominantemente subcutâneos, semelhantes aos corpúsculos de Aschoff; observados em caso da febre reumática. **rheumatoid n's** – nódulos reumatóides; nódulos subcutâneos que consistem de focos centrais de necrose circundados por coroas de fibroblastos semelhantes a paliçada, observado em caso de artrite reumatóide. **Schmorl's n.** – n. de Schmorl; defeito ósseo irregular ou hemisférico na margem superior ou inferior do corpo da vértebra. **triticeous n.** – n. tritíceo; ver em *cartilage*. **typhus n's** – n. do tifo; nódulos diminutos na pele, formados por infiltração perivascular de células monoculeares em caso de tifo. **n. of vermis** – n. do verme do cerebelo; parte do verme do cerebelo (na superfície ventral) onde se prende o véu medular inferior.

nod·u·lus (nod'u-lus) [L.] pl. *noduli* – nódulo.

no·dus (no'dus) [L.] pl. *nodi* – nódulo.

no·ma (no'mah) – noma; processos gangrenosos da boca ou genitália. Na boca, cancro oral ou estomatite gangrenosa (*cancrum oris; stomatitis, gangrenous*), começa como uma pequena úlcera gengival e resulta em necrose gangrenosa do tecido facial circundante; na genitália (cancro pudendo [*cancrum pudendi*]) ou *n. pudendo* ou *n. vulvar*, afeta um, depois o outro grande lábio.

no·men·cla·ture (no'men-kla"cher) – nomenclatura; sistema classificado de terminologia, como de estruturas anatômicas, organismos etc. **binomial n.** – n. binomial; n. binária; sistema de classificação dos vegetais e animais por meio de duas palavras latinizadas que significam o gênero e a espécie.

No·mi·na An·a·tom·i·ca (no'mĭn-nah an-ah-tom'ĭ-kah) [L.] – Nomenclatura Anatômica; sistema oficial internacionalmente aprovado de nomenclatura anatômica; abreviação: NA.

no·mo·gram (nom'o-gram) – nomograma; gráfico com várias escalas dispostas de modo que uma régua colocada no gráfico cruze as escalas em valores relacionados das variáveis; podem-se utilizar os valores de quaisquer das duas variáveis para encontrar os valores dos demais.

non com·pos men·tis (non kom'pos men'tis) [L.] – *non compos mentis*; que possui espírito doentio; sem mente sadia.

non·con·duc·tor (non"kon-duk'ter) – não-condutor; substância que não transmite facilmente eletricidade, luz ou calor.

non·dis·junc·tion (-dis-junk'shun) – não-disjunção; incapacidade (*a*) de dois cromossomas homólogos passar para células separadas durante a primeira divisão da meiose, ou (*b*) de duas cromátides de um cromossoma passar para células separadas durante a mitose ou durante a segunda divisão meiótica. Como resultado, uma célula-filha tem dois cromossomas ou duas cromátides e a outra nenhuma.

non·elec·tro·lyte (-e-lek'tro-līt) – não-eletrólito; substância que em solução não é condutora de eletricidade.

non·heme (non'hēm) – não-heme; não-ligado dentro de um anel de porfirina; diz-se do ferro assim contido dentro de uma proteína.

non·neu·ro·nal (non"nŏŏ-ro'n'l) – não-neuronal; relativo ou composto de células não-condutoras do sistema nervoso, por exemplo, as células neurogliais.

non·re·spond·er (non-re-spon'der) – não-responsivo; pessoa ou animal não após vacinação contra determinado vírus não apresenta nenhuma resposta imunológica quando estimulado com o vírus.

non·se·cre·tor (non"sĭ-krēt'er) – não-secretor; pessoa com tipo sangüíneo A ou B cujas secreções corporais não contêm a substância particular (A ou B).

non·self (non'self) – não-próprio; em Imunologia, relativo a antígenos estranhos.

non·spe·cif·ic (non"spĭ-sif'ik) – não-específico: 1. não devido a qualquer causa única conhecida; 2. não-direcionado contra um agente particular, mas em vez disso, apresentando efeito geral.

non·union (non-ūn'yin) – não-união; incapacidade das extremidades de um osso fraturado se unirem.

non·vi·a·ble (-vi'ah-b'l) – inviável; incapaz de viver.

NOPHN – National Organization for Public Health Nursing (Organização Nacional para a Enfermagem de Saúde Pública).

nor- – nor-, prefixo químico que denota (a) um composto de estrutura normal (que tem uma cadeia não-ramificada de átomos de carbono) isomérico com um composto que tenha uma cadeia ramificada, ou (b) um composto cuja cadeia ou anel contenha um grupo metileno (CH_2) a menos que o seu homólogo.

nor·adren·a·line (nor"ah-dren'ah-lin) – noradrenalina; norepinefrina (nerepinephrine).

nor·adren·er·gic (-ah-dren-urj'ik) – noradrenérgico; ativado por noradrenalina ou que a secreta.

nor·epi·neph·rine (-ep-ĭ-nef'rin) – norepinefrina; noradrenalina; catecolamina, que é o principal neurotransmissor dos neurônios adrenérgicos pós-ganglionares com atividade α-adrenérgica predominante; também secretado pela medula adrenal em resposta a estimulação esplâncnica, sendo liberado predominantemente em resposta à hipotensão. Constitui um vasopressor poderoso e é utilizada para restaurar a pressão sangüínea em determinados estados hipotensivos. Também chamada de *levarterenol*.

nor·eth·in·drone (nor-eth'in-drōn) – noretindrona; progestina que possui algumas propriedades anabólicas, estrogênicas e androgênicas; utilizada no tratamento da amenorréia, sangramento uterino anormal devido a desequilíbrio hormonal e endometriose, e como contraceptivo oral.

nor·ethy·no·drel (nor"ĕ-thi'no-drel) – noretinodrel; progestina utilizada em combinação com um estrogênio como anticoncepcional oral para controlar a endometriose, tratamento da hipermenorréia e para produzir sangramento de repouso cíclico.

nor·ges·trel (nor-jes'trel) – norgestrel; progestina utilizada em combinação com um estrogênio como anticoncepcional oral.

norm (norm) – norma; padrão fixo ou ideal.

nor·mal (nor'm'l) – normal: 1. que concorda com o tipo regular e estabelecido; 2. em Química, (a) denota uma solução que contém, em cada 1.000 ml, 1 g de peso equivalente da substância ativa, símbolo N ou *N;* (b) denota hidrocarbonetos alifáticos nos quais nenhum átomo de carbono se combina com mais de dois outros átomos de carbono, símbolo *n-;* (c) denota sais que não contêm íons de hidrogênio ou de hidróxido substituíveis.

nor·meta·neph·rine (nor"met-ah-nef'rin) – normetanefrina; metabólito da noradrenalina excretado na urina e encontrado em determinados tecidos.

norm(o)- [L.] – norm(o)-, elemento de palavra, *normal; comum; de acordo com a regra.*

nor·mo·blast (nor'mo-blast) – normoblasto; célula precursora nucleada na série eritrocítica; reconhecem-se quatro estágios de desenvolvimento: pronormoblasto (q.v. *pronormoblast*); *n. basófilo* (no qual o citoplasma é basófilo, o núcleo é grande com cromatina aglutinada e os nucléolos desapareceram); *n.*

policromático (no qual a cromatina nuclear mostra aglomerado aumentado e o citoplasma começa a adquirir hemoglobina e assume uma tonalidade acidofílica); e *n. ortocromático* (o estágio final antes da perda nuclear, no qual o núcleo fica pequeno e definitivamente se torna uma massa preta-azulada sem estrutura homogênea. **normoblas'tic** – adj. normoblástico.

nor·mo·blas·to·sis (nor"mo-blas-to'sis) – normoblastose; produção excessiva de normoblastos pela medula óssea.

nor·mo·cal·ce·mia (-kal-sēm'e-ah) – normocalcemia; nível normal de cálcio no sangue. **normocalce'mic** – adj. normocalcêmico.

nor·mo·chro·mia (-krōm'e-ah) – normocromia; coloração normal das hemácias.

nor·mo·cyte (nor'mo-sīt) – normócito; hemácia de tamanho, forma e cor normais.

nor·mo·cy·to·sis (nor"mo-si-to'sis) – normocitose; estado normal do sangue com relação às hemácias.

nor·mo·gly·ce·mia (-gli-sēm'e-ah) – normoglicemia; teor de glicose normal do sangue. **normogly·ce'mic** – adj. normoglicêmico.

nor·mo·ka·le·mia (-kah-lēm'e-ah) – normocalemia; nível normal de potássio no sangue. **normokale' mic** – adj. normocalêmico.

nor·mo·sper·mic (-sperm'ik) – normospérmico; que produz espermatozóides normais em número e motilidade.

nor·mo·ten·sive (-ten'siv) – normotenso: 1. caracterizado por tônus, tensão ou pressão normais, como ocorre por pressão sangüínea normal; 2. pessoa com pressão sangüínea normal.

nor·mo·ther·mia (-therm'e-ah) – normotermia; estado normal de temperatura. **normother'mic** – adj. normotérmico.

nor·mo·vo·le·mia (-vo-lēm'e-ah) – normovolemia; volume sangüíneo normal.

nor·trip·ty·line (nor-trip'tī-lēn) – nortriptilina; antidepressivo utilizado como sal de cloridrato para tratar depressão e aliviar uma dor severa crônica.

nos(o)- [Gr.] – nos(o)-, elemento de palavra, *doença.*

nose (nōz) – nariz; estrutura facial especializada que serve como órgão do sentido do olfato e como parte do aparelho respiratório; ver Prancha XVI. **saddle n., swayback n.** – n. em sela; nariz com a ponte afundada.

No·se·ma (no-se'mah) – *Nosema;* gênero de esporozoários parasitas, que inclui a *N. apis* (que causa doença nas abelhas) e *N. bombycis* (que causa doença nos bichos-da-seda).

nose·piece (nōz'pēs") – peça nasal; a porção de um microscópio mais próxima da montagem, portando a objetiva ou objetivas.

noso·co·mi·al (nos"o-ko'me-il) – nosocomial; relativo ou que se origina em um hospital.

no·sog·e·ny (no-soj'i-ne) – nosogenia; nosogênese; patogênese.

no·sol·o·gy (no-sol'ah-je) – Nosologia; a ciência da classificação das doenças. **nosolog'ic** – adj. nosológico.

noso·para·site (nos"o-par'ah-sīt) – nosoparasita; microrganismo encontrado em conjunto com uma doença que é capaz de modificá-la, mas não de produzi-la.

Noso·psyl·lus (nos"o-sil'us) – *Nosopsyllus;* gênero de pulgas que inclui *N. fasciatus* (pulga do rato comum da América do Norte e Europa), vetor do tifo murino e provavelmente da peste.

noso·taxy (nos'o-tak"se) – nosotaxia; classificação de uma doença.

nos·tril (nos'tril) – narina; ver *nares.*

nos·trum (nos'trum) – nostro; agente terapêutico empírico, patenteado ou secreto.

no·tal·gia (no-tal'jah) – notalgia; dorsalgia.

notch (noch) – incisura; chanfradura; reentrância na borda de um osso ou outro órgão. **aortic n.** – i. aórtica; i. dicrótica. **dicrotic n.** – i. dicrótica; pequeno desvio descendente no pulso arterial ou no contorno da pressão imediatamente após o fechamento das válvulas semilunares e precedendo a onda dicrótica, algumas vezes utilizado como marcador para o final da sístole ou período de ejeção. **mastoid n.** – i. mastóide; sulco profundo na superfície medial do processo mastóide do osso temporal, concedendo ligação para o ventre posterior do músculo digástrico. **parotid n.** – i. parótida; incisura entre o ramo da mandíbula e o processo mastóide do osso temporal.

not(o)- [Gr.] – not(o)-, elemento de palavra, *costas.*

no·to·chord (nŏt'o-kord) – notocórdio; cordão de células em forma de bastão abaixo do sulco primitivo do embrião, definindo o eixo primitivo do corpo; o fator comum de todos os cordados. Corresponde ao centro de desenvolvimento do esqueleto axial.

No·to·ed·res (nŏt"o-ed'rēz) – *Notoedres;* gênero de ácaros que inclui a *N. cati* (ácaro de sarna que produz sarna persistente e freqüentemente fatal nos gatos); a *N. cati* também infesta os animais domésticos e pode infestar temporariamente o homem.

no·tum (nŏt'um) – noto; parte dorsal do corpo.

no·vo·bio·cin (no"vo-bi'o-sin) – novobiocina; antibacteriano produzido pela *Streptomyces niveus* e outras espécies de *Streptomyces,* utilizado na forma de base ou sais cálcico ou sódico no tratamento de infecções devidas a estafilococos e outros microrganismos Gram-positivos.

No·vo·cain (no'vah-kān) – Novocain, marca registrada de preparações de procaína.

nox·ious (nok'shus) – nocivo; lesivo; pernicioso.

Np – símbolo químico, netúnio (*neptunium*).

NP-59 – iodomethylnorcholesterol (iodometilnorcolesterol).

NPN – nonprotein nitrogen (nitrogênio não-protéico).

NREM – non-rapid eye movements (movimentos oculares não-rápidos) (ver em *sleep*).

ns – nanosecond (nanossegundo).

NSAIA – nonsteroidal anti-inflamatory analgesic (or agent) (AAINE, analgésico [ou agente] antiiflamatório não-esteróide); ver em *drug.*

NSAID – nonsteroidal anti-inflammatory drug (DAINE, droga antiinflamatória não-esteróide).

NSCLC – non-small cell lung carcinoma (or cancer) (CPCNP, carcinoma [ou câncer] pulmonar de células não-pequenas).

nsec – nanosecond (nseg, nanossegundo).

NSNA – NSNA, National Student Nurse Association (Associação Nacional de Estudantes de Enfermagem).

nu·cha (noo'kah) – nuca. **nu'chal** – adj. nucal.

nu·cle·ar (noo'kle-er) – nuclear; relativo a um núcleo.

nu·cle·ase (noo'kle-ās) – nuclease; qualquer substância de um grupo de enzimas que dividem os ácidos nucleicos em nucleotídeos e outros produtos.

nu·cle·at·ed (nu'kle-āt"id) – nucleado; que tem um núcleo ou núcleos.

nu·clei (nu'kle-i) [L.] – plural de *nucleus.*

nu·cle·ic ac·id (noo-kle'ik) – ácido nucleico; polímero nucleotídico de alto peso molecular. Existem dois tipos: ácido desorribonucleico – DNA (*deoxyribonucleic acid – DNA*) e ácido ribonucleico – RNA (*ribonucleic acid – RNA*).

nu·cleo·cap·sid (noo"kle-o-kap'sid) – nucleocapsídeo; unidade de estrutura viral, que consiste de um capsídeo que envolve o ácido nucleico.

nu·cle·of·u·gal (noo"kle-of'u-gil) – nucléofugo; que se move para fora de um núcleo.

nu·cleo·his·tone (noo"kle-o-his'tōn) – núcleo-histona; complexo nucleoproteico constituído de DNA e histonas, o principal constituinte da cromatina.

nu·cle·oid (noo'kle-oid) – nucleóide: 1. semelhante a um núcleo; 2. corpo semelhante a um núcleo algumas vezes observado no centro de uma hemácia; 3. material genético (ácido nucleico) de um vírus situado no centro do virion; 4. região nuclear de uma bactéria, que contém o cromossoma, mas não é limitada por uma membrana nuclear.

nu·cleo·lo·ne·ma (noo"kle-o"lo-ne-mah) – nucleolonema; rede de fios formada pela organização de uma substância finamente granular, talvez contendo RNA no nucléolo de uma célula.

nu·cle·o·lus (noo-kle'o-lus) [L.] pl. *nucleoli* – nucléolo; corpo refrátil arredondado no núcleo da maioria das células, que é o local de síntese do RNA ribossômico.

nu·cleo·op·e·tal (noo"kle-op'ĭ -t'l) – nucleópeto; que se move em direção a um núcleo.

nu·cleo·phago·cy·to·sis (noo"kle-o-fag"o-si-to'sis) – nucleofagocitose; engolfamento dos núcleos de outras células por parte de fagócitos.

nu·cleo·phile (noo'kle-o-fī l) – nucleófilo; doador de elétrons em reações químicas que envolvam catálise covalente na qual os elétrons doados ligam-se a outros grupos químicos (eletrófilos).

nucleoph'ilic – adj. nucleofílico.

nu·cleo·plasm (-plazm") – nucleoplasma; protoplasma do núcleo de uma célula.

nu·cleo·pro·tein (noo"kle-o-pro'tēn) – nucleoproteína; substância composta de uma proteína básica simples, por exemplo, uma histona combinada com ácido nucleico.

nu·cleo·si·dase (-si'dās) – nucleosidase; enzima que catalisa a divisão de um nucleosídeo para formar a base purínica ou pirimidínica e um açúcar.

nu·cleo·side (noo"kle-o-sī d") – nucleosídeo; um dos compostos nos quais se divide um nucleotídeo através da ação de uma nucleotidase ou de um meio químico; consiste um açúcar (pentose) com uma base purínica ou pirimidínica.

nu·cleo·some (-sōm) – nucleossoma; um dos complexos de histona e DNA em células eucarióticas, observados no microscópio eletrônico como corpos semelhantes a contas em um filamento de DNA.

nu·cleo·ti·dase (noo"kle-o-ti'dās) – nucleotidase; enzima que catalisa a clivagem de um nucleotídeo em nucleosídeo e ortofosfato.

nu·cleo·tide (noo'kle-o-tī d) – nucleotídeo; um dos compostos nos quais o ácido nucleico se divide por meio da ação de nuclease; os nucleotídeos são compostos de uma base (purina ou pirimidina), um açúcar (ribose ou desoxirribose) e um grupo fosfato. **cyclic n's** – nucleotídeos cíclicos; nucleotídeos nos quais o grupo fosfático liga-se a dois átomos do açúcar, formando um anel, como no caso do AMP cíclico e GMP cíclico, que agem como segundos mensageiros intracelulares.

nu·cleo·tid·yl (noo"kle-o-tī d'il) – nucleotidil; resíduo nucleotídico.

nu·cleo·tox·in (-tok'sin) – nucleotoxina: 1. toxina proveniente dos núcleos celulares; 2. qualquer toxina que afeta núcleos celulares.

nu·cle·us (noo'kle-us) [L.] pl. *nuclei* – núcleo: 1. núcleo central de um corpo ou objeto; 2. núcleo celular; corpo esferóide no interior de uma célula, que consiste de uma membrana nuclear fina, organelas, um ou mais nucléolos, cromatina, linina e nucleoplasma; 3. grupo de células nervosas dentro do sistema nervoso central, tendo relação direta com as fibras de um nervo particular; 4. em Química Orgânica, a combinação de átomos que formam o elemento central ou a estrutura básica da molécula de um composto específico ou classe de compostos; 5. ver *atomic n.* **nu'clear** – adj. nuclear. **ambiguous n.** – n. ambíguo; núcleo de origem das fibras nervosas dos nervos vago, glossofaríngeo e acessório na medula oblonga. **arcuate nuclei, nu'clei arcua'ti medul'lae oblonga'tae** – núcleos arqueados; núcleos arqueados da medula oblonga; pequenas áreas irregulares de substância cinzenta na face ventromedial da pirâmide da medula oblonga. **atomic n.** – n. atômico; núcleo central de um átomo, composto de prótons e nêutrons, constituindo a maior parte de sua massa, mas somente uma pequena parte do seu volume. **basal n., n. basa'lis** – n. basal; grupos interligados específicos de massas de substância cinzenta profundas nos hemisférios cerebrais e no tronco cerebral superior. **n. caeru'leus** – n. cerúleo; agregação compacta de neurônios pigmentados subjacentes ao *locus* cerúleo, algumas vezes considerado um dos núcleos reticulares mediais. **caudate n., n. cauda'tus** – n. caudado; massa cinzenta arqueada e alongada, intimamente relacionada ao ventrículo lateral em toda sua extensão, que (em conjunto com o putâmen) forma o neo-estriado. **central nuclei of thalamus** – núcleos centrais do tálamo; dois pequenos núcleos intralaminares (medial e lateral) situados na lâmina medular interna. **cochlear nuclei, anterior and posterior** – núcleos cocleares anterior e posterior; núcleos de terminação de fibras sensoriais da parte coclear do nervo vestibulococlear, que envolvem parcialmente o pedúnculo cerebelar inferior na junção da medula oblonga e da ponte. **cuneate n., n. cunea'tus** – n. cuneado; núcleo na medula oblonga no qual as fibras do fascículo cuneado fazem sinapse. **Deiters' n.** – n. de Deiters; n. vestibular lateral. **dentate n., n. denta'tus** – n. denteado; o maior dos núcleos cerebelares profundos que se situam na substância branca do cerebelo. **n. dorsa'lis** – n. dorsal; coluna torácica. **droplet nuclei** – n. em gotículas; ver em *infection*. **n. endopeduncula'ris** – n. endopeduncular; núcleo pequeno na cápsula interna do hipotálamo, adjacente à borda medial do globo pálido. **fastigial n., n. fastigia'tus, n. fasti'gii** – n. fastigio; o mais medial dos núcleos cerebelares profundos, próximo à linha média no teto do quarto ventrículo. **n. gra'cilis** – n. grácil; núcleo na medula oblonga, no qual as fibras do fascículo grácil da medula espinhal fazem sinapse. **hypoglossal n., n. of hypoglossal nerve** – n. hipoglosso; n. do nervo hipoglosso; núcleo de origem do nervo hipoglosso na medula oblonga. **interpeduncular n., n. interpeduncula'ris** – n. interpeduncular; núcleo entre os pedúnculos cerebrais imediatamente dorsais à fossa interpeduncular. **lenticular n., lentiform n.** – n. lenticular; n. lentiforme; parte do corpo estriado imediatamente lateral à cápsula interna, compreendendo o putâmen e o globo pálido. **Meynert's n.** – n. de Meynert; grupo de neurônios no cérebro anterior basal que tem projeções largas para o neocórtex e é rico em acetilcolina e colina-acetiltransferase; sofre degeneração na paralisia agitante e na doença de Alzheimer. **motor n.** – n. motor; qualquer coleção de células no sistema nervoso central que dá origem a um nervo motor. **olivary n.** – n. olivar: 1. faixa dobrada de substância cinzenta que envolve um núcleo branco e produzindo a elevação (oliva) da medula oblonga; 2. oliva; ver *olive* (2). **nuclei of origin** – núcleos de origem; grupos de células nervosas no sistema nervoso central a partir de onde surgem as fibras motoras ou eferentes dos nervos cranianos. **paraventricular n. of hypothalamus** – n. paraventricular do hipotálamo; faixa de células na parede do terceiro ventrículo na região hipotalâmica anterior; muitas de suas células têm função neurossecretora (secretam ocitocina) e se projetam na neuro-hipófise. **nuclei of pons, pontine nuclei, nu'clei pon'tis** – núcleos pontinos; grupo de corpos de células nervosas na parte do trato piramidal dentro da parte ventral da ponte, sobre a qual as fibras do trato corticopontino fazem sinapse e cujos axônios por sua vez atravessam o lado oposto e formam o pedúnculo cerebelar médio. **n. pulpo'sus dis'ci intervertebra'lis, pulpy n.** – n. pulposo dos discos intervertebrais; n. geletinoso; massa semilíquida de fibras brancas e elásticas finas que formam o centro de um disco intervertebral. **raphe nuclei, nuclei of the raphe, rapheal nuclei** – núcleos da rafe; um subgrupo dos núcleos reticulares do tronco cerebral, encontrados em folhas longitudinais estreitas ao longo das rafes da medula oblonga, da ponte e do mesencéfalo; incluem muitos neurônios que sintetizam a serotonina. **red n.** – n. vermelho; núcleo oval distinto (rosa nas amostras frescas) centralmente colocadas na formação reticular mesencefálica superior. **reticular nuclei** – núcleos reticulares; núcleos encontrados na formação do tronco cerebral, ocorrendo primariamente em colunas longitudinais em três grupos: núcleos reticulares mediais ou intermediários, núcleos reticulares laterais e núcleos reticulares da rafe. **n. ru'ber** – n. rubro; n. vermelho. **salivary nuclei** – núcleos salivares; duas colunas de células na parte póstero-lateral da formação reticular da ponte, juntos compreendendo o escoamento parassimpático para o suprimento das glândulas salivares. **sensory n.** – n. sensorial; núcleo de terminação das fibras aferentes (sensoriais) de um nervo periférico. **subthalamic n., n. subthala'micus** – n. subtalâmico; núcleo no lado medial da junção da cápsula interna e dos pedúnculos cerebrais. **supraoptic n., n. supraop'ticus hypotha'lami** – n. supra-óptico hipotalâmico; núcleo imediatamente acima da parte lateral do quiasma óptico; muitas das suas células têm função neurossecretora (secretam hormônio antidiurético) e se projetam no interior da neuro-hipófise; outras células são osmorreceptores que respondem ao aumento da pressão osmótica para sinalizar a liberação de hormônio antidiurético pela neuro-hipófise. **tegmental n.** – n. do tegmento; várias massas nucleares das formações reticulares da ponte e do mesencéfalo, especialmente do último, onde se encontram em aproximação íntima com os pedúnculos cerebelares superiores. **terminal nuclei** – núcleos terminais; grupos de células nervosas dentro do sistema nervoso central no qual os axônios dos neurônios aferentes primários de vários nervos cranianos fazem sinapse. **thoracic n.** – n. torácico; ver em *column*. **nuclei of trapezoid body** – n. do corpo trapezóide; dois grupos de corpos de células nervosas no corpo trapezóide ou próximas a ele. **trigeminal nuclei** – núcleos do trigêmeo; quatro núcleos localizado ao longo do nervo trigêmeo, principalmente na ponte e na medula oblonga. **nu'clei vestibula'res** – núcleos vestibulares; quatro massas celulares (superior, lateral, medial e inferior) no assoalho do quarto ventrículo nas quais terminam os ramos do nervo vestibulococlear.

nu·clide (noo'klī d) – nuclídeo; espécie de átomo caracterizado pela carga, massa, número e estado quântico de seu núcleo e com capacidade de existência mensurável (geralmente mais de 10^{-10}s).

nul·lip·a·ra (nul-ip'ah-rah) – nulípara; para 0; uma mulher que nunca deu à luz uma criança viável. Ver *para*. **nullipa'rous** – adj. nulíparo.

nul·li·par·i·ty (nul'ĭ -par'it-e) – nuliparidade; o estado de ser nulípara.

num·ber (num'ber) – número; um símbolo, como uma figura ou palavra que expressam um determinado valor ou quantidade especificada determinada por contagem. **atomic n.** – n. atômico; número que expressa o número de prótons em um núcleo atômico. Símbolo Z. **Avogadro's n.** – n. de Avogadro; número de moléculas em um mol de substância; valor designado para o número é $6,023 \times 10^{23}$. Símbolo N ou N_A. **mass n.** – n.

de massa; número expressivo da massa de um núcleo, correspondendo ao número total de prótons e nêutrons no núcleo de um átomo ou nuclídeo. Símbolo *A*. **oxidation n.** – n. de oxidação; número designado para cada átomo em uma molécula ou íon que representa o número de elétrons teoricamente perdidos (números negativos) ou obtidos (números positivos) para converter o átomo à forma elementar (que tem um número de oxidação igual a zero). A soma dos números de oxidação de todos os átomos em um composto neutro é igual a zero; no caso de íons poliatômicos, é equivalente à carga iônica. **tooth n.** – n. dentário; número designado para cada um dos dentes permanentes em ordem consecutiva, sendo 1 para o terceiro molar direito superior e 17 para o terceiro molar esquerdo inferior e prosseguindo ao redor de cada mandíbula. **turnover n.** – n. de movimentação; número de moléculas de substrato atingidas por uma molécula de enzima por minuto.

numb·ness (num'nes) – entorpecimento; dormência; anestesia; ver *anesthesia* (1).

num·mu·lar (num'ul-er) – numular: 1. do tamanho ou forma de uma moeda; 2. constituído de discos redondos e chatos; 3. disposto como uma pilha de moedas.

nurse (nurs) – enfermeira: 1. pessoa especialmente preparada na base científica da enfermagem e que preenche determinados padrões prescritos de educação e competência clínica; 2. cuidar, proporcionar serviços essenciais ou úteis para promoção, manutenção e restauração da saúde e bem-estar; 3. amamentar; alimentar um bebê com leite da própria mama. **n. anesthetist** – e. anestesista; enfermeira profissional especialmente treinada, que administra anestésicos endovenosos, espinhais e outros para deixar as pessoas insensíveis durante operações cirúrgicas, partos e outros procedimentos médicos e dentários. **charge n.** – e. encarregada; enfermeira encarregada de uma unidade de cuidados de pacientes de um hospital ou agência de saúde similar. **clinical n. specialist** – e. clínica especializada; enfermeira registrada com alto grau de conhecimento, habilidade e competência em uma área especializada de enfermagem e geralmente apresentando grau de mestre em enfermagem. **n. clinician** – e. clínica; enfermeira registrada, referida como *enfermeira clínica* ou como enfermeira alto padrão, (*practitioner n.*) que tem competência bem-desenvolvida na utilização de ampla gama de sugestões, empregadas na prescrição e implementação de cuidados de enfermagem tanto diretos como indiretos e articulação de terapias de enfermagem com outras terapias planejadas. Demonstram experiência na prática da enfermagem e asseguram um desenvolvimento contínuo da experiência através do aprendizado clínico e educação contínua; geralmente, a preparação mínima para esse desempenho é o grau de bacharel. **community n.** – e. comunitária; na Grã-Bretanha; enfermeira de saúde pública. **community health n.** – e. sanitária da comunidade; de saúde pública. **district n.** – e. de distrito; e. de comunidade. **general duty n.** – e. geral; enfermeira registrada, geralmente não passou por outro treinamento senão o programa de enfermagem básico, ao cuidado de enfermagem geral dos pacientes em um hospital ou outra instituição de saúde. **graduate n.** – e. graduada; enfermeira graduada em uma escola de enfermagem; freqüentemente utilizado para designar enfermeira não-registrada ou licenciada. **head n.** – e.-chefe; e. encarregada. **licensed pratical n.** – e. prática graduada; enfermeira graduada em escola de enfermagem prática cujas qualificações foram examinadas por um conselho estadual de enfermagem e foi legalmente autorizada a exercer a profissão como enfermeira prática ou vocacional licenciada (LPN ou LVN), sob supervisão de um médico ou enfermeira registrada. **licensed vocational n.** – e. prática graduada; ver *licensed practical n.* **n. practitioner** – e. alto padrão; ver *n. clinician.* **private n., private duty n.** – e. particular; enfermeira que cuida de um paciente individualmente, geralmente com remuneração, e que pode se especializar em uma classe específica de doenças. **probationer n.** – e. estagiária; pessoa que entrou em uma escola de enfermagem e está sob observação para determinar sua capacidade para a profissão de enfermagem; aplicado principalmente a estudantes de enfermagem matriculadas em escolas-hospital de enfermagem. **public health n.** – e. de saúde pública; enfermeira registrada especialmente preparada trabalhando em posto de saúde da comunidade para cuidados de saúde das pessoas na comunidade, atendendo os doentes em seus lares, promovendo a saúde e o bem-estar através da educação das famílias a se manterem saudáveis e auxiliando programas de prevenção da doença. **Queen's n.** – e. da rainha; na Grã-Bretanha, enfermeira de distrito treinado ou de acordo com as regras do Instituto Jubileu da Rainha Vitória para Enfermeiros. **registered n.** – e. registrada; enfermeira graduada, legalmente autorizada (registrada) a exercer a profissão após exame por um conselho estadual de enfermeiros-examinadores ou uma autoridade estadual similar e legalmente intitulado para usar a designação ER. **scrub n.** – e. instrumentadora; enfermeira que auxilia diretamente o cirurgião na sala de cirurgia. **n. specialist** – e. especializada; e. clínica especializada. **visiting n.** – e. visitadora; e. de saúde pública. **wet n.** – ama-deleite; mulher que amamenta o bebê de outra mulher.

nurse-mid·wife (-mid'wīf) – enfermeira-parteira; pessoa treinada em ambas as disciplinas, enfermagem e obstetrícia, que possui certificado de acordo com as exigências da Associação Americana de Enfermeiras-Parteiras. Abreviação: CNM (Certified Nurse-Midwife).

nurse-mid·wi·fery (-mid'wi-fer-e) – enfermagem-obstetrícia; administração independente de cuidados a recém-nascidos e mulheres essencialmente normais, anteparto, intraparto, pós-parto e/ou ginecológico, ocorrendo em um sistema de cuidado de saúde que providencie consulta médica, tratamento colaborativo ou de referência e esteja de acordo com as funções, padrões e qualificações definidos pela Associação Americana de Enfermeiras-Parteiras.

nur·se·ry (nurs'er-e) – berçário; seção em um hospital onde se cuidam dos recém-nascidos.

nurs·ing (nurs'ing) – enfermagem; fornecimento em vários níveis de preparação de serviços essenciais ou úteis na promoção, manutenção e restauração da saúde e bem-estar ou prevenção de uma enfermidade, como de bebês, doentes ou lesados, ou de outros que por qualquer razão se encontrem incapacitados de proporcionar esses cuidados a si mesmos.

nu·ta·tion (noo-ta'shun) – nutação; ato de inclinar a cabeça, especialmente a inclinação involuntária.

nu·tri·ent (noo'tre-int) – nutriente: 1. alimentação; proporcionar nutrição; 2. substância nutritiva ou componente alimentar.

nu·tri·ment (noo'trĭ -mint) – nutrimento; alimentação; material nutritivo; alimento.

nu·tri·tion (noo-trish'in) – nutrição: 1. soma dos processos envolvidos no consumo de nutrimentos e assimilação e utilização dos mesmos. 2. nutrimento. **nutri'tional** – adj. nutricional. **total parenteral n. (TPN)** – n. parenteral total; administração endovenosa, através de um cateter venoso central, de nutrientes totais requeridos por um paciente com disfunção gastrointestinal.

nu·tri·tious (noo-trish'us) – nutritivo; que proporciona nutrição.

nu·tri·tive (noo'trĭ -tiv) – nutritivo; relativo ou que promove nutrição.

nu·tri·ture (-cher) – estado de nutrição; estado ou condição do corpo com relação à nutrição.

nyc·ta·lo·pia (nik"tah-lo'pe-ah) – nictalopia: 1. cegueira noturna; 2. em francês (e incorretamente em inglês), cegueira diurna.

nyct(o)- [Gr.] – nict(o)-, elemento de palavra, *noite; escuridão.*

nyc·to·hem·er·al (nik"to-hem'er-il) – nictero-hemeral; nictêmero; relativo tanto ao dia como à noite.

nyc·to·phil·ia (-fil'e-ah) – nictofilia; preferência pela escuridão ou pela noite.

nyl·i·drin (nil'ĭ -drin) – nilidrina; adrenérgico sintético utilizado em forma de sal de cloridrato como vasodilatador periférico.

nymph (nimf) – ninfa; estágio de desenvolvimento em determinados artrópodos, por exemplo, carrapatos, entre a forma larval e o adulto e que se assemelha ao último em aparência.

nym·pha (nim'fah) [L.] pl. *nymphae* – ninfa; lábio menor pudendo.

nymph(o)- [Gr.] – ninf(o)-, elemento de palavra, *ninfas* (lábios menores).

nym·phec·to·my (nim-fek'tah-me) – ninfectomia; excisão das ninfas (lábios menores).

nym·phi·tis (nim-fī t'is) – ninfite; inflamação das ninfas (lábios menores).

nym·pho·ma·nia (nim"fo-ma'ne-ah) – ninfomania; desejo sexual exagerado em uma mulher.

nym·phon·cus (nim-fong'kis) – ninfoncose; edema das ninfas (lábios menores).

nym·phot·o·my (nim-fot'ah-me) – ninfotomia; incisão cirúrgica das ninfas (lábios menores) ou do clitóris.

nys·tag·mi·form (nis-tag'mĭ -form) – nistagmiforme; nistagmóide.

nys·tag·mo·graph (nis-tag'mah-graf) – nistagmógrafo; instrumento para registrar os movimentos do globo ocular em caso de nistagmo.

nys·tag·moid (nis-tag'moid) – nistagmóide; semelhante ao nistagmo.

nys·tag·mus (nis-tag'mus) – nistagmo; movimento rápido involuntário (horizontal, vertical, rotatório ou misto, ou seja, de dois tipos) do globo ocular. **nystag'mic** – adj. nistágmico. **aural n.** – n. aural; n. vestibular. **caloric n.** – n. calórico; sintoma de Bárány. **Cheyne's n., Cheyne-Stokes n.** – n. de Cheyne; n. de Cheyne-Stokes; movimento ocular rítmico peculiar. **dissociated n.** – n. dissociado; nistagmo no qual os movimentos nos dois olhos não são semelhantes. **end-position n.** – n. de posição terminal; n. saltitante; nistagmo que ocorre em indivíduos normais somente nos extremos do campo de fixação. **fixation n.** – n. de fixação; nistagmo que ocorre somente ao se olhar fixamente um objeto. **gaze n.** – n. do olhar; nistagmo que se torna aparente ao se olhar para a direita ou esquerda. **gaze paretic n.** – n. parético do olhar; forma de nistagmo do olhar observada em pacientes que se recuperam de lesões no sistema nervoso central; os olhos não conseguem ficar fixos no lado afetado por lesão cerebral ou pontina. **labyrinthine n.** – n. labiríntico; n. vestibular. **latent n.** – n. latente; nistagmo que ocorre somente quando se cobre um olho. **lateral n.** – n. lateral; movimento horizontal involuntário dos olhos. **opticokinetic n., optokinetic n.** – n. opticocinético; optocinético; nistagmo normal que ocorre quando se olham objetos que passam pelo campo visual, como no caso de se ver algo de dentro de veículo em movimento. **pendular n.** – n. pendular; nistagmo que consiste de movimentos de um lado para outro em velocidade equivalente. **positional n.** – n. posicional; nistagmo que ocorre ou se altera em forma ou intensidade ao assumir-se determinadas posições da cabeça. **retraction n., n. retractorius** – n. de retração; movimento espasmódico retrógrado do globo ocular, que ocorre em tentativas de mover o olho; um sinal de doença do cérebro médio. **rotatory n.** – n. rotatório; rotação involuntária dos olhos ao redor do eixo visual. **spontaneous n.** – n. espontâneo; nistagmo que ocorre sem estímulo específico do sistema vestibular. **undulatory n.** – n. ondulatório; n. pendular. **vertical n.** – n. vertical; movimento involuntário dos olhos para cima e para baixo. **vestibular n.** – n. vestibular; nistagmo devido a um distúrbio do sistema vestibular; os movimentos oculares são rítmicos, com componentes lentos e rápidos.

nys·ta·tin (nis'tah-tin) – nistatina; antifúngico produzido pelo crescimento do *Streptomyces noursei*, utilizado no tratamento de infecções causadas pela *Candida albicans*.

nyx·is (nik'sis) – puntura; punção ou paracentese.

O

O – oxygen (*oxigênio*).
O. [L.] – *oculus* (olho).
o- – ortho-, (orto-).
Ω – ohm.
ω – ômega, a vigésima quarta letra do alfabeto grego. (1) o átomo de carbono mais distante do grupo funcional principal em uma molécula. (2) último em uma série de entidades ou compostos químicos relacionados.
OA – ocular albinism (AO, albinismo ocular).
OB – obstetrics (Obstetrícia).
obes·i·ty (o-bēs'it-e) – obesidade; corpulência; adiposidade; aumento no peso corporal além da limitação das exigências esqueléticas e físicas, como o resultado de acúmulo excessivo de gordura corporal. **obese'** – adj. obeso. **adult-onset o.** – o. de início na idade adulta; obesidade que começa na idade adulta e se caracteriza por aumento no tamanho (hipertrofia) das células adiposas sem nenhum aumento no número. **lifelong o.** – o. vitalícia; obesidade que começa na infância e se caracteriza por aumento tanto no número (hiperplasia) como no tamanho (hipertrofia) das células adiposas. **morbid o.** – o. mórbida; a condição de pesar duas ou mais vezes o peso ideal; assim chamada por se associar a muitos distúrbios sérios e ameaçadores da vida.

obex (o'beks) – óbex; óbice; junção revestida de epêndima das tênias do quarto ventrículo do cérebro no ângulo inferior.

ob·jec·tive (ob-jek'tiv) – objetivo: 1. perceptível pelos sentidos externos; 2. um resultado para cuja consecução se fazem esforços; 3. objetiva, lente ou sistema de lentes de um microscópio (ou telescópio) mais próximos do objeto que esteja sendo examinado.

ob·li·gate (ob'lĭ -gāt) [L.] – obrigatório; relativo ou caracterizado pela capacidade de sobreviver somente em um ambiente particular ou de assumir apenas um papel particular, como um anaeróbio obrigatório.

obliq·ui·ty (ob-lik'wit-e) – obliqüidade; estado de estar inclinado ou em posição oblíqua. **Litzmann's o.** – o. de Litzmann; inclinação da cabeça fetal de forma que o osso parietal posterior se apresente no canal de nascimento. **Nägele's o.** – o. de Nägele; apresentação do osso parietal anterior no canal de nascimento, com diâmetro biparietal ficando oblíquo com relação à borda de pelve.

oblit·er·a·tion (ob-lit''er-a'shun) – obliteração; remoção completa por meio de uma doença, degeneração, procedimento cirúrgico, irradiação etc.

ob·lon·ga·ta (ob-long-gah'tah) – oblonga; medula oblonga. **oblonga'tal** – adj. oblongado.

ob·ses·sion (ob-sesh'un) – obsessão; idéia ou impulsos indesejáveis persistentes que não podem ser eliminados pela razão. **obses'sive** – adj. obsessivo.

ob·ses·sive-com·pul·sive (ob-ses'iv-kom-pul'siv) – obsessivo-compulsivo; marcado pela compulsão a realizar determinados atos repetitivos ou rituais.

ob·ste·tri·cian (ob"stĕ-trish'in) – obstetra; pessoa que pratica a obstetrícia.

ob·stet·rics (ob-stet'riks) – Obstetrícia; ramo da Medicina que se ocupa da gravidez, parto e puerpério. **obstet'ric, obstet'rical** – adj. obstétrico.

ob·sti·pa·tion (ob"stĭ-pa'shun) – obstipação; constipação intratável.

ob·tund (ob-tund') – obtundir; tornar sem fio, cego ou menos agudo, ou embotar, reduzir o alerta.

ob·tun·da·tion (ob-tun-da'shun) – embotamento; perturbação da consciência.

ob·tun·dent (ob-tun'dent) – obtundente; embotante: 1. que tem o poder de suavizar a dor; 2. que causa embotamento; 3. remédio suavizante ou parcialmente anestésico.

ob·tu·ra·tor (ob'tu-rāt"er) – obturador; disco ou placa (natural ou artificial) que fecha uma abertura.

ob·tu·sion (ob-too'zhun) – obtusão; enfraquecimento ou embotamento da sensibilidade.

OCA – oculocutaneous albinism (AOC, albinismo oculocutâneo).

oc·cip·i·tal·iza·tion (ok-sip"ĭ-tal-ĭ-za'shun) – occipitalização; sinostose entre o atlas e o osso occipital.

oc·cip·i·to·cer·vi·cal (ok-sip"it-o-serv'ik'l) – occipitocervical; relativo ao occipúcio e ao pescoço.

oc·cip·i·to·fron·tal (-fron't'l) – occipitofrontal; relativo ao osso occipital e à face.

oc·cip·i·to·mas·toid (-mas'toid) – occipitomastóide; relativo ao osso occipital e ao processo mastóide.

oc·cip·i·to·men·tal (-men't'l) – occipitomentoniano; relativo ao occipúcio e ao queixo.

oc·cip·i·to·pa·ri·e·tal (-pah-ri'ĭt'l) – occipitoparietal; relativo aos ossos occipital e parietal ou aos lobos do cérebro.

oc·cip·i·to·tem·po·ral (-tem'per-il) – occipitotemporal; relativo aos ossos occipital e temporal.

oc·cip·i·to·tha·lam·ic (-thah-lam'ik) – occipitotalâmico; relativo ao lobo occipital e ao tálamo.

oc·ci·put (ok'si-put) – occipúcio; parte dorsal da cabeça. **occip'ital** – adj. occipital.

oc·clude (ŏ-klōōd') – ocluir; unir; fechar firmemente; obstruir ou encerrar.

oc·clu·sal (ŏ-kloo'z'l) – oclusal; relativo ao fechamento; aplicado às superfícies mastigatórias dos dentes pré-molares e molares.

oc·clu·sion (ŏ-kloo'shun) – oclusão: 1. ato de fechar ou estado de ser fechado; obstrução ou fechamento; 2. relação dos dentes de ambos os maxilares quando em contato funcional durante a atividade da mandíbula. **abnormal o.** – o. anormal; má-oclusão. **balanced o.** – o. equilibrada; articulação balanceada; oclusão na qual o contato dos dentes se encontra em uma relação funcional harmoniosa. **centric o.** – o. cêntrica; oclusão dos dentes quando o maxilar inferior se encontra em relação cêntrica com o maxilar superior, com

contato de superfície oclusal completo dos dentes superiores e inferiores na oclusão habitual. **coronary o.** – o. coronária; obstrução completa de uma artéria do coração. **eccentric o.** – o. excêntrica; oclusão dos dentes quando o maxilar inferior moveu-se da posição cêntrica. **habitual o.** – o. habitual; relação compatível entre os dentes do maxilar superior e os do maxilar inferior quando os dentes são colocados em contato máximo. **lateral o.** – o. lateral; oclusão dos dentes quando o maxilar inferior se move para a direita ou para a esquerda da oclusão cêntrica. **lingual o.** – o. lingual; má-oclusão na qual o dente se encontra lingualmente à linha da arcada dentária normal. **mesial o.** – o. mesial; posição de um dente inferior quando ele se articula mesialmente ao seu oposto no maxilar superior. **normal o.** – o. normal; contato dos dentes superiores e inferiores na relação cêntrica. **protrusive o.** – o. protrusa; anteroclusão. **retrusive o.** – o. retrusiva; distoclusão.

oc·clu·sive (ŏ-kloo'siv) – oclusivo; relativo ou que efetua oclusão.

oc·cult (ŏ-kult') – oculto; obscuro ou escondido da visão.

ocel·lus (ŏ-sel'us) [L.] – ocelo: 1. pequeno olho simples nos insetos e outros invertebrados; 2. uma das facetas de um olho composto dos insetos; 3. mancha de cor arredondada e semelhante a um olho.

ochrom·e·ter (ŏ-krom'ĭt-er) – ocrômetro; instrumento para medir a pressão sangüínea capilar.

ochro·no·sis (o"kron-o'sis) – ocronose; deposição de pigmento escuro nos tecidos corporais, geralmente secundário à alcaptonúria, caracterizado por urina que escurece em repouso e descoloração escurecida das escleras e orelhas. **ochronot'ic** – adj. ocronótico.

octa- [Gr., L.] – octa-, elemento de palavra, oito.

oc·to·pam·ine (ok"to-pam'ēn) – octopamina; amina simpatomimética que se acredita resulte da incapacidade do fígado doente metabolizar a tirosina; é chamada de falso neurotransmissor, já que pode ser armazenada em vesículas pré-sinápticas, substituindo a noradrenalina, mas tendo pouco efeito nos receptores pós-sinápticos.

oc·tre·o·tide (ok-tre'o-tīd) – octreotida; análogo sintético da somatostatina, utilizado como éster de acetato no tratamento paliativo dos sintomas dos tumores endócrinos gastrointestinais e dos tumores pancreáticos e no tratamento da acromegalia.

oc·u·lar (ok'u-ler) – ocular; oftálmico: 1. relativo ao olho; 2. peça ocular.

oc·u·list (oku-list) – oculista; oftalmologista (*ophtalmologist*).

ocul(o)- [L.] – oculo-, ocul(o)-, elemento de palavra, olho.

oc·u·lo·cu·ta·ne·ous (ok"u-lo-ku-ta'ne-us) – oculocutâneo; relativo ou que afeta os olhos e a pele.

oc·u·lo·fa·cial (-fa'shil) – oculofacial; relativo aos olhos ou à face.

oc·u·lo·gy·ra·tion (-ji-ra'shun) – oculogiração; movimento do olho ao redor do eixo ântero-posterior. **oculogy'ric** – adj. oculogírico.

oc·u·lo·man·dib·u·lo·dys·ceph·a·ly (-man-dib"-u-lo-dis-sef'ah-le) oculomandibulodiscefalia; má-formação do crânio e dos ossos faciais com anormalidades ópticas.

MNO

oc·u·lo·mo·tor (-mōt'er) – oculomotor; relativo ou que afeta os movimentos oculares.

oc·u·lo·my·co·sis (-mi-ko'sis) – oculomicose; qualquer doença fúngica do olho.

oc·u·lo·na·sal (-na'z'l) – oculonasal; relativo ao olho e nariz.

oc·u·lo·pu·pil·lary (-pu'pil-ĕ"re) – oculopupilar; relativo à pupila do olho.

oc·u·lo·zy·go·mat·ic (-zi"go-mat'ik) – oculozigomático; relativo ao olho e zigoma.

oc·u·lus (ok'u-lus) [L.] pl. oculi – olho (eye).

OD – Doctor of Optometry (Doutor em Optometria); [L.] oculus dexter (olho direito); overdose (overdose; superdose).

odon·tal·gia (o"don-tal'jah) – odontalgia; dor de dente.

odon·tec·to·my (o"don-tek'tah-me) – odontectomia; excisão de um dente.

odon·tic (o-don'tik) – odôntico; relativo aos dentes.

odont(o)- [Gr.] – odont(o)-, elemento de palavra, dente.

odon·to·blast (o-don'to-blast) – odontoblasto; uma das células de tecido conjuntivo que depositam a dentina e formam a superfície externa da polpa dentária.

odon·to·blas·to·ma (o-don"to-blas-to'mah) – odontoblastoma; tumor constituído de odontoblastos.

odon·to·clast (o-don'to-klast) – odontoclasto; osteoclasto associado à absorção das raízes dos dentes decíduos.

odon·to·gen·e·sis (o-don"to-jen'ĭ -sis) – odontogênese; origem e histogênese dos dentes. **odontogenet'ic** – adj. odontogenético. **o. imperfec'ta** – o. imperfeita, dentinogênese imperfeita.

odon·to·gen·ic (-jen'ik) – odontogênico: 1. que forma os dentes; 2. que surge nos tecidos que dão origem aos dentes.

odon·toid (o-don'toid) – odontóide; semelhante a um dente.

odon·tol·o·gy (o"don-tol'ah-je) – odontologia; estudo científico dos dentes.

odon·tol·y·sis (o"don-tol'ĭ -sis) – odontólise; a reabsorção do tecido dentário.

odon·to·ma (o"don-to'mah) – odontoma; qualquer tumor odontogênico, especialmente um odontoma composto. **composite o.** – o. composto; odontoma que consiste tanto de esmalte como de dentina em um padrão anormal. **radicular o.** – o. radicular; odontoma associado à raiz dentária ou formado enquanto a raiz se desenvolve.

odon·top·a·thy (o"don-top'ah-the) – odontopatia; qualquer doença dos dentes. **odontopath'ic** – adj. odontopático.

odon·tot·o·my (o"don-tot'ah-me) – odontotomia; incisão de um dente.

odor (o'der) – odor; aroma; cheiro; emanação volátil percebida pelo sentido do olfato.

odor·ant (o'der-int) – odorante; qualquer substância capaz de estimular o sentido do olfato.

-odynia [Gr.] – -odinia, elemento de palavra, dor.

odyn·om·e·ter (o"din-om'ĕ-ter) – odinômetro; algesímetro (algesimeter).

od·y·no·pha·gia (o-din"o-fa'jah) – odinofagia; deglutição dolorosa de alimentos.

oe- – ver também as palavras que começam com e.

oesoph·a·go·sto·mi·a·sis (e-sof"ah-go-sto-mi'ah-sis) – esofagostomíase; infecção por Oesophagostomum.

Oesoph·a·gos·to·mum (e-sof"ah-gos'to-mum) – Oesophagostomum; gênero de vermes nematódeos encontrados nos intestinos de vários animais.

Oes·trus (es'trus) – Oestrus; gênero de moscas do berne que inclui a O. ovis, espécie cujas larvas podem infestar as cavidades e os seios nasais dos ovinos e podem causar miíase ocular no homem.

of·fi·cial (o-fi'shal) – oficial; autorizado pelas farmacopéias e formulários reconhecidos.

of·fic·i·nal (o-fis'ĭ -nal) – oficinal; regularmente mantido para a venda em farmácias.

oflox·a·cin (o-flok'sah-sin) – ofloxacina; agente antibacteriano eficaz contra grande variedade de microrganismos Gram-negativos.

ohm (ōm) – ohm; unidade SI de resistência elétrica, correspondendo à resistência elétrica de um resistor no qual se produz uma corrente de 1 ampère por meio de diferença de potencial de 1 volt. Símbolo w.

ohm·me·ter (ōm'mĕt-er) – ôhmetro; instrumento que mede a resistência elétrica em ohms.

OI – osteogenesis imperfecta (osteogênese imperfeita).

-oid [Gr.] – -óide, elemento de palavra, semelhante.

oil (oil) – óleo: 1. substância combustível e untuosa que se torna líquida ou se liquefaz facilmente com aquecimento, solúvel em éter mas não em água. Os óleos podem ter origem animal, vegetal ou mineral e serem voláteis ou não-voláteis (fixos). Utilizam-se vários óleos como agentes aromatizantes ou preparações farmacêuticas; 2. gordura que se torna líquida à temperatura ambiente. **canola o.** – o. de canola; óleo de colza; especificamente o óleo preparado a partir da colza cultivada de modo a ser pobre em ácido erúcico. **castor o.** – o. de rícino; óleo fixo obtido a partir da semente da Ricinus communis; utilizado como catártico e plasticizante para produtos farmacêuticos e também tem sido utilizado como emoliente suave para a pele em caso de determinadas dermatoses. **clove o.** – o. de cravo; óleo volátil proveniente de cravos (botões secos da Syzygium aromaticum); utilizado como analgésico dentário tópico, agente aromatizante, germicida e contra-irritante. **cod liver o.** – o. de fígado de bacalhau; óleo fixo submetido previamente à extinção parcial de estearina, proveniente de fígados frescos de Gadus morrhua e de outro peixe da família Gadidae; utilizado como fonte de vitaminas A e D. **cod liver o., nondestearinated** – o. de fígado de bacalhau não-submetido à extinção de estearina; óleo fixo completo proveniente de fígados frescos da Gadus morrhua e outros peixes da família Gadidae; utilizado como fonte de vitaminas A e D. **corn o.** – o. de milho; óleo fixo refinado obtido a partir do embrião da Zea mays; utilizado como solvente e veículo para vários agentes medicinais e como veículo para injeções. Também é promovido como fonte de ácidos graxos poliinsaturados em dietas especiais. **cottonseed o.** – o. de caroço de algodão; óleo fixo refinado proveniente das sementes de plantas cultivadas da *Gossypium herbaceum*; utilizado como solvente e veículo para drogas e como emoliente, laxante e agente despiolhante em Medicina Veterinária. **essential o., ethereal o.** – o. essencial; o. etéreo; o. volátil. **ethiodized o.** – o. etiodado; produto da adição de iodo ao éster etílico dos ácidos graxos do óleo de semente de papoula; utilizado como meio radiopaco na histerossalpingografia e na linfografia. **eucalyptus o.** – o. de eucalipto; óleo volátil proveniente da folha fresca das espécies de *Eucaliptus*; utilizado como agente aromatizante para drogas, bem como expectorante e anti-séptico local com um efeito anestésico suave. **expressed o., fatty o.** – o. expresso; o. graxo; o. fixo. **fixed o.** – o. fixo; óleo não-volátil, ou seja, um óleo que não evapora com o aquecimento; tais óleos consistem de uma mistura de ácidos graxos e seus ésteres e são classificados como sólidos, semi-sólidos e líquidos ou como ressecantes, semi-ressecantes e não-ressecantes em função de sua tendência em se solidificar com a exposição ao ar. **flaxseed o.** – o. de linhaça. **iodized o.** – o. iodado; produto da adição de iodo a um óleo vegetal; utilizado como meio de contraste na histerossalpingografia. **mineral o.** – o. mineral; mistura de hidrocarbonetos líquidos provenientes do petróleo; utilizado como agente pulverizante, laxante lubrificante e veículo de drogas. **mineral o., light** – o. mineral leve; mistura de hidrocarbonetos provenientes da vaselina; utilizado como veículo de drogas e laxante. **olive o.** – o. de oliva; um óleo fixo obtido a partir do fruto maduro (azeitona) da *Olea europaea*; utilizado como retardador do endurecimento do cimento dentário, emoliente tópico, sendo também utilizado como laxante. **peanut o.** – o. de amendoim; óleo fixo refinado proveniente das sementes e variedades cultivadas da *Arachis hypogaea*; utilizado como solvente e veículo para drogas, e também como laxante em Medicina Veterinária. **peppermint o.** – o. de hortelã; óleo volátil proveniente das partes superficiais frescas da planta florescente da *Mentha piperita*; utilizado como agente aromatizante para drogas e como estimulante gástrico e carminativo. **persic o.** – o. pérsico; óleo extraído das sementes de variedades da *Prunus armeniaca* (abricó) ou da *P. persica* (pêssego); utilizado como veículo de medicamentos. **rapeseed o.** – o. de colza; óleo extraído a partir das sementes da planta da colza; utilizado na fabricação de sabões, margarinas e lubrificantes. Ver também *canola o.* **sesame o.** – o. de gergelim; óleo fixo e refinado proveniente das sementes das variedades cultivadas da *Sesamum indicum*; utilizado como solvente e veículo para drogas. **volatile o.** – o. volátil; óleo que se evapora facilmente e ocorre em plantas aromáticas; a maioria corresponde a uma mistura de dois ou mais terpenos.

oint·ment (oint'ment) – ungüento; bálsamo; pomada; preparação semi-sólida para aplicação externa no corpo, geralmente contendo uma substância medicinal. **hydrophilic o.** – ungüento hidrofílico; emulsão de água em óleo que consiste de metilparabeno, propilparabeno, sulfato laurílico de sódio, propilenoglicol, álcool esteárílico, vaselina branca e água purificada; utilizada como base de pomada. **rose water o.** – bálsamo de água de rosas; preparação de espermacete, cera branca, óleo de amêndoa, borato de sódio, água de rosas forte, água purificada e óleo de rosas; utilizada como emoliente e base de pomada. **white o.** – pomada branca; base de pomada oleaginosa preparada a partir da cera branca e vaselina branca. **yellow o.** – pomada amarela; mistura de cera amarela e vaselina; utilizada como base de pomada.

OL [L.] – *oculus laevus* (olho esquerdo).

-ol – -ol, sufixo que indica um álcool ou fenol.

ol·amine (ol'ah-mēn) – olamina; contração da USAN para a etanolamina.

ole·ag·i·nous (o"le-aj'ĭ-nus) – oleaginoso; oleoso; graxo.

ole·ate (o'le-āt) – oleato: 1. sal, éster ou ânion do ácido oléico; 2. solução de uma substância de ácido oléico, utilizada como ungüento.

olec·ra·nar·thri·tis (o-lek"ran-ahr-thri'tis) – olecranartrite; inflamação da articulação do cotovelo.

olec·ra·nar·throp·a·thy (-ahr-throp'ah-the) – olecranartropatia; doença da articulação do cotovelo.

olec·ra·non (o-lek'rah-non) – olecrânio; olécrano; projeção óssea da ulna no cotovelo. **olec'ranal** – adj. olecraniano.

ole·ic ac·id (o-le'ik) – ácido oléico; ácido graxo de 18 carbonos monoinsaturado, encontrado na maioria das gorduras animais e óleos vegetais; utilizado em farmacologia como agente emulsificador e para ajudar na absorção de algumas drogas pela pele.

ole·in (o'le-in) – oleína; triglicerídeo formado a partir do ácido oléico, ocorrendo na maioria das gorduras e óleos.

ole(o)- [L.] – ole(o)-, elemento de palavra, *óleo*.

oleo·res·in (o"le-o-rez'in) – oleorresina: 1. composto de uma resina e um óleo volátil, como o que exsuda dos pinheiros etc; 2. composto extraído de uma droga por meio de percolação com um solvente volátil (como acetona, álcool ou éter) e evaporação do solvente.

oleo·vi·ta·min (o"le-o-vi't'ah-min) – oleovitamina; uma preparação de óleo de fígado de bacalhau ou um óleo vegetal comestível que contenha uma ou mais vitaminas lipossolúveis ou seus derivados.

ole·um (o'le-um) [L.] pl. *olea* – óleo (*oil*).

ol·fact (ol'fakt) – olfato; olfatia; unidade de odor, odor mínimo perceptível, correspondendo à concentração mínima de uma substância em solução que pode ser percebida por um grande número de indivíduos normais; expresso em gramas por litro.

ol·fac·tion (ol-fak'shun) – olfação: 1. capacidade de perceber e distinguir odores; 2. o ato de perceber e distinguir odores.

ol·fac·tol·o·gy (ol"fak-tol'ah-je) – Olfatologia; ciência do sentido do olfato.

ol·fac·tom·e·ter (ol"fak-tom'it-er) – olfatômetro; instrumento para testar o sentido do olfato.

ol·fac·to·ry (ol-fak'ter-e) – olfatório; relativo ao sentido do olfato.

MNU

ol·i·ge·mia (ol"ĭ-gēm'e-ah) – oligemia; oligoemia; deficiência no volume de sangue. **olige'mic** – adj. oligêmico.

olig(o)- [Gr.] – olig(o)-, elemento de palavra, *pouco; pequeno; escasso.*

ol·i·go·chro·me·mia (ol"ĭ-go-kro-mēm'e-ah) – oligočrŏmĕmia; deficiência de hemoglobina no sangue.

ol·i·go·cys·tic (-sis'tik) – oligocístico; que contém poucos cistos.

ol·i·go·dac·ty·ly (-dak'tĭ-le) – oligodactilia; ausência congênita de um ou mais dedos.

ol·i·go·den·dro·cyte (-den'dro-sīt) – oligodendrócito; célula da oligodendróglia.

ol·i·go·den·drog·lia (-den-drog'le-ah) – oligodendróglia: 1. células não-nervosas de origem ectodérmica que fazem parte da estrutura adventícia (neuróglia) do sistema nervoso central; 2. tecido composto de tais células.

ol·i·go·den·dro·gli·o·ma (-den"dro-gli-o'mah) – oligodendroglioma; neoplasia derivada composta de oligodendrócitos em estágios variáveis de diferenciação.

ol·i·go·dip·sia (-dip'se-ah) – oligodipsia; hipodipsia (*hypodipsia*).

ol·i·go·don·tia (-don'she-ah) – oligodontia; presença de um número de dentes menor que o normal.

ol·i·go·ga·lac·tia (-gah'lak'she-ah) – oligogalactia; secreção deficiente de leite.

ol·i·go·hy·dram·ni·os (-hi-dram'ne-os) – oligoidrâmnio; oligo-hidrâmnio; deficiência na quantidade de líquido amniótico.

ol·i·go·hy·dru·ria (-hi-drōōr'e-ah) – oligoidrúria; concentração anormalmente alta de urina.

ol·i·go·meg·a·ne·phro·nia (-meg"ah-nĕ-fro'ne-ah) – oligomeganefronia; hipoplasia renal congênita na qual ocorre redução no número de lobos e no número total de néfrons e hipertrofia dos néfrons. **oligomeganephron'ic** – adj. oligomeganefrônico.

ol·i·go·men·or·rhea (-men"o-re'ah) – oligomenorréia; menstruação anormalmente infreqüente.

ol·i·go·mer (ol'ĭ-go-mer) – oligômero; polímero formado pela combinação de relativamente poucos monômeros.

ol·i·go·nu·cle·o·tide (ol"ĭ-go-noo'kle-o-tīd) – oligonucleotídeo; polímero constituído de alguns nucleotídeos (2-20).

ol·i·go·phos·pha·tu·ria (-fos"fah-tur'e-ah) – oligofosfatúria; deficiência de fosfatos na urina.

ol·i·go·sac·cha·ride (-sak'ah-rīd) – oligossacarídeo; carboidrato que, na hidrólise, produz um número pequeno de monossacarídeos.

ol·i·go·sper·mia (-sperm'e-ah) – oligospermia; deficiência de espermatozóides no sêmen.

ol·i·go·syn·ap·tic (-sin-ap'tik) – oligossináptico; que envolve algumas sinapses em série e portanto uma seqüência de somente alguns neurônios.

ol·i·go·tro·phia (-tro'fe-ah) – oligotrofia; estado de má-nutrição (nutrição insuficiente).

ol·i·got·ro·phy (ol"ĭ-got'ro-fe) – oligotrofia; ver *oligotrophia.*

ol·i·go·zo·o·sper·mia (ol"ĭ-go-zo"o-sper'me-ah) – oligozoospermia; oligospermia.

ol·i·gu·ria (ol"ĭ-gu're-ah) – oligúria; redução da secreção de urina com relação ao consumo de líquidos. **olig'uric** – adj. oligúrico.

oli·va (o-li-vah) [L.] pl. *olivae* – oliva; ver *olive* (2).

ol·i·vary (ol'ĭ-var"e) – olivar; com forma semelhante à da azeitona.

ol·ive (ol'iv) – oliveira: 1. árvore *Olea europaea* e seu fruto (oliva); 2. corpo olivar, elevação arredondada lateral à parte superior de cada pirâmide da medula oblonga.

ol·i·vif·u·gal (ol"ĭ-vif'u-gil) – olivífugo; que se move ou se afasta da oliva.

ol·i·vip·e·tal (ol"ĭ-vip'ĭ-t'l) – olivípeto; que se move ou se aproxima da oliva.

ol·i·vo·pon·to·cer·e·bel·lar (ol"ĭ-vo-pon"to-ser"-ĭ-bel'er) – olivopontocerebelar; relativo à oliva, pedúnculos médios e córtex cerebelar.

olo·pho·nia (ol"o-fo'ne-ah) – olofonia; fala defeituosa devido a órgãos vocais malformados.

ol·sal·a·zine (ol-sal'ah-zin) – olsalazina; derivado da mesalamina utilizado no tratamento da colite ulcerativa.

-oma [Gr.] – -oma, elemento de palavra, *tumor; neoplasia.*

oma·si·tis (o"mah-sīt'is) – omasite; inflamação do omaso.

oma·sum (o-ma'sum) – omaso; a terceira divisão do estômago de um animal ruminante.

omen·tec·to·my (o"men-tek'tah-me) – omentectomia; excisão de todo ou parte do omento.

omen·ti·tis (o"men-tīt'is) – omentite; inflamação do omento.

omen·to·pexy (o-men'to-pek"se) – omentopexia; fixação do omento, especialmente para estabelecer uma circulação colateral no caso de obstrução da circulação porta.

omen·tor·rha·phy (o"men-tor'ah-fe) – omentorrafia; sutura ou reparo do omento.

omen·tum (o-men'tum) [L.] pl. *omenta* – omento; dobra de peritônio que se estende do estômago até os órgãos abdominais adjacentes. **omen'tal** – adj. omental. **colic o., gastrocolic o.** – o. cólico; o. gastrocólico; o. maior. **gastrohepatic o.** – o. gastro-hepático; o. menor. **greater o.** – o. maior; dobra peritoneal suspensa a partir da curvatura maior do estômago e presa na superfície anterior do cólon transversal. **lesser o.** – o. menor; dobra peritoneal que reúne a curvatura menor do estômago e a primeira parte do duodeno com a porta hepática. **o. ma'jus** – o maior. **o. mi'nus** – o. menor.

omep·ra·zole (o-mep'rah-zōl) – omeprazol; um benzoimidazol substituído utilizado como inibidor da secreção de ácido gástrico no tratamento da doença de refluxo gastroesofágico sintomático.

Om·ni·pen (om'ni-pen) – Omnipen, marca registrada de preparações de ampicilina.

omo·cla·vic·u·lar (o"mo-klah-vik'ŭl-er) – omoclavicular; relativo ao ombro e à clavícula.

omo·hy·oid (-hi'oid) – omoióideo; omo-hióideo; relativo ao ombro e ao osso hióide.

om·pha·lec·to·my (om"fah-lek'tah-me) – onfalectomia; excisão do umbigo.

om·phal·el·co·sis (om"fal-el-ko'sis) – onfalelcose; ulceração do umbigo.

om·phal·ic (om-fal'ik) – onfálico; relativo ao umbigo.

om·pha·li·tis (om"fah-līt'is) – onfalite; inflamação do umbigo.

omphal(o)- [Gr.] – onfal(o)-, elemento de palavra, *umbigo.*

om·pha·lo·cele (om'fah-lo-sēl") – onfalocele; protrusão, ao nascimento, de parte do intestino através de defeito na parede abdominal do umbigo.

om·pha·lo·mes·en·ter·ic (om"fah-lo-mes"en-ter'ik) – onfalomesentérico; relativo ao umbigo e mesentério.

om·pha·lo·phle·bi·tis (-flē-bi'tis) – onfaloflebite: 1. inflamação das veias umbilicais; 2. afecção infecciosa caracterizada por lesões marcadamente supurativas do umbigo em animais jovens; ver *navel ill,* em *ill.*

om·pha·lor·rha·gia (-ra'jah) – onfalorragia; hemorragia do umbigo.

om·pha·lor·rhea (-re'ah) – onfalorréia; derrame de linfa no umbigo.

om·pha·lor·rhex·is (-rek'sis) – onfalorrexe; ruptura do umbigo.

om·pha·lo·site (om'fah-lo-sī t") – onfalósito; membro subdesenvolvido de gêmeos alantoideoangiópagos, reunido ao membro mais desenvolvido (autósito) através dos vasos do cordão umbilical.

om·pha·lot·o·my (om"fah-lot'ah-me) – onfalotomia; secção do cordão umbilical.

onan·ism (o'nah-nizm) – onanismo: 1. coito interrompido; 2. masturbação.

On·cho·cer·ca (ong"ko-ser'kah) – *Onchocerca;* gênero de parasitas nematódeos da superfamília Filarioidea, que inclui a *O. volvulus,* que causa infecção humana ao invadir a pele, tecidos subcutâneos e outros tecidos, produzindo nódulos fibrosos; ocorre cegueira após invasão ocular.

on·cho·cer·co·ma (-ser-ko'mah) – oncocercoma; um dos nódulos dérmicos ou subcutâneos que contêm a Onchocerca volvulus na oncocercose humana.

on·cho·cer·ci·a·sis (-ser-ki'ah-sis) – oncocercose; oncocercíase; infecção pelos nematódeos do gênero Onchocerca, caracterizada por oncocercomas, dermatite, áreas de leucodermia, linfadenite e lesões oculares.

onc(o)-¹ [Gr.] – onc(o)-¹, elemento de palavra, *tumor; tumefação; massa.*

onc(o)-² [Gr.] – onc(o)-², elemento de palavra, *barba; gancho.*

on·co·cyte (ong'ko-sī t") – oncócito; grande célula epitelial com citoplasma extremamente acidofílico e granular, contendo um vasto número de mitocôndrias; tais células podem sofrer transformação neoplásica. **oncocyt'ic** – adj. oncocítico.

on·co·cy·to·ma (ong"ko-si-to'mah) – oncocitoma: 1. adenoma geralmente benigno, composto de oncócitos com citoplasma granular e eosinofílico; 2. tumor de célula de Hürthle benigno. **renal o.** – o. renal; neoplasia benigna do rim, semelhante ao carcinoma de célula renal, mas encapsulado e não-invasivo.

on·co·cy·to·sis (-sis) – oncocitose; metaplasia de oncócitos.

on·co·fe·tal (-fe't'l) – oncofetal; carcinoembrionário.

on·co·gen·e·sis (-jen'ĭ-sis) – oncogênese; produção ou provocação de tumores. **oncogenet'ic** – adj. oncogenético.

on·co·gen·ic (-jen'ik) – oncogênico; que dá origem a tumores ou causa a formação de um tumor; diz-se especialmente de vírus indutores de tumores.

on·cog·e·nous (ong-koj'ĭ-nus) – oncogênico; que surge em um tumor ou origina-se dele.

on·col·o·gy (ong-kol'ah-je) – oncologia; soma de conhecimento com relação aos tumores; o estudo dos tumores.

on·col·y·sate (on-kol'ĭ-sāt) – oncolisado; qualquer agente que lise ou destrua células tumorais.

on·col·y·sis (ong-kol'i-sis) – oncólise; destruição ou dissolução de uma neoplasia. **oncolyt'ic** – adj. oncolítico.

on·co·sis (ong-ko'sis) – oncose; afecção mórbida marcada pelo desenvolvimento de tumores.

on·co·sphere (ong'ko-sfēr) – oncosfera; a larva da tênia, encerrada no interior do envoltório embrionário externo e munida de seis espículas.

on·co·ther·a·py (ong"ko-thē'rah-pe) – oncoterapia; tratamento de tumores.

on·cot·ic (ong-kot'ik) – oncótico: 1. relativo a tumefação; 2. ver em *pressure.*

on·cot·o·my (ong-kot'ah-me) – oncotomia; incisão de tumor ou tumefação.

on·co·trop·ic (ong"ko-trop'ik) – oncotrópico; que tem afinidade especial por células tumorais.

On·co·vin (ong'ko-vin) – Oncovin, marca registrada de preparação de sulfato de vincristina.

On·co·vi·ri·nae (ong"ko-vir-i'ne) – Oncovirinae; vírus do RNA tumorais; subfamília dos Retroviridae.

on·co·vi·rus (ong'ko-vi"rus) – oncovírus; um dos vírus do RNA da família Oncovirinae produtores de tumores.

on·dan·se·tron (on-dan'sĕ-tron) – ondansetron; antiemético utilizado em conjunto com a quimioterapia do câncer.

onei·ric (o-ni-rik) – onírico; relativo aos sonhos.

onei·rism (o-ni'rizm) – onirismo; estado de sonhar acordado.

oneir(o)- [Gr.] – onir(o)-, elemento de palavra, *sonho.*

on·lay (on'la) – aposto: 1. enxerto aplicado ou depositado na superfície de um órgão ou estrutura; 2. restauração de metal moldado que recobre as cúspides e reforça um dente restaurado.

on·o·mato·ma·nia (on"ah-mat"ah-ma'ne-ah) – onomatomania; distúrbio mental com relação a palavras ou nomes.

on·to·gen·e·sis (on"to-jen'ĭ-sis) – ontogênese; ontogenia.

on·tog·e·ny (on-toj'ĭ-ne) – ontogenia; história do desenvolvimento completo de um organismo individual. **ontogenet'ic, ontogen'ic** – adj. ontogênico.

ony·al·ai, ony·al·ia (o"ne-al'a-e; o"ne-a'le-ah) – akembe; kafindo; forma de púrpura trombocitopênica devida a distúrbio nutricional que acomete os negros na África.

on·y·cha·tro·phia (o-nik"ah-tro'fe-ah) – onicatrofia; atrofia de uma unha ou unhas.

on·y·chaux·is (on"ĭ-kawk'sis) – onicauxe; hipertrofia das unhas.

on·y·chec·to·my (on"ĭ-kek'tah-me) – oniquectomia; excisão de uma unha ou de um leito ungueal, ou das garras dos animais.

onych·ia (o-nik'e-ah) – oniquia; oniquite; inflamação do leito ungueal, resultando em perda da unha.

on·y·chi·tis (on"ĭ-kī't'is) – oniquite; oniquia; ver *onychia*.

onych(o)- [Gr.] – onic(o)-, elemento de palavra, *unhas*.

on·y·cho·cryp·to·sis (on"ĭ-ko-krip-to'sis) – onicocriptose; unha encravada.

on·y·cho·dys·tro·phy (-dis'trah-fe) – onicodistrofia; má-formação de uma unha.

on·y·cho·gen·ic (-jen'ik) – onicogênico; que produz a substância ungueal.

on·y·cho·graph (o-nik'o-graf) – onicógrafo; instrumento para observar e registrar o pulso e a circulação capilar ungueais.

on·y·cho·gry·pho·sis (on"ĭ-ko-grĭ-fo'sis) – onicogrifose; onicogripose; hipertrofia e curvatura das unhas; conferindo-lhes a aparência de garras.

on·y·cho·gry·po·sis (-grĭ-po'sis) – onicogripose; onicogrifose.

on·y·cho·het·ero·to·pia (-het"er-o-to'pe-ah) – onicoeterotopia; localização anormal das unhas.

on·y·chol·y·sis (on"ĭ-kol'ĭ-sis) – onicólise; afrouxamento ou separação de uma unha a partir de seu leito.

on·y·cho·ma·de·sis (on"ĭ-ko-mah-de'sis) – onicomadese; perda completa das unhas.

on·y·cho·ma·la·cia (-mah-la'shah) – onicomalacia; amolecimento da unha.

on·y·cho·my·co·sis (-mi-ko'sis) – onicomicose; tinha ungueal.

on·y·chop·a·thy (on"ĭ-kop'ah-the) – onicopatia; qualquer doença das unhas. **onychopath'ic** – adj. onicopático.

on·y·cho·pha·gia (on"ĭ-ko-fa'jah) – onicofagia; roer as unhas.

on·y·choph·a·gy (on"ĭ-kof'ah-je) – onicofagia; ver *onychophagia*.

on·y·chor·rhex·is (on"ĭ-ko-rek'sis) – onicorrexe; divisão ou quebra espontâneas das unhas.

on·y·cho·schi·zia (-skiz'e-ah) – onicosquizia; onicólise (*onycholysis*).

on·y·cho·sis (on"ĭ-ko'sis) – onicose; doença ou deformação de uma unha ou unhas.

on·y·cho·til·lo·ma·nia (on"ĭ-ko-til"o-ma'ne-ah) – onicotilomania; ato neurótico de roer ou quebrar unhas.

on·y·chot·o·my (on"ĭ-kot'ah-me) – onicotomia; incisão em uma unha da mão ou do pé.

on·yx (on'iks) – unha: 1. variedade de hipópio; 2. unha.

oo- [Gr.] – oo-, elemento de palavra, *ovo; óvulo*.

oo·blast (o'o-blast) – ooblasto; ovoblasto; célula primitiva a partir da qual se desenvolve finalmente o óvulo.

oo·cyst (-sist) – oocisto; ovocisto; oocineto encistado ou encapsulado na parede do estômago de um mosquito; também, o estágio análogo no desenvolvimento de um esporozoário.

oo·cyte (-sīt) – oócito; ovócito; óvulo imaturo; derivado da oogônia e é chamado de *o. primário* antes de completar a primeira divisão da maturação, e de *o. secundário* no período entre a primeira e a segunda divisões de maturação.

oog·a·my (o-og'ah-me) – oogamia: 1. fertilização de um grande óvulo imóvel por meio de um pequeno gameta masculino móvel ou espermatozóide, como se observa em determinadas algas; 2. conjugação de dois gametas diferentes; heterogamia. **oog'amous** – adj. oógamo.

oo·gen·e·sis (o"o-jen'ĕ-sis) – oogênese; ovogênese; ovigênese; processo de formação dos gametas femininos (óvulos). **oogenet'ic** – adj. oogenético.

oo·go·ni·um (-go'ne-um) [Gr.] pl. *oogonia* – oogônio; ovogônio; óvulo ovariano durante o desenvolvimento fetal; próximo ao momento do nascimento, ele se torna um oócito primário.

oo·ki·ne·sis (-ki-ne'sis) – oocinesia; ovocinesia; movimentos mitóticos de um óvulo durante a maturação e a fertilização.

oo·ki·nete (-ki-nĕt') – oocineto; ovocineto; a forma fertilizada do parasita malárico no corpo de um mosquito, formada através da fertilização de um macrogameta por um microgameta e que se desenvolve em oocisto.

oo·lem·ma (-le'mah) – oolema; ovolema; zona pelúcida; ver *zona pellucida* (1).

ooph·o·rec·to·my (o-of"ah-rek'tah-me) – ooforectomia; excisão de um ou ambos os ovários.

ooph·o·ri·tis (-rī't'is) – ooforite; ovarite; inflamação de um ovário.

oophor(o)- [Gr.] – oofor(o)-, elemento de palavra, *ovário*.

ooph·o·ro·cys·tec·to·my (o-of"ah-ro-sis-tek'-tah-me) – ooforocistectomia; excisão de um cisto ovariano.

ooph·o·ro·cys·to·sis (-sis-to'sis) – ooforocistose; formação de cistos ovarianos.

ooph·o·ro·hys·ter·ec·to·my (-his"ter-ek'tah-me) – oóforo-histerectomia; ovário-histerectomia; excisão dos ovários e do útero.

ooph·o·ron (o-oh'ah-ron) – oóforo; ovário.

ooph·o·ro·pexy (o-of"ah-ro-pek"se) – ooforopexia; ovariopexia.

ooph·o·ro·plas·ty (-plas"te) – ooforoplastia; reparo plástico de um ovário.

ooph·o·ros·to·my (o-of"ah-rost'ah-me) – ooforostomia; incisão de um cisto ovariano para fins de drenagem.

ooph·o·rot·o·my (o-of"ah-rot'ah-me) – ooforotomia; incisão de um ovário.

oo·plasm (o'o-plazm) – ooplasma; citoplasma de um óvulo.

oo·sperm (-sperm) – oosperma; óvulo fertilizado.

oo·tid (-tid) – oótide; célula produzida pela divisão meiótica de um oócito secundário, que se desenvolve no óvulo. Nos mamíferos, essa segunda divisão de maturação não se completa a menos que ocorra fertilização.

opac·i·fi·ca·tion (o-pah"sĭ'fĭ-ka'shun) – opacificação: 1. desenvolvimento de opacidade; 2. tornar opaco aos raios X um tecido ou órgão através da introdução de um meio de contraste.

opac·i·ty (o-pas'it-e) – opacidade: 1. condição de ficar opaco; 2. área opaca.

opal·es·cent (o"pah-les'int) – opalescente; que mostra iridescência leitosa, como a da opala.

opaque (o-pāk) – opaco; impenetrável a raios luminosos ou, por extensão, a raios X ou outra radiação eletromagnética.

open·ing (o'pin-ing) – abertura; orifício; óstio; ou espaço aberto. **aortic o.** – hiato aórtico: 1. abertura do ventrículo no interior da aorta; 2. abertura no diafragma para a passagem da aorta descendente. **cardiac o.** – óstio cardíaco; abertura a partir do esôfago no interior do estômago. **pyloric o.** – óstio pilórico; abertura entre o estômago e o duodeno. **saphenous o.** – hiato safeno; ver em *hiatus*.

op·er·a·ble (op'er-ah-b'l) – operável; sujeito a ser operado com um grau razoável de segurança; apropriado para remoção cirúrgica.

op·er·ant (op'er-ant) – operante; em Psicologia, uma resposta não-disparada por estímulos externos específicos, mas se repete com certa freqüência em um conjunto particular de circunstâncias.

op·er·a·tion (op"er-a'shun) – operação: 1. qualquer ação realizada com instrumentos ou pelas mãos de um cirurgião; procedimento cirúrgico; 2. efeito produzido por um agente terapêutico. **op'erative** – adj. operatório. **Albee's o.** – o. de Albee; operação para ancilose do quadril. **Babcock's o.** – o. de Babcock; técnica de erradicação de veias varicosas através da extirpação da veia safena. **Bassini's o.** – o. de Bassini; reparo plástico de hérnia inguinal. **Beer's o.** – o. de Beer; método de operação plástica para catarata. **Belsey Mark IV o.** – o. de Belsey do Tipo IV; operação para refluxo gastroesofágico, realizada através de incisão torácica; enrola-se o fundo em 270° ao redor da circunferência do esôfago, deixando sua parede posterior livre. **Billroth's o.** – o. de Billroth; ressecção parcial do estômago com anastomose com o duodeno (Billroth I) ou jejuno (Billroth II). **Blalock-Taussig o.** – o. de Blalock-Taussig; anastomose lado a lado da artéria subclávia esquerda com a artéria pulmonar esquerda para desviar parte da circulação sistêmica para a circulação pulmonar; realizada como tratamento paliativo da tetralogia de Fallot ou outras anomalias congênitas associadas a fluxo arterial pulmonar insuficiente. **Bricker's o.** – o. de Bricker; criação cirúrgica de canal ileal para a coleta de urina. **Browne o.** – o. de Browne; uretroplastia para o reparo de hipospadia, na qual se deixa uma faixa de epitélio intacta na superfície ventral do pênis para formar o teto da uretra, e se forma o assoalho da uretra através de epitelização das margens do ferimento laterais. **Brunschwig's o.** – o. de Brunschwig; pancreatoduodenectomia realizada em dois estágios. **Caldwell-Luc o.** – o. de Caldwell-Luc; sinusotomia maxilar radical. **Cotte's o.** – o. de Cotte; remoção do nervo pré-sacral. **Daviel's o.** – o. de Daviel; extração de catarata através de incisão corneana sem cortar a íris. **Dührssen's o.** – o. de Dührssen; fixação vaginal do útero. **Dupuy-Dutemps o.** – o. de Dupuy-Dutemps; blefaroplastia da pálpebra inferior com um tecido proveniente da pálpebra superior. **Elliot's o.** – o. de Elliot; esclerectomia por meio de trépano. **equilibrating o.** – o. equilibrante; o. compensatória; tenotomia do antagonista direto de um músculo ocular paralisado. **exploratory o.** – o. exploratória; incisão em uma área corporal para determinar a causa de sintomas inexplicados.

flap o. – o. plástica; o. de retalho: 1. operação que envolve a consecução de um retalho tecidual para enxerto; 2. em periodontia; operação pra assegurar acesso maior a um tecido de granulação e a defeitos ósseos, consistindo de descolamento da gengiva, mucosa alveolar e/ou porção da mucosa alveolar. **Fothergill o.** – o. de Fothergill; operação para prolapso uterino através da fixação dos ligamentos cardeais. **Frazier-Spiller o.** – o. de Frazier-Spiller; rizotomia trigeminal que utiliza a abordagem através da fossa craniana média. **Fredet-Ramstedt o.** – o. de Fredet-Ramstedt; piloromiotomia. **Freyer's o.** – o. de Freyer; enucleação suprapúbica da próstata hipertrofiada. **Frost-Lang o.** – o. de Frost-Lang; inserção de uma esfera de ouro no lugar do globo ocular enucleado. **Gonin's o.** – o. de Gonin; termocauterização de fissura na retina, realizada através de abertura na esclera para tratamento de descolamento da retina. **Hartmann's o.** – o. de Hartmann; ressecção de uma porção doente do cólon, em que a extremidade proximal do mesmo abre-se externamente em colostomia e o coto distal, ou o reto é fechado por meio de sutura. **Kelly's o.** – o. de Kelly: 1. operação realizada para correção de incontinência urinária em mulheres; 2. aritenoidopexia. **King's o.** – o. de King; aritenoidopexia. **Kraske's o.** – o. de Kraske; remoção do cóccix e de parte do sacro para se ter acesso a carcinoma retal. **Lagrange's o.** – o. de Lagrange; esclerectoiridectomia. **LeFort's o.**, **LeFort-Neugebauer o.** – o. de LeFort; o. de LeFort-Neugebauer; reunião das paredes vaginais anterior e posterior na linha média para reparar ou evitar prolapso uterino. **Lorenz's o.** – o. de Lorenz; operação para o deslocamento congênito do quadril. **McBurney's o.** – o. de McBurney; cirurgia radical para a cura de hérnia inguinal. **Macewen's o.** – o. de Macewen; operação para a cura radical de uma hérnia através do fechamento do anel interno com um coxim feito do saco herniário. **McDonald o.** – o. de McDonald; operação para uma cérvix incompetente, na qual se fecha a abertura cervical com sutura em alça de tabaco. **McGill's o.** – o. de McGill; prostatectomia transvesical suprapúbica. **Manchester o.** – o. de Manchester; o. de Fothergill. **Motais' o.** – o. de Motais; transplante de uma porção do tendão do músculo reto superior do globo ocular para o interior da pálpebra superior, em caso de ptose. **Partsch's o.** – o. de Partsch; técnica para a marsupialização de um cisto dentário. **Pereyra o.** – o. de Pereyra; técnica cirúrgica para a correção de incontinência por estresse. **Pomeroy's o.** – o. de Pomeroy; esterilização através de ligadura de uma alça da trompa de Falópio e ressecção da alça ligada. **radical o.** – o. radical; operação que envolve ressecção tecidual para extirpação completa de uma doença. **Ramstedt's o.** – o. de Ramstedt; piloromiotomia. **Saemisch's o.** – o. de Saemisch; transfixação da córnea e da base da úlcera para a cura de hipópio. **Shirodkar's o.** – o. de Shirodkar; operação para cérvix incompetente na qual se fecha a abertura cervical com sutura em cordão de bolsa circundante. **Wertheim's o.** – o. de Wertheim; histerectomia radical. **Ziegler's o.** – o. de Ziegler; iridectomia em forma de V para formar uma pupila artificial.

oper·cu·lum (o-per'ku-lum) [L.] pl. *opercula* – opérculo: 1. pálpebra ou cobertura; 2. as dobras do pálio provenientes dos lobos frontal, parietal e temporal do cérebro que se sobrepõem à ínsula. **oper'cular** – adj. opercular. **dental o.** – o. dentário; capuz de tecido gengival sobreposto à coroa de um dente em erupção. **trophoblastic o.** – o. trofoblástico; tampão de trofoblastos que ajuda a fechar o intervalo no endométrio feito pelo blastocisto em implantação.

op·er·on (op'er-on) – opéron; segmento de um cromossoma que compreende um gene operador e genes estruturais intimamente ligados, com funções relacionadas.

ophi·a·sis (o-fi'ah-sis) – ofíase; forma de alopecia *areata* que envolve as margens temporal e occipital do couro cabeludo em uma faixa contínua.

ophi·dism (o'fĭ-dizm) – ofidismo; envenenamento com veneno de cobra.

oph·ry·on (of're-on) – ófrio; o ponto médio da linha supra-orbitária transversal.

oph·ry·o·sis (of"re-o'sis) – ofriose; espasmo da sobrancelha.

oph·thal·mag·ra (of"thal-mag'rah) – oftalmagra; dor súbita no olho.

oph·thal·mal·gia (of"thal-mal'jah) – oftalmalgia; dor no olho.

oph·thal·mec·to·my (of"thal-mek'tah-me) – oftalmectomia; excisão de um olho; enucleação do globo ocular.

oph·thal·men·ceph·a·lon (of"thal-men-sef'-ah-lon) – oftalmencéfalo; a retina, nervo óptico e aparelho visual cerebral.

oph·thal·mia (of-thal'me-ah) – oftalmia; inflamação severa do olho. **Egyptian o.** – o. egípcia; tracoma. **gonorrheal o.** – o. gonorréica; oftalmia purulenta aguda e severa devida a infecção gonorréica. **o. neonato'rum** – o. neonatal; conjuntivite purulenta hiperaguda que ocorre durante os primeiros 10 dias de vida, geralmente contraída durante o nascimento a partir de secreção vaginal infectada da mãe. **periodic o.** – o. periódica; forma de uveíte que afeta os eqüinos. **phlyctenular o.** – o. flictenular; ver em *keratoconjunctivitis.* **purulent o.** – o. purulenta; uma forma com secreção purulenta, comumente devida à infecção gonorréica. **sympathetic o.** – o. simpática; inflamação granulomatosa do trato uveal do olho não-lesado após ferimento que envolve o trato uveal do outro olho, resultando em inflamação granulomatosa bilateral de todo o trato uveal.

oph·thal·mic (of-thal'mik) – oftálmico; relativo ao olho.

oph·thal·mi·tis (of"thal-mīt'is) – oftalmite; inflamação do globo ocular. **ophthalmit'ic** – adj. oftalmítico.

ophthalm(o)- [Gr.] – oftalm(o)-, elemento de palavra, *olho.*

oph·thal·mo·blen·nor·rhea (of-thal"mo-blen"-o-re'ah) – oftalmoblennorréia; oftalmia gonorréica.

oph·thal·mo·cele (of-thal'mo-sēl) – oftalmocele; exoftalmia.

oph·thal·mo·dy·na·mom·e·try (of-thal"mo-di"-nah-mom'ĭ-tre) – oftalmodinamometria; determinação da pressão sangüínea na artéria retiniana.

oph·thal·mo·dyn·ia (-din'e-ah) – oftalmodinia; dor no olho.

oph·thal·mo·ei·ko·nom·e·ter (-i-ko-nom'iter) – oftalmoiconômetro; instrumento para determinar tanto a refração do olho como o tamanho relativo e a forma das imagens oculares.

oph·thal·mog·ra·phy (of"thal-mog'rah-fe) – oftalmografia; descrição do olho e suas doenças.

oph·thal·mo·gy·ric (of-thal"mo-ji'rik) – oftalmogírico; oculogírico.

oph·thal·mo·lith (of-thal'mo-lith) – oftalmólito; cálculo lacrimal.

oph·thal·mol·o·gist (of"thal-mol'ah-jist) – oftalmologista; médico especializado em Oftalmologia.

oph·thal·mol·o·gy (of"thal-mol'ah-je) – Oftalmologia; ramo da Medicina que se ocupa do olho, sua anatomia, fisiologia, patologia etc. **ophthalmolog'ic** – adj. oftalmológico.

oph·thal·mo·ma·la·cia (of-thal"mo-mah'la'-shah) – oftalmomalacia; amolecimento anormal do globo ocular.

oph·thal·mom·e·try (of-thal-mom'ĭ-tre) – oftalmometria; determinação dos poderes refratários e defeitos do olho.

oph·thal·mo·my·co·sis (of-thal"mo-mi-ko'sis) – oftalmomicose; oculomicose; qualquer doença do olho causada por um fungo.

oph·thal·mo·my·ot·o·my (-mi-ot'ah-me) – oftalmomiotomia; divisão cirúrgica dos músculos oculares.

oph·thal·mo·neu·ri·tis (-nŏŏ-ri'tis) – oftalmoneurite; neurite óptica.

oph·thal·mop·a·thy (of"thal-mop'ah-the) – oftalmopatia; oculopatia; qualquer doença do olho.

oph·thal·mo·plas·ty (of-thal'mo-plas"te) – oftalmoplastia; cirurgia plástica do olho ou seus apêndices.

oph·thal·mo·ple·gia (of-thal"mo-ple'jah) – oftalmoplegia; paralisia dos músculos oculares. **ophthalmople'gic** – adj. oftalmoplégico. **external o.** – o. externa; paralisia dos músculos oculares externos. **internal o.** – o. interna; paralisia da íris e aparelho ciliar. **nuclear o.** – o. nuclear; oftalmoplegia devida a lesão dos núcleos dos nervos motores do olho. **Parinaud's o.** – o. de Parinaud; paralisia do movimento ascendente conjugado dos olhos sem paralisia de convergência, associada a lesões no cérebro médio. **partial o.** – o. parcial; oftalmoplegia que afeta alguns dos músculos oculares. **progressive external o.** – o. externa progressiva; paralisia gradual que afeta os músculos extra-oculares e algumas vezes também o músculo orbicular ocular, levando a ptose e paresia ocular total progressiva. **total o.** – o. total; paralisia de todos os músculos oculares, tanto intra como extra-oculares.

oph·thal·mor·rha·gia (-ra'jah) – oftalmorragia; hemorragia a partir do olho.

oph·thal·mor·rhea (-re'ah) – oftalmorréia; exsudação de sangue a partir do olho.

oph·thal·mor·rhex·is (-rek'sis) – oftalmorrexe; ruptura do globo ocular.

oph·thal·mo·scope (of-thal'mo-skōp) – oftalmoscópio; fundoscópio; instrumento que contém um espelho perfurado e lentes utilizado para examinar o interior do olho. **direct o.** – o. direto; oftalmoscópio que produz uma imagem vertical ou não-revertida com aumento de aproximadamente 15 vezes. **indirect o.** – o. indireto; oftalmoscópio que produz imagem vertical invertida ou revertida com aumento de duas a cinco vezes.

oph·thal·mos·co·py (of"thal-mos'kah-pe) – oftalmoscopia; fundoscópio; exame do olho através do oftalmoscópio. **medical o.** – o. médica; oftalmoscopia realizada para propósitos diagnósticos. **metric o.** – o. métrica; oftalmoscopia realizada para a medição da refração.

oph·thal·mos·ta·sis (of"thal-mos'tah-sis) – oftalmostase; fixação do olho com o oftalmostato.

oph·thal·mo·stat (of-thal'mo-stat) – oftalmostato; instrumento para manter o olho firme durante uma operação.

oph·thal·mot·o·my (of"thal-mot'ah-me) – oftalmotomia; incisão do olho.

oph·thal·mo·trope (of"thal'mo-trōp) – oftalmótropo; olho mecânico que se move como um olho verdadeiro.

opi·ate (o'pe-it) – opiáceo: 1. qualquer droga derivada do ópio; 2. qualquer droga que induz o sono.

opi·oid (o'pe-oid) – opióide: 1. qualquer narcótico sintético que tenha atividades semelhantes às dos opiáceos, mas que não derive do ópio; 2. substância de um grupo de peptídeos de ocorrência natural, por exemplo, encefalinas que se ligam ou de algum modo influenciam os receptores dos opiáceos, seja com efeitos semelhantes aos dos opiáceos ou antagonistas dos mesmos.

opis·thi·on (o-pis'the-on) – opístio; ponto médio da borda inferior do forame magno.

opis·thor·chi·a·sis (o"pis-thor-ki'ah-sis) – opistorquíase; infecção do trato biliar pelo *Opisthorchis*.

Opis·thor·chis (o"pis-thor'kis) – *Opisthorchis*; gênero de trematódeos parasitas do fígado e do trato biliar de várias aves e mamíferos; *O. felineus* e *O. viverrini* causam a opistorquíase e *O. sinensis* causa a clonorquíase no homem.

opis·thot·o·nos (o"pis-thot'ŏ-nos) – opistótono; tétano dorsal; tétano posterior; uma forma de hiperextensão extrema do corpo em que a cabeça e os tornozelos se curvam para trás e o corpo se inclina para a frente. **opisthoton'ic** – adj. opistotônico.

opi·um (o'pe-um) [L.] – ópio; exsudato leitoso e seco ao ar livre, proveniente das cápsulas imaturas incisadas da *Papaver somniferum* ou sua variedade *album*, que contém cerca de 25 alcalóides (sendo os mais importantes a morfina, narcotina, codeína, papaverina, tebaína e narceína); os alcalóides são utilizados por seu efeito narcótico e analgésico. Por ser altamente viciante, a produção de ópio é restrita e o cultivo das plantas a partir das quais se obtém a substância encontra-se proibido pela maioria das nações por acordo.

op·por·tu·nis·tic (ope"r-tōon-is'tik) – oportunista: 1. denota um microrganismo que normalmente não causa uma doença, mas se torna patogênico sob determinadas circunstâncias; 2. denota uma doença ou infecção causadas por esse microrganismo.

op·sin (op'sin) – opsina; uma proteína dos bastonetes (escotopsina) e cones (fotopsina) retinianos que se combina com o 11-*cis*-retinal para formar os pigmentos visuais.

op·si·uria (op"se-u're-ah) – opsiúria; excreção de urina mais rapidamente durante o jejum do que depois de uma refeição.

op·so·clo·nia, op·so·clo·nus (op"so-clon'ne-ah; -clo'nus) – opsoclono; oscilações involuntárias, horizontais e verticais não-rítmicas dos olhos.

op·so·nin (op'son-in) – opsonina; anticorpo que torna as bactérias e outras células suscetíveis à fagocitose. **opson'ic** – adj. opsônico. **immune o.** – o. imune; anticorpo que sensibiliza um antígeno particulado para a fagocitose, depois de combinação com o antígeno homólogo *in vivo* ou *in vitro*.

op·so·ni·za·tion (op"son-ĭ-za'shun) – opsonização; o ato de tornar as bactérias e outras células sujeitas à fagocitose.

op·so·no·cy·to·phag·ic (op"son-o-sīt"o-faj'ik) – opsonocitofágico; denota a atividade fagocítica do sangue na presença de opsoninas séricas e leucócitos homólogos.

op·tes·the·sia (op"tes-the'zhah) – optestesia; sensibilidade visual; capacidade de perceber estímulos visuais.

op·tic (op'tik) – óptico; de ou relativo à visão.

op·ti·cal (op'tĭ-k'l) – óptico; relativo à visão.

op·ti·cian (op-tish'in) – óptico; especialista em oculística.

op·ti·cian·ry (-re) – oculística; interpretação, atendimento e adaptação de prescrições, produtos e acessórios oftalmológicos.

op·ti·co·chi·as·mat·ic (op"tĭ-ko-ki"az-mat'ik) – opticoquiasmático; relativo aos nervos e ao quiasma óptico.

op·ti·co·cil·i·ary (-sil'e-ĕ"re) – opticociliar; relativo aos nervos óptico e ciliar.

op·ti·co·pu·pil·lary (-pu'pil-ĕ"re) – opticopupilar; relativo ao nervo óptico e à pupila.

op·tics (op'tiks) – Óptica; a ciência da luz e da visão.

opt(o)- [Gr.] – opt(o)-, elemento de palavra, *visível; visão; vista*.

op·to·gram (op'to-gram) – optograma; imagem retiniana formada pela descoloração da púrpura visual sob a influência da luz.

op·to·ki·net·ic (op"to-kĭ-net'ik) – optocinético; opticocinético; relativo ao movimento dos olhos, como no caso de nistagmo.

op·tom·e·ter (op-tom'it-er) – optômetro; dispositivo para medir o poder e o alcance da visão.

op·tom·e·trist (op-tom'ĭ-trist) – optometrista; especialista em optometria.

op·tom·e·try (op-tom'ĭ-tre) – optometria; prática profissional relativa ao olho primário e cuidados visuais para diagnóstico, tratamento e prevenção de distúrbios associados e melhora da visão através da prescrição de óculos ou lentes de contato, bem como do uso de outros meios funcionais, ópticos e farmacêuticos regulamentados por lei estadual.

op·to·my·om·e·ter (op"to-mi-om'it-er) – optomiômetro; dispositivo para medir a força dos músculos oculares.

OPV – poliovirus vaccine live oral (vacina oral de poliovírus vivos).

OR – operating room (SO, sala de operação).

ora¹ (o'rah) [L.] pl. *orae* – borda; margem ou orla. o. **serra'ta re'tinae** – extremidade serrilhada da porção óptica da retina; margem em ziguezague da retina do olho.

ora² – plural de *os* ¹.

orad (o'rad) – rostral; em direção à boca.

oral (or'al) – oral: 1. relativo à boca, ingerido ou aplicado pela boca, como a medicação oral ou um termômetro oral; 2. denota a face dos dentes que dá para a cavidade oral ou a língua.

oral·i·ty (or-al'it-e) – oralidade; termo que engloba todos os aspectos e componentes (sucção, levar à boca etc.) do estágio oral do desenvolvimento sexual.

or·ange (or'anj) – laranja: 1. árvore *Citrus aurantium* e seu fruto amarelo comestível (laranja); a casca de duas variedades é utilizada na confecção de vários produtos farmacêuticos laranja; 2. cor entre o amarelo e o vermelho.

or·bic·u·lar (or-bik'ūl-er) – orbicular; circular; arredondado.

or·bic·u·la·re (or-bik"u-la're) – orbicular; pequeno nódulo oval sobre o membro longo da bigorna, que se articula ou se ossifica à cabeça do estribo.

or·bic·u·lus (or-bik'u-lus) [L.] pl. *orbiculi* – orbículo; pequeno disco.

or·bit (or'bit) – órbita; cavidade óssea que contém o globo ocular e seus músculos, vasos e nervos associados. **o'rbital** – adj. orbitário.

or·bi·ta (or'bĭ -tah) [L.] pl. *orbitae* – órbita.

or·bi·ta·le (or"bĭ -ta'le) – orbitário; o ponto mais baixo na borda inferior da órbita.

or·bi·ta·lis (or"bĭ -ta'lis) [L.] – orbitário; relativo à órbita.

or·bi·tog·ra·phy (or"bĭ -tog'rah-fe) – orbitografia; visualização da órbita e seu conteúdo utilizando radiografia ou tomografia computadorizada.

or·bi·to·na·sal (or"bit-o-na'zal) – orbitonasal; relativo à órbita e ao nariz.

or·bi·to·nom·e·ter (-nom'ĕ-ter) – orbitonômetro; instrumento para medir o deslocamento para trás do globo ocular produzido por uma certa pressão em sua face anterior.

or·bi·top·a·thy (or"bĭ -top'ah-the) – orbitopatia; doença que afeta a órbita e seu conteúdo.

or·bi·tot·o·my (or"bĭ -tot'ah-me) – orbitotomia; incisão no interior da órbita.

Or·bi·vi·rus (or'bĭ -vi"rus) – *Orbivirus*; gênero de vírus da família Reoviridae, que infecta vários vertebrados, incluindo o homem; o gênero inclui o vírus de Orungo.

or·bi·vi·rus (or'bĭ -vi"rus) – orbivírus; um grupo de vírus do RNA, subgrupo dos orbivírus.

or·ce·in (or-se'in) – orceína; substância corante vermelho-amarronzada obtida a partir do orcinol; utilizada como corante para tecidos elásticos.

or·chi·al·gia (or"ke-al'jah) – orquialgia; dor no testículo.

or·chi·dec·to·my (or"kĭ -dek'tah-me) – orquidectomia; orquiectomia; ver *orchiectomy*.

or·chid·ic (or-kid'ik) – orquídico; relativo ao testículo.

or·chi·dor·rha·phy (or"kĭ -dor'ah-fe) – orquidorrafia; orquiopexia.

or·chi·ec·to·my (or"ke-ek'tah-me) – orquiectomia; orquidectomia; excisão de um ou ambos os testículos.

or·chi·epi·did·y·mi·tis (-ep"ĭ -did"ĭ -mi'tis) – orquiepididimite; inflamação do testículo e epidídimo.

orchi(o)- [Gr.] – orqui(o)-, elemento de palavra, *testículo*.

or·chio·cele (or'ke-o-sēl) – orquiocele: 1. protrusão herniária de um testículo; 2. hérnia escrotal; 3. tumor testicular.

or·chi·op·a·thy (or"ke-op'ah-the) – orquiopatia; qualquer doença dos testículos.

or·chio·pexy (or'ke-o-pek"se) – orquiopexia; fixação de um testículo não-descido no escroto.

or·chio·plas·ty (-plas"te) – orquioplastia; cirurgia plástica de um testículo.

or·chi·os·cheo·cele (or"ke-os'ke-o-sel) – orquioscheocele; tumor escrotal com hérnia escrotal.

or·chi·ot·o·my (or"kĭ -'ot'ah-me) – orquiotomia; orcotomia; incisão e drenagem de um testículo.

or·chi·tis (or-kĭ t'is) – orquite; orquidite; inflamação do testículo. **orchit'ic** – adj. orquítico.

or·ci·nol (or'sĭ -nol) – orcinol; princípio anti-séptico derivado principalmente dos líquens, utilizado como reagente em vários testes.

or·der (or'der) – ordem; categoria taxonômica subordinada a uma classe e superior a uma família (ou subordem).

or·der·ly (or'der-le) – enfermeiro; atendente; atendente masculino de hospital que presta serviços gerais, atendendo especialmente às necessidades dos pacientes masculinos.

or·di·na·te (or'dĭ -nat) – ordenada; linha vertical em um gráfico ao longo da qual são representados dois conjuntos de fatores considerados em um estudo. Símbolo *y*.

orex·i·gen·ic (o-rek"sĭ -jen'ik) – orexigênico; que aumenta ou estimula o apetite.

orf (orf) – ectima: 1. dermatite viral pustular contagiosa dos ovinos, transmitível ao homem; 2. varíola ovina.

or·gan (or'gan) – órgão; parte corporal mais ou menos independente que desempenha uma função especial. **o. of Corti** – o. de Corti; órgão que se situa sobre a membrana basilar no ducto coclear, contém receptores sensoriais especiais para a audição e consiste de células pilosas neuroepiteliais e vários tipos de células de sustentação. **effector o.** – o. efetor; efetor; ver *effector* (2). **end o.** – o. terminal. **enamel o.** – o. do esmalte; processo do epitélio que forma uma capa sobre uma papila dentária e se desenvolve no esmalte. **genital o.** – órgãos genitais; orgãos reprodutores. **Golgi tendon o.** – o. do tendão de Golgi; um dos mecanorreceptores dispostos em série com os músculos nos tendões dos músculos dos mamíferos, correspondendo aos receptores de estímulos responsáveis por uma reação de alongamento. **Jacobson's o.** – o. de Jacobson; o. vomeronasal.

sense o's, sensory o's – orgãos dos sentidos; orgãos sensoriais; órgãos que recebem estímulos que dão origem às sensações, ou seja, os órgãos que traduzem determinadas formas de energia em impulsos nervosos percebidos como sensações especiais. **spiral o.** – o. espiral; o. de Corti. **vestigial o.** – o. vestigial; órgão não-desenvolvido que, no embrião ou em algum ancestral, encontrava-se bem-desenvolvido e funcional. **vomeronasal o.** – o. vomeronasal; um pequeno saco imediatamente acima da cartilagem vomeronasal; rudimentar no homem adulto, mas bem-desenvolvido em muitos animais inferiores. **Weber's o.** – o. de Weber; utrículo prostático. **o's of Zuckerkandl** – orgãos de Zuckerkandl; corpúsculos paraaórticos.

or·ga·nelle (or"gah-nel') – organela; estrutura especializada de uma célula (como mitocôndria, complexo de Golgi, lisossoma, retículo endoplasmático, ribossoma, centríolo, cloroplasto, cílio ou flagelo).

or·gan·ic (or-gan'ik) – orgânico: 1. relativo ou que surge de um órgão ou órgãos; 2. que tem estrutura organizada; 3. que se origina de um organismo; 4. relativo a substâncias derivadas de organismos vivos; 5. denota substâncias químicas que contêm carbono; 6. relativo ou cultivado através do uso de fertilizantes animais ou vegetais em vez de produtos químicos sintéticos.

or·gan·ism (or'gan-izm) – organismo; qualquer indivíduo vivo, animal ou vegetal.

or·ga·ni·za·tion (or"gan-ĭ-za'shun) – organização: 1. processo de organizar ou se tornar organizado; 2. substituição de coágulos sangüíneos por tecido fibroso; 3. corpo, grupo ou estrutura organizados.

or·ga·nize (or'gan-ĭ z) – organizar; prover de estrutura orgânica; formar órgãos.

or·ga·niz·er (or'gah-nī z"er) – organizador; região especial do embrião com capacidade de determinar a diferenciação de outras regiões. **primary o.** – o. primário; região labial dorsal do blastóporo.

organ(o)- [Gr.] – organ(o)-, elemento de palavra, órgão; orgânico.

or·ga·no·gen·e·sis (or"gah-no-jen'ĕ-sis) – organogênese; origem e desenvolvimento dos órgãos.

or·ga·nog·e·ny (or"gah-noj'ĕ-ne) – organogenia; organogênese.

or·ga·noid (or'gah-noid) – organóide: 1. semelhante a um órgão; 2. estrutura semelhante a um órgão.

or·ga·no·meg·a·ly (or"gan-o-meg'ah-le) – organomegalia; aumento de volume das vísceras; visceromegalia.

or·ga·no·mer·cu·ri·al (-mer-kiūr'e-il) – organomercurial; qualquer composto orgânico que contém mercúrio.

or·ga·no·me·tal·lic (-mě-tal'ik) – organometálico; que consiste de um metal combinado com um radical orgânico.

or·ga·non (or'gah-non) [Gr.] pl. *organa* – órgão (*organ*).

or·ga·no·phos·phate (or"gah-no-fos'fāt) – organofosforado; éster orgânico de ácido fosfórico ou tiofosfórico; tais compostos constituem inibidores poderosos da acetilcolinesterase e são utilizados como inseticidas e gases que afetam o sistema nervoso. **organophos'phorous** – adj. organofosforado.

or·ga·no·troph·ic (-trof'ik) – organotrófico; heterotrófico; ver *heterotrophic*.

or·ga·not·ro·pism (or-gah-not'rah-pizm) – organotropismo; afinidade especial de compostos químicos ou agentes patogênicos por tecidos particulares ou órgãos do corpo. **organotrop'ic** – adj. organotrópico.

or·gasm (or'gazm) – orgasmo; ápice e culminação da excitação sexual.

ori·en·ta·tion (or"e-en-ta'shun) – orientação; reconhecimento por parte de um indivíduo de sua posição com relação ao tempo e espaço.

or·i·fice (or'ĭ -fis) – orifício: 1. entrada ou saída de qualquer cavidade corporal; 2. qualquer forame, meato ou abertura. **orific'ial** – adj. orificial. **cardiac o.** – o. cardíaco; ver em *opening*.

or·i·fi·ci·um (or"ĭ -fish'e-um) [L.] pl. *orificia* – orifício; ver *orifice*.

or·i·gin (or'ĭ -jin) – origem; fonte ou início de qualquer coisa, especialmente da extremidade ou ligação mais fixa de um músculo (diferente de sua inserção) ou o local onde emerge um nervo periférico do sistema nervoso central.

Or·i·nase (or"ĭ -nās) – Orinase, marca registrada de uma preparação de tolbutamida.

or·ni·thine (or'nĭ -thēn) – ornitina; aminoácido obtido a partir da arginina através da divisão da uréia; é um intermediário na biossíntese da uréia.

or·ni·thine car·ba·mo·yl·trans·fer·ase (kahr"-bah-mo"il-trans'fer-ās) ornitina carbamoiltransferase; enzima que catalisa a carbamoilação da ornitina para formar a citrulina, uma fase no ciclo da uréia; a deficiência da enzima constitui uma aminoacidopatia ligada ao cromossoma X que causa hiperamonemia, anormalidades neurológicas e acidúria orótica, sendo geralmente fatal no período neonatal nos homens.

or·ni·thin·emia (or"nĭ -thĭ -ne'me-ah) – ornitinemia; hiperornitinemia; ver *hyperornithinemia*.

Or·ni·thod·o·ros (or"nĭ -thod'ah-ros) – *Ornithodoros*; gênero de carrapatos moles, do qual muitas espécies são reservatórios e vetores de espiroquetas (*Borrelia*) de febres recorrentes.

or·ni·tho·sis (or"nĭ -tho'sis) – ornitose; doença de aves silvestres e domésticas, transmissível ao homem, causada por uma cepa de *Chlamydia psittaci*; no homem e psitacídeos, é chamada psitacose; ver *psittacosis*.

oro·lin·gual (o"ro-ling'gwil) – orolingual; relativo à boca e à língua.

oro·na·sal (-na'zil) – oronasal; relativo à boca e nariz.

oro·phar·ynx (-far'inks) – orofaringe; a parte da faringe entre o palato mole e a borda superior da epiglote.

or·phen·a·drine (or-fen'ah-drēn) – orfenadrina; um análogo da difenidramina, que tem atividades anticolinérgicas, anti-histamínicas, antiespasmódicas e eufóricas; seus sais de citrato e cloridrato são utilizados como relaxantes da musculatura esquelética.

MNO

ortho- [Gr.] – orto-: 1. elemento de palavra, *reto; normal; correto;* 2. em Química Orgânica, prefixo que indica um derivado cíclico com dois substituintes em posições adjacentes. Símbolo *o*-; 3. em Química Orgânica, a forma comum de um ácido.

or·tho·cho·rea (or"tho-ko-re'ah) – ortocoréia; movimentos coréicos na postura ereta.

or·tho·chro·mat·ic (-kro-mat'ik) – ortocromático; que se cora normalmente.

or·tho·de·ox·ia (-de-ok'se-ah) – ortodesoxia; agravamento de hipoxemia arterial na posição ereta.

or·tho·don·tics (-don'tiks) – ortodontia; ramo da Odontologia relacionado às irregularidades dos dentes e a má-oclusão, bem como às anormalidades faciais associadas. **orthodon'tic** – adj. ortodôntico.

or·tho·don·tist (-don'tist) – ortodontista; dentista especializado em ortodontia.

or·tho·drom·ic (-drom'ik) – ortodrômico; que conduz impulso na direção normal; diz-se de fibras nervosas.

or·tho·grade (or'tho-grād) – ortógrado; que caminha com o corpo ereto.

or·thom·e·ter (or-thom'it-er) – ortômetro; instrumento para determinar a protrusão relativa dos globos oculares.

or·tho·mo·lec·u·lar (or"tho-mol-ek'ūl-er) – ortomolecular; relativo à teoria de que determinadas doenças associam-se a anormalidades bioquímicas, resultando em aumento das exigências de determinados nutrientes, por exemplo, de vitaminas, e podendo ser tratadas através da administração de grandes doses dessas substâncias.

or·tho·myxo·vi·rus (-mik'so-vi"rus) – ortomixovírus; subgrupo de mixovírus que inclui os vírus das gripes humana e animal.

or·tho·pe·dic (-pe'dik) – ortopédico; relativo à correção das deformidades do sistema musculoesquelético; relativo à ortopedia.

or·tho·pe·dics (-pe'diks) – Ortopedia; ramo da cirurgia relacionado a preservação e restauração da função do sistema esquelético, suas articulações e estruturas associadas.

or·tho·pe·dist (-pe'dist) – ortopedista; cirurgião ortopédico.

or·tho·per·cus·sion (-per-kush'un) – ortopercussão; percussão com a falange distal do dedo mantida perpendicularmente à parede corporal.

or·tho·pho·ria (-fo're-ah) – ortoforia; equilíbrio normal dos músculos ou equilíbrio do músculos oculares. **orthophor'ic** – adj. ortofórico.

or·tho·phos·phor·ic ac·id (-fos-for'ik) – ácido ortofosfórico; ácido fosfórico.

or·thop·nea (or"thop-ne'ah) – ortopnéia; respiração difícil, exceto em posição ereta. **orthopne'ic** – adj. ortopneico.

or·tho·prax·is (or"tho-prak'sis) – ortopraxe; ortopraxia; *orthopraxy.*

or·tho·praxy (or'tho-prak-se) – ortopraxia; correção mecânica de deformidades.

or·thop·tic (or-thop'tik) – ortóptica; correção da obliqüidade de um ou ambos os eixos visuais.

or·thop·tics (-tiks) – ortóptica; tratamento do estrabismo através de exercício dos músculos oculares.

or·tho·scope (or'tho-skōp) – ortoscópio; aparelho que neutraliza a refração corneana por meio de uma camada de água.

or·tho·scop·ic (or"tho-skop'ik) – ortoscópico: 1. que permite a visão correta e não-distorcida; 2. relativo à ortoscopia.

or·tho·sis (or-tho'sis) [Gr.] pl. *orthoses* – ortose; aplicação ou aparelhos ortopédicos utilizados para sustentar, alinhar, impedir ou corrigir deformidades ou melhorar a função de partes móveis do corpo. **cervical o.** – o. cervical; ortose que envolve o pescoço e sustenta o queixo, utilizada no tratamento de lesões da espinha cervical. **dynamic o.** – o. dinâmica; aparelho de sustentação ou protetor para a mão ou outra parte corporal que também auxilia a iniciar, realizar e reagir ao movimento. **halo o.** – o. de auréola; ortose cervical que consiste de uma auréola rígida presa ao crânio superior e de uma jaqueta rígida no peito, proporcionando rigidez máxima.

or·tho·stat·ic (or"tho-stat'ik) – ortostático; relativo ou causado por postura ereta.

or·tho·stat·ism (-stat'izm) – ortostatismo; postura ereta do corpo.

or·thot·ic (or-thot'ik) – ortótico; que serve para proteger ou restaurar, ou ainda, melhorar uma função; relativo ao uso ou à aplicação de ortose.

or·thot·ics (-iks) – ortótica; campo de conhecimento relacionado às ortoses e seu uso.

or·thot·ist (or-thot'ist) – ortotista; pessoa capacitada a praticar a ortótica e aplicá-la em casos individuais.

or·thot·o·nos (or-thot'ah-nos) – ortótono; espasmo tetânico que mantém a cabeça, o corpo e os membros em uma linha reta rígida.

or·thot·o·nus (or-thot'ah-nus) – ortótono.

or·tho·top·ic (or"tho-top'ik) – ortotópico; que ocorre em um local normal.

OS [L.] – *oculus sinister* (olho esquerdo).

Os – símbolo químico, ósmio *(osmium).*

os¹ (os) [L.] pl. *orae* – abertura: 1. qualquer orifício corporal; 2. boca.

os² (os) [L.] pl. *ossa* – osso; ver *Tabela de Ossos.*

os·che·itis (os"ke-ī t'is) – osqueíte; osquite; inflamação do escroto.

osche(o)- [Gr.] – osque(o)-, elemento de palavra, *escroto.*

os·che·o·ma (os"ke-o'mah) – osqueoma; tumor do escroto.

os·cheo·plas·ty (os'ke-o-plas"te) – osqueoplastia; cirurgia plástica do escroto.

os·cil·la·tion (os"ĭ -la'shun) – oscilação; movimento para trás e para frente, semelhante ao de um pêndulo; também vibração, flutuação ou variação.

oscillo- [L.] – oscilo-, elemento de palavra, *oscilação.*

os·cil·lom·e·ter (os"ĭ -lom'ě-ter) – oscilômetro; instrumento para medir oscilações.

os·cil·lop·sia (os"ĭ -lop'se-ah) – oscilopsia; sensação visual de que objetos estacionários estão se inclinando para trás e para frente.

os·cil·lo·scope (ŏ-sil'o-skōp) – osciloscópio; instrumento que exibe a representação visual de variações elétricas na tela fluorescente de um tubo de raios catódicos.

os·cu·lum (os'ku-lum) [L.] pl. *oscula* – ósculo; pequeno orifício, poro ou abertura diminuta.

-ose – -ose, sufixo que indica que a substância é um carboidrato.

-osis [Gr.] – -ose, elemento de palavra, *doença; estado mórbido; aumento anormal.*

os·mate (oz'māt) – osmato; sal que contém o ânion tetróxido de ósmio.

os·mat·ic (oz-mat'ik) – osmático; relativo ao sentido do olfato.

os·mic ac·id (oz'mik) – ácido ósmico; tetróxido de ósmio.

os·mics (oz'miks) – Ósmica; Olfatologia; ver *olfactology.*

os·mi·um (oz'me-um) – ósmio, elemento químico (ver *Tabela de Elementos*), número atômico 76, símbolo Os. **o. tetroxide** – tetróxido de o.; fixador utilizado na preparação de amostras histológicas (OsO$_4$).

osm(o)-^{1} [Gr.] – osm(o)-^{1}, elemento de palavra, *odor; cheiro.*

osm(o)-^{2} [Gr.] – osm(o)-^{2}, elemento de palavra, *impulso; osmose.*

os·mo·lal·i·ty (oz"mo-lal'it-e) – osmolalidade; concentração de uma solução em termos de osmoles de soluto por quilograma de solvente.

os·mo·lar (oz-mōl'er) – osmolar; relativo à concentração de partículas osmoticamente ativas em solução.

os·mo·lar·i·ty (oz"mo-lar'it-e) – osmolaridade; concentração de uma solução em termos de osmoles de solutos por litro de solução.

os·mole (oz'mol) – osmol; unidade de pressão osmótica equivalente à quantidade de substâncias solúveis que se dissociam em solução para formar um mol (número de Avogadro) de partículas (moléculas e íons). Abreviação: Osm.

os·mom·e·ter (oz-mom'ĕ-ter) – osmômetro; instrumento para medir a pressão osmótica.

os·mo·phil·ic (oz"mo-fil'ik) – osmofílico; osmófilo; que tem afinidade por soluções de alta pressão osmótica.

os·mo·phore (oz'mo-fōr) – osmóforo; grupo de átomos responsáveis pelo odor de um composto.

os·mo·re·cep·tor (oz'mo-re-sep'ter) – osmorreceptor; osmoceptor: 1. qualquer neurônio de um grupo de neurônios especializados nos núcleos supra-ópticos do hipotálamo que são estimulados por aumento da osmolalidade (principalmente, aumento da concentração de sódio) do fluido extracelular; sua excitação promove a liberação de hormônio antidiurético pela hipófise posterior; 2. receptor olfatório.

os·mo·reg·u·la·tion (-reg"ŭl-a'shun) – osmorregulação; ajuste da pressão osmótica interna de um organismo simples ou corpo celular em relação ao ao meio circundante. **osmoreg'ulatory** – adj. osmorregulador.

os·mo·sis (oz-mo'sis, os-mo'sis) – osmose; passagem de um solvente puro de uma solução de concentração de soluto menor para uma de concentração maior quando as duas soluções são separadas por membrana que impede seletivamente a passagem das moléculas de soluto, mas é permeável ao solvente. **osmot'ic** – adj. osmótico.

os·mo·stat (oz'mo-stat") – osmostato; centros reguladores que controlam a osmolalidade do fluido extracelular.

os·phre·si·ol·o·gy (os-fre"ze-ol'ah-je) – osfresiologia; a ciência dos odores e do sentido do olfato.

os·phre·sis (os-fre'sis) – olfação; ver *olfaction* (1). **osphret'ic** – adj. osfrético.

os·se·in (os'e-in) – osseína; colágeno dos ossos.

osse(o)- [L.] – osse(o)-, elemento de palavra, *osso; que contém um elemento ósseo.*

os·seo·car·ti·lag·i·nous (os"e-o-kahr"tĭ-laj-ĭ-nus) – osteocartilaginoso; composto de osso e cartilagem.

os·seo·fi·brous (-fi'brus) – osseofibroso; constituído de tecido fibroso e osso.

os·seo·mu·cin (-mu'sin) – osseomucina; substância básica que liga o colágeno e as fibrilas elásticas de um osso.

os·se·ous (os'e-us) – ósseo; da natureza ou qualidade de um osso.

os·si·cle (os'ĭ-k'l) – ossículo; pequeno osso, especialmente aqueles do interior do ouvido médio. **ossic'ular** – adj. ossicular. **Andernach's o's** – ossículos de Andernach; ossos suturais. **auditory o's** – ossículos da audição; pequenos ossos do ouvido médio: bigorna, martelo e estribo. Ver Prancha XII.

os·sic·u·lec·to·my (os"i-kŭl-ek'tah-me) – ossiculectomia; excisão de um ou mais ossículos do ouvido médio.

os·sic·u·lot·o·my (os"i-kul-ot'ah-me) – ossiculotomia; incisão dos ossículos auditivos.

os·sic·u·lum (ŏ-sik'u-lum) [L.] pl. *ossicula* – ossículo; pequeno osso.

os·sif·er·ous (ŏ-sif'er-us) – ossífero; que produz osso.

os·sif·ic (ŏ-sif'ik) – ossífico; que forma ou se transforma em osso.

os·si·fi·ca·tion (os"ĭ-fi-ka'shun) – ossificação; formação ou conversão em osso ou uma substância óssea. **ectopic o.** – o. ectópica; afecção patológica na qual o osso surge em tecidos fora do sistema ósseo e em tecidos conjuntivos, que geralmente não manifestam propriedades osteogênicas. **endochondral o.** – o. endocondral; ossificação que ocorre no interior de uma cartilagem e a substitui. **heterotopic o.** – o. heterotópica; formação de osso em localizações anormais, secundária a uma patologia. **intramembranous o.** – o. intramembranosa; ossificação que ocorre no interior do tecido conjuntivo e o substitui.

os·si·fy·ing (os'ĭ-fi"ing) – ossificante; que se altera ou se desenvolve em osso.

os·te·al·gia (os"te-al'jah) – ostealgia; osteodinia; dor nos ossos.

os·te·ar·throt·o·my (-ahr-throt'ah-me) – osteartrotomia; excisão da extremidade articular de um osso.

os·tec·to·my (os-tek'tah-me) – ostectomia; excisão de um osso ou de parte de um osso.

MNO

os·te·ec·to·pia (os"te-ek-to'pe-ah) – ostectopia; deslocamento de um osso.

os·te·itis (os"te-ī t'is) – osteíte; inflamação de um osso. condensing o. – o. condensante; osteíte com depósitos sólidos de sal terroso no osso afetado. o. defor'mans – o. deformante; osteíte rarefaciente que resulta em ossos deformados e enfraquecidos de massa aumentada, que podem levar ao arqueamento dos ossos longos e à deformação dos ossos chatos; quando se afetam os ossos do crânio, pode ocorrer surdez. o. fibro'sa cys'tica, o. fibro'sa cys'tica generalisa'ta, o. fibro'sa osteoplas'tica – o. fibrosa cística; o. fibrosa cística generalizada; o. fibrosa osteoplástica; osteíte rarefaciente com degeneração fibrosa e formação de cistos e presença de nódulos fibrosos nos ossos afetados, resultante de atividade osteoclástica acentuada secundária a hiperparatireoidismo. o. fragi'litans – o. fragilizante; osteogênese imperfeita. o. fungo'sa – o. fúngica; osteíte crônica na qual os canais de Havers dilatam-se e se preenchem com tecido de granulação. parathyroid o. – o. paratireóidea; o. fibrosa cística. sclerosing o. – o. esclerosante: 1. osteomielite não-supurativa esclerosante; 2. o. condensante.

os·tem·py·e·sis (ost"em-pi-e'sis) – ostempiese; supuração no interior de um osso.

oste(o)- [Gr.] – oste(o)-, elemento de palavra, osso.

os·te·o·ana·gen·e·sis (os"te-o-an'ah-jen"ĭ -sis) – osteoanagênese; regeneração de um osso.

os·te·o·ar·thri·tis (-ahr-thri'tis) – osteoartrite; osteoartrose; artropatia degenerativa não-inflamatória que se caracteriza por degeneração da cartilagem articular, hipertrofia do osso nas margens e alterações na membrana sinovial, acompanhadas de dor e rigidez. osteoarthrit'ic – adj. osteoartrítico.

os·te·o·ar·throp·a·thy (-ahr-throp'ah-the) – osteoartropatia; qualquer doença das articulações e ossos. hypertrophic pulmonary o., secondary hypertrophic o. – o. pulmonar hipertrófica; o. hipertrófica secundária; osteíte simétrica dos quatro membros, localizada principalmente nas falanges e epífises terminais dos ossos longos do antebraço e perna; é freqüentemente secundária à afecção cardiopulmonar crônica.

os·te·o·ar·thro·sis (-ahr-thro'sis) – osteoartrose; osteartrite (osteoarthritis).

os·te·o·ar·throt·o·my (-ahr-throt'ah-me) – osteoartrotomia (osteoarthrotomy).

os·te·o·blast (os'te-o-blast") – osteoblasto; osteoplasto; célula que surge a partir de um fibroblasto, ao amadurecer, associa-se à produção óssea.

os·te·o·blas·to·ma (os"te-o-blas-to'mah) – osteoblastoma; tumor ósseo benigno e doloroso, bastante vascular, marcado por formação de tecido osteóide e de osso primitivo.

os·te·o·camp·sia (-kamp'se-ah) – osteocampsia; curvatura de um osso.

os·te·o·chon·dral (-kon'dril) – osteocondral; relativo ao osso e cartilagem.

os·te·o·chon·dri·tis (-kon-drī t'is) – osteocondrite; inflamação de um osso e uma cartilagem. o. defor'mans juveni'lis – o. deformante juvenil;

osteocondrose da epífise capitular do fêmur. o. defor'mans juveni'lis dor'si – o. deformante do dorso juvenil; osteocondrose das vértebras. o. diss'ecans – o. dissecante; osteocondrite que resulta em fragmentação de cartilagem na articulação afetada.

os·teo·chon·dro·dys·pla·sia (-kon"dro-dis-pla'zhah) – osteocondrodisplasia; qualquer distúrbio dos crescimentos cartilaginoso e ósseo.

os·teo·chon·dro·dys·tro·phy (-dis'trah-fe) – osteocondrodistrofia; síndrome de Morquio.

os·teo·chon·drol·y·sis (-kon-drol'ĭ -sis) – osteocondrólise; osteocondrite dissecante.

os·teo·chon·dro·ma (-kon-dro'mah) – osteocondroma; tumor ósseo benigno que consiste de um osso adulto proeminente recoberto por cartilagem que se projeta dos contornos laterais dos ossos endocondrais.

os·teo·chon·dro·ma·to·sis (-kon"dro-mah-to'-sis) – osteocondromatose; ocorrência de osteocondromas múltiplos, algumas vezes denotando especificamente um dos distúrbios de exostoses cartilaginosas múltiplas ou endocondromatose.

os·teo·chon·dro·sis (-kon-dro'sis) – osteocondrose; doença do crescimento dos centros de ossificação em crianças, começando como degeneração ou necrose acompanhadas de regeneração ou recalcificação; conhecida por vários nomes, dependendo do osso envolvido.

os·te·oc·la·sis (os"te-ok'lah-sis) – osteoclasia; fratura ou refratura cirúrgicas dos ossos.

os·te·o·clast (os'te-o-klast) – osteoclasto: osteófago: 1. grande célula multinuclear associada à absorção e remoção do osso; 2. instrumento utilizado para osteoclasia. osteoclas'tic – adj. osteoclástico.

os·te·o·clas·to·ma (os"te-o-klas-to'mah) – osteoclastoma; tumor de células gigantes do osso.

os·te·o·cope (os'te-o-kōp") – osteócopo; ostealgia; dor severa em um osso. osteocop'ic – adj. osteocópico.

os·te·o·cra·ni·um (os"te-o-kra'ne-um) – osteocrânio; crânio fetal durante o período de ossificação.

os·te·o·cys·to·ma (-sis-to'mah) – osteocistoma; cisto ósseo.

os·te·o·cyte (os'te-o-sī t") – osteócito; osteoblasto que se incrustou dentro da matriz óssea, ocupando uma lacuna óssea e enviando, através de canalículos, processos citoplasmáticos delgados que entram em contato com os processos de outros osteócitos.

os·te·o·di·a·ta·sis (os"te-o-di-as'tah-sis) – osteodiastase; separação de dois ossos adjacentes.

os·te·odyn·ia (-din'e-ah) – osteodinia; ostealgia; ver ostealgia.

os·te·o·dys·tro·phy (-dis'trah-fe) – osteodistrofia; desenvolvimento anormal de um osso. renal o. – o. renal; afecção devida a nefropatia crônica, marcada por insuficiência da função renal, níveis séricos de fósforo elevados enquanto os de cálcio são baixos ou normais e por estimulação da função paratireóidea, resultando em composição variável de osteopatias.

os·te·o·epiph·y·sis (-ĕ-pifī -sis) – osteoepífise; qualquer epífise óssea.

os·teo·fi·bro·ma (-fi-bro'mah) – osteofibroma; tumor benigno que combina elementos tanto ósseos como fibrosos.

os·teo·gen (os'te-o-jen") – osteógeno; substância que compõe a camada interna do periósteo, a partir da qual se forma o osso.

os·teo·gen·e·sis (os"te-o-jen'ĕ-sis) – osteogênese; formação de um osso; desenvolvimento dos ossos. **o. imperfec'ta (OI)** – o. imperfeita; vários tipos de distúrbios colagênicos, de hereditariedade variável, devidos à biossíntese defeituosa do colágeno do tipo I e caracterizados por ossos quebradiços, osteoporóticos e facilmente fraturáveis; outros defeitos incluem escleras azuis, ossos de Worm e dentinogênese imperfeita.

os·te·o·gen·ic (-jen'ik) – osteogênico; derivado ou composto de qualquer tecido relacionado ao crescimento ou reparo ósseos.

os·teo·ha·lis·ter·e·sis (-hah-lis"ter-e'sis) – osteoalisterese; deficiência nos elementos minerais dos ossos.

os·te·oid (os'te-oid) – osteóide: 1. semelhante ao osso; 2. matriz orgânica do osso; osso jovem que não sofreu calcificação.

os·teo·in·duc·tion (os"te-o-in-duk'shun) – osteoindução; ato ou processo de estimular a osteogênese.

os·teo·lipo·chon·dro·ma (-lip"o-kon-dro'-mah) – osteolipocondroma; tumor cartilaginoso benigno com elementos ósseos e gordurosos.

os·te·ol·o·gy (os"te-ol'ah-je) – osteologia; estudo científico dos ossos.

os·te·ol·y·sis (os"te-ol'ĭ-sis) – osteólise; dissolução de um osso; aplicado especialmente à remoção ou perda de cálcio dos ossos. **osteolyt'ic** – adj. osteolítico.

os·te·o·ma (os"te-o'mah) – osteoma; tumor benigno de crescimento lento, composto de um osso compacto bem-diferenciado e densamente esclerosado, que ocorre particularmente no crânio e ossos faciais. **compact o.** – o. compacto; pequeno tumor compacto e denso de um osso lamelar maduro com espaço medular pequeno, geralmente nos ossos craniofaciais ou nasais. **o. cu'tis** – o. da pele; afecção na qual se formam nódulos que contêm osso na pele. **o. du'rum, o. ebur'neum** – o. duro; o. ebúrneo; o. compacto. **ivory o.** – o. ebúrneo; o. compacto. **o. medulla're** – o. medular; osteoma que contém espaços medulares. **osteoid o.** – o. osteóide; pequeno tumor circunscrito benigno (porém doloroso) de um osso esponjoso, ocorrendo especialmente nos ossos das extremidades e vértebras, mais freqüentemente em pessoas jovens. **o. spongio'sum, spongy o.** – o. esponjoso; osteoma que contém um osso de neutralização.

os·teo·ma·la·cia (os"te-o-mah'la'shah) – osteomalacia; mineralização inadequada ou retardada do osteóide em um osso esponjoso ou cortical maduro; é o equivalente adulto do raquitismo e acompanha este distúrbio em crianças. **osteomala'cic** – adj. osteomalácico. **hepatic o.** – o. hepática; osteomalacia como a complicação de hepatopatia colestática, podendo levar a dor óssea severa e fraturas múltiplas. **oncogenous o.** – o. oncogê-

nica; osteomalacia que ocorre em associação a neoplasias mesenquimatosas, que são geralmente benignas.

os·teo·mere (os'te-o-mēr") – osteômero; uma de uma série de estruturas ósseas semelhantes, como as vértebras.

os·te·om·e·try (os"te-om'ĭ-tre) – osteometria; medição dos ossos.

os·teo·my·eli·tis (os"te-o-mi"ĕ-li'tis) – osteomielite; inflamação de um osso (localizada ou generalizada), devida à infecção piogênica. **osteomyelit'ic** – adj. osteomielítico. **Garré's o., sclerosing nonsuppurative o.** – o. de Garré; o. não-supurativa esclerosante; forma crônica que envolve os ossos longos (especialmente tíbia e fêmur), marcada por reação inflamatória difusa, aumento da densidade e espessamento esclerótico em forma de fuso do córtex e ausência de supuração.

os·teo·my·elo·dys·pla·sia (-mi"ĕ-lo-dis-pla'-zhah) – osteomielodisplasia; afecção caracterizada por adelgaçamento do tecido ósseo e aumento no tamanho das cavidades medulares, acompanhado de leucopenia e febre.

os·teo·myxo·chon·dro·ma (-mik"so-kon-dro'-mah) – osteomixocondroma; osteocondromixoma.

os·te·on (os'te-on) – ósteon; unidade básica da estrutura de um osso compacto, que compreende um canal de Havers e suas lamelas concentricamente dispostas.

os·teo·ne·cro·sis (os"te-o-nĕ-kro'sis) – osteonecrose; necrose de um osso.

os·teo·neu·ral·gia (-nŏŏ-ral'jah) – osteoneuralgia; neuralgia de um osso.

os·teo·path (os'te-o-path") – osteopata; um praticante da osteopatia.

os·teo·path·ia (os"te-o-path'e-ah) – osteopatia; ver *osteopathy* (1). **o. conden'sans dissemina'ta** – o. condensante disseminada; osteopecilose. **o. stria'ta** – o. estriada; afecção assintomática caracterizada radiograficamente por condensações múltiplas de tecido ósseo gradeado, resultando em uma aparência estriada.

os·te·op·a·thy (os"te-op'ah-the) – osteopatia: 1. qualquer doença de um osso; 2. sistema de terapia com base na teoria de que o organismo é capaz de fabricar seus próprios remédios contra uma doença e outras afecções tóxicas quando se encontra em um relacionamento estrutural normal e em condições ambientais favoráveis e nutrição adequada; utiliza métodos físicos de diagnóstico e terapia geralmente aceitos, enquanto enfatiza a importância de métodos naturais de mecânica corporal e manipulações para detecção e correção de uma estrutura deficiente. **osteopath'ic** – adj. osteopático.

os·teo·pe·nia (os"te-o-pe'ne-ah) – osteopenia: 1. redução da massa óssea devida a diminuição na taxa de síntese de osteóides a um nível insuficiente para compensar a lise óssea normal; 2. qualquer redução na massa óssea abaixo do normal. **osteopen'ic** – adj. osteopênico.

os·teo·peri·os·te·al (-per"e-os'te-il) – osteoperióstico; relativo ao osso e seu periósteo.

os·teo·peri·os·ti·tis (-per"e-os-tī'tis) – osteoperiostite; inflamação de um osso e seu peritônio.

os·teo·pe·tro·sis (-pĭ-tro'sis) – osteopetrose; doença hereditária marcada por um osso anormalmente denso e pela ocorrência comum de fraturas no osso afetado.

os·teo·phle·bi·tis (-flĕ-bi'tis) – osteoflebite; inflamação das veias de um osso.

os·teo·phy·ma (-fi'mah) – osteofima; tumor ou excrescência de um osso.

os·teo·phyte (os'te-o-fīt") – osteófito; excrescência óssea.

os·teo·plas·ty (-plas"te) – osteoplastia; cirurgia plástica dos ossos.

os·teo·poi·ki·lo·sis (os"te-o-poi"kĭ-lo'sis) – osteopecilose; condição mosqueada dos ossos, radiograficamente aparente, devido à presença de focos escleróticos múltiplos e pontilhado disseminado. **osteopoikilot'ic** – adj. osteopecilótico.

os·teo·po·ro·sis (-por-o'sis) – osteoporose; rarefação anormal de um osso; pode ser idiopática ou ocorrer secundariamente a outras doenças. **osteoporot'ic** – adj. osteoporótico.

os·teo·ra·dio·ne·cro·sis (-ra"de-o-nĕ-kro'sis) – osteorradionecrose; necrose de um osso como resultado de exposição à radiação.

os·te·or·rha·gia (-ra'jah) – osteorragia; sangramento de um osso.

os·te·or·rha·phy (os"te-or'ah-fe) – osteorrafia; ligação de fragmentos de osso com suturas ou fios metálicos.

os·teo·sar·co·ma (os"te-o-sahr-ko'mah) – osteossarcoma; neoplasia primária maligna de um osso composta de um estroma de tecido conjuntivo maligno com evidências de formação de osteóide, osso ou cartilagem malignos; é subclassificado como osteoblástico, condroblástico ou fibroblástico. **osteosarco'matous** – adj. osteossarcomatoso. **parosteal o.** – o. parosteal; variante que consiste em um tumor de crescimento lento semelhante a um osso gradeado, mas origina-se do córtex do osso e cresce lentamente para fora de modo a circundar o osso. **periosteal o.** – o. periósteo; variante de osteocondroma que consiste em um tumor lobulado macio que se origina do periósteo de um osso longo e cresce para fora. **small-cell o.** – o. de células pequenas; variante do osteossarcoma semelhante ao sarcoma de Ewing, com áreas de osteóide e algumas vezes formação condróide.

os·teo·sar·co·ma·to·sis (os"te-o-sahr-ko"mah-to'sis) – osteossarcomatose; ocorrência simultânea de osteossarcomas múltiplos; osteossarcoma multicêntrico síncrono.

os·teo·scle·ro·sis (-sklĕ-ro'sis) – osteosclerose; endurecimento ou densidade anormal de um osso. **osteosclerot'ic** – adj. osteosclerótico. **o. conge'nita** – o. congênita; acondroplasia. **o. fra'gilis** – o. frágil; osteopetrose. **o. fra'gilis generalisa'ta** – o. frágil generalizada; osteopecilose.

os·te·o·sis (os"te-o'sis) – osteose; formação de um tecido ósseo. **o. cu'tis** – o. cutânea; osteoma da pele.

os·teo·su·ture (os"te-o-soo'cher) – osteossutura; osteorrafia (*osteorrhaphy*).

os·teo·syn·o·vi·tis (-sin"o-vī t'is) – osteossinovite; sinovite com osteíte dos ossos adjacentes.

os·teo·syn·the·sis (-sin"this-is) – osteossíntese; fixação cirúrgica das extremidades de um osso fraturado.

os·teo·ta·bes (-ta'bĕz) – osteotabe; doença, principalmente de bebês, na qual se destroem as células da medula óssea e a medula desaparece.

os·teo·throm·bo·sis (-throm-bo'sis) – osteotrombose; trombose das veias de um osso.

os·teo·tome (os'te-o-tōm") – osteótomo; bisturi em forma de cinzel para cortar ossos.

os·te·ot·o·my (os"te-ot'ah-me) – osteotomia; incisão ou transecção de um osso. **cuneiform o.** – o. cuneiforme; remoção de uma cunha de osso. **displacement o.** – o. por deslocamento; secção cirúrgica de um osso e desvio das extremidades divididas para alterar o alinhamento do osso ou alterar as tensões da sustentação de peso. **LeFort o.** – o. de LeFort; secção transversal e reposicionamento da maxila; a incisão cada um dos três tipos (*o. de LeFort I, II e III*) é feita ao longo da linha definida pela fratura de LeFort correspondente. **linear o.** – o. linear; serramento ou o corte linear de um osso. **sandwich o.** – o. em sanduíche; procedimento cirúrgico para potencializar uma mandíbula atrófica, semelhante à osteotomia em visor, mas com uma divisão horizontal confinada entre os forames mentonianos. **visor o.** – o. em visor; técnica cirúrgica para potencializar uma mandíbula atrófica, na qual se divide sagitalmente a mandíbula e se desliza o fragmento cranial para cima; mantendo o mesmo com enxertos.

os·ti·tis (os-tit'is) – ostite; osteíte; ver *osteitis*.

os·ti·um (os'te-um) [L.] pl. *ostia* – óstio; abertura ou orifício; abertura no interior de um órgão tubular ou entre duas cavidades corporais distintas. **os'tial** – adj. ostial. **o. abdomina'le tu'bae uteri'nae** – o. abdominal das tubas uterinas; extremidade fimbriada de um oviduto. **coronary o.** – o. coronário; uma das duas aberturas no interior do seio aórtico que marcam a origem das artérias coronárias (esquerda e direita). **o. inter'num u'teri** – óstio interno do útero; óstio uterino das tubas **o. pharyn'geum tu'bae audito'riae** – o. faríngeo da tuba auditiva. **o. pri'mum** – designação breve do primeiro forame interatrial; abertura na porção inferior da membrana que divide o coração embrionário nos lados direito e esquerdo. **o. secun'dum** – designação breve do segundo forame interatrial; abertura alta no septo do coração embrionário, aproximadamente onde o forame oval aparecerá posteriormente. **tympa'nic o., o. tympanicum tu'bae auditoriae** – o. timpânico; o. timpânico das tubas auditivas; abertura da tuba auditiva na parede carotídea da cavidade timpânica. **o. u'teri** – o. uterino; abertura externa da cérvix uterina no interior da vagina. **o. uteri'num tu'bae uterinae** – o. uterino das tubas; o ponto onde a cavidade da tuba uterina torna-se contínua com a do útero. **o. vaginae** – o. vaginal; o orifício externo da vagina.

os·to·mate (os'tah-māt) – ostomado; pessoa que sofreu enterostomia ou ureterostomia.

os·to·my (os'tah-me) – ostomia; termo genérico para operação na qual se forma uma abertura artificial, como no caso de colostomia, ureterostomia etc.

OT – *old term* in anatomy; Old tuberculin (*termo antigo* em anatomia; antiga tuberculina).

otal·gia (o-tal'jah) – otalgia; dor de ouvido.

OTC – over the counter; diz-se de drogas que a lei não exige sejam vendidas somente com receita.

otic (ŏt'ik) – ótico; relativo ao ouvido; aural.

oti·tis (o-tīt'is) – otite; inflamação do ouvido. **otit'ic** – adj. otítico. **aviation o.** – o. dos aviadores; barotite média. **o. exter'na** – o. externa; inflamação do ouvido externo. **furuncular o.** – o. furuncular; formação de furúnculos no meato externo. **o. inter'na** – o. interna; labirintite. **o. me'dia** – o. média; inflamação do ouvido médio. **o. media, secretory** – o. média secretora; acúmulo indolor de fluido mucóide ou seroso no ouvido médio, causando perda auditiva condutiva e algumas vezes se deve à obstrução da tuba de Eustáquio. **o. myco'tica** – o. micótica; otite devida a fungo parasita. **parasitic o.** – o. parasitária; otoacaríase. **o. sclero'tica** – o. esclerótica; otite marcada por endurecimento das estruturas auditivas.

ot(o)- [Gr.] – ot(o)-, elemento de palavra, *ouvido*.

oto·ac·a·ri·a·sis (o"to-ak"ah-ri'ah-sis) – otoacaríase; infestação dos ouvidos de gatos, cães e coelhos domésticos por ácaros do gênero *Otodectes*.

oto·an·tri·tis (-an-trīt'is) – otoantrite; inflamação do ático timpânico e antro mastóideo.

Oto·bi·us (o-to'be-us) – *Otobius*; gênero de carrapatos moles, parasitas dos ouvidos de vários animais e também conhecidos por infestar o homem.

oto·ceph·a·ly (o"to-sef'ah-le) – otocefalia; malformação congênita caracterizada pela ausência do maxilar inferior e orelhas reunidas abaixo da face.

oto·cra·ni·um (-kra'ne-um) – otocrânio: 1. câmara no interior do osso petroso que aloja o ouvido interno; 2. porção auditiva do crânio. **otocra'nial** – adj. otocraniano.

oto·cyst (o'to-sist) – otocisto: 1. vesícula auditiva do embrião; 2. saco auditivo de alguns animais inferiores.

Oto·dec·tes (o"to-dek'tēz) – *Otodectes*; gênero de ácaros; ver também *otoacariasis*.

oto·en·ceph·a·li·tis (-en-sef"ah-līt'is) – otoencefalite; inflamação de cérebro devida à extensão de inflamação do ouvido médio.

oto·gen·ic (-jen'ik) – otogênico; ver *otogenous*.

otogenous (o-toj'ĕ-nus) – otogênico; que se origina dentro do ouvido.

oto·lar·yn·gol·o·gy (o"to-lar"in-gol'aj-je) – otolaringologia; ramo da Medicina que se ocupa das doenças do ouvido, nariz e garganta.

oto·lith (o'to-lith) – otólito: 1. ver *statoconia*; 2. massa calcárea no interior do ouvido médio dos vertebrados ou otocisto dos invertebrados.

otol·o·gy (o-tol'ah-je) – Otologia; ramo da Medicina que lida com o ouvido, sua anatomia, fisiologia e patologia. **otolog'ic** – adj. otológico.

oto·mu·cor·my·co·sis (o"to-mu"kor-mi-ko'-sis) – otomucormicose; mucormicose do ouvido.

oto·my·co·sis (-mi-ko'sis) – otomicose; infecção fúngica do meato auditivo externo e do canal auditivo.

oto·neu·rol·o·gy (-nŏŏ-rol'ah-je) – otoneurologia; ramo da otologia que se ocupa especialmente das porções do sistema nervoso relacionadas ao ouvido. **otoneurolog'ic** – adj. otoneurológico.

otop·a·thy (o-top'ah-the) – otopatia; qualquer doença do ouvido.

oto·pha·ryn·ge·al (o"to-fah-rin'je-il) – otofaríngeo; relativo ao ouvido e à faringe.

oto·plas·ty (o'to-plas"te) – otoplastia; cirurgia plástica da orelha.

oto·poly·pus (o"to-pol'ĭ-pus) – otopólipo; pólipo no interior do ouvido.

oto·py·or·rhea (-pi"o-re'ah) – otopiorréia; secreção purulenta abundante do ouvido.

oto·rhi·no·lar·yn·gol·o·gy (-ri"no-lar"in-gol'-ah-je) – otorrinolaringologia; ramo da Medicina relacionado ao ouvido, nariz e garganta.

oto·rhi·nol·o·gy (-ri-nol'ah-je) – Otorrinologia; ramo da Medicina relacionado ao ouvido e nariz.

otor·rha·gia (-ra'jah) – otorragia; sangramento do ouvido.

otor·rhea (-re'ah) – otorréia; secreção do ouvido.

oto·sal·pinx (-sal'pinks) – otossalpinge; tuba auditiva; ver *tube, auditory*.

oto·scle·ro·sis (-sklĕ-ro'sis) – otosclerose; afecção na qual a otospongiose pode causar ancilose óssea do estribo, resultando em perda auditiva condutiva. **otosclerot'ic** – adj. otosclerótico.

oto·scope (o'to-skōp) – otoscópio; instrumento para inspecionar ou auscultar o ouvido.

oto·spon·gi·o·sis (o"to-spon"je-o'sis) – otospongiose; formação de osso esponjoso no interior do labirinto ósseo do ouvido.

oto·tox·ic (-tok'sik) – ototóxico; que tem efeito deletério sobre o oitavo nervo ou sobre os órgãos da audição e equilíbrio.

OU [L.] – OU, *oculus uterque* (cada olho).

oua·ba·in (wah-ba'in) – ouabaína; glicosídeo cardíaco proveniente da espécie *Strophanthus gratus*, que tem as mesmas ações dos digitálicos, mas produz digitalização mais rapidamente; utilizada no tratamento de emergência da insuficiência cardíaca congestiva aguda.

ounce (ouns) – onça; medida de peso tanto no sistema avoirdupois ($^1/_{16}$ de libra, 437,5 grãos ou 28,3495g) como no sistema de de medidas de farmácia ($^1/_{12}$ de libra, 480 grãos ou 31,103g); abreviação on. **fluid o.** – o. líquida; unidade de medida líquida do sistema de medidas de farmácia, correspondendo a 8 dracmas líquidas ou 29,57ml.

out·breed·ing (out'brēd"ing) – exogamia; cruzamento de indivíduos não-relacionados, que freqüentemente produz descendentes mais vigorosos que os pais em termos de crescimento, sobrevivência e fertilidade.

out·let (-let) – saída; meio ou via de saída. **pelvic o.** – s. pélvica; abertura inferior da pelve.

out·pa·tient (-pa"shint) – paciente externo; paciente que vem ao hospital, clínica ou ambulatório para diagnóstico e/ou tratamento, mas não é internado.

out·pock·et·ing (-pok"it-ing) – evaginação.

MNO

out·pouch·ing (-pouch-ing) – invaginação; protrusão de uma camada ou parte para formar uma bolsa; evaginação.

out·put (-put) – débito; dispêndio; gasto; produção ou o total de alguma coisa produzida por qualquer sistema funcional do corpo. **cardiac o.** (CO) – débito cardíaco; volume efetivo de sangue expelido por um dos ventrículos do coração por unidade de tempo (geralmente por minuto). **stroke o.** – d. sistólico; ver em *volume*. **urinary o.** – d. urinário; quantidade de urina excretada pelos rins.

ova (o'vah) – plural de *ovum*.

ovar·i·ec·to·my (o-var"e-ek'tah-me) – ovariectomia; ooforectomia (*oophorectomy*).

ovari(o)- [L.] – ovari(o)-, elemento de palavra, *ovário*.

ovar·io·cele (o-var'e-o-sēl") – ovariocele; hérnia de ovário.

ovar·io·cen·te·sis (o-var"e-o-sen-te'sis) – ovariocentese; punção cirúrgica de um ovário.

ovar·io·pexy (-pek'se) – ovariopexia; operação de elevação e fixação de um ovário à parede abdominal.

ovar·i·or·rhex·is (-rek'sis) – ovariorrexe; ruptura de um ovário.

ovar·io·sal·pin·gec·to·my (-sal"pin-jek'tah-me) – ovariossalpingectomia; excisão de um ovário e um oviduto.

ovar·i·os·to·my (o-var"e-os'tah-me) – ovariostomia; ooforotomia (*oophorotomy*).

ovar·i·ot·o·my (-ot'ah-me) – ovariotomia; ooforotomia; remoção cirúrgica de um ovário ou tumor ovariano.

ovar·io·tu·bal (o-var"e-o-too'b'l) – ovariotubário; relativo a um ovário e um oviduto.

ova·ri·tis (o"vah-rī't'is) – ovarite; ooforite (*oophoritis*).

ovar·i·um (o-var'e-um) [L.] pl. *ovaria* – ovário.

ova·ry (o'vah-re) – ovário; gônada feminina; uma das glândulas sexuais femininas pareadas nas quais se formam os óvulos. **ova'rian** – adj. ovariano. **polycystic o's.** – ovários policísticos; ovários que contêm pequenos cistos foliculares múltiplos preenchidos com fluido seroso amarelo ou tingido de sangue; a afecção pode levar à síndrome de Stein-Leventhal.

over·bite (o'ver-bīt") – sobremordida; extensão dos dentes incisivos superiores sobre os dentes inferiores em sentido vertical quando os dentes posteriores em oposição estão em contato.

over·com·pen·sa·tion (o"ver-kom"pen-sa'-shun) – supercompensação; correção exagerada de um defeito físico ou psicológico real ou imaginário.

over·den·ture (-den'cher) – sobredentadura; dentadura completa susportada tanto pela mucosa como por alguns dentes naturais remanescentes que tenham se alterado para permitir que a dentadura se encaixe nos mesmos.

over·de·ter·mi·na·tion (-de-ter"min-a'shun) – superdeterminação; mecanismo inconsciente através do qual toda reação ou sintomas emocionais são o resultado de fatores múltiplos.

over·dose (o'ver-dōs") – overdose; superdose; superdosar: 1. administrar dose excessiva; 2. dose excessiva.

over·do·sage (o"ver-do'sij) – superdosagem: 1. administração de dose excessiva; 2. situação resultante de uma dose excessiva.

over·hy·dra·tion (-hi-dra'shun) – superidratação; estado de excesso de líquidos no corpo.

over·jet (o'ver-jet) – superposição; extensão das cristas das cúspides incisivas ou bucais dos dentes superiores, labial ou bucalmente, com relação às margens incisivas dos dentes inferiores quando as mandíbulas se fecham normalmente.

over·lay (-la) – revestimento; componente superposto posteriormente a estado ou condição preexistentes. **psychogenic o.** – r. psicogênico; aumento emocionalmente determinado de um sintoma preexistente ou incapacidade de origem orgânica ou fisicamente traumática.

over·ven·ti·la·tion (o"ver-ven"tĭ-la'shun) – superventilação; hiperventilação.

ovi- – ovi-, ver *ov(o)-*.

ovi·cide (o'vĭ -sī d) – ovicida; agente destrutivo aos óvulos de determinados organismos.

ovi·duct (-dukt) – oviduto; passagem através da qual os óvulos deixam o corpo materno ou passam para um órgão que se comunica com o exterior do corpo; ver *uterine tube* em *tube*. **ovidu'cal, oviduct'al** – adj. oviductal.

ovif·er·ous (o-vif'er-is) – ovífero; que produz óvulos

ovi·form (o'vĭ -form) – oviforme; em forma de ovo.

ovi·gen·e·sis (o"vĭ -jen'is-is) – ovigênese; oogênese (*oogenesis*).

ovip·a·rous (o-vip'ah-rus) – ovíparo; que produz ovos onde se desenvolvem o embrião externamente ao corpo materno, como nas aves.

ovi·pos·i·tor (o"vĭ -pos'it-er) – ovipositor; órgão especializado através do qual muitos insetos fêmea depositam seus ovos.

ov(o)- [L.] – ov(o)-, elemento de palavra, *ovo; óvulo*. Também, *ovi-*.

ovo·lac·to·veg·e·tar·i·an (o"vo-lak"to-vej"ē-tar'e-an) – ovolactovegetariano; pessoa cuja dieta se restringe a legumes e verduras, produtos lácteos e ovos, abstendo-se de outros alimentos de origem animal.

ovo·plasm (o'vo-plazm) – ovoplasma; citoplasma de um óvulo não-fertilizado.

ovo·tes·tis (o"vo-tes'tis) – ovoteste; gônada que contém tanto tecido testicular como ovariano.

ovo·veg·e·tar·i·an (-vej"ē-tar'e-an) – ovovegetariano; pessoa cuja dieta se restringe a legumes e verduras e ovos, abstendo-se de outros alimentos de origem animal.

ovo·vi·vip·a·rous (-vi-vip'ah-rus) – ovovivíparo; que produz filhotes vivos que eclodem de ovos no interior do corpo materno, sendo o embrião nutrido pelo alimento armazenado no ovo; diz-se dos lagartos etc.

ovu·lar (ov'u-lar) – ovular; relativo a um óvulo.

ovu·la·tion (ov"u-la'shun) – ovulação; liberação do óvulo a partir do folículo de Graaf. **ov'ulatory** – adj. ovulatório.

ovule (o'vūl) – óvulo: 1. óvulo dentro de um folículo de Graaf; 2. qualquer estrutura pequena e semelhante a um ovo.

ovum (o'vum) [L.] pl. *ova* – óvulo; ovo; célula reprodutiva ou germinativa feminina que, após a fertilização, é capaz de se desenvolver em novo membro da mesma espécie.

ox·a·cil·lin (ok"sah-sil'in) – oxacilina; penicilina semi-sintética resistente à penicilinase utilizada como sal sódico em infecções devidas a microrganismos Gram-positivos resistentes à penicilina.

ox·a·late (ok'sah-lāt) – oxalato; qualquer sal do ácido oxálico. **calcium o.** – o. de cálcio; sal do ácido oxálico que pode se depositar em cálculos urinários.

ox·a·le·mia (ok"sah-le'me-ah) – oxalemia; excesso de oxalatos no sangue.

ox·a·lic ac·id (ok-sal'ik) – ácido oxálico; ácido dicarboxílico forte que ocorre em várias frutas e legumes e verduras e como um produto metabólico dos ácidos glioxílico ou ascórbico; não é metabolizado, mas é excretado na urina. O excesso pode levar à formação de cálculos de oxalato de cálcio nos rins.

ox·al·ism (ok'sal-izm) – oxalismo; envenenamento através do ácido oxálico ou oxalato.

ox·a·lo·ac·e·tate (ok"sal-o-as'ē-tat) – oxaloacetato; sal ou éster do ácido oxaloacético.

ox·a·lo·ace·tic ac·id (ok"sah-lo-ah-sēt'ik) – ácido oxaloacético; intermediário metabólico no ciclo do ácido tricarboxílico; é conversível em ácido aspártico através da aspartato transaminase.

ox·a·lo·sis (ok"sah-lo'sis) – oxalose; deposição disseminada de oxalato de cálcio em tecidos renais e extra-renais, como pode ocorrer no caso de hiperoxalúria.

ox·al·uria (ok"sal-u're-ah) – oxalúria; hiperoxalúria (*hyperoxaluria*).

ox·an·dro·lone (ok-san'dro-lōn) – oxandrolona; lactona esteróide androgênica utilizada para acelerar o anabolismo e/ou interromper o catabolismo excessivo.

ox·az·e·pam (ok-saz'ē-pam) – oxazepam; tranqüilizante benzodiazepínico utilizado como agente antiansiedade e como adjuvante no tratamento dos sintomas de abstinência aguda de álcool.

ox·i·dant (ok'sĭ-dant) – oxidante; aceptor de elétrons em reação de oxidação-redução (redox).

ox·i·dase (ok'sĭ-dās) – oxidase; enzima da classe das oxidorredutases nas quais o oxigênio molecular é o aceptor de hidrogênio.

ox·i·da·tion (ok"sĭ-da'shun) – oxidação; ato de oxidar ou estado de ser oxidado.

ox·i·da·tion-re·duc·tion (-re-duk'shun) – oxidação-redução; reação química através da qual se removem os elétrons (oxidação) dos átomos da substância a ser oxidada e se transferem os mesmos para a substância a ser reduzida (redução).

ox·i·de (ok'sĭ d) – óxido; composto de oxigênio com um elemento ou radical.

ox·i·dize (ok'si-diaz) – oxidar; fazer com que algo se combine com oxigênio ou remova hidrogênio.

ox·i·do·re·duc·tase (ok"sĭ -do-re-duk'tās) – oxidorredutase; substância de uma classe de enzimas que catalisam a transferência reversível de elétrons de um substrato (que se torna oxidado) para outro substrato (que se torna reduzido) – reação de oxidação-redução ou redox.

ox·im, oxi·me (ok'sim) – oxima; substância de uma série de compostos formados pela ação da hidroxilamina em um aldeído ou cetona.

ox·im·e·ter (ok-sim'ē-ter) – oxímetro; dispositivo fotoelétrico para determinar a saturação de oxigênio do sangue.

ox·im·e·try (ok-sim'ē-tre) – oximetria; determinação da saturação de oxigênio do sangue arterial através da utilização de um oxímetro.

oxo·lin·ic ac·id (ok"so-lin'ik) – ácido oxolínico; antibacteriano sintético utilizado no tratamento de infecções do trato urinário devidas a microrganismos Gram-negativos suscetíveis.

5-oxo·pro·line (-pro'lēn) – 5-oxoprolina; lactama ácida do ácido glutâmico que ocorre na terminação N de vários peptídeos e proteínas.

5-oxo·o·pro·lin·u·ria (-pro"lin-u're-ah) – 5-oxoprolinúria: 1. excesso de 5-oxoprolina na urina; 2. deficiência generalizada de glutationa sintetase.

ox·triph·yl·line (oks-trif'ĭ -lēn) – oxtrifilina; sal colínico da teofilina, utilizado principalmente como broncodilatador.

oxy- [Gr.] – oxi-, elemento de palavra, *agudo, ácido, aguçado, penetrante, rápido; presença de oxigênio em um composto*.

oxy·ben·zone (ok"se-ben'zōn) – oxibenzona; agente protetor solar tópico.

oxy·bu·ty·nin (-bu'tĭ -nin) – oxibutinina; anticolinérgico que tem efeito antiespasmódico direto na musculatura lisa; utilizado em forma do sal de cloreto no tratamento de bexiga neurogênica desinibida ou bexiga neurogênica reflexa.

oxy·ceph·a·ly (-sef'ah-le) – oxicefalia; afecção na qual o topo do crânio torna-se pontiagudo ou cônico devido ao fechamento prematuro das suturas coronal e lambdóide. **oxicephal'ic** – adj. oxicefálico.

oxy·chlo·ro·sene (-klor'o-sēn) – oxicloroseno; complexo orgânico estabilizado de ácido hipocloroso utilizado como anti-séptico tópico no tratamento de infecções localizadas.

oxy·co·done (-ko'dōn) – oxicodona; analgésico narcótico semi-sintético derivado da morfina, e utilizado em forma de sal de cloridrato.

ox·y·gen (ok'sĭ -jen) – oxigênio; elemento químico (ver *Tabela de Elementos*), número atômico 8, símbolo O. Constitui cerca de 20% do ar atmosférico; corresponde ao agente essencial à respiração das plantas e animais; e, embora não seja inflamável, é necessário à manutenção da combustão. **hyperbaric o.** – o. hiperbárico; oxigênio sob pressão maior que a atmosférica.

ox·y·gen·ase (-jen-ās) – oxigenase; oxidorredutase que catalisa a incorporação de ambos os átomos do oxigênio molecular em um único substrato.

ox·y·gen·ate (-jĕ-nāt) – oxigenar; saturar com oxigênio.

ox·y·gen·a·tion (ok"sĭ -jĕ-na'shun) – oxigenação; ato, processo ou resultado da adição de oxigênio. **extracorporeal membrane o. (ECMO)** – o. por membrana extracorpórea; técnica para proporcionar suporte respiratório aos recém-nascidos, no qual o sangue circula através de pulmão artificial que consiste em dois compartimentos separados por uma membrana permeável a gases tendo o sangue de um lado e gás ventilante do outro.

oxy·hem·a·to·por·phy·rin (-hem"ah-to-por'fĭ -rin) – oxiematoporfirina; pigmento algumas vezes encontrado na urina, estreitamente associado à hematoporfirina.

oxy·he·mo·glo·bin (-he"mo-glo'bin) – oxiemoglobina; hemoglobina que contém O_2 conjugado, um composto formado a partir da hemoglobina em exposição ao gás alveolar nos pulmões.

oxy·met·az·o·line (-met-az'o-lēn) – oximetazolina; adrenérgico utilizado topicamente na forma de sal de cloridrato como vasoconstritor na congestão nasal.

oxy·meth·o·lone (-meth'o-lōn) – oximetolona; esteróide anabólico-androgênico administrado oralmente.

oxy·mor·phone (-mor'fōn) – oximorfona; analgésico narcótico utilizado como sal de cloridrato.

oxy·myo·glo·bin (-mi'o-glo"bin) – oximioglobina; mioglobina carregada com oxigênio.

ox·yn·tic (ok-sint'ik) – oxíntico; que secreta ácido, como as células parietais (oxínticas).

oxy·phen·bu·ta·zone (ok"se-fen-bu'tah-zōn) – oxifembutazona; derivado fenilbutazônico que tem ações antiinflamatórias, analgésicas e antipiréticas semelhantes; é utilizada no tratamento da artrite, gota e afecções semelhantes.

oxy·phen·cy·cli·mine (-si'klĭ-mēn) – oxifenciclimina; anticolinérgico com ações anti-secretoras, antimotilidade e antiespasmódicas; utiliza-se seu sal de cloridrato no tratamento da úlcera péptica e outros distúrbios gastrointestinais.

oxy·phe·ni·sa·tin (-fē-ni'sah-tin) – oxifenisatina; catártico administrado como enema para limpar o intestino antes de uma cirurgia ou exame do cólon; também utilizada em forma de éster de acetato.

oxy·phe·no·ni·um (-fē-no'ne-um) – oxifenônio; anticolinérgico utilizado como sal de brometo no tratamento de úlceras pépticas e outros distúrbios gastrointestinais caracterizados por hipermotilidade e espasmo.

oxy·phil (ok'se-fil) – oxífilo: 1. célula de Hürthle; 2. oxifílico.

oxy·phil·ic (ok"se-fil'ik) – oxifílico; corável com corante ácido.

oxy·quin·o·line (ok"si-kwin'o-lēn) – oxiquinolina; composto aromático dicíclico utilizado como agente quelante; também utilizada em forma de base ou sal de sulfato como bacteriostático, fungistático, anti-séptico e desinfetante.

oxy·tet·ra·cy·cline (ok"se-tet"rah-si'klēn) – oxitetraciclina; antibiótico de amplo espectro do grupo das tetraciclinas, produzido pela *Streptomyces rimosus*, e utilizado como base ou sal de cálcio como antibacteriano e adjuvante no tratamento da amebíase.

oxy·to·cia (-to'se-ah) – ocitocia; oxitocia; parto rápido.

oxy·to·cic (-to'sik) – ocitócico; oxitócico: 1. relativo, caracterizado ou que promove ocitocia; 2. agente que promove parto rápido através da estimulação de contrações do miométrio.

oxy·to·cin (-to'sin) – ocitocina; oxitocina; hormônio hipotalâmico octapeptídeo armazenado na hipófise posterior, que tem ações contráteis do útero e liberadoras de leite; também pode ser preparada sinteticamente ou obtida a partir da hipófise posterior dos animais domésticos; utilizada para induzir parto ativo, aumentar a força das contrações no parto, contrair a musculatura uterina após a expulsão da placenta, controlar a hemorragia pós-parto e estimular a ejeção de leite.

oxy·uri·a·sis (-ūr-i'ah-sis) – oxiuríase; infecção pela *Enterobius vermicularis* (no homem) ou outros oxiurídeos; enterobíase.

oxy·uri·cide (-ūr'ĭ-sīd) – oxiuricida; agente que destrói oxiurídeos.

oxy·urid (-ūr'id) – oxiurídeo; nematódeo muito fino; qualquer indivíduo da superfamília Oxyuroidea.

Oxy·uris (-ūr'is) – Oxyuris; gênero de vermes nematódeos intestinais (superfamília Oxyuroidea). **O. e'qui**– *O. equi;* espécie encontrada nos eqüinos. **O. vermicula'ris** – *O. vermicularis, Enterobius vermicularis.*

Oxy·uroi·dea (-ūr"oi-de'ah) – Oxyuroidea; superfamília de nematódeos pequenos (oxiúros), parasitas do ceco e cólon dos vertebrados e algumas vezes infectando os invertebrados.

oz – ounce (onça).

oze·na (o-ze'nah) – ozena; rinite atrófica caracterizada por descarga mucopurulenta espessa, crostas na mucosa e odor fétido.

ozone (o'zōn) – ozônio; ozona; gás ou líquido explosivos azulados, que corresponde a uma forma alotrópica do oxigênio (O_3); é anti-séptico e desinfetante, e também irritante e tóxico ao sistema pulmonar.

P

P – phosphorus; phosphate group; para; peta-; poise; posterior; premolar; pupil (fósforo; grupo fosfato; para; peta-; poise; posterior; pré-molar; pupila).

P – power, pressure (força; pressão).

P_1 – parental generation (geração parental).

P_2 – pulmonics second sound (segundo murmúrio pulmonar).

p – pico; proton; the short arm of a chromosome (pico-; próton; braço curto de um cromossoma).

p- – para-^{2} (para-^{2}).

PA – physician assistent; posteroanterior; pulmonary artery (auxiliar médico; póstero-anterior; AP, artéria pulmonar).

Pa – 1. símbolo químico, protactínio (*protactinium*); 2. símbolo de pascal.

PAB, PABA – *p*-aminobenzoic acid (ácido *p*-aminobenzóico).

pace·mak·er (pās'māk"er) – marca-passo: 1. algo que estabelece o ritmo em que ocorre um fenômeno; 2. marca-passo cardíaco natural ou artificial;

3. em Bioquímica, substância cuja velocidade de reação estabelece a velocidade de uma série de reações em cadeia. **cardiac p.** – m. cardíaco; um grupo de células que iniciam ritmicamente o batimento cardíaco, caracterizadas fisiologicamente por uma lenta perda de potencial de membrana durante a diástole; geralmente corresponde ao nódulo sinoatrial. **cardiac p., artificial** – m. cardíaco artificial; dispositivo projetado para reproduzir ou regular o ritmo cardíaco. É usado ou implantado no corpo do paciente, carregado por bateria, e geralmente disparado ou inibido para modificar o débito cardíaco através da percepção do potencial intracardíaco em uma ou mais câmaras cardíacas e também pode ter funções antitaquicardia. Muitos marca-passos são denominados por um código de três a cinco letras utilizado para classificá-los funcionalmente. **ectopic p.** – m. ectópico; qualquer marca-passo cardíaco biológico que não o nódulo sinoatrial; fica normalmente inativo. **escape p.** – m. de escape, marca-passo ectópico que assume o controle da propagação dos impulsos cardíacos devido à incapacidade do nódulo sinoatrial iniciar um ou mais impulsos. **demand p.** – m. de demanda; marca-passo cardíaco implantado no qual se inibe o estímulo gerador por meio de um sinal derivado da ativação elétrica do coração (despolarização), minimizando conseqüentemente o risco de fibrilação induzida do marca-passo. **dual chamber p.** – m. de câmara dupla; marca-passo artificial com duas guias, uma no átrio e outra no ventrículo, de forma que a sincronia eletromecânica seja aproximada. **fixed-rate p.** – m. de freqüência fixa; marca-passo cardíaco artificial calibrado para marcar em única freqüência. **rate responsive p.** – m. responsivo à freqüência; marca-passo cardíaco artificial que pode emitir estímulos em uma freqüência ajustável a alguns parâmetros independentemente da atividade atrial. **runaway p.** – m. de fuga; marca-passo cardíaco artificial em disfunção, que acelera abruptamente sua velocidade de marcação, induzindo taquicardia. **secondary p.** – m. secundário; m. ectópico. **single chamber p.** – m. de câmara única; marca-passo cardíaco implantado com somente uma guia, colocada no átrio ou ventrículo. **wandering atrial p.** – m. atrial migratório; afecção na qual o local de origem dos impulsos que controlam a freqüência cardíaca muda de um ponto para outro dentro dos átrios, quase a cada batimento.

pachy- [Gr.] – paqui-, elemento de palavra, *grosso*.
pachy·bleph·a·ron (pak"e-blef'ah-ron) – paquibléfaro; espessamento das pálpebras.
pachy·ceph·a·ly (-sef'ah-le) – paquicefalia; espessamento anormal dos ossos do crânio. **pachycephal'ic** – adj. paquicefálico.
pachy·chei·lia (-ki'le-ah) – paquiqueilia; espessamento dos lábios.
pachy·chro·mat·ic (-kro-mat'ik) – paquicromático; que possui a cromatina em filamentos grossos.
pachy·dac·ty·ly (-dak'tĭ-le) – paquidactilia; aumento de volume dos dedos e artelhos.
pachy·der·ma (-der'mah) – paquidermia; espessamento anormal da pele. **pachyder'matous** – adj. paquidérmico.

pachy·der·ma·to·cele (-der-mat'ah-sēl) – paquidermatocele; neuroma plexiforme que atinge um tamanho grande, produzindo afecção semelhante à elefantíase.
pachy·der·mo·peri·os·to·sis (-durm"o-pē"re-os-to'sis) – paquidermoperiostose; paquidermia que afeta a face e couro cabeludo, com espessamento dos ossos das extremidades distais e acropaquia.
pachy·glos·sia (-glos'e-ah) – paquiglossia; espessamento anormal da língua.
pachy·gy·ria (-ji're-ah) – paquigiria; macrogiria (*macrogyria*).
pachy·lep·to·men·in·gi·tis (-lep"to-men"in-jī't-is) – paquileptomeningite; inflamação da dura-máter e da pia-máter.
pachy·men·in·gi·tis (-men"in-jī'tis) – paquimeningite; inflamação da dura-máter.
pachy·men·in·gop·a·thy (-mening-gop'ah-the) – paquimeningopatia; doença não-inflamatória da dura-máter (*dura mater*).
pachy·me·ninx (-me'ninks) pl. *pachymeninges* – paquimeninge; dura-máter (*dura mater*).
pa·chyn·sis (pah-kin'sis) – paquinse; espessamento anormal. **pachyn'tic** – adj. paquíntico.
pachy·onych·ia (pak"e-o-nik'e-ah) – paquioníquia; espessamento anormal das unhas. **p. conge'nita** – p. congênita; distúrbio raro, congênito e dominantemente herdado, caracterizado por grande espessamento das unhas, hiperceratose das palmas das mãos e plantas dos pés e leucoplaquia.
pachy·peri·os·ti·tis (pak"ĭ-pē"re-os-tī'tis) – paquiperiostite; periostite dos ossos longos que resulta em espessura anormal dos ossos afetados.
pachy·peri·to·ni·tis (-pē"rĭ-to-ni'tis) – paquiperitonite; inflamação e espessamento do peritônio.
pachy·pleu·ri·tis (-ploor-ī'tis) – paquipleurite; fibrotórax.
pachy·sal·pin·gi·tis (-sal"pin-jī'tis) – paquissalpingite; salpingite crônica com espessamento.
pachy·sal·pin·go·ova·ri·tis (-sal-ping"go-o"-vah-rī'tis) – paquissalpingovarite; inflamação crônica do ovário e da tuba uterina, com espessamento.
pachy·tene (pak'ĭ-tēn) – paquíteno; na prófase da meiose, o estágio que se segue ao zigóteno durante o qual os cromossomas se encurtam, espessam e se separam em duas cromátides-irmãs reunidas em seus centrômeros. Os cromossomas homólogos pareados, que eram reunidos por sinapse, formam agora uma tétrade de cromátides. Quando ocorrer cruzamento entre cromátides não-irmãs, elas se reúnem através de quiasmas em forma de X.
pachy·vag·i·nal·itis (pak"ĭ-vaj"in-il-ī'tis) – paquivaginalite; inflamação e espessamento da túnica vaginal.
pach·y·vag·i·ni·tis (-vaj"ĭ-ni'tis) – paquivaginite; vaginite crônica com espessamento das paredes vaginais.
pac·ing (pās'ing) – marcação; estabelecimento do ritmo de batimentos cardíacos. **asynchronous p.** – ritmo assíncrono; marcação cardíaca na qual ocorre a geração de impulsos por parte do marca-passo em freqüência fixa, independentemente da atividade cardíaca subjacente. **burst p.** – ritmo em estouro; ritmo produzido por marca-passo; **coupled p.** –

ritmo acoplado; variação de marcação de ritmo em seqüência dupla imediata na qual a despolarização natural do paciente serve como o primeiro de dois estímulos, sendo o segundo induzido por marca-passo cardíaco artificial. **overdrive p.** – ritmo produzido por marca-passo; processo de aumento da freqüência cardíaca através de marca-passo cardíaco artificial para suprimir determinadas arritmias. **paired p.** – marcação de ritmo em seqüência dupla imediata; marcação cardíaca na qual se descarregam os impulsos no coração em estreita sucessão para reduzir taquiarritmias e melhorar o desempenho cardíaco. **ramp p.** – marcação de ritmo em escala seqüente; marcação cardíaca em que se descarregam os estímulos em freqüência rápida, porém em alteração contínua, ou seja, de mais rápida para mais lenta (*freqüência decrescente* ou *queda de freqüência*), de rápida para mais rápida (*diminuição da extensão do ciclo* ou *ascendente*), ou em alguma combinação cíclica de aumento e redução de freqüências; utilizada para controlar taquiarritmias. **synchronous p.** – marcação de ritmo síncrono; marcação cardíaca na qual se utilizam as informações acerca da atividade sentida em uma ou mais câmaras cardíacas para determinar o momento ideal da geração de impulsos por parte do marca-passo. **underdrive p.** – marcação de ritmo assincrônico; método para fazer cessar determinadas taquicardias através de marcação de ritmo assíncrono lento em uma velocidade que não seja uma fração idêntica da velocidade da taquicardia.

pack (pak) – envoltório: 1. tratamento pelo qual se envolve o paciente em cobertores ou lençóis, ou um membro em toalhas, molhados ou, secos, quentes ou frios; também designa os cobertores ou toalhas utilizados com esse propósito; 2. tampão.

pack·er (pak'er) – tampão; tamponador; instrumento para a introdução de curativo em uma cavidade ou ferimento.

pack·ing (-ing) – tamponamento; preenchimento de um ferimento ou cavidade com gaze, tampões, coxins ou outro material; também designa o material utilizado com esse propósito.

pac·li·tax·el (pak"lĭ-tak'sel) – paclitaxel; agente antitumor que age através da promoção e estabilização da polimerização dos microtúbulos, isolado do teixo do Pacífico (*Taxus brevifolia*); utilizado experimentalmente no tratamento do carcinoma ovariano e do melanoma.

pad (pad) – coxim; massa semelhante a almofada acolchoada de material macio. **abdominal p.** – tampão abdominal; coxim para a absorção de descargas provenientes de ferimentos abdominais ou para acondicionamento de vísceras abdominais para melhorar a exposição durante uma cirurgia. **buccal fat p.** – c. gorduroso bucal; c. de sucção. **dinner p.** coxim colocado sobre o estômago antes de se aplicar colete de gesso; remove-se então o coxim, deixando um espaço sob o colete para acomodar a expansão do estômago após a alimentação. **fat p.** – c. gorduroso: 1. grande coxim de gordura situado atrás e abaixo da patela; 2. c. de sucção. **knuckle p's** – coxins de nós; espessamentos nodulares da pele na superfície dorsal das articulações interfalângicas.

retromolar p. – c. retromolar; massa de tecido semelhante a almofada, situada na terminação distal da crista residual mandibular. **sucking p., suctorial p.** – c. de sucção; massa lobulada de gordura que ocupa o espaço entre o masseter e a superfície externa do músculo bucinador; é bem-desenvolvido nos bebês.

pae- – ver também as palavras com prefixo *pe-*.

PAF – platelet activating factor (fator ativador de plaquetas).

-pagus [Gr.] – -pago, elemento de palavra, *gêmeos unidos*.

PAH, PAHA – *p*-aminohippuric acid (ácido *p*-amino-hipúrico).

pain (pãn) – dor; sensação de desconforto, sofrimento ou agonia, causada pela estimulação de terminações nervosas especializadas. **bearing-down p.** – dor que acompanha as contrações uterinas durante o segundo estágio do parto. **false p's** – alarmes falsos; dores ineficazes semelhantes às dores do parto, não acompanhadas de dilatação cervical. **growing p's** – dores do crescimento; dores de membros quase reumáticas recorrentes peculiares ao início da juventude. **hunger p.** – d. de fome; dor que chega no momento da sensação de fome; um sintoma de distúrbio gástrico. **intermenstrual p.** – d. intermenstrual; dor que acompanha a ovulação, e ocorre durante o período entre as menstruações, em geral aproximadamente no meio do ciclo. **labor p's** – dores do parto; dores rítmicas de severidade e freqüência crescentes devidas a contração do útero no parto. **phantom limb p.** – dor do membro-fantasma; dor sentida ainda que o membro esteja ausente (amputado). **psychogenic p.** – d. psicogênica; sintomas de dor física de origem psicológica. **referred p.** – d. referida; d. irradiada; dor sentida em uma parte que se afasta da região onde se situa a causa que a produziu. **rest p.** – d. em repouso; dor em queimação contínua devida a isquemia do membro inferior, que começa ou se agrava após reclinação sendo aliviada quando na posição sentada ou em pé.

paint (pãnt) – pincelagem: 1. líquido destinado a aplicação sobre uma superfície, como a do corpo ou de um dente; aplicar um líquido em uma área específica como medida curativa ou protetora.

pair (pãr) – par: 1. combinação de duas entidades ou objetos semelhantes ou idênticos relacionados; 2. em cardiologia, dois batimentos prematuros sucessivos, particularmente dois complexos prematuros ventriculares.

palae(o)- [Gr.] – pale(o)-, elemento de palavra, *velho*; ver *pale(o)-*.

pal·aeo·cer·e·bel·lum (pa"le-o-ser"ah-bel'um) – paleocerebelo; as partes do cerebelo cujo influxo aferente é predominantemente suprido por fibras espinocerebelares. **palaeocerebel'lar** – adj. paleocerebelar.

pal·aeo·cor·tex (-kor'teks) – paleocórtex; porção do córtex cerebral que, com o arquicórtex, desenvolve-se em associação com o sistema olfatório sendo filogeneticamente mais velha e menos estratificada que o neocórtex. **palaeocor'tical** – adj. paleocortical.

pal·ate (pal'it) – palato; teto da boca; divisão que separa as cavidades nasal e oral. **pal'atal, pal'atine** – adj. palatal; palatino. **cleft p.** – fenda palatina; fissura congênita da linha média do palato. **hard p.** – p. duro; porção anterior do palato, que separa as cavidades oral e nasal, consistindo da estrutura óssea e membranas de cobertura. **soft p.** – p. mole; parte carnosa do palato, que se estende a partir da borda posterior do palato duro; a úvula projeta-se da sua borda inferior livre.

pal·a·ti·tis (pal"ah-tī t'is) – palatite; inflamação do palato.

palat(o)- [L.] – palat(o)-, elemento de palavra, *palato*.

pal·a·tog·na·thous (pal"ah-tog'nah-this) – palatognato; que tem o palato congenitamente fendido.

pal·a·to·plas·ty (pal'ah-to-plas"te) – palatoplastia; reconstrução plástica do palato.

pal·a·to·ple·gia (pal"ah-to-ple'jah) – palatoplegia; paralisia do palato.

pal·a·tor·rha·phy (pal"ah-tor'ah-fe) – palatorrafia; correção cirúrgica da fenda palatina.

pal·a·tos·chi·sis (pal"ah-tos'kī -sis) – palatosquise; fenda palatina.

pa·la·tum (pah-la'tum) [L.] pl. *palata* – palato.

pale(o)- – ver *palae(o)-*.

pa·leo·pa·thol·o·gy (pa"le-o-pah-thol'ah-je) – paleopatologia; estudo de doenças em corpos preservados desde épocas antigas.

pa·leo·stri·a·tum (-stri-āt'um) – paleoestriado; a porção filogeneticamente mais velha do corpo estriado, representada pelo globo pálido. **paleostria'tal** – adj. paleoestriado.

pa·leo·thal·a·mus (-thal'ah-mus) – paleotálamo; a parte filogeneticamente mais velha do tálamo, ou seja, a porção medial que não tem conexões recíprocas com o neopálio.

pali- [Gr.] – pali-, elemento de palavra, *novamente; repetição patológica*. Também *palin-*.

palin- – palin-, ver *pali-*.

pal·in·dro·mia (pal"in-dro'me-ah) [Gr.] – palindromia; recorrência ou recidiva. **palindrom'ic** – adj. palindrômico; recorrente; recidivante.

pal·i·nop·sia (-op'se-ah) – palinopsia; persistência visual; continuação da sensação visual após ter cessado o estímulo.

pal·la·di·um (pah-la'de-um) – paládio, elemento químico (ver tabela), número atômico 46, símbolo Pd.

pall·an·es·the·sia (pal"an-es-the'zhah) – palanestesia; perda ou ausência de palestesia.

pall·es·the·sia (pal"es-the'zhah) – palestesia; capacidade de sentir vibrações mecânicas no corpo ou próximo ao mesmo, como quando se coloca um diapasão em vibração sobre uma proeminência óssea. **pallesthet'ic** – adj. palestésico.

pal·li·a·tive (pal'e-a"tiv) – paliativo; que proporciona alívio; também designa uma droga que age dessa forma.

pal·li·dec·to·my (pal"ī -dek'tah-me) – palidectomia; extirpação do globo pálido.

pal·li·do·an·sot·o·my (pal"ī -do-an-sot'ah-me) – palidoansotomia; produção de lesões no globo pálido e na alça lenticular.

pal·li·dot·o·my (pal"ī -dot'ah-me) – palidotomia; técnica cirúrgica estereotáxica para produzir lesões no globo pálido para o tratamento de distúrbios extrapiramidais.

pal·li·dum (pal'ī -dum) – pálido; globo pálido. **pal'lidal** – adj. pálido.

pal·li·um (pal'e-um) [L.] – pálio; córtex cerebral.

pal·lor (pal'er) – palor; palidez; palescência como a da pele.

palm (pahm) – palma; superfície côncava ou flexora da mão. **pal'mar** – adj. palmar.

pal·ma (pahl'mah) [L.] pl. *palmae* – palma.

pal·mar·is (pahl-mar'is) [L.] – palmar.

pal·mit·ic ac·id (pal-mit'ik) – ácido palmítico; ácido graxo saturado de 16 carbonos encontrado na maioria das gorduras e óleos, particularmente associado ao ácido esteárico; um dos ácidos graxos saturados mais prevalentes nos lipídeos corporais.

pal·mi·tin (pal'mī -tin) – palmitina; tripalmitato de glicerila; gordura cristalizável e saponificável proveniente de várias gorduras e óleos.

pal·mi·to·le·ate (pal"mī -to'le-āt) – palmitoleato; sal (sabão), éster ou forma aniônica do ácido palmitoléico.

pal·mi·to·le·ic ac·id (pal-mit-o-le'ik) – ácido palmitoléico; ácido graxo monoinsaturado de 16 carbonos que ocorre em muitos óleos, particularmente nos derivados de animais marinhos.

pal·mus (pahl'mus) – palmo: 1. palpitação; 2. espasmo clônico dos músculos da perna, produzindo um movimento de salto.

pal·pa·tion (pal-pa'shun) – palpação; ato de sentir pelo tato; aplicação dos dedos com pressão suave na superfície do corpo com o propósito de determinar a condição das partes tocadas no diagnóstico físico.

pal·pe·bra (pal'pě-brah) [L.] pl. *palpebrae* – palpebral. **pal'pebral** – adj. palpebral.

pal·pe·bral·is (pal"pah-brāl'is) [L.] – músculo elevador da pálpebra superior; palpebral.

pal·pe·bri·tis (pal"pah-brī t'is) – palpebrite; blefarite (*blepharitis*).

pal·pi·ta·tion (pal"pī -ta'shun) – palpitação; sensação subjetiva de batimento cardíaco irregular ou indevidamente rápido.

pal·sy (pawl'ze) – paralisia. **Bell's p.** – p. de Bell; paralisia facial unilateral de início súbito devida a lesão do nervo facial, resultando em distorção facial característica. **cerebral p.** – p. cerebral; distúrbio de um grupo de distúrbios motores qualitativos persistentes que aparecem em crianças pequenas, resultante de danos cerebrais causados por traumatismo no nascimento ou patologia intra-uterina. **Erb's p., Erb-Duchenne p.** – p. de Erb; paralisia de Erb-Duchenne. **facial p.** – p. facial; p. de Bell. **progressive bulbar p.** – p. bulbar progressiva; paralisia e atrofia progressivas crônicas e geralmente fatais dos músculos dos lábios, língua, boca, faringe e laringe, devidas a lesões dos núcleos motores do tronco cerebral inferior, geralmente ocorrendo fase adulta tardia. **shaking p.** – paralisia com agitação. **wasting p.** – p. consuntiva; atrofia muscular espinhal.

pam·a·brom (pam'ah-brom) – pamabrom; diurético suave utilizado em preparações para o alívio dos sintomas pré-menstruais.

pam·id·ro·nate (pam"ĭ -dro'năt) – pamidronato; composto utilizado para tratar hipercalcemia moderada a severa com malignidade; utilizado como sal dissódico.

pam·o·ate (pam'o-āt) – pamoato; contração da USAN para o 4,4'-metilenobis[3-hidroxi-2-naftoato].

pam·pin·i·form (pam-pin'ĭ -form) – pampiniforme; com forma semelhante a gavinha.

PAN – polyarteritis nodosa (poliarterite nodosa).

pan- [Gr.] – pan-, elemento de palavra, *todos*.

pan·ag·glu·ti·nin (pan"ah-gloo'tĭ -nin) – pan-aglutinina; aglutinina que aglutina as hemácias de todos os grupos sangüíneos humanos.

pan·an·xi·e·ty (pan"ang-zi'ĕ-te) – pan-ansiedade; ansiedade difusa e que se estende a tudo.

pan·ar·te·ri·tis (pan"ahr-tĕ-ri'tis) – pan-arterite; poliarterite (*polyarteritis*).

pan·at·ro·phy (pan-ă'trah-fe) – pan-atrofia; atrofia de várias partes; atrofia difusa.

pan·au·to·no·mic (-awt"ah-nom'ik) – pan-autônomo; relativo ou que afeta todo o sistema nervoso autônomo (simpático e parassimpático).

pan·car·di·tis (pan"kahr-dī t'is) – pancardite; inflamação difusa do coração.

pan·co·lec·to·my – (-ko-lek'tah-me) – pancolectomia; excisão de todo o cólon, com criação de ileostomia.

pan·cre·as (pan'kre-as) [Gr.] pl. *pancreata* – pâncreas; glândula grande, alongada e racemosa que se situa transversalmente atrás do estômago, entre o baço e o duodeno. Sua secreção externa contém enzimas digestivas. Uma secreção interna (insulina) é produzida pelas células beta, e outra (glucagon) é produzida pelas células alfa. As células alfa, beta e delta formam agregados, chamados de ilhotas de Langerhans *(islands of Langerhans)*. Ver Prancha IV. **pancrea'tic** – adj. pancreático.

pan·cre·a·tec·to·my (pan"kre-ah-tek'tah-me) – pancreatectomia; excisão do pâncreas.

pan·cre·at·ic elas·tase (pan"kre-at'ik e-las'-tās) – elastase pancreática; endopeptidase que catalisa a clivagem de ligações peptídicas específicas na digestão proteica; é ativada no duodeno através da clivagem induzida pela tripsina de seu precursor inativo (proelastase). No homem, a forma expressa é *elastase pancreática II*.

pancreatic(o)- [gr.] – pancreatic(o)-, elemento de palavra, *pâncreas; ducto pancreático*.

pan·cre·at·i·co·du·o·de·nal (pan"kre-at"ĭ -ko-doo"ah-de'n'l) – pancreaticoduodenal; relativo ao pâncreas e duodeno.

pan·cre·at·i·co·du·o·de·nos·to·my (-doo"o-dĕ-nos' tah-me) – pancreaticoduodenostomia; anastomose do ducto pancreático com um local diferente no duodeno.

pan·cre·at·i·co·en·ter·os·to·my (-en"ter-os'-tah-me) – pancreaticoenterostomia; anastomose do ducto pancreático com o intestino.

pan·cre·at·i·co·gas·tros·to·my (-gas-tros'tah-me) – pancreaticogastrostomia; anastomose do ducto pancreático com o estômago.

pan·cre·at·i·co·je·ju·nos·to·my (-jĕ"joo-nos'-tah-me) – pancreaticojejunostomia; anastomose do ducto pancreático com o jejuno.

pan·cre·a·tin (pan'kre-it-in) – pancreatina; substância proveniente do pâncreas suíno ou bovino, que contém enzimas (principalmente amilase, protease e lipase); é utilizada como auxílio digestivo.

pan·cre·a·ti·tis (pan"kre-ah-ti'tis) – pancreatite; inflamação do pâncreas. **acute hemorrhagic p.** – p. hemorrágica aguda; afecção devida à autólise do tecido pancreático causada por escape de enzimas no interior da substância, resultando em hemorragia no interior do parênquima e tecidos circundantes.

pancreat(o)- [Gr.] – pancreat(o)- elemento de palavra, *pâncreas*.

pan·cre·a·to·du·o·de·nec·to·my (pan"kre-ah-to-doo-dĕ-nek'tah-me) – pancreatoduodenectomia; excisão da cabeça do pâncreas junto com a alça envolvente do duodeno.

pan·cre·a·tog·e·nous (pan"kre-ah-toj'i-nus) – pancreatogênico; pancreatógeno; que surge no pâncreas.

pan·cre·a·tog·ra·phy (pan"kre-ah-tog'rah-fe) – pancreatografia; radiografia do pâncreas.

pan·cre·a·to·li·thec·to·my (pan"kre-it-o-lĭ -thek'tah-me) – pancreatolitectomia; excisão de cálculos do pâncreas.

pan·cre·a·to·li·thi·a·sis (-lĭ -thi'ah-sis) – pancreatolitíase; presença de cálculos no sistema ductal ou parênquima do pâncreas.

pan·cre·a·to·li·thot·o·my (-lĭ -thot'ah-me) – pancreatolitotomia; incisão do pâncreas para remoção de cálculos.

pan·cre·a·tol·y·sis (pan"kre-ah-tol'ĭ -sis) – pancreatólise; destruição do tecido pancreático. **pancreatolyt'ic** – adj. pancreatolítico.

pan·cre·a·tot·o·my (-tot'ah-me) – pancreatotomia; incisão do pâncreas.

pan·cre·a·to·trop·ic (pan"kre-it-o-trop'ik) – pancreatotrópico; que tem afinidade pelo pâncreas.

pan·cre·li·pase (pan"kre-li'pās) – pancrelipase; preparação de pâncreas suíno que contém enzimas (principalmente a lipase com amilase e protease), possuindo as mesmas ações que o suco pancreático; utilizada como auxílio digestivo.

pan·creo·priv·ic (pan"kre-o-priv'ik) – pancreoprivo; que não possui pâncreas.

pan·creo·zy·min (-zi'min) – pancreozimina; hormônio da mucosa duodenal que estimula a atividade secretora externa do pâncreas, especialmente a produção de amilase; idêntica à colecistocinina.

pan·cu·ro·ni·um (pan"ku-ro'ne-um) – pancurônio; relaxante muscular esquelético utilizado em forma de sal de brometo como adjuvante à anestesia.

pan·cys·ti·tis (pan"sis-ti'tis) – pancistite; cistite que envolve toda a espessura da parede da bexiga, como ocorre no caso de cistite intersticial.

pan·cy·to·pe·nia (-sī t o-pe'ne-ah) – pancitopenia; redução anormal de todos os elementos celulares do sangue.

pan·dem·ic (pan-dem'ik) – pandêmico; doença epidêmica disseminada; extensamente epidêmico.

pan·en·ceph·a·li·tis (pan"en-sef"ah-lī t'is) – panencefalite; encefalite (provavelmente de origem viral) que produz corpos de inclusão intranucleares ou intracitoplasmáticos que resultam em lesões parenquimatosas das substâncias cinzenta e branca do cérebro.

pan·en·do·scope (pan-en'dah-skōp) – panendoscópio; citoscópio que permite a visão do grande ângulo da bexiga.

pan·hy·po·pi·tu·i·ta·rism (-hi"po-pĭ-tu'it-er-izm) – pan-hipopituitarismo; hipopituitarismo generalizado devido a ausência ou dano na glândula hipófise, que, em sua forma completa, leva a ausência da função gonadal e a insuficiência das funções tireóidea e supra-renal. Quando a caquexia constitui característica proeminente, é chamada de doença de Simmonds (*disease, Simmonds*) ou caquexia hipofisária (*cachexia, pituitary*).

pan·hys·tero·sal·pin·gec·to·my (-his-ter-o-sal"pinjek'tah-me) – pan-histerossalpingectomia; excisão do corpo do útero, cérvix e tubas uterinas.

pan·hys·ter·o·sal·pin·go·ooph·o·rec·to·my (-salping"go-o"of-ah-rek'tah-me) – pan-histerossalpingooforectomia; excisão do útero, cérvix, tubas uterinas e ovários.

pan·ic (pan'ik) – pânico; medo e ansiedade extremos e irracionais. **acute homosexual p.**, **homosexual p.** – p. homossexual agudo; p. homossexual; reação aguda devida a conflitos inconscientes que envolvem a homossexualidade, marcados por ansiedade severa, excitação e grande atividade, freqüentemente acompanhadas de crises e alucinações auditivas que acusam o paciente de inclinações homossexuais.

pan·leu·ko·pe·nia (pan-loo-ko-pe'ne-ah) – panleucopenia; doença viral dos gatos, marcada por leucopenia e inatividade, recusa de alimentos, diarréia e vômito.

pan·my·elo·phthi·sis (-mi"ĕ-lof'thĭ-sis) – panmieloftise; anemia aplásica.

pan·nic·u·lec·to·my (pah-nik"u-lek'tah-me) – paniculectomia; excisão cirúrgica do anteparo abdominal de gordura superficial no obeso.

pan·nic·u·li·tis (pah-nik"u-li'tis) – paniculite; inflamação do panículo adiposo, especialmente do abdome. **nodular nonsuppurative p., relapsing febrile nodular nonsuppurative p.** – p. não-supurativa nodular; p. não-supurativa nodular febril recidivante; doença caracterizada por febre e formação de cordões de nódulos macios nos tecidos gordurosos subcutâneos.

pan·nic·u·lus (pah-nik'u-lus) [L.] pl. *panniculi* – panículo; uma camada de membrana. **p. adipo'sus** – p. adiposo; gordura subcutânea; camada de gordura subjacente à derme. **p. carno'sus** – p. carnoso; camada muscular na fáscia superficial de determinados animais inferiores, representada no homem principalmente pelo músculo platisma.

pan·nus (pan'us) [L.] – pano: 1. vascularização superficial da córnea com infiltração de tecido de granulação; 2. exsudato inflamatório sobrejacente às células sinoviais no lado interno de uma articulação; 3. panículo adiposo. **p. trachomato'sus** – p. tracomatoso; pano corneano secundário a um tracoma.

pan·oph·thal·mi·tis (pan"of-thal-mī t'is) – pan-oftalmia; panoftalmia; inflamação de todas as estruturas ou tecidos oculares.

pan·oti·tis (-o-tī t'is) – pan-otite; inflamação de todas as partes ou estruturas do ouvido.

pan·pho·bia (pan-fo'be-ah) – panfobia; medo de tudo; pavor vago e persistente de um mal desconhecido.

pan·ret·inal (pan-ret'ĭ-nal) – pan-retiniano; relativo ou que envolve toda a retina.

Pan·stron·gy·lus (pan-stron'jĭ-lus) – *Panstrongylus*; gênero de insetos hemípteros, cujas espécies transmitem tripanossomas.

pant(o)- [Gr.] – pant(o)-, elemento de palavra, *todos; inteiro todo.*

pan·te·the·ine (pan"tĭ-the'in) – panteteína; amida do ácido pantotênico, um intermediário na biossíntese da CoA, um fator de crescimento para a *Lactobacillus bulgaricus* e co-fator em determinados complexos enzimáticos.

pan·to·then·ate (pan"to-then'āt) – pantotenato; qualquer sal do ácido pantotênico.

pan·to·the·nic ac·id (-ik) – ácido pantotênico; um componente da coenzima A e membro do complexo de vitaminas B; é necessário à nutrição em algumas espécies animais, mas de importância incerta para o homem.

pa·pa·in (pah-pa'in, pah-pi'in) – papaína; enzima proteolítica proveniente do látex do mamoeiro (*Carica papaya*), que catalisa a hidrólise de proteínas e polipeptídeos em aminoácidos; é utilizada como digestivo protéico e como aplicação tópica para debridamento enzimático.

pa·pav·er·ine (pah-pav'er-in) – papaverina; alcalóide obtido a partir do ópio ou preparado sinteticamente; utiliza-se o sal de cloridrato como relaxante da musculatura lisa.

pa·per (pa'per) – papel; material fabricado em folhas finas a partir de substâncias fibrosas que foram primeiramente reduzidas a polpa. **litmus p.** – p. de tornassol; papel absorvente de umidade impregnado com solução de tornassol; se ligeiramente ácido é vermelho e uma base o torna azul; se for ligeiramente alcalino é azul e um ácido o torna vermelho. **test p.** – p. de teste; papel corado com um composto que se altera visivelmente à ocorrência de reação química.

pa·pil·la (pah-pil'ah) [L.] pl. *papillae* – papila; pequena projeção ou elevação em forma de mamilo. **pap'illary** – adj. papilar. **circumvallate papillae** – papilas circunvaladas; papilas valadas. **conical papillae** – papilas cônicas; elevações esparsamente disseminadas sobre a língua, freqüentemente consideradas como papilas filiformes modificadas. **p. of corium** – p. do cório; p. dérmica. **dental p., dentinal p.** – p. dentária; p. da dentina; pequena massa de mesênquima condensado no interior do órgão de esmalte; ela se diferencia na dentina e na polpa dentária. **dermal p.** – p. dérmica; qualquer das extensões cônicas das fibras, dos vasos sangüíneos capilares e algumas vezes dos nervos do cório no interior dos espaços correspondentes entre as redes de cristas que se projetam para baixo ou para dentro na superfície inferior da epiderme. **duodenal p.** – p. duodenal; uma das duas pequenas elevações na mucosa do duodeno, a *maior* à entrada dos ductos pancreático e biliar comum reunidos e a *menor* à entrada do ducto pancreático acessório. **filiform papillae** – papilas filiformes; elevações filamentosas que recobrem a maior parte da superfície lingual. **foliate papillae** – papilas folhadas; papilas folheadas; dobras de mucosa paralelas sobre a margem lingual na junção de seu corpo com sua raiz. **fungiform papillae** – papilas fungiformes; projeções nodulares da língua, disseminadas entre as papilas filiformes. **gingival p.** – p. gengival; coxim cônico gengival que preenche o espaço entre os dentes e a área de contato. **hair p.** – p. pilosa; papila mesodérmica fibrovascular confinada dentro do bulbo piloso. **incisive p.** – p. incisiva; elevação na extremidade anterior da rafe palatal. **interdental p.** – p. interdentária; p. gengival. **lacrimal p.** – p. lacrimal; papila na conjuntiva, próxima ao ângulo medial do olho. **lingual papillae** – papilas linguais; ver. conical, filiform, foliate, fungiform e vallate papillae. **mammary p.** – p. mamária; p. do mamilo. **optic p.** – p. do nervo óptico; disco óptico. **palatine p.** – p. palatina; p. incisiva. **p. pi'li** – p. pilosa. **renal papillae** – papilas renais; vértices cegos das pirâmides renais. **tactile p.** – p. tátil; ver em corpuscle. **urethral p.** – p. uretral; ligeira elevação no vestíbulo vaginal no orifício externo da uretra. **vallate papillae** – p. circunvalada; oito a doze grandes papilas dispostas em V próximo à base da língua.

pa·pil·le·de·ma (pap"il-ĕ-de'mah) – papiledema; edema do disco óptico.

pa·pil·li·tis (pap"ĭ-li'tis) – papilite: 1. inflamação de uma papila; 2. forma de neurite óptica que envolve a papila (disco) óptica.

pa·pil·lo·ad·e·no·cys·to·ma (pap"il-o-ad"ĭ-no-sis-to'mah) – papiloadenocistoma; cistoadenoma papilar.

pap·il·lo·ma (pap"il-o'mah) – papiloma; tumor benigno derivado do epitélio. **papillo'matous** – adj. papilomatoso. **fibroepithelial p.** – p. fibroepitelial; um tipo que contém tecido fibroso extenso. **intracanalicular p.** – p. intracanalicular; crescimento não-maligno arborizante dentro dos ductos de determinadas glândulas, particularmente da mama. **intraductal p.** – p. intraductal; tumor em um ducto lactífero, geralmente preso à parede por meio de uma haste; pode ser solitário, freqüentemente com descarga serosa ou sanguinolenta no mamilo, ou múltiplo. **inverted p.** – p. invertido; papiloma no qual as células epiteliais em proliferação invaginam-se no interior do estroma subjacente.

pap·il·lo·ma·to·sis (pap"il-o"mah-to'sis) – papilomatose; desenvolvimento de papilomas múltiplos.

Pa·pil·lo·ma·vi·ri·nae (pap"ĭ-lo-mah-vir-i'ne) – Papillomavirinae; subfamília de vírus (família Papovaviridae) que induzem papilomas em hospedeiros suscetíveis; o único gênero é o Papillomavirus.

Pa·pil·lo·ma·vi·rus (pap"ĭ-lo'mah-vi"rus) – Papillomavirus; papilomavírus; gênero de vírus (subfamília Papillomavirinae) que induzem papilomas no homem e animais; alguns associam-se à malignidade.

pap·il·lo·ma·vi·rus (pap"ĭ-lo'mah-vi"rus) – papilomavírus; qualquer vírus da subfamília Papillomavirinae. **human p. (HPV)** – p. humano (HPV);

qualquer vírus de várias cepas que causam verrugas (particularmente verrugas plantares e genitais) na pele e membranas mucosas no homem; esses vírus causam formas de epidermodisplasia verruciforme, doença de Bowen e neoplasia intraepitelial cervical.

pap·il·lo·ret·i·ni·tis (pap"il-o-ret"ĭ-ni'tis) – papilorretinite; inflamação do disco óptico e retina.

pap·il·lot·o·my (pap"il-ot'ah-me) – papilotomia; incisão de uma papila, como a da papila duodenal.

Pa·po·va·vi·ri·dae (pah-po"vah-vir'ĭ-de) – Papovaviridae; família de vírus do DNA, sendo muitos deles oncogênicos ou potencialmente oncogênicos; inclui duas subfamílias: Papillomavirinae e Polyomavirinae.

pa·po·va·vi·rus (pah-po'vah-vi"rus) – papovavírus; qualquer vírus da família Papovaviridae. **lymphotropic p. (LPV)** – p. linfotrópico; poliomavírus originalmente isolado de uma linhagem celular linfoblástica B do macaco-verde africano; os vírus antigenicamente relacionados são extensamente disseminados nos primatas e podem infectar o homem.

pap·u·la·tion (pap"ŭl-a'shun) – papulação; formação de pápulas.

pap·ule (pap"ŭl) – pápula; pequena lesão elevada, circunscrita e sólida da pele. **pap'ular** – adj. papular; papuloso.

pap·u·lo·sis (pap"ŭl-o'sis) – papulose; presença de pápulas múltiplas. **bowenoid p.** – p. de Bowen; pápulas marrom-avermelhadas benignas que ocorrem primariamente na genitália (particularmente no pênis) em adultos jovens; acredita-se que tenha etiologia viral.

pap·y·ra·ceous (pap"ĭ-ra'shus) – papiráceo; semelhante ao papel.

para (par'ah) – para; mulher que tenha produzido um ou mais descendentes viáveis, independentemente das criança ou crianças estarem vivas ao nascimento. Termo utilizado com numerais romanos para designar o número de tais gestações, como para 0 (nenhum – nulípara), para I (um – primípara), para II (dois – secundípara), etc. Símbolo P.

para-1 [Gr.] – para-1, elemento de palavra, ao lado; próximo; semelhante; acessório a; além; separado de; anormal.

para-2 – para-2, símbolo p-. Em Química Orgânica, indica um anel de benzeno substituído, cujos substituintes encontram-se em átomos de carbono opostos ao anel.

para·ami·no·ben·zo·ic ac·id (par"ah-ah-me"-no-ben-zo'ik) – ácido para-aminobenzóico; ácido p-aminobenzóico.

para·an·es·the·sia (par"ah-an"es-the'zhah) – para-anestesia; anestesia da parte inferior do corpo.

para·bio·sis (-bi-o'sis) – parabiose: 1. união de dois indivíduos, (como de gêmeos monozigóticos) ou de animais experimentais; por meio de operação cirúrgica; 2. supressão temporária da condutividade e excitabilidade. **parabiot'ic** – adj. parabiótico.

para·ca·sein (-ka'se-in) – paracaseína; produto químico da ação da renina sobre a caseína.

para·cen·te·sis (-sen-te'sis) – paracentese; punção cirúrgica de uma cavidade para a aspiração de fluido. **paracentet'ic** – adj. paracentético.

para·chlo·ro·phe·nol (-klor"o-fe'nol) – paraclorofenol; antibacteriano eficaz contra microrganismos Gram-negativos, utilizado topicamente, em forma canforada, é utilizado como anti-séptico dentário tópico.

para·chol·era (-kol'er-ah) – paracólera; doença semelhante à cólera asiática mas não é causada pela *Vibrio cholerae*.

para·clin·i·cal (-klin'ĭ-k'l) – paraclínico; relativo a anormalidades (como por exemplo, morfológicas ou bioquímicas) subjacentes a manifestações clínicas (por exemplo, dor no peito ou febre).

Par·a·coc·cid·i·oi·des bra·sil·i·en·sis (par"ah-koksid"e-oi'dēz brah-sil"e-en'sis) – *Paracoccidioides brasiliensis;* fungo imperfeito da família Moniliaceae, ordem Moniliales, que prolifera através de células levedurais de brotamento múltiplo; é o agente etiológico da paracoccidioidomicose.

para·coc·cid·i·oi·do·my·co·sis (-kok-sid"e-oi"-domi-ko'sis) – paracoccidioidomicose; doença granulomatosa crônica freqüentemente fatal, causada pela *Paracoccidioides brasiliensis*, que envolve primariamente os pulmões, mas se dissemina para a pele, membranas mucosas, linfonodos e órgãos internos.

para·co·li·tis (-kol-ī't's) – paracolite; inflamação do revestimento externo do cólon.

para·crine (par'ah-krin) – parácrino: 1. denota um tipo de função hormonal na qual o hormônio sintetizado no interior e liberado a partir das células endócrinas liga-se a seu receptor nas células vizinhas e afeta sua função; 2. denota a secreção de um hormônio por parte de um órgão que não seja uma glândula endócrina.

par·acu·sis (par"ah-ku'sis) – paracusia; qualquer alteração da audição.

para·did·y·mis (-did'ĭ-mis) – paradídimo; pequena estrutura vestigial encontrada ocasionalmente no adulto no cordão espermático anterior.

para·dox (par'ah-doks) – paradoxo; ocorrência aparentemente contraditória. **paradox'ic, para-dox'ical** – adj. paradoxal. **Weber's p.** – p. de Weber; alongamento de um músculo que foi tão estirado que não pode se contrair.

par·af·fin (par'ah-fin) – parafina: 1. cera de hidrocarboneto purificado utilizada para incrustar amostras histológicas; 2. antigamente, um alcano *(alkane).* **liquid p.** – p. líquida; óleo mineral. **liquid p., light** – p. líquida leve; óleo mineral leve.

par·af·fin·o·ma (par"ah-fĭ-no'mah) – parafinoma; granuloma crônico produzido por exposição prolongada à parafina.

para·gan·gli·o·ma (-gang"gle-o'mah) – paraganglioma; tumor de tecido que compõe os paragânglios. **nonchromaffin p.** – p. não-cromafim; quimiodectoma.

para·gan·gli·on (-gang'gle-on) pl. *paraganglia* – paragânglio; coleção de células cromafins derivadas do ectoderma nervoso, que ocorre exteriormente à medula adrenal, geralmente próximo aos gânglios simpáticos e em relação à aorta e seus ramos.

para·geu·sia (-goo'ze-ah) – parageusia: 1. alteração da sensação do gosto; 2. gosto desagradável na boca.

par·a·gon·i·mi·a·sis (-gon'ĭ-mi'ah-sis) – paragonimíase; infecção pelos trematódeos do gênero *Paragonimus.*

Par·a·gon·i·mus (-gon-ĭ-mis) – *Paragonimus;* gênero de parasitas trematódeos que têm dois hospedeiros invertebrados: o primeiro um caramujo, e o segundo, um caranguejo ou lagostim; o gênero inclui a *P. westermani* (trematódeo pulmonar), que ocorre especialmente na Ásia e é encontrado nos pulmões e algumas vezes na pleura, fígado, cavidade abdominal e em qualquer lugar no homem e nos animais inferiores que ingerirem lagostins e caranguejos de água doce infectados.

para·gran·u·lo·ma (-gran"u-lo'mah) – paragranuloma; forma mais benigna da doença de Hodgkin, em grande parte confinada aos linfonodos.

para·he·mo·phil·ia (-hēm"o-fil'e-ah) – para-hemofilia; tendência hemorrágica hereditária decorrente de deficiência do fator de coagulação V.

para·hor·mone (-hor'mōn) – para-hormônio; substância (que não é um hormônio verdadeiro) com ação semelhante à de um hormônio no controle do funcionamento de algum órgão distante.

para·ker·a·to·sis (-ker"ah-to'sis) – paraceratose; persistência dos núcleos dos ceratinócitos à medida que eles sobem na camada córnea da pele. É normal no epitélio da membrana mucosa verdadeira da boca e vagina.

para·ki·ne·sia (-kĭ-ne'se-ah) – paracinesia; alteração da função motora; em Oftalmologia, ação irregular de um músculo ocular individual.

para·la·lia (-lāl'e-ah) – paralalia; distúrbio da fala, especialmente a produção de um som vocal diferente do desejado ou substituição, na fala, de uma letra por outra.

par·al·de·hyde (par-al'dĕ-hī d) – paraldeído; um produto da polimerização do acetaldeído, que tem propriedades sedativas e hipnóticas de ação rápida; utilizado para controle da insônia, excitação, agitação, delírio e convulsões.

par·al·lag·ma (par"ah-lag'mah) – paralagma; fratura com desvio dos fragmentos ósseos.

par·al·ler·gy (par-al'er-je) – paralergia; afecção na qual um estado alérgico (produzido por sensibilização específica) predispõe o corpo a reagir outros alérgenos com manifestações clínicas que diferem da reação original. **paraller'gic** – adj. paralérgico.

pa·ral·y·sis (pah-ral'ĭ-sis) pl. *paralyses* – paralisia; perda ou dano da função motora em uma parte devido a lesão do mecanismo nervoso ou muscular; também, por analogia, dano da função sensorial *(p. sensorial).* **paralytic** – adj. paralítico. **p. a'gitans** – p. com agitação; forma lentamente progressiva da doença de Parkinson, geralmente observada no final da vida, marcada pela fácies semelhante a uma máscara, tremores dos músculos em repouso, retardamento dos movimentos voluntários, marcha apressada, postura peculiar, fraqueza muscular, e algumas vezes sudorese excessiva e sensações de calor. **ascending p.** – p. ascendente; paralisia espinhal que progride para a cabeça. **bulbar p.** – p. bulbar; paralisia bulbar progressiva. **compression p.** – p. por compressão; paralisia causada pela pressão em um nervo. **conjugate p.** – p. conjugada; perda da capacidade de realizar alguns movimentos oculares paralelos. **crossed p., cruciate p.** – p. cruzada; paralisia que afeta um lado da face e o outro lado do corpo. **decubitus p.** – p. de decúbito; paralisia decorrente de pressão em um nervo proveniente de repouso por longo tempo em uma só posição. **divers' p.** – p. do mergulhador; paralisia que resulta de redução demasiadamente rápida da pressão nos mergulhadores de mar profundo. **Duchenne's p.** – p. de Duchenne: 1. p. de Erb-Duchenne; 2. paralisia bulbar progressiva. **Erb-Duchenne p.** – p. de Erb-Duchenne; paralisia das raízes superiores do plexo braquial, causada por lesão no parto. **facial p.** – p. facial; enfraquecimento ou paralisia do nervo facial, como no caso da paralisia de Bell. **familial periodic p.** – p. periódica familiar; raro distúrbio hereditário com ataques recorrentes de paralisia flácida rapidamente progressiva associada a níveis séricos de potássio reduzidos (tipo I ou tipo hipocalêmico), elevados (tipo II ou tipo hipercalêmico) ou normais (tipo III ou tipo normocalêmico). **hyperkalemic periodic p.** – p. periódica hipercalêmica; ver *familial periodic p.* **hypokalemic periodic p.** – p. periódica hipocalêmica, ver *familial periodic p.* **immune p., immunologic p.** – p. imunológica; nome antigo para a tolerância imunológica *(tolerance, immunologic).* **juvenile p. agitans (of Hunt)** – p. com agitação juvenil (de Hunt); aumento do tônus muscular com atitude e fácies características da paralisia com agitação, ocorrendo no início da vida e devida a degeneração progressiva do globo pálido. **Klumpke's p., Klumpke-Dejerine** – p. de Klumpke; p. de Klumpke-Dejerine; paralisia do plexo braquial inferior causada por lesão ao nascimento, particularmente durante um parto com apresentação de nádegas. **Landry's p.** – p. de Landry; polineurite idiopática aguda. **mixed p.** – p. mista; paralisias motora e sensorial combinadas. **motor p.** – p. motora; paralisia dos músculos voluntários. **musculospiral p.** – p. musculoespiral; paralisia dos músculos extensores do pulso e dedos. **normokalemic periodic p.** – p. periódica normocalêmica; ver *familial periodic p.* **periodic p.** – p. periódica; p. periódica familiar. **periodic p., thyrotoxic** – p. periódica tireotóxica; episódios recorrentes de paralisia generalizada ou local acompanhados de hipocalemia, que ocorre em associação com a doença de Graves, especialmente após exercício ou refeição rica em carboidratos ou sódio. **postepileptic p.** – p. pós-epiléptica; p. de Todd. **progressive bulbar p.** – p. bulbar progressiva; ver em *palsy.* **pseudobulbar p.** – p. pseudobulbar; fraqueza espástica dos músculos inervados pelos nervos cranianos (ou seja, músculos faciais, faringe e língua) devida a lesões bilaterais do trato corticoespinhal, freqüentemente acompanhada de choro ou risada descontrolados. **pseudohypertrophic muscular p.** – p. muscular pseudo-hipertrófica; ver em *dystrophy.* **sensory p.** – p. sensorial; perda da sensação devido a processo mórbido. **Todd's p.**

– p. de Todd; hemoplegia ou monoplegia transitórias após crise epiléptica. **vasomotor p.** – p. vasomotora; interrupção do controle vasomotor. **par·a·lyz·ant** (par'ah-līz"ant) – paralisante: 1. que causa paralisia; 2. droga que causa paralisia. **para·mas·ti·gote** (par"ah-mas'tĭ-gŏt) – paramastigota; que tem um flagelo acessório ao lado de um maior. **para·mas·ti·tis** (-mas-tīt'is) – paramastite; inflamação dos tecidos ao redor da glândula mamária. **Par·a·me·ci·um** (par"ah-me'se-um) – *Paramecium*; gênero de protozoários ciliados. **par·a·me·ci·um** (par"ah-me'se-um) pl. *paramecia* – paramécio; organismo do gênero *Paramecium*. **para·me·nia** (-me'ne-ah) – paramenia; distúrbio ou menstruação difícil. **pa·ram·e·ter** (pah-ram'it-er) – parâmetro: 1. em Matemática e Estatística, uma constante arbitrária, como uma média populacional ou desvio padrão; 2. propriedade de um sistema que pode ser medida numericamente. **para·meth·a·di·one** (par"ah-meth"ah-di'ŏn) – parametadiona; anticonvulsivante utilizado no caso de epilepsia de pequeno mal. **para·meth·a·sone** (-meth'ah-sŏn) – parametasona; glicocorticóide utilizado como éster de 21-acetato por seus efeitos antiinflamatórios e antialérgicos. **para·met·ric¹** (-met'rik) – paramétrico¹; situado próximo ao útero; parametrial. **para·met·ric²** (-met'rik) – paramétrico²; relativo ou definido em termos de um parâmetro. **para·me·tri·tis** (-mě-tri'tis) – parametrite; inflamação do parametrio. **para·me·tri·um** (-me'tre-um) – parametrio; extensão do revestimento subseroso da porção supracervical do útero lateralmente entre as camadas do ligamento largo. **parame'trial** – adj. parametrial. **para·mim·ia** (-mim'e-ah) – paramimia; uso de gestos em desacordo ou impróprios na fala. **par·am·ne·sia** (par"am-ne'zhah) – paramnésia; memória inconscientemente falsa. **Par·amoe·ba** (par"ah-me'bah) – *Paramoeba*; gênero de protozoários amebóides parasitas ou de vida-livre. **para·mu·cin** (-mu'sin) – paramucina; substância coloidal proveniente de cistos ovarianos, que difere da mucina e pseudomucina por reduzir a solução de Fehling antes de ferver com ácido. **par·am·y·loi·do·sis** (para-m"ĭ-loi-do'sis) – paramiloidose; acúmulo de uma forma atípica de amilóide nos tecidos. **para·my·oc·lo·nus** (par"ah-mi-ok'lo-nus) – paramioclônus; mioclônus em vários músculos não-relacionados. **p. mul'tiplex** – p. multiplo; uma forma de mioclônus de etiologia desconhecida que começa nos músculos dos braços superiores e ombros e se dissemina para outras partes superior do corpo. **para·myo·to·nia** (-mi"o-to'ne-ah) – paramiotonia; doença caracterizada por espasmos tônicos devidos a distúrbio de tonicidade muscular, especialmente a afecção hereditária e congênita. **p. conge'nita** – p. congênita; distúrbio hereditário semelhante à miotonia congênita, exceto que o fator precipitante é a exposição ao frio, a miotonia agrava-se com a atividade e só se afetam os músculos proximais dos membros, pálpebras e língua.

Para·myxo·vi·ri·dae (-mik"so-virī-de) – Paramixoviridae; família de vírus do RNA com genoma de RNA monofilamentar e sentido negativo, que inclui os gêneros *Paramyxovirus, Morbilivirus e Pneumovirus*.

Para·myxo·vi·rus (-mik'so-vi"rus) – *Paramyxovirus*; paramixovírus; gênero de vírus (família Paramyxoviridae) que causam infecções principalmente respiratórias em vários hospedeiros vertebrados; entre os paramixovírus, incluem-se os vírus da caxumba e parainfluenza.

para·myxo·vi·rus (-mik'so-vi"rus) – paramixovírus; qualquer vírus da família Paramyxoviridae.

para·neo·plas·tic (-ne"o-plas'tik) – paraneoplásico; relativo às alterações produzidas em tecidos distantes de um tumor ou suas metástases.

para·neph·ric (-nef'rik) – paranéfrico: 1. próximo ao rim; 2. relativo à glândula supra-renal.

para·ne·phri·tis (-nĕ-frī t'is) – paranefrite; 1. inflamação da glândula supra-renal; 2. inflamação do tecido conjuntivo ao redor do rim.

para·neph·ros (-nef'ros) pl. *paranephroi* – paranefro; glândula supra-renal.

par·an·es·the·sia (par"an-es-the'zhah) – paranestesia; ver *para-anesthesia*.

par·a·noia (par"ah-noi'ah) – paranóia: 1. comportamento caracterizado por delírios bem-sistematizados de grandeza e perseguição ou a combinação de ambas; 2. nome antigo para distúrbio delirante (paranóide) *(disorder, delusional [paranoid])*. **parano'ic** – adj. paranóico.

par·a·no·mia (-no'me-ah) – paranomia; afasia amnésica.

para·nu·cle·us (-noo'kle-is) – paranúcleo; corpúsculo algumas vezes observado no protoplasma celular próximo ao núcleo. **paranu'clear** – adj. paranuclear.

para·pa·re·sis (-pah-re'sis) – paraparesia; paralisia parcial das extremidades inferiores. **tropical spastic p.** – p. espástica tropical; mielopatia progressiva crônica.

para·per·tus·sis (-per-tus'is) – paracoqueluche; doença respiratória aguda clinicamente indistinguível da coqueluche suave ou moderada, causada pela *Bordetella parapertussis*.

para·pha·sia (-fa'ze-ah) – parafasia; parafrasia; afasia parcial na qual o paciente emprega palavras erradas ou utiliza palavras em combinações erradas e sem sentido (*p. coréica*).

para·phe·mia (-fe'me-ah) – parafemia; parafasia.

pa·ra·phia (par-a'fe-ah) – parafia; parapsia; alteração do sentido do tato.

para·phil·ia (par"ah-fil'e-ah) – parafilia; distúrbio psicossexual marcado por estímulos e fantasias sexuais que envolvem objetos, sofrimento ou humilhação do indivíduo ou seu parceiro, de crianças ou outros parceiros que não consentirem. **paraphil'iac** – adj. parafilíaco.

para·phra·sia (-fra'zhah) – parafrasia; parafasia; ver *paraphasia*.

para·plasm (par'ah-plazm) – paraplasma: 1. qualquer crescimento anormal; 2. hialoplasma; ver *hyaloplasm* (1). **paraplas'tic** – adj. paraplástico.

para·plec·tic (par"ah-plek'tik) – paraplégico; ver *paraplegia*.

para·ple·gia (-ple'jah) – paraplegia; paralisia da parte inferior do corpo, incluindo as pernas. **paraple'gic** – adj. paraplégico.

Par·a·pox·vi·rus (par"ah-poks'vi-rus) – *Parapoxvirus*; gênero de vírus que compreende vírus dos ungulados, incluindo os que causam ectima contagioso e paravacínia.

para·prax·ia (-prak'se-ah) – parapraxia: 1. comportamento irracional; 2. incapacidade de realizar movimentos intencionais apropriadamente.

para·prax·is (-prak'sis) – parapraxia; lapso de memória ou erro mental (como lapso da linguagem ou colocar um objeto em um lugar errado) que, em Teoria Psicanalítica, se deve a associações e motivos inconscientes.

para·pro·tein (-pro'tēn) – paraproteína; proteína plasmática normal ou anormal que aparece em grandes quantidades como resultado de afecção patológica; hoje extensamente substituída pelo componente M (*component, M*).

para·pro·tein·emia (-pro"tēn-e'me-ah) – paraproteinemia; discrasia plasmocítica.

par·ap·sis (par-ap'sis) – parapsia; parafia; ver *paraphia*.

para·pso·ri·a·sis (par"ah-sor-i'ah-sis) – parapsoríase; um grupo de eritrodermias escamosas maculopapulares, persistentes e de desenvolvimento lento, sem sintomas subjetivos e resistente ao tratamento.

para·quat (par'ah-qwaht) – composto dipiridílico venenoso cujos sais de dicloreto e dimetilssulfato são utilizados como herbicidas de contato. O contato com as soluções concentradas causa irritação da pele, quebra e queda das unhas e retardamento na cicatrização de cortes e ferimentos. Após a ingestão de grandes doses, podem-se desenvolver insuficiência renal e hepática, acompanhadas de insuficiência pulmonar.

para·ro·san·i·line (par"ah-ro-zanī -lin) – pararrosanilina; corante básico; derivado trifenilmetânico $(HOC(C_6H_4NH_2)_3$, um dos componentes da fucsina básica.

par·ar·rhyth·mia (-rith'me-ah) – pararritmia; parassístole (*parasystole*).

para·sex·u·al (-sek'shoo-il) – parassexual; realizado por outros meios que não os sexuais, como por meio do estudo genético de híbridos de células somáticas *in vitro*.

par·a·site (par'ah-sī t) – parasita: 1. vegetal ou animal que vive sobre ou dentro de outro organismo vivo, à custa do qual obtém algumas vantagens; ver *symbiosis;* 2. membro menor e menos completo de gêmeos monozigóticos assimétricos, preso e dependente do autósito. **parasit'ic** – adj. parasitário. **malarial p.** – p. malárico; *Plasmodium*. **obligatory p.** – p. obrigatório; parasita completamente dependente de um hospedeiro para sua sobrevivência.

par·a·si·te·mia (par"ah-si-te'me-ah) – parasitemia; presença de parasitas (especialmente formas maláricas) no sangue.

par·a·sit·ism (par'ah-si"tizm) – parasitismo: 1. simbiose na qual uma população (ou indivíduo) afeta adversamente outra (ou outro), mas não pode viver sem ela (ou ele); 2. infecção ou infestação por parasitas.

par·a·si·to·gen·ic (par"ah-sĭ t"ah-jen'ik) – parasitogênico; devido a parasitas.

par·a·si·tol·o·gy (-si-tol'ah-je) – parasitologia; estudo científico dos parasitas e do parasitismo.

par·a·si·to·trop·ic (-sĭ t"ah-trop'ik) – parasitotrópico; que tem afinidade por parasitas.

para·spa·di·as (-spa'de-as) – paraspadia; afecção congênita na qual a uretra abre-se em um lado do pênis.

para·sui·cide (-soo'ĭ -sĭ d) – parautoquiria; tentativa aparente de suicídio (como por meio de auto-envenenamento ou automutilação) em que a morte não é o resultado desejado.

para·sym·pa·thet·ic (-sim"pah-thet'ik) – parassimpático; ver em *system*.

para·sym·pa·tho·lyt·ic (-sim"pah-tho-lit'ik) – parassimpatolítico; anticolinérgico; que produz efeitos semelhantes aos de interrupção do suprimento nervoso parassimpático de uma parte; tem efeito destrutivo nas fibras nervosas parassimpáticas ou bloqueia a transmissão de impulsos através deles. Também designa um agente que produz tais efeitos.

para·sym·pa·tho·mi·met·ic (-mi-met'ik) – parassimpatomimético; que produz efeitos semelhantes aos da estimulação do suprimento nervoso parassimpático de uma parte. Também designa um agente que produz esses efeitos.

para·syn·ap·sis (-sĭ -nap'sis) – parassinapse; união de cromossomas lado a lado durante a meiose.

para·sys·to·le (-sis'tah-le) – parassístole; irregularidade cardíaca atribuída à interação de dois focos que iniciam independentemente os impulsos cardíacos em velocidades diferentes.

para·ten·on (-ten'on) – paratendão; tecido areolar gorduroso que preenche os interstícios do compartimento fascial onde se situa um tendão.

para·thi·on (-thi'on) – parationa; inseticida agrícola altamente tóxico para o homem e os animais.

para·thor·mone (-thor'mōn) – paratormônio; hormônio paratireóideo.

para·thy·mia (-thi'me-ah) – paratimia; humor alterado, controlo ou impróprio.

par·a·thy·roid (-thi'roid) – paratireóide: 1. situado ao lado da glândula tireóide; 2. ver em *gland*.

para·thy·ro·trop·ic (-thi"ro-trop'ik) – paratireotrópico; que tem afinidade pelas glândulas paratireóides.

para·tope (par'ah-tōp) – parátopo; local na molécula do anticorpo onde este se fixa a um antígeno.

pa·rat·ro·phy (par-ă'trah-fe) – paratrofia; distrofia (*dystrophy*).

para·tu·ber·cu·lo·sis (par"ah-too-burk"ūl-o'-sis) – paratuberculose: 1. doença semelhante à tuberculose e não devida à *Mycobacterium tuberculosis*; 2. doença de Johne.

para·ty·phoid (-ti'foid) – paratifóide; infecção devida ao *Salmonella* de todas as espécies, exceto a *S. typhi.*

para·vac·cin·ia (-vak-sin'e-ah) – paravacínia; infecção devida ao vírus da paravacínia, que produz lesões papulares e posteriormente vesiculares, pustulares e crostosas no úbere e tetas das vacas leiteiras, na mucosa oral dos bezerros lactentes e nas mãos de quem ordenha as vacas infectadas.

para·vag·i·ni·tis (-vaj"ĭ -ni'tis) – paravaginite; inflamação dos tecidos ao longo da vagina.

para·zone (par'ah-zōn) – parazona; uma das faixas brancas que se alternam com faixas escuras (diazonas) observadas no corte transversal de um dente.

par·e·gor·ic (par"ĭ -gor'ik) – elixir paregórico; mistura de ópio em pó; óleo de aniz, ácido benzóico, cânfora, álcool diluído e glicerina; utilizado como antiperistáltico, especialmente no tratamento da diarréia.

pa·ren·chy·ma (pah-reng'kĭ -mah) [Gr.] – parênquima; elementos essenciais ou funcionais de um órgão, que se distinguem de seu estroma ou sua estrutura. **paren'chymal** – adj. parenquimatoso.

pa·ren·ter·al (pah-ren'ter-il) – parenteral; por outros meios que não pelo canal alimentar, mas em vez disso, por injeção através de outra via (como a subcutânea, intramuscular etc.).

par·epi·did·y·mis (par"ep-ĭ -did'ĭ -mis) – parepidídimo; paradídimo; ver *paradidymis*.

pa·re·sis (pah-re'sis) – paresia: 1. paralisia ligeira ou incompleta; 2. demência paralítica. **paret'ic** – adj. parético. **general p.** – p. geral; demência paralítica; uma forma de neurossífilis na qual a meningo-encefalite crônica causa perda gradual da função cortical, demência progressiva e paralisia generalizada.

par·es·the·sia (par"es-the'zhah) – parestesia; sensação mórbida ou anormal; sensação anormal, como a de queimação, espetadelas, formigamento etc.

par·gy·line (pahr'gĭ -lēn) – pargilina; inibidor da monoaminaoxidase utilizado em forma de sal de cloridrato como anti-hipertensivo.

par·i·es (par'e-ēz) [L.] pl. *parietes* – parede, como a de um órgão ou cavidade.

pa·ri·e·tal (pah-ri'ě-t'l) – parietal: 1. de ou relativo às paredes de uma cavidade; 2. relativo ou localizado próximo ao osso parietal.

pa·ri·e·to·fron·tal (pah-ri"it-o-front"l) – parietofrontal; relativo aos ossos, giros ou fissuras parietais e frontais.

par·i·ty (par'it-e) – paridade: 1. para; a condição de uma mulher dar à luz um descendente viável; 2. igualdade; correspondência ou estreita semelhança.

par·kin·son·ism (pahr'kin-sin-izm") – doença de Parkinson; parkinsonismo; um grupo de distúrbios neurológicos caracterizados por hipocinese, tremores e rigidez muscular; ver *parkinsonian syndrome* em *syndrome*, e *paralysis agitans*. **parkinson'ian** – adj. parkinsoniano.

par·oc·cip·i·tal (par"ok-sip'it'l) – paraoccipital; ao lado do osso occipital.

par·o·mo·my·cin (par'ah-mo-mi"sin) – paromomicina; antibiótico de amplo espectro derivado da *Streptomyces rimosus* variedade *paromomycinus*; o sal de sulfato é utilizado como antiamebiano.

par·onych·ia (par"o-nik'e-ah) – paroníquia; inflamação que envolve as dobras de tecido ao redor da unha.

par·o·nych·i·al (-o-nik'e-al) – paroniquial; relativo à paroníquia ou às dobras ungueais.

par·oöph·o·ron (-o-of"ŏ-ron) – paroóforo; pequeno grupo inconstantemente presente de túbulos enrolados entre as camadas do mesossalpinge, correspondendo a um remanescente da parte excretora do mesonefro.

par·oph·thal·mia (-of-thal'me-ah) – paroftalmia; inflamação do tecido conjuntivo ao redor do olho.

par·or·chid·i·um (-or-kid'e-im) – parorquidia; deslocamento de um testículo ou testículos.

par·os·to·sis (par"os-to'sis) – parosteose; ossificação de tecidos exterior ao periósteo.

pa·rot·id (pah-rot'id) – parótida; próxima ao ouvido.

pa·rot·i·di·tis (pah-rot"ĭ-dī't'is) – parotidite; parotite.

par·oti·tis (par"o-tī't'is) – parotite; inflamação da glândula parótida. **epidemic p.** – p. epidêmica; caxumba.

par·ovar·i·an (par"o-var'e-in) – parovariano: 1. ao lado do ovário; 2. relativo ao epoóforo.

par·ox·ysm (par'ok-sizm) – paroxismo: 1. recorrência ou intensificação súbitas dos sintomas; 2. espasmo ou ataque convulsivo. **paroxys'mal** – adj. paroxístico.

pars (pars) [L.] pl. *partes* – parte; divisão ou porção. **p. mastoi'dea os'sis tempora'lis** – p. mastóidea do osso temporal; aquela que corresponde à parte posterior irregular. **p. petro'sa os'sis tempora'lis** – p. petrosa do osso temporal; aquela que contém o ouvido interno e se localiza na base do crânio. **p. pla'na cor'poris cilia'ris** – p. plana do corpo ciliar; disco ciliar; a parte fina do corpo ciliar. **p. squamo'sa os'sis tempora'lis** – p. escamosa do osso temporal; porção superior anterior, achatada e semelhante a uma escama do osso temporal. **p. tympan'ica os'sis tempora'lis** – p. timpânica do osso temporal; a parte do osso temporal que forma as paredes anterior e inferior e parte da parede posterior do meato acústico externo.

pars pla·ni·tis (pars pla-ni'tis) – uveíte granulomatosa da parte plana do corpo ciliar.

par·ti·cle (part'ik'l) – partícula; pequenina massa de material. **Dane p.** – p. de Dane; partícula viral da hepatite B intacta. **elementary p's of mitochondria** – partículas elementares da mitocôndria; numerosos grânulos diminutos e em forma de bastão com cabeças esféricas presas à membrana interna de uma mitocôndria. **viral p., virus p.** – p. viral; virion.

par·ti·tion·ing (par-tish'un-ing) – divisão em partes. **gastric p.** – divisão gástrica; forma de gastroplastia na qual se forma uma pequena bolsa gástrica cujo preenchimento sinaliza saciedade; utilizada em caso do tratamento de obesidade mórbida.

par·tu·ri·ent (par-tūr'e-int) – parturiente; dar à luz ou relativo ao nascimento; por extensão, uma mulher no parto.

par·tu·ri·om·e·ter (par-tūr"e-om'it-er) – parturiômetro; dispositivo utilizado na medição da força de expulsão do útero.

par·tu·ri·tion (pahr"tu-rĭ'shun) – parturição; parto; ato ou processo de dar à luz uma criança; ver *labor*.

pa·ru·lis (pah-roo'lis) – parúlide; parúlia; abscesso subperiósteo da gengiva.

par·vi·cel·lu·lar (pahr"vĭ-sel'u-ler) – parvicelular; composto de células pequenas.

Par·vo·vi·ri·dae (pahr"vo-vir'ĭ-de) – Parvoviridae; parvovírus; família de vírus do DNA com genoma de DNA de filamento único linear, que inclui os gêneros *Parvovirus* e *Dependovirus*.

Par·vo·vi·rus (pahr'vo-vi"rus) – *Parvovirus*; parvovírus; gênero de vírus (família Parvoviridae) que infectam mamíferos e aves; os parvovírus humanos causam crise aplásica, eritema infeccioso, hidropisia fetal, abortamento espontâneo e morte fetal.

par·vo·vi·rus (pahr'vo-vi"rus) – parvovírus; qualquer vírus que pertença à família Parvoviridae.

PAS – *p*-aminosalicylic acid (ácido *p*-aminossalicílico).

pas·cal (pas-kal', pas'kal) – pascal; unidade SI de pressão, que corresponde à força de newton por m²; símbolo Pa.

pas·tern (pas'tern) – ranilha; parte do pé de um eqüino ocupada pela primeira e segunda falanges.

Pas·teur·el·la (pas"ter-el'ah) – *Pasteurella*; gênero de bactérias Gram-negativas (família Pasteurellaceae), que inclui a *P. multocida* agente etiológico das septicemias hemorrágicas.

pas·teur·el·lo·sis (pas"ter-ĕ-lo'sis) – pasteurelose; infecção por microrganismos do gênero *Pasteurella*.

pas·teur·iza·tion (pas"cher-ĭ-za'shun) – pasteurização; aquecimento do leite ou outros líquidos a temperatura moderada por um período definido (freqüentemente 60°C por 30 min), que mata a maioria das bactérias patogênicas e retarda consideravelmente o desenvolvimento de outras bactérias.

patch (pach) – placa: 1. pequena área diferente do resto de uma superfície; 2 mácula de mais de 3 ou 4 cm de diâmetro. **salmon p.** – p. de salmão; ver *nevus flammeus*. **Peyer's p's** – placas de Peyer; remendos elevados ovais de folículos linfáticos intimamente agrupados na mucosa do intestino delgado.

pa·tel·la (pah-tel'ah) [L.] – patela; rótula; ver *Tabela de Ossos*. **patel'lar** – adj. patelar.

pat·el·lec·to·my (pat"il-ek'tah-me) – patelectomia; excisão da patela.

pat·ent (păt"nt) – permeável: 1. aberto, não-obstruído ou não-fechado; 2. aparente, evidente.

path(o)- [Gr.] – pat(o)-, elemento de palavra, *doença*.

path·er·gy (path'er-je) – patergia: 1. afecção na qual a aplicação de um estímulo deixa o organismo indevidamente suscetível a estímulos subseqüentes de um tipo diferente; 2. condição de ser alérgico a numerosos antígenos. **pather'gic** – adj. patérgico.

path·find·er (path'fĭ nd"er) – explorador: 1. instrumento para localizar estenoses uretrais; 2. instrumento dentário para traçar o curso de canais radiculares.

patho·an·a·tom·i·cal (path"o-an"ah-tom'ik'l) – patoanatômico; relativo à anatomia de tecidos doentes.

patho·bi·ol·o·gy (-bi-ol'ah-je) – patobiologia; patologia; ver *pathology*.

patho·cli·sis (-klis'is) – patóclise; sensibilidade específica a toxinas específicas ou afinidade especial de determinadas toxinas por determinados sistemas ou órgãos.

patho·gen (path'ah-jen) – patógeno; qualquer agente ou microrganismo que produza doenças. **pathogen'ic** – adj. patogênico.

patho·gen·e·sis (path"ah-jen'ĕ-sis) – patogênese; desenvolvimento de afecções mórbidas ou doença; mais especificamente os eventos e reações celulares e outros mecanismos patológicos que ocorrem no desenvolvimento de uma doença. **pathogenet'ic** – adj. patogenético.

pa·thog·no·mon·ic (path"ug-no-mon'ik) – patognomônico; especificamente distintivo ou característico de uma doença ou afecção patológica; denota um sinal ou sintoma no qual se pode fazer um diagnóstico.

patho·log·ic (path"ah-loj'ik) – patológico: 1. indicativo ou causado por alguma afecção mórbida; 2. relativo a patologia.

pa·thol·o·gy (pah-thol'ah-je) – Patologia: 1. ramo da Medicina que trata da natureza essencial de uma doença, especialmente das alterações nos tecidos e órgãos corporais que causam ou são causadas por doença; 2. manifestações estruturais e funcionais de uma doença. **cellular p.** – p. celular; patologia que considera as células como pontos de partida dos fenômenos de uma doença e que reconhece que toda a célula descende de uma célula preexistente. **clinical p.** – p. clínica; patologia aplicada na solução de problemas clínicos, especialmente o uso de métodos laboratoriais no diagnóstico clínico. **comparative p.** – p. comparativa; patologia que considera os processos patológicos humanos em comparação com os dos animais inferiores. **oral p.** – p. oral; patologia que trata de afecções que causam ou resultam de alterações anatômicas ou funcionais mórbidas nas estruturas bucais. **speech p.** – p. da fala; um campo das ciências da saúde que trata da avaliação da fala, linguagem e distúrbios da voz e reabilitação dos pacientes com esses distúrbios receptivos a tratamento médico ou cirúrgico. **surgical p.** – p. cirúrgica; patologia de processos patológicos cirurgicamente acessíveis a diagnóstico ou tratamento.

patho·mi·me·sis (path"o-mi-me'sis) – patomimese; simulação de uma doença.

patho·mor·phism (-mor'fizm) – patomorfismo; morfologia anormal ou alterada.

patho·phys·i·ol·o·gy (-fiz"e-ol'ah-je) – fisiopatologia; fisiologia de uma função alterada.

patho·psy·chol·o·gy (-si-kol'ah-je) – psicopatologia; psicologia de uma doença mental.

pa·tho·sis (pah-tho'sis) – patose; afecção patológica.

path·way (path'wa) – via; trajeto: 1. um curso geralmente acompanhado; 2. estruturas nervosas através das quais um impulso passa entre grupos de células nervosas ou entre o sistema nervoso central e um órgão ou músculo; 3. v. metabólica. **accessory conducting p.** – v. condutora acessória; fibras miocárdicas que propagam o impulso de contração atrial para os ventrículos, mas não fazem parte do sistema de condução atrioventricular normal. **afferent p.** – v. aferente; estruturas

nervosas através das quais se conduz um impulso (especialmente uma impressão sensorial) para o córtex cerebral. **alternative complement p.** – v. de complemento alternativo; via de ativação de complemento iniciada por vários fatores que não os iniciadores do trajeto clássico, incluindo polissacarídeos de paredes celulares de bactérias e leveduras, fragmentos de paredes celulares de vegetais e protozoários. **amphibolic p.** – v. anfibólica; grupo de reações metabólicas que fornecem pequenos metabólitos a um metabolismo posterior para produtos finais ou uso como precursores em reações anabólicas sintéticas. **circus p.** – v. circular; anel ou circuito atravessado por uma frente de onda excitatória anormal, como em uma reentrada. **classic complement p.** – v. de complemento clássica; uma via de ativação de complemento, que compreende nove componentes (C1 a C9), iniciada por complexos antígeno-anticorpo que contêm imunoglobulinas específicas. **common p. of coagulation** – v. comum de coagulação; fases no mecanismo de coagulação a partir da ativação do fator X através da conversão do fibrinogênio em fibrina. **efferent p.** – v. eferente; estruturas nervosas através das quais um impulso sai do cérebro, especialmente para a inervação dos músculos, órgãos efetores ou glândulas. **Embden-Meyerhof p.** – v. de Embden-Meyerhof; a série de reações enzimáticas na conversão anaeróbica da glicose em ácido láctico, resultando em energia na forma de trifosfato de adenosina (ATP). **extrinsic p. of coagulation** – v. extrínseca da coagulação; mecanismo que produz rapidamente a fibrina após uma lesão tecidual pela formação de um complexo ativado entre o fator tecidual e o fator VII; induz reações da via comum de coagulação. **final common p.** – v. comum terminal; via motora que consiste de neurônios motores através dos quais passam os impulsos nervosos provenientes de muitas fontes centrais para um músculo ou glândula na periferia. **intrinsic p. of coagulation** – v. intrínseca da coagulação; seqüência de reações que leva à formação de fibrina, que começa com a ativação de contato do fator XII e termina com a ativação do fator X na via comum de coagulação. **lipoxygenase p.** – v. da lipoxigenase; trajeto para a formação de leucotrienos e ácido hidroxiicosatraenóico a partir do ácido araquidônico. **metabolic p.** – v. metabólica; uma série de reações metabólicas que converte um material biológico em outro. **motor p.** – v. motora; via eferente que conduz impulsos do sistema nervoso central para um músculo. **pentose phosphate p.** – v. da pentose fosfato; o maior ramo da via de Embden-Meyerhof do metabolismo de carboidratos, oxidando hexoses sucessivamente para formar pentoses fosfato. **properdin p.** – v. da properdina; v. de complemento alternativo. **reentrant p.** – v. reentrante; via na qual o impulso é conduzido na reentrada.

-pathy [Gr.] – -patia, elemento de palavra, *afecção mórbida ou doença;* termo geralmente utilizado para designar afecção não-inflamatória.

pa·tri·lin·e·al (pat"rĭ-lin'e-il) – patrilinear; descendência através da linha masculina.

pat·u·lous (pach'il-is) – dilatado; patente; e ampla-mente distendido; aberto.

pauci- [L.] – pauci-, elemento de palavra, *pouco*. Cf. *olig(o)-*.

pau·ci·syn·ap·tic (paw"se-sin-ap'tik) – paucissináptico; oligossináptico; ver *oligosynaptic*.

pause (pawz) – pausa; interrupção ou repouso. **compensatory p.** – p. compensatória; pausa na geração de impulsos após uma extra-sístole, tanto *completa* (se o nódulo sinusal não for restabelecido) como *incompleta* ou *não-compensatória* (se o nódulo for recomposto e a extensão do ciclo for interrompida). **sinus p.** – p. sinusal; interrupção transitória no ritmo sinusal, de duração não correspondente a um múltiplo exato do ciclo cardíaco normal.

pa·vor (pa'vor) [L.] – pavor; terror. **p. noctur'nus** – p. noturno; distúrbio do sono de crianças que fazem com que elas gritem de terror e acordem em pânico, com a má-recordação de um pesadelo.

PAWP – pulmonary artery wedge pressure (pressão em cunha da artéria pulmonar).

Pb – símbolo químico, chumbo (L., *plumbum*); ver *lead*.

PBI – protein-bound iodine (iodo ligado a proteína).

p.c. [L.] – *post cibum* (após as refeições).

Pco$_2$ – carbon dioxide partial pressure or tension; also written Pco$_2$, pCo$_2$, or *p*Co$_2$ (pressão parcial de dióxido de carbono; também Pco$_2$, pCo$_2$ ou *p*Co$_2$).

PCR – polymerase chain reaction (RCP, reação em cadeia da polimerase).

PCT – porphyria cutanea tarda (porfiria cutânea tardia).

PCV – packed cell volume (volume de células compactadas [centrifugadas]).

PCWP – pulmonary capillary wedge pressure (pressão em cunha do capilar pulmonar).

Pd – símbolo químico, paládio (*paladium*).

pearl (perl) – pérola: 1. pequeno grânulo medicado ou glóbulo de vidro com dose única de remédio volátil, como o nitrito de amila; 2. massa arredondada de escarro duro como observado nos estágios iniciais de uma crise de asma brônquica. **epidermic p's, epithelial p's** – pérolas epidérmicas; pérolas epiteliais; massas concêntricas arredondadas de células epiteliais encontradas nos carcinomas de célula escamosa. **Laënnec's p's** – pérolas de Laënnec; cálculos moles dos tubos brônquicos menores expectorados na asma brônquica.

pec·ten (pek'ten) [L.] pl. *pectines* – pécten: 1. pente; em Anatomia; um tipo de estrutura semelhante a pente; 2. zona estreita no canal anal, limitada acima pela linha pectinada. Também chamado *p. anal*. **p. os'sis pu'bis** – p. do púbis; linha pectínea.

pec·te·no·sis (pek"tě-no'sis) – pectenose; estenose do canal anal devida a um anel inelástico de tecido entre o sulco anal e as cristas anais.

pec·tin (pek'tin) – pectina; polímero homossacarídico de ácidos de açúcar de fruta que forma géis com o açúcar em um pH apropriado; utiliza-se uma forma purificada obtida a partir do extrato ácido da casca das frutas cítricas ou do bagaço da maçã como protetor e na culinária. **pec'tic** – adj. péctico.

pec·ti·nate (pek'tĭ-nāt) – pectinado; em forma de pente.

pec·tin·e·al (pek-tin'e-il) – pectíneo; relativo ao osso pubiano.

pec·tin·i·form (pek-tin'ĭ-form) – pectiniforme; em forma de pente.

pec·to·ral (pek'ter-il) – peitoral: 1. do ou relativo à mama ou peito; 2. que alivia distúrbios do trato respiratório, como um expectorante.

pec·to·ra·lis (pek"tah-ra'lis) [L.] – peitoral; relativo ao peito ou à mama.

pec·tus (pek'tus) [L.] pl. *pectora* – peito; mama ou tórax. **p. carina'tum** – p. carinado; peito de pombo. **p. excava'tum**, – p. escavado; tórax em funil.

ped·al (ped"l) – pedal; podálico; relativo ao pé ou pés.

ped·er·as·ty (ped"er-as'te) – pederastia; relação sexual anal homossexual entre homens e garotos, sendo os últimos os parceiros passivos.

pe·di·at·rics (pe"de-at'riks) – Pediatria; ramo da Medicina que se ocupa da criança e seu desenvolvimento e cuidados, assim como das doenças infantis e respectivo tratamento. **pediat'ric** – adj. pediátrico.

ped·i·cel (ped'ĭ -sil) – pedículo; parte semelhante ao pé, especialmente um dos processos secundários de um podócito.

ped·i·cel·la·tion (ped"ĭ -sil-a'shun) – pedicelação; pediculação; desenvolvimento de um pedículo.

ped·i·cle (ped'ik'l) – pedículo; uma parte ou estrutura basal estreita semelhante a um pé ou haste.

pe·dic·u·lar (pě-dik'ŭl-er) – pedicular; relativo ou causado por piolhos.

pe·dic·u·la·tion (pě-dik"ŭl-a'shun) – pediculação:1. processo de formação de um pedículo; 2. infestação de piolhos; pediculose.

pe·dic·u·li·cide (pě-dik'ŭl-ĭ -sĭ d) – pediculicida: 1. destrutivo a piolhos; 2. agente que destrói piolhos.

pe·dic·u·lo·sis (pě-dik"u-lo'sis) – pediculose; infestação de piolhos da família Pediculidae, especialmente infestação pela *Pediculus humanus*.

pe·dic·u·lous (pě-dik'ŭl-is) – pediculoso; piolhento; infestado de piolhos.

Pe·dic·u·lus (pě-dik'u-lus) – *Pediculus*; gênero de piolhos. A *P. humanus* (espécie que se alimenta de sangue humano) é um vetor importante do tifo, febre das trincheiras e febre recorrente; reconhecem-se duas subespécies: a *P. humanus* variedade *capitis* (piolho-da-cabeça), encontrada nos cabelos do couro cabeludo e a *P. humanus* variedade *corporis* (piolho-do-corpo ou piolho-das-roupas) encontrada no corpo.

pe·dic·u·lus (pě-dik'u-lus) [L.] pl. *pediculi* – 1. piolho; 2. pedículo.

ped·i·gree (ped'ĭ -gre) – árvore genealógica; genealogia; tabela, gráfico, diagrama ou lista de ancestrais de um indivíduo utilizado em Genética na análise da herança mendeliana.

pe·di·tis (pě-di'tis) – pedite; osteíte pedal.

ped(o)-^{1} [Gr.] – ped(o)-^{1}, elemento de palavra, *criança*.

ped(o)-^{2} [L.] – ped(o)-^{2}, elemento de palavra, *pé*.

pe·do·don·tics (pe-do-don'tiks) – pedodontia; ramo da Odontologia que se ocupa dos dentes e afecções bucais das crianças.

PQR

pe·do·phil·ia (-fil'e-ah) – pedofilia: 1. predileção anormal por crianças; atividade sexual de adultos com crianças; 2. perversão sexual na qual ocorrem estímulos ou fantasias recorrentes e intensos de envolvimento sexual com criança pré-púbere. **pedophil'ic** – adj. pedofílico.

pe·dor·thics (pe-dor'thiks) – pedortia; modelo, fabricação, montagem e modificação de sapatos e outros dispositivos podais relacionados que se prescrevem para alívio de condições dolorosas ou incapacitantes do pé e da perna. **pedor'thic** – adj. pedórtico.

pe·dun·cle (pĕ-dung'k'l) – pedúnculo; pedículo; uma parte de conexão semelhante a haste, especialmente *(a)* coleção de fibras nervosas que correm entre áreas diferentes no sistema nervoso central, ou *(b)* haste através da qual se prende um tumor não-séssil a um tecido normal. **pedun'cular** – adj. peduncular. **cerebellar p's** – pedúnculos cerebelares; três grupos de feixes pareados do cérebro posterior (*superior, médio e inferior*), que unem o cerebelo ao cérebro médio, ponte e medula oblonga, respectivamente. **cerebral p.** – p. cerebral; metade anterior do cérebro médio, divisível em uma parte anterior (*pedúnculo cerebral*) e uma parte posterior (*tegmento*), separadas pela substância negra. **pineal p.** – p. da glândula pineal; habênula; ver *habenula* (2). **p's of thalamus** – pedúnculos do talámo; radiações talâmicas.

pe·dun·cu·lus (pĕ-dung'ku-lus) [L.] pl. *pedunculi* – pedúnculo.

peg (peg) – cavilha; escápula; estrutura que se projeta. **rete p's** – ver em *ridge, retes.*

peg·ad·e·mase (peg-ad'ĕ-mãs) – pegademase; adenosina desaminase derivada do intestino bovino e ligada covalentemente ao polietilenoglicol, utilizada em terapia de reposição da deficiência de adenosina desaminase em pacientes imunocomprometidos.

pel·age (pel'ahj) [Fr.] – pelagem: 1. revestimento piloso dos mamíferos; 2 pêlos do corpo, membros e cabeça coletivamente.

pel·i·o·sis (pel"e-o'sis) – peliose; púrpura. **p. he'patis** – p. do fígado; fígado azul mosqueado, devido a lacunas preenchidas por sangue no parênquima.

pel·lag·ra (pĕ-lag'rah) – pelagra; síndrome devida à deficiência de niacina (ou incapacidade de converter o triptofano em niacina), caracterizada por dermatite nas partes do corpo expostas à luz ou traumatismo, inflamação das membranas mucosas, diarréia e distúrbios psíquicos. **pellag'rous** – adj. pelagroso.

pel·la·groid (pĕ-lag'roid) – pelagróide; semelhante à pelagra.

pel·li·cle (pel'ik'l) – película; camada fina que se forma na superfície dos líquidos.

pel·lu·cid (pel-oo'sid) – pelúcido; translúcido.

pel·vi·cal·i·ce·al, pel·vi·cal·y·ce·al (pel"ve-kal"-ĭ-se-il) – pelvicalicial; relativo às pelves e cálices renais.

pel·vi·ceph·a·lom·e·try (-sef"ah-lom'ĭ-tre) – pelvicefalometria; medida da cabeça fetal com relação à pelve materna.

pel·vi·fix·a·tion (-fik-sa'shun) – pelvifixação; fixação cirúrgica de um órgão pélvico deslocado.

pel·vim·e·try (pel-vim'ĭ-tre) – pelvimetria; medida da capacidade e diâmetro da pelve.

pel·vi·ot·o·my (pel"ve-ot'ah-me) – pelviotomia: 1. incisão ou transecção de um osso pélvico; 2. pielotomia.

pel·vis (pel'vis) [L.] pl. *pelves* – pelve; porção inferior (caudal) do tronco, limitada anterior e lateralmente pelos dois ossos do quadril e posteriormente pelo sacro e cóccix. Termo também aplicado a qualquer estrutura semelhante a uma bacia (por exemplo, a pelve renal). **pel'vic** – adj. pélvico. **android p.** – p. andróide; pelve com uma entrada em forma de cunha e um segmento anterior estreito; termo utilizado para descrever a pelve feminina com características geralmente encontradas no homem. **anthropoid p.** – p. antropóide; pelve feminina na qual o diâmetro ântero-posterior da entrada equivale ou excede o diâmetro transversal. **assimilation p.** – p. de assimilação; pelve na qual os ílios articulam-se com a coluna vertebral em nível mais alto (*p. de assimilação alta*) ou mais baixo (*p. de assimilação baixa*) que o normal, com redução ou aumento correspondente do número de vértebras lombares. **beaked p.** – p. pontiaguda; pelve com os ossos pélvicos lateralmente comprimidos e a sua junção anterior projetando-se para a frente. **brachypellic p.** – p. braquipélica; pelve na qual o diâmetro transversal excede o diâmetro ântero-posterior em 1 a 3 cm. **contracted p.** – p. contraída; pelve que demonstra uma redução de 1,5 a 2 cm em qualquer diâmetro importante; quando todas as dimensões se encontram proporcionalmente diminuídas, temos uma *p. geralmente contraída* (*p. justo minor; p. do tipo feminino*). **dolichopellic p.** – p. dolicopélica; pelve alongada, com o diâmetro ântero-posterior maior que o diâmetro transversal. **extrarenal p.** – p. extra-renal; ver *renal p.* **false p.** – p. falsa; a parte da pelve superior a um plano que atravessa as linhas iliopectíneas. **flat p.** – p. plana; pelve na qual a dimensão ântero-posterior encontra-se anormalmente reduzida. **funnel-shaped p.** – p. em forma de funil; p. afunilada; pelve com uma entrada normal, mas uma saída bastante aumentada. **gynecoid p.** – p. ginecóide; pelve feminina normal; pelve oval arredondada, com segmentos anterior e posterior bem arredondados. **infantile p.** – p. infantil; pelve geralmente contraída com forma oval, sacro alto e inclinação acentuada das paredes. **p. jus'to ma'jor** – p. simétrica; pelve ginecóide incomumente grande, com todas as dimensões aumentadas. **p. jus'to mi'nor** – p. do tipo feminino; pelve ginecóide pequena, com todas as dimensões simetricamente reduzidas; ver também *contracted p.* **juvenile p.** – p. juvenil; p. infantil. **p. ma'jor** – p. grande; p. falsa. **mesatipellic p.** – p. mesatipélica; pelve na qual o diâmetro transversal equivale ao diâmetro ântero-posterior ou o excede por não mais que 1 cm. **p. mi'nor** – p. menor; p. verdadeira. **platypellic p., platypelloid p.** – p. platipélica; p. platipelóide; pelve encurvada na face ântero-posterior, com forma oval transversal achatada. **rachitic p.** – p. raquítica; pelve distorcida como resultado de raquitismo. **renal p.** – p. renal expansão em forma de funil da extremidade superior do ureter, na qual os cálices renais se abrem; encontra-se geralmente dentro do seio renal, mas sob determinadas condições, uma grande parte dela pode ficar exterior ao rim (p. *extra-renal*). **Robert's p.** – p. de Robert; pelve transversalmente contraída causada por osteoartrite que afeta ambas as articulações sacroilíacas, com a entrada tornando-se uma cunha estreita. **scoliotic p.** – p. escoliótica; pelve deformada como resultado de escoliose. **split p.** – p. fendida; pelve com separação congênita na sínfise pubiana. **spondylolisthetic p.** – p. espondilolistética; pelve na qual a última (ou raramente a quarta ou a terceira) vértebra lombar desloca-se em frente do sacro, fechando mais ou menos a borda pélvica. **true p.** – p. verdadeira; a parte da pelve inferior a um plano que passa através das linhas iliopectíneas.

pel·vo·spon·dy·li·tis (pel"vo-spon"dĭ-li'tis) – pelviespondilite; inflamação da porção pélvica da espinha. **p. ossi'ficans** – p. ossificante; espondilite ancilosante.

pem·o·line (pem'ah-lēn) – pemolina; estimulante do sistema nervoso central ($C_9H_8N_2O_2$).

pem·phi·goid (pem'fĭ -goid) – penfigóide: 1. semelhante ao pênfigo; 2. um grupo de síndromes dermatológicas semelhantes mas claramente distinguíveis do grupo dos pênfigos.

pem·phi·gus (-gus) – pênfigo: 1. um grupo distintivo de doenças marcadas por manifestações sucessivas de bolhas; 2. p. vulgar. **benign familial p.** – p. familiar benigno; dermatite vesiculobolhosa recorrente hereditária que geralmente envolve as axilas, virilha e pescoço, com aparecimento de lesões que regridem depois de várias semanas ou meses. **p. erythemato'sus** – p. eritematoso; uma forma crônica na qual as lesões (limitadas à face e ao tórax) assemelham-se às do lúpus eritematoso disseminado. **p. folia'ceus** – p. foliáceo; erupção vesicular e descamante generalizada e crônica que tem alguma semelhança com a dermatite herpetiforme ou, no final do seu curso, com a dermatite descamativa. **p. ve'getans** – p. vegetante; uma variante do pênfigo vulgar na qual as bolhas são substituídas por massas vegetativas hipertróficas verrucóides. **p. vulga'ris** – p. vulgar; uma doença recidivante rara com bolhas intra-epidérmicas suprabasais da pele e membranas mucosas; invariavelmente fatal se não for tratada.

pen·del·luft (pen'del-looft) – pendular; movimento do ar para trás e para frente entre os pulmões, resultando em aumento da ventilação do espaço ocioso.

pen·du·lous (pen'dūl-us) – pendular; que pende frouxamente; pendente.

pen·e·trance (pen'ĭ -trins) – penetrância; a freqüência com que uma característica hereditária manifesta-se em indivíduos que portam o gene principal ou genes que a condicionam.

pen·e·trom·e·ter (pen"ĭ -trom'it-er) – penetrômetro; instrumento para medir o poder de penetração dos raios X.

-penia [Gr.] – -penia, elemento de palavra, *deficiência*.

pen·i·cil·la·mine (pen"ĭ -sil'ah-mēn) – penicilamina; um produto da degradação da penicilina que quela o cobre e alguns outros metais; utilizada principalmente na remoção do excesso de cobre do corpo no caso de degeneração hepatolenticular e para se ligar com a cistina e promover sua excreção.

pen·i·cil·lic ac·id (pen-ĭ -sil'ik) – ácido penicílico; a substância antibiótica isolada de culturas de várias espécies de *Penicillium* e *Aspergillus*.

pen·i·cil·lin (pen"ĭ -sil'in) – penicilina; qualquer substância de um grande grupo de antibióticos antibacterianos naturais ou semi-sintéticos derivados direta ou indiretamente de cepas de fungos do gênero *Penicillium* e de outros fungos que habitam o solo, e que exercem um efeito bactericida, bem como bacteriostático, em bactérias suscetíveis pela interferência nos estágios finais da síntese de peptidoglicano, substância na parede celular bacteriana. As penicilinas, apesar de sua toxicidade relativamente baixa para o hospedeiro, são ativas contra muitas bactérias, especialmente patógenos Gram-positivos, estreptococos, estafilococos e pneumococos; clostrídios; algumas formas Gram-negativas (gonococos e meningococos); algumas espiroquetas (*Treponema pallidum* e *T. pertenue*); e alguns fungos. Determinadas cepas de algumas espécies-alvo (por exemplo, os estafilococos) secretam a enzima penicilinase, que inativa a penicilina e confere resistência ao antibiótico.

pen·i·cil·lin·ase (pen"ĭ -sil'ĭ -nās) – penicilinase; β-lactamase que cliva preferencialmente a penicilina.

Pen·i·cil·li·um (-sil'e-um) – *Penicillium*; gênero de fungos.

pen·i·cil·lo·yl pol·y·ly·sine (pen"ĭ -sil'o-il pol"e-li'sēn) – peniciloil polilisina; benzilpeniciloil polilisina.

pen·i·cil·lus (pen"ĭ -sil'us) [L.] pl. *penicilli* – penicilo; estrutura semelhante a um tufo, particularmente um dos grupos dos ramos arteriais dos lóbulos do baço.

pe·nile (pe'nīl l) – peniano; do ou relativo ao pênis.

pe·nis (pe'nis) – pênis; membro viril; órgão masculino de micção e copulação.

pe·ni·tis (pe-nī t'is) – penite; falite; inflamação do pênis.

pen·ni·form (pen'ĭ -form) – peniforme; com forma semelhante a uma pena.

penta- [Gr.] – penta-, elemento de palavra, *cinco*.

pen·ta·eryth·ri·tol (pen"tah-ĕ-rith'rĭ -tol") – pentaeritritol; álcool utilizado em forma do éster de tetranitrato, com excipientes inertes, como vasodilatador no tratamento da angina do peito.

pen·ta·gas·trin (-gas'trin) – pentagastrina; pentapeptídeo sintético que consiste de β-alanina e o tetrapeptídeo terminal C da gastrina; utilizado como teste da função secretória gástrica.

pen·ta·starch (pen'tah-stahrch") – pentamido; colóide artificial derivado de um amido céreo e utilizado como adjuvante na leucaferese para aumentar a velocidade de sedimentação das hemácias.

pen·taz·o·cine (pen-taz'o-sēn) – pentazocina; narcótico sintético utilizado em forma dos sais de cloridrato e lactato como analgésico.

pen·te·tic ac·id (pen-tet'ik) – ácido pentético; ácido dietilenotriamino pentacético (DTPA); agente quelante (ferro) com as propriedades gerais dos edetatos; utilizado na preparação de produtos radiofarmacêuticos.

pen·to·bar·bi·tal (pen"to-bahr'bĭ -tal) – pentobarbital; barbitúrico de ação curta a intermediária; utiliza-se o sal sódico como hipnótico, sedativo, anticonvulsivante e adjuvante em anestesias.

pen·tose (pen'tōs) – pentose; monossacarídeo que contém cinco átomos de carbono em uma molécula.

pen·tos·uria (pen"to-su're-ah) – pentosúria; excreção de pentoses na urina. alimentary p. – p. alimentar; pentose que ocorre como conseqüência normal da ingestão excessiva de algumas frutas ou seus sucos. essential p. – p. essencial; deficiência recessiva autossômica benigna da enzima L-xilulose redutase, resultando em excreção urinária excessiva de L-xilulose.

pent·yl·ene·tet·ra·zol (pen"tĭ -lēn-tē'trah-zol) – pentilenotetrazol; analéptico convulsivo ($C_6H_{10}N_4$).

peo·til·lo·ma·nia (pe"o-til"o-ma'ne-ah) – peotilomania; pseudomasturbação; contração constante, mas não-masturbatória, do pênis.

pep·lo·mer (pep'lo-mer) – peplômero; uma subunidade de um peplo.

pep·los (pep'lohs) – invólucro lipoprotéico de alguns tipos de virions, composto em alguns casos de subunidades (peplômeros).

pep·sin (pep'sin) – pepsina; enzima proteolítica do suco gástrico que catalisa a hidrólise de proteínas nativas ou desnaturadas para formar uma mistura de polipeptídeos; é formada a partir do pepsinogênio na presença do ácido gástrico ou, autocataliticamente, na presença da própria pepsina.

pep·sin·o·gen (pep-sin'ah-jin) – pepsinogênio; pepsinógeno; zimógeno secretado pelas células principais e convertido em pepsina na presença do ácido gástrico ou da própria pepsina.

pep·tic (pep'tik) – péptico; relativo à pepsina ou digestão ou à ação dos sucos gástricos.

pep·ti·dase (pep'tĭ -dās) – peptidase; qualquer substância de uma subclasse de enzimas proteolíticas que catalisam a hidrólise das ligações peptídicas; as peptidases compreendem as exopeptidases e endopeptidases.

pep·tide (pep'tĭ d, pep'tid) – peptídeo; qualquer substância de uma classe de compostos de baixo peso molecular que produzem dois ou mais aminoácidos na hidrólise; os peptídeos são conhecidos como di-, tri-, tetra-, (etc.) peptídeos, dependendo do número de aminoácidos na molécula. Os peptídeos formam a parte constituinte das proteínas. atrial natriuretic p. (ANP) – p. natriurético atrial; hormônio envolvido na natriurese e na regulação das homeostasias cardiovascular e renal. opioid p. – p. opióide; ver opioid (2).

pep·ti·der·gic (pep"tĭ -der'jik) – peptidérgico; de ou relativo a neurônios que secretam hormônios peptídicos.

pep·ti·do·gly·can (pep"tĭ -do-gli'kan) – peptidoglicano; glicano (polissacarídeo) ligado a peptídeos curtos de ligação cruzada; encontrado nas paredes celulares bacterianas.

pep·to·gen·ic (pep"tah-jen'ik) – peptogênico: 1. que produz pepsina ou peptonas; 2. que promove a digestão.

pep·tol·y·sis (pep-tol'ĭ -sis) – peptólise; a divisão de peptonas. peptolyt'ic – adj. peptolítico.

pep·tone (pep'tōn) – peptona; proteína derivada ou mistura de produtos de clivagem produzidos pela hidrólise parcial de uma proteína nativa. pepton'ic – adj. peptônico.

pep·to·tox·in (pep"to-tok'sin) – peptotoxina; qualquer toxina ou base venenosa desenvolvida a partir de uma peptona; também, um alcalóide ou ptomaína venenosos que ocorrem em determinadas peptonas e proteínas de putrefação.

per- [L.] – per-, elemento de palavra (1) através de; completamente; extremamente; (2) em Química, uma grande quantidade; combinação de um elemento na sua valência mais alta.

per·ac·id (per-as'id) – perácido; ácido peracético; ácido que contém uma quantidade de oxigênio maior do que a normal.

per·acute (per"ah-kūt') – peragudo; superagudo; muito agudo.

per anum (per a'num) [L.] – per anum; através do ânus.

per·cept (per'sept") – percepto; o objeto percebido; imagem mental de um objeto no espaço percebido pelos sentidos.

per·cep·tion (per-sep'shun) – percepção; registro mental consciente de um estímulo sensorial.

percep'tive – adj. perceptivo.

per·cep·tiv·i·ty (per"sep-tiv'it-e) – perceptividade; capacidade de receber impressões sensoriais.

per·chlor·ic ac·id (per-klor'ik) – ácido perclórico; líquido volátil incolor ($HClO_4$) que pode causar explosões poderosas em presença de matéria orgânica ou de qualquer coisa redutível.

per·co·late (per'kah-lāt) – percolar: 1. filtrar; submeter à percolação; 2. escorrer lentamente através de uma substância líquida que tenha sido submetida à percolação.

per·co·la·tion (per"kah-la-shun) – percolação; extração das partes solúveis de uma droga pela passagem de um líquido solvente através da mesma.

per·cus·sion (per-kush'in) – percussão; ato de bater em uma parte com pancadas leves e precisas como auxílio no diagnóstico da condição das partes subjcentes através do som obtido. auscultatory p. – p. auscultatória; auscultação do som produzido por percussão. immediate p. – p. imediata; percussão na qual o golpe é dado diretamente contra a superfície corporal. mediate p. – p. mediata; percussão na qual se utiliza um pléxímetro. palpatory p. – p. palpatória; combinação de palpação com percussão, proporcionando impressões táteis em vez de auditivas.

per·cus·sor (per-kus'or) – percussor; vibrador que produz movimentos relativamente rudes.

per·cu·ta·ne·ous (per"ku-ta'ne-us) – percutâneo; realizado através da pele.

per·en·ceph·a·ly (per"en-sef'ah-le) – perencefalia; porencefalia.

per·fo·rans (per'fŏ-ranz) [L.] pl. perforantes – perfurante; penetrante; termo aplicado a vários músculos, nervos, artérias e veias.

per·fu·sate (per-fu'zāt) – perfundido; um líquido que tenha sido submetido a perfusão.

per·fu·sion (-zhun) – perfusão: 1. ato de escorrer sobre ou através de, especialmente a passagem de um fluido pelos vasos de um órgão específico; 2. líquido derramado sobre ou através de um órgão ou tecido. **luxury p.** – p. de luxo; fluxo sangüíneo anormalmente aumentado para uma área do cérebro, levando à tumefação.

peri- [Gr.] – peri-, elemento de palavra, *ao redor; próximo.* Ver também as palavras com prefixo *para-.*

peri·ac·i·nal (per"e-as'ĭ -nal) – periacinoso; ao redor de um ácino.

peri·ac·i·nous (-as'ĭ -nus) – periacinoso.

peri·ad·e·ni·tis (-ad"ĕ-ni'tis) – periadenite; inflamação dos tecidos ao redor de uma glândula. **p. muco'sa necro'tica recur'rens** – p. mucosa necrótica recorrente; a forma mais severa de estomatite aftosa, marcada por ataques recorrentes de lesões semelhantes a aftas que começam como pequenos nódulos firmes e aumentam de volume, ulceram e cicatrizam para deixar numerosas cicatrizes atrofiadas na mucosa oral.

peri·am·pul·lary (-am'pūl-ĕ-re) – periampular; situado ao redor de uma ampola.

peri·ap·i·cal (-a'pĭ -k'l) – periapical; que circunda o ápice da raiz de um dente.

peri·ap·pen·di·ci·tis (-ah-pen"dĭ -sī t'is) – periapendicite; inflamação dos tecidos ao redor do apêndice vermiforme.

peri·ar·teri·tis (-ahr-tĕ-ri'tis) – periarterite; inflamação dos revestimentos externos da mesma e dos tecidos ao redor de uma artéria. **p. nodo'sa** – p. nodosa: 1. poliarterite nodosa; 2. um grupo de afecções que compreende a poliarterite nodosa, angiíte granulomatosa alérgica e muitas vasculites necrosantes sistêmicas com características clinicopatológicas que se sobrepõem a ambas.

peri·ar·thri·tis (-ar-thrī t'is) – periartrite; inflamação dos tecidos ao redor de uma articulação.

peri·ar·tic·u·lar (-ar-tik'ūl-er) – periarticular; ao redor de uma articulação.

peri·blast (per'ĭ -blast) – periblasto; a porção do blastoderma de ovos telolécitos, cujas células não têm membranas celulares completas.

peri·bron·chio·li·tis (per"ĭ -bronk"e-o-lī t'is) – peribronquiolite; inflamação dos tecidos ao redor dos bronquíolos.

peri·bron·chi·tis (-bronk-ī t'is) – peribronquite; uma forma de bronquite que consiste de inflamação e espessamento dos tecidos ao redor dos brônquios.

peri·cal·i·ce·al (-kal"ĭ -se'al) – pericalicial; situado próximo a um cálice renal.

peri·cal·lo·sal (-kah-lo's'l) – pericaloso; situado ao redor do corpo caloso.

peri·car·di·ec·to·my (-kahr"de-ek'tah-me) – pericardiectomia; excisão de uma porção do pericárdio.

peri·car·dio·cen·te·sis (-kahr"de-o-sen-te'sis) – pericardiocentese; punção cirúrgica da cavidade pericárdica para a aspiração de um fluido.

peri·car·di·ol·y·sis (-kahr"de-ol'ĭ -sis) – pericardiólise; a liberação cirúrgica de aderências entre os pericárdios visceral e parietal.

peri·car·dio·phren·ic (-kahr"de-o-fren'ik) – pericardiofrênico; relativo ao pericárdio e diafragma.

peri·car·di·or·rha·phy (-kahr"de-or'ah-fe) – pericardiorrafia; sutura do pericárdio.

peri·car·di·os·to·my (-kahr"de-os'tah-me) – pericardiostomia; criação de uma abertura no interior do pericárdio, geralmente para a drenagem de derrames.

peri·car·di·ot·o·my (-kahr"de-ot'ah-me) – pericardiotomia; incisão do pericárdio.

peri·car·di·tis (-kahr-di'tis) – pericardite; inflamação do pericárdio. **pericardit'ic** – adj. pericardítico. **adhesive p.** – p. adesiva; afecção devida à presença de tecido fibroso denso entre as camadas parietal e visceral do pericárdio. **constrictive p.** – p. constritiva; forma crônica na qual um pericárdio aderente, espessado e fibrosado restringe o preenchimento diastólico e o débito cardíaco, resultando geralmente de uma série de eventos que começam com a deposição de fibrina na superfície pericárdica, acompanhados de espessamento e formação de cicatriz fibrosados e obliteração do espaço pericárdico. **fibrinous p., fibrous p.** – p. fibrinosa; p. fibrosa; pericardite caracterizada por um exsudato fibrinoso, algumas vezes acompanhada de derrame seroso; geralmente manifestada como um atrito de fricção pericárdico. **p. obli'terans, obliterating p.** – p. obliterante; pericardite aderente que leva à obliteração da cavidade pericárdica.

peri·car·di·um (-kahr'de-um) – pericárdio; saco fibrosseroso que envolve o coração e as raízes dos grandes vasos. **pericar'dial** – adj. pericárdico. **adherent p.** – p. aderente; pericárdio anormalmente unido ao coração por meio de um tecido fibroso denso.

peri·ce·ci·tis (-se-sī t'is) – pericecite; inflamação dos tecidos ao redor do ceco.

peri·ce·men·ti·tis (-se"men-tī t'is) – pericimentite; periodontite.

peri·cho·lan·gi·tis (-ko"lan-jī t'is) – pericolangite; inflamação dos tecidos ao redor dos ductos biliares.

peri·cho·le·cys·ti·tis (-ko"le-sis-tī t'is) – pericolecistite; inflamação dos tecidos ao redor da vesícula biliar.

peri·chon·dri·um (-kon'dre-im) – pericôndrio; a camada de tecido conjuntivo fibroso que reveste todas as cartilagens, menos a cartilagem articular das juntas sinoviais. **perichon'dral** – adj. pericondrial.

peri·chor·dal (-kor'd'l) – pericordal; que circunda o notocórdio.

peri·cho·roi·dal (-ko-roid"l) – pericoroidal; que circunda o revestimento coroidal.

peri·co·li·tis (-ko-li'tis) – pericolite; inflamação ao redor do cólon, especialmente de seu revestimento peritoneal.

peri·co·lon·itis (-ko"lon-i"tis) – pericolonite; pericolite.

peri·col·pi·tis (-kol-pī t'is) – pericolpite; inflamação dos tecidos ao redor da vagina.

peri·cor·o·nal (-kŏ-ro'n'l) – pericoronal; ao redor da coroa de um dente.

peri·cra·ni·tis (-kra-nī t'is) – pericranite; inflamação do pericrânio.

peri·cra·ni·um (-kra'ne-um) – pericrânio; periósteo do crânio. **pericra'nial** – adj. pericranial.

peri·cyte (per'ĭ-sīt) – perícito; uma das células contráteis alongadas peculiares encontradas enroladas em torno das arteríolas pré-capilares externamente à membrana basal.

peri·cy·ti·al (per"ĭ-si'shil) – pericitário; ao redor de uma célula.

peri·derm (per'ĭ-durm) – periderma; a camada externa da epiderme fetal bilaminar, geralmente desaparecendo antes do nascimento. **periderm'al** – adj. peridérmico.

peri·des·mi·um (per"ĭ-dez'me-um) – peridésmio; a membrana areolar que recobre os ligamentos.

peri·did·y·mis (-did'ĭ-mis) – peridídimo; túnica vaginal.

peri·did·y·mi·tis (-did"ĭ-mīt'is) – perididimite; inflamação da túnica vaginal.

peri·di·ver·tic·u·li·tis (-di"ver-tik"u-li'tis) – peridiverticulite; inflamação das estruturas ao redor de um divertículo intestinal.

peri·du·o·de·ni·tis (-doo"o-den-īt'is) – periduodenite; inflamação ao redor do duodeno.

peri·en·ceph·a·li·tis (per"e-en-sef"ah-li'tis) – periencefalite; meningoencefalite (*meningoencephalitis*).

peri·en·ter·itis (-en"ter-īt'is) – perienterite; inflamação do revestimento peritoneal dos intestinos.

peri·esoph·a·gi·tis (-ĕ-sof"ah-jīt'is) – periesofagite; inflamação dos tecidos ao redor do esôfago.

peri·fol·lic·u·li·tis (per"ĭ-fah-lik"ūl-īt'is) – perifoliculite; inflamação ao redor dos folículos pilosos.

peri·gan·gli·itis (-gang"gle-īt'is) – periganglite; inflamação dos tecidos ao redor de um gânglio.

peri·gas·tri·tis (-gas-trīt'is) – perigastrite; inflamação do revestimento peritoneal do estômago.

peri·hep·a·ti·tis (-hep"ah-tīt'is) – periepatite; peri-hepatite; inflamação da cápsula peritoneal do fígado e do tecido circundante.

peri·is·let (per"e-i'lit) – periilhota; situado ao redor das ilhotas de Langerhans.

peri·je·ju·ni·tis (per"ĭ-jĕ"joo-nīt'is) – perijejunite; inflamação ao redor do jejuno.

peri·kary·on (-kar'e-on) – pericário; corpo celular que se distingue do núcleo e processos; aplicado particularmente aos neurônios.

peri·ky·ma·ta (-ki'mah-tah) sing. *perikyma* – pericimos; as numerosas pequenas cristas transversais na superfície do esmalte dos dentes permanentes, representando grupos prismáticos sobrepostos.

peri·lab·y·rin·thi·tis (-lab"ĭ-rin-thīt'is) – perilabirintite; inflamação dos tecidos ao redor do labirinto.

peri·lar·yn·gi·tis (-lar"in-jīt'is) – perilaringite; inflamação dos tecidos ao redor da laringe.

peri·lymph (per'ĭ-limf) – perilinfa; líquido no interior do espaço que separa os labirintos membranosos e ósseos do ouvido.

peri·lym·pha (per"ĭ-lim'fah) – perilinfa.

peri·lym·phan·gi·tis (-lim"fan-jīt'is) – perilinfangite; inflamação ao redor de um vaso linfático.

peri·men·in·gi·tis (-men"in-jīt'is) – perimeningite; paquimeningite; ver *pachymeningitis*.

peri·me·trium (-me'tre-im) – perimétrio; túnica serosa que envolve o útero.

peri·my·eli·tis (-mi"il-īt'is) – perimielite; inflamação *(a)* da pia da medula espinhal, ou *(b)* do endósteo.

peri·myo·si·tis (-mi"ah-sīt'is) – perimiosite; inflamação do tecido conjuntivo ao redor de um músculo.

peri·mys·i·itis (-mis"e-īt'is) – perimisiite; inflamação do perimísio; miofibrosite.

peri·mys·i·um (-mis'e-um) pl. *perimysia* – perimísio; tecido conjuntivo que demarca um fascículo de fibras musculares esqueléticas. Ver Prancha XIV. **perimys'ial** – adj. perimisial.

peri·na·tal (-nāt"l) – perinatal; relacionado ao período imediatamente antes e após o nascimento; da décima segunda à vigésima nona semana de gestação até uma a quatro semanas após o nascimento.

peri·na·tol·o·gy (-na-tol'ah-je) – Perinatologia; ramo da Medicina (Obstetrícia e Pediatria) que se ocupa do feto e do bebê durante o período perinatal.

peri·ne·al (-ne'il) – perineal; relativo ao períneo.

peri·neo·cele (-ne'ah-sēl) – perineocele; hérnia entre o reto e a próstata ou entre o reto e a vagina.

peri·neo·plas·ty (-ne'ah-plas"te) – perineoplastia; reparo plástico do períneo.

peri·ne·or·rha·phy (-ne-or'ah-fe) – perineorrafia; sutura do períneo.

peri·ne·ot·o·my (-ne-ot'ah-me) – perineotomia; incisão do períneo.

peri·neo·vag·i·nal (-ne"ah-vaj'ĭ-nil) – perineovaginal; relativo ou que se comunica com o períneo e a vagina.

peri·ne·phri·tis (-nĕ-frīt'is) – perinefrite; inflamação do perinéfrio.

peri·neph·ri·um (-nef're-um) – perinéfrio; o invólucro peritoneal e os outros tecidos ao redor do rim. **perineph'rial** – adj. perinéfrico.

peri·ne·um (-ne'um) – períneo: 1. assoalho pélvico e estruturas associadas que ocupam a saída pélvica, limitado anteriormente pela sínfise púbica, lateralmente pelas tuberosidades isquiais e posteriormente pelo cóccix; 2. região entre as coxas, limitada no homem pelo escroto e ânus e na mulher pela vulva e ânus.

peri·neu·ri·tis (-noor-īt'is) – perineurite; inflamação do períneo.

peri·neu·ri·um (-noor'e-um) – perineuro; camada intermediária de tecido conjuntivo em um nervo periférico, que circunda cada feixe das fibras nervosas. Ver Prancha XI. **perineu'rial** – adj. perineural.

pe·ri·od (pēr'e-id) – período; intervalo ou divisão de tempo. **ejection p.** – p. de ejeção; a segunda fase da sístole ventricular, correspondendo ao intervalo entre a abertura e o fechamento das válvulas semilunares, durante o qual o sangue se descarrega no interior das artérias aórtica e pulmonar; divide-se em *p. de ejeção rápida*, seguido por um *p. de ejeção reduzida*. **latency p.** – p. de latência: 1. p. latente; 2. ver em *stage*. **latent p.** – p. latente; um período aparentemente inativo, como o período entre a exposição de um tecido a um agente lesivo e as manifestações de resposta ou o período entre o instante de estimulação e o início da resposta. **menstrual p., monthly p.** – p. menstrual; p. mensal; período de menstruação. **pacemaker refractory p.** – p. refratário do marca-passo; período que acompanha imediatamente qualquer sensação ou marcação do marca-passo, durante o qual se impede a inibição imprópria do marca-passo por meio de sinais nãoapropriados através da inativação do sensor do marca-passo. **refractory** p. – p. refratário; período de despolarização e repolarização da membrana celular após excitação; durante a primeira porção (*p. refratário absoluto*), o nervo ou fibra muscular não pode responder a um segundo estímulo, ao passo que durante o *p. refratário relativo*, ele só pode responder a um estímulo forte. **safe** p. – p. seguro; período durante o ciclo menstrual quando se considera que seja menos provável ocorrer a concepção; corresponde a aproximadamente dez dias após o começo da menstruação e dez dias precedentes. **sphygmic** p. – p. esfígmico; p. de ejeção. **Wenckebach** p. – p. de Wenckebach; intervalo P-R de alongamento constante que ocorre em ciclos cardíacos sucessivos no bloqueio de Wenckebach.

pe·ri·o·dic·i·ty (pĕr"e-ah-dis'it-e) – periodicidade; recorrência a intervalos regulares de tempo.

peri·odon·tics (per"e-o-don'tiks) – Periodontia; ramo da Odontologia relacionado ao estudo e tratamento das doenças do periodonto.

peri·odon·ti·tis (-don-ti'tis) – periodontite; reação inflamatória do periodonto.

peri·odon·ti·um (-don'she-um) pl. *periodontia* – periodonto; tecidos que revestem e sustentam os dentes, incluindo cimento, ligamento periodontal, osso alveolar e gengiva. Na nomenclatura oficial, restringe-se o termo ao ligamento periodontal.

peri·odon·to·sis (-don-to'sis) – periodontose; distúrbio degenerativo das estruturas periodontais, marcado por destruição tecidual.

peri·onych·i·um (-o-nik'e-um) – perioníquio; epiderme que limita a unha.

peri·ooph·o·ri·tis (-o-of"or-ī t'is) – periooforite; inflamação dos tecidos ao redor do ovário.

peri·ooph·o·ro·sal·pin·gi·tis (-o-of"or-o-sal"-pin-jī t'is) – periooforossalpingite; inflamação dos tecidos ao redor de um ovário e da tuba uterina.

peri·op·er·a·tive (-op'er-it-iv) – perioperatório; relativo ao período que se estende do momento da hospitalização para cirurgia até o momento de alta.

peri·oph·thal·mic (-of-thal'mik) – perioftálmico; ao redor do olho.

peri·ople (pĕ-re-o"p'l) – perioplo; a camada brilhante e lisa na superfície externa dos cascos dos ungulados.

peri·op·tom·e·try (per"e-op-tom'ī -tre) – perioptometria; medição da precisão da visão periférica ou dos limites do campo visual.

peri·or·bi·ta (-or'bit-ah) – periórbita; periósteo dos ossos da órbita ou encaixe ocular. **perior'bital** – adj. periorbitário.

peri·or·bi·ti·tis (-or"bī -ti'tis) – periorbitite; inflamação da periórbita.

peri·or·chi·tis (-or-kī t'is) – periorquite; vaginalite; ver *vaginalitis*.

peri·os·te·itis (-os"te-ī t'is) – periosteíte; periostite; ver *periostitis*.

peri·os·te·o·ma (-os-te-o'mah) – periosteoma; crescimento ósseo mórbido ao redor de um osso.

peri·os·teo·my·eli·tis (-os"te-o-mi"ĕ-li'tis) – periosteomielite; inflamação de todo o osso, incluindo periósteo e medula.

peri·os·teo·phyte (-os'te-ah-fī t") – periosteófito; crescimento ósseo no periósteo.

peri·os·te·ot·o·my (-os"te-ot'ah-me) – periosteotomia; incisão do periósteo.

peri·os·te·um (-os'te-im) – periósteo; tecido conjuntivo especializado que recobre todos os ossos e possui potencialidades formadoras de ossos. **perios'teal** – adj. periosteal; perióstico.

peri·os·ti·tis (-os-tī t'is) – periostite; inflamação do periósteo.

peri·os·to·sis (-os-to'sis) – periostose; deposição anormal de um osso periosteal; afecção manifestada pelo desenvolvimento de periosteomas.

peri·otic (-ōt'ik) – periótico: 1. situado ao redor do ouvido, especialmente do ouvido interno; 2. porções petrosa e mastóide do osso temporal, em determinado estágio como um osso distinto.

peri·pap·il·lary (per"ī -pap'ī -lĕ"re) – peripapilar; ao redor da papila óptica.

peri·par·tum (-part'im) – periparto; que ocorre durante o último mês de gestação ou os primeiros meses após o parto, com relação à mãe.

peri·pha·ci·tis (-fah-sī t'is) – perifacite; inflamação da cápsula do cristalino.

pe·riph·er·ad (per-if'er-ad) – em direção à periferia.

pe·riph·ery (per-if'er-e) – periferia; superfície ou estrutura externa; porção de um sistema externa à região central. **periph'eral** – adj. periférico.

peri·phle·bi·tis (per"ī -flĕ-bī t'is) – periflebite; inflamação dos tecidos ao redor de uma veia ou do revestimento externo de uma veia.

Per·i·pla·ne·ta (-plah-ne'tah) – *Periplaneta*; gênero de baratas, que inclui a *P. americana* (barata americana) e a *P. australasiae* (barata australiana).

peri·plas·mic (-plas'mik) – periplasmático; ao redor da membrana plasmática; entre a membrana plasmática e a parede celular de uma bactéria.

peri·proc·ti·tis (-prok-tī t'is) – periproctite; inflamação dos tecidos ao redor do reto e ânus.

peri·pros·ta·ti·tis (-pros"tah-tī 'tis) – periprostatite; inflamação dos tecidos ao redor da próstata.

peri·py·le·phle·bi·tis (-pi"le-flĕ-bī t'is) – peripileflebite; inflamação dos tecidos ao redor de uma veia porta.

peri·rec·ti·tis (-rek-tī t'is) – perirretite; periproctite; ver *periproctitis*.

peri·sal·pin·gi·tis (-sal"pin-jī t'is) – perissalpingite; inflamação dos tecidos ao redor de uma tuba uterina.

peri·sig·moid·itis (-sig"moid-ī t'is) – perissigmoidite; inflamação do peritônio da flexura sigmóide.

peri·sin·u·si·tis (-si"nis-ī t'is) – perissinusite; inflamação dos tecidos ao redor de um seio.

peri·sper·ma·ti·tis (-spurm"ah-tī t'is) – periespermatite; inflamação dos tecidos ao redor de um cordão espermático.

peri·splanch·ni·tis (-splank-nī t'is) – periesplancnite; inflamação dos tecidos ao redor das vísceras.

peri·sple·ni·tis (-splin-ī t'is) – periesplenite; inflamação da superfície peritoneal do baço.

peri·spon·dy·li·tis (-spon'dī -lī t'is) – perispondilite; inflamação dos tecidos ao redor de uma vértebra.

peri·stal·sis (-stal'sis) – peristaltismo; movimento vermiforme através do qual o canal alimentar ou outros órgãos tubulares que possuem fibras musculares tanto longitudinais como circulares impelem seu conteúdo, e consiste de uma onda de contração que passa ao longo do tubo a distâncias variáveis. **peristal'tic** – adj. peristáltico.

peri·staph·y·line (-staf'ĭ-līn) – periestafilino; ao redor da úvula.

peri·tec·to·my (-tek'tah-me) – peritectomia; excisão de um anel de conjuntiva ao redor da córnea no tratamento de um pano.

peri·ten·din·e·um (-ten-din'e-im) – peritendíneo; tecido conjuntivo que reveste os tendões maiores e se estende entre as fibras que os compõem.

peri·ten·di·ni·tis (-ten"dĭ-ni'tis) – peritendinite; tenossinovite; ver *tenosynovitis*.

peri·ten·o·ni·tis (-ten"o-ni'tis) – peritenonite; tenossinovite.

peri·the·li·o·ma (-thēl"e-o'mah) – peritelioma; hemangiopericitoma (*hemangiopericytoma*).

peri·the·li·um (-thēl-e-im) – peritélio; camada de tecido conjuntivo que circunda os capilares e vasos menores.

peri·thy·roi·di·tis (-thi"roid-īt'is) – peritireoidite; inflamação da cápsula da glândula tireóide.

pe·rit·o·my (per-it'ah-me) – peritomia: 1. incisão da conjuntiva e tecido subconjuntival ao redor da cirunferência inteira da córnea; 2. circuncisão.

peri·to·ne·al (per"it-ah-ne'il) – peritoneal; relativo ao peritônio.

peri·to·ne·al·gia (per"it-ah-ne-al'jah) – peritonealgia; dor no peritônio.

peri·to·neo·cen·te·sis (per"it-ah-ne'o-sen-te'-sis) – peritoneocentese; paracentese da cavidade abdominal.

peri·to·neo·cly·sis (per"it-ah-ne-ok'lĭ-sis) – peritoneóclise; injeção de um fluido no interior da cavidade abdominal.

peri·to·ne·os·co·py (per"it-ah-ne-os'kah-pe) – peritoneoscopia; exame visual dos órgãos da cavidade abdominal (peritoneal) com um endoscópio.

peri·to·ne·ot·o·my (per"it-ah-ne-ot'ah-me) – peritoneotomia; incisão no interior do peritônio.

peri·to·neo·ve·nous (per"it-ah-ne"o-ve'nis) – peritoneovenoso; que se comunica com a cavidade peritoneal e o sistema venoso.

peri·to·ne·um (per"it-ah-ne'um) – peritônio; membrana serosa que reveste as paredes das cavidades abdominal e pélvica (*p. parietal*) e reveste as vísceras contidas (*p. visceral*), com as duas camadas delimitando um espaço potencial (a cavidade peritoneal). **peritone'al** – adj. peritoneal.

peri·to·ni·tis (per"it-ah-nīt'is) – peritonite; inflamação do peritônio, que pode se dever a irritação química ou a invasão bacteriana.

peri·ton·sil·lar (per"ĭ-ton'sĭ-ler) – peritonsilar; ao redor de uma tonsila.

peri·ton·sil·li·tis (-ton"sĭ-līt'is) – peritonsilite; inflamação dos tecidos peritonsilares.

pe·rit·ri·chous (pē-rī'trĭ-kis) – peritríquio: 1. que tem flagelos ao redor de toda a superfície; diz -se de bactérias; 2. que tem flagelos somente ao redor do citoestoma; diz-se de Ciliophora.

peri·um·bil·i·cal (per"e-um-bil'ik'l) – periumbilical; ao redor do umbigo.

peri·ure·ter·itis (-ūr-ēt"er-īt'is) – periureterite; inflamação dos tecidos ao redor do ureter.

peri·vag·i·ni·tis (-vaj"ĭ-nīt'is) – perivaginite; pericolpite; ver *pericolpitis*.

peri·vas·cu·li·tis (-vas"kūl-īt'is) – perivasculite; inflamação de uma bainha perivascular e do tecido circundante.

peri·ves·i·cal (-ves'ĭ-k'l) – perivesical; ao redor da bexiga.

peri·ve·sic·u·li·tis (-vě-sik"ūl-īt'is) – perivesiculite; inflamação dos tecidos ao redor das vesículas seminais.

per·lèche (per-lesh') – perlèche; inflamação com exsudação, maceração e fissura nas comissuras labiais.

per·man·ga·nate (per-man'gah-nāt) – permanganato; sal que contém o íon MnO_4^-.

per·me·a·ble (per'me-ah-b'l) – permeável; que não é impassável; pérvio; que permite a passagem de uma substância.

per·me·ase (-ās) – permease; uma de várias proteínas bacterianas ligadas à membrana que transportam ativamente solutos específicos através da membrana celular.

per·me·ate (-āt") – permear: 1. penetrar ou passar através, como através de um filtro; 2. os constituintes de uma solução ou um suspensão através da membrana celular.

per·meth·rin (per-meth'rin) – permetrina; inseticida tópico utilizado no tratamento das infestações pela *Pediculus humanus capitis* (piolho-da-cabeça) e suas lêndeas, pela *Sarcoptes scabiei* ou qualquer dos vários carrapatos.

perm·se·lec·tiv·i·ty (perm"sě-lek-tiv'ĭ-te) – permosseletividade; restrição da permeação de macromoléculas através da parede capilar glomerular, com base no tamanho molecular, carga e configuração física.

per·ni·cious (per-nish'is) – pernicioso; que tende a um resultado fatal.

per·nio (per'ne-o) [L.] pl. *perniones* – geladura; eritema pérnio; frieira.

pero- [Gr.] – pero-, elemento de palavra, *deformidade; mutilado*.

pero·me·lia (per"o-mēl'e-ah) – peromelia; deformidade congênita dos membros.

per·o·ne·al (-neal) – peroneiro; peroneal; fibular; adjetivo relativo à fíbula ou ao lado externo da perna; fibular.

per·oral (per-or'il) – peroral; realizado ou administrado através da boca.

per os (per os) [L.] – por via oral; pela boca.

per·oxi·dase (per-ok'sĭ-dās) – peroxidase; qualquer substância de um grupo de enzimas ferroporfirínicas que catalisam a oxidação de alguns substratos orgânicos em presença de peróxido de hidrogênio (água oxigenada).

per·ox·ide (-ok'sīd) – peróxido; óxido de qualquer elemento que contém mais oxigênio que qualquer outro; mais corretamente aplicado a compostos que tenham ligações como –O–O–.

per·ox·i·some (-ok'sĭ-sōm) – peroxissomo; peroxissoma; um dos microcorpos presentes nas células dos animais vertebrados, especialmente nas células hepáticas e renais, que são ricas em enzimas peroxidase, catalase, D-aminoácido-oxidase e, em menor escala, urato oxidase.

per·phen·a·zine (-fen'ah-zēn) – perfenazina; tranqüilizante maior utilizado como antipsicótico e antiemético.

per pri·mam (in·ten·ti·o·nem) (per pri'mam inten"she-o'nem) [L.] – por primeira intenção; de início; sem interrupção; ver em *healing*.

per rec·tum (per rek'tim) [L.] – por via retal; através do reto.

Per·san·tine (per-san'tēn) – Persantine, marca registrada de preparações de dipiridamol.

per se·cun·dam (in·ten·ti·o·nem) (per se-kun'-dam in-ten'she-o'nem) [L.] – por segunda intenção; tardio; lentamente; ver em *healing*.

per·sev·er·a·tion (per-sev"er-a'shun) – perseveração; repetição persistente da mesma resposta verbal ou motora a estímulos variados; continuação da atividade após a interrupção do estímulo causador.

per·so·na (per-so'nah) – persona; pessoa; termo de Jung para a "máscara" ou fachada de personalidade apresentada por uma pessoa ao mundo exterior, em oposição a anima.

per·so·nal·i·ty (pers"in-al'it-e) – personalidade; a maneira característica de uma pessoa pensar, sentir e se comportar, incluindo as atitudes conscientes, valores e estilos, bem como também conflitos inconscientes e mecanismos de defesa. **alternating p.** – p. alternada, ver *multiple p.* **antisocial p. (disorder)** – p. anti-social (distúrbio); distúrbio de personalidade caracterizado por comportamento anti-social contínuo e crônico no qual se violam os direitos dos outros ou as normas sociais geralmente aceitas. **avoidant p. (disorder)** – p. de abstenção (distúrbio); distúrbio de personalidade caracterizado por mal-estar social, hipersensibilidade à crítica e aversão a atividades que envolvem contato interpessoal significativo. **borderline p. (disorder)** – p. limítrofe (distúrbio); distúrbio de personalidade marcado por instabilidade difusa do humor, auto-imagem e relacionamentos interpessoais. **cyclothymic p. (disorder)** – p. ciclotímica (distúrbio); ciclotimia. **dependent p. (disorder)** – p. dependente (distúrbio); distúrbio de personalidade marcado por sensações de desamparo quando a pessoa fica sozinha ou quando relacionamentos íntimos terminam, bem como pela preocupação difusa pelo medo de ser abandonado. **double p., dual p.** – p. dupla; ver *multiple p.* **explosive p.** – p. explosiva; distúrbio explosivo intermitente. **histrionic p. (disorder)** – p. histriônica (distúrbio); p. histérica; distúrbio de personalidade marcado por emotividade excessiva e um comportamento de busca de atenção. **hysterical p.** – p. histérica; p. histriônica. **inadequate p.** – p. inadequada; categoria diagnóstica que se refere a pessoas geralmente ineficientes ou ineptas social, intelectual e fisicamente; não corresponde a qualquer padrão particular de características de personalidade. **multiple p. (disorder)** – p. múltipla (distúrbio); distúrbio dissociativo em que um indivíduo possui duas ou mais personalidades distintas, cada uma delas com memórias exclusivas e comportamento e relacionamentos sociais característicos que de-

terminam as ações do indivíduo quando esta personalidade se encontra dominante. A personalidade original geralmente permanece totalmente inconsciente das outras (as subpersonalidades), experimentando somente lapsos quando as outras se encontram no controle. As subpersonalidades podem ter ou não consciência das demais. **narcissistic p. (disorder)** – p. narcisista (distúrbio); distúrbio de personalidade caracterizado por grandiosidade (em fantasia ou comportamento), falta de empatia social combinada a hipersensibilidade aos julgamentos dos outros, promoção interpessoal, senso de intitulação e necessidade de sinais de admiração constantes. **obsessive p., obsessive-compulsive p. (disorder)** – p. obsessiva; p. obsessivo-compulsiva (distúrbio); distúrbio de personalidade caracterizado por uma conduta emocionalmente constrita, que é indevidamente convencional, séria, formal e mesquinha, com preocupação acerca de detalhes triviais, insistência obstinada em ter as coisas à sua própria maneira, devoção excessiva ao trabalho e indecisão devida ao medo de cometer erros. **paranoid p. (disorder)** – p. paranóide (distúrbio); distúrbio de personalidade marcado por se ter uma visão das outras pessoas como hostis, desonestas e não-confiáveis e resposta combativa aos desapontamentos ou eventos experimentados como recusas ou humilhações. **passive aggressive p. (disorder)** – p. passivo-agressiva (distúrbio); distúrbio de personalidade caracterizado por resistência indireta a exigências sociais ou ocupacionais adequadas. **sadistic p. (disorder)** – p. sádica (distúrbio); distúrbio de personalidade marcado por um padrão difuso de comportamento cruel, degradante e agressivo; a satisfação é obtida por meio de intimidação, coerção, dor moral ou física e humilhação infligidos aos outros. **schizoid p. (disorder)** – p. esquizóide (distúrbio); distúrbio de personalidade marcado pela indiferença às relações sociais e âmbito restrito de experiências e expressões emocionais. **schizotypal p. (disorder)** – p. esquizotípica (distúrbio); distúrbio de personalidade caracterizado por déficits acentuados na competência interpessoal e excentricidades na ideação, apresentação ou comportamento; as idéias de referência são comuns, como crenças estranhas ou pensamento mágico, falta de amigos íntimos e ansiedade ou suspeição sociais excessivas; pode também ocorrer uma ideação paranóide. **self-defeating p. (disorder)** – p. autoderrotista (distúrbio); distúrbio de personalidade marcado pelo fato do indivíduo martirizar-se, inclinação a se envolver em situações ou relacionamentos problemáticos e incapacidade de realizar tarefas cruciais para os objetivos de vida. **split p.** – p. dividida; originalmente, um equivalente coloquial para a (*schizophrenia*) atualmente mais comumente utilizado como equivalente para a personalidade múltipla (*multiple personality*).

per·spi·ra·tion (per"spĭ -ra'shun) – perspiração: 1. sudorese; a secreção funcional de suor; 2. suor.

per·sul·fate (per-sul'fāt) – persulfato; sal do ácido persulfúrico.

per·tu·bam (per tu'bam) [L.] – através de um tubo.

per·tus·sis (per-tus'is) – coqueluche; doença infecciosa causada pela *Bordetella pertussis*, caracterizada por catarro do trato respiratório e acessos peculiares de tosse, terminando em respiração ruidosa prolongada.

per·tus·soid (-oid) – pertussóide: 1. semelhante a tosse da coqueluche; 2. tosse gripal que se assemelha à tosse da coqueluche.

per·va·gi·nam (per vah-ji'nam) [L.] – através da vagina.

per·ver·sion (per-ver'zhun) – perversão: 1. desvio do curso normal; 2. em Psiquiatria, desvio sexual. **sexual p.** – p. sexual; parafilia.

pes (pes) [L.] pl. *pedes* – pé: 1. órgão terminal da perna ou do membro inferior; 2. qualquer parte semelhante a um pé.

pes·sa·ry (pes'ah-re) – pessário: 1. instrumento colocado na vagina para sustentar o útero ou o reto, ou como um dispositivo contraceptivo; 2. supositório vaginal medicado.

pes·ti·lence (pes'tĭ-lins) – peste; doença epidêmica infecciosa ou contagiosa virulenta. **pestilen'tial** – adj. pestilencial.

pes·tle (pes"l) – pilão; implemento para pulverizar drogas em um almofariz.

peta- – peta-, elemento de palavra utilizado na denominação de unidades de medida para designar uma quantidade de 10^{15} (um quatrilhão) de vezes a unidade à qual se junta. Símbolo P.

-petal [L.] – -peto, elemento de palavra, *em direção a ou que se move em direção a*.

pe·te·chia (pě-te'ke-ah) [L.] pl. *petechiae* – petéquia; mancha vermelha diminuta devida ao escape de pequena quantidade de sangue. **pete'chial** – adj. petequial.

pet·i·ole (pet'e-ōl) – pecíolo; haste ou pedículo. **epiglottic p.** – p. epiglótico; extremidade inferior pontiaguda da cartilagem epiglótica, presa à cartilagem tireóide.

pe·ti·o·lus (pah-ti'ah-ol-is) – pecíolo.

pe·tit mal (pě-te' mahl')[Fr.] – pequeno mal; ausência; ausência epiléptica; ver em *epilepsy*.

pé·tris·sage (pa"tre-sahzh') – malaxação; manipulação; massagem com amassamento dos músculos.

pet·ro·la·tum (pě"tro-la'tum) – petrolato; geléia de petróleo; mistura purificada de hidrocarbonetos semi-sólidos obtidos a partir do petróleo; utilizada como base de pomada, curativo protetor e aplicação suavizante na pele.

pet·ro·mas·toid (-mas'toid) – petromastóide: 1. relativo à porção petrosa do osso temporal e seu processo mastóide; 2. otocrânio; ver *otocranium* (2).

pet·ro·oc·cip·i·tal (-ok-sip'it'l) – petroccipital; relativo à porção petrosa do osso temporal e do osso occipital.

pe·tro·sal (pě-tro'sil) – petrosa; relativo à porção petrosa do osso temporal.

pet·ro·si·tis (pě"tro-sī't'is) – petrosite; inflamação da porção petrosa do osso temporal.

pet·ro·sphe·noid (-sfe'noid) – petroesfenóide; relativo à porção petrosa do osso temporal e do osso esfenóide.

pet·ro·squa·mous (-skwa'mis) – petroescamoso; relativo às porções petrosa e escamosa do osso temporal.

pex·is (pek'sis) – pexia: 1. fixação de um material por meio de um tecido; 2. fixação cirúrgica. **pex'ic** – adj. péxico.

-pexy [Gr.] – -pexia elemento de palavra, *fixação cirúrgica*. **-pec'tic** – adj. -péctico.

pey·o·te (pa-ōt'e) – peiote; droga estimulante proveniente dos botões de mescal, cujo princípio ativo é a mescalina; utilizado pelos índios norte-americanos em determinada cerimônias para produzir intoxicação caracterizada por sensações de êxtase.

pH – pH; símbolo relativo à concentração do íon hidrogênio (H+) ou à atividade de uma solução com relação a determinada solução padrão. Numericamente, o pH é aproximadamente equivalente ao logaritmo negativo da concentração de H+ expresso em molaridade. O pH 7 é neutro; acima disso, a alcalinidade aumenta e, abaixo, a acidez aumenta.

phac(o)- [Gr.] – fac(o)-, elemento de palavra, *lente*. Ver também as palavras com prefixo *phako-*.

phaco·ana·phy·lax·is (fak"o-an"ah-fĭ-lak'sis) – facoanafilaxia; hipersensibilidade às proteínas do cristalino, induzida pelo escape de material da cápsula do cristalino.

phaco·cele (fak'o-sēl) – facocele; hérnia do cristalino.

phaco·cys·tec·to·my (fak"o-sis-tek'tah-me) – facocistectomia; excisão de parte da cápsula do cristalino em caso de catarata.

phaco·cys·ti·tis (-sis-tī't'is) – facocistite; inflamação da cápsula do cristalino.

phaco·emul·si·fi·ca·tion (-ĭ-mul"sĭ-fĭ-ka'-shun) – facoemulsificação; método de extração de catarata em que se fragmenta o cristalino por meio de vibrações ultra-sônicas e se irriga e aspira simultaneamente o mesmo.

phaco·er·y·sis (-ě-re"sis) – facoérise; remoção do cristalino em caso de catarata por meio de sucção.

phac·oid (fak'oid) – facóide; com forma semelhante a um cristalino.

phac·oid·itis (fak"oid-ī't'is) – facoidite; faquite; ver *phakitis*.

phac·oido·scope (fah-koid'ah-skōp) – facoidoscópio; facoscópio; ver *phacoscope*.

pha·col·y·sis (fah-kol'ĭ-sis) – facólise; dissolução ou discissão do cristalino. **phacolyt'ic** – adj. facolítico.

phaco·ma·la·cia (fak"o-mah-la'she-ah) – facomalacia; amolecimento do cristalino; catarata mole.

phaco·meta·cho·re·sis (-met"ah-kor-e'sis) – facometacorese; deslocamento do cristalino.

phaco·scle·ro·sis (-sklě-ro'sis) – facoesclerose; endurecimento do cristalino; catarata dura.

phaco·scope (fak'ah-skōp) – facoscópio; instrumento para visualizar alterações acomodativas do cristalino.

phaco·tox·ic (fak'o-tok'sik) – facotóxico; que exerce efeito deletério sobre o cristalino.

phaeo·hy·pho·my·co·sis (fe"o-hi"fo-mi-ko'-sis) – feofomicose; qualquer infecção oportunista causada por fungos dematiáceos.

phag(o)- [Gr.] – fag(o)-, elemento de palavra, *comer; ingerir*.

phage (fāj) – fago; bacteriófago; ver *bacteriophago*.

-phage [Gr.] – -fago, elemento de palavra, *algo que come ou destrói.*

-phagia [Gr.] – -fagia, elemento de palavra, *comer; engolir.*

phago·cyte (fag'o-sīt) – fagócito; qualquer célula que ingere microrganismos ou outras células e partículas estranhas. **phagocyt'ic** – adj. fagocítico; fagocitário.

phago·cy·tin (fag"o-sīt'in) – fagocitina; substância bactericida proveniente dos leucócitos neutrofílicos.

phago·cy·tol·y·sis (-si-tol'ĭ-sis) – fagocitólise; destruição dos fagócitos. **phagocytolyt'ic** – adj. fagocitolítico.

phago·cy·to·sis (-si-to'sis) – fagocitose; processo de englobamento de microrganismos ou outras células e de partículas estranhas por parte dos fagócitos. **phagocytot'ic** – adj. fagocitótico.

phago·some (fag'o-sōm) – fagossoma; vesícula ligada à membrana em um fagócito que contém material fagocitado.

phago·type (-tīp) – fagótipo; tipo de fago; ver em *type.*

-phagy – ver *-phagia.*

phak(o)- – ver *phac(o)-.*

pha·ki·tis (fa-kīt'is) – faquite; inflamação do cristalino.

pha·ko·ma (fah-ko'mah) – facoma; um dos hamartomas encontrados nas facomatoses, como as lesões precursoras de esclerose tuberosa. Ver também *tuber* (2).

phak·o·ma·to·sis (fak"o-mah-to'sis) pl. *phakomatoses* – facomatose; qualquer anomalia de um grupo de anomalias de desenvolvimento hereditárias congênitas que têm envolvimento seletivo de tecidos de origem ectodérmica, que desenvolvem hamartomas gliais disseminados; os exemplos incluem neurofibromatose, esclerose tuberosa, síndrome de Sturge-Weber e doença de von Hippel-Lindau.

phalang(o)- [Gr.] – falang(o)-, elemento de palavra, *falange ou falanges.*

pha·lan·ge·al (fah-lan'je-il) – falangiano; falângico; relativo a falange.

phal·an·gec·to·my (fal"an-jek'tah-me) – falangectomia; excisão de uma falange.

phal·an·gi·tis (-jīt'is) – falangite; inflamação de uma ou mais falanges.

pha·lanx (fa'langks) [Gr.] pl. *phalanges* – falange: 1. qualquer osso de um dedo; ver *falanges* na *Tabela de Ossos;* 2. uma de um grupo de placas dispostas em fileiras e que constituem a membrana reticular do órgão de Corti. **phalan'geal** – adj. falângico; falangiano.

phal·lec·to·my (fal-ek'tah-me) – falectomia; amputação do pênis.

phal·li·tis (fal-īt'is) – falite; penite (*penitis*).

phal·loid·in, phal·loid·ine (fah-loid'in) – faloidina; um veneno hexapeptídico proveniente do cogumelo *Amanita phalloides,* que causa astenia, vômito, diarréia, convulsões e morte.

phal·lus (fal'us) pl. *phalli* – falo; pênis. **phal'lic** – adj. fálico.

phan·er·o·sis (fan"er-o'sis) – fanerose; processo de se tornar visível.

phan·tasm (fan'tazm) – fantasma; impressão ou imagem não provocada por estímulos reais e geralmente reconhecida como falsa pelo observador.

phan·tom (fant'um) – 1. fantasma; 2. dispositivo para simular o efeito *in vivo* da radiação nos tecidos.

phan·tos·mia (fan-toz'me-ah) – fantosmia; parosmia que consiste de percepção subjetiva de odor na ausência de qualquer estímulo externo.

phar, pharm – pharmacy; pharmaceutical; pharmacopeia (farmácia; farmacêutico; farmacopéia.)

phar·ma·ceu·ti·cal (fahr"mah-sōōt'ĭ-kil) – farmacêutico: 1. relativo à farmacologia ou medicamentos; 2. produto farmacêutico, droga medicinal.

phar·ma·cist (fahr'mah-sist) – farmacêutico; pessoa autorizada a preparar e vender ou distribuir drogas e compostos, bem como a aviar receitas.

pharmaco- [Gr.] – farmaco-, elemento de palavra, *droga; remédio.*

phar·ma·co·an·gi·og·ra·phy (fahr"mah-ko-an-je-og'rah-fe) – farmacoangiografia; angiografia na qual se potencializa a visualização através de manipulação do fluxo sangüíneo por meio da administração de agentes vasodilatadores e vasoconstritores.

phar·ma·co·dy·nam·ics (-di-nam'iks) – farmacodinâmica; estudo dos efeitos bioquímicos e fisiológicos das drogas e mecanismos de suas ações, incluindo a correlação de ações e efeitos das drogas com sua estrutura química. **pharmacodynam'ic** – adj. farmacodinâmico.

phar·ma·co·ge·net·ics (-jĭ-net'iks) – farmacogenética; estudo da relação entre os fatores genéticos e a natureza das respostas às drogas.

phar·ma·cog·no·sy (fahr"mah-kog'nah-se) – farmacognosia; ramo da Farmacologia que se ocupa de medicamentos naturais e seus constituintes.

phar·ma·co·ki·net·ics (fahr"mah-ko-ki-net'-iks) – farmacocinética; ação das drogas no corpo por um período de tempo, incluindo os processos de absorção, distribuição, localização nos tecidos, biotransformação e excreção. **pharmacokinet'ic** – adj. farmacocinético.

phar·ma·col·o·gy (fahr"mah-kol'ah-je) – farmacologia; ciência que trata da origem, natureza, química, efeitos e usos das drogas; inclui farmacognosia, farmacocinética, farmacodinâmica, farmacoterapêutica e toxicologia. **pharmacolog'ic** – adj. farmacológico.

phar·ma·co·pe·ia (fahr"mah-ko-pe'ah) – farmacopéia; tratado autorizado sobre as drogas e suas preparações. Ver também *USP.* **pharmacopei'al** – adj. farmacopéico.

phar·ma·co·psy·cho·sis (-si-ko'sis) – farmacopsicose; doença de um grupo de doenças mentais devidas ao álcool, drogas ou venenos.

phar·ma·co·ther·a·py (-ther'ah-pe) – farmacoterapia; tratamento de uma doença com medicamentos.

phar·ma·cy (fahr'mah-se) – Farmácia:1. ramo das ciências da saúde que se ocupa da preparação, distribuição e utilização apropriada das drogas; 2. lugar onde as drogas são compostas ou aviadas.

PQR

Pharm D – Doctor of Pharmacy (Doutor em Farmácia).

pharyng(o)- [Gr.] – faring(o)-, elemento de palavra, faringe.

phar·yn·gal·gia (far"ing-gal'je-ah) – faringalgia; dor na faringe.

pha·ryn·ge·al (fah-rin'je-al) – faríngeo; faríngico; relativo à faringe.

phar·yn·gec·to·my (far"in-jek'tah-me) – faringectomia; excisão de parte da faringe.

phar·yn·gem·phrax·is (far"in-jem-frak'sis) – faringenfraxe; obstrução da faringe.

phar·yn·gis·mus (far"in-jiz'mis) – faringismo; espasmo muscular da faringe.

phar·yn·gi·tis (far"in-jī t'is) – faringite; inflamação da faringe. **pharyngit'ic** – adj. faringítico.

pha·ryn·go·cele (fah-ring'go-sēl") – faringocele; herniação ou deformidade cística da faringe.

pha·ryn·go·my·co·sis (fah-ring"go-mi-ko'sis) – faringomicose; qualquer infecção fúngica da faringe.

pha·ryn·go·pe·ris·to·le (-pě-ris'tah-le) – faringoperístole; faringoestenose; ver *pharyngostenosis.*

pha·ryn·go·ple·gia (-ple'jah) – faringoplegia; faringoparalisia.

pha·ryn·gor·rhea (-re'ah) – faringorréia; descarga mucosa a partir da faringe.

phar·yn·gos·co·py (far"ring-gos'kah-pe) – faringoscopia; exame visual direto da faringe.

pha·ryn·go·ste·no·sis (fah-ring"go-sten-o'sis) – faringostenose; estreitamento da faringe.

phar·yn·got·o·my (far"ing-got'ah-me) – faringotomia; incisão da faringe.

phar·ynx (far'inks) – faringe; garganta; a cavidade musculomembranosa por trás das cavidades nasais, boca e laringe, comunicando as mesmas com o esôfago.

phase (fāz) – fase: 1. um dos aspectos ou estágios através dos quais uma entidade variável pode passar; 2. em Físico-química, qualquer parte física ou quimicamente distinta, homogênea e mecanicamente separável de um sistema (como por exemplo, as fases de gelo e vapor da água).

phas·mid (faz'mid) – fasmídeo: 1. um dos dois quimiorreceptores caudais que ocorrem em determinados nematódeos (Phasmidia); 2. qualquer nematódeo que contenha fasmídeos.

phe·nac·e·tin (fě-nas'ě-tin) – fenacetina; analgésico e antipirético cujo principal metabólito é a acetaminofena, hoje pouco utilizada devido à sua toxicidade.

phe·nan·threne (fī -nan'thrěn) – fenantreno; hidrocarboneto cristalino e incolor ((C_6H_4·CH)$_2$.

phen·ar·sa·zine chlor·ide (fen-ahr'sah-zēn) – cloreto de fenarsazina; clorarsina difenilamina.

phen·a·zo·pyr·i·dine (fen"ah-zo-pir'ĭ -dēn) – fenazopiridina; analgésico urinário, utilizado como sal de cloridrato.

phen·cy·cli·dine (fen-si'klĭ -dēn) – fenciclidina; analgésico e anestésico veterinário potente, utilizado em forma de sal de cloridrato. O abuso dessa droga por parte do homem pode levar a distúrbios psicológicos sérios. Abreviação PCP.

phen·di·met·ra·zine (fen"di-met'rah-zēn) – fendimetrazina; amina simpatomimética com ações farmacológicas semelhantes às das anfetaminas, utilizada em forma de sal de tartarato como supressor do apetite.

phen·el·zine (fen'el-zēn) – fenelzina; inibidor da monoamina-oxidase utilizado em forma de sal de sulfato como antidepressivo.

Phen·er·gan (-er-gan) – Fenergan, marca registrada de uma preparação de prometazina.

phe·neth·i·cil·lin (fě-neth"ĭ -sil'en) – feneticilina; penicilina acidorresistente semi-sintética que corresponde a um análogo metílico da penicilina V; utilizada como sal potássico.

phe·nin·da·mine (fě-nin'dah-měn) – fenindamina; anti-histamínico utilizado como sal de tartarato.

phen·in·di·one (fen"in-di'ōn) – fenindiona; anticoagulante de início rápido e curta duração.

phen·ir·amine (fen-ir'ah-měn) – feniramina; anti-histamínico utilizado como sal de maleato.

phen·met·ra·zine (-met'rah-zēn) – fenmetrazina; estimulante do sistema nervoso central utilizado como anoréxico em forma de sal de cloridrato; o abuso pode levar à habituação.

phe·no·bar·bi·tal (fe"no-bahr'bĭ -tal) – fenobarbital; barbitúrico de ação curta utilizado como anticonvulsivante, sedativo e hipnótico; também utilizado como sal sódico.

phe·no·copy (fe'no-kop"e) – fenocópia; fenótipo ambientalmente induzido que mimetiza um fenótipo geralmente produzido por um genótipo específico.

phe·no·de·vi·ant (fe"no-de've-ant) – fenodivergente; indivíduo cujo fenótipo difere significativamente do fenótipo típico da população.

phe·nol (fe'nol) – fenol; álcool fenílico: 1. composto extremamente venenoso (C_6H_5OH), obtido da destilação do alcatrão de hulha; utilizado como antimicrobiano. A ingestão ou absorção do fenol pela pele causa cólicas, fraqueza, colapso e irritação e corrosão locais; 2. qualquer composto orgânico que contenha um ou mais grupos hidroxila ligados a um anel aromático ou carbônico.

phe·no·late (fe'nil-at) – 1. fenolizar; tratar com fenol para propósitos de esterilização; 2. fenolato; sal formado pela união de uma base com fenol, na qual um metal monovalente (como sódico ou potássico) substitui o hidrogênio do grupo hidroxila.

phe·nol·phthal·ein (fe"nol-tahl'ĕn) – fenolftaleína; catártico e indicador de pH, com uma variação de 8,5 a 9.

phe·nol·sul·fon·phthal·ein (-sul"fon-thal'ĕn) – fenolsulfonftaleína; pó vermelho utilizado como teste de função renal e como teste quanto à urina vesical residual.

phe·nom·e·non (fě-nom'ě-non) pl. *phenomena* – fenômeno; qualquer sinal ou sintoma objetivo; uma ocorrência ou fato observáveis. **booster p.** – f. de reforço; em um teste de tuberculina, um resultado falso negativo inicial devido à diminuição da resposta amnésica, tornando-se positivo em teste subseqüente. **dawn p.** – f. do amanhecer; aumento no início da manhã da concentração plasmática de glicose e conseqüente da exigência de insulina em pacientes com diabetes melito dependente de insulina. **Koebner's p.** – f.

de Koebner; resposta cutânea observada em determinadas dermatoses, manifestada pelo aparecimento em uma pele não-afetada de lesões típicas da cutaneopatia no local de um traumatismo, cicatrizes ou pontos onde os artigos do vestuário produzem pressão. **Marcus Gunn's pupillary p.** – f. pupilar de Marcus Gunn; no caso de retinopatia ou doença do nervo óptico unilaterais, uma diferença entre os reflexos pupilares dos dois olhos; no lado afetado, ocorre contração ligeiramente anormal ou mesmo dilatação da pupila quando se focaliza uma luz no olho. **no-reflow p.** – f. sem refluxo; quando se restaura o fluxo sangüíneo cerebral após isquemia cerebral global prolongada, ocorre hiperemia inicial acompanhada de declínio gradual na perfusão até quase não existir fluxo sangüíneo. **Somogyi p.** – f. de Somogyi; fenômeno de rebote que ocorre no caso de diabetes; o tratamento excessivo com insulina induz hipoglicemia, iniciando conseqüentemente a liberação do hormônio; isso estimula a lipólise, a gliconeogênese e a glicogenólise, que por sua vez causam rebote de hiperglicemia e cetose.

phe·no·ti·a·zine (fe"no-thi'ah-zēn) – fenotiazina: 1. anti-helmíntico veterinário; 2. qualquer substância de um grupo de tranqüilizantes maiores semelhantes à fenotiazina na estrutura molecular e atuam como agentes bloqueadores adrenérgicos potentes.

phe·no·type (fe'nah-tīˉp) – fenótipo; constituição física, bioquímica e fisiológica completa de um indivíduo conforme o determinado tanto genética como ambientalmente. Também, qualquer indivíduo ou grupo de tais características. **phenotyp'ic** – adj. fenotípico.

phe·noxy·benz·amine (fě-nok"se-ben'zah-mēn) – fenoxibenzamina; agente bloqueador α-adrenérgico irreversível; utiliza-se o sal de cloridrato para controlar a hipertensão no caso de feocromocitoma, para tratar o fenômeno de Raynaud e determinados distúrbios da micção.

phen·pro·cou·mon (fen-pro'koo-mon) – fenoprocumona; anticoagulante do tipo cumarínico.

phen·pro·pi·o·nate (-pro'pe-ah-nāt") – fempropionato; contração da USAN para o 3-fenilpropionato.

phen·sux·i·mide (-suk'sī̆-mī̆d) – fensuximida; anticonvulsivante utilizado principalmente no tratamento da epilepsia de pequeno mal.

phen·ter·mine (fen'ter-mēn) – fentermina; adrenérgico isomérico com a anfetamina, utilizado como anoréxico; também utilizada como sal de cloridrato.

phen·tol·amine (fen-tol'ah-mēn) – fentolamina; agente bloqueador α-adrenérgico potente; ela bloqueia a ação hipertensiva da adrenalina e noradrenalina e a maioria das respostas dos músculos lisos que envolvem receptores celulares α-adrenérgicos. Seus sais de cloridrato e mesilato são utilizados no diagnóstico e tratamento da hipertensão devida a feocromocitoma.

phenyl (fen'il, fe'nil) – fenila; o radical monovalente C_6H_5. **phenyl'ic** – adj. fenílico.

phen·yl·a·ce·tic ac·id (fen"il-ah-se'tik) – ácido fenilacético; catabólito da fenilalanina, excessiva-

mente formado e excretado na urina no caso de fenilcetonúria.

phen·yl·al·a·nine (-al'ah-nēn) – fenilalanina; aminoácido aromático essencial para o crescimento ideal dos bebês e equilíbrio de nitrogênio nos humanos adultos. Abreviação Phe.

phen·yl·bu·ta·zone (-bu'tah-zōn) – fenilbutazona; agente analgésico, antipirético, antiinflamatório e uricosúrico suave; utilizada no tratamento da gota, artrite reumatóide, espondilite ancilosante e outras afecções reumatóides.

p-**phen·yl·ene·di·amine** (fen"il-ēn-di'ah-mēn) – *p*-fenilenodiamina; derivado do benzeno utilizado como tintura para cabelo, roupas e outros produtos têxteis, como agente revelador fotográfico e em vários outros processos; é um alérgeno forte, causando dermatite de contato e asma brônquica.

phen·yl·eph·rine (fen"il-ef'rin) – fenilefrina; adrenérgico utilizado como sal de cloridrato devido às suas propriedades vasoconstritoras potentes.

phe·nyl·ic ac·id (fen-il'ik) – ácido fenílico; fenol; ver *phenol*.

phen·yl·ke·ton·uria (PKU) (fen"il-ke"to-nu're-ah) – fenilcetonúria; erro inato de metabolismo marcado por incapacidade de converter a fenilalanina em tirosina, de forma que a fenilalanina e seus produtos metabólicos acumulam-se nos fluidos corporais; resulta em retardamento mental, manifestações neurológicas, pigmentação leve, eczema e odor murino, todos evitáveis através de uma restrição dietética precoce da fenilalanina. **phenylketonu'ric** – adj. fenilcetonúrico.

phen·yl·mer·cu·ric (-mer-kūr'ik) – fenilmercúrico; denota um composto que contém o radical C_6H_5Hg–, formando vários sais anti-sépticos, antibacterianos e fungicidas; os compostos dos sais de acetato e nitrato são utilizados como bacteriostáticos e o primeiro também é utilizado como herbicida.

phen·yl·pro·pa·nol·amine (-pro"pah-nol'ah-mēn) – fenilpropanolamina; adrenérgico utilizado principalmente como descongestionante nasal e sinusal em forma de sal de cloridrato.

phen·yl·py·ru·vic ac·id (-pi-roo'vik) – ácido fenilpirúvico; produto intermediário produzido quando se bloqueia o trajeto normal do catabolismo da fenilalanina e excretado na urina em caso de fenilcetonúria.

phen·yl·thio·urea (-thi"o-u-re'ah) – feniltiouréia; composto utilizado na pesquisa genética; a capacidade de senti-la no paladar é herdada como característica dominante. É intensamente amarga para cerca de 70% da população e quase sem gosto para o resto.

phen·yl·tol·ox·amine (-tol-ok'sah-mēn) – feniltoloxamina; anti-histamínico utilizado como sal de citrato.

phen·y·to·in (fen'ī̆-to-in) – fenitoína; anticonvulsivante e depressor cardíaco utilizado no tratamento de todas as formas de epilepsia (exceto o pequeno mal) e como antiarrítmico.

pheo·chrome (fe'ah-krōm) – feocromo; cromafim; ver *chromaffin*.

pheo·chro·mo·blast (fe"o-kro'mah-blast) – feocromoblasto; uma das estruturas embrionárias que se desenvolvem em células cromafins (feocromos).

pheo·chro·mo·cyte (-kro'mah-sīt) – feocromócito; célula cromafim.

pheo·chro·mo·cy·toma (-kro"mah-si-to'-mah) – feocromocitoma; tumor de tecido cromafim da medula supra-renal ou dos paragânglios simpáticos; os sintomas (notavelmente a hipertensão) refletem o aumento da secreção de adrenalina e noradrenalina.

phe·re·sis (fē-re'sis) – ferese; aférese; ver *apheresis*.

pher·o·mone (fer'ah-mōn) – feromona; substância secretada para o exterior do corpo e percebida (como pelo olfato) por outros indivíduos da mesma espécie, produzindo um comportamento específico no percipiente.

PhG – Graduate in Pharmacy (Graduado em Farmácia).

Phi·a·loph·o·ra (fi"ah-lof'ah-rah) – *Phialophora*; gênero de fungos imperfeitos. A *P. verrucosa* é a causa da cromomicose; a *P. jeanselmi* é a causa da maduromicose.

-philia [Gr.] – -filia, elemento de palavra, *afinidade por; predileção mórbida por*. **-phil'ic** – adj. fílico.

phil·trum (fil'trum) – filtro; sulco vertical na porção mediana do lábio superior.

phi·mo·sis (fi-mo'sis) – fimose; constrição do orifício do prepúcio de forma que ele não possa ser puxado para trás sobre a glande. **phimot'ic** – adj. fimótico.

phleb(o)- [Gr.] – fleb(o)-, elemento de palavra, *veia*.

phleb·an·gi·o·ma (fleb"an-je-o'mah) – flebangioma; aneurisma venoso.

phleb·ar·te·ri·ec·ta·sia (-ahr-tēr"e-ek-ta'ze-ah) – flebarteriectasia; dilatação geral das veias e artérias.

phleb·ec·ta·sia (-ek-ta'zhah) – flebectasia; dilatação de uma veia; varicosidade.

phle·bec·to·my (flĕ-bek'tah-me) – flebectomia; excisão de uma veia ou segmento de uma veia.

phleb·em·phrax·is (fleb"em-frak'sis) – flebenfraxe; interrupção de uma veia por meio de um tampão ou coágulo.

phle·bis·mus (flĕ-biz'mus) – flebismo; obstrução e conseqüente turgescência das veias.

phle·bi·tis (flĕ-bī'tis) – flebite; inflamação de uma veia. **phlebit'ic** – adj. flebítico. **sinus p.** – f. sinusal; inflamação de um seio cerebral.

phle·boc·ly·sis (flĕ-bok'lĭ-sis) – fleboclise; injeção de um fluido no interior de uma veia.

phle·bog·ra·phy (flĕ-bog'rah-fe) – flebografia: 1. radiografia de uma veia preenchida com um meio de contraste; 2. registro gráfico do pulso venoso; 3. descrição das veias.

phlebo·li·thi·a·sis (fleb"o-lĭ'-thi'ah-sis) – flebolitíase; desenvolvimento de cálculos ou concreções venosas.

phlebo·ma·nom·e·ter (-mah-nom'ĕ-ter) – flebomanômetro; instrumento para a medição direta da pressão sangüínea venosa.

phlebo·rhe·og·ra·phy (-re-og'rah-fe) – fleborreografia; técnica que emprega um pletisfigmógrafo com bainhas aplicadas no abdômen, coxa, panturrilha e pé, para medir as alterações de volume venosas

em resposta à respiração e à compressão do pé ou da panturrilha.

phle·bor·rha·phy (flĕ-bor'ah-fe) – fleborrafia; sutura de uma veia.

phlebo·scle·ro·sis (fleb"o-sklĕ-ro'sis) – flebosclerose; espessamento fibroso das paredes das veias.

phle·bos·ta·sis (flĕ-bos'tah-sis) – flebostase: 1. retardamento do fluxo sangüíneo nas veias; 2. seqüestro temporário de uma porção de sangue a partir da circulação geral através de compressão das veias de uma extremidade.

phlebo·throm·bo·sis (fleb"o-throm-bo'sis) – flebotrombose; desenvolvimento de trombos venosos na ausência de uma inflamação associada.

Phle·bot·o·mus (flĕ-bot'ah-mus) – *Phlebotomus*; gênero de mosquitos-pólvora picadores, cujas fêmeas são hematófagas. São os vetores de várias doenças, incluindo leishmaniose visceral (*P. argentipes, P. chinensis, P. major, P. martini, P. orientalis e P. perniciosus*), a doença de Carrión (*P. noguchi e P. verrucarum*), a leishmaniose cutânea (*P. longipes e P. sergenti*) e febre do flebótomo (*P. papatasii*).

phle·bot·o·my (flĕ-bot'-ah-me) – flebotomia; incisão de uma veia.

Phlebovirus (fleb'o-vi"rus) – *Phlebovirus*; vírus da febre do mosquito-pólvora; gênero da família Bunyaviridae, que inclui os vírus da febre do mosquito-pólvora e febre do vale do Rift.

phlegm (flem) – flegma; muco viscoso excretado em quantidades anormalmente grandes do trato respiratório.

phleg·ma·sia (fleg-ma'ze-ah) [Gr.] – flegmasia; inflamação. **p. al'ba do'lens** – perna de leite; leucoflegmasia dolorosa; flebite da veia femoral, com intumescimento da perna, geralmente com vermelhidão (perna de leite ou branca), ocasionalmente seguindo-se ao parto ou enfermidade febril aguda. **p. ceru'lea do'lens** – trombose das veias de um membro; uma forma fulminante e aguda de trombose venosa profunda, com edema pronunciado e cianose severa da extremidade.

phleg·mat·ic (fleg-mat'ik) – flegmático; de temperamento desanimado e apático.

phleg·mon (fleg'mon) – fleimão; inflamação difusa do tecido conjuntivo ou mole devida a infecção.

phleg'monous – adj. flegmonoso; fleimonoso.

phlog(o)- [Gr.] – flog(o)-, elemento de palavra, *inflamação*.

phlo·go·gen·ic (flog"ah-jen'ik) – flogogênico; que produz inflamação.

phlo·rhi·zin hy·dro·lase (flo-ri'zin hi-dro-lās) – florizina-hidrolase; glicosilceramidase (*glycosylceramidase*).

phlyc·te·na (flik-te'nah) [Gr.] pl. *phlyctenae* – flictena: 1. pequena vesícula causada por queimadura; 2. pequena vesícula que contém linfa observada na conjuntiva em determinadas afecções. **phlyc'tenar** – adj. flictenar.

phlyc·ten·u·lar (flik-ten'u-lar) – flictenular; associado à formação de flictênulas ou proeminências semelhantes a vesículas.

phlyc·ten·ule (flik'tin-ūl) – flictênula; vesícula diminuta; nódulo ulcerado da córnea ou conjuntiva.

pho·bia (fo'be-ah) – fobia; qualquer pavor ou medo anormal persistente; também, terminação de palavra que denota medo ou aversão anormais. **pho'bic** – adj. fóbico. **simple p.** – f. simples; qualquer fobia de objetos, mas não de situações (como a agorafobia) ou de funções (fobia social) (como por exemplo, medo de cães, gatos, camundongos, aranhas ou de sangue e lesões). **social p.** – f. social; qualquer fobia de função e não de situações (como a agorafobia) ou de objetos (fobia simples); a pessoa tem medo de vexames ou humilhações (como por exemplo, de falar, comer ou utilizar o sanitário em público).

pho·co·me·lia (fo"kah-me'le-ah) – focomelia; ausência congênita da porção proximal de um membro ou membros, sendo as mãos ou pés presos ao tronco por meio de pequeno osso de forma irregular. **phocome'lic** – adj. focomélico.

pho·com·e·lus (fo-kom'il-is) – focômelo; indivíduo que exibe focomelia.

phon·as·the·nia (fo"nas-the'ne-ah) – fonastenia; fraqueza da voz; fonação difícil devido à fadiga.

phon·en·do·scope (fo-nen'dah-skōp) – fonendoscópio; dispositivo estetoscópico que intensifica os sons auscultados.

pho·ni·at·rics (fo"ne-ă'triks) – foniatria; tratamento dos defeitos da fala.

phon(o)- [Gr.] – fon(o)-, elemento de palavra, *som; voz; fala.*

pho·no·car·di·og·ra·phy (fo"no-kahr"de-og'-rah-fe) – fonocardiografia; representação gráfica das bulhas ou murmúrios cardíacos; por extensão, o termo também inclui os traçados de pulso (pulso carotídeo, do ápice cardíaco e jugular). **phonocardiograph'ic** – adj. fonocardiográfico.

pho·no·cath·e·ter (-kath'it-er) – fonocateter; dispositivo semelhante a um cateter convencional, com microfone na extremidade.

pho·no·my·oc·lo·nus (-mi-ok'lah-nis) – fonomioclonia; mioclonia na qual se ouve, na auscultação o som de um músculo afetado, indicando contrações fibrilares.

pho·no·my·og·ra·phy (-mi-og'rah-fe) – fonomiografia; registro dos sons produzidos pela contração muscular.

pho·no·re·no·gram (-re'no-gram) – fonorrenograma; registro dos sons produzidos pela pulsação da artéria renal obtido por meio de um fonocateter passado através de ureter no interior da pelve renal.

pho·no·stetho·graph (-steth'o-graf) – fonoestetógrafo; instrumento através do qual se amplificam, filtram e registram os sons cardíacos.

phor·bol (for'bol) – forbol; álcool policíclico que ocorre no óleo de cróton; é o composto original dos ésteres forbólicos. **p. ester** – éster forbólico; um dos vários ésteres de forbol que são carcinógenos potentes, ativando a proteinocinase celular; utilizado na pesquisa para potencializar a indução de mutagênese ou de tumores por parte de carcinógenos.

-phore [Gr.] – -foro, elemento de palavra, *transportador.*

-phoresis [Gr.] – -forese, elemento de palavra, *transmissão.*

pho·ria (fo're-ah) – foria; heterophoria; ver *heterophoria.*

phos·gene (fos'jēn) – fosgênio; gás altamente venenoso e sufocante, o cloreto de carbonila ($COCL_2$), que causa edema pulmonar ou pneumonia rapidamente fatais com a inalação; utilizado na síntese de compostos orgânicos e antigamente um gás de guerra.

phos·pha·gen (fos'fah-jen) – fosfagênio; qualquer substância de um grupo de compostos ricos em energia (que incluem a fosfocreatina), que agem como reservatórios da energia ligada ao fosfato, doando grupos fosforila para a síntese de ATP quando os suprimentos são baixos.

phos·pha·tase (-tās) – fosfatase; qualquer substância de um grupo de enzimas que catalisam a clivagem hidrolítica do fosfato inorgânico a partir dos ésteres.

phos·phate (fos'fāt) – fosfato; qualquer sal ou éster do ácido fosfórico. **phosphat'ic** – adj. fosfático.

phos·pha·te·mia (fos"fah-tēm'e-ah) – fosfatemia; excesso de fosfatos no sangue.

phos·pha·ti·dic ac·id (-tid'ik) – ácido fosfatídico; qualquer substância de um grupo de compostos formados pela esterificação de três grupos hidroxila do glicerol com dois grupos de ácidos graxos e um grupo de ácido fosfórico; desse ácido derivam os fosfoglicerídeos.

phos·pha·ti·dyl·cho·line (-ti"dil-ko'lēn) – fosfatidilcolina; fosfolipídeo no qual a colina se encontra em ligação éster com o grupo fosfato do ácido fosfatídico; é um componente importante das membranas celulares e se localiza preferencialmente na superfície externa da membrana plasmática.

phos·pha·tu·ria (-tūr'e-ah) – fosfatúria; excesso de fosfatos na urina.

phos·phene (fos'fēn) – fosfeno; sensação de luz devida a estímulo que não o de raios luminosos (por exemplo, estímulo mecânico).

phos·pho·cre·a·tine (PC) (fos"fo-kre'ah-tin) – fosfocreatina; fosfagênio dos vertebrados, um composto de creatina-ácido fosfórico que ocorre nos músculos, constituindo importante forma de armazenamento de fosfato rico em energia, a fonte de energia na contração muscular.

phos·pho·di·es·ter·ase (-di-es'ter-ās) – fosfodiesterase; qualquer substância de um grupo de enzimas que catalisam a clivagem hidrolítica de uma ligação éster em um composto de ácido fosfórico que contenha duas dessas ligações éster.

phos·pho·enol·py·ru·vate (-e"nol-pi'roo-vāt) – fosfo*enol*piruvato; um derivado rico em energia do piruvato, que ocorre como intermediário no trajeto de Embden-Meyerhof do metabolismo da glicose, gliconeogênese e biossíntese de alguns aminoácidos.

6-phos·pho·fruc·to·ki·nase (-frook"to-ki'nās) – 6-fosfofrutocinase; enzima que catalisa a fosforilação do 6-fosfato de frutose, um local de regulação na via de Embden-Meyerhof do metabolismo da glicose; a deficiência da isozima muscular causa doença do armazenamento de glicogênio do tipo VII.

phos·pho·glyc·er·ate (-glis'er-āt) – fosfoglicerato; uma forma aniônica do ácido fosfoglicérico: o *2-f.*

PQR

e o *3-f.* são intermediários interconversíveis na via de Embden-Meyerhof do metabolismo da glicose.

phos·pho·glyc·er·ide (-glis'er-ī d) – fosfoglicerídeo; uma classe de fosfolipídeos, cujo composto original é o ácido fosfatídico; o fosfoglicerídeo consiste de uma espinha dorsal de glicerol, dois ácidos graxos e um álcool fosforilado (com por exemplo, colina, etanolamina, serina e inositol) e constitui um componente importante das membranas celulares.

phos·pho·ino·si·tide (-in-o'sī -tī d) – fosfoinositídeo; um número de compostos fosforilados contendo inositol que participam da ativação celular e mobilização do cálcio em resposta a hormônios.

phos·pho·lip·ase (-lip'ās) – fosfolipase; uma de quatro enzimas (fosfolipases A a D), que catalisam a hidrólise de ligações éster específicas nos fosfolipídeos.

phos·pho·lip·id (-lip'id) – fosfolipídeo; lipídeo que contém fósforo, incluindo os lipídeos com um glicerol de espinha dorsal (fosfoglicerídeos e plasmalogênios) ou de uma espinha dorsal de esfingosina ou uma substância relacionada (esfingomielinas). O fosfolipídeo corresponde ao principal lipídeo nas membranas celulares.

phos·pho·ne·cro·sis (-nĕ-kro'sis) – fosfonecrose; necrose por fósforo.

phos·pho·pro·tein (-prōt'ēn) – fosfoproteína; proteína conjugada na qual o ácido fosfórico se esterifica com um hidroxiaminoácido.

phos·phor·ic ac·id (fos-for'ik) – ácido fosfórico: 1. ácido ortofosfórico, a forma monomérica (H_3PO_4); 2. termo genérico que inclui as formas monoméricas (ácido ortofosfórico), diméricas (ácido pirofosfórico) e poliméricas (ácido metafosfórico) do ácido. O *a.f.* diluído é utilizado como solvente farmacêutico e acidificador gástrico.

phos·pho·rism (fos'fer-izm) – fosforismo; envenenamento crônico com fósforo; ver *phosphorus*.

phos·pho·rol·y·sis (fos"fer-ol'ī -sis) – fosforólise; clivagem de uma ligação química com a adição simultânea dos elementos do ácido fosfórico aos resíduos.

phos·pho·rous ac·id (fos'fer-us) – ácido fosforoso; H_3PO_3; seus sais são os fosfitos.

phos·phor·uria (fos"fer-ūr'e-ah) – fosforúria; fósforo livre na urina.

phos·pho·rus (fos'fer-is) – fósforo; elemento químico (ver *tabela*), número atômico 15, símbolo P. A ingestão ou inalação produzem dor de dente, fosfonecrose (mandíbula fosforada), anorexia, fraqueza e anemia. O fósforo é um elemento essencial na dieta; na forma de fosfatos, é o principal componente da fase mineral do osso e ocorre em todos os tecidos, participando de quase todos os processos metabólicos. **phos' pho·rous** – adj. fosforoso.

phos·phor·y·lase (fos-fōr'ī -lās) – fosforilase: 1. um grupo de enzimas que catalisam a fosforólise dos glicosídeos, transferindo o grupo glicosil clivado para o fosfato inorgânico. Quando não for qualificada com o nome do substrato, o termo geralmente denota a *glicogênio fosforilase* (animais) ou o *amido fosforilase* (vegetais); 2. um grupo de enzimas que catalisam a transferência de um grupo fosfato para um aceptor orgânico.

phos·phor·y·lase ki·nase (fos-for'ī -lās ki'-nās) – fosforilase cinase; fosforilase *b*-cinase; enzima que catalisa a fosforilação e ativação da glicogênio fosforilase, uma etapa na cascata de reações que regulam a glicogenólise.

phos·phor·y·lase *b* ki·nase de·fi·cien·cy – deficiência de fosforilase *b* cinase; distúrbio de armazenamento de glicogênio ligado ao cromossoma X devido a distúrbio da enzima no fígado, caracterizado, nos homens afetados, por hepatomegalia, hipoglicemia de jejum ocasional e certo retardamento do crescimento.

phos·pho·ry·la·tion (fos"for-ī -la-shun) – fosforilação; processo metabólico de introdução de um grupo fosfato no interior de uma molécula orgânica. **oxidative p.** – f. oxidativa; formação de ligações fosfato ricas em energia por meio de fosforilação do ADP em ATP acoplada à transferência de elétrons de coenzimas reduzidas a oxigênio molecular através da cadeia de transporte de elétrons; ocorre na mitocôndria. **substrate-level p.** – f. nível de substrato; formação de ligações fosfato ricas em energia através da fosforilação do ADP em ATP (ou do GDP em GTP) acoplada à clivagem de um intermediário metabólico rico em energia.

phos·pho·trans·fer·ase (fos"fo-trans'fer-ās) – fosfotransferase; subclasse de enzimas que catalisam a transferência de um grupo fosfato.

phot(o)- [Gr.] – fot(o)-, elemento de palavra, *luz.*

photalgia (fo-tal'jah) – fotalgia; dor (como no olho) causada pela luz.

pho·to·abla·tion (fo"to-ab'la'shun) – fotoablação; volatilização de um tecido através de radiação ultravioleta emitida por um laser.

pho·to·ac·tive (-ak'tiv) – fotoativo; que reage quimicamente à luz solar ou à radiação ultravioleta.

pho·to·al·ler·gen (-al'er-jen) – fotoalérgeno; agente que dispara reação alérgica à luz.

pho·to·al·ler·gy (-al'er-je) – fotoalergia; tipo imunológico retardado de fotossensibilidade que envolve uma substância química à qual o indivíduo se sensibilizou previamente, combinado com energia radiante. **photoaller'gic** – adj. fotoalérgico.

pho·to·bi·ol·o·gy (-bi-ol'ah-je) – fotobiologia; ramo da Biologia que estuda o efeito da luz nos organismos. **photobiolog'ic, photobiolog'ical** – adj. fotobiológico.

pho·to·bi·ot·ic (-bi-ot'ik) – fotobiótico; que vive somente na luz.

pho·to·ca·tal·y·sis (-kah-tal'ī -sis) – fotocatálise; promoção ou estimulação de uma reação química através da luz. **photocataly'tic** – adj. fotocatalítico.

pho·to·cat·a·lyst (-kat'ah-list) – fotocatalisador; substância (por exemplo, a clorofila) que produz reação química à luz.

pho·to·chem·is·try (-kem'is-tre) – fotoquímica; ramo da química relacionado às propriedades químicas e aos efeitos dos raios luminosos ou outras radiações. **photochem'ical** – adj. fotoquímico.

pho·to·che·mo·ther·a·py (-ke"mo-thē'rah-pe) – fotoquimioterapia; tratamento por meio de drogas (por exemplo, metoxsaleno) que reagem à radiação ultravioleta ou luz solar.

pho·to·chro·mo·gen (-kro'mah-jen) – fotocromógeno; fotocromogênio; microrganismo cuja pigmentação se desenvolve como resultado de exposição à luz. **photochromogen'ic** – adj. fotocromogênico.

pho·to·co·ag·u·la·tion (-ko-ag"ūl-a'shun) – fotocoagulação; condensação de um material protéico através do uso controlado de um feixe de luz intensa (por exemplo, laser de argônio) utilizado especialmente no tratamento do descolamento retiniano e destruição dos vasos retinianos anormais ou massas tumorais intra-oculares.

pho·to·der·ma·ti·tis (-der"mah-tī t'is) – fotodermatite; estado anormal da pele em que a luz constitui um fator causador importante.

pho·to·flu·o·rog·ra·phy (-flur"og'rah-fe) – fotofluorografia; registro fotográfico das imagens fluoroscópicas em filmes pequenos, utilizando uma lente rápida.

pho·to·gen·ic (-jen'ik) – fotogênico: 1. produzido pela luz; 2. que produz ou emite luz.

pho·to·lu·min·es·cence (-loo"min-es'ins) – fotoluminescência; qualidade de tornar-se luminescente após exposição à luz.

pho·tol·y·sis (-fo-tol'ĭ -sis) – fotólise; decomposição química pela luz. **photolyt'ic** – adj. fotolítico.

pho·tom·e·try (fot-om'ĭ -tre) – fotometria; medida da intensidade da luz.

pho·to·mi·cro·graph (fo"to-mi'kro-graf) – fotomicrografia; fotografia de um objeto como observado através de um microscópio luminoso comum.

pho·ton (fo'ton) – fóton; partícula (quantum) de energia radiante.

pho·to·par·ox·ys·mal (fo"to-par"oks-iz'mil) – fotoparoxístico; fotoconvulsivo; denota uma resposta eletroencefalográfica anormal a um estímulo fótico (clarão de luz), marcada por descarga paroxística difusa registrada como complexos de onda de pico; a resposta pode ser obtida por meio de ataques convulsivantes menores.

pho·to·pe·ri·od (fo'to-pĕr"e-id) – fotoperíodo; o período de tempo diário no qual um organismo se expõe à luz solar (ou à luz artificial). **photoperiod'ic** – adj. fotoperiódico.

pho·to·pe·ri·od·ism (fo"to-pĕr'e-ah-dizm) – fotoperiodismo; reações fisiológicas e comportamentais desencadeadas nos organismos por alterações na duração da luz diurna e escuridão.

pho·to·pher·e·sis (-fē-re'sis) – fotoferese; técnica para tratar o linfoma cutâneo de célula T pela qual se administra o produto químico fotoativo, remove-se o sangue e circula-se o mesmo através de uma fonte de radiação ultravioleta, e depois retorna-se o mesmo ao paciente; acredita-se que estimule o sistema imunológico.

pho·to·phil·ic (-fil'ik) – fotofílico; que se desenvolve à luz.

pho·to·pho·bia (-fo'be-ah) – fotofobia; intolerância visual anormal à luz. **photopho'bic** – adj. fotofóbico.

pho·toph·thal·mia (fōt"of-thal'me-ah) – fotoftalmia; oftalmia devida à exposição à luz intensa, como a cegueira pela neve.

pho·to·pia (fo-to'pe-ah) – fotopia; visão diurna. **photop'ic** – adj. fotópico.

pho·to·pig·ment (fo"to-pig'ment) – fotopigmento; pigmento instável na presença de luz.

pho·top·sia (fo-top'se-ah) – fotopsia; aparecimento de faíscas ou clarões de luz em caso de irritação retiniana.

pho·top·sin (fo-top'sin) – fotopsina; fração protéica dos cones retinianos que se combina com retinal para formar os pigmentos fotoquímicos.

pho·to·ptar·mo·sis (fo"to-tahr-mo'sis) – fotoptarmose; espirro causado por influência da luz.

pho·to·top·tom·e·ter (fo"top-tom'iter) – fotoptômetro; instrumento para medir a acuidade visual através da determinação da menor quantidade de luz que tornará um objeto bem visível.

pho·to·re·ac·ti·va·tion (fo"to-re-ak"tĭ -va'-shun) – fotorreativação; reversão dos efeitos biológicos da radiação ultravioleta nas células por meio de exposição subseqüente à luz visível.

pho·to·re·cep·tor (-re-sep'ter) – fotorreceptor; terminação ou receptor nervosos sensíveis à luz.

pho·to·ret·i·ni·tis (-ret"in-ī t'is) – fotorretinite; retinite devida a exposição à luz intensa.

pho·to·scan (-skan) – fotocintilografia; fotocintigrafia; representação bidimensional dos raios gama emitidos por um isótopo radioativo no tecido corporal, produzida por um mecanismo de cópia que utiliza uma fonte luminosa para apresentar um filme fotográfico.

pho·to·sen·si·tive (-sen'sit-iv) – fotossensível; que mostra sensibilidade anormalmente aumentada à luz solar.

pho·to·sen·si·ti·za·tion (-sen"sit-iz-a'shun) – fotossensibilização; desenvolvimento de reatividade anormalmente aumentada da pele à luz solar.

pho·to·sta·ble (fōt'o-sta"b'l) – fotoestável; que não se altera pela influência da luz.

pho·to·syn·the·sis (fo"to-sin'thĭ -sis) – fotossíntese; combinação química causada pela ação da luz; especificamente, a formação de carboidratos a partir do dióxido de carbono e da água no tecido clorofílico dos vegetais sob a influência da luz. **photosynthet'ic** – adj. fotossintético.

pho·to·tax·is (-tak'sis) – fototaxia; movimento das células e dos microrganismos em resposta à luz. **phototac'tic** – adj. fototático.

pho·to·ther·a·py (-ther'ah-pe) – fototerapia; tratamento de uma doença através da exposição à luz.

pho·to·tox·ic (-tok'sik) – fototóxico; que tem efeito tóxico desencadeado pela exposição à luz.

pho·to·troph·ic (-trof'ik) – fototrófico; capaz de derivar energia a partir da luz.

pho·tot·ro·pism (fo-tah'trah-pizm) – fototropismo: 1. tendência de um organismo virar-se ou mover-se em direção ou para longe da luz; 2. alteração de cor produzida em uma substância através da ação da luz. **phototrop'ic** – adj. fototrópico.

phren(o)- [gr.] – fren(o)-, elemento de palavra, (1) *diafragma;* (2) *mente;* (3) *nervo frênico.*

phren·em·phrax·is (fren"em-frak'sis) – frenenfraxia; freniclasia; ver *phreniclasia.*

phre·net·ic (frĕ-net'ik) – frenético; maníaco; ver *mania.*

phren·ic (fren'ik) – frênico; relativo ao diafragma ou à mente.

phren·i·cec·to·my (fren"ĭ -sek'tah-me) – frenicectomia; ressecção do nervo frênico.

phren·i·cla·sia (fren"ĭ -kla'zhah) – freniclasia; esmagamento do nervo frênico com uma pinça, causando paralisia do diafragma.

phren·i·co·ex·er·e·sis (fren"ĭ -ko-ek-ser'ĕ-sis) – frenicoexérese; extração violenta do nervo frênico.

phren·i·cot·o·my (-kot'ah-me) – frenicotomia; divisão cirúrgica do nervo frênico.

phren·i·co·trip·sy (fren"ĭ -ko-trip-se) – frenicotripsia; freniclasia; ver *phreniclasia*.

phreno·col·ic (fren"o-kol'ik) – frenocólico; relativo ao diafragma e ao cólon.

phreno·gas·tric (-gas'trik) – frenogástrico; relativo ao diafragma e estômago.

phreno·he·pat·ic (-hĕ-pat'ik) – frenoepático; frenohepático; relativo ao diafragma e ao fígado.

phreno·ple·gia (-ple'jah) – frenoplegia; paralisia do diafragma.

phren·o·sin, phren·o·sine (fren'o-sin; fren'o-sēn) – frenosina; cerebrosídeo que ocorre no cérebro e em outros tecidos nervosos, composto de ácido cerebrônico ligado à esfingosina.

phren·o·trop·ic (fren"o-trop'ik) – frenotrópico; que exerce seu efeito principal na mente.

phryno·der·ma (frin"o-der'mah) – frinodermia; hiperceratose folicular provavelmente devida a deficiência de vitamina A ou de ácidos graxos essenciais.

phthal·ein (thal'ēn) – ftaleína; um de uma série de materiais coloríficos formados pela condensação do anidrido ftálico com fenóis.

phthal·yl·sul·fa·thi·a·zole (thal"il-sul"fah-thi'-ah-zōl) – ftalilsulfatiazol; sulfonamida utilizada como antibacteriano intestinal.

phthir·i·a·sis (thir'is) – ftiríase; infestação de *Phthirus pubis*.

Phthir·us (thirís) – *Phthirus*; gênero de piolhos que inclui a *P. pubis* (o piolho do púbis ou piolho-caranguejo), que infesta os pêlos da região pubiano e algumas vezes pálpebras e cílios.

phthi·sis (thi'sis) – tísica: 1. emaciação corporal; 2. tuberculose.

phyco- [Gr] – fico-, elemento de palavra, *algas*.

Phy·co·my·ce·tes (fi"ko-mi-sēt'ēz) – Phycomycetes; grupo de fungos que compreende os bolores comuns da água, folhas e pão.

phy·co·my·co·sis (-mi-ko'sis) – ficomicose; uma doença de um grupo de doenças fúngicas agudas causadas por membros dos Phycomycetes.

phy·log·e·ny (fi-loj'ĭ -ne) – filogenia; a história completa do desenvolvimento de uma raça ou grupo de organismos. **phylogen'ic** – adj. filogênico.

phy·lum (fi'lum) [l.] pl. *phyla* –filo; divisão primária de um reino, composta de um grupo de classes relacionadas; em taxonomia dos vegetais e fungos, utiliza-se em vez disso o termo *divisão*. Os micologistas algumas vezes utilizam o termo para denotar qualquer grupo importante de organismos.

phy·ma (fi'mah) [Gr.] pl. *phymata* – fima; tumor ou tubérculo cutâneos.

phys·iat·rics (fiz"e-ă'triks) – fisiatria; ver *phisiatry*.

phys·iat·rist (-trist) – fisiatra; médico especializado em fisiatria.

phys·iat·ry (-tre) – Fisiatria; Fisioterapia; o ramo da Medicina que se ocupa da prevenção, diagnósti-

co e tratamento de uma doença ou lesão e a reabilitação a partir das deficiências e das incapacitações resultantes, utilizando agentes físicos e algumas vezes farmacêuticos.

phys·ic (fiz'ik) – Física: 1. arte da Medicina e terapêutica; 2. um medicamento, especialmente um catártico.

phys·i·cal (fiz'ik-il) – físico; relativo ao corpo, às coisas materiais ou à Física.

phy·si·cian (fĭ -zish'in) – médico: 1. um praticante de Medicina autorizado, como o indivíduo graduado em uma Faculdade de Medicina ou osteopatia e licenciado pelo conselho apropriado; ver também *doctor;* 2. pessoa que pratica a medicina, distintamente da cirurgia. **p. assistant** – auxiliar médico; médico treinado em um programa reconhecido e certificado por um conselho apropriado para realizar determinados encargos de um médico, incluindo coleta de anamnese, exame físico, testes diagnósticos, tratamento e determinados procedimentos cirúrgicos menores, todos sob a supervisão responsável de um médico graduado. Abreviação M.A. **attending p.** – m. assistente; médico que atende um hospital em períodos definidos para visitar os pacientes e dar-lhes orientações acerca do seu tratamento. **emergency p.** – m. de emergência; um especialista em Medicina de Emergência. **family p.** – m. familiar; especialista médico que planeja e administra cuidados de saúde primários abrangentes a todos os membros de uma família, independentemente da idade ou sexo, em base contínua. **resident p.** – m. residente; médico graduado e licenciado residente em um hospital.

phys·i·co·chem·i·cal (fiz"ĭ -ko-kem'ik-il) – Físico-químico; relativo tanto à Física como à Química.

phys·ics (fiz'iks) – Física; estudo das leis e fenômenos da natureza, especialmente das forças e propriedades gerais da matéria e energia.

physi(o)- [Gr.] – fisi(o)-, elemento de palavra, *natureza; fisiologia; físico*.

phys·io·chem·i·cal (fiz"e-o-kem'ik-il) – fisioquímico; relativo tanto à Fisiologia como à Química.

phys·i·og·no·my (fiz"e-og'nah-me) – fisionomia: 1. determinação do caráter mental ou moral e das qualidades pela face; 2. semblante ou face; 3. expressão facial e aparência como meios de diagnóstico.

phys·i·o·log·ic (fiz"e-o-loj'ik) – fisiológico; ver *physiological*.

phys·i·o·log·i·cal (-loj'ĭ -kal) – fisiológico; relativo à fisiologia; normal; não-patológico.

phys·i·ol·o·gist (fiz"e-ol'ah-jist) – fisiologista; especialista em Fisiologia.

phys·i·ol·o·gy (-je) – Fisiologia: 1. ciência que trata das funções do organismo vivo e suas partes, fatores e processos físicos e químicos envolvidos; 2. processos básicos subjacentes ao funcionamento de uma espécie ou classe de organismos ou de qualquer de suas partes ou processos. **morbid p., pathologic p.** – f. patológica; fisiopatologia; o estudo de uma função alterada ou uma função em tecidos doentes.

phys·io·patho·log·ic (fiz"e-o-path"ah-loj'ik) – Fisiopatológico; relativo à Fisiologia Patológica.

phys·io·ther·a·pist (-thē'rah-pist) – fisioterapeuta; terapeuta físico.

phys·io·ther·a·py (-thē'rah-pe) – fisioterapia; terapia física.

phy·sique (fi-zēk') – físico; biotipo; organização, desenvolvimento e estrutura corporais.

physo- [Gr.] – fiso-, elemento de palavra, *ar; gás.*

phy·so·hem·a·to·me·tra (fi"so-hem"ah-to-me'-trah) – fisoematometria; gás e sangue na cavidade uterina.

phy·so·hy·dro·me·tra (-hi"dro-me'trah) – fisoidrometria; gás e soro na cavidade uterina.

phy·so·me·tra (-me'trah) – fisometria; gás na cavidade uterina.

phy·so·pyo·sal·pynx (-pi"o-sal'pinks) – fisopiossalpinge; gás e pus na tuba uterina.

phy·so·stig·mine (-stig'mēn) – fisostigmina; alcalóide colinérgico geralmente obtido da semente madura seca da *Physostigma venenosum;* utilizada como miótico tópico e para reverter os efeitos do sistema nervoso central de uma superdosagem de drogas anticolinérgicas; utilizado em forma de base e sais de salicilato e sulfato.

phy·tan·ic ac·id (fi-tan'ik) – ácido fitânico; ácido graxo de cadeia ramificada de 20 carbonos que ocorre em altos níveis nos produtos lácteos e na gordura dos ruminantes e se acumula nos tecidos no caso da doença de Refsum.

phy·tic acid (fi'tik) – ácido fítico; éster ácido hexafosfórico de inositol, encontrado em muitos vegetais e microrganismos bem como tecidos animais.

phyt(o)- [Grl] – fit(o)-, elemento de palavra, *vegetal; organismo do reino vegetal.*

phy·to·be·zoar (fi"to-be'zor) – fitobezoar; bezoar composto de fibras vegetais.

phy·to·hem·ag·glu·ti·nin (-hēm"ah-glo͞ot'in-in) – fitoemaglutinina; hemaglutinina de origem vegetal.

phy·to·hor·mone (-hor"mōn) – fitormônio; hormônio vegetal; um dos hormônios produzidos nos vegetais que são ativos no controle do crescimento e de outras funções em um local distante de seu local de produção.

phy·tol (fi'tol) – fitol; álcool fitílico; um álcool alifático insaturado presente na clorofila como um éster; utilizado na preparação das vitaminas E e K.

phy·to·na·di·one (fi-to"nah-di'ōn) – fitonadiona; vitamina K_1; vitamina encontrada nas plantas verdes ou preparada sinteticamente, sendo utilizada como agente protrombinogênico.

phy·to·par·a·site (fi"to-par"ah-sīt) – fitoparasita; qualquer organismo ou espécie vegetal parasita.

phy·to·path·o·gen·ic (-path"ah-jen'ik) – fitopatogênico; que produz doença em vegetais.

phy·to·pa·thol·o·gy (-pah-thol'ah-je) – fitopatologia; patologia das plantas.

phy·to·pho·to·der·ma·ti·tis (-fōt"o-der"mah-tīt'is) – fitofotodermatite; dermatite fototóxica induzida pela exposição a determinadas plantas e depois à luz solar.

phy·to·pre·cip·i·tin (-pre-sip'it-in) – fitoprecipitina; precipitina formada em resposta a um antígeno vegetal.

phy·to·sis (fi-to'sis) – fitose; qualquer doença causada por um fitoparasita.

phy·to·tox·ic (fi"to-tok'sik) – fitotóxico: 1. relativo a fitotoxina; 2. venenoso para plantas.

phy·to·tox·in (-tok'sin) – fitotoxina; exotoxina produzida por determinadas espécies de plantas superiores; qualquer toxina de origem vegetal.

pia·ar·ach·ni·tis (pi"ah-ar"ak-nīt'is) – pia-aracnite; leptomeningite; ver *leptomeningitis.*

pia·arach·noid (-ah-rak'noid) – pia-aracnóide; piamáter e aracnóide consideradas em conjunto como uma unidade funcional; leptomeninges.

pia-glia (-gli'ah) – pioglial; membrana que constitui uma das camadas da pia-aracnóide.

pi·al (pi'il) – pial; relativo à pia-máter.

pia ma·ter (pi'ah māt'er) [L.] – pia-máter; a mais interna das três meninges que recobrem o cérebro e a medula espinhal.

pi·ar·ach·noid (pi"ah-rak'noid) – pia-aracnóide; ver *pia-arachnoid.*

pi·ca (pi'kah) – pica; necessidade de coisas não-naturais como alimento; apetite pervertido.

pico- – pico-, elemento de palavra que designa 10^{-12} (um trilionésimo) parte da unidade à qual se une. Símbolo p.

pi·co·gram (pi'ko-gram) – picograma; um trilionésimo (10^{-12}) de grama. Abreviação pg.

pi·cor·na·vi·rus (pi'kor"nah-vi'rus) – picornavírus; um vírus do RNA extremamente pequeno e resistente ao éter, membro de um grupo que compreende os enterovírus e os rinovírus.

pic·rate (pik'rāt) – picrato; qualquer sal do ácido pícrico.

picric acid (-rik) – ácido pícrico; trinitrofenol; ver *trinitrophenol.*

pic·ro·car·mine (pik"ro-kar'min) – picrocarmim; corante histológico que consiste de mistura de carmim, amônia, água destilada e solução aquosa de ácido pícrico.

pic·ro·tox·in (-tok'sin) – picrotoxina; um princípio ativo proveniente da semente da *Anamirta cocculus,* utilizado como estimulante central e respiratório em caso de envenenamento por barbitúricos ou outros depressivos do sistema nervoso central.

pie·bald·ism (pi-bawld'izm) – albinismo circunscrito; pele malhada; afecção na qual a pele fica parcialmente marrom e parcialmente branca, como no caso do albinismo parcial e do vitiligo.

pi·e·dra (pe-a'drah) – piedra; pedra; doença fúngica dos pêlos na qual se formam nódulos brancos ou negros de fungos nos pedículos pilosos.

pi·es·es·the·sia (pi-e"zes-the'zhah) – piesestesia; sentido pelo qual se percebem os estímulos de pressão.

pi·esim·e·ter (pi"ī-sim'it-er) – piesímetro; piesômetro; instrumento para testar a sensibilidade da pele à pressão.

-piesis [Gr.] – -piese, elemento de palavra, *pressão.* **-pies·ic** – adj. -piésico.

PIF – proliferation inhibiting factor (fator inibidor de proliferação).

pig·ment (pig'mint) – pigmento: 1. qualquer material corante do corpo; 2. corante ou material corante; 3. preparação medicinal semelhante a uma tintura para ser aplicada à pele. **pig'mentary** – adj. pigmentar. **bile p.** – p. biliar; um dos materiais corantes da bile, que incluem a bilirrubina, biliverdina etc. **blood p.** – p. sangüíneo; um dos pigmentos derivados da hemoglobina. **respiratory p's** – pigmentos respiratórios; substâncias (como por exemplo, hemoglobina, mioglobina ou os citocromos) que participam dos processos oxidativos do corpo animal. **retinal p's, visual p's** – pigmentos retinianos; pigmentos visuais; os fotopigmentos nos bastonetes e cones retinianos que respondem a determinadas cores de luz e iniciam o processo da visão.

pig·men·ta·tion (pig"min-ta'shun) – pigmentação; deposição de material corante; coloração ou descoloração de uma parte por um pigmento.

pig·ment·ed (pig-ment'id) – pigmentado; corado pelo depósito de um pigmento.

pig·men·to·phage (pig-men'tah-fāj) – pigmentófago; qualquer célula que destrói pigmentos, especialmente as células dos pêlos.

pi·lar, pil·a·ry (pī'l'er; pil'ah-re) – piloso; relativo ao pêlo.

pile (pīl) – pilha: 1. hemorróida; 2. agregação de elementos semelhantes para gerar eletricidade. **sentinel p.** – p. sentinela; espessamento semelhante a hemorróida da membrana mucosa na extremidade inferior de uma fissura anal.

piles (pīlz) – hemorróidas; ver *hemorrhoid*.

pileus (pil'e-is) – capuz; coifa.

pi·li (pi'li) [L.] – plural de *pilus*.

pill (pil) – pílula; pequena massa globular ou oval medicada para ser engolida; um comprimido. **enteric p.** – p. entérica; pílula envolta em uma substância que só se dissolve quando atinge os intestinos.

pil·lar (pil'er) – pilar; coluna de sustentação, que geralmente ocorre em pares. **articular p's** – pilares articulares; estruturas semelhantes a colunas, formadas pela articulação dos processos articulares superior e inferior das vértebras. **p's of the fauces** – pilares das fauces; dobras de membrana mucosa nos lados das fauces.

pil(o)-[L.] – pil(o)- elemento de palavra, *pêlo; composto de pêlos.*

pi·lo·car·pine (pi"lo-kahr'pēn) – pilocarpina; alcalóide colinérgico, proveniente das folhas das espécies de *Pilocarpus;* utilizada como miótico oftálmico em forma de sais de cloridrato e de nitrato.

pi·lo·cys·tic (-sis'tik) – pilocístico; oco ou semelhante a um cisto e contendo pêlos; diz-se dos tumores dermóides.

pi·lo·erec·tion (-e-rek'shun) – piloereção; ereção do pêlo.

pi·lo·leio·myo·ma (-li"o-mi-o'mah) – piloleiomioma; leiomioma cutâneo que surge dos músculos eretores dos pêlos.

pi·lo·ma·trix·o·ma (-ma-trik'so-mah) – pilomatrixoma; neoplasia epitelial calcificante, circunscrita e benigna derivada das células da matriz pilosa e manifestada como uma pequena massa esferóide intracutânea, geralmente na face, pescoço ou braços.

pi·lo·mo·tor (-mōt'er) – pilomotor; relativo aos músculos eretores, cuja contração produz a cútis anserina (carne de ganso) e piloereção.

pi·lo·ni·dal (-nī d'') – pilonidal; que tem um ninho de pêlos.

pi·lose (pi'lōs) – piloso; peludo; recoberto com pêlos.

pi·lo·se·ba·ceous (pi"lo-sī -ba'shus) – pilossebáceo; relativo aos folículos pilosos e glândulas sebáceas.

pi·lus (pi'lus) [L.] pl. *pili* – cabelo: 1. pêlo. **pi'lial** – adj. piloso; 2. pêlo; um dos apêndices filamentosos diminutos de determinadas bactérias, associados às propriedades antigênicas da superfície celular. **pi'liate** – adj. pilífero. **pi'li cunicula'ti** – pêlos encravados; condição caracterizada por pêlos encravados. **pi'li incarna'ti** – cabelos encravados; condição caracterizada por cabelos encravados. **pi'li tor'ti** – pêlos retorcidos; condição caracterizada por pêlos retorcidos.

pim·e·li·tis (pim"il-ī t'is) – pimelite; inflamação do tecido adiposo.

pim·e·lop·ter·yg·i·um (pim"il-o-ter-ij'e-um) – pimelopterígio; proeminência gordurosa na conjuntiva.

pim·e·lo·sis (-o'sis) – pimelose: 1. conversão em gordura; 2. obesidade.

pim·ple (pim'p'l) – bolha; pápula ou pústula.

pin (pin) – pino; cravo; pedaço de metal delgado e alongado, utilizado para prender a ligação de partes. **Steinmann p.** – p. de Steinmann; bastão metálico para a ligação interna de fraturas.

pin·e·al (pin'e-il) – pineal: 1. relativo ao corpo pineal ou glândula epífise; 2. com forma semelhante à pinha.

pin·e·al·ec·to·my (pin"e-ah-lek'to-me) – pinealectomia; excisão do corpo pineal.

pin·e·al·ism (pin'e-ah-lizm) – pinealismo; afecção devida à secreção desarranjada do corpo pineal.

pin·e·a·lo·blas·to·ma (pin"e-ah-lo-blas-to'-mah) – pinealoblastoma; pinealoma no qual as células pineais não se diferenciam bem.

pin·e·a·lo·cyte (pin'e-ah-lo-sī t") – pinealócito; célula epitelióide do corpo pineal.

pin·e·a·lo·ma (pin"e-ah-lo'mah) – pinealoma; tumor da glândula pineal composto de ninhos neoplásicos de grandes células epiteliais; pode causar hidrocefalia, puberdade precoce e distúrbios da marcha.

pin·gue·cu·la (ping-gwek'u-lah) [L.] pl. *pinguecula* – pinguécula; mancha amarelada benigna na conjuntiva bulbar.

pin·i·form (pin'ī -form) – piniforme; cônico ou de forma cônica.

pink·eye (pink'i") – conjuntivite; conjuntivite contagiosa aguda.

pin·na (pin'ah) – pina; aurícula; pavilhão auricular; a parte da orelha externa à cabeça. **pin'nal** – adj. pinal.

pino·cyte (pi'nah-sī t) – pinócito; célula que exibe pinocitose. **pinocyt'ic** – adj. pinocítico.

pino·cy·to·sis (pi"nah-si-to'sis) – pinocitose; mecanismo através do qual as células ingerem o fluido extracelular e o seu conteúdo; envolve a formação de invaginações por parte da membrana celular que se fecha e se separa para formar vacúolos preenchidos por fluido no citoplasma. **pinocytot'ic** – adj. pinocitótico.

pino·some (pi'no-sõm) – pinossoma; vacúolo intracelular formado pela pinocitose.

pint (pīnt) – pinta; unidade de medida líquida no sistema de medidas de Farmácia, equivalente a 16 onças líquidas ou a 473,17ml.

pin·worm (pin'wurm) – oxiúro; qualquer oxiurídeo, especialmente a *Enterobius vermicularis*.

pi·paz·e·thate (pĭ -paz'ĕ-thăt) – pipazetato; antitussígeno não-narcótico oralmente administrado, utilizado como sal de cloridrato.

pip·ecol·ic ac·id (pip"ĕ-kol'ik) – ácido pipecólico; aminoácido cíclico que ocorre como intermediário em uma via menor da degradação da lisina e em níveis elevados no sangue no caso de síndrome hepatorrenal e de hiperlisinemia.

pi·per·a·cet·a·zine (pi"per-ah-set'ah-zēn) – piperacetazina; antipsicótico utilizado no tratamento da esquizofrenia.

pi·per·a·zine (pi-per'ah-zēn) – piperazina; um composto ($C_4H_{10}N_2$) do qual se utilizam vários de seus sais como anti-helmínticos.

pi·per·o·caine (pi"per-o-kān") – piperocaína; anestésico local utilizado como sal de cloridrato.

pipet (pi-pet') – pipeta.

pi·pette (pi-pet') [Fr.] – pipeta: 1. tubo de vidro ou de plástico transparente utilizado na medição ou transporte de pequenas quantidades de líquido ou gás; 2. administrar por meio de pipeta.

pi·po·bro·man (pi"po-bro'man) – pipobromano; agente alcilante antineoplásico utilizado primariamente no tratamento da policitemia verdadeira.

pir·bu·te·rol (pir-bu'ter-ol) – pirbuterol; um agente broncodilatador β-adrenérgico utilizado na forma de éster de acetato ou sal de cloridrato.

pir·en·ze·pine (pir"en-zĕ'pĕn) – pirenzepina; antagonista de determinados receptores muscarínicos; utilizado em forma de sal de cloridrato para inibir a secreção gástrica no caso de hiperacidez e úlcera gástrica.

pir·i·form (pir'ĭ -form) – piriforme; em forma de pêra.

Pi·ro·plas·ma (pi"ro-plaz'mah) – *Piroplasma; Babesia*.

pi·ro·plas·mo·sis (-plaz-mo'sis) – piroplasmose; babesiose; ver *babesiasis*.

pisiform (pi'sĭ -form) – pisiforme; semelhante à ervilha na forma e no tamanho.

pit (pit) – depressão: 1. pequena fóvea ou reentrância; 2. marca de varíola; 3. endentar, tornar-se ou permanecer por alguns minutos endentado, por meio de pressão; 4. pequena depressão ou falha no esmalte dentário; 5. pequena depressão na placa ungueal.

pitch (pich) – piche: 1. resíduo escuro e mais ou menos viscoso proveniente da destilação do alcatrão e outras substâncias; 2. asfalto natural de vários tipos; 3. qualidade do som dependente da freqüência da vibração das ondas que o produzem.

pith·e·coid (pith'ĭ -koid) – pitecóide; simiesco.

pit·ting (pit'ing) – depressões; escavações: 1. formação (geralmente por meio de cicatriz) de pequena depressão; 2. remoção de hemácias (por parte do baço) de estruturas como grânulos de ferro, sem destruição das células; 3. permanecer endentado alguns minutos após a remoção de uma pressão digital firme, diferenciando o edema fluido do mixedema.

pi·tu·i·cyte (pi-tu'ĭ -sī t) – pituícito; célula fusiforme distinta que compõe a maior parte da neurohipófise.

pi·tu·i·ta·rism (pĭ -tu'ĭ -ter-izm") – pituitarismo; distúrbio da função pituitária; ver *hyper-* e *hypopituitarism*.

pi·tu·i·tary (pĭ -too'ĭ -tar"e) – pituitária (hipófise); ver em *gland*. **posterior p.** – p. posterior: 1. lobo posterior da glândula pituitária; neuro-hipófise; 2. preparação de pituitária posterior animal cujos hormônios (ocitocina e vasopressina) têm ações farmacológicas; utilizada principalmente como antidiurético no tratamento do diabetes insípido e como vasoconstritor.

pit·y·ri·asis (pit"ĭ -ri'ah-sis) – pitiríase; originalmente, um grupo de cutaneopatias marcadas pela formação de escamas finas e furfuráceas, mas hoje utilizado somente como modificador. **p. al'ba** – p. alba; afecção crônica com descamação e hipopigmentação irregulares da pele da face. **p. ro'sea** – p. rósea; dermatose marcada por máculas ovais rosadas descamantes, dispostas com os eixos longitudinais paralelos às linhas de clivagem da pele. **p. ru'bra pila'ris** – p. vermelha do pilar; cutaneopatia inflamatória crônica marcada por máculas descamatórias rosadas e pápulas foliculares córneas pontiagudas e finas, começando geralmente com seborréia severa do couro cabeludo e dermatite seborréica da face, e associada a ceratoderma das palmas das mãos e plantas dos pés. **p. versi'color** – p. versicolor; tinha versicolor.

pit·y·roid (pit'ĭ -roid) – pitiróide; furfuráceo; fareláceo.

Pit·y·ros·po·rum (pit"ĭ -ros'pĕ-rum) – *Pityrosporum; Malassezia*. **P. orbicula're** – *P. orbicular; Malassezia furfur*.

pivalate (piv'ah-lāt) – pivalato; contração da USAN para o trimetilacetato.

pK_a – logaritmo negativo da constante de ionização (K) de um ácido, o pH de uma solução na qual se inicia metade das moléculas ácidas.

PKU, PKU1 – phenylketonuria (fenilcetonúria).

pla·ce·bo (plah-se'bo) [L.] – placebo; substância ou preparação inativa administrada para satisfazer a necessidade simbólica do paciente por terapia com medicamentos, e utilizada em estudos controlados para determinar a eficácia de substâncias medicinais. Também, um procedimento sem nenhum valor terapêutico intrínseco, realizado com tais propósitos.

pla·cen·ta (plah-sen'tah) [L.] pl. *placentas, placentae* – placenta; órgão característico dos mamíferos verdadeiros, que durante a gravidez, reúne a mãe e o feto, proporcionando uma secreção endócrina e a troca seletiva de substâncias hematógenas solúveis pela aproximação das partes vascularizadas uterinas e trofoblásticas. **placen'tal** – adj. placentário. **p. accre'ta** – p. acreta; placenta anormalmente aderida ao miométrio com ausência parcial ou completa da decídua basal. **fetal p.** – p. fetal; parte da placenta derivada do saco coriônico que envolve o embrião, consistindo de uma placa coriônica e vilosidades. **p. incre'ta** – p. increta; placenta acreta com penetração do miométrio. **maternal p.** – p. materna; parte da placenta de contribuição materna, derivada da decídua basal. **p. membrana'cea** – p. membranácea; placenta anormalmente fina e espalhada

PQR

sobre uma área incomumente grande da parede uterina. **p. percre'ta** – p. percreta; placenta acreta com invasão do miométrio até seu revestimento peritoneal, algumas vezes causando ruptura do útero. **p. pre'via** – p. prévia; placenta localizada no segmento uterino inferior, de forma que recubra ou reúna parcial ou completamente a abertura interna. **p. reflex'a** – p. reflexa; placenta na qual a margem torna-se espessada, parecendo virar-se sobre si mesma. **p. spu'ria** – p. espúria; porção acessória que não tem nenhum vaso sangüíneo ligado à placenta principal. **p. succenturia'ta, succenturiate p.** – p. subsidiária; porção acessória ligada à placenta principal por meio de uma artéria ou veia.

pla·cen·ta·tion (plas"en-ta'shun) – placentação; série de eventos que acompanham a implantação do embrião e levam ao desenvolvimento da placenta.

pla·cen·ti·tis (-tī t'is) – placentite; inflamação da placenta.

pla·cen·tog·ra·phy (-tog'rah-fe) – placentografia; visualização radiológica da placenta após a injeção de um meio de contraste.

pla·cen·toid (plah-sen'toid) – placentóide; semelhante à placenta.

plac·ode (plak'ōd) – placóide; estrutura semelhante a uma placa, especialmente uma placa espessada do ectoderma no embrião inicial, a partir da qual se desenvolve um órgão sensorial por exemplo *p. auditivo* (ouvido), *p. cristalino* (olho) e *p. olfatório* (nariz).

pla·gio·ceph·a·ly (pla"je-o-sef"ah-le) – plagiocefalia; condição assimétrica e retorcida da cabeça, devida a fechamento irregular das suturas cranianas. **plagiocephal'ic** – adj. plagiocefálico.

plague (plāg) – peste; doença fatal, infecciosa, febril e aguda, devida à *Yersinia pestis*, que começa com calafrios e febre, rapidamente seguidos de prostração e freqüentemente acompanhados de delírio, dor de cabeça, vômito e diarréia; primariamente uma doença de ratos e outros roedores, é transmitida ao homem por meio de picadas de pulga ou do paciente para paciente. **bubonic p.** – p. bubônica; peste caracterizada por intumescimento dos linfonodos, formando bubões nas regiões femoral, inguinal, axilar e cervical; na forma severa (peste negra), ocorre septicemia, produzindo hemorragias petequiais. **pulmonic p.** – p. pulmonar; pneumonia altamente contagiosa e rapidamente progressiva, com envolvimento extenso dos pulmões e tosse produtiva com escarro mucóide, sanguinolento, espumoso e carregado de bacilos da peste. **sylvatic p.** – p. silvestre; peste nos roedores silvestres (como o esquilo-terrestre), servindo como reservatório a partir do qual o homem pode se infectar.

plane (plān) – plano: 1. superfície achatada determinada pelo posicionamento de três pontos no espaço; 2. um nível especificado, como o plano de anestesia; 3. friccionar ou desgastar; ver *planing*. 4. incisão superficial na parede de uma cavidade ou entre camadas teciduais, especialmente na cirurgia plástica, feita de forma que se possa determinar o ponto preciso de entrada no interior de uma cavidade ou entre camadas. **axial p.** – p. axial; plano paralelo ao eixo longitudinal de uma estrutura. **base p.** – p. básico; plano imaginário sobre o qual se estima a retenção de uma dentadura artificial. **coronal p.** – p. coronário; p. frontal. **Frankfort horizontal p.** – p. horizontal de Frankfort; plano horizontal representado em perfil por uma linha entre o ponto mais baixo na margem da órbita e o ponto mais alto na margem do meato auditivo. **frontal p.** – p. frontal; plano que passa longitudinalmente através do corpo de lado a lado, em ângulos retos com o plano mediano, dividindo o corpo nas partes anterior e posterior. **horizontal p.** – p. horizontal: 1. plano que passa através do corpo, em ângulos retos com ambos os planos frontal e mediano, dividindo o corpo nas partes superior e inferior; 2. plano que passa através de um dente em ângulos retos com seu eixo longitudinal. **median p.** – p. mediano; plano que passa longitudinalmente pelo meio do corpo da frente para trás, dividindo-os nas metades direita e esquerda. **nuchal p.** – p. nucal; superfície externa do osso occipital entre o forame magno e a linha nucal superior. **occipital p.** – p. occipital; superfície externa do osso occipital acima da linha nucal superior. **orbital p.** – p. orbitário: 1. superfície orbitária do maxilar; 2. p. visual. **sagittal p.** – p. sagital; plano vertical que passa através do corpo, paralelamente ao plano mediano (ou à sutura sagital), dividindo o corpo nas porções esquerda e direita. **temporal p.** – p. temporal; área deprimida no lado do crânio abaixo da linha temporal inferior. **transverse p.** – p. transverso; plano que passa horizontalmente através do corpo, em ângulo retos com os planos sagital e frontal e dividindo o corpo nas porções superior e inferior. **vertical p.** – p. vertical; plano perpendicular com um plano horizontal, dividindo o corpo nas porções esquerda e direita ou anterior e posterior. **visual p.** – p. visual; plano que passa através dos eixos de ambos os olhos.

pla·nig·ra·phy (plah-nig'rah-fe) – planigrafia; tomografia. **planigraph'ic** – adj. planigráfico.

plan·ing (pla'ning) – desbastamento; aplanamento; abrasão de uma pele desfigurada para promover reepitelização com formação de cicatriz mínima; feito por meios mecânicos (dermabrasão) ou pela aplicação de um agente cáustico (abrasão química).

pla·no·cel·lu·lar (pla"no-sel'ūl-er) – planocelular; composto de células achatadas.

pla·no·con·cave (-kon'kāv) – planocôncavo; plano de um lado e côncavo do outro.

pla·no·con·vex (-kon'veks) – planoconvexo; plano de um lado e convexo do outro.

plan·ta pe·dis (plan'tah pe'dis) – planta do pé; sola do pé.

Plan·ta·go (plan-ta'go) – *Plantago*; gênero de ervas, que inclui a *P. indica, P. psyllium* (psílio espanhol) e *P. ovata* (psílio louro); ver *plantago seed*, em *seed*.

plan·tal·gia (plan-tal'je-ah) – plantalgia; dor na planta do pé.

plan·tar (plan'tar) – plantar; relativo à planta do pé.

plan·ta·ris (plan-ta'ris) [L.] – plantar.

plan·ti·grade (plan'tĭ -grād) – plantígrado; que caminha com toda a planta do pé.

plan·u·la (plan'ŭl-ah) – plânula; celenterado larval.

pla·num (pla'num) [L.] pl. *plana* – plano.

plaque (plak) – placa: 1. qualquer remendo ou área chata; 2. lesão cutânea elevada, sólida e superficial. **attachment p's** – placas de ligação; pequenas regiões de densidade aumentada ao longo do sarcolema dos músculos esqueléticos às quais os miofilamentos parecem se prender. **bacterial p., dental p.** – p. bacteriana; p. dentária; película fina e macia de restos alimentares, mucina e células epiteliais mortas sobre os dentes, proporcionando o meio para o crescimento bacteriano. Contém cálcio, fósforo e outros sais, polissacarídeos, proteínas, carboidratos e lipídeos e participa do desenvolvimento de cáries, cálculos dentários e periodonto e gengivopatias. **fibrous p.** – p. fibrosa; lesão da aterosclerose, área branca perolada dentro de uma artéria que faz com que a superfície íntima se abaule no interior do lúmen; é composta de lipídeos, restos celulares, células musculares lisas, colágenos e, nas pessoas mais idosas, cálcio. **Hollenhorst p's** – placas de Hollenhorst; êmbolos ateromatosos que contêm cristais de colesterol nas artériolas retinianas, um sinal de doença cardiovascular séria iminente. **senile p's** – placas senis; massas argirofílicas microscópicas compostas de terminais axonais e dendritos fragmentados circundando um núcleo de amilóide, observadas em pequenas quantidades no córtex cerebral de pessoas idosas saudáveis e em quantidades maiores nas pessoas com mal de Alzheimer.

-plasia [Gr.] – -plasia, elemento de palavra, *desenvolvimento; formação*.

plasm (plazm) – 1. plasma; 2. substância formativa (citoplasma, hialoplasma, etc.).

plas·ma (plaz'mah) – plasma; porção fluida do sangue ou linfa. **plasmat'ic** – adj. plasmático. **antihemophilic human p.** – p. anti-hemofílico humano; plasma humano processado imediatamente para preservar as propriedades anti-hemofílicas do sangue original; utilizado para correção temporária da tendência hemorrágica na hemofilia. **blood p.** – p. sangüíneo; porção fluida do sangue na qual os componentes particulados estão suspensos. **seminal p.** – p. seminal; porção fluida do sêmen, na qual estão suspensos os espermatozóides.

plas·ma·blast (-blast) – plasmablasto; precursor imaturo de um plasmócito.

plas·ma·cyte (-sĭ t) – plasmócito. **plasmacyt'ic** – adj. plasmocítico.

plas·ma·cy·to·ma (plaz"mah-si-to'mah) – plasmacitoma: 1. discrasia plasmocítica; 2. mieloma solitário.

plas·ma·cy·to·sis (-si-to'sis) – plasmacitose; excesso de plasmócitos no sangue.

plas·ma·lem·ma (-lem'ah) – plasmalema: 1. membrana plasmática; 2. camada periférica fina de ectoplasma em um óvulo fertilizado.

plas·ma·lo·gen (plaz-mal'ŏ-jen) – plasmalogênio; termo aplicado aos membros de um grupo de fosfolipídeos no qual o ácido graxo ligado ao éster é substituido por um álcool ligado ao éter; encontram-se presentes nas plaquetas e também nas membranas celulares das fibras musculares e fibras nervosas da bainha mielínica.

plas·ma·phe·re·sis (plaz"mah-fĕ-re'sis) – plasmaferese; remoção do plasma do sangue coletado, com retransfusão dos elementos formados no doador; geralmente, utilizam-se plasma ou albumina congelados frescos e tipo-específicos para substituir o plasma retirado. O procedimento pode ser realizado com o propósito de coleta de componentes plasmáticos ou fins terapêuticos.

plas·mid (plaz'mid) – plasmídeo; estrutura auto-replicante extracromossômica de células bacterianas que transporta genes para várias funções não-essenciais para o crescimento celular e que podem se transferir para outras células por meio de conjugação ou transdução. Ver também *episome*. **F p.** – p. F; plasmídeo conjugativo encontrado nas células bacterianas F⁺ (machos), levando com grande freqüência à sua transferência (e muito menos freqüentemente à transferência do cromossoma bacteriano) para uma célula F⁻ (fêmea) que não tem tal plasmídeo. **R p., resistance p.** – plasmídeos de resistência; um fator conjugativo das células bacterianas que promove a resistência a agentes como antibióticos, íons metálicos, radiação ultravioleta e bacteriófagos.

plas·min (plaz'min) – plasmina; endopeptidase que ocorre no plasma como plasminogênio, sendo ativada através da clivagem por ativadores do plasminogênio; ela solubiliza coágulos de fibrina, degrada outras proteínas relacionadas à coagulação e pode ser ativada para o uso em trombólise terapêutica.

plas·min·o·gen (plaz-min'ah-jen) – plasminogênio; precursor inativo da plasmina, que ocorre no plasma e é convertido em plasmina pela ação da uroquinase.

plas·min·o·gen ac·ti·va·tor (ak'tĭ -va"tor) – ativador do plasminogênio; termo genérico para um grupo de substâncias capazes de clivar o plasminogênio e convertê-lo à forma ativa, a plasmina.

plas·mo·cyte (plaz'mo-sĭ t) – plasmócito.

plas·mo·di·ci·dal (plaz-mŏd"ĭ -si'd'l) – plasmodicida; que destrói plasmódios; malaricida.

Plas·mo·di·um (plaz-mo'de-um) – *Plasmodium*; gênero de esporozoários (família Plasmodiidae) parasitas de hemácias dos animais e do homem. Quatro espécies (*P. falciparum, P. malariae, P. ovale* e *P. vivax*) causam os quatro tipos específicos de malária no homem.

plas·mo·di·um (plaz-mo'de-um) pl. *plasmodia* – plasmódio: 1. parasita do gênero *Plasmodium;* 2. massa contínua multinucleada de protoplasma formada pela agregação e fusão de mixamebas. **plasmo'dial** – adj. plasmodial.

plas·mol·y·sis (plaz-mol'ĭ -sis) – plasmólise; contração do protoplasma celular devida a perda de água por osmose. **plasmolyt'ic** – adj. plasmolítico.

plas·mon (plaz'mon) – plasmônio; fatores hereditários do citoplasma do óvulo.

plas·mor·rhex·is (plaz"mo-rek'sis) – plasmorrexe; eritrocitorrexe; ver *erythrocytorrhexis*.

plas·mos·chi·sis (plaz-mos'kĭ -sis) – plasmosquise; divisão do protoplasma celular.

plas·ter (plas'ter) – emplastro: 1. material de gipsita, que endurece quando misturado à água, utilizado para imobilizar ou fazer impressões de partes do corpo; 2. mistura pastosa que pode ser espalhada sobre a pele, sendo adesiva à temperatura corporal; pode ser protetora, contra-irritante etc. **p. of Paris** – gesso; sulfato de cálcio calcinado; com a adição de água, forma uma massa porosa utilizada para fazer pensos e ataduras a fim de sustentar ou imobilizar partes corporais, e em Odontologia, para tirar impressões dentárias.

plas·tic (-tik) – plástico: 1. que tende a desenvolver tecidos para restaurar uma parte perdida; 2. capaz de ser moldado; 3. substância produzida pela condensação química ou polimerização; 4. material que pode ser moldado.

-plasty [Gr.] – -plastia, elemento de palavra, *formação ou reparo plástico de.*

plate (plăt) – placa: 1. estrutura ou camada plana, como uma camada fina de osso; 2. p. dentária; 3. colocar um meio de cultura em uma placa de Petri (recipiente); 4. inocular essa placa com bactérias. **axial p.** – p. axial; traço primitivo. **bite p.** – placa de mordedura. **bone p.** – p. óssea; barra metálica com perfurações para a inserção de parafusos, utilizada para imobilizar segmentos fraturados. **cribriform p.** – p. cribriforme; **fáscia cribrosa. dental p.** – p. dentária; placa de resina acrílica, metal ou outro material, encaixada na forma da boca e que serve para sustentar dentes artificiais. **dorsal p.**–p. dorsal; p. do teto. **epiphyseal p.** – p. epifisária; placa de cartilagem fina entre a epífise e a metáfise de um osso longo em crescimento. **equatorial p.** – p. equatorial; coleção de cromossomas no equador do fuso na mitose. **floor p.** – p. do assoalho; zona longitudinal ventral não-pareada do tubo neural. **foot p.** – p. do pé: 1. ver *footplate;* 2. precursor embrionário de um pé. **growth p.** – p. de crescimento; p. epifisária. **hand p.**–p. manual; expansão achatada na extremidade do broto do membro embrionário; precursor da mão. **medullary p.** – p. medular; p. neural. **motor end p.** – p. terminal motora; placa terminal. **muscle p.** – p. muscular; miótomo; ver *myotome* (2). **neural p.** – p. neural; placa espessada do ectoderma no embrião que se desenvolve no tubo neural. **roof p.** – p. do teto; zona longitudinal dorsal não-pareada do tubo neural. **tarsal p's** – placas társicas; placas de tecido conjuntivo que formam a estrutura das pálpebras superior e inferior. **tympanic p.** – p. timpânica; placa óssea que forma o assoalho e os lados do meato auditivo. **ventral p.** – p. ventral; p. de assoalho.

plate·let (plăt'let) – plaqueta; estrutura em forma de disco, com 2 a 4 μm de diâmetro, encontrada no sangue de todos os mamíferos e principalmente conhecida por seu papel na coagulação sangüínea; as plaquetas (que são formadas pelo descolamento de uma parte do citoplasma de um megacariócito) não têm núcleo e DNA, mas contêm enzimas ativas e mitocôndrias. Também chamada trombócito (*thrombocyte*).

plate·let·phe·re·sis (plăt''let-fĭ -re'sis) – plaquetoferese; trombocitoferese; ver *thrombocytapheresis.*

plat·i·num (plat'nim) – platina; elemento químico (ver *tabela),* número atômico 78, símbolo Pt.

platy- [Gr.] – plati-, elemento de palavra, *plano.*

platy·ba·sia (plat''ĭ -ba'ze-ah) – platibasia; impressão basilar.

platy·ce·lous (-sēl'is) – platicelo; que tem uma superfície plana e outra côncava.

platy·co·ria (-kor'e-ah) – platicoria; afecção dilatada da pupila ocular.

platy·hel·minth (-hel'minth) – platelminto; um dos Platyhelminthes; verme achatado.

Platy·hel·min·thes (-hel-min'thēz) – Platyhelminthes; filo de vermes acelomados, dorsoventralmente achatados e bilateralmente simétricos, comumente conhecidos como vermes achatados; o grupo inclui as classes Cestoidea (tênias) e Trematoda (trematódeos).

platy·hi·er·ic (-hi-er'ik) – platiérico; que tem um índice sacral de mais de 100.

platy·pel·lic (-pel'ik)–platipélico; que tem pelve achatada; ver em *pelvis.*

platy·pel·loid (-pel'oid) – platipelóide; platipélico.

platy·po·dia (-po'de-ah) – platipodia; pé chato.

pla·tys·ma (plah-tiz'mah) – platisma; ver *Tabela de Músculos.*

pledge (plej) – juramento; afirmação solene de intenção. **Nightingale p.** – j. de Nightingale; afirmação de princípios para a profissão da enfermagem, formulada por um comitê em 1893 e subscrita pelos estudantes de enfermagem no momento das cerimônias de graduação.

pled·get (plej'it) – tampão; mecha; pequena compressa ou tufo.

-plegia [Gr.] – -plegia, elemento de palavra, *paralisia; ataque.*

plei·ot·ro·pism (pli-ot'rah-pizm) – pleiotropismo; pleiotropia.

plei·ot·ro·py (-pe) – pleiotropia; a produção por um único gene de efeitos fenotípicos múltiplos. **pleiotrop'ic** – adj. pleiotrópico.

pleo- [Gr.] – pleo-, elemento de palavra, *mais.*

pleo·cy·to·sis (ple''o-si-to'sis) – pleocitose; presença de um número maior do que o normal de células no líquido cerebroespinhal.

pleo·mor·phism – (-mor'fizm) – pleomorfismo; ocorrência de várias formas distintas por parte de um único organismo no âmbito de uma espécie. **pleomor'phic, pleomor'phous** – adj. pleomórfico.

ple·on·os·te·o·sis (ple''on-os''te-o'sis) – pleonosteose; ossificação anormalmente aumentada. **Léri's p.** – p. de Léri; síndrome hereditária de ossificação prematura e excessiva, com baixa estatura, limitação dos movimentos, alargamento e deformidade dos dedos e fácies mongolóide.

ples·ses·the·sia (ples''es-the'ze-ah) – plessestesia; percussão palpatória.

pleth·o·ra (pleth'ah-rah) – pletora; excesso de sangue. **plethor'ic** – adj. pletórico.

ple·thys·mo·graph (plĕ-thiz'mo-graph) – pletismógrafo; instrumento para registrar variações no volume de um órgão, parte ou membro.

ple·thys·mog·ra·phy (pleth"iz-mog'rah-fe) – pletismografia; determinação das alterações no volume por meio de pletismógrafo.

pleu·ra (plor'ah) [Gr.] pl. *pleurae* – pleura; membrana serosa que reveste os pulmões (*p. visceral*) e as paredes da cavidade torácica (*p. parietal*); as duas camadas delimitam um espaço potencial: a cavidade pleural. As duas pleuras (direita e esquerda) são completamente distintas entre si. **pleu'ral** – adj. pleural.

pleu·ra·cot·o·my (ploor"ah-kot'ah-me) – pleuracotomia; incisão no interior da cavidade pleural.

pleu·ral·gia (ploor-al'jah) – pleuralgia; dor na pleura ou no lado. **pleural'gic** – adj. pleurálgico.

pleu·ra·poph·y·sis (ploor"ah-pof'ĭ-sis) – pleurapófise; costela ou processo vertebral que corresponde a uma costela.

pleu·rec·to·my (ploor-ek'tah-me) – pleurectomia; excisão de uma porção da pleura.

pleu·ri·sy (ploor'ĭ-se) – pleurisia; pleurite; inflamação da pleura. **pleurit'ic** – adj. pleurítico. **adhesive p.** – p. adesiva; pleurisia na qual o exsudato forma aderências densas que fecham parcial ou totalmente o espaço pleural. **diaphragmatic p.** – p. diafragmática; pleurisia limitada a partes próximas do diafragma. **dry p.** – p. seca; variedade com exsudato fibrinoso seco; p. seca. **fibrinous p.** – p. fibrinosa; pleurisia marcada pela deposição de grandes quantidades de fibrina na cavidade pleural. **interlobular p.** – p. interlobular; uma forma confinada entre os lobos pulmonares. **plastic p.** – p. plástica; pleurisia caracterizada pela deposição de exsudato mole e semi-sólido. **purulent p.** – p. purulenta; empiema torácico. **serous p.** – p. serosa; pleurisia marcada por exsudação livre de fluido. **wet p., p. with effusion** – p. úmida; p. com derrame; pleurisia marcada por exsudação serosa.

pleu·ri·tis (ploor-ī'tis) – pleurite; pleurisia.

pleur(o)- [Gr.] – pleur(o)-, elemento de palavra, *pleura; costela; lado.*

pleu·ro·cele (ploor'o-sēl) – pleurocele; hérnia do tecido pulmonar ou da pleura.

pleu·ro·cen·te·sis (ploor"o-sen-te'sis) – pleurocentese; toracocentese (*thoracentesis*).

pleu·ro·cen·trum (-sen'trim) – pleurocentro; elemento lateral da coluna vertebral.

pleu·ro·dyn·ia (-din'e-ah) – pleurodinia; dor paroxística nos músculos intercostais. **epidemic p.** – p. epidêmica; doença epidêmica devida ao coxsackievírus B, marcada por ataque súbito de dor violenta no peito, febre e tendência a recrudescer no terceiro dia.

pleu·ro·gen·ic (-jen'ik) – pleurogênico.

pleu·rog·e·nous (ploor-oj'ĕ-nus) – pleurogênico; que se origina na pleura.

pleu·rog·ra·phy (ploor-og'rah-fe) – pleurografia; radiografia da cavidade pleural.

pleu·ro·hep·a·ti·tis (ploor"o-hep"ah-tī'tis) – pleurohepatite; pleuroepatite; hepatite com inflamação de uma porção da pleura próxima ao fígado.

pleu·rol·y·sis (plŏŏ-rol'ĭ-sis) – pleurólise; separação cirúrgica da pleura de seus ligamentos.

pleu·ro·pa·ri·e·to·pexy (ploor"o-pah-ri'it-o-pek"se) – pleuroparietopexia; fixação do pulmão à parede torácica através da aderência da pleura visceral e da parietal.

pleu·ro·peri·car·di·tis (-per"ĭ-kar-dīt'is) – pleuropericardite; inflamação que envolve a pleura e o pericárdio.

pleu·ro·peri·to·ne·al (-per"it-ah-ne'il) – pleuroperitoneal; relativo à pleura e ao peritônio.

pleu·ro·pneu·mo·nia (-nŏŏ-mo'ne-ah) – pleuropneumonia:1. pleurisia complicada por pneumonia; 2. doença infecciosa dos bovinos, que combina pneumonia e pleurisia, devida à *Mycoplasma mycoides.*

pleu·ro·thot·o·nos (-thot"n-is) – pleurotótono; tétano lateral inclinação tetânica do corpo para um lado.

pleu·rot·o·my (ploor-ot'ah-me) – pleurotomia; incisão da pleura.

plex·ec·to·my (plek-sek'tah-me) – plexectomia; excisão cirúrgica de um plexo.

plex·im·e·ter (plek-sim'it-er) – plexímetro: 1. placa a ser batida em percussão mediada; 2. diascópio.

plex·i·tis (plek-sīt'is) – plexite; inflamação de um plexo nervoso.

plex·o·gen·ic (plek'sah-jen"ik) – plexogênico; que dá origem a um plexo ou estrutura plexiforme.

plex·op·a·thy (pleks-op'ah-the) – plexopatia; qualquer distúrbio de um plexo, especialmente de nervos. **lumbar p.** – p. lombar; neuropatia do plexo lombar.

plex·or (plek'ser) – plexor; martelo usado na percussão diagnóstica.

plex·us (plek'sus) [L.] pl. *plexus, plexuses* – plexo; rede ou um emaranhado, principalmente de vasos ou nervos. **plex'al** – adj. plexial. **Batson's p.** – p. de Batson; plexo vertebral; ver *vertebral p.* (1) considerado como um sistema completo. **brachial p.** – p. braquial; plexo nervoso que se origina dos ramos ventrais dos últimos quatro nervos espinhais cervicais e dos primeiros nervos espinhais torácicos, originando muitos dos nervos principais do ombro, tórax e braços. **cardiac p.** – p. cardíaco; plexo ao redor da base do coração, principalmente no epicárdio, formado pelos ramos cardíacos provenientes dos nervos vagos e dos troncos e gânglios simpáticos. **carotid p.** – p. carotídeo; um dos três plexos nervosos que circundam as artérias carótidas comum, externa e interna, particularmente a última. **celiac p.** – p. celíaco: 1. rede de gânglios e nervos situados na frente da aorta, atrás do estômago, suprindo as vísceras abdominais; 2. rede de vasos linfáticos, os linfonodos mesentéricos superiores e os linfonodos celíacos. **cervical p.** – p. cervical; plexo nervoso formado pelos ramos anteriores dos primeiros quatro nervos cervicais, suprindo estruturas na região do pescoço. **choroid p.** – p. coróideo; envoltórios de vasos sangüíneos da pia-máter, recobertos por uma camada fina de células ependimais que formam projeções em tufo no terceiro e quarto ventrículos e no ventrículo lateral cerebrais; os plexos coróideos secretam o líquido cerebroespinhal. **coccygeal p.** – p. coccígeo; plexo nervoso formado pelos ramos anteriores dos nervos coccígeos e quinto sacral e por uma comunicação a partir do quarto nervo sacral, originando o nervo anococcígeo. **cystic p.** – p.

PQR

cístico; plexo nervoso próximo à vesícula biliar.
dental p. – p. dentário; um de dois plexos (inferior
e superior) das fibras nervosas, um proveniente
do nervo alveolar inferior (situado ao redor das
raízes dos dentes inferiores) e o outro proveniente do nervo alveolar superior (situado ao redor das
raízes dos dentes superiores). **enteric p.** – p.
entérico; plexo de fibras nervosas autônomas
dentro da parede do tubo digestivo, constituído
dos plexos da submucosa, mioentérico e
subserosa. **esophageal p.** – p. esofágico; plexo
que circunda o esôfago, formado por ramos dos
nervos vagos e dos troncos simpáticos direito e
esquerdo e contendo também fibras aferentes
viscerais provenientes do esôfago. **Exner's p.** –
p. de Exner; fibras tangenciais superficiais na
camada molecular do córtex cerebral. **gastric p's**
– plexos gástricos; subdivisões das porções
celíacas dos plexos pré-vertebrais, que acompanham as artérias e os ramos gástricos e suprem
fibras nervosas para o estômago. **Haller's p.** – p.
de Haller; rede arterial na submucosa intestinal.
lumbar p. – p. lombar: 1. plexo formado pelos
ramos anteriores do segundo ao quinto nervos
lombares no músculo psoas maior (freqüentemente se incluem os ramos do primeiro nervo
lombar); 2. plexo linfático na região lombar.
lumbosacral p. – p. lombossacro; os plexos
lombare sacro considerados em conjunto, devido
à sua natureza contínua. **Meissner's p.** – p. de
Meissner; p. da submucosa. **myenteric p.** – p.
mientérico; a parte do plexo entérico no interior da
túnica muscular. **pampiniform p.** – p. pampiniforme: 1. plexo de veias provenientes do testículo e
epidídimo, que constituem uma parte do cordão
espermático; 2. plexo de veias ovarianas no ligamento largo. **phrenic p.** – p. frênico; plexo nervoso que acompanha a artéria frênica inferior até o
diafragma e as glândulas supra-renais. **preverte-
bral p's** – plexos pré-vertebrais; plexos nervosos
autônomos situados no tórax, no abdome e pelve,
anteriores à coluna vertebral; consistem de fibras
aferentes viscerais, fibras parassimpáticas pré-
ganglionares, fibras simpáticas pré e pós-ganglionares e gânglios que contêm células ganglionares simpáticas, e dão origem às fibras pós-
ganglionares. **pulmonary p.** – p. pulmonar; plexo
formado por vários troncos fortes do nervo vago
reunidos na raiz do pulmão por ramos provenientes do tronco simpático e plexo cardíaco; freqüentemente se divide nas partes arterior e posterior.
sacral p. – p. sacro: 1. plexo que surge dos dois
ramos ventrais dos últimos nervos lombares e dos
quatro primeiros nervos sacros; 2. plexo venoso
na superfície pélvica do sacro, que recebe as
veias intervertebrais sacrais. **solar p.** – p. solar; p.
celíaco; ver *celiac p.* (1). **submucosal p.** – p.
submucoso; a parte do plexo entérico situada na
submucosa. **subserosal p.** – p. subseroso; parte
do plexo entérico situada profundamente na superfície serosa da túnica serosa. **tympanic p.** – p.
timpânico; rede de fibras nervosas que suprem o
revestimento mucoso do tímpano, das células
aéreas mastóideas e da tuba faringotimpânica.
vascular p. – p. vascular: 1. rede de vasos

sangüíneos intercomunicantes: 2. plexo de nervos periféricos através do qual os vasos sangüíneos recebem inervação. **vertebral p.** – p. vertebral: 1. plexo de veias relacionadas à coluna
vertebral; 2. plexo nervoso que acompanha a
artéria vertebral, transportando fibras simpáticas
até a fossa cranial posterior através dos nervos
craniais.
-plexy [Gr.] – -plexia elemento de palavra, *ataque;
convulsão*. **-plectic** – adj. -plético.
pli·ca (pli'kah) [L.] pl. *plicae* – prega; dobra.
pli·ca·my·cin (pli"kah-mi'sin) – plicamicina; antibiótico antineoplásico (produzido pela *Streptomyces
plicatus*) que se liga ao DNA e inibe a síntese de
RNA; é utilizado no tratamento do carcinoma testicular avançado. Também tem efeito inibidor nos
osteoclastos e é utilizado para tratar a hipercalcemia e hipercalciúria causadas por malignidade
metastática ou carcinoma paratireóideo.
pli·cate (pli'kāt) – pregueado; dobrado; enrugado.
pli·ca·tion (pli-ka'shun) – pregueamento; plicação;
operação de pregueamento em uma estrutura
para reduzi-la.
pli·cot·o·my (pli-kot'ah-me) – plicotomia; divisão cirúrgica da dobra posterior da membrana timpânica.
plom·bage (plom-bahzh') – chumbagem; o preenchimento de um espaço ou cavidade do corpo
com material inerte.
PLT – *p*sittacosis – *l*ymphogranuloma venereum –
trachoma (group) (*p*sitacose-*l*nfogranuloma ve-
néreo-*t*racoma [grupo]; ver *Chlamydia*.
plug (plug) – tampão; massa obstrutiva. **Dittrich's
p's** – tampões de Dittrich; massas de glóbulos de
gordura, cristais de ácidos graxos e bactérias que
ocorrem nos brônquios no caso de bronquite
pútrida ou bronquiectasia. **epithelial p.** – t. epitelial; massa de células ectodérmicas que fecha
temporariamente a narina externa do feto. **mucous
p.** – t. mucoso; tampão formado pelas secreções
das glândulas mucosas da cérvix uterina e que
fecha o canal cervical durante a gravidez. **vaginal
p.** – t. vaginal; tampão que consiste de uma
massa de esperma e muco coagulados que se
forma na vagina dos animais após a cópula.
plug·ger (plug'er) – obturador; instrumento para
compactar o material de preenchimento em uma
cavidade dentária.
plum·bic (plum'bik) – plúmbico; relativo ao chumbo.
plum·bism (plum'bizm) – plumbismo; intoxicação
crônico por chumbo; ver *lead*.
plum·bum (plum'bum) [L.] – chumbo[1] (símbolo Pb).
pluri- [L.] – pluri-, elemento de palavra, *mais*.
plu·ri·po·ten·ti·al·i·ty (ploor"ï-po-ten"she-al'-it-e) –
pluripotencialidade: 1. capacidade de se desenvolver em qualquer das várias formas diferentes;
2. que afeta mais de um órgão ou tecido. **pluripo'
tent, pluripotential** – pluripotente; pluripotencial.
plu·to·ni·um (ploo-to'ne-um) – plutônio, elemento químico (ver *tabela*), número atômico 94, símbolo Pu.
Pm – Pm; símbolo químico, promécio (*promethium*).
PMI – point of maximal impulse (of the heart) (PIM,
ponto de impulso máximo [do coração]).
PMMA – polymethyl methacrylate (polimetilmetacrilato).

-pnea [Gr.] – -pnéia, elemento de palavra, *respiração*. **-pneico** – adj. -pnéico.

pneo- [Gr.] – pneo-, elemento de palavra, *respiração*.

pneo·gram (ne'ah-gram) – pneograma; espirograma (*spirogram*).

pne·om·e·ter (ne-om'it-er) – pneômetro; espirômetro (*spirometer*).

PNET – primitive neuroectodermal tumor (tumor neuroectodérmico primitivo).

pneum(o)- [Gr.] – pneum(o)-, elemento de palavra, *ar* ou *gás; pulmão*.

pneu·mar·throg·ra·phy (noo"mahr-throg'rah-fe) – pneumartrografia; radiografia de uma articulação após injeção de ar ou gás como meio de contraste.

pneu·mar·throsis (noo"mahr-thro'sis) – pneumartrose: 1. gás ou ar em uma articulação; 2. inflação de uma articulação com ar ou gás para exame radiográfico.

pneumat(o)- [Gr.] – pneumat(o)-, elemento de palavra, *ar; gás; pulmão*.

pneu·mat·ic (noo-mat'ik) – pneumático; relativo ao ar ou à respiração.

pneu·ma·ti·za·tion (noo"mah-tĭ-za'shun) – pneumatização; formação de células ou cavidades pneumáticas nos tecidos, especialmente essa formação no osso temporal.

pneu·ma·to·cele (noo-mat'o-sēl) – pneumatocele: 1. hérnia do tecido pulmonar; 2. cisto pulmonar geralmente benigno e de paredes finas que contém ar; 3. tumor ou saco que contém gás, especialmente tumefação gasosa do escroto.

pneu·ma·to·graph (-graf) – pneumatógrafo; espirógrafo; ver *spirograph*.

pneu·ma·tom·e·ter (noo"mah-tom'it-er) – pneumatômetro; pneômetro; ver *pneometer*.

pneu·ma·tom·e·try (-tom'ĕ-tre) – pneumatometria; medição do ar inspirado e expirado.

pneu·ma·to·sis (-to'sis) [Gr.] – pneumatose; ar ou gás em localização anormal no corpo. **p. cys·toi'des intestina'lis** – p. cistóide intestinal; afecção caracterizada pela presença de cistos gasosos de parede fina na parede dos intestinos.

pneu·ma·tu·ria (-tu're-ah) – pneumatúria; gás ou ar na urina.

pneu·mo·ar·throg·ra·phy (noo"mo-ahr-throg'rah-fe) – pneumoartrografia; pneumartrografia; ver *pneumarthrography*.

pneu·mo·bil·ia (-bil'e-ah) – pneumobilia; presença de gás no sistema biliar.

pneu·mo·ceph·a·lus (-sef'ah-lus) – pneumocefalia; ar na cavidade intracraniana.

pneu·mo·coc·ce·mia (-kok-sēm'e-ah) – pneumococcemia; pneumococos no sangue.

pneu·mo·coc·ci·dal (-kok-si'd'l) – pneumococcida; que destrói pneumococos.

pneu·mo·coc·co·sis (-kok-o'sis) – pneumocococse; infecção por pneumococos.

pneu·mo·coc·co·su·ria (-kok"o-su-re-ah) – pneumococosúria; pneumococos na urina.

pneu·mo·coc·cus (-kok'us) pl. *pneumococci* – pneumococo; microrganismo individual da espécie *Streptococcus pneumoniae*. **pneumococ'cal** – adj. pneumocócico.

pneu·mo·co·ni·o·sis (-ko"ne-o'sis) – pneumoconiose; qualquer doença pulmonar (por exemplo,

antracose, silicose, etc.) devida a deposição permanente de quantidades substanciais de material particulado nos pulmões.

pneu·mo·cra·ni·um (-kra'ne-um) – pneumocrânio; pneumocefalia; ver *pneumocephalus*.

pneu·mo·cys·ti·a·sis (-sis-ti'ah-sis) – pneumocistíase; pneumonia plasmocística intersticial.

Pneu·mo·cys·tis (-sis'tis) – *Pneumocystis*; gênero de microrganismos de classificação incerta, mas considerados por alguns autores como protozoários e por outros como fungos semelhantes a leveduras. A *P. carinii* é o agente causador da pneumonia plasmocítica intersticial.

pneu·mo·cys·tog·ra·phy (-sis-tog'rah-fe) – pneumocistografia; radiografia da bexiga após injeção de ar ou gás.

pneu·mo·der·ma (-der'mah) – pneumoderma; enfisema subcutâneo.

pneu·mo·en·ceph·a·lo·cele (-en-sef'ah-lo-sēl) – pneumoencefalocele; pneumocefalia; ver *pneumocephalus*.

pneu·mo·en·ceph·a·log·ra·phy (PEG) (-en-sef"ah-log'rah-fe) – pneumoencefalografia; visualização radiográfica das estruturas cerebrais que contêm fluido após retirada intermitente de líquido cerebroespinhal por meio de punção lombar substituindo-o por ar, oxigênio ou hélio.

pneu·mo·en·ter·itis (-en"ter-īt'is) – pneumoenterite; inflamação dos pulmões e intestinos.

pneu·mog·ra·phy (noo-mog'rah-fe) – pneumografia: 1. descrição anatômica dos pulmões; 2. registro gráfico dos movimentos respiratórios; 3. radiografia de uma parte após injeção de gás.

pneu·mo·he·mo·peri·car·di·um (noo"mo-he"-pĕ"re-kahr'de-um) – pneumoemopericárdio; pneumo-hemopericárdio; ar ou gás e sangue no interior do pericárdio.

pneu·mo·he·mo·tho·rax (-thor'aks) – pneumoemotórax; pneumo-hemotórax; gás ou ar e sangue no interior da cavidade pleural.

pneu·mo·hy·dro·me·tra (-hi"dro-me'trah) – pneumoidrometria; pneumo-hidrometria; gás e líquido no interior do útero.

pneu·mo·hy·dro·peri·car·dium (-pĕ"re-kahr'-de-um) – pneumoidropericárdio; pneumo-hidropericárdio; ar ou gás e líquido no interior do pericárdio.

pneu·mo·hy·dro·tho·rax (-thor'aks) – pneumo-hidrotórax; ar ou gás com efusão de líquido no interior da cavidade torácica.

pneu·mo·li·thi·a·sis (-lĭ-thi'ah-sis) – pneumolitíase; presença de concreções nos pulmões.

pneu·mo·me·di·as·ti·num (-me"de-as-ti'nim) – pneumomediastino; presença de ar ou gás no interior dos tecidos do mediastino, ocorrendo patologicamente ou sendo introduzidos intencionalmente.

pneu·mom·e·ter (noo-mom'it-er) – pneumômetro; pneógrafo.

pneu·mo·my·co·sis (noo"mo-mi-ko'sis) – pneumomicose; qualquer doença fúngica dos pulmões.

pneu·mo·my·elog·ra·phy (-mi"ĕ-log"rah-fe) – pneumomielografia; radiografia do canal espinhal após remoção do líquido cerebroespinhal e injeção de ar ou gás.

pneu·mo·nec·to·my (-nek'tah-me) – pneumonectomia; excisão de tecido pulmonar; pode ser total, parcial ou de um único lobo, lobectomia; ver *lobectomy.*

pneu·mo·nia (noo-mo'ne-ah) – pneumonia; inflamação dos pulmões com exsudação e consolidação. **p. al'ba** – p. alba; **p. branca**; pneumonia descamativa fatal do recém-nascido devida a sífilis congênita, com degeneração gordurosa dos pulmões, que parecem pálidos e virtualmente sem ar. **aspiration p.** – p. por aspiração; pneumonia devida à aspiração de material estranho no interior do pulmão. **atypical p.** – p. atípica; **p. atípica** primária. **bacterial p.** – p. bacteriana; pneumonia devida a bactérias, correspondendo as principais à *Streptococcus pneumoniae, Streptococcus hemolyticus, Staphylococcus aureus* e *Klebsiella pneumoniae.* **bronchial p.** – p. brônquica; broncopneumonia. **desquamative p.** – p. descamativa; pneumonia crônica com endurecimento do exsudato fibroso e proliferação do tecido intersticial e epitélio. **desquamative interstitial p.** – p. intersticial descamativa; pneumonia crônica com descamação de grandes células alveolares e espessamento das paredes das passagens aéreas distais; marcada por dispnéia e tosse improdutiva. **double p.** – p. dupla; pneumonia que afeta ambos os pulmões. **Friedländer's p., Friedländer's bacillus p.** – p. de Friedländer; p. bacilar de Friedländer; forma caracterizada por exsudatos inflamatórios mucóides maciços em um lobo pulmonar, devida à *Klebsiella pneumoniae.* **hypostatic p.** – p. hipostática; pneumonia devida a decúbito dorsal em pessoas fracas ou idosas. **influenzal p., influenza virus p.** – p. da influenza; p. pelo vírus da influenza; doença aguda e geralmente fatal devida ao vírus da influenza, com febre alta, prostração, dor de garganta, dores fortes, dispnéia e ansiedade profundas, bem como edema e consolidação maciços. Pode se complicar com pneumonia bacteriana. **inhalation p.** – p. por inalação: 1. p. por aspiração; 2. broncopneumonia devida a inalação de vapores irritantes. **interstitial p.** – p. intersticial; uma forma crônica com aumento do tecido intersticial e redução do tecido pulmonar propriamente dito, com endurecimento. **interstitial plasma cell p.** – p. intersticial de células plasmáticas; forma que afeta bebês e pessoas debilitadas, incluindo as que recebem determinados medicamentos, nas quais aparecem detritos celulares que contêm plasmócitos no tecido pulmonar; é causada pela *Pneumocystis carinii.* **lipid p., lipoid p.** – p. lipídica; p. lipóide; reação do tecido pulmonar semelhante a pneumonia por aspiração de óleo. **lobar p.** – p. lobar; doença infecciosa aguda devida ao pneumococo e caracterizada por inflamação de um ou mais lobos pulmonares seguida de consolidação. **lobular p.** – p. lobular; broncopneumonia. **mycoplasmal p.** – p. micoplasmática; pneumonia atípica primária causada pela *Mycoplasma pneumoniae.* **parenchymatous p.** – p. parenquimatosa; p. descamativa. **Pittsburgh p.** – p. de Pittsburgh; pneumonia semelhante à doença dos legionários, causada pela *Legionella micdadei* e que ocorre como infecção hospitalar, especialmente em pacientes imunossuprimidos. **pneumocystis**

p., *Pneumocystis carinii* p. – p. pneumocística; p. pela *Pneumocystis carinii,* p. intersticial de células plasmáticas. **primary atypical p.** – p. atípica primária; termo genérico aplicado a pneumopatia infecciosa aguda causada pela *Mycoplasma pneumoniae,* por espécies de *Rickettsia* e de *Chlamydia* ou por vários vírus, incluindo adenovírus e vírus da parainfluenza, com infiltração pulmonar extensa (porém tênue), febre, mal-estar, mialgia, dor de garganta e tosse que se torna produtiva e paroxística. **rheumatic p.** – p. reumática; complicação rara e geralmente fatal da febre reumática aguda, caracterizada por consolidação pulmonar extensa e deterioração funcional rapidamente progressiva e por exsudato alveolar, infiltrados intersticiais e arterite necrosante. **varicella p.** – p. por varicela; pneumonia que se desenvolve após a erupção cutânea na varicela (catapora) e aparentemente devida ao mesmo vírus; os sintomas podem ser severos, com tosse violenta, hemoptise e dor torácica severa. **viral p.** – p. viral; pneumonia devida a vírus (por exemplo, o adenovírus ou os vírus da influenza, parainfluenza ou varicela); ver *primary atypical p.* **white p.** – p. branca; p. alba.

pneu·mon·ic (noo-mon'ik) – pneumônico; relativo ao pulmão ou pneumonia.

pneu·mo·ni·tis (noo"mo-ni'tis) – pneumonite; inflamação do tecido pulmonar.

pneumon(o)- [Gr.] – pneumon(o)-, elemento de palavra, *pulmão.*

pneu·mo·no·cen·te·sis (noo-mo"no-sen-te'-sis) – pneumonocentese; punção cirúrgica de um pulmão para aspiração.

pneu·mo·no·cyte (noo-mon'ah-sīt) – pneumonócito; termo coletivo para as células epiteliais alveolares (células alveolares grandes e células alveolares escamosas) e fagócitos alveolares dos pulmões.

pneu·mo·nol·y·sis (noo"mo-nol'ĭ-sis) – pneumonólise; divisão dos tecidos que fixam o pulmão à parede da cavidade torácica, para permitir o colapso do pulmão.

pneu·mo·nop·a·thy (-nop'ah-the) – pneumonopatia; qualquer pneumopatia ou doença pulmonar.

pneu·mo·no·pexy (noo-mo'nah-pek"se) – pneumonopexia; fixação cirúrgica do pulmão à parede torácica.

pneu·mo·nor·rha·phy (noo"mo-nor'ah-fe) – pneumonorrafia; sutura do pulmão.

pneu·mo·no·sis (-no'sis) – pneumonose; qualquer pneumopatia.

pneu·mo·not·omy (-not'ah-me) – pneumonotomia; incisão do pulmão.

pneu·mo·peri·car·di·um (-per'ĭ-kahr'de-um) – pneumopericárdio; ar ou gás no interior da cavidade pericárdica.

pneu·mo·peri·to·ne·um (-per'ĭ-to-ne'um) – pneumoperitônio; ar ou gás no interior da cavidade peritoneal.

pneu·mo·peri·to·ni·tis (-per'ĭ-to-ni'tis) – pneumoperitonite; peritonite com acúmulo de ar ou gás no interior da cavidade peritoneal.

pneu·mo·pleu·ri·tis (-ploor-ī t'is) – pneumopleurite; inflamação dos pulmões e da pleura.

pneu·mo·py·elog·ra·phy (-pi"il-og'rah-fe) – pneumopielografia; radiografia após injeção de oxigênio ou de ar no interior da pelve renal.

pneu·mo·pyo·peri·car·di·um (-pi"o-per"ĭ -kahr'de-um) – pneumopiopericárdio; piopneumopericárdio; ver *pyopneumopericardium*.

pneu·mo·pyo·tho·rax (-pi"o-thor'aks) – pneumopiotórax; ar ou gás e pus no interior da cavidade pleural.

pneu·mo·ra·di·og·ra·phy (-ra"de-og'rah-fe) – pneumorradiografia; radiografia após injeção de ar ou oxigênio.

pneu·mo·re·tro·peri·to·ne·um (-rĕ"tro-per"ĭ -to-ne' um) – pneumorretroperitônio; ar no interior do espaço retroperitoneal.

pneu·mor·rha·gia (-ra'jah) – pneumorragia; hemorragia a partir dos pulmões; hemoptise severa.

pneu·mo·tacho·graph (-tak'ah-graf) – pneumotacógrafo; instrumento para registrar a velocidade do ar respirado.

pneu·mo·ta·chom·e·ter (-tah-kom'it-er) – pneumotacômetro; transdutor para medir o fluxo de ar expirado.

pneu·mo·tax·ic (-tak'sik) – pneumotáxico; que regula a freqüência respiratória.

pneu·mo·ther·a·py (-thĕ'rah-pe) – pneumoterapia; tratamento de pneumopatia.

pneu·mo·tho·rax (-thor'aks) – pneumotórax; ar ou gás no interior do espaço pleural, que pode ocorrer espontaneamente (*p. espontâneo*), como resultado de traumatismo ou processo patológico, ou de introdução deliberada (*p. artificial*).

pneu·mot·o·my (noo-mot'ah-me) – pneumotomia; pneumonotomia; ver *pneumonotomy*.

pneu·mo·ven·tric·u·log·ra·phy (noo"mo-ven-trik"u-log'rah-fe) – pneumoventriculografia; radiografia dos ventrículos cerebrais após injeção de ar ou gás.

Pneu·mo·vi·rus (nu'mo-vi"rus) – *Pneumovirus;* vírus sinciciais respiratórios; gênero de vírus da família Paramyxoviridae, que inclui os vírus sinciciais respiratórios humano e bovino e o vírus da pneumonia dos camundongos.

PO [L.] – *per os* (por via oral; pela boca; oralmente).

Po – símbolo químico, polônio (*polonium*).

PO₂ – oxygen partial pressure (tension) (pressão parcial do oxigênio); também escrito PO_2, pO_2 e pO_2.

pock (pok) – pústula; especialmente de varíola.

pock·et (pok' et) – bolsa; espaço ou cavidade sacular. **endocardial p's** – bolsas endocardíacas; espessamentos escleróticos do endocárdio mural, que ocorrem mais freqüentemente no septo ventricular esquerdo por baixo de uma válvula aórtica insuficiente. **gingival p.** – b. gengival; sulco gengival aprofundado por afecções patológicas, causado por aumento de volume gengival sem destruição do tecido periodontal. **pacemaker p.** – b. de marca-passo; área subcutânea na qual se implantam o gerador de pulsos e as guias de marcação de um marca-passo interno, geralmente desenvolvida na fáscia pré-peitoral ou na área retromamária. **periodontal p.** – b. periodontal; sulco gengival aprofundado no interior do ligamento periodontal apicalmente ao nível original da crista alveolar reabsorvida.

pock·marck (pok'mahrk) – bexiga; cicatriz de varíola cicatriz profunda deixada por uma pústula.

pod(o)- [Gr.] – pod(o)-, elemento de palavra, *pé*.

po·dag·ra (pah-dag'rah) – podagra; dor gotosa no grande artelho.

po·dal·gia (po-dal'jah) – podalgia; dor no pé.

po·dal·ic (po-dal'ik) – podálico; realizado por meio dos pés; ver em *version*.

pod·ar·thri·tis (pod"ahr-thrī t'is) – podartrite; inflamação das articulações dos pés.

po·di·a·try (pah-di'ah-tre) – podiatria; quiropodia; campo especializado que se ocupa do estudo e cuidados do pé, incluindo sua anatomia, patologia, tratamentos medicinal e cirúrgico etc. **po·diat'ric** – adj. podiátrico.

podo·cyte (pod'o-sī t) – podócito; célula epitelial da camada visceral de um glomérulo renal, que tem vários processos radiantes semelhantes a pés (pedicelas).

podo·dy·na·mom·eter (pod"o-di"nah-mom'it-er) – pododinamômetro; dispositivo para determinar a força dos músculos das pernas.

podo·dyn·ia (-din'e-ah) – pododinia; podalgia (*podalgia*).

po·dol·o·gy (pah-dol'ah-je) – podologia; podiatria; ver *podiatry*.

podo·phyl·lin (pod"ah-fil'in) – podofilina; resina de podófilo.

podo·phyl·lum (-fil'im) – podófilo; rizoma e raízes secas da *Podophyllum peltatum;* ver em *resin*.

poe- – ver também as palavras com prefixo *pe-*.

po·go·ni·a·sis (po"gin-i'ah-sis) – pogoníase; crescimento excessivo da barba ou crescimento de barba em uma mulher.

pogonion (pah-go'ne-in) – pogônio; ponto médio anterior do queixo.

-poiesis [Gr.] – -poiese, elemento de palavra, *formação*. **-poiet'ic** – adj. -poiético.

poi·e·tin (poi-e'tin) – poietina; um dos hormônios envolvidos na regulação do número de vários tipos celulares no sangue periférico.

poikil(o)- [Gr.] – pecil(o)-, elemento de palavra, *variado; irregular*.

poi·ki·lo·blast (poi'kĭ -lo-blast") – peciloblasto; eritroblasto de forma anormal.

poi·ki·lo·cyte (-sī t) – pecilócito; hemácia de forma anormal.

poi·ki·lo·cy·to·sis (-si-to'sis) – pecilocitose; presença no sangue de hemácias que mostram variação anormal na forma.

poi·ki·lo·der·ma (-der'mah) – pecilodermia; afecção caracterizada por alterações pigmentares e atróficas na pele, conferindo-lhe uma aparência mosqueada.

poi·ki·lo·therm (poi'kĭ -lo-therm") – pecilotérmico; animal que exibe pecilotermia; animal de sangue frio.

poi·ki·lo·ther·my (poi"kĭ -lo-ther'me) – pecilotermia; estado de possuir uma temperatura corporal que varia com a do ambiente. **poikilother'mal, poikilother'mic** – adj. pecilotérmico.

point (point) – ponto: 1. pequena área ou mancha; ponta; extremidade de um objeto; 2. a ponto de abrir, como o pus de um abscesso, de um lugar ou mancha definidos. **p. A** – p. A; um ponto de referência cefalométrico, radiográfico, determinado na radiografia lateral da cabeça; corresponde à parte mais retraída do contorno ósseo curvo da espinha nasal anterior à crista do processo alveolar maxilar. **p. B** – p. B; ponto de referência cefalométrico radiográfico determinado na radiografia lateral da cabeça; corresponde ao ponto da linha média mais posterior na concavidade entre o infradentário e o pogônio. **boiling p.** – p. de ebulição; temperatura na qual um líquido ferve; ao nível do mar, a água ferve a 100°C ou 212°F. **cardinal p's** – pontos cardinais: 1. pontos nos diferentes meios de refração do olho que determinam a direção dos raios luminosos emergentes ou que entram; 2. quatro pontos dentro da entrada pélvica – duas articulações sacroilíacas e duas proeminências iliopectíneas. **craniometric p.** – p. craniométrico; um dos pontos de referência estabelecidos para medir o crânio. **far p.** – p. distante; ponto mais remoto em que se observa claramente um objeto quando o olho está em repouso. **p. of fixation** – p. de fixação: 1. ponto onde a visão se fixa; 2. ponto na retina em que se focalizam os raios que vêm de um objeto diretamente considerado. **freezing p.** – p. de congelamento; temperatura em que um líquido começa a se congelar; para a água é de 0°C ou 32°F. **isobestic p.** – p. isobéstico; comprimento de onda em que duas substâncias apresentam a mesma absortividade. **isoelectric p.** – p. isoelétrico; pH de uma solução em que uma molécula carregada não migra em um campo elétrico. **jugal p.** – p. jugal; ponto no ângulo formado pelas bordas massetérica e maxilar do osso zigomático. **lacrimal p.** – p. lacrimal; abertura na papila lacrimal de uma pálpebra, próximo ao ângulo medial do olho, onde as lágrimas do lago lacrimal escoam-se entrando nos canalículos lacrimais. **McBurney's p.** – p. de McBurney; ponto de sensibilidade especial na apendicite, a cerca de um terço da distância entre a espinha ilíaca superior anterior direita e o umbigo. **p. of maximal impulse** – p. de impulso máximo; ponto no tórax onde se sente mais fortemente o impulso do ventrículo esquerdo; normalmente no quinto espaço intercostal do lado interno da linha mamilar. Abreviação PMI. **melting p. (mp)** – p. de fusão; temperatura mínima na qual um sólido começa a liquefazer-se. **near p.** – p. próximo; o ponto mais próximo da visão clara, sendo o p. próximo absoluto correspondente ao ponto para cada olho individualmente com acomodação relaxada e o p. próximo relativo correspondente ao ponto, para ambos os olhos com o emprego de acomodação. **nodal p's** – pontos nodulares; dois pontos no eixo de um sistema óptico situados de modo que um raio que incida em um ponto produza um raio paralelo emergindo através do outro. **pressure p.** – p. de pressão: 1. ponto particularmente sensível à pressão; 2. uma das várias localizações no corpo onde se pode aplicar pressão digital para o controle de hemorragia. **subnasal p.** – p. subnasal; ponto central na base da espinha nasal. **trigger p.** – p. desencadeante; mancha no corpo em que uma pressão ou outro estímulo dão origem a uma sensação ou sintomas específicos. **triple p.** – p. triplo;

temperatura e pressão nas quais as fases sólida, líquida e gasosa de uma substância encontram-se em equilíbrio.

point·er (point'er) – contusão em uma proeminência óssea. **hip p.** – contusão coxofemoral; contusão do osso da crista ilíaca ou avulsão dos ligamentos musculares na crista ilíaca.

poise (poiz) – poise; unidade de viscosidade de um líquido, correspondendo ao número de gramas por centímetro por segundo. Símbolo P.

poi·son (poiz"n) – veneno; substância que, no caso de ingestão, inalação, absorção, aplicação, injeção ou desenvolvimento dentro do corpo (em quantidades relativamente pequenas), pode causar danos estruturais ou distúrbio funcional.

poi·son·ing (poi'zon-ing) – intoxicação; envenenamento; afecção mórbida produzida por um veneno. **blood p.** – i. sangüínea; septicemia. **food p.** – i. alimentar; um grupo de enfermidades agudas devidas à ingestão de alimento contaminado. Pode resultar de alergia; toxemia a partir de alimentos (como os inerentemente venenosos ou contaminados com venenos); alimentos que contêm venenos formados por bactérias, ou de infecções de origem alimentar. **forage p.** – por forragem; doença produzida nos animais, especialmente os eqüinos, como resultado da ingestão de alimento embolorado ou fermentado. **heavy metal p.** – i. por metais pesados; envenenamento por qualquer dos metais pesados, particularmente arsênico, antimônio, chumbo, mercúrio, cádmio ou tálio. **mushroom p.** – e. por cogumelos; envenenamento devido à ingestão de cogumelos venenosos; ver *Amanita*. **salmon p.** – i. por salmão; ver *Neorickettsia*. **sausage p.** – i. por lingüiça; alantíase; ver *allantiasis*. **scombroid p.** – i. por. escombróide.

poi·son ivy (poiz"n i've) – hera; sumagre venenoso; *Rhus radicans*.

poi·son oak (ōk) – hera; aveia; sumagre venenoso; *Rhus diversiloba ou R. toxicodendron*.

poi·son su·mac (su'mak) – hera; aveia; sumagre venenoso *Rhus vernix*.

Po·lar·amine (pah-lar'ah-mēn) – Polaramine, marca registrada de preparações de dexclorfeniramina.

po·la·rim·e·try (po"lah-rim'ĭ -tre) – polarimetria; medição da rotação de uma luz polarizada plana.

po·lar·i·ty (pah-lar'it-e) – polaridade; condição de ter pólos ou de exibir efeitos opostos nas duas extremidades.

po·lar·iza·tion (po"lah-rĭ -za'shun) – polarização: 1. presença ou estabelecimento de polaridade; 2. produção de uma condição na luz em que suas vibrações ocorrem todas em um plano ou círculos e elipses; 3. processo de produção de uma separação relativa de cargas positivas e negativas em uma célula.

po·lar·og·ra·phy (po"ler·og'rah-fe) – polarografia; técnica eletroquímica para identificar e estimar a concentração de elementos redutíveis em uma célula eletroquímica através da medição dupla da corrente que flui através da célula e o potencial elétrico a que cada elemento se reduz. **polarograph'ic** – adj. polarográfico.

pole (pōl) – pólo: 1. uma das extremidades de um eixo, como da elipse fetal ou um órgão corporal;

2. um de dois pontos que possuem qualidades física opostas. **po'lar** – adj. polar. **animal p.** – p. animal; pólo de um óvulo ao qual se aproxima o núcleo, e a partir do qual os corpúsculos polares são expulsos. **cephalic p.** – p. cefálico; extremidade da elipse fetal onde a cabeça do feto se situa. **frontal p. of hemisphere of cerebrum** – p. frontal do hemisfério cerebral; a parte mais proeminente da extremidade anterior de cada hemisfério. **germinal p.** – p. germinal; p. animal. **negative p.** – p. negativo; catodo. **occipital p. of hemisphere of cerebrum** – p. occipital do hemisfério cerebral; extremidade posterior do lobo occipital. **pelvic p.** – p. pélvico; extremidade da elipse fetal onde se situam as nádegas do feto. **positive p.** – p. positivo; anodo. **temporal p. of hemisphere of cerebrum** – p. temporal do hemisfério cerebral; extremidade anterior proeminente do lobo temporal. **vegetal p., vegetative p., vitelline p.** – p. vegetal; p. vegetativo; p. vitelino; pólo de um óvulo onde se deposita a maior quantidade do vitelo alimentar.

poli(o)- [Gr.] – poli(o)-, elemento de palavra, *substância cinzenta*.

po·lice·man (pah-lēs'min) – policial; bastão de vidro com uma porção da tubulação de borracha em uma extremidade, utilizado como misturador e instrumento de remoção análise em química.

poli·clin·ic (pol"ĭ-klin'ik) – policlínica; hospital, enfermaria ou clínica municipal; cf. *polyclinic*.

po·lio (põl'e-o) – pólio; poliomielite (*poliomyelitis*).

po·lio·clas·tic (po"le-o-klas'tik) – polioclástico; que destrói a substância cinzenta do sistema nervoso.

po·lio·dys·tro·phia (-dis-tro'fe-ah) – poliodistrofia; **p. ce'rebri** – p. cerebral; doença de Alpers.

po·lio·dys·tro·phy (-dis'trah-fe) – poliodistrofia; atrofia da substância cinzenta cerebral. **progressive cerebral p., progressive infantile p.** – p. cerebral progressiva; p. infantil progressiva; doença de Alpers.

po·lio·en·ceph·a·li·tis (-en-sef"ah-l i'tis) – polioencefalite; doença inflamatória da substância cinzenta cerebral. **inferior p.** – p. inferior; paralisia bulbar progressiva.

po·lio·en·ceph·a·lo·me·nin·go·my·eli·tis (-en-sef"ah-lo-mĕ-ning"go-mi"ĕ-li'tis) – polioencefalomeningomielite; inflamação da substância cinzenta cerebral e medula espinhal, bem como das meninges.

po·lio·en·ceph·a·lo·my·eli·tis (-en-sef"ah-lo-mi"ĕ-li'tis) – polioencefalomielite; poliomielite cerebral.

po·lio·en·ceph·a·lop·a·thy (-en-sef"ah-lop'ah-the) – polioencefalopatia; doença da substância cinzenta cerebral.

po·lio·my·eli·tis (-mi"ĕ-li'tis) – poliomielite; doença viral aguda geralmente causada por um poliovírus e caracterizada clinicamente por febre, dor de garganta, dor de cabeça, vômito e freqüentemente rigidez do pescoço e das costas; estes podem constituir os únicos sintomas de enfermidade menor. Na enfermidade maior (que pode ou não ser precedida de enfermidade menor), ocorre envolvimento do sistema nervoso central, pescoço rígido, pleocitose no líquido espinhal e talvez paralisia; pode ocorrer atrofia subseqüente de

grupos musculares, terminando em contração e deformidade permanente. **abortive p.** – p. abortiva; enfermidade menor da poliomielite. **acute anterior p.** – p. aguda anterior; enfermidade maior da poliomielite. **ascending p.** – p. ascendente; poliomielite com progressão para a cabeça. **bulbar p.** – p. bulbar; uma forma severa que afeta a medula oblonga, podendo resultar em disfunção do mecanismo de deglutição, dificuldade respiratório e distúrbio circulatório. **cerebral p.** – p. cerebral; poliomielite que se estende ao interior do cérebro. **spinal paralytic p.** – p. paralítica espinhal; forma clássica da poliomielite anterior aguda, com aparecimento de paralisia flácida de um ou mais membros.

po·lio·my·elop·a·thy (-mi"ĕ-lop'ah-the) – poliomielopatia; qualquer doença da substância cinzenta da medula espinhal.

po·li·o·sis (põl-e-o'sis) – poliose; embranquecimento prematuro do cabelo.

po·lio·vi·rus (põl'e-o-vi"rus) – poliovírus; agente causador da poliomielite, separável (com base na especificidade do anticorpo neutralizante) em três sorotipos designados como tipos 1, 2 e 3.

pol·len (pol'in) – pólen; elemento fertilizante masculino das plantas florescentes.

pol·lex (pol'eks) [L.] pl. *pollices* – polegar. **p. val'gus** – polegar valgo; desvio do polegar para a face ulnar. **p. var'us** – polegar varo; desvio do polegar para a face radial.

pol·lic·i·za·tion (pol'is-ĭ -za'shun) – policização; construção cirúrgica de um polegar a partir de um dedo.

pol·li·no·sis (pol"ĭ -no'sis) – polinose; reação alérgica ao pólen; febre do feno.

po·lo·cyte (po'lo-sĭ t) – polócito; ver *bodies polar* em *body*.

po·lo·ni·um (pah-lo'ne-im) – polônio; elemento químico (ver *tabela*), número atômico 84, símbolo Po.

pol·ox·a·mer (pol-oks'ah-mer) – poloxâmero; qualquer substância de uma série de surfactantes não-iônicos do tipo co-polímero de polioxipropileno-polioxietileno, utilizados como surfactantes, emulsificadores, estabilizadores e suplementos alimentares.

po·lus (po'lus) [L.] pl. *poli* – pólo (*pole*).

poly- [Gr.] – poli-, elemento de palavra, *muitos*.

poly·ad·e·ni·tis (pol"e-ad"in-ī t'is) – poliadenite; inflamação de várias glândulas.

poly·ad·e·no·sis (-ad"in-o'sis) – poliadenose; distúrbio de várias glândulas, particularmente de glândulas endócrinas.

poly·am·ine (-am'ēn) – poliamina; qualquer composto (por exemplo, espermina e espermidina) que contenha dois ou mais grupos amina.

poly·an·gi·tis (-an"je-ī t'is) – poliangiíte; inflamação que envolve vasos sangüíneos ou linfáticos múltiplos.

poly·ar·ter·i·tis (-ahr"tĕ-ri'tis) – poliarterite: 1. lesões arteriais inflamatórias ou destrutivas múltiplas; 2. p. nodosa. **p. nodo'sa (PAN)** – p. nodosa; classicamente, uma forma de vasculite necrosante sistêmica que envolve artérias de tamanho pequeno a médio com sinais e sintomas

PQR

resultantes de infarto e formação de cicatriz do sistema orgânico afetado.

poly·ar·thric (-ahr'thrik) – poliártrico; poliarticular.

poly·ar·thri·tis (-ahr-thrī t'is) – poliartrite; inflamação de várias articulações. **chronic villous p.** – p. crônica vilosa; inflamação crônica da membrana sinovial de várias articulações. **p. rheuma'tica acu'ta** – p. reumática aguda; febre reumática.

poly·ar·tic·u·lar (-ahr-tik'u-lar) – poliarticular; que afeta muitas articulações.

poly·atom·ic (-ah-tom'ik) – poliatômico; constituído de vários átomos.

poly·ba·sic (-ba'sik) – polibásico; que tem vários átomos de hidrogênio substituíveis.

poly·car·bo·phil (-kahr'bo-fil) – policarbofila; ácido poliacrílico ligado transversalmente ao divinil glicol; utilizado como absorvente gastrointestinal.

poly·cho·lia (-kōl'e-ah) – policolia; fluxo ou secreção excessivos de bile.

poly·chon·dri·tis (-kon-drī t'is) – policondrite; inflamação de muitas cartilagens do corpo. **chronic atrophic p., p. chro'nica atro'phicans** – p. atrófica crônica; p. recidivante. **relapsing p.** – p. recidivante; doença crônica idiopática adquirida com tendência à recidiva, caracterizada por lesões inflamatórias e degenerativas de várias estruturas cartilaginosas.

poly·chro·ma·sia (-krōm-a'zhah) – policromasia: 1. variação no teor de hemoglobina das hemácias; 2. policromatofilia.

poly·chro·mat·ic (-krom-at'ik) – policromático; com muitas cores.

poly·chro·mato·cyte (-krom-at'ah-sī t) – policromatócito; uma célula corável com vários tipos de corante.

poly·chro·mato·phil (-krom-at'ah-fil) – policromatófilo; estrutura corável com muitos tipos de corante.

poly·chro·ma·to·phil·ia (-krom-at"ah-fil'e-ah) – policromatofilia: 1. propriedade de corar-se com vários corantes; afinidade por todos os tipos de corantes; 2. condição na qual as hemácias, ao se corarem, mostram vários matizes de azul combinados com matizes de rosa. **polychromatophil'ic** – adj. policromatófilo.

poly·chro·me·mia (-krom-ēm'e-ah) – policromemia; aumento na matéria corante do sangue.

poly·clin·ic (-klin'ik) – policlínica; hospital ou escola onde se estudam e tratam doenças e lesões de todos os tipos.

poly·clo·nal (-klōn'l) – policlonal: 1. derivado de células diferentes; 2. relativo a vários clones.

poly·co·ria (-kor'e-ah) – policoria: 1. mais de uma pupila em um olho; 2. depósito de material de reserva em um órgão ou tecido de forma a produzir aumento de volume.

pol·yc·ro·tism (pah-lik'rah-tizm) – policrotismo; qualidade de ter várias ondas secundárias para cada batimento do pulso. **polycrot'ic** – adj. policrótico.

poly·cy·e·sis (pol"e-si-e'sis) – policiese; gravidez múltipla.

poly·cys·tic (-sis'tik) – policístico; que contém muitos cistos.

poly·cy·the·mia (-si-thēm'e-ah) – policitemia; elevação na massa celular total do sangue. **absolute p.** – p. absoluta; elevação na massa de hemácias causada por aumento da eritropoiese, que pode ocorrer como resposta fisiológica compensatória a hipoxia tecidual ou como a principal manifestação da policitemia verdadeira. **p. hyperto'nica** – p. hipertônica; p. por estresse. **relative p.** – p. relativa; redução no volume plasmático sem alteração na massa de glóbulos vermelhos de forma que as hemácias fiquem mais concentradas (hematócrito elevado), que pode ser uma condição transitória aguda ou crônica. **p. ru'bra** – p. rubra; ver p. vera. **secondary p.** – p. secundária; qualquer elevação absoluta na massa total de hemácias além da policitemia verdadeira, ocorrendo como resposta fisiológica a hipoxia tecidual. **stress p.** – p. por estresse; policitemia relativa crônica que geralmente afeta homens brancos, de meia-idade e ligeiramente obesos, que são ativos, propensos à ansiedade e hipertensos. **p. ve'ra** – p. rubra; distúrbio mieloproliferativo de etiologia desconhecida, caracterizado pela proliferação anormal de todos os elementos hematopoiéticos da medula óssea e elevação absoluta na massa de hemácias e no volume sangüíneo total, associadas freqüentemente à esplenomegalia, leucocitose e trombocitemia.

poly·dac·tyl·ism (-dak'til-izm) – polidactilismo; polidactilia.

poly·dac·ty·ly (-dak'tĭ -le) – polidactilia; presença de dedos supranumerários nas mãos ou pés.

poly·dip·sia (-dip'se-ah) – polidipsia; consumo excessivo e crônico de água.

poly·dys·pla·sia (-dis-pla'ze-ah) – polidisplasia; desenvolvimento falho de vários tecidos, órgãos ou sistemas.

poly·es·the·sia (-es-the'ze-ah) – poliestesia; sensação de que vários pontos são tocados na aplicação de um estímulo em um ponto único.

poly·es·tra·di·ol phos·phate (-es"trah-di'ol) – fosfato de poliestradiol; polímero de fosfato de estradiol que tem atividade estrogênica semelhante à do estradiol; utilizado na terapia paliativa do carcinoma prostático.

poly·eth·y·lene (-eth'ĭ -lēn) – polietileno; estileno polimerizado ($(CH_2-CH_2)_n$), um material plástico cujas formas são utilizadas na cirurgia reparativa. **p. glycol (PEG)** – polietilenoglicol; polímero do óxido de etileno e água, disponível na forma líquida (polímeros com pesos moleculares médios entre 200 e 700) ou como sólidos céreos (pesos moleculares médios acima de 1.000), utilizado em várias preparações farmacêuticas.

poly·ga·lac·tia (-gah-lak'she-ah) – poligalactia; secreção excessiva de leite.

poly·gel·ine (-jel'ēn) – poligelina; polímero de uréia e polipeptídeos derivados da gelatina desnaturada; utilizado como expansor plasmático no caso de hipovolemia.

poly·gene (pol"e-jēn) – poligene; grupo de genes não-alélicos que interagem para influenciar o mesmo caráter com efeito adicional.

poly·gen·ic (pol"e-jēn'ik) – poligênico; relativo ou determinado por vários genes diferentes.

poly·glac·tin 910 (-glak'tin) – poliglactina 910; material de sutura cirúrgica absorvível.

poly·glan·du·lar (-glan'dūl-er) – poliglandular; relativo ou que afeta várias glândulas.

poly·graph (pol'ĭ-graf) – polígrafo; aparelho para registrar simultaneamente a pressão sangüínea, pulso e respiração bem como variações na resistência elétrica da pele; popularmente conhecido como detector de mentiras.

poly·gy·ria (pol"e-ji're-ah) – poligiria; polimicrogiria; ver *polymicrogyria*.

poly·he·dral (-he'dril) – poliédrico; que tem muitos lados ou superfícies.

poly·hi·dro·sis (-hi-dro'sis) – poliidrose; poli-hidrose; hiperidrose; ver *hyperhidrosis*.

poly·hy·dram·ni·os (-hi-dram'ne-os) – poliidrâmnio; poli-hidrâmnio; hidrâmnio.

poly·hy·dric (-hi'drik) – poliídrico; poli-hídrico; que contém mais de dois grupos hidroxila.

poly·in·fec·tion (-in-fek'shun) – poliinfecção; infecção por mais de um microrganismo.

poly·ion·ic (-i-on'ik) – poliiônico; que contém vários íons diferentes (por exemplo, potássio, sódio etc.), como uma solução poliiônica.

poly·lac·tic ac·id (-lak'tik) – ácido poliláctico; polímero hidroxiácido hidrofóbico formado no interior de grânulos e utilizado como curativo cirúrgico para locais de extração dentária.

poly·lep·tic (-lep'tik) – poliléptico; que tem muitas remissões e exacerbações.

poly·mas·tia (-mas'te-ah) – polimastia; presença de glândulas mamárias supranumerárias.

poly·mas·ti·gote (-mas'tĭ-gōt) – polimastigota: 1. que tem vários flagelos; 2. mastigota que tem vários flagelos.

po·lym·e·lus (pah-lim'il-is) – polímelo; indivíduo com membros supranumerários.

poly·men·or·rhea (pol"e-men"ah-re'ah) – polimenorréia; menstruação anormalmente freqüente.

poly·mer (pol'ĭ-mer) – polímero; um composto, geralmente de alto peso molecular, formado pela combinação linear de moléculas mais simples (monômeros); pode ser constituído sem a formação de qualquer outro produto (*p. de adição*) ou com a eliminação simultânea de água ou outro composto simples (*p. de condensação*).

po·lym·er·ase (pol-im'er-ās) – polimerase; enzima que catalisa a polimerização.

poly·mer·ic (pol"e-mer'ik) – polimérico; que exibe as características de um polímero.

po·lym·er·iza·tion (pah-lim"er-ĭ-za'shun) – polimerização; combinação de vários compostos mais simples para formar um polímero.

poly·mi·cro·bi·al (pol"e-mi-kro'be-al) – polimicrobiano; marcado pela presença de várias espécies de microrganismos.

poly·mi·cro·bic (-mi-kro'bik) – polimicrobiano.

poly·meth·yl·meth·ac·ryl·ate (-meth"il-meth-ak'ril-āt) – polimetilmetacrilato; metacrilato polimetílico; ver em *methacrylate*.

poly·mi·cro·gy·ria (-mi"kro-ji're-ah) – polimicrogiria; anomalia de desenvolvimento cerebral marcada pelo desenvolvimento de numerosas convoluções (microgiros), causando retardamento mental.

poly·morph (pol'e-morf) – polimorfo; termo coloquial para o leucócito polimorfonuclear.

poly·mor·phic (pol"e-mor'fik) – polimórfico; que ocorre em algumas ou muitas formas; aparecendo em diferentes formas em diversos estágios de desenvolvimento.

poly·mor·phism (-mor'fizm) – polimorfismo; a qualidade de existir em muitas formas diferentes. **balanced p.** – p. balanceado; mistura de equilíbrio de homozigotos e heterozigotos mantidos pela seleção natural contra ambos os homozigotos.

poly·mor·pho·cel·lu·lar (-mor"fo-sel'ūl-er) – polimorfocelular; que tem células de muitas formas.

poly·mor·pho·nu·cle·ar (-noo'kle-er) – polimorfonuclear: 1. que tem um núcleo tão profundamente lobado ou dividido que parece ser múltiplo; 2. leucócito polimorfonuclear; ver *neutrophil* (1).

poly·mor·phous (-morfis) – polimorfo; polimórfico; ver *polymorphic*.

poly·my·al·gia (-mi-al'jah) – polimialgia; dor que envolve muitos músculos.

poly·my·oc·lo·nus (-mi-ok'lō-nus) – polimioclonia; mioclonia em vários músculos ou grupos musculares simultaneamente ou em sucessão rápida.

poly·my·op·a·thy (-mi-op'ah-the) – polimiopatia; doença que afeta vários músculos simultaneamente.

poly·myo·si·tis (-mi"ah-sīt'is) – polimiosite; inflamação de vários ou muitos músculos de uma vez, junto com alterações degenerativas e regenerativas marcadas por fraqueza muscular fora de proporção até a perda do volume muscular.

poly·myx·in (-mik'sin) – polimixina; termo genérico para antibióticos derivados da *Bacillus polymyxa*; as polimixinas são diferenciadas através da afixação de letras diferentes do alfabeto. **p. B** – p. B; a menos tóxica das polimixinas; seu sulfato é utilizado no tratamento de várias infecções Gram-negativas.

poly·ne·sic (-ne'sik) – polinésico; que ocorre em muitos focos.

poly·neu·ral (-noor'il) – polineural; relativo ou suprido de muitos nervos.

poly·neu·ral·gia (-noor-al'jah) – polineuralgia; neuralgia de vários nervos.

poly·neu·ri·tis (-nŏŏ-ri'tis) – polineurite; inflamação de vários nervos periféricos simultaneamente. **acute febrile p., acute idiopathic p.** – p. febril aguda; p. idiopática aguda; paralisia de neurônio motor ascendente, rapidamente progressiva e aguda, começando nos pés e ascendendo aos outros músculos, freqüentemente ocorrendo após infecção entérica ou respiratória.

poly·neu·ro·myo·si·tis (-noor"o-mi"o-si"tis) – polineuromiosite; polineurite com polimiosite.

poly·neu·rop·a·thy (-nŏŏ-rop'ah-the) – polineuropatia; neuropatia de vários nervos periféricos simultaneamente. **amyloid p.** – p. amilóide; polineuropatia causada por amiloidose; os sintomas podem incluir disfunção do sistema nervoso autônomo, síndrome do túnel carpiano e distúrbios sensoriais nas extremidades. **erythredema p.** – p. de eritredema; acrodinia. **familial amyloid p.** – p. amilóide familiar; polineuropatia amilóide dominante autossômica que ocorre no caso de amiloidose hereditária; os subtipos incluem o *tipo portu-*

PQR

guês, o tipo de Indiana, o tipo finlandês e o tipo de Iowa.

poly·neu·ro·ra·dic·u·li·tis (-noor"o-rah-dik"u-li'tis) – polineurorradiculite; polineurite idiopática aguda.

poly·nu·cle·ar (-noo"kle-er) – polinuclear: 1. polinucleado; 2. polimorfonuclear.

poly·nu·cle·ate (-noo'kle-āt) – polinucleado; que tem muitos núcleos.

poly·nu·cleo·tide (-noo'kle-o-tīd) – polinucleotídeo; qualquer polímero de mononucleotídeos.

Poly·o·ma·vi·ri·nae (pol"e-o"mah-vir-i'ne) – Polyomavirinae; poliomavírus; subfamília de vírus da família Papovaviridae, com muitos de seus membros induzindo tumores em animais experimentais; o único gênero é o *Polyomavirus.*

Poly·o·ma·vi·rus (pol"e-o'mah-vi"rus) – *Polyomavirus*; poliomavírus; gênero de vírus da subfamília Polyomavirinae (família Papovaviridae) que induzem tumores em animais experimentais; dois deles (o vírus BK e o vírus JC) infectam o homem, e outros, que incluem os vírus vacuolizantes de primatas (SV40) e infectam outros mamíferos.

poly·o·ma·vi·rus (pol"e-o'mah-vi"rus) – poliomavírus; qualquer membro da subfamília Polyomavirinae.

poly·opia (-o'pe-ah) – poliopia; percepção visual de várias imagens de um único objeto.

poly·or·chi·dism (-or'kid-izm) – poliorquidismo; a presença de mais de dois testículos.

poly·or·chis (-or'kis) – poliorquia; pessoa com poliorquidismo.

poly·os·tot·ic (-os-tot'ik) – poliostótico; que afeta vários ossos.

poly·ov·u·lar (-o'vūl-er) – poliovular; relativo ou produzido a partir de mais de um óvulo, como os gêmeos poliovulares.

poly·ov·u·la·to·ry (-ov'u-lah-tor"e) – poliovulatório; que libera vários óvulos em um ciclo ovariano.

poly·ox·yl (-ok'sil) – polioxil; um grupo de surfactantes que consistem de uma mistura de mono e diésteres de estearato e de dióis de polioxietileno; os polioxis são numerados de acordo com o comprimento polimérico médio das unidades oxietilênicas (por exemplo, estearato de polioxil 40) e muitos são utilizados em preparações farmacêuticas.

pol·yp (pol'ip) – pólipo; polipo; qualquer crescimento ou massa que protrai a partir de uma membrana mucosa. **adenomatous p.** – p. adenomatoso; crescimento neoplásico benigno com um potencial maligno variável, que representa a proliferação de tecido epitelial no lúmen do cólon sigmóide, reto ou estômago. **fibrinous p.** – p. fibrinoso; pólipo intra-uterino constituído de fibrina proveniente do sangue retido. **juvenile p's** – pólipos juvenis; pequenos hamartomas hemisféricos benignos do intestino grosso que ocorrem esporadicamente em crianças. **retention p's** – pólipos de retenção; pólipos juvenis.

poly·pec·to·my (pol"ĭ-pek'tah-me) – polipectomia; excisão de um pólipo.

poly·pep·tide (pol"e-pep'tīd) – polipeptídeo; peptídeo que contém mais de dois aminoácidos unidos por ligações peptídicas.

poly·pep·ti·de·mia (-pep"tĭ-dēm'e-ah) – polipeptidemia; a presença de polipeptídeos no sangue.

poly·pha·gia (-fa'jah) – polifagia; ingestão excessiva de alimento.

poly·pha·lan·gia (-fah-lan'jah) – polifalangia; duplicação lado a lado de uma ou mais falanges em um dedo.

poly·pha·lan·gism (-fah-lan'jizm) – polifalangismo; polifalangia.

poly·phar·ma·cy (-fahr'mah-se) – polifarmácia: 1. administração de muitos medicamentos em conjunto. 2. administração de medicação excessiva.

poly·plas·tic (-plas'tik) – poliplástico: 1. que contém muitos elementos estruturais ou constituintes; 2. que sofre muitas alterações de forma.

poly·ploi·dy (-ploi"de) – poliploidia; condição de possuir mais de dois grupos de cromossomas homólogos.

pol·yp·nea (pol"ip-ne'ah) – polipnéia; hiperpnéia; ver *hyperpnea.*

pol·yp·oid (pol"ĭ-poid) – polipóide; semelhante a um pólipo.

pol·yp·o·rous (pol-ip'er-is) – poliporoso; que tem muitos poros.

pol·yp·osis (pol"ĭ-po'sis) – polipose; formação de pólipos numerosos. **familial p.** – p. familiar; pólipos adenomatosos múltiplos com alto potencial maligno, revestindo a mucosa intestinal (especialmente a do cólon), começando ao redor da puberdade. Ocorre em várias afecções hereditárias, incluindo as síndromes de Gardner, de Peutz-Jeghers e Turcot (*syndrome, Gardner's, Peutz-Jeghers e Turcot'*).

poly·pous (pol'i-pus) – poliposo; semelhante a um pólipo.

poly·pro·py·lene (pol"e-pro'pĭ-lēn) – polipropileno; polímero termoplástico cristalino e sintético com um peso molecular de 40.000 ou mais e a fórmula geral $(C_3H_6)_n$; os usos incluem pensos cirúrgicos e membranas para oxigenadores de membrana.

poly·pty·chi·al (-ti'ke-al) – politiquial; disposto em várias camadas.

poly·pus (pol'ĭ-pus) [L.] pl. *polypi* – pólipo (*polyp*).

poly·ra·dic·u·li·tis (pol"e-rah-dik"ūl-ī'tis) – polirradiculite; inflamação das raízes nervosas.

poly·ra·dic·u·lo·neu·ri·tis (-rah-dik"u-lo-nōō-ri'tis) – polirradiculoneurite; polineurite idiopática aguda.

pol·y·ra·dic·u·lo·neu·rop·a·thy (pol"e-rah-dik"-u-lo-nōō-rop'ah-the) – polirradiculoneuropatia: 1. qualquer doença dos nervos periféricos e das raízes nervosas espinhais; 2. polineurite idiopática aguda.

poly·ri·bo·some (pol"e-ri'bo-sōm) – polirribossoma; grupo de ribossomas conectados ao RNA mensageiro; participam, na síntese peptídica.

poly·sac·cha·ride (-sak'ah-rīd) – polissacarídeo; carboidrato que à hidrólise produz muitos monossacarídeos.

poly·se·ro·si·tis (-ser"ah-sīt'is) – polisserosite; inflamação geral das membranas serosas, com derrame.

poly·some (pol'e-sōm) – polissoma; polirribossoma; ver *polyribosome.*

poly·som·nog·ra·phy (pol"e-som-nog'rah-fe) – polissonografia; registro poligráfico, durante o sono, de variáveis fisiológicas múltiplas relacionadas ao estado e estágios do sono para avaliar possíveis causas biológicas de distúrbios do sono.

poly·so·my (-so'me) – polissomia; excesso de um determinado cromossoma.

poly·sor·bate (-sor'bāt) – polissorbato; um dos vários ésteres oléicos de sorbitol e seus anidridos condensados com polímeros de óxido de etileno, numerados para indicar a composição química e utilizados como agentes surfactantes.

poly·sper·my (-sper'me) – polispermia; fertilização de um óvulo por mais de um espermatozóide; ocorre normalmente em determinadas espécies *(p. fisiológica)* e algumas vezes anormalmente em outras espécies *(p. patológica)*.

poly·sty·rene (-sti'rēn) – poliestireno; resina produzida pela polimerização do estirol, resina clara do tipo termoplástico, utilizada na construção de bases de dentadura.

poly·sy·nap·tic (-sĭ -nap'tik) – polissináptico; relativo ou retransmitido através de duas ou mais sinapses.

poly·syn·dac·ty·ly (-sin-dak'tĭ -le) – polissindactilia; associação hereditária da polidactilia e sindactilia.

poly·tef (pol'ĭ -tef) – politef; um polímero do tetrafluoretileno, utilizado como material de implante cirúrgico para diversas próteses (como vasos artificiais e implantes de assoalho orbitário) e aplicações na potencialização e fixação esqueléticas.

poly·tene (pol'ĭ -tēn) – politeno; composto de ou que contém muitos fios de cromatina (cromonemas).

poly·teno·syn·o·vi·tis (pol"e-ten"o-sin"o-vī t'-is) – politenossinovite; inflamação de várias ou muitas bainhas tendíneas ao mesmo tempo.

poly·the·lia (-thēl'e-ah) – politelia; presença de mamilos supranumerários.

poly·thi·a·zide (-thi'ah-zī d) – politiazida; diurético tiazídico utilizado no tratamento da hipertensão e edemas.

poly·to·mo·gram (-tom'ah-gram) – politomograma; registro produzido por politomografia.

poly·to·mog·ra·phy (-to-mog'rah-fe) – politomografia; tomografia de um tecido em vários planos predeterminados.

poly·trau·ma (-traw'mah) – politraumatismo; ocorrência de lesões em mais de um sistema corporal.

poly·trich·ia (-trik'e-ah) – politriquia; hipertricose *(hypertrichosis)*.

poly·un·sat·u·rat·ed (-un-sach'er-āt-ed) – poliinsaturado; denota um composto químico (particularmente um ácido graxo) que tenha duas ou mais ligações duplas ou triplas em sua cadeia de hidrocarbonetos.

poly·uria (-ūr'e-ah) – poliúria; secreção excessiva de urina.

poly·va·lent (-va'lent) – polivalente; multivalente; ver *multivalent*.

poly·vi·nyl (-vi'nil) – polivinil; um produto da polimerização de um composto vinílico monomérico. **p. chloride** – cloreto de p.; uma resina dura e clara, insípida e inodora, formada através da polimerização do cloreto de vinila; seus usos incluem embalagens, revestimentos e tubos, bem como fios de isolamento. Os trabalhadores na sua fabricação encontram-se em risco devido à toxicidade do cloreto de vinila.

poly·vi·nyl·pyr·rol·i·done (pol"e-vi"nil-pĭ -ro'lĭ -dōn) – polivinilpirrolidona; povidona; ver *povidone*.

pom·pho·lyx (pom'fo-liks) [Gr] – ponfólige; erupção cutânea intensamente pruriginosa nos lados dos dedos ou palmas das mãos; e plantas dos pés, consistindo de pequenas vesículas discretas e arredondadas, ocorrendo tipicamente em ataques autolimitados repetidos.

po·mum (po'mum) [L.] – pomo; maçã. **p. ada'mi** – p. de adão; proeminência na garganta causada pela cartilagem tireóide.

pons (ponz) [L.] pl. *pontes* –ponte: 1. qualquer parte de tecido que conecte duas partes de um órgão; 2. parte do sistema nervoso central situada entre a medula oblonga e o cérebro médio, ventralmente ao cerebelo; ver *brain stem*. **p. he'patis** – p. do fígado; projeção ocasional que liga parcialmente a fissura longitudinal do fígado.

pon·tic (pon'tik) – pôntico; pontino; a porção de uma ponte dentária que substitui um dente ausente.

pon·tic·u·lus (pon-tik'u-lus) [L.] pl. *ponticuli* – pontícula; pequena crista ou estrutura semelhante a uma ponte. **pontic'ular** – adj. ponticular.

pon·tine (pon'tĭ n, pon'tēn) – pontino; relativo à ponte.

pont(o)- [L.] – pont(o)-, elemento de palavra, *ponte*.

pon·to·bul·bar (pon"to-bul'ber) – pontobulbar; relativo à ponte e à região da medula oblonga dorsal àquela.

pon·to·cer·e·bel·lar (-ser"ĭ -bel'er) –pontocerebelar; relativo à ponte e cerebelo.

pon·to·mes·en·ce·phal·ic (-mes"en-sĕ-fal'ik) – pontomesencefálico; relativo ou que envolve a ponte e o mesencéfalo.

pop·lit·e·al (pop"lit'e-il) – poplíteo; relativo à área atrás do joelho.

POR – problem oriented record (registro orientado do problema).

por·ad·e·ni·tis (por"ad-ĕ-ni'tis) – poradenite; inflamação dos linfonodos ilíacos com formação de pequenos abscessos.

por·cine (por'sī n) – porcino; relativo a suíno.

pore (por) – poro; pequena abertura ou espaço vazio. **alveolar p's** – poros alveolares; aberturas entre alvéolos pulmonares adjacentes que permitem a passagem de ar de um para outro. **nuclear p's** – poros nucleares; pequenas aberturas octogonais no invólucro nuclear nos locais onde as duas membranas nucleares entram em contato, e que, junto com o ânulo, formam o complexo do poro. **slit p's** – poros em fenda; pequenos espaços semelhantes a fendas entre os pedicelos dos podócitos dos glomérulos renais.

por·en·ceph·a·li·tis (por"en-sef"ah-li'tis) – porencefalite; porencefalia associada a processo inflamatório.

por·en·ceph·a·ly (-en-sef'ah-le) – porencefalia; desenvolvimento ou presença de cistos ou cavidades anormais no tecido cerebral, geralmente comunicando-se com um ventrículo lateral. **porencephal'ic, porenceph'alous** – adj. porencefálico.

por(o)-¹ [L.] – por(o)-¹, elemento de palavra, *ducto; via de passagem; abertura; poro*.

por(o)-² [Gr.] – por(o)-², elemento de palavra, *calo; cálculo*.

po·ro·ker·a·to·sis (por"o-ker"ah-to'sis) – poroceratose; dermatose hereditária marcada por hipertrofia que se dissemina centrifugamente até o estrato córneo ao redor dos poros sudoríparos acompanhada de atrofia. Também conhecida como *p. de Mibelli*. **porokeratot'ic** – adj. poroceratótico.

po·ro·ma (por-o'mah) – poroma; tumor que surge em um poro. **eccrine p.** – p. écrino; tumor benigno que surge a partir da porção intradérmica de um ducto sudoríparo, geralmente na planta dos pés.

po·ro·sis (por-o'sis) – porose: 1. formação do calo no reparo de um osso fraturado; 2. formação de uma cavidade.

po·ros·i·ty (por-os'it-e) – porosidade; condição de ser poroso; poro.

po·rot·o·my (por-ot'ah-me) – porotomia; meatotomia.

por·ous (por'is) – poroso; penetrado por poros e espaços abertos.

por·phin (por'fin) – porfina; estrutura anelar fundamental de quatro núcleos pirrólicos ligados ao redor dos quais se constroem porfirinas, hemina, citocromos e clorofila.

por·pho·bi·lin·o·gen (por"fo-bĭ'-lin'ah-jin) – porfobilinogênio; produto intermediário na biossíntese da heme; é produzido em excesso e excretado na urina no caso de porfiria intermitente aguda.

por·phy·ria (por-fēr'e-ah) – porfiria; qualquer distúrbio de um grupo de distúrbios do metabolismo porfirínico caracterizados por aumento na formação e excreção de porfirinas ou de seus precursores. **acute intermittent p. (AIP)** – p. aguda intermitente; porfiria hepática hereditária devida a defeito do metabolismo pirrólico, com ataques recorrentes de dor abdominal, distúrbios gastrointestinais e quantidades excessivas de ácido δ-aminolevulínico e porfobilinogênio na urina. **congenital erythropoietic p. (CEP)** – p. eritropoiética congênita; porfiria eritropoiética hereditária, com fotossensibilidade cutânea que leva a lesões mutilantes, anemia hemolítica, esplenomegalia, excreção urinária excessiva de uroporfirina e invariavelmente eritrodontia e hipertricose. **p. cuta'nea ta'rda (PCT)** – p. cutânea tardia; forma caracterizada por sensibilidade cutânea que causa bolhas formadoras de cicatriz, hiperpigmentação, hipertricose facial e algumas vezes, espessamentos esclerodermatosos e alopecia; associa-se à redução da atividade de uma enzima da síntese hêmica. **p. cuta'nea tar'da heredita'ria** – p. cutânea tardia hereditária; nome antigo para a p. variegada (*variegate p*). **p. cuta'nea tar'da symptoma'tica** – p. cutânea tardia sintomática; nome antigo para a *p. cutânea tardia. (p. cutanea tarda)* **erythrohepatic p.** – p. eritro-hepática; porfiria na qual ocorre superprodução de porfirinas e precursores tanto no fígado como na medula óssea. **erythropoietic p.** – p. eritropoiética; porfiria na qual ocorre formação excessiva de porfirina e seus precursores nos normoblastos da medula óssea; inclui a porfiria eritropoiética congênita e a protoporfiria eritropoiética. **hepatic p.** – p. hepática; porfiria na qual a formação excessiva de porfirina e seus precursores ocorre no fígado. **hepatoerythropoietic p. (HEP)** – p. hepatoeritropoiética; forma severa de porfiria cutânea tardia que se acredita resulte de

falta de atividade da enzima que catalisa a conversão do uroporfirinogênio em proporfirinogênio na biossíntese da heme. **variegate p.** – p. variegada; porfiria hepática hereditária, com manifestações cutâneas crônicas (principalmente fragilidade mecânica extrema da pele, principalmente das áreas expostas à luz solar), episódios de dor abdominal, neuropatia e tipicamente excesso de co-proporfirina e protoporfirina na bile e fezes.

por·phy·rin (por'fĭ'-rin) – porfirina; qualquer substância de um grupo de compostos que contêm a estrutura porfínica à qual se fixam várias cadeias laterais, sendo a natureza da cadeia lateral indicada por um prefixo; as porfirinas ocorrem nos grupos protéticos das hemoglobinas, mioglobina e citocromos, em complexos com íons metálicos, e ocorrem livres nos tecidos no caso das porfirias. O termo é algumas vezes utilizado para incluir ou denotar a porfina especificamente.

por·phy·rin·uria (por"fĭ'-rĭ'-nu're-ah) – porfirinúria; excesso de uma ou mais porfirinas na urina.

por·ta (por'tah) [L.] pl. *portae* – porta; entrada ou portal; especialmente, o local de entrada para um órgão dos vasos sangüíneos e outras estruturas que o suprem ou drenam. **p. he'patis** – p. hepática; fissura transversal sobre a superfície visceral do fígado, onde a veia porta e a artéria hepática entram e os ductos hepáticos saem.

por·ta·ca·val (port"ah-ka'val) – portacava; relativo à veia porta e à veia cava inferior.

por·tal (port"l) – portal; uma via de entrada; porta; 2. relativo a porta, especialmente à porta hepática.

por·tio (por'she-o) [L.] pl. *portiones* – porção; parte ou divisão. **p. supravagina'lis cer'vicis** – p. supravaginal cervical; a parte da cérvix uterina que não protrai para o interior da vagina. **p. vagina'lis cervicis** – p. vaginal cervical; porção da cérvix uterina que se projeta no interior da vagina.

por·to·en·ter·os·to·my (port"o-en"ter-os'tah-me) – portoenterostomia; anastomose cirúrgica do jejuno com uma área desencapsulada do fígado na região da porta hepática e com o duodeno; feita para estabelecer um conduto para os ductos biliares intra-hepáticos até o intestino no caso de atresia biliar.

por·tog·ra·phy (por-tog'rah-fe) – portografia; radiografia da veia porta após injeção de material opaco no interior da veia mesentérica superior ou de um de seus ramos durante uma operação (*p. portal*) ou percutaneamente no interior do baço (*p. esplênica*).

por·to·sys·tem·ic (por"to-sis-tem'ik) – portossistêmico; que conecta as circulações venosas porta e sistêmica.

po·rus (por'us) [L.] pl. *pori* – poro; abertura. **p. acus'ticus exter'nus** – p. acústico externo; extremidade externa do meato acústico externo. **p. acus'ticus inter'nus** – p. acústico interno; abertura do meato acústico interno. **p. op'ticus** – p. óptico; abertura na esclera para a passagem do nervo óptico.

-posia [Gr.] – -posia; elemento de palavra, *consumo de líquidos*.

po·si·tion (pah-zish'un) – posição: 1. postura ou atitude corporais; 2. relacionamento de um certo ponto na parte de apresentação do feto com um ponto designado da pelve materna; ver a tabela que acompanha. C.f. *presentation.* **anatomical p.** – p. anatômica; posição ereta do corpo humano com as palmas viradas para a frente; utilizada como posição de referência na designação do local ou direção de estruturas corporais. **Bonner's p.** – p. de Bonner; flexão, abdução e rotação para fora da coxa no caso de coxite. **Bozeman's p.** – p. de Bozeman; posição de cotovelo e joelho com tipóias utilizadas para a sustentação. **Brickner p.** – p. de Brickner; amarra-se o pulso na cabeceira da cama para se obter abdução e rotação externa em caso de incapacidade do ombro. **decubitus p.** – p. de decúbito; posição com o corpo deitado sobre a superfície horizontal, designada de acordo com a face do corpo que toca a superfície: *decúbito dorsal* (sobre as costas), *decúbito lateral esquerdo* (sobre o lado esquerdo), *decúbito lateral direito* (sobre o lado direito) ou *decúbito ventral* (sobre o abdômen). **Fowler's p.** – p. de Fowler; posição na qual se eleva a cabeceira da cama do paciente em 45-50 cm acima do nível, com os joelhos também elevados. **knee-chest p.** – p. genupeitoral; o paciente deitado sobre seus joelhos e o tórax superior. **knee-elbow p.** – p. genucubital; o paciente deitado sobre seus joelhos e cotovelos com o peito elevado. **lithotomy p.** – p. de litotomia; o paciente sobre suas costas, com quadris e joelhos flexionados e coxas abduzidas e fletidas externamente. **Mayer p.** – p. de Mayer; posição radiográfica que confere uma visão súpero-inferior unilateral da articulação temporomandibular, do canal auditivo externo e processos mastóide e petroso. **Rose's p.** – p. de Rose; posição supina, com a cabeça acima da borda da mesa em extensão completa. **semi-Fowler p.** – p. de semi-Fowler; posição semelhante à de Fowler, mas com a cabeça menos elevada. **Sims' p.** – p. de Sims; paciente sobre seu lado esquerdo e tórax, o joelho direito e a coxa puxados para cima e o braço esquerdo ao longo das costas. **Trendelenburg's p.** – p. de Trendelenburg; supina-se o paciente sobre uma superfície de 45° de inclinação, com sua cabeça na extremidade inferior e suas pernas flexionadas sobre a extremidade superior. **verticosubmental p.** – p. verticosubmentoniana; posição radiográfica que confere uma projeção axial da mandíbula, incluindo os processos coronóide e condilóide dos ramos, a base do crânio e seus forames, as pirâmides petrosas, os seios esfenoidal, etmoidal posterior e maxilar e o septo nasal. **Waters' p.** – p. de Waters; posição radiográfica que confere uma visão póstero-ânterior do seio maxilar, maxilar, órbitas e arcos zigomáticos.

pos·i·tive (poz'it-iv) – positivo; que tem um valor maior do que zero; indica existência ou presença, como em caso de cromatina-positivo; caracterizado por afirmação ou cooperação.

pos·i·tron (poz'ĭ-tron) – pósitron; a antipartícula de um elétron; um elétron positivamente carregado.

po·sol·o·gy (pah-sol'ah-je) – posologia; ciência ou o sistema de dosagem. **posolog'ic** – adj. posológico.

post- [L.] – pós-, elemento de palavra, *depois; atrás; posterior.*

post·au·ric·u·lar (pŏst"aw-rik'ūl-er) – pós-auricular; localizado ou realizado atrás do pavilhão auricular.

post·ax·i·al (pŏst-ak'se-il) – pós-axial; atrás de um eixo; em Anatomia, refere-se à face medial (ulnar) do braço superior e à face lateral (fibular) da perna inferior.

post·bra·chi·al (-bra'ke-il) – pós-braquial; na parte posterior do braço superior.

post·ca·va (-ka'vah) – pós-cava; veia cava inferior. **postca'val** – adj. pós-caval.

post·ci·bal (-si'bil) – pós-cibal; após a ingestão; pós-prandial.

post·cor·nu (-kor'noo) – pós-corno; o corno posterior do ventrículo lateral.

post·di·as·tol·ic (-di"as-tol'ik) – pós-diastólico; após uma diástole.

post·di·crot·ic (pŏst"di-krot'ik) – pós-dicrótico; após a elevação dicrótica do esfigmograma.

pos·ter·i·or (pos-tēr'e-er) – posterior; posicionado em direção ou situado nas costas; oposto a anterior.

postero- [L.] – postero-, elemento de palavra, *costas; posterior a.*

pos·tero·an·te·ri·or (pos"ter-o-an-tēr'e-er) – póstero-anterior; direcionado do posterior para o anterior.

pos·tero·clu·sion (-kloo'zhun) – póstero-oclusão; distoclusão; ver *distoclusion.*

pos·tero·ex·ter·nal (-ek-ster'nil) – póstero-externo; situado no lado externo de uma face posterior.

pos·tero·in·fe·ri·or (-in-fēr'e-er) – póstero-inferior; atrás ou por baixo.

pos·tero·lat·er·al (-lar'er-il) – póstero-lateral; situado no lado e em direção à face posterior.

pos·tero·me·di·an (-me'de-in) – póstero-mediano; situado no meio de uma face posterior.

pos·tero·su·pe·ri·or (-soo-pēr'e-er) – póstero-superior; situado atrás e acima.

post·gan·gli·on·ic (pŏst"gang-gle-on'ik) – pós-ganglionar; distal a um gânglio.

pos·thio·plas·ty (pos'the-o-plas"te) – postioplastia; reparo plástico do prepúcio.

pos·thi·tis (pos-thīt'is) – postite; inflamação do prepúcio.

post·hyp·not·ic (pŏst"hip-not'ik) – pós-hipnótico; que se segue ao estado hipnótico.

post·ic·tal (pŏst-ik'tal) – pós-íctico; após um ataque convulsivo.

post·ma·tur·i·ty (pŏst"mah-chŏŏr'it-e) – pós-maturidade; condição de um bebê após um período de gestação prolongado. **postmature'** – adj. pós-maduro.

post mor·tem (pŏst mort'im) [L.] – *post mortem;* pós-morte; após a morte.

post·mor·tem (pŏst-mort'im) – *postmortem;* realizado ou que ocorre após a morte.

post·na·tal (-na't'l) – pós-natal; que ocorre após o nascimento, com relação ao recém-nascido.

post par·tum (pŏst part'im) [L.] – *post partum;* após o parto.

post·par·tum (pŏst-part'im) – *postpartum;* pós-parto; que ocorre após o nascimento, com relação à mãe.

PQR

POSIÇÕES DO FETO NAS VÁRIAS APRESENTAÇÕES

Apresentação	Ponto de direção	Posição	Abreviação
Apresentação Cefálica			
Vértice	Occípito	Occípito-anterior esquerda	OAE
	(Occipúcio)	Occípito-posterior esquerda	OPE
		Occípito-transversal esquerda	OTE
		Occípito-anterior direita	OAD
		Occípito-posterior direita	OPD
		Occípito-transversal direita	OTD
Face	Queixo	Mento-anterior esquerda	MAE
		Mento-posterior esquerda	MPE
		Mento-transversal esquerda	MTE
		Mento-anterior direita	MAD
		Mento-posterior direita	MPD
		Mento-transversal direita	MTD
Testa	Testa	Fronto-anterior esquerda	FAE
		Fronto-posterior esquerda	FPE
		Fronto-transversal esquerda	FTE
		Fronto-anterior direita	FAD
		Fronto-posterior direita	FPD
		Fronto-transversal direita	FTD
Apresentação Pélvica (Nádegas)			
Pélvica completa	Sacro	Sacro-anterior esquerda	SAE
(pés cruzados e coxas		Sacro-posterior esquerda	SPE
flexionadas no abdômen)		Sacro-transversal esquerda	STE
		Sacro-anterior direita	SAD
		Sacro-posterior direita	SPD
		Sacro-transversal direita	STD
Pélvica incompleta	Sacro	As mesmas designações mencionadas anteriormente, acrescentando-se as qualificações de pés, joelhos etc.	
Apresentação de Ombro (Decúbito Transversal)			
Ombro	Escápula	Escápulo-anterior esquerda	EAE
		Escápulo-posterior esquerda	EPE
		Escápulo-anterior direita	EAD
		Escápulo-posterior direita	EPD

post·pran·di·al (-pran'de-al) – pós-prandial; após uma refeição; pós-cibal.

post·pu·ber·al (-pu'ber-al) – pós-puberal.

post·pu·ber·tal (-pu'ber-tal) – pós-puberal; após a puberdade.

post·pu·bes·cent (pŏst"pu-bes'ent) – pós-pubescente.

post·re·nal (pŏst-re'nal) – pós-renal: 1. localizado atrás de um rim; 2. que acontece após sair do rim.

post·si·nu·soi·dal (pŏst"si-nŭ-soi'dal) – pós-sinusoidal; localizado atrás de um sinusóide ou que afeta a circulação depois de um sinusóide.

post·ste·not·ic (post"stě-not'ik) – pós-estenótico; localizado ou que ocorre distalmente ou atrás de um segmento estenosado.

post·sy·nap·tic (-sĭ-nap'tik) – pós-sináptico; distal a ou que acontece depois de uma sinapse.

post·term (pŏst-term') – pós-termo; que se estende além do tempo; diz-se de uma gravidez ou de um bebê.

pos·tu·late (pos'choo-lāt) – postulado; qualquer coisa aceita ou evidente.

post·vac·ci·nal (pŏst-vak'sĭ-nil) – pós-vacinal; que ocorre após vacinação contra varíola.

pot·a·ble (po'tah-b'l) – potável; adequado para beber.

pot·ash (pot'ash) – potassa; carbonato de potássio impuro. **caustic p.** – p. cáustica; hidróxido de potássio. **sulfurated p.** – p. sulfurada; uma mistura de polissulfetos de potássio e tiossulfato de potássio, utilizada como sulfeto em produtos farmacêuticos.

pot·as·se·mia (pot"ah-se'me-ah) – potassemia; hipercalemia; ver *hyperkalemia*.

po·tas·si·um (pah-tas'e-um) – potássio; elemento químico (ver *Tabela de Elementos*), número atômico 19. Símbolo K. O potássio é o principal cátion do fluido intracelular. Quanto aos sais de potássio não-relacionados aqui, ver no ingrediente ativo. **p. acetate** – acetato de p; repositor eletrolítico e alcalinizante sistêmico e urinário. **p. bicarbonate** – bicarbonato de p; repositor eletrolítico, antiácido e alcalinizante urinário. **p. chloride** – cloreto de p; repositor eletrolítico para administração oral ou endovenosa. **p. citrate** – citrato de p; alcalinizante sistêmico, repositor eletrolítico, diurético e expectorante. **p. gluconate** – gliconato de p; repositor eletrolítico utilizado na profilaxia e tratamento da hipocalemia. **p. hydroxide** – hidróxido de p; agente alcalinizante utilizado em preparações farmacêuticas. **p. iodide** – iodeto de p; expectorante utilizado como fonte de iodo e antifúngico. **p. metaphosphate** – metafosfato de p; agente tampão utilizado em preparações farmacêuticas. **p. permanganate** – permanganato de p.; o sal potássico do ácido permangânico, utilizado como anti-séptico tópico, agente oxidante e antídoto para determinados venenos. **p. salicylate** – salicilato de p.; analgésico, antipirético e antiinflamatório.

po·ten·cy (po'ten-se) – potência: 1. capacidade do homem realizar o ato sexual; 2. relação entre o efeito terapêutico de uma droga e a dose necessária para se obter esse efeito; 3. capacidade de uma parte embrionária desenvolver-se e completar seu destino. **po'tent** – adj. potente.

po·ten·tial (po-ten'shal) – potencial: 1. que existe e está pronto para a ação, mas não está ativo; 2. o trabalho por unidade de carga necessária para mover um corpo carregado em um campo elétrico de um ponto de referência para outro ponto, medido em volts. **action p. (AP)** – p. de ação; atividade elétrica desenvolvida em uma célula muscular ou nervosa durante uma atividade. **after-p.** – pós-potencial. **electric p., electrical p.** – p. elétrico; potencial; ver *potential* (2). **evoked p. (EP)** – p. evocado; sinal elétrico registrado a partir de um receptor sensorial, nervo, músculo ou área do sistema nervoso central que tenham sido estimulados, geralmente através de eletricidade. **membrane p.** – p. de membrana; potencial elétrico que existe nos dois lados de uma membrana e através da parede celular. **resting p.** – p. de repouso; diferença de potencial através da membrana de uma célula normal em repouso. **spike p.** – p. de pico; p. de espiga; a carga inicial e muito grande no potencial de uma membrana celular excitável durante uma estimulação.

po·ten·tial·iza·tion (po-ten"shal-ĭ-za'shun) – potencialização; potenciação.

po·ten·ti·a·tion (po-ten"she-a'shun) – potenciação: 1. potencialização de um agente por outro de forma que o efeito combinado seja maior que a soma dos efeitos de cada um deles isoladamente; 2. p. pós-tetânica. **posttetanic p.** – p. pós-tetânica; uma resposta de elevação sem alteração da amplitude do potencial de ação, que ocorre em caso de estimulação nervosa repetida.

pouch (pouch) – bolsa; fundo de saco; espaço ou saco semelhante a um bolso, como o do peritônio. **abdominovesical p.** – b. abdominovesical; bolsa formada pelo rebatimento do peritônio da parede

abdominal à superfície anterior da bexiga. **p. of Douglas** – fundo de saco de Douglas; b. retouterina. **ileoanal p.** – b. ileoanal; ver em *reservoir*. **Kock p.** – b. de Kock; um reservatório ileal continente com uma capacidade de 500 a 1.000 ml e uma válvula constituída por intussuscepção do íleo terminal. **Prussak's p.** – b. de Prussak; um recesso na membrana timpânica entre a parte flácida da membrana e o colo do martelo. **Rathke's p.** – b. de Rathke; um divertículo proveniente da cavidade bucal embrionária a partir da qual se desenvolve a hipófise anterior. **rectouterine p., rectovaginal p.** – fundo de saco retouterino; fundo de saco retovaginal; espaço entre a bexiga e o útero na cavidade peritoneal. **Seessel's p.** – b. de Seessel; uma bolsa externa da faringe embrionária rostral à membrana faringiana e caudal à bolsa de Rathke.

pouch·itis (-i'tis) – enterite ileal ou ileanal; inflamação da mucosa ou da espessura completa da parede intestinal de um reservatório ileal ou ileoanal.

pou·drage (poo-drahzh') – pulverização; aplicação de um pó em uma superfície, como entre as pleuras visceral e parietal, para promover sua fusão.

poul·tice (pōl'tis) – cataplasma; massa mole e úmida com consistência aproximada de um cereal cozido, espalhada entre camadas de musselina, linho, gaze ou toalhas e aplicada quente em determinada área para criar calor local úmido ou contra-irritação.

pound (pound) – libra; unidade de peso no sistema avoirdupois (453,6 g ou 16 onças) ou de medidas de Farmácia (373,2 g ou 12 onças).

po·vi·done (po'vĭ-dōn) – povidona; polivinil pirrolidona; polímero sintético utilizado como agente dispersor e suspensor.

po·vi·do·ne-io·dine (-i'ah-dīn) – povidona-iodo; complexo produzido pela reação do iodo à povidona; utilizado como antiinfeccioso tópico.

pow·er (pou'er) – poder: 1. capacidade; potência; força; aptidão para agir; 2. medida de magnificação, como de um microscópio; 3. velocidade na qual se executa um trabalho; símbolo *P*. **defining p.** – p. de definição; a capacidade de uma lente tornar um objeto claramente visível. **resolving p.** – p. de resolução; a capacidade de um olho ou uma lente tornar objetos pequenos e proximamente reunidos em objetos separadamente visíveis, revelando conseqüentemente a estrutura de um objeto.

pox (poks) – pústula; doença eruptiva; qualquer doença eruptiva ou pustular, especialmente uma causada por um vírus (por exemplo, catapora, vacínia, etc.).

Pox·vi·ri·dae (poks"virĭ-de) – Poxviridae; poxvírus; família de vírus de DNA com genoma de DNA de filamento duplo, que inclui os vírus que causam vacínia e doenças eruptivas dos animais inferiores; as duas subfamílias são a Chordopoxvirinae e Entomopoxvirinae (poxvírus dos insetos).

pox·vi·rus (poks'vi-rus) – poxvírus; qualquer vírus da família Poxviridae.

PPD – purified protein derivative (derivado protéico purificado); ver em *tuberculin*.

PQR

ppm – parts per million (partes por milhão).

Pr – símbolo químico, praseodímio (*praseodymium*); presbyopia; prism (presbiopia; prisma).

PRA – panel-reactive antibody (anticorpo que reage seletivamente em leucócitos [HLA]).

prac·tice (prak'tis) – prática; utilização do conhecimento de um indivíduo em uma profissão particular, correspondendo à prática da Medicina, ao exercício do conhecimento de um indivíduo no reconhecimento prático e tratamento de uma doença.

prac·ti·tion·er (prak-tish'in-er) – profissional; prático; pessoa que cumpriu os requisitos e se ocupa da prática da medicina. **nurse p.** – enfermeira alto padrão; enfermeira clínica; ver *nurse clinician*.

prae- – ver também palavras com prefixo *pre-*.

prag·mat·ag·no·sia (prag''mat-ag-no'zhah) – pragmatagnosia; agnosia; ver *agnosia*.

prag·mat·am·ne·sia (-am-ne'zhah) – pragmatamnésia; agnosia visual.

pral·i·dox·ime (pral''ĭ-doks'ēm) – pralidoxima; um reativador da colinesterase cujos sais são utilizados no tratamento de intoxicação por organofosforado; também tem um valor limitado na neutralização dos inibidores de colinesterase do tipo carbamato.

pran·di·al (pran'de-il) – prandial; relativo a uma refeição.

pra·seo·dym·i·um (pra''ze-o-dim'e-im) – praseodímio; elemento químico (ver *Tabela de Elementos*), número atômico 59, símbolo Pr.

prax·i·ol·o·gy (prak''se-ol'ah-je) – Praxiologia; ciência ou estudo da conduta.

pra·zo·sin (pra'zah-sin) – prazosina; derivado quinazolínico com propriedades vasodilatadoras, utilizado como anti-hipertensivo oral.

pre- [L.] – pré-, elemento de palavra, *antes* (no tempo ou no espaço).

pre·ag·o·nal (pre-ag'in'l) – pré-agônico; imediatamente antes da agonia da morte.

pre·an·es·thet·ic (-an-es-thet'ik) – pré-anestésico: 1. relativo à pré-anestesia; 2. agente que induz pré-anestesia; 3 que ocorre antes da administração de um anestésico.

pre·au·ric·u·lar (-aw-rik'ūl-er) – pré-auricular; à frente do pavilhão auricular.

pre·ax·i·al (-ak'se-il) – pré-axial; situado antes de um eixo; em Anatomia, refere-se à face lateral (radial) do braço superior e à face medial (tibial) do membro inferior.

pre·be·ta·lipo·pro·tein·emia (-bāt''ah-lip''o-prōt''e-in-im'e-ah) – pré-betalipoproteinemia; hiper-prébetalipoproteinemia; ver *hyperprebetalipoproteinemia*.

pre·cap·il·lary (-kap'ĭ-lar''e) – pré-capilar; vaso que não tem os revestimentos completos, intermediário entre uma arteríola e um capilar verdadeiro e contém células musculares lisas disseminadas em sua parede, geralmente apresentando áreas esfinctéricas, que controlam o fluxo sangüíneo no interior dos capilares.

pre·car·di·ac (-kahr'de-ak) – pré-cardíaco; situado anterior ao coração.

pre·ca·va (-ka'vah) – pré-cava; veia cava superior. **preca'val** – adj. pré-caval.

pre·chor·dal (-kord''l) – pré-cordal; à frente do notocórdio.

pre·cip·i·tant (-sip'it-int) – precipitante; substância que causa precipitação.

pre·cip·i·tate (-sip'ĭ-tāt) – precipitar: 1. provocar sedimentação, em partículas sólidas, de uma substância em solução; 2. deposição de partículas sólidas separadas de um solução; 3. que ocorre com rapidez excessiva.

pre·cip·i·tin (-sip'it-in) – precipitina; anticorpo ao antígeno macromolecular *in vivo* ou *in vitro* para produzir um precipitado visível.

pre·cip·i·tin·o·gen (-sip''ĭ-tin'ah-jen) – precipitinogênio; antígeno solúvel que estimula a formação e reage à precipitina.

pre·clin·i·cal (-klin'ĭ-k'l) – pré-clínico; antes de uma doença se tornar clinicamente reconhecível.

pre·clot·ting (-klot'ing) – pré-coagulação; entrada forçada do sangue de um paciente através dos interstícios de uma prótese vascular consolidada antes de um implante para tornar o enxerto temporariamente impérvio ao sangue por meio de deposição de fibrina e plaquetas a curto prazo nos interstícios.

pre·coc·i·ty (-kos'it-e) – precocidade; desenvolvimento incomumente precoce de características mentais ou físicas. **preco'cious** – adj. precoce. **sexual p.** – p. sexual; puberdade precoce.

pre·cog·ni·tion (pre''kog-nish'in) – precognição; percepção extra-sensorial de um evento futuro.

pre·co·ma (pre-ko'mah) – pré-coma; estado neuropsiquiátrico que precede o coma, como no caso de encefalopatia hepática. **precom'atose** – adj. pré-comatoso.

pre·con·scious (-kon'shus) – pré-consciente; não presente na consciência, mas facilmente lembrado.

pre·cor·di·um (-kor'de-um) pl. *precordia* – precórdio; região da superfície anterior do corpo que recobre o coração e o tórax inferior. **precor'dial** – adj. precordial.

pre·cos·tal (-kos'til) – pré-costal; à frente das costelas.

pre·cu·ne·us (-ku'ne-is) [L.] – pré-cúneo; pequena convolução na superfície medial do lobo parietal cerebral.

pre·cur·sor (pre'kur-ser) – precursor; algo que precede. Nos processos biológicos, uma substância a partir da qual se forma outra substância geralmente mais ativa ou madura. Em Medicina Clínica, um sinal ou sintoma que precede outro.

pre·di·a·be·tes (pre''di-ah-bēt'ēz) – pré-diabetes; um estado de debilitação latente do metabolismo dos carboidratos no qual não se satisfazem os critérios para diabetes melito.

pre·di·as·to·le (-di-as'tah-le) – pré-diástole; intervalo que precede imediatamente a diástole. **prediastol'ic** – adj. pré-diastólico.

pre·di·crot·ic (-di-krot'ik) – pré-dicrótico; que ocorre antes da onda dicrótica do esfigmograma.

pre·di·ges·tion (-di-jes'chin) – pré-digestão; digestão artificial parcial do alimento antes de sua ingestão.

pre·dis·po·si·tion (-dis-po-zish'in) – predisposição; suscetibilidade latente a uma doença que pode ser ativada sob determinadas condições.

pre·di·ver·tic·u·lar (-pre-di"ver-tik'ūl-er) – pré-diverticular; denota uma condição de espessamento da parede muscular do cólon e aumento da pressão intraluminal sem evidências de diverticulose.

pred·nis·o·lone (pred-nis'ah-lōn) – prednisolona; glicocorticóide sintético derivado do cortisol, utilizado em forma de base ou de 21-acetato, hemissuccinato, fosfato de sódio, succinato de sódio e éster terbutático na terapia de reposição em caso de insuficiência adrenocortical e como antiinflamatório.

pred·ni·sone (pred'nĭ -sōn) – prednisona; glicocorticóide sintético derivado da cortisona, utilizado como antiinflamatório e imunossupressivo.

pre·eclampsia (pre"e-klamp'se-ah) – pré-eclâmpsia; toxemia do final da gravidez, caracterizada por hipertensão, proteinúria e edema.

pre·ejec·tion (-e-jek'shun) – pré-ejeção; que ocorre antes de uma ejeção.

pre·em·bryo (pre-em'bre-o) – pré-embrião; denota os estágios de desenvolvimento de pré-implantação do zigoto, que ocorrem durante as primeiras duas semanas após a fertilização.

pre·ex·ci·ta·tion (-ek"si-ta'shun) – pré-excitação; ativação prematura de uma porção dos ventrículos devido à transmissão de impulsos cardíacos ao longo de uma via acessória não sujeita a retardo fisiológico do nódulo atrioventricular; termo algumas vezes utilizado como sinônimo da síndrome de Wolff-Parkinson-White.

pre·fron·tal (-fron't'l) – pré-frontal; situado na parte anterior do lobo ou região frontal.

pre·gan·gli·on·ic (pre"gang-gle-on'ik) – pré-ganglionar; proximal a um gânglio.

pre·gen·i·tal (pre-jen'ĭ -t'l) – pré-genital; que precede o desenvolvimento dos interesses genitais.

preg·nan·cy (preg'nan-se) – gravidez; gestação; ciese; condição de possuir um embrião ou feto em desenvolvimento no interior do corpo, após a união de um óvulo e um espermatozóide. **abdominal p.** – g. abdominal; gravidez ectópica dentro da cavidade peritoneal. **ampullar p.** – g. ampular; gravidez ectópica na ampola da tuba uterina. **cervical p.** – g. cervical; gravidez ectópica dentro do canal cervical. **combined p.** – g. combinada; gestações intra-extra-uterinas simultâneas. **cornual p.** – g. angular; gravidez em um corno uterino. **ectopic p., extrauterine p.** – g. ectópica; g. extra-uterina; gravidez na qual o óvulo fertilizado implanta-se externamente à cavidade uterina. **false p.** – g. falsa; desenvolvimento de todos os sinais de gravidez sem a presença de um feto. **interstitial p.** – p. intersticial; gravidez na porção do oviduto dentro da parede uterina. **intraligamentary p., intraligamentous p.** – g. intraligamentosa; gravidez ectópica dentro do ligamento largo. **multiple p.** – g. múltipla; presença de mais de um feto no interior do útero no mesmo momento. **mural p.** – g. mural; g. intersticial. **ovarian p.** – g. ovariana; gravidez que ocorre em um ovário. **phantom p.** – g.-fantasma; gravidez falsa devida a fatores psicogênicos. **post-term p.** – g. pós-termo; gravidez que se estendeu além de 42 semanas a partir do início do último período menstrual ou completou 40 semanas desde a concepção. **tubal p.** – g. tubária; gravidez ectópica dentro de uma tuba uterina. **tuboabdominal p.** – g. tuboabdominal; gravidez ectópica que ocorre parcialmente na extremidade franjada do oviduto e parcialmente na cavidade abdominal. **tuboovarian p.** – g. tuboovariana; gravidez na fímbria da tuba uterina.

preg·nane (preg'nān) – pregnano; hidrocarboneto esteróide saturado e cristalino $(C_{21}H_{36})$; o β-pregnano é a forma a partir da qual derivam vários hormônios (incluindo a progesterona); o α-pregnano é a forma excretada na urina.

preg·nane·di·ol (preg"nān-di'ol) – pregnanodiol; um derivado diidroxolíco cristalino e biologicamente inativo do pregnano, formado pela redução da progesterona e encontrado especialmente na urina das mulheres grávidas.

preg·nane·tri·ol (-tri'ol) – pregnanotriol; metabólito da 17-hidroxiprogesterona; sua excreção na urina se eleva significativamente no caso de determinados distúrbios do córtex supra-renal.

preg·ne·no·lone (preg-nēn'ŏ-lōn) – pregnenolona; um intermediário na síntese de hormônios esteróides; preparações sintéticas são utilizadas no tratamento da artrite reumatóide.

pre·hal·lux (pre-hal'uks) – pré-hálux; osso supranumerário do pé que cresce a partir da borda medial do escafóide.

pre·hen·sile (-hen'sil) – preênsil; adaptado para segurar ou apreender.

pre·hen·sion (-hen'shun) – preensão; ato de segurar ou agarrar.

pre·hor·mone (-hor'mōn) – pré-hormônio; pró-hormônio; ver *prohormone*.

pre·hy·oid (-hi'oid) – pré-hióide; à frente do osso hióide.

pre·hy·poph·y·sis (-pre"hi-pof'ĭ-sis) – pré-hipófise; o lobo anterior da glândula hipófise.

pre·ic·tal (pre-ik'til) – pré-ictal; pré-íctico; que ocorre antes de um acesso, crise ou ataque convulsivo.

pre·in·va·sive (pre"in-va'siv) – pré-invasivo; que ainda não invadiu os tecidos exteriores ao local de origem.

pre·leu·ke·mia (-loo-ke'me-ah) – pré-leucemia; síndrome mielodisplásica. **preleuke'mic** – adj. pré-leucêmico.

pre·lim·bic (pre-lim'bik) – pré-límbico; anterior ao limbo.

pre·β-lipoprotein (pre"ba-tah-lip"o-pro'tēn) – pré-β-lipoproteína; lipoproteína de densidade muito baixa.

pre·load (pre'lōd) – pré-carga; estado mecânico do coração no final da diástole, a magnitude do volume ventricular máximo (diastólico final) ou a pressão diastólica final que distende os ventrículos.

pre·ma·lig·nant (pre"mah-lig'nant) – pré-maligno; pré-canceroso.

Prem·a·rin (prem'ah-rin) – Premarin, marca registrada de preparações de estrogênios conjugados.

pre·max·il·la (pre"mak-sil'ah) – pré-maxilar; osso incisivo.

pre·max·il·lary (pre-mak'sĭ -lĕ-re) – pré-maxilar: 1. à frente do maxilar; 2. relativo ao pré-maxilar (osso incisivo).

pre·med·i·ca·tion (pre"med-ĭ -ka'shun) – pré-medicação; medicação preliminar, particularmente a medicação interna, para produzir narcose antes de uma anestesia geral.

pre·me·nar·chal (-mĕ-nar'k'l) – pré-menárquico; que ocorre antes do estabelecimento da menstruação.

pre·men·stru·al (pre-men'stroo-al) – pré-menstrual; que precede a menstruação.

pre·men·stru·um (-men'stru-um) [L.] pl. *premenstrua* – pré-mênstruo; período imediatamente antes da menstruação.

pre·mo·lar (-mo'ler) – pré-molar: 1. ver em *tooth;* 2. em Zoologia, os dentes que se seguem aos molares decíduos, independentemente de seu número; 3. situado à frente dos dentes molares.

pre·mono·cyte (-mon'ah-sĭ t) – pré-monócito; promonócito; ver *promonocyte.*

pre·mor·bid (-mor'bid) – pré-mórbido; que ocorre antes do desenvolvimento de uma doença.

pre·mu·ni·tion (pre"mu-nish'in) – premunição; resistência a infecção pelo mesmo patógeno; ou por patógeno estreitamente relacionado, estabelecida após uma infecção aguda tornar-se crônica e que dura enquanto os microrganismos infectantes se encontrarrem no corpo. **premu' nitive** – adj. premunitivo.

pre·my·elo·blast (pre-mi'ě-lo-blast") – pré-mieloblasto; precursor de um mieloblasto.

pre·my·elo·cyte (-sĭ t") – pré-mielócito; promielócito; ver *promielocyte.*

pre·na·tal (pre-na'tal) – pré-natal; que precede o nascimento.

pre·neo·plas·tic (pre"ne-o-plas'tik) – pré-neoplásico; que precede o desenvolvimento de um tumor.

pre·op·tic (pre-op'tik) – pré-óptico; anterior ao quiasma óptico.

pre·pro·in·su·lin (pre"pro-in'sŭl-in) – pré-proinsulina; precursor da proinsulina, que contém uma seqüência polipeptídica adicional no terminal N.

pre·pro·pro·tein (-pro-pro'tĕn) – pré-proproteína; qualquer precursor de uma proproteína.

pre·pros·thet·ic (-pros-teht'ik) – pré-protético; realizado ou que ocorre antes da inserção de uma prótese.

pre·pu·ber·al (pre-pu'be-ral) – pré-puberal; pré-púbere.

pre·pu·ber·tal (-pu'ber-tal) – pré-púbere; pré-puberal; antes da puberdade; relativo ao período de crescimento acelerado que precede a maturidade gonádica.

pre·pu·bes·cent (pre"pu-bes'ent) – pré-pubescente; pré-púbere.

pre·puce (pre'pūs) – prepúcio; dobra cutânea sobre a glande peniana. **prepu'tial** – adj. prepucial. **p. of clitoris** – p. do clitóris; dobra que recobre o clitóris formada através da união dos lábios menores e o clitóris.

pre·pu·ti·ot·o·my (pre-pu"she-ot'ah-me) – prepuciotomia; incisão do prepúcio para aliviar uma fimose.

pre·pu·ti·um (-pu'she-im) [L.] – prepúcio; ver *prepuce.*

pre·py·lor·ic (pre"pi-lor'ik) – pré-pilórico; imediatamente proximal ao piloro.

pre·re·nal (pre-re'nal) – pré-renal: 1. localizado à frente de um rim; 2. que ocorre antes de se alcançar o rim.

presby- [Gr.] – presbi-, elemento de palavra, *idade avançada.*

pres·by·car·dia (prez"bĭ -kar'de-ah) – presbicardia; debilitação da função cardíaca atribuída ao envelhecimento, com alterações senis no corpo e nenhuma evidência de outras causas de cardiopatia.

pres·by·cu·sis (-ku'sis) – presbiacusia; perda auditiva perceptiva progressiva e bilateralmente simétrica que ocorre com a idade.

pres·by·opia (-o'pe-ah) – presbiopia; diminuição da acomodação do cristalino ocular que ocorre normalmente com o envelhecimento. Abreviação Pr. **presbyop'ic** – adj. presbiópico.

pre·scrip·tion (prĭ -skrip'shun) – prescrição; receita; orientação escrita para a preparação e a administração de um remédio; ver também *inscription, signature, subscription e superscription.*

pre·se·nile (pre-se'nĭ l) – pré-senil; relativo a uma condição que se assemelha à senilidade, mas que ocorre mais cedo ou na meia-idade.

pre·sen·ta·tion (pre"zen-ta'shun) – apresentação; posição; relacionamento do eixo longitudinal do feto com o da mãe. Cf. *position.* **antigen p.** – a. antigênica; a hipótese de que os macrófagos não só ingerem e processam antígenos, refinando-os e formando complexos destes com o sRNA, também os apresentam em forma concentrada em suas superfícies para os linfócitos, induzindo conseqüentemente uma resposta imunológica por parte dos linfócitos. **breech p.** – a. de nádegas; a. pélvica; apresentação das nádegas ou dos pés fetais no parto; os pés podem se posicionar ao lado das nádegas (*a. pélvica completa)*; as pernas podem se estender contra a face (*a. pélvica franca)*; um ou ambos os pés ou joelhos podem se prolapsar no interior da vagina materna (*a. pélvica incompleta).* **brow p.** – a. de testa; apresentação da fronte fetal no parto. **cephalic p.** – a. cefálica; apresentação de qualquer parte da cabeça fetal no parto, seja o vértice, a face ou frente. **compound p.** – a. composta; prolapso de uma extremidade do feto ao lado da cabeça na apresentação cefálica ou de um ou ambos os braços ao lado das nádegas que se apresentam no início do parto. **footling p.** – a. podálica; a. de pés; apresentação do feto com um (podal simples) ou ambos (podal dupla) os pés prolapsados no interior da vagina materna. **funis p.** – a. de funículo; apresentação do cordão umbilical no parto. **placental p.** – a. placentária; placenta prévia. **shoulder p.** – a. de ombro; apresentação do ombro fetal no parto; ver *oblique lie e transverse lie, em lie.* **transverse p.** – a. transversal; ver em **vertex p.** – a. de vértice; apresentação em que o vértice da cabeça fetal constitui a parte apresentada.

pre·si·nu·soi·dal (pre"si-nŭ-soi'dal) – pré-sinusoidal; localizado à frente de um sinusóide ou que afeta a circulação antes dos sinusóides.

pre·so·mite (pre-so'mĭ t) – pré-somito; refere-se aos embriões antes do aparecimento dos somitos.

pre·sphe·noid (-sfe'noid) – pré-esfenóide; a porção anterior do corpo do osso esfenóide.

pres·sor (pres'or) – pressor; que tende a elevar a pressão sangüínea.

pres·so·re·cep·tive (pres"o-re-sep'tiv) – pressorreceptivo; sensível a estímulos decorrentes da atividade vasomotora.

pres·so·re·cep·tor (-re-sep'tor) – pressorreceptor; barorreceptor; ver *baroreceptor.*

pres·so·sen·si·tive (-sen'sit-iv) – pressossensível; pressorreceptivo.

pres·sure (presh'er) – pressão; tensão ou esforço, por meio de compressão, expansão, tração, ou cisalhamento. Símbolo *P.* **blood p.** – p. sangüínea; pressão do sangue nas paredes das artérias, dependente da energia da ação cardíaca, da elasticidade das paredes arteriais e volume e da viscosidade do sangue; a pressão *máxima* ou *sistólica* ocorre próximo do final do débito sistólico do ventrículo esquerdo, e a pressão *mínima* ou *diastólica* posteriormente na diástole ventricular. **central venous p. (CVP)** – p. venosa central; pressão venosa que se mede no átrio direito por meio de cateter introduzido através da veia ulnar mediana na veia cava superior. **cerebrospinal p.** – p. cerebroespinhal; pressão ou tensão do líquido cerebroespinhal, normalmente de 100-150 mm, conforme se mede pelo manômetro. **end-diastolic p.** – p. diastólica final; pressão no interior dos ventrículos no final da diástole, geralmente medida no ventrículo esquerdo como uma aproximação do volume diastólico final ou pré-carga. **intracranial p. (ICP)** – p. intracraniana; pressão do fluido subaracnóide. **intraocular p.** – p. intra-ocular; pressão exercida contra os revestimentos externos pelo conteúdo do globo ocular. **mean arterial p. (MAP)** – p. arterial média; pressão média dentro de uma artéria durante um ciclo completo de batimento cardíaco. **mean circulatory filling p.** – p. de preenchimento circulatório média; medida da pressão média (arterial e venosa) necessária para causar o preenchimento da circulação com sangue; varia com o volume sangüíneo e é diretamente proporcional ao índice de retorno venoso e conseqüentemente ao débito cardíaco. **negative p.** – p. negativa; pressão menor do que a atmosférica. **oncotic p.** – p. oncótica; pressão osmótica devida à presença de colóides em solução. **osmotic p.** – p. osmótica; pressão potencial de uma solução diretamente relacionada à sua concentração osmolar de soluto; corresponde à pressão máxima desenvolvida por osmose em uma solução separada de outra por uma membrana semipermeável, ou seja, a pressão que impedirá a osmose entre ambas as soluções. **partial p.** – p. parcial; pressão exercida por cada um dos constituintes de uma mistura de gases. **positive p.** – p. positiva; pressão maior do que a atmosférica. **positive end-expiratory p. (PEEP)** – p. término-expiratória positiva; um método de ventilação mecânica em que se mantém a pressão para aumentar o volume de gás que permanece nos pulmões no final da expiração, reduzindo conseqüentemente o desvio de sangue através dos pulmões e melhorando a troca

gasosa. **pulmonary artery wedge p. (PAWP), pulmonary capillary wedge p. (PCWP)** – p. em cunha da artéria pulmonar; p. em cunha capilar pulmonar; pressão intravascular conforme medição por meio de um cateter introduzido no interior da artéria pulmonar distal; utilizada para medir indiretamente a pressão atrial esquerda média. **pulse p.** – p. diferencial; diferença entre as pressões sistólica e diastólica. **venous p.** – p. venosa; pressão sangüínea nas veias. **wedged hepatic vein p.** – p. em cunha da veia hepática; pressão venosa medida com um cateter introduzido no interior da veia hepática; utilizada para localizar o local de obstrução no caso de hipertensão portal.

pre·su·bic·u·lum (pre"sub-ik'u-lum) – pré-subículo; um córtex de seis camadas modificado entre o subículo e a parte principal do giro para-hipocampal.

pre·syn·ap·tic (-sĭ-nap'tik) – pré-sináptico; situado ou que ocorre proximal a uma sinapse.

pre·sys·to·le (pre-sis'tah-le) – pré-sístole; intervalo imediatamente anterior à sístole.

pre·sys·to·lic (-pre"sis'tol'ik) – pré-sistólico: 1. relativo ao início de uma sístole; 2. que ocorre imediatamente antes de uma sístole.

pre·tec·tal (pre-tek'til) – pré-tectal; localizado anteriormente ao teto mesencefálico.

prev·a·lence (prev'ah-lins) – prevalência; número total de casos de uma doença específica existente em determinada população em um dado momento.

pre·ven·tive (pre-vent'iv) – preventivo; profilático; ver *prophylactic.*

pre·ves·i·cal (-vesĭ-kal) – pré-vesical; anterior à bexiga.

pre·zy·got·ic (pre"zi-got'ik) – pré-zigótico; que ocorre antes do término da fertilização.

pri·a·pism (pri'ah-pizm) – priapismo; ereção anormal persistente do pênis, acompanhada de dor e sensibilidade.

pril·o·caine (pril'o-kān) – prilocaína; anestésico local, utilizado como sal de cloridrato.

prim·a·quine (prim'ah-kwēn) – primaquina; um composto 8-aminoquinolina utilizado como antimalárico em forma de sal de fosfato.

Pri·ma·tes (pri-ma'tēz) – Primates; a ordem mais desenvolvida dos mamíferos, que inclui o homem, antropóides, macacos e lêmures.

prim·i·done (prim'ĭ-dōn) – primidona; anticonvulsivante utilizado no tratamento de crises epilépticas de grande mal, focais e psicomotoras.

pri·mi·grav·ida (pri"mĭ-gravĭ-dah) – primigrávida; mulher grávida pela primeira vez; grávida I.

pri·mip·a·ra (pri-mip'ah-rah) pl. *primiparae* – primípara; para I; uma mulher que teve uma gravidez que resultou em um ou mais descendentes viáveis. Ver *para.* **primip'arous** – adj. primípara.

prim·i·tive (prim'ĭ-tiv) – primitivo; primeiro no ponto do tempo; que existe em forma simples ou inicial; que mostra pouca evolução.

pri·mor·di·al (pri-mor'de-al) – primordial; primitivo.

pri·mor·di·um (-um) [L.] pl. *primordia* – primórdio; indicação mais precoce de um órgão ou parte durante o desenvolvimento embrionário.

prin·ceps (prin'seps) [L.] – principal.

prin·ci·ple (prin'sip'l) – princípio: 1. um componente químico; 2. substância da qual dependem determinadas propriedades de uma droga; 3. uma lei de conduta.

pri·on (pri'on) – priônio; uma partícula infecciosa lenta que não tem ácidos nucléicos; os priônios causam a doença de Creutzfeldt-Jakob e um distúrbio degenerativo contagioso do sistema nervoso de ovinos e caprinos (*scrapie*).

prism (prizm) – prisma; sólido com uma secção transversal triangular ou poligonal; utilizado para corrigir desvios dos olhos.

pris·mo·sphere (priz'mo-sfēr) – prismosfera; prisma combinado com uma lente esférica.

p.r.n. [L.] – *pro re nata* (de acordo com a necessidade).

Pro – proline (prolina).

pro- [L., Gr.] – elemento de palavra, *antes; em frente de; que favorece.*

pro·ac·cel·er·in (pro"ak-sel'er-in) – proacelerina; fator de coagulação V.

pro·ac·ti·va·tor (pro-akt'ĭ-vāt-er) – proativador; precursor de um ativador; fator que reage a uma enzima para formar um ativador.

pro·ar·rhyth·mia (pro"ah-rith'me-ah) – proarritmia; arritmia cardíaca que é induzida ou agravada por drogas. **proarryth'mic** – adj. proarrítmico

pro·at·las (pro-at'lis) – proatlas; vértebra rudimentar que, em alguns animais, situa-se à frente do atlas; algumas vezes é observada no homem como anomalia.

pro·band (pro'band) – probando; propósito; caso indicador; pessoa afetada avaliada independentemente de seus parentes em um estudo genético.

pro·bang (-bang) – sonda (esofágica ou laríngea); bastão flexível com uma esfera, tufo ou esponja em uma extremidade; utilizada para aplicar medicações ou remover material do esôfago ou laringe.

probe (prōb) – sonda; instrumento delgado e longo para explorar ferimentos ou cavidades ou passagens corporais.

pro·ben·e·cid (pro-ben'ĕ-sid) – probenecida; uma droga ($C_{13}H_{19}NO_4S$) utilizada como agente uricosúrico no tratamento da gota; também utilizada para aumentar a concentração sérica de determinados antibióticos e outras drogas.

pro·cain·amide (pro-kān'ah-mĭ'd) – procainamida; depressivo cardíaco utilizado como sal de cloridrato no tratamento das arritmias.

pro·caine (pro'kān) – procaína; anestésico local ($C_{12}H_{20}N_2O_2$); utiliza-se o sal de cloridrato em solução para anestesias por infiltração, por bloqueio nervoso e espinhal.

pro·car·ba·zine (pro-kahr'bah-zēn) – procarbazina; agente alcilante utilizado como antineoplásico, primariamente no tratamento da doença de Hodgkin.

pro·car·boxy·pep·ti·dase (pro"kahr-bok"se-pep'tĭ-dās) – procarboxipeptidase; precursora inativa da carboxipeptidase, que se converte na enzima ativa pela ação da tripsina.

pro·car·cin·o·gen (-kahr-sin"ah-jen) – procarcinógeno; substância química que se torna carcinogê-

nica somente após ser alterada por processos metabólicos.

Pro·caryo·tae (-kar"e-ōt'e) – Procaryotae; reino que compreende todos os microrganismos procariotas.

pro·ce·dure (pro-se'jer) – método; procedimento; uma série de etapas através das quais se obtém um resultado desejado. Ver também em *operation*. **arterial switch p.** – m. de desvio arterial; método de uma etapa para a correção da transposição das grandes artérias. **endocardial resection p. (ERP)** – p. de ressecção endocárdica; remoção cirúrgica de uma porção do endocárdio ventricular esquerdo e do miocárdio subjacente que contém uma área arritmogênica a partir da base de um aneurisma ou de um infarto para aliviar uma taquicardia ventricular associada a cardiopatia isquêmica. **Fontan p.** – p. de Fontan; correção funcional de atresia da tricúspide através de anastomose ou inserção de uma prótese não-valvulada entre o átrio direito e a artéria pulmonar com fechamento da comunicação interatrial.

pro·ce·lous (pro-se'lis) – procélico; que tem a superfície anterior côncava; diz-se de vértebras.

pro·cen·tri·ole (-sen'tre-ōl) – procentríolo; precursor imediato dos centríolos e corpúsculos basais ciliares.

pro·ce·phal·ic (pro"sĕ-fal'ik) – procefálico; relativo à parte anterior da cabeça.

pro·cer·coid (pro-ser'koid) – procercóide; estágio larval das tênias dos peixes.

pro·cess (pros'es) – processo: 1. proeminência ou projeção, como a de um osso; 2. uma série de operações, eventos ou etapas que levam à obtenção de um resultado específico; também, sujeitar-se a essa série para produzir as alterações desejadas. **acromial p.** – p. acromial; acrômio. **alveolar p.** – p. alveolar; a parte do osso tanto na maxila quanto na mandíbula que circunda e sustenta os dentes. **basilar p.** – p. basilar; uma placa quadrilateral do osso occipital que se projeta superior e anteriormente a partir do forame magno. **caudate p.** – p. caudado; processo direito de dois processos no lobo caudado do fígado. **ciliary p's** – processos ciliares; cristas ou dobras meridionalmente dispostas, que se projetam da coroa do corpo ciliar. **clinoid p.** – p. clinóide; um dos três processos (anterior, medial e posterior) do osso esfenóide. **coracoid p.** – p. coracóide; processo curvo que surge do colo superior da escápula e se projeta sobre a articulação escapular. **coronoid p.** – p. coronóide: 1. a parte anterior da extremidade superior do ramo da mandíbula; 2. projeção na extremidade proximal da ulna. **ensiform p. of sternum** – p. ensiforme do esterno; p. xifóide. **ethmoid p.** – p. etmóide; projeção óssea acima e atrás do processo maxilar da concha nasal inferior. **falciform p.** – p. falciforme: 1. (da fáscia lata) a margem lateral do hiato safeno; 2. (da fáscia pélvica) espessamento da fáscia superior, da espinha isquial até o púbis; 3. ligamento de Henle. **frontonasal p.** – p. frontonasal; processo facial expandido no embrião, que se desenvolve na testa e ponte do nariz. **funicular p.** – p. funicular; porção da túnica vaginal que circunda o cordão espermático. **lacrimal p.** – p. lacrimal; processo da concha nasal inferior que se articula com o osso lacrimal. **malar p.** – p. malar; p. zigomático da maxila. **mamillary p.** – p. mamilar; um tubérculo no processo articular superior de cada vértebra lombar. **mandibular p.** – p. mandibular; processo ventral formado pela bifurcação do primeiro arco branquial (arco mandibular) no embrião, que se une ventralmente a seu companheiro para formar a mandíbula inferior. **mastoid p.** – p. mastóide; projeção cônica na base da porção mastóide do osso temporal. **maxillary p.** – p. maxilar: 1. processo dorsal formado pela bifurcação do primeiro arco branquial (arco mandibular) no embrião, que se une ao processo nasal mediano do mesmo lado na formação do maxilar superior; 2. processo ósseo que desce do processo etmóide da concha nasal inferior. **odontoid p. of axis** – p. odontóide do epistrofeu; projeção semelhante a um dente do epistrofeu, que se articula com o atlas. **pterygoid p.** – p. pterigóide; um dos processos em forma de asa do esfenóide. **spinous p. of vertebrae** – p. espinhoso vertebral; uma parte das vértebras que se projeta para trás a partir dos arcos, conferindo ligação aos músculos das costas. **styloid p.** – p. estilóide; uma projeção pontiaguda longa; especialmente uma espinha longa que se projeta para baixo a partir da superfície inferior do osso temporal. **uncinate p.** – p. uncinado; qualquer processo semelhante a um gancho (como de uma vértebra, osso lacrimal ou pâncreas). **xiphoid p.** – p. xifóide; processo pontiagudo e cartilaginoso, sustentado por um núcleo ósseo, conectado à extremidade inferior do esterno. **zygomatic p.** – p. zigomático; uma projeção a partir do osso frontal, do osso temporal e da maxila através da qual eles se articulam com o osso zigomático.

pro·ces·sus (pro-ses'us) [L.] pl. *processus* – processo; termo utilizado nas denominações oficiais de várias estruturas anatômicas.

pro·chlor·per·a·zine (pro"klor-per'ah-zēn) – proclorperazina; derivado fenotiazínico utilizado como tranqüilizante e antiemético.

pro·chon·dral (pro-kon'dril) – procondral; que ocorre antes da formação de uma cartilagem.

pro·ci·den·tia (pro"sĭ-den'she-ah) – procidência; estado de prolapso, especialmente do útero.

pro·co·ag·u·lant (-ko-ag'ŭl-int) – procoagulante: 1. que tende a promover coagulação; 2. precursor de uma substância natural necessária à coagulação sangüínea.

pro·col·la·gen (-kol'ah-jen) – procolágeno; precursor da molécula de colágeno, sintetizado no fibroblasto, osteoblasto etc. e clivado para formar o colágeno extracelularmente.

pro·con·ver·tin (-kon-vert'in) – proconvertina; fator de coagulação VII.

pro·cre·a·tion (-kre-a'shun) – procriação; ato de procriar ou gerar.

proc·tal·gia (prok-tal'jah) – proctalgia; dor no reto.

proc·ta·tre·sia (prokt"ah-tre'zhah) – proctatresia; ânus não-perfurado.

proc·tec·ta·sia (prokt"ek-ta'zhah) – proctectasia; dilatação do reto ou do ânus.

proc·tec·to·my (prok-tek'tah-me) – proctectomia; retotomia; excisão do reto.

proc·teu·ryn·ter (prokt"ŭr-in'ter) – procteurinter; dispositivo semelhante a um saco utilizado para dilatar o reto.

proc·ti·tis (prok-tī't'is) – proctite; inflamação do reto.

proct(o)- [Gr.] – proct(o)-, elemento de palavra, *reto;* ver também as palavras que começam com *ret(o)-*.

proc·to·cele (prokt'ah-sēl) – proctocele; retocele *(rectocele).*

proc·to·col·po·plas·ty (prok"to-kol'po-plas"-te) – proctocolpoplastia; reparo de uma fístula retovaginal.

proc·to·cys·to·plas·ty (-sis'to-plas"te) – proctocistoplastia; reparo de uma fístula retovesical.

proc·to·cys·tot·o·my (-sis-tot'ah-me) – proctocistotomia; remoção de um cálculo vesical através do reto.

proc·to·de·um (-de'um) – proctódio; depressão ectodérmica da extremidade caudal do embrião, onde posteriormente se forma o ânus.

proc·tol·o·gy (prok-tol'ah-je) – Proctologia; o ramo da Medicina relacionado aos distúrbios do reto e ânus. **proctolog'ic** – adj. proctológico.

proc·to·pa·ral·y·sis (prok"to-pah-ral'ĭ-sis) – proctoparalisia; paralisia dos músculos anal e retal.

proc·to·pexy (prok'to-pek'se) – proctopexia; fixação cirúrgica do reto.

proc·to·plas·ty (-plas"te) – proctoplastia; reparo plástico do reto.

proc·to·ple·gia (prok"to-ple'je-ah) – proctoplegia; proctoparalisia *(proctoparalysis).*

proc·top·to·sis (prok"top-to'sis) – proctoptose; prolapso retal.

proc·tor·rha·phy (prok-tor'ah-fe) – proctorrafia; reparo cirúrgico do reto.

proc·tor·rhea (prok"to-re'ah) – proctorréia; secreção mucosa a partir do ânus.

proc·to·scope (prok'to-skōp) – proctoscópio; um espéculo ou instrumento tubular com iluminação para inspecionar o reto.

proc·to·sig·moi·di·tis (prok"to-sig"moi-di'tis) – proctossigmoidite; inflamação do reto e cólon sigmóide.

proc·to·sig·moi·dos·co·py (-sig"moi-dos'kah-pe) – proctossigmoidoscopia; exame do reto e cólon sigmóide com sigmoidoscópio.

proc·to·ste·no·sis (prok"to-stĭ-no'sis) – proctostenose; estenose retal.

proc·tos·to·my (prok-tos'tah-me) – proctostomia; criação de uma abertura artificial permanente a partir da superfície corporal no interior do reto.

proc·tot·o·my (prok-tot'ah-me) – proctotomia; incisão do reto.

pro·cum·bent (pro-kum'bint) – procumbente; em posição prona; que se deita sobre a face.

pro·cur·sive (-ker'siv) – procursivo; que tende a prosseguir.

pro·cy·cli·dine (-si'klĭ-dēn) – prociclidina; anticolinérgico sintético utilizado como sal de cloridrato no tratamento da doença de Parkinson.

pro·drome (pro'drōm) – pródromo; sintoma premonitório; um sintoma que indica o início de uma doença. **prodro'mal, prodro'mic** – adj. prodrômico.

pro·drug (-drug) – pró-medicamento; um composto que, na administração, deve passar por conver-

PQR

são química por meio de processos metabólicos antes de se tornar um agente farmacológico ativo; precursor de um medicamento.

prod·uct (prod'ukt) – produto; algo produzido.

cleavage p. – p. de clivagem; substância formada pela divisão de uma molécula de composto em uma molécula mais simples. **fibrin degradation p's, fibrinogen degradation p's, fibrin split p's** – produtos de degradação da fibrina; produtos de degradação do fibrinogênio; produtos da divisão da fibrina; fragmentos protéicos produzidos após a digestão do fibrinogênio ou fibrina pela plasmina. **fission p.** – p. de fissão; isótopo (geralmente radioativo) de um elemento no meio da tabela periódica, produzido pela fissão de um elemento pesado sob bombardeio com partículas de alta energia. **spallation p's** – produtos de fragmentação; os isótopos de muitos elementos químicos diferentes produzidos em pequenas quantidades na fissão nuclear. **substitution p.** – p. de substituição; substância formada pela substituição de um átomo ou radical em uma molécula por outro átomo ou radical.

pro·duc·tive (pro-duk'tiv) – produtivo; que produz ou forma; diz-se especialmente de uma inflamação que produz um tecido novo ou de uma tosse que produz catarro ou muco.

pro·en·zyme (pro-en'zī m) – proenzima; precursora inativa que pode ser convertido em enzima ativa.

pro·es·tro·gen (-es'trah-jen) – proestrogênio; uma substância sem atividade estrogênica, mas metabolizada no corpo em estrogênio ativo.

pro·es·trus (-es'tris) – proestro; período de atividade folicular aumentada que precede o estro.

-profen – profena, sufixo que indica um agente antiinflamatório do tipo ibuprofênico (derivados do ácido propiônico).

pro·fes·sion·al (prah-fesh'un-al) – profissional: 1. relativo à profissão ou ocupação de um indivíduo. 2. especialista em um campo ou ocupação específicos **allied health p.** – p. de saúde associado; pessoa com treinamento especial e licenciada quando necessário, que trabalha sob a supervisão de um profissional da saúde responsável pelo cuidado do paciente.

Pro·fes·sion·al Stan·dards Re·view Or·gan·i·za·tion – Organização de Revisão dos Padrões Profissionais; ver *PSRO*.

pro·file (pro'fī l) – perfil: 1. perfil simples como o contorno lateral da cabeça ou face; 2. gráfico, tabela ou outro resumo que represente quantitativamente um grupo de características determinadas por testes.

pro·fla·vine (pro-fla'vin) – proflavina; constituinte da acriflavina, utilizado como anti-séptico tópico em forma de sais de hemissulfato e dicloridrato.

pro·fun·da·plas·ty (-fun'dah-plas''te) – profundaplastia; reconstrução de uma artéria femoral profunda ocluída ou estenosada.

pro·fun·do·plas·ty (-fun'do-plas''te) – profundoplastia; profundaplastia.

pro·fun·dus (-fun'dus) [L.] – profundo.

pro·gas·trin (-gas'trin) – progastrina; precursora inativa da gastrina.

pro·ge·ria (-jēr'e-ah) – progeria; velhice prematura; senilidade prematura; afecção que ocorre na in-

fância caracterizada por pequena estatura, ausência de pêlos faciais ou púbicos, pele enrugada, cabelos brancos e eventual desenvolvimento de aterosclerose.

pro·ges·ta·tion·al (pro''jes-ta'shun-al) – progestacional: 1. refere-se à fase do ciclo menstrual imediatamente antes da menstruação, quando o corpo lúteo torna-se ativo e o endométrio começa a secretar; 2. denota uma classe de preparações farmacêuticas que têm efeitos semelhantes aos da progesterona.

pro·ges·te·rone (pro-jes'ter-ōn) – progesterona; o principal hormônio progestacional liberado pelo corpo lúteo, córtex supra-renal e placenta, cuja função é preparar o útero para a recepção e desenvolvimento do óvulo fertilizado pela indução de transformação do endométrio desde o estágio proliferativo até o estágio secretório; utilizada como progestina no tratamento de sangramento uterino funcional, de anormalidades do ciclo menstrual e de ameaça de abortamento.

pro·ges·tin (-jes'tin) – progestina; originalmente, o hormônio em estado natural do corpo lúteo; foi isolada em forma pura e hoje é conhecida como progesterona *(progestorone)*. Determinados agentes progestacionais sintéticos e naturais são chamados de progestinas.

pro·ges·to·gen (-jes'tah-jen) – progestogênio; qualquer substância que tenha atividade progestacional.

pro·glos·sis (-glos'is) – proglosse; a ponta da língua.

pro·glot·tid (-glot'id) – proglote; proglótide; um dos segmentos que constituem o corpo de uma tênia; ver *strobila*.

pro·glot·tis (-glot'is) pl. *proglottides*. – proglote; proglótide.

prog·na·thism (prog'nah-thizm) – prognatismo; protrusão anormal da mandíbula. **prognath'ic, prog'nathous** – adj. prognático.

prog·no·sis (prog-no'sis) – prognóstico; estimativa do curso provável e do resultado de um distúrbio. **prognost'ic** – adj. prognóstico.

pro·grav·id (pro-grav'id) – progestacional; denota a fase do endométrio em que este se prepara para a gravidez.

pro·hor·mone (-hor'mōn) – pró-hormônio; pré-proteína hormonal; precursor hormonal (geralmente intraglandular) biossintético, como a proinsulina.

pro·in·su·lin (-in'sūl-in) – proinsulina; um precursor da insulina, com baixa atividade biológica.

pro·jec·tion (-jek'shun) – projeção: 1. projeção para a frente, especialmente a referência de impressões feitas nos órgãos sensoriais para a fonte apropriada, de forma a localizar corretamente os objetos que as produzem; 2. conexão entre o córtex cerebral e outras partes do sistema nervoso ou órgãos dos sentidos especiais; 3. ato de estender ou projetar, ou uma parte saliente; 4. mecanismo de defesa inconsciente através do qual uma pessoa atribui a outra idéias, pensamentos, sensações e impulsos que não pode aceitar como suas.

pro·kary·on (-kar'e-on) – procarionte: 1. material nuclear disseminado no citoplasma da célula, em vez de se limitar pela membrana nuclear; encontrado em alguns microrganismos unicelulares, como as bactérias; 2. procariota.

pro·kary·ote (-kar'e-ōt) – procariota; microrganismo unicelular que não tem núcleo e membrana nuclear verdadeiros, apresentando material genético composto de uma só alça de DNA de filamento duplo desprotegido. Os procariotas, com exceção dos micoplasmas, têm uma parede celular rígida. **prokaryot'ic** – adj. procariótico.

pro·la·bi·um (-la'be-im) – prolábio; parte central proeminente do lábio superior.

pro·lac·tin (-lak'tin) – prolactina; hormônio da hipófise anterior que estimula e sustenta a lactação no pós-parto dos mamíferos e mostra atividade luteotrópica em determinados mamíferos.

pro·lac·ti·no·ma (-lak"tĭ -no'mah) – prolactinoma; tumor hipofisário que secreta prolactina.

pro·lapse (pro'laps) – prolapso: 1. queda ou deslocamento descendente de uma parte ou víscera; 2. prolapsar, sofrer um deslocamento descendente. **p. of the cord** – p. do cordão; protrusão do cordão umbilical à frente da parte em apresentação do feto no parto. **p. of the iris** – p. da íris; protrusão da íris através de ferimento na córnea. **Morgagni's p.** – p. de Morgagni; hiperplasia inflamatória crônica da mucosa e submucosa do sáculo laríngeo. **rectal p., p. of rectum** – p. retal; protrusão da membrana mucosa retal através do ânus. **p. of uterus** – p. uterino; deslocamento descendente do útero de forma que a cérvix fique dentro do orifício vaginal (*p. de primeiro grau*), a cérvix se encontre fora do orifício (*p. de segundo grau*) ou o útero inteiro encontre-se fora do orifício (*p. de terceiro grau*).

pro·lap·sus (pro-lap'sis) [L.] – prolapso.

pro·lep·sis (-lep'sis) – prolepse; recorrência de um paroxismo antes do momento esperado. **prolept'ic** – adj. proléptico.

pro·li·dase (pro'lĭ -dās) – prolidase; enzima que catalisa a hidrólise da ligação imida entre um grupo α-carboxila e a prolina ou a hidroxiprolina.

pro·lif·er·a·tion (pro-lif"er-a'shun) – proliferação; reprodução ou a multiplicação de formas semelhantes, especialmente de células. **prolif'erative, prolif'erous** – adj. proliferativo; prolífero.

pro·lig·er·ous (-lij'er-is) – prolígero; que produz descendentes.

pro·lin·ase (pro'lĭ -nās) – prolinase; enzima que catalisa a hidrólise dos dipeptídeos que contêm prolina ou hidroxiprolina como grupos N terminais.

pro·line (pro'lēn) – prolina; aminoácido cíclico que ocorre em proteínas; é o principal constituinte do colágeno.

pro·lym·pho·cyte (pro-lim'fo-sīt) – prolinfócito; uma forma de desenvolvimento na série linfocítica, intermediária entre o linfoblasto e o linfócito.

pro·mas·ti·gote (-mas'tĭ -gōt) – promastigoto; o estágio morfológico no desenvolvimento de determinados protozoários, caracterizado pelo flagelo anterior livre e assemelha-se à forma adulta típica do *Leptomonas*.

pro·ma·zine (pro'mah-zēn) – promazina; derivado fenotiazínico utilizado em forma de sal de cloridra-

to como agente antipsicótico, antiemético e agente potencializador de analgésicos e anestésicos.

pro·mega·karyo·cyte (pro"meg-ah-kar'e-o-sīt") – promegacariócito; precursor na série trombocítica, que corresponde a um intermediário celular entre o megacarioblasto e o megacariócito.

pro·meg·a·lo·blast (pro-meg'ah-lo-blast") – promegaloblasto; a forma mais precoce na seqüência de maturação anormal das hemácias que ocorre nas deficiências de vitamina B_{12} e ácido fólico; corresponde ao pronormoblasto e se desenvolve em megaloblasto.

pro·meth·a·zine (-meth'ah-zēn) – prometazina; derivado fenotiazínico utilizado em forma de sal de cloridrato com anti-histamínico, antiemético e tranqüilizante.

pro·meth·es·trol (-meth'es-trol) – prometestrol; agente estrogênico não-esteróide sintético utilizado como éster de dipropionato.

pro·me·thi·um (-me'teh-um) – promécio; elemento químico (ver *tabela)*, número atômico 61, símbolo Pm.

prom·i·nence (prom'ĭ -nins) – proeminência; protrusão ou projeção.

pro·mono·cyte (pro-mon'ah-sīt) – promonócito; célula da série monocítica intermediária entre o monoblasto e o monócito, com estrutura cromatínica rudimentar e um ou dois nucléolos.

prom·on·to·ry (prom'on-tor"e) – promontório; processo ou proeminência que se projetam.

pro·mo·ter (pro-mo'ter) – promotor: 1. segmento de DNA que geralmente ocorre anteriormente a partir de uma região de codificação genética e age como elemento de controle na expressão desse gene; 2. substância em um catalisador que aumenta sua velocidade de atividade; 3. tipo de carcinógeno epigenético que promove crescimento neoplásico somente após o início por parte de outra substância.

pro·my·elo·cyte (-mi'il-o-sīt") – promielócito; um precursor na série granulocítica, intermediário entre o mieloblasto e o mielócito, que contém alguns (ainda que indiferenciados) grânulos citoplasmáticos.

pro·na·tion (-na'shun) – pronação; ato de assumir uma posição prona ou o estado de estar prono. Aplicado à mão, o ato de virar a palma para trás (posteriormente) ou para baixo, realizado através de rotação medial do antebraço. Aplicado ao pé, uma combinação de movimentos de eversão e abdução que ocorre nas articulações társicas e metatársicas e resulta no abaixamento da margem medial do pé, e portanto, do arco longitudinal.

prone (prōn) – prono; deitado com a face para baixo.

pro·neph·ros (pro-nef'ros) pl. *pronephroi* – pronefro; rim primordial, uma estrutura excretora ou seus rudimentos, que se desenvolvem no embrião antes do mesonefro; seu ducto é posteriormente utilizado pelo mesonefro, que surge caudalmente a ele.

pro·no·grade (pro'nah-grād) – pronógrado; que anda com o corpo aproximadamente horizontal; aplicado aos quadrúpedes.

pro·nor·mo·blast (pro-nor'mo-blast) – pronormoblasto; primeiro precursor da hemácia, que tem um núcleo relativamente grande contendo vários nucléolos, circundados por pequena quantidade de citoplasma; ver também *normoblast*.

pro·nu·cle·us (-noo'kle-us) – pronúcleo; núcleo haplóide de uma célula sexual.

pro·ot·ic (-ot'ik) – proótico; à frente do ouvido.

pro·pa·fen·one (pro"pah-fe'nōn) – propafenona; bloqueador de canal de sódio que age nas fibras de Purkinje e miocárdio; utilizada como sal de cloridreto no tratamento de arritmias que ameaçam à vida.

prop·a·ga·tion (prop"ah-ga'shun) – propagação; reprodução. **prop'agative** – adj. propagador.

pro·pa·no·ic ac·id (pro"pah-no'ik) – ácido propanóico; nome sistemático para o ácido propiônico.

pro·pan·the·line (pro-pan'thĕ-lēn) – propantelina; anticolinérgico utilizado como sal de brometo, especialmente no tratamento da úlcera péptica.

pro·par·a·caine (-par'ah-kān) – proparacaína; anestésico tópico, utilizado como sal de cloridrato.

pro·per·din (pro'per-din) – properdina; proteína sérica (euglobina) normal relativamente termolábil que, em presença do componente de complemento C3 e íons de magnésio, age inespecificamente contra bactérias Gram-negativas e vírus e participa da lise das hemácias. Migra como β-globulina e embora não seja um anticorpo, pode agir em conjunto com um anticorpo fixador de complemento.

pro·phage (-fāj) – profago; estágio latente de um fago em uma bactéria lisogênica, na qual o genoma viral se insere em uma porção específica do cromossoma hospedeiro em cada geração celular.

pro·phase (-fāz) – prófase; o primeiro estágio na reduplicação celular tanto na meiose como na mitose.

pro·phy·lac·tic (pro"fĭ-lak'tik) – profilático: 1. que tende a evitar uma doença; relativo à profilaxia; 2. agente que tende a evitar uma doença.

pro·phy·lax·is (-fĭ-lak'sis) – profilaxia; prevenção de uma doença; tratamento preventivo.

pro·pio·lac·tone (pro"pe-o-lak'tōn) – propiolactona; desinfetante eficiente contra bactérias Gram-negativas, Gram-positivas e acidorresistentes, fungos e vírus.

pro·pi·o·nate (pro'pe-o-nāt) – propionato; qualquer sal do ácido propiônico.

Pro·pi·on·i·bac·te·ri·um (pro"pe-on"e-bak-tēr'-e-um) – *Propionibacterium*; gênero de bactérias Gram-positivas encontradas como saprófitas no homem, animais e produtos lácteos.

pro·pi·on·ic ac·id (pro-pe-on'ik) – ácido propiônico; um ácido graxo saturado de três carbonos produzido como produto de fermentação por várias espécies de bactérias; seus sais são os propionatos de cálcio e sódio.

pro·pi·on·ic·ac·i·de·mia (pro"pe-on"ik-as"ĭ -de'-me-ah) – acidemia propiônica: 1. aminoacidopatia caracterizada por excesso de ácido propiônico e glicina no sangue e urina, cetose, acidose e freqüentemente complicações neurológicas, devidas a deficiência de uma enzima envolvida no catabolismo dos aminoácidos e ácidos graxos; 2. excesso de ácido propiônico no sangue.

pro·pos·i·tus (pro-poz'ĭ -tus) [L.] pl. *propositi* – propósito; probando; com freqüência especificamente o primeiro probando a ser avaliado.

pro·poxy·phene (-pok'sĭ -fēn) – propoxifeno; analgésico estruturalmente relacionado à metadona, utilizado como sais de cloridrato e napsilato.

pro·pran·o·lol (-pran'o-lol) – propranolol; agente bloqueador β-adrenérgico, utilizado em forma de sal de cloridrato no tratamento das arritmias cardíacas e estenose subaórtica hipertrófica, bem como profilaxia da enxaqueca.

pro·pri·e·tary (-pri'ĭ -ter'e) – propriedade; patenteado: 1. denota um remédio protegido contra a livre competição quanto ao nome, composição ou processo de fabricação por meio de patente, marca registrada ou segredo; 2. um remédio protegido desse modo.

pro·prio·cep·tion (pro"pre-o-sep'shun) – propriocepção; percepção mediada por proprioceptores ou tecidos proprioceptivos.

pro·prio·cep·tor (-sep'ter) – proprioceptor; qualquer das terminações nervosas sensoriais que dão informações relativas a movimentos e posição do corpo; ocorrem principalmente em músculos, tendões e cápsulas articulares; pode-se incluir receptores no labirinto. **proprioceptive** – adj. proprioceptivo.

pro·pro·tein (pro-prōt'ēn) – proproteína; proteína clivada para formar uma proteína menor (por exemplo, a proinsulina, precursora da insulina).

prop·tom·e·ter (-tom'it-er) – proptômetro; instrumento para medir o grau de exoftalmia.

prop·to·sis (prop-to'sis) – proptose; deslocamento ou abaulamento para a frente, especialmente do olho.

pro·pul·sion (pro-pul'shun) – propulsão: 1. tendência a cair para a frente na caminhada; 2. festinação.

pro·pyl (pro'pil) – propil; radical univalente $CH_3CH_2CH_2$ – proveniente do propano.

prop·y·lene (pro'pĭ -lēn) – propileno; propeno; hidrocarboneto gasoso ($CH_3 \cdot CH:CH_2$) que tem propriedades anestésicas. **p. glycol** – propileno glicol; líquido viscoso incolor utilizado como umectante e solvente.

pro·pyl·hex·e·drine (pro"pil-hek'sĕ-drēn) – propilexedrina; adrenérgico administrado por meio de inalação como vasoconstritor para descongestionar a mucosa nasal.

pro·pyl·io·done (-i'ah-dōn) – propiliodona; meio radiopaco utilizado na broncografia.

pro·pyl·thio·ura·cil (-thi"o-ūr'ah-sil) – propiltiouracila; inibidor da tireóide utilizado no tratamento do hipertireoidismo.

pro re na·ta (pro ra nah'tah) [L.] *pro re nata*; de acordo com a necessidade. Abreviação p.r.n.

pro·ren·nin (pro-ren'in) – prorrenina; zimógeno (proenzima) das glândulas gástricas que se converte em renina.

pro·ru·bri·cyte (-roo'brĭ -sīt) – prorrubrícito; normoblasto basófilo.

pro·se·cre·tin (-se-krēt'in) – prossecretina; precursora da secretina.

pro·sec·tion (-sek'shun) – prossecção; dissecação cuidadosamente programada para demonstração da estrutura anatômica.

pros·en·ceph·a·lon (pros"es-sef'ah-lon) – prosencéfalo; proencéfalo; cérebro anterior.

pros(o)- [Gr.] – pros(o)-, elemento de palavra, *para a frente; anterior.*

proso·de·mic (pros"o-dem'ik) – prosodêmico; que se transmite diretamente de uma pessoa para outra; diz-se de uma doença.

proso·pag·no·sia (-pag-no'se-ah) – prosopagnosia; incapacidade de reconhecer faces devido a danos no lado interno de ambos os lobos occipitais.

proso·pec·ta·sia (-pek-ta'zhah) – prosopectasia; tamanho excessivo da face.

proso·pla·sia (-pla'zhah) – prosoplasia: 1. diferenciação anormal de um tecido; 2. desenvolvimento em um nível superior de organização ou função.

prosop(o)- [Gr] – prosop(o)-, elemento de palavra, *face.*

pros·o·po·ple·gia (pros"o-po-ple'jah) – prosopoplegia; paralisia facial. **prosopople'gic** – adj. prosopoplégico.

pros·o·pos·chi·sis (-pos'kĭ-sis) – prosoposquise; fissura congênita da face.

pros·ta·cy·clin (pros"tah-si'klin) – prostaciclina; prostaglandina (PGI$_2$) sintetizada por células endoteliais que revestem o sistema cardiovascular; é um vasodilatador potente e inibidor potente de uma agregação de plaquetas.

pros·ta·glan·din (-glan'din) – prostaglandina; qualquer substância de um grupo de hidroxiácidos graxos quimicamente relacionados e de ocorrência natural que estimulam a contratilidade do músculo uterino e outros músculos lisos e têm capacidade de reduzir a pressão sangüínea, regular a secreção ácida do estômago, a temperatura corporal e a agregação de plaquetas, bem como controlar a inflamação e a permeabilidade vascular; as prostaglandinas também afetam a ação de determinados hormônios. Nove tipos primários foram marcados de A a I, sendo o grau de saturação da cadeia lateral designado pelos subscritos 1, 2 e 3. Os tipos de prostaglandinas são abreviados PGE$_2$, PGF$_{2\alpha}$ etc.

pros·ta·noid (pros'tah-noid) – prostanóide; qualquer substância de um grupo de ácidos graxos complexos derivados do ácido araquidônico, incluindo prostaglandinas, ácido prostanóico e tromboxanos.

pros·tate (pros'tāt) – próstata; glândula que circunda o colo da bexiga e uretra no homem; contribui com uma das secreções que constituem o sêmen. **prostat'ic** – adj. prostático.

pros·ta·tec·to·my (pros"tah-tek'tah-me) – prostatectomia; excisão de toda ou parte da próstata.

pros·ta·tism (pros'tah-tizm) – prostatismo; um complexo de sintomas que resultam da compressão ou obstrução da uretra, devido mais comumente a hiperplasia nodular da próstata.

pros·ta·ti·tis (pros"tah-tī t'is) – prostatite; inflamação da próstata. **prostatit'ic** – adj. prostatítico. **allergic p., eosinophilic p.** – p. alérgica; p. eosinofílica; afecção observada em determinadas alergias, caracterizada por infiltração difusa de eosinófilos na próstata, com pequenos focos de necrose fibrinóide. **nonspecific granulomatous p.** – p.

granulomatosa inespecífica; prostatite caracterizada por infiltração tecidual focal ou difusa de grandes macrófagos pálidos peculiares.

pros·ta·to·cys·ti·tis (pros"tah-to-sis-tī t'is) – prostatocistite; inflamação do colo da bexiga (uretra prostática) e da cavidade vesical.

pros·ta·to·cys·tot·o·my (-sis-tot'ah-me) – prostatocistotomia; incisão da bexiga e próstata.

pros·ta·to·li·thot·o·my (-lĭ -thot'ah-me) – prostatolitotomia; incisão da próstata para remoção de cálculos.

pros·ta·to·meg·a·ly (-meg'ah-le) – prostatomegalia; hipertrofia prostática.

pros·ta·tor·rhea (-re'ah) – prostatorréia; secreção catarral a partir da próstata.

pros·ta·tot·o·my (pros"tah-tot'ah-me) – prostatotomia; incisão cirúrgica da próstata.

pros·ta·to·ve·sic·u·lec·to·my (pros"tah-to-vě-sik"ūl-ek'tah-me) – prostatovesiculectomia; excisão da próstata e das vesículas seminais.

pros·ta·to·ve·sic·u·li·tis (-vě-sik"ūl-ī t'is) – prostatovesiculite; inflamação da próstata e vesículas seminais.

pros·the·sis (pros-the'sis) [Gr.] pl. *prostheses* – prótese; substituto artificial para uma parte corporal perdida, como um braço, perna, olho ou dente; utilizada para reações funcionais ou cosméticas ou ambas. **penile p.** – p. peniana; um bastão ou dispositivo inflável semi-rígido implantado no pênis para proporcionar ereção para homens com impotência orgânica.

pros·thi·on (PR) (pros'the-on) – próstion; o ponto no processo alveolar maxilar que se projeta mais anteriormente na linha média.

pros·tho·don·tics (pros"thah-don'tiks) – Prostodontia; o ramo da Odontologia relacionado à elaboração de dispositivos artificiais destinados a restaurar e manter uma função oral substituindo dentes perdidos e algumas vezes outras estruturas orais ou partes da face.

pros·tra·tion (pros-tra'shun) – prostração; exaustão ou falta de energia ou força extremas. **heat p.** – p. por calor; ver em *exhaustion*. **nervous p.** – p. nervosa; neurastenia.

pro·tac·tin·i·um (pro"tak-tin'e-im) – protactínio; elemento químico (ver *Tabela de Elementos*), número atômico 91, símbolo Pa.

pro·ta·mine (prōt'ah-min) – protamina; proteína de uma classe de proteínas básicas que ocorrem no esperma de determinados peixes, com a propriedade de neutralizar a heparina; utiliza-se o sal de sulfato como antídoto para a superdosagem de heparina.

pro·ta·no·pia (pro"tah-no'pe-ah) – protanopia; dicromatismo caracterizado pela retenção de apenas dois matizes (azul e amarelo) das quatro cores primárias normais pelo mecanismo sensorial excluindo o vermelho e o verde e seus derivados. **protanop'ic** – adj. protanópico.

pro·te·ase (pro'te-ās) – protease; qualquer enzima proteolítica; ver *peptidase*.

pro·tec·tant (pro-tek'tant) – protetor.

pro·tec·tive (-tek'tiv) – protetor: 1. que confere defesa ou imunidade; 2. agente que confere defesa ou imunidade.

PQR

pro·tec·tor (-tek'ter) – protetor; substância em um catalisador que prolonga a velocidade de atividade deste.

pro·tein (pro'tēn) – proteína; substância de um grupo de compostos orgânicos complexos que contêm carbono, hidrogênio, oxigênio, nitrogênio e enxofre. As proteínas (principais constituintes do protoplasma de todas as células) têm um alto peso molecular e consistem de α-aminoácidos reunidos por meio de ligações peptídicas. Encontram-se comumente vinte aminoácidos diferentes nas proteínas, tendo cada proteína uma seqüência de aminoácidos exclusiva e geneticamente definida, que determina sua forma e função específicas. As proteínas servem como enzimas, elementos estruturais, hormônios, imunoglobulinas etc., e participam do transporte de oxigênio, da contração muscular, transporte de elétrons e outras atividades. acute phase p's – proteínas de fase aguda; proteínas de não-anticorpos encontradas em quantidades elevadas no soro durante a resposta de fase aguda, incluindo a proteína C-reativa e o fibrinogênio. Bence-Jones p. – p. de Bence-Jones; proteína urinária termossensível de baixo peso molecular encontrada no caso de mieloma múltiplo, que se coagula quando aquecido a 45-55°C e torna a dissolver-se parcial ou completamente em fervura. complete p. – p. completa; proteína que contém aminoácidos essenciais na proporção exigida à dieta humana. compound p., conjugated p. – p. composta; p. conjugada; qualquer das proteínas que se combinam com moléculas ou grupos protéticos não-protéicos que não um sal; por exemplo, nucleoproteínas, glicoproteínas, lipoproteínas e metaloproteínas. C-reactive p. – p. C-reativa; globulina que forma um precipitado com o C-polissacarídeo do pneumococo; a mais predominante das proteínas de fase aguda. fibrillar p. – p. fibrilar; qualquer das proteínas geralmente insolúveis que compreendem as proteínas estruturais principais do corpo (por exemplo, colágenos, elastinas, ceratina, actina e miosina). G p. – p. G; qualquer proteína de uma família de proteínas da porção intracelular da membrana plasmática que se conjuga com complexos receptores ativados e, através de alterações conformacionais e ligação e hidrólise cíclicas do GTP, efetua alterações no bloqueio de canais e assim acopla-se a receptores da superfície celular para respostas intracelulares. glial fibrillary acidic p. (GFAP) – p. ácida fibrilar glial; proteína que forma os filamentos gliais dos astrócitos e utilizada como um marcador imuno-histoquímico dessas células. globular p. – p. globular; qualquer das proteínas hidrossolúveis que produzem somente α-aminoácidos em hidrólise, que incluem a maioria das proteínas do corpo (por exemplo, albuminas e globulinas). guanyl-nucleotide-binding p. – p. de ligação de guanilnucleotídeo; p. G. heat shock p. – p. de choque por calor; qualquer substância de um grupo de proteínas que se sintetizam em resposta à hipertermia, hipoxia ou outras tensões e que se acredita permitam que as células se recuperem dessas tensões. HIV p's – proteínas do HIV;

proteínas específicas do vírus da imunodeficiência humana; a presença de determinadas proteínas específicas do HIV, com determinadas glicoproteínas do HIV constituindo um diagnóstico sorológico de infecção pelo HIV. myeloma p. – p. do mieloma; qualquer das imunoglobulinas ou fragmentos anormais (como as proteínas de Bence-Jones) secretadas pelas células do mieloma. partial p. – p. parcial; proteína que tem uma proporção de aminoácidos essenciais diferente da proteína corporal média. plasma p's – proteínas plasmáticas; todas as proteínas presentes no plasma sangüíneo, incluindo as imunoglobulinas. serum p's – proteínas séricas; proteínas do soro sérico, que incluem imunoglobulinas, albumina, complemento, fatores de coagulação e enzimas. sphingolipid activator p. (SAP) – p. ativadora de esfingolipídeos; proteína de um grupo de proteínas lisossômicas não-enzimáticas que estimulam as ações das hidrolases lisossômicas específicas através da ligação e solubilização de seus substratos esfingolipóides.

pro·tein·a·ceous (pro"tēn-a'shus) – proteináceo; relativo ou da natureza protéica.

pro·tein·ase (pro'tēn-ās") – proteinase; endopeptidase; ver endopeptidase.

pro·tein·emia (pro"tēn-e'me-ah) – proteinemia; excesso de proteína no sangue.

pro·tein ki·nase (pro'tēn ki'nās) – proteinocinase; enzima que cataliza a fosforilação dos grupos serina, treonina ou tirosina nas enzimas ou outras proteínas, utilizando o ATP como doador de fosfato.

pro·tein·o·sis (pro"tēn-o'sis) – proteinose; acúmulo de um excesso de proteínas nos tecidos. lipid p. – p. lipídica; defeito hereditário do metabolismo lipídico marcado por depósitos amarelados de uma mistura hialina de lipídeos e carboidratos na superfície interna dos lábios, sob a língua, sobre a orofaringe a laringe e por lesões cutâneas. pulmonary alveolar p. – p. alveolar pulmonar; pneumopatia crônica em que os alvéolos distais preenchem-se com um material proteináceo leve, eosinófilo e provavelmente endógeno que impede a ventilação de áreas afetadas.

pro·tein·uria (-ūr'e-ah) – proteinúria; excesso de proteínas séricas na urina. proteinu'ric – adj. proteinúrico.

pro·teo·gly·can (pro"te-o-gli'kan) – proteoglicano; qualquer substância de um grupo de conjugados polissacarídeo-proteína presentes no tecido conjuntivo e cartilagem, que consiste de uma espinha dorsal polipeptídica à qual se ligam covalentemente muitas cadeias glicosaminoglicânicas; os proteoglicanos formam a substância básica na matriz extracelular do tecido conjuntivo e também possuem funções lubrificantes e de sustentação.

pro·te·ol·y·sis (pro"te-ol'ĭ-sis) – proteólise; divisão de proteínas por meio de hidrólise das ligações peptídicas com formação de polipeptídeos menores. proteolyt'ic – adj. proteolítico.

pro·teo·me·tab·o·lism (pro"te-o-mě-tab'ah-lizm) – proteometabolismo; metabolismo das proteínas.

pro·teo·pep·tic (-pep'tik) – proteopéptico; que digere proteínas.

Proteus (prŏt'e-is) – *Proteus*; gênero de bactérias móveis e Gram-negativas geralmente encontradas na matéria fecal e em outros materiais em putrefação, que inclui a *P. morganii* (encontrada nos intestinos e associada à diarréia de verão dos bebês) e *P. vulgaris* (freqüentemente encontrada como invasora secundária em vários processos patológicos supurativos localizados; é a causa de cistite).

pro·throm·bin (pro-throm'bin) – protrombina; fator de coagulação II.

pro·throm·bin·ase (-throm'bin-ās) – protrombinase; tromboplastina; ver *thromboplastin.*

pro·throm·bi·no·gen·ic (-throm"bĭ-no-jen'ik) – protrombinogênico; que promove a produção de protrombina.

pro·ti·re·lin (-ti'rah-li) – protirelina; hormônio liberador de tireotrofina.

pro·tist (prŏt'ist) – protista; membro dos Protista.

Pro·tis·ta (pro-tis'tah) – Protista; reino que compreende bactérias, algas, bolores do limo, fungos e protozoários; o reino inclui todos os microrganismos de célula única.

pro·ti·um (pro'te-um) – prótio; ver *hydrogen.*

prot(o)- [Gr.] – prot(o)-: 1. elemento de palavra, *primeiro;* 2. em Química, prefixo que denota o membro de uma série de compostos com a menor proporção do elemento ou radical onde se afixa.

pro·to·blast (pro'to-blast) – protoblasto; blastômero a partir do qual se desenvolve um órgão ou parte específica. **protoblas'tic** – adj. protoblástico.

pro·to·col (-kol) – protocolo: 1. plano detalhado e explícito de experimento, procedimento ou teste; 2. notas originais feitas em necropsia, experimento ou caso de doença.

pro·to·di·a·stol·ic (prŏt"o-di"ah-stol'ik) – protodiastólico; relativo ao início de uma diástole, ou seja, imediatamente após a segunda bulha cardíaca.

pro·to·du·o·de·num (-du"o-de'num) – protoduodeno; primeira porção ou porção proximal do duodeno, que se estende do piloro até a papila duodenal.

pro·to·gas·ter (-gas'ter) – protogáster; arquentério; ver *archenteron.*

pro·ton (pro'ton) – próton; partícula elementar que se encontra no núcleo de um átomo de hidrogênio comum de massa; 1. a unidade de eletricidade positiva, que equivale ao elétron em carga e aproximadamente ao íon de hidrogênio em massa. Símbolo p.

pro·to·on·co·gene (pro"to-ong'ko-jēn) – protoncogene; gene normal com ligeira alteração por meio de mutação ou outro mecanismo que se torna um oncogene; acredita-se que a maioria funcione normalmente no crescimento e diferenciação celulares.

pro·to·plasm (pro"to-plazm) – protoplasma; material colóide translúcido e viscoso, o constituinte essencial da célula viva, que inclui citoplasma e nucleoplasma. **protoplas'mic** – adj. protoplasmático.

pro·to·plast (-plast) – protoplasto; célula bacteriana ou vegetal privada de sua parede rígida, mas com membrana plasmática intacta; a célula torna-se dependente de um meio isotônico ou hipertônico para sua integridade.

pro·to·por·phyr·ia (pro"to-por-fēr'e-ah) – protoporfiria; porfiria marcada por excesso de protoporfirina nas hemácias, plasma e fezes e por prurido intenso, eritema e edema em curta exposição à luz solar; as lesões cutâneas geralmente desaparecem sem formar cicatriz ou pigmentação, mas torna-se característica a aparência crônica de curtido pelo tempo. Também chamada de *p. eritropoiética.*

pro·to·por·phy·rin (-por'fĭ-rin) – protoporfirina; qualquer de vários isômeros porfirínicos, sendo um deles intermediário na biossíntese da heme; a protoporfirina é acumulada e excretada excessivamente nas fezes no caso de protoporfiria e porfiria variegada.

pro·to·por·phy·rin·o·gen (-por"fĭ-rin'ŏ-jen) – protoporfirinogênio; um dos quinze isômeros de um derivado porfirinogênico, sendo um deles intermediário produzido a partir do co-proporfirinogênio na síntese da heme.

pro·to·por·phy·rin·uria (-por"fĭ-rin-ūr'e-ah) – protoporfirinúria; protoporfirina na urina.

Prototheca (-the'kah) – *Prototheca*; gênero de microrganismos semelhantes a leveduras comumente encontrados, em geral considerados como algas; a *P. wickerhamii* e *P. zopfii* são patogênicas.

pro·to·the·co·sis (-the-ko'sis) – prototecose; infecção causada por microrganismos do gênero *Prototheca*, que variam de lesões cutâneas à invasão sistêmica, ocorrendo como infecção oportunista ou resultado de implante traumático de microrganismos no interior dos tecidos.

pro·to·troph (pro'to-trŏf) – protótrofo; microrganismo com as mesmas exigências de fator de crescimento que a classe ancestral; diz-se de mutantes microbianos. **prototroph'ic** – adj. prototrófico.

pro·to·ver·te·bra (pro"to-vert'ah-brah) – protovértebra: 1. somito; 2. a metade caudal de um somito que forma a maior parte de uma vértebra.

Protozoa (-zo'ah) – Protozoa; sub-reino que compreende os microrganismos mais simples do reino animal, consistindo de microrganismos unicelulares que variam do tamanho submicroscópico ao macroscópico. O sub-reino compreende de Sarcomastigophora, Labyrinthomorpha, Apicomplexa, Microspora, Acetospora, Myxozoa e Ciliophora.

pro·to·zo·a·cide (-zo'ah-sī d) – protozoicida; que destrói protozoários; um agente que destrói protozoários.

pro·to·zo·ia·sis (-zo-i'ah-sis) – protozoíase; qualquer doença causada por protozoários.

pro·to·zo·an (pro"tah-zo'an) – protozoário; qualquer membro dos Protozoa.

pro·to·zo·ol·o·gy (-zo-ol'ah-je) – protozoologia; estudo dos protozoários.

pro·to·zo·o·phage (-zo'ah-fāj) – protozoófago; célula que tem ação fagocítica em protozoários.

pro·trac·tion (pro-trak'shun) – protração; projeção para a frente de uma estrutura facial; no caso de *p. mandibular,* o gnátio fica anterior ao plano orbitário; em caso de *p. maxilar,* o subnásio encontra-se anterior ao plano orbitário.

pro·trac·tor (-trak'ter) – protrator; instrumento para extrair corpos estranhos de ferimentos.

PQR

pro·trans·glu·tam·i·nase (-tranz"glu-tam'ĭ-nās) – protransglutaminase; precursora inativa da transglutaminase; constitui a forma inativa do fator de coagulação XIII.

pro·trip·ty·line (-trip'tĭ-lēn) – protriptilina; antidepressivo tricíclico, também utilizado no tratamento do déficit de atenção/distúrbio de hiperatividade e cataplexia associada a narcolepsia; utilizado como sal de cloridrato.

pro·tru·sion (-troo'zhun) – protrusão; extensão para adiante dos limites normais ou acima de uma superfície plana.

pro·tu·ber·ance (-too'ber-ins) – protuberância; parte ou proeminência em projeção.

pro·tu·ber·an·tia (-too"ber-an'shah) [L.] – protuberância; ver *protuberance*.

pro·uro·ki·nase (pro"ur-o-ki'nās) – prouroquinase; proenzima de cadeia única clivada pela plasmina para formar um ativador de u-plasminogênio (uroquinase); é lentamente ativada na presença de coágulos sangüíneos e é utilizada para trombólise terapêutica.

pro·ver·te·bra (pro-vert'ĭ-brah) – provértebra; protovértebra; ver *protovertebra*.

pro·vi·rus (pro-vi'rus) – provírus; genoma de um vírus animal integrado (por meio de cruzamento) no interior do cromossoma da célula hospedeira, e conseqüentemente replicada em todas as suas células-filhas. Pode ser ativado para produzir um vírus completo; também pode causar transformação da célula hospedeira.

pro·vi·ta·min (-vi'tah-min) – provitamina; precursor de uma vitamina. **p. A** – p. A; geralmente o β-caroteno; algumas vezes também inclui um dos carotenóides da provitamina A. **p. D₂** – p. D_2; ergosterol. **p. D₃** – p. D_3; 7-diidrocolesterol.

prox·i·mad (prok'sĭ-mad) – proximal; em direção proximal.

prox·i·mal (-mil) – proximal; o mais próximo de um ponto de referência, como centro ou linha mediana ou o ponto de ligação ou origem.

prox·i·ma·lis (prok"sĭ-ma'lis) [L.] – proximal.

prox·i·mo·buc·cal (prok"sĭ-mo'buk"l) – proximobucal; relativo às superfícies proximal e bucal de um dente posterior.

pro·zone (pro'zōn) – prozona; prezona; fenômeno apresentado por alguns soros, em que ocorrem aglutinação ou precipitação em variações de diluição mais altas, mas não são visíveis em diluições mais baixas ou quando não-diluídas.

pru·ri·go (proo-ri'go) [L.] – prurigo; uma de várias erupções cutâneas pruriginosas nas quais a lesão característica tem a forma de cúpula com pequena vesícula transitória em cima, acompanhada de incrustação ou liquenificação. **prurig' inous** – adj. pruriginoso. **p. mi'tis** – p. leve; tipo de prurigo que começa na infância, é intensamente pruriginoso e progressivo. **nodular p.** – p. nodular; uma forma de neurodermatite que ocorre geralmente nas extremidades de mulheres de meia-idade, marcada por nódulos discretos, firmes, de superfície áspera, cinza-amarronzados escuros e intensamente pruriginoso **p. sim'plex** – p. simples; urticária papular.

pru·rit·o·gen·ic (prōōr"it-o-jen'ik) – pruritogênico; que causa prurido ou coceira.

pru·ri·tus (prōōr-it'is) – prurido; coceira. **prurit'ic** – adj. pruriginoso. **p. a'ni** – p. anal; prurido crônico intenso na região anal. **p. hiema'lis** – p. hiemal; prurido de inverno. **senile p., seni'lis p.** – p. senil; prurido nos idosos, possivelmente devido a ressecamento da pele. **uremic p.** – p. urêmico; prurido generalizada associado a insuficiência renal crônica e não-atribuível a outra cutaneopatia ou doença interna. **p. vulvae** – p. vulvar; prurido intenso nos genitais externos femininos.

prus·sic ac·id (prus'ik) – ácido prússico; cianeto de hidrogênio.

PSA – prostate-specific antigen (antígeno específico para a próstata).

psal·te·ri·um (sal-te're-um) – psaltério: 1. omaso; 2. comissura do fórnice.

psam·mo·ma (sam-o'mah) – psamoma: 1. qualquer tumor que contenha corpos psamômicos; 2. meningioma psamomatoso.

Pseu·dal·les·che·ria (sōōd"al-es-kēr'e-ah) – *Pseudallescheria*; gênero de fungos ascomicetos da família Microascaceae; a *P. boydii* é freqüentemente isolada a partir do micetoma e outras infecções fúngicas.

pseu·dal·les·che·ri·a·sis (sōōd"al-es-kĕ-ri'ah-sis) – pseudalesqueríase; infecção por *Pseudallescheria boydii*, geralmente manifestada como micetoma e infecção pulmonar.

pseud(o)- [Gr.] – pseud(o)-, elemento de palavra, *falso.*

pseud·ar·thro·sis (soo"dahr-thro'sis) – pseudartrose; afecção patológica na qual uma falha da formação de um calo após fratura patológica através de uma área de desossificação em um osso longo que sustenta peso resulta na formação de uma articulação falsa.

pseud·es·the·sia (soo"des-the'zhah) – pseudoestesia: 1. sinestesia; 2. sensação experimentada na ausência de qualquer estímulo externo.

pseu·do·ac·an·tho·sis (soo"do-ak"an-tho'sis) – pseudo-acantose; afecção clinicamente semelhante a acantose. **p. ni'gricans** – p. *nigricans;* forma benigna da acantose nigricans associada à obesidade; a obesidade algumas vezes se associa a distúrbio endócrino.

pseu·do·agraph·ia (-ah-graf'e-ah) – pseudo-agrafia; ecografia; ver *echographia.*

pseu·do·al·leles (-ah-lēlz') – pseudo-alelos; genes que são aparentemente alélicos, mas podem demonstrar possuir *loci* distintos e estreitamente ligados. **pseudoallel'ic** – adj. pseudoalélico.

pseu·do·ane·mia (-ah-nēm'e-ah) – pseudo-anemia; palidez acentuada sem qualquer evidência de anemia.

pseu·do·an·eu·rysm (-an'ūr-izm) – pseudo-aneurisma; dilatação e tortuosidade de um vaso, conferindo-lhe a aparência de um aneurisma.

pseu·do·an·gi·na (-an-ji'nah) – pseudo-angina; distúrbio nervoso que se assemelha à angina.

pseu·do·ap·o·plexy (-ap'ah-plek"se) – pseudoapoplexia; afecção que se assemelha à apoplexia, mas sem hemorragia.

pseu·do·cast (-soo'do-kast) – pseudocilindro; formação acidental de um sedimento urinário semelhante ao cilindro verdadeiro.

pseu·do·cele (-sēl) – pseudocele; quinto ventrículo.

pseu·do·cho·les·te·a·to·ma (soo"do-ko-les"te-ah-to'mah) – pseudocolesteatoma; massa córnea de células epiteliais que se assemelham ao colesteatoma na cavidade timpânica no caso de inflamação crônica do ouvido médio.

pseu·do·cho·lin·es·ter·ase (PCE) (-ko"lin-es'-ter-ās) – pseudocolinesterase; colinesterase; ver *cholinesterase*.

pseu·do·cho·rea (-kor-eah) – pseudocoréia; estado de incoordenação geral semelhante à coréia.

pseu·do·chro·mid·ro·sis (-kro"mid-ro'sis) – pseudocromidrose; descoloração do suor por meio de contaminantes de superfície.

pseu·do·clau·di·ca·tion (-klaw"dĭ-ka'shun) – pseudoclaudicação; claudicação intermitente devida a compressão da cauda eqüina.

pseu·do·co·arc·ta·tion (-ko"ark-ta'shun) – pseudocoartação; afecção semelhante radiograficamente à coartação, mas sem comprometimento do lúmen, como ocorre no caso de anomalia congênita do arco aórtico.

pseu·do·col·loid (-kol'oid) – pseudocolóide; substância mucóide algumas vezes encontrada nos cistos ovarianos.

pseu·do·cox·al·gia (-kok-sal'je-ah) – pseudocoxalgia; osteocondrose da epífise capitular do fêmur.

pseu·do·cri·sis (-kri'sis) – pseudocrise; queda súbita, porém temporária, dos sintomas febris.

pseu·do·croup (soo'do-krōōp) – pseudocrupe: 1. laringismo estriduloso; 2. asma tímica.

pseu·do·cy·e·sis (soo"do-si-e'sis) – pseudociese; gravidez falsa.

pseu·do·cy·lin·droid (-sĭ-lin'droid) – pseudocilindróide; fragmento de mucina na urina semelhante a um cilindróide.

pseu·do·cyst (soo'dah-sist) – pseudocisto: 1. espaço anormal ou dilatado semelhante a um cisto, mas não é revestido com epitélio; 2. complicação de pancreatite aguda, caracterizada por coleção cística de fluido e restos necróticos cujas paredes são formadas pelo pâncreas e órgãos circundantes; 3. grupo de pequenas formas em forma de vírgula da *Toxoplasma gondii* encontradas particularmente nos tecidos muscular e cerebral na toxoplasmose.

pseu·do·de·men·tia (-de-men'shah) – pseudodemência; estado de apatia geral semelhante à demência, mas sem defeito de inteligência.

pseu·do·diph·the·ria (-dif-the're-ah) – pseudodifteria; presença de uma membrana falsa não devida à *Corynebacterium diphtheriae*.

pseu·do·dom·i·nant (-dom'ĭ-nint) – pseudodominante; que aparenta ser dominante; diz-se de uma característica genética recessiva que aparece nos descendentes de um genitor homozigótico e outro heterozigótico.

pseu·do·em·phy·se·ma (-em"fĭ-ze'mah) – pseudoenfisema; afecção que parece o enfisema, mas resulta de obstrução temporária dos brônquios.

pseu·do·ephed·rine (-ĕ-fed'rin) – pseudo-efedrina; um dos isômeros ópticos da efedrina; o sal de cloridrato utilizado como descongestionante nasal e broncodilatador.

pseu·do·epi·lep·sy (-ep'ĭ-lep-se) – pseudo-epilepsia; pseudoconvulsão; ver *pseudoseizure*.

pseu·do·ex·stro·phy (-ek'strah-fe) – pseudo-extrofia; anomalia de desenvolvimento marcada por defeitos musculoesqueléticos característicos da extrofia da bexiga, mas sem nenhum defeito maior do trato urinário.

pseu·do·fol·lic·u·li·tis (-fŏ-lik"u-li'tis) – pseudofoliculite; distúrbio crônico que ocorre principalmente em homens negros, mais freqüentemente na região submandibular do pescoço, cujas lesões características são pápulas eritematosas que contêm pêlos encravados.

pseu·do·frac·ture (-frak'cher) – pseudofratura; afecção observada na radiografia de um osso como espessamento do periósteo e formação de um osso novo sobre o que parece uma fratura incompleta.

pseu·do·gli·o·ma (-gli-o'mah) – pseudoglioma; qualquer afecção que mimetize um retinoblastoma (por exemplo, fibroplasia retrocristalina ou retinopatia exsudativa).

pseu·do·glot·tis (-glot'is) – pseudoglote: 1. abertura entre as cordas vocais falsas; 2. neoglote.

pseudoglot'tic – adj. pseudoglótico.

pseu·do·gout (soo'do-gout) – pseudogota; ver *calcium pyrophosphate deposition disease,* em *disease.*

pseu·do·he·ma·tu·ria (soo"do-hēm"ah-tu're-a) – pseudo-hematúria; presença na urina de pigmentos que conferem a esta uma cor rosa ou vermelha, mas sem nenhuma hemoglobina ou células sangüíneas detectáveis.

pseu·do·he·mo·phil·ia (-hēm"o-fil'e-ah) – pseudo-hemofilia; doença de von Willebrand.

pseu·do·her·maph·ro·dit·ism (-her-maf'rah-dīt-izm") – pseudo-hermafroditismo; um estado no qual as gônadas são de um sexo, mas existem uma ou mais contradições nos critérios morfológicos do sexo.

pseu·do·her·nia (-her'ne-ah) – pseudo-hérnia; um saco ou glândula inflamados que simulam uma hérnia estrangulada.

pseu·do·hy·per·ten·sion (-hi"per-ten'shun) – pseudo-hipertensão; leitura por meio de esfigmomanometria da pressão sangüínea falsamente elevada, causada por perda de complacência de paredes arteriais.

pseu·do·hy·per·tro·phy (-hi-per'trah-fe) – pseudo-hipertrofia; aumento no tamanho sem hipertrofia verdadeira. **pseudohypertroph'ic** – adj. pseudo-hipertrófico.

pseu·do·hy·po·al·dos·ter·on·ism (-hi"po-al-dos'ter-ōn-izm) – pseudo-hipoaldosteronismo; distúrbio hereditário da infância, caracterizado por perda severa de sal através dos rins; acredita-se que se deva à não-responsividade do túbulo renal distal à aldosterona.

pseu·do·hy·po·para·thy·roi·dism (-hi"po-par"-ah-thi'roi-dizm) – pseudo-hipoparatireoidismo; afecção hereditária que parece o hipoparatireoidismo, mas é causada por falha de resposta ao paratormônio, marcada por hipocalcemia e hiperfosfatemia.

pseu·do·iso·chro·mat·ic (-i"sro-kom-at'ik) – pseudoisocromático; aparenta ser completamente da mesma cor; termo aplicado a uma solução para testar cegueira a cores, que contém dois pigmentos que podem ser distinguidos pelo olho normal.

pseu·do·jaun·dice (-jawn'dis) – pseudo-icterícia; descoloração cutânea devida a alterações sangüíneas e não a hepatopatia.

pseu·do·ma·nia (-ma'ne-ah) – pseudomania: 1. distúrbio mental fictício ou pretenso; 2. mentira patológica.

pseu·do·mel·a·no·sis (-mel"ah-no'sis) – pseudomelanose; descoloração de um tecido após a morte pelos pigmentos sangüíneos.

Pseu·do·mo·nas (-mo'nas) – *Pseudomonas*; gênero de bactérias Gram-negativas aeróbicas, do qual algumas espécies são patogênicas para vegetais e vertebrados. *P. aeruginosa* produz pigmento azul-esverdeado, piocianina, que confere cor ao "pus azul" e causa várias doenças humanas; *P. mallei* causa o mormo; *P. pseudomallei* causa a melioidose; *P. acidovorans, P. alcaligenes, P. cepacia, P. fluorescens, P. maltophilia, P. pickettii, P. pseudoalcaligenes, P. putida, P. putrefaciens, P. stutzeri* e *P. vesicularis* são patógenos oportunistas.

pseu·do·mu·cin (-mu'sin) – pseudomucina; substância semelhante à mucina encontrada nos cistos ovarianos. **pseudomu'cinous** – adj. pseudomucinoso.

pseu·do·myx·o·ma (-mik-so'mah) – pseudomixoma; massa de muco epitelial se assemelha ao mixoma. **p. peritone'i** – p. do peritônio; a presença, na cavidade peritoneal, de material mucóide proveniente de rotura de cisto ovariano ou de mucocele do apêndice.

pseu·do·neu·ri·tis (-noor-ī't'is) – pseudoneurite; afecção hiperêmica congênita da papila óptica.

pseu·do·pap·il·le·de·ma (-pap"ĭ-lĕ-de'mah) – pseudopapiledema; elevação anômala do disco óptico.

pseu·do·pa·ral·y·sis (-pah-ral'ĭ-sis) – pseudoparalisia; perda aparente de força muscular sem paralisia real. **Parrot's p., syphilitic p.** – p. de Parrot; p. sifilítica; pseudoparalisia de uma ou mais extremidades em bebês, devida a osteocondrite sifilítica de uma epífise.

pseu·do·para·ple·gia (-par"ah-ple'je-ah) – pseudoparaplegia; paralisia espúria dos membros inferiores, como na histeria ou simulação.

pseu·do·pa·re·sis (-pah-re'sis) – pseudoparesia; afecção histérica ou não-orgânica que simula paresia.

pseu·do·pe·lade (-pe'lād) – pseudopelada; alopecia irregular que simula aproximadamente a alopecia em áreas; pode-se dever a várias doenças dos folículos pilosos, com associando-se algumas delas à formação de cicatriz.

pseu·do·ple·gia (-ple'jah) – pseudoplegia; paralisia histérica.

pseu·do·po·di·um (-po'de-um) pl. *pseudopodia* – pseudópode; protrusão temporária do citoplasma de uma ameba, que serve para a locomoção ou deglutição de alimento.

pseu·do·poly·me·lia (-pol"e-me'le-ah) – pseudopolimelia; sensação ilusória que pode se referir à maioria das porções extremas do corpo, incluindo mãos, pés, nariz, mamilos e glande peniana.

pseu·do·pol·yp (-pol'ip) – pseudopólipo; apêndice hipertrofiado da membrana mucosa que parece um pólipo.

pseu·do·pol·y·po·sis (-pol"ĭ-po'sis) – pseudopolipose; vários pseudopólipos no cólon e reto, devidos a inflamação de longa duração.

pseu·do·pseu·do·hy·po·para·thy·roid·ism (-soo"do-hi"po-par"ah-thi'roi-dizm) – pseudopseudo-hipoparatireoidismo; forma incompleta de pseudo-hipoparatireoidismo caracterizada pelas mesmas características constitucionais, mas por níveis normais de cálcio e fósforo no soro sangüíneo.

pseud·op·sia (soo-dop'se-ah) – pseudopsia; visão alterada ou falsa.

pseu·do·psy·cho·sis (su"do-si-ko'sis) – pseudopsicose; síndrome de Ganser.

pseu·do·pter·yg·i·um (-ter-ij'e-im) – pseudopterígio; aderência da conjuntiva à córnea após queimadura ou outra lesão.

pseu·do·pto·sis (-to'sis) – pseudoptose; redução no tamanho da abertura palpebral.

pseu·do·pu·ber·ty (-pu'ber-te) – pseudopuberdade; desenvolvimento de características sexuais secundárias e órgãos reprodutivos não associado aos níveis púberes de gonadotropinas e hormônio liberador de gonadotropina; pode ser tanto heterossexual como isossexual. **precocious p.** – p. precoce; aparecimento de algumas das características sexuais secundárias sem maturação das gônadas antes da idade normal do início da puberdade.

pseu·do·ra·bies (-ra'bēz) – pseudo-raiva; doença altamente contagiosa do sistema nervoso central dos cães, gatos, ratos, bovinos e suínos, devida a um herpesvírus e marcada por início súbito, paralisia tardia, convulsões e morte em três dias; nos suínos, geralmente apresenta um curso mais suave.

pseu·do·re·ac·tion (-re-ak'shun) – pseudo-reação; reação falsa ou enganosa; reação cutânea em testes intradérmicos que não se deve a uma substância de teste específica, mas a uma proteína no meio empregado para produzir a toxina.

pseu·do·rick·ets (-rik'its) – pseudo-raquitismo; osteodistrofia renal.

pseu·do·scar·la·ti·na (-skar"lah-te'nah) – pseudoescarlatina; afecção séptica com febre e erupção que parece a escarlatina ou febre escarlate.

pseu·do·scle·ro·sis (-sklĕ-ro'sis) – pseudo-esclerose; afecção com os sintomas, mas sem as lesões da esclerose múltipla. **Strümpell-Westphal p., Westphal-Strümpell p.** – p. de Strümpell-Westphal; p. de Westphal-Strümpell; doença de Wilson.

pseu·do·sei·zure (-se'zhur) – pseudoconvulsão; ataque que se assemelha a uma crise epiléptica, mas tem causas puramente psicológicas, sem alterações eletroencefalográficas da epilepsia, e algumas vezes pode ser detida por um ato voluntário.

pseu·do·sto·ma (-sto'mah) – pseudostoma; comunicação aparente entre células epiteliais coradas com prata.

pseu·do·ta·bes (-ta'bēz) – pseudotabes; qualquer neuropatia com sintomas semelhantes ao da tabes dorsal.

pseu·do·tet·a·nus (-tet'ah-nus) – pseudotétano; contrações musculares persistentes que parecem o tétano, mas não se associam à *Clostridium tetani*.

pseu·do·trun·cus ar·te·ri·o·sus (-trunk'us ar-tēr"e-o'sis) – pseudotronco arterial; a forma mais severa da tetralogia de Fallot.

pseu·do·tu·ber·cu·lo·sis (-too-ber"ku-lo'sis) – pseudotuberculose; uma de várias doenças animais causadas por patógenos que não o bacilo da tuberculose e caracterizadas por tumefações caseosas semelhante a nódulos tuberculares.

pseu·do·tu·mor (-too͞m'er) – pseudotumor; tumor fantasma. **p. ce'rebri** – p. cerebral; edema cerebral e pressão intracraniana elevada sem sinais neurológicos, exceto paralisia ocasional do sexto nervo.

pseu·do·uri·dine (-ūr'ĭ-dēn) – pseudouridina; nucleotídeo derivado da uridina através de isomerização e que ocorre no RNA de transferência. Símbolo ψ.

pseu·do·ver·ti·go (-ver'tĭ-go) – pseudovertigem; vertigem ou outra forma de tontura que pareça uma vertigem, mas não envolve sensação de rotação.

pseu·do·xan·tho·ma elas·ti·cum (-zan-tho'-mah e-las'tĭ-kum) – pseudoxantoma elástico; distúrbio hereditário progressivo com manifestações cutâneas, oculares e cardiovasculares, sendo a maior parte resultante de degeneração basofílica dos tecidos elásticos, incluindo pequenas máculas e pápulas amareladas, pele frouxa, inelástica e profusa, calcificação arterial prematura, sintomas de insuficiência coronária, hipertensão, prolapso da válvula mitral, estrias angióides na retina e hemorragias gastrointestinais ou outras.

psi – pounds per square inch (libras por polegada quadrada).

psi·lo·cin (si'lo-sin) – psilocina; substância alucinogênica estreitamente relacionada à psilocibina.

psi·lo·cy·bin (si"lo-si'bin) – psilocibina; alucinógeno que tem carcterísticas indólicas, isolado do cogumelo da espécie *Psilocybe mexicana.*

psit·ta·co·sis (sit"ah-ko-sis) – psitacose; doença devida a uma cepa da *Chlamydia psittaci,* observada pela primeira vez nos papagaios e posteriormente nas aves domésticas e outras; é transmissível ao homem, geralmente assumindo a forma de pneumonia acompanhada de febre, tosse e freqüentemente esplenomegalia. Ver também *ornithosis.*

psor·a·len (sor'ah-len) – psoralém; um dos constituintes de determinados vegetais (por exemplo, a *Psoralea corylifolia)* que podem produzir dermatite fototóxica em subseqüente exposição do indivíduo à luz solar; determinados perfumes e drogas (por exemplo, o metoxsaleno) contêm psoralém.

pso·ri·a·sis (sor-i'ah-sis) – psoríase; dermatose recorrente, hereditária e crônica caracterizada por máculas, pápulas ou placas vermelhas discretas e intensas, cobertas com escamas laminares prateadas. **psoriat'ic** – adj. psoriático. **erythrodermic p.** – p. eritrodérmica; afecção eritrodérmica generalizada e severa que se desenvolve geralmente nas formas crônicas da psoríase se ca-

racteriza por descamação maciça de pele com uma enfermidade sistêmica séria.

PSRO – Professional Standards Review Organization (Organização de Revisão dos Padrões Profissionais); organização regional de médicos (e em alguns casos, de profissionais da saúde associados) estabelecida para monitorar serviços de atendimento pagos pelos convênios Medicare, Medicaid e Maternal and Child Health para assegurar que os serviços proporcionados sejam clinicamente necessários, preencham os padrões profissionais e sejam proporcionados nos postos ou instituições de atendimento de saúde clinicamente apropriadas mais econômicas.

psy·chal·gia (si-kal'je-ah) – psicalgia; dor de origem mental ou histérica; dor que responde ou decorrente de um esforço mental. **psychal'gic** – adj. psicálgico.

psy·cha·tax·ia (si"kah-tak'se-ah) – psicataxia; estado mental perturbado com confusão, agitação e incapacidade de fixar a atenção.

psy·che (si'ke) – psique; mente; faculdade humana de pensar, julgar e sentir emoções; a vida mental, que compreende tanto os processos conscientes como inconscientes. **psy'chic** – adj. psíquico.

psy·che·del·ic (si"kĭ-del'ik) – psicodélico; relativo ou que causa alucinações, distorções de percepção e, algumas vezes, comportamento semelhante ao psicótico; também designa uma droga que produz esses efeitos.

psy·chi·a·try (si-ki'ah-tre) – Psiquiatria; ramo da Medicina que se ocupa do estudo, tratamento e prevenção de enfermidades mentais. **psychiat'ric** – adj. psiquiátrico. **biological p.** – p. biológica; Psiquiatria que enfatiza as causas físicas, químicas e neurológicas, bem como as abordagens terapêuticas. **descriptive p.** – p. descritiva; Psiquiatria baseada na observação e estudo dos fatores externos que podem ser vistos, ouvidos ou sentidos. **dynamic p.** – p. dinâmica; estudo dos processos emocionais, origens e mecanismos mentais subjacentes aos mesmos. **forensic p.** – p. forense; Psiquiatria que se ocupa dos aspectos legais dos distúrbios mentais. **organic p.** – p. orgânica: 1. Psiquiatria que se ocupa aspectos psicológicos de uma cerebropatia orgânica; 2. p. biológica. **preventive p.** – p. preventiva; um termo amplo que se refere à melhora, controle e limitação da incapacidade psiquiátrica. **social p.** – p. social; a Psiquiatria relacionada aos fatores culturais e sociais que engendram, precipitam, intensificam ou prolongam padrões mal-adaptativos de comportamento e tratamento complicado.

psy·chic (si'kik) – psíquico; relativo a mente.

psych(o)- [Gr.] – psic(o)-, elemento de palavra, *mente.*

psy·cho·acous·tics (si"ko-ah-ko͞os'tiks) – psicoacústica; ramo da Psicofísica que estuda o relacionamento entre os estímulos acústicos e o comportamento.

psy·cho·ac·tive (-ak'tiv) – psicoativo; que afeta a mente ou o comportamento, como as drogas psicoativas.

psy·cho·an·a·lep·tic (-an"ah-lep'tik) – psicoanaléptico; que exerce um efeito que estimula a mente.

PQR

psy·cho·anal·y·sis (-ah-nal'ĭ-sis) – Psicanálise; método de diagnóstico e tratamento de distúrbios mentais e emocionais através de avaliação e análise dos fatos da vida mental do paciente. **psychoanalyt'ic** – adj. psicanalítico.

psy·cho·bi·ol·o·gy (-bi-ol'ah-je) – Psicobiologia; estudo das inter-relações do corpo e mente na formação e funcionamento da personalidade. **psychobiolog'ical** – adj. psicobiológico.

psy·cho·dra·ma (-drah'mah) – psicodrama; psicoterapia de grupo na qual os pacientes dramatizam suas situações de conflito individuais da vida diária.

psy·cho·dy·nam·ics (-di-nam'iks) – Psicodinâmica; ciência do comportamento e motivação humanos.

psy·cho·gen·e·sis (-jen'ĭ-sis) – psicogênese: 1. desenvolvimento mental; 2. produção de um sintoma ou enfermidade por meio de fatores psíquicos, em vez de orgânicos.

psy·cho·gen·ic (-jen'ik) – psicogênico; que tem origem emocional ou psicológica.

psy·cho·graph (si'ko-graf) – psicográfico: 1. tabela para registrar graficamente as características de personalidade de uma pessoa; 2. descrição escrita do funcionamento mental de uma pessoa.

psy·cho·lep·sy (si"ko-lep'se) – psicolepsia; afecção marcada por alterações de humor súbitas.

psy·chol·o·gy (si-kol'ah-je) – Psicologia; ciência que se ocupa da mente e processos mentais, especialmente com relação ao comportamento humano e animal. **psycholog'ic, psycholog'ical** – adj. psicológico. **analytic p.** – p. analítica; psicologia baseada no conceito do inconsciente coletivo e do complexo. **child p.** – p. infantil; estudo do desenvolvimento da mente da criança. **clinical p.** – p. clínica; uso do conhecimento e técnicas psicológicos no tratamento de pessoas com dificuldades emocionais. **community p.** – p. comunitária; termo amplo que se refere à organização de recursos da comunidade para a prevenção de distúrbios mentais. **criminal p.** – p. criminal; estudo da mentalidade, motivação e comportamento social dos criminosos. **depth p.** – p. profunda; psicanálise. **developmental p.** – p. do desenvolvimento; estudo da alteração comportamental através da expectativa de vida. **dynamic p.** – p. dinâmica; psicologia que destaca o elemento energia nos processos mentais. **environmental p.** – p. ambiental; estudo dos efeitos dos ambientes físico e social no comportamento. **experimental p.** – p. experimental; estudo da mente e operações mentais através do uso de métodos experimentais. **gestalt p.** – p. da Gestalt; gestaltismo. **physiologic p., physiological p.** – p. fisiológica; ramo da Psicologia que estuda o relacionamento entre os processos fisiológicos e o comportamento. **social p.** – p. social; psicologia que trata dos aspectos sociais da vida mental.

psy·chom·e·try (si-kom'ĭ-tre) – psicometria; teste e mensuração da capacidade, eficiência, potenciais e funcionamento mentais e psicológicos. **psychomet'ric** – adj. psicométrico.

psy·cho·mo·tor (si"ko-mōt'er) – psicomotor; relativo aos efeitos motores da atividade cerebral ou psíquica.

psy·cho·neu·ral (-noor'il) – neuropsíquico; relativo à totalidade dos eventos nervosos iniciados pela entrada sensorial e que leva a armazenamento, discriminação ou saída de qualquer tipo.

psy·cho·neu·ro·sis (-nŏŏ-ro'sis) – psiconeurose; neurose; ver *neurosis*. **psychoneurot'ic** – adj. psiconeurótico.

psy·cho·path (si'ko-path) – psicopata; pessoa que tem uma personalidade anti-social.

psy·cho·pa·thol·o·gy (si"ko-pah-thol'ah-je) – Psicopatologia; ramo da Medicina relacionado às causas e processos dos distúrbios mentais.

psy·chop·a·thy (si-kop'ah-the) – psicopatia; distúrbio da psique.

psy·cho·phar·ma·col·o·gy (si"ko-fahr"mah-kol'ah-je) – Psicofarmacologia: 1. estudo da ação das drogas nas funções psicológicas e estados mentais; 2. uso de drogas para modificar as funções psicológicas e estados mentais. **psychopharmacolog'ic** – adj. psicofarmacológico.

psy·cho·phys·i·cal (-fiz'ĭ-kil) – psicofísico; relativo à mente e sua relação com as manifestações físicas.

psy·cho·phys·ics (-fiz'iks) – Psicofísica; estudo científico das relações quantitativas entre as características ou padrões dos estímulos físicos e sensações induzidas por estes.

psy·cho·phys·i·ol·o·gy (-fiz"e-ol'ah-je) – Psicofisiologia; estudo científico da interação e inter-relações dos fatores psíquicos e fisiológicos. **pychophysiolog'ic** – adj. psicofisiológico.

psy·cho·ple·gic (-ple'jik) – psicoplégico; agente que reduz a atividade ou excitabilidade cerebrais.

psy·cho·sen·so·ry (-sen'ser-e) – psicossensorial; que percebe e interpreta estímulos sensoriais.

psy·cho·sex·u·al (-sek'shoo-il) – psicossexual; relativo aos aspectos psíquicos ou emocionais do sexo.

psy·cho·sis (si-ko'sis) pl. *psychoses* –psicose; qualquer distúrbio mental importante de origem orgânica ou emocional, caracterizado por distúrbio de personalidade e perda de contato com a realidade, freqüentemente com delírios, alucinações ou ilusões. Cf. *neurosis*. **affective** – p. afetiva; distúrbio de humor. **alcoholic psychoses** – psicoses alcoólicas; psicoses associadas ao uso excessivo de álcool. **bipolar p.** – p. bipolar; ver em *disorder*. **brief reactive p.** – p. reativa breve; episódio de sintomas psicóticos que é uma reação a um evento vital reconhecível ou perturbador, tem início súbito e dura menos de um mês. **involutional p.** – p. involucional; ver em *melancholia*. **Korsakoff's p.** – p. de Korsakoff; ver em *syndrome*. **manic-depressive p.** – p. maníaco-depressiva; distúrbio bipolar. **organic p.** – p. orgânica; distúrbio mental orgânico psicótico. **senile p.** – p. senil; demência senil com delírios ou alucinações depressivas ou paranóides. **symbiotic p., symbiotic infantile p.** – p. simbiótica; p. infantil simbiótica; afecção observada em crianças de dois a quatro anos de idade que apresentam relacionamento anormal com a figura materna, caracterizada por intensa ansiedade de separação, regressão severa, distúrbio de comunicação da linguagem e autismo. **toxic p.**

– p. tóxica; psicose devida à ingestão de agentes tóxicos ou presença de toxinas no interior do corpo.

psy·cho·so·cial (si"ko-so'shul) – psicossocial; relativo ou que envolve tanto aspectos psíquicos como sociais.

psy·cho·so·mat·ic (-sah-mat'ik) – psicossomático; relativo ao relacionamento mente-corpo; que tem sintomas corporais de origem psíquica, emocional ou mental.

psy·cho·stim·u·lant (-stim'ūl-int) – psicoestimulante: 1. que produz aumento transitório na atividade psicomotora; 2. droga que produz esses efeitos.

psy·cho·sur·gery (-ser'jer-e) – psicocirurgia; cirurgia cerebral realizada para aliviar sintomas mentais e psíquicos. **psychosur'gical** – adj. psicocirúrgico.

psy·cho·ther·a·py (-thĕ'rah-pe) – psicoterapia; tratamento destinado a produzir uma resposta por meio de efeitos psíquicos em vez de físicos.

psy·chot·ic (si-kot'ik) – psicótico: 1. relativo, caracterizado ou causado por psicose; 2. pessoa que manifesta psicose.

psy·chot·o·gen·ic (si-kot"ah-jen'ik) – psicotogênico; que produz psicose.

psy·cho·to·mi·met·ic (-mi-met'ik) – psicotomimético; relativo, caracterizado ou que produz sintomas semelhantes aos da psicose.

psy·cho·trop·ic (si"ko-trop'ik) – psicotrópico; que exerce efeito na mente; diz-se especialmente de drogas.

psychr(o)- [Gr.] – psicr(o)-, elemento de palavra, *frio*.

psy·chro·al·gia (si"kro-al'jah) – psicroalgia; sensação dolorosa de frio.

psy·chro·phil·ic (-fil'ik) – psicrófilo; psicrofílico; que prefere o frio; diz-se de bactérias que crescem melhor no frio (15-20°C).

psy·chro·phore (si'kro-fōr) – psicróforo; cateter duplo para aplicação fria.

psyl·li·um (sil'e-um) – psílio; planta do gênero *Plantago*.

PT – prothrombin time (tempo de protrombina).

Pt – símbolo químico, platina (*platinum*).

PTA – plasma thromboplastin antecedent (coagulation factor XI), antecedente tromboplastínico do plasma (fator de coagulação XI).

ptar·mic (tar'mik) – esternutatório; que causa espirros.

ptar·mus (tar'mis) – espirro; espirro espasmódico.

PTC – plasma thromboplastin component; phenylthiocarbamide (componente tromboplastínico do plasma; feniltiocarbamida).

pte·ri·on (tĕr'e-on) – ptério; ponto de junção dos ossos frontal, parietal, temporal e esfenóide.

pter·o·yl·glu·tam·ic ac·id (ter"o-il-gloo-tam'-ik) – ácido pteroilglutâmico; ácido fólico.

pte·ryg·i·um (tĕ-rij'e-um) [Gr.] pl. *pterygia* – pterígio; estrutura semelhante a uma asa, especialmente dobra triangular anormal de membrana na fissura interpalpebral, que se estende da conjuntiva à córnea. **p. col'li** – p. do pescoço; pescoço palmado; dobra de pele espessa no lado do pescoço da região mastóide ao acrômio.

pter·y·goid (tĕ-rī'goid) – pterigóide; com forma semelhante à de uma asa.

pter·y·go·mandibular (tĕ"rī'-go-man-dib'ul-er) – pterigomandibular; relativo ao processo pterigóide e à mandíbula.

pter·y·go·max·il·lary (-mak'sī-lĕ"re) – pterigomaxilar; relativo ao processo pterigóide e maxilar.

pter·y·go·pal·a·tine (-pal'ah-tī n) – pterigopalatino; relativo ao processo pterigóide e osso palato.

pti·lo·sis (ti-lo'sis) – ptilose; queda dos cílios.

pto·maine (to'mān, to'mān') – ptomaína; qualquer substância de uma classe de bases tóxicas indefinidas, geralmente considerada como formada pela ação do metabolismo bacteriano ou de proteínas.

ptosed (tōst) – ptosado; caído; prolapsado; afetado por ptose.

pto·sis (to'sis) – ptose: 1. prolapso de um órgão ou parte; 2. queda paralítica da pálpebra superior. **ptot'ic** – adj. ptótico.

-ptosis [Gr.] – -ptose, elemento de palavra, *deslocamento descendente*. **-ptot'ic** – adj. -ptótico.

pty·al·a·gogue (ti-al'ah-gog) – ptialagogo; sialagogo; ver *sialagogue*.

pty·a·lec·ta·sis (ti"ah-lek'tah-sis) – ptialectasia: 1. estado de dilatação de um ducto salivar; 2. dilatação cirúrgica de um ducto salivar.

pty·a·lism (ti'ah-lizm) – ptialismo; secreção excessiva de saliva.

ptyal(o)- [Gr.] – ptial(o)-, elemento de palavra, *saliva*. Ver também *sial(o)-*.

pty·a·lo·cele (ti-al'o-sēl) – ptialocele; tumor cístico que contém saliva.

pty·a·lo·gen·ic (ti"ah-lo-jen'ik) – ptialogênico; formado pela ou saliva através da ação da mesma.

pty·a·lor·rhea (-re'ah) – ptialorréia; ptialismo (*ptyalism*).

Pu – símbolo químico, plutônio (*plutonium*).

pu·bar·che (pu-bar'ke) – pubarca; primeira aparição dos pêlos púbicos.

pu·ber·tas (pu-ber'tas) [L.] – puberdade. **p. prae'cox** – puberdade precoce.

pu·ber·ty (pu'bert-e) – puberdade; período durante o qual as características sexuais secundárias começam a se desenvolver e se atinge a capacidade de reprodução sexual. **pu'beral, pu'bertal** – adj. púbere. **precocious p.** – p. precoce; início da puberdade em idade mais precoce que o normal (aproximadamente 8 anos de idade para as meninas e 9 para os meninos).

pu·bes (pu'bez) [L.] – púbicos: 1. pêlos que crescem sobre a região púbica; 2. região púbica. **pu'bic** – adj. púbico.

pu·bes·cent (pu-bes'int) – pubescente: 1. que chega à idade da puberdade; 2. recoberto com lanugem.

pu·bi·ot·o·my (pu"be-ot'ah-me) – pubiotomia; separação cirúrgica do osso púbico lateral à sínfise.

pu·bis (pu'bis) [L.] – púbis; osso púbico; ver *Tabela de Ossos*.

pu·bo·ves·i·cal (pu"bo-ves'ī-kil) – pubovesical; relativo ao púbis e à bexiga.

pu·den·dum (pu-den'dum) [L.] pl. *pudenda* – pudendo; vulva; a genitália externa do ser humano, especialmente da mulher. **puden'dal, pu'dic** – adj. pudico. **p. femini'num, p. mulie'bre** – p. feminino; p. da mulher.

pu·er·ile (pu'er-il) – pueril; relativo à infância ou às crianças; infantil.

pu·er·pera (pu-er'per-ah) – puérpera; parturiente; mulher que acabou de dar à luz uma criança.

pu·er·per·al (-il) – puerperal; relativo a puérpera ou puerpério.

pu·er·per·al·ism (-al-izm) – puerperalismo; afecção mórbida incidente no parto.

pu·er·pe·ri·um (pu"er-pēr'e-um) – puerpério; período ou estado de repouso após o parto.

Pu·lex (pu'leks) – *Pulex;* gênero de pulgas, que inclui a *P. irritans* (pulga comum ou do homem), que ataca o homem e os animais domésticos, e pode agir como um hospedeiro intermediário de determinados helmintos.

pu·lic·i·cide (pu-lis'ĭ -sĭ d) – pulicida; pulicicida; agente que extermina pulgas.

pul·lu·la·tion (pul"u-la'shun) – pululação; desenvolvimento através de brotamento ou germinação.

pul·mo (pul'mo) [L.] pl. *pulmones* – pulmão.

pul·mo·aor·tic (pul"mo-a-or'tik) – pulmoaórtico; relativo aos pulmões e à aorta.

pul·mo·nary (pul'mo-nar"e) – pulmonar; relativo aos pulmões ou à artéria pulmonar.

pul·mon·ic (pul-mon'ik) – pulmônico; pulmonar.

pul·mo·ni·tis (pul"mah-nī t'is) – pulmonite; pneumonite; ver *pneumonitis*.

pul·mo·tor (pul'mŏt'er) – pulmotor; aparelho para forçar o oxigênio no interior dos pulmões e induzir a respiração artificial.

pulp (pulp) – polpa; qualquer tecido animal ou vegetal macio e úmido. **pul'pal** – adj. pulpar. **coronal p.** – p. da coroa; parte da polpa dentária contida na porção coronal da cavidade pulpar. **dental p.** – p. dentária; tecido conjuntivo generosamente vascularizado e inervado no interior da cavidade pulpar de um dente. **digital p.** – p. digital; massa de tecido mole sobre a superfície palmar ou plantar da falange distal de um dedo ou artelho. **red p., splenic p.** – p. vermelha; p. esplênica; substância marrom-avermelhada escura que preenche os interespaços dos seios esplênicos. **white p.** – p. branca; bainhas de tecido linfático que circundam as artérias do baço.

pul·pa (pul'pah) pl. *pulpae* [L.] – polpa.

pul·pec·to·my (pul-pek'tah-me) – pulpectomia; remoção da polpa dentária.

pul·pi·tis (pul-pi'tis) pl. *pulpitides* – pulpite; odontite; inflamação da polpa dentária.

pul·pot·o·my (pul-pot'ah-me) – pulpotomia; excisão da polpa da coroa.

pul·sa·tile (pul'sah-tĭ l) – pulsátil; caracterizado por pulsação rítmica.

pul·sa·tion (pul-sa'shun) – pulsação; palpitação ou batimento rítmico, como o do coração.

pulse (puls) – pulso; expansão rítmica de uma artéria, que pode ser sentida com o dedo. **alternating p.** – p. alternante; pulso com alternância regular de batimentos fracos e fortes, sem alterações na extensão do ciclo. **anacrotic p.** – pulso em que o pilar ascendente do traçado apresenta uma queda de amplitude momentânea. **bigeminal p.** – p. bigeminado; pulso no qual ocorrem dois batimentos em sucessão rápida, sendo grupos de dois separados por um intervalo mais longo. **cannon ball p.** – p. em bala de canhão; p. de Corrigan. **capillary p.** – p. capilar; p. de Quincke. **catadicrotic p.** – p.

catadicrótico; pulso no qual o pilar descendente do traçado apresenta duas pequenas chanfraduras. **Corrigan's p.** – p. de Corrigan; pulso espasmódico com expansão completa e colapso súbito. **dicrotic p.** – p. dicrótico; pulso caracterizado por dois picos, ocorrendo o segundo pico na diástole e correspondendo a um exagero da onda dicrótica. **entoptic p.** – p. entóptico; fase que ocorre em cada batimento de pulso. **hard p.** – p. duro; pulso caracterizado por alta tensão. **jerky p.** – p. amplo; pulso no qual a artéria se distende súbita e marcadamente. **paradoxical p.** – p. paradoxal; pulso que se reduz acentuadamente em tamanho durante a inspiração, como ocorre freqüentemente no caso de pericardite constritiva. **pistol-shot p.** – p. em tiro de pistola; pulso no qual as artérias ficam sujeitas a distensão e colapso súbitos. **plateau p.** – p. em platô; pulso no qual ocorre elevação lenta e sustentação. **quadrigeminal p.** – p. quadrigêmio; pulso com uma pausa após cada quatro batimentos. **Quincke's p.** – p. de Quincke; branqueamento e avermelhamento sangüíneos alternados do leito ungueal devidos à pulsação dos plexos arteriolar e venoso subpapilares, conforme se observa no caso de insuficiência aórtica. **Riegel's p.** – p. de Riegel; pulso que fica menor durante a respiração. **thready p.** – p. filiforme; pulso muito fino e pouco perceptível. **tricrotic p.** – p. tricrótico; pulso no qual o traçado apresenta três expansões acentuadas em um batimento da artéria. **vagus p.** – p. vago; pulso lento. **venous p.** – p. venoso; pulsação sobre uma veia, especialmente sobre a veia jugular direita. **waterhammer p.** – p. em martelo d'água; p. de Corrigan. **wiry p.** – p. de arame; pulso pequeno e tenso.

pul·sion (pul'shun) – pulsão; impulso para frente ou para fora.

pul·sus (-sus) pl. *pulsus* [L.] – pulso. **p. alter'nans** – pulso alternante; pulso no qual ocorre alternância regular de batimentos fracos e fortes sem alterações na extensão do ciclo, geralmente indicando miocardiopatia séria. **p. bisfe'riens** – pulso bisférico; pulso caracterizado por dois picos sistólicos fortes separados por uma inclinação mesossistólica, que ocorre mais comumente no caso de regurgitação aórtica pura e no caso de regurgitação aórtica com estenose. **p. dif'ferens** – pulso diferente; desigualdade do pulso observável em locais correspondentes nos dois lados do corpo.

pul·ta·ceous (pul-ta'shus) – pultáceo; macerado; semelhante a um cataplasma; polposo.

pul·ver·u·lent (pul-ver'ŭl-int) – pulverulento; friável; semelhante a pó.

pul·vi·nar (pul-vi'nar) – pulvinar; parte medial proeminente da extremidade posterior do tálamo.

pum·ice (pum'is) – pedra-pomes; substância que consiste de silicatos de alumínio, potássio e sódio; utilizada em Odontologia como abrasivo.

pump (pump) – bomba: 1. aparelho para extrair ou forçar líquidos ou gases; 2. bombear, extrair ou forçar líquidos ou gases. **breast p.** – b. da mama; bomba manual ou elétrica para extrair leite da mama. **calcium p.** – b. de cálcio; mecanismo de transporte ativo de cálcio (Ca^{2+}) através de uma membrana, como para o retículo sarcoplasmático das células musculares, contra um gradiente de concentração; esse mecanismo é acionado através da hidrólise enzimática do ATP. **intra-aortic balloon p. (IABP)** – b. intra-aórtica ligada a um dispositivo em balão; bomba utilizada na contrapulsação de um balão intra-aórtico. **proton p.** – b. de prótons; um sistema para transportar prótons através das membranas celulares, freqüentemente trocando-os por outros íons positivamente carregados. **sodium p., sodium-potassium p.** – b. de sódio; b. de sódio-potássio; mecanismo de transporte ativo acionado pela hidrólise do ATP, através do qual se extrai o sódio (Na⁺) de uma célula e se o potássio (K⁺), de forma a manter os gradientes desses íons através da membrana celular.

pump·oxy·gen·a·tor (-ok'sĭ -jin-āt"er) – oxigenador de bomba; um aparelho que consiste de uma bomba sangüínea e um oxigenador, e ainda filtros e sifões com oxigênio durante uma cirurgia cardíaca.

punch·drunk (punch'drunk) – aturdido; demência dos boxeadores.

punc·tate (punk'tāt) – pontilhado; pontuado; manchado; marcado com pontos ou punções.

punc·ti·form (-tĭ -form) – puntiforme; semelhante a um ponto.

punc·tum (pungk'tum) [L.] pl. *puncta* – ponto; ponto ou pequena mancha. **p. cae'cum** – p. cego. **p. lacrima'le** – p. lacrimal. **p. prox'imum** – p. próximo. **p. remo'tum** – p. remoto; p. distante.

punc·ture (-cher) – punção; puncionar; ato de perfurar ou penetrar com um objeto ou instrumento pontiagudo; ferimento feito dessa forma. **cisternal p.** – p. cisternal; punção da cisterna cerebelomedular através da membrana atlantoccipital posterior para se obter o líquido cerebroespinhal. **lumbar p., spinal p.** – p. lombar; p. espinhal; remoção de líquido do espaço subaracnóide na região lombar, geralmente entre a terceira e quarta vértebras lombares. **sternal p.** – p. esternal; remoção da medula óssea a partir do manúbrio do esterno, por meio de agulha apropriada. **ventricular p.** – p. ventricular; punção de um ventrículo cerebral para remoção de fluido.

pu·pa (pu'pah) [L.] – pupa; segundo estágio no desenvolvimento de um inseto, entre a larva e o imago. **pu'pal** – adj. pupal.

pu·pil (pu'pil) – pupila; abertura no centro da íris através da qual a luz entra no olho. Ver Prancha XIII. **pu'pillary** – adj. pupilar. **Adie's p.** – p. de Adie; p. tônica. **Argyll Robertson p.** – p. de Argyll Robertson; pupila que se torna miótica e responde a esforço acomodativo, mas não à luz. **fixed p.** – p. fixa; pupila que não reage à luz, seja na convergência seja na acomodação. **Hutchinson's p.** – p. de Hutchinson; uma pupila dilatada enquanto a outra não está. **tonic p.** – p. tônica; afecção geralmente unilateral do olho na qual a pupila afetada torna-se maior que a outra; responde à acomodação e à convergência de maneira lenta e retardada; e reage à luz somente após exposição prolongada a está ou à escuridão.

pu·pil·la (pu-pil'ah) [L.] – pupila.

pu·pil·lom·e·try (pu"pĭ -lom'ĭ -tre) – pupilometria; medição do diâmetro ou largura da pupila do olho.

pu·pil·lo·ple·gia (pu"pĭ -lo-ple'je-ah) – pupiloplegia; pupila tônica.

pu·pil·los·co·py (pu"pĭ -los'kah-pe) – pupiloscopia; retinoscopia; ver *retinoscopy*.

pu·pil·lo·sta·tom·e·ter (pu"pĭ -lo-stah-tom'it-er) – pupiloestatômetro; instrumento para medir a distância entre as pupilas.

pur·ga·tion (pur-ga'shun) – purgação; catarse; purgação efetuada por remédio catártico.

pur·ga·tive (purg'it-iv) – purgativo: 1. catártico; ver *cathartic* (1); que causa evacuação intestinal; 2. catártico, particularmente o que estimula a ação peristáltica.

purge (purj) – 1. purga, remédio ou dose purgativos; 2. purgar, causar evacuação abundante de fezes.

pu·rine (pūr'ēn) – purina; um composto (C₅H₄N₄) não encontrado na natureza, mas variadamente substituído para produzir um grupo de compostos: *purinas* ou *bases purínicas,* que incluem a adenina e a guanina encontradas nos ácidos nucléicos, bem como xantina e hipoxantina.

pur·ple (pur'p'l) – púrpura: 1. cor entre o azul e o vermelho; 2. substância desta cor utilizada como corante ou indicador. **visual p.** – p. visual; rodopsina.

pur·pu·ra (pur'pu-rah) – púrpura: 1. pequena hemorragia na pele, membrana mucosa ou superfície da serosa; 2. um grupo de distúrbios caracterizados pela presença de lesões purpúricas, equimoses e tendência a se contundir facilmente. **purpu'ric** – adj. purpúrico; p. anafilactóide; p. de Schönlein-Henoch. **p. annula'ris telangiecto'des** – p. anular telangiectóide; forma rara na qual lesões eritematosas pontilhadas coalescem para formar um padrão anular ou serpiginoso. **fibrinolytic p.** – p. fibrinolítica; púrpura associada a aumento da atividade fibrinolítica do sangue. **p. ful'minans** – p. fulminante; púrpura não-trombocitopênica observada principalmente em crianças, geralmente depois de uma doença infecciosa, caracterizada por febre, choque, anemia e hemorragias cutâneas simétricas, súbitas e de disseminação rápida dos membros inferiores, freqüentemente associados a tromboses intravasculares e gangrena extensas. **p. hemorrha'gica** – p. hemorrágica; p. trombocitopênica idiopática. **Henoch's p.** – p. de Henoch; púrpura de Schönlein-Henoch na qual os sintomas abdominais predominam. **malignant p.** – p. maligna; meningite meningocócica. **nonthrombocytopenic p.** – p. não-trombocitopênica; púrpura sem qualquer redução na contagem de plaquetas do sangue. **Schönlein p.** – p. de Schönlein; púrpura de Schönlein-Henoch com sintomas articulares e sem sintomas gastrointestinais. **Schönlein-Henoch p.** – p. de Schönlein-Henoch; púrpura não-trombocitopênica de causa desconhecida, mais freqüentemente observada em crianças, associada a vários sintomas clínicos (como urticária e eritema, artropatia e artrite, sintomas gastrointestinais e envolvimento renal). **p. seni'lis** – p. senil; equimoses vermelho-arroxeadas escuras que ocorrem no antebraço e dorso das mãos nos idosos. **thrombocytopenic p.** – p. trombocitopênica; qualquer forma na qual

PQR

a contagem de plaquetas se reduz, ocorrendo como doença primária (*p. trombocitopênica idiopática*) ou como conseqüência de distúrbio hematológico primário (*p. trombocitopênica secundária*). **thrombotic thrombocytopenic p.** – p. trombótica trombocitopênica; doença marcada por trombocitopenia, anemia hemolítica, manifestações neurológicas, azotemia, febre e tromboses em arteríolas e capilares terminais.

pur·pu·rin·uria (pur"pūr-in-ūr'e-ah) – purpurinúria; purpurina (uroeritrina) na urina.

pu·ru·lence (pu'roo-lens) – purulência; formação ou a presença de pus. **pur'ulent** – adj. purulento.

pu·ru·loid (-loid) – purulóide; que se assemelha ao pus.

pus (pus) – pus; um produto de inflamação líquido e rico em proteínas constituído de células (leucócitos), fluido fino (líquor purulento) e restos celulares. **pus·tu·la** (pus'tu-lah) pl. *pustulae* [L.] – pústula.

pus·tule (pus'tūl) – pústula; pequena lesão cutânea elevada e circunscrita que contém pus. **pus'tular** – adj. pustular.

pus·tu·lo·sis (pus"tūl-o'sis) – pustulose; afecção marcada por erupção de pústulas.

pu·ta·men (pu-ta'men) – putâmen; putame; a parte maior e mais lateral do núcleo lentiforme.

pu·tre·fac·tion (pu"trī̆ -fak'shun) – putrefação; decomposição enzimática (especialmente de proteínas) com a produção de compostos de odor fétido, como sulfeto de hidrogênio, amônia e mercaptanas. **putrefac'tive** – adj. putrefativo.

pu·tres·cence (pu-tres'ens) – putrescência; condição de sofrer uma putrefação. **putres'cent** – adj. putrescente.

pu·tres·cine (pu-tres'in) – putrescina; precursor poliamínico da espermidina, encontrado inicialmente em carne em decomposição, mas hoje sabe-se que ocorre em quase todos os tecidos e em algumas culturas bacterianas.

pu·trid (pu'trid) – pútrido; podre; putrefato.

PVC – 1. polyvinyl chloride (cloreto de polivinil); 2. postvoiding cystogram (CPE, cistograma pós-evacuação); 3. premature ventricular contraction (complex) (CPV, contração prematura ventricular [complexo]); 4. pulmonary venous congestion (CVP, congestão venosa pulmonar).

PVP – polyvinylpyrrolidone (polivinilpirrolidona; ver *povidone).*

PVP-I – povidone-iodine (povidona-iodo).

py·ar·thro·sis (pi"ar-thro'sis) – piartrose; supuração no interior de uma cavidade articular; artrite supurativa aguda.

pycn(o)- – ver as palavras com prefixo *pykn(o)-*

pyel(o)- [Gr.] – piel(o)-, elemento de palavra, *pelve renal.*

py·elec·ta·sis (pi"il-ek'tah-sis) – pielectasia; dilatação da pelve renal.

py·eli·tis (-ī t'is) – pielite; inflamação da pelve renal. **pyelit'ic** – adj. pielítico.

py·elo·cali·ec·ta·sis (pi"il-o-kal"e-ek'tah-sis) – pielocaliectasia; dilatação da pelve e cálices renais.

py·elo·cys·ti·tis (sis-tī̆ t-is) – pielocistite; inflamação da pelve renal e bexiga.

py·elog·ra·phy (pi"il-og'rah-fe) – pielografia; radiografia da pelve renal e do ureter após injeção de material de contraste. **antegrade p.** – p. anterógrada; pielografia na qual se introduz o meio de contraste por meio de punção com agulha percutânea no interior da pelve renal. **retrograde p.** – p. retrógrada; pielografia após introdução de material de contraste através do ureter.

py·elo·in·ter·sti·tial (pi"il-o-in"ter-stish'il) – pielointersticial; relativo ao tecido intersticial da pelve renal.

py·elo·li·thot·o·my (-lī̆ -thot'ah-me) – pielolitotomia; incisão da pelve renal para remoção de cálculos.

py·elo·ne·phri·tis (-ně-frī t'is) – pielonefrite; nefropielite; inflamação do rim e sua pelve devido a infecção bacteriana.

py·elo·ne·phro·sis (-ně-fro'sis) – pielonefrose; qualquer doença do rim e sua pelve.

py·elop·a·thy (pi"il-op'ah-the) – pielopatia; qualquer doença da pelve renal.

py·elo·plas·ty (pi"il-o-plas"te) – pieloplastia; reparo plástico da pelve renal.

py·elos·to·my (pi"ě-los'tah-me) – pielostomia; formação cirúrgica de uma abertura no interior da pelve renal.

py·elot·o·my (pi"ě-lot'ah-me) – pielotomia; incisão da pelve renal.

py·elo·ve·nous (pi"il-o-ve'nis) – pielovenoso; relativo à pelve e veias renais.

py·em·e·sis (pi-em'ī̆ -sis) – piêmese; vômito de pus.

py·e·mia (-ēm'e-ah) – piemia; septicemia na qual ocorrem focos secundários de supuração e se formam abscessos múltiplos. **pye'mic** – adj. piêmico. **arterial p.** – p. arterial; piemia devida à disseminação de êmbolos sépticos a partir do coração. **cryptogenic p.** – p. criptogênica; piemia na qual a fonte de infecção se encontra em um tecido não-identificado.

Py·e·mo·tes (pi"ī̆ -mōt'ēz) – *Pyemotes*; gênero de ácaros parasitas. A *P. ventricosus* ataca determinadas larvas de insetos encontradas na palha, cereais e outros vegetais e causa o prurido de cereais no homem.

py·en·ceph·a·lus (pi"en-sef'ah-lus) – piencefalia; abscesso cerebral.

py·e·sis (pi-e'sis) – piese; supuração; ver *suppuration*.

py·gal (pi'gil) – glúteo; relativo às nadegas.

py·gal·gia (pi-gal'jah) – pigalgia; dor nas nádegas.

pykn(o)- [Gr.] – picn(o)-, elemento de palavra, *espesso; compacto; freqüente.*

pyk·nic (pik'nik) – pícnico; que tem constituição pequena, compacta e atarracada.

pyk·no·cyte (pik'no-sī t) – picnócito; hemácia distorcida e contraída e ocasionalmente espiculada.

pyk·no·dys·os·to·sis (pik"no-dis"os-to'sis) – picnodisostose; síndrome hereditária de nanismo, osteopetrose e anomalias esqueléticas do crânio, dedos e mandíbula.

pyk·nom·e·ter (pik-nom'it-er) – picnômetro; instrumento para determinar a densidade específica dos fluidos.

pyk·no·mor·phous (pik"nah-mor-fis) – picnomorfo; que possui as porções coradas do corpo celular compactamente dispostas.

pyk·no·sis (pik-no'sis) – picnose; espessamento, especialmente a degeneração de uma célula na qual o núcleo diminui em tamanho e a cromatina se condensa em uma massa ou massas sólidas e sem estrutura. **pyknot'ic** – adj. picnótico.

pyle- [Gr.] – pile-, elemento de palavra, *veia porta*.

py·le·phle·bec·ta·sis (pi"lĭ-flĕ-bek'tah-sis) – pileflebectasia; dilatação da veia porta.

py·le·phle·bi·tis (-flĕ-bī'tis) – pileflebite; inflamação da veia porta.

pylor(o)- [Gr.] – pilor(o)-, elemento de palavra, *piloro*.

py·lo·ral·gia (pi"lor-al'jah) – piloralgia; dor na região do piloro.

py·lo·rec·to·my (pi"lor-ek'tah-me) – pilorectomia; excisão do piloro.

py·lo·ri·ste·no·sis (pi-lor"ĭ-stĕ-no'sis) – piloristenose; estenose pilórica.

py·lo·ro·di·o·sis (pi-lor"o-di-o'sis) – pilorodiose; dilatação de uma estrutura pilórica com o dedo durante uma operação.

py·lo·ro·du·o·de·ni·tis (-doo"o-de-nī'tis) – piloroduodenite; inflamação das mucosas pilórica e duodenal.

py·lo·ro·gas·trec·to·my (-gas-trek'tah-me) – pilorogastrectomia; excisão do piloro e da porção adjacente do estômago.

py·lo·ro·my·ot·o·my (-mi-ot'ah-me) – piloromiotomia; incisão dos músculos longitudinais e circulares do piloro.

py·lo·ro·plas·ty (pi-lor'o-plas"te) – piloroplastia; cirurgia plástica do piloro. **double p.** – p. dupla; piloromiotomia posterior combinada com a piloroplastia de Heineke-Mikulicz. **Finney p.** – p. de Finney; aumento de volume do canal pilórico através do estabelecimento de anastomose em forma de U invertido entre o estômago e o duodeno após incisão longitudinal. **Heineke-Mikulicz p.** – p. de Heineke-Mikulicz; aumento de volume de estenose pilórica através de incisão longitudinal do piloro e sutura transversal da incisão.

py·lo·ros·co·py (pi"lor-os'kah-pe) – piloroscopia; exame endoscópico do piloro.

py·lo·ros·to·my (-os'tah-me) – pilorostomia; formação cirúrgica de abertura através da parede abdominal no interior do estômago, próximo ao piloro.

py·lo·rot·o·my (-ot'ah-me) – pilorotomia; incisão do piloro.

py·lo·rus (pi-lor'us) – piloro; abertura distal do estômago, abertura no interior do duodeno; diversamente utilizado para significar a parte pilórica do estômago e o antro, canal, abertura ou esfíncter pilóricos. **pylor'ic** – adj. pilórico.

py(o)- [Gr.] – pi(o)-, elemento de palavra, *pus*.

pyo·cele (pi'o-sēl) – piocele; acúmulo de pus, como no escroto.

pyo·ceph·a·lus (pi"o-sef'ah-lus) – piocefalia; abscesso cerebral.

pyo·che·zia (-ke'ze-ah) – pioquesia; pus nas fezes.

pyo·coc·cus (-kok'is) – piococo; qualquer coco formador de pus.

pyo·col·po·cele (-kol'po-sēl) – piocolpocele; tumor vaginal que contém pus.

pyo·cyst (pi'o-sist) – piocisto; cisto que contém pus.

pyo·der·ma (pi"o-der'mah) – piodermatite; piodermia; qualquer cutaneopatia purulenta. **p.**

gangreno'sum – p. gangrenosa; úlcera ou úlceras cutâneas de evolução rápida, com escavação acentuada da borda.

pyo·gen·e·sis (-jen'ĭ-sis) – piogênese; formação de pus.

pyo·gen·ic (-jen'ik) – piogênico; que produz pus.

pyo·he·mo·tho·rax (-he"mo-thor'aks) – pioemotórax; pio-hemotórax; pus e sangue no espaço pleural.

pyo·hy·dro·ne·phro·sis (-hi"dro-nĕ-fro'sis) – pioidronefrose; pio-hidronefrose; acúmulo de pus e urina no rim.

py·oid (pi'oid) – pióide; semelhante ou como pus.

pyo·me·tri·tis (pi"o-me-trī'tis) – piometrite; inflamação purulenta do útero.

pyo·myo·si·tis (-mi"o-sī'tis) – piomiosite; miosite purulenta.

pyo·ne·phri·tis (-nĕ-frī'tis) – pionefrite; inflamação purulenta do rim.

pyo·neph·ro·li·thi·a·sis (-nef"ro-lī-thi'ah-sis) – pionefrolitíase; pus e cálculos no rim.

pyo·neph·ro·sis (-nĕ-fro'sis) – pionefrose; destruição supurativa do parênquima renal, com perda total ou quase completa da função renal.

pyo·ovar·i·um (-o-var'e-im) – piovário; abscesso do ovário.

pyo·peri·car·di·um (-per"ĭ-kar'de-im) – piopericárdio; pus no pericárdio.

pyo·peri·to·ne·um (-per"ĭ-to-ne'um) – pioperitônio; piocelia; pus na cavidade peritoneal.

py·oph·thal·mi·tis (pi"of-thal-mīt'is) – pioftalmia; pioftalmite; inflamação purulenta do olho.

pyo·phy·so·me·tra (pi"o-fi"so-me'trah) – piofisometria; pus e gás no útero.

pyo·pneu·mo·cho·le·cys·ti·tis (-nōōm"o-ko"lĭ-sis-tīt'is) – piopneumocolecistite; distensão da vesícula biliar, com presença de pus e gás.

pyo·pneu·mo·hep·a·ti·tis (-hep"ah-tīt'is) – piopneumoepatite; piopneumo-hepatite; abscesso do fígado com pus e gás na cavidade do abscesso.

pyo·pneu·mo·peri·car·di·um (-per"ĭ-kahr'de-um) – piopneumopericárdio; pus e gás ou ar no pericárdio.

pyo·pneu·mo·peri·to·ni·tis (-per"ĭ-to-ni'tis) – piopneumoperitonite; peritonite com presença de pus e gás.

pyo·pneu·mo·tho·rax (-thor'aks) – piopneumotórax; pus e ar ou gás na cavidade pleural.

pyo·poi·e·sis (pi"o-poi-e'sis) – piopoiese; piogênese (*pyogenesis*).

py·op·ty·sis (pi-op'tĭ-sis) – pioptise; expectoração de material purulento.

pyo·py·elec·ta·sis (pi"o-pi"il-ek'tah-sis) – piopielectasia; dilatação da pelve renal com pus.

py·or·rhea (-re'ah) – piorréia; secreção abundante de pus. **pyorrhe'al** – adj. piorréico. **p. alveola'ris** – p. alveolar; periodontite composta.

pyo·sal·pin·gi·tis (-sal"pin-jī'tis) – piossalpingite; salpingite purulenta.

pyo·sal·pin·go·ooph·o·ri·tis (-sal-ping"go-o"-of-ah-rīt'is) – piossalpingooforite; inflamação purulenta da tuba uterina e do ovário.

pyo·sal·pinx (-sal'pinks) – piossalpinge; acúmulo de pus em uma tuba uterina.

pyo·stat·ic (-stat'ik) – piostático; que interrompe a supuração; agente que interrompe a supuração.

pyo·tho·rax (-thor'aks) – piotórax; acúmulo de pus no tórax; empiema.

pyo·ura·chus (-ūr'ah-kis) – pioúraco; pus no úraco.

pyo·ure·ter (-ūr-ēt'er) – pioureter; pus no ureter.

pyr·a·mid (pir'ah-mid) – pirâmide; estrutura ou parte pontiaguda ou cônica; termo freqüentemente utilizado para indicar a pirâmide da medula oblonga. **p. of cerebellum** – p. cerebelar; p. do verme cerebelar. **p. of Ferrein** – p. de Ferrein; um dos prolongamentos intracorticais das pirâmides renais. **Lalouette's p.** – p. de Lalouette; p. da tireóide **p. of light** – p. ou cone de luz; ver em *cone.* **p's of Malpighi** – pirâmides de Malpighi; pirâmides renais. **p. of medulla oblongata** – p. da medula oblonga; uma das duas massas arredondadas, uma a cada lado da fissura mediana da medula oblonga. **renal p's** – pirâmides renais; massas cônicas que compõem a substância medular renal. **p. of thyroid** – p. da tireóide; terceiro lobo ocasional da glândula tireóide, que se estende para cima a partir do istmo. **p. of tympanum** – p. do timpano; elevação oca no interior da parede interna do ouvido médio, contendo o músculo estapédio. **p. of vermis** – p. do verme; p. cerebelar; parte do verme cerebelar entre a tuberosidade do verme e a úvula.

pyr·a·mis (pir'ah-mis) [L.] pl. *pyramides* – pirâmide.

pyr·a·nose (pir'ah-nōs) – piranose; qualquer açúcar que contenha a estrutura anelar de cinco carbonos do pirano; corresponde a uma forma cíclica que as cetoses e aldoses podem assumir em solução.

py·ran·tel (pĭ-ran'tel) – pirantel; anti-helmíntico de amplo espectro eficaz contra nematódeos e oxiúros, e utilizado sob a forma de sais de pamoato e tartarato.

py·rec·tic (pi-rek'tik) – pirético: 1. relativo à febre; febril; 2. agente indutor de febre.

py·ret·ic (pi-ret'ik) – pirético; relativo à febre.

py·re·to·gen·e·sis (pi-rēt"o-jen'ĕ-sis) – piretogênese; origem e causa de febre.

py·re·tog·e·nous (pi"rĭ-toj'ĭ-nus) – piretogênico: 1. causado por alta temperatura corporal; 2. pirogênico.

py·rex·ia (pi-rek'se-ah) pl. *pyrexiae* – pirexia; febre ou afecção febril. **pyrex'ial** – adj. pirexial; pirético.

pyr·i·dine (pir'ĭ-din) – piridina: 1. derivado do alcatrão (C_5H_5N) derivado também do tabaco e de vários materiais orgânicos; 2. qualquer substância de um grupo de substâncias homólogas à piridina normal.

pyr·i·do·stig·mine (pir"ĭ-do-stig'mēn) – piridostigmina; inibidor da colinesterase utilizado como sal de brometo no tratamento da miastenia grave e antídoto para relaxantes musculares não-despolarizantes (como as drogas curariformes).

pyr·i·dox·al (pir"ĭ-dok'sal) – piridoxal; uma forma da vitamina B_6. **p. phosphate** – fosfato de p.; grupo protético de muitas enzimas que participam das transformações de aminoácidos.

pyr·i·dox·amine (pir"ĭ-doks'ah-mēn) – piridoxamina; uma das três formas ativas da vitamina B_6.

pyr·i·dox·ine (pir"ĭ-dok'sēn) – piridoxina; uma das formas da vitamina B_6, utilizada principalmente como sal de cloridrato na profilaxia e tratamento da deficiência de vitamina B_6. Também é utilizada nos casos de doenças neuromusculares e neurológicas, bem como, em dermatoses e tratamento das náuseas e vômito da gravidez e enfermidade da radiação.

py·ril·amine (pĭ-ril'ah-mēn) – pirilamina; anti-histamínico, sedativo e hipnótico, utilizado como sais de maleato e tanato.

pyr·i·meth·amine (pir"ĭ-meth'ah-mēn) – pirimetamina; antagonista do ácido fólico utilizado como antimalárico e também intercorrentemente com uma sulfonamida no tratamento da toxoplasmose.

py·rim·i·dine (pĭ-rim'ĭ-dēn) – pirimidina; composto orgânico ($C_4H_4N_2$), forma fundamental das bases pirimidínicas, que incluem uracil, citosina e timina.

pyr(o)- [Gr.] – pir(o)-, elemento de palavra, *fogo; calor;* (em Química) *produzido por aquecimento.*

py·ro·gen (pi'ro-jen) – pirogênio; substância que produz febre. **pyrogen'ic** – adj. pirogênico.

py·ro·glob·u·lin·emia (pi"ro-glob"ūl-in-ēm'e-ah) – piroglobulinemia; presença no sangue de um constituinte anormal da globulina que é precipitado pelo calor.

py·ro·ma·nia (-ma'ne-ah) – piromania; preocupação obsessiva com incêndios; compulsão a atear fogo.

py·ro·nin (pi'rah-nin) – pironina; um corante histológico anilínico vermelho.

py·ro·phos·pha·tase (pi"ro-fos'fah-tãs) – pirofosfatase; qualquer enzima que catalise a hidrólise de uma ligação pirofosfato, clivado entre dois grupos fosfato.

py·ro·phos·phate (-fos'fāt) – pirofosfato; sal de ácido pirofosfórico.

py·ro·phos·pho·ric ac·id (-fos-for'ik) – ácido pirofosfórico; um dímero do ácido fosfórico ($H_4P_2O_7$); seus ésteres são importantes no metabolismo e biossíntese energéticos (por exemplo, ATP).

py·ro·sis (pi-ro'sis) – pirose; azia; ver *heartburn.*

py·rot·ic (pi-rot'ik) – pirótico; cáustico; que causa queimação.

py·roxy·lin (pi-rok'si-lín) – piroxilina; produto da ação de uma mistura dos ácidos nítrico e sulfúrico em algodão, que consiste principalmente de tetranitrato de celulose; um ingrediente necessário do colódio.

pyr·role (pir'ōl) – pirrol; imidol; azol; composto heterocíclico básico tóxico ou seus derivados substitutivos; obtido através da destilação destrutiva de várias substâncias animais e utilizado na fabricação de produtos farmacêuticos.

pyr·rol·i·dine (pĭ-rol'ĭ-din) – pirrolidina; uma base simples, $(CH_2)_4NH$, obtida do tabaco ou preparada a partir do pirrol.

py·ru·vate (pi'roo-vāt) – piruvato; sal, éster ou ânion do ácido pirúvico. O piruvato é o produto final da glicólise e pode ser metabolizado em lactato ou em acetil-CoA.

pyr·u·vic ac·id (pi-roo'vik) – ácido pirúvico; $CH_3COCOOH$; um intermediário no metabolismo dos carboidratos, lipídeos e proteínas.

pyr·vin·i·um (pir-vin'e-um) – pirvínio; anti-helmíntico utilizado para oxiúros intestinais em forma de sal de pamoato.

pyth·i·o·sis (pith"e-o'sis) – pitiose; doença (primariamente dos eqüinos e muares) causada pela *Pythium insidiosum* e caracterizada por aumento de volume de abscessos subcutâneos que destroem a pele sobrejacente.

py·u·ria (pi-ūr'e-ah) – piúria; pus na urina.

PZI – protamine zinc insulin (insulina zínquica protamínica)

Q

Q – ubiquinone (ubiquinona).

Q₁₀ – ubiquinone (ubiquinona).

q – symbol for the long arm of a chromosome (símbolo para o braço longo de um cromossoma).

q.d. [L.] – *quaque die* (todos os dias).

q.h. – *quaque hora* (a cada hora).

q.i.d. [L.] – *quater in die* (quatro vezes ao dia).

q.s. [L.] – *quantum satis* (quantidade suficiente).

q·sort (ku'sort) – técnica de avaliação de personalidade na qual o indivíduo (ou um observador) indica em que grau um grupo padronizado de afirmações descritivas se aplica a si mesmo.

Quaa·lude (kwa'lōōd) – Quaalude, marca registrada de preparação de metaqualona.

quack (kwak) – charlatão; pessoa que apresenta falsa capacidade e experiência no diagnóstico e tratamento de uma doença, ou os efeitos a serem obtidos por meio desse tratamento.

quack·ery (kwak'er-e) – charlatanismo; prática ou métodos de charlatão.

quad·rant (kwod'rant) – quadrante: 1. um quarto de circunferência de um círculo; 2. uma das quatro partes correspondentes, ou quartos, como da superfície do abdômen ou do campo de visão.

quad·rant·an·o·pia (kwod"ran-tah-no'pe-ah) – quadrantanopia; visão defeituosa ou cegueira em um quarto do campo visual.

quad·ran·tec·to·my (-tek'tah-me) – quadrantectomia; uma forma de mastectomia parcial que envolve excisão em bloco de um tumor em um quadrante de tecido mamário, bem como da fáscia do músculo peitoral maior e da pele sobrejacente.

quad·rate (kwod'rāt) – quadrado.

quadri- [L.] – quadri-, elemento de palavra, *quatro*.

qua·dri·ceps (kwod'rĭ-seps) – quadríceps; que tem quatro cabeças.

quad·ri·gem·i·nal (-jem'ĭ-n'l) – quadrigêmeo: 1. quatro vezes; em quatro partes; que forma um grupo de quatro; 2. relativo aos corpos quadrigêmeos.

quad·ri·gem·i·ny (-jem'ĭ-ne) – quadrigeminismo: 1. ocorrência em grupo de quatro; 2. ocorrência de quatro batimentos do pulso seguidos de uma pausa.

quad·rip·a·ra (kwod-rip'ah-rah) – quadrípara; mulher que tenha tido quatro gestações que resultaram em descendentes viáveis; para IV.

quad·ri·ple·gia (kwod"rĭ-ple'jah) – quadriplegia; paralisia nos quatro membros.

quad·ri·tu·ber·cu·lar (-tu-ber'ku-ler) – quadritubercular; que tem quatro tubérculos ou cúspides.

quad·ru·ped (kwod'ru-ped) – quadrúpede: 1. com quatro pés; 2. um animal com quatro patas.

quad·rup·let (kwod-rōōp'let) – quadrúpleto; quadrigêmeo; uma de quatro crianças nascidas em um mesmo parto.

quan·tum (kwon'tum) [L.] pl. *quanta* – quantum; uma unidade de medida sob a teoria quântica (q.v. *theory, quantum*).

quar·an·tine (kwor'in-tēn) – quarentena: 1. restrição da liberdade de movimento de indivíduos aparentemente em boas condições de saúde mas que tenham sido expostos a doença infecciosa, restrição esta imposta pelo período de incubação máximo da doença; 2. período de detenção para navios, veículos ou viajantes que venham de locais e portos infectados ou suspeitos; 3. lugar onde as pessoas ficam detidas para inspeção; 4. detenção ou isolamento em razão de suspeita de contágio.

quart (kwort) – quarto; um quarto de um galão (946 ml).

quar·tan (kwor'tin) – quartã; que recidiva em ciclos de quatro dias.

quar·ter (kwor'ter) – quarto; a parte do casco de um eqüino entre o calcanhar e o dedo. **false q.** – q. falso; fenda no casco de um eqüino de cima para baixo.

quartz (kworts) – quartzo; uma forma cristalina de sílica (dióxido de silicone).

qua·ter in die (kwah'ter in de'a) [L.] – quatro vezes ao dia.

qua·ter·nary (kwah'ter-nar"e) – quaternário: 1. o quarto em uma ordem; 2. que contém quatro elementos ou grupos.

quench·ing (kwench'ing) – extinção; qualquer tipo de interferência, como a absorção de emissão fluorescente por um meio circundante, que reduz a intensidade da fluorescência.

quick·en·ing (kwik'en-ing) – sinais de vida; primeiros movimentos perceptivos do feto no útero.

quin·a·crine (kwin'ah-krin) – quinacrina; antimalárico, antiprotozoário e anti-helmíntico utilizado como sal de cloridrato, especialmente na terapia supressiva da malária e no tratamento da giardíase e das infestações por tênia.

quin·a·pril (-pril) – quinaprila; inibidor da enzima conversora da angiotensina, utilizado em forma de sal de cloridrato no tratamento de hipertensão.

quin·es·trol (kwin-es'trol) – quinestrol; estrogênio de ação prolongada ($C_{25}H_{32}O_2$).

quin·eth·a·zone (-eth'ah-zōn) – quinetazona; diurético utilizado no tratamento de edema e hipertensão.

quin·i·dine (kwin'ĭ-dēn) – quinidina; o isômero dextrorrotatório do quinino, utilizado em forma de sais de gliconato, poligalacturonato e sulfato no tratamento de arritmias cardíacas.

qui·nine (kwi'nīn, kwin-ēn, kwin'in) – quinina; um alcalóide da cinchona que já foi amplamente utilizado para controlar e evitar a malária; também tem propriedades analgésicas, antipiréticas, ocitócicas suaves, depressivas cardíacas e esclerosantes e reduz a excitabilidade da placa final motora.

qui·nin·ism (kwin'ĭ-nizm) – quininismo; cinchonismo.

qui·none (kwi-nōn', kwin'ōn) – quinona; qualquer substância de um grupo de compostos altamente aromáticos derivados do benzeno ou dos hidrocarbonetos anelares múltiplos e que contêm duas substituições do grupo cetona; as quinonas são subclassificadas com base na estrutura em anel (ou seja, antraquinonas e benzoquinonas) e são agentes oxidantes suaves. Termo freqüentemente utilizado especificamente para denotar a benzoquinona, particularmente a 1,4-benzoquinona.

quin·sy (kwin'ze) – esquimência; amigdalite aguda supurada; abscesso peritonsilar.

quint- [L.] – quint-, elemento de palavra, *cinco*.

quin·tan (kwin'tan) – quintã; que recidiva a cada cinco dias, como uma febre.

quin·tip·a·ra (kwin-tip'ah-rah) – quintípara; mulher que tenha tido cinco gestações que resultaram em descendentes viáveis; para V.

quin·tup·let (kwin-tup'let) – quíntuplo; uma de cinco crianças nascidas em um mesmo parto.

quit·tor (kwit'er) – ferida fistulosa no quarto ou na coroa do pé de um eqüino.

quo·tid·i·an (kwo-tid'e-an) – cotidiano; que recidiva todos os dias; ver *malaria*.

quo·tient (kwo'shint) – quociente; um número obtido por meio de divisão. **achievement q.** – q. de aproveitamento; a idade de aproveitamento dividida pela idade mental, indicando o grau de progresso no aprendizado. **caloric q.** – q. calórico; calor desenvolvido (em calorias) dividido pelo oxigênio consumido (em miligramas) em um processo metabólico. **intelligence q.** – q. de inteligência; uma medida de inteligência obtida através da divisão da idade mental pela idade cronológica e multiplicação do resultado por 100. **respiratory q.** – q. respiratório; proporção do volume de dióxido de carbono exalado pelos tecidos corporais com relação ao volume de oxigênio absorvido por eles; equivale geralmente aos volumes correspondentes exalados e inalados pelos pulmões; abreviação QR.

R

R – rate; electrical resistance; respiration; rhythm; right; roentgen; organic radical (proporção; resistência elétrica; respiração; ritmo; direito; roentgen; radical orgânico).

R- – estereodescritor utilizado para especificar a configuração absoluta de compostos que tenham átomos de carbono assimétricos; oposto a *S-*.

℞ [L.] – *recipe* (take); prescription; treatment (receita [tomar]; tratamento).

Rₐ, Rₐw – airway resistance (resistência das vias aéreas).

r – ring chromosome (cromossoma em anel).

Ra – símbolo químico, rádio *(radium)*.

rab·id (rab'id) – rábico; afetado de raiva; relativo à raiva.

ra·bies (ra'bēz, ra'be-ēz) – raiva; doença viral infecciosa, aguda e geralmente fatal do sistema nervoso central dos mamíferos, sendo a infecção humana causada pela mordedura de um animal rábico (morcegos, cães etc.). Nos estágios posteriores, caracteriza-se por paralisia dos músculos da deglutição e espasmo glótico provocado pela ingestão ou visão de líquidos, bem como por comportamento maníaco, convulsões, tetania e paralisia respiratória. **rab'ic** – adj. rábico.

ra·ce·mase (ra'sē-mās) – racemase; enzima que catalisa a inversão ao redor do átomo de carbono assimétrico em um substrato que tem somente um centro de assimetria.

ra·ce·mate (ra'sē-māt) – racemato; composto racêmico.

ra·ce·mic (ra-se'mik) – racêmico; opticamente inativo, sendo composto de quantidades iguais de isômeros dextro e levorrotatórios.

ra·ce·mi·za·tion (ra"sē-mǐ-za'shun) – racemização; transformação de metade das moléculas de um composto opticamente ativo em moléculas que têm exatamente a configuração oposta, com perda completa da força rotatória.

rac·e·mose (ras'ǐ-mōs) – racemoso; racêmico com forma semelhante a um cacho de uvas.

ra·chi·al·gia (ra"ke-al'jah) – raquialgia; raquiodinia; ver *rachiodynia*.

ra·chi·cen·te·sis (-sen-te'sis) – raquicentese; punção lombar.

ra·chid·i·al (rah-kid'e-al) – raquidiano; relativo à espinha.

ra·chid·i·an (rah-kid'e-an) – raquidiano; relativo à espinha.

ra·chi·graph (ra'kǐ-graf) – raquígrafo; instrumento para registrar os contornos da espinha e das costas.

ra·chil·y·sis (rah-kil'ǐ-sis) – raquilise; correção da curvatura lateral da espinha através de tração e pressão combinadas.

rachi(o)- [Gr.] – raqui(o)-, elemento de palavra, *espinha*.

ra·chi·odyn·ia (ra"ke-o-din'e-ah) – raquiodinia; dor na coluna vertebral.

ra·chi·om·e·ter (ra"ke-om'ě-ter) – raquiômetro; aparelho para medir a curvatura espinhal.

ra·chi·ot·o·my (-ot'ah-me) – raquiotomia; incisão de uma vértebra ou da coluna vertebral.

ra·chis (ra'kis) – raque; coluna vertebral.

ra·chis·chi·sis (rah-kis'kǐ-sis) – raquisquise; fissura congênita da coluna vertebral. **r. poste'rior** – r. posterior; espinha bífida.

ra·chit·ic (rah-kit'ik) – raquítico; relativo ao raquitismo.

ra·chi·tis (rah-ki'tis) – raquitismo; ver *rickets*.

ra·chit·o·gen·ic (rah-kit"o-jen'ik) – raquitogênico; que causa raquitismo.

rad (rad) – *r*adiation *a*bsorbed *d*ose (dose de radiação absorvida); unidade de medida da dose absorvida de radiação ionizante, correspondente a uma transferência de energia de 100 ergs por grama de qualquer material absorvente.

rad. [L.] – *radix* (raiz).

ra·dec·to·my (rah-dek'tah-me) – radectomia; excisão da raiz de um dente.

ra·di·ad (ra'de-ad) – radiado; em direção ao rádio ou lado radial.

ra·di·al (ra'de-al) – radial: 1. relativo ao rádio do braço ou à face radial (lateral) do braço em oposição à face ulnar (medial); relativo ao rádio; 2. que se irradia; que se propaga para fora a partir de um centro comum.

ra·di·a·lis (ra"de-a'lis) [L.] – radial.

ra·di·a·tio (ra"de-a'she-o) [L.] pl. *radiationes* – radiante; radiação ou estrutura que se irradia.

ra·di·a·tion (ra"de-a'shun) – radiação: 1. divergência a partir de um centro comum; 2. estrutura constituída de elementos divergentes, como um dos tratos fibrosos cerebrais; 3. energia transmitida por meio de ondas através do espaço ou de algum meio; geralmente se refere à radiação eletromagnética quando utilizado sem modificador. Por extensão, um feixe de partículas, como de elétrons ou partículas alfa. **acoustic r.** – r. acústica; trato fibroso que surge no núcleo geniculado medial e passa lateralmente até terminar nos giros temporais transversais do lobo temporal. **r. of corpus callosum** – r. do corpo caloso; fibras do corpo caloso que se irradiam para todas as partes do neopálio. **corpuscular r's** – radiações corpusculares; correntes de partículas subatômicas emitidas em uma desintegração nuclear (como de prótons, nêutrons, pósitrons e dêuterons). **electromagnetic r.** – r. eletromagnética; ver em *wave*. **ionizing r.** – r. ionizante; radiação corpuscular ou eletromagnética capaz de produzir ionização, direta ou indiretamente, em sua passagem através da matéria. **occipitothalamic r., optic r.** – r. occipitotalâmica; r. óptica; trato fibroso que começa no corpo geniculado lateral, passando através da parte retrolentiforme da cápsula interna e termina na área estriada na superfície medial do lobo occipital, em cada lado do sulco calcarino. **pyramidal r.** – r. piramidal; fibras que se estendem do trato piramidal para o córtex. **tegmental r.** – r. tegmentar; fibras que se irradiam lateralmente a partir do núcleo vermelho. **thalamic r's** – radiações talâmicas; fibras que conectam reciprocamente o tálamo e o córtex cerebral passando pela cápsula interna, geralmente agrupadas em quatro subradiações (pedúnculos): anterior ou frontal, superior ou centroparietal, posterior ou occipital e inferior ou temporal.

rad·i·cal (rad"ĭ-k'l) – radical: 1. direcionado no sentido da raiz ou da causa; projetado para eliminar todas as extensões possíveis de um processo mórbido; 2. grupo de átomos que entra e sai de uma combinação química sem alteração.

rad·i·cle (rad"ĭ-k'l) – radícula; um dos menores ramos de um vaso ou nervo.

rad·i·cot·o·my (rad"ĭ-kot'ah-me) – radicotomia; rizotomia; ver *rhizotomy*.

ra·dic·u·lal·gia (rah-dik"u-lal'jah) – radiculalgia; dor devida a distúrbio das raízes nervosas espinhais.

ra·dic·u·lar (rah-dik'u-ler) – radicular; relativo a raiz ou raícula.

ra·dic·u·li·tis (rah-dik"u-li'tis) – radiculite; inflamação das raízes nervosas espinhais.

ra·dic·u·lo·gan·gli·o·ni·tis (rah-dik"u-lo-gang"-gle-o-ni'tis) – radiculoganglionite; inflamação das raízes nervosas espinhais posteriores e seus gânglios.

ra·dic·u·lo·me·nin·go·my·eli·tis (-mě-ning"go-mi"ě-li'tis) – radiculomeningomielite; meningomielorradiculite; ver *meningomyeloradiculitis*.

ra·dic·u·lo·my·elop·a·thy (-mi"ě-lop'ah-the) – radiculomielopatia; mielorradiculopatia; ver *myeloradiculopathy*.

ra·dic·u·lo·neu·ri·tis (-nŏŏ-ri'tis) – radiculoneurite; polineurite idiopática aguda.

ra·dic·u·lo·neu·rop·a·thy (-nŏŏ-rop'ah-the) – radiculoneuropatia; doença das raízes nervosas e nervos espinhais.

ra·dic·u·lop·a·thy (rah-dik"u-lop'ah-the) – radiculopatia; doença das raízes nervosas. **spondylotic caudal r.** – r. caudal espondilótica; compressão da cauda eqüina devida a intrusão sobre um canal espinhal congenitamente pequeno por meio de espondilose, resultando em distúrbios nervosos dos membros inferiores.

radio [L.] – radio-, elemento de palavra, *raio; radiação; emissão de energia radiante; rádio* (osso do antebraço); afixado ao nome de um elemento químico para designar um isótopo radioativo desse elemento.

ra·dio·ac·tiv·i·ty (ra"de-o-ak-tiv'ĭ-te) – radioatividade; emissão de radiações corpusculares ou eletromagnéticas conseqüente a uma desintegração nuclear, propriedade natural de todos os elementos químicos de número atômico acima de 83 e passível de indução em todos os outros elementos conhecidos. **radioac'tive** – adj. radioativo. **artificial r., induced r.** – r. artificial; r. induzida; radioatividade produzida pelo bombardeamento de um elemento com partículas de alta velocidade.

ra·dio·al·ler·go·sor·bent (-al"er-go-sor'bent) – radioalergossorvente; denota uma técnica de radioimunoensaio para medir um anticorpo IgE específico contra vários alérgenos.

ra·dio·au·to·graph (-aw'to-graf) – radioautografia; auto-radiografia; ver *autoradiograph*.

ra·dio·bi·cip·i·tal (-bi-sip'ĭ-tal) – radiobicipital; relativo ao rádio e ao músculo bíceps.

ra·dio·bi·ol·o·gy (-bi-ol'ah-je) – radiobiologia; ramo da ciência relacionado aos efeitos da luz e radiações ultravioleta e ionizante nos tecidos vivos ou organismos. **radiobiolog'ical** – adj. radiobiológico.

ra·dio·car·di·og·ra·phy (-kahr"de-og'rah-fe) – radiocardiografia; registro gráfico de uma variação com o tempo da concentração em uma câmara selecionada do coração, de um isótopo radioativo, geralmente injetado endovenosamente.

ra·dio·car·pal (-kahr'p'l) – radiocárpico; relativo ao rádio e carpo.

ra·dio·chem·is·try (-kem'is-tre) – radioquímica; ramo da química que lida com os materiais radioativos.

ra·dio·cys·ti·tis (-sis-ti'tis) – radiocistite; alterações teciduais inflamatórias na bexiga causadas por radiação.

PQR

ra·dio·den·si·ty (-den'sĭ-te) – radiodensidade; radiopacidade; ver *radiopacity*.

ra·dio·der·ma·ti·tis (-der"mah-ti'tis) – radiodermatite; reação inflamatória cutânea à exposição a níveis biologicamente efetivos de radiação ionizante.

ra·dio·di·ag·no·sis (-di"ag-no'sis) – radiodiagnóstico; diagnóstico por meio de raios X e radiografias.

ra·di·odon·tics (-don'tiks) – radiodontia; radiologia dentária.

ra·di·odon·tist (-don'tist) – radiodontista; dentista especializado em radiologia dentária.

ra·dio·gold (ra'de-o-gold") – ouro coloidal; um dos isótopos radioativos do ouro (Au^{195}, Au^{198} ou Au^{199}), utilizados como agentes cintilográficos e antineoplásicos.

ra·dio·gram (-gram") – radiograma; radiografia.

ra·dio·graph (-graf") radiografia; filme produzido por radiografia.

ra·di·og·ra·phy (ra"de-og'rah-fe) – radiografia; realização de registros em filme (radiografias) de estruturas internas pela passagem de raios X ou raios gama através do corpo para agir sobre um filme especialmente sensibilizado. radiograph'ic – adj. radiográfico. body section r. – r. de secção corporal; tomografia. digital r. – r. digital; técnica na qual se quantifica a absorção de raios X através da escolha de um número para a quantidade de raios X que atingem o detector; a informação é manipulada por um computador para produzir uma imagem ideal. electron r. – r. por elétrons; técnica na qual se produz uma imagem latente de elétrons em um plástico claro pela passagem de fótons de raio X através de um gás com um número atômico alto; depois se desenvolve essa imagem em filme em preto-e-branco. mucosal relief r. – r. de realce da mucosa; radiografia da mucosa do trato gastrointestinal em exame de contraste duplo. neutron r. – r. por nêutrons; radiografia na qual se passa um feixe estreito de nêutrons provenientes de um reator nuclear através dos tecidos, especialmente útil na visualização dos tecidos ósseos. serial r. – r. seriada; realização de várias exposições de uma área particular a intervalos arbitrários. spot-film r. – r. localizada, com "raios moles" para detalhes anatômico-radiográficos; realização de exposições radiográficas instantâneas localizadas durante uma fluoroscopia.

ra·dio·hu·mer·al (ra"de-o-hu'mer-al) – radioumeral; relativo ao rádio e úmero.

ra·dio·im·mu·ni·ty (-i-mu'ni-te) – radioimunidade; redução da sensibilidade à radiação.

ra·dio·im·mu·no·as·say (-im"u-no-as'a) – radioimunoensaio; método de ensaio específico e altamente sensível que utiliza a competição entre as substâncias marcadas e não-marcadas radiotivamente em uma reação de antígeno-anticorpo para determinar a concentração da substância não-marcada, que pode ser um anticorpo ou uma substância contra a qual se produzem anticorpos específicos.

ra·dio·im·mu·no·dif·fu·sion (-dĭ-fu'zhun) – radioimunodifusão; imunodifusão realizada com anticorpos ou antígenos marcados com radioisótopos.

ra·dio·im·mu·no·im·ag·ing (-im'ah-jing) – radioimunoimagem; imunocintilografia; ver *immunoscintingraphy*.

ra·dio·im·mu·no·scin·tig·ra·phy (-sin-tig'rah-fe) – radioimunocintilografia; imunocintilografia; ver *immunoscintigraphy*.

ra·dio·im·mu·no·sor·bent (-sor'bent) – radioimunossorvente; denota uma técnica de radioimunoensaio para medir a IgE em amostras de soro.

ra·dio·io·dine (ra"de-o-i'o-dīn) – radioiodo; qualquer isótopo radioativo do iodo; utilizado no diagnóstico e tratamento de tireoidopatia e em cintilografia.

ra·dio·iso·tope (-i'so-tōp) – radioisótopo; isótopo radioativo (ou seja, isótopo cujos átomos sofrem desintegração radioativa que emite radiação alfa, beta ou gama). Os radioisótopos são produzidos pela desintegração de outros radioisótopos ou pela irradiação de isótopos estáveis em um ciclotron ou reator nuclear.

ra·dio·li·gand (-li'gand) – radioligante; substância marcada com um radioisótopo (por exemplo, um antígeno), utilizada na medição quantitativa de uma substância não-marcada por sua reação de ligação contra um anticorpo específico ou outro sítio receptor.

ra·di·ol·o·gist (ra"de-ol'ah-jist) – radiologista; médico especializado em Radiologia.

ra·di·ol·o·gy (ra"de-ol'ah-je) – Radiologia; ramo das ciências da saúde relacionado às substâncias radiante e energia radiante e com o diagnóstico e tratamento de uma doença tanto por meio da radiação ionizante (por exemplo, raios X) como não-ionizante (por exemplo, ultrasom). radiolog'ic, radiolog'ical – adj. radiológico.

ra·dio·lu·cent (ra"de-o-loo'sent) – radiolucente; que permite a passagem de uma energia radiante (como de raios X) com pequena atenuação, com as áreas representativas aparecendo escuras no filme exposto.

ra·di·om·e·ter (ra"de-om'ĕ-ter) – radiômetro; instrumento para detectar e medir energia radiante.

ra·dio·ne·cro·sis (ra"de-o-nĕ-kro'sis) – radionecrose; destruição tecidual devida a energia radiante.

ra·dio·neu·ri·tis (-nŏŏ-ri'tis) – radioneurite; neurite por exposição à energia radiante.

ra·dio·nu·clide (-noo'klīd) – radionuclídeo; nuclídeo radioativo.

ra·di·opac·i·ty (-pasĭ'-te) – radiopacidade; qualidade ou propriedade de obstruir a passagem de uma energia radiante (como raios X), em que as áreas representativas aparecem claras ou brancas no filme exposto. radiopaque' – adj. radiopaco.

ra·dio·pa·thol·o·gy (-pah-thol'ah-je) – radiopatologia; patologia dos efeitos da radiação nos tecidos.

ra·dio·phar·ma·ceu·ti·cal (-fahr"mah-soo'tĭ-k'l) – radiofármaco; produto farmacêutico radioativo utilizado com propósitos diagnósticos ou terapêuticos.

ra·dio·re·cep·tor (-re-sep'ter) – radiorreceptor; receptor estimulado por energia radiante (por exemplo, luz).

ra·dio·re·sis·tance (-re-zis'tins) – radiorresistência; resistência (como de tecidos ou células) à irradiação. radioresist'ant – adj. radiorresistente.

ra·di·os·co·py (ra"de-os'kah-pe) – radioscopia; fluoroscopia; ver *fluoroscopy*.

ra·dio·sen·si·tiv·i·ty (ra"de-o-se"sĭ-tivĭ-te) – radiossensibilidade; sensibilidade (como a da pele, de um tumor tecidual etc.) a energia radiante (como raios X ou outra radiação). **radiosen'sitive** – adj. radiossensível.

ra·dio·sur·gery (-ser'jer-e) – radiocirurgia; cirurgia na qual se realiza a destruição tecidual por meio de radiação ionizante em vez de incisão cirúrgica. **stereotactic r., estereotaxic r.** – r. estereotática; estereotáxica; cirurgia estereotática na qual se produzem lesões por meio de radiação ionizante.

ra·dio·ther·a·py (-ther'ah-pe) – radioterapia; tratamento de uma doença por meio de radiação ionizante; o tecido pode ser exposto a um feixe de radiação, ou um elemento radioativo pode ser contido em dispositivos (por exemplo, agulhas ou fio metálico) e inserido diretamente no interior dos tecidos (*r. interstitial*) ou introduzido em uma cavidade corporal natural (*r. intracavitária*).

ra·dio·tox·emia (-tok-se'me-ah) – radiotoxemia; toxemia produzida por meio de energia radiante.

ra·dio·tra·cer (-tra'ser) – radiotraçador; traçador radioativo.

ra·dio·trans·par·ent (-trans-pār'ent) – radiotransparente; radiolucente; ver *radiolucent*.

ra·di·o·trop·ic (-trop'ik) – radiotrópico; influenciado por radiação.

ra·dio·ul·nar (-ul'ner) – radioulnar; relativo ao rádio e ulna.

ra·di·um (ra'de-um) – rádio; elemento radioativo (ver *Tabela de Elementos*), número atômico 88, símbolo Ra; possui meia-vida de 1.622 anos, emitindo radiação alfa, beta e gama. Desintegra-se em radônio.

ra·di·us (ra'de-us) [L.] pl. *radii* – raio: 1. uma linha do centro de um círculo até um ponto em sua circunferência. **r. fix'us** – r. fixo; uma linha reta do hórmio ao ínio; 2. rádio; ver *Tabela de Ossos*.

ra·dix (ra'diks) [L.] pl. *radices* – raiz; *root*.

ra·don (ra'don) – radônio; elemento radioativo gasoso (ver *Tabela de Elementos*), número atômico 86, símbolo Rn, resultante da desintegração do rádio.

rage (rāj) – raiva; ira; estado de raiva violenta. **sham r.** – pseudo-raiva; estado semelhante à raiva que ocorre em animais descorticados ou em determinadas condições patológicas no homem.

rag·o·cyte (rag'o-sīt) – ragócito; fagócito polimorfonuclear encontrado nas articulações no caso de artrite reumatóide, com inclusões citoplasmáticas de IgG, fator reumatóide, fibrina e complemento agregados.

rale (rahl) – estertor; som respiratório anormal ouvido na ausculação, indicando uma afecção patológica. **amphoric r.** – e. anfórico; estertor grosseiro, musical e tilintante devido a movimento de fluido dentro de uma cavidade conectada a um brônquio. **clicking r.** – e. crepitante; som curto e abafado ouvido na inspiração, devido à passagem de ar através de secreções nos pequenos brônquios. **crackling r.** – e. de estalido; e. subcrepitante. **crepitant r.** – e. crepitante; som crepitante fino e seco, semelhante ao ruído da fricção de cabelos entre os dedos, ouvido no final da inspiração. **dry r.** – e. seco; som sibilante, musical ou chiadeira, ouvido em caso de asma ou bronquite. **moist r.** – e. úmido; som produzido por fluido nos tubos brônquicos. **sibilant r.** – e. sibilante; sibilação em tom alto, devido a secreções viscosas nos tubos brônquicos ou espessamento das paredes dos tubos; ouvido no caso de asma e bronquite. **subcrepitant r.** – e. subcrepitante; estertor úmido e fino ouvido em afecções associadas a líquido nos tubos menores.

ra·mal (ra'm'l) – ramal; relativo a um ramo.

ram·i·fi·ca·tion (ram"ĭ-fĭ-ka'shun) – ramificação: 1. distribuição em ramos; 2. divisão em ramos.

ram·i·fy (ram'ĭ-fi) – ramificar: 1. dividir em ramos; divergir em direções diferentes; 2. cruzar com ramos.

ra·mi·pril (rah-mi'pril) – ramiprila; inibidor da enzima conversora de angiotensina utilizado como anti-hipertensivo.

rami·sec·tion (ram"ĭ-sek'shun) – ramissecção; secção um de ou mais ramos comunicantes do sistema nervoso simpático.

ram·itis (ram-i'tis) – ramite; inflamação de um ramo.

ra·mose (ra'mos) – ramoso; ramificado; que tem muitos ramos.

ram·u·lus (ram'u-lus) [L.] pl. *ramuli* – râmulo; pequeno ramo ou divisão terminal.

ra·mus (ra'mus) [L.] pl. *rami* – ramo; como de um nervo, veia ou artéria. **ra'mi articula'res** – ramos articulares; ramos de qualquer nervo periférico misto (aferente ou eferente) que supre uma articulação e suas estruturas associadas. **ra'mi autono'mici** – ramos autônomos; quaisquer dos ramos dos nervos parassimpáticos ou simpáticos do sistema nervoso autônomo. **r. commu'nicans** – r. comunicante; ramo que conecta dois nervos e duas artérias. **ra'mi cuta'nei** – ramos cutâneos; ramos de qualquer nervo periférico misto (aferente ou eferente) que inerva uma região da pele.

range (rānj) – variação: 1. diferença entre os limites superior e inferior de uma variável ou série de valores; 2. região geográfica na qual se encontra uma determinada espécie. **r. of. motion** – v. de movimento; variação, medida em graus de um círculo através da qual se pode estender e flexionar uma articulação.

ra·nine (ra'nīn) – ranino; relativo a (*a*) uma rã; (*b*) rânula; (*c*) superfície inferior da língua; (*d*) veia sublingual.

ra·ni·ti·dine (ra-ni'tī-dēn) – ranitidina; antagonista dos receptores histamínicos H_2, utilizado como sal de cloridrato no tratamento do refluxo gastroesofágico.

ran·u·la (ran'u-lah) – rânula; tumor cístico sob a língua. **ran'ular** – adj. ranular. **pancreatic r.** – r. pancreática; cisto de retenção do ducto pancreático.

ra·phe (ra'fe) [L.] pl. *raphae* – rafe; sutura; linha de união das metades de várias partes simétricas.

rap·port (rah-por') – relação; relacionamento; relação de harmonia e acordo, como entre um paciente e um médico.

rar·e·fac·tion (rar"ĭ-fak'shun) – rarefação; condição de ser ou tornar-se menos denso.

rash (rash) – exantema; erupção temporária na pele. **butterfly r.** – e. em borboleta; erupção cutânea através do nariz e áreas adjacentes das bochechas no padrão de uma borboleta (como no caso de lúpus eritematoso e dermatite seborréica). **diaper r.** – e. das fraldas; dermatite que ocorre em bebês nas áreas recobertas por fraldas. **drug r.** – e. por medicamentos; ver em *eruption*. **heat r.** – e. por calor; miliária vermelha.

ras·pa·to·ry (ras'pah-tor-e) raspador; rugina; lima ou grosa para uso cirúrgico.

RAST – radioallergosorbent test (teste radioalergossorvente).

rate (rãt) – taxa; razão; relação; índice; freqüência; padrão; velocidade: 1. intensidade de uma quantidade física por unidade de tempo; 2. número de ocorrências de um evento por unidade de tempo. **basal metabolic r.** – taxa metabólica basal; expressão da taxa na qual as células corporais utilizam o oxigênio ou a produção calórica equivalente calculada pelo corpo, em um indivíduo em jejum em repouso completo. Abreviação BMR. **birth r.** – índice de natalidade; número de nascimentos por ano em uma população total (*índice de natalidade bruta*), com relação à população feminina (*índice de natalidade refinada*) ou população feminina em idade reprodutiva (*índice de natalidade verdadeira*). Pode-se utilizar tanto uma cifra de meio do ano como uma média para a população. **case fatality r.** – índice de fatalidade de casos; proporção do número de mortes causadas por uma doença específica com relação ao número de casos diagnosticados dessa doença. **death r.** – índice de mortalidade; expressão do número de mortes em uma população em risco durante um ano. O *índice bruto de mortalidade* é a proporção do número de mortes com relação à população total de uma área geográfica; a *índice de mortalidade idade-específica* é a proporção do número de mortes em um grupo etário específico com relação ao número de pessoas nesse grupo etário; o *índice de mortalidade causa-específica* é a proporção do número de morte devidas a causa específica com relação à população total. Pode-se utilizar uma cifra de meio do ano ou uma média para a população em risco. **dose r.** – índice de dosagem; a quantidade de qualquer agente terapêutico administrada por unidade de tempo. **erythrocyte sedimentation r.** (ESR) – velocidade de sedimentação de hemácias (VSH); velocidade na qual as hemácias se sedimentam a partir de uma amostra bem misturada de sangue venoso, conforme medido pela distância em que o topo de uma coluna de hemácias cai em um intervalo de tempo especificado sob condições específicas. **fatality r.** – índice de mortalidade; índice de fatalidade de casos. **fetal death r.** – índice de mortalidade fetal; proporção do número de mortes fetais em um ano com relação ao número total de nascimentos vivo e de mortes fetais nesse ano. **five-year survival r.** – índice de sobrevivência de cinco anos; expressão do número de sobreviventes sem nenhum sinal de doença cinco anos após o diagnóstico; ou tratados dessa mesma doença. **glomerular filtration r.** (GFR) – taxa de filtração glomerular (TFG); expressão da quantidade de um filtrado glomerular formado a cada minuto nos néfrons de ambos os rins, geralmente medida pela velocidade de depuração da creatinina. **growth r.** – índice de crescimento; expressão do aumento de tamanho de um objeto orgânico por unidade de tempo. **heart r.** – freqüência cardíaca; número de contrações dos ventrículos cardíacos por unidade de tempo. **incidence r.** – taxa de incidência; taxa do número de novos casos de uma doença em uma população contra a população em risco durante um período de tempo especificado. **morbidity r.** – índice de morbidade; número de casos de determinada doença que ocorre em um período especificado por unidade de população. **mortality r.** – índice de mortalidade. **pulse r.** – freqüência de pulso; número de pulsações observadas em uma artéria periférica por unidade de tempo. **respiration r.** – freqüência respiratória; número de movimentos da parede torácica por unidade de tempo, indicativo da inspiração e expiração. **sedimentation r.** – velocidade de sedimentação; velocidade na qual um sedimento se deposita em um certo volume de solução, especialmente quando sujeito à ação de uma centrífuga.

ra·tio (ra'she-o) [L.] – relação; proporção; expressão da quantidade de uma substância ou entidade com relação a outra; relação entre duas quantidades expressas como o quociente de uma substância dividido pelo outro. **A-G r., albuminglobulin r.** – r. A-G; r. albumina-globulina; proporção de albumina com relação à globulina no soro sangüíneo, plasma ou urina em várias nefropatias. **cardiothoracic r.** – r. cardiotorácica; índice cardiotorácico; proporção do diâmetro transversal do coração com relação ao diâmetro interno do tórax em seu ponto mais largo imediatamente acima da cúpula do diafragma. **lecithin-sphingomyelin r., L/S r.** – r. lecitina-esfingomielina; r. L/E; proporção da concentração de lecitina com relação à de esfingomielina no fluido amniótico, utilizada para prognosticar o grau de maturidade pulmonar do feto e conseqüentemente o risco de síndrome de desconforto respiratório (SDR) se o feto nascer prematuramente. **sex r.** – r. de sexo; número de homens em uma população pelo número de mulheres, geralmente estabelecido como o número de homens por 100 mulheres. **ventilationperfusion r.** – r. de ventilação-perfusão; taxa de oxigênio recebida nos alvéolos pulmonares com relação ao fluxo de sangue através dos capilares alveolares.

ra·tion·al·iza·tion (rash"un-al-ĭ-za'shun) – racionalização; mecanismo de defesa inconsciente pelo qual o indivíduo justifica atitudes e um comportamento que seriam de outra forma intoleráveis.

Rau·wol·fia (rou-wool'fe-ah) – *Rauwolfia*; gênero de árvores e arbustos tropicais, que compreende mais de 100 espécies, que fornecem vários alcalóides (notavelmente a reserpina) de interesse médico.

rau·wol·fia (rou-wool'fe-ah) – qualquer membro do gênero *Rauwolfia*; a raiz ressecada ou o extrato de raiz ressecada de *Rauwolfia*. **r.**

serpenti'na – raiz ressecada da *Rauwolfia serpentina*, algumas vezes com fragmentos de rizomas e de outras partes, utilizada como anti-hipertensivo, sedativo e tranqüilizante.

ray (ra) – raio: 1. uma linha que emana de um centro; 2. uma porção mais ou menos distinta da energia radiante (luz ou calor), que prossegue em uma direção específica. α**-r's., alpha r's** – raios alfa; raios α; núcleos de hélio ejetados a alta velocidade a partir de substâncias radioativas; os raios alfa têm menos poder de penetração que os raios beta. β**-r's., beta r's** – raios beta; raios β; elétrons ejetados a partir de substâncias radioativas com velocidades tão altas como 0,98 da velocidade da luz; têm mais poder de penetração que os raios alfa, porém menos que os raios gama. γ**-r's, gamma r's** – raios gama; raios γ; radiação eletromagnética de comprimentos de onda curtos emitida por um núcleo atômico durante uma reação nuclear, que consiste de fótons de alta energia (não têm massa e nenhuma carga elétrica e viajam à velocidade da luz), com grande poder de penetração. **grenz r's** – raíos limítrofes; raios X muito moles, que têm comprimentos de onda de cerca de 20 nm, e situam-se entre os raios X e os raios ultravioleta. **roentgen r's** – raios roentgen; raios X. **x-r's** – raios X; vibrações eletromagnéticas de comprimentos de onda curtos (aproximadamente 0,01 a 10 nm) ou que correspondem ao *quanta* e são produzidos quando os elétrons que se movem em alta velocidade colidem com várias substâncias; são comumente gerados pela passagem de uma corrente de alta voltagem (aproximadamente 10.000 volts) através de um tubo de Coolidge. Podem penetrar a maioria das substâncias até certo ponto, afetar um filme fotográfico, fazer com que determinadas substâncias floresçam e ionizar fortemente um tecido.

Rb – símbolo químico, rubídio *(rubidium)*.

RBBB – right bundle branch block (bloqueio de ramo de feixe direito, ver *bundle branch*, em *block*).

RBC – red blood cells; red blood (cell) count (hemácias, contagem sangüínea [celular] vermelha).

RBE – relative biological effectiveness (efetividade biológica relativa).

Re – rênio símbolo químico, *(rhenium)*.

re- [L.] – re-, elemento de palavra, *de volta; novamente; contrário.*

re·ab·sorp·tion (re-absorp'shun) – reabsorção: 1. ato ou processo de absorver novamente, como a absorção pelos rins de substâncias (glicose, proteínas, sódio etc.) já secretadas no interior dos túbulos renais; 2. ver *resorption*.

re·ac·tant (re-ak'tant) – reagente; substância que entra em uma reação química.

re·ac·tion (-ak'shun) – reação: 1. ação oposta ou contra-reação; resposta a estímulos; 2. fenômeno causado pela ação de agentes químicos; processo químico no qual uma substância é transformada em outra substância ou outras substâncias; 3. estado mental e/ou emocional que se desenvolve em qualquer situação particular. **acrosome r.** – r. acrossômica; alterações estruturais que ocorrem nos espermatozóides nas vizinhanças

de um óvulo que facilitam a entrada do espermatozóide através de liberação de enzimas acrossômicas. **alarm r.** – r. de alarme; efeitos fisiológicos (aumento da pressão sangüínea, débito cardíaco, fluxo sangüíneo para os músculos esqueléticos, taxa de glicólise e concentração sangüínea de glicose; redução do fluxo sangüíneo para as vísceras) mediados pela descarga do sistema nervoso simpático e liberação de hormônios medulares supra-renais em resposta a tensão, medo ou raiva. **allergic r.** – r. alérgica; reação local ou geral caracterizada por alteração da reatividade do organismo a uma substância antigênica. **antigen-antibody r.** – r. antígeno-anticorpo; combinação reversível de um antígeno com um anticorpo homólogo através da formação de ligações fracas entre determinantes antigênicos em moléculas antigênicas e sítios de aglutinação antigênicos nas moléculas de imunoglobulina. **anxiety r.** – r. de ansiedade; ver em *neurosis*. **Arias-Stella r.** – r. de Arias-Stella; hipertrofia nuclear e celular do epitélio endometrial, associada a gravidez ectópica. **conversion r.** – r. de conversão; ver em *disorder*. **cross r.** – r. cruzada; interação entre um anticorpo e um antígeno intimamente relacionado à reação que estimulou especificamente a síntese do anticorpo. **defense r.** – r. de defesa; ver em *mechanism*. **r. of degeneration** – r. de degeneração; reação a estimulação elétrica dos músculos cujos nervos se degeneraram, consistindo de perda de resposta a uma estimulação farádica em um músculo, e a uma estimulação galvânica ou farádica no nervo. **dissociative r.** – r. dissociativa; ver em *disorder*. **foreign body r.** – r. de corpo estranho; reação inflamatória granulomatosa desencadeada pela presença de material exógeno nos tecidos, caracterizada pela formação de células gigantes de corpo estranho. **gross stress r.** – r. de estresse macroscópica; r. de tensão; distúrbio de estresse pós-traumático. **hemiopic pupillary r.** – r. pupilar hemiópica; em determinados casos de hemianopia, a luz que incide em um lado da retina provoca contração da íris, enquanto a luz que incide no outro lado não suscita nenhuma resposta. **Herxheimer's r.** – r. de Herxheimer; r. de Jarisch-Herxheimer. **id r.** – manifestação alérgica que se caracteriza por erupção cutânea secundária que ocorre em pacientes sensibilizados, como resultado da circulação de produtos alergênicos, a partir de um local de infecção primário. **immune r.** – r. imunológica; ver em *response*. **Jarisch-Herxheimer r.** – r. de Jarisch-Herxheimer; reação imunológica transitória e de curto prazo, comumente observada após tratamento com antibióticos dos estágios iniciais ou finais da sífilis (e, menos freqüentemente, de determinadas outras doenças), marcada por febre, calafrios, dor de cabeça, mialgia e exacerbação de lesões cutâneas. **Jones-Mote r.** – r. de Jones-Mote; reação cutânea suave do tipo de hipersensibilidade retardada que ocorre após desafio com antígenos protéicos. **lengthening r.** – r. de estiramento; alongamento reflexo dos músculos extensores que permitem a flexão de um membro. **leukemic**

PQR

r., leukemoid r. – r. leucêmica; r. leucemóide; quadro sangüíneo periférico que parece o de leucemia ou é indistinguível deste com base somente na aparência morfológica. **Neufeld's r.** – r. de Neufeld; tumefação das cápsulas dos pneumococos, observada sob o microscópio (em uma mistura com soro imune específico), devido à aglutinação do anticorpo com o polissacarídeo capsular. **Pirquet r.** – r. de Pirquet; surgimento de uma pápula com uma aréola vermelha 24 a 48 horas após a introdução de duas pequenas gotas de tuberculina Antiga por meio de escarificação ligeira da pele; um teste positivo indica infecção anterior. **polymerase chain r. (PCR)** – r. de cadeia de polimerase; técnica rápida para a amplificação *in vitro* de seqüências específicas de DNA ou RNA, permitindo que se analisem pequenas quantidades de seqüências curtas sem clonagem. **precipitin r.** – r. de precipitina; formação de um precipitado insolúvel através da reação de um antígeno e um anticorpo. **redox r.** – r. de redox; reação de redução-oxidação reação que oxida um substrato enquanto reduz outro. **Schultz-Charlton r.** – r. de Schultz-Charlton; desaparecimento do exantema escarlatiniforme ao redor do local de uma injeção de antitoxina de escarlatina. **serum r.** – r. do soro; sororreação. **startle r.** – r. do despertar; vários fenômenos psicofisiológicos (que incluem reações motoras involuntárias e autônomas), evidenciados por um indivíduo em reação a estímulo súbito e inesperado, como um ruído alto. **stress r.** – r. de estresse; qualquer reação a um estresse físico ou psicológico, por exemplo, a r. de alarme (*alarm r.*) ou o distúrbio de estresse pós-traumático (*disorder, post-traumatic stress*). **Weil-Felix r.** – r. de Weil-Felix; aglutinação do soro sangüíneo de pacientes com tifo de bacilo de um grupo de *Proteus* (*vulgaris*) da urina e fezes. **Wernicke's r.** – r. de Wernicke; r. pupilar hemiópica. **wheal and erythema r., wheal and flare r.** – r. de pápula e eritema; reação de sensibilidade cutânea a uma lesão da pele ou administração de um antígeno, devida à produção de histamina e marcada por uma elevação edematosa e rubor eritematoso.

re·ac·tion·for·ma·tion (-for-ma'shun) – formação de reação; mecanismo de defesa inconsciente no qual uma pessoa assume uma atitude que é o reverso do desejo ou do impulso realmente abrigado.

read·ing (rĕd'ing) – leitura; compreensão dos símbolos escritos ou impressos que representam palavras. **lip r., speech r.** – l. de lábios; l. de fala; compreensão da fala através da observação dos movimentos labiais do interlocutor.

re·a·gent (re-a'jent) – reagente; substância utilizada para provocar uma reação química de forma a detectar, medir, produzir, outras substâncias etc.

re·a·gin (re'ah-jin) – reagina; anticorpo utilizado para medir reações imediatas de hipersensibilidade; nos humanos, IgE. **reagin'ic** – adj. reagínico.

ream·er (re'mer) – dilatador; instrumento utilizado em Odontologia para aumentar o volume dos canais radiculares.

re·can·al·iza·tion (re-kan"ah-lĭ-za'shun) – recanalização; canalização; ver *canalization* (3).

re·cep·tac·u·lum (re"sep-tak'u-lum) pl. *receptacula* – receptáculo; vaso ou reservatório. **r. chy'li** – r. do quilo; cisterna do quilo.

re·cep·tor (re-sep'ter) – receptor: 1. molécula na superfície ou dentro de uma célula que reconhece e se liga a moléculas específicas, produzindo um efeito específico na célula; por exemplo, os receptores de superfície celular para antígenos ou receptores citoplasmáticos para hormônios esteróides; 2. terminação nervosa sensorial que responde a vários estímulos. **adrenergic r's** – receptores adrenérgicos; adrenorreceptores; receptores para adrenalina ou noradrenalina, como os receptores dos órgãos efetores inervados por fibras adrenérgicas pós-ganglionares do sistema nervoso simpático. Classificados como *receptores α-adrenérgicos* (que são estimulados por noradrenalina e bloqueados por agentes como a fenoxibenzamina) e *r. β-adrenérgicos* (que são estimulados por adrenalina e bloqueados por agentes como o propranolol); o último tipo compreende dois subtipos: os *receptores β₁* (que produzem lipólise e cardioestimulação) e os *receptores β₂* (que produzem broncodilatação e vasodilatação). **cholinergic r's** – receptores colinérgicos; moléculas de receptores de superfície celular que se ligam ao neurotransmissor acetilcolina e mediam sua ação sobre as células pós-juncionais. **complement r's** – receptores de complemento; receptores de superfície celular para componentes de complemento. **cutaneous r.** – r. cutâneo; um dos vários tipos de órgãos sensoriais encontrados na derme ou epiderme, geralmente mecanorreceptor, termorreceptor ou nociceptor. **H₁ r's, H₂ r's** – receptores H₁ e H₂; ver *histamine*. **joint r.** – r. articular; um dos vários mecanorreceptores que ocorrem nas cápsulas articulares e respondem a uma pressão profunda e outros estímulos como estresse ou alteração na posição. **muscarinic r's** – receptores muscarínicos; receptores colinérgicos que são estimulados pelo alcalóide muscarina e bloqueados pela atropina; são encontrados nas células efetoras automáticas e neurônios centrais no tálamo e córtex cerebral. **muscle r.** – r. muscular; mecanorreceptor encontrado em um músculo ou tendão. **nicotinic r's** – receptores nicotínicos; receptores colinérgicos que são estimulados inicialmente e bloqueados em altas doses pelo alcalóide nicotina e bloqueados pela tubocurarina; são encontrados nas células ganglionares automáticas, células musculares estriadas e neurônios centrais espinhais. **nonadapting r.** – r. de não-adaptação; mecanorreceptor (como um nociceptor) que responde a estimulação constante uniforme contínua e pouca ou nenhuma acomodação com o tempo. **olfactory r.** – r. olfatório; quimiorreceptor no epitélio nasal sensível a estimulação, dá origem à sensação de odores. **opiate r., opioid r.** – r. dos opiáceos; um dos muitos receptores de opiáceos e opióides, agrupados em pelo menos sete tipos com base em seus substratos e efeitos psicológicos. **orphan r.** – r.-órfão; proteína identificada como um receptor suposto na base da sua estrutura, mas sem identificação dos possíveis ligantes ou evidência de função. **pain r.** – r. de dor; nociceptor. **rapidly adapting r.** – r. de adaptação rápida; mecanorreceptor que responde rapidamente a estimulação, mas que se acomoda rapidamente e pára de disparar se o estímulo permanecer constante. **sensory r.** – r. sensorial; *receptor* (2). **slowly adapting r.** – r. de adaptação lenta; mecanorreceptor que responde lentamente a estimulação e continua a disparar enquanto o estímulo continuar. **stretch r.** – r. de estiramento; órgão sensorial em um músculo ou tendão que responde a alongamento. **tactile r.** – r. tátil; mecanorreceptor para o sentido do tato. **thermal r.** – r. térmico; termorreceptor.

re·cess (re'ses) – recesso; pequeno espaço ou cavidade vazios. **epitympanic r.** – r. epitimpânico; porção superior da cavidade timpânica, que se estende acima do nível da membrana timpânica e contém parte da bigorna e do martelo. **infundibuliform r.** – r. infundibuliforme; r. faríngeo. **laryngopharyngeal r.** – r. laringofaríngeo; r. piriforme. **pharyngeal r.** – r. faríngeo; extensão lateral e larga semelhante a uma fenda na parede da nasofaringe, cranial e dorsalmente ao orifício faríngeo da trompa auditiva. **piriform r.** – r. piriforme; fossa piriforme na parede da faringe laríngea. **pleural r's** – recessos pleurais; espaços onde as diferentes porções da pleura reúnem-se em um ângulo e nunca são preenchidos completamente pelo tecido pulmonar. **r. of Rosenmüller** – r. de Rosenmüller; r, faríngeo. **sphenoethmoidal r.** – r. esfenoetmoidal; parte mais superior e posterior da cavidade nasal, acima da concha nasal superior, onde o seio esfenoidal se abre. **subpopliteal r.** – r. subpoplíteo; prolongamento da bainha do tendão sinovial do músculo poplíteo fora da articulação genicular no interior do espaço poplíteo. **superior r. of tympanic membrane** – r. superior da membrana timpânica; bolsa de Prussak. **utricular r.** – r. utricular; utrículo; ver *utricle* (2).

re·ces·sive (re-ses'iv) – recessivo: 1. que tende a recuar; em Genética, incapaz de expressão a menos que o alelo responsável seja transportado por ambos os membros de um par de cromossomas homólogos; 2. alelo ou característica recessivos.

re·ces·sus (re-ses'us) [L.] pl. *recessus* – recesso.

re·cid·i·va·tion (re-sid''ĭ-va'shun) – recidiva; recidivismo.

re·cid·i·vism (re-sid'ĭ-vizm) – recidivismo: 1. repetição de uma ofensa ou crime; 2. recidiva ou recorrência de uma doença.

rec·i·pe (res'ĭ-pe) [L.] – receita; prescrição; "tome"; consta do cabeçalho de uma prescrição, indicado pelo símbolo ℞; 2. fórmula para a preparação de uma combinação específica de ingredientes.

re·cip·i·ent (re-sip'e-ent) – receptor; pessoa que recebe (como transfusão sangüínea ou enxerto tecidual ou implante de órgão). **universal r.** – r. universal; pessoa que se acredita ser capaz de receber sangue de qualquer "tipo" sem aglutinação de células doadoras.

re·cog·ni·tion (rek''og-nish'un) – reconhecimento; em imunologia, interação de células imunologicamente competentes com um antígeno, que envolve a ligação de um antígeno a um receptor específico na superfície celular e resulta em resposta imune.

re·com·bi·nant (re-kom'bĭ-nant) – recombinante: 1. nova célula ou indivíduo que resulta de recombinação Genética; 2. relativo ou relacionado a essas células ou indivíduos. Ver também em *DNA.*

re·com·bi·na·tion (re''kom-bĭ-na'shun) – recombinação: 1. reunião (na mesma disposição ou em uma diferente) de elementos anteriormente unidos que tenham sido separados; 2. em Genética, formação de novas combinações genéticas devidas a cruzamento de cromossomas homólogos.

re·com·pres·sion (-kom-presh'un) – recompressão; retorno à pressão ambiental normal após exposição a pressão muito diminuída.

re·con·struc·tion (-kon-struk'shun) – refazer; reunir ou reconstituir a partir dos constituintes, como o processo matemático pelo qual uma imagem se forma a partir de uma série de projeções em tomografia computadorizada.

rec·ord (rek'erd) – registro: 1. registro permanente ou de longa duração de alguma coisa (como um filme, texto etc.); 2. em Odontologia, o ato de registrar. **problem-oriented r. (POR)** – r. orientado para o problema; método de manutenção de registro do atendimento a um paciente que focaliza os problemas de saúde específicos, bem como um plano de acompanhamento cooperativo projetado para tratar os problemas identificados. Os componentes do registro são: os *dados ambulatoriais* (que contêm informações das condições de cada paciente independentemente do diagnóstico ou problemas apresentados); a *relação de problemas* (que contém os principais problemas que atualmente necessitam de atenção); o *plano* (que especifica o que se deve fazer com relação a cada problema; as *notas de acompanhamento* (que documentam observações, avaliações, planos de tratamento, pedidos dos médicos etc. de todo o pessoal de atendimento de saúde diretamente envolvido no tratamento do paciente). Ver também *SOAP.*

rec·re·ment (rek'rĭ-ment) – recremento; saliva ou outra secreção que é reabsorvida pelo sangue. **recrementi'tious** – adj. recrementício.

re·cru·des·cence (re''kroo-des'ens) – recrudescência; recidiva de sintomas após remissão temporária. **recrudes'cent** – adj. recrudescente.

re·cruit·ment (re-kroot'ment) – recrutamento: 1. aumento gradual até o máximo em um reflexo ao se prolongar um estímulo de intensidade inalterada; 2. em Audiologia, aumento anormalmente rápido na altura de um som causada por aumento de sua intensidade; 3. pequeno aumento ordenado no número de unidades motoras ativadas com aumento da força das contrações musculares voluntárias.

rec·tal·gia (rek-tal'jah) – retalgia; proctalgia; ver *proctalgia.*

rec·tec·to·my (rek-tek'tah-me) – retectomia; proctectomia; ver *proctectomy.*

rec·ti·fi·ca·tion (rek''tĭ-fĭ-ka'shun) – retificação: 1. ato de tornar reto, puro ou correto; 2. redestilação de um líquido para purificá-lo.

rec·ti·tis (rek-ti'tis) – retite; proctite; ver *proctitis*.

rect(o)- [L.] – ret(o)-, elemento de palavra, *reto*. Ver também as palavras com prefixo *proct(o)-*.

rec·to·ab·dom·i·nal (rek"to-ab-dom'ĭ-n'l) – retoabdominal; relativo ao reto e abdome.

rec·to·cele (rek'to-sēl) – retocele; protrusão herniária de parte do reto no interior da vagina.

rec·to·co·li·tis (rek"to-co-li'tis) – retocolite; coloproctite.

rec·to·cu·ta·ne·ous (-ku-ta'ne-us) – retocutâneo; relativo ao reto e à pele.

rec·to·la·bi·al (-la'be-al) – retolabial; relacionado ao reto e grande lábio.

rec·to·pexy (rek'to-pek"se) – retopexia; proctopexia; ver *proctopexy*.

rec·to·plas·ty (-plas"te) – retoplastia; proctoplastia; ver *proctoplasty*.

rec·to·scope (-skōp) – retoscópio; proctoscópio; ver *proctoscope*.

rec·to·sig·moid (rek"to-sig'moid) – retossigmóide; porção terminal do cólon sigmóide e porção proximal do reto.

rec·to·sig·moi·dec·to·my (-sig"moi-dek'tah-me) – retossigmoidectomia; excisão do retossigmóide.

rec·tos·to·my (rek-tos'tah-me) – retostomia; proctostomia; ver *proctostomy*.

rec·to·ure·thral (rek"to-u-re'thral) – retouretral; relativo ou que se comunica com o reto e uretra.

rec·to·uter·ine (-u'ter-in) – retouterino; relativo ao reto e útero.

rec·to·vag·i·nal (-vaj"ĭ-n'l) – retovaginal; relativo ou que se comunica com o reto e bexiga.

rec·to·ves·i·cal (-ves'ĭ-k'l) – retovesical; relativo ou que se comunica com o reto e bexiga.

rec·tum (rek'tum) – reto; porção distal do intestino grosso. rec'tal – adj. retal.

rec·tus (rek'tus) [L.] – reto; direto; ininterrupto.

re·cum·bent (re-kum'bent) – recumbente; recúbito; deitado.

re·cu·per·a·tion (-koo"per-a'shun) – recuperação; restauração de saúde e força.

re·cur·rence (-ker'ens) – recorrência; recidiva; retorno de sintomas após remissão. recur'rent – adj. recorrente.

re·cur·va·tion (re"kur-va'shun) – recurvação; inclinação ou curvatura para trás.

red (red) – vermelho: 1. uma das cores primárias, produzida pelas ondas mais longas do espectro visível; 2. corante vermelho. Congo r. – v.-Congo; pó vermelho-escuro ou amarronzado utilizado como auxílio diagnóstico no caso de amiloidose. phenol r. – v. fenólico; fenolsulfonftaleína. scarlet r. – v.-escarlate; corante azo que tem certa capacidade para estimular a proliferação celular; é utilizado para potencializar a cicatrização de ferimentos. vital r. – v. vital; corante injetado no interior da circulação para estimar o volume sangüíneo pela determinação da concentração do corante no plasma.

re·dia (re'de-ah) pl. *rediae* – rédia; estágio larval de determinados parasitas trematódeos, que se desenvolve no corpo do caramujo hospedeiro e dá origem a uma geração de rédias ou cercárias.

red·in·te·gra·tion (red"in-tĕ-gra'shun) – reintegração: 1. restauração ou reparo de uma parte perdida ou danificada; 2. processo psíquico em que parte de um estímulo complexo provoca a reação completa originalmente só realizada pelo estímulo complexo como um todo.

re·dox (re'doks) – redox; redução-oxidação.

re·duce (re-dōōs') – reduzir: 1. restaurar uma parte ao local ou relação normal, como por exemplo, reduzir uma fratura; 2. sofrer redução; 3. reduzir em peso ou tamanho.

re·duc·tant (re-duk'tant) – redutor; doador de elétrons em uma reação de redução-oxidação (redox).

re·duc·tase (-tās) – redutase; termo empregado na denominação de algumas das oxidorredutases, em geral especificamente as que catalisam reações importantes somente para redução de um metabolismo. 5-α-r. – 5-α-r.; enzima que catalisa a redução irreversível da testosterona em diidrotestosterona; a deficiência enzimática leva a uma forma de pseudo-hermafroditismo masculino.

re·duc·tion (-shun) – redução: 1. correção de uma fratura, luxação ou hérnia; 2. adição de hidrogênio a uma substância ou, mais genericamente, o ganho de elétrons. closed r. – r. fechada; redução manipulativa de uma fratura sem incisão. open r. – r. aberta; redução de uma fratura após incisão sobre o local de fratura.

re·du·pli·ca·tion (re"du-plĭ-ka'shun) – reduplicação: 1. duplicar novamente; 2. recorrência de paroxismos do tipo duplo; 3. duplicação de partes, conectadas em algum ponto, sendo geralmente a parte extra correspondente à imagem especular da outra.

re·en·try (re-en'tre) – reentrada; reexcitação de uma região do tecido cardíaco por meio do impulso único, que continua por um ou mais ciclos e algumas vezes resulta em batimentos ectópicos ou taquiarritmias; também requer refratariedade do tecido a estimulação e uma área de bloqueio unidirecional à condução.

re·flec·tion (-flek'shun) – reflexão: 1. curvatura ou inclinação para trás sobre o próprio curso; 2. imagem produzida por reflexão; 3. em Física, reversão de um raio de luz, som ou calor ao atingir uma superfície em que não penetra; 4. forma especial de reentrada na qual um impulso que atravessa uma área de responsividade diminuída para excitar o tecido distal, retorna em seguida refazendo seu trajeto em vez de atravessar um circuito, oscilando para trás e para frente.

re·flex (re'fleks) – reflexo; ação ou movimento refletidos; a soma total de qualquer resposta automática particular mediada pelo sistema nervoso. abdominal r's – reflexos abdominais; contrações dos músculos abdominais ao estímulo da pele abdominal. accommodation r. – r. de acomodação; alterações coordenadas que ocorrem quando o olho se auto-adapta à visão próxima; constrição da pupila, convergência dos olhos e aumento da convexidade do cristalino. Achilles tendon r. – r. do tendão de Aquiles; r. do tríceps sural; r. aquileu; acoustic r. – r. acústico; contração do músculo estapédio em resposta a som intenso. anal r. – r. anal; contração do esfíncter anal no caso de irritação da pele anal. ankle r. – r. do tornozelo; r. tríceps sural; r. de Aquiles. auditory r. – r. auditivo;

qualquer reflexo causado por meio de estímulo do nervo auditivo, especialmente o fechamento momentâneo de ambos os olhos provocados por som súbito. **Babinski's r.** – r. de Babinski; dorsoflexão do hálux a estímulo da planta do pé, que ocorre em lesões do trato piramidal, embora seja um reflexo normal nos bebês. **Babkin r.** – r. de Babkin; pressão dos polegares de um examinador nas palmas das mãos de um bebê que faz com que este abra a boca. **baroreceptor r.** – r. barorreceptor; resposta reflexa a estímulo dos barorreceptores do seio carotídeo e arco aórtico, regulando a pressão sangüínea através do controle da freqüência cardíaca, da força das contrações cardíacas e diâmetro dos vasos sangüíneos. **Bezold r., Bezold-Jarisch r.** – r. de Bezold; r. de Bezold-Jarisch; bradicardia e hipotensão reflexas resultantes de estimulação dos quimiorreceptores cardíacos por meio de alcalóides anti-hipertensivos e substâncias semelhantes. **biceps r.** – r. bicipital; contração do músculo bíceps quando se percute seu tendão. **Brain's r.** – r. de Brain; extensão de um braço flexionado hemiplégico ao assumir a posição quadrúpede. **brain stem r's.** – reflexos do tronco cerebral; reflexos regulados ao nível do tronco cerebral (como os reflexos pupilares, faríngeos e de tosse e controle da respiração); sua ausência constitui um dos critérios da morte cerebral. **bulbospongiosus r.** – r. bulboesponjoso; contração do músculo bulboesponjoso em resposta a percussão no dorso do pênis. **carotid sinus r.** – r. do seio carotídeo; retardamento do batimento cardíaco sob pressão na artéria carótida ao nível da cartilagem cricóide. **Chaddock's r.** – r. de Chaddock; no caso de lesões do trato piramidal, um estímulo abaixo do maléolo externo causa extensão do grande artelho. **chain r.** – r. em cadeia; uma série de reflexos, cada um deles servindo como estímulo para o próximo, representando a atividade completa. **ciliary r.** – r. ciliar; movimento da pupila em uma acomodação. **ciliospinal r.** – r. ciliospinhal; dilatação da pupila do mesmo lado em estimulação dolorosa da pele no lado do pescoço. **closed loop r.** – r. de alça fechada; reflexo, como o reflexo de estiramento, no qual o estímulo diminui quando recebe retroalimentação proveniente do mecanismo de resposta. **conditioned r.** – r. condicionado; r. adquirido; ver em *response*. **conjunctival r.** – r. conjuntival; fechamento da pálpebra quando se toca a conjuntiva. **corneal r.** – r. corneano; fechamento das pálpebras à irritação da córnea. **cough r.** – r. da tosse; seqüência de eventos iniciada pela sensibilidade do revestimento das vias aéreas pulmonares e mediada pela medula como conseqüência de impulsos transmitidos pelo nervo vago, resultando em tosse (ou seja, limpeza das vias aéreas de material estranho). **cremasteric r.** – r. cremastérico; estímulo da pele frontal e interna da coxa, retraindo o testículo do mesmo lado. **deep r.** – r. profundo; r. tendinoso. **digital r.** – r. digital; sinal de Hoffmann; ver *Hoffmann sign* (2) em *sign*. **diving r.** – r. do mergulho; reflexo que envolve adaptações cardiovasculares e metabólicas para conservação de oxigênio que ocorre nos animais durante

imersão na água; observado em répteis, aves e mamíferos, incluindo o homem. **elbow r.** – r. do cotovelo; r. do tríceps. **embrace r.** – r. de abraço; r. de Moro. **finger-thumb r.** – r. do polegar; oposição e adução do polegar combinadas com flexão na articulação metacarpofalângica e extensão na articulação interfalângica sob pressão descendente do dedo indicador. **gag r.** – r. do vômito; r. faríngeo. **gastrocolic r.** – r. gastrocólico; aumento do peristaltismo intestinal após entrada de alimento no estômago vazio. **gastroileal r.** – r. gastroileal; aumento na motilidade ileal e abertura da válvula ileocecal à entrada de alimento no estômago vazio. **grasp r.** – r. de apreensão; flexão ou apreensão dos dedos à estimulação da palma das mãos ou da planta dos pés, normal somente na infância. **Hoffmann's r.** – r. de Hoffmann; ver em *sign*, *Hoffmann* (2). **hypogastric r.** – r. hipogástrico; contração dos músculos do abdômen inferior ao se percurtir a pele da superfície interna da coxa. **jaw r., jaw jerk r.** – r. mandibular; r. espasmódico mandibular; fechamento da boca causado por percussão descendente no queixo que pende passivamente; raramente observado em boas condições de saúde, mas muito notável no caso de lesões do trato corticoespinhal. **knee jerk r.** – r. de contração do joelho; r. patelar. **light r.** – r. luminoso: 1. cone de luz; 2. reflexo pupilar contração da pupila quando a luz incide no olho; 3. um ponto de luz que se vê refletido da retina com o retinoscópico. **Magnus and de Kleijn neck r's** – reflexos do pescoço de Magnus e de Kleijn; extensão ipsilateral de ambos os membros (somente de um ou parte de um membro), com aumento do tônus do lado para o qual o queixo se vira quando se gira a cabeça lateralmente, e flexão com perda de tônus do lado para o qual o occipúcio aponta; sinal de rigidez descerebrada, exceto em bebês. **Mayer's r.** – r. de Mayer; r. do polegar. **Mendel-Bekhterev r.** – r. de Mendel-Bekhterev; flexão dorsal do segundo ao quinto dedos em percussão do dorso do pé; em determinados distúrbios nervosos orgânicos, ocorre flexão plantar. **micturition r.** – r. da micção; r. urinário; um dos reflexos necessários à evacuação de urina sem esforço e manutenção subconsciente da continência. **Moro's r.** – r. de Moro; flexão das coxas e joelhos de um bebê, em seguida abrindo e fechando os dedos, com os braços primeiramente estirados para fora e depois reunidos como se abraçassem alguma coisa; produzido por estímulo súbito e observado normalmente em recém-nascidos. **myotatic r.** – r. miotático; r. de estiramento. **neck r's** – reflexos cervicais; ajustamentos reflexos na posição do tronco e membros causados por estimulação dos proprioceptores nas articulações e músculos do pescoço quando se vira a cabeça, tendendo a manter-se uma orientação constante entre a cabeça e o corpo. **neck righting r.** – r. postural do pescoço; rotação do tronco na direção em que a cabeça do bebê em supinação se vira; esse reflexo encontra-se ausente ou reduzido em bebês com espasticidade. **nociceptive r's** – r. nociceptivos; reflexos iniciados por estímulos dolorosos. **oculocardiac r.** – r. oculocardíaco; redução do ritmo cardíaco após compressão dos olhos; a redução de 5 a 13 batimentos por minuto é normal. **open loop r.** – r. de alça aberta; reflexo em que o estímulo provoca atividade que não controlará posteriormente e do qual não recebe retroalimentação. **Oppenheim's r.** – r. de Oppenheim; dorsoflexão do hálux ao se percutir descendentemente ao longo do lado medial da tíbia, observado no caso de doença do trato piramidal. **orbicularis oculi r.** – r. orbicular do olho; contração normal do músculo orbicular do olho, resultando em fechamento do olho, na percussão da face externa da crista supra-orbitária sobre a glabela ou ao redor da margem da órbita. **orbicularis pupillary r.** – r. orbicular da pupila; contração unilateral da pupila acompanhada de dilatação após fechamento ou tentativa de fechamento das pálpebras que são forçadamente mantidas separadas. **palatal r.**, **palatine r.** – r. palatino; r. palatal; estimulação do palato causando deglutição. **patellar r.** – r. patelar; contração do quadríceps e extensão da perna quando se percute o ligamento patelar. **peristaltic r.** – r. peristáltico; quando se distende ou se irrita uma porção do intestino, a área imediatamente proximal se contrai e a área imediatamente distal se relaxa. **pharyngeal r.** – r. faríngeo; contração do músculo constritor faríngeo desencadeada ao se tocar o dorso da faringe. **pilomotor r.** – r. pilomotor; produção de enrugamento da pele ("pele de ganso") quando esta é percutida. **placing r.** – r. de colocação ou posicional; flexão seguida de extensão da perna quando se mantém o bebê ereto e se puxa o dorso do pé ao longo da borda superior do topo de uma mesa; é obtenível no bebê normal até a idade de seis semanas. **plantar r.** – r. plantar; a irritação da planta do pé contrai os artelhos. **proprioceptive r.** – r. proprioceptivo; reflexo iniciado por estímulo em um proprioceptor. **pupillary r.** – r. pupilar: 1. contração da pupila em exposição da retina à luz; 2. qualquer reflexo envolvendo a íris, que resulta em alteração no tamanho da pupila, e ocorre em resposta a vários estímulos (por exemplo, alteração na iluminação ou ponto de fixação, ruído alto súbito ou estimulação emocional). **quadriceps r.** – r. do quadríceps; r. patelar. **quadrupedal extensor r.** – r. extensor de quadrúpede; r. de Brain. **red r.** – r. vermelho; aparência vermelho-luminosa observada sobre a retina em retinoscopia. **righting r.** – r. postural; capacidade de reassumir a postura ideal após ter adotado uma postura falsa. **Rossolimo's r.** – r. de Rossolimo; no caso de lesões do trato piramidal, a flexão plantar dos dedos ao se percutir sua superfície plantar. **scratch r.** – r. de coçadura; reflexo espinhal pelo qual uma prurido ou outra irritação da pele provocam movimento corporal rápido na tentativa de coçar a área afetada. **spinal r.** – r. espinhal; qualquer ação reflexa mediada através de um centro na medula espinhal. **startle r.** – r. de estremecimento; r. de Moro. **stepping r.** – r. de marcha eqüina; movimentos de progressão desencadeados quando se segura o bebê ereto e inclinado para a frente com as plantas dos pés tocando uma superfície plana. **stretch r.** – r. de estiramento; contração reflexa de um músculo em

resposta a estiramento longitudinal passivo. **sucking r.** – r. de sucção; movimentos de sucção dos lábios do recém-nascido desencadeados através do toque de seus lábios ou da pele próxima à boca. **superficial r.** – r. superficial; qualquer reflexo de retirada desencadeado por estimulação nociva ou tátil da pele, córnea ou membrana mucosa, incluindo os reflexos corneano, faríngeo, cremastérico etc. **swallowing r.** – r. de deglutição; r. palatino. **tendon r.** – r. tendinoso; reflexo desencadeado por percussão precisa no tendão ou músculo apropriados para a induzir estiramento breve do músculo, seguido de contração. **tonic neck r.** – r. tônico do pescoço; extensões do braço e algumas vezes da perna para o lado onde a cabeça se vira forçadamente, com flexão dos membros contralaterais; observado normalmente em recém-nascidos. **triceps r.** – r. do tríceps; contração do ventre do músculo tríceps e ligeira extensão do braço ao se percurtir diretamente o tendão do músculo, com o braço flexionado e completamente sustentado e relaxado. **triceps surae r.** – r. do tríceps sural; r. de Aquiles; flexão plantar causada por contração espasmódica do músculo tríceps sural, desencadeada por percussão no tendão de Aquiles, preferivelmente enquanto o paciente se ajoelha em uma cama ou cadeira, com os pés pendendo à borda. **vestibular r's** – reflexos vestibulares; reflexos para a manutenção da posição dos olhos e do corpo com relação a alterações na orientação da cabeça. **vestibulo-ocular r.** – r. vestibulocular; nistagmo ou desvio dos olhos em resposta a estimulação do sistema vestibular por meio de aceleração ou desaceleração angular ou de irrigação dos ouvidos com água ou mornos ou frios (teste calórico). **withdrawal r.** – r. de retirada; reflexo nociceptivo em que uma parte corporal se retrai rapidamente sob estímulo doloroso.

re·flex·o·gen·ic (re-flek"so-jen'ik) – reflexogênico; que produz ou aumenta uma ação reflexa.

re·flex·og·e·nous (re"flek-soj'ĕ-nus) – reflexógeno; reflexogênico.

re·flex·o·graph (re-flek'so-graf) – reflexógrafo; instrumento para registrar um reflexo.

re·flex·om·e·ter (re"flek-som'ĕ-ter) – reflexômetro; instrumento para medir a força necessária para produzir contração miotática.

re·flux (re'fluks) – refluxo; fluxo retrógrado. **esophageal r., gastroesophageal r.** – r. esofágico; r. gastroesofágico; refluxo do conteúdo gástrico e esofágico no interior do esôfago. **hepatojugular r.** – r. hepatojugular; distensão da veia jugular induzida pela aplicação de pressão manual sobre o fígado; sugere insuficiência do coração direito. **intrarenal r.** – r. intra-renal; refluxo de urina no interior do tecido parenquimatoso renal. **vesicoureteral r., vesicoureteric r.** – r. vesicoureteral; fluxo retrógrado de urina a partir da bexiga no interior de um cateter.

re·fract (re-frakt') – refratar: 1. provocar desvio; 2. determinar os erros da refração ocular.

re·frac·tion (re-frak'shun) – refração; refringência: 1. ato ou o processo de refração; especificamente, a determinação dos erros refratários do olho e sua correção com lentes; 2. desvio de luz ao passar obliquamente de um meio para outro de densidade diferente. **refrac'tive** – adj. refratário. **double r.** – r. dupla; birrefringência; refração em que os raios incidentes se dividem em dois raios refratados, de forma a produzir uma imagem dupla. **dynamic r.** – r. dinâmica; acomodação normal do olho, que é continuamente exercida sem esforço consciente.

re·frac·tion·ist (-ist) – refraccionista; pessoa capacitada na determinação do poder de refração dos olhos e correção dos defeitos de refração.

re·frac·tom·e·ter (re"frak-tom'ĕ-ter) – refratômetro: 1. instrumento para medir o poder refrativo do olho; 2. instrumento para determinar os índices de refração de várias substâncias, particularmente para a determinação do grau das lentes para os óculos.

re·frac·to·ry (re-frak'to-re) – refratário; intratável; que não responde facilmente a um tratamento.

re·fran·gi·ble (re-fran'jĭ-b'l) – refrangível; suscetível à refratação.

re·fresh (re-fresh') – renovar; recuperar; reavivar desnudar um ferimento epitelial para potencializar o reparo tecidual.

re·frig·er·a·tion (re-frij"er-a'shun) – refrigeração; emprego terapêutico de uma temperatura baixa.

re·fu·sion (re-fu'zhun) – refusão; retorno do sangue à circulação após remoção ou interrupção temporárias do fluxo.

re·gen·er·a·tion (re-jen"ĕ-ra'shun) – regeneração; restauração natural de uma estrutura, como a de um tecido perdido.

reg·i·men (rej'ĭ-men) – regime; esquema de dieta, exercício ou outra atividade estritamente regulados a fim de se conseguir determinados fins.

re·gio (re'je-o) [L.] pl. *regiones* – região.

re·gion (re'jun) – região; área plana com limites mais ou menos definidos. **re'gional** – adj. regional. **facial r's** – regiões faciais; áreas em que a face se divide, incluindo a *bucal* (lado da cavidade oral), *infra-orbitária* (abaixo do olho), *mentoniana* (queixo), *nasal* (nariz), *oral* (lábios), *orbitária* (olho), *parotideomassetérica* (ângulo da mandíbula) e *zigomática* (osso da bochecha). **homogeneously staining r's (HSR)** – regiões de coloração homogênea; regiões não-estriadas longas dos cromossomas criadas por amplificação gênica; constituem marcadores de tumores indicativos de neoplasias sólidas com mau prognóstico. **pectoral r's** – regiões peitorais; áreas nas quais se divide a superfície anterior do tórax, incluindo a *axilar*, *infraclavicular* e *mamária*. **perineal r.** – r. perineal; região sobrejacente à entrada pélvica, que inclui as regiões *anal* e *urogenital*. **precordial r.** – r. precordial; parte da superfície anterior do corpo que recobre o coração e a depressão do estômago.

reg·is·trant (rej'is-trint) – enfermeira inscrita; profissional que consta de um registro de disponibilidade para prestar serviços.

reg·is·trar (-trar) – registrador: 1. funcionário encarregado dos arquivos; 2. nos hospitais britânicos, médico residente, em estágio de especialização

que atua como assistente da chefia ou do especialista-chefe.

reg·is·tra·tion (rej"is-tra'shun) – registro; em Odontologia, a realização de um registro das relações mandibulares presentes ou desejadas para transferi-las a um dispositivo articulador para facilitar a elaboração apropriada de uma prótese dentária.

reg·is·try (rej'is-tre) – registro; repartição pública onde se pode inscrever uma enfermeira como disponível para prestação de serviços; 2. agência central para a coleção de material patológico e dados relacionados com um campo específico da Patologia.

re·gres·sion (re-gresh'un) – regressão: 1. retorno a um estado anterior ou inicial; 2. abrandamento de sintomas ou de um processo patológico; 3. em Biologia, a tendência em gerações sucessivas em direção à média; 4. retorno defensivo a um padrão inicial e freqüentemente infantil de comportamento ou pensamento; 5. relação funcional entre uma variável aleatória e uma ou mais variáveis estabelecidas pelo experimentador. **regres'sive** – adj. regressivo.

Reg·ro·ton (reg'ro-ton) – Regroton, marca registrada de preparação de combinação fixa de clortalidona e reserpina.

reg·u·la·tion (reg"u-la'shun) – regulação: 1. ato de ajustar ou estado de ajustar-se a um determinado padrão; 2. em Biologia, a adaptação de uma forma ou comportamento de um organismo a condições alteradas; 3. capacidade de um estágio pré-gástrula formar um embrião completo de uma parte. **menstrual r.** – r. menstrual; remoção do conteúdo uterino (sem obstáculo) por meio da aplicação de vácuo através de uma cânula introduzida no útero.

re·gur·gi·tant (re-ger'jĭ-tint) – regurgitante; que flui de volta.

re·gur·gi·ta·tion (re-ger"jĭ-ta'shun) – regurgitação; fluxo em direção oposta ao normal, como a ejeção de um alimento não-digerido ou fluxo retrógrado de sangue através de uma válvula cardíaca defeituosa. **aortic r. (AR)** – r. aórtica; fluxo retrógrado de sangue da aorta no interior do ventrículo esquerdo devido a insuficiência da válvula semilunar aórtica. **mitral r. (MR)** – r. mitral; refluxo de sangue a partir do ventrículo esquerdo no interior do átrio esquerdo devido a insuficiência da válvula mitral. **pulmonic r. (PR)** – r. pulmonar; fluxo retrógrado a partir da artéria pulmonar no interior do ventrículo direito devido a insuficiência da válvula semilunar pulmonar. **tricuspid r. (TR)** – r. tricúspide; fluxo retrógrado de sangue a partir do ventrículo direito no interior do átrio direito devido a insuficiência da válvula tricúspide. **valvular r.** – r. valvular; fluxo retrógrado de sangue através dos orifícios das válvulas cardíacas devido a fechamento imperfeito das válvulas.

re·ha·bil·i·ta·tion (re"hah-bil"ĭ-ta'shun) – reabilitação: 1. restauração da forma e função normais após enfermidade ou lesão; 2. restauração do paciente doente ou lesado a um nível funcional ideal em todas as áreas de atividade.

re·hy·dra·tion (-hi-dra'shun) – reidratação; restauração do conteúdo hídrico ou fluido a um corpo ou a uma substância que tenha se desidratado.

PQR

re·im·plan·ta·tion (-im-plan-ta'shun) – reimplante; reposicionamento de um tecido ou estrutura no local a partir de onde se perdeu ou foi removido anteriormente.

re·in·fec·tion (-in-fek'shun) – reinfecção; segunda infecção pelo mesmo agente ou segunda infecção de um órgão por um agente diferente.

re·in·force·ment (-in-fors'ment) – reforço; em condicionamento (ciência comportamental), a apresentação de um estímulo que serve para reforçar respostas que precedem sua ocorrência.

re·in·fu·sate (re'in-fu'sāt) – reinfuso; fluido para reinfusão no corpo, geralmente após ter-se sujeitado a processo de tratamento.

re·in·fu·sion (re''in-fu'zhun) – reinfusão; infusão de um fluido corporal que tenha sido anteriormente retirado do mesmo indivíduo (por exemplo, reinfusão de fluido ascítico após ultrafiltração).

re·in·ner·va·tion (-in-er-va'shun) – reinervação; restauração do suprimento nervoso de uma parte onde este se perdeu; pode ocorrer espontaneamente ou por meio de enxerto de nervos.

re·in·te·gra·tion (-in-tĕ-gra'shun) – reintegração: 1. integração biológica após um estado de interrupção; 2. restauração de uma função mental harmoniosa após desintegração da personalidade decorrente de enfermidade mental.

re·jec·tion (re-jek'shun) – rejeição; reação imunológica contra um tecido enxertado que resulta na eliminação do enxerto.

re·lapse (re'laps) – recidiva; recorrência; recaída; retorno de uma doença após cessação aparente.

re·la·tion (re-la'shun) – relação; condição ou estado de um objeto ou entidade quando considerado em conexão com outro. **object r.** – r. objetiva; ligação emocional formada entre uma pessoa e outra, em oposição aos interesses do próprio indivíduo.

re·lax·ant (re-lak'sint) – relaxante: 1. que causa relaxamento; 2. agente que causa relaxamento. **muscle r.** – r. muscular; agente que auxilia especificamente na redução da tensão muscular.

re·lax·in (re-lak'sin) – relaxina; princípio semelhante à proteína secretado pelo corpo lúteo durante a gravidez, que produz relaxamento da sínfise púbica e dilatação da cérvix uterina em determinadas espécies animais.

re·line (re-līn') – repavimentar; em Odontologia, revestir o tecido do lado de uma dentadura com novo material de base para obter um encaixe mais preciso.

REM – rapid eye movements (movimento rápido dos olhos; ver em *sleep*).

rem (rem) – roentgen-equivalent-*man* (roentgen-equivalente-homem; quantidade de qualquer radiação ionizante com a mesma eficácia biológica de 1 rad de raios X; 1 rem = 1 rad x EBR (eficácia biológica relativa).

rem·e·dy (rem'ah-de) – remédio; medicamento; alguma coisa que cura ou alivia uma doença. **reme'dial** – adj. curativo; terapêutico.

re·min·er·al·i·za·tion (re-min''er-al-ĭ-za'shun) – remineralização; restauração de elementos minerais, como de sais de cálcio ao osso.

re·mis·sion (re-mish'un) – remissão; diminuição ou abrandamento dos sintomas de uma doença; o período durante o qual ocorre essa diminuição.

re·mit·tent (re-mit'ent) – remitente; que tem períodos de abrandamento e exacerbação.

re·mod·el·ing (re-mod'ĕl-ing) – remodelagem; reorganização ou renovação de uma estrutura velha. **bone r.** – r. óssea; absorção de tecido ósseo e deposição simultânea de um osso novo; no osso normal, os dois processos se encontram em equilíbrio dinâmico.

re·mo·ti·va·tion (re-mo''tĭ-va'shun) – remotivação; em Psiquiatria, técnica de terapia de grupo administrada pelo corpo de enfermeiros de um hospital psiquiátrico, utilizada para incentivar as habilidades de comunicação e interesse pelo ambiente por parte de pacientes em isolamento por longo período.

ren (ren) [L.] pl. *renes* – rim. **r. mo'bilis** – rim móvel; rim hipermóvel.

re·nal (re'n'l) – renal; néfrico relativo ao rim.

ren·i·form (ren'ĭ-form) – reniforme; em forma de rim.

re·nin (re'nin) – renina; enzima proteolítica sintetizada; armazenada e secretada pelas células justaglomerulares renais; participa da regulação da pressão sangüínea através da catalisação da conversão do angiotensinogênio em angiotensina I.

re·nin·ism (-izm) – reninismo; afecção marcada por superprodução de renina. **primary r.** – r. primário; síndrome de hipertensão, hipocalemia, hiperaldosteronismo e elevação da atividade da renina plasmática, devido à proliferação de células justaglomerulares.

reni·pel·vic (re''ĭ-pel'vik) – renipélvico; relativo à pelve renal.

reni·por·tal (-por'tal) – reniportal; relativo ao sistema portal renal.

ren·nin (ren'in) – renina; enzima de coagulação de leite encontrada no suco gástrico dos bebês humanos (antes da formação de pepsina) e abundante no suco gástrico do bezerro e outros ruminantes; utiliza-se uma preparação proveniente do estômago do bezerro para coagular a proteína láctea para facilitar sua digestão.

re·no·gas·tric (re''no-gas'trik) – renogástrico; relativo ao rim e estômago.

re·nog·ra·phy (re-nog'rah-fe) – renografia; radiografia renal.

re·no·in·tes·ti·nal (re''no-in-tes'tĭ-n'l) – renointestinal; relativo ao rim e ao intestino.

re·nop·a·thy (re-nop'ah-the) – renopatia; nefropatia; ver *nephropathy*.

re·no·pri·val (re''no-pri'val) – renoprivo; relativo ou causado pela falta de função renal.

re·no·vas·cu·lar (-vas'ku-ler) – renovascular; relativo ou que afeta os vasos sangüíneos renais.

ren·ule (ren'ūl) – renículo; área do rim suprida por um ramo da artéria renal, geralmente consistindo de três ou quatro pirâmides medulares e substância cortical correspondente.

Reo·vi·ri·dae (re''o-vir'ĭ-de) – Reoviridae; reovírus; família de vírus do RNA com genoma de RNA de duplo filamento linear; a família inclui os gêneros *Orbivirus, Reovirus* e *Rotavirus*.

Reo·vi·rus (re'o-vi"rus) – *Reovirus*; reovírus; gênero de vírus da família Reoviridae; não se provou nenhuma relação causativa de qualquer doença no homem, mas em outros mamíferos, foram associados a doença respiratória e entérica, e em galinhas e perus, à artrite.

reo·vi·rus (re'o-vi"rus) – reovírus: 1. qualquer vírus que pertença à família Reoviridae; 2. qualquer vírus que pertença ao gênero *Reovirus*.

re·ox·y·gen·a·tion (re-ok"sĭ-jen-a'shun) – reoxigenação; em Radiobiologia, fenômeno em que as células tumorais hipóxicas (e conseqüentemente radiorresistentes) ficam mais expostas ao oxigênio (e conseqüentemente mais radiossensíveis) por estarem em proximidade mais íntima aos capilares após morte e perda de outras células tumorais devido a irradiação anterior.

re·pair (re-pār') – reparo; restauração física ou mecânica de tecidos danificados ou doentes através do crescimento de novas células saudáveis ou pela aproximação cirúrgica.

re·per·cus·sion (re"per-kush'un) – repercussão: 1. aparecimento de uma erupção ou disseminação de um tumor; 2. rechaço; ver *ballotement*.

re·plan·ta·tion (-plan-ta'shun) – reimplante; ver *reimplantation*.

rep·li·case (rep'lĭ-kās) – replicase: 1. polimerase que sintetiza RNA a partir de um RNA padrão; 2. mais genericamente, qualquer enzima que replique ácidos nucléicos (ou seja, DNA ou RNA polimerase).

rep·li·ca·tion (rep"lĭ-ka'shun) – replicação: 1. voltar uma parte para trás de forma a duplicá-la; 2. repetição de um experimento para assegurar sua precisão; 3. processo de duplicação ou reprodução, como a replicação de uma cópia exata de um filamento polinucleotídico de DNA ou RNA.

re·po·lar·iza·tion (re-po"ler-ĭ-za'shun) – repolarização; restabelecimento de uma polaridade, especialmente o retorno do potencial da membrana celular ao potencial de repouso após despolarização.

re·pos·i·tor (-pozʹĭ-ter) – repositor; instrumento utilizado na reposição de órgãos deslocados à posição normal.

re·pres·sion (-presh'un) – repressão: 1. ato de conter, inibir ou suprimir; 2. em Psiquiatria, mecanismo inconsciente de defesa pelo qual idéias e impulsos inaceitáveis são removidos da consciência; 3. r. gênica. **enzyme r.** – r. enzimática; interferência (geralmente por meio do produto final de uma via) na síntese das enzimas de uma via. **gene r.** – r. gênica; inibição da transcrição gênica de um opéron; nos procariotas, envolve a combinação do repressor com o opéron.

re·pres·sor (-pres'er) – repressor; em Genética, substância produzida por um gene regulador que age para evitar a iniciativa do gene operador da síntese protéica por parte do opéron.

re·pro·duc·tion (re"pro-duk'shun) – reprodução: 1. produção de descendentes por parte de corpos organizados; 2. criação de um objeto ou situação semelhantes; duplicação; replicação. **reproduc'tive** – adj. reprodutivo. **asexual r.** – r. assexuada; reprodução sem a fusão de células

sexuais. **cytogenic r.** – r. citogênica; produção de um novo indivíduo a partir de célula germinativa ou zigoto únicos. **sexual r.** – r. sexuada; reprodução através da fusão de uma célula sexual feminina com uma célula sexual masculina ou desenvolvimento de um óvulo não-fertilizado. **somatic r.** – r. somática; produção de um novo indivíduo a partir de um fragmento multicelular por meio de fissão ou de brotamento.

rep·til·ase (rep'til-ās) – reptilase; enzima proveniente do veneno da víbora de Russell utilizado na determinação do tempo de coagulação sangüínea.

re·pul·sion (re-pul'shun) – repulsa: 1. ato de repelir; força tendendo a separar dois corpos; 2. em Genética, a ocorrência em cromossomas opostos, em um heterozigoto duplo, de dois alelos mutantes de interesse.

RES – reticuloendothelial system (sistema reticuloendotelial).

re·scin·na·mine (re-sin'ah-min) – rescinamina; alcalóide proveniente de várias espécies de *Rauwolfia*; utilizado como anti-hipertensivo e tranqüilizante.

re·sect (-sekt') – ressecar; excisar uma parte, o órgão todo ou outra estrutura.

re·sec·tion (-sek'shun) – ressecção; excisão de uma porção ou o órgão todo ou outra estrutura. **root r.** – r. radicular; apicectomia. **transurethral prostatic r. (TURP)** – r. prostática transuretral; ressecção da próstata por meio de um instrumento passado através da uretra. **wedge r.** – r. em cunha; remoção de uma massa triangular de tecido.

re·sec·to·scope (-sek'to-skōp) – ressectoscópio; instrumento com um telescópio de grande abertura angular e alça de arame eletricamente ativada para remoção ou biopsia transuretral de lesões vesicais, próstata ou uretra.

re·ser·pine (res'er-pēn) – reserpina; alcalóide proveniente de várias espécies de *Rauwolfia*; utilizado como anti-hipertensivo e tranqüilizante.

re·serve (re-zerv') – reservar: 1. guardar para uso futuro; 2. suprimento, além do normalmente usado, que pode ser utilizado em uma emergência. **alkali r., alkaline r.** – r. alcalina; quantidade de componentes básicos conjugados dos tampões sangüíneos, sendo o mais importante o bicarbonato. **cardiac r.** – r. cardíaca; capacidade potencial do coração realizar um trabalho além do necessário sob condições basais.

re·ser·voir (rez'er-vwahr) – reservatório: 1. local ou cavidade de armazenamento; 2. cisterna; 3. hospedeiro alternativo ou portador passivo de um organismo patogênico. **continent ileal r.** – r. ileal continente; bolsa intra-abdominal valvulada que mantém a continência das fezes e é esvaziada por um cateter quando se encontra cheia. **ileoanal r.** – r. ileoanal; bolsa para retenção de fezes, formada através da sutura conjunta de braços múltiplos do íleo e conectada ao ânus por meio do conduto ileal; utilizado com colectomia para manter a continência no tratamento de colite ulcerativa. **Pecquet's r.** – r. de Pecquet; cisterna quilífera.

res·i·dent (rez'ĭ-dent) – residente; médico recém-formado que recebe treinamento clínico em um hospital.

res·i·due (rez'ĭ-doo) – resíduo: 1. resto; o que permanece após a remoção de outras substâncias; 2. em Bioquímica, a porção de um monômero incorporada em um polímero. **re·sid·u·um** (re-zid'i-um) [L.] pl. *residua* – resíduo ou resto.

res·in (rez'in) – resina; qualquer das várias substâncias orgânicas semi-sólidas ou sólidas amorfas exsudadas por várias árvores e arbustos ou produzidas sinteticamente; a maioria é mole e pegajosa, mas endurece à exposição ao frio. **res'inous** – adj. resinoso. **acrylic r's** – resinas acrílicas; produtos da polimerização do ácido acrílico ou metacrílico ou seus derivados, utilizados na fabricação de próteses médicas e restaurações e dispositivos dentários. **anion exchange r.** – r. trocadora de ânions; ver *ion exchange r.* **cation exchange r.** – r. trocadora de cátions; ver *ion exchange r.* **cholestyramine r.** – r. de colestiramina; resina trocadora de ânions sintética e fortemente básica em forma de cloreto, que quela os ácidos biliares no intestino, evitando conseqüentemente sua reabsorção; utilizada para alívio sintomático do prurido associado à estase biliar e como terapia adjuvante à dieta no tratamento de determinadas hipercolesterolemias. **ion exchange r.** – r. trocadora de íons; polímero insolúvel de alto peso molecular de compostos orgânicos simples capazes de trocar seus íons ligados por outros íons no meio circundante; classificada como (*a*) *resinas trocadoras de cátions* ou *ânions* (dependendo de quais íons a resina troca) e (*b*) *resinas carboxílicas, sulfônicas* etc. (dependendo da natureza dos grupos ativos). **podophyllum r.** – r. do podófilo; mistura de resinas provenientes do podófilo, utilizada como agente cáustico tópico no tratamento de determinados papilomas.

re·sis·tance (re-zis'tans) – resistência: 1. oposição ou força de reação; 2. em Psiquiatria, mecanismo de defesa consciente ou inconsciente que impede que um material reprimido venha à consciência e seja sujeito a tratamento; 3. capacidade natural de um organismo normal permanecer imune a agentes nocivos em seu ambiente; ver também *immunity;* 4. r. elétrica; 5. r. vascular; 6. r. das vias aéreas. **airway r.** – r. das vias aéreas; a oposição da árvore traqueobrônquica ao fluxo aéreo. Símbolo R_A, R_{VA}. **drug r.** – r. a drogas; capacidade de um microrganismo suportar os efeitos de uma droga que são letais à maioria dos membros de sua espécie. **electrical r.** – r. elétrica; oposição ao fluxo da corrente elétrica entre dois pontos de um circuito. **multidrug r., multiple drug r.** – r. múltipla a drogas; em algumas linhagens celulares malignas, resistência a muitos agentes quimioterápicos estruturalmente não-relacionados em células que desenvolveram resistência natural a um só composto citotóxico. **vascular r.** – r. vascular; oposição ao fluxo sangüíneo em um leito vascular.

res·o·lu·tion (rez"o-loo'shun) – resolução: 1. abrandamento de um estado patológico; 2. percepção de dois pontos adjacentes separados em microscopia, a menor distância em que se pode distinguir a separação dos objetos adjacentes.

re·sol·vent (re-zol'vent) – resolvente: 1. dissolvente; que promove resolução ou dissipação de um crescimento patológico; 2. agente que promove resolução.

res·o·nance (rez'o-nins) – ressonância: 1. prolongamento e intensificação de um som produzido pela transmissão de suas vibrações em uma cavidade, especialmente o som obtido por percussão. A redução da ressonância é chamada de obtusa; um *dull;* o seu aumento é chamado de macicez (*flatness*); 2. som vocal ouvido à auscultação; 3. mesomerismo. **amphoric r.** – r. anfórica; som semelhante ao produzido pelo sopro na boca de uma garrafa vazia. **nuclear magnetic r.** – r. magnética nuclear; medição (por meio da aplicação de um campo magnético externo a uma solução em campo de radiofreqüência constante) do momento magnético dos núcleos atômicos para determinar a estrutura de compostos orgânicos; a técnica é utilizada na obtenção de imagens por ressonância magnética. **skodaic r.** – r. de Skoda; r. skodaica; aumento da ressonância percussão na parte superior do tórax, com gravidade abaixo dela. **tympanitic r.** – r. timpânica; som peculiar produzido através da percussão de um abdômen timpanítico. **vesicular r.** – r. vesicular; ressonância pulmonar normal. **vocal r. (VR)** – r. vocal; o som da fala normal como se ouve através da parede torácica.

res·o·na·tor (rez'o-na"ter) – ressonador: 1. instrumento utilizado para intensificar sons; 2. circuito elétrico no qual se estabelecem oscilações de uma determinada freqüência através de oscilações da mesma freqüência em outro circuito.

re·sorb (re-sorb') – reabsorver; consumir ou absorver novamente.

re·sor·ci·nol (rĕ-zor'sĭ-nol) – resorcinol; agente bactericida, fungicida, ceratolítico, descamativo e antipruriginoso utilizado especialmente como ceratolítico tópico no tratamento da acne e outras dermatoses.

re·sorp·tion (re-sorp'shun) – reabsorção; lise e assimilação da uma substância, como a de um osso.

res·pir·a·ble (rĕ-spīr'ah-b'l) – respirável; adequado à respiração.

res·pi·ra·tion (res"pĭ-ra'shun) – respiração: 1. troca de oxigênio e dióxido de carbono entre a atmosfera e as células corporais, que inclui inspiração e expiração, difusão do oxigênio dos alvéolos para o sangue e do dióxido de carbono do sangue para os alvéolos, bem como o transporte do oxigênio; 2. respiração celular; processos metabólicos exergônicos nas células vivos nos quais se consome o oxigênio molecular, oxidam-se as substâncias orgânicas, libera-se a energia livre e a célula expele o dióxido de carbono, água e outros produtos oxidados. **abdominal r.** – r. abdominal; inspiração e expiração realizadas principalmente pelos músculos abdominais e pelo diafragma. **aerobic r.** – r. aeróbica; transformação oxidativa de determinados substratos em produtos secretórios, sendo a energia liberada utilizada no processo da assimilação. **anaerobic r.** – r. anaeróbica; respiração em que se libera energia a partir de reações químicas nas quais o oxigênio livre não toma parte. **artificial r.** – r. artificial;

respiração mantida por meio de força aplicada ao corpo, estimulação do nervo frênico através da aplicação de corrente elétrica ou pelo *método de respiração boca a boca* (ressuscitação de uma vítima apnéica por meio de aplicação direta da boca à sua, tomando regularmente um fôlego profundo e soprando no interior dos pulmões da vítima). **Biot's r.** – r. de Biot; respiração rápida e curta, com pausas de vários segundos. **Cheyne-Stokes r.** – r. de Cheyne-Stokes; respiração caracterizada por aumento e redução rítmicos da profundidade da respiração, com períodos apnéicos regularmente recorrentes. **cogwheel r.** – r. interrompida; respiração com inspiração espasmódica. **electophrenic r.** – r. eletrofrênica; indução de respiração por meio de estimulação elétrica do nervo frênico. **external r.** – r. externa; troca de gases entre os pulmões e o sangue. **internal r.** – r. interna; troca de gases entre as células corporais e o sangue. **Kussmaul's r., Kussmaul-Kien r.** – r. de Kussmaul; r. de Kussmaul-Kien; falta de ar. **paradoxical r.** – r. paradoxal; respiração na qual se esvazia um pulmão ou uma porção dele durante a inspiração e se infla durante a expiração. **tissue r.** – r. tecidual; r. interna.

res·pi·ra·tor (res'pĭ-ra"ter) – respirador; inalador; aparelho para qualificar o ar respirado através dele ou dispositivo para proporcionar respiração artificial ou auxiliar na ventilação pulmonar. **cuirass r.** – r. de couraça; respirador aplicado somente no tórax, seja circundando completamente o tronco ou aplicado somente na frente do tórax e abdômen. **Drinker r.** – r. de Drinker; popularmente "pulmão de ferro"; um aparelho para produzir respiração artificial por longos períodos de tempo, consistindo de um tanque de metal, que encerra o corpo do paciente, menos sua cabeça, e dentro do qual se mantém uma respiração artificial através de alternação de pressões negativa e positiva.

res·pi·ra·to·ry (res'pĭ-rah-tor"e) – respiratório; relativo à respiração.

res·pi·rom·e·ter (res"pĭ-rom'ĕ-ter) – respirômetro; instrumento para determinar a natureza da respiração.

re·sponse (re-spons') – resposta; qualquer ação ou alteração de uma afecção provocada por um estímulo. **acute phase r.** – r. de fase aguda; um grupo de processos fisiológicos que ocorre logo após o início de uma infecção, traumatismo, processos inflamatórios e algumas afecções malignas; inclui elevação nas proteínas de fase aguda no soro, febre, aumento de permeabilidade vascular e alterações metabólicas e patológicas. **anamnestic r.** – r. anamnéstica; r. imune secundária. **autoimmune r.** – r. auto-imune; resposta imune contra um auto-antígeno. **conditioned r.** – r. condicionada; resposta provocada por um estímulo condicionado; resposta a um estímulo incapaz de provocá-lo antes do condicionamento. **galvanic skin r.** – r. cutânea galvânica; alteração na resistência elétrica da pele associada a descarga nervosa simpática. **immune r.** – r. imune; qualquer resposta do sistema imune a um estímulo antigênico, incluindo a produção de anticorpos, imunidade mediada por células e tolerância imu-

nológica. **primary immune r.** – r. imune primária; resposta imune que ocorre à primeira exposição a um antígeno, aparecendo anticorpos específicos no sangue após um período latente de vários dias. **secondary immune r.** – r. imune secundária; resposta imune que ocorre à segunda exposição e em exposições subseqüentes a um antígeno, com uma resposta mais forte a uma quantidade menor de antígeno e um período de intervalo mais curto comparado com a resposta imune primária. **triple r. (of Lewis)** – r. tripla (de Lewis); reação de pápula e eritema. **unconditioned r.** – r. não-condicionada; resposta não-aprendida, ou seja, resposta que ocorre naturalmente.

rest (rest) – repouso: 1. repouso após um exercício; 2. fragmento de tecido embrionário retido dentro do organismo adulto; 3. em Odontologia, extensão que ajuda a sustentar uma dentadura parcial removível. **adrenal r.** – resquício supra-renal; tecido supra-renal acessório. **incisal r., lingual r., occlusal r.** – apoio incisal; apoio lingual; apoio oclusivo; parte ou extensão metálica de uma dentadura parcial removível para auxiliar na sustentação da prótese. **suprarenal r.** – resquício supra-renal; resquício adrenal. **Walthard's r.** – remanescente celular de Walthard; ver em *islet*.

re·ste·no·sis (re"stĕ-no'sis) – restenose; estenose recorrente, especialmente de uma válvula cardíaca após correção cirúrgica de afecção primária.

res·ti·form (res'tĭ-form) – restiforme; com forma semelhante a uma corda.

res·ti·tu·tion (res"tĭ-too'shun) – restituição; realinhamento espontâneo da cabeça fetal com o corpo fetal, após a saída da cabeça.

res·to·ra·tion (res"tŏ-ra'shun) – restauração: 1. indução do retorno ao estado anterior, como o retorno à saúde ou reposicionamento de uma parte à posição normal; 2. reconstrução parcial ou completa de uma parte corporal ou o dispositivo utilizado em seu lugar.

re·straint (re-strănt') – restrição; controle forçado, como a camisa-de-força.

re·sus·ci·ta·tion (-sus"ĭ-ta'shun) – ressuscitação; restituir à vida uma pessoa aparentemente morta. **cardiopulmonary r. (CPR)** – r. cardiopulmonar (RCP); restabelecimento da ação cardíaca e pulmonar após parada cardíaca ou morte súbita aparente resultante de choque elétrico, afogamento, apnéia e outras causas. Os dois principais componentes da ressuscitação cardiopulmonar são a ventilação artificial e a massagem cardíaca com tórax aberto.

re·sus·ci·ta·tor (-sus"ĭ-ta"tor) – ressuscitador; aparelho para ativar a respiração em pessoas cuja respiração se interrompeu.

re·tain·er (-tăn'er) – retentor; aparelho ou dispositivo que mantém um dente ou dentadura parcial na posição apropriada.

re·tar·date (-tar'dăt) – retardado; pessoa mentalmente retardada.

re·tar·da·tion (re"tard-da'shun) – retardo; retardamento; impedimento; desenvolvimento lento. **intrauterine growth r. (IUGR)** – r. de crescimento intra-uterino; peso, ao nascimento, abaixo de 10% para a idade gestacional em bebês nascidos

PQR

em determinada população, definido como *simétrico* (peso e comprimento encontram-se abaixo do normal) ou *assimétrico* (peso abaixo do normal e comprimento normal). **mental r.** – r. mental; amentia; distúrbio mental caracterizado por funcionamento intelectual geral significativamente abaixo da média, associado a comprometimento do comportamento adaptativo e manifestado no período de desenvolvimento; classificado de acordo com o QI como *leve* (50-70), *moderado* (35-50), *grave* (20-35) e *profundo* (menos de 20).

retch·ing (rech'ing) – vômito seco; esforço involuntário forte para vomitar.

re·te (re'te) [L.] pl. *retia* – rede; rede ou trama, especialmente de vasos sangüíneos. **r. arterio' sum** – r. arterial; rede anastomótica de artérias diminutas, imediatamente antes de se tornarem arteríolas ou capilares. **articular r.** – r. articular; rede de vasos sangüíneos anastomóticos em uma articulação ou ao redor da mesma. **malpighian r.** – r. de Malpighi; ver em *layer.* **r. mira'bile** – r. admirável: 1. rede vascular formada pela divisão de uma artéria ou veia em muitos vasos menores que se reúnem em um só vaso; 2. anastomose arterial cerebral que ocorre entre as artérias carótidas externa e interna devida a trombose de longa duração destas. **r. ovarii** – r. ovariana; homólogo da rede testicular, desenvolvido no feto feminino precoce, mas vestigial na mulher adulta. **r. subpapilla're** – r. subpapilar; rede de artérias no limite entre as camadas papilar e reticular do cório. **r. tes'tis** – r. testicular; rede formada no mediastino testicular pelos túbulos seminíferos. **r. veno'sum** – r. venosa; rede anastomótica de pequenas veias.

re·ten·tion (re-ten'shun) – retenção; processo de conservação ou de manutenção de posição, como a permanência no corpo de um material normalmente excretado ou a manutenção de uma prótese dentária em posição apropriada na boca.

re·tic·u·la (rĕ-tik'u-lah) [L.] – plural de *reticulum.*

re·tic·u·lar (-lar) – reticular; semelhante à rede.

re·tic·u·lat·ed (-lāt"ed) – reticulado; reticular.

re·tic·u·la·tion (rĕ-tik"u-la'shun) – reticulação; formação ou presença de uma rede.

re·tic·u·lin (rĕ-tik'u-lin) – reticulina; escleroproteína proveniente das fibras conjuntivas de um animal ruminante.

re·tic·u·li·tis (rĕ-tik"u-li'tis) – reticulite; inflamação do retículo de um animal ruminante.

re·tic·u·lo·cyte (rĕ-tik'u-lo-sīt) – reticulócito; hemácia jovem que mostra um retículo basofílico sob corante vital.

re·tic·u·lo·cy·to·pe·nia (rĕ-tik"u-lo-si"to-pe'ne-ah) – reticulocitopenia; deficiência de reticulócitos no sangue.

re·tic·u·lo·cy·to·sis (-si-to'sis) – reticulocitose; excesso de reticulócitos no sangue periférico.

re·tic·u·lo·en·do·the·li·al (-en"do-the'le-al) – reticuloendotelial; relativo ao reticuloendotélio ou ao sistema reticuloendotelial.

re·tic·u·lo·en·do·the·li·o·sis (-en"do-the"le-o'-sis) – reticuloendoteliose; hiperplasia do tecido reticuloendotelial. **leukemic r.** – r. leucêmica; leucemia de célula pilosa.

re·tic·u·lo·en·do·the·li·um (-en"do-the'le-um) – reticuloendotélio; tecido do sistema reticuloendotelial.

re·tic·u·lo·his·ti·o·cy·to·ma (-his"te-o-si-to'-mah) – reticuloistiocitoma; retículo-histiocitioma; agregação granulomatosa de histiócitos carregados de lipídeos e células gigantes multinucleadas com citoplasma eosinófilo pálido com aparência vítrea. Ocorre em duas formas: granuloma reticuloistiocítico (*granuloma, reticulohistiocytic*) e reticuloistiocitose multicêntrica (*reticulohistiocytosis, multicentric*).

re·tic·u·lo·his·ti·o·cy·to·sis (-his"te-o-si-to'sis) – reticuloistiocitose; retículo-histiocitose; formação de reticuloistiocitomas múltiplos. **multicentric r.** – r. multicêntrica; doença sistêmica de poliartrite das mãos e grandes articulações e desenvolvimento de reticuloistiocitomas nodulares na pele, ossos e membranas mucosa e sinovial, que podem progredir para um envolvimento polivisceral e morte.

re·tic·u·lo·pe·nia (-pe'nea-ah) – reticulopenia; reticulocitopenia; ver *reticulocytopenia.*

re·tic·u·lo·po·di·um (-po'de-um) – reticulópode; pseudópode ramificado e filamentoso.

re·tic·u·lo·sis (rĕ-tik"u-lo'sis) – reticulose; elevação anormal nas células derivadas ou relacionadas às células reticuloendoteliais. **familial histiocytic r., histiocytic medullary r.** – r. familiar histiocítica; r. medular histiocítica; distúrbio hereditário fatal marcado por anemia, granulocitopenia, trombocitopenia, fagocitose de células sangüíneas, proliferação difusa de histiócitos e aumento de volume do fígado, baço e linfonodos. **malignant midline r., polymorphic r.** – r. de linha média maligna; r. polimórfica; uma forma de lesão imunoproliferativa angiocêntrica que envolve as estruturas da linha média do nariz e da face.

re·tic·u·lum (rĕ-tik'u-lum) [L.] pl. *reticula* – retículo: 1. pequena rede, especialmente a rede protoplasmática nas células; 2. tecido reticular; 3. segundo estômago de um animal ruminante. **endoplasmic r.** – r. endoplasmático; organela ultramicroscópica de quase todas as células vegetais superiores e animais, consistindo de um sistema de cavidades ligadas por membranas no citoplasma; ocorre em dois tipos: de superfície áspera (*r. granular*) (que possui um grande número de ribossomas em sua superfície externa) e o de superfície lisa (*r. agranular*). **sarcoplasmic r.** – r. sarcoplasmático; uma forma de retículo agranular ou sarcoplasma dos músculos estriados, que compreende um sistema de túbulos de superfície lisa que circundam cada miofibrila. **stellate r.** – r. estrelado; parte mole e média do órgão do esmalte de um dente em desenvolvimento.

re·ti·form (re'tĭ-form, ret'ĭ-form) – retiforme; reticuloforme; reticular.

ret·i·na (ret'ĭ-nah) [L.] – retina; a túnica mais interna do globo ocular, que contém os elementos neurais para recepção e transmissão dos estímulos visuais.

ret·i·nac·u·lum (ret"ĭ-nak'u-lum) [L.] pl. *retinacula* – retináculo: 1. estrutura que retém um órgão ou tecido na sua posição; 2. instrumento para reter tecidos durante uma cirurgia. **r. flexo'rum manus**

– r. flexor da mão; faixa fibrosa que forma o canal cárpico através do qual passam os tendões dos músculos flexores da mão e dos dedos. **r. musculo'rum peroneo'rum infe'rius** – r. do músculo fibular inferior; faixa fibrosa que atravessa os tendões fibulares, mantendo-os na posição sobre o calcâneo lateral. **r. musculo'rum peroneo'rum supe'rius** – r. do músculo fibular superior; faixa fibrosa que atravessa os tendões fibulares ajudando a mantê-los na posição por baixo e atrás do maléolo lateral. **r. ten'dinum** – r. tendinoso; estrutura de contenção tendinosa, como o ligamento anular.

ret·i·nal (ret''i-n'l) – retinal; retiniano: 1. relativo à retina; 2. retinal; aldeído do retinol, derivado de carotenóides ou ésteres retinólicos dietéticos absorvidos e que possui a atividade de vitamina A. Na retina, o retinal combina-se com opsinas para formar os pigmentos visuais. Os dois isômeros (11-*cis*-retinal e todo-*trans*-retinal) interconvertem-se no ciclo visual; retinaldeído.

ret·i·ni·tis (ret''i-ni'tis) – retinite; inflamação da retina. **r. circina'ta, circinate r.** – r. circinada; retinopatia circinada. **exudative r.** – r. exsudativa; doença de Coats. **r. pigmentosa** – r. pigmentosa; grupo de doenças freqüentemente hereditárias, marcadas por perda progressiva de resposta retiniana, atrofia retiniana, atenuação dos vasos retinianos, agrupamento de pigmentos e contração do campo visual. **r. proli'ferans, proliferating r.** – r. proliferativa; afecção algumas vezes devida a hemorragia intra-ocular, com neovascularização e formação de tecido fibroso que se estende no interior do humor vítreo a partir da superfície retiniana; o descolamento retiniano pode ser uma seqüela. **suppurative r.** – r. supurativa; retinite devida a infecção piêmica.

ret·i·no·blas·to·ma (ret''i-no-blas-to'mah) – retinoblastoma; blastoma congênito maligno, hereditário ou esporádico, composto de células tumorais que surgem a partir dos retinoblastos; o *r. endofítico* começa nas camadas inferiores da retina e se difunde em direção ao globo e o *r. exofítico* começa nas camadas externas da retina e se difunde para fora do centro do globo.

ret·i·no·cho·roi·di·tis (-kor''oi-di'tis) – retinocoroidite; inflamação da retina e coróide. **r. juxtapapilla'ris** – r. justapapilar; pequena área de inflamação no fundo próxima à papila; observada em indivíduos saudáveis jovens.

ret·i·noid (ret'i-noid) – retinóide: 1. semelhante à retina; 2. qualquer derivado do retinal.

ret·i·nol (ret'i-nol) – retinol; vitamina A₁; um álcool primário de 20 carbonos em vários isômeros que corresponde à forma da vitamina A encontrada nos mamíferos e pode se converter nas formas metabolicamente ativas retinal e ácido retinóico.

ret·i·no·ma·la·cia (ret''i-no-mah'la-shah) – retinomalacia; amolecimento da retina.

ret·i·no·pap·il·li·tis (-pap''i-li'tis) – retinopapilite; inflamação da retina e papila óptica.

ret·i·nop·a·thy (ret''i-nop'ah-the) – retinopatia; qualquer doença não-inflamatória da retina. **circinate r.** – r. circinada; afecção na qual um círculo de manchas brancas envolve a mácula, levando à cegueira foveal completa. **diabetic r.** – r. diabética; retinopatia associada ao diabetes melito, que pode ser do tipo de segundo plano (progressivamente caracterizada por microaneurismas, hemorragias pontilhadas intra-retinianas, exsudatos amarelos e céreos, manchas algodonáceas e um edema macular) ou do tipo proliferativo (caracterizada por neovascularização da retina e do disco óptico que pode se projetar no interior do corpo vítreo, proliferação de tecido fibroso, hemorragia do corpo vítreo e descolamento retiniano). **exudative r.** – r. exsudativa; doença de Coats. **hypertensive r.** – r. hipertensiva; retinopatia associada a hipertensão essencial ou maligna; as alterações podem incluir estreitamento irregular das arteríolas retinianas, hemorragias nas camadas fibrosas nervosas e na camada plexiforme externa, exsudatos e placas algodonosas, alterações arterioscleróticas e, no caso de hipertensão maligna, papiledema. **r. of prematurity** – r. de prematuridade; retinopatia bilateral que ocorre tipicamente em lactentes prematuros tratados com altas concentrações de oxigênio, caracterizada por dilatação vascular, proliferação, tortuosidade, edema, descolamento retiniano e tecido fibroso atrás do cristalino. **proliferative r.** – r. proliferativa; tipo proliferativo de retinopatia diabética. **renal r.** – r. renal; retinopatia associada a distúrbios renais e hipertensivos e que apresenta os mesmos sintomas da retinopatia hipertensiva. **stellate r.** – r. estrelada; retinopatia não-associada a distúrbios hipertensivos, renais ou arterioscleróticos, mas que apresenta os mesmos sintomas da retinopatia hipertensiva.

ret·i·nos·chi·sis (ret''i-nos'ki-sis) – retinosquise; divisão da retina que ocorre na camada fibrosa nervosa (*forma juvenil*) ou na camada plexiforme externa (*forma adulta*).

ret·i·no·scope (ret'i-no-skōp'') – retinoscópio; instrumento para realizar a retinoscopia.

ret·i·nos·co·py (ret''i-nos'kah-pe) – retinoscopia; observação da pupila sob um feixe de luz projetado no interior do olho, como meio de determinação de erros refrativos.

ret·i·no·sis (ret''i-no'sis) – retinose; qualquer afecção degenerativa e não-inflamatória da retina.

ret·i·no·top·ic (ret''i-no-top'ik) – retinotópico; relacionado à organização dos trajetos visuais e área visual do cérebro.

re·to·the·li·um (re''to-the'le-um) – retotélio; reticuloendotélio; ver *reticuloendothelium*.

re·trac·tile (re-trak'til) – retrátil; suscetível a ser retraído.

re·trac·tion (-trak'shun) – retração; ato de retrair ou a condição de ser retraído. **clot r.** – r. de coágulo; remoção de um coágulo sangüíneo da parede de um vaso, uma função das plaquetas sangüíneas.

re·trac·tor (-trak'ter) – retrator: 1. instrumento para manter abertos as bordas de um ferimento; 2. músculo que retrai.

re·triev·al (-tre'v'l) – recuperação; resgate; em Psicologia, o processo de se obter informações da memória a partir de onde estão armazenadas.

retr(o)- – retr(o)-, elemento de palavra, *atrás; para trás.*

PQR

ret·ro·ac·tion (ret"ro-ak'shun) – retroação; ação em direção reversa; reação.

ret·ro·bul·bar (-bul'bar) – retrobulbar: 1. atrás da medula oblonga; 2. atrás do globo ocular.

ret·ro·cer·vi·cal (-ser'vĭ-k'l) – retrocervical; atrás da cérvix uterina.

ret·ro·ces·sion (-sesh'un) – retrocesso; ir para trás; deslocamento para trás; recidiva.

ret·ro·coch·le·ar (-kok'le-ar) – retrococlear: 1. atrás da cóclea; 2. denota o oitavo nervo craniano e o ângulo cerebelopontino oposto à cóclea.

ret·ro·col·lic (-kol'ik) – retrocervical; relativo ao dorso do pescoço; nucal.

ret·ro·col·lis (-kol'is) – retrocolo; torcicolo espasmódico no qual a cabeça é levada para trás.

ret·ro·cur·sive (-ker'siv) – retrocursivo; que se caracteriza por dirigir-se para trás.

ret·ro·de·vi·a·tion (-de"ve-a'shun) – retrodesvio; um termo genérico que inclui retroversão, retroflexão, retroposição etc.

ret·ro·dis·place·ment (-dis-plās'ment) – retrodeslocamento; deslocamento para trás ou posterior.

ret·ro·flex·ion (-flek'shun) – retroflexão; inclinação de um órgão de forma que sua parte superior se curva para trás.

ret·ro·gas·se·ri·an (-gas-ĕr'e-an) – retrogasseriano; relativo à raiz sensorial (posterior) do gânglio trigeminal (gasseriano).

ret·ro·gna·thia (-nath'e-ah) – retrognatia; subdesenvolvimento da maxila ou da mandíbula.

retrognath'ic – adj. retrognático.

ret·ro·grade (ret'ro-grād) – retrógrado; que retrocede; que reassume um curso anterior; catabólico.

ret·ro·gres·sion (re"tro-gresh'un) – retrogressão; degeneração; deterioração; regressão; retorno a uma condição anterior e menos complexa.

ret·ro·lab·y·rin·thine (-lab"ĭ-rin'thĕn) – retrolabiríntico; posterior ao labirinto.

ret·ro·mor·pho·sis (-mor-fo'sis) – retromorfose; metamorfose retrógrada.

ret·ro·peri·to·ne·al (-per"ĭ-to-ne'al) – retroperitoneal; atrás do peritônio.

ret·ro·peri·to·ne·um (-per"ĭ-to-ne'um) – retroperitônio; espaço retroperitoneal.

ret·ro·peri·to·ni·tis (-per"ĭ-to-ni'tis) – retroperitonite; inflamação do espaço retroperitoneal.

ret·ro·phar·yn·gi·tis (-far"in-ji'tis) – retrofaringite; inflamação da parte posterior da faringe.

ret·ro·pla·sia (-pla'zhah) – retroplasia; metaplasia retrógrada; degeneração de um tecido ou célula em um tipo mais primitivo.

ret·ro·posed (-pōzd') – retroposto; deslocado para trás.

ret·ro·po·si·tion (-pah-zĭ"shun) – retroposição; deslocamento para trás.

ret·ro·pul·sion (-pul'shun) – retropulsão: 1. inclinação para trás, como a cabeça fetal no parto; 2. tendência a caminhar para trás, como em alguns casos de tabes dorsal; 3. marcha anormal na qual o corpo se curva para trás.

ret·ro·sig·moid·al (-sig-moi'dal) – retrossigmoidal; posterior ao seio sigmóide.

ret·ro·uter·ine (-u'ter-in) – retrouterino; atrás do útero.

ret·ro·ver·sion (-ver'zhun) – retroversão; inclinação para trás de um órgão inteiro.

ret·ro·ves·i·cal (-ves'ĭ-k'l) – retrovesical; atrás da bexiga.

ret·ro·vi·rus (ret'ro-vi"rus) – retrovírus; um grande grupo de vírus do RNA que inclui leucovírus e lentivírus; são chamados assim por possuírem transcriptase reversa.

re·vas·cu·lar·iza·tion (re-vas'ku-lar-ĭ-za'-shun) – revascularização: 1. restauração do suprimento sangüíneo, como depois de um ferimento; 2. restauração de um suprimento sangüíneo adequado a uma parte por meio de enxerto de vaso sangüíneo, como no caso de desvio aortocoronário.

re·ver·ber·a·tion (-ver'bĕ-ra'shun) – reverberação; duração da atividade neuronal muito além de um estímulo inicial devida a transmissão de impulsos ao longo de ramos nervos dispostos em círculo, proporcionando retroalimentação positiva.

re·verse tran·scrip·tase (-vers' tra-skrip'-tās) – transcriptase reversa; enzima que catalisa a adição progressiva e orientada por um padrão de desoxirribonucleotídeos no final de um DNA ou RNA primordial ou de uma cadeia de DNA em crescimento; ocorre nos retrovírus e vírus do DNA como intermediário na formação da progênie do RNA.

re·ver·sion (-ver'zhun) – reversão; inversão: 1. retorno a uma condição anterior; regressão; 2. em Genética, mutação de um fenótipo mutante de forma a restaurar a função original; inclui a mutação do DNA a fim de se recuperar a seqüência ancestral de bases (*mutação reversa*).

re·vul·sion (-vul'shun) – revulsão; ato de derivar o sangue de uma parte para outra, como na contra-irritação.

Rf – símbolo químico, *rutherfordium*.

RFA – right frontoanterior (FAD, fronto-anterior direita [posição do feto]).

RFP – right frontoposterior (FPD, fronto-posterior direita [posição do feto]).

RFT – right frontotransverse (FTD, fronto-transversal direita [posição do feto]).

Rh – símbolo químico, ródio (*rhodium*).

Rh$_{null}$ – Rh$_{nulo}$, símbolo de um tipo sangüíneo raro no qual faltam todos os fatores Rh.

rhabd(o)- [Gr.] – rabd(o)-, elemento da palavra, *bastão; em forma de bastão*.

Rhab·di·tis (rab-di'tis) – *Rhabditis*; gênero de nematódeos diminutos encontrados predominantemente em solo úmido e como parasitas acidentais do homem.

rhab·doid (rab'doid) – rabdóide; semelhante a um bastão; em forma de bastão.

rhab·do·myo·blast (rab"do-mi'o-blast") – rabdomioblasto; mioblasto patológico em forma de raquete ou fuso, que ocorre no caso de rabdomiossarcoma. **rhabdomyoblas'tic** – adj. rabdomioblástico.

rhab·do·myo·blas·to·ma (-mi"o-blas-to'mah) – rabdomioblastoma; rabdomiossarcoma; ver *rhabdomyo-sarcoma*.

rhab·do·my·ol·y·sis (-mi-ol'ĭ-sis) – rabdomiólise; desintegração de fibras musculares estriadas com excreção de mioglobina na urina.

rhab·do·my·o·ma (-mi-o'mah) – rabdomioma; tumor benigno derivado de um músculo estriado; a forma cardíaca é considerada um hamartoma e se associa freqüentemente à esclerose tuberosa.

rhab·do·myo·sar·co·ma (-mi"o-sahr-ko'mah) – rabdomiossarcoma; tumor altamente maligno da musculatura estriada proveniente das células mesenquimatosas. **alveolar r.** – r. alveolar; um tipo que contém proliferações densas de pequenas células arredondadas entre septos fibrosos que formam alvéolos, ocorrendo principalmente em adolescentes e adultos jovens. **embryonal r.** – r. embrionário; um tipo que contém áreas fracamente celulares com estroma mixóide alternadas a áreas densamente celulares com células fusiformes, ocorrendo principalmente em lactentes e crianças pequenas. **pleomorphic r.** – r. pleomórfico; um tipo caracterizado por células grandes com núcleos hipercromáticos grotescos que ocorrem nos músculos esqueléticos, geralmente nas extremidades dos adultos.

rhab·do·sar·co·ma (-sahr-ko'mah) – rabdossarcoma; rabdomiossarcoma; ver *rhabdomyosarcoma*.

rhab·do·sphinc·ter (-sfingk'ter) – rabdoesfíncter; esfíncter que consiste de fibras musculares estriadas.

Rhab·do·vi·ri·dae (-vir'ĭ-de) – Rhabdoviridae; rabdovírus; família de vírus do RNA com um genoma de RNA monofilamentar em sentido negativo, que inclui os gêneros *Vesiculovirus* e *Lyssavirus*.

rhab·do·vi·rus (rab'do-vi"rus) – rabdovírus; qualquer vírus da família Rhabdoviridae.

rhachi– – ver também as palavras com prefixo *rachi-*.

rhag·a·des (rag'ah-dēz) – rágades; fissuras, rachaduras ou cicatrizes lineares finas na pele, especialmente essas lesões ao redor da boca ou outras regiões sujeitas a movimento freqüente.

rha·phe (ra'fe) – rafe; ver *raphe*.

rheg·ma (reg'mah) – regma; fissura; ruptura, rasgo ou fratura.

rheg·ma·tog·e·nous (reg"mah-toj'ĕ-nus) – regmatógeno; que surge de regma, como o descolamento regmatógeno da retina.

rhe·ni·um (re'ne-um) – rênio, elemento químico (ver *Tabela de Elementos*), número atômico 75, símbolo Re.

rheo- [Gr.] – reo-, elemento de palavra, *corrente elétrica; fluxo* (como de fluidos).

rhe·ol·o·gy (re-ol'ah-je) – Reologia; ciência que estuda a deformação e fluxo de materiais, como o fluxo de sangue através do coração e vasos sangüíneos.

rhe·os·to·sis (re"os-to'sis) – reostose; condição de hiperostose marcada pela presença de estrias nos ossos; ver também *melorheostosis*.

rheo·tax·is (re"o-tak'sis) – reotaxia; orientação de um organismo em uma corrente de líquido, com seu eixo longitudinal paralelo à direção do fluxo, denominada *negativa* (que se move na mesma direção) ou *positiva* (que se move em direção oposta).

rheum, rheu·ma (rōōm; roo'mah) – reuma; qualquer secreção aquosa ou catarral.

rheu·mar·thri·tis (roo"mahr-thri'tis) – reumartrite; artrite reumatóide.

rheu·ma·tal·gia (roo"mah-tal'je-ah) – reumatalgia; dor reumática crônica.

rheu·ma·tid (roo'mah-tid) – reumátide; qualquer lesão cutânea etiologicamente associada a reumatismo.

rheu·ma·tism (-tizm) – reumatismo; qualquer dos vários distúrbios marcados por inflamação, degeneração ou desarranjo metabólico das estruturas de tecido conjuntivo, especialmente das articulações e estruturas relacionadas e acompanhado de dor, rigidez ou limitação de movimentos. **rheumat'ic** – adj. reumático. **articular r., acute, inflammatory r.** – r. articular; r. inflamatório agudo; febre reumática. **muscular r.** – r. muscular; fibrosite. **palindromic r.** – r. palindrômico; crises repetidas de artrite e periartrite sem febre e sem causar alterações articulares irreversíveis.

rheu·ma·toid (-toid) – reumatóide: 1. semelhante ao reumatismo; 2. associado a artrite reumatóide.

rheu·ma·tol·o·gist (roo"mah-tol'ah-jist) – reumatologista; um especialista em Reumatologia.

rheu·ma·tol·o·gy (-tol'ah-je) – Reumatologia; ramo da Medicina que se ocupa dos distúrbios reumáticos, suas causas, patologia, diagnóstico, tratamento etc.

rhex·is (rek'sis) – rexe; ruptura de um vaso sangüíneo ou um órgão.

rhi·go·sis (rĭ-go'sis) [Gr.] – rigose; capacidade de sentir frio.

rhi·nal (ri'n'l) – rinal; relativo ao nariz.

rhi·nal·gia (ri-nal'jah) – rinalgia; dor no nariz.

rhin·en·ceph·a·lon (ri"nen-sef'ah-lon) – rinencéfalo: 1. a parte do cérebro que se acreditava relacionar-se completamente aos mecanismos olfatórios, incluindo nervos, bulbos e tratos olfatórios e suas subseqüentes conexões (todos com função olfatória) e o sistema límbico (não primariamente de função olfatória); homólogo às porções olfatórias cerebrais nos animais inferiores; 2. área do cérebro que compreende a substância perfurada anterior, feixe de Broca, área subcalosa e giro paraterminal; 3. uma das partes do telencéfalo embrionário.

rhin·i·on (rin'e-on) [Gr.] – rínion; rínio; extremidade inferior da sutura entre os ossos nasais.

rhi·ni·tis (ri-ni'tis) – rinite; inflamação da membrana mucosa nasal. **allergic r., anaphylactic r.** – r. alérgica; r. anafilática; qualquer reação alérgica da mucosa nasal, que ocorre perenemente (*r. alérgica não-sazonal*) ou sazonalmente (*febre do feno*). **atrophic r.** – r. atrófica; rinite crônica com atrofia da membrana mucosa e das glândulas. **r. caseo'sa** – r. caseosa; rinite com secreção caseosa, gelatinosa e fétida. **fibrinous r.** – r. fibrinosa; rinite com desenvolvimento de uma membrana falsa. **hypertrophic r.** – r. hipertrófica; rinite com espessamento e intumescimento da membrana mucosa. **membranous r.** – r. membranoso; rinite crônica com exsudato membranoso. **nonseasonal allergic r.** – r. alérgica não-sazonal; rinite alérgica que ocorre contínua ou intermitentemente o ano inteiro, devida a exposição a alérgeno mais ou menos onipresente, e se manifesta por ataques súbitos de espirros, tumefação das mucosas nasais com secreção aquosa abundante, prurido dos olhos e lacrimejamento. **purulent r.** – r. purulenta; rinite crônica com

PQR

formação de pus. **vasomotor r.** – r. vasomotora: 1. rinite não-alérgica na qual estímulos como calafrios suaves, fadiga, raiva e ansiedade provocam alterações transitórias no tônus e permeabilidade vasculares (com os mesmos sintomas da rinite alérgica); 2. qualquer afecção de rinite alérgica ou não-alérgica, em oposição a rinite infecciosa.

rhin(o)- [Gr.] – rin(o)-, elemento de palavra, *nariz; estrutura semelhante ao nariz.*

rhi·no·an·tri·tis (ri"no-an-tri'tis) – rinoantrite; inflamação da cavidade nasal e seio maxilar.

rhi·no·can·thec·to·my (-kan-thek'tah-me) – rinocantectomia; rinomectomia; ver *rhinommectomy.*

rhi·no·cele (ri'no-sēl) – rinocele; ver *rhinocoele.*

rhi·no·ceph·a·ly (ri"no-sef'ah-le) – rinocefalia; anomalia de desenvolvimento caracterizada pela presença de um nariz semelhante a uma probóscide acima dos olhos, parcial ou completamente fundidos em uma única coisa.

rhi·no·chei·lo·plas·ty (-ki'lo-plas"te) – rinoquiloplastia; cirurgia plástica do lábio e do nariz.

rhi·no·clei·sis (-kli'sis) – rinoclise; obstrução das passagens nasais.

rhi·no·coele (ri'no-sēl) – rinocele; ventrículo do lobo olfatório cerebral.

rhi·no·dac·ryo·lith (ri"no-dak're-o-lith) – rinodacriólito; concreção lacrimal no ducto nasal.

rhi·no·dyn·ia (-din'e-ah) – rinodinia; dor no nariz.

rhi·nog·e·nous (ri-noj'ĕ-nus) – rinógeno; que surge no nariz.

rhi·no·ky·pho·sis (ri"no-ki-fo'sis) – rinocifose; protuberância anormal na crista do nariz.

rhi·no·la·lia (-la'le-ah) – rinolalia; qualidade nasalizada da voz proveniente de alguma doença ou defeito das passagens nasais, como desobstrução indevida (*r. aberta*) ou fechamento indevido (*r. fechada*) das narinas posteriores.

rhi·no·lar·yn·gi·tis (-lar"in-ji'tis) – rinolaringite; inflamação da mucosa do nariz e da laringe.

rhi·no·lith (ri'no-lith) – rinólito; cálculo nasal.

rhi·no·li·thi·a·sis (ri"no-lĭ-thi'ah-sis) – rinolitíase; afecção associada à formação de rinólitos.

rhi·nol·o·gist (ri-nol'ah-jist) – rinologista; especialista em Rinologia.

rhi·nol·o·gy (ri-nol'ah-je) – Rinologia; a soma dos conhecimentos acerca do nariz e suas doenças.

rhi·no·ma·nom·e·try (ri"no-mah-nom'ĕ-tre) – rinomanometria; medição do fluxo aéreo e da pressão dentro do nariz durante a respiração; pode-se calcular a resistência ou obstrução nasal a partir das cifras obtidas.

rhi·nom·mec·to·my (-mek'tah-me) – rinomectomia; excisão do canto interno do olho.

rhi·no·my·co·sis (-mu-ko'sis) – rinomicose; infecção fúngica da mucosa nasal.

rhi·no·ne·cro·sis (-nĕ-kro'sis) – rinonecrose; necrose dos ossos nasais.

rhi·nop·a·thy (ri-nop'ah-the) – rinopatia; qualquer doença do nariz.

rhi·no·phar·yn·gi·tis (ri"no-făr"in-ji'tis) – rinofaringite; inflamação da nasofaringe.

rhi·no·pho·nia (-fo'ne-ah) – rinofonia; entonação ou qualidade nasalizada da voz.

rhi·no·phy·co·my·co·sis (-fi"ko-mi-ko'sis) – rinoficomicose; doença fúngica causada pela *Entomophthora coronata*, marcada por formação de pólipos grandes nos tecidos subcutâneos do nariz e seios paranasais; pode-se seguir um envolvimento orbitário e cegueira unilateral. O envolvimento cerebral é comum.

rhi·no·phy·ma (-fi'mah) – rinofima; forma de rosácea marcada por vermelhidão, hiperplasia sebácea e tumefação e congestão nodulares da pele do nariz.

rhi·no·plas·ty (ri'no-plas"te) – rinoplastia; cirurgia plástica do nariz.

rhi·nor·rha·gia (ri"no-ra'je-ah) – rinorragia; sangramento nasal; epistaxe.

rhi·nor·rhea (-re'ah) – rinorréia; secreção livre de muco nasal fino. **cerebrospinal fluid r.** – r. de líquido cerebroespinhal; secreção de líquido cerebroespinhal pelo nariz.

rhi·no·sal·pin·gi·tis (-sal"pin-ji-tis) – rinossalpingite; inflamação da mucosa do nariz e da trompa de Eustáquio.

rhi·no·scle·ro·ma (-sklĕ-ro'mah) – rinoscleroma; doença granulomatosa, atribuída à *Klebsiella rhinoscleromatis*, que envolve o nariz e a nasofaringe; o crescimento forma manchas ou nódulos duros, que tendem a aumentar de volume e são dolorosos ao toque.

rhi·no·scope (ri'no-skōp) – rinoscópio; espéculo para uso em exame nasal.

rhi·nos·co·py (ri-nos'kah-pe) – rinoscopia; exame do nariz com espéculo, através das narinas anteriores (*r. anterior*) ou da nasofaringe (*r. posterior*).

rhi·no·si·nu·si·tis (ri"no-si"nŭ-si'tis) – rinossinusite; inflamação dos seios acessórios do nariz.

rhi·no·spo·rid·i·o·sis (-spor-id"e-o'sis) – rinosporidiose; doença fúngica causada pela *Rhinosporidium seeberi*, marcada por pólipos grandes na mucosa do nariz, olhos, ouvidos e algumas vezes no pênis e vagina.

rhi·not·o·my (ri-not'ah-me) – rinotomia; incisão no interior do nariz.

Rhi·no·vi·rus (ri'no-vi"rus) – *Rhinovirus*; gênero de vírus da família Picornaviridae que infectam o trato respiratório superior e causam o resfriado comum. Mais de 100 variedades antigenicamente distintas infectam os humanos.

rhi·no·vi·rus (ri'no-vi"rus) – rinovírus; qualquer vírus que pertença ao gênero *Rhinovirus*.

Rhi·pi·ceph·a·lus (ri"pĭ-sef'ah-lus) – *Rhipicephalus*; gênero de carrapatos de bovinos, com muitas de suas espécies transmitindo microrganismos produtores de doenças, como a *Babesia ovis, B. canis, Theileria parva, Borrelia theileri, Rickettsia rickettsii* e *R. conorii.*

rhiz(o)- [Gr.] – riz(o)-, elemento de palavra, *raiz.*

rhi·zoid (ri'zoid) – rizóide: 1. semelhante à raiz; 2. estrutura filamentosa de fungos e algumas algas que se estende no interior do substrato.

rhi·zol·y·sis (ri-zol'ĭ-sis) – rizólise; rizotomia com radiofreqüência percutânea.

rhi·zo·mel·ic (ri"zo-mel'ik) – rizomélico; relativo aos quadris e ombros (às raízes dos membros).

rhi·zo·me·nin·go·my·eli·tis (-mĕ-ning"go-mi"ĕ-li'tis) – rizomeningomielite; meningomielorradiculite; ver *meningomyeloradiculitis.*

Rhi·zop·o·da (ri-zop'ah-dah) – Rhizopoda; superclasse de protozoários do subfilo Sarcodina, que compreende as amebas.

Rhi·zo·pus (ri'zo-pus) – *Rhizopus;* gênero de fungos (ordem Mucorales); algumas espécies (que incluem a *R. arrhizus* e a *R. rhizopodoformis*) causam a mucormicose.

rhi·zot·o·my (ri-zot'ah-me) – rizotomia; radicotomia; interrupção de uma raiz nervosa craniana ou espinhal, como através de produtos químicos ou ondas de rádio. **percutaneous r.** – r. percutânea; rizotomia realizada sem cirurgia cerebral, como por meio de glicerol ou ondas de rádio.

rho·da·mine (ro'dah-mēn) – rodamina; qualquer substância de um grupo de corantes fluorescentes vermelhos utilizados para marcar proteínas em várias técnicas de imunofluorescência.

rho·di·um (ro'de-um) – ródio; elemento químico (ver *Tabela de Elementos*), número atômico 45, símbolo Rh.

Rhod·ni·us pro·lix·us (rod'ne-us pro-lik'sus) – *Rhodnius prolixus;* inseto hemíptero alado da América do Sul, capaz de transmitir *Trypanosoma cruzi* (causa da doença de Chagas).

rhod(o)- [Gr.] – rod(o)-, elemento de palavra, *vermelho.*

Rho·do·coc·cus (ro''do-kok'us) – *Rhodococcus;* gênero de actinomicetos nocardioformes; a *R. bronchialis* associa-se à pneumopatia no homem e a *R. equi* causa broncopneumonia nos potros e pode infectar humanos imunocomprometidos.

rho·do·gen·e·sis (-jen'ĕ-sis) – rodogênese; regeneração da rodopsina após seu branqueamento pela luz.

rho·do·phy·lax·is (-fĭ-lak'sis) – rodofilaxia; capacidade do epitélio retiniano regenerar rodopsina. **rhodophylac'tic** – adj. rodofilático.

rho·dop·sin (ro-dop'sin) – rodopsina; púrpura visual; uma cromoproteína vermelho-púrpura fotossensível nos bastonetes retinianos que se converte em amarelo visual (todo-*trans*-retinal) através da luz, estimulando portanto as terminações sensoriais retinianas.

rhomb·en·ceph·a·lon (romb''en-sef'ah-lon) – rombencéfalo; cérebro posterior: 1. parte do cérebro desenvolvida a partir da vesícula posterior das três vesículas cerebrais primárias do tubo neural embrionário, compreendendo cerebelo, ponte e medula oblonga; 2. medula oblonga e ponte; 3. a mais caudal das três vesículas cerebrais primárias no embrião, dividindo-se posteriormente em metencéfalo e mielencéfalo.

rhom·bo·coele (rom'bo-sēl) – rombocele; expansão terminal do canal da medula espinhal.

rhon·chus (rong'kus) [L.] pl. *rhonchi* – ronco; estertor seco contínuo na garganta ou tubos brônquicos, devido a obstrução parcial. **rhon'chal, rhon'chial** – adj. relativo ou característico do ronco.

Rhus (rus) – *Rhus;* gênero de árvores e arbustos; o contato com determinadas espécies produz dermatite severa nas pessoas sensíveis. As espécies tóxicas mais importantes são: *R. diversiloba* e *R. toxicodendron* ou sumagre ou hera venenosa; *R. radicans* ou hera venenosa; e *R. vernix* ou sumagre venenoso.

rhythm (rithm) – ritmo; movimento medido; recorrência de uma ação ou função a intervalos regulares. **rhyth'mic, rhyth'mical** – adj. rítmico. **alpha r.** – r. alfa; ondas eletroencefalográficas que apresentam ritmo uniforme e freqüência média de 10 por segundo, típicas de uma pessoa normal desperta em estado de repouso. **atrial escape r.** – r. de escape atrial; disritmia cardíaca que ocorre quando a supressão mantida da formação de impulsos sinusais faz com que outros focos atriais ajam como marca-passos cardíacos. **atrioventricular (AV) junctional r.** – r. da junção atrioventricular (AV); ritmo cardíaco que resulta quando a junção atrioventricular age como marca-passo. **atrioventricular (AV) junctional escape r.** – r. de escape da junção atrioventricular; ritmo cardíaco de quatro ou mais batimentos de escape da junção atrioventricular a uma freqüência abaixo de 60 batimentos por minuto. **beta r.** – r. beta; ondas eletroencefalográficas que apresentam uma freqüência de 18 a 30 Hz por segundo, típicas durante períodos de atividade intensa do sistema nervoso. **circadian r.** – r. circadiano; recorrência regular de ciclos de aproximadamente 24 h de um ponto estipulado para outro (por exemplo, determinadas atividades biológicas que ocorrem nesses intervalos independentemente da escuridão constante ou de outras condições de iluminação. **coupled r.** – r. duplo; batimentos cardíacos que ocorrem em pares, sendo o segundo batimento em geral correspondente a um batimento prematuro ventricular; ver também *pulse, bigeminal.* **delta r.** – r. delta; ritmo no eletroencefalograma que consiste de ondas delta. **ectopic r.** – r. ectópico; ritmo cardíaco iniciado por um foco externo ao nódulo sinoatrial. **escape r.** – r. de escape; ritmo cardíaco iniciado pelos centros inferiores quando o nódulo sinoatrial não consegue iniciar os impulsos, quando se deprime sua ritmicidade ou se bloqueiam completamente seus impulsos. **gallop r.** – r. de galope; achado auscultatório de três (r. triplo) ou quatro (r. quádruplo) bulhas cardíacas; as bulhas extras ocorrem na diástole e se relacionam à contração atrial (*galope S₄*), ou ao preenchimento rápido precoce de um ventrículo (*galope S₃*) ou à intercorrência de ambos os eventos (*galope de somação*). **idioventricular r.** – r. idioventricular; uma série mantida de impulsos propagados por um marca-passo independente dentro dos ventrículos, com uma freqüência de 20 a 50 batimentos por minuto. **infradian r.** – r. infradiano; recorrência regular em ciclos de mais de 24 horas, como determinadas atividades biológicas que ocorrem nesses intervalos, independentemente das condições de iluminação. **nodal r.** – r. nodal; r. da junção atrioventricular. **pendulum r.** – r. pendular; alternação no ritmo das bulhas cardíacas em que as bulhas diastólica e sistólica ficam quase idênticas e o batimento cardíaco assemelha-se ao tique-taque de um relógio. **quadruple r.** – r. quádruplo; cadência de ritmo de galope produzida quando as quatro bulhas cardíacas recidivam em ciclos cardíacos sucessivos. **reciprocal r.** – r. recíproco; arritmia cardíaca estabelecida por um

PQR

mecanismo de reentrada mantido em que os impulsos que retrocedem em direção aos átrios também deslocam-se para frente para reexcitar os ventrículos, de forma que cada ciclo contém um batimento recíproco, com duas contrações ventriculares. **reciprocating r.** – r. alternante; arritmia cardíaca na qual um impulso iniciado no nodo atrioventricular desloca-se tanto em direção aos átrios como aos ventrículos, seguido de ciclos de propagação bidirecional do impulso que se iniciam alternadamente a partir dos impulsos ascendentes e dos impulsos descendentes. **reentrant r.** – r. reentrante; ritmo cardíaco anormal resultante de reentrada. **sinoatrial r., sinus r.** – r. sinoatrial; r. sinusal; ritmo cardíaco normal que se origina no nodo sinoatrial. **supraventricular r.** – r. supraventricular; qualquer ritmo cardíaco que se origina acima dos ventrículos. **theta r.** – r. teta; ritmo no eletroencefalograma que consiste de ondas teta. **triple r.** – r. triplo; cadência produzida quando três bulhas cardíacas recidivam em ciclos cardíacos sucessivos; ver também *gallop r.* **ultradian r.** – r. ultradiano; recorrência regular em ciclos de menos de 24 horas, como determinadas atividades biológicas que ocorrem nesses intervalos, independentemente das condições de iluminação. **ventricular r.** – r. ventricular: 1. r. idioventricular; 2. qualquer ritmo cardíaco controlado por um foco dentro dos ventrículos.

rhyth·mic·i·ty (rith-mis'ĭ-te) – ritmicidade: 1. estado de ter ritmo; 2. automaticidade; ver *automaticity* (2).

rhyt·i·dec·to·my (rit"ĭ-dek'tah-me) – ritidectomia; excisão de pele para a eliminação de rugas.

rhyt·i·do·plas·ty (rit"ĭ-do-plas"te) – ritidoplastia; ritidectomia.

rhyt·i·do·sis (rit"ĭ-do'sis) – ritidose; enrugamento, como da córnea.

rib (rib) – costela; um dos 12 ossos pareados em cada lado, que se estendem a partir das vértebras torácicas em direção à linha mediana na face ventral do tronco, formando a maior parte do esqueleto torácico; ver também *Tabela de Ossos.* **abdominal r's, asternal r's** – costelas abdominais; costelas asternais; costelas falsas. **cervical r. – c.** cervical; costela supranumerária que surge de uma vértebra cervical. **false r's** – costelas falsas; cinco costelas inferiores em cada lado que não se prendem diretamente ao esterno. **floating r's** – clostelas flutuantes; duas costelas falsas inferiores em cada lado, geralmente sem ligação ventral. **slipping r. – c.** deslizante; costela cuja cartilagem de ligação desloca-se repetidamente. **true r's** – costelas verdadeiras; sete costelas superiores em cada lado, conectadas ao esterno por meio de suas cartilagens costais.

ri·bo·fla·vin (ri'bo-fla"vin) – riboflavina; vitamina B$_2$; flavina hidrossolúvel e termoestável do complexo vitamínico B, encontrada no leite, carnes e miúdos, ovos, verduras e legumes verdes, grãos inteiros e cereais e pães enriquecidos e em várias algas; é um nutriente essencial para o homem e é um componente de duas coenzimas (FAD e FMN) das flavoproteínas, que funcionam como condutores de elétrons nas reações de redução-

oxidação. A deficiência da vitamina é conhecida como arriboflavinose.

ri·bo·nu·cle·ase (ri"bo-noo'kle-ās) – ribonuclease; enzima que catalisa a despolimerização do ácido ribonucléico.

ri·bo·nu·cle·ic ac·id (-noo-kle'ĭk) – ácido ribonucléico (RNA); um ácido nucléico encontrado em todas as células vivas, e que constitui o material genético dos vírus do RNA e participa do fluxo de informações genéticas; é um polímero linear que, na hidrólise, produz adenina, guanina, citosina, uracil, ribose e ácido fosfórico e pode conter uma estrutura secundária extensiva. Quanto aos tipos específicos de RNA, ver em *RNA.*

ri·bo·nu·cleo·pro·tein (-noo"kle-o-pro'tēn) – ribonucleoproteína; substância composta tanto de proteína como de ácido ribonucléico. Abreviação RNP.

ri·bo·nu·cleo·side (-noo'kle-o-sīd) – ribonucleosídeo; nucleosídeo no qual a purina ou base pirimidínica se combina com ribose.

ri·bo·nu·cleo·tide (-tīd) – ribonucleotídeo; nucleotídeo no qual a purina ou base pirimidínica se combina com ribose.

ri·bose (ri'bōs) – ribose; aldopentose presente no ácido ribonucléico (RNA).

ri·bo·some (ri'bo-sōm) – ribossoma; uma das partículas ribonucleoprotéicas intracelulares relacionadas à síntese protéica; consistem de unidades reversivelmente dissociáveis e encontradas ligadas tanto às membranas celulares como livres no citoplasma. Podem ocorrer isoladamente ou em grupos (polirribossomas).

ri·bo·syl (-sil) – ribosila; radical glicosílico formado a partir da ribose.

ri·cin (ri'sin) – ricina; fitotoxina das sementes da mamona (*Ricinus communis*), utilizada na síntese de imunotoxinas.

Ric·i·nus (ris'i-nus) – *Ricinus;* gênero de plantas euforbiáceas que inclui a *R. communis* ou mamona, cujas sementes produzem o óleo de rícino ou de mamona. Ver também *ricin.*

rick·ets (rik'ets) – raquitismo; afecção devida à deficiência de vitamina D, especialmente na infância, com distúrbio da ossificação normal, marcado por encurvamento e distorção dos ossos, aumentos de volume nodulares nas extremidades e lados dos ossos, retardamento do fechamento das fontanelas, dor muscular e transpiração na cabeça. **adult r.** – r. adulto; osteomalacia. **familial hypophosphatemic r.** – r. hipofosfatêmico familiar; qualquer dos vários distúrbios hereditários da função tubular renal proximal que causam perda de fosfatos, hipofosfatemia e deformidades esqueléticas, compreendendo raquitismo e osteomalacia. **fetal r. –** r. fetal; acondroplasia. **hereditary hypophosphatemic r. with hypercalciuria** – r. hipofosfatêmico com hipercalciúria; uma forma de raquitismo hipofosfatêmico; a hipofosfatemia é acompanhada de elevação da 1,25-diidroxivitamina D sérica, aumento da absorção intestinal de cálcio e fosfato e hipercalciúria. **hypophosphatemic r.** – r. hipofosfatêmico; qualquer distúrbio de um grupo de distúrbios caracterizados por raquitismo associado à hipofosfatemia, resultante da deficiência dietética de fósforo ou decorrente de defeitos na função tubular renal; encontram-se presentes deformidades esqueléticas, mas estão ausentes hipocalcemia, miopatia e tetania e o paratormônio sérico permanece normal. **oncogenous r.** – r. oncogênico; osteomalacia oncogênica que ocorre em crianças. **pseudovitamin D-deficiency r.** – r. por deficiência de pseudovitamina D; r. dependente de vitamina D; algumas vezes especificamente a forma do tipo I. **refractory r.** – r. refratário; r. resistente à vitamina D. **vitamin D-dependent r.** – r. dependente de vitamina D; ambos os distúrbios herdados (tipos I e II) caracterizados por miopatia, hipocalcemia, hipofosfatemia moderada, hiperparatireoidismo secundário e concentrações séricas subnormais de 1,25-diidroxivitamina D; altas doses de vitamina D podem superar o tipo I, mas não podem superar o tipo II. **vitamin D-resistant r.** – r. resistente à vitamina D: 1. hipofosfatemia ligada ao cromossoma X; 2. qualquer distúrbio de um grupo de distúrbios caracterizados por raquitismo, mas que não respondem a altas doses de vitamina D; a maioria consiste de forma de raquitismos hipofosfatêmicos familiares.

Rick·ett·sia (rĭ-ket'se-ah) – *Rickettsia;* gênero da tribo Rickettsieae, transmitido por piolhos, pulgas, carrapatos e ácaros ao homem e outros animais, causando várias doenças. **R. a'kari** – *R. akari;* agente etiológico da varíola por rickéttsia, transmitido pelo ácaro *Allodermanyssus sanguineus* a partir do reservatório de infecção nos camundongos domésticos. **R. austra'lis** – *R. australis;* agente etiológico do tifo do carrapato de Queenland do Norte, possivelmente transmitido pelos carrapatos *Ixodes*. **R. cono'rii** – *R. conorii;* agente etiológico da febre botonosa (febre de Marselha, febre do Mediterrâneo) e possivelmente do tifo do carrapato indiano, tifo do Quênia e febre por picada de carrapato sul-americano; transmitido pelos carrapatos *Rhipicephalus* e *Haemaphysalis*. **R. prowaze'kii** – *R. prowazekii;* agente etiológico do tifo epidêmico e doença de Brill em infecção latente, sendo transmitido individualmente através da *Pediculus humanus*. **R. rickett'sii** – *R. rickettsii;* agente etiológico da febre maculosa das Montanhas Rochosas, transmitido pelos carrapatos *Dermacentor, Rhipicephalus, Haemaphysalis, Amblyomma* e *Ixodes*. **R. tsutsugamu'shi** – *R. tsutsugamuchi;* agente etiológico do tifo rural, transmitido pelas larvas dos ácaros do gênero *Trombicula,* que incluem as espécies *T. akamushi* e *T. deliensis,* a partir de roedores reservatórios de infecção.

rick·ett·sia (rĭ-ket'se-ah) pl. *rickettsiae* – rickéttsia; microrganismo individual da Rickettsiaceae.

Rick·ett·si·a·ceae (rĭ-ket"se-a'se-e) – Rickettsiaceae; família da ordem Rickettsiales.

rick·ett·si·al (rĭ-ket'se-al) – rickettsial; relativo ou causado por rickéttsias.

Rick·ett·si·a·les (rĭ-ket"se-a'lēz) – Rickettsiales; ordem de bactérias Gram-negativas que ocorrem como corpúsculos elementares que se multiplicam tipicamente somente no interior das células do hospedeiro. Parasitas de vertebrados e invertebrados, que servem como vetores, podem ser patogênicos para o homem e outros animais.

rick·ett·si·al·pox (rĭ-ket'se-al-poks") – varíola por rickéttsia; doença febril com erupção vesiculopapilar clinicamente à varicela e é causada pela *Rickettsia akari.*

rick·ett·si·ci·dal (rĭ-ket"sĭ-si'd'l) – ricktetsicida; que destrói rickéttsias.

Rick·ett·si·eae (rik"et-si'e-e) – Rickettsieae; tribo da família Rickettsiaceae.

rick·ett·si·o·sis (rĭ-ket"se-o'sis) – rickettsiose; infecção por rickéttsias.

ridge (rij) – crista; projeção ou estrutura que se projeta linearmente. **dental r.** – c. dentária; qualquer elevação linear na coroa de um dente. **dermal r's** – cristas dérmicas; cristas cutâneas. **genital r.** – c. genital; a parte mais medial da crista urogenital, que dá origem à gônada. **healing r.** – cicatriz hipertrófica; crista endurecida que normalmente se forma profundamente na pele ao longo do comprimento de um ferimento em cicatrização. **interureteric r.** – c. interuretérica; dobra de membrana mucosa que se estende através da bexiga entre os orifícios uretéricos. **mammary r.** – c. mamária; linha láctea. **mesonephric r.** – c. mesonéfrica; a porção mais lateral da crista urogenital, que dá origem ao mesonefro. **rete r's** – cristas interpapilares; projeções invaginantes da epiderme no interior da derme, como se observa histologicamente em cortes verticais. **synaptic r.** – c. sináptica; projeção em forma de cunha de um pedículo cônico ou de uma esférula em bastonete, em seus lados encontram-se células horizontais cujos dendritos se inserem no interior da crista. **urogenital r.** – c. urogenital; crista longitudinal no embrião, lateral ao mesentério.

ridg·ling (rij'ling) – criptorque; animal, especialmente o eqüino, com um ou ambos os testículos não-descidos.

rif·am·pi·cin (rif'am-pĭ-sin) – rifampicina; rifampina (*rifampin*).

rif·am·pin (rif'am-pin) – rifampina; derivado semi-sintético da rifamicina SV com as ações antibacterianas do grupo rifamicina.

ri·gid·i·ty (rĭ-jid'ĭ-te) – rigidez; inflexibilidade. **clasp-knife r.** – r. em canivete; aumento de tensão nos extensores de uma articulação quando esta é flexionada passivamente, cedendo subitamente ao se exercer pressão adicional. **cogwheel r.** – r. da roda dentada; tensão em um músculo que responde em pequenos espasmos quando se estira passivamente esse músculo. **decerebrate r.** – r. de descerebração; extensão rígida das pernas de um animal como resultado de descerebração; ocorre no homem como resultado de lesões no tronco cerebral superior.

rig·or (rig'er) [L.] – rigor; calafrio; rigidez. **r. mortis** – rigidez cadavérica; enrijecimento de um cadáver que se segue ao esgotamento do trifosfato de adenosina nas fibras musculares.

rim (rim) – borda; margem ou beirada. **bite r., occlusion r., record r.** – b. de mordedura; b. de oclusão; b. de registro; borda construída nas bases de uma dentadura temporária ou permanente para registrar a relação maxilomandibular e para o posicionamento dos dentes.

ri·ma (ri'mah) – [L.] pl. *rimae* – rima; fenda ou fissura. **r. glo'ttidis** – r. glótica; abertura alongada entre as cordas vocais verdadeiras e entre as cartilagens aritenóides. **r. o'ris** – r. bucal; fissura oral; abertura da boca. **r. palpebra'rum** – r. palpebral; fissura palpebral. **r. puden'di** – r. pudenda; fenda entre os grandes lábios.

rim·u·la (rim'u-lah) [L.] pl. *rimulae* – rímula; fissura diminuta, especialmente da medula espinhal ou cérebro.

rin·der·pest (rin'der-pest) – peste bovina.

ring (ring) – anel: 1. qualquer órgão ou área anular ou circular; 2. em Química, uma coleção de átomos unidos em cadeia contínua ou fechada. **abdominal r., external** – a. abdominal externo; a. inguinal superficial. **abdominal r., internal** – a. abdominal interno; a. inguinal profundo. **Albl's r.** – a. de Albl; sombra em forma de anel nas radiografias do crânio, causada por aneurisma de uma artéria cerebral. **Bandl's r.** – a. de Bandl; a. de retração patológica; ver *retraction r.* **benzene r.** – a. benzênico; hexágono fechado de átomos de carbono do benzeno, do qual derivam diferentes compostos benzênicos através da substituição dos átomos de hidrogênio. **Cannon's r.** – a. de Cannon; contração focal observada radiograficamente no terço médio do cólon transverso, marcando uma área de sobreposição entre os plexos nervosos superior e inferior. **conjunctival r.** – a. conjuntival; anel na junção da conjuntiva e da córnea. **constriction r.** – a. de constrição; área contraída do útero, onde a resistência do conteúdo uterino é leve, como sobre uma depressão no contorno do feto ou sob a parte em apresentação. **femoral r.** – a. femoral; abertura abdominal do canal femoral, normalmente fechado pelo septo crural e peritônio. **fibrous r's of heart** – anéis fibrosos cardíacos; ver *annulus fibrosus.* **inguinal r., deep** – a. inguinal profundo; abertura na fáscia transversal para o cordão espermático ou ligamento redondo. **inguinal r., superficial** – a. inguinal superficial; abertura na aponeurose do músculo oblíquo externo para o cordão espermático ou ligamento redondo. **Kayser-Fleischer r.** – a. de Kayser-Fleischer; anel pigmentado verde-acinzentado a dourado-avermelhado na margem externa da córnea, observado no caso de degeneração lenticular progressiva e pseudo-esclerose. **Landolt's r's** – a. de Landolt; anéis rompidos utilizados em teste de acuidade visual. **retraction r.** – a. de retração; espessamento e reentrância anulares que ocorrem no parto normal na junção do istmo e corpo uterino, delineando a porção superior em contração e a porção dilatante inferior (*a. de retração fisiológico*) ou anel de retração persistente em caso de parto anormal ou prolongado que obstrui a expulsão do feto (*a. de retração patológico*). **Schwalbe's r.** – a. de Schwalbe; crista circular composta de fibras colagenosas que circundam a margem externa da membrana de Descemet. **scleral r.** – a. esclerótico; anel branco observado adjacentemente ao disco óptico em oftalmoscopia quando o epitélio pigmentado retiniano e a coróide não se estendem até o disco. **tympanic r.** – a. timpânico; anel ósseo que faz parte do osso temporal ao nascimento e se desenvolve em placa timpânica. **umbilical r.** – a. umbilical; abertura na parede abdominal fetal através da qual o cordão umbilical se comunica com o feto.

vascular r. – a. vascular; anomalia de desenvolvimento do arco aórtico no qual a traquéia e o esôfago são envolvidos por estruturas vasculares, tornando-se possíveis muitas variações.

ring·bone (ring'bōn) – sobreosso; exostose que envolve a primeira ou segunda falange do eqüino, resultando em claudicação se forem afetadas as superfícies articulares.

ring·worm (-werm) – tinha; tínea; ver *tinea.*

RIST – radioimmunosorbent test (TRIS, teste radioimunossorvente).

ri·sus (ri'sus) [L.] – riso. **r. sardo'nicus** – riso sardônico; expressão de sorriso largo produzida por espasmo dos músculos faciais.

ri·val·ry (ri'vul-re) – rivalidade; estado de competição ou antagonismo. **sibling r.** – r. fraterna; competição entre irmãos pelo amor, afeição e atenção de um ou ambos os pais ou por outro reconhecimento ou ganho.

riz·i·form (riz'i-form) – riziforme; semelhante a grãos de arroz.

RLL – right lower lobe (of lungs) (lobo inferior direito [dos pulmões]).

RMA – right mentoanterior (MAD, mento-anterior direita [posição do feto]).

RMP – right mentoposterior (MPD, mento-posterior direita [posição do feto]).

RMT – right mentotransverse (MTD, mento-transversal direita [posição do feto].

RN – Registered Nurse (Enfermeira Registrada).

Rn – símbolo químico, radônio *(radon).*

RNA – RNA, ribonucleic acid (ácido ribonucléico). **complementary RNA (cRNA)** – RNA complementar (cRNA); RNA viral transcrito a partir de um RNA de sentido negativo e que serve de padrão para a síntese protéica. **heterogeneous nuclear RNA (hnRNA)** – RNA nuclear heterogêneo (hnRNA); grupo diverso de transcritos primários longos formados no núcleo eucariótico, sendo muitos deles processados em moléculas de mRNA por meio de união. **messenger RNA (mRNA)** – RNA mensageiro (mRNA); moléculas de RNA, geralmente com 400 a 100.000 bases de comprimento, que servem como padrões para a síntese protéica (moléculas de RNA passíveis de transferência). **negative-sense RNA** – RNA de sentido negativo; RNA viral com seqüência complementar de bases à do mRNA; durante a replicação, serve como padrão para a transcrição do RNA complementar viral. **positive-sense RNA** – RNA de sentido positivo; RNA viral com a mesma seqüência de bases que o mRNA; durante a replicação, funciona como este, servindo como padrão para a síntese protéica. **ribosomal RNA (rRNA)** – RNA ribossômico (rRNA); RNA que, em conjunto com proteínas, forma os ribossomas, exercendo um papel estrutural e também participando da ligação ribossômica do mRNA e dos tRNAs. **small nuclear RNA (snRNA)** – RNA nuclear pequeno (snRNA); classe de pequenas moléculas eucarióticas de RNA encontradas no núcleo, geralmente como ribonucleoproteínas, e aparentemente envolvidas no processamento do

RNA nuclear heterogêneo. **transfer RNA (tRNA)** – RNA de transferência (RNAt); 20 ou mais variedades de pequenas moléculas de RNA que participam da transferência; cada variedade transporta um aminoácido específico a um local especificado por um códon de RNA, ligando-se a um aminoácido, um ribossoma e ao códon por meio de uma região anticódon.

RNase – ribonuclease (ribonuclease).

ROA – right occipitoanterior (OAD, occípito-anterior direita [posição do feto]).

roar·ing (ror'ing) – ronco; condição nos eqüinos marcada por um som áspero na inspiração e algumas vezes na expiração.

Ro·bax·in (ro-bak'sin) – Robaxin, marca registrada de preparações de metocarbamol.

Ro·cha·li·maea (ro"kah-li-me'ah) – *Rochalimea;* gênero da família Rickettsiaceae semelhante ao gênero *Rickettsia,* mas é geralmente encontrado extracelularmente no hospedeiro artrópode, e que inclui a *R. quintana,* agente etiológico da febre das trincheiras, transmitido pelo piolho do corpo (*Pediculus humanus*).

rod (rod) – bastonete: 1. massa reta e delgada de uma substância; 2. b. retiniano. **Corti's r's** – bastonetes de Corti; células dos pilares. **enamel r's** – bastonetes de esmalte; bastonetes ou prismas aproximadamente paralelos que formam o esmalte dos dentes. **olfactory r.** – b. olfatório; porção apical delgada de um neurônio bipolar olfatório, um dendrito modificado que se estende até à superfície do epitélio. **retinal r.** – b. retiniano; segmento cilíndrico altamente especializado das células visuais que contêm rodopsina; os bastonetes servem para a visão noturna e a detecção de movimentos e, junto com os cones retinianos, formam os elementos sensíveis à luz da retina.

ro·den·ti·cide (ro-den'tĭ-sīd) – rodenticida: 1. letal para roedores; 2. agente exterminador de roedores.

roent·gen (rent'gen) – roentgen; unidade internacional de radiação X ou γ; uma quantidade de radiação X ou γ tal que a emissão corpuscular associada por 0,001293 g de ar seco produza nos íons de ar que transportam 1 unidade eletrostática de carga elétrica de qualquer sinal. Símbolo R.

roent·gen·og·ra·phy (rent"gen-og'rah-fe) – roentgenografia; radiografia. **roentgenograph'ic** – adj. roentgenográfico.

roent·gen·ol·o·gist (-ol'ah-jist) – roentgenologista; radiologista; ver *radiologist.*

roent·gen·ol·o·gy (-ol'ah-je) – roentgenologia; radiologia; ver *radiology.*

roent·geno·scope (rent'gen-o-skōp) – roentgenoscópio; fluoroscópio; ver *fluoroscope.*

roent·gen·os·co·py (rent"gen-os'kah-pe) – roentgenoscopia; fluoroscopia; ver *fluoroscopy.*

Ro·gaine (ro'gān) – Rogaine, marca registrada de preparação de minoxidila.

role (rōl) – papel; padrão comportamental que um indivíduo apresenta a outros. **gender r.** – p. do gênero; a imagem projetada por uma pessoa que identifica seu sexo. É a expressão pública da identidade sexual.

rom·berg·ism (rom'berg-izm) – rombergismo; sinal de Romberg.

ron·geur (raw-zhur') [Fr.] – rugina; instrumento semelhante a pinça para raspar um osso.

room (rōōm) – sala; área reservada em um hospital destinada à realização de determinados procedimentos. **operating r.** – s. de cirurgia; sala especialmente equipada para a realização de cirurgias. **recovery r.** – s. de recuperação; unidade do hospital contígua às salas de cirurgia ou parto, com equipamento e pessoal especializados para o cuidado dos pacientes imediatamente após uma cirurgia ou parto.

room·ing·in (rōōm'ing-in") – prática de manter um bebê recém-nascido em um berço próximo à cama da mãe em vez de no berçário durante a estada no hospital.

root (rōōt) – raiz; porção de um órgão (como dente, pêlo ou unha) enterrada nos tecidos, ou de onde se origina a partir de outra estrutura. **anterior r.** – r. anterior; r. ventral. **dorsal r.** – r. dorsal; divisão posterior ou sensorial de cada nervo espinhal, presa centralmente à medula espinhal e juntando-se perifericamente à raiz ventral para formar o nervo antes de ele emergir a partir do forame intervertebral. **motor r.** – r. motora; r. ventral. **nerve r's** – raízes nervosas; série de feixes pareados de fibras nervosas que emergem em cada lado da medula espinhal, chamadas de dorsais (ou posteriores) ou ventrais (ou anteriores) de acordo com sua posição. Existem 31 pares (8 cervicais, 12 torácicos, 5 lombares, 5 sacrais e 1 coccígeo); cada raiz dorsal e ventral correspondente reúne-se para formar um nervo espinhal. Determinados nervos cranianos (por exemplo, o nervo trigêmeo) também possuem raízes nervosas. **posterior r.** – r. posterior; r. dorsal. **sensory r.** – r. sensorial; r. dorsal. **ventral r.** – r. ventral; a divisão anterior ou motora de cada nervo espinhal, presa centralmente à medula espinhal que se reúne perifericamente à raiz dorsal para formar o nervo antes de ele emergir a partir do forame intervertebral.

ROP – right occipitoposterior (OAP, occípito-posterior direita [posição do feto]).

ro·sa·cea (ro-za'she-ah) – rosácea; doença crônica da pele do nariz, testa e bochechas, marcada por eritema, e acompanhada de coloração vermelha devido à dilatação dos capilares, com aparecimento de pápulas e pústulas semelhante a acne.

ro·san·i·line (ro-zan'ĭ-lin) – rosanilina; um derivado trifenilmetânico, base de vários corantes e componente da fucsina básica.

ro·sa·ry (ro'zah-re) – rosário; estrutura semelhante a um colar de contas. **rachitic r.** – r. raquítico; sucessão de proeminências semelhantes a contas ao longo das cartilagens costais no caso de raquitismo.

ro·se·o·la (ro-ze'o-lah, ro"ze-o'lah) [L.] – roséola: 1. qualquer exantema de cor rosada; 2. exantema súbito. **r. infa'ntum** – r. do lactente; exantema súbito. **syphilitic r.** – r. sifilítica; erupção de manchas de cor rosada na sífilis secundária inicial.

PQR

ro·sette (ro-zet') [Fr.] – roseta; qualquer estrutura ou formação semelhante a uma rosa, como (a) grupos de leucócitos polimorfonucleares ao redor de um glóbulo de material nuclear lipídico, conforme observado no teste para lúpus eritematoso disseminado ou (b) figura formada pelos cromossomas em um estágio inicial de mitose. **Flexner-Wintersteiner r.** – r. de Flexner-Wintersteiner; formação de células em forma radial observada no caso de retinoblastoma e determinados tumores oftálmicos. **Homer Wright r.** – r. de Homer Wright; agrupamento circular ou esférico de células tumorais escuras ao redor de uma área central eosinofílica pálida que contém neurofibrilas, mas não tem lúmen; observada no caso de alguns meduloblastomas, neuroblastomas e retinoblastomas ou outros tumores oftálmicos.

ro·sin (roz'in) – rosina; resina sólida obtida das espécies de *Pinus*; é utilizada na preparação de ungüentos e gessos e em muitos produtos, como chiclete, polimento e vernizes, mas constitui causa comum de alergia de contato.

ros·tel·lum (ros-tel'um) [L.] pl. *rostellae* – rostelo; pequena protuberância em bico, especialmente a protuberância carnosa do escólex de uma tênia, que pode ou não apresentar ganchos.

ros·trad (ros'trad) – rostral: 1. em direção ao rostro; mais próximo do rostro com relação a um ponto de referência específico; 2. na direção da cabeça.

ros·tral (ros'tral) – rostral: 1. relativo ou semelhante ao rostro; que tem rostro ou bico; 2. situado em direção ao rostro ou em direção ao bico (região oral ou nasal), que pode ter o significado de superior (em relações de áreas da medula espinhal) ou anterior ou ventral (em relações de áreas cerebrais).

ros·trate (ros'trãt) – rostrado; com bico.

ros·trum (ros'trum) [L.] pl. *rostra, rostrums* – rostro; processo com a forma de bico.

ROT – right occipito transverse (position of fetus) (OTD, occípito-transversal direita [posição do feto]).

rot (rot) – decomposição; decompor: 1. deterioração; 2. doença dos ovinos, e algumas vezes do homem, devida à *Fasciola hepatica*.

ro·ta·tion (ro-ta'shun) – rotação; processo de girar ao redor de um eixo. Em Obstetrícia, o giro da cabeça fetal (ou da parte em apresentação) para uma orientação apropriada com relação ao eixo pélvico. **optical r.** – r. óptica; a qualidade de determinadas substâncias opticamente ativas pela qual se altera o plano de luz polarizada, de forma que gire em um arco que é a extensão característica da substância. **van Ness r.** – r. de van Ness; fusão da articulação genicular e rotação do tornozelo para funcionar como joelho; realizada para corrigir um fêmur congenitamente ausente.

Ro·ta·vi·rus (ro'tah-vi''rus) – *Rotavirus*; rotavírus; gênero de vírus da família Reoviridae, que têm aparência semelhante a uma roda e causam gastroenterite infantil aguda e diarréia em crianças jovens e muitas espécies animais.

ro·ta·vi·rus (ro'tah-vi''rus) – rotavírus; qualquer membro do gênero *Rotavirus*.

rote·none (ro'tĕ-nõn) – rotenona; um composto venenoso proveniente da raiz de *Derris elliptica* e outras raízes; utilizada como inseticida e como escabicida.

rough·age (ruf'ij) – resíduo; material indigerível com fibras ou celulose na dieta.

rou·leau (roo-lo') [Fr.] pl. *rouleaux* – pilha de hemácias que se assemelha a uma pilha de moedas.

round·worm (round'werm) – nematódeo; qualquer verme da classe Nematoda.

RPF – renal plasma flow (fluxo plasmático renal).

R Ph – Registered Pharmacist (Farmacêutico Registrado).

rpm – revolutions per minute (revoluções por minuto).

RQ – respiratory quotient (quociente respiratório).

RRA – Registered Record Administrator (Administrador de Arquivos Registrado).

-rrhage, -rrhagia [Gr.] – ragia, elemento de palavra, *fluxo excessivo*. **-rrhagic** – adj. -rágico.

-rrhea [Gr.] – réia, elemento de palavra, *fluxo abundante*. **-rrheic** – adj. -reico.

-rrhexis [Gr.] – rexe, elemento de palavra, *interrupção; ruptura; divisão*.

rRNA – ribosomal RNA (RNA ribossômico [ácido ribonucléico]).

RSA – right sacroanterior (SAD, sacro-anterior direita [posição do feto]).

RScA – right scapuloanterior (EAD, escápulo-anterior direita [posição do feto]).

RScP – right scapuloposterior (EPD, escápulo-posterior direita [posição do feto]).

RSP – right sacroposterior (SPD, sacro-posterior direita [posição do feto]).

RST – right sacrotransverse (STD, sacro-transversal direita [posição do feto]).

Ru – símbolo químico, rutênio (*ruthenium*).

rub (rub) – atrito; fricção; ruído auscultatório causado pelo atrito conjunto de duas superfícies serosas. **friction r.** – a. de fricção; ver *rub*. **pericardial r., pericardial friction r.** – a. pericárdico; ruído de fricção ou raspagem ouvido junto com o batimento cardíaco, geralmente um som de vaivém, associado à pericardite ou outra afecção patológica de pericárdio. **pleural r., pleuritic r.** – a. pleural; a. pleurítico; atrito produzido pela fricção entre as pleuras visceral e costal.

rub·ber dam (rub'er dam) – dique de borracha; ver em *dam*.

ru·be·fa·cient (roo''be-fa'shunt) – rubefaciente: 1. enrubescimento da pele; 2. agente que enrubesce a pele por produzir hiperemia.

ru·bel·la (roo-bel'ah) – rubéola; sarampo alemão; infecção viral branda marcada por exantema macular leve, febre e aumento de volume dos linfonodos e afeta mais freqüentemente crianças e adultos jovens não-imunes; a infecção transplacentária do feto no primeiro trimestre pode provocar a morte do concepto ou anomalias do desenvolvimento graves. Ver também *congenital rubella syndrome*, em *syndrome*.

ru·be·o·la (roo-be'o-lah, roo''be-o'lah) – sarampo; rubéola; sinônimo de sarampo em inglês e de sarampo alemão em francês e espanhol.

ru·be·o·sis (roo''be-o'sis) – rubeose; rubor. **r. i'ridis** – r. irídica; afecção caracterizada por uma nova formação de vasos e de tecido conjuntivo na superfície da íris, freqüentemente observada em diabéticos.

ru·ber (roo'ber) [L.] – rubro; vermelho; ver *red*.

ru·bes·cent (roo-bes'int) – rubescente; tornar-se vermelho; avermelhado.

ru·bid·i·um (roo-bid'e-um) – rubídio, elemento químico (ver *tabela*), número atômico 37, símbolo Rb.

Ru·bi·vi·rus (roo'bǐ-vi"rus) – *Rubivirus*; vírus da rubéola; gênero de vírus da família Togaviridae, que contém o agente causador da rubéola.

ru·bor (roo'bor) [L.] – rubor; eritema, um dos sinais cardeais de uma inflamação.

ru·bri·blast (roo'brǐ-blast) – rubriblasto; pronormoblasto; ver *pronormoblast*.

ru·bric (roo'brik) – vermelho; especificamente, relativo ao núcleo vermelho.

ru·bri·cyte (roo'brǐ-sīt) – rubricito; normoblasto policromático.

ru·bro·spi·nal (roo"bro-spi'n'l) – rubroespinhal; relativo ao núcleo vermelho e à medula espinhal.

ru·bro·tha·lam·ic (-thah-lam'ik) – rubrotalâmico; relativo ao núcleo vermelho e ao tálamo.

ru·di·ment (roo'dǐ-ment) – rudimento: 1. órgão vestigial; 2. primórdio.

ru·di·men·ta·ry (roo"dǐ-men'ter-e) – rudimentar: 1. imperfeitamente desenvolvido; 2. vestigial.

ru·di·men·tum (roo"dǐ-men'tum) [L.] pl. *rudimenta* – rudimento.

ru·ga (roo'gah) [L.] pl. *rugae* – ruga; crista ou dobra.

ru'gose – adj. rugoso.

ru·gos·i·ty (roo-gos'ĭ-te) – rugosidade: 1. condição de ser rugoso; 2. dobra ou ruga.

RUL – right upper lobe (lobo superior direito [do pulmão]).

rule (rōōl) – regra; critério; padrão; declaração de condições comumente observadas em determinada situação ou de um procedimento prescrito para se obter um dado resultado. **Clark's r.** – r. de Clark; dose infantil de uma droga obtida através da multiplicação da dose adulta pelo peso da criança em libras e divisão do resultado por 150. **Durham r.** – r. de Durham; definição de responsabilidade criminal de um caso da corte do tribunal de apelação federal (Durham *versus* Estados Unidos) sustenta que "um acusado não é criminalmente responsável se o seu ato ilegal foi produto de doença ou perturbação mental". Em 1972, a mesma corte a revogou essa definição e adotou a Formulação do Tribunal de Justiça Americano (ver em *formulation*). **Fried's r.** – r. de Fried; dose de um medicamento para uma criança de menos de dois anos é obtida pela multiplicação da idade da criança em meses pela dose adulta e divisão do resultado por 150. **M'Naghten r.** – r. de M'Naghten; definição de responsabilidade criminal formulada em 1843 por juízes ingleses questionados pela Câmara dos Lordes como resultado da absolvição de Daniel M'Naghten em razão de insanidade. Ela sustenta que "para se estabelecer uma defesa com base na insanidade, deve-se provar claramente que no momento de cometer o ato, a parte acusada sofria de deficiência do raciocínio proveniente de doença mental de forma a não conhecer a natureza e a qualidade do ato que praticava ou, se o conhecesse, não sabia o que estava fazendo era errado". **Nägele's r.** – r. de Nägele (para estimar o dia do parto); subtrair três meses a partir do primeiro dia da última menstruação e acrescentar sete dias. **r. of nines** – r. dos noves; método de avaliação da extensão da superfície corporal que foi queimada em um adulto, dividindo-se o corpo em seções de 9% ou de múliplos de 9%. **van't Hoff's r.** – r. de van't Hoff; velocidade das reações químicas aumentada em duas vezes ou mais para cada elevação de 10°C na temperatura; geralmente só é verdadeira quando as temperaturas se aproximam das normais para essa reação. **Young's r.** – r. de Young; dose infantil de um medicamento é obtida através da multiplicação da dose adulta pela idade da criança em anos e divisão do resultado pela soma da idade da criança mais 12.

ru·men (roo'men) – rúmen; rume; o primeiro estômago de um ruminante.

ru·men·i·tis (roo"mě-ni'tis) – rumenite; inflamação do rúmen.

ru·mi·nant (roo'mǐ-nant) – ruminante: 1. que mastiga o bolo alimentar; 2. um representante da ordem de animais que inclui bovinos, ovinos, caprinos, veados e antílopes, que possuem um estômago com quatro cavidades completas (rúmen, retículo, omaso e abomaso) através das quais o alimento passa na digestão.

ru·mi·na·tion (roo"mǐn-na'shun) – ruminação: 1. ejeção do alimento para ser mastigado completamente por uma segunda vez, como nos bovinos; 2. um distúrbio dos lactentes caracterizado por regurgitação do alimento após a maioria das refeições, sendo parte do alimento vomitada e o resto reengolido; 3. meditação.

rump (rump) – lombo; nádegas ou região glútea.

ru·pia (roo'pe-ah) – rúpia; crostas aderentes, lameladas, elevadas, escuras e espessas na pele, pouco semelhantes a conchas de ostra, como no caso da sífilis secundária recorrente tardia. **ru'pial** – adj. rupial.

rup·ture (rup'chur) – ruptura: 1. dilaceração ou rompimento de um tecido; 2. hérnia; ver *hernia*.

rush (rush) – afluxo peristáltico; onda poderosa de atividade contrátil que percorre distâncias muito longas para baixo no intestino delgado, causada por irritação intensa ou distensão incomum.

rut (rut) – cio; o período ou estação de aumento de atividade sexual em alguns mamíferos machos, que coincide com o estro nas fêmeas.

ru·the·ni·um (ru-the'ne-um) – rutênio; elemento químico (ver *Tabela de Elementos*), número atômico 44, símbolo Ru.

ruth·er·ford (ruth'er-ford) – rutherford; unidade de desintegração radioativa, que representa um milhão de desintegrações por segundo.

ruth·er·ford·i·um (ruth"er-for'de-um) – rutherfordium, elemento químico (ver *tabela*), número atômico 104, símbolo Rf.

RV – residual volume (volume residual).

RVA – rabies vaccine, adsorbed (vacina de raiva adsorvida).

RVAD – right ventricular assist device (dispositivo de assistência ventricular direito); ver *ventricular assist device*, em *device*.

PQR

S

S – sacral vertebrae (S1–S5); siemens; spherical lens; Svedberg unit (vertebras sacrais [S1-S5]; siemens; lente esférica; unidade Svedberg); símbolo químico enxofre (*sulfur*).

S- [L.] – *signa,* marca.

S – entropy (entropia).

S- – a stereodescriptor (estereodescritor); utilizado para especificar a configuração absoluta dos compostos que possuem átomos de carbono assimétricos; oposto a *R*-.

s – second (segundo).

s- [L.] – *sinister* (esquerdo); *semis* (metade).

SA – sinoatrial (sinotrial).

sab·u·lous (sab'u-lus) – sabuloso; arenoso.

sa·bur·ra (sah-bur'ah) – saburra; impureza da boca ou do estômago. **sabur'ral** – adj. saburroso.

sac (sak) – saco; bolsa; órgão ou estrutura semelhante a um saco. **air s's** – sacos de ar; sacos alveolares. **allantoic s.** – s. alantóico; porção dilatada do alantóide, qque se torna parte da placenta em muitos mamíferos. **alveolar s's** – sacos alveolares; espaços nos quais os ductos alveolares se abrem distalmente e com os quais os alvéolos se comunicam. **amniotic s.** – s. amniótico; âmnion. **conjunctival s.** – s. conjuntival; espaço potencial revestido por conjuntiva entre as pálpebras e o globo ocular. **dental s.** – s. dentário; camada fibrosa densa de mesênquima que circunda o órgão de esmalte e a papila dentária. **endolymphatic s.** – s. endolinfático; extremidade cerebral achatada e cega do ducto endolinfático. **heart s.** – s. cardíaco; pericárdio. **hernial s.** – s. herniário; bolsa peritoneal que envolve uma hérnia. **Hilton's s.** – s. de Hilton; sáculo laríngeo. **lacrimal s.** – s. lacrimal; extremidade superior dilatada do ducto nasolacrimal. **yolk s.** – s. vitelino; membrana extra-embrionária que se conecta ao intestino médio; no fim da quarta semana de desenvolvimento, ele se expande no interior de uma vesícula piriforme, a vesícula umbilical (*vesicle, umbilical*), conectada ao corpo do embrião por meio de um tubo estreito longo pedículo vitelino (*stalk, yolk*). Nos mamíferos, ele produz uma circulação vitelina completa no embrião inicial e depois sofre regressão.

sac·cade (sah-kād') [Fr.] – salto; rotação rápida dos olhos; série de pequenos movimentos involuntários, abruptos e rápidos ou espasmos de ambos os olhos simultaneamente na alteração do ponto de fixação. **saccad'ic** – adj. sacádico; convulso.

sac·cate (sak'āt) – sacular: 1. com forma semelhante a um saco; 2. contido em um saco.

sac·cha·ride (sak'ah-rīd) – sacárideo; substância de uma série de carboidratos, que inclui os açúcares.

sac·cha·rin (sak'ah-rin) – sacarina; composto branco e cristalino centenas de vezes mais doce que a sacarose; utilizado em forma de sais cálcico e sódico como aromatizante e adoçante nutritivo.

sacchar(o)- [L.] – sacar(o)-, elemento de palavra, *açúcar*.

sac·cha·ro·lyt·ic (sak"ah-ro-lit'ik) – sacarolítico; capaz de quebrar as ligações glicosídicas nos sacarídeos.

sac·cha·ro·me·tab·o·lism (-mĕ-tab'o-lizm) – sacarometabolismo; metabolismo do açúcar. **saccharometabol'ic** – adj. sacarometabólico.

Sac·cha·ro·my·ces (-mi'sēz) – *Saccharomyces;* gênero de leveduras, que inclui a *S. cerevisiae* ou levedura de cerveja. **saccharomycet'ic** – adj. sacaromicético.

sac·cha·ro·pine (sak'ah-ro-pēn) – sacaropina; intermediário no metabolismo da lisina, que se acumula normalmente no caso de alguns distúrbios da degradação da lisina.

sac·cha·ro·pin·emia (sak"ah-ro-pĭn-ne'me-ah) – sacaropinemia; excesso de sacaropina no sangue.

sac·cha·ro·pin·uria (-pĭ-nu're-ah) – sacaropinúria: 1. excreção de sacaropina na urina; 2. forma variante de hiperlisinemia, clinicamente semelhante mas possuindo níveis mais elevados de sacaropina urinária e mais baixos de lisina.

sac·ci·form (sak'sĭ-form) – saciforme; sacular; com forma semelhante à de um saco.

sac·cu·lar (sak'u-ler) – sacular; relativo ou semelhante a um saco.

sac·cu·lat·ed (saku-lāt"ed) – saculado; que contém sáculos.

sac·cu·la·tion (sak"u-la'shun) – saculação: 1. sáculo ou bolsa; 2. qualidade de ser saculado.

sac·cule (sak'ūl) – sáculo: 1. pequeno saco; 2. a menor de duas divisões do labirinto membranoso do ouvido. **laryngeal s.** – s. laríngeo; divertículo que se estende ascendentemente da parte frontal do ventrículo laríngeo.

sac·cu·lo·coch·le·ar (sak"u-lo-kok'le-er) – saculococlear; relativo ao sáculo e à cóclea.

sac·cu·lot·o·my (sak"o-lot'ah-me) – saculotomia; punção do sáculo através da placa podal do estribo para aliviar uma hidropisia endolinfática.

sac·cu·lus (sak'u-lus) [L.] pl. *sacculi* – sáculo; ver *saccule.*

sac·cus (sak'us) [L.] pl. *sacci* – saco; ver *sac.*

sa·crad (sa'krad) – em direção ao sacro.

sa·cral (sa'kral) – sacral; relativo ao sacro.

sa·cral·gia (sa-kral'jah) – sacralgia; dor no sacro.

sa·cral·iza·tion (sa"kral-ĭ-za'shun) – sacralização; fusão anômala da quinta vértebra lombar com o primeiro segmento do sacro.

sa·crec·to·my (sa-krek'tah-me) – sacrectomia; excisão ou ressecção do sacro.

sacr(o)- [L.] – elemento de palavra, *sacrum.*

sa·cro·coc·cy·ge·al (sa"kro-kok-sij'e-al) – sacrococcígeo; relativo ao sacro e ao cóccix.

sa·cro·dyn·ia (-din'e-ah) – sacrodinia; sacralgia; ver *sacralgia.*

sa·cro·il·i·ac (-il'e-ak) – sacroilíaco; relativo ao sacro e ílio ou à sua articulação.

sa·cro·lum·bar (-lum'bar) – sacrolombar; relativo ao sacro e virilha.

sa·cro·sci·at·ic (-si-at'ik) – sacrociático; relativo ao sacro e ísquio.

sa·cro·spi·nal (-spi'n'l) – sacroespinhal; relativo ao sacro e coluna vertebral.

sa·cro·ver·te·bral (-ver'tĕ-bral) – sacrovertebral; relativo ao sacro e vértebras.

sa·crum (sa'krum) [L.] – sacro; ver *Tabela de Ossos*.

scimitar s. – s. em cimitarra; sacro congenitamente deformado semelhante a uma cimitarra, geralmente acompanhado de outros defeitos como anomalias anorretais ou nervosas.

sa·dism (sa'dizm, sad'izm) – sadismo; derivação da gratificação sexual através da imposição de dor ou humilhação a outros. **sadis'tic** – adj. sadista; sádico.

sa·do·ma·so·chism (sa"do-mas'o-kizm) – sadomasoquismo; estado caracterizado por tendências tanto sadistas como masoquistas. **sadomasochis'tic** – adj. sadomasoquista.

sag·it·tal (saji̇́-t'l) – sagital: 1. com forma semelhante a flecha; 2. situado na direção da sutura sagital; diz-se de um plano ou secção ântero-posterior paralelo ao plano mediano do corpo.

sag·it·a·lis (saj"ĭ-t'lis) [L.] – sagital.

Sak·se·naea (sak"sĕ-ne'ah) – *Saksenaea*; gênero de fungos da ordem Mucorales, caracterizada por esporângios em forma de frasco; a *S. vasiformis* pode causar mucormicose oportunista severa em pacientes debilitados ou imunocomprometidos.

sal (sal) [L.] – sal; ver *salt*.

sal·i·cyl·amide (sal"ĭ-sil-am'ĭd) – salicilamida; amida do ácido salicílico utilizada como analgésico e antipirético.

sal·i·cyl·ate (sal"ĭ-sil'āt, sah-lis'ĭ-lāt) – salicilato; sal do ácido salicílico; vários salicilatos são utilizados como drogas.

sal·i·cyl·ic ac·id (sal"ĭ-sil'ik) – ácido salicílico; ácido cristalino utilizado como ceratolítico tópico e ceratoplástico; seus sais (por exemplo, salicilato de sódio) são utilizados como analgésicos.

sal·i·cyl·ism (sal'ĭ-sil"izm) – salicilismo; efeitos tóxicos de superdosagem de ácido salicílico ou seus sais, geralmente caracterizado por zumbido nos ouvidos, náuseas e vômito.

sal·i·cyl·ur·ic ac·id (sal"ĭ-sil-ūr-'ik) – ácido salicilúrico; composto de glicol e ácido salicílico encontrado na urina após a administração de ácido salicílico.

sal·i·fi·a·ble (sal"ĭ-fi'ah-b'l) – salificável; capaz de se combinar com um ácido para formar um sal.

sa·line (sa'lēn, sa'līn) – salino; salgado; da natureza de um sal. **physiological s.** – solução salina fisiológica; soro fisiológico; solução aquosa isotônica de NaCl para manter temporariamente as células vivas.

sa·li·va (sah-li'vah) – saliva; secreção que contém enzimas das glândulas salivares. **sal'ivary** – adj. salivar.

sal·i·vant (sal'ĭ-vant) – salivante; que provoca fluxo de saliva.

sal·i·va·tion (sal"ĭ-va'shun) – salivação: 1. secreção de saliva; 2. ptialismo; ver *ptyalism*.

Sal·mo·nel·la (sal"mo-nel'ah) – *Salmonella*; gênero de bactérias Gram-negativas. O gênero *Salmonella* é muito complexo e foi descrito por muitos sistemas diferentes de nomenclatura. Os laboratórios clínicos freqüentemente relatam as salmo-

nelas como uma de três espécies, diferenciadas com base em reações sorológicas e bioquímicas: *S. typhi*, *S. choleraesuis* e *S. enteritidis*; a última contém todos os sorotipos exceto as duas primeiras. Nesse sistema, muitas cepas familiarmente nomeadas como espécies são designadas como sorotipos da *S. enteritidis*. As salmonelas também podem ser agrupadas em cinco subgêneros (I-V) com base em reações bioquímicas e posteriormente em espécies com base em reações antigênicas; o subgênero I contém a maioria das espécies. As espécies patogênicas incluem a *S. arizonae* (salmonelose), *S. choleraesuis* (cepa patogênica para suínos que pode infectar humanos), *S. enteritidis* (gastroenterite), *S. enteritidis* sorotipo *paratyphi A* (febre paratifóide), *S. typhi* (febre tifóide) e *S. enteritidis* sorotipo *typhimurium* (intoxicação alimentar e febre paratifóide).

sal·mo·nel·la (sal"mo-nel'ah) pl. *salmonellae* – salmonela; qualquer microrganismo do gênero *Salmonella*. **salmonel'lal** – adj. salmonelal.

sal·mo·nel·lo·sis (sal"mo-nel-o'sis) – salmonelose; infecção por *Salmonella*.

sal·pin·gec·to·my (sal"pin-jek'tah-me) – salpingectomia; excisão de uma tuba uterina.

sal·pin·gem·phrax·is (sal"pin-jem-frak'sis) – salpingenfraxia; osbtrução de uma tuba auditiva.

sal·pin·gi·an (sal-pin'je-an) – salpingiano; relativo à tuba auditiva ou uterina.

sal·pin·gi·tis (sal"pin-ji'tis) – salpingite; inflamação da tuba auditiva ou uterina. **salpingit'ic** – adj. salpíngico.

salping(o)- [Gr.] – elemento de palavra, *trompa* (*trompa de Eustáquio ou tuba uterina*).

sal·pin·go·cele (sal-ping'go-sēl) – salpingocele; protrusão herniária de uma tuba uterina.

sal·pin·gog·ra·phy (sal"ping-gog'rah-fe) – salpingografia; radiografia das tubas uterinas após injeção de meio radiopaco.

sal·pin·go·li·thi·a·sis (sal-ping"go-lĭ-thi'ah-sis) – salpingolitíase; a presença de depósitos calcários na parede das tubas uterinas.

sal·pin·gol·y·sis (sal"ping-gol'ĭ-sis) – salpingólise; separação cirúrgica de aderências que envolvem as tubas uterinas.

sal·pin·go·ooph·o·rec·to·my (sal-ping"go-o"of-ah-rek'tah-me) – salpingooforectomia; excisão de uma tuba uterina e um ovário.

sal·pin·go·ooph·o·ri·tis (-o"of-ah-ri'tis) – salpingooforite; inflamação de uma tuba uterina e um ovário.

sal·pin·go·ooph·oro·cele (-o-of'ah-ro-sēl") – salpingooforocele; hérnia de uma tuba uterina e um ovário.

sal·pin·go·pexy (sal-ping'go-pek"se) – salpingopexia; fixação de uma tuba uterina.

sal·pin·go·pha·ryn·ge·al (sal-ping"go-fah-rin'je-al) – salpingofaríngeo; relativo à tuba auditiva e à faringe.

sal·pin·go·plas·ty (sal-ping'go-plas"te) – salpingoplastia; reparo plástico de uma tuba uterina.

sal·pin·gos·to·my (sal"ping-gos'tah-me) – salpingostomia: 1. formação de uma abertura ou fístula no interior de uma tuba uterina com o propósito de drenagem; 2. restauração cirúrgica da abertura de uma tuba uterina.

STU

sal·pin·got·o·my (sal"ping-got'ah-me) – salpingotomia; incisão cirúrgica de uma tuba uterina.

sal·pinx (sal'pinks) [Gr.] – salpinge; tuba; especificamente, a tuba auditiva ou a tuba uterina.

sal·sa·late (sal'sah-lāt) – salsalato; analgésico e antiinflamatório ($C_{14}H_{10}O_5$).

salt (sawlt) – sal: 1. cloreto de sódio ou sal comum; 2. composto formado de uma base e um ácido; qualquer composto formado de um ácido com alguns dos átomos substituídos; 3. [pl.] purgativo salino. **bile s's** – sais biliares; conjugados glicínicos ou taurínicos dos ácidos biliares, formados no fígado e secretados na bile. São detergentes poderosos que decompõem glóbulos de gordura, permitindo que sejam digeridos. **Epsom s.** – s. de Epsom; sulfato de magnésio. **Glauber's s.** – s. de Glauber; sulfato de sódio. **Preston's s., Rochelle s., Seignette's s.** – s. de Preston; s. de Rochelle; s. de Seignette; tartarato sódico de potássio. **smelling s's** – sais aromáticos; carbonato de amônio aromatizado; estimulante e reconstituinte.

sal·ta·tion (sawl-ta'shun) – saltação: 1. ação de saltar; 2. dança ou salto espasmódicos que algumas vezes ocorrem no caso de coréia; 3. condução saltatória; 4. em Genética, a variação abrupta em uma espécie; mutação; 5. aumentos ou alterações súbitos no curso de uma enfermidade. **sal'tatory** – adj. saltatório.

salt·ing out (sawl'ting out) – precipitação de proteínas pela elevação da concentração salina.

sa·lu·bri·ous (sah-loo'bre-us) – salubre; que conduz à saúde; saudável.

sal·ure·sis (sal"u-re'sis) – salurese; excreção urinária de íons de sódio e cloreto. **saluret'ic** – adj. salurético.

salve (sav) – pomada ou cerato espessos.

sa·mar·i·um (sah-mar'e-um) – samário, elemento químico (ver *Tabela de Elementos)*, número atômico 62, símbolo Sm.

sam·pling (sam'pling) – amostragem; amostra; seleção ou confecção de uma amostra. **chorionic villus s. (CVS)** – a. de vilo coriônico; um dos vários procedimentos para se obter tecido fetal para utilização no diagnóstico pré-natal, realizado de 9 a 12 semanas de gestação, geralmente por meio de um cateter passado através da cérvix ou uma agulha inserida através das paredes abdominal e uterina. **percutaneous umbilical blood s. (PUBS)** – a. sangüínea umbilical percutânea; cordocentese.

san·a·tive (san'ah-tiv) – sanativo; curativo; que cicatriza.

san·a·to·ri·um (san"ah-tor'e-um) – sanatório; instituição para tratamento de pessoas doentes, especialmente um hospital particular para convalescentes ou pacientes com doenças crônicas ou distúrbios mentais.

san·a·to·ry (san'ah-tor"e) – sanador; que conduz à saúde.

sanc·tu·a·ry (sangk'choo-ar"e) – santuário; área no corpo onde uma droga tende a acumular-se e escapar do esgotamento metabólico.

sand (sand) – areia; material que ocorre em pequenas partículas saibrosas. **brain s.** – a. cerebral; acérvulo.

sand·fly (sand'fli) – mosquito-pólvora; um dos vários mosquitos de duas asas, especialmente os do gênero *Phlebotomus.*

sane (sān) – são; saudável mentalmente.

sangui- [L.] – elemento de palavra, *sangue.*

san·gui·fa·cient (sang"gwĭ-fa'shen) – sanguefaciente; hematopoiético; ver *hematopoietic.*

san·guine (sang'gwin) – sangüíneo; abundante em sangue.

san·guin·e·ous (sang-gwin'e-ous) – sangüíneo; que abunda em sangue; relativo ao sangue.

san·guin·o·lent (-ah-lent) – sanguinolento; cor de sangue.

san·gui·no·pu·ru·lent (sang"gwĭ-no-pu'roo-lent) – sanguinopurulento; que contém tanto sangue como pus.

san·guis (sang'gwis) [L.] – sangue; ver *blood.*

sa·ni·es (sa'ne-ēz) – sânie; descarga icorosa e fétida que contém soro, pus e sangue. **sa'nious** – adj. sanioso.

sa·nio·pu·ru·lent (sa"ne-o-pu'roo-lent) – saniopurulento; parcialmente sanioso e parcialmente purulento.

sa·ni·o·se·rous (-sēr'us) – saniosseroso; parcialmente sanioso e parcialmente seroso.

san·i·tar·i·an (san"ĭ-tar'e-an) – sanitarista; indivíduo especializado em sanitarismo e ciência da saúde pública.

san·i·tar·i·um (san"ĭ-tār'e-um) – sanitário; instituição para a recuperação de saúde.

san·i·tary (san'ĭ-tār"e) – sanitário; que proporciona tratamento ou se relaciona à saúde.

san·i·ta·tion (san"ĭ-ta'shun) – saneamento; estabelecimento de condições favoráveis à saúde.

san·i·ti·za·tion (san"ĭ-tĭ-za'shun) – sanitização; processo ou qualidade de se tornar higiênico.

san·i·ty (san'ĭ-te) – sanidade; sanidade mental.

sa·phe·na (sah-fe'nah) [L.] – safena; pequena ou grandes veias safenas; ver *Tabela de Veias.*

sa·phe·nous (sah-fe'nus) – safeno; relativo ou associado a uma veia safena; termo aplicado a determinadas artérias, nervos, veias etc.

sa·po (sa'po) [L.] – sabão; ver *soap.*

sa·po·na·ceous (sa"po-na'shus) – saponáceo; semelhante a sabão; de qualidade semelhante à de um sabão.

sa·pon·i·fi·ca·tion (sah-pon"ĭ-fĭ-ka'shun) – saponificação; conversão de um óleo ou gordura em sabão através de uma combinação com um álcali.

sap·o·nin (sap'o-nin) – saponina; um grupo de glicosídeos largamente distribuídas nos vegetais, que formam uma espuma durável quando se agitam suas soluções aquosas, bem como dissolvem as hemácias mesmo em diluições altas.

sapr(o)- [Gr.] – elemento de palavra, *decomposição; matéria deteriorada.*

sap·ro·phyte (sap'ro-fīt) – saprófita; qualquer microrganismo que vive de matéria orgânica morta ou em decomposição. **saprophyt'ic** – adj. saprofítico.

sap·ro·zo·ic (sap"ro-zo'ik) – saprozóico; que vive de matéria orgânica em decomposição; diz-se de animais, especialmente protozoários.

sar·al·a·sin (sar-al'ah-sin) – saralasina; antagonista da angiotensina II, utilizado na forma de éster de acetato como anti-hipertensivo no tratamento de hipertensão severa e diagnóstico de hipertensão dependente de renina.

Sar·ci·na (sahr'sĭ-nah) – *Sarcina*; gênero de bactérias (família Micrococcaceae) encontradas no solo e na água como saprófitas.

sarc(o)- [Gr.] – elemento de palavra, *carne.*

sar·co·blast (sahr'ko-blast) – sarcoblasto; célula primitiva que se desenvolve em célula muscular.

sar·co·cele (-sēl) – sarcocele; qualquer tumefação ou tumor carnoso do testículo.

sar·co·cyst (-sist) – sarcocisto: 1. protozoário do gênero *Sarcocystis;* 2. cisto cilíndrico que contém esporos parasitas, encontrado nos músculos dos indivíduos infectados por *Sarcocystis.*

Sar·co·cys·tis (sahr"ko-sis'tis) – *Sarcocystis*, gênero de protozoários parasitas que ocorrem como esporocistos no tecido muscular dos mamíferos, aves e répteis.

sar·co·cys·to·sis (-sis-to'sis) – sarcocistose; infecção por protozoários do gênero *Sarcocystis*, que no homem é geralmente assintomática ou se manifesta por meio de cistos musculares associados à miosite ou miocardite ou por infecção intestinal. É geralmente transmitida pela ingestão de carne bovina ou suína malcozida contendo esporocistos ou pela ingestão de esporocistos provenientes das fezes de um animal infectado.

Sar·co·di·na (-di'nah) – Sarcodina; amebas; subfilo de protozoários que consiste de microrganismos que alteram sua forma corporal e se movem aleatoriamente, e adquirem alimento tanto através de pseudópodes como pelo fluxo protoplasmático sem produzir pseudópodes discretos.

sar·coid (sahr'koid) – sarcóide: 1. sarcoidose; 2. tumor semelhante a um sarcoma; 3. semelhante à carne.

sar·coi·do·sis (sahr"koi-do'sis) – sarcoidose; reticulose granulomatosa generalizada, progressiva e crônica envolvendo quase que qualquer órgão ou tecido, caracterizada histologicamente pela presença, em todos os tecidos afetados, de tubérculos de células epitelióides não-caseosos.

sar·co·lem·ma (sahr"ko-lem'ah) – sarcolema; membrana que recobre uma fibra muscular estriada. **sarcolem'mic, sarcolem'mous** – adj. sarcolêmico.

sar·co·ma (sahr-ko'mah) pl. *sarcomas, sarcomata* – sarcoma; tumor de um grupo de tumores que geralmente surgem a partir do tecido conjuntivo, embora hoje o termo inclua alguns tumores de origem epitelial; a maioria deles é maligna. **alveolar soft part s.** – s. alveolar de partes moles; neoplasia bem-circunscrita, indolor e altamente metastática com padrão alveolar distinto, geralmente nas extremidades, cabeça e pescoço de adultos jovens. **ameloblastic s.** – s. ameloblástico; ver em *fibrosarcoma.* **botryoid s., s. botryoi'des** – s. botrióide; rabdomiossarcoma embrionário que surge no tecido da submucosa, geralmente na vagina superior, cérvix uterina ou colo da bexiga em crianças pequenas e lactantes, apresentando-se macroscopicamente como uma estrutura polipóide semelhante a um cacho de uva. **clear cell s. of kidney** – s. renal de células claras; tumor renal maligno semelhante ao tumor de Wilms, mas com prognóstico pior, freqüentemente metastazizando em um osso. **endometrial stromal s.** – s. do estroma endometrial; tumor maligno, carnoso, polipóide e pálido do estroma endometrial. **Ewing's s.** – s. de Ewing; tumor de pequenas células redondas primitivas, metastático e altamente maligno dos ossos, geralmente nas diáfises dos ossos longos, costelas e ossos planos de crianças e adolescentes. **giant cell s.** – s. de células gigantes: 1. forma de tumor de células gigantes dos ossos que já surge maligno em vez de se tornar maligno; 2. sarcoma caracterizado por grandes células anaplásicas (gigantes). **hemangioendothelial s.** – s. hemangioendotelial; hemangiossarcoma. **immunoblastic s. of B cells** – s. imunoblástico de células B; linfoma imunoblástico de células grandes, composto predominantemente de células B. **immunoblastic s. of T cells** – s. imunoblástico de células T; linfoma imunoblástico de células grandes, composto predominantemente de células T. **Kaposi's s.** – s. de Kaposi; proliferação vascular neoplásica maligna multicêntrica, caracterizada pelo desenvolvimento de nódulos vermelho-azulados na pele, algumas vezes com envolvimento visceral disseminado; uma forma disseminada particularmente virulenta ocorre em pacientes imunocomprometidos. **Kupffer cell s.** – s. das células de Kupffer; angiossarcoma hepático. **osteogenic s.** – s. osteogênico; osteossarcoma. **pseudo-Kaposi s.** – pseudossarcoma de Kaposi; dermatite subaguda a crônica unilateral que ocorre em associação com fístula arteriovenosa subjacente e assemelha-se muito ao sarcoma de Kaposi tanto clínica como histologicamente. **reticulum cell s.** – s. das células reticulares; linfoma histiocítico. **Rous s.** – s. de Rous; crescimento semelhante a um sarcoma induzido por vírus das aves domésticas. **soft tissue s.** – s. de tecido mole; termo genérico para um tumor maligno derivado do tecido conjuntivo extra-esquelético, incluindo os tecidos fibroso, gorduroso, muscular liso, nervoso, vascular, histiocítico e sinovial, com quase todas as lesões surgindo do mesoderma primitivo. **spindle cell s.** – s. de células fusiformes: 1. qualquer sarcoma composto de células fusiformes; 2. um tipo de sarcoma de tecido mole cujas células são fusiformes e que é geralmente resistente à radioterapia.

sar·co·ma·toid (-toid) – sarcomatóide; semelhante a um sarcoma.

sar·co·ma·to·sis (sahr-ko"mah-to'sis) – sarcomatose; afecção caracterizada pelo desenvolvimento de muitos sarcomas em locais variados.

sar·co·ma·tous (sahr-ko'mah-tus) – sarcomatoso; relativo a um sarcoma ou de sua natureza.

sar·co·mere (sahr'ko-mēr) – sarcômero; unidade contrátil de uma miofibrila; os sarcômeros são unidades repetidas, delimitadas pelas faixas Z, ao longo do comprimento da miofibrila.

sar·co·plasm (-plazm) – sarcoplasma; matéria interfibrilar do músculo estriado. **sarcoplas'mic** – adj. sarcoplásmico.

sar·co·plast (-plast) – sarcoplasto; célula muscular intersticial, capaz de ser transformada em célula muscular.

STU

sar·co·poi·et·ic (sahr''ko-poi-et'ik) – sarcopoiético; que produz carne ou músculo.

Sar·cop·tes (sahr-kop'tēz) – *Sarcoptes*; gênero de ácaros, que inclui a *S. scabiei* (causa da escabiose no homem); as outras variedades causam sarna nos animais domésticos.

sar·co·si·ne·mia (sahr''ko-sī-ne'me-ah) – sarcosinemia: 1. aminoacidopatia caracterizada por acúmulo e excreção de sarcosina, algumas vezes associada a anormalidades neurológicas; 2. acúmulo de sarcosina no sangue.

sar·co·sis (sahr-ko'sis) – sarcose; aumento anormal de carne.

sar·co·spo·rid·i·o·sis (sahr''ko-spo-rid''e-o'sis) – sarcosporidiose; sarcocistose; ver *sarcocystosis*.

sar·cos·to·sis (sahr''kos-to'sis) – sarcostose; ossificação do tecido muscular.

sar·co·tu·bules (sahr''ko-tu'būlz) – sarcotúbulos; estruturas limitadas por membrana do sarcoplasma, que formam uma rede canalicular ao redor de cada miofibrila.

sar·cous (sahr'kus) – sarcoso; relativo à carne ou tecido muscular.

sar·gra·mos·tim (sahr-gram'o-stim) – sargramostima; fator estimulante de colônias de granulócitos-macrófagos desenvolvido pela tecnologia recombinante e utilizado como adjuvante na quimioterapia de cânceres mielossupressivos por acelerar a recuperação do sistema hematopoiético.

sat·el·lite (sat'el-īt'') – satélite: 1. veia que acompanha proximamente uma artéria, como a braquial; 2. lesão menor ou acessória situada próxima a uma maior; 3. massa globóide de cromatina presa na constrição secundária às extremidades dos braços curtos dos autossomas acrocêntricos; 4. que exibe satelitismo.

sat·el·li·tism (sat'el-i-tizm) – satelitismo; fenômeno no qual determinadas espécies bacterianas crescem mais vigorosamente nas vizinhanças imediatas de colônias de outras espécies não-relacionadas devido à produção de um metabólito essencial por parte das últimas espécies.

sat·el·li·to·sis (sat''el-i-to'sis) – satelitose; acúmulo de células neurogliais ao redor de neurônios; observada sempre que se encontrem neurônios danificados.

sat·u·rat·ed (sach'er-āt''ed) – saturado: 1. denota um composto químico que só possui ligações únicas e nenhuma ligação dupla ou tripla entre os átomos; 2. incapaz de manter em solução mais de uma determinada substância.

sat·u·ra·tion (sach''er-a'shun) – saturação: 1. o estado de ser saturado ou o ato de se saturar; 2. em radioterapia, a administração de uma dose tecidual tolerável máxima dentro de um período curto, e depois a manutenção desta por meio de doses fracionadas adicionais menores por um período prolongado. **oxygen s.** – s. de oxigênio; a quantidade de oxigênio ligada a uma hemoglobina no sangue, expressa como a porcentagem da capacidade de ligação máxima.

sat·y·ri·a·sis (sat''ĭ-ri'ah-sis) – satiríase; satirismo; desejo sexual patológico ou exagerado no homem.

sau·cer·iza·tion (saw''ser-ī'za'shun) – crateirização: 1. escavação de um tecido para formar uma depressão de acomodação rasa, geralmente realizada para facilitar a drenagem de áreas infectadas do osso; 2. depressão rasa e semelhante a um pires na superfície superior de uma vértebra que sofreu fratura de conversão.

saw (saw) – serra; instrumento de corte com borda serrilhada. **Gigli's wire s.** – s. metálica de Gigli; instrumento com fio de aço flexível denticulado para serrar.

saxi·tox·in (sak''sī-tok'sin) – saxitoxina; neurotoxina poderosa sintetizada e secretada por determinados dinoflagelados, e que se acumula nos tecidos dos mariscos que se alimentam de dinoflagelados, podendo causar reação tóxica grave nas pessoas que consomem mariscos contaminados.

Sb [L.] – símbolo químico, antimônio (L, *stibium*; ver *antimony*).

Sc – símbolo químico, escândio (*scandium*).

scab (skab) – 1. crosta de um ferimento superficial; 2. incrustar; ser recoberto com uma crosta ou escara.

sca·bi·cide (ska'bī-sīd) – escabicida: 1. letal à *Sarcoptes scabiei*; 2. agente letal à *Sarcoptes scabiei* (ácaros).

sca·bies (ska'bēz) – escabiose; sarna; cutaneopatia contagiosa devida ao ácaro do prurido (*Sarcoptes scabiei*); a fêmea perfura o estrato córneo, formando buracos (cunículos), acompanhados de prurido intenso e eczema causado por coçadura. **scabiet'ic** – adj. escabioso. **Norwegian s.** – s. norueguesa; forma severa rara, associada a um número imenso de ácaros com escamas e crostas acentuadas, geralmente acompanhada de linfadenopatia e eosinofilia.

sca·la (ska'lah) [L.] pl. *scalae* – rampa; escala; estrutura semelhante a uma escada. **s. me'dia** – r. média; ducto coclear. **tym'pani** – r. do tímpano; a parte da cóclea por baixo da lâmina espiral. **s. vesti'buli** – r. vestibular; a parte da cóclea acima da lâmina espiral.

scald (skawld) – escaldadura; escaldo; escaldar; queimar com um líquido ou vapor quentes; queimadura produzida dessa forma.

scale (skāl) – escala; escama: 1. lâmina fina ou estrutura semelhante a uma placa compactada, como a de células epiteliais cornificadas sobre a superfície corporal; 2. fragmento fino de tártaro ou outra concreção sobre a superfície dentária; 3. descamar, remover material de uma superfície corporal, como as incrustações de uma superfície dentária; 4. escala, esquema ou dispositivo pelo qual pode-se medir alguma propriedade (como resistência, peso e dimensão linear). **absolute temperature s.** – e. de temperatura absoluta; escala de temperatura a partir do zero absoluto (−273,15°C), geralmente a escala Kelvin. **Brazelton behavioral s.** – e. comportamental de Brazelton; método para avaliar o comportamento de um bebê através das respostas aos estímulos ambientais. **Celsius s.** – e. Celsius; escala de temperatura em que o 0° corresponde oficialmente a 273,15 kelvins e 100° correspondem a 373,15 kelvins; abreviação *C*. Antigamente (e ainda hoje, não-oficialmente), o grau Celsius era chamado de grau centígrado, com o 0° no ponto de congelamento da água doce e 100° no ponto de ebulição sob pressão atmosférica normal; ver a tabela que acompanha *temperature*. **centigrade s.** – e. centígrada: 1. escala na qual o intervalo entre dois pontos fixos é dividido em 100 unidades equivalentes; 2. escala Celsius; ver a tabela que acompanha *temperature*. **Fahrenheit s.** – e. Fahrenheit; escala de temperatura na qual o ponto de congelamento é 32° e o ponto de ebulição normal da água é 212° (212°F); ver a tabela que acompanha *temperature*. **French s.** – e. francesa; escala utilizada para denotar o tamanho de cateteres, sondas etc. em que cada unidade (símbolo F) equivale aproximadamente a 0,33 mm de diâmetro. **gray s.** – e. cinza; representação de intensidades em tons de cinza, como no caso de ultrasonografia de escala cinzenta. **Kelvin s.** – e. Kelvin; escala de temperatura absoluta cuja unidade de medida (kelvin) equivale ao grau Celsius, porém com o ponto de congelamento situando-se em 273,15 kelvins. **temperature s.** – e. de temperatura; escala para exprimir o grau de calor, tende como ponto de referência o zero absoluto ou com valor determinado arbitrariamente atribuído a temperaturas tais como o ponto de congelamento e o ponto de ebulição da água. Ver a tabela que acompanha *temperature*.

sca·le·nec·to·my (ska"lĕ-nek'tah-me) – escalenectomia; ressecção do músculo escaleno.

sca·le·not·o·my (ska"lĕ-not'ah-me) – escalenotomia; divisão do músculo escaleno.

sca·ler (skăl'er) – escarificador; instrumento dentário para remoção de tártaro dos dentes.

scalp (skalp) – escalpo; couro cabeludo; pele que recobre o crânio.

scal·pel (skal'p'l) – escalpelo; bisturi; pequena faca cirúrgica que geralmente possui uma borda convexa.

scan (skan) – 1. forma reduzida de cintilografia, que recebe denominação diferente de acordo com o órgão sob exame; 2. representação visual dos ecos ultra-sonográficos. **A-s.** – cintilografia A; representação em um tubo de raios catódicos dos ecos ultra-sônicos, na qual um eixo representa o tempo exigido para o retorno do eco e o outro corresponde à força do eco. **B-s.** – cintilografia B; representação em um tubo de raios catódicos dos ecos ultra-sônicos, descrevendo o tempo decorrido e a força do eco e produzindo representações de corte transversal bidimensionais através do movimento do transdutor. **CAT s., CT s.** – tomografia computadorizada (TC). **M-mode s.** – módulo M; imagem obtida utilizando-se a ecocardiografia de módulo M, demonstrando o movimento (M) durante o tempo de uma secção monodimensional ("furador de gelo") do coração. **ventilation-perfusion s., V/Q s.** – cintilografia ventilação-perfusão; c. V/Q; técnica cintilográfica para demonstrar defeitos de perfusão em áreas normalmente ventiladas do pulmão no diagnóstico de embolia pulmonar; cintilograma.

scan·di·um (skan'de-um) – escândio; elemento químico (ver *Tabela de Elementos*), número atômico 21, símbolo Sc.

scan·ning (skan'ing) – varredura: 1. ato de examinar por meio de exploração de uma área ou órgão com um dispositivo sensor; 2. fala escandida. **multiple gated acquisition (MUGA) s.** – v. multidirecional; angiocardiografia com radionuclídeo em equilíbrio.

sca·pha (ska'fah) [L.] – estrutura em forma de barco; depressão curva que separa a hélice e a anti-hélice.

scapho·ceph·a·ly (skaf"o-sef'ah-le) – escafocefalia; comprimento e estreitamento anormais do crânio como resultado de fechamento prematuro da sutura sagital. **scaphocephal'ic, scaphoceph'alous** – adj. escafocefálico.

scaph·oid (skaf'oid) – escafóide; navicular; em forma de barco; ver *Tabela de Ossos*.

scaph·oid·itis (skaf"oi-di'tis) – escafoidite; inflamação do osso escafóide.

scap·u·la (skap'u-lah) [L.] – escápula; ver *Tabela de Ossos*. **scap'ular** – adj. escapular.

scap·u·lal·gia (skap"u-lal'jah) – escapulalgia; dor na região escapular.

scap·u·lec·to·my (skap"u-lek'tah-me) – escapulectomia; excisão ou ressecção da escápula.

scap·u·lo·cla·vic·u·lar (skap"u-lo-kalh-vik'u-ler) – escapuloclavicular; relativo à escápula e clavícula.

scap·u·lo·hu·mer·al (-hu'mer-al) – escapuloumeral; relativo à escápula e úmero.

scap·u·lo·pexy (skap'u-lo-pek"se) – escapulopexia; fixação cirúrgica da escápula.

sca·pus (ska'pus) [L.] pl. *scapi* – haste; tronco; diáfise.

scar (skahr) – cicatriz; marca remanescente após a cicatrização de um ferimento ou outro processo mórbido. Por extensão, termo aplicado a outras manifestações visíveis de um evento anterior.

scar·i·fi·ca·tion (skar'ĭ-fĭ-ka'shun) – escarificação; produção na pele de muitas incisões ou punções superficiais pequenos, como na inoculação de uma vacina.

scar·i·fi·ca·tor (skar'ĭ-fĭ ka"ter) – escarificador.

scar·i·fi·er (skari-ĭ-fi"er) – escarificador; instrumento com muitas pontas afiadas, utilizado na escarificação.

scar·la·ti·na (skahr"lah-te'nah) – escarlatina. **scarlat'inal** – adj. escarlatínico. **s. angino'sa** – e. anginosa; forma com sintomas severos na garganta.

scar·lat·i·nel·la (skahr-lat"ĭ-nel'ah) – escarlatinela; doença de Duke.

scar·la·tin·i·form (skahr"lah-tin'ĭ-form) – escarlatiniforme; semelhante a escarlatina.

scat(o)- [Gr.] – escat(o)-, elemento de palavra, *fezes; material fecal.*

sca·tol·o·gy (skah-tol'ah-je) – escatologia: 1. coprologia, estudo e análise das fezes; 2. preocupação com fezes e sujeira. **scatolog'ical** – adj. escatológico.

sca·tos·co·py (skah-tos'ko-pe) – escatoscopia; exame das fezes.

ScD – Doctor of Science (Doutor em Ciência).

Sce·do·spo·ri·um (se"do-spor'e-um) – *Scedosporium*; fungo imperfeito da classe Hyphomycetes; corresponde ao anamorfo do Pseudallescheria. A

S. *angiospermum* é o anamorfo da *Pseudalle-scheria boydii* e é um agente de micetomas.

schin·dy·le·sis (skin"dĭ-le'sis) – esquindilese; articulação em que um osso se encaixa na fenda de outro.

schist(o)- [Gr.] – esquist(o)-, elemento de palavra, *fendido; dividido.*

schis·to·ceph·a·lus (shis"-, skis"to-sef'ah-lus) – esquistocéfalo; feto com cabeça fendida.

schis·to·coe·lia (-se'le-ah) – esquistocelia; fissura congênita do abdome.

schis·to·cor·mus (-kor'mus) – esquistocormo; esquistossoma; feto com o tronco fendido.

schis·to·cyte (shis'-, skis'to-sīt) – esquistócito; fragmento de um corpúsculo sangüíneo vermelho, comumente observado no sangue em caso de anemia hemolítica.

schis·to·cy·to·sis (shis"-, skis"to-si-to'sis) – esquistocitose; acúmulo de esquistócitos no sangue.

schis·tom·e·lus (shis", skis-tomĕ-lus) – esquistômelo; feto com membro fendido.

schis·to·pros·o·pus (shis"-, skis"to-pros'o-pus) – esquistoprósopo; feto com face fendida.

Schis·to·so·ma (-so'mah) – *Schistosoma*; gênero de trematódeos sangüíneos que inclui a *S. haematobium* da África, *S. japonicum* do Extremo Oriente, *S. mansoni* da África, América do Sul e Índias Ocidentais e *S. intercalatum* da África central ocidental, que causam infecção no homem pela penetração na pele de quem está em contato com águas infectadas; os hospedeiros invertebrados são determinados caramujos. Ver doenças específicas em *schistosomiasis.* **schistoso'mal** – adj. esquistossômico.

schis·to·some (shis'-,. skis'to-sōm) – esquistossoma; indivíduo do gênero *Schistosoma.*

schis·to·so·mi·a·sis (shis"-, skis"to-so-mi'ah-sis) – esquistossomose; infecção por *Schistosoma.* **s. haemato'bia** – e. vesical; e. urinária. **s. inter·cala'tum** – e. intercalada; enteropatia endêmica da África central ocidental devida a infecção pela *Schistosoma intercalatum,* com dor abdominal, diarréia e outros sintomas intestinais. **s. japo'nica** – e. oriental; infecção pela *Schistosoma japonicum.* A forma aguda caracteriza-se por febre, sintomas alérgicos e diarréia; os efeitos crônicos (que podem ser graves) devem-se a fibrose ao redor dos ovos depositados no fígado, pulmões e sistema nervoso central. **s. man'soni** – e. mansônica; doença de Manson; infecção pela *Schistosoma mansoni,* que vive principalmente nas veias mesentéricas, mas migra para depositar ovos nas vênulas, primariamente do intestino grosso; os ovos que se alojam no fígado podem levar a fibrose periférica, hepatoesplenomegalia e ascite. **urinary s., vesical s.** – e. urinária; e. vesical; infecção pela *Schistosoma haematobium* que envolve o trato urinário e causa cistite e hematúria.

schis·to·so·mi·cide (-so'mĭ-sīd) – esquistossomicida; agente letal para esquistossomas.

schis·to·so·mus (-so'mus) – esquistossoma; esquistocormo; feto com fissura do abdômen e membros inferiores rudimentares ou ausentes.

schis·to·tho·rax (-thor'aks) – esquistotórax; fissura congênita do peito ou esterno.

schiz·am·ni·on (skiz-am'ne-on) – esquizâmnio; âmnio formado pela cavitação sobre ou na massa celular interna, como no desenvolvimento humano.

schiz(o)- [Gr.] – esquiz(o)-, elemento de palavra, *dividido; divisão.*

schizo·gen·e·sis (skiz"o-jen'ĕ-sis) – esquizogênese; reprodução por meio de fissão. **schizog'enous** – adj. esquizogênico.

schi·zog·o·ny (skĭ-zog'ah-ne) – esquizogonia; reprodução assexuada de um parasita esporozoário (esporozoíto) por meio de fissão múltipla do núcleo do parasita acompanhado de segmentação do citoplasma, que dá origem a merozoítos. **schizogon'ic** – adj. esquizogônico.

schizo·gy·ria (skiz"o-ji're-ah) – esquizogiria; afecção na qual ocorrem fendas cuneiformes nas convoluções cerebrais.

schiz·oid (skiz'oid, skit'soid) – esquizóide: 1. denota as características que definem a personalidade esquizóide; 2. denota características semelhantes às da esquizofrenia, que podem indicar predisposição a este distúrbio.

schiz·ont (skiz'ont) – esquizonte; estágio multinucleado no desenvolvimento de alguns membros do subfilo Sarcodina e alguns esporozoários durante a esquizogonia.

schizo·nych·ia (skiz"o-nik'e-ah) – esquizoníquia; divisão das unhas.

schizo·pha·sia (-fa'zhah) – esquizofasia; fala incompreensível e desordenada.

schizo·phre·nia (skit"so-, skiz"o-fre'ne-ah) – esquizofrenia; distúrbio mental ou um grupo de distúrbios mentais caracterizado por perturbações na forma e conteúdo do pensamento (por exemplo, delírios, ilusões e alucinações), humor (por exemplo, afeto impróprio), quanto ao interesse do indivíduo por si mesmo e seu relacionamento com o mundo externo (como perda dos limites do ego e retraimento) e comportamento (comportamento bizarro ou aparentemente despropositado). **schizophren'ic** – adj. esquizofrênico. **catatonic s.** – e. catatônica; forma caracterizada por distúrbio psicomotor, que pode se manifestar pela redução acentuada na reatividade ao ambiente e atividade espontânea, por atividade motora excitada, incontrolável e aparentemente despropositada, por resistência a instruções ou tentativas de movimento ou manutenção de uma postura rígida ou posturas bizarras fixas. **childhood s.** – e. infantil; esquizofrenia com início antes da puberdade, marcada por comportamento autista e retraído, incapacidade de desenvolver uma identidade independente da materna e imaturidade do desenvolvimento como um todo. **disorganized s., hebephrenic s.** – e. desorganizada; e. hebefrênica; forma marcada por incoerência freqüente, associações imprecisas, afeto superficial e impróprio, riso nervoso, comportamento e maneirismos tolos, regressão e hipocondria. **paranoid s.** – e. paranóide; forma caracterizada por manias de grandeza ou perseguição, freqüentemente com alucinações. **process s.** – e. processual; esquizofrenia progressiva grave que se presume ter origem endógena e mau prognóstico; cf.

reactive s. reactive s. – e. reativa; forma atribuída principalmente às condições ambientais, com início agudo e prognóstico favorável. **residual s.** – e. residual; afecção manifestada por indivíduos com sintomas de esquizofrenia que, depois de um episódio esquizofrênico psicótico, deixam de ser psicóticos. **undifferentiated s.** – e. indiferenciada; afecção manifestada por sintomas esquizofrênicos de tipo misto ou indefinido, que não podem ser classificados como outras formas de esquizofrenia.

schizo·trich·ia (skiz"o-trik'e-ah) – esquizotriquia; divisão das pontas dos pêlos.

schizo·ty·pal (skiz"o-, skit"so-ti'p'l) – esquizotípico; que mostra anormalidades no comportamento e estilo de comunicação semelhantes às da esquizofrenia, mas menos graves.

schwan·no·ma (shwahn-o'mah) – schwanoma; neoplasia que se origina das células de Schwann (da bainha mielínica) dos neurônios; os schwanomas compreendem neurofibromas e neurilemomas. **granular cell s.** – s. de células granulares; ver em *tumor*.

sci·at·ic (si-at'ik) – ciático; relativo ao ísquio; ver também *Tabela de Nervos*.

sci·at·i·ca (si-at'ĭ-kah) – ciática; neuralgia ao longo do curso do nervo ciático, mais freqüentemente com a dor irradiando-se no interior das nádegas e membro inferior, mais comumente devida a herniação de um disco lombar.

SCID – severe combined immunodeficiency disease (doença de imunodeficiência combinada severa).

sci·ence (si'ens) – ciência: 1. observação sistemática dos fenômenos naturais com o propósito de descobrir as leis que governam esses fenômenos; 2. conjunto de conhecimentos acumulados por meio desses métodos. **scientif'ic** – adj. científico.

sci·er·opia (si"er-o'pe-ah) – cieropia; defeito da visão em que os objetos aparecem em imagem sombreada.

scin·ti·gram (sin'tĭ-gram) – cintigrama; cintilograma. *ver scintiscan.*

scin·tig·ra·phy (sin-tig'rah-fe) – cintilografia; produção de imagens bidimensionais da distribuição da radioatividade nos tecidos após a administração interna de um agente de imagens radiofarmacêutico, obtendo-se as imagens por meio de câmera de cintilação. **scintigraph'ic** – adj. cintilográfico. **exercise thallium s.** – c. de exercício com tálio; cintilografia com tálio-201 realizada em conjunto com um teste de estresse de exercício. **gated blood pool s.** – c. de reserva sangüínea com acesso; angiocardiografia com radionuclídeo em equilíbrio. **infarct avid's. –** c. para conotação de infartos; cintilografia realizada após infarto do miocárdio para confirmar infarto bem como detectar, localizar e quantificar áreas de necrose miocárdica por meio de radiotraçador que se concentra nas regiões necrosadas. **myocardial perfusion s.** – c. de perfusão miocárdica; cintilografia realizada utilizando-se um radiotraçador que atravessa o sistema capilar miocárdico; obtêm-se imagens imediatas e retardadas para avaliar o fluxo sangüíneo e a viabilidade celular.

technetium Tc 99m pyrophosphate s. – c. com pirofosfato de tecnécio Tc-99m; c. para conotação de infartos.

scin·til·la·tion (sin"tĭ-la'shun) – cintilação: 1. emissão de faíscas; 2. sensação visual subjetiva, como a de se ver faíscas; 3. partícula emitida na desintegração de um elemento radioativo; ver também em *counter*.

scin·tis·can (sin'tĭ-skan) – cintilograma; cintigrama; representação bidimensional dos raios gama emitidos por um isótopo radioativo, revelando sua concentração em um órgão ou tecido específicos.

scir·rhoid (skir'oid) – cirróide; semelhante a um carcinoma cirroso.

scir·rhous (skir'us) – cirroso; duro ou endurecido; ver em *carcinoma*.

scle·ra (skēr'ah) [L.] pl. *sclerae* – esclera; revestimento externo branco e resistente do globo ocular, que recobre aproximadamente os cinco sextos posteriores de sua superfície, sendo contínuo anteriormente com a córnea e posteriormente com a bainha externa do nervo óptico. **scler'al** – adj. escleral.

escler(o)- [Gr.] – elemento de palavra, *duro; esclera.*

scle·rad·e·ni·tis (sklēr"ad-ĕ-ni'tis) – escleradenite; inflamação e endurecimento de uma glândula.

scle·rec·ta·sia (-ek-ta'zhah) – esclerectasia; condição de saliência da esclera.

scle·rec·to·iri·dec·to·my (sklē-rek"to-ir"ĭ-dek'-tah-me) – esclerectoiridectomia; excisão de uma parte da esclera e da íris.

scle·rec·to·iri·do·di·al·y·sis (-ir"ĭ-do-di-al'ĭ-sis) – esclerectoiridodiálise; esclerectomia e iridodiálise.

scle·rec·to·my (sklē-rek'tah-me) – esclerectomia; excisão de parte da esclera.

scle·re·de·ma (sklēr"ĕ-de'mah) – escleredema; endurecimento cutâneo difuso, simétrico, semelhante à madeira e não-perfurante, de etiologia desconhecida, começando tipicamente na cabeça, face ou pescoço e difundindo-se para envolver ombros, braços e tórax e algumas vezes locais extracutâneos. **s. neonato'rum** – e. neonatal; esclerema.

scle·re·ma (sklē-re'mah) – esclerema; distúrbio severo e algumas vezes fatal do tecido adiposo, que ocorre principalmente em bebês prematuros, doentes e debilitados, manifestado por endurecimento do tecido envolvido, fazendo com que a pele fique fria, branco-amarelada, mosqueada, semelhante a um papelão e inflexível.

scle·ri·rit·o·my (sklēr"ĭ-rit'ah-me) – escleriritomia; incisão da esclera e íris no caso de estafiloma anterior.

scle·ri·tis (sklē-ri'tis) – esclerite; inflamação da esclera; pode envolver a parte contígua ao limbo da córnea (*e. anterior*) ou a retina e a coróide subjacentes (*e. posterior*).

scle·ro·blas·te·ma (sklēr"o-blas-te'mah) – esclero-blastema; o tecido embrionário a partir do qual o osso se forma. **scleroblastem'ic** – adj. esclero-blastêmico.

scle·ro·cho·roi·di·tis (-kor"oi-di'tis) – esclerocoroidite; inflamação da esclera e coróide.

scle·ro·cor·nea (-kor'ne-ah) – esclerocórnea; esclera e a coróide consideradas como uma camada única.

STU

scle·ro·dac·ty·ly (-dak'tĭ-le) – esclerodactilia; esclerodermia localizada dos dedos.

scle·ro·der·ma (-der-mah) – esclerodermia; endurecimento e espessamento da pele, que pode constituir um achado em muitas doenças diferentes, ocorrendo nas formas localizada e geral. **circumscribed s.** – e. circunscrita; morféia. **systemic s.** – e. sistêmica; distúrbio sistêmico do tecido conjuntivo, caracterizado por endurecimento e espessamento da pele, anormalidades dos vasos sangüíneos e alterações degenerativas fibróticas em vários órgãos corporais.

scle·rog·e·nous (sklĕ-roj'ĕ-nus) – esclerógeno; esclerogênico; que produz esclerose ou tecido esclerosado.

scle·ro·iri·tis (sklēr''o-i-ri'tis) – escleroirite; inflação da esclera e íris.

scle·ro·ker·a·ti·tis (-ker''ah-ti'tis) – escleroceratite; inflamação da esclera e córnea.

scle·ro·ma (sklĕ-ro'mah) – escleroma; mancha endurecida ou endurecimento, especialmente dos tecidos nasal ou laríngeo. **respiratory s.** – e. respiratório; rinoscleroma.

scle·ro·ma·la·cia (sklēr''o-mah-la'shah) – escleromalacia; degeneração e afinamento (amolecimento) da esclera, que ocorre no caso de artrite reumatóide.

scle·ro·mere (sklēr'o-mēr) – esclerômero: 1. qualquer segmento ou metâmero do sistema esquelético; 2. metade caudal de um esclerótomo; ver *sclerotome* (2).

scle·ro·myx·ede·ma (sklēr''o-mik''sē-de'mah) – escleromixedema: 1. líquen mixedematoso; 2. termo algumas vezes utilizado para referir o líquen mixedematoso associado à esclerodermia.

scle·ro·nyx·is (-nik'sis) – escleronixe; punção cirúrgica da esclera.

scle·ro·ooph·o·ri·tis (-o''of-ah-ri'tis) – esclerooforite; inflamação esclerosante do ovário.

scle·roph·thal·mia (sklēr''of-thal'me-ah) – escleroftalmia; afecção que resulta de diferenciação imperfeita da esclera e córnea, na qual somente a parte central da córnea permanece clara.

scle·ro·sant (sklĕ-ro'sant) – esclerosante; irritante químico injetado no interior de uma veia para produzir inflamação e eventual fibrose e obliteração do lúmen; utilizado no tratamento de veias varicosas.

scle·ro·se (sklĕ-rōs') – esclerose; esclerosar; endurecer; tornar-se ou fazer com que fique endurecido ou esclerosado.

scle·ro·sis (sklĕ-ro'sis) – esclerose; endurecimento especialmente a partir de uma inflamação e em doenças da substância intersticial; termo aplicado principalmente ao endurecimento do sistema nervoso ou dos vasos sangüíneos. **amyotrophic lateral s.** – e. lateral amiotrófica; degeneração progressiva dos neurônios que dão origem ao trato corticoespinhal e células motoras do tronco cerebral e medula espinhal, resultando em déficit de neurônios motores inferiores e superiores; geralmente apresenta um resultado fatal em 2 a 3 anos. **arterial s.** – e. arterial; arteriosclerose. **arteriolar s.** – e. arteriolar; arteriolosclerose. **diffuse cerebral s.** – e. cerebral difusa; forma infantil de leucodistrofia metacromática. **disse**minated s. – e. disseminada; e. múltipla. **familial centrolobar s.** – e. centrolobar familiar; doenças de Pelizaeus-Merzbacher. **lateral s.** – e. lateral; degeneração das colunas laterais da medula espinhal, levando à paraplegia espástica. Ver *amyotrophic lateral s.* e *primary lateral s.* **Mönckeberg's s.** – e. de Mönckeberg; ver em *arteriosclerosis.* **multiple s. (MS)** – e. múltipla; desmielinização que ocorre em manchas por toda a substância branca do sistema nervoso central, algumas vezes estendendo-se no interior da substância cinzenta; os sintomas das lesões da substância branca são fraqueza, incoordenação, parestesias, distúrbios da fala e sintomas visuais. **primary lateral s.** – e. lateral primária; forma de doença do neurônio motor em que o processo degenerativo limita-se aos trajetos corticospinhais. **progressive systemic s.** – e. sistêmica progressiva; esclerodermia sistêmica. **tuberous s.** – e. tuberosa; doença dominante autossômica caracterizada por hamartomas do cérebro (tubérculos), retina e vísceras; retardamento mental; ataques convulsivos; e adenoma sebáceo.

scle·ro·ste·no·sis (sklēr''o-stĕ-no'sis) – esclerostenose; endurecimento combinado com contração.

scle·ros·to·my (sklĕ-ros'tah-me) – esclerostomia; criação cirúrgica de uma abertura na esclera; geralmente realizada no tratamento de glaucoma.

scle·ro·ther·a·py (sklēr''o-ther'ah-pe) – escleroterapia; injeção de soluções esclerosantes no tratamento de hemorróidas ou de outras veias varicosas.

scle·rot·ic (sklĕ-rot'ik) – esclerótico: 1. duro ou que endurece; afetado por esclerose; 2. escleral.

scle·rot·i·ca (sklĕ-rot'ĭ-kah) [L.] – esclerótica; esclera; ver *sclera.*

scle·ro·ti·tis (sklēr''o-ti'tis) – esclerotite; esclerite; ver *scleritis.*

scle·ro·ti·um (sklĕ-ro'she-um) – esclerócio; estrutura formada por fungos e determinados protozoários em resposta a condições ambientais adversas, que germinarão sob condições favoráveis; nos fungos, corresponde a uma massa dura de micélios entretecidos, geralmente com paredes pigmentadas, e nos protozoários, corresponde a um cisto duro multinucleado no qual o plasmódio se divide.

scle·ro·tome (sklēr'o-tŏm) – esclerótomo: 1. instrumento utilizado na incisão da esclera; 2. área de um osso inervado a partir de um único segmento espinhal; 3. uma das massas pareadas de tecido mesenquimal; separado da parte ventromedial de um somito, que se desenvolve em vértebras e costelas.

scle·rot·o·my (sklĕ-rot'ah-me) – esclerotomia; incisão na esclera.

scle·rous (sklēr'us) – escleroso; endurecido; fibrosado.

sco·lex (sko'leks) [Gr.] pl. *scoleces, scolices* – escólex; escólice; o órgão de apreensão de uma tênia, geralmente considerado a extremidade anterior ou cefálica.

scolio- [Gr.] – escolio-, elemento de palavra, *recurvado; retorcido.*

sco·lio·ky·pho·sis (sko''le-o-ki-fo'sis) – escoliocifose; curvaturas lateral (escoliose) e posterior (cifose) combinadas da espinha.

sco·li·o·si·om·e·try (-se-om'ĕ-tre) – escoliosiometria; medição da curvatura espinhal.

sco·li·o·sis (sko"le-o'sis) – escoliose; curvatura lateral da coluna vertebral. **scoliot'ic** – adj. escoliótico.

sco·pol·a·mine (sko-pol'ah-mĕn) – escopolamina; alcalóide anticolinérgico obtido de várias plantas solanáceas; utiliza-se o sal de bromidrato como sedativo cerebral, midriático e cicloplégico.

sco·po·phil·ia (sko"po-fil'e-ah) – escopofilia: 1. voyeurismo (e. ativa); 2. exibicionismo (e. passiva).

sco·po·pho·bia (-fo'be-ah) – escopofobia; medo irracional de ser visto.

-scopy [Gr.] – -scopia, elemento de palavra, exame de.

scor·bu·tic (skor-bu'tik) – escorbútico; relativo ou afetado por escorbuto.

scor·bu·ti·gen·ic (skor-bu"tĭ-jen'ik) – escorbutigênico; que causa escorbuto.

scor·bu·tus (skor-bu'tus) [L.] – escorbuto; ver scurvy.

scor·di·ne·ma (skor"dĭ-ne'mah) – escordinema; bocejo e espreguiçamento com sensação de prostração, ocorrendo com sintoma preliminar de algumas doenças infecciosas.

score (skor) – escore; classificação; avaliação geralmente expressa numericamente, com base em uma avaliação específica ou grau em que se manifestam determinadas qualidades. **Apgar s.** – e. de Apgar; expressão numérica da condição de um recém-nascido, geralmente determinada em 60s após o nascimento, com base na freqüência cardíaca, esforço respiratório, tônus muscular, reflexos de irritabilidade e cor. **Bishop s.** – e. de Bishop; contagem para avaliar as perspectivas de indução de parto, concluídas pela avaliação da extensão da dilatação cervical, encolhimento, posição da cabeça fetal, consistência da cérvix e posição cervical com relação ao eixo vaginal.

scot(o)- [Gr.] – escot(o)-, elemento de palavra, escuridão.

sco·to·chro·mo·gen (sko"to-kro'mo-jen) – escotocromógeno; microrganismo cuja pigmentação se desenvolve tanto na escuridão como à luz. **scotochromogen'ic** – adj. escotocromogênico.

sco·to·din·ia (-din'e-ah) – escotodinia; vertigem com visão embaciada e dor de cabeça.

sco·to·ma (sko-to'mah) [L.] pl. scotomata – escotoma: 1. área de visão deprimida no campo visual, circundada por uma área de visão menos deprimida ou normal; 2. e. mental. **scotom'atous** – adj. escotomatoso. **annular s.** – e. anular; área circular de visão deprimida circundando o ponto de fixação. **central s.** – e. central; área de visão deprimida correspondente ao ponto de fixação e interferindo na visão central. **centrocecal s.** – e. centrocecal; defeito oval horizontal no campo de visão situado entre o ponto de fixação e a mancha cega. **color s.** – e. colorido; área isolada de visão deprimida ou defeituosa para cores. **hemianopic s.** – e. hemianópico; visão deprimida ou defeituosa do campo visual central. **mental s.** – e. mental; em Psiquiatria, um ponto cego figurativo na consciência psicológica de uma pessoa, ficando o paciente incapaz de discernir e de compreender seus problemas mentais; falta de discernimento.

negative s. – e. negativo; escotoma que aparece como uma mancha ou um hiato brancos no campo visual, mas o paciente não tem consciência disso. **peripheral s.** – e. periférico; área de visão deprimida em direção à periferia do campo visual, distante do ponto de fixação. **physiologic s.** – e. fisiológico; área do campo visual correspondente ao disco óptico, no qual os receptores fotossensíveis se encontram ausentes. **positive s.** – e. positivo; escotoma que aparece como uma mancha negra no campo visual, estando o paciente consciente disso. **relative s.** – e. relativo; área do campo visual em que a percepção da luz apenas diminui ou a perda se restringe à luz de determinados comprimentos de onda. **ring s.** – e. anelar. **scintillating s.** – e. cintilante; teicopsia.

sco·to·ma·graph (-graf) – escotomatógrafo; instrumento para registrar um escotoma.

sco·tom·e·try (sko-tom'ĕ-tre) – escotometria; medição de escotomas.

sco·to·mi·za·tion (sko"tah-mĭ-za'shun) – escotomização; desenvolvimento de escotomas (especialmente de escotomas mentais), em que o paciente tenta negar a existência de tudo que entra em conflito com o seu ego.

sco·to·phil·ia (sko"to-fil'e-ah) – escotofilia; preferência pela noite.

sco·to·pho·bia (-fo'be-ah) – escotofobia; medo irracional da escuridão.

sco·to·pia (sko-to'pe-ah) – escotopia: 1. visão noturna; 2. adaptação ao escuro. **scotop'ic** – adj. escotópico.

sco·top·sin (sko-top'sin) – escotopsina; a opsina dos bastonetes retinianos que se combina com o 11-cis-retinal para formar rodopsina; ver retinal.

scours (skourz) – termo que designa diarréia em animais recém-nascidos.

scrapie (skra'pe) – uma das encefalopatias espongiformes transmissíveis que ocorrem em ovinos e caprinos, caracterizadas por prurido severo, debilidade e incoordenação motora e invariavelmente terminando fatalmente.

scratch·es (skrach'ez) – gavarro cutâneo dos cavalos; inflamação eczematosa das patas de um eqüino.

screen (skrĕn) – tela: 1. estrutura semelhante a cortina ou separação, utilizada como proteção ou anteparo; como uma estrutura utilizada em fluoroscopia ou estrutura sobre a qual se projetam raios luminosos; 2. examinar por meio de fluoroscopia (Reino Unido); 3. protetor (protective [2]); 4. triar; separar indivíduos sadios em uma população daqueles com afecção patológica não-diagnosticada por meio de testes, exames ou outros procedimentos. **skin s.** – t. cutânea; substância aplicada à pele para protegê-la dos raios solares ou outros agentes nocivos. **solar s., sun s.** – t. solar; filtro solar.

screen·ing (skrĕn'ing) – triagem: 1. exame de um grupo para separar as pessoas sãs daquelas que têm uma afecção patológica não-diagnosticada ou se encontram em alto risco; 2. fluoroscopia (Reino Unido). **antibody s.** – t. de anticorpos; método de determinação da presença e da quantidade de anticorpos anti-HLA no soro de um

STU

receptor de aloenxerto potencial; misturam-se as alíquotas do soro do receptor com um grupo de leucócitos provenientes de doadores de células bem-caracterizadas, acrescenta-se complemento e a porcentagem de células que lisam, referidas como anticorpo que reage seletivamente em leucócitos (HLA) (*antibody, panel-reactive*), indica o grau de sensibilização do receptor.

screw·worm (skroo'werm) – larva da *Cochliomyia hominivorax.*

scro·bic·u·late (skro-bik'u-lāt) – escrobiculado; marcado por depressões ou cavidades.

scro·bic·u·lus (skro-bik'u-lus) [L.] – depressão do estômago. **s. cor'dis** – antecárdio; fossa epigástrica.

scrof·u·la (skrof'u-lah) – escrófula; tuberculose primária dos linfonodos cervicais, com as estruturas inflamadas ficando sujeitas a degeneração caseosa.

scrof·u·lo·der·ma (skrof''u-lo-der'mah) – escrofulodermia; infecção cutânea tuberculosa por micobatérias ou não-tuberculosa e causada pela extensão direta de tuberculose à pele a partir de estruturas subjacentes ou por exposição de contato à tuberculose.

scro·tec·to·my (skro-tek'tah-me) – escrotectomia; excisão parcial ou completa do escroto.

scro·ti·tis (skro-ti'tis) – escrotite; inflamação do escroto.

scro·to·cele (skro'to-sēl) – escrotocele; hérnia escrotal.

scro·to·plasty (-plas''te) – escrotoplastia; reconstrução plástica do escroto.

scro·tum (skro'tum) – escroto; bolsa que contém os testículos e seus órgãos acessórios. **scro'tal** – adj. escrotal. **lymph s.** – e. linfático; elefantíase escrotal.

scru·ple (skroo'p'l) – escrópulo; 20 grãos do sistema de peso farmacêutico ou 1,296 g.

scu-PA – single chain urokinase-type plasminogen activator (ativador de plasminogênio do tipo de uroquinase de cadeia única); ver *prourokinase.*

scur·vy (sker've) – escorbuto; doença devida a deficiência de ácido ascórbico (vitamina C), marcada por anemia, gengiva esponjosa, tendência a hemorragias mucocutâneas e endurecimento vigoroso dos músculos da panturrilha e da perna.

scute (skūt) – escudo; escama; qualquer escama ou estrutura semelhante a escama, especialmente a placa óssea que separa a cavidade timpânica superior das células mastóides (*escama timpânica*).

scu·ti·form (sku'tĭ-form) – escutiforme; escudado; com forma semelhante a um escudo.

scu·tu·lum (sku'tu-lum) [L.] pl. *scutula* – escútulo; uma das crostas semelhantes a discos ou pires características da tinha favosa.

scu·tum (sku'tum) – 1. escudo; 2. placa quitinosa dura sobre a superfície dorsal anterior dos carrapatos duros.

scy·ba·lum (sib'ah-lum) [Gr.] pl. *scybala* – cíbalo; massa dura de material fecal nos intestinos. **scy'balous** – adj. cibaloso.

scy·phoid (si'foid) – cifóide; com forma semelhante a uma taça.

SD – skin dose; standard deviation (dose cutânea; desvio padrão).

SDS – sodium dodecyl sulfate (dodecilsulfato de sódio).

SE – standard error (erro padrão).

Se – símbolo químico, selênio (*selenium*).

seam (sēm) – sutura; linha de união. **osteoid s.** – s. osteóide; região estreita de matriz orgânica recém-formada e ainda não-mineralizada na superfície de um osso.

search·er (serch'er) – explorador; sonda utilizada no exame da bexiga quanto a cálculos.

seat·worm (sēt'werm) – oxiúro; qualquer oxiurídeo, especialmente a *Enterobius vermicularis.*

se·ba·ceous (sě-ba'shus) – sebáceo; oleoso; relativo ou que secreta sebo.

se·bif·er·ous (sě-bif'er-us) – sebífero; sebíparo.

se·bip·a·rous (sě-bip'ah-rus) – sebíparo; que produz secreção gordurosa.

sebo·lith (seb'o-lith) – sebólito; cálculo em uma glândula sebácea.

seb·or·rhea (seb''o-re'ah) – seborréia: 1. secreção excessiva de sebo; 2. dermatite seborréica. **seborrhe'al, seborrhe'ic** – adj. seborréico. **s. sic'ca** – s. seca; dermatite seborréica seca e escamosa.

sebo·trop·ic (seb''o-trop'ik) – sebotrópico; que tem afinidade ou um efeito estimulante nas glândulas sebáceas; que promove a excreção de sebo.

se·bum (se'bum) – sebo; secreção oleosa das glândulas sebáceas, composta de gordura e restos epiteliais.

se·co·bar·bi·tal (sek''o-bahr'bĭ-tal) – secobarbital; barbitúrico de curta ação utilizado como hipnótico e sedativo; também utilizado como sal sódico.

se·cre·ta (se-kre'tah) [L.] plural de *secretus* – secreções; produtos de secreção.

se·cret·a·gogue (se-krēt'ah-gog) – secretagogo; que estimula a secreção; agente que atua dessa forma.

se·crete (se-krēt') – secretar; elaborar e liberar uma secreção.

se·cre·tin (se-kre'tin) – secretina; hormônio secretado pelas mucosas duodenal e jejunal quando o quimo ácido entra no intestino; estimula a secreção de suco pancreático e, em menor extensão, as secreções biliar e intestinal.

se·cre·tion (-shun) – secreção: 1. processo celular de elaboração e liberação de um produto específico; essa atividade pode variar da separação de uma substância específica do sangue à elaboração de uma nova substância química; 2. qualquer substância produzida dessa forma.

se·cre·to·in·hib·i·to·ry (se-kre''to-in-hib'ĭ-tor''-e) – secretoinibitório; que inibe a secreção; antisecretório.

se·cre·to·mo·tor (-mo'tor) – secretomotor; que estimula a secreção; diz-se de nervos.

se·cre·to·mo·tory (-mo'tor-e) – secretomotor.

se·cre·tor (se-kre'ter) – secretor: 1. em Genética, indivíduo que secreta os antígenos ABH do grupo sangüíneo ABO na saliva e outros fluidos corporais; 2. gene que determina essa característica.

se·cre·to·ry (se-kre'tha-re, se'krē-tor''e) – secretório; secretor; relativo à secreção ou que afeta secreções.

sec·tio (sek'she-o) [L.] pl. *sectiones* – secção: 1. ato de cortar; 2. superfície cortada; 3. segmento ou subdivisão de um órgão. **abdominal s.** – s. abdominal; laparotomia. **cesarean s.** – cesariana; parto de um feto por meio de incisão através da parede abdominal e do útero. **frozen s.** – s. por congelamento; amostra cortada por meio de micrótomo a partir de um tecido congelado. **perineal s.** – s. perineal; uretrotomia externa. **Saemisch's s.** – s. de Saemisch; ver em *operation.* **serial s.** – s. seriada; secções histológicas feitas em ordem consecutiva e dispostas dessa forma com a finalidade de exame microscópico.

se·cun·di·grav·i·da (se-kun"di-grav'i-dah) – secundigrávida; mulher grávida pela segunda vez; grávida II.

se·cun·dines (se-kun'dinz, -denz) – secundinas; ver *afterbirth.*

se·cun·dip·a·ra (se"kun-dip'ah-rah) – secundípara; mulher que tenha tido duas gestações que resultaram em descendentes viáveis; para II.

SED – skin erythema dose (dose de eritema cutâneo).

se·da·tion (se-da'shun) – sedação: 1. minoração de irritabilidade ou excitação, especialmente pela administração de um sedativo; 2. estado induzido dessa forma. **conscious s.** – s. consciente; estado de anestesia em que o paciente permanece consciente, mas sem medo e ansiedade.

sed·a·tive (sed'ah-tiv) – sedativo: 1. minoração da irritabilidade e da excitação; 2. droga que age dessa forma.

sed·en·tary (sed'en-tar"e) – sedentário: 1. que se senta habitualmente; de hábitos inativos; 2. relativo à posição sentada.

sed·i·ment (sed'i-ment) – sedimento; precipitado, especialmente aquele formado espontaneamente.

sed·i·men·ta·tion (sed"i-men-ta'shun) – sedimentação; assentamento de um sedimento.

seed (sed) – semente: 1. óvulo maduro de uma planta florescente; 2. sêmen; 3. pequena proteção cilíndrica de ouro ou outro material adequado, utilizada na aplicação de radioterapia. **cardamom s.** – s. de cardamomo; semente madura e seca da *Elletaria cardamomum,* planta da Ásia tropical; utilizada como agente aromatizante. **plantago s., psyllium s.** – s. de plantago; semente madura, seca e limpa de uma espécie de *Plantago;* utilizada como catártico.

seg·ment (seg'ment) – segmento; porção demarcada de um todo. **segmen'tal** – adj. segmentar. **bronchopulmonary s.** – s. broncopulmonar; uma das menores subdivisões dos lobos pulmonares, separada por septos de tecido conjuntivo e suprida por ramos dos respectivos brônquios lobares. **hepatic s's** – segmentos hepáticos; subdivisões dos lobos hepáticos baseados no suprimento arterial e biliar e na drenagem venosa. **spinal s's, s's of spinal cord** – segmentos da medula espinhal; regiões da medula espinhal em que se prendem as raízes dorsais e ventrais dos 31 pares de nervos espinhais; oito *cervicais,* doze *torácicos,* cinco *lombares,* cinco *sacrais* e três *coccígeos.* Ver Prancha XI. **ST s.** – s. ST; intervalo do final da despolarização ventricular até o início da onda T. **uterine s.** – s. uterino; uma das duas porções nas quais o útero se diferencia no início do parto; a porção contrátil superior (corpo uterino) torna-se mais espessa à medida que o parto prossegue, e a porção não-contrátil inferior (o istmo) expande-se e a parede torna-se delgada.

seg·men·ta·tion (seg"men-ta'shun) – segmentação: 1. divisão em partes semelhantes; 2. clivagem.

seg·men·tum (seg-men'tum) [L.] pl. *segmenta* – segmento.

seg·re·ga·tion (seg"re-ga'shun) – segregação: 1. separação de genes alélicos durante a meiose à medida que os cromossomas homólogos começam a migrar em direção a pólos opostos da célula, de forma que os membros de cada par de genes alélicos vão finalmente para gametas separados; 2. restrição progressiva de potências no zigoto para várias regiões do embrião em formação.

seg·re·ga·tor (seg're-ga"tor) – segregador; instrumento para coletar a urina de cada rim separadamente.

sei·zure (se'zhur) – ataque: 1. ataque repentino ou recidiva de uma doença; 2. episódio único de epilepsia, freqüentemente denominado de acordo com o tipo de manifestação. **absence s.** – crise de ausência; crise de ausência epiléptica, marcada por interrupção momentânea na percepção do pensamento ou atividade e acompanhado de picos de 3-cps simétricos e atividade de ondas no eletroencefalograma. **adversive s.** – crise adversa; tipo de ataque motor focal no qual ocorre um giro mantido e forçado dos olhos, cabeça ou corpo para um lado. **atonic s.** – crise atônica; crise de ausência caracterizada por perda súbita do tônus muscular. **automatic s.** – crise automática; tipo de ataque parcial complexo caracterizado por automatismos, freqüentemente ambulatório e envolvendo atos quase propositais. **clonic s.** – crise clônica; ataque no qual ocorrem contrações clônicas generalizadas sem a fase tônica precedente. **complex partial s.** – ataque parcial complexo; tipo de ataque parcial associado a doença do lobo temporal e caracterizada por graus variáveis de distúrbios da consciência e automatismos, em razão dos quais o paciente fica posteriormente amnésico. **febrile s's** – convulsões febris; ver em *convulsion.* **generalized tonic-clonic s.** – crise tônico-clônica generalizada; crise epiléptica de grande mal, que consiste de perda de consciência e convulsões tônicas generalizadas, seguidas de convulsões clônicas. **partial s.** – convulsão parcial; qualquer ataque devido a lesão em área conhecida específica do córtex cerebral. **reflex s.** – crise reflexa; episódio de epilepsia reflexa. **sensory s.** – crise sensorial: 1. ataque parcial simples manifestado por meio de parestesias ou outras alucinações, incluindo vários tipos de aura; 2. crise reflexa em resposta a estímulo sensorial. **simple partial s.** – ataque parcial simples; tipo localizado de ataque parcial, sem perda da consciência; caso progrida para outro tipo de ataque, é chamado de aura *(aura).*

STU

tonic s. – convulsão tônica; ataque caracterizado por contrações tônicas, mas não clônicas.

Sel·dane (sel'dān) – Seldane, marca registrada de preparação de terfenadina.

se·lec·tion (sĕ-lek'shun) – seleção; exercício de forças que determinam o desempenho reprodutivo relativo dos vários genótipos em uma população. **directional s.** – s. direcional; seleção que favorece indivíduos em um extremo da distribuição. **disruptive s., diversifying s.** – s. disruptiva; s. diversificante; seleção que favorece os dois extremos em vez do intermediário. **natural s.** – s. natural; sobrevivência na natureza dos indivíduos e seus descendentes mais bem equipados para se adaptar às condições ambientais. **sexual s.** – s. sexual; seleção natural em que determinadas características atraem os elementos masculinos ou femininos de uma espécie, assegurando conseqüentemente a sobrevivência dessas características. **stabilizing s.** – s. estabilizante; seleção que favorece fenótipos intermediários em vez daqueles em um ou ambos os extremos.

se·lec·tiv·i·ty (sĕ-lek-tiv'ĭ-te) – seletividade; em Farmacologia, o grau no qual uma dose de um medicamento produz o efeito desejado em relação aos efeitos colaterais. **selec'tive** – adj. seletivo.

se·le·gil·ine (se-lej'ĭ-lēn) – selegilina; agente antiparkinsoniano utilizado como sal de cloridrato em conjunto com a levodopa e a carbidopa.

se·le·ni·um (sĕ-le'ne-um) – selênio; elemento químico (ver *Tabela de Elementos)*, número atômico 34, símbolo Se; constitui um nutriente mineral essencial, sendo um constituinte da enzima glutationa peroxidase, mas ocorre em níveis tóxicos nas plantas que crescem em solo com altos níveis, causando doenças nos animais pastejadores. **s. sulfide** – sulfeto de s.; anti-seborréico aplicado topicamente ao couro cabeludo; também um antifúngico tópico e ceratolítico tópico.

self-an·ti·gen (self-an'tĭ-jen) – auto-antígeno; ver *autoantigen.*

self-lim·it·ed (-lim'it-ed) – autolimitado; limitado por suas próprias peculiaridades e não por influência externa; diz-se de uma doença com um curso limitado definido.

self-tol·er·ance (-tol'er-ans) – autotolerância; tolerância imunológica a auto-antígenos.

sel·la (sel'ah) [L.] pl. *sellae* – sela; depressão em forma de sela. **sel'lar** – adj. selar. **s. tur'cica** – s. turca ou túrcica; depressão na superfície superior do osso esfenóide, que aloja a glândula hipófise.

se·mei·og·ra·phy (se''mi-og'rah-fe) – semiografia; descrição dos sinais e sintomas de uma doença.

se·mei·ot·ic (se''mi-ot'ik) – semiótico: 1. relativo aos sinais ou sintomas; 2. patognomônico.

se·mei·ot·ics (-iks) – semiótica; sintomatologia.

sem·el·in·ci·dent (sem''el-in'sĭ-dent) – semelincidente; que ataca somente uma vez, como uma doença infecciosa que induz imunidade subseqüente.

se·men (se'men) [L.] – sêmen; fluido descarregado na ejaculação do homem, consistindo de secreções de glândulas associadas ao trato urogenital e contendo espermatozóides. **sem'inal** – adj. seminal.

semi- [L.] – elemento de palavra, *metade.*

semi·ca·nal (sem''ĭ-kah-nal') – semicanal; canal aberto em um lado.

semi·co·ma (-ko'mah) – semicoma; letargia da qual o paciente pode despertar. **semico'matose** – adj. semicomatoso.

semi·dom·i·nance (-dom'ĭ-nans) – semidominância; dominância incompleta.

semi·flex·ion (-flek'shun) – semiflexão; posição intermediária de um membro entre a flexão e a extensão; o ato de levar a tal posição.

semi·lu·nar (-loo'nahr) – semilunar; semelhante a meia-lua ou crescente.

sem·i·nif·er·ous (-nif'er-us) – seminífero; que produz ou transporta sêmen.

sem·i·no·ma (-no'mah) – seminoma; neoplasia maligna e radiossensível dos testículos, que se acredita derivar de células germinativas primordiais da gônada embrionária sexualmente indiferenciada. Cf. *germinoma.* **classical s.** – s. clássico; o tipo mais comum, composto de lâminas ou cordões bem-diferenciados de células poligonais ou arredondadas (células seminômicas). **ovarian s.** – s. ovariano; disgerminoma. **spermatocytic s.** – s. espermatocítico; forma menos maligna caracterizada por células que se assemelham às espermatogônias em amadurecimento com cromatina filamentosa.

se·mi·nu·ria (se''mĭ-nu're-ah) – seminúria; excreção de sêmen na urina.

semi·per·me·a·ble (sem''ĭ-per'me-ah-b'l) – semipermeável; que só permite a passagem de determinadas moléculas.

semi·quan·ti·ta·tive (-kwon'tĭ-ta''tiv) – semiquantitativo; que produz a quantidade aproximada de uma substância, sendo insuficiente para um resultado quantitativo.

se·mis (se'mis) [L.] – metade; abreviação ss.

semi·sul·cus (sem''ĭ-sul'kus) – semi-sulco; depressão que, com outra adjacente, forma um sulco.

semi·su·pi·na·tion (-soo''pĭ-na'shun) – semi-supinação; posição intermediária à supinação.

semi·syn·thet·ic (-sin-thet'ik) – semi-sintético; produzido por meio de manipulação química de substâncias de ocorrência natural.

se·nes·cence (sĕ-nes'ens) – senescência; processo de envelhecimento, especialmente a condição resultante das transições e acúmulos dos processos de envelhecimento deletérios.

se·nile (se'nīl) – senil; relativo à idade avançada.

se·nil·ism (se'nil-izm) – senilismo; envelhecimento prematuro.

se·nil·i·ty (sĕ-nil'ĭ-te) – senilidade; deterioração mental e física associada à idade avançada.

sen·na (sen'ah) – sena; as folículas secas da *Cassia acutifolia* ou *C. angustifolia,* utilizada principalmente como catártico.

sen·no·side (sen'o-sīd) – senosídeo; um dos glicosídeos antraquinônicos (senosídeos A e B) encontrados na sena como sais cálcicos; utiliza-se uma mistura de ambos como catártico.

se·no·pia (se-no'pe-ah) – senopia; redução aparente na presbiopia dos idosos, que se relaciona ao desenvolvimento de esclerose nuclear e resultante miopia.

sen·sa·tion (sen-sa'shun) – sensação; sensibilidade; impressão produzida por impulsos transmitidos por um nervo aferente até o sensório. **girdle s.** – sensibilidade em cinto; zonestesia. **referred s., reflex s.** – sensibilidade referida; s. reflexa; sensação percebida em outro lugar que não o local de aplicação de um estímulo. **subjective s.** – sensibilidade subjetiva; sensação perceptível somente ao próprio indivíduo e não associada a qualquer objeto externo ao seu corpo.

sense (sens) – senso; sentido; sensibilidade; sensação; percepção: 1. um dos processos físicos pelos quais se recebem, transferem e conduzem os estímulos como impulsos para serem interpretados no cérebro; 2. em Genética Molecular, refere-se a um filamento de ácido nucléico que especifica diretamente o produto. **body s.** – percepção corporal; somatognosia. **color s.** – sensibilidade a cores; a faculdade pela qual se percebem e distinguem as cores. **joint s.** – sensibilidade articular; artrestesia. **kinesthetic s.** – sentido cinestésico: 1. cinestesia; 2. sensibilidade muscular. **light s.** – sensibilidade à luz; sensação pela qual se distinguem vários graus de luminosidade. **motion s., movement s.** – sensibilidade motora; percepção do movimento da cabeça ou do corpo. **muscle s., muscular s.** – sensibilidade muscular: 1. impressões sensoriais (como de movimento ou de estiramento) que provêm dos músculos; 2. sensibilidade motora. **pain s.** – sensibilidade à dor; capacidade de sentir dor, causada pela estimulação de um nociceptor. **position s., posture s.** – sentido de posição; sentido de postura; consciência da posição do corpo ou de suas partes no espaço, uma combinação do sentido de equilíbrio e cinestesia. **pressure s.** – sensibilidade à pressão; sensação pela qual se percebe a pressão na superfície do corpo. **sixth s.** – sexto sentido; somatognosia. **somatic s's** – sensibilidades somáticas; sensações além dos sentidos especiais, incluindo tato, pressão, dor, temperatura, cinestesia, sensação muscular, sensação visceral e algumas vezes, o senso de equilíbrio. **space s.** – sentido espacial; sensação pela qual se percebem posições relativas e relações dos objetos no espaço. **special s's** – sentidos especiais; sentidos da visão, audição, gustação, olfato e algumas vezes, do equilíbrio. **stereognostic s.** – sentido estereognóstico; sensação pela qual se percebem forma e solidez. **temperature s.** – sentido de temperatura; sensação pela qual se distinguem as diferenças de temperatura por meio de termorreceptores. **vestibular s.** – sensibilidade vestibular; senso de equilíbrio. **vibration s.** – s. de vibração; palestesia. **visceral s.** – sentido visceral; percepção de sensações que surgem das vísceras e estimulam os interoceptores; as sensações incluem dor, pressão ou repleção e movimentos orgânicos.

sen·si·bil·i·ty (sen''sĭ-bil'ĭ-te) – sensibilidade; suscetibilidade à percepção; capacidade de sentir ou perceber. **deep s.** – s. profunda; sensibilidade a estímulos como dor, pressão e movimento que ativam receptores sob a superfície corporal, mas não nas vísceras. **epicritic s.** – s. epicrítica;

sensibilidade da pele a estimulações suaves, permitindo discriminações finas de tato e temperatura. **proprioceptive s.** – s. proprioceptiva; propriocepção. **protopathic s.** – s. protopática; sensibilidade à dor e à temperatura, baixa em grau e fracamente localizada. **splanchnesthesic s.** – s. esplancnestésica; sentido visceral.

sen·si·ble (sen'sĭ-b'l) – sensível: 1. capaz de sentir; 2. perceptível aos sentidos.

sen·si·tive (sen'sĭ-tiv) – sensitivo; sensível; sensorial: 1. capaz de receber ou responder a estímulos; 2. incomumente responsivo a estimulação ou que responde rápida e agudamente.

sen·si·tiv·i·ty (sen''sĭ-tiv'ĭ-te) – sensibilidade: 1. estado ou qualidade de ser sensível; 2. menor concentração de uma substância que pode ser medida confiavelmente por um dado método analítico; 3. probabilidade de uma pessoa ter uma doença que será corretamente identificada por meio de teste clínico.

sen·si·ti·za·tion (sen''sĭ-tĭ-za'shun) – sensibilização; imunização: 1. administração de um antígeno para induzir resposta imune primária; 2. exposição a um alérgeno que resulta em desenvolvimento de hipersensibilidade.

sen·so·mo·bile (sen''so-mo'b'l) – sensomóvel; que se move em resposta a um estímulo.

sen·so·mo·tor (sen-sor''e-al) – sensomotor; sensorimotor (*sensorimotor*).

sen·so·ri·al (sen-sor'e-al) – sensorial; relativo ao senso.

sen·so·ri·mo·tor (sen''sor-e-mo'ter) – sensorimotor; sensomotor; tanto sensorial como motor .

sen·so·ri·neu·ral (-noor'al) – sensorineural; de ou relativo a um nervo ou mecanismo sensorial; ver também *deafness*.

sen·so·ri·um (sen-sor'e-um) – sensório: 1. centro nervoso sensorial; 2. estado de um indivíduo quanto à percepção ou consciência.

sen·so·ry (sen'sor-e) – sensorial; relativo à sensação.

sen·ti·ent (sen'she-ent) – sensorial; capaz de sentir; sensitivo.

Seph·a·dex (sef'ah-deks) – Sephadex, marca registrada de glóbulos de dextrana de ligação cruzada. Utilizam-se várias formas em cromatografia.

sep·sis (sep'sis) – sépsis; sepse; presença no sangue ou em outros tecidos de microrganismos patogênicos ou suas toxinas; a afecção associada a essa presença. **catheter s.** – s. por cateter; sepse que ocorre como complicação de cateterização endovenosa. **puerperal s.** – s. puerperal; sepse que ocorre após o parto, devida a material absorvido do canal do parto; ver também *fever, puerperal.*

sep·ta (sep'tah) – plural de *septum.*

sep·tal (sep'tal) – septal; relativo ao septo.

sep·tate (sep'tăt) – septado; dividido por um septo.

sep·tec·to·my (sep-tek'tah-me) – septectomia; excisão de uma parte do septo nasal.

sep·tic (sep'tik) – séptico; relativo a septicemia.

sep·ti·ce·mia (sep''tĭ-se'me-ah) – septicemia; intoxicação sangüínea; doença sistêmica associada à presença e persistência de microrganismos patogênicos ou suas toxinas no sangue. **septice'mic** –

adj. septicêmico. **cryptogenic s.** – s. criptogênica; septicemia na qual o foco de infecção não fica evidente durante a vida. **hemorrhagic s.** – s. hemorrágica; qualquer septicemia de um grupo de doenças animais devidas à *Pasteurella multocida;* manifesta-se por pneumonia e algumas áreas hemorrágicas em vários órgãos e tecidos corporais. **puerperal s.** – s. puerperal; ver em *fever.*

sep·ti·co·py·emia (-ko-pi-e'me-ah) – septicopiemia; septicemia e piemia combinadas. **septicopye'mic** – adj. septicopiêmico.

sep·to·mar·gi·nal (sep''to-mahr'ji̅-n'l) – septomarginal; relativo à margem de um septo.

sep·to·na·sal (-na'z'l) – septonasal; relativo ao septo nasal.

sep·to·plas·ty (sep'to-plas''te) – septoplastia; reconstrução cirúrgica do septo nasal.

sep·tos·to·my (sep-tos'tah-me) – septostomia; criação cirúrgica de uma abertura em um septo.

sep·tot·o·my (sep-tot'ah-me) – septotomia; incisão do septo nasal.

sep·tu·lum (sep'tu-lum) [L.] plural *septula* – séptulo; pequena parede ou divisória.

sep·tum (sep'tum) [L.] plural *septa* – septo; parede divisória ou divisão. **atrioventricular s. of heart** – s. atrioventricular cardíaco; a parte da porção membranosa do septo interventricular entre o ventrículo esquerdo e o átrio direito. **Bigelow's s.** – s. de Bigelow; camada de tecido ósseo duro no colo do fêmur. **s. of Cloquet, crural s., femoral s.** – s. de Cloquet; s. crural; s. femoral; membrana fibrosa fina que ajuda a fechar o anel femoral. **gingival s.** – s. gengival; a parte da gengiva interposta entre dentes contíguos. **interalveolar s.** interalveolar: 1. uma das placas ósseas finas que separam os alvéolos dos dentes diferentes na mandíbula e maxila; 2. um dos septos finos que separam alvéolos pulmonares adjacentes. **interatrial s. of heart** – s. interatrial cardíaco; divisão que separa os átrios cardíacos direito e esquerdo. **interdental s.** – s. interdentário; s. interalveolar. **interventricular s. of heart** – s. interventricular cardíaco; divisão que separa os ventrículos cardíacos direito e esquerdo. **lingual s.** – s. lingual; parte fibrosa vertical mediana da língua. **nasal s.** – s. nasal; divisão entre as duas cavidades nasais. **pectinifor'me** – s. pectiniforme; s. do pênis. **pellucid s., pellu'cidum** – s. pelúcido; membrana dupla triangular que separa os cornos anteriores dos ventrículos laterais cerebrais. **s. pe'nis** – s. do pênis; lâmina fibrosa entre os corpos cavernosos penianos. **rectovaginal s.** – s. retovaginal; divisão membranosa entre o reto e a vagina. **rectovesical s.** – s. retovesical; divisão membranosa que separa o reto da próstata e da bexiga. **scrotal s., s. scro'ti** – s. escrotal; divisão entre as duas câmaras escrotais.

sep·tup·let (sep-tup'let) – sétuplo; um dos sete filhos nascidos em um parto.

se·quel (se'kwel) – sequela.

se·que·la (se-kwe'lah) [L.] plural *sequelae* – seqüela; afecção mórbida que acompanha ou ocorre como conseqüência de outra afecção ou evento.

se·quence (se'kwens) – seqüência: 1. série interligada de eventos ou coisas; 2. em dismorfologia,

padrão de anomalias múltiplas derivadas de uma anomalia anterior ou fator mecânico; 3. em Biologia Molecular, o DNA que tem um padrão de nucleotídeo particular ou ocorre em região particular do genoma. **amniotic band s.** – s. de faixa amniótica; ruptura precoce do âmnio com formação de filamentos de âmnio que podem se aderir ou comprimir partes do feto, resultando em ampla variedade de deformidades. **gene s.** – s. gênica; distribuição ordenada de nucleotídeos em códons ao longo do trecho de DNA a ser transcrito.

se·ques·ter (se-kwes'ter) – seqüestrar; seqüestro; destacar ou separar anormalmente uma pequena porção a partir do todo. Ver *sequestration* e *sequestrum.*

se·ques·trant (se-kwes'trant) – seqüestrante; agente seqüestrante, como por exemplo a resina colestiramina, que se liga a ácidos biliares no intestino, evitando conseqüentemente sua absorção.

se·ques·tra·tion (se''kwes-tra'shun) – seqüestração: 1. formação de um seqüestro; 2. isolamento de um paciente; 3. aumento líquido da quantidade de sangue em uma área vascular limitada, que ocorre fisiologicamente, com a persistência ou não de um fluxo para frente, ou é produzido artificialmente pela aplicação de torniquetes. **pulmonary s.** – s. pulmonar; perda de conexão do tecido pulmonar com a árvore brônquica e veias pulmonares.

se·ques·trec·to·my (-trek'tah-me) – seqüestrectomia; seqüestrotomia; excisão de um seqüestro.

se·ques·trum (se-kwes'trum) [L.] pl. *sequestra* – seqüestro; pedaço de osso morto separado do osso saudável no caso de necrose.

se·quoi·o·sus (se''kwoi-o'sis) – sequoiose; forma de alveolite alérgica que ocorre nos trabalhadores de madeireiras e serrarias, causada pela inalação de serragem que contém esporos de *Graphium* e *Basidium.*

se·ra (se'rah) [L.] pl. de *serum.*

Ser-Ap-Es (ser'ap-es) – Ser-Ap-Es, marca registrada de preparação de combinação fixa de cloridrato de hidralazina, reserpina e hidroclorotiazida.

Ser·ax (ser'aks) – Serax, marca registrada de preparação de oxazepam.

se·ries (se'rēz) – série; grupo ou sucessão de eventos, objetos ou substâncias dispostos em ordem regular ou que formam um tipo de cadeia; em eletricidade, partes de um circuito conectado sucessivamente extremidade com extremidade para formar um trajeto único para a corrente. **se'rial** – adj. seriado. **erythrocytic s.** – s. eritrocítica; sucessão de células em desenvolvimento que finalmente culminam em hemácias maduras. **granulocytic s.** – s. granulocítica; sucessão de células morfologicamente distinguíveis que correspondem a estágios no desenvolvimento dos granulócitos; existem séries basófilas, eosinófilas e neutrófilas distintas, mas os estágios morfológicos são os mesmos. **lymphocytic s.** – s. linfocítica; série de células morfologicamente distinguíveis que se acredita representar estágios no desenvolvimento linfocítico; hoje sabe-se que representam várias formas de linfócitos maduros. **monocytic s.** – s. monocítica; sucessão de células em desenvolvimento que finalmente culminam no monócito. **thrombocytic s.** – s. trombocítica; sucessão de células em desenvolvimento que finalmente culminam em plaquetas sangüíneas (trombócitos).

ser·ine (sēr'ēn) – serina; aminoácido não-essencial de ocorrência natural, presente em muitas proteínas.

se·ro·co·li·tis (sēr''o-ko-li'tis) – serocolite; inflamação do revestimento seroso do cólon.

se·ro·con·ver·sion (-con-ver'zhun) – soroconversão; alteração de teste soronegativo de negativo para positivo, indicando o desenvolvimento de anticorpos em resposta a imunização ou infecção.

se·ro·di·ag·no·sis (-di''ag-no'sis) – sorodiagnóstico; diagnóstico de uma doença com base em testes sorológicos. **serodiagnos'tic** – adj. sorodiagnóstico.

se·ro·en·te·ri·tis (-en''tĕ-ri'tis) – seroenterite; inflamação do revestimento seroso do intestino.

se·ro·fib·rin·ous (-fi'brĭ-nus) – serofibrinoso; sorofibrinoso; composto de soro e fibrina, como o exsudato serofibrinoso.

se·ro·group (sēr'o-grōōp'') – sorogrupo; designação não-oficial que denota um grupo de bactérias que contêm um antígeno comum, possivelmente incluindo mais de um sorotipo, espécie ou gênero.

se·rol·o·gy (sēr-ol'ah-je) – sorologia; estudo das reações antígeno-anticorpo *in vitro.* **serolog'ic** – adj. sorológico.

se·ro·ma (sēr-o'mah) – seroma; acúmulo de soro semelhante a um tumor nos tecidos.

se·ro·mem·bra·nous (sēr''o-mem'brah-nus) – seromembranoso; relativo ou composto de membrana serosa.

se·ro·mu·cous (-mu'kus) – seromucoso; tanto seroso como mucoso.

se·ro·mus·cu·lar (-mus'ku-ler) – seromuscular; relativo aos revestimentos seroso e muscular do intestino.

se·ro·neg·a·tive (-ne'gah-tiv) – soronegativo; que demonstra resultados negativos no exame sorológico; que demonstra falta de anticorpos.

se·ro·pos·i·tive (-poz'ĭ-tiv) – soropositivo; que apresenta resultados positivos no exame sorológico; que mostra um nível alto de anticorpos.

se·ro·pu·ru·lent (-pu'-roo-lent) – seropurulento; soropurulento; tanto seroso como purulento.

se·ro·pus (sēr'o-pus) – soropus; seropus; soro misturado com pus.

se·ro·re·ac·tion (sēr''o-re-ak'shun) – sororreação; serorreação; reação que ocorre em um soro como resultado da ação de um antígeno.

se·ro·sa (se-ro'sah, se-ro'zah) – serosa: 1. qualquer membrana serosa (túnica serosa); 2. córion. **sero'sal** – adj. seroso.

se·ro·san·guin·e·ous (sēr''o-sang-gwin'e-u-s) – serossangüíneo; sorossangüíneo; composto de soro e sangue.

se·ro·se·rous (-se'rus) – serosseroso; relativo a duas ou mais membranas serosas.

se·ro·si·tis (-si'tis) pl. *serositides* – serosite; inflamação de uma membrana serosa.

se·ro·sur·vey (-sur'va) – soropesquisa; teste de triagem do soro de pessoas em risco para determinar a suscetibilidade a uma doença em particular.

se·ro·syn·o·vi·tis (-sin''o-vi'tis) – serossinovite; sinovite com efusão de soro.

sero·ther·a·py (-ther'ah-pe) – soroterapia; tratamento de uma doença infecciosa por meio de injeção de um soro imune ou antitoxina.

se·ro·to·nin (ser''o-to'nin) – serotonina; hormônio e neurotransmissor (5-hidroxitriptamina [5-HT]) encontrado em muitos tecidos, incluindo plaquetas sangüíneas, mucosa intestinal, corpo pineal e o sistema nervoso central; possui muitas propriedades fisiológicas que incluem a inibição da secreção gástrica, estimulação da musculatura lisa e produção de vasoconstrição.

se·ro·to·nin·er·gic (ser''o-to''nin-er'jik) – serotoninérgico: 1. que contém ou é ativado por serotonina; 2. relativo aos neurônios que secretam serotonina.

se·ro·type (sēr'o-tīp) – sorotipo; tipo de microrganismo determinado através de seus antígenos constituintes; subdivisão taxonômica baseada nisso.

se·rous (sēr'us) – seroso: 1. relativo ou semelhante ao soro; 2. que produz ou contém soro.

se·ro·vac·ci·na·tion (sēr''o-vak''sĭ-na'shum) – sorovacinação; serovacinação; injeção de soro combinada com vacinação bacteriana para produzir imunidade passiva por parte do primeiro e imunidade ativa por parte do segundo.

ser·pig·i·nous (ser-pij'ĭ-nus) – serpiginoso; que rasteja; com borda ondulada ou muitas reentrâncias.

ser·rat·ed (ser'ăt-ed) – serrilhado; denteado; que tem borda semelhante a serra.

Ser·ra·tia (sĕ-ra'she-ah) – *Serratia*; gênero de bactérias (tribo Serratiae) constituído de bastonetes Gram-negativos que produzem pigmento vermelho. No caso da maioria, constituem saprófitas de vida livre, mas causam várias infecções em pacientes imunocomprometidos.

ser·ra·tion (sĕ-ra'shun) – serrilhamento: 1. estado de ser serrilhado; 2. estrutura ou formação serrilhada.

ser·tra·line (ser'trah-lēn) – sertralina; inibidor seletivo da reutilização de serotonina, utilizado em forma de sal de cloridrato como antidepressivo.

se·rum (sēr'um) [L.] pl. *serums, sera* – soro: 1. a porção clara de qualquer líquido separado de seus elementos mais sólidos; 2. soro sangüíneo; 3. anti-soro. **antilymphocytes s. (ALS)** – s. antilinfócito; soro proveniente de animais imunizados com linfócitos oriundos de uma espécie diferente; agente imunossupressivo poderoso. **blood s.** – s. sangüíneo; líquido claro que se separa do sangue quando se permite que este se coagule completamente, e corresponde portanto ao plasma sangüíneo do qual se remove o fibrinogênio durante a coagulação. **foreign s.** – s. estranho; s. heterólogo. **heterologous s.** – s. heterólogo: 1. soro obtido de um animal de uma espécie diferente da espécie do receptor; 2. soro preparado a partir de um animal imunizado por microrganismo diferente daquele contra o qual se utilizado. **homologous s.** – s. homólogo: 1. que se obtém de animal pertencente à mesma espécie do receptor; 2. que é preparado de animal imunizado pelo mesmo microrganismo contra o qual será utilizado. **immune s.** – s.

imune; anti-soro. **polyvalent s.** – s. polivalente; anti-soro que contém anticorpo para mais de um tipo de antígeno. **pooled s.** – s. armazenado; soro misto proveniente de vários indivíduos.

se·ru·mal (se-roo'mal) – relativo ou formado a partir do soro.

se·rum-fast (sēr'um-fast) – sororresistente; resistente aos efeitos do soro.

ses·a·moid (ses'ah-moid) – sesamóide: 1. denota um pequeno osso nodular incrustado em um tendão ou cápsula articular; 2. osso sesamóide.

ses·a·moi·di·tis (ses"ah-moi-di'tis) – sesamoidite; inflamação dos ossos sesamóides da pata de um eqüino.

ses·sile (ses'il) – séssil; preso por meio de uma base larga, em vez de pedunculado ou preso por uma haste.

se·ta·ceous (se-ta'shus) – setáceo; semelhante a cerda.

Se·tar·ia (se-tar'e-ah) – *Setaria*; gênero de nematódeos filariais.

set-point (set'point) – ponto fixo; valor-alvo de uma variável controlada mantido fisiologicamente pelos mecanismos de controle corporais para a homeostasia.

sex (seks) – sexo: 1. característica distintiva da maioria dos animais e vegetais, baseada no tipo de gametas produzidos pelas gônadas, sendo os óvulos (macrogametas) típicos da fêmea e os espermatozóides (microgametas) típicos do macho, ou a categoria na qual se coloca o indivíduo nessas condições; 2. determinar o sexo de um organismo. **chromosomal s.** – s. cromossômico; sexo conforme determinado pela presença do genótipo XX (fêmea) ou XY (macho) nas células somáticas, sem relação com manifestações fenotípicas. **gonadal s.** – s. gonádico; sexo conforme determinado com base no tecido gonádico presente (ovariano ou testicular). **morphological s.** – s. morfológico; sexo determinado com base nos órgãos genitais externos. **phenotypic s.** – s. fenotípico; manifestações fenotípicas sexuais determinadas por influências endócrinas. **psychological s.** – s. psicológico; auto-imagem do papel sexual de um indivíduo.

sex·duc·tion (-duk'shun) – sexodução; processo pelo qual se prende uma parte do cromossoma bacteriano no fator F (sexo) autônomo e conseqüentemente se transfere de uma bactéria doadora (macho) para uma receptora (fêmea).

sex-con·di·tioned (-kon-dish'und) – condicionado pelo sexo; influenciado pelo sexo.

sex-in·flu·enced (-in-floo-enst) – influenciado pelo sexo; denota uma característica autossômica expressa diferencialmente, tanto em freqüência como em grau, nos machos e fêmeas, por exemplo, o padrão de calvície masculina.

sex-lim·it·ed (-lim'ĭ-ted) – limitado ao sexo; denota uma característica genética manifestada somente por um sexo, embora não seja determinada por um gene ligado ao cromossoma X.

sex-linked (seks'linkt) – ligado ao sexo; transmitido por um gene localizado no cromossoma X.

sex·ol·o·gy (sek-sol'ah-je) – sexologia; estudo científico do sexo e relações sexuais.

sex·tup·let (seks-tup'let) – sêxtuplo; um de seis descendentes nascidos em um mesmo parto.

sex·u·al (sek'shoo-al) – sexual; relativo ao sexo.

sex·u·al·i·ty (sek"shoo-al'ĭ-te) – sexualidade: 1. característica dos elementos reprodutivos masculino e feminino; 2. constituição de um indivíduo com relação às atitudes e comportamento sexuais.

SGOT – serum glutamic-oxaloacetic transaminase (transaminase glutamicoxaloacética sérica); ver *aspartate transaminase*.

SGPT – serum glutamic-pyruvic transaminase (transaminase glutamicopirúvica); ver *alanine transaminase*.

shad·ow-cast·ing (shad'o-kast"ing) – aplicação de uma película de ouro, cromo ou outro metal em estruturas ultramicroscópicas para aumentar sua visibilidade sob o microscópio.

shaft (shaft) – diáfise; parte delgada e longa, como a porção de um osso longo entre as extremidades mais largas.

shank (shangk) – tíbia; canela; perna ou parte semelhante a uma perna.

shap·ing (shāp'ing) – técnica de terapia comportamental na qual se produz um novo comportamento proporcionando-se reforço para aproximações progressivamente mais estreitas do comportamento desejado final.

sheath (shēth) – bainha; estojo ou envoltório tubular. **arachnoid s.** – b. aracnóide; continuação da aracnóide-máter ao redor do nervo óptico, formando uma parte de sua bainha interna. **carotid s.** – b. carótica; porção da fáscia cervical que envolve a artéria carótida, a veia jugular interna e o nervo vago. **crural s.** – b. crural; b. femoral. **dentinal s.** – b. dentinária; camada de tecido que forma a parede de um túbulo dentinário. **dural s.** – b. dural; revestimento externo do nervo óptico. **femoral s.** – b. femoral; fáscia que reveste a porção proximal dos vasos femorais. **s. of Henle** – b. de Henle; endoneuro. **Hertwig s.** – b. de Hertwig; b. radicular; ver *root r.* (1). **s. of Key and Retzius** – b. de Key e Retzius; endoneuro. **lamellar s.** – b. lamelar; perineuro. **Mauthner's s.** – b. de Mauthner; axolema. **medullary s., myelin s.** – b. medular; b. de mielina; bainha que circunda o axônio das células nervosas mielinizadas, que consiste de camadas concêntricas de mielina formadas no sistema nervoso periférico pela membrana plasmática das células de Schwann, e no sistema nervoso central pelos oligodendrócitos. É interrompida de quando em quando ao longo do comprimento do axônio por intervalos conhecidos como nódulos de Ranvier (*nodes of Ranvier*). A mielina é um isolante elétrico que serve para acelerar a condução dos impulsos nervosos. **pial s.** – b. pial; a continuação da pia-máter ao redor do nervo óptico, formando parte de sua bainha interna. **root s.** – b. radicular: 1. revestimento de células epiteliais ao redor de um dente não-irrompido e dentro do folículo dentário; 2. porção epitelial de um folículo piloso. **s. of Schwann** – b. de Schwann; neurolema. **synovial s.** – b. sinovial; membrana sinovial que reveste a cavidade de um osso através da qual um tendão se move.

sheep-pox (shēp'poks) – varíola dos ovinos; ovínia; doença viral eruptiva, altamente infecciosa e algumas vezes fatal dos ovinos.

sheet (shēt) – lençol; lâmina: 1. peça retangular de algodão, linho etc., para cobrir uma cama; 2. qualquer estrutura semelhante a um lençol. **draw s.** – lençol dobrado e colocado sob o corpo de um paciente de forma que seja removido com um mínimo de distúrbio.

shield (shēld) – escudo; anteparo protetor; qualquer estrutura protetora. **Buller's s.** – e. de Buller; um vidro como o mostrador de um relógio ajustado sobre o olho para protegê-lo de uma infecção. **embryonic s.** – e. embrionário; disco de camada dupla do blastoderma a partir do qual se formam os rudimentos dos órgãos primários. **nipple s.** – e. mamilar; dispositivo para proteger o mamilo de uma mulher em amamentação.

shift (shift) – desvio; transferência; alteração. **chloride s.** – desvio de cloreto; troca de cloreto (Cl⁻) e bicarbonato (HCO_3^-) entre o plasma e as hemácias que ocorre sempre que se gera ou se decompõe HCO_3^- no interior das hemácias. **Doppler s.** – desvio de Doppler; a magnitude da alteração da freqüência devida ao efeito Doppler. **s. to the left** – desvio para a esquerda; elevação na porcentagem de neutrófilos que possuem somente um ou poucos lobos. **s. to the right** – desvio para a direita; elevação na porcentagem de neutrófilos multilobados.

Shi·gel·la (shĭ-gel'ah) – *Shigella;* gênero de bactérias Gram-negativas (família Enterobacteriaceae) que causam disenteria. São separadas em quatro espécies com base em reações bioquímicas: *S. dysenteriae, S. flexneri, S. boydii e S. sonnei.*

shi·gel·la (shĭ-gel'ah) pl. *shigellae* – *Shigela;* microrganismo individual do gênero *Shigella.*

shi·gel·lo·sis (shĭ''gel-lo'sis) – shigelose; infecção por *Shigella;* disenteria bacilar.

shin (shin) – canela; a borda anterior proeminente da tíbia ou da perna. **saber s.** – tíbia em sabre; convexidade anterior acentuada da tíbia, observada no caso de sífilis congênita e bouba.

shin·gles (shing'g'lz) – herpes zóster.

shiv·er·ing (shiv'er-ing) – tremor de frio ou medo: 1. agitação involuntária do corpo, como ao se sentir frio; 2. doença dos eqüinos, com tremor de vários músculos.

shock (shok) – choque: 1. distúrbio repentino do equilíbrio mental; 2. distúrbio hemodinâmico e metabólico profundo, caracterizado por incapacidade do sistema circulatório em manter uma perfusão adequada de órgãos vitais. **anaphylactic s.** – c. anafilático; ver *anaphylaxis.* **cardiogenic s.** – c. cardiogênico; choque resultante de função cardíaca inadequada, como o resultante de infarto do miocárdio ou obstrução mecânica do coração; as manifestações incluem hipovolemia, hipotensão, pele fria, pulso fraco, confusão mental e ansiedade. **endotoxin s.** – c. endotóxico; choque séptico devido à liberação de endotoxinas por parte de bactérias Gram-negativas. **hypovolemic s.** – c. hipovolêmico; choque resultante de volume sangüíneo insuficiente, tanto a partir de hemorragia como de perda de fluido excessiva ou vasodi-

latação disseminada de forma que o volume sangüíneo normal torna-se inadequado para manter a perfusão tecidual; as manifestações são as mesmas que para o choque cardiogênico. **insulin s.** – c. insulínico; reação hipoglicêmica a superdosagem de insulina, refeição não-feita ou exercício extenuante em diabético dependente de insulina; os sintomas iniciais incluem tremor, irritabilidade, vertigem, frio, pele úmida, fome e taquicardia; se não for tratado, pode progredir para coma e convulsões. **septic s.** – c. séptico; choque associado a infecção esmagadora, mais comumente infecção por bactérias Gram-negativas, que se acredita resultar da ação de endotoxinas e outros produtos do agente infeccioso que causa seqüestro do sangue nos capilares e veias. **serum s.** – c. sérico; ver *shock, anaphylactic* e *sickness, serum.*

shot·ty (shot'e) – bala; como tiro; semelhante às balas usadas em cartuchos de rifle.

shoul·der (shōl'der) – ombro; junção da clavícula e escápula, onde o braço se une ao tronco. **frozen s.** – o. congelado; capsulite adesiva.

shoul·der-blade (-blād) – escápula; ver *scapula.*

shoul·der·slip (slip) – deslocamento do quarto dianteiro; inflamação e atrofia dos músculos e tendões do quarto dianteiro do eqüino.

show (sho) – mostra; aparecimento de sangue antecipando o parto ou a menstruação.

shunt (shunt) – derivação; desvio: 1. virar para um lado; desviar; 2. passagem ou anastomose entre dois canais naturais (especialmente entre vasos sangüíneos) formada fisiológica ou anomalamente; 3. anastomose cirurgicamente criada; também, a operação de criação de um desvio. **arteriovenous (A-V) s.** – d. arteriovenosa: 1. desvio de sangue de uma artéria diretamente no interior de uma veia; 2. tubo plástico em forma de U inserido entre uma artéria e uma veia; geralmente para permitir acesso repetido ao sistema arterial para hemodiálise. **Blalock-Taussig s.** – d. de Blalock-Taussig; ver *operation.* **cardiovascular s.** – d. cardiovascular; desvio do fluxo sangüíneo através de abertura anômala do lado esquerdo do coração para o lado direito ou da circulação sistêmica para a pulmonar – d. da esquerda para a direita (*left-to-right s.*) ou do lado direito para o lado esquerdo ou da circulação pulmonar para a sistêmica – d. da direita para a esquerda (*right-to-left*). **left-to-right s.** – d. da direita para a esquerda; ver *cardiovascular s.* **LeVeen peritoneovenous s.** – d. peritoneovenoso de LeVeen; desvio contínuo de um fluido ascítico da cavidade peritoneal para a veia jugular através de um tubo plástico subcutâneo cirurgicamente implantado. **portacaval s.**, **postcaval s.** – d. portacava; d. pós-cava; anastomose cirúrgica da veia porta à veia cava. **right-to-left s.** – d. da direita para a esquerda; ver *cardiovascular s.* **splenorenal s.** – d. esplenorrenal; remoção do baço com anastomose da veia esplênica com a veia renal esquerda. **ventriculoatrial s.** – d. ventriculoatrial; criação cirúrgica de uma comunicação entre um ventrículo cerebral e um átrio cardíaco por meio de um tubo plástico para permitir a drenagem do

STU

líquido cerebroespinhal para aliviar hidrocefalia.

ventriculoperitoneal s. – d. ventriculoperitoneal; comunicação entre um ventrículo cerebral e o peritônio por meio de tubulação plástica; realizado para aliviar hidrocefalia.

SI – Système International d'Unités or International System of Units (Sistema Internacional de Unidades). Ver *SI unit*, em *unit*.

Si – símbolo químico, silício (*silicon*).

si·al·ad·e·ni·tis (si"al-aden-ī't'is) – sialadenite; sialoadenite; inflamação de uma glândula salivar.

si·al·ad·e·no·ma (-ad"ē-no'mah) – sialoadenoma; tumor benigno das glândulas salivares.

si·al·ad·e·nop·athy (-ad"ē-nop'ah-the) – sialadenopatia; aumento de volume das glândulas salivares.

si·al·ad·e·no·sis (-ad"en-o'sis) – sialoadenose; sialadenite; sialoadenite (*sialadenitis*).

si·al·la·gogue (si-al'ah-gog) – sialagogo; agente que estimula o fluxo de saliva. **sialagog'ic** – adj. sialagógico.

si·al·ec·ta·sia (si"al-ek-ta'zhah) – sialectasia; dilatação de um ducto salivar.

si·al·ic ac·id (si-al'ik) – ácido siálico; substância de um grupo de derivados acetilados do ácido neuramínico; o ácido siálico ocorre em muitos polissacarídeos, glicoproteínas e glicolipídeos nos animais e bactérias.

si·a·line (si'ah-lin") – sialino; relativo à saliva.

si·a·lis·mus (si"al-iz'mus) – sialismo; ptialismo; ver *ptyalism*.

si·a·li·tis (si"ah-li'tis) – sialite; inflamação de uma glândula ou ducto salivares.

sial(o)- [Gr.] – elemento de palavra, *saliva; glândulas salivares*.

si·a·lo·ad·e·nec·to·my (si"ah-lo-ad"en-ek'tah-me) – sialoadenectomia; excisão de uma glândula salivar.

si·a·lo·ad·e·ni·tis (-ad"en-ī't'is) – sialoadenite; sialadenite; ver *sialadenitis*.

si·a·lo·ad·e·not·o·my (-ad'en-ot'ah-me) – sialoadenotomia; incisão e drenagem de uma glândula salivar.

si·alo·aero·pha·gia (-ār"o-fa'jah) – sialoaerofagia; deglutição de saliva e ar.

si·alo·an·gi·ec·ta·sis (-an"je-ek'tah-sis) – sialoangiectasia; sialectasia; ver *sialectasia*.

si·alo·an·gi·itis (-an"je-i'tis) – sialoangiíte; inflamação de um ducto salivar.

si·alo·an·gi·og·ra·phy (-an"je-og'rah-fe) – sialoangiografia; radiografia dos ductos das glândulas salivares após injeção de material radiopaco.

si·alo·cele (si'ah-lo-sēl") – sialocele; cisto salivar.

si·alo·do·chi·tis (si"ah-lo-do-ki'tis) – sialodoquite; sialoangiíte; ver *sialoangiitis*.

si·alo·do·cho·plas·ty (-do'ko-plas"te) – sialodocoplastia; reparo cirúrgico de um ducto salivar.

si·alo·duc·ti·tis (-duk-ti'tis) – sialoductite; sialoangiíte; ver *sialoangiitis*.

si·a·log·e·nous (si"ah-loj'ē-nus) – sialógeno; que produz saliva.

si·a·log·ra·phy (si"ah-log'rah-fe) – sialografia; sialoangiografia; ver *sialoangiography*.

si·alo·lith (si-al'o-lith) – sialólito; concreção ou cálculo calcário nos ductos ou nas glândulas salivares, geralmente na glândula submaxilar e seu ducto.

si·a·lo·li·thi·a·sis (si"ah-lo-lĭ-thi'ah-sis) – sialolitíase; formação de cálculos salivares.

si·alo·li·thot·o·my (-lĭ-thot'ah-me) – sialolitotomia; excisão de um cálculo salivar.

si·alo·meta·pla·sia (-met"ah-pla'zhah) – sialometaplasia; metaplasia das glândulas salivares. **necrotizing s.** – s. necrosante; afecção inflamatória benigna das glândulas salivares, simulando carcinoma mucoepidermóide e de células escamosas.

si·alo·mu·cin (-mu'sin) – sialomucina; mucina cujos grupos de carboidratos contêm ácido siálico.

si·alor·rhea (-re'ah) – sialorréia; ptialismo; ver *ptyalism*.

si·a·los·che·sis (si"ah-los'kĕ-sis) – sialosquese; supressão da secreção de saliva.

si·alo·sis (si"ah-lo'sis) – sialose: 1. fluxo de saliva; 2. ptialismo. **sialot'ic** – adj. sialótico.

si·alo·ste·no·sis (si"ah-lo-stē-no'sis) – sialostenose; estenose de um ducto salivar.

si·alo·sy·rinx (-sēr'inks) – sialossiringe: 1. fístula salivar; 2. seringa para lavar os ductos salivares ou sonda de drenagem para os mesmos.

sib (sib) – parente: 1. parente sangüíneo; indivíduo de um grupo de pessoas em que todas descendem de um ancestral comum; 2. irmão.

sib·i·lant (sib'ĭ-lant) – sibilante; que assobia ou sibila.

sib·ling (sib'ling) – irmão ou irmã; um dentre dois ou mais descendentes dos mesmos pais.

sib·ship (-ship) – 1. relacionamento por meio de sangue; 2. grupo de pessoas no qual todas descendem de um ancestral comum; 3. um grupo de irmãos.

sic·cus (sik'us) [L.] – seco.

sick (sik) – doente: 1. que não se encontra em boa saúde; afetado por doença; enfermo; 2. com náuseas.

sick·le·mia (sik-le'me-ah) – falcemia; anemia de células falciformes.

sick·ling (sik'ling) – afoiçamento; desenvolvimento de células falciformes no sangue.

sick·ness (sik'nes) – doença; enfermidade; qualquer afecção ou episódio marcado por desvio pronunciado do estado saudável normal; náusea. **African sleeping s.** – d. do sono africana; tripanossomíase africana. **air s.** – náusea aérea: 1. doença do movimento devida a viagem de avião; 2. náusea das alturas. **altitude s.** – náusea das alturas. **car s.** – náusea do automóvel; doença do movimento devida a viagem de automóvel ou outro veículo terrestre. **decompression s.** – d. da descompressão; dor articular, manifestações respiratórias, lesões cutâneas e sinais neurológicos devidos à rápida redução da pressão do ar no ambiente de uma pessoa. **green tobacco s.** – d. do tabaco verde; enfermidade ocupacional recorrente e transitória dos colhedores de tabaco, marcada por dor de cabeça, vertigem, vômito e prostração. **high-altitude s.** – náusea das alturas; afecção resultante de dificuldade de ajustamento a uma pressão de oxigênio diminuído em grandes altitudes. Pode assumir a forma de doença das montanhas, edema pulmonar das grandes altitudes ou edema cerebral. **milk s.** – d. do leite:

1. doença aguda e freqüentemente fatal devida à ingestão de leite, produtos lácteos ou carne de bovinos ou ovinos afetados de tremores (q.v. *trembles*), marcada por fraqueza, anorexia, vômito e algumas vezes tremores musculares; 2. tremores. **morning s.** – d. matinal; náuseas do início da gravidez. **motion s.** – d. do movimento; náusea e mal-estar devidos a movimento não-costumeiro, como o que se pode experimentar em vários modos de viagem, como de avião, automóvel, navio ou trem. **mountain s.** – d. das montanhas; oligúria, dispnéia, alterações na pressão sangüínea e na freqüência do pulso, dor de cabeça e distúrbios neurológicos devidos à dificuldade em se ajustar à redução da pressão de oxigênio em grandes altitudes. **radiation s.** – d. da radiação; afecção resultante de exposição a uma dose de corpo inteiro de mais de 1 gray de radiação ionizante e caracterizada pelos sintomas da síndrome de radiação aguda. **serum s.** – d. do soro; reação de hipersensibilidade após a administração de soro ou proteínas séricas estranhos, marcada por urticária, artralgia, edema e linfadenopatia. **sleeping s.** – d. do sono; letargia e entorpecimento crescentes devidos a infecção por protozoários (por exemplo, tripanossomíase africana) ou infecção viral (por exemplo, encefalite letárgica).

side-bone (sīd'bōn) – ossificação da cartilagem lateral da pata do cavalo; afecção dos eqüinos marcada por ossificação da cartilagem lateral da terceira falange do pé.

side ef·fect (sīd ĕ-fekt') – efeito colateral; conseqüência além do resultado esperado de um agente utilizado, especialmente um efeito adverso em outro sistema de órgãos.

sider(o)- [Gr.] – elemento de palavra, *ferro*.

sid·ero·blast (sid'er-o-blast") – sideroblasto; eritrócito nucleado que contém grânulos de ferro em seu citoplasma. **ringed s.** – s. anelado; sideroblasto que contém um grande número de grânulos de ferro em suas mitocôndrias, ocorrendo estas em um anel ao redor do núcleo em preparações celulares coradas.

sid·ero·cyte (-sīt") – siderócito; hemácia que contém ferro não-hemoglobínico.

sid·ero·der·ma (sid"er-o-der'mah) – siderodermia; coloração bronzeada da pele devida a um distúrbio do metabolismo de ferro.

sid·ero·fi·bro·sis (-fi-bro'sis) – siderofibrose; fibrose associada a depósitos de ferro, como no baço. **siderofibrot'ic** – adj. siderofibrótico.

sid·ero·my·cin (-mi'sin) – sideromicina; qualquer substância de uma classe de antibióticos sintetizados por determinados actinomicetos e que inibem o crescimento bacteriano por interferirem no consumo de ferro.

sid·ero·pe·nia (-pe'ne-ah) – sideropenia; deficiência de ferro no corpo ou no sangue. **siderope'nic** – adj. sideropênico.

sid·ero·phil (sid"er-o-fil) – 1. siderófilo; 2. célula ou um tecido siderófilos.

sid·ero·oph·i·lous (sid'er-of'ī-lus) – siderófilo; que tende a absorver ferro.

sid·ero·phore (sid'er-o-for") – sideróforo; macrófago que contém hemossiderina.

sid·er·o·sis (sid'er-o'sis) – siderose: 1. pneumoconiose devida à inalação de partículas de ferro; 2. excesso de ferro no sangue; 3. depósito de ferro nos tecidos. **hepatic s.** – s. hepática; o depósito de uma quantidade anormal de ferro no fígado. **urinary s.** – s. urinária; presença de grânulos de hemossiderina na urina.

sie·mens (se'menz) – siemens; Mho; unidade SI de condutância; corresponde à condutância de um ampère por volt em um corpo com resistência de um ohm. Abreviação S.

sight (sīt) – visão (*vision*, 1, 2); capacidade de ver. **far s.** – v. distante; hipermetropia. **near s.** – v. próxima; miopia. **night s.** – v. noturna; hemeralopia; cegueira diurna. **second s.** – segunda v.; senopia.

sig·ma·tism (sig'mah-tizm) – sigmatismo; pronúncia falha ou uso demasiadamente freqüente do som *s*.

sig·moid (sig'moid) – sigmóide: 1. com forma semelhante à das letras C ou S; 2. cólon sigmóide.

sig·moid·ec·to·my (sig"moi-dek'tah-me) – sigmoidectomia; excisão de parte ou de todo o cólon sigmóide.

sig·moid·itis (sig"mi-di'tis) – sigmoidite; inflamação do cólon sigmóide.

sig·moido·pexy (sig-moid'o-pek"se) – sigmoidopexia; fixação do cólon sigmóide, como no caso de prolapso retal.

sig·moido·proc·tos·to·my (sig-moid"o-prok-tos'tah-me) – sigmoidoproctostomia; anastomose cirúrgica do cólon sigmóide no reto.

sig·moid·os·co·py (sig"moi-dos'kah-pe) – sigmoidoscopia; exame direto do interior do cólon sigmóide.

sig·moido·sig·moi·dos·to·my (sig-moid"o-sig"-moi-dos'tah-me) – sigmoidsigmoidostomia; anastomose cirúrgica de duas porções do cólon sigmóide; abertura criada dessa forma.

sig·moid·os·to·my (sig"moi-dos'tah-me) – sigmoidostomia; criação de abertura artificial do cólon sigmóide à superfície corporal; abertura criada dessa forma.

sig·moid·ot·o·my (sig"moi-dot'ah-me) – sigmoidotomia; incisão do cólon sigmóide.

sig·moido·ves·i·cal (sig"moid"o-vesī-k'l) – sigmoidovesical; relativo ou que se comunica com o cólon sigmóide e bexiga.

sign (sīn) – sinal; indicação da existência de alguma coisa; qualquer evidência objetiva de uma doença, ou seja, uma evidência tal que seja perceptível ao médico que examina, em oposição às sensações subjetivas (sintomas) do paciente. **Abadie's s.** – s. de Abadie: 1. espasmo do músculo elevador da pálpebra superior na doença de Graves; 2. insensibilidade do tendão de Aquiles à pressão no caso de tabes dorsal. **Babinski's** – s. de Babinski: 1. perda ou redução do reflexo do tríceps sural no caso de ciática orgânica; 2. ver em *reflex*; 3. no caso de hemiplegia orgânica, incapacidade do músculo platisma contrair-se no lado afetado à abertura da boca, assovio etc.; 4. no caso de hemiplegia orgânica, flexão da coxa e elevação do calcanhar do chão quando o paciente tenta levantar-se para sentar após a posição de supinação com os braços cruzados sobre o peito; repete-se isso quando o paciente reassume a posição deitada; 5. no caso de paralisia orgânica, quando se coloca o antebraço afetado em supinação, ele se vira em pronação. **Beevor's s.** – s. de Beevor: 1. no caso de paralisia funcional, incapacidade de inibir os músculos antagonistas; 2. no caso de paralisia dos músculos abdominais inferiores devida a lesão da medula espinhal na região das vértebras torácicas inferiores, ocorre movimento ascendente do umbigo à tentativa de levantar a cabeça. **Bergman's s.** – s. de Bergman; no caso de radiografia urológica, (*a*) o ureter se dilata imediatamente sob uma neoplasia, em vez de se colapsar como debaixo de um cálculo obstrutivo, e (*b*) o cateter ureteral tende a enrolar-se nessa porção dilatada do ureter. **Biernacki's s.** – s. de Biernacki; analgesia do nervo ulnar no caso de paresia geral e tabes dorsal. **Blumberg's s.** – s. de Blumberg; dor à liberação abrupta de uma pressão estável (sensibilidade de recuo) sobre o local de uma lesão abdominal suspeita, indicativo de peritonite. **Branham's s.** – s. de Branham; bradicardia produzida pelo fechamento digital de uma artéria proximal a uma fístula arteriovenosa. **Braxton Hicks' s.** – s. de Braxton Hicks; ver em *contraction*. **Broadbent's s.** – s. de Broadbent; retração no lado esquerdo das costas, próximo às décimas primeiras e décimas segundas costelas, relacionada à aderência pericárdica. **Brudzinski's s.** – s. de Brudzinski: 1. no caso de meningite, flexão do pescoço geralmente causando flexão da anca e do joelho; 2. no caso de meningite, com flexão passiva de um membro inferior, o membro contralateral exibe movimento semelhante. **Cardarelli's s.** – s. de Cardarelli; pulsação transversal no tubo laringotraqueal no caso de aneurismas e dilatação do arco aórtico. **Chaddock's s.** – s. de Chaddock; ver em *reflex*. **Chadwick's s.** – s. de Chadwick; aparência azulada escura ou vermelho-arroxeada e congesta da mucosa vaginal, como indicação de gravidez. **Chvostek's s., Chvostek-Weiss s.** – s. de Chvostek; s. de Chvostek-Weiss; espasmo dos músculos faciais desencadeado por pequena percussão do nervo facial na região da glândula parótida; observado no caso de tetania. **Cullen's s.** – s. de Cullen; descoloração azulada ao redor do umbigo algumas vezes associada à hemorragia intraperitoneal, especialmente após ruptura da tuba uterina em gravidez ectópica; ocorre descoloração semelhante no caso de pancreatite hemorrágica aguda. **Dalrymple's s.** – s. de Dalrymple; largura anormal da abertura palpebral no caso de doença de Graves. **Delbet's s.** – s. de Delbet; no caso de aneurisma de uma artéria principal de um membro, se se mantenha a nutrição da parte distal ao aneurismo, apesar da ausência do pulso, a circulação colateral torna-se suficiente. **de Musset's s.** – s. de de Musset; s. de Musset. **Ewart's s.** – s. de Ewart; respiração brônquica e opacidade na percussão no ângulo inferior da escápula esquerda no caso de derrame pericárdico. **fabere s.** – s. de fabere (*f*lexion, *ab*duction, *external r*otation and *ext*ension); ver *Patrick's test*, em *test*. **Friedreich's s.** – s. de Friedreich; colapso diastólico das veias cervicais

devido a aderência do pericárdio. **Goodell's s.** – s. de Goodell; amolecimento da cérvix e da vagina; sinal de gravidez. **Gorlin's s.** – s. de Gorlin; capacidade de tocar a ponta do nariz com a língua, freqüentemente um sinal da síndrome de Ehlers-Danlos. **Graefe's s.** – s. de Graefe; movimento descendente lento ou abrupto das pálpebras superiores quando se olha para baixo; observado no caso de tireotoxicose. **halo s.** – s. em halo; efeito de halo produzido na radiografia da cabeça fetal entre a gordura subcutânea e o crânio; diz-se ser indicativo da morte intra-uterina do feto. **harlequin s.** – s. arlequim; avermelhamento da metade inferior do corpo em decúbito lateral e branqueamento da metade superior, devido a distúrbio vasomotor temporário nos recém-nascidos. **Hegar's s.** – s. de Hegar; amolecimento do segmento uterino inferior; indicativo de gravidez. **Hoffmann's s.** – s. de Hoffmann: 1. aumento da irritabilidade mecânica dos nervos sensoriais em caso de tetania; geralmente testa-se o nervo ulnar; 2. beliscadura súbita da unha do dedo indicador, médio ou anular produz flexão da falange terminal do polegar e da segunda e terceira falanges de algum outro dedo. **Homans' s.** – s. de Homans; desconforto por trás do joelho em dorsoflexão forçada do pé, devida a trombose nas veias da panturrilha. **Hoover's s.** – s. de Hoover: 1. em estado normal ou em caso de paralisia verdadeira, quando o paciente em supinação pressiona a perna contra a superfície onde repousa, a outra perna levanta-se; 2. movimento das margens costais em direção à linha média na inspiração, ocorrendo bilateralmente em caso de enfisema pulmonar e unilateralmente em caso de afecções que causem achatamento do diafragma. **Joffroy's s.** – s. de Joffroy; em caso de doença de Graves, ausência do enrugamento da testa quando se olha subitamente para cima. **Kernig's s.** – s. de Kernig; em caso de meningite, incapacidade de estender completamente a perna quando se senta ou se deita com a coxa flexionada sobre o abdome; quando em posição de decúbito dorsal, pode-se estender fácil e completamente a perna. **Klippel-Weil s.** – s. de Klippel-Weil; em caso de doença do trato piramidal, a flexão e adução do polegar quando o examinador estende rapidamente os dedos flexionados. **Lasègue's s.** – s. de Lasègue; em caso de ciática, a flexão dolorosa da anca quando o joelho se encontra estendido, mas indolor quando o joelho está flexionado. **Léri's s.** – s. de Léri; ausência de flexão normal do cotovelo à flexão passiva da mão no pulso do lado afetado em caso de hemiplegia. **Lhermitte's s.** – s. de Lhermitte; choques semelhantes a choques elétricos que se difundem no corpo em sentido descendente ao se flexionar a cabeça para a frente; observado principalmente no caso de esclerose múltipla, mas também em caso de compressão ou outros distúrbios do cordão cervical. **Macewen's s.** – s. de Macewen; nota que ressoa mais do que o normal na percussão do crânio atrás da junção dos ossos frontal, temporal e parietal em caso de hidrocefalia interna e abscesso cerebral. **McMurray s.** – s.

de McMurray; ocorrência de um estalo à cartilagem na manipulação do joelho; indicativo de lesão meniscal. **Möbius' s.** – s. de Möbius; em caso de doença de Graves, incapacidade em manter os olhos em convergência devido a insuficiência do músculo reto interno. **Musset's s.** – s. de Musset; espasmos rítmicos da cabeça em caso de aneurisma aórtico e insuficiência aórtica. **Nikolsky's s.** – s. de Nikolsky; em caso de pênfigo vulgar e algumas outras doenças bolhosas, a epiderme externa separa-se facilmente da camada basal ao exercício de pressão manual deslizante firme. **Oliver's s.** – s. de Oliver; repuxamento traqueal; ver *tugging*. **Oppenheim's s.** – s. de Oppenheim; ver em *reflex*. **Queckenstedt's s.** – s. de Queckenstedt; quando se comprimem as veias do pescoço de pessoas saudáveis em um ou ambos os lados, ocorre uma rápida elevação da pressão do líquido cerebroespinhal, que depois retorna rapidamente ao normal quando a compressão cessa. Em caso de obstrução do canal vertebral, a pressão do líquido cerebroespinhal é pouco afetada ou não é afetada. **Romberg's s.** – s. de Romberg; inclinação do corpo ou queda quando se fecham os olhos, enquanto se fica em pé com os pés juntos; observado em caso de tabes dorsal. **Rossolimo's s.** – s. de Rossolimo; ver em *reflex*. **setting-sun s.** – s. em sol poente; desvio descendente dos olhos de forma que cada íris parece se "pôr" sob a pálpebra inferior, com a esclera branca exposta entre ela e a pálpebra superior; indicativo de aumento da pressão intracraniana ou irritação do tronco cerebral. **string of beads s.** – s. de colar de contas; uma série de formas arredondadas a um colar de contas em radiografia do intestino delgado, indicando bolhas de gás preso no fluido de um intestino obstruído e distendido. **Stellwag's s.** – s. de Stellwag; pestanejar infreqüente ou incompleto, sinal da doença de Graves. **Tinel's s.** – s. de Tinel; sensação de tinido na extremidade distal de um membro quando se realiza uma percussão sobre o local de um nervo dividido. Esse sinal indica lesão parcial ou início de regeneração do nervo. **Trousseau's s.** – s. de Trousseau: 1. ver em *syndrome*; 2. mancha cerebral. **vital s's** – sinais vitais; o pulso, a respiração e a temperatura.

sig·na (sig'nah) [L.] – signa; termo convencional que significa "observe", "atenção"; marca; rubrica ou assinatura; abreviação S. ou sig. em receitas.

sig·na·ture (-chur) – a parte de uma prescrição que dá a orientação de como tomar o remédio.

sign·ing (sīn'ing) – sinais; língua de sinais; uso do alfabeto dos dedos para falar; dactilologia.

Silas·tic (sī-las'tik) – Silastic, marca registrada de substâncias de silicone polimérico que possui as propriedades da borracha; é biologicamente inerte e é utilizado em próteses cirúrgicas.

sil·i·ca (sil'ĭ-kah) – sílica; dióxido de silício (SiO_2), que ocorre em várias formas alotrópicas, sendo algumas delas utilizadas como materiais dentários.

sil·i·co·an·thra·co·sis (sil"ĭ-ko-an"thrah-ko'-sis) – silicoantracose; silicose combinada com pneumoconiose de trabalhadores de minas de carvão.

sil·i·con (sil'ĭ-kon) – silício; elemento químico (ver *Tabela de Elementos*), número atômico 14, símbolo Si. **s. carbide** – carboneto de s.; composto de silício e carbono utilizado em Odontologia como agente abrasivo. **s. dioxide** – dióxido de s.; sílica.

sil·i·cone (sil'ĭ-kōn) – silicone; qualquer composto orgânico em que se subtituiu todo o carbono ou parte dele por silício.

sil·i·co·sid·er·o·sis (sil"ĭ-ko-sid"er-o'sis) – silicossiderose; pneumoconiose na qual o pó inalado consiste de sílica e ferro.

sil·i·co·sis (sil"ĭ-ko'sis) – silicose; pneumoconiose devida a inalação de pó de rocha, areia ou sílex que contêm sílica, com formação de alterações fibróticas nodulares generalizadas em ambos os pulmões. **silicot'ic** – adj. silicótico.

sil·i·quose (sil'ĭ-kwōs) – siliquoso; relativo ou semelhante à vagem ou casca seca de fruta.

sil·ver (sil'ver) – prata; elemento químico (ver *Tabela de Elementos*), número atômico 47, símbolo Ag. **s. nitrate** – nitrato de p.; utilizado como antiinfeccioso local, como na profilaxia de oftalmia neonatal. **s. nitrate, toughened** – nitrato de p. fundido; composto de nitrato de prata, ácido clorídrico, cloreto de sódio ou nitrato de potássio; utilizado como cáustico, aplicado topicamente após ser mergulhado em água. **s. protein** – proteinato de prata; prata coloidal devido à presença ou à combinação com uma proteína; pode ser *leve* (utilizada como anti-séptico tópico) ou *forte* (utilizada como germicida ativo, com efeito irritante e adstringente local). **s. sulfadiazine** – sulfadiazina de prata; derivado de prata da sulfadiazina, que tem atividade bactericida contra muitos microrganismos Gram-positivos e Gram-negativos, assim como é também eficaz contra leveduras; utilizada como anti-séptico tópico para a prevenção e o tratamento de sepse de ferimento em pacientes com queimaduras de segundo e terceiro graus.

si·meth·i·cone (sĭ-meth'ĭ-kōn) – simeticona; substância antiflatulenta que consiste de mistura de polisiloxanos dimetílicos e gel de sílica.

Sim·plex·vi·rus (sim"pleks-vi"rus) – *Simplexvirus*; vírus semelhantes aos do herpes simples; gênero de vírus abundantes da subfamília Alphaherpesvirinae (família Herpesviridae), que infectam o homem e outros animais visuais.

sim·ul (sim'ul) [L.] – imediatamente; simultâneo; no mesmo tempo.

sim·u·la·tor (sim'u-la"tor) – simulador; alguma coisa que simula, como um aparelho que simula condições que serão encontradas na vida real.

Si·mu·li·um (sĭ-mu'le-um) – *Simulium*; gênero de mosquitos borrachudos; algumas espécies são hospedeiros intermediários da *Onchocerca volvulus*.

si·mul·tan·ag·no·sia (sim"mul-tăn"ag-no'zhah) – simultanagnosia; agnosia visual parcial, que consiste da incapacidade de compreender mais de um elemento de um cenário visual ao mesmo tempo ou de integrar as partes ao todo.

sim·va·stat·in (sim"vah-stat'in) – sinvastatina; agente anti-hiperlipidêmico utilizado para reduzir os níveis sangüíneos de lipídeos em caso de hipercolesterolemia.

STU

sin·ci·put (sin'sĭ-put) – sincipúcio; a parte superior e frontal da cabeça. **sincip'ital** – adj. sincipital.

Sin·e·quan (sin'ĕ-kwan) – Sinequan, marca registrada de preparação de cloridrato de doxepina.

sin·ew (sin'u) – tendão. **weeping s.** – cisto sinovial; um gânglio encistado, principalmente no dorso da mão, contendo fluido sinovial.

sin·gul·tus (sing-gul'tus) [L.] – singulto; soluço; ver *hiccough, hiccup.*

si·nis·ter (sin'is-ter) [L.] – sinistro; esquerdo; no lado esquerdo.

si·nis·trad (sin'is-trad) – para a esquerda.

sin·is·tral (-tral) – sinistro: 1. relativo ao lado esquerdo; 2. designa pessoa canhota.

sin·is·tral·i·ty (sin"is-tral'ĭ-te) – sinistralidade; uso preferencial, em atos motores voluntários, do membro esquerdo dos órgãos pareados principais do corpo, como ouvidos, olhos, mãos e pés.

sin·is·trau·ral (sin"is-traw'ral) – sinistraural; que ouve melhor com o ouvido esquerdo.

sinistr(o)- [L.] – elemento de palavra, *esquerdo; lado esquerdo.*

sin·is·tro·cer·e·bral (sin'is-tro-ser'ĕ-bral) – sinistrocerebral; relativo ou situado no hemisfério cerebral esquerdo.

sin·is·troc·u·lar (sin"is-trok'u-ler) – sinistrocular; que tem o olho esquerdo dominante.

sin·is·tro·gy·ra·tion (sin"is-tro-ji-ra'shun) – sinistrogiro; giro para a esquerda.

sin·is·tro·man·u·al (-man'u-al) – sinistromanual; canhoto.

sin·is·trop·e·dal (sin"is-trop'ĕ-dal) – sinistropodálico; que utiliza o pé esquerdo em preferência ao direito.

sin·is·tro·tor·sion (sin"is-tro-tor'shun) – sinistrotorção; torção em direção à esquerda, como a do olho.

si·no·atri·al (si"no-a'tre-al) – sinoatrial; relativo ao seio venoso e átrio cardíaco.

si·no·bron·chi·tis (-brong-ki'tis) – sinobronquite; sinusite paranasal crônica com episódios recorrentes de bronquite.

si·no·pul·mo·nary (-pul'mah-nar"e) – sinopulmonar; que envolve os seios paranasais e os pulmões.

sin·u·ous (sin'u-us) – sinuoso; que se inclina para dentro e para fora; sinuosidade.

si·nus (si'nus) [L.] pl. *sinus, sinuses* – seio: 1. recesso, cavidade ou canal, como (*a*) seio em um osso ou (*b*) canal dilatado para o sangue venoso; 2. canal ou fístula anormal que permitem escape de pus. **si'nusal** – adj. sinusal. **air s.** – s. aéreo; espaço que contém ar dentro de um osso. **anal s's** – seios anais; seios retais; sulcos com aberturas semelhantes a bolsas na extremidade distal, separando as colunas retais. **aortic s.** – s. aórtico; dilatação entre a parede aórtica e cada uma das cúspides semilunares da válvula aórtica; as artérias coronárias originam-se desses seios. **carotid s.** – s. carótico; dilatação da porção proximal da carótida interna ou da porção distal da artéria carótida comum, que contém em sua parede pressorreceptores estimulados por alterações na pressão sangüínea. **cavernous s.** – s. cavernoso; um dos dois seios com formas irregulares da dura-máter, localizados em cada lado do corpo do osso esfenóide e comunicando-se através da linha média; o seio cavernoso contém a artéria carótida interna e o nervo abducente. **cervical s.** – s. cervical; depressão temporária caudal ao arco hióide embrionário, contendo os arcos branquiais em sucessão; é coberto pelo arco hióide e fecha-se como vesícula cervical. **circular s.** – s. circular; canal venoso que envolve a hipófise, formado por dois seios cavernosos e pelos seios intercavernosos anterior e posterior. **coccygeal s.** – s. coccígeo; seio ou fístula imediatamente sobre ou próximo à ponta do cóccix. **coronary s.** – s. coronário; porção terminal da grande veia cardíaca, situada no sulco coronário entre o átrio e o ventrículo esquerdos, e esvaziando-se no átrio direito. **cortical s's** – seios corticais; seios linfáticos no córtex de um linfonodo, que surgem dos seios marginais e continuam no interior dos seios medulares. **dermal s.** – s. dérmico; trato sinusal congênito que se estende da superfície do corpo (entre os corpos de duas vértebras lombares adjacentes) até o canal espinhal. **dural s's** – seios durais; grandes canais venosos que formam um sistema anastomosante entre as camadas da dura-máter, drenando as veias cerebrais e algumas veias diplóicas e meníngeas nas veias do pescoço. **ethmoidal s.** – s. etmoidal; o seio paranasal que consiste das células etmoidais coletivamente, e se comunica com os meatos nasais. Ver Prancha XVI. **frontal s.** – s. frontal; um dos seios paranasais pareados no osso frontal, comunicando-se cada um deles com o meato médio da cavidade nasal do mesmo lado. Ver Prancha XVI. **intercavernous s's** – seios intercavernosos; dois seios da dura-máter que conectam os dois seios cavernosos, um que passa anteriormente e o outro posteriormente ao infundíbulo da hipófise. **lacteal s's., lactiferous s's** – seios lácteos; seios lactíferos; aumentos de volume dos ductos lactíferos bem antes de se abrirem na papila mamária. **lymphatic s's** – seios linfáticos; espaços tortuosos e irregulares dentro do tecido linfóide (linfonodos) através dos quais a linfa passa para entrar nos vasos linfáticos eferentes. **marginal s's** – seios marginais: 1. ver em *lake*; 2. seios linfáticos em forma de tigela que separam a cápsula do parênquima cortical e dos quais a linfa flui no interior dos seios corticais. **maxillary s.** – s. maxilar; um dos seios paranasais pareados em cada lado do corpo do osso maxilar superior, e abrindo-se no interior do meato médio da cavidade nasal do mesmo lado. Ver Prancha XVI. **medullary s's** – seios medulares; seios linfáticos na medula de um linfonodo, que dividem o tecido linfóide em vários cordões medulares. **occipital s.** – s. occipital; um dos seios da dura-máter, que passam ascendentemente ao longo da linha média do cerebelo. **oral s.** – s. oral; estomódio. **paranasal s's** – seios paranasais; cavidades aéreas revestidas de mucosa nos ossos do crânio, comunicando-se com a cavidade nasal e incluindo os seios etmoidal, frontal, maxilar e esfenoidal. Ver Prancha XVI. **petrosal s.**, **inferior** – s. petrosi; um dos seios da dura-máter, que surgem do seio cavernoso e e drenam na veia jugular interna. **petrosal s., superior** – s. petroso superior; um dos seios da dura-máter, que surge do seio cavernoso e drena no seio transverso. **pilonidal s.** – s. pilonidal; seio supurado que contém pêlos e ocorre principalmente na região coccígea. **s. pocula'ris** – s. pocular; utrículo prostático. **prostatic s.** – s. prostático; recesso póstero-lateral entre o colículo seminal e a parede da uretra. **s. of pulmonary trunk** – s. do tronco pulmonar; dilatação leve entre a parede do tronco pulmonar e cada uma das cúspides semilunares da válvula do tronco pulmonar. **renal s.** – s. renal; recesso na substância renal, ocupado pela pelve, cálices, vasos, nervos e gordura renais. **sagittal s., inferior** – s. sagital inferior; pequeno seio venoso da dura-máter, que se abre no interior do seio reto. **sagittal s., superior** – s. sagital superior; seio venoso da dura-máter que termina na confluência dos seios. **sigmoid s.** – s. sigmóide; seio venoso da dura-máter em cada lado, contínuo com o seio transverso e que drena no interior da veia jugular interna do mesmo lado. **sphenoidal s.** – s. esfenoidal; um dos seios paranasais pareados no corpo do osso esfenóide e que se abre no interior do meato mais alto da cavidade nasal do mesmo lado. Ver Prancha XVI. **sphenoparietal s.** – s. esfenoparietal; um dos dois seios da dura-máter que drenam no interior da parte anterior do seio cavernoso. **s. of spleen** – s. esplênico; seio venoso dilatado na substância esplênica. **straight s.** – s. reto; um dos seios da dura-máter formados pela junção da veia magna do cérebro e do seio sagital inferior, terminando comumente na confluência de ambos. **tarsal s.** – s. do tarso; espaço entre o calcâneo e o astrágalo. **tentorial s.** – s. tentorial; s. reto. **terminal s.** – s. terminal; uma veia que envolve a área vascular no blastoderma. **transverse s.** – s. transverso: 1. um dos dois seios grandes da dura-máter; 2. uma passagem atrás da aorta e tronco pulmonar e à frente dos átrios. **tympanic s.** – s. do tímpano; recesso profundo na parte posterior da cavidade timpânica. **urogenital s.** – s. urogenital; saco alongado formado pela divisão da cloaca no embrião inicial, formando o vestíbulo, uretra e vagina femininos e uma parte da uretra masculina. **uterine s's** – seios uterinos; canais venosos na parede uterina na gravidez. **s. of venae cavae** – s. das veias cavas; porção do átrio direito no interior da qual as veias cavas inferior e superior se abrem. **s. veno'sus** – s. venoso: 1. receptáculo venoso comum no coração médio embrionário, preso à parede posterior do átrio primitivo; 2. s. das veias cavas. **venous s.** – s. venoso: 1. veia magna ou canal para a circulação de sangue venoso; 2. seio venoso (1). **venous s's of dura mater** – seios venosos da dura-máter; canais grandes para o sangue venoso que formam um sistema anastomosante entre as camadas da dura-máter cerebral, recebendo sangue a partir do cérebro e drenando nas veias do couro cabeludo ou nas veias profundas na base do crânio. **venous s. of sclera** – s. venoso da esclera; vaso ramificado e circular no sulco escleral interno, um componente importante do trajeto de drenagem do humor aquoso.

si·nus·itis (si"nŭ-si'tis) – sinusite; inflamação de um seio.

si·nus·oid (si'nŭ-soid) – sinusóide: 1. semelhante a um seio; 2. forma de canal sangüíneo terminal que consiste de um grande vaso anastomosante irregular que apresenta um revestimento de reticuloendotélio e encontrada no fígado, coração, baço, pâncreas e glândulas supra-renais, paratireóides, carótidas e hemolinfáticas.

si·nus·oi·dal (si"nŭ-soi'dal) – sinusoidal: 1. localizado em um sinusóide ou que afeta a circulação na região de um sinusóide; 2. com forma semelhante ou relativo a uma onda de seno.

si·nus·ot·o·my (si"nŭ-sot'ah-me) – sinusotomia; incisão de um seio.

si·phon (si'fun) – sifão; tubo curvo com dois ramos de comprimento desigual, utilizado para transportar líquidos de um nível superior para um inferior por meio da força da pressão atmosférica.

si·phon·age (si'fun-ij) – sifonagem; uso de um sifão, como em uma lavagem gástrica ou drenagem da bexiga.

si·ren·om·e·lus (sin"ren-om'ĕ-lus) – sirenômelo; símelo; um feto com pernas fundidas e sem pés.

-sis [Gr.] – -se ou, -sia, elemento de palavra, *estado; condição.*

SISI – short increment sensitivity index (índice de sensibilidade de pequeno aumento).

sis·ter (sis'ter) – irmã; enfermeira-chefe de enfermaria de hospital (Grã-Bretanha).

site (sīt) – sítio; local; ponto; posição ou *locus.* **allosteric s.** – sítio alostérico; local em uma enzima de multissubunidades que não é o sítio de ligação com o substrato, mas quando é reversivelmente ligado por um efetor induz uma alteração conformacional na enzima, alterando suas propriedades catalíticas. **antigen-binding s., antigen-combining s.** – s. de ligação antigênica; s. de combinação antigênica; região da molécula de anticorpo que se liga a antígenos. **binding s.** – s. de ligação; em uma enzima ou outra proteína, a configuração tridimensional de grupos específicos em aminoácidos específicos que ligam compostos específicos, como substratos ou efetores, com afinidade e especificidade altas. **operator s.** – s. operador; sítio adjacente aos genes estruturais no opéron, onde as moléculas repressoras ligam-se, inibindo portanto a transcrição dos genes no opéron adjacente. **restriction s.** – s. de restrição; seqüência de bases em um segmento de DNA reconhecida por endonuclease de restrição particular.

sit(o)- [Gr.] – elemento de palavra, *alimento.*

si·tol·o·gy (si-tol'ah-je) – sitologia; dietética (*dietetics*).

si·to·ma·nia (si"to-ma'ne-ah) – sitomania: 1. fome excessiva ou necessidade mórbida de alimento; 2. bulimia periódica.

si·tos·ter·ol (si-tos'ter-ol) – sitosterol; substância de um grupo de esteróis vegetais estreitamente relacionados; utiliza-se uma preparação de β-sitosterol e de esteróis relacionados de origem vegetal (chamados *sitosteróis*) como agente anticolesterolêmico.

STU

si·tos·ter·ol·emia (si-tos"ter-ol-e'me-ah) – sitosterolemia; presença de níveis excessivos de esteróis vegetais (especialmente de β-sitosterol) no sangue. Também β-*sitosterolemia*.

si·to·ther·a·py (si"to-ther'ah-pe) – sitoterapia; tratamento dietético.

si·tot·ro·pism (si-tot'ro-pizm) – sitotropismo; resposta de células vivas à presença de elementos nutritivos.

si·tus (si'tus) [L.] pl. *situs* – sítio; local ou posição. **inver'sus vis'cerus** – s. inverso visceral; transposição lateral das vísceras torácicas e abdominais. **s. transver'sus** – s. transverso; s. inverso visceral.

skat·ole (skat'ōl) – escatol; amina cristalina de odor forte proveniente das fezes humanas, produzida pela decomposição protéica no intestino e diretamente a partir do triptofano por meio de descarboxilação.

ske·lal·gia (skēl-al'jah) – esquelalgia; dor na perna.

skel·e·ti·za·tion (skel"ĕ-tĭ-za'shun) – esqueletização: 1. emaciação extrema; 2. remoção das partes moles do esqueleto.

skel·e·tog·e·nous (skel"ĕ-toj'ĕ-nus) – esqueletógeno; esqueletogênico; que produz estruturas ou tecidos esqueléticos.

skel·e·ton (skel'ĕ-ton) [Gr.] – esqueleto; estrutura dura do corpo animal, especialmente a dos vertebrados superiores; os ossos do corpo coletivamente. Ver Prancha II. **skel'etal** – adj. esquelético. **appendicular s.** – e. apendicular; os ossos dos membros e cíngulos de sustentação torácica (peitoral) e pélvica. **axial s.** – e. axial; ossos do eixo corporal, compreendendo crânio, coluna vertebral, costelas e esterno.

ske·ni·tis (skēn-i'tis) – esqueníte; esqueneite; inflamação dos ductos parauretrais (glândulas de Skene).

skin (skin) – pele; revestimento protetor externo do corpo, que consiste do cório (ou derme) e epiderme. **alligator s.** – p. de crocodilo; ictiose sauridérmica. **elastic s.** – p. elástica; síndrome de Ehlers-Danlos. **farmers' s.** – p. de fazendeiro; elastose actínica. **lax s., loose s.** – p. flácida; p. frouxa; cútis flácida. **marble s.** – p. marmórea; marmórea. **sailors' s.** – p. de marinheiro; elastose actínica.

skin·fold (skin'fōld) – dobra ou prega da pele; camada de pele e gordura subcutânea elevada por pinçamento da pele e permitindo que o músculo subjacente retorne para o osso; utilizada para estimar a porcentagem de gordura corporal.

skull (slep) – crânio; estrutura óssea da cabeça, composta dos ossos cranianos e faciais. Ver *Tabela de Ossos*.

SLE – systemic lupus erythematosus (LES, lúpus eritematoso sistêmico).

sleep (slēp) – sono; período de repouso para o corpo e a mente, durante o qual a vontade e a consciência encontram-se em inatividade parcial ou completa e as funções corporais estão parcialmente suspensas; também descrito como um estado comportamental, com postura imóvel característica e sensibilidade diminuída, mas facilmente reversível a estímulos externos. **NREM s.** – s.

NREM; (*non*-rapid *eye movement*) sono de movimentos oculares não-rápidos; período profundo e sem sonhos do sono durante o qual as ondas cerebrais tornam-se lentas e de alta voltagem, e as atividades autônomas (como a freqüência cardíaca e a pressão sangüínea) encontram-se baixas e regulares. **REM S.** – s. REM (rapid *eye movements*); sono de movimento rápido dos olhos; período de sono durante o qual as ondas cerebrais tornam-se rápidas e de baixa voltagem e as atividades autônomas (como a freqüência cardíaca e a respiração) encontram-se irregulares. Esse tipo de sono associa-se a sonhos, espasmos musculares involuntários brandos e movimentos oculares rápidos. Geralmente ocorre três a quatro vezes por noite a intervalos de 80 a 120 min, cada um deles durando de 5 min a mais de uma hora.

sleep·walk·ing (slēp'wawk"ing) – sonambulismo; ver *somnambulism* (1).

slide (slīd) – lâmina; lâmina de vidro na qual se colocam objetos para exame microscópico.

sling (sling) – tipóia; bandagem; atadura ou estrutura suspensora para sustentar uma parte. **t. mandibular** – estrutura suspensora da mandíbula, formada pelos músculos pterigóide medial e masseter que auxilia na articulação mandibulomaxilar. **subrethral s.** – t. suburetral; suporte construído cirurgicamente a partir de um músculo, ligamento ou material sintético, que eleva a bexiga a partir da parte inferior no tratamento de incontinência por estresse.

slough (sluf) – esfacelo: 1. tecido necrosado no processo de separação de porções viáveis do corpo; 2. soltar, descartar ou desprender.

sludge (sluj) – lodo; suspensão de partículas sólidas ou semi-sólidas em um fluido que por si só pode ou não constituir-se verdadeiramente viscoso.

sludg·ing (sluj'ing) – aglutinação; sedimentação de partículas sólidas de uma solução. **s. of blood** – sangue aglutinado; aglutinação intravascular.

Sm – símbolo químico, samário (*samarium*).

small-pox (smawl'poks) – varíola; doença aguda, altamente contagiosa e freqüentemente fatal, hoje erradicada mundialmente por meio de programas com esta finalidade, causada por um ortopoxvírus e caracterizada por febre e erupções cutâneas progressivas distintas.

smear (smēr) – esfregaço; amostra para estudo microscópico preparada por meio de distribuição do material sobre a lâmina. **Pap s., Papanicolaou s.** – e. de Pap; e. de Papanicolaou; ver em *test*.

smeg·ma (smeg'mah) – esmegma; secreção das glândulas sebáceas (especialmente a secreção caseosa, que consiste principalmente de células epiteliais descamadas) encontrada principalmente sob o prepúcio. **smegmat'ic** – adj. esmegmático.

Sn [L.] – símbolo químico, estanho (*stannum; tin*).

snap (snap) – estalido; som claro e curto. **opening s.** – e. de abertura; som claro e curto no início da diástole, causado por interrupção abrupta à abertura máxima de uma válvula atrioventricular anormal.

snare (snãr) – alça; laço; alça metálica para remover pólipos e tumores que os envolve na base, sendo gradualmente fechada.

sneeze (snēz) – espirrar; espirro: 1. expelir ar forçada e espasmodicamente através do nariz e boca; 2. expulsão involuntária, repentina, violenta e audível de ar através da boca e nariz.

snore (snor) – ronco; roncar: 1. respiração ruidosa e rude durante o sono, devida à vibração da úvula e palato mole; 2. produzir roncos durante o sono.

snow (sno) – neve; mistura congelante ou congelada que consiste de partículas e cristais discretos. **carbon dioxide s.** – n. carbônica; dióxido de carbono sólido formado por meio de evaporação rápida do dióxido de carbono líquido; proporciona uma temperatura de cerca de $-79°C$ ($-110°F$) e é utilizada como escarótico em várias cutaneopatias.

snow·blindness (sno'blīnd-nes) – cegueira da neve; ver em *blindness*.

snuf·fles (snuf''lz) – coriza; secreção catarral proveniente da membrana mucosa nasal em bebês, geralmente em caso de sífilis congênita.

SOAP – dispositivo para conceptualização do processo de registro das anotações de acompanhamento no *registro orientado para o problema* (ver *problem-oriented record* em *record*). *S* indica os dados subjetivos obtidos do paciente e das pessoas próximas a ele; *O* designa os dados objetivos por meio de observação, exame físico, estudos diagnósticos etc. *A* refere-se à avaliação do estado do paciente através da análise do problema, possível interação e alterações na condição dos problemas; *P* designa o planejamento para os cuidados ao paciente.

soap (sōp) – sabão; qualquer composto de um ou mais ácidos graxos (ou seus equivalentes) com base alcalina. O sabão é um detergente sendo muito empregado em linimentos, enemas e confecção de pílulas. Também constitui um aperiente suave, antiácido e anti-séptico.

SOB – shortness of breath (RC, respiração curta).

so·cial·iza·tion (so''shal-ĭ-za'shun) – socialização; processo pelo qual a sociedade integra o indivíduo e o indivíduo aprende a se comportar de modo socialmente aceitáveis.

so·cio·bi·ol·o·gy (so''se-o-bi-ol'ah-je) – Sociobiologia; ramo da Biologia teórica que propõe que todo comportamento animal (inclusive o humano) tem base biológica, que é controlada pelos genes. **sociobiolog'ic, sociobiolog'ical** – adj. sociobiológico.

so·ci·o·gen·ic (-jen'ik) – sociogênico; que surge a partir da sociedade ou é imposto pela mesma.

so·ci·ol·o·gy (so''se-ol'ah-je) – Sociologia; estudo científico das relações e fenômenos sociais.

so·ci·om·e·try (so''se-om'ĕ-tre) – sociometria; ramo da Sociologia relacionado à avaliação do comportamento social humano.

so·ci·op·a·thy (so''se-op'ah-the) – sociopatia; distúrbio de personalidade anti-social. **sociopath'ic** – adj. sociopático.

so·cio·ther·a·py (so''se-o-ther'ah-pe) – socioterapia; qualquer tratamento que enfatiza a modificação do ambiente e a melhora nas relações interpessoais em vez de fatores intrapsíquicos.

sock·et (sok'it) – depressão; concavidade; alvéolo; onde a parte correspondente se encaixa. **dry s.** – alvéolo seco; afecção que algumas vezes ocorre após extração dentária, com exposição do osso,

inflamação de uma cripta alveolar e dor severa. **eye s.** – concavidade orbitária; órbita. **tooth s's** – alvéolos dentários.

so·da (so'dah) – soda; termo livremente aplicado ao bicarbonato de sódio, hidróxido de sódio ou carbonato de sódio. **baking s., bicarbonate of s.** – bicarbonato de sódio; carbonato ácido de sódio. **s. lime** – cal de s.; hidróxido de cálcio com hidróxido de sódio ou potássio ou ambos; utilizado como adsorvente do dióxido de carbono em equipamento para testes metabólicos, anestesia inalatória ou oxigenoterapia.

so·di·um (so'de-um) – sódio; elemento químico (ver *tabela*), número atômico 11, símbolo Na; o cátion principal dos fluidos corporais extracelulares. No caso de sais sódicos não listados aqui, ver ácido ou ingrediente ativo. **s. acetate** – acetato de s.; fonte de íons de sódio para hemodiálise e diálise peritoneal; também um alcalinizante sistêmico e urinário. **s. alginate** – alginato de s.; produto derivado de algas marrons, utilizado na formulação de várias preparações farmacêuticas. **s. ascorbate** – ascorbato de s.; vitamina antiescorbútica para administração parenteral. **s. benzoate** – benzoato de s.; agente antifúngico também utilizado como teste de função hepática. **s. bicarbonate** – bicarbonato de s.; sal monossódico do ácido carbônico, utilizado como antiácido gástrico e sistêmico e para alcalinizar a urina; também utilizado, em solução, para lavar o nariz, boca e vagina (como enema de limpeza) e como curativo de queimaduras menores. **s. biphosphate** – bifosfato de s.; sal monoidrático de ácido fosfórico, utilizado como acidificante urinário e usado com fosfato de sódio como anti-hipercalcêmico e catártico. **s. bisulfite** – bissulfito de s.; sal monossódico do ácido sulfuroso, utilizado como antioxidante em produtos farmacêuticos. **s. borate** – borato de s.; sal sódico do ácido bórico, utilizado como agente alcalinizante em produtos farmacêuticos. **s. carbonate** – carbonato de s.; sal dissódico do ácido carbônico, utilizado como agente alcalinizante em produtos farmacêuticos. **s. chloride** – cloreto de s.; sal de cozinha comum, um constituinte necessário ao corpo e portanto, à dieta, participa da manutenção da pressão osmótica do sangue e tecidos; os usos incluem reposição de eletrólitos no corpo, irrigação de ferimentos e cavidades corporais, enemas, mucolítico inalatório, agente oftálmico osmótico tópico e preparação de produtos farmacêuticos. **s. chromate Cr 51** – cromato Cr 51; sal dissódico do ácido crômico preparado utilizando-se o isótopo radioativo Cr 51; utilizado para marcar hemácias em estudos de volume sangüíneo. **s. citrate** – citrato de s.; composto cristalino largamente utilizado como anticoagulante no sangue ou plasma para transfusão. **s. dodecyl sulfate (SDS)** – dodecilsulfato de s.; o nome mais comum do laurilsulfato de sódio, quando utilizado como detergente aniônico para solubilizar proteínas. **s. fluoride** – fluoreto de s.; utilizado na fluoridização da água ou aplicado topicamente aos dentes para reduzir a incidência de cárie dentária. **s. glutamate** – glutamato de s.; sal monossódico do ácido L-glutâmico; utilizado no tratamento de encefalopatias associadas a hepatopatias. Também utilizado para realçar o sabor dos alimentos. **s. hydrate, s. hydroxide** – hidróxido de s.; composto fortemente alcalino e cáustico, utilizado como agente alcalinizante em produtos farmacêuticos. **s. iodide** – iodeto de s.; halóide binário, utilizado como fonte de iodo, e também como expectorante. **s. lauryl sulfate** – laurilsulfato de s.; surfactante aniônico, utilizado como agente umidificante, auxílio emulsificante e detergente em várias preparações dermatológicas e cosméticas e como ingrediente de creme dental. **s. metabisulfite** – metabissulfito de s.; antioxidante utilizado em preparações farmacêuticas. **s. monofluorophosphate** – monofluorofosfato de s.; profilático de cárie dentária, aplicado topicamente aos dentes. **s. nitrite** – nitrito de s.; composto utilizado como antídoto no envenenamento por cianeto; também utilizado para alívio da dor na angina do peito e outras afecções. **s. nitroprusside** – nitroprussiato de s.; nitroferricianeto de sódio; anti-hipertensivo utilizado no tratamento de crise hipertensiva e produzir hipotensão controlada durante uma cirurgia; também utilizado como reagente. **s. phosphate, dibasic** – fosfato dibásico de s.; catártico, freqüentemente utilizado em combinação com bifosfato de sódio. **s. polystyrene sulfonate** – sulfonato de poliestireno de s.; resina de troca de íons, utilizada como anti-hipercalêmico. **s. propionate** – propionato de s.; composto utilizado em infecções fúngicas. **s. salicylate** – salicilato de s.; composto analgésico; também é antipirético e anti-reumático. **s. sulfate** – sulfato de s.; catártico hidragogo; também utilizado como diurético e algumas vezes aplicado topicamente em solução a ferimentos infectados para aliviar edema e dor. **s. tetradecyl sulfate** – tetradecilsulfato de s.; surfactante aniônico com propriedades esclerosantes; utilizado como agente umidificador e no tratamento de veias varicosas e hemorróidas. **s. thiosulfate** – tiossulfato de s.; composto utilizado como antídoto (com nitrito de s.) para o envenamento por cianeto, profilaxia da tinha (acrescentado a pedilúvios), topicamente no caso da tinha versicolor e em alguns testes de função renal.

so·do·ku (so'do-koo) [Japonês] – sodoku; forma espiralar da febre por mordida de rato, causada pela *Spirillum minus.*

sod·o·my (sod'ah-me) – sodomia; relação sexual anal; também utilizado para denotar bestialidade e felação.

sof·ten·ing (sof'en-ing) – amolecimento; malacia; ver *malacia.*

Sol. – solution (solução).

sol (sol) – uma solução coloidal líquida.

so·lar (so'ler) – solar; denota o plexo simpático grande e seus gânglios principais (especialmente o celíaco); assim chamado devido a seus nervos irradiantes.

sol·a·tion (so-la'shun) – solação; liquefação de um gel.

sole (sōl) – planta; sola; parte inferior do pé.

sol·u·bil·i·ty (sol''u-bil'ĭ-te) – solubilidade; qualidade de ser solúvel; suscetibilidade a ser dissolvido.

sol·u·ble (sol'u-b'l) – solúvel; suscetível a ser dissolvido.

so·lum (so'lum) [L.] pl. *sola* – fundo; assoalho; a base ou a parte mais baixa.

so·lute (sol'ūt) – soluto; substância dissolvida em solvente para formar uma solução.

so·lu·tion (sah-loo'shun) – solução: 1. mistura homogênea de uma ou mais substâncias (solutos) dispersos em quantidade suficiente de meio dissolvente (solvente); 2. processo de dissolução; 3. desprendimento ou separação. **acetic acid otic s.** – s. ótica de ácido acético; solução de ácido acético glacial em solvente não-aquoso, utilizada para tratar otite externa causada por vários fungos. **aluminum acetate topical s.** – s. tópica de acetato de alumínio; preparação de solução de subacetato de alumínio, ácido acético glacial e água; aplicada topicamente à pele como curativo úmido e utilizada como gargarejo ou lavagem bucal. **aluminum subacetate topical s.** – s. tópica de subacetato de alumínio; solução de sulfato de alumínio, ácido acético, carbonato de cálcio precipitado e água; aplicada topicamente à pele e membranas mucosas como adstringente, e também como anti-séptico e curativo úmido. **ammonia s.** – s. de amônia; líquido transparente e incolor de reação alcalina que contém 9 a 10% de amônia (*s. de amônia diluída*) ou 27 a 31% de amônia (*s. de amônia forte*); utilizada em preparações farmacêuticas. **anisotonic s.** – s. anisotônica; solução que possui uma pressão osmótica que difere daquela do padrão de referência. **aqueous s.** – s. aquosa; solução em que a água é o solvente. **Benedict's s.** – s. de Benedict; solução aquosa de citrato de sódio, carbonato de sódio e sulfato de cobre; utilizada para determinar a presença de glicose na urina. **buffer s.** – s. tampão; solução que resiste à alteração apreciável em sua concentração de íons de hidrogênio, ao acrescentar-se a ela um ácido ou uma base. **carbamide peroxide topical s.** – s. tópica de peróxido de carbamida; solução de peróxido de carbamida em glicerina anidra, utilizada como amolecedor de cerume e limpador dentário e antiinflamatório. **cardioplegic s.** – s. cardioplégica; solução fria injetada no interior da raiz aórtica ou do óstio coronário para induzir parada cardíaca e proteger o coração durante cirurgia cardíaca de peito aberto, constituindo-se geralmente de potássio em solução eletrolítica ou sangue. **colloid s., colloidal s.** – s. colóide; s. coloidal; preparação que consiste de partículas diminutas de material suspensas em solvente. **Dakin's s.** – s. de Dakin; fluido de Dakin; s. de hipocloreto de sódio diluído. **desonide and acetic acid otic s.** – s. ótica de ácido acético e desonida; solução de desonida e ácido acético utilizada topicamente no tratamento de algumas infecções do canal auditivo externo. **formaldehyde s.** – s. de formaldeído; solução aquosa que contém não menos do que 37% de formaldeído; utilizada como desinfetante. **hyperbaric s.** – s. hiperbárica; solução que possui densidade específica maior que a de um padrão de referência. **hypobaric s.** – s. hipobárica; solução que possui uma densidade específica menor que a de um padrão de referência. **iodine s., strong** – s. de iodo forte; solução que contém 4,5 a 5,5 g de iodo e 9,5 a 10,5 g de iodeto de potássio em cada 100 ml; uma fonte de iodo. **iodine topical s.** – s. tópica de iodo; solução preparada com água purificada, cada 100 ml contendo 1,8 a 2,2 g de iodo e 2,1 a 2,6 g de iodeto de sódio; anti-séptico local. **isobaric s.** – s. isobárica; solução que possui a mesma densidade específica de um padrão de referência. **Lugol's s.** – s. de Lugol; s. de iodo forte. **magnesium citrate oral s.** – s. oral de citrato de magnésio; preparação de carbonato de magnésio, ácido cítrico anidro, com xarope, talco, óleo de limão e bicarbonato de potássio em água purificada; utilizado como catártico. **molar s.** – s. molar; solução que contém 1 mol por litro de substância dissolvida; designada 1 M. A concentração de outras soluções pode ser expressa em relação à das soluções molares como décimo de molar (0,1 M) etc. **normal s.** – s. normal; solução em que cada litro contém 1 equivalente químico da substância dissolvida; designada 1 N. **ophthalmic s.** – s. oftálmica; solução estéril, sem partículas estranhas, para instilação no olho. **physiological salt s., physiological sodium chloride s.** – s. fisiológica salina; s. fisiológica de cloreto de sódio; solução aquosa de cloreto de sódio que possui osmolalidade semelhante à do soro sangüíneo. **Randall's s.** – s. de Randall; solução que consiste de sais de acetato, bicarbonato e citrato de potássio; utilizada especialmente no tratamento de deficiência de potássio. **Ringer's s.** – s. de Ringer; ver em *irrigation* e *injection;* **Ringer's s., lactated** – s. de lactato de Ringer. **saline s., salt s.** – s. salina; solução de cloreto de sódio ou sal comum em água purificada. **satured s.** – s. saturada; solução que contém o máximo de soluto que o solvente pode manter em solução. **sclerosing s.** – s. esclerosante; solução que contém uma substância irritante que causará obliteração de um espaço, como do lúmen de uma veia varicosa ou cavidade de um saco herniário. **Shohl's s.** – s. de Shohl; solução que contém 140g de ácido cítrico e 98 g de sal cristalino hidratado de citrato de sódio em água destilada para fazer 1.000 ml; utilizada para corrigir o desequilíbrio eletrolítico no tratamento de acidose tubular renal. **sodium hypochlorite s.** – s. de hipocloreto de sódio; solução que contém 4 a 6% em peso de hipocloreto de sódio; utilizada para desinfetar utensílios. Para a desinfecção e irrigação de ferimentos, utiliza-se a solução de hipocloreto de sódio diluída; solução ou fluido de Dakin *(Dakin's s.),* que contém 0,45 a 0,50% de hipocloreto de sódio. **standard s.** – s. padrão; solução que contém em cada litro uma quantidade definida de reagente; geralmente expressa em termos de normalidade (pesos equivalentes de soluto por litro de solução) ou molaridade (moles de soluto por litro de solução). **sulfurated lime topical s.** – s. tópica de cal sulfurada; solução sulfurada de cal utilizada como fungicida e ceratolítico antiparasitários tópicos. **supersaturated s.** – s. supersaturada; solução instável que contém mais soluto do que pode sustentar perma-

nentemente. **TAC s.** – s. TAC; solução de tetracaína, adrenalina e cocaína utilizada como anestésico local no tratamento de emergência de lacerações não-complicadas. **volumetric s.** – s. volumétrica; solução que contém uma quantidade específica de solvente por unidade definida de volume.

sol·vent (sol'vent) – solvente: 1. que dissolve; que efetua uma solução; 2. líquido que dissolve ou é capaz de dissolver; componente de uma solução presente em maior quantidade.

so·ma (so'mah) – soma: 1. corpo, com exceção da mente; 2. tecido corporal excluindo-se as células germinativas; 3. corpo celular.

som·as·the·nia (so''mas-the'ne-ah) – somastenia; fraqueza corporal com falta de apetite e mau sono.

so·ma·tal·gia (so''mah-tal'jah) – somatalgia.

so·mat·es·the·sia (so''mat-es-the'zhah) – somatestesia; somatognosia; ver *somatognosis.*

so·mat·ic (so-mat'ik) – somático: 1. relativo ou característico do soma ou corpo; 2. relativo à parede corporal em contraste com as vísceras.

so·ma·ti·za·tion (so''mah-tĭ-za'shun) – somatização; conversão de experiência ou estados mentais em sintomas físicos.

somat(o)- [Gr.] – elemento de palavra, *corpo.*

so·mato·chrome (so-mat'o-krōm) – somatocromo; qualquer neurônio que possua um citoplasma circundando completamente o núcleo e corpúsculos de Nissl facilmente coráveis.

so·mato·form (so-mat'o-form) – somatoforme; que denota sintomas psicogênicos que se assemelham aos de uma doença física.

so·ma·to·gen·ic (so''mah-to-jen'ik) – somatogênico; que se origina no corpo.

so·ma·tog·no·sis (so''mah-tog-no'sis) – somatognosia; percepção geral da existência e funcionamento dos órgãos do próprio corpo.

so·ma·tol·o·gy (so''mah-tol'ah-je) – somatologia; o conjunto de conhecimentos acerca do corpo; estudo da anatomia e fisiologia.

so·ma·to·me·din (so''mah-to-me'din) – somatomedina; substância em um grupo de peptídeos encontrados no plasma, em complexos com proteínas de ligação; as somatomedinas estimulam o crescimento e a replicação celulares como segundos mensageiros nas ações somatotrópicas do hormônio do crescimento e também apresentam atividades semelhantes às da insulina. Isolaram-se dois desses peptídeos: os fatores de crescimento semelhantes à insulina I e II.

so·ma·tom·e·try (so''mah-tom'ĕ-tre) – somatometria; avaliação do corpo.

so·ma·top·a·gus (so''mah-top'ah-gus) – somatópago; feto duplo com troncos mais ou menos fundidos.

so·ma·top·a·thy (so''mah-top'ah-the) – somatopatia; distúrbio físico com exclusão do distúrbio mental. **somatopath'ic** – adj. somatopático.

so·mato·plasm (so-mat'o-plazm) – somatoplasma; protoplasma das células corporais exclusivo das células germinativas.

so·mato·pleure (-ploor) – somatopleura; parede corporal embrionária, formada pelo ectoderma e

STU

mesoderma somática. **somatopleur'al** – adj. somatopleural.

so·ma·to·psy·chic (so"mah-to-si'kik) – somatopsíquico; relativo tanto à mente como ao corpo; denota um distúrbio físico que produz sintomas mentais.

so·ma·tos·co·py (so"mah-tos'kah-pe) – somatoscopia; exame do corpo.

so·ma·tos·sen·so·ry (so"mah-to-sen'sõ-re) – somatossensório; relativo às sensações recebidas na pele e tecidos profundos.

so·ma·to·sex·u·al (-sek'shoo-al) – somatossexual; relativo tanto às características físicas como às sexuais ou às manifestações físicas do desenvolvimento sexual.

so·ma·to·stat·in (SRIF, SS) (-stat'in) – somatostatina; polipeptídeo elaborado primariamente pela proeminência mediana do hipotálamo e células delta das ilhotas de Langerhans; inibe a liberação de tireotropina, somatotropina e corticotropina pela adeno-hipófise, insulina e glucagon pelo pâncreas, gastrina pela mucosa gástrica, secretina pela mucosa intestinal e renina pelo rim.

so·ma·to·ther·a·py (-ther'ah-pe) – somatoterapia; tratamento biológico dos distúrbios mentais.

so·ma·to·top·ic (-top'ik) – somatotópico; relacionado às áreas particulares do corpo; descreve a organização da área motora do cérebro, o controle do movimento de partes diferentes do corpo, centrado em regiões específicas do córtex.

so·mato·trope (so-mat'o-trōp) – somatotropo; somatotrofo.

so·mato·troph (-trōf") – somatotrofo; uma das células da adeno-hipófise que secretam o hormônio do crescimento.

so·ma·to·troph·ic (so"mah-to-trof"ik) – somatotrófico; somatotrópico.

so·ma·to·tro·phin (-tro'fin) – somatotrofina; hormônio do crescimento.

so·ma·to·trop·ic (-trop'ik) – somatotrópico: 1. que tem afinidade pelas células corporais ou as ataca; 2. que exerce efeito estimulante sobre a nutrição e crescimento; 3. com as propriedades da somatotrofina.

so·ma·to·tro·pin (-tro'pin) – somatotropina; hormônio do crescimento.

so·mato·type (so-mat'o-tīp) – somatotipo; tipo específico de constituição corporal.

so·mes·the·sia (so"mes-the'zhah) – somestesia; somatognosia; ver *somatognosis*.

so·mite (so'mīt) – somito; uma das massas pareadas e semelhantes a blocos de mesoderma, dispostas segmentarmente ao longo do tubo neural do embrião, formando a coluna vertebral e a musculatura segmentar.

som·nam·bu·lism (som-nam'bu-lizm) – sonambulismo; o ato de levantar-se da cama e caminhar durante o estado de sono aparente.

som·ni·fa·cient (som"nĭ-fa'shint) – sonifaciente; hipnótico; ver *hypnotic* (1).

som·nif·er·ous (som-nif'er-us) – sonífero; que produz sono.

som·nil·o·quism (som-nil'o-kwizm) – soniloquismo; soniloqüência; falar durante o sono.

som·no·lence (so'no-lens) – sonolência; também designa a sonolência anormal, o estado de semiconsciência.

som·no·len·tia (som"no-len'shah) [L.] – sonolência: 1. estado de torpor anormal; 2. estado de semivigília.

son·i·ca·tion (son"ĭ-ka'shun) – exposição a ondas sonoras; destruição de bactérias através da exposição a ondas sonoras de alta freqüência.

son·i·tus (son'ī-tus) – zumbido; tinido auditivo.

so·nog·ra·phy (sõ-nog'rah-fe) – sonografia; ultrasonografia. **sonograph'ic** – adj. sonográfico.

so·no·lu·cent (so"no-loo"sent) – sonolucente; anecóico; em ultra-sonografia, que permite a passagem de ondas de ultra-som sem refleti-las de volta à origem (sem originar ecos).

so·por (so'por) [L.] – sopor; sono profundo.

sop·o·rif·ic (sop"õ-rif'ik, so"põ-rif'ik) – soporífero; soporífico; que produz sono profundo; agente que atua dessa forma.

so·por·ous (so'por-us) – soporoso; associado ao coma ou sono profundo.

sorb (sorb) – sorver; atrair e reter substâncias através de absorção ou adsorção.

sor·be·fa·cient (sor"bĕ-fa'shint) – sorbefaciente: 1. que promove absorção; 2. agente sorbefaciente.

sor·bent (sor'bent) – sorvente; agente que sorve.

sor·bic ac·id (sor'bik) – ácido sórbico; fungistático utilizado como inibidor antimicrobiano na farmacêutica.

sor·bi·tan (sor'bĭ-tan) – sorbitan; um dos anidridos do sorbitol, ácidos graxos dos quais são surfactantes; ver também *polysorbate*.

sor·bi·tol (sor'bĭ-tol) – sorbitol; álcool açucarado de seis carbonos que ocorre em várias frutas; é encontrado em depósitos no cristalino no caso do diabetes melito. Utiliza-se uma preparação farmacêutica como agente aromatizante e diurético osmótico.

Sor·bi·trate (sor'bĭ-trāt) – Sorbitrate, marca registrada de preparação de dinitrato de isossorbida.

sor·des (sor'dēz) – sordes; ripária; restos, especialmente incrustações de alimento, material epitelial e bactérias coletadas nos lábios e dentes durante febre prolongada. **s. gas'tricae** – sordes gástricas; alimento não-digerido, muco etc. no estômago.

sore (sor) – 1. ferimento; ferida; úlcera, popularmente, termo quase genérico para lesão da pele ou membranas mucosas; 2. doloroso. **bed s.** – úlcera de leito; úlcera de decúbito. **canker s.** – afta; estomatite aftosa recorrente. **cold s.** – herpes simples; ver *herpes simplex*. **desert s.** – úlcera do deserto; forma de úlcera tropical que ocorre nas áreas desertas da África, Austrália e Oriente Próximo.

sore throat (thrōt) – inflamação da garganta: laringite, faringite e amigdalite; ver *laryngitis, pharyngitis* e *tonsillitis*. **septica da garganta; s.t., streptococcal s.t.** – afecção séptica da garganta; afecção estreptocócica; inflamação severa de garganta que ocorre em epidemias, geralmente devida à *Streptococcus pyogenes*, e com hiperemia local intensa com ou sem exsudato acinzentado e aumento de volume dos linfonodos cervicais.

sorp·tion (sorp'shun) – sorção; processo ou estado de ser sorvido; absorção ou adsorção.

S.O.S. [L.] – *si opus sit* (se necessário).

souf·fle (soo'f'l) – sopro; murmúrio; som auscultatório de sopro baixo. **cardiac s.** – s. cardíaco; murmúrio cardíaco soprado; qualquer murmúrio cardíaco ou vascular de qualidade de sopro. **funic s.**, **funicular s.** – s. funicular; murmúrio sibilante sincronizado com as bulhas cardíacas fetais, provavelmente a partir do cordão umbilical. **mammary s.** – s. mamário; murmúrio cardíaco funcional com som de sopro, ouvido sobre as mamas no final da gravidez e durante a lactação. **placental s.** – s. placentário; som que se supõe seja produzido pela corrente sangüínea na placenta. **uterine s.** – s. uterino; som feito pelo sangue dentro das artérias do útero grávido.

sound (sound) – som; ruído: 1. efeito produzido no órgão da audição por vibrações do ar ou de outro meio; 2. energia radiante mecânica, com movimento de partículas do meio material através do qual desloca-se, situando-se ao longo da linha de transmissão (longitudinal); essa energia (que tem uma freqüência de 20-20.000 Hz) proporciona estímulo para a sensação subjetiva da audição; 3. sonda; instrumento para se introduzir em uma cavidade a fim de se detectar um corpo estranho ou dilatar um estreitamento; 4. ruído normal ou anormal ouvido dentro do corpo. **aortic second s.** – segunda bulha aórtica; vibrações audíveis relacionadas ao fechamento da válvula aórtica; símbolo A₂. **ejection s's** – ruídos de ejeção; sons de estalidos altos ouvidos imediatamente após a primeira bulha cardíaca, no momento da abertura máxima das válvulas semilunares; observados em pacientes com anormalidades valvulares ou dilatações das artérias aorta ou pulmonares. **friction s.** – ruído de fricção; ver em *rub*. **heart s's** – bulhas cardíacas; sons ouvidos sobre a região cardíaca, produzidos pelo funcionamento cardíaco. A *primeira* (que ocorre no início da sístole ventricular) é obtusa, firme e prolongada, e é ouvida como um som de "lubb"; a *segunda* (produzida essencialmente pelo fechamento das válvulas semilunares) é mais curta e mais clara que a primeira e é ouvida como um som de "dupp"; a *terceira* só é geralmente audível na juventude; e a *quarta* é normalmente inaudível. **hippocratic s.** – som hipocrático; som de sucussão ouvido em caso de piopneumotórax ou seropneumotórax. **Korotkoff s's** – ruídos de Korotkoff; sons ouvidos durante a determinação auscultatória da pressão sangüínea. **percussion s.** – som de percussão; qualquer som obtido por meio de percussão. **pulmonary second s.** – segunda bulha pulmonar; vibrações audíveis relacionadas ao fechamento da válvula pulmonar; símbolo P₂. **respiratory s.** – ruído respiratório; qualquer som ouvido na auscultação sobre o trato respiratório. **succussion s's** – sons de sucussão; sons de chapinhamento ouvidos à sucussão sobre o estômago distendido ou em caso de hidropneumotórax. **to-and-fro s.** – som de vaivém; ver em *murmur*. **valvular ejection s.** – ruído de ejeção valvular; som de ejeção resultante de

anormalidade de uma ou ambas as válvulas semilunares. **vascular ejection s.** – ruído de ejeção vascular; som de ejeção resultante de anormalidade da artéria pulmonar ou da aorta sem anormalidade de qualquer válvula semilunar. **white s.** – s. branco; som produzido pela mistura de todas as freqüências de vibração mecânica perceptíveis como sons.

space (spās) – espaço: 1. área delimitada; 2. cavidade real ou potencial do corpo. **spa'tial** – adj. espacial. **apical s.** – e. apical; região entre a parede do alvéolo e o ápice da raiz de um dente. **axillary s.** – e. axilar; axila. **Bowman's s.** – e. de Bowman; e. capsular. **bregmatic s.** – e. bregmático; fontanela anterior. **capsular s.** – e. capsular; cavidade caliciforme estreita entre os epitélios glomerular e capsular da cápsula glomerular renal. **cartilage s's** – espaços cartilaginosos; espaços na cartilagem hialina que contêm as células cartilaginosas. **corneal s's** – espaços corneanos; espaços entre as lamelas da substância própria corneana, contendo células corneanas e fluido intersticial. **cupular s.** – e. cupular; a parte do ático acima do martelo. **danger s.** – e. de risco; espaço potencial situado na linha média entre a fáscia alar e a fáscia pré-vertebral, estendendo-se da base do crânio até o nível do diafragma; proporciona uma via para a disseminação de infecção da faringe para o mediastino. **dead s.** – e. morto: 1. espaço que permanece após o fechamento incompleto de ferimentos cirúrgicos ou outros ferimentos, permitindo acumulação de sangue e soro e resultante retardo na cicatrização; 2. no trato respiratório: (1) *e. morto anatômico*, as porções do nariz e da boca até os bronquíolos terminais, não-participantes da troca de oxigênio-dióxido de carbono, e (2) *e. morto fisiológico*, reflete a não-uniformidade da ventilação e perfusão no pulmão, correspondendo a um espaço morto anatômico acrescido do espaço nos alvéolos ocupado pelo ar que não participa da troca de oxigênio-dióxido de carbono. **epidural s.** – e. epidural; espaço entre a dura-máter e o revestimento do canal vertebral. **episcleral s.** – e. episcleral; espaço entre a fáscia bulbar e o globo ocular. **haversian s.** – e. de Havers; ver em *canal*. **iliocostal s.** – e. iliocostal; área entre a abóbada segunda costela e a crista ilíaca. **intercostal s.** – e. intercostal; espaço entre duas costelas adjacentes. **interglobular s's** – espaços interglobulares; pequenos espaços irregulares na superfície externa da dentina na raiz dentária. **interpeduncular s.** – e. interpeduncular. **interpleural s.** – e. interpleural; mediastino. **interproximal s.** – e. interproximal; espaço entre as superfícies proximais de dentes contíguos. **intervilous s.** – e. interviloso; espaço da placenta no interior do qual os vilos coriônicos se projetam e através do qual o sangue materno circula. **Kiernan's s's** – espaços de Kiernan; espaços triangulares limitados pela cápsula de Glisson invaginada entre os lóbulos hepáticos, contendo os ramos interlobulares maiores da veia porta, artéria hepática e ducto hepático. **lymph s.** – e. linfático; qualquer espaço em um tecido ocupado por linfa. **Meckel's s.** – e.

de Meckel; recesso na dura-máter que aloja o gânglio de Gasser. **mediastinal s.** – e. mediastínico; mediastino. **medullary s.** – e. medular; cavidade central e os intervalos entre as trabéculas ósseas que contêm a medula. **palmar s.** – e. palmar; grande espaço fascial na mão, dividido por um septo fibroso nos espaços palmar médio e tenar. **parasinoidal s's** – espaços parassinoidais; lacunas laterais. **perforated s.** – e. perfurado; ver em *substance*. **periaxial s.** – e. periaxial; cavidade preenchida por fluido que circunda o saco nuclear e as regiões miotubulares de um fuso muscular. **perilymphatic s.** – e. perilinfático; espaço preenchido por fluido que separa o labirinto membranoso do ósseo. **perineal s's** – espaços perineais; espaços em cada lado da fáscia inferior do diafragma urogenital, estando o *espaço perineal profundo* entre aquela e a fáscia superior e o *espaço perineal superficial* entre aquela e a fáscia perineal superficial. **periplasmic s.** – e. periplasmático; zona entre a membrana plasmática e a membrana externa da parede celular das bactérias Gram-negativas. **perivascular s's** – espaços perivasculares; espaços (freqüentemente somente potenciais) que circundam os vasos sangüíneos a curta distância quando entram no cérebro. **pneumatic s.** – e. pneumático; porção de osso ocupada por células que contêm ar, especialmente os espaços que constituem os seios paranasais. **Poiseuille's s.** – e. de Poiseuille; a parte do lúmen de um tubo (em sua periferia) onde não ocorre nenhum fluxo de líquido. **retroperitoneal s.** – e. retroperitoneal; espaço entre o peritônio e a parede abdominal posterior. **retropharyngeal s.** – e. retrofaríngeo; espaço por trás da faringe, que contém o tecido areolar. **retropubic s.** – e. retropúbico; espaço areolar limitado pelo rebatimento do peritônio, pela sínfise púbica e bexiga. **Retzius s.** – e. de Retzius: 1. e. retropúbico; 2. e. perilinfático. **subarachnoid s.** – e. subaracnóide; espaço entre a aracnóide e a pia-máter. **subdural s.** – e. subdural; espaço entre a dura-máter e a aracnóide. **subgingival s.** – e. subgengival; fenda gengival. **subphrenic s.** – e. subfrênico; espaço entre o diafragma e os órgãos subjacentes. **subumbilical s.** – e. subumbilical; espaço de certa forma triangular na cavidade corporal sob umbigo. **Tenon's s.** – e. de Tenon; e. episcleral. **thenar s.** – e. tenar; espaço palmar situado entre o osso metacárpico médio e o tendão do flexor longo do polegar. **zonular s's** – espaços zonulares; espaços preenchidos por linfa entre as fibras da zônula ciliar.

spar·ga·no·sis (spahr"gah-no'sis) – esparganose; infecção por larvas (espárganos) de uma das várias espécies de tênias, que invadem os tecidos subcutâneos, causando inflamação e fibrose.

spar·ga·num (spahr'gah-num) [Gr.] pl. *spargana* – espárgano; estágio larval de determinadas tênias, especialmente dos gêneros *Diphyllobothrium* e *Spirometra;* ver *sparganosis*. Também, um nome de gênero aplicado a essas larvas, geralmente quando se desconhece o estágio adulto.

spasm (spazm) – espasmo: 1. contração muscular involuntária, violenta e súbita; 2. constrição tran-

sitória súbita de uma passagem, canal ou orifício. **bronchial s.** – e. brônquico; contração espasmódica do revestimento muscular dos tubos brônquicos, como ocorre no caso de asma. **carpopedal s.** – e. carpopedal; espasmo da mão ou pé, ou polegar e hálux, observado em caso de tetania. **clonic s.** – e. clônico; espasmo que consiste de contrações clônicas. **cynic s.** – e. cínico; riso sardônico. **facial s.** – e. facial; espasmo tônico dos músculos suprido pelo nervo facial, envolvendo o lado inteiro da face ou confinado a uma área ao redor do olho. **habit s.** – e. habitual; tique nervoso. **infantile s's** – espasmos infantis; síndrome de mioclonia severo que aparece na infância e se associa à deterioração cerebral geral. **intention s.** – e. intencional; espasmo muscular à tentativa de movimento voluntário. **myopathic s.** – e. miopático; espasmo que acompanha doença muscular. **nodding s.** – e. de cabeceio; movimento de inclinação da cabeça acompanhado de nistagmo, observado em bebês e crianças pequenas. **saltatory s.** – e. saltatório; espasmo clônico dos músculos das pernas, produzindo um movimento de salto ou pulo peculiar quando se fica de pé. **tetanic s., tonic s.** – e. tetânico; e. tônico; tétano; ver *tetanus* (2). **toxic s.** – e. tóxico; espasmo causado por toxina.

spas·mod·ic (spaz-moid'ik) – espasmódico; da natureza de um espasmo; que ocorre em espasmos.

spas·mol·y·sis (spaz-mol'ĭ-sis) – espasmólise; interrupção de um espasmo. **spasmolyt'ic** – adj. espasmolítico.

spas·mus (spaz'mus) [L.] – espasmo. **s. nu'tans** – e. de cabeceio; e. nutante.

spas·tic (spas'tik) – espástico: 1. da natureza de ou caracterizado por espasmos; 2. hipertônico; de forma que os músculos tornam-se rígidos e os movimentos desajeitados.

spas·tic·i·ty (spas-tis'ĭ-te) – espasticidade; o estado de estar espástico; ver *spastic* (2).

spa·ti·um (spa-she-um) [L.] pl. *spatia* – espaço; ver *space*.

spat·u·la (spach'u-lah) [L.] – espátula: 1. instrumento largo, plano, sem borda cortante, e geralmente flexível e de pouca espessura, utilizado para espalhar material sobre uma superfície lisa; 2. estrutura espatulada.

spat·u·late (spach'u-lãt) – 1. espatulado; que tem uma extremidade sem corte e plana; 2. espatular, misturar ou manipular com espátula; 3. incisar, criar uma abertura aumentada em uma estrutura tubular por meio de incisão longitudinal que é depois aberta.

spav·in (spav'in) – esparavão; em geral, a exostose (quase sempre medial) das regiões dos eqüinos, distalmente à articulação tibiotársica e freqüentemente envolvendo os metatársicos.

spay (spa) – castrar; remover os ovários.

SPCA – serum prothrombin conversion accelerator (blood coagulation Factor VII) (acelerador da conversão da protrombina sérica [Fator de coagulação sangüínea VII]).

spe·cial·ist (spesh'ah-list) – especialista; médico cuja prática a um ramo particular da Medicina ou cirurgia, especialmente aquele que, em virtude de treinamento avançado, é certificado por um conselho de especialidade e qualificado a exercer essa especialização. **clinical nurse s., nurse s.** – enfermeira clínica; enfermeira clínica especializada; ver em *nurse.*

spe·cial·ty (spesh'ul-te) – especialidade; campo de prática de um especialista.

spe·ci·a·tion (spe"se-a'shun) – especiação; processo de formação evolutiva de uma nova espécie.

spe·cies (spe'shēz) – espécie; categoria taxonômica subordinada a um gênero (ou subgênero) e superior a uma subespécie ou variedade. **type s.** – e.-tipo; espécie original a partir da qual se formulou a descrição de um gênero.

spe·cies-spe·cif·ic (-spē-sif'ik) – espécie-específico; específico da espécie: 1. característico de uma espécie particular; 2. que tem efeito característico ou interação com células ou tecidos de membros de determinada espécie; diz-se de um antígeno, droga ou agente infeccioso.

spe·cif·ic (spē-sif'ik) – específico: 1. relativo à espécie; 2. produzido por um único tipo de microrganismo; 3. restrito em aplicação, efeito etc., a uma estrutura particular, função, etc.; 4. remédio especialmente indicado para determinada doença; 5. em Imunologia, relativo à afinidade especial de um antígeno pelo anticorpo correspondente.

spec·i·fic·i·ty (spes"ĭ-fis'ĭ-te) – especificidade: 1. qualidade ou estado de ser específico; 2. probabilidade do fato de não se ter uma doença ser corretamente identificada por um teste clínico.

spec·i·men (spes'ĭ-men) – espécime; amostra; parte pequena coletada para demonstrar a natureza do todo, como uma pequena quantidade de urina para análise ou um pequeno fragmento de tecido para estudo microscópico.

spec·ta·cles (spek'tah-k'ls) – óculos; um par de lentes em uma armação para auxiliar a visão.

spec·ti·no·my·cin (spek"tĭ-no-mi'sin) – espectinomicina; antibiótico derivado da *Streptomyces spectabilis,* utilizado no tratamento da gonorréia; também utilizada como sal de cloridrato.

spec·tra (spek'trah) [L.] – plural de *spectrum.*

spec·tral (spek'tral) – espectral; relativo a um espectro; realizado por meio de um espectro.

spec·trin (spek'trin) – espectrina; proteína contrátil ligada à glicoforina na superfície citoplasmática da membrana celular das hemácias, considerada como importante na determinação da forma do glóbulo vermelho.

spec·trom·e·try (spek-trom'ě-tre) – espectrometria; determinação dos comprimentos de onda ou freqüências das linhas de um espectro.

spec·tro·pho·tom·e·ter (spek"tro-fo-trom'ě-ter) – espectrofotômetro: 1. aparelho para medir a intensidade da luz por meio de um espectro; 2. colorímetro; aparelho para determinar a quantidade de matéria colorida em uma solução através da medição da luz transmitida.

spec·tro·scope (spek'tro-skōp) – espectroscópio; instrumento para desenvolver e analisar espectros.

spec·trum (spek'trum) [L.] pl. *spectra* – espectro: 1. faixa de comprimentos de onda de radiação

eletromagnética obtida por meio de refração ou difração; 2. por extensão, a variação de atividade mensurável (como a variação de bactérias afetadas por um antibiótico [*espectro antibacteriano*] ou a variação completa de manifestações de uma doença). **absorption s.** – e. de absorção; espectro proporcionado pela luz que passou através de vários meios gasosos, cada gás absorvendo os raios de que se compõe sua especificidade. **broad-s.** – e. amplo; eficaz contra larga variedade de microrganismos; diz-se de um antibiótico. **electromagnetic s.** – e. eletromagnético; variação de energia eletromagnética dos raios cósmicos às ondas elétricas, incluindo os raios gama, raios X e raios ultravioleta, a luz visível, ondas infravermelhas e ondas de rádio. **fortification s.** – e. de fortalecimento; uma forma de aura de enxaqueca caracterizada por faixas cintilantes ou em ziguezague de luz colorida formando-se na borda de uma área de teicopsia. **visible s.** – e. visível; porção da variação de comprimentos de onda de vibrações eletromagnéticas (de 770 a 390 nm) que é capaz de estimular os órgãos dos sentidos especializados e é perceptível como luz.

spec·u·lum (spek'u-lum) [L.] pl. *specula* – espéculo; instrumento para abrir ou distender um orifício ou cavidade corporal para permitir a inspeção visual.

speech (spēch) – fala; linguagem; expressão dos pensamentos e idéias por meio de sons vocais. **esophageal s.** – f. esofágica; fala produzida através da vibração da coluna de ar no esôfago contra o esfíncter cricofaríngeo contraído; utilizada após laringectomia. **explosive s.** – f. explosiva; logospasmo. **mirror s.** – f. espelhada; anormalidade da fala na qual se reverte a ordem das sílabas em uma sentença. **pressured s.** – f. pressionada; logorréia. **scanning s.** – f. escandida; fala na qual as sílabas das palavras encontram-se separadas por pausas consideráveis. **staccato s.** – f. em estacato; fala na qual se pronuncia cada sílaba separadamente. **telegraphic s.** – f. telegráfica; fala que consiste somente de determinadas palavras proeminentes e não apresenta artigos, modificadores e outras palavras auxiliares, uma forma de agramaticismo em indivíduos que não crianças pequenas.

sperm (sperm) – esperma: 1. sêmen; 2. espermatozóide.

sper·mat·ic (sper-mat'ik) – espermático; relativo ao sêmen; seminal.

sper·ma·tid (sper'mah-tid) – espermátide; célula derivada de um espermatócito secundário por meio de fissão e se desenvolve em espermatozóide.

sper·ma·ti·tis (sper"mah-ti'tis) – espermatite; deferentite.

spermat(o)- [Gr.] – elemento de palavra, *semente;* especificamente, o elemento germinativo masculino.

sper·ma·to·blast (sper-mat'o-blast) – espermatoblasto; espermátide; ver *spermatid.*

sper·ma·to·cele (-sēl) – espermatocele; distensão cística do epidídimo ou da rede testicular, que contém espermatozóides.

STU

sper·ma·to·ce·lec·to·my (sper"mah-to-se-kek'-tah-me) – espermatocelectomia; excisão de um espermatocele.

sper·ma·to·ci·dal (-si'd'l) – espermatocida; espermicida; ver *spermicide*.

sper·ma·to·cyst (sper-mat'o-sist) – espermatocisto: 1. vesícula seminal; 2. espermatocele.

sper·ma·to·cys·tec·to·my (sper"mah-to-sis-tek-tah-me) – espermatocistectomia; excisão de uma vesícula seminal.

sper·ma·to·cys·ti·tis (-sis-ti'tis) – espermatocistite; vesiculite seminal.

sper·ma·to·cys·tot·o·my (-sis-tot'ah-me) – espermatocistotomia; incisão de uma vesícula seminal.

sper·ma·to·cyte (sper-mat'o-sīt) – espermatócito; célula desenvolvida a partir de uma espermatogônia na espermatogênese. **primary s.** – e. primário; célula grande original na qual uma espermatogônia se desenvolve. **secondary s.** – e. secundário; célula produzida por divisão meiótica do espermatócito primário e que dá origem às espermátides.

sper·ma·to·cy·to·gen·e·sis (sper"mah-to-si"to-jen'ĕ-sis) – espermatocitogênese; o primeiro estágio de formação dos espermatozóides no qual as espermatogônias se desenvolvem em espermatócitos e depois em espermátides.

sper·ma·to·gen·e·sis (-jen'ĕ-sis) – espermatogênese; processo da formação dos espermatozóides, que inclui a espermatocitogênese e a espermiogênese.

sper·ma·to·gen·ic (-jen'ik) – espermatogênico; espermatógeno; que produz sêmen ou espermatozóides.

sper·ma·to·go·ni·um (-go'ne-um) pl. *spermatogonia* – espermatogônia; célula germinativa masculina indiferenciada, que se origina em um túbulo seminal e se divide em dois espermatócitos.

sper·ma·toid (sper'mah-toid) – espermatóide; semelhante a um espermatozóide.

sper·ma·tol·y·sis (sper"mah-tol'ĭ-sis) – espermatólise; destruição ou dissolução de espermatozóides. **spermatolyt'ic** – adj. espermatolítico.

sper·ma·to·path·ia (sper"mah-tol'i-sis) – espermatopatia; anormalidade do sêmen.

sper·ma·tor·rhea (-re'ah) – espermatorréia; secreção involuntária de sêmen, sem orgasmo.

sper·ma·tos·che·sis (sper"mah-tos'kĕ-sis) – espermatosquese; supressão da secreção de sêmen.

sper·ma·to·zo·i·cide (sper"mah-to-zol'ĭ-sīd) – espermatozoicida; espermicida; ver *spermicide*.

sper·ma·to·zo·on (-zo'on) pl. *spermatozoa* – espermatozóide; célula germinativa masculina madura, que impregna o óvulo na reprodução sexuada e contém a informação genética para o zigoto proveniente do macho. Os espermatozóides, formados nos túbulos seminíferos, derivam das espermatogônias, que se desenvolvem inicialmente em espermatócitos; estes, por sua vez, produzem espermátides por meio de meiose, que depois se diferenciam em espermatozóides. **spermatozo'al** – adj. espermatozóico.

sper·ma·tu·ria (sper"mah-tu're-ah) – espermatúria; seminúria; ver *seminuria*.

sper·mec·to·my (sper-mek'tah-me) – espermectomia; excisão de uma porção do cordão espermático.

sper·mi·cide (sper'mĭ-sīd) – espermicida; agente que destrói espermatozóides. **spermici'dal** – adj. espermicida.

sper·mi·duct (-dukt) – espermiducto; ducto ejaculatório e vaso deferente.

sper·mio·gen·e·sis (sper"me-o-jen'ĕ-sis) – espermiogênese; segundo estágio na formação dos espermatozóides, no qual as espermátides transformam-se em espermatozóides.

sperm(o)- – esperm(o)-, ver espermat(o)-.

sper·mo·lith (sper-mo-lith) – espermólito; cálculo no ducto espermático.

sper·mo·neu·ral·gia (sper"mo-nŏŏ-ral'jah) – espermoneuralgia; dor neurológica no cordão espermático.

sper·mo·phle·bec·ta·sia (-fleb"ek-ta'zhah) – espermoflebectasia; estado varicoso das veias espermáticas.

sp gr – specific gravity (densidade específica).

sphac·e·late (sfas'ah-lāt) – esfacelar; gangrenar.

sphac·e·la·tion (sfas"ah-la'shun) – esfacelamento; formação de um esfacelo; mortificação.

sphac·e·lism (sfas'ah-lizm) – esfacelismo; esfacelamento ou necrose; descamação.

sphac·e·lo·der·ma (sfas"ah-lo-der'mah) – esfaceloderma; gangrena cutânea.

sphac·e·lus (sfas'ah-lus) [L.] – esfacelo; descamação necrótica; massa de tecido gangrenoso. **sphac'elous** – adj. esfacelado.

sphe·ni·on (sfe'ne-on) pl. *sphenia* – esfênio; ponto no ângulo esfenóide do osso parietal.

sphen(o)- [Gr.] – esfen(o)-, elemento de palavra, *em forma de cunha; osso esfenóide.*

sphe·noid (sfe'noid) – esfenóide: 1. em forma de cunha; 2. ver *Tabela de Ossos*. **sphenoi'dal** – adj. esfenoidal.

sphe·noi·di·tis (sfe"noi-di'tis) – esfenoidite; inflamação do seio esfenóide.

sphe·noi·dot·o·my (sfe"noi-dot'ah-me) – esfenoidotomia; incisão de um seio esfenóide.

sphere (sfēr) – esfera; bola ou globo. **segmentation s.** – e. de segmentação: 1. mórula; 2. blastômero.

spher(o)- [Gr.] – esfer(o)-, elemento de palavra, *redondo; esfera.*

sphe·ro·cyte (sfēr'o-sīt) – esferócito; pequena hemácia esférica e completamente hemoglobinada, sem a palidez central comum caracteristicamente encontrada em caso de esferocitose hereditária, mas também na anemia hemolítica adquirida. **spherocyt'ic** – adj. esferocítico.

sphe·ro·cy·to·sis (sfēr"o-si-to'sis) – esferocitose; presença de esferócitos no sangue. **hereditary s.** – e. hereditária; forma hereditária congênita de anemia hemolítica caracterizada por esferocitose, fragilidade anormal de hemácias, icterícia e esplenomegalia.

sphe·roid (sfēr'oid) – esferóide; corpo semelhante a esfera.

sphe·roi·dal (sfēr-oi'd'l) – esferóide; semelhante a esfera.

sphinc·ter (sfingk'ter) [L.] – esfíncter; músculo anelar que fecha um orifício ou passagem natural. **sphinc'teral, sphincter'ic** – adj. esfinctérico; esficteriano. **anal s., s. a'ni** – e. anal; ver *músculo esfíncter do ânus (externo e interno)* na *Tabela de Músculos.* **cardiac s., cardioesophageal s.** – e. cardíaco; e. cardioesofágico; fibras musculares ao redor da abertura do esôfago no interior do estômago. **gastroesophageal s.** – e. gastroesofágico; os centímetros terminais do esôfago, que impedem o refluxo do conteúdo gástrico no interior do esôfago. **O'Beirne's s.** – e. de O'Beirne; faixa muscular na junção do cólon sigmóide e do reto. **Oddi's s.** – e. de Oddi; bainha de fibras musculares que revestem as passagens biliares e pancreáticas associadas, à medida que atravessam a parede duodenal. **pharyngoesophageal s.** – e. faringoesofágico; região de tônus muscular na junção da faringe e esôfago, que participa dos movimentos de deglutição. **precapillary s.** – e. pré-capilar; fibra muscular lisa que envolve um capilar verdadeiro (onde se origina do capilar arterial), e pode abrir e fechar a entrada do capilar. **pyloric s.** – e. pilórico; espessamento da parede muscular do estômago ao redor da abertura no interior do duodeno.

sphinc·ter·al·gia (sfingk"ter-al'jah) – esfincteralgia; dor em um músculo esfincteriano.

sphinc·ter·ec·to·my (-ek'tah-me) – esfincterectomia; excisão de um esfíncter.

sphinc·ter·is·mus (-iz'mus) – esfincterismo; espasmo de um esfíncter.

sphinc·ter·itis (-i'tis) – esfincterite; inflamação de um esfíncter.

sphinc·ter·ol·y·sis (-ol'ĭ-sis) – esfincterólise; separação cirúrgica da íris a partir da córnea em caso de sinéquia anterior.

sphinc·tero·plas·ty (sfingk'ter-o-plas"te) – esfincteroplastia; reconstrução plástica de um esfíncter.

sphinc·ter·ot·o·my (sfingk"ter-ot'ah-me) – esfincterotomia; incisão de um esfíncter.

sphin·ga·nine (sfing'gah-nēn) – esfinganina; um derivado diidróxico da esfingosina, que ocorre comumente nos esfingolipídeos.

sphin·go·lip·id (sfing"go-lip'id) – esfingolipídeo; lipídeo no qual a parte mais importante é a esfingosina ou base relacionada, em que a unidade básica corresponde a uma ceramida ligado a um grupo de cabeça polar; os esfingolipídeos incluem esfingomielinas, cerebrosídeos e gangliosídeos.

sphin·go·lip·i·do·sis (-lip"ĭ-do'sis) – esfingolipidose; designação genérica aplicada a doenças caracterizadas por depósito anormal de esfingolipídeos (como a doença de Gaucher, doença de Niemann-Pick, gangliosidose generalizada e doença de Tay-Sachs).

sphin·go·lipo·dys·tro·phy (-lip"o-dis'trah-fe) – esfingolipodistrofia; distúrbio de um grupo de distúrbios do metabolismo esfingolipídico.

sphin·go·my·e·lin (-mi'ĕ-lin) – esfingomielina; um dos esfingolipídeos em que o grupo que encabeça é uma colina fosforilada; os esfingolipídeos ocorrem em membranas, primariamente no tecido nervoso e se acumulam anormalmente na doença de Niemann-Pick.

sphin·go·sine (sfing'go-sēn) – esfingosina; aminoálcool alifático monoinsaturado e de cadeia longa encontrado nos esfingolipídeos.

sphyg·mic (sfig'mik) – esfígmico; relativo ao pulso.

sphygm(o)- [Gr.] – esfigm(o)-, elemento de palavra, *pulso.*

sphyg·mo·dy·na·mom·e·ter (sfig"mo-di"nah-mom'ĕ-ter) – esfigmodinamômetro; instrumento para medir a força do pulso.

sphyg·mo·gram (sfig'mo-gram) – esfigmograma; registro ou traçado realizado por um esfigmógrafo.

sphyg·mo·graph (-graf) – esfigmógrafo; aparelho para registrar movimentos, forma e força do pulso arterial. **sphygmograph'ic** – adj. esfigmográfico.

sphyg·moid (sfig'moid) – esfigmóide; semelhante ao pulso.

sphyg·mo·ma·nom·e·ter (sfig"mo-mah-nom'-ĕ-ter) – esfigmomanômetro; instrumento para medir a pressão sangüínea arterial.

sphyg·mom·e·ter (sfig-mom'ĕ-ter) – esfigmômetro; instrumento para medir o pulso.

sphyg·mo·scope (sfig'mo-skōp) – esfigmoscópio; dispositivo para tornar visível o batimento do pulso.

sphyg·mo·to·nom·e·ter (sfig"mo-to-nom'ĕ-ter) – esfigmotonômetro; instrumento para medir a elasticidade das paredes arteriais.

spi·ca (spi'kah) [L.] – espiga; atadura em formato de "8", em que as voltas sobrepõem-se umas às outras.

spic·ule (spik'ūl) – espícula; corpo afiado e semelhante a uma agulha.

spic·u·lum (spik'u-lum) pl. *spicula* [L.] – espícula.

spi·der (spi'der) – aranha: 1. artrópodo da classe Arachnida; 2. nevo semelhante a uma aranha. **arterial s.** – a. arterial; a. vascular. **black widow s.** – a. viúva-negra; aranha (*Latrodectus mactans*) cuja picada causa envenenamento grave. **vascular s.** – a. vascular; telangiectasia causada por dilatação e ramificação das artérias cutâneas superficiais, surgindo como uma área central vermelho-brilhante em que os ramos se irradiam de certa forma semelhantes a uma aranha; associada comumente à gravidez e hepatopatia.

spike (spīk) – espiga; pico; deflexão ascendente acentuada em uma curva ou traçado, como no caso de um encefalograma.

spi·na (spi'nah) [L.] pl. *spinae* – espinha; em Anatomia, processo ou projeção semelhante a um espinho. **s. bi'fida** – e. bífida; anomalia de desenvolvimento marcada por fechamento defeituoso do envoltório ósseo medula espinhal, através da qual as meninges podem (*e. bífida cística*) ou não (*e. bífida oculta*) protrair-se. **s. vento'sa** – dactilite que afeta predominantemente lactentes e crianças pequena, com aumento de volume dos dedos, caseificação, seqüestração em formação de seios.

spi·nal (spi'n'l) – espinhal; raquial; raquidiano: 1. relativo à espinha ou coluna vertebral; 2. relativo ao funcionamento da medula espinhal independentemente do cérebro.

spi·nate (spi'năt) – espinhoso; que tem espinhos; em forma de espinho.

STU

spin·dle (spin'd'l) – fuso: 1. formato fusiforme que ocorre durante a metáfase da divisão celular, composta de microtúbulos que se irradiam a partir dos centríolos e se conectam aos cromossomas nos seus centrômeros; 2. um tipo de onda cerebral que ocorre no eletroencefalograma em grupos em uma freqüência de cerca de 14 por segundo, geralmente enquanto o paciente adormece; 3. f. muscular. **Krukenberg's s.** – f. de Krukenberg; opacidade vermelho-amarronzada e fusiforme da córnea. **mitotic s.** – f. mitótico; fuso; ver *spindle* (1). **muscle s.** – f. muscular; órgão terminal fusiforme disposto em paralelo entre as fibras musculares esqueléticas e que age como mecanorreceptor, correspondendo ao receptor de impulsos responsável pelo reflexo de estiramento. **nuclear s.** – f. nuclear; fuso; ver *spindle* (1). **tendon s.** – f. tendíneo; órgão tendíneo de Golgi. **urine s's** – fusos urinários; segmentos uretéricos fusiformes e preenchidos por urina devidos ao fechamento incompleto do ureter durante o peristaltismo.

spine (spīn) – espinha: 1. processo ósseo delgado e espinhoso; 2. coluna vertebral. **alar s., angular s.** – e. alar; e. angular; e. esfenoidal. **bamboo s.** – e. de bambu; espinha rígida produzida por espondilite ancilosante, assim chamada por sua aparência radiográfica. **cleft s.** – e. bífida. **ischial s.** – e. isquiática; processo ósseo que se projeta para trás e medialmente para a borda posterior do ísquio. **mental s.** – e. mentoniana; uma das pequenas projeções (geralmente quatro) na superfície interna da mandíbula, próximas à extremidade inferior da linha média, servindo de ligação aos músculos genioglosso e genioióideo. **nasal s., anterior** – e. nasal anterior; a projeção ântero-superior pontiaguda na extremidade anterior da crista nasal da maxila. **nasal s., posterior** – e. nasal posterior; espinha óssea pontiaguda e que se projeta para trás, formando o ângulo posterior medial da parte horizontal do osso palatino. **neural s.** – e. neural; processo espinhoso de uma vértebra. **palatine s's** – espinhas palatinas; cristas lateralmente posicionadas na superfície inferior da parte maxilar do palato duro, que separam os sulcos palatinos. **poker s.** – e. rígida; espinha ancilosada produzida por espondilite reumatóide. **rigid s.** – e. rígida. **s. of scapula** – e. da escápula; placa óssea triangular ligada a uma extremidade ao dorso da escápula. **sciatic s.** – e. ciática; e. isquiática. **s. of sphenoid bone** – e. esfenoidal; e. do osso esfenóide; projeção posterior e para trás a partir da face inferior da grande asa do osso esfenóide. **s. of tibia** – e. tibial; área longitudinalmente alongada, elevada e áspera na crista anterior da tíbia. **trochlear s.** – e. troclear; espícula óssea na parte ântero-medial da superfície orbitária do osso frontal para a ligação da tróclea do músculo oblíquo superior.

spi·nip·e·tal (spi-nip'ĭ-t'l) – espinípeto; que conduz ou se move em direção à medula espinhal.

spinn·bar·keit (spin'bahr-kīt) [Al.] – formação de um cordão de muco proveniente da cérvix uterina que é espalhado sobre uma lâmina de vidro e é alongado por uma lamínula; o momento em que se pode coletá-lo no comprimento máximo geralmente precede ou coincide com a época da ovulação.

spi·no·bul·bar (spi"no-bul'ber) – espinobulbar; próximo à medula espinhal e medula oblonga.

spi·no·cer·e·bel·lar (-ser"ĕ-bel'er) – espinocerebelar; relativo à medula espinhal e cerebelo.

spi·nous (spi'nus) – espinhoso; relativo ou semelhante à espinha.

spir·ad·e·no·ma (spīr"ad-ĕ-no'mah) – espiradenoma; tumor benigno das glândulas sudoríparas, particularmente da porção enrolada.

spi·ral (spi'ral) – espiral: 1. que se enrola como a rosca de um parafuso; 2. estrutura que se inclina ao redor de um ponto ou eixo central. **Curschmann's s's** – espirais de Curschmann; fibrilas mucinosas espiraladas, algumas vezes encontradas no esputo em caso de asma brônquica.

spi·reme (spi'rēm) – espirema; formato filamentoso contínuo ou segmentado formado pelo material cromossômico durante a prófase.

spi·ril·la (spi-ril'ah) [L.] – plural de *spirillum*.

spi·ril·li·ci·dal (spi-ril"ĭ-si'dal) – espirilicida; que destrói espirilos.

spi·ri·lo·sis (spi"rĭ-lo'sis) – espirilose; doença causada pela presença de espirilos.

Spi·ril·lum (spi-ril'um) – *Spirillum*; gênero de bactérias Gram-negativas que inclui uma espécie, a *S. minus* (que é patogênica para cobaias, ratos, camundongos e macacos e constitui a causa da febre por mordedura de rato [*sodoku*] no homem).

spi·ril·lum (spi-ril'um) – espirilo; microrganismo do gênero *Spirillum*.

spir(o)-[1] [Gr.] – espir(o)-[1], elemento de palavra, *mola; espiral*.

spir(o)-[2] [L.] – espir(o)-[2], elemento de palavra, *respiração*.

Spi·ro·chae·ta (spi"ro-ke'tah) – *Spirochaeta*; gênero de bactérias encontradas no limo de água doce ou marinha, especialmente quando o sulfeto de hidrogênio se encontra presente. A maioria das bactérias antigamente classificadas nesse gênero passaram a ser classificadas em outros gêneros.

spi·ro·chete (spi'ro-kēt) – espiroqueta: 1. bactéria espiral; qualquer microrganismo da ordem Spirochaetales; 2. microrganismo do gênero *Spirochaeta*. **spiroche'tal** – relativo a espiroquetas e às afecções por esses microrganismos.

spi·ro·che·ti·cide (spi"ro-ke'tĭ-sīd) – espiroqueticida; agente que destrói espiroquetas. **spirocheticici'dal** – adj. espiroqueticida.

spi·ro·che·tol·y·sis (-ke-tol'ĭ-sis) – espiroquetólise; destruição de espiroquetas por meio de lise. **spirochetolyt'ic** – adj. espiroquetolítico.

spi·ro·che·to·sis (-ke-to'sis) – espiroquetose; infecção por espiroquetas. **fowl s.** – e. aviária; doença septicêmica das aves causada pela *Borrelia anserina* e transmitida pelo carrapato da espécie *Argas persicus*.

spi·ro·gram (spi'ro-gram) – espirograma; traçado ou gráfico dos movimentos respiratórios.

spi·ro·graph (-graf) – espirógrafo; instrumento para registrar os movimentos respiratórios.

spi·roid (spi'roid) – espiróide; semelhante a espiral.

spi·ro·lac·tone (spi"ro-lak'tōn) – espirolactona; um grupo de compostos capazes de opor-ser à ação dos esteróides retentores de sódio no transporte renal de sódio e potássio.

spi·rom·e·ter (spi-rom'ĕ-ter) – espirômetro; instrumento para medir o consumo de ar e o ar exalado pelos pulmões.

Spi·ro·me·tra (spi"ro-me'trah) – *Spirometra;* gênero de tênias parasitas de gatos, cães e aves piscívoros; a infecção larval (esparganose) no homem é causada pela ingestão de peixes inadequadamente cozidos.

spi·rom·e·try (spi-rom'ĕ-tre) – espirometria; medição da capacidade respiratória dos pulmões. **spiromet'ric** – adj. espirométrico.

spir·o·no·lac·tone (spir"o-no-lak'tōn) – espironolactona; uma das espirolactonas ($C_{24}H_{32}O_4S$), um inibidor da aldosterona altamente eficaz quando administrado oralmente; utilizado como diurético.

spis·sat·ed (spis'ăt-ed) – espessado; inspissado; ver *inspissated*.

splanch·nec·to·pia (splangk"nek-to'pe-ah) – esplancnectopia; deslocamento de uma ou mais vísceras.

splanch·nes·the·sia (splangk"nes-the'zhah) – esplancnestesia; sentido visceral. **splanchnesthet'ic** – adj. esplancnestésico.

splanch·nic (splangk'nik) – esplâncnico; relativo às vísceras.

splanch·ni·cec·to·my (splangk"nĭ-sek'tah-me) – esplancnicectomia; ressecção de um ou mais nervos esplâncnicos para tratamento de hipertensão ou de dor intratável.

splanch·ni·cot·o·my (-kot'ah-me) – esplancnicotomia; esplancnicectomia.

splanchn(o)- [Gr.] – esplancn(o)-, elemento de palavra, *víscera; nervo esplâncnico.*

splanch·no·cele (splangk'no-sēl) – esplancnocele; protrusão herniária de uma víscera.

splanch·no·coele (splangk'no-sēl) – esplancnocele; a porção do celoma a partir da qual as cavidades viscerais se formam.

splanch·no·di·as·ta·sis (splangk"no-di-as'-tah-sis) – esplancnodiastase; deslocamento de uma víscera ou vísceras.

splanch·nog·ra·phy (splangk-nog'rah-fe) – esplancnografia; anatomia descritiva das vísceras.

splanch·no·lith (splangk'no-lith) – esplancnólito; cálculo intestinal.

splanch·nol·o·gy (splangk-nol'ah-je) – esplancnologia; estudo científico das vísceras corporais; termo também aplicado ao conjunto de conhecimentos relacionado às vísceras.

splanch·no·meg·a·ly (splangk"no-meg'ah-le) – esplancnomegalia; aumento de volume de uma víscera; visceromegalia.

splanch·nop·a·thy (splangk-nop'ah-the) – esplancnopatia; qualquer doença das vísceras.

splanch·no·pleure (splangk'no-ploor) – esplancnopleura; camada formada pela união do mesoderma esplâncnico com o endoderma; a partir da qual se desenvolvem os músculos e o tecido conjuntivo do tubo digestivo.

splanch·no·scle·ro·sis (splangk"no-sklĕ-ro'-sis) – esplancnosclerose; endurecimento das vísceras.

splanch·no·skel·e·ton (-skel'ĭ-tĭn) – esplancnoesqueleto; estruturas esqueléticas conectadas às vísceras.

splanch·not·o·my (splangk-not'ah-me) – esplancnotomia; anatomia ou dissecção das vísceras.

splanch·no·tribe (splangk'no-trīb) – esplancnótribo; instrumento para esmagar o intestino para obliterar seu lúmen.

splay·foot (spla'foot) – pé plano; pé chato; talipe valgo.

spleen (splēn) – baço; grande órgão semelhante a uma glândula situado na parte esquerda superior da cavidade abdominal, lateral à extremidade cardíaca do estômago. Entre suas funções encontram-se a desintegração de hemácias e a liberação de hemoglobina, que o fígado converte em bilirrubina; gênese de novas hemácias durante a vida fetal e no recém-nascido; servir como reservatório sangüíneo; e produção de linfócitos e plasmócitos. **acessory s.** – b. acessório; porção afastada conectada ou destacada ou um esclave do baço. **diffuse waxy s.** – b. céreo difuso; degeneração amilóide do baço que envolve especialmente os revestimentos dos seios venosos e o retículo do órgão. **floating s., movable s.** – b. flutuante; b. móvel; baço deslocado e incomumente móvel. **sago s.** – b. de sagu; baço em que infiltração amilóide, com os corpúsculos de Malpighi parecem-se com grãos de areia. **wandering s.** – b. errante; b. flutuante. **waxy s.** – b. céreo; baço afetado de degeneração amilóide.

splen (splen) [Gr.] – baço.

sple·nal·gia (sple-nal'jah) – esplenalgia; dor no baço.

sple·nec·to·my (sple-nek'tah-me) – esplenectomia; excisão do baço.

sple·nec·to·pia (sple"nek-to'pe-ah) – esplenectopia; deslocamento do baço; baço flutuante.

sple·nec·to·py (sple-nek'to-pe) – esplenectopia.

splen·ic (splen'ik) – esplênico; relativo ao baço.

sple·ni·tis (sple-ni'tis) – esplenite; inflamação do baço.

sple·ni·um (sple'ne-um) [L.] – esplênio: 1. estrutura semelhante a uma faixa; 2. atadura ou compressa; 3. e. do corpo caloso. **s. cor'poris callo'si** – e. do corpo caloso; extremidade posterior arredondada do corpo caloso.

splen·iza·tion (splen"ĭ-za'shun) – esplenização; conversão de um tecido (como o do pulmão) em um tecido que se assemelha ao baço, devido à ingurgitamento e condensação.

splen(o)- [Gr.] – esplen(o)-, elemento de palavra, *baço.*

sple·no·cele (sple'no-sēl) – esplenocele; hérnia esplênica.

sple·no·col·ic (sple"no-kol'ik) – esplenocólico; relativo ao baço e cólon.

sple·no·cyte (sple'no-sīt) – esplenócito; característica monocítica do tecido esplênico.

sple·nog·ra·phy (sple-nog'rah-fe) – esplenografia: 1. radiografia do baço; 2. descrição do baço.

sple·no·hep·a·to·meg·a·ly (sple"no-hep"ah-to-meg'ah-le) – espleno-hepatomegalia; esplenepatomegalia; aumento de volume do baço e fígado.

sple·noid (sple'noid) – esplenóide; que se assemelha ao baço.

sple·nol·y·sin (sple-nol'ĭ-sin) – esplenolisina; lisina que destrói o tecido esplênico.

sple·nol·y·sis (sple-nol'ĭ-sis) – esplenólise; destruição de tecido esplênico.

sple·no·ma (sple-no'mah) pl. *splenomas, splenomata* – esplenoma; tumor esplênico.

sple·no·ma·la·cia (sple''no-mah-la'shah) – esplenomalacia; amolecimento anormal do baço.

sple·no·med·ul·la·ry (-med'u-lar''e) – esplenomedular; de ou relativo ao baço e medula óssea.

sple·no·meg·a·ly (-meg'ah-le) – esplenomegalia; aumento de volume do baço. **congestive s.** – e. congestiva; esplenomegalia secundária a hipertensão porta. **hemolytic s.** – e. hemolítica; esplenomeglia associada a qualquer distúrbio que cause aumento da degradação de hemácias.

sple·no·my·elog·e·nous (-mi''ĕ-loj'ĕ-nus) – esplenomielógeno; formado no baço e na medula óssea.

sple·no·pan·cre·at·ic (-pan''kre-at'ik) – esplenopancreático; relativo ao baço e pâncreas.

sple·no·pa·thy (sple-nop'ah-the) – esplenopatia; qualquer doença do baço.

sple·no·pexy (sple'no-pek''se) – esplenopexia; fixação cirúrgica do baço.

sple·no·pneu·mo·nia (sple''no-noo-mōn'e-ah) – esplenopneumonia; pneumonia acompanhada de esplenização pulmonar.

sple·nop·to·sis (sple''nop-to'sis) – esplenoptose; deslocamento descendente do baço.

sple·nor·rha·gia (sple''no-ra'jah) – esplenorragia; hemorragia a partir do baço.

sple·nor·rha·phy (sple-nor'ah-fe) – esplenorrafia; reparo cirúrgico do baço.

sple·not·o·my (sple-not'ah-me) – esplenotomia; incisão do baço.

splic·ing (spli'sing) – junção; união: 1. ligação de moléculas individuais de DNA entre si, como na produção de genes quiméricos; 2. j. de RNA. **RNA s.** – ligação de RNA; remoção de íntrons de um transcrito primário e subseqüente ligação de éxons na produção de molécula de RNA madura.

splint (splint) – aparelho; suporte; tala; dispositivo rígido ou flexível de ligação de partes deslocadas ou móveis. **airplane s.** – aparelho que sustenta o membro entalado suspenso no ar. **anchor s.** – aparelho de ancoragem; aparelho para fratura da mandíbula, com alças metálicas que se encaixam sobre os dentes e se mantêm juntas por meio de um bastão. **Angle's s.** – a. de Angle; aparelho para fratura da mandíbula. **Balkan s.** – a. de Balkan; ver em *frame*. **coaptation s's** – aparelhos de coaptação; pequenas talas ajustadas ao redor de um membro fraturado com o propósito de produzir coaptação dos fragmentos. **Denis Browne s.** – a. de Denis Browne; aparelho que consiste de um par de talas podais metálicas reunidas por uma barra transversal; utilizado no caso de talipe eqüinovaro. **dynamic s.** – a. dinâmico; aparelho de suporte ou de sustentação que auxilia no início e realização de movimentos pelas partes sustentadas ou adjacentes. **functional s.** – a. funcional; a. dinâmico. **shin s's** – aparelhos fibulares; para distensão do músculo flexor digital longo que ocorre em atletas, marcada por dor ao longo do osso da canela. **Thomas s.** – a. de Thomas; tala de perna que consiste de dois bastões rígidos presos a um anel ovóide que se encaixa ao redor da coxa; pode ser combinado com outro aparelho para propiciar tração.

splint·ing (splint'ing) – imobilização: 1. aplicação de uma tala ou tratamento através do uso de um aparelho; 2. em Odontologia, a aplicação de uma restauração fixa para reunir dois ou mais dentes em uma única unidade rígida; 3. rigidez de músculos que ocorre como meio de evitar a dor causada por movimento da parte.

splints (splints) – afecção caracterizada pelo desenvolvimento de exostoses no segundo ou quarto ossos metacárpicos ou metatársicos rudimentares do eqüino.

split·ting (split'ing) – divisão; clivagem: 1. divisão de um único objeto em dois ou mais objetos ou partes; 2. em Teoria Psicanalítica, um mecanismo de defesa primitivo, no qual os "objetos" (pessoas) são percebidos como "bons" ou "maus" em vez de intermediários ou uma mistura. **s. of heart sounds** – d. das bulhas cardíacas; presença de dois componentes no primeiro ou no segundo complexo de bulhas cardíacas; particularmente denota uma separação dos elementos da segunda bulha em duas, representando o fechamento da válvula aórtica e da válvula pulmonar.

spo·dog·e·nous (spo-doj'ĕ-nus) – espodógeno; causado por acúmulo de material residual em um órgão.

spon·dy·lal·gia (spon''dĭ-lal'jah) – espondilalgia; espondilodinia; ver *spondilodynia*.

spon·dyl·ar·thri·tis (spon''dil-ahr-thri'tis) – espondilartrite; artrite da coluna vertebral.

spon·dy·lit·ic (spon''dĭ-lit'ik) – espondilítico; relativo ou marcado por espondilite.

spon·dy·li·tis (spon''dĭ-li'tis) – espondilite; inflamação das vértebras. **s. ankylopoie'tica, s. ankylo' sans, ankylosing s.** – e. ancilopoiética; e. ancilosante; artrite reumatóide da espinha, que afeta predominantemente homens jovens produzindo dor e rigidez como resultado de inflamação das articulações sacroilíaca, intervertebral e costovertebral; pode progredir causando rigidez espinhal e torácica completa. **Kümmell's s.** – e. de Kümmell; ver em *disease*. **Marie-Strümpell s.** – e. de Marie-Strümpell; e. ancilosante. **rheumatoid s.** – e. reumatóide; e. ancilosante. **s. tuberculo'sa** – e. tuberculosa; tuberculose da espinha. **s. typho'sa** – e. tifosa; espondilite que acompanha a febre tifóide.

spon·dy·li·ze·ma (spon''dil-ĭ-ze'mah) – espondilizema; deslocamento descendente de uma vértebra devido à destruição ou amolecimento da vértebra imediatamente inferior.

spondyl(o)- [Gr.] – espondil(o)-, elemento de palavra, *vértebra; coluna vertebral*.

spon·dy·loc·a·ce (spon''dil-ok'ah-se) – espondilocace; tuberculose das vértebras.

spon·dy·lod·y·mus (spon''dil-od'ĭ-mus) – espondilodídimo; fetos gêmeos reunidos pelas vértebras.

spon·dy·lo·dyn·ia (spon''dĭ-lo-din'e-ah) – espondilodinia; dor em uma vértebra.

spon·dy·lo·lis·the·sis (-lis'the-sis) – espondilolistese; deslocamento para frente de uma vértebra sobre um segmento inferior, geralmente da quarta ou quinta vértebras lombares devido a defeito de desenvolvimento na parte interarticular. **spondylolisthet'ic** – adj. espondilolistético.

spon·dy·lol·y·sis (spon"dil-ol'ĭ-sis) – espondilólise; degeneração de uma vértebra.

spon·dy·lop·a·thy (spon"dil-op'ah-the) – espondilopatia; qualquer doença das vértebras.

spon·dy·lo·py·o·sis (spon"dil-o-pi-o'sis) – espondilopiose; supuração de uma vértebra.

spon·dy·los·chi·sis (spon"dĭ-los'kĭ-sis) – espondilosquise; raquisquise; ver *rachischisis.*

spon·dy·lo·sis (spon"dĭ-lo'sis) – espondilose: 1. ancilose de uma articulação vertebral; 2. termo genérico para alterações degenerativas devidas a osteoartrite. **spondylot'ic** – adj. espondilótico. **rhizomelic s.** – e. rizomélica; espondilite ancilosante.

spon·dy·lo·syn·de·sis (spon"dĭ-lo-sin-de'sis) – espondilossíndese; fusão espinhal.

sponge (spunj) – esponja: 1. massa absorvente e porosa como um tampão de gaze ou de algodão circundado por gaze; 2. esqueleto fibroso elástico de determinadas espécies de animais marinhos. **gelatin s., absorbable** – e. de gelatina absorvível; material com base de gelatina hidrossolúvel, absorvível e estéril utilizado como hemostático local.

spon·gi·form (spun'jĭ-form) – espongiforme; que se assemelha a uma esponja.

spongi(o)- [Gr.] – espongi(o)-, elemento de palavra, *esponja; semelhante a uma esponja.*

spon·gio·blast (spun'je-o-blast") – espongioblasto: 1. uma das células epiteliais embrionárias desenvolvidas ao redor do tubo neural, que se transformam, algumas em células neurogliais e outras em células ependimárias; 2. célula amácrina.

spon·gio·blas·to·ma (spun"je-o-blas-to'mah) – espongioblastoma; tumor que contém espongioblastos; considerado um dos tumores neuroepiteliais.

spon·gio·cyte (spun'je-o-sīt") – espongiócito: 1. célula da neuróglia; 2. uma das células com protoplasma vacuolado no córtex supra-renal.

spon·gi·oid (spun'je-oid) – espongióide; semelhante a uma esponja.

spon·gi·o·plasm (spun'je-o-plazm") – espongioplasma; rede de fibrilas que permeiam a substância celular; observado em amostras histológicas após o uso de determinados fixadores.

spon·gio·sa (spon"je-o'sah) – esponjoso; termo algumas vezes utilizado isoladamente para significar a substância esponjosa do osso (substância esponjosa óssea).

spon·gio·sa·plas·ty (-plas"te) – esponjosaplastia; autoplastia da substância esponjosa óssea para potencializar a formação de osso novo ou cobrir defeitos ósseos.

spon·gi·o·sis (spun"je-o'sis) – espongiose; edema intercelular dentro da epiderme.

spon·gio·si·tis (spun"je-o-si'tis) – espongiosite; inflamação do corpo esponjoso peniano.

spo·rad·ic (spŏ-rad'ic) – esporádico; que ocorre isoladamente; largamente disseminado; nem epidêmico nem endêmico.

spo·ran·gi·um (spŏ-ran'je-um) pl. *sporangia* – esporângio; qualquer encistamento que contenha esporos ou corpúsculos semelhantes a esporos, como é o caso de determinados fungos.

spore (spor) – esporo: 1. corpo oval e resistente formado dentro de bactérias (especialmente *Bacillus* e *Clostridium)*, considerado o estágio de repouso durante o ciclo vital da célula e caracterizado por sua resistência às alterações ambientais; 2. elemento reprodutivo (produzido sexuada ou assexuadamente) dos organismos inferiores, como protozoários, fungos, algas etc.

spo·ri·cide (spor'ĭ-sīd) – esporicida; agente que mata esporos. **sporici'dal** – adj. esporicida.

spo·ro·ag·glu·ti·na·tion (spor"o-ah-gloo"tĭ-na'-shun) – esporoaglutinação; aglutinação de esporos no diagnóstico da esporotricose.

spo·ro·blast (spor'o-blast") – esporoblasto; um dos corpúsculos formados no oocisto do parasita malárico no mosquito e a partir do qual o esporozoíto desenvolve-se posteriormente; também, estágios semelhantes em outros esporozoários.

spo·ro·cyst (-sist) – esporocisto: 1. qualquer cisto ou saco que contenha esporos ou células reprodutivas; 2. estágio sacular germinativo no ciclo de vida dos trematódeos digenéticos, produzido através da metamorfose de um miracídio e dá origem às rédias; 3. um estágio no ciclo de vida de determinados protozoários coccídios, contido em um oocisto, produzido por um esporoblasto e que dá origem a esporozoítos.

spo·ro·gen·ic (spor"o-jen'ik) – esporogênico; que produz esporos.

spo·rog·o·ny (spo-rog'ah-ne) – esporogonia; esporulação que envolve a fissão múltipla de um esporonte, resultando na formação de esporocistos e esporozoítos. **sporogon'ic** – adj. esporogônico.

spo·ront (spor'ont) – esporonte; zigoto de protozoários coccídios envoltos em um oocisto, que passa por esporogonia a fim de produzir esporoblastos.

spo·ro·plasm (spor'o-plaznm") – esporoplasma: 1. o protoplasma dos esporos; 2. em determinados protozoários, a massa central de citoplasma que deixa os esporos como uma amébula para infectar o hospedeiro.

Spo·ro·thrix (-thriks) – *Sporothrix;* gênero de fungos, que inclui a *S. schenckii* (ver *sporotrichosis)* e *S. carnis,* que causa a formação de um mofo branco na carne durante armazenamento no frio.

spo·ro·tri·cho·sis (spor"o-trĭ-ko'sis) – esporotricose; doença fúngica crônica causada pela *Sporothrix schenckii,* mais comumente caracterizada por lesões nodulares dos tecidos cutâneo e subcutâneo, bem como dos vasos linfáticos adjacentes que supuram, ulceram e drenam; pode permanecer localizada ou disseminar-se pela corrente sangüínea.

spo·ro·zo·an (-zo'an) – esporozoário: 1. qualquer protozoário dos filos Apicomplexa, Ascetospora, Microspora e Myxozoa; 2. relativo ou relacionado aos protozoários desses filos.

STU

spo·ro·zo·ite (-zo'īt) – esporozoíto; estágio móvel e infeccioso de determinados protozoários que resulta de esporogonia.

spo·ro·zo·on (-zo'on) pl. *sporozoa* – esporozoário; ver *sporozoon* (1).

sport (sport) – mutação; ver *mutation*.

spor·u·la·tion (spor"u-la'shun) – esporulação; formação de esporos.

spor·ule (spor'ūl) – espórulo; esporo pequeno.

spot (spot) – mancha; área circunscrita; pequena marca; mácula. **Bitot's s's** – manchas de Bitot; manchas triangulares, cinzentas e espumosas de epitélio ceratinizado na conjuntiva, associadas à deficiência de vitamina A. **blind s.** – m. cega; área que marca o local de entrada do nervo óptico na retina; não é sensível à luz. **café au lait s's** – manchas café-com-leite; máculas de cor marrom-clara, como ocorre em caso de neurofibromatose e síndrome de Albright. **cherry-red s.** – m. vermelho-cereja; a coróide aparece como uma área circular vermelha circundada por uma retina branco-acinzentada, conforme observado através da fóvea central na doença de Tay-Sachs. **cold s.** – m. fria; ver *temperature s's*. **cotton-wool s's** – manchas algodonosas; opacidades brancas ou cinzentas de bordas tênues na retina, compostas de corpúsculos citóides; observadas em caso de retinopatia hipertensiva, lúpus eritematoso e várias outras afecções. **Forschheimer s's** – manchas de Forschheimer; exantema passageiro que consiste de manchas róseas discretas no palato mole algumas vezes observado na rubéola imediatamente antes do início do exantema cutâneo. **germinal s.** – m. germinativa; nucléolo do óvulo fertilizado. **hot s.** – m. quente: 1. ver *temperature s's;* 2. área sensitiva de um neuroma; 3. área de aumento de densidade em um filme de raio X ou termográfico. **Koplik's s's** – manchas de Koplik; manchas vermelho-brilhante irregulares nas mucosas bucal e lingual, com pontos branco-azulados pequeninos em seu centro; observadas no caso do estágio prodrômico do sarampo. **liver s.** – m. hepática; termo leigo para qualquer das manchas amarronzadas na face, pescoço ou dorso das mãos em muitas pessoas idosas. **Mariotte's s.** – m. de Mariotte; m. cega. **milky s's** – manchas de leite; agregado de macrófagos no tecido conjuntivo subseroso da pleura e peritônio. **mongolian s.** – m. mongólica; nevo marrom a azul-acinzentado uniforme, que consiste de um excesso de melanócitos, tipicamente encontrado ao nascimento na região sacral em raças orientais e de pele escura; geralmente desaparece durante a infância. **pain s's** – manchas de dor; manchas na pele onde a sensação de dor só pode ser produzida por estímulo. **rose s's** – manchas róseas; erupção de manchas de cor rosada no abdômen e coxas durante os primeiros sete dias de febre tifóide. **Roth's s's** – manchas de Roth; manchas brancas redondas ou ovais algumas vezes observadas precocemente no curso da endocardite bacteriana subaguda. **Soemmering's s.** – m. de Soemmering; mácula lútea. **Tardieu's s's** – manchas de Tardieu; manchas de equimose sob a pleura após morte por sufocamento. **temperatu-**

re s's – manchas térmicas; manchas na pele normalmente anestésicas à dor e à pressão, mas sensíveis respectivamente ao calor e ao frio. **yellow s.** – m. amarela; mácula da retina.

sprain (sprān) – entorse; lesão articular na qual se rompem algumas das fibras de um ligamento de sustentação, mas a continuidade do ligamento permanece intacta.

sprue (sproo) – espru: 1. forma crônica de síndrome de má-absorção que ocorre nas formas tanto tropical como não-tropical; 2. em Odontologia, orifício onde se derrama ou força material metálico ou outro no interior de um molde. **celiac s.** – e. celíaca; ver em *disease*. **collagenous s.** – e. celíaca; ver em *disease*. **collagenous s.** – e. colagenoso; afecção freqüentemente fatal que se assemelha ao espru celíaco, mas não responde à retirada do glúten dietético, caracterizado por deposição extensa de colágeno na lâmina própria do cólon. **nontropical s.** – e. não-tropical; doença celíaca. **refractory s.** – e. refratário: 1. má-absorção e mucosa jejunal chata e não-reponsiva à retirada do glúten dietético; 2. doença celíaca na qual a responsividade inicial à retirada de glúten deteriora com o tempo. **tropical s.** – e. tropical; síndrome de má-absorção que ocorre nos trópicos e subtrópicos, marcada por estomatite, diarréia e anemia. **unclassified s.** – e. não-classificado; e. refratário.

Spu·ma·vi·rus (spu'mah-vi"rus) – *Spumavirus*; vírus espumosos; gênero de vírus não-patogênicos da subfamília Spumavirinae (família Retroviridae) que induzem infecção persistente no homem, primatas, gatos, bovinos e cricetos.

spur (spur) – esporão: 1. um corpo proeminente, como o que se projeta de um osso; 2. em Odontologia, um pedaço de metal que se projeta de uma placa, faixa ou outra aplicação dentária. **calcaneal s.** – e. calcâneo; proeminência óssea na superfície inferior do calcâneo, que freqüentemente causa dor ao andar.

spu·tum (spu'tum) [L.] – esputo; escarro; expectoração; material ejetado a partir da traquéia, brônquios e pulmões, através da boca. **s. cruen'tum** – e. cruento; esputo sanguinolento. **nummular s.** – e. numular; esputo em discos arredondados, cuja forma se assemelha a moedas. **rusty s.** – e. ferruginoso; esputo tingido com sangue ou pigmentos sangüíneos.

squa·ma (skwah'mah) [L.] pl. *squamae* – escama; estrutura fina e semelhante a uma placa.

squa'mate – adj. escamado.

squame (skwām) – escama; massa semelhante a uma escama.

squa·mo·oc·cip·i·tal (skwa"mo-ok-sip'ĭ-t'l) – escamoccipital; relativo à porção escamosa do osso occipital.

squa·mo·pa·ri·e·tal (-pah-ri'ĭ-t'l) – escamoparietal; relativo à porção escamosa dos ossos temporal e parietal.

squa·mo·so·pa·ri·e·tal (skwa-mo"so-pah-ri'ĭ-t'l) – escamosoparietal; escamoparietal.

squa·mous (skwa'mus) – escamoso; escamado; semelhante a uma placa.

squat·ting (skwaht'ing) – posição agachada; posição com os quadris e joelhos flexionados, e as nádegas repousando sobre os calcanhares; algumas vezes adotada pela parturiente no parto ou pela criança em determinados tipos de defeitos cardíacos.

squill (skwil) – cila; escamas internas carnosas do bulbo da variedade branca da *Urginea maritima*; contém vários glicosídeos cardioativos. A variedade vermelha é utilizada como rodenticida.

squint (skwint) – estrabismo; ver *strabismus.*

Sr – símbolo químico, estrôncio(*strontium*).

SRH – somatotropin-releasing hormone (hormônio liberador de somatotropina); ver *growth hormone-releasing hormone*, em *hormone.*

SRS-A – slow reacting substance of anaphylaxis (substância de reação lenta da anafilaxia); ver em *substance.*

ss. [L.] *semis* – (metade).

sta·bile (sta'b'l, -bīl) – estável; fixo; estacionário; resistente a alterações; oposto a lábil (*labile*).

sta·di·um (sta'de-um) [L.] pl. *stadia* – estádio. **s. decremen'ti** – e. de declínio de temperatura; período de remissão da severidade de uma doença; defervescência da febre. **s. incremen'ti** – e. de elevação de temperatura; período de aumento na intensidade de uma doença; o estágio de desenvolvimento da febre.

staff (staf) – bastão; equipe: 1. bastão de madeira ou estrutura semelhante a um bastão; 2. orientador sulcado utilizado como guia para o bisturi em caso de litotomia; 3. equipe de profissionais hospitalares; 4. célula estriada. **s. of Aesculapius** – b. de Esculápio; bastão ou cajado com uma cobra circundando-o, que simboliza o deus da cura, insígnia oficial da Associação Médica Americana. Ver também *caduceus.* **attending s.** – equipe de assistência; corpo de médicos e cirurgiões de um hospital. **consulting s.** – equipe consultora; especialistas associados a um hospital e que atuam como conselheiros da equipe de assistência. **house s.** – equipe residente; médicos e cirurgiões residentes de um hospital.

stage (stāj) – estágio: 1. período definido ou fase distinta, como a de evolução de uma doença ou organismo; 2. plataforma de um microscópio onde se coloca a lâmina que contém o objeto a ser estudado. **algid s.** – e. álgido; período caracterizado por pulso oscilante, temperatura subnormal e vários sintomas nervosos. **amphibolic s.** – e. anfibólico; estágio de uma doença infecciosa entre o acme e o declínio em que o diagnóstico torna-se incerto. **anal s.** – e. anal; em Psicanálise, o segundo estágio de desenvolvimento psicossexual, que ocorre entre as idades de 1 e 3 anos, durante o qual as atividades, interesses e preocupações da criança se encontram na zona anal; precedido do estágio oral e seguido pelo estágio fálico. **cold s.** – e. frio; período de calafrio ou rigor em um paroxismo malárico. **first s.** – primeiro e.; ver *labor.* **fourth s.** – quarto e. (do parto); nome algumas vezes aplicado ao período pós-parto imediato. **genital s.** – e. genital; em Psicanálise, estágio final no desenvolvimento psicossexual, que ocorre durante a puberdade, durante o qual a pessoa pode receber gratificação sexual a partir do contato genital com genital e é capaz de um

relacionamento maduro com um membro do sexo oposto; precedido pelo estágio de latência. **hot s.** – e. quente; período de pirexia em paroxismo malárico. **latency s.** – e. de latência: 1. período de incubação de qualquer distúrbio infeccioso; 2. período quiescente que se segue a um período ativo em determinadas doenças infecciosas, durante o qual o patógeno permanece dormente antes de dar novamente sinais de doença ativa; 3. em Psicanálise, período de quiescência relativa no desenvolvimento psicossexual, que dura dos 5 a 6 anos de idade até a adolescência, durante o qual cessa o interesse em pessoas do sexo oposto; precedido pelo estágio fálico, e seguido pelo estágio genital. **oral s.** – e. oral; em Psicanálise, o primeiro estágio de desenvolvimento psicossexual, do nascimento até cerca de 18 meses de idade, durante o qual as necessidades, expressão e experiências prazerosas do bebê centram-se na zona oral; seguido do estágio anal. **phallic s.** – e. fálico; em Psicanálise, terceiro estágio de desenvolvimento psicossexual, durando da idade de 2 ou 3 anos até os 5 ou 6 anos, durante o qual o interesse sexual, curiosidade e experiências prazerosas centram-se no pênis nos meninos e no clítoris nas meninas; precedido do estágio anal e seguido pelo estágio de latência. **second s.** – segundo e.; ver *labor.* **third s.** – terceiro e.; ver *labor.*

stag·gers (stag'erz) – termo que designa várias formas de doença funcional ou orgânica, cerebral e medular dos animais domésticos: 1. cenurose; 2. uma forma de vertigem que ocorre na enfermidade de descompressão.

stag·ing (stāj'ing) – estadiamento: 1. determinação ou classificação das fases ou períodos distintos no curso de uma doença, na história natural de um organismo ou em qualquer processo biológico; 2. classificação de neoplasias de acordo com a extensão do tumor. **TNM s.** – c. TNM; classificação de tumores de acordo com três componentes básicos: tumor primário (T), nodos linfáticos regionais (N) e metástase (M). Utilizam-se atribuições para denotar o tamanho e o grau de envolvimento; por exemplo, 0 indica indetectável, e 1, 2, 3 e 4 o aumento progressivo de tamanho ou envolvimento. Conseqüentemente, pode-se descrever um tumor como T1, N2, M0.

stain (stān) – corante; corar; colorir; descolorar: 1. substância utilizada para conferir cor a tecidos ou células, a fim de facilitar o estudo e a identificação microscópicos; 2. área de descoloração na pele. **differential s.** – corante diferencial; corante que facilita a diferenciação de vários elementos em uma amostra. **Giemsa s.** – corante Giemsa; solução que contém azul de metileno, azur I e azur II-eosina, glicerina e metanol; utilizado para corar protozoários parasitas (como o *Plasmodium* e *Trypanosoma*, corar *Chlamydia*, corar diferencialmente esfregaços sangüíneos e corpúsculos de inclusão virais). **Gram's s.** – coloração de Gram; procedimento de coloração no qual se coram microrganismos com cristais de violeta, tratados com solução de iodo forte, descoloridos com etanol ou etanol-acetona e contracorados com um

STU

corante contrastante; os microrganismos que retêm o corante são *Gram-positivos* e os que perdem o corante, mas se coram com o contracorante são *Gram-negativos*. **hematoxylin-eosin s.** – método da hematoxilina e eosina; mistura de hematoxilina em água destilada e solução aquosa de eosina, empregado universalmente para o exame tecidual de rotina. **metachromatic s.** – corante metacromático; corante que produz em determinados elementos cores diferentes das do próprio corante. **port-wine s.** – coloração em vinho do porto; ver *nevus flammeus*. **supravital s.** – coloração supravital; corante introduzido em um tecido vivo removido do corpo, mas antes da cessação da vida química das células. **tumor s.** – corante tumoral; área de densidade aumentada em uma radiografia decorrente de acúmulo de material de contraste em vasos deformados e anormais, proeminentes nas fases capilar e venosa de uma arteriografia, e presumivelmente indicadores de neoplasias. **vital s.** – corante vital; corante introduzido no organismo vivo e absorvido seletivamente pelos vários tecidos ou elementos celulares. **Wright's s.** – corante de Wright; mistura de eosina e azul de metileno utilizada para demonstrar células sangüíneas e parasitas maláricos.

stain·ing (stān'ing) – coloração: 1. coloração artificial de uma substância para facilitar o exame de tecidos, microrganismos e outras células sob o microscópio. Quanto às várias técnicas, ver em *stain*; 2. em Odontologia, a modificação da cor de um dente ou de uma base de dentadura.

stal·ag·mom·e·ter (stal"ag-mom'ĕ-ter) – estalagmômetro; instrumento para medir a tensão superficial através da determinação do número exato de gotas em uma certa quantidade de um líquido.

stalk (stawk) – pedículo; estrutura anatômica alongada, que se assemelha ao caule de uma planta. **allantoic s.** – p. alantóico; o tubo mais delgado interposto na maioria dos mamíferos entre o seio urogenital e o saco alantóico. É o precursor do cordão umbilical. **pineal s.** – p. pineal; habênula; ver *habenula* (2). **yolk s.** – p. vitelino; tubo estreito que conecta o saco vitelino (vesícula umbilical) ao intestino médio do embrião inicial.

stam·mer·ing (stam'er-ing) – tartamudez; distúrbio da fala, marcado por pausas involuntárias; algumas vezes utilizado como sinônimo de gagueira, especialmente no Reino Unido (e também no Brasil).

stand·still (stand'stil") – parada; cessação da atividade, como a do coração (*p. cardíaca*) ou do peito (*p. respiratória*).

stan·nous (stan'us) – estanhoso; que contém estanho como elemento bivalente.

stan·num (stan'um) [L.] – estanho, símbolo Sn; ver *tin*.

stan·o·zo·lol (stan'o-zol-lol") – estanozolol; esteróide anabólico androgênico, utilizado especialmente para elevar os níveis de hemoglobina em alguns pacientes com anemia aplástica.

sta·pe·dec·to·my (sta"pĭ-dek'tah-me) – estapedectomia; excisão do estribo.

sta·pe·dial (stah-pe'de-al) – estapedial; estapédico; relativo ao estribo.

sta·pe·dio·te·not·o·my (stah-pe"de-o-tĕ-not'-ah-me) – estapediotenotomia; corte do tendão do músculo estapédio.

sta·pe·dio·ves·tib·u·lar (-ves-tib'u-ler) – estapediovestibular; relativo ao estribo e ao vestíbulo.

sta·pe·dot·o·my (sta"pĕ-dot'ah-me) – estapedotomia; abertura pequena na plataforma do estribo.

sta·pes (sta'pēz) – estribo; estapédio; ver *Tabela de Ossos* e Prancha XII.

staph·yl·ede·ma (staf"il-ĕ-de'mah) – estafiledema; edema da úvula.

staph·y·line (staf'ĭ-līn) – estafilina: 1. relativo à úvula; 2. com forma semelhante à de um cacho de uvas.

staph·y·li·tis (staf"ĭ-li'tis) – estafilite; uvulite; ver *uvulitis*.

staphyl(o)- [Gr.] – estafil(o)-, elemento de palavra, *úvula; semelhante a um cacho de uvas; estafilococos*.

staph·y·lo·coc·ce·mia (staf"ĭ-lo-kok-se'me-ah) – estafilococcemia; estafilococos no sangue.

Staph·y·lo·coc·cus (-kok'us) – *Staphylococcus;* gênero de bactérias Gram-positivas (família Micrococcaceae) que constituem patógenos potenciais, causando lesões locais e infecções oportunistas sérias; o gênero inclui as espécies *S. aureus* (espécie patogênica que causa infecções supurativas e doença sistêmica sérias e cujas toxinas causam intoxicação alimentar e choque tóxico), *S. epidermidis* (que é comumente encontrado na pele normal e inclui muitas cepas patogênicas) e *S. saprophyticus* (forma geralmente não-patogênica que algumas vezes causa infecções do trato urinário).

staph·y·lo·coc·cus (-kok'us) – estafilococo; qualquer microrganismo do gênero *Staphylococcus*. **staphylococ'cal, staphylococ'cic** – adj. estafilocócico.

staph·y·lo·der·ma (-der'mah) – estafilodermia; infecção cutânea piogênica por estafilococos.

staph·y·lo·di·al·y·sis (-di-al'ĭ-sis) – estafilodiálise; relaxamento da úvula.

staph·y·lol·y·sin (staf"ĭ-lol'ĭ-sin) – estafilolisina; hemolisina produzida pelos estafilococos.

staph·y·lo·ma (staf"ĭ-lo'mah) – estafiloma; protrusão da esclera ou da córnea, geralmente revestida com tecido uveal, devida a inflamação. **staphylom'atous** – adj. estafilomatoso. **anterior s.** – e. anterior; estafiloma na parte anterior do olho. **corneal s.** – e. corneano: 1. abaulamento da córnea com um tecido uveal aderente; 2. estafiloma formado pela protrusão da íris através de ferimento corneano. **posterior s.** – e. posterior; abaulamento para trás da esclera no pólo posterior do olho. **scleral s.** – e. escleral; protrusão do conteúdo do globo ocular onde a esclera se afinou.

staph·y·lon·cus (staf"ĭ-long'kus) – estafiloncose; tumor ou tumefação da úvula.

staph·y·lo·plas·ty (staf'ĭ-lo-plas"te) – estafiloplastia; reparo plástico do palato mole e da úvula.

staph·y·lop·to·sia (staf"ĭ-lop-to'se-ah) – estafiloptose; alongamento da úvula.

staph·y·lor·rha·phy (staf"ĭ-lor'ah-fe) – estafilorrafia; correção cirúrgica de uma fenda na linha média da úvula e palato mole.

staph·y·los·chi·sis (staf"ĭ-los'kĭ-sis) – estafilosquise; fissura da úvula e palato mole.

staph·y·lot·o·my (staf"ĭ-lot'ah-me) – estafilotomia: 1. incisão da úvula; 2. excisão de um estafiloma.

starch (stahrch) – amido; amilo: 1. qualquer substância de um grupo de polissacarídeos de fórmula geral $(C_6H_{10}O_5)_n$; constitui a principal forma de deposição de carboidratos nos vegetais; 2. grânulos extraídos do milho, trigo ou batatas maduros; utilizado como pó de pulverização e desintegrador de comprimidos em produtos farmacêuticos.

sta·sis (sta'sis) – estase: 1. interrupção ou diminuição de fluxo, como o de sangue ou outro fluido corporal; 2. estado de equilíbrio entre forças opostas. **stat'ic** – adj. estático. **intestinal s.** – e. intestinal; demora da passagem normal do conteúdo intestinal, devido a obstrução mecânica ou deficiência da motilidade intestinal. **urinary s.** – e. urinária; interrupção do fluxo ou descarga de urina em qualquer nível do trato urinário. **venous s.** – e. venosa; deficiência ou interrupção do fluxo venoso.

-stasis [Gr.] – -estase, -estasia, elemento de palavra, *manutenção de (ou manter) um nível constante; que impede o aumento ou a multiplicação.*

-stat'ic – adj. -estático.

stat. [L.] *statim* (imediatamente).

state (stāt) – estado; condição ou situação. **alpha s.** – e. alfa; estado de relaxamento e vigília pacífica, associado à atividade proeminente de ondas cerebrais alfa. **persistent vegetative s.** – e. vegetativo persistente; situação de não-responsividade profunda em estado desperto causada por danos cerebrais em qualquer nível e caracterizada por inatividade do córtex cerebral, ausência de resposta ao ambiente externo, acinesia, mutismo e incapacidade de fazer sinais. **refractory s.** – e. refratário; condição de excitabilidade subnormal dos músculos e nervos após excitação. **resting s.** – e. de repouso; condição fisiológica alcançada por repouso completo em cama por pelo menos uma hora. **steady s.** – e. de equilíbrio; equilíbrio dinâmico.

-static [Gr.] – -estático, elemento de palavra, *inibição; manutenção de um nível constante.*

sta·tim (sta'tim) [L.] – *statim;* imediatamente.

sta·tion (sta'shun) – posição: 1. posição ou localização; 2. localização da parte em apresentação do feto no canal de nascimento, designada como –5 a –1 de acordo com o número de centímetros em que a parte se encontra acima de um plano imaginário que passa através das espinhas isquiais, e como 0 quando se encontra no plano, como +1 a +5 de acordo com o número de centímetros em que a parte se encontra abaixo do plano.

sta·tis·tics (stah-tis'tiks) – Estatística: 1. coleção de dados numéricos; 2. método científico distinto que objetiva a resolução de problemas da vida real pelo uso da teoria da probabilidade. **vital s.** – e. vital; bioestatística; dados coletados por corpos governamentais para o registro de todos os nascimentos, óbitos, óbitos fetais, casamentos e divórcios.

stato·acous·tic (stat"o-ah-koo'stik) – estatoacústico; relativo ao equilíbrio e à audição.

stato·co·nia (-ko'ne-ah) pl. de *statoconium* – estatocônios; estatólitos; otocônios; grânulos calcíferos diminutos dentro da membrana gelatinosa que circunda as máculas acústicas.

stato·lith (stat'o-lith) – estatólito: 1. grânulo dos estatocônios; otocônios; 2. corpo sólido ou semisólido que ocorre no labirinto dos animais.

sta·tom·e·ter (stah-tom'ĕ-ter) – estatômetro; aparelho para medir o grau de exoftalmia.

sta·ture (stach'ur) – estatura; altura ou tamanho de uma pessoa em pé. **stat'ural** – adj. relativo à estatura ou altura de uma pessoa.

sta·tus (sta'tus) [L.] – estado; condição; termo particularmente utilizado com referência a uma afecção mórbida. **s. asthma'ticus** – e. asmático; ataque asmático particularmente grave, que geralmente exige hospitalização e não responde adequadamente às medidas terapêuticas comuns. **complex partial s.** – e. parcial complexo; estado epiléptico que consiste de uma série de ataques convulsivos parciais complexos sem retorno à consciência completa entre cada ataque. **s. epilep'ticus** – e. epiléptico; série de crises tônico-clônicas generalizadas, ou ataques similares, sem retorno à consciência. **s. lympha'ticus, s. thymicolympha'ticus** – e. linfático; e. timicolinfático; hiperplasia do tecido linfóide e do timo. **s. verruco'sus** – e. verrucoso; aparência semelhante à de uma verruga do córtex cerebral, produzida pela distribuição desordenada dos neuroblastos, de modo que a formação de fissuras e sulcos torna-se irregular e imprevisível.

stax·is (stak'sis) [Gr.] – estaxe; hemorragia; ver *hemorrhage.*

steal (stēl) – seqüestro; desvio (como o do fluxo sangüíneo) do curso normal, como no caso de arteriopatia oclusiva. **subclavian s.** – s. subclávio; em caso de doença oclusiva da artéria subclávia, a reversão do fluxo sangüíneo na artéria vertebral do mesmo lado, da artéria basilar para a artéria subclávia, além do ponto de oclusão.

ste·a·rate (ste'ah-rāt) – estearato; forma iônica do ácido esteárico; também, qualquer composto do ácido esteárico.

ste·a·ric ac·id (ste-ar'ik) – ácido esteárico; ácido graxo saturado de 18 carbonos, que ocorre na maioria das gorduras e óleos, particularmente em plantas tropicais e animais terrestres; utilizado como lubrificante de comprimidos e cápsulas e como agente emulsificador e solubilizador.

estear(o)- [Gr.] – elemento de palavra, *gordura.*

ste·a·ti·tis (ste"ah-ti'tis) – esteatite; inflamação do tecido adiposo.

esteat(o)- – estear(o)-.

ste·a·to·cys·to·ma (ste"ah-to-sis-to'mah) – esteatocistoma; cisto epitelial. **s. mul'tiplex** – e. múltiplo; distúrbio dominante autossômico, que afeta os homens mais freqüentemente do que as mulheres, caracterizado pela presença de cistos epidérmicos múltiplos que contêm um líquido oleoso, folículos pilosos abortados, lanugem e glândulas sebáceas apócrinas ou écrinas.

ste·a·tog·e·nous (ste"ah-toj'ĕ-nus) – esteatógeno; esteatogênico; lipogênico; ver *lipogenic.*

STU

ste·a·tol·y·sis (ste"ah-tol'ĭ-sis) – esteatólise; emulsificação de gorduras preparatória a uma absorção. steatolyt'ic – adj. esteatolítico.

ste·a·to·ma (ste"ah-to'mah) pl. *steatomata, steatomas* – esteatoma: 1. lipoma; 2. massa gordurosa retida dentro de uma glândula sebácea.

ste·a·to·ma·to·sis (ste"ah-to"mah-to'sis) – esteatomatose: 1. lipomatose; 2. esteatocistoma múltiplo.

ste·a·to·ne·cro·sis (-nĕ-kro'sis) – esteatonecrose; necrose gordurosa.

ste·a·to·pyg·ia (ste"ah-to-pij'e-ah) – esteatopígia; gordura excessiva das nádegas. steatop'ygous – adj. esteatopígico.

ste·a·tor·rhea (-re'ah) – esteatorréia; excesso de gordura nas fezes.

ste·a·to·sis (ste"ah-to'sis) – esteatose; degeneração gordurosa.

steg·no·sis (steg'no-sis) – estegnose; constrição; estenose. stegnot'ic – adj. estegnótico.

Stel·a·zine (stel'ah-zēn) – Stelazine, marca registrada de preparações de cloridrato de trifluoroperazina.

stel·late (stel'āt) – estrelado; em forma de estrela; disposto em rosetas.

stel·lec·to·my (stĕ-lek'tah-me) – estrelectomia; excisão de uma porção do gânglio estrelado.

stem (stem) – tronco; estrutura de sustentação comparável ao caule de uma planta. brain s. – t. cerebral; ver em *brain stem.*

sten(o)- [Gr.] – esten(o)-, elemento de palavra, *estreito; contraído; constrição.*

steno·cho·ria (sten"o-kor'e-ah) – estenocoria; estenose; ver *stenosis.*

steno·co·ri·a·sis (-kah-ri'ah-sis) – estenocoríase; contração da pupila.

steno·pe·ic (-pe'ik) – estenopéico; que tem uma fenda ou abertura estreita.

stenosed (stĕ-nōzd') – estenosado; estreitado; contraído.

ste·no·sis (stĕ-no'sis) [Gr.] pl. *stenoses* – estenose; estreitamento ou contração de um ducto ou canal. aortic s. (AS) – e. aórtica; estreitamento do orifício aórtico cardíaco ou da aorta próximo à válvula. hypertrophic pyloric s. – e. pilórica hipertrófica; estreitamento do canal pilórico devido a hipertrofia muscular e edema da mucosa, geralmente em bebês. idiopathic hypertrophic subaortic s. – e. subaórtica hipertrófica idiopática; forma de miocardiopatia hipertrófica na qual o ventrículo esquerdo hipertrofia-se e a cavidade torna-se pequena; é marcada por obstrução da saída gástrica. infantile hypertrophic gastric s. – e. gástrica hipertrófica infantil; hipertrofia e hiperplasia congênitas da musculatura do esfíncter pilórico, levando à obstrução parcial da saída gástrica. mitral s. – e. mitral; estreitamento do orifício atrioventricular esquerdo. pulmonary s. (PS) – e. pulmonar; estreitamento da abertura entre a artéria pulmonar e o ventrículo direito, geralmente ao nível dos folhetos valvulares. pyloric s. – e. pilórica; obstrução do orifício pilórico gástrico; pode ser congênita ou adquirida. tricuspid s. (TS) – e. tricúspide; estreitamento ou estenose do orifício tricúspide do coração.

steno·ther·mal (sten"o-ther'mal) – estenotérmico.

steno·ther·mic (-ther'mik) – estenotérmico; que se desenvolve somente dentro de uma variação estreita de temperatura; diz-se de bactérias.

steno·tho·rax (-thor'aks) – estenotórax; estreitamento anormal do tórax.

ste·not·ic (stĕ-not'ik) – estenótico; estenósico; marcado por estenose; anormalmente estreitado.

stent (stent) – sonda; dispositivo ou molde de um material adequado, utilizado para manter um enxerto cutâneo no local ou para sustentar estruturas tubulares a serem anastomosadas.

ste·pha·ni·on (stĕ-fa'ne-on) [Gr.] – estefânio; intersecção da linha temporal superior e da sutura coronal. stepha'nial – adj. estefânico.

sterc(o)- [L.] – esterc(o)-, elemento de palavra, *fezes.*

ster·co·bi·lin (ster"ko-bi'lin) – estercobilina; derivado de pigmento biliar formado pela oxidação no ar do estercobilinogênio; constitui uma pigmentação marrom-laranja-avermelhada que confere cor às fezes e urina.

ster·co·bi·lin·o·gen (-bi-lin'o-jen) – estercobilinogênio; metabólito da bilirrubina e precursor da estercobilina, formado pela redução do urobilinogênio.

ster·co·lith (ster'ko-lith) – estercólito; fecalito; ver *fecalith.*

ster·co·ra·ceous (ster'ko-ra'shus) – estercoráceo; que consiste de fezes.

ster·co·ro·ma (ster'ko-ro'mah) – estercoroma; massa semelhante a um tumor de matéria fecal no reto.

ster·cus (ster'kus) [L.] pl. *stercora* – esterco; estrume ou fezes. ster'coral, ster'corous – adj. estercoral; estercoroso.

stereo- [Gr.] – estereo-, elemento de palavra, *sólido; tridimensional; firmemente estabelecido.*

ster·eo·ar·throl·y·sis (ster"e-o-ahr-throl'ĭ-sis) – estereoartrólise; formação cirúrgica de uma nova articulação móvel em casos de an=colose óssea.

ster·eo·aus·cul·ta·tion (-aus"kul-ta'shun) – estereoausculta; auscultação com dois estetoscópios, em partes diferentes do peito.

ster·eo·cam·pim·e·ter (-kam-pim'ĕ-ter) – estereocampímetro; instrumento para estudar escotomas centrais unilaterais e defeitos retinianos centrais.

ster·eo·chem·is·try (-kem'is-tre) – Estereoquímica; ramo da Química que trata das relações espaciais dos átomos nas moléculas. stereochem'ical – adj. estereoquímico.

ster·eo·cine·flu·o·rog·ra·phy (-sin"ĕ-floor-og'rah-fe) – estereocinefluorografia; registro por meio de câmera cinematográfica de imagens observadas por meio de fluoroscopia estereoscópica.

ster·eo·en·ceph·a·lo·tome (-en-sef'ah-lah-tōm") – estereoencefalótomo; instrumento de orientação utilizado em estereoencefalotomia.

ster·eo·en·ceph·a·lot·o·my (-en-sef"ah-lot'ah-me) – estereoencefalotomia; cirurgia estereotáxica.

ster·e·og·no·sis (ster"e-og-no'sis) – estereognose: 1. faculdade de perceber e compreender a forma e a natureza dos objetos pelo sentido do tato; 2. percepção da solidez dos objetos através dos sentidos. stereognos'tic – adj. estereognóstico.

ster·eo·iso·mer (ster"e-o-i'so-mer) – estereoisômero; substância de um grupo de compostos que apresentam relação estereoisomérica.

ster·eo·isom·er·ism (-i-som'er-izm) – estereoisomerismo; isomerismo no qual os isômeros possuem a mesma estrutura (mesmas ligações entre os átomos), mas arranjos espaciais diferentes dos átomos. **stereoisomer'ic** – adj. estereoisomérico.

Ster·eo·or·thop·ter (-or-thop'ter) – Stereoorthopter, marca registrada de instrumento de reflexão especular para correção de estrabismo.

ster·eo·scope (ster'e-o-skōp) – estereoscópio; instrumento para produzir aparência de solidez e relevo pela combinação de imagens de duas fotos semelhantes de um objeto.

ster·eo·scop·ic (ster"e-o-skop'ik) – estereoscópico; que tem o efeito de um estereoscópio; que confere aos objetos aparência sólida ou tridimensional.

ster·eo·tac·tic (-tak'tik) – estereotático: 1. caracterizado pelo posicionamento preciso no espaço; diz-se especialmente de áreas discretas do cérebro que controlam funções específicas; 2. relativo a cirurgia estereotática; 3. relativo a tigmotaxia (tigmotático).

ster·eo·tax·ic (-tak'sik) – estereotáxico: 1. estereotático; 2. relativo ou que exibe tigmotaxia (tigmotático).

ster·eo·tax·is (-tak'sis) – estereotaxia: 1. cirurgia estereotática; 2. tigmotaxia.

ster·e·ot·ro·pism (ster"e-ot'rah-pizm) – estereotropismo; tropismo em resposta ao contato com superfície sólida e rígida. **stereotrop'ic** – adj. estereotrópico.

ster·eo·ty·py (ster'e-o-ti"pe) – estereotipia; repetição persistente de atos ou palavras sem sentido.

ste·ric (ster'ik) – estérico; relativo a disposição dos átomos no espaço; relativo à Estereoquímica.

ster·i·lant (ster'ĭ-lant) – esterilizante; agente esterilizante, ou seja, agente que destrói microrganismos.

ster·ile (ster'il) – estéril: 1. não-fértil; improdutivo; que não produz descendentes; 2. asséptico; que não produz microrganismos; livre de microrganismos vivos.

ster·i·li·za·tion (ster"ĭ-lĭ-za'shun) – esterilização: 1. a eliminação ou destruição completas de todos os microrganismos vivos; 2. qualquer procedimento pelo qual um indivíduo torna-se incapaz de se reproduzir.

ster·i·liz·er (ster"ĭ-līz"er) – esterilizador; aparelho para eliminar microrganismos.

ster·nal (ster'n'l) – esternal; de ou relativo ao esterno.

ster·nal·gia (ster-nal'jah) – esternalgia; dor no esterno.

ster·ne·bra (ster'ne-brah) pl. *sternebrae* – esternebra; um dos segmentos do esterno no início da vida, que posteriormente se fundem para formar o corpo do esterno.

stern(o)- [L.] – estern(o)-, elemento de palavra, *esterno*.

ster·no·cla·vic·u·lar (ster"no-klah-vik'u-ler) – esternoclavicular; relativo ao esterno e à clavícula.

ster·no·clei·do·mas·toid (-kli"do-mas'toid) – esternocleidomastóide; relativo ao esterno, clavícula e processo mastóide.

ster·no·cos·tal (-kos't'l) – esternocostal; relativo ao esterno e às costelas.

ster·nod·y·mus (ster-nod'ĭ-mus) – esternodídimo; gêmeos xifópagos unidos à parede torácica anterior.

ster·no·hy·oid (ster"no-hi'oid) – esternoióideo; relativo ao esterno e osso hióide.

ster·noid (ster'noid) – esternóide; semelhante ao esterno.

ster·no·mas·toid (ster"no-mas'toid) – esternomastóide; relativo ao esterno e processo mastóide.

ster·nop·a·gus (ster-nop'ah-gus) – esternópago; esternodídimo; ver *sternodymus*.

ster·no·peri·car·di·al (ster"no-per"ĭ-kahr'de-al) – esternopericárdico; relativo ao esterno e pericárdio.

ster·nos·chi·sis (ster-nos'kĭ-sis) – esternosquise; fissura congênita do esterno.

ster·no·thy·roid (ster"no-thi'roid) – esternotireóideo; relativo ao esterno e à cartilagem ou glândula tireóides.

ster·not·o·my (ster-not'ah-me) – esternotomia; incisão através do esterno.

ster·num (ster'num) [L.] – esterno; ver *Tabela de Ossos*.

ster·nu·ta·to·ry (ster-nu'tah-tor"e) – esternutatório: 1. que causa espirros; 2. agente causador de espirros.

ster·oid (ster'oid) – esteróide; substância de um grupo de compostos policíclicos que têm um sistema anelár de 17 átomos de carbono como núcleo, incluindo progesterona, hormônios adrenocorticais e gonadais, ácidos biliares, esteróis, venenos de sapo e alguns hidrocarbonetos carcinogênicos. **anabolic s.** – e. anabólico; substância de um grupo de derivados sintéticos da testosterona que possuem propriedades anabólicas acentuadas e propriedades androgênicas relativamente fracas, utilizados clinicamente principalmente para promover o crescimento e o reparo de tecidos corporais nos casos de senilidade, enfermidade debilitante e convalescença.

ste·roi·do·gen·e·sis (stĕ-roi"do-jen'ĕ-sis) – esteroidogênese; produção de esteróides, como por meio das glândulas supra-renais. **steroidogen'ic** – adj. esteroidogênico.

ster·ol (ster'ol) – esterol; esteróide que contém o núcleo esteróide de 17 átomos de carbono, com cadeia lateral de 8 a 10 átomos de carbono e pelo menos um grupo alcoólico; os esteróis possuem solubilidade semelhante a dos lipídeos. Os exemplos incluem o colesterol e o ergosterol.

ster·tor (ster'tor) – estertor; o ato de roncar; respiração ruidosa. **ster'torous** – adj. estertoroso.

steth·al·gia (steth-al'jah) – estetalgia; dor no tórax.

steth(o)- [Gr.] – estet(o)-, elemento de palavra, *peito*.

stetho·go·ni·om·e·ter (steth"o-go"ne-om'ĕ-ter) – estetogoniômetro; aparelho para medir a curvatura do peito.

steth·om·e·ter (steth-om'ĕ-ter) – estetômetro; instrumento para medir a dimensão ou expansão circular do peito.

stetho·scope (steth'o-skōp) – estetoscópio; instrumento para realizar auscultação mediada. **stethoscop'ic** – adj. estetoscópico.

STU

steth·os·co·py (steth-os'kah-pe) – estetoscopia; exame com estetoscópio.

stetho·spasm (steth'o-spazm) – estetospasmo; espasmo dos músculos torácicos.

sthe·nia (sthe'ne-ah) – estenia; condição de força e atividade.

sthen·ic (sthen'ik) – estênico; ativo; forte.

stib·i·al·ism (stib'e-ah-lizm") – estibialismo; intoxicação antimonial.

stib·i·um (stib'e-um) [L.] – estíbio; antimônio; símbolo Sb.

stibo·cap·tate (stib"o-kap'tãt) – estibocaptato; composto antimonial trivalente utilizado como antiesquistossômico.

stig·ma (stig'mah) [Gr.] pl. *stigma, stigmata* – estigma: 1. qualquer marca ou peculiaridade mental ou física que auxilie na identificação ou diagnóstico de uma afecção; 2. (pl.) lesões purpúricas ou hemorrágicas das mãos e/ou pés, que se assemelham a marcas de crucificação; 3. e. folicular.

stigmat'ic – adj. estigmático. **follicular s.** – e. folicular; mancha na superfície de um ovário onde o folículo vesicular romper-se-á e permitirá a passagem do óvulo durante a ovulação. **malpighian s's** – estigmas de Malpighi; pontos onde as menores veias entram nas veias maiores do baço.

sti·let (sti-let) – estilete; ver *stylet*.

still·birth (stil'berth) – natimorto; parto de uma criança morta.

still·born (-born) – natimorto; que nasceu morto.

stim·u·lant (stim'u-lant) – estimulante; excitante: 1. que produz estimulação; 2. agente que excita. **central s.** – e. central; estimulante que afeta o sistema nervoso central. **diffusible s.** – e. difusível; estimulante que age imediata, mas transitoriamente. **general s.** – e. geral; estimulante que age em todo o corpo. **e. local** – e. local; estimulante que afeta apenas ou principalmente a parte onde é aplicado.

stim·u·late (stim'u-lãt) – estimular; excitar à atividade funcional.

stim·u·la·tion (stim"u-la'shun) – estimulação; ato ou processo de estimular; condição de ser estimulado. **functional electrical s. (FES)** – e. elétrica funcional; aplicação de uma corrente elétrica por meio de prótese para estimular e restaurar a função parcial a um músculo incapacitado por lesões neurológicas. **transcutaneous electrical nerve s. (TENS), transcutaneous nerve s. (TNS)** – e. nervosa elétrica transcutânea; e. nervosa transcutânea; estimulação elétrica de nervos para alívio de dor por meio da administração de uma corrente através da pele.

stim·u·la·tor (stim'u-la"tor) – estimulador: 1. qualquer agente que excita uma atividade funcional; 2. em eletrodiagnóstico, instrumento que aplica pulsos de corrente para estimular um nervo, músculo ou área do sistema nervoso central. **long-acting thyroid s. (LATS)** – e. tireóideo de ação prolongada; anticorpo estimulador da tireóide associado à doença de Graves; é um auto-anticorpo que reage contra receptores celulares tireóideos para o hormônio estimulador da tireóide e conseqüentemente mimetiza os efeitos do hormônio.

stim·u·lus (stim'u-lus) [L.] pl. *stimuli* – estímulo; qualquer agente, ato ou influência que produza uma reação funcional ou trófica em um receptor ou tecido irritável. **adequate s.** – e. adequado; estímulo da forma específica de energia à qual determinado receptor é sensível. **aversive s.** – e. aversivo; estímulo que, quando aplicado após a ocorrência de uma resposta, reduz a força dessa resposta em ocorrências posteriores. **conditioned s.** – e. condicionado; estímulo que adquire a capacidade de evocar uma resposta específica em pareamento repetido com outro estímulo naturalmente capaz de desencadear a resposta. **discriminative s.** – e. discriminativo; estímulo associado a reforço, que exerce controle sobre uma forma particular de comportamento; o indivíduo faz a discriminação entre estímulos estreitamente relacionados e responde positivamente somente à presença desse estímulo. **eliciting s.** – e. de disparo; qualquer estímulo condicionado ou não-condicionado, que dispara uma resposta. **heterologous s.** – e. heterólogo; estímulo que produz efeito ou sensação quando aplicado a qualquer parte do trato nervoso. **homologous s.** – e. homólogo; e. adequado. **threshold s.** – e. liminar; estímulo que é justamente suficientemente forte para disparar uma resposta. **unconditioned s.** – e. não-condicionado; qualquer estímulo capaz de disparar uma resposta não-condicionada.

sting (sting) – picada: 1. lesão devida a uma biotoxina introduzida em um indivíduo ou com a qual este entra em contato, junto com traumatismo mecânico incidente à sua introdução; 2. ferrão; órgão utilizado para infligir a picada.

stip·pling (stip'ling) – pontilhado basófilo; condição ou aparência de pontilhado, como a aparência da retina como se estivesse pontilhada com pontos claros e escuros ou a de hemácias em caso de basofilia.

stir·rup (stir'up) – estapédio; estribo; ver *stapes*.

stitch (stich) – pontada: 1. dor de corte súbita e transitória; 2. ponto de sutura.

stoi·chi·ol·o·gy (stoi"ke-ol'ah-je) – estequiologia; ciência dos elementos, especialmente a fisiologia dos elementos celulares dos tecidos. **stoichiolog'ic** – adj. estequiológico.

stoi·chi·om·e·try (-om'ě-tre) – estequiometria; determinação das proporções relativas dos compostos envolvidos em uma reação química. **stoichiomet'ric** – adj. estequiométrico.

stoke (stõk) – unidade de viscosidade cinemática, unidade de um líquido com viscosidade dinâmica de 1 poise e densidade de 1 g por ml. Abreviação St.

sto·ma (sto'mah) [Gr.] pl. *stomas, stomata* – estoma; boca; orifício pequeno ou poro; abertura semelhante a uma boca, particularmente a abertura incisada que se mantém aberta para drenagem e outras finalidades. **sto'mal** – adj. estomal.

stom·ach (stum'ak) – estômago; expansão muscolomembranosa do canal alimentar entre o esôfago e o duodeno, consistindo de uma parte cardíaca, fundo, corpo e parte pilórica. Suas glândulas (gástricas) secretam o suco gástrico que, quando misturado ao alimento, forma o quimo (substância semilíquida adequada à digestão posterior no intestino. Ver Pranchas IV e V. **stom'achal, stomach'ic** – adj. estomacal; gástrico. **cascade s.** – e. em cascata; forma atípica de estômago em ampulheta, caracterizada radiograficamente por içamento da parede posterior; um meio opaco preenche primeiramente o saco superior e depois desce em degraus (cascata) no saco inferior. **hourglass s.** – e. em ampulheta; estômago mais ou menos completamente dividido em duas partes, semelhante a uma ampulheta quanto à forma, devido à cicatrização que complica uma úlcera gástrica crônica. **leather bottle s.** – e. em odre de vinho; linite plástica.

stom·a·chal·gia (stum"ah-kal'jah) – estomacalgia; dor no estômago.

sto·ma·tal·gia (sto"mah-tal'jah) – estomatalgia; dor na boca.

sto·ma·ti·tis (sto"mah-ti'tis) pl. *stomatitides* – estomatite; inflamação generalizada da mucosa oral. **angular s.** – e. angular; perlèche. **aphthous s.** – e. aftosa; e. aftosa recorrente. **gangrenous s.** – e. gangrenosa; ver *noma*. **herpetic s.** – e. herpética; infecção aguda da mucosa oral com formação de vesículas, devida ao vírus do herpes simples. **mycotic s.** – e. micótica; sapinho. **recurrent aphthous s.** – e. aftosa recorrente; estomatite recorrente de etiologia desconhecida caracterizada pelo aparecimento de úlceras pequenas na mucosa oral, cobertas por um exsudato acinzentado e circundado por um halo vermelho brilhante; elas se fecham sem formar cicatriz em 7 a 14 dias. **ulcerative s.** – e. ulcerativa; estomatite com úlceras rasas nas bochechas, língua e lábios. **Vincent's s.** – e. de Vincent; gengivite ulcerativa necrosante aguda.

stomat(o)- [Gr.] – estomat(o)-, elemento de palavra, *boca*.

sto·ma·to·dyn·ia (sto"mah-to-din'e-ah) – estomatodinia; dor na boca.

sto·ma·tog·nath·ic (sto"mah-tog-nath'ik) – estomatognático; denota a boca e as mandíbulas em conjunto.

sto·ma·tol·o·gy (sto"mah-tol'ah-je) – Estomatologia; ramo da Medicina que trata da boca e suas doenças. **stomatolog'ic** – adj. estomatológico.

sto·ma·to·ma·la·cia (sto"mah-to-mah-la'-shah) – estomatomalacia; amolecimento das estruturas da boca.

sto·ma·to·me·nia (-me'ne-ah) – estomatomenia; sangramento da boca à época da menstruação.

sto·ma·to·my·co·sis (-mi-ko'sis) – estomatomicose; qualquer doença fúngica da boca.

sto·ma·top·a·thy (sto"mah-top'ah-the) – estomatopatia; qualquer doença da boca.

sto·ma·to·plas·ty (sto'mah-to-plas"te) – estomatoplastia; reconstrução plástica da boca.

sto·ma·tor·rha·gia (sto"mah-to-ra'jah) – estomatorragia; hemorragia a partir da boca.

sto·mo·ceph·a·lus (sto"mo-sef'ah-lus) – estomocéfalo; feto com mandíbulas e boca rudimentares.

sto·mo·de·um (-de'um) – estomódio; depressão ectodérmica na extremidade da cabeça do embrião, que se torna a parte dianteira da boca. **stomode'al** – adj. estomódico.

-stomy [Gr.] – -stomia, elemento de palavra, *criação de uma abertura no interior de ou uma comunicação entre*.

stone (stōn) – pedra: 1. cálculo; 2. unidade de peso; equivalente no sistema inglês a 14 libras avoirdupois.

stool (stōōl) – fezes; descarga fecal proveniente dos intestinos. **rice-water s's** – fezes em água de arroz; evacuações aquosas da cólera. **silver s.** – fezes prateadas; fezes que possuem uma cor de alumínio ou tinta prateada, devidas à mistura de melena e fezes gordurosas brancas; ocorrem no espru tropical, em crianças com diarréia que receberam sulfonamidas e em caso de carcinoma da ampola de Vater.

stor·i·form (stor'ĭ-form) – denota um padrão emaranhado e irregularmente enrolado, assemelhando-se um pouco ao de uma esteira de palha; diz-se da aparência microscópica dos dermatofibromas.

storm (storm) – tempestade; aumento súbito e temporário dos sintomas. **thyroid s., thyrotoxic s.** – a. tireóidea; a. tireotóxica; aumento súbito e perigoso dos sintomas da tireotoxicose, especialmente após uma tireoidectomia.

stra·bis·mom·e·ter (strah-biz-mom'ĕ-ter) – estrabismômetro; aparelho para medir estrabismo.

stra·bis·mus (strah-biz'mus) – estrabismo; heterotropia; olhos cruzados; desvio ocular que o paciente não pode superar; os eixos visuais assumem uma posição relativa entre si diferente da exigida pelas condições fisiológicas. **strabis'mic** – adj. estrábico. **concomitant s.** – e. concomitante; estrabismo devido a inserção defeituosa dos músculos oculares, resultando no mesmo grau de desvio independentemente da direção do olhar. **convergent s.** – e. convergente; esotropia. **divergent s.** – e. divergente; exotropia. **noncon·comitant s.** – e. não-concomitante; estrabismo no qual o grau de desvio do olho estrábico varia de acordo com a direção do olhar. **vertical s.** – e. vertical; estrabismo no qual o eixo visual do olho estrábico se desvia no plano vertical (hipertropia ou hipotropia).

stra·bot·o·my (strah-bot'ah-me) – estrabotomia; secção de um tendão ocular no tratamento de estrabismo.

strain (strān) – cepa: 1. esforçar; superexercitar; utilizar em grau extremo e prejudicial; 2. filtrar ou submeter à filtração; 3. alteração de tamanho ou forma de um corpo como resultado de uma força aplicada externamente; 4. grupo de organismos dentro de uma espécie ou variedade, caracterizados por alguma qualidade particular (como as cepas ásperas ou lisas de bactérias). **wild-type s.** – c. do tipo selvagem; cepa utilizada como padrão para determinada espécie ou variedade de um microrganismo, que geralmente se presume seja encontrada na natureza.

strait (strāt) – estreito; passagem estreita. **s's of pelvis** – e. pélvico; entrada pélvica (*e. pélvico superior*) e saída pélvica (*e. pélvico inferior*).

strait·jack·et (strāt'jak"et) – camisa-de-força; nome informal para camisola (*camisole*).

stran·gles (strang'g'lz) – garrotilho: 1. doença infecciosa dos eqüinos devida à *Streptococcus equi*,

STU

com inflamação mucopurulenta da membrana mucosa respiratória; 2. infecção dos linfonodos nos suínos, produzindo abscessos fortemente encapsulados na região faríngea.

stran·gu·lat·ed (stran'gu-lāt"ed) – estrangulado; congesto em razão de constrição ou estenose herniária.

stran·gu·la·tion (strang"gu-la'shun) – estrangulamento: 1. parada respiratória ou asfixia por oclusão das passagens aéreas; 2. parada circulatória em parte decorrente de compressão.

stran·gu·ry (strang'gu-re) – estrangúria; descarga lenta e dolorosa de urina.

strap (strap) – 1. faixa ou tira (como a de emplastro adesivo) utilizada para ligar partes entre si; 2. ligar firmemente. **Montgomery s's** – faixas de Montgomery; tiras de esparadrapo adesivo utilizadas para prender curativos que devem ser trocados freqüentemente.

strat·i·form (strat'ĭ-form) – estratiforme; que ocorre em camadas.

stra·tig·ra·phy (strah-tig'rah-fe) – estratigrafia; tomografia. **stratigraph'ic** – adj. estratigráfico.

stra·tum (stra'tum) [L.] pl. *strata* – estrato; camada; ver *layer*.

streak (strēk) – linha ou estria; tira. **angioid s's** – estrias angióides; faixas irregulares vermelhas a pretas no fundo ocular, que correm para fora do disco óptico. **fatty s.** – faixa gordurosa; pequena área plana e cinza-amarelada, composta principalmente de colesterol, em uma artéria; possivelmente um estágio inicial de aterosclerose. **meningitic s.** – linha meningítica; mancha cerebral. **Moore's lightning s's** – faixas luminosas de Moore; clarões verticais luminosos algumas vezes observados no lado periférico do campo visual quando os olhos se movem; uma condição benigna. **primitive s.** – linha primitiva; traço branco desbotado na extremidade caudal do disco embrionário, formado pelo movimento das células no início da formação do mesoderma, consistindo a primeira evidência do eixo embrionário.

strepho·sym·bo·lia (stref"o-sim-bo'le-ah) – estrefossimbolia: 1. distúrbio de percepção no qual os objetos parecem invertidos como em um espelho; 2. tipo de dislexia na qual as letras são percebidas como se estivessem em um espelho; começa com confusão entre letras semelhantes, mas opostamente orientadas (b-d e q-p) e pode ocorrer a tendência a ler de trás para frente.

strept(o)- [Gr.] – estrept(o)-, elemento de palavra, *torcido*.

Strep·to·bac·il·lus (strep"to-bah-sil'lus) – *Streptobacillus*; gênero de bactérias Gram-negativas de afiliação incerta; os microrganismos são altamente pleomórficos. A espécie *S. moniliformis* é causa da febre por mordedura de rato.

strep·to·bac·il·lus (strep"to-bah-sil'lus) pl. *streptobacilli* – estreptobacilo; microrganismo do gênero *Streptobacillus*.

strep·to·cer·ci·a·sis (-ser-ki'ah-sis) – estreptocercíase; infecção por *Mansonella streptocerca*, cujas microfilárias produzem um exantema pruriginoso semelhante ao da oncocercose; transmitida por mosquitos do gênero *Culicoides*, ocorre na África Central.

Strep·to·coc·ca·ceae (-kok-a'se-e) – Streptococcaceae; família de cocos anaeróbicos facultativos Gram-positivos geralmente imóveis e que ocorrem em pares, cadeias ou tétrades.

strep·to·coc·ce·mia (-kok-se'me-ah) – estreptococcemia; ocorrência de estreptococos no sangue.

Strep·to·coc·cus (-kokús) – *Streptococcus*; gênero de cocos anaeróbicos facultativos Gram-positivos (família Streptococcaceae) que ocorrem em pares ou cadeias. O gênero é separável no grupo *pyogenes*, no grupo *viridans*, no grupo *enterococcus* e no grupo *láctico*. O primeiro grupo inclui os patógenos β-hemolíticos do homem e dos animais, o segundo e o terceiro incluem as formas parasitas α-hemolíticas que ocorrem como flora normal dos tratos respiratório superior e intestinal, respectivamente, e o quarto grupo é constituído de formas saprófitas associadas ao azedamento do leite. As espécies incluem a *S. mutans* (implicada na formação de cáries dentárias); *S. pneumoniae* (espécie α-hemolítica que constitui a causa mais comum de pneumonia lobar e também causa vários outros distúrbios piogênicos agudos sérios); *S. pyogenes* (espécie β-hemolítica que causa dor de garganta séptica, escarlatina e febre reumática); e *S. sanguinis* (encontrada na placa dentária, sangue e endocardite bacteriana subaguda).

strep·to·coc·cus (-kok'us) pl. *streptococci* – estreptococo; microrganismo do gênero *Streptococcus*. **streptococ'cal, streptococ'cic** – adj. estreptocócico. **hemolytic s.** – e. hemolítico; estreptococo capaz de hemolisar hemácias, classificado como *tipo α-hemolítico ou viridans* (que produz uma zona de descoloração esverdeada muito menor que a zona clara produzida pelo tipo β-hemolítico ao redor da colônia em ágar-sangue); e *tipo β-hemolítico* (que produz uma zona clara de hemólise imediatamente ao redor da colônia em ágar-sangue). Os estreptococos mais virulentos pertencem ao último grupo. No campo imunológico, os estreptococos β-hemolíticos podem ser divididos em grupos A a T; a maioria dos patógenos humanos pertence aos grupos A a G. **nonhemolytic s.** – e. não-hemolítico; estreptococo que não causa alteração no meio quando cultivado em ágar-sangue.

strep·to·dor·nase (-dor'nās) – estreptodornase; enzima produzida pelos estreptococos hemolíticos que catalisam a despolimerização do DNA.

strep·to·ki·nase (-ki'nās) – estreptocinase; proteína produzida pelos estreptococos β-hemolíticos, que produz fibrinólise através de sua ligação com plasminogênio e causando a conversão deste em plasmina; é utilizada como agente trombolítico. **s.-streptodornase (SKSD)** – e.-estreptodornase; mistura de enzimas elaboradas pelos estreptococos hemolíticos; utilizada como agente proteolítico e fibrinolítico e como antígeno de teste cutâneo na avaliação de imunodeficiência mediada por células.

strep·tol·y·sin (strep-tol'ĭ-sin) – estreptolisina; hemolisina dos estreptococos hemolíticos.

Strep·to·my·ces (strep"to-mi'sĕz) – *Streptomyces;* gênero de bactérias (ordem Actinomycetales), geralmente de formas do solo, mas ocasionalmente parasitas de vegetais e animais, e notável como fonte de vários antibióticos (por exemplo, as tetraciclinas). A *S. somaliensis* é uma das causas do micetoma.

strep·to·my·cin (-mi'sin) – estreptomicina; antibiótico produzido pela *Streptomyces griseus,* eficaz contra uma ampla variedade de bacilos Gramnegativos aeróbicos e algumas bactérias Grampositivas, incluindo micobactérias.

strep·to·sep·ti·ce·mia (-sep"tĭ-se-me-ah) – estreptossepticemia; septicemia devida a estreptococos.

strep·to·zo·cin (-zo'sin) – estreptozocina; antibiótico antineoplásico derivado da *Streptomyces achromogenes;* utilizada principalmente no tratamento dos insulinomas pancreáticos e também no tratamento de outros tumores endócrinos (por exemplo, os gastrinomas associados à síndrome de Zollinger-Ellison).

stress (stres) – tensão; estresse: 1. influência exercida por meio de força; pressão; 2. força por unidade de área; 3. em Odontologia, a pressão dos dentes superiores contra os inferiores na mastigação; 4. soma das reações biológicas a qualquer estímulo adverso (físico, mental ou emocional, interno ou externo), que tende a perturbar a homeostasia de um organismo; também, os estímulos que desencadeiam as reações.

stretch·er (strech'er) – maca; leito portátil para transportar os doentes ou feridos.

stria (stri'ah) [L.] pl. *striae* – estria: 1. risca ou linha; 2. estrutura semelhante a uma faixa estreita; em anatomia, termo genérico para coleções longitudinais de fibras nervosas no cérebro. **stri'ae atro'phicae** – e. atróficas; lesões semelhantes a cicatrizes, atróficas e rosadas ou arroxeadas (posteriormente tornando-se brancas [*linhas albicantes*]) nos seios, coxas, abdômen e nádegas, devidas ao enfraquecimento dos tecidos elásticos, associadas a gravidez – estrias gravídicas (*striae gravidarum*), excesso de peso, crescimento rápido durante a puberdade, síndrome de Cushing e tratamento tópico ou prolongado com corticosteróides. **stri'ae gravida'rum** – e. gravídicas; ver *striae atrophicae.*

stri·ate (stri'āt) – estriado.

stri·at·ed (stri'āt-ed) – estriado; que tem linhas ou estrias.

stri·a·tion (stri-a'shun) – estriação: 1. qualidade de ser marcado por linhas ou estrias; 2. risca ou arranhão ou série de linhas.

stri·a·tum (stri-a'tum) – estriado; corpo estriado. **stria'tal** – adj. relativo ao corpo estriado.

stric·ture (strik'chur) – estenose; estreitamento; estritura; estreitamento anormal de um ducto ou passagem.

stric·tur·iza·tion (strik"chur-ĭ-za'shun) – constrição; o processo de redução de calibre ou de sofrer constrição.

stric·ture·plas·ty (strik'cher-plas"te) – estrituroplastia; aumento cirúrgico do calibre de um segmento

intestinal constrito por meio de incisão longitudinal e sutura transversal do estreitamento.

stri·dor (stri'dor) [L.] – estridor; respiração ruidosa; som respiratório estridente e alto. **strid'ulous** – adj. estrídulo. **laryngeal s.** – e. laríngeo; estridor devido a obstrução laríngea. A forma *congênita* (marcada por estridor e dispnéia) deve-se à invaginação da epiglote congenitamente flácida e das dobras ariepiglóticas durante a inspiração; geralmente se protrai por volta de dois anos de idade.

strio·cer·e·bel·lar (stri"o-ser"ĕ-bel'er) – estriocerebelar; relativo ao corpo estriado e cerebelo.

strip (strip) – 1. pressionar o conteúdo de um canal (como o da uretra ou de um vaso sangüíneo) ao correr um dedo ao longo dele; espremer; 2. excisar extensões de veias grandes e tributários incompetentes por meio de dissecção subcutânea e uso de um bisturi ("stripper"); 3. remover uma estrutura dentária ou material restaurador das superfícies mesial ou distal dos dentes utilizando faixas abrasivas; geralmente realizado para aliviar compressão.

stro·bi·la (stro-bi'lah) [L.] pl. *strobilae* – estróbilo; cadeia de proglotes que constitui o volume do corpo das tênias adultas.

stroke (strōk) – acidente vascular cerebral; crise; golpe: 1. ataque súbito e severo; 2. síndrome de ataque; 3. pulsação. **apoplectic s.** – apoplexia; ver *apoplexy* (1). **completed s.** – ataque completo; síndrome de ataque que reflete infarto de vaso que nutre território, sem circulação colateral, o qual é colocado em risco por estenose ou oclusão de um vaso de alimentação. **embolic s.** – ataque embólico; síndrome de ataque decorrente de embolia cerebral. **s. in evolution** – ataque em evolução; um estágio instável preliminar da síndrome de ataque em que há um bloqueio, mas a síndrome não progrediu para o estágio de ataque completo. **heat s.** – intermação; insolação; afecção devida à exposição excessiva ao calor, com pele seca, vertigem, dor de cabeça, sede, náusea e câimbras musculares; a temperatura corporal pode se elevar perigosamente. **thrombotic s.** – apoplexia por trombose cerebral; síndrome de ataque devido a trombose cerebral, mais frequentemente sobreposta em uma placa de aterosclerose.

stro·ma (stro'mah) [Gr.] pl. *stromata* – estroma; tecido ou matriz de sustentação de um órgão. **stro'mal, stromat'ic** – adj. estromal.

stro·muhr (strōm'oor) [Al.] – instrumento para medir a velocidade do fluxo sangüíneo.

Stron·gy·loi·des (stron"jĭ-loi'dĕz) – *Strongyloides;* gênero de nematódeos amplamente distribuídos, parasitas do intestino do homem e outros mamíferos, que inclui a *Strongyloides stercoralis,* encontrada nos trópicos e subtrópicos, onde causa diarréia e ulceração intestinal.

stron·gy·loi·di·a·sis (stron'jĭ-loi-di'ah-sis) – estrongiloidíase; infecção pela *Strongyloides stercoralis.*

stron·gy·loi·do·sis (-do'sis) – estrongiloidíase.

stron·gy·lo·sis (stron"jĭ-lo'sis) – estrongilose; infecção por *Strongylus.*

Stron·gy·lus (stron'jĭ-lus) – *Strongylus;* gênero de nematódeos parasitas.

STU

stron·ti·um (stron'she-um) – estrôncio; elemento químico (ver *Tabela de Elementos*), número atômico 38, símbolo Sr.

stroph·u·lus (strof'u-lus) – estrófulo; urticária papulosa.

stru·ma (stroo'mah) [L.] – estruma; bócio. **Hashimoto's s.**, **s. lymphomato'sa** – e. de Hashimoto; e. linfomatosa; doença de Hashimoto. **s. malig'na** – e. maligna; carcinoma da glândula tireóide. **s. ova'rii** – e. ovariana; tumor ovariano teratóide composto de tecido tireóideo. **Riedel's s.** – e. de Riedel; processo inflamatório crônico, proliferativo e fibrosante que envolve geralmente um, mas algumas vezes envolve ambos os lobos da glândula tireóide, bem como a traquéia e outras estruturas adjacentes.

stru·mec·to·my (stroo-mek'tah-me) – estrumectomia; excisão de um bócio.

stru·mi·tis (stroo-mi'tis) – estrumite; tireoidite; ver *thyroiditis*.

strych·nine (strik'nīn) – estricnina; alcalóide muito venenoso, obtido principalmente a partir da *Strychnos nux-vomica* e de outras espécies de *Strychnos*, que causam excitação de todas as porções do sistema nervoso central por meio de bloqueio da inibição pós-sináptica dos impulsos nervosos.

stump (stump) – coto; extremidade distal de um membro que permanece após amputação.

stun·ning (stun'ing) – aturdimento; perda de função, análoga à inconsciência. **myocardial s.** – a. miocárdico; função miocárdica temporariamente prejudicada, resultante de episódio breve de isquemia que persiste ainda por algum tempo.

stupe (stŏop) – compressa quente; pano ou esponja úmidos e quentes, impregnado com medicação para aplicação externa.

stu·pe·fa·cient (stoo"pĕ-fa'shent) – estupefaciente: 1. que induz estupor; 2. agente indutor de estupor.

stu·por (stoo'per) [L.] – estupor; torpor; letargia: 1. nível reduzido de consciência; 2. em Psiquiatria, distúrbio marcado por redução de responsividade.

stut·ter·ing (stut'er-ing) – tartamudez; problema de fala caracterizado principalmente por repetição espasmódica de sons (especialmente das consoantes iniciais), prolongamento dos sons e hesitação, bem como por ansiedade e tensão por parte do falador com relação às dificuldades percebidas na fala. Cf. *stammering*.

stye (sti) – terçol; hordéolo; ver *hordeolum*.

sty·let (sti'lit) – estilete: 1. fio metálico passado através de um cateter ou cânula para deixá-los rígidos ou para remover resíduos de seu lúmen; 2. sonda delgada.

styl(o)- [L.] – estil(o)-, elemento de palavra, *estaca; pólo; processo estilóide do osso temporal*.

sty·lo·hy·oid (sti''lo-hi'oid) – estiloióide; relativo ao processo estilóide e osso hióide.

sty·loid (sti'loid) – estilóide; estiliforme; que se assemelha a um pilar; longo e pontiagudo; relacionado ao processo estilóide.

sty·loid·itis (sti''loi-di'tis) – estiloidite; inflamação dos tecidos ao redor do processo estilóide.

sty·lo·mas·toid (sti''lo-mas'toid) – estilomastóide; relativo aos processos estilóide e mastóide do osso temporal.

sty·lo·max·il·lary (-mak'sĭ-lar''e) – estilomaxilar; relativo ao processo estilóide do osso temporal e maxila.

sty·lus (sti'lus) – estilo: 1. estilete; 2. preparação medicinal em forma de lápis, como a de um agente cáustico.

styp·sis (stip'sis) [Gr.] – estipsia: 1. adstringência; ação adstringente; 2. uso de estípticos.

styp·tic (stip'tik) – estíptico: 1. adstringente; que faz cessar uma hemorragia por meio de efeito adstringente; 2. agente adstringente e hemostático.

sub- [L.] – elemento de palavra, *sob; próximo; quase; moderadamente*.

sub·ab·dom·i·nal (sub''ab-dom'ĭ-n'l) – subabdominal; abaixo do abdome.

sub·acro·mi·al (-ah-kro'me-al) – subacromial; sob o acrômio.

sub·acute (-ah-kūt') – subagudo; quase agudo; entre agudo e crônico.

sub·al·i·men·ta·tion (sub-al''ĭ-men-ta'shun) – subalimentação; nutrição insuficiente.

sub·apo·neu·rot·ic (-ap''o-nŏŏ-rot'ik) – subaponeurótico; sob uma aponeurose.

sub·arach·noid (sub''ah-rak'noid) – subaracnóide; entre a aracnóide e a pia-máter.

sub·are·o·lar (-ah-re'o-ler) – subareolar; sob uma aréola.

sub·as·trag·a·lar (-as-trag'ah-ler) – subastragalar; debaixo do astrágalo.

sub·atom·ic (-ah-tom'ik) – subatômico; de ou relativo às partes constituintes de um átomo.

sub·au·ral (sub-aw'ral) – subaural; sob a orelha.

sub·au·ra·le (sub''aw-ra'le) – subaural; o ponto mais baixo na borda inferior do lóbulo auricular quando o indivíduo olha para a frente.

sub·cap·su·lar (sub-kap'su-ler) – subcapsular; sob uma cápsula, especialmente a cápsula cerebral.

sub·car·ti·lag·i·nous (-kahr''tĭ-laj'ĭ-nus) – subcartilaginoso: 1. sob uma cartilagem; 2. parcialmente cartilaginoso.

sub·class (sub'klas) – subclasse; categoria taxonômica subordinada a uma classe e superior a uma ordem.

sub·cla·vi·an (sub-kla've-an) – subclávio; sob a clavícula.

sub·cla·vic·u·lar (sub''klah-vik'u-ler) – subclavicular; subclávio.

sub·clin·i·cal (sub-klin'ĭ-k'l) – subclínico; sem manifestações clínicas.

sub·clone (sub'klōn) – subclone: 1. progênie de uma célula mutante que surge em um clone; 2. cada nova população de DNA produzida por clivagem do DNA de uma população clonal em fragmentos e depois clonando-os.

sub·con·junc·ti·val (sub''kon-jungk-ti'val) – subconjuntival; sob a conjuntiva.

sub·con·scious (sub-kon'shus) – subconsciente: 1. imperfeita ou parcialmente consciente; 2. antigamente, o pré-consciente e o inconsciente considerados em conjunto.

sub·con·scious·ness (-nes) – subconsciência; consciência parcial.

sub·cor·a·coid (-kor'ah-koid) – subcoracóide; situado sob o processo coracóide.

sub·cor·tex (-kor'teks) – subcórtex; substância cerebral subjacente ao córtex. **subcor'tical** – adj. subcortical.

sub·cos·tal (-kos't'l) – subcostal; sob uma costela ou costelas.

sub·cra·ni·al (-kra'ne-al) – subcraniano; sob o crânio.

sub·crep·i·tant (-krep'ĭ-tint) – subcrepitante; quase crepitante em natureza; diz-se de um estertor.

sub·cul·ture (sub'kul-chur) – subcultura; cultura de bactérias derivada de outra cultura.

sub·cu·ta·ne·ous (sub"ku-ta'ne-us) – subcutâneo; sob a pele.

sub·cu·tic·u·lar (-ku-tik'u-ler) – subcuticular; subepidérmico; ver *subepidermal*.

sub·de·lir·i·um (-dĕ-lir'e-um) – subdelírio; delírio leve.

sub·di·a·phrag·mat·ic (sub-di"ah-frag-mat'-ik) – subdiafragmático; sob o diafragma.

sub·duct (-dukt') – subduzir; impelir para baixo.

sub·du·ral (-door'al) – subdural; entre a dura-máter e a aracnóide.

sub·en·do·car·di·al (sub"en-do-kahr'de-al) – subendocárdico; embaixo do endocárdio.

sub·en·do·the·li·al (-en-do-the'le-al) – subendotelial; sob o endotélio.

sub·epi·car·dial (-ep-ĭ-kahr'de-al) – subepicárdico; situado sob o epicárdio.

sub·epi·der·mal (-der'mal) – subepidérmico; sob a epiderme.

sub·epi·the·li·al (-the'le-al) – subepitelial; sob o epitélio.

sub·fam·i·ly (sub'fam-ĭ-le) – subfamília; divisão taxonômica entre família e tribo.

sub·fas·cial (sub-fash'ul) – subfascial; sob uma fáscia.

sub·fron·tal (-frun'tal) – subfrontal; situado ou que se estende sob o lobo frontal.

sub·gen·nus (sub'je-nus) – subgênero; categoria taxonômica entre gênero e espécie.

sub·gle·noid (sub-gle'noid) – subglenóide; sob a fossa glenóide.

sub·glos·sal (-glos'al) – subglosso; sublingual; sob a língua.

sub·gron·da·tion (sub"gron-da'shun) [Fr.] – um tipo de fratura craniana deprimida, com depressão de um fragmento ósseo por baixo de outro.

sub·he·pat·ic (-hĕ-pat'ik) – sub-hepático; sob o fígado.

sub·hy·oid (sub-hi'oid) – sub-hióide; subióideo; sob o osso hióide.

su·bic·u·lum (sŭ-bik'u-lum) – subículo; estrutura subjacente ou de sustentação.

sub·il·i·ac (sub-il'e-ak) – subilíaco; debaixo do ílio.

sub·il·i·um (-il'e-um) – subílio; a porção mais baixa do ílio.

sub·in·vo·lu·tion (sub"in-vo-loo"shun) – subinvolução; involução incompleta.

sub·ja·cent (sub-ja'sent) – subjacente; localizado por baixo.

sub·ject[1] (sub-jekt') – sujeitar; fazer com que passe por ou se submeta a; tornar subserviente.

sub·ject[2] (sub-jekt) – indivíduo; sujeito: 1. pessoa ou animal sujeito a tratamento, observação ou experimento; 2. corpo para dissecção.

sub·ju·gal (sub-joo'gal) – subjugal; sob o osso zigomático.

sub·la·tio re·ti·nae (-la'she-o-ret'ĭ-ne) – sublação retiniana; descolamento retiniano.

sub·le·thal (-le'thal) – subletal; insuficiente para caúsar morte.

sub·li·mate (sub'lĭ-māt) – sublimar: 1. sublimado; substância obtida através de sublimação; 2. realizar sublimação.

su·bli·ma·tion (sub"lĭ-ma'shun) – sublimação: 1. conversão de um sólido diretamente ao estado gasoso; 2. mecanismo de defesa inconsciente pelo qual impulsos instintivos conscientemente inaceitáveis se expressam em canais pessoal e socialmente aceitáveis.

sub·lime (sub-līm') – sublimar; volatilizar um corpo sólido por meio de calor e depois coletá-lo em forma purificada como sólido ou pó.

sub·lim·i·nal (-lim'ĭ-n'l) – subliminar; sublimiar; abaixo do limite de sensação ou consciência.

sub·lin·gual (-ling'gwal) – sublingual; sob a língua.

sub·lin·gui·tis (sub"ling-gwi'tis) – sublingüite; inflamação da glândula sublingual.

sub·lux·a·tion (-luk-sa'shun) – subluxação; deslocamento incompleto ou parcial.

sub·mam·a·ry (-sub-mam'ah-re) – submamário; sob a glândula mamária.

sub·man·dib·u·lar (sub"man-dib'u-ler) – submandibular; sob a mandíbula.

sub·max·il·la (-mak- sil'ah) – submaxila; mandíbula.

sub·max·il·lar·itis (sub-mak"sĭ-ler-i'tis) – submaxilarite; inflamação da glândula submaxilar.

sub·max·il·lary (-mak'sĭ-lār"e) – submaxilar; sob a maxila.

sub·men·tal (-men't'l) – submental; submentoniano; sob o queixo.

sub·meta·cen·tric (-met"ah-sen'trik) – submetacêntrico; que tem o centrômero quase, mas não totalmente, na posição metacêntrica.

sub·mi·cro·scop·ic (-mi"kro-skop'ik) – submicroscópico; demasiadamente pequeno para ser visível ao microscópio luminoso.

sub·mor·phous (-mor'fus) – submorfo; que não é amorfo nem perfeitamente cristalino.

sub·mu·co·sa (sub"mu-ko'sah) – submucosa; tecido areolar situado sob uma membrana mucosa.

sub·mu·cous (sub-mu'kus) – submucoso; uma membrana mucosa.

sub·nar·cot·ic (sub"nahr-kot'ik) – subnarcótico; moderadamente narcótico.

sub·na·sa·le (-na-sa'le) – subnasal; ponto em que o septo nasal funde-se com o lábio superior no plano sagital médio.

sub·neu·ral (sub-noor'al) – subneural; sob um nervo.

sub·nor·mal (-nor'm'l) – subnormal; abaixo do normal.

sub·nu·cle·us (-noo'kle-us) – subnúcleo; núcleo parcial ou secundário.

sub·oc·cip·i·tal (sub"ok-sip'ĭ-t'l) – suboccipital; sob o occipício.

sub·or·bi·tal (sub-or'bĭ-t'l) – suborbitário; sob a órbita.

sub·or·der (sub'or-der) – subordem; categoria taxonômica entre uma ordem e uma família.

STU

sub·pap·u·lar (sub-pap'u-ler) – subpapular; indistintamente papular.

sub·pa·tel·lar (sub''pah-tel'er) – subpatelar; sob a patela.

sub·peri·car·di·al (-per-ĭ-kahr'de-al) – subpericárdico; sob o pericárdio.

sub·peri·os·te·al (-per-e-os'te-al) – subperiósteo; sob o periósteo.

sub·peri·to·ne·al (-per-ĭ-to-ne'al) – subperitoneal; sob o peritônio.

sub·pha·ryn·ge·al (-fah-rin'je-al) – subfaríngeo; sob a faringe.

sub·phren·ic (sub-fren'ik) – subfrênico; sob o diafragma.

sub·phy·lum (sub'fi-lum) pl. *subphyla* – subfilo; categoria taxonômica entre um filo e uma classe.

sub·pla·cen·ta (sub''plah-sen'tah) – subplacenta; a decídua basal.

sub·pleu·ral (sub-ploor'al) – subpleural; sob a pleura.

sub·pre·pu·tial (sub''pre-pu'shal) – subprepucial; sob o prepúcio.

sub·pu·bic (sub-pu'bik) – subpúbico; sob o osso púbico.

sub·pul·mo·nary (-pul-mo-nar''e) – subpulmonar; sob o pulmão.

sub·ret·i·nal (-ret'ĭ-n'l) – sub-retiniano; sob a retina.

sub·scap·u·lar (-skap'u-ler) – subescapular; sob a escápula.

sub·scrip·tion (-skrip'shun) – subscrição; a parte de uma prescrição que dá as orientações para composição dos ingredientes.

sub·se·rous (-sēr'us) – subseroso; sob uma membrana serosa.

sub·spe·cies (sub'spe-sēz) – subespécie; categoria taxonômica subordinada a uma espécie, diferindo morfologicamente de outros indivíduos da espécie, mas capaz de cruzar com estes; uma variedade ou raça.

sub·spi·na·le (sub''spi-na'le) – subespinhal; ponto **A**.

sub·stance (sub'stans) – substância; material constituinte de um órgão ou corpo. **black s.** – s. negra. **controlled s.** – s. controlada; qualquer medicamento regulado pelo Controlled Substances Act (Regulamentação de Substâncias Controladas). **gray s.** – s. cinzenta. **ground s.** – s. fundamental; material semelhante ao gel no qual se incrustam as células e fibras do tecido conjuntivo. **H s.** – s. H; s. liberada; precursora dos antígenos dos grupos sangüíneos A e B; os indivíduos tipo O normais não têm a enzima para convertê-la nas substâncias A ou B. **medullary s.** – s. medular: 1. substância branca; 2. substância mole e semelhante à medula do interior de um órgão. **s. P** – s. P; peptídeo de 11 aminoácidos, presente em células nervosas presentes em todo o corpo e em células endócrinas especiais no intestino. Ela aumenta a contração dos músculos lisos gastrointestinais e causa vasodilatação; também parece ser um neurotransmissor sensório. **perforated s.** – s. perfurada: 1. *s. perfurada anterior,* área ântero-lateral para cada trato óptico, perfurada por ramos das artérias cerebrais anterior e média; 2. *s. perfurada interpeduncular,* uma área entre os pedúnculos cerebrais, perfurada por ramos das

artérias cerebrais posteriores. **psychoactive s.** – s. psicoativa; qualquer droga (como um estimulante, tranqüilizante ou depressivo) que afeta os processos mentais. **reticular s.** – s. reticular: 1. massa filamentosa semelhante a uma rede nas hemácias após coloração vital; 2. ver em *formation.* **Rolando's gelatinous s.** – s. gelatinosa de Rolando; substância gelatinosa. **slow-reacting s. of anaphylaxis (SRS-A)** – s. de reação lenta (da anafilaxia); substância liberada na reação anafilática que induz contração lenta e prolongada de determinados músculos lisos. **threshold s's** – substâncias-limiar; substâncias (por exemplo, a glicose) excretadas na urina somente quando sua concentração no plasma excede um determinado valor. **transmitter s.** – s. transmissora; neurotransmissor. **white s.** – s. branca.

sub·stant·tia (sub-stan'she-ah) [L.] pl. *substantiae* – substância. **s. al'ba** – s. branca; tecido nervoso branco que constitui a porção condutora do cérebro e medula espinhal, composta predominantemente de fibras nervosas mielinizadas. **s. ferrugi'nea** – s. ferruginosa; *locus* cerúleo. **s. gelatino'sa** – s. gelatinosa; cobertura semelhante a gelatina que forma a parte dorsal do corno posterior da medula espinhal. **s. gri'sea** – s. cinzenta; tecido nervoso cinzento composto de corpos de células nervosas, fibras nervosas não-mielinizadas e tecido de suporte. **s. ni'gra** – s. negra; camada de substância cinzenta que separa o tegmento do cérebro médio a partir dos pedúnculos cerebrais. **s. pro'pria** – s. própria: 1. a parte principal resistente, fibrosa e transparente da córnea, entre a membrana de Bowman e a membrana de Descemet; 2. a parte principal da esclera, entre a lâmina episcleral e a lâmina fosca.

sub·ster·nal (sub-ster'n'l) – subesternal; sob o esterno.

sub·stit·u·ent (-stich'u-ent) – substituinte: 1. um substituto; especialmente um átomo, radical ou grupo substituídos por outros em um composto; 2. de ou relativo a esse átomo, radical ou grupo.

sub·sti·tu·tion (sub''stĭ-too'shun) – substituição: 1. o ato de colocar uma coisa no lugar de outra, especialmente a substituição química de um átomo ou radical por outro; 2. mecanismo de defesa que opera inconscientemente, no qual um objetivo, emoção ou objeto inatingível ou inaceitável é substituído por outro alcançável ou aceitável.

sub·strate (sub'strāt) – substrato: 1. substância sobre a qual uma enzima atua; 2. substância nesta que contém uma solução nutriente; 3. superfície sobre a qual se deposita ou adere um material diferente, geralmente em cobertura ou camada.

sub·struc·ture (-struk-chur) – subestrutura; porção subjacente ou de sustentação de um órgão ou dispositivo; a porção de uma dentadura de implante incrustada nos tecidos da mandíbula.

sub·syl·vi·an (sub-sil've-an) – subsilviano; situado profundamente no sulco lateral (fissura de Sylvius).

sub·tar·sal (tahr'sal) – subtarsal; sob o tarso.

sub·ten·to·ri·al (sub''ten-to're-al) – subtentorial; sob o tentório cerebelar.

sub·thal·a·mus (sub-thal'ah-mus) – subtálamo; tálamo ventral ou região tegmentar subtalâmica.

uma região transitória do diencéfalo interposta entre o tálamo (dorsal), hipotálamo e tegmento mesencefálico (cérebro médio); inclui o núcleo subtalâmico, campos de Forel e a zona incerta.

subthalam'ic – adj. subtalâmico.

sub·tribe (sub'trīb) – subtribo; categoria taxonômica entre tribo e gênero.

sub·tro·chan·ter·ic (sub"tro-kan-ter'ik) – subtrocantérico; sob o trocânter.

sub·un·gual (sub-ung'gwal) – subungueal; sob a unha.

sub·ure·thral (sub"u-re'thral) – suburetral; sob a uretra.

sub·vag·i·nal (sub-vaj'ĭ-n'l) – subvaginal; sob uma bainha ou sob a vagina.

sub·ver·te·bral (-ver'tĕ-bral) – subvertebral; no lado ventral das vértebras.

sub·vo·lu·tion (sub"vo-loo'shun) – subvolução; a operação de girar um retalho para evitar aderências.

suc·ci·mer (suk'sĭ-mer) – succímero; agente quelante análogo do dimercaprol, utilizado no tratamento do envenenamento por metais pesados e em complexos com o tecnécio Tc-99m constituindo um auxílio diagnóstico para testar a função renal.

suc·ci·nate (suk'sĭ-nāt) – succinato; sal ou éster do ácido succínico. **s. semialdehyde** – succinato; semialdeído; ácido γ-hidroxibutírico.

suc·ci·nate-semi·al·de·hyde de·hy·dro·gen·ase (sem"e-al'dĕ-hīd de-hi'dro-jen-ās") – succinato-semialdeído desidrogenase; oxidorredutase que catalisa a etapa final na inativação do ácido γ-aminobutírico (GABA); a deficiência (deficiência de succinato-semialdeído desidrogenase) causa elevação dos níveis de GABA e de ácido γ-hidroxibutírico na urina, plasma e líquido cerebrospinhal, retardamento mental, hipotonia e ataxia.

suc·cin·ic ac·id (suk-sin'ik) – ácido succínico; intermediário no ciclo do ácido tricarboxílico.

suc·ci·ni·mide (suk-sin'ĭ-mīd) – succinimida: 1. composto orgânico que compreende um anel pirrólico com duas substituições carbonílicas; 2. qualquer substância de uma classe de anticonvulsivantes com essa estrutura básica.

suc·ci·nyl·cho·line (suk"sĭ-nil-ko'lēn) – succinilcolina; agente bloqueador neuromuscular que age como um relaxante muscular esquelético; utilizada como sal de cloridrato.

suc·ci·nyl CoA (suk'sĭ-nil ko-a') – succinil-CoA; intermediário rico em energia formado no ciclo do ácido tricarboxílico a partir do ácido α-cetoglutárico; também corresponde a um precursor na síntese das porfirinas.

suc·cor·rhea (suk"o-re'ah) – sucorréia; fluxo excessivo de uma secreção natural.

suc·cus (suk'us) [L.] pl. *succi* – suco; qualquer fluido derivado de um tecido vivo.

suc·cus·sion (sŭ-kush'un) – sucussão; procedimento em que se agita o corpo, e um som de chapinhamento indica a presença de fluido ou ar em uma cavidade corporal.

su·crase (soo'krās) – sacarase; hidrolase que catalisa a clivagem dos dissacarídeos sacarose e maltose em seus monossacarídeos componentes; ocorre em complexos com a α-dextrinase na

borda em escova da mucosa intestinal e a deficiência do complexo causa deficiência de sacarase-maltase com intolerância a dissacarídeos.

suc·rase-iso·mal·tase de·fi·cien·cy (-i-so-mawl'tãs) – deficiência de sacarase-maltase; deficiência de dissacaridase na qual a deficiência do complexo enzimático sacarase-isomaltase causa má-absorção da sacarose e das dextrinas amídicas, com diarréia aquosa e fermentativo-osmótica, algumas vezes levando à desidratação e má-nutrição, manifestando-se na infância (intolerância à sacarose congênita).

su·crose (soo'krōs) – sacarose; dissacarídeo da glicose e da frutose proveniente da cana-de-açúcar, açúcar de beterraba ou outras fontes; utilizada como alimento e como agente adoçante, bem como auxílio farmacêutico.

su·cros·uria (soo"kro-su're-ah) – sacarosúria; sacarose na urina.

suc·tion (suk'shun) – sucção; aspiração de um gás ou fluido através de um meio mecânico. **post·tussive s.** – s. pós-tússica; som de sucção ouvido sobre a cavidade pulmonar imediatamente após uma tosse.

suc·to·ri·al (suk-tor'e-al) – suctório; adaptado à sucção.

su·da·men (soo-da'men) [L.] pl. *sudamina* – sudame; vesícula esbranquiçada causada por retenção de suor na camada córnea da pele.

Su·dan (soo-dan') – Sudão; grupo de compostos azo utilizados como corantes biológicos para gorduras. **S. black B.** – preto Sudão-B; um corante diazo hidrossolúvel preto, utilizado como corante de gorduras.

su·dano·phil·ia (soo-dan"o-fil'e-ah) – sudanofilia; afinidade pelo corante sudão. **sudanophil'ic** – adj. sudanofílico.

su·da·tion (soo-da'shun) – sudação; processo de sudorese.

su·do·mo·tor (soo"do-mo'ter) – sudomotor; que estimula as glândulas sudoríparas.

su·do·re·sis (soo"do-re'sis) – sudorese; diaforese; ver *diaphoresis*.

su·do·rif·er·ous (soo"do-rif'er-us) – sudorífero: 1. que conduz suor; 2. sudoríparo.

su·do·rif·ic (soo"do-rif'ik) – sudorífico: 1. que promove sudorese; diaforético; 2. agente que causa sudorese.

su·do·rip·a·rous (soo"do-rip'ah-rus) – sudoríparo; que secreta ou produz suor.

su·et (soo'et) – sebo; gordura proveniente da cavidade abdominal dos ruminantes (especialmente dos ovinos ou bovinos), utilizada na preparação de ceratos e pomadas e como emoliente; a preparação farmacêutica (*sebo preparado*) é obtida de ovinos.

suf·fo·ca·tion (suf"ŏ-ka'shun) – sufocação; asfixia; interrupção da respiração ou asfixia dela resultante.

suf·fu·sion (sŭ-fu'zhun) – sufusão: 1. processo de dispersão ou difusão; 2. condição de ser umedecido ou permeado (como pelo sangue).

sug·ar (shoog'er) – açúcar; qualquer substância de uma classe de carboidratos hidrossolúveis (monossacarídeos e oligossacarídeos meno-

STU

res); com freqüência, especificamente a sacarose. **amino s.** – glicosamina; açúcar com um grupo amino substituinte no lugar de um grupo hidroxila.

sug·ges·tion (sug-jes'chun) – sugestão: 1. implantação de uma idéia a um indivíduo a partir de fora; 2. idéia introduzida a partir de fora. **posthypnotic s.** – s. pós-hipnótica; implantação de uma sugestão na mente de um indivíduo durante uma hipnose para funcionar após recuperação do estado hipnótico.

sug·gil·la·tion (sug"jĭ-la'shun) – sugilação; equimose; ver *ecchymosis*.

su·i·cide (soo'ĭ-sīd) – suicídio; supressão da própria vida.

sui·ci·dol·o·gy (soo"ĭ-sīd-ol'ŏ-je) – suicidologia; estudo das causas e prevenção do suicídio.

sul·bac·tam (sul-bak'tam) – sulbactama; inibidor da β-lactamase; utilizado como sal sódico para aumentar a atividade antibacteriana das penicilinas e cefalosporinas contra microrganismos que produzem β-lactamase.

sul·cate (sul'kăt) – sulcado; marcados com sulcos.

sul·cus (sul'kus) [L.] pl. *sulci* – sulco; fosso ou vala; em Anatomia, termo genérico para essa depressão, especialmente aquela na superfície cerebral, separando os giros. **calcarine s.** – s. calcarino; sulco da superfície medial do lobo occipital, separando o cúneo do giro lingual. **central s. of cerebrum** – s. central do cérebro; sulco entre os lobos frontal e parietal do hemisfério cerebral. **cerebral sulci** – sulcos cerebrais; sulcos entre os giros cerebrais. **cerebral s., lateral** – s. cerebral lateral; fissura de Sylvius. **cingulate s.** – s. cingulado; sulco na superfície mediana do hemisfério a meio caminho entre o corpo caloso e a margem da superfície. **collateral s.** – s. colateral; sulco na superfície inferior do hemisfério cerebral entre os giros fusiforme e hipocampal. **sul'ci cu'tis** – sulcos cutâneos; depressões finas na superfície da pele entre as cristas dérmicas. **gingival s.** – s. gengival; sulco entre a superfície dentária e o epitélio que reveste a gengiva livre. **hippocampal s.** – s. hipocampal; sulco que se estende do esplênio do corpo caloso até quase a ponta do lobo temporal. **interlobar sulci** – sulcos interlobares; sulcos que separam os lobos cerebrais entre si. **intraparietal s.** – s. interparietal; sulco que separa os giros parietais. **s. of matrix of nail** – s. da matriz ungueal; prega cutânea na qual se incrusta a parte proximal da unha. **parieto-occipital** – s. parietoccipital; sulco que marca o limite entre o cúneo e o pré-cúneo, e também entre os lobos parietal e occipital do hemisfério cerebral. **posterior median s.** – s. mediano posterior: 1. sulco vertical raso na parte fechada da medula oblonga, contínuo com o sulco mediano posterior da medula espinhal; 2. sulco vertical raso que divide a medula espinhal em toda sua extensão na linha média posteriormente. **precentral s.** – s. pré-central; sulco que separa o giro pré-central do restante do lobo frontal. **scleral s.** – s. escleral; sulco leve na junção da esclera e da córnea.

sul·fa·cet·a·mide (sul"fah-set'ah-mīd) – sulfacetamida; sulfonamida antibacteriana utilizada em infecções do trato urinário; o sal sódico é utilizado topicamente em infecções oftálmicas.

sul·fa·cy·tine (-si'tēn) – sulfacitina; sulfonamida oral de curta ação utilizada no tratamento de infecções agudas do trato urinário.

sul·fa·di·a·zine (-di'ah-zēn) – sulfadiazina; sulfonamida antibacteriana, freqüentemente utilizada em combinação com outras sulfonamidas; o sal sódico é utilizado subcutânea e endovenosamente e o derivado argênteo é utilizado topicamente para impedir sepse em queimaduras de segundo e terceiro graus.

sul·fa·me·ter (sul'fah-me"ter) – sulfâmetro; sulfonamida de ação prolongada utilizada como antibacteriano, particularmente em infecções do trato urinário.

sul·fa·meth·i·zole (sul"fah-meth'ĭ-zōl) – sulfametizol; sulfonamida antibacteriana utilizada principalmente em infecções do trato urinário.

sul·fa·meth·ox·a·zole (-meth-ok'sah-zōl) – sulfametoxazol; sulfonamida antibacteriana, particularmente utilizada em infecções agudas do trato urinário e piodermatites e em infecções de ferimentos e tecidos moles.

sul·fa·nil·amide (-nil'ah-mīd) – sulfanilamida; composto antibacteriano, a primeira sulfonamida descoberta.

sul·fa·sal·a·zine (-sal'ah-zēn) – sulfassalazina; derivado sulfonamídico antibacteriano utilizado oralmente no tratamento e profilaxia da colite ulcerativa e artrite reumatóide.

sul·fa·tase (sul'fah-tās) – sulfatase; enzima que catalisa a clivagem hidrolítica do sulfato inorgânico de ésteres sulfáticos.

sul·fate (sul'fāt) – sulfato; sal do ácido sulfúrico. **cupric s.** – s. cúprico; sal cristalino de cobre utilizado como emético, adstringente e fungicida, como antídoto oral ao envenenamento por fósforo e tratamento tópico de queimaduras cutâneas de fósforo, e ainda como catalisador no caso de anemia por deficiência de ferro.

sul·fa·tide (sul'fah-tīd) – sulfatida; substância de uma classe de ésteres sulfúricos cerebrosídicos; as sulfatidas são encontradas em grande quantidade nas fibras nervosas medulares e podem se acumular em caso de leucodistrofia metacromática.

sulf·he·mo·glo·bin (sulf"he'mo-glo"bin) – sulfemoglobina; sulfometemoglobina.

sulf·he·mo·glo·bin·emia (-he"mo-glo"bin-e'-me-ah) – sulfemoglobinemia; sulfometemoglobina no sangue.

sulf·hy·dryl (sulf-hi'dril) – sulfidril; radical univalente —SH.

sul·fide (sul'fīd) – sulfeto; qualquer composto binário do enxofre; um composto de enxofre com outro elemento ou radical ou base.

sul·fin·py·ra·zone (su"fin-pi'rah-zōn) – sulfinpirazona; agente uricosúrico utilizado no tratamento da gota.

sul·fi·sox·a·zole (sul"fĭ-sok'sah-zōl) – sulfissoxazol; sulfonamida antibacteriana de curta ação, utilizada em infecções dos tratos urinário e respiratório e dos tecidos moles.

sul·fite (sul'fīt) – sulfeto; qualquer sal do ácido sulfuroso.

sul·fite ox·idase (ok'sĭ-dãs) – sulfeto oxidase; oxidorredutase que catalisa a oxidação do sulfeto em sulfato, bem como a destoxificação do sulfeto e dióxido sulfúrico provenientes de fontes exógenas. Corresponde a uma hemoproteína mitocondrial que contém molibdênio; a deficiência resulta em anormalidades neurológicas progressivas, deslocamento do cristalino e retardamento mental.

sulf·met·he·mo·glo·bin (sulf'met-he'mo-glo"-bin) – sulfometemoglobina; substância esverdeada formada pelo tratamento do sangue com sulfeto de hidrogênio ou pela absorção deste gás a partir do trato intestinal.

sul·fo·bro·mo·phthal·e·in (sul"fo-bro"mo-thal'-e-in) – sulfobromoftaleína; um composto que contém enxofre e bromo, utilizado como sal dissódico em testes de função hepática.

sul·fon·amide (sul-fon'ah-mīd) – sulfonamida; composto que contém o grupo —SO_2NH_2. As sulfonamidas ou sulfas são derivadas da sulfanilamida, que inibem competitivamente a síntese do ácido fólico nos microrganismos e são bacteriostáticas contra ampla variedade de bactérias. As sulfonamidas foram amplamente suplantadas por antibióticos mais eficazes e menos tóxicos.

sul·fone (sul'fōn) – sulfona: 1. o radical SO_2; 2. composto que contém dois radicais de hidrocarbonetos presos ao grupo —SO_2—, especialmente a dapsona e seus derivados, que constituem antibacterianos potentes contra muitos microrganismos Gram-positivos e Gram-negativos e são amplamente utilizados como leprostáticos.

sul·fo·nyl·urea (sul"fō-nil-u-re'ah) – sulfoniluréia; qualquer substância de uma classe de compostos que exercem atividade hipoglicêmica através de estimulação do tecido insular a secretar insulina; utilizada para tratar a hiperglicemia no diabetes não-dependente de insulina que não possa ser tratado somente por dieta ou exercício.

sul·fox·one (sul-fok'sōn) – sulfoxona; derivado dapsônico; seu sal sódico é utilizado como leprostático.

sul·fur (sul'fer) [L.] – enxofre; elemento químico (ver *Tabela de Elementos*), número atômico 16, símbolo S; é um laxante e diaforético e é utilizado em cutaneopatias. **s. dioxide** – dióxido de e.; gás incolor e não-inflamável utilizado como antioxidante em preparações farmacêuticas; a forma seca é utilizada como inseticida e rodenticida. **precipitated s.** – e. precipitado; escabicida, antiparasitário, antifúngico e ceratolítico tópico. **sublimed s.** – e. sublimado; escabicida e antiparasitário tópico.

sul·fu·rat·ed, sul·fu·ret·ed (sul'fu-rāt"ed; sul'-furet"ed) – sulfurado; sulfuretado; combinado ou impregnado de enxofre.

sul·fur·ic ac·id (sul-fūr'ik) – ácido sulfúrico; ácido oleoso, altamente cáustico e venenoso (H_2SO_4), largamente utilizado na Química, indústria e artes.

sul·fur·ous ac·id (sul-fūr'us) – ácido sulfuroso: 1. solução de dióxido de enxofre em água (H_2SO_3); utilizado como reagente. 2. dióxido de enxofre.

sul·in·dac (sul-in'dak) – sulindac; antiinflamatório, analgésico e antipirético não-esteróide utilizado no tratamento de distúrbios reumáticos.

sulph- – ver também palavras com o prefixo *sulf-*.

su·mac (soo'mak) – sumagre; nome de várias árvores e arbustos do gênero *Rhus*. **poison s.** – s. venenoso; espécie (*Rhus vernix*) que causa exantema pruriginoso ao contato com a pele.

su·ma·trip·tan (soo"mah-trip'tan) – sumatriptano; antagonista serotonínico seletivo utilizado como sal de succinato no tratamento da hemicrânia.

sum·ma·tion (sŭ-ma'shun) – somação; somatório; efeito cumulativo de vários estímulos aplicados a um músculo, nervo ou arco reflexo.

Su·my·cin (soo-mi'sin) – Sumycin, marca registrada de preparações de cloridrato de tetraciclina.

sun·burn (sun'bern) – eritema solar; lesão na pele, com eritema, sensibilidade e algumas vezes, formação de vesículas, após exposição excessiva à luz solar, sendo produzida por raios ultravioleta não-filtrados.

sun·screen (-skrēn) – protetor solar; substância aplicada à pele para protegê-la dos efeitos dos raios solares.

sun·stroke (-strōk) – insolação; afecção causada por exposição excessiva ao sol, marcada por alta temperatura cutânea, convulsões e coma.

super- [L.] – elemento de palavra, *acima; excessivo.*

su·per·al·i·men·ta·tion (soo"per-al"ĭ-men-ta'shun) – superalimentação; tratamento de doenças emaciantes por meio de alimentação acima das exigências do apetite.

su·per·al·ka·lin·i·ty (-al"kah-lin'ĭ-te) – superalcalinidade; alcalinidade excessiva.

su·per·cil·ia (-sil'e-ah) [L. pl.] – supercílios; sobrancelha; pêlos da proeminência arqueada sobre cada olho.

su·per·cil·i·um (-sil'e-um) [L.] pl. *supercilia* – supercílio; sobrancelha; elevação transversal na junção da testa e pálpebra superior. **supercil'iary** – adj. superciliar.

su·per·class (soo'per-klas") – superclasse; categoria taxonômica entre filo e classe.

su·per·ego (soo"per-e'go) – superego; em Psicanálise, o aspecto da personalidade que atua como monitor e avaliador do funcionamento do ego, comparando-o a um padrão ideal.

su·per·ex·ci·ta·tion (-ek"si-ta'shun) – superexcitação; excitação extrema ou excessiva.

su·per·fam·i·ly (soo'per-fam"ĭ-le) – superfamília; categoria taxonômica entre ordem e família.

su·per·fe·cun·da·tion (soo"per-fe"kun-da'shun) – superfecundação; fertilização de dois ou mais óvulos durante o mesmo ciclo ovulatório, por meio de dois atos sexuais separados.

su·per·fe·ta·tion (-fe-ta'shun) – superfetação; fertilização e subseqüente desenvolvimento de um óvulo quando um feto já se encontra presente no útero, como resultado de fertilização de óvulos durante ciclos ovulatórios diferentes e produzindo fetos de idades diferentes.

su·per·fi·ci·a·lis (-fish"e-a'lis) [L.] – superficial.

su·per·fi·ci·es (-fish'e-ēz) [L.] – superfície; superfície externa.

su·per·in·duce (-in-dōōs') – superinduzir; induzir ou acrescentar a uma condição já existente.

su·per·in·fec·tion (-in-fek'shun) – superinfecção; nova infecção que complica o curso de uma terapia antimicrobiana de uma infecção existente, devida à invasão de bactérias ou fungos resistente ao(s) medicamento(s) em uso.

su·per·in·vo·lu·tion (in"vo-lu'shun) – superinvolução; hiperinvolução; involução prolongada do útero (depois de um parto) até um tamanho muito menor do que o normal, que ocorre em mães em aleitamento.

su·pe·ri·or (soo-pēr'e-or) – superior; situado acima ou direcionado para cima.

su·per·ja·cent (soo"per-ja'sent) – sobrejacente; localizado imediatamente acima.

su·per·lac·ta·tion (-lak-ta'shun) – superlactação; hiperlactação; ver *hyperlactation*.

su·per·mo·til·i·ty (-mo-til'ĭ-te) – supermotilidade; excesso de motilidade.

su·per·na·tant (-na'tant) – sobrenadante; líquido situado acima de uma camada de material insolúvel precipitado.

su·per·nu·mer·ary (-nu'mer-ār"e) – supranumerário; em excesso com relação ao número regular ou normal.

su·per·nu·tri·tion (-noo-trish'un) – supernutrição; hipernutrição; nutrição excessiva.

su·per·lat·er·al (-o-lat'er-al) – súpero-lateral; acima e ao lado.

su·per·ox·ide (-ok'sīd) – superóxido; hiperóxido; qualquer composto que contenha o radical de oxigênio altamente reativo e extramente tóxico O_2^-, um intermediário comum em várias oxidações biológicas.

su·per·sat·u·rate (-sach'er-āt) – supersaturar; acrescentar maior quantidade de um ingrediente do que pode ser mantido permanentemente em solução.

su·per·scrip·tion (-skrip'shun) – superscrição; cabeçalho de uma receita, ou seja, o símbolo ℞ ou a palavra *Recipe* (Receita), significando "tome".

su·per·struc·ture (soo'per-struk"chur) – superestrutura; a porção sobrejacente ou visível de um dispositivo.

su·per·vas·cu·lar·iza·tion (soo"per-vas"ku-lar-ĭ-za' shun) – supervascularização; em radioterapia, o aumento relativo na vascularidade que ocorre quando se destroem células tumorais de maneira que as células tumorais remanescentes tornem-se mais bem supridas pelo estroma capilar (não-lesado).

su·per·vol·tage (soo'per-vol"tij) – supervoltagem; voltagem muito alta; em radioterapia, uma voltagem entre 500 e 1.000 quilovolts.

su·pi·nate (soo'pĭ-nāt) – supinar; ato de girar a palma para a frente ou para cima, ou de elevar a margem medial do pé.

su·pine (soo'pīn) – supino; deitar com a face para cima ou sobre a superfície dorsal.

sup·pos·i·to·ry (sŭ-pozĭ'-tor"e) – supositório; massa medicada facilmente fusível para ser introduzida em um orifício corporal (como o reto, uretra ou vagina).

sup·pres·sant (sŭ-pres'ant) – supressor: 1. que induz supressão; 2. agente que interrompe secreção, uma excreção ou descarga normal.

sup·pres·sion (sŭ-presh'un) – supressão: 1. ato de interromper ou impedir; 2. interrupção súbita de uma secreção, excreção ou descarga normal; 3. em Psiquiatria, inibição consciente de um impulso ou idéia inaceitáveis, em oposição à repressão (que é inconsciente); 4. em Genética, mascaramento da expressão fenotípica de uma mutação pela ocorrência de uma segunda mutação (supressora) em local diferente da primeira; o organismo parece ter revertido, mas na verdade tornou-se duplamente mutante; 5. inibição cortical da percepção de objetos em todo ou em parte do campo visual de um olho durante a visão binocular. **overdrive s.** – s. de sobremarcha; supressão transitória da automaticidade em um marca-passo cardíaco, seguindo-se um período de estimulação por meio de um marca-passo de descarga mais rápida.

sup·pu·rant (sup'u-rant) – supurante: 1. que promove supuração; 2. agente causador de supuração.

sup·pu·ra·tion (sup"u-ra'shun) – supuração; formação ou descarga de pus. **sup'purative** – adj. supurativo.

supra- [L.] – elemento de palavra, *acima; sobre*.

su·pra-acro·mi·al (soo"prah-ah-kro'me-al) – supraacromial; acima do acrômio.

su·pra-au·ric·u·lar (-aw-rik'u-ler) – supra-auricular; acima da aurícula.

su·pra·bulge (soo'prah-bulj") – superfície da coroa de um dente que se inclina em direção à superfície oclusal desde o ápice.

su·pra·cer·e·bel·lar (soo"prah-ser-ĕ-bel'ar) – supracerebelar; superior ao cerebelo.

su·pra·cho·roid (-kor'oid) – supracoróide; acima ou em cima da coróide.

su·pra·cho·roi·dea (-ko-roi'de-ah) – supracoróidea; a camada mais externa da coróide.

su·pra·cla·vic·u·lar (-klah-vik'u-ler) – supraclavicular; acima da clavícula.

su·pra·clu·sion (-kloo'zhun) – supraclusão; projeção de um dente além do plano oclusal normal.

su·pra·con·dy·lar (-kon'dĭ-ler) – supracondilar; acima de um côndilo.

su·pra·cos·tal (-kos't'l) – supracostal; acima ou em cima das costelas.

su·pra·cot·y·loid (-kotĭ'-loid) – supracotilóide; acima do acetábulo.

su·pra·di·a·phrag·mat·ic (-di"ah-frag-mat'ik) – supradiafragmático; acima do diafragma.

su·pra·duc·tion (-duk'shun) – supradução; rotação ascendente de um olho em torno de seu eixo horizontal.

su·pra·epi·con·dy·lar (ep"ĭ-kon'dĭ-ler) – supraepicondilar; acima de um epicôndilo.

su·pra·hy·oid (-hi'oid) – supra-hióide; osso hióide.

su·pra·lim·i·nal (-limĭ'-n'l) – supraliminar; acima do limiar de sensação.

su·pra·lum·bar (-lum'ber) – supralombar; acima do flanco.

su·pra·mal·le·o·lar (-mah-le'o-ler) – supramaleolar; acima do maléolo.

su·pra·max·il·lary (-mak'sĭ-lar"e) – supramaxilar; acima da maxila.

su·pra·men·ta·le (-men-ta'le) – supramentoniano; ponto B.

su·pra·oc·clu·sion (-ŏ-kloo'zhun) – supra-oclusão; supraclusão.

su·pra·or·bi·tal (-or'bĭ-t'l) – supra-orbitário; acima da órbita.

su·pra·pel·vic (-pel'vik) – suprapélvico; acima da pelve.

su·pra·phar·ma·co·log·ic (-fahr"mah-ko-loj'-ik) – suprafarmacológico; muito maior do que a dose terapêutica normal ou concentração farmacológica de uma droga.

su·pra·pon·tine (pon'tīn) – suprapontino; acima ou na parte superior da ponte.

su·pra·pu·bic (-pu'bik) – suprapúbico; acima do púbis.

su·pra·re·nal (-re'nal) – supra-renal: 1. acima de um rim; 2. relativo à glândula supra-renal (adrenal).

su·pra·re·nal·ec·to·my (-re"nal-ek'tah-me) – suprarenalectomia; adrenalectomia; excisão de uma ou ambas as glândulas supra-renais.

su·pra·re·nal·ism (-re'nal-izm) – supra-renalismo; adrenalismo; ver *adrenalism*.

su·pra·scap·u·lar (-skap'u-ler) – supra-escapular; acima da escápula.

su·pra·scle·ral (skler'al) – supra-escleral; na superfície externa da esclera.

su·pra·sel·lar (-sel'er) – supra-selar; acima da sela túrcica.

su·pra·spi·nal (-spi'n'l) – supra-espinhal; acima da espinha.

su·pra·ster·nal (-ster'n'l) – supra-esternal; acima do esterno.

su·pra·troch·le·ar (-trok'le-ar) – supratroclear; situado acima de uma tróclea.

su·pra·vag·i·nal (-vaj'ĭ-n'l) – supravaginal; externo ou acima de uma bainha; especificamente acima da vagina.

su·pra·val·var (-val'ver) – supravalvular; supravalvar; situado acima de uma válvula, particularmente da válvula aórtica ou pulmonar.

su·pra·ven·tric·u·lar (-ven-trik'u-ler) – supraventricular; situado ou que ocorre acima dos ventrículos, especialmente em um átrio ou nódulo atrioventricular.

su·pra·ver·gence (-ver'jens) – supravergência; movimento recíproco disjuntivo dos olhos em que há rotação de um olho para cima enquanto o outro permanece fixo.

su·pra·ver·sion (-ver'zhun) – supraversão: 1. alongamento anormal de um dente a partir do seu alvéolo; 2. sursunversão.

su·ra (soo'rah) [h.]– panturrilha. **su'ral** – adj. sural; relativo à panturrilha.

sur·fac·tant (ser-fak'tant) – surfactante: 1. agente ativo na superfície, como um sabão ou detergente sintético; 2. em fisiologia pulmonar, mistura de fosfolipídeos que reduz a tensão superficial dos fluidos pulmonares e conseqüentemente contribui para as propriedades elásticas do tecido pulmonar.

sur·geon (ser'jun) – cirurgião: 1. médico especializado em cirurgia; 2. oficial médico titular de uma unidade militar.

sur·ge·ry (ser'je-e) – cirurgia: 1. ramo da Medicina que trata das doenças, lesões e deformidades por meio de métodos de manipulação ou operatórios; 2. local em um hospital ou consultório médico ou odontológico onde se realizam cirurgias; 3. no Reino Unido, sala ou consultório onde um médico examina e trata pacientes; 4. trabalho realizado por um cirurgião. **sur'gical** – adj. cirúrgico. **antiseptic s.** – c. anti-séptica; cirurgia de acordo com métodos anti-sépticos. **aseptic s.** – c. asséptica; cirurgia realizada em um ambiente tão livre de microrganismos que não ocorre infecção ou supuração significativas. **bench s.** – c. de bancada; cirurgia realizada em um órgão que foi retirado do corpo, após o que é reimplantado. **conservative s.** – c. conservativa; cirurgia destinada a preservar ou remover, com um risco mínimo, órgãos, tecidos ou extremidades doentes ou lesados. **cytoreductive s.** – c. citorredutiva; desavolumamento. **dental s.** – c. dentária; c. oral e maxilofacial. **general s.** – c. geral; cirurgia que trata de problemas cirúrgicos de todos os tipos, e não de uma área restrita, como no caso de uma especialidade cirúrgica como a neurocirurgia. **major s.** – grande c.; cirurgia que envolve as operações mais importantes, difíceis e perigosas. **minor s.** – pequena c.; cirurgia restrita ao manejo de problemas e lesões menores. **Mohs' s** – c. de Mohs; ver em *technique*. **oral and maxilofacial s.** – c. oral e maxilofacial; ramo da Odontologia relacionada ao diagnóstico e tratamento cirúrgico e adjunto de doenças e defeitos da boca e estruturas dentárias. **plastic s.** – c. plástica; cirurgia relacionada à restauração, reconstrução, correção ou melhora na forma e aparência das estruturas corporais defeituosas, danificadas ou malformadas por lesão, doença ou crescimento e desenvolvimento. **radical s.** – c. radical; cirurgia destinada a extirpar todas as áreas de doença localmente extensas e zonas adjacentes de drenagem linfática. **stereotactic s., stereotaxic s.** – c. estereotática; c. estereotáxica; uma das várias técnicas cirúrgicas para a produção de lesões penetrantes circunscritas em áreas específicas muito pequenas de tecido patológico em estruturas cerebrais profundamente situadas após a localização de uma estrutura discreta por meio de coordenadas tridimensionais.

Sur·gi·cel (ser'jĭ-sel) – Surgicel, marca registrada de um tecido entretecido absorvível preparado por meio de oxidação controlada de celulose, utilizado para controlar hemorragia intra-operatória quando outros métodos convencionais tornam-se impraticáveis ou ineficientes.

sur·ro·gate (sur'o-git) – sub-rogado; substituto; uma coisa ou pessoa que assume o lugar de algo ou de outra, como o medicamento utilizado no lugar de outro ou o indivíduo que assume o lugar de outra na existência afetiva de alguém.

sur·sum·duc·tion (sur"sum-duk'shun) – sursunducção; supradução; ver *supraduction*.

sur·sum·ver·gence (-ver'jens) – sursunvergência; supravergência; ver *supravergence*.

sur·sum·ver·sion (-ver'zhun) – sursunversão; giro ascendente simultâneo e equivalente dos olhos.

STU

sus·cep·ti·ble (sŭ-sep'tĭ-b'l) – suscetível: 1. facilmente afetado ou influenciado; 2. que não tem imunidade ou resistência e conseqüentemente está em risco de infecção.

sus·pen·sion (sus-pen'shun) – suspensão: 1. condição de cessação temporária (como de animação) dor ou qualquer processo vital; 2. preparação de uma droga finamente particulada destinada a ser incorporada (suspensa) em algum veículo líquido adequado antes de ser usada ou já incorporada a esse veículo.

sus·pen·soid (sus-pen'soid) – suspensóide; sistema coloidal no qual a fase dispersa consiste de partículas de qualquer substância insolúvel (como um metal) em um meio de dispersão sólido, líquido ou gasoso.

sus·pen·so·ry (sus-pen'sor-e) – suspensor: 1. que serve para suspender uma parte; 2. ligamento, osso, músculo, tipóia ou atadura que serve para sustentar uma parte.

sus·ten·tac·u·lum (sus"ten-tak'u-lum) [L.] pl. *sustentacula* – sustentáculo; suporte. **sustentac'ular** – adj. sustentacular.

su·tu·ra (soo-tu'rah) [L.] pl. *suturae* – sutura; em Anatomia, um tipo de articulação em que as superfícies ósseas aproximadas se unem por meio de um tecido fibroso, não permitindo nenhum movimento; só encontrada entre os ossos do crânio. **s. denta'ta** – s. denteada; s. serrilhada. **s. pla'na** – s. plana; tipo em que ocorre a aproximação simples das superfícies contíguas, sem nenhum encaixe das bordas dos ossos participantes. **s. serra'ta** – s. serreada; um tipo no qual os ossos participantes se unem por meio de processos de encaixes semelhantes aos dentes de uma serra. **s. squamo'sa** – s. escamosa; um tipo formado pela sobreposição das bordas de bisel largo dos ossos participantes. **s. ve'ra** – s. verdadeira; ver *sutura*.

su·ture (soo'cher) – 1. sutura: 2. um ponto ou série de pontos feitos para segurar a aproximação das bordas de um ferimento cirúrgico ou traumático; 3. suturar, aplicação desses pontos; 4. material utilizado no fechamento de um ferimento com sutura. **su'tural** – adj. sutural. **absorbable s.** – s. absorvível; um fio de material utilizado para fechar ferimentos que é subseqüentemente dissolvido por fluidos teciduais. **apposition s.** – s. de aposição; sutura superficial utilizada para a aproximação exata das bordas cutâneas de um ferimento. **approximation s.** – s. de aproximação; sutura profunda para segurar a aposição do tecido profundo de um ferimento. **buried s.** – s. oculta; sutura colocada profundamente nos tecidos e oculta pela pele. **catgut s.** – fio categute para s.; ver *catgut*. **coaptation s.** – s. de coaptação; s. de aposição. **cobblers' s.** – s. de sapateiro; sutura feita com material de sutura passado em uma agulha em cada extremidade. **continuous s.** – s. contínua; sutura na qual se utiliza uma extensão contínua e não-interrompida de material. **coronal s.** – s. coronal; linha de junção do osso frontal com os dois ossos parietais. **cranial s's** – suturas cranianas; linhas de junção entre os ossos cranianos. **Czerny's** – s. de Czerny: 1. sutura intestinal na qual se passa o fio somente através

da membrana mucosa; 2. união de um tendão rompido por meio da divisão de uma das extremidades e sutura da outra extremidade no interior da fenda. **false s.** – s. falsa; linha de junção entre superfícies apostas sem união fibrosa dos ossos. **figure-of-eight s.** – s. em forma de oito; sutura na qual os fios seguem os contornos de um "8". **Gély's s.** – s. de Gély; ponto contínuo para ferimentos intestinais, feito com fio com uma agulha em cada extremidade. **glover's s.** – s. de luveiro; sutura em massa para aproximação dos lábios da sutura; **Halsted s.** – s. de Halsted; uma modificação da sutura de Lembert. **interrupted s.** – s. interrompida; sutura na qual se faz cada ponto com um pedaço de material separado. **Lembert s.** – s. de Lembert; sutura invertida utilizada na cirurgia gastrointestinal. **lock-stitch s.** – s. em massa para aproximação dos lábios da sutura; sutura hemostática contínua utilizada na cirurgia intestinal, na qual se passa a agulha (após cada ponto) através da alça do ponto precedente. **loop s.** – s. em alça; s. interrompida. **mattress s.** – s. de colchoeiro; método no qual os pontos ficam paralelos com (*s. de colchoeiro horizontal*) ou em ângulos retos com (*s. de colchoeiro vertical*) as bordas do ferimento. **nonabsorbable s.** – s. não-absorvível; material de sutura não absorvido no corpo. **purse-string s.** – s. em bolsa de tabaco; sutura invertida circular contínua, como a utilizada para ocultar o coto do apêndice. **relaxation s.** – s. de relaxamento; qualquer sutura formada de modo que possa ser afrouxada para aliviar tensão se necessário. **subcuticular s.** – s. subcuticular; método de fechamento cutâneo que envolve a colocação de pontos em tecidos subcuticulares paralelamente à linha do ferimento. **uninterrupted s.** – s. ininterrupta; s. contínua.

sved·berg (sfed'berg) – unidade Svedberg.

swab (swahb) – chumaço de algodão ou outro material absorvente preso na extremidade de uma haste metálica ou bastão, utilizado para aplicar medicação, remover um material, coletar material bacteriológico, etc.

swage (swāj) – 1. modelar um metal por meio de martelagem ou adaptação a um molde; 2. fundir, como um fio de sutura na extremidade de uma agulha de sutura.

sweat (swet) – suor; perspiração; o líquido secretado pelas glândulas sudoríparas; transpiração.

swee·ny (swe'ne) [Dialeto] – atrofia dos músculos supra-espinhal e infra-espinhal do cavalo, causando retração da área da espádua, possivelmente em decorrência de lesão mecânica do nervo supra-escapular como conseqüência de arreios mal colocados ou pancada; deslocamento da espádua.

swell·ing (swel'ing) – tumefação: 1. aumento de volume anormal transitório de uma parte ou área corporal não decorrente de proliferação celular; 2. proeminência ou elevação. **cloudy s.** – t. turva; estágio inicial de alterações degenerativas tóxicas, especialmente nos constituintes protéicos dos órgãos em caso de doenças infecciosas, nas quais os tecidos parecem inchar, superaquecer-se e opacificar, mas voltam ao normal quando se remove a causa.

sy·co·si·form (si-ko'sĭ-form) – sicosiforme; semelhante à sicose.

sy·co·sis (si-ko'sis) – sicose; inflamação papulopustular dos folículos pilosos, especialmente da barba. **s. bar'bae** – s. da barba; foliculite bacteriana da região da barba, geralmente causada pela *Staphylococcus aureus*. **lupoid s.** – s. lupóide; forma de formação de cicatriz crônica de sicose da barba profunda. **s. vulga'ris** – s. vulgar; s. da barba.

sym·bal·lo·phone (sim-bal'o-fōn) – simbalofone; estetoscópio com duas peças torácicas, tornando possível a comparação e a localização dos sons.

sym·bi·ont (sim'bi-ont, sim'be-ont) – simbionte; organismo que vive em estado de simbiose.

sym·bi·o·sis (sim''bi-o'sis) [Gr.] pl. *symbioses* – simbiose: 1. em parasitologia, a associação íntima de dois organismos diferentes, classificada como mutualismo, comensalismo, parasitismo, amensalismo ou sinecrose, dependendo da vantagem ou desvantagem derivadas do relacionamento; 2. em Psiquiatria, um relacionamento de reforço mútuo entre pessoas interdependentes; uma característica normal do relacionamento entre a mãe e o bebê; 3. psicose simbiótica. **symbiot'ic** – adj. simbiótico.

sym·bi·ote (sim'bi-ōt) – simbionte; ver *symbiont*.

sym·bleph·a·ron (sim-blef'ah-ron) – simbléfaro; aderência da(s) pálpebra(s) ao globo ocular.

sym·bleph·a·rop·ter·yg·i·um (-blef''ah-ro-ter-ij'e-um) – simblefaropterígio; simbléfaro no qual a aderência é uma faixa cicatricial que se assemelha a um pterígio.

sym·bo·lia (sim-bo'le-ah) – simbolia; capacidade de reconhecer a natureza dos objetos pelo sentido do tato.

sym·bol·ism (sim'bo'le-ah) – simbolismo: 1. condição mental anormal na qual o indivíduo concebe toda a ocorrência como um símbolo de seus próprios pensamentos; 2. em Psicanálise, o mecanismo inconsciente através do qual o significado real de um objeto ou idéia se transforma de modo a não ser reconhecido como sexual pelo superego.

sym·bol·iza·tion (sim''bol-ĭ-za'shun) – simbolização; mecanismo de defesa inconsciente no qual uma idéia ou objeto representam um outro devido à semelhança ou associação entre eles.

sym·me·lus (sim'ĕ-lus) – simelo; feto que tem as pernas fundidas e um, dois, três ou nenhum pé.

sym·me·try (sim'ĕ-tre) – simetria; correspondência de tamanho, forma e disposição de partes em lados opostos de um plano ou ao redor de um eixo. **symmet'rical** – adj. simétrico. **bilateral s.** – s. bilateral; configuração de um corpo de forma irregular (como o corpo humano ou o de animais superiores) que pode ser dividido em um plano longitudinal em metades que correspondem a imagens especulares uma da outra. **inverse s.** – s. inversa; correspondência como a de uma parte e sua imagem especular, em que o lado direito (ou esquerdo) de uma corresponde ao lado esquerdo (ou direito) da outra. **radial s.** – s. radial; simetria na qual as partes corporais se dispõem regularmente ao redor de um eixo central.

sym·pa·thec·to·my (sim''pah-thek'tah-me) – simpatectomia; transecção, ressecção ou outra interrupção de uma porção do trajeto nervoso simpático. **chemical s.** – s. química; simpatectomia realizada por meio de um agente químico.

sym·pa·thet·ic (sim''pah-thet'ik) – simpático: 1. relativo, mostra ou é causado por simpatia; 2. relativo ao sistema nervoso simpático ou um de seus nervos.

sym·path·ico·blast (sim-path'ĭ-ko-blast'') – simpaticoblasto; simpatoblasto; ver *sympathoblast*.

sym·path·i·co·blas·to·ma (sim-path''ĭ-ko-blas-to' mah) – simpaticoblastoma; neuroblastoma que surge em um dos gânglios do sistema nervoso simpático.

sym·path·i·co·to·nia (-to'ne-ah) – simpaticotonia; situação estimulada do sistema nervoso simpático, marcada por espasmo vascular, elevação da pressão sangüínea e pele anserina. **sympathicoton'ic** – adj. simpaticotônico.

sym·path·i·co·trip·sy (-trip'se) – simpaticotripsia; esmagamento cirúrgico de um nervo, gânglio ou plexo do sistema nervoso simpático.

sym·path·i·co·trop·ic (-trop'ik) – simpaticotrópico: 1. que tem afinidade pelo sistema nervoso simpático; 2. agente que tem afinidade ou exerce seu principal efeito no sistema nervoso simpático.

sym·patho·adre·nal (sim''pah-tho-ah-dre'n'l) – simpatoadrenal: 1. relativo ao sistema nervoso simpático e à medula supra-renal; 2. que envolve o sistema nervoso simpático e as glândulas suprarenais, especialmente o aumento da atividade simpática que causa aumento da secreção de adrenalina e noradrenalina.

sym·patho·blast (sim-path'o-blast'') – simpatoblasto; célula no embrião que se desenvolverá em célula nervosa simpática ou em célula cromafim.

sym·pa·tho·go·nia (sim''pah-tho-go'ne-ah) – simpatogonia; células embrionárias indiferenciadas que se desenvolvem em células simpáticas.

sym·pa·tho·go·ni·o·ma (-go''ne-o'mah) – simpatogonioma; simpaticoblastoma; ver *sympathicoblastoma*.

sym·pa·tho·lyt·ic (-lit'ik) – simpatolítico: 1. antiadrenérgico; que bloqueia a transmissão de impulsos das fibras pós-ganglionares para os órgãos ou tecidos efetores, inibindo a contração dos músculos lisos e a secreção glandular; 2. agente que produz esse efeito.

sym·pa·tho·mi·met·ic (-mi-met'ik) – simpatomimético: 1. adrenérgico que produz efeitos semelhantes aos dos impulsos transmitidos pelas fibras pós-ganglionares adrenérgicas do sistema nervoso simpático; 2. agente que produz esse efeito.

sym·pa·thy (sim''pah-the) – simpatia: 1. influência exercida em qualquer órgão por uma doença ou distúrbio sobre outra parte; 2. compaixão pela dor ou privações de outrem; 3. influência exercida ou recebida de um indivíduo a outro e o efeito conseqüentemente produzido, como o que se observa no hipnotismo ou bocejo.

sym·pha·lan·gia (sim''pah-lan'je-ah) – sinfalangismo; fusão congênita de falanges contíguas de um dedo extremidade com extremidade.

sym·phys·e·al (sim-fiz'e-al) – sinfisial; relativo a uma sínfise.

sym·phys·i·al (sim-fiz'e-al) – sinfisial.

sym·phys·i·or·rha·phy (sim-fiz''e-or'ah-fe) – sinfisiorrafia; sutura de uma sínfise dividida.

sym·phys·i·ot·o·my (sim-fiz''e-ot'ah-me) – sinfisiotomia; divisão da sínfise púbica para facilitar o parto.

sym·phy·sis (sim-fĭ-sis) [Gr.] pl. *symphyses* – sínfise; articulação fibrocartilaginosa; um tipo de articulação em que as superfícies ósseas apostas se unem firmemente por meio de uma placa de fibrocartilagem. **pubic s., s. pu'bica, s. pu'bis** – s. púbica; a linha de união entre os corpos dos ossos púbicos no plano mediano.

sym·po·dia (sim-po'de-ah) – simpodia; fusão das extremidades inferiores.

sym·port (sim'port) – simporte; mecanismo de transporte de dois compostos simultaneamente através de membrana celular na mesma direção, sendo um composto transportado para baixo de um gradiente de concentração e o outro contra o gradiente.

symp·tom (simp'tom) – sintoma; qualquer evidência subjetiva de doença ou condição de um paciente, ou seja, essa evidência conforme percebida pelo paciente; alteração na condição do paciente indicativa de um estado corporal ou mental. **objective s.** – s. objetivo; sintoma evidente ao observador; ver *sign*. **presenting s.** – s. apresentado; sintoma ou grupo de sintomas dos quais o paciente se queixa ou para os quais procura alívio. **subjective s.** – s. subjetivo; sintoma perceptível somente ao paciente. **withdrawal s's** – sintomas de abstinência; sintomas causados pela suspensão repentina de uma droga à qual uma pessoa está acostumada ou viciada.

symp·to·mat·ic (simp''to-mat'ik) – sintomático: 1. relativo ou da natureza de um sintoma; 2. indicativo (de uma doença ou distúrbio específicos); 3. que exibe os sintomas de uma doença particular, mas tem causa diferente; 4. direcionado à suavização dos sintomas, como um tratamento sintomático.

symp·tom·a·tol·o·gy (simp''to-mah-tol'ah-je) – Sintomatologia: 1. ramo da Medicina relacionado aos sintomas; 2. sintomas combinados de uma doença.

symp·to·ma·to·lyt·ic (simp''to-mat-o-lit'ik) – sintomatolítico; que causa o desaparecimento dos sintomas.

symp·to·sis (simp-to'sis) – simptose; emaciação gradual do corpo ou órgão.

sym·pus (sim'pus) – sirenômelo; feto com pés fundidos.

syn- [Gr.] – sin-, elemento de palavra, *união; associação; junto com*.

syn·apse (sin'aps) – sinapse; local de aposição funcional entre neurônios, onde se transmite um impulso de um neurônio para outro, geralmente por meio de neurotransmissor químico (por exemplo, acetilcolina ou noradrenalina) liberado pelo axônio terminal da célula excitada (pré-sináptica). O neurotransmissor difunde-se através da fenda sináptica para se ligar a receptores específicos na membrana celular pós-sináptica, e com isso, efetuar alterações elétricas na célula pós-sináptica que resultam em despolarização (excitação) ou hiperpolarização (inibição).

syn·ap·sis (sĭ-nap'sis) – sinapse; pareamento ponto por ponto de cromossomas homólogos dos prónúcleos masculino e feminino durante a prófase da meiose.

syn·ap·tic (sĭ-nap'tik) – sináptico: 1. relativo ou que afeta uma sinapse; 2. relativo à sinapse.

syn·ap·to·some (sin-ap'to-sōm'') – sinaptossoma; um dos sacos limitados por uma membrana que se rompem a partir dos terminais axonais em uma sinapse após homogeneizar-se o tecido cerebral em uma solução de açúcar; contém vasos sinápticos e mitocôndrias.

syn·ar·thro·dia (sin''ahr-thro'de-ah) – sinartródia; sinartrose. **synarthro'dial** – adj. sinartrodial.

syn·ar·thro·phy·sis (sin-ahr''thro-fi'sis) – sinartrófise; qualquer processo ancilosante.

syn·ar·thro·sis (sin''ahr-thro'sis) pl. *synarthroses* – sinartrose; articulação fibrosa.

syn·can·thus (sin-kan'thus) – sincanto; aderência do globo ocular às estruturas orbitárias.

syn·ceph·a·lus (-sef'ah-lus) – sincéfalo; monocéfalo; monocrânio; feto gêmeo com as cabeças fundidas em uma só, geralmente constituindo uma única face, e quatro orelhas.

syn·chi·lia (-ki'le-ah) – sinquilia; sinqueilia; aderência congênita dos lábios.

syn·chi·ria (-ki're-ah) – sinquiria; sinqueiria; disqueiria na qual a sensação produzida por um estímulo aplicado a um lado é referida em ambos os lados.

syn·chon·dro·sis (sin''kon-dro'sis) [Gr.] pl. *synchondroses* – sincondrose; tipo de articulação cartilaginosa na qual a cartilagem converte-se geralmente em osso antes da idade adulta.

syn·chon·drot·o·my (-kon-drot'ah-me) – sincondrotomia; divisão de uma sincondrose.

syn·chro·nism (sin'kro-nizm) – sincronismo; ocorrência ao mesmo tempo. **syn'chronous** – adj. síncrono; sincrônico.

syn·chro·ny (sing'krah-ne) – sincronia; ocorrência de dois eventos simultâneos ou com um intervalo fixo entre eles. **atrioventricular (AV) s.** – s. atrioventricular; no coração, a condição fisiológica de atividade elétrica atrial seguida de atividade elétrica ventricular. **bilateral s.** – s. bilateral; ocorrência de uma descarga síncrona secundária em um local no cérebro exatamente contralateral à descarga causada por uma lesão.

syn·chy·sis (sin'kĭ-sis) [Gr.] – sínquise; amolecimento ou condição fluida do corpo vítreo ocular. **s. scintil'lans** – s. cintilante; cristais de colesterol flutuantes no humor vítreo, desenvolvendo-se uma alteração degenerativa secundária.

syn·clit·i·cism (sin-klit'ĭ-sizm) – sinclitismo.

syn·clit·ism (sin-klit'izm) – sinclitismo: 1. paralelismo entre os planos da cabeça fetal e da pelve materna; 2. maturação síncrona normal do núcleo e do citoplasma das células sangüíneas. **synclit'ic** – adj. sinclítico.

syn·clo·nus (-klo-nus) – síclono; tremor muscular ou contração clônica sucessiva de vários músculos juntos.

syn·co·pe (-kah-pe) – síncope; desmaio; perda temporária de consciência devida a isquemia cerebral generalizada. **syn'copal, syncop'ic** – adj. sincopal. **cardiac s.** – s. cardíaca; perda súbita de consciência, com sintomas premonitórios momentâneos ou sem aviso, decorrente de anemia cerebral causadas por obstruções ao débito cardíaco ou arritmias como assístole ventricular, bradicardia extrema ou fibrilação ventricular. **carotid sinus s.** – s. do seio carotídeo; ver em *syndrome*. **convulsive s.** – s. convulsiva; síncope com movimentos convulsivos mais suaves que os observados na epilepsia. **laryngeal s.** – s. laríngea; s. tússica. **stretching s.** – s. de estiramento; síncope associada ao estiramento dos braços para cima com a espinha estendida. **swallow s.** – s. de deglutição; síncope associada à deglutição, distúrbio da condução atrioventricular mediada pelo nervo vago. **tussive s.** – s. tússica; perda breve de consciência associada a paroxismos de tosse. **vasovagal s.** – s. vasovagal; ver em *attack*.

syn·cy·tial (sin-sish'al) – sincicial; de ou relativo a um sincício.

syn·cyt·i·o·ma (-sit"e-o'mah) – sincicioma; endometrite sincicial. **s. malig'num** – s. maligno; coriocarcinoma.

syn·cyt·io·tropho·blast (-sit"e-o-trof'o-blast) – sinciciotrofoblasto; camada sincicial externa do trofoblasto.

syn·cy·ti·um (-sish'e-um) – sincício; massa multinucleada de protoplasma produzida pela fusão de células.

syn·dac·ty·ly (-dak'tĭ-le) – sindactilia; persistência de uma membrana interdigital entre dedos adjacentes da mão ou do pé, de forma que eles fiquem mais ou menos completamente fundidos. **syn·dac'tylous** – adj. sindáctilo.

syn·dec·to·my (-dek'tah-me) – sindectomia; peridectomia.

syn·de·sis (sin'de-sis) – síndese: 1. artrodese; 2. sinapse.

syn·des·mec·to·mia (sin"dez-mek-'tah-me) – sindesmectomia; excisão de uma porção de um ligamento.

syn·des·mec·to·pia (-mek-to'pe-ah) – sindesmectopia; situação incomum de um ligamento.

syn·des·mi·tis (-mi'tis) – sindesmite: 1. inflamação de um ligamento; 2. conjuntivite.

syndesm(o)- [Gr.] – sindesm(o)-, elemento de palavra, *tecido conjuntivo; ligamento*.

syn·des·mog·ra·phy (sin"dez-mog'rah-fe) – sindesmografia; descrição dos ligamentos.

syn·des·mol·o·gy (-mol'ah-je) – sindesmologia; artrologia.

syn·des·mo·plas·ty (sin-dez'mo-plas"te) – sindesmoplastia; reparo plástico de um ligamento.

syn·des·mo·sis (sin"dez-mo'sis) [Gr.] pl. *syndesmoses* – sindesmose; articulação na qual os ossos se unem por meio de um tecido conjuntivo fibroso que forma uma membrana interóssea ou um ligamento.

syn·des·mot·o·my (-mot'ah-me) – sindesmotomia; incisão de um ligamento.

syn·drome (sin'drŏm) – síndrome; um grupo de sintomas que ocorrem em conjunto; a soma dos sinais de qualquer estado mórbido; um complexo de sintomas. **Aarskog s., Aarskog-Scott s.** – s. de Aarskog; s. de Aarskog-Scott; síndrome hereditária transmitida como uma característica ligada ao cromossoma X, caracterizada por hipertelorismo ocular, narinas antevertidas, lábio superior largo, saco escrotal em sela peculiar acima do pênis e mãos pequenas. **acquired immune deficiency s., acquired immunodeficiency s. (AIDS)** – s. de imunodeficiência adquirida (SIDA ou AIDS; doença retroviral transmissível e epidêmica causada por infecção pelo vírus da imunodeficiência humana, manifestada em casos graves como depressão profunda da imunidade mediada por células, e afetando determinados grupos de risco reconhecidos. O diagnóstico é feito pela presença de um indicativo patológico de um defeito na imunidade mediada por células (por exemplo, uma infecção oportunista de risco à vida) na ausência de quaisquer causas conhecidas de imunodeficiência latente ou de quaisquer outros defeitos de defesa do hospedeiro (como a imunossupressão iatrogênica). **acute brain s.** – s. cerebral aguda; delírio. **acute radiation s.** – s. de radiação aguda; síndrome causada por exposição a uma dose corporal completa de mais de 1 gray de radiação ionizante; os sintomas, cuja gravidade e momento de início dependem da quantidade de dose, incluem eritema, náuseas e vômitos, fadiga, diarréia, petéquias, sangramento a partir das membranas mucosas, alterações hematológicas, hemorragia gastrointestinal, depilação, hipotensão, taquicardia e desidratação; a morte pode ocorrer dentro de horas ou semanas de exposição. **acute retinal necrosis s.** – s. de necrose retiniana aguda; retinite necrosante com uveíte e outra patologia retiniana, perda de visão aguda e freqüentemente descolamento retiniano; de etiologia viral. **Adams-Stokes s.** – s. de Adam-Stokes; parada e síncope cardíacas episódicas devidas a defeito dos marcapassos normais e de escape, com ou sem fibrilação ventricular; a principal manifestação de um ataque cardíaco severo. **Adie's s.** – s. de Adie; pupila tônica associada à ausência ou diminuição de determinados reflexos tendinosos. **adrenogenital s.** – s. adrenogenital; um grupo de síndromes nas quais virilismo ou feminização inadequados resultam de distúrbios da função supra-renal que também afetam a esteroidogênese gonadal. **adult respiratory distress s. (ARDS)** – s. da angústia respiratória do adulto; edemas pulmonares intersticial e alveolar fulminantes, que geralmente se desenvolvem alguns dias após o traumatismo iniciante, acreditando-se que resultem de uma descarga simpática maciça devida a lesão ou hipoxia cerebrais e do aumento da permeabilidade capilar. **AEC s.** – s. AEC; s. de Hay-Wells. **afferent loop s.** – s. de alça aferente; obstrução parcial crônica da alça proximal (duodeno e jejuno) após uma gastrojejunostomia, resultando em distensão duodenal, dor e náuseas após a ingestão de alimento. **Ahumada-del Castillo s.** – s. de Ahumada-del Castillo; síndrome de galactorréia-amenorréia com baixa secreção de gonadotropina. **akinetic-rigid s.** – s. acinético-rígida; rigidez muscular com graus va-

STU

riáveis de lentidão de movimento; observada na doença de Parkinson e nos distúrbios dos gânglios basais. **Alagille s.** – s. de Alagille; icterícia neonatal herdada, colestasia com estenose pulmonar periférica, fácies incomum e anormalidades oculares, vertebrais e do sistema nervoso, devidas à escassez ou ausência de ductos biliares intra-hepáticos. **Allbright's s., Albright-McCune-Sternberg s.** – s. de Albright; s. de Albright-McCune-Sternberg; displasia fibrosa poliostótica, pigmentação dérmica em placas e disfunção endócrina. **Aldrich's s.** – s. de Aldrich; s. de Wiskott-Aldrich. **Allgrove's s.** – s. de Allgrove; deficiência de gliocorticóides herdada com acalasia e alacrimia. **Alport's s.** – s. de Alport; distúrbio hereditário marcado por surdez nervosa progressiva, pielonefrite ou glomerulonefrite progressivas e ocasionalmente defeitos oculares. **Alström s.** – s. de Alström; síndrome hereditária de retinite pigmentosa com nistagmo e perda precoce da visão central, surdez, obesidade e diabetes melito. **amnestic s.** – s. amnéstica; distúrbio mental orgânico caracterizado por degeneração da memória que ocorre em um estado de consciência normal; a causa mais comum é deficiência tiamínica associada a abuso de álcool. **amniotic band s.** – s. da faixa amniótica; ver em *sequence.* **Angelman's s.** – s. de Angelman; s. da boneca feliz. **angular gyrus s.** – s. de giro angular; síndrome que resulta de infarto ou outra lesão do giro angular no lado dominante, freqüentemente caracterizada por alexia ou agrafia. **ankyloblepharon-ectodermal dysplasia-clefting s.** – s. de anciblefáro-fenda displásica ectodérmica; s. de Hay-Wells. **anorexia-cachexia s.** – s. de anorexia-caquexia; resposta sistêmica a um câncer que ocorre como resultado de um relacionamento malcompreendido entre anorexia e caquexia, manifestada por meio de má nutrição, perda de peso, fraqueza muscular, acidose ou toxemia. **anterior cord s.** – s. do cordão anterior; s. da artéria espinhal anterior. **anterior interosseous s.** – s. interóssea anterior; complexo de sintomas causado por lesão do nervo interósseo anterior, geralmente resultando de fratura ou laceração. **anterior spinal artery s.** – s. da artéria espinhal anterior; lesão localizada na porção anterior da medula espinhal, caracterizada por paralisia completa e hipoalgesia e hipoestesia ao nível da lesão, mas com preservação relativa das sensações de tato, posição e vibração da coluna posterior. **Asperger's s.** – s. de Asperger; superdesenvolvimento de uma capacidade ou habilidade em uma pessoa autista. **Banti's s.** – s. de Banti; esplenomegalia congestiva. **Barrett's s.** – s. de Barrett; úlcera péptica do esôfago inferior, freqüentemente com estenose, devida à presença de um epitélio revestido por células colunares, que pode conter células mucosas, células parietais ou células principais funcionais no esôfago ao invés do epitélio de células escamosas normal. **Bartter's s.** – s. de Bartter; forma hereditária de hiperaldosteronismo secundária a hipertrofia e hiperplasia das células justaglomerulares, com pressão sangüínea normal e alcalose hipocalêmi-

ca na ausência de edema e aumento da concentração de renina, de angiotensina II e de bradicininas; geralmente ocorre em crianças. **basal cell nevus s.** – s. do nevo de células basal; síndrome dominante autossômica caracterizada pelo desenvolvimento no início da vida de vários carcinomas de célula basal, em associação com anormalidades da pele, osso, sistema nervoso, olhos e trato reprodutivo. **Bassen-Kornzweig s.** – s. de Bassen-Kornzweig; abetalipoproteinemia. **battered-child s.** – s. da criança espancada; lesões traumáticas múltiplas dos ossos e tecidos moles de crianças pequenas, freqüentemente acompanhadas de hematomas subdurais, voluntariamente infligidas por um adulto. **Beckwith-Wiedemann s.** – s. de Beckwith-Wiedemann; distúrbio herdado caracterizado por exonfalia, macroglossia e gigantismo, freqüentemente associado a visceromegalia, citomegalia adrenocortical e displasia da medula renal. **Behçet's s.** – s. de Behçet; uveíte e vasculite retiniana severas, atrofia óptica e lesões semelhantes a aftas da boca e genitália, freqüentemente com outros sinais e sintomas sugerindo vasculite difusa; afeta mais freqüentemente homens jovens. **Bing-Neel s.** – s. de Bing-Neel; manifestações do sistema nervoso central da macroglobulinemia de Waldenström, possivelmente incluindo encefalopatia, hemorragia, ataque, convulsões, delírio e coma. **Birt-Hogg-Dubé s.** – s. de Birt-Hogg-Dubé; distúrbio hereditário de proliferação de componentes ectodérmicos e mesodérmicos do sistema pilar, ocorrendo como tricodiscomas múltiplos, acrocórdon e fibrofoliculomas na cabeça, tórax, costas e braços. **Blackfan-Diamond s.** – s. de Blackfan-Diamond; anemia hipoplásica congênita. **blue toe s.** – s. do dedo azul; necrose cutânea e gangrena isquêmica manifestadas como uma cor azul dos artelhos, resultando de oclusão arterial, geralmente causada por êmbolos, trombos ou lesão. **Boerhaave's s.** – s. de Boerhaave; ruptura espontânea do esôfago. **Börjeson-Forssman-Lehmann s.** – s. de Börjeson; s. de Börjeson-Forssman-Lehmann, síndrome hereditária, transmitida como uma característica recessiva ligada ao cromossoma X, caracterizada por retardamento mental severo, epilepsia, hipogonadismo, hipometabolismo, obesidade acentuada, tumefação dos tecidos subcutâneos da face e orelhas grandes. **bowel bypass s.** – s. de derivação intestinal; síndrome de dermatose e artrite que ocorre algum tempo após uma derivação jejunoileal, provavelmente causada por resposta imune ao supercrescimento bacteriano no intestino derivado. **Bradbury-Eggleston s.** – s. de Bradbury-Eggleston; síndrome progressiva de hipotensão postural sem taquicardia, mas com distúrbios visuais, impotência, hipoidrose, redução da taxa metabólica, vertigem, síncope e pulso lento; devida a defeito da vasoconstrição periférica. **bradycardia-tachycardia s., brady-tachy s.** – s. de bradicardia-taquicardia; manifestação clínica da síndrome do seio doente caracterizada por períodos alternados de bradicardia e taquicardia. **Brown-Séquard's s.** – s. de Brown-Séquard; paralisia do lado da lesão e perda de sensação discriminatória e articular bem como perda contralateral da sensação de dor e de temperatura; devida a danos unilaterais da medula espinhal. **Brown-Vialetto-van Laere s.** – s. de Brown-Vialetto-van Laere; síndrome hereditária de paralisia bulbar progressiva apresentando qualquer dos vários distúrbios de nervos cranianos. **Budd-Chiari s.** – s. de Budd-Chiari; obstrução ou oclusão sintomática das veias hepáticas, causando hepatomegalia, dor e sensibilidade abdominais, ascite intratável, icterícia suave e finalmente hipertensão porta, bem como insuficiência hepática. **Caffey's s., Caffey-Silverman s.** – s. de Caffey; s. de Caffey-Silverman; hiperostose cortical infantil. **Canada-Cronkhite s.** – s. de Canada-Cronkhite; s. de Cronkhite-Canada. **capillary leak s.** – s. de vazamento capilar; extravasamento de fluido e proteínas plasmáticos no interior do espaço extravascular, resultando em hipotensão algumas vezes fatal e redução da perfusão orgânica; um efeito adverso da terapia com interleucina-2. **carcinoid s.** – s. carcinóide; complexo sintomático associado a tumores carcinóides, marcado por ataques de rubor cianótico severo da pele que dura de minutos a dias e por fezes aquosas diarréicas, ataques broncoconstritivos, quedas súbitas da pressão sangüínea, edema e ascite. Os sintomas são causados pela secreção de serotonina pelo tumor, prostaglandinas e outras substâncias biologicamente ativas. **carotid sinus s.** – s. do seio carótico; síncope algumas vezes associada a convulsões devidas à superatividade do reflexo do seio carótico ao se aplicar pressão em um ou ambos os seios caróticos. **carpal tunnel s.** – s. do túnel do carpo; dor e parestesias (queimação ou formigamento) nos dedos e mão, algumas vezes estendendo-se ao cotovelo, devidas a compressão do nervo mediano no túnel do carpo. **Carpenter's s.** – s. de Carpenter; distúrbio hereditário, transmitido como uma característica recessiva autossômica, marcado por acrocefalopolissindactilia, braquidactilia, fácies peculiar, obesidade, retardamento mental, hipogonadismo e outras anomalias. **central cord s.** – s. medular central; lesão na porção central da medula espinhal cervical resultando em mais fraqueza ou paralisia desproporcionalmente nas extremidades superiores do que nas inferiores; a alteração patológica é causada por hemorragia ou edema. **cerebro-costomandibular s.** – s. cerebrocostomandibular; síndrome herdada de micrognatia severa e anormalidades costovertebrais com defeitos palatais, deficiências de crescimento pré- e pós-natal e retardamento mental. **cerebrohepatorenal s.** – s. cérebro-hepatorrenal; distúrbio hereditário, transmitido como característica recessiva autossômica, caracterizado por anomalias craniofaciais, hipotonia, hepatomegalia, rins policísticos, icterícia e morte no início da infância. **cervical rib s.** – s. da costela cervical; síndrome de saída torácica causada por uma costela cervical. **Cestan's s., Cestan-Chenais s.** – s. de Cestan; s. de Cestan-Chenais; associação de hemiplegia contralateral, hemianestesia contra-

lateral, látero-pulsão e hemiassinergia, bem como síndrome de Horner e laringoplegia do mesmo lado, devidas a lesões disseminadas da pirâmide, trato sensorial, pedúnculo cerebelar inferior, núcleo ambíguo e centro oculopupilar. **Charcot's s.** – s. de Charcot: 1. esclerose lateral amiotrófica; 2. claudicação intermitente. **Charcot-Marie s.** – s. de Charcot-Marie; doença de Charcot-Marie-Tooth. **CHARGE s.** – s. CHARGE (*c*oloboma of the eye, *h*eart anomaly choanal *a*tresia, *r*etardation, and *g*enital and *e*ar anomalies); ver em *association*. **Chédiak-Higashi s.** – s. de Chédiak-Higashi; distúrbio sistêmico recessivo autossômico progressivo e letal associado a albinismo oculocutâneo, inclusões leucocíticas maciças (lisossomas gigantes), infiltração histiocítica de vários órgãos corporais, desenvolvimento de pancitopenia, hepatoesplenomegalia, infecções bacterianas recorrentes ou persistentes e possível predisposição ao desenvolvimento de linfoma maligno. **Chinese restaurant s. (CRS)** – s. do restaurante chinês; dilatação arterial transitória decorrente de ingestão de glutamato monossódico; que é utilizado livremente no tempero de comida chinesa, marcada por cabeça latejante, tontura, retesamento da mandíbula, pescoço e ombros bem como dor nas costas. **Chotzen's s.** – s. de Chotzen; distúrbio dominante autossômico caracterizado por acrocefalossindactilia na qual a sindactilia é branda, e por hipertelorismo, ptose e algumas vezes, retardamento mental. **Christ-Siemens-Touraine s.** – s. de Christ-Siemens-Touraine; displasia ectodérmica anidrótica. **chronic fatigue s.** – s. de fadiga crônica; fadiga debilitante persistente de início recente, com atividade física muito reduzida e alguma combinação de fraqueza muscular, dor de garganta, febre moderada, linfonodos sensíveis, cefaléias e depressão, não-atribuíveis a quaisquer outras causas conhecidas; é de etiologia controvertida. **Churg-Strauss s.** – s. de Churg-Strauss; angiíte granulomatosa alérgica. **chylomicronemia s.** – s. de quilomicronemia; hiperquilomicronemia familiar. **Coffin-Lowry s.** – s. de Coffin-Lowry; síndrome de incapacidade de falar, deficiência mental severa e anormalidades musculares, ligamentosas e esqueléticas ligada ao cromossoma X. **Coffin-Siris s.** – s. de Coffin-Siris; hipoplasia dos quintos dedos e unhas associada a deficiências de crescimento e mentais, fácies grosseira, microcefalia suave, hipotonia, articulações frouxas e hirsutismo brando. **compartmental s.** – s. do compartimento; afecção na qual um aumento da pressão tecidual em um espaço anatômico confinado causa redução do fluxo sangüíneo levando à isquemia e disfunção dos elementos mioneurais contidos, marcada por dor, fraqueza muscular, perda de sensação e falta de tensão palpável no compartimento envolvido; a isquemia pode levar à necrose que resulta em deficiência permanente de função. **congenital rubella s.** – s. de rubéola congênita; infecção transplacentária do feto com rubéola, geralmente no primeiro trimestre de gravidez, como conseqüência de infecção materna, resultando em várias anomalias

STU

de desenvolvimento no bebê recém-nascido. **Conn's s.** – s. de Conn; aldosteronismo primário. **Costen's s.** – s. de Costen; s. da articulação temporomandibular. **couvade s.** – s. de couvade; s. de recolhimento; ocorrência no cônjuge de uma mulher grávida de sintomas relacionados à gravidez, tais como náuseas, vômito e dor abdominal. **cri du chat s.** – s. do miado de gato; síndrome congênita hereditária caracterizada por hipertelorismo, microcefalia, deficiência mental severa e choro melancólico semelhante ao miado de um gato, devido à eliminação do braço curto do cromossoma 5. **Crigler-Najjar s.** – s. de Crigler-Najjar; forma recessiva autossômica de icterícia não-hemolítica devida à ausência da enzima hepática glicuronídeo-transferase, marcada por quantidades excessivas de bilirrubina não-conjugada no sangue, icterícia nuclear e distúrbios severos do sistema nervoso central. **s. of crocodile tears** – s. das lágrimas de crocodilo; lacrimejamento espontâneo que ocorre paralelamente à salivação normal da ingestão, e associado à paralisia facial; parece se dever ao desvio de fibras nervosas em regeneração, ou seja, aquelas destinadas às glândulas salivares vão para as glândulas lacrimais. **Cronkhite-Canada s.** – s. de Cronkhite-Canada; polipose familiar do trato gastrointestinal associada a defeitos ectodérmicos, como alopecia e onicodistrofia. **Crow-Fukase s.** – s. de Crow-Fukase; s. POEMS. **crush s.** – s. de esmagamento; edema, oligúria e outros sintomas de insuficiência renal que acompanham o esmagamento de uma parte, especialmente de uma grande massa muscular; ver *lower nephron nephrosis*, em *nephrosis*. **Cruveilhier-Baumgarten s.** – s. de Cruveilhier-Baumgarten; cirrose hepática com hipertensão porta associada à desobstrução congênita das veias umbilical e paraumbilical. **Cushing's s.** – s. de Cushing; afecção mais comumente observada em mulheres, devida a hiperadrenocorticismo resultante de neoplasias do córtex adrenal ou do lobo anterior da hipófise; ou consumo excessivo prolongado de glicocorticóides com propósitos terapêuticos (*s. de Cushing iatrogênica ou s. de Cushing medicamentosa*). Os sintomas podem incluir adiposidade da face, pescoço e tronco, cifose causada por amolecimento da espinha, amenorréia, hipertricose (nas mulheres), impotência (nos homens), pele escurecida com marcas roxas, hipertensão, policitemia, dor no abdome e nas costas bem como fraqueza muscular. **Dandy-Walker s.** – s. de Dandy-Walker; hidrocefalia congênita devida a obstrução dos forames de Magendie e de Luschka. **Dejean's s.** – s. de Dejean; s. do assoalho orbitário. **dialysis dysequilibrium s.** – s. de desequilíbrio da diálise; sintomas como dor de cabeça, náuseas, câimbras musculares, irritabilidade nervosa, entorpecimento e convulsões que ocorrem durante ou após hemodiálise ou diálise peritoneal, resultantes de desvio osmótico de água para o interior do cérebro. **disconnection s.** – s. de desconexão; qualquer distúrbio neurológico causado por interrupção na transmissão de impulsos ao longo dos trajetos das fibras cere-

brais. **Down s.** – s. de Down; características mongolóides, falanges curtas, espaço alargado entre os primeiros e os segundos dedos e retardamento mental moderado a severo; associada a anormalidade cromossômica, geralmente trissomia do cromossoma 21. **Drash s.** – s. de Drash; síndrome hereditária de tumor de Wilms com glomerulopatia e pseudo-hermafroditismo masculino. **Dubin-Johnson s.** – s. de Dubin-Johnson; icterícia não-hemolítica crônica hereditária que se acredita dever-se a uma excreção defeituosa de bilirrubina conjugada e de determinados outros ânions orgânicos por parte do fígado; um pigmento marrom e irregularmente granular nas células hepáticas e patognomônico. **dumping s.** – s. do esvaziamento rápido; náuseas, fraqueza, tumefação, palpitação, síncope, freqüentemente a sensação de aquecimento e algumas vezes diarréia, ocorrendo após a ingestão de alimento em pacientes que sofreram gastrectomia parcial. **dyscontrol s.** – s. de descontrole; padrão de comportamento social anormal episódico e freqüentemente violento e incontrolável com pouca ou nenhuma provocação; pode ter causa orgânica ou estar associado ao abuso de uma substância psicoativa. **dysmaturity s.** – s. de desmaturidade; síndrome devida à insuficiência placentária que causa estresse e hipoxia crônicos, observada em fetos e neonatos em gestações pós-maturidade, caracterizada por redução da gordura subcutânea, descamação cutânea e unhas longas, freqüentemente com um mecônio amarelo corando as unhas, a pele e o verniz. **Eaton-Lambert s.** – s. de Eaton-Lambert; síndrome semelhante à miastenia na qual a fraqueza geralmente afeta os membros e são poupados os músculos oculares e bulbares; freqüentemente associada a carcinoma de célula em grão de aveia do pulmão. **EEC s.** – s. de EEC (*ectrodactyly-ectodermal dysplasia*); s. de ectrodactilia-fenda displásica ectodérmica; síndrome congênita herdada que envolve tanto os tecidos ectodérmicos como os mesodérmicos, sendo caracterizada por displasia ectodérmica com hipopigmentação da pele e pêlos e outras anormalidades pilosas, ungueais, dentárias, labiais e palatais. **effort s.** – s. do esforço; astenia neurocirculatória. **Ehlers-Danlos s.** – s. de Ehlers-Danlos; grupo de distúrbios hereditários do tecido conjuntivo, que variam em evidências clínicas e bioquímicas, no modo de hereditariedade e grau de severidade de moderado a letal; as principais manifestações incluem pele e articulações hiperextensíveis, formação fácil de equimoses, friabilidade dos tecidos, sangramento, má-cicatrização de ferimentos, nódulos subcutâneos e defeitos cardiovasculares, ortopédicos, intestinais e oculares. **Eisenmenger's s.** – s. de Eisenmenger; defeito septal ventricular com hipertensão pulmonar e cianose devidas a desvio da direita para a esquerda (reverso) do sangue. Algumas vezes definida como hipertensão pulmonar (doença vascular pulmonar) e cianose sendo o desvio atrial, ventricular ou da área de um grande vaso. **EMG s.** – s. EMG (*exomphalos, macroglossia and gigantism*) s. de Beckwith-

Wiedemann. **Escobar s.** – s. de Escobar; s. de pterígio múltiplo. **excited skin s.** – s. da pele excitada; hiperirritabilidade cutânea inespecífica das costas, ocorrendo algumas vezes quando se desencadeiam reações positivas múltiplas no procedimento de rastreamento do teste do emplastro com uma bateria de substâncias. **exomphalosmacroglossia-gigantism s.** – s. da exonfaliamacroglossia-gigantismo; s. de Beckwith-Wiedemann. **extrapyramidal s.** – s. extrapiramidal; qualquer distúrbio de um grupo de distúrbios clínicos considerados como decorrente de mau funcionamento no sistema extrapiramidal e marcados por movimentos involuntários anormais; incluem-se entre eles a doença de Parkinson, atetose e coréia. **Faber's s.** – s. de Faber; anemia hipocrômica. **Fanconi's s.** – s. de Fanconi: 1. distúrbio hereditário raro transmitido como uma característica recessiva autossômica, caracterizado por pancitopenia, hipoplasia da medula óssea e descoloração marrom irregular da pele devida à deposição de melanina, e associado a anomalias dos sistemas musculoesquelético e geniturinário; 2. termo genérico para um grupo de doenças marcadas por disfunção dos túbulos renais proximais, com hiperaminoacidúria generalizada, glicosúria renal, hiperfosfatúria e perda de bicarbonato e água; a causa mais comum é cistinose, mas ela também se associa a outras doenças genéticas e ocorre nas formas idiopática e adquirida. **Farber s., Farber-Uzman s.** – s. de Farber; s. de Farber-Uzman; doença de Farber. **Felty's s.** – s. de Felty; artrite crônica (reumatóide), esplenomegalia, leucopenia, manchas pigmentadas na pele das pernas e outras evidências inconsistentes de hiperesplenismo (nominalmente, anemia e trombocitopenia). **fetal alcohol s.** – s. alcoólica fetal; síndrome de alteração do crescimento e morfogênese pré-natais, que ocorre em bebês nascidos de mulheres que eram cronicamente viciadas em álcool durante a gravidez; a síndrome inclui hipoplasia maxilar, proeminência da testa e da mandíbula, pequenas fissuras palpebrais, microftalmia, dobras epicantais, deficiência de crescimento severo, retardamento mental e microcefalia. **fetal hydantoin s.** – s. da hidantoína fetal; deficiência de crescimento e desenvolvimento com anormalidades craniofaciais e esqueléticas, produzidas pela exposição pré-natal aos análogos da hidantoína, incluindo a fenitoína. **Foix-Alajouanine s.** – s. de Foix-Alajouanine; mielopatia necrosante fatal caracterizada por necrose da substância cinzenta da medula espinhal, espessamento das paredes dos vasos espinhais e líquido espinhal anormal. **galactorrhea-amenorrhea s.** – s. de galactorréia-amenorréia; amenorréia e galactorréia algumas vezes associadas ao aumento dos níveis de prolactina. **Ganser s.** – s. de Ganser; dar respostas aproximadas a questões, síndrome comumente associada à amnésia, desorientação, distúrbios perceptivos, fuga e sintomas de conversão. **Garcin's s.** – s. de Garcin; paralisia unilateral da maior parte ou todos os nervos cranianos devida a tumor na base do crânio ou nasofaringe.

Gardner's s. – s. de Gardner: 1. polipose familiar do cólon associada a tumores ósseos e de tecidos moles; 2. síndrome herdada de neuromas acústicos bilaterais. **gay bowel s.** – s. do intestino do homossexual; várias entero e retopatias transmitidas sexualmente que afetam os homens homossexuais, causadas por ampla variedade de agentes infecciosos. **general adaptation s.** – s. de adaptação geral; a soma de todas as reações inespecíficas do corpo a estresse sistêmico prolongado. **Gilles de la Tourette's s.** – s. de Gilles de la Tourette; tiques faciais e vocais com início na infância, progredindo para movimentos espasmódicos generalizados em qualquer parte corporal, com ecolalia e coprolalia. **Goodpasture's s.** – s. de Goodpasture; glomerulonefrite associada a hemorragia pulmonar e anticorpos circulantes contra as membranas basais, ocorrendo mais freqüentemente em homens jovens e geralmente apresentando um curso de insuficiência renal rapidamente progressiva, com hemoptise, infiltrados pulmonares e dispnéia. **Gradenigo's s.** – s. de Gradenigo; paralisia do sexto nervo craniano e cefaléia em caso de doença supurativa do ouvido médio, devida a envolvimento dos nervos abducente e trigêmeo por meio de disseminação direta da infecção. **gray s.** – s. cinzenta; afecção potencialmente fatal observada em neonatos, particularmente bebês prematuros, devida à reação ao cloranfenicol, caracterizada por cianose cinzenta, apatia, fraqueza e hipotensão. **Guillain-Barré s.** – s. de Guillain-Barré; polineurite idiopática aguda. **Gunn's s.** – s. de Gunn; ptose unilateral da pálpebra, com movimentos da pálpebra afetada associados aos da mandíbula. **Hamman-Rich s.** – s. de Hamann-Rich; fibrose pulmonar idiopática. **Hand-Schüller-Christian s.** – s. de Hand-Schüller-Christian; ver em *disease*. **happy puppet s.** – s. da boneca feliz; síndrome herdada de movimentos espasmódicos semelhantes aos de um fantoche, risadas freqüentes, retardamento mental e motor, fácies de boca aberta peculiar e convulsões. **Harada s.** – s. de Harada; s. de Vogt-Koyanagi-Harada. **Hay-Wells s.** – s. de Hay-Wells; síndrome herdada de displasia ectodérmica, lábio e palato fendidos e aderências das margens palpebrais, acompanhados de anormalidades dentárias, cutâneas e pilosas. **HELLP s.** – s. HELLP (*h*emolysis, *e*levated *l*iver *e*nzymes and *l*ow *p*latelet); hemólise, elevação das enzimas hepáticas e baixa contagem plaquetária ocorrendo em associação com pré-eclâmpsia. **Helweg-Larsen's s.** – s. de Helweg-Larsen; síndrome herdada de anidrose presente desde o nascimento e de labirintite que ocorre posteriormente. **Herrmann's s.** – s. de Herrmann; síndrome herdada inicialmente caracterizada por ataques convulsivos fotomiogênicos e surdez progressiva, com desenvolvimento posterior de diabetes melito; nefropatia e degeneração mental. **HHH s.** – s. HHH (*h*yperornithinemia-*h*yperammonemia-*h*omocitrullinuria); s. de hiperornitinemia-hiperamonemia-homocitrulinúria. **Horner's s., Horner-Bernard s.** – s. de Horner; s. de Horner-Bernard; afundamento do globo ocular, ptose da pálpebra superior, elevação ligeira da pálpebra inferior, miose, estreitamento da fissura palpebral e anidrose e rubor do lado afetado da face; é devida a lesão ipsilateral do tronco cerebral que interrompe os nervos simpáticos descendentes. **Hughes-Stovin s.** – s. de Hughes-Stovin; trombose das artérias pulmonares e veias periféricas, caracterizada por cefaléia, febre, tosse, papiledema e hemoptise. **Hurler's s.** – s. de Hurler; mucopolissacaridose herdada decorrente de deficiência da enzima α-L-iduronidase, caracterizada por fácies semelhante à de uma gárgula, nanismo, alterações somáticas e esqueléticas severas, retardamento mental grave, córneas turvas, surdez, defeitos cardiovasculares, hepatoesplenomegalia, contrações articulares e morte na infância. **hypereosinophilic s.** – s. hipereosinófila; elevação maciça do número de eosinófilos no sangue, mimetizando leucemia, e caracterizada por infiltração eosinófila do coração, cérebro, fígado e pulmões e por um curso fatal. **hyperkinetic s.** – s. hipercinética; distúrbio de hiperatividade com déficit de atenção. **hyperornithinemia-hyperammonemia-homocitrullinuria s.** – s. de hiperornitinemia-hiperamonemia-homocitrulinúria; distúrbio herdado caracterizado por elevação dos níveis de ornitina, hiperamonemia pós-prandial e homocitrulinúria e ainda aversão à ingestão de proteínas; acredita-se que resulte de defeito no transporte de ornitina para o interior da mitocôndria, que perturba o ciclo da ureagênese. **impingement s.** – s. de pancada; alterações patológicas progressivas que resultam de pancada no acrômio; ligamento coracoacromial, processo coracóide ou articulação acromioclavicular na bainha do rotador. **s. of inappropriate antidiuretic hormone (SIADH)** – s. da secreção imprópria do hormônio antidiurético; hiponatremia persistente, osmolalidade urinária inadequadamente elevada e nenhum estímulo discernível para liberação de ADH. **irritable bowel s., irritable colon s.** – s. do intestino irritável; s. do cólon irritável; doença não-inflamatória crônica com base psicofisiológica, caracterizada por dor abdominal, diarréia ou constipação ou ambas e nenhuma alteração patológica detectável. **Isaacs' s., Isaacs-Mertens s.** – s. de Isaacs; s. de Isaacs-Mertens; rigidez e espasmos musculares progressivos, com atividade contínua das fibras musculares semelhante à observada no caso de neuromiotonia. **Jacod's s.** – s. de Jacod; artrite crônica que ocorre após febre reumática, caracterizada por alterações fibrosas nas cápsulas articulares que levam a deformidades que se assemelham à artrite reumatóide, mas sem erosão óssea. **Jarcho-Levin s.** – s. de Jarcho-Levin; distúrbio herdado de defeitos vertebrais múltiplos, tórax curto, anormalidades costais, camptodactilia, sindactilia e algumas vezes anormalidades urogenitais, sendo geralmente fatal na infância. **Joubert's s.** – s. de Joubert; agenesia parcial a completa, herdada e geralmente fatal do verme cerebelar, com hipotonia, hiperpnéia episódica, retardamento mental e movimentos oculares anormais. **Kartagener's s.** – s. de Kartagener; síndrome

hereditária que consiste de dextrocardia, bronquiectasia e sinusite. **Kimmelstiel-Wilson s.** – s. de Kimmelstiel-Wilson; glomerulosclerose intercapilar. **King s.** – s. de King; uma forma de hipertermia maligna acompanhada de anormalidades físicas características. **Klinefelter's s.** – s. de Klinefelter; afecção caracterizada pela presença de testículos pequenos (com fibrose e hialinização dos túbulos seminíferos), por graus variáveis de masculinização, azoospermia e infertilidade bem como elevação nas gonadotropinas urinárias. Associa-se tipicamente ao complemento cromossômico XXY, embora as variantes incluam XXYY, XXXY, XXXXY e vários padrões de mosaico. **Klippel-Feil s.** – s. de Klippel-Feil; encurtamento do pescoço devido a redução no número de vértebras cervicais ou fusão de hemivértebras múltiplas em uma massa óssea, com limitação do movimento do pescoço e linha de cabelo baixa. **Korsakoff's s.** – s. de Korsakoff; síndrome amnésica; mais especificamente, o componente amnésico da s. de Wernicke-Korsakoff. **Kugelberg-Welander s.** – s. de Kugelberg-Welander; forma juvenil herdada de atrofia muscular devida a lesões nos cornos anteriores da medula espinhal, começando pelos músculos proximais das extremidades inferiores e cintura pélvica e progredindo para os músculos distais. **LAMB s.** – s. LAMB (*l*entigines, *a*trial, *m*yxoma, and *b*lue *n*evi); síndrome de miomas familiares com envolvimentos cutâneo, cardíaco e endócrino, manifestado como lentigos, mixoma atrial e nevo azul. **Landau-Kleffner s.** – s. de Landau-Kleffner; síndrome epiléptica da infância caracterizada por ataques convulsivos parciais ou generalizados, anormalidades psicomotoras e afasia que progride para mutismo. **Laurence-Moon s.** – s. de Laurence-Moon; distúrbio recessivo autossômico caracterizado por retardamento mental, retinopatia pigmentar, hipogonadismo e paraplegia espástica. **lazy leukocyte s.** – s. do leucócito preguiçoso; síndrome que ocorre em crianças, marcada por infecções recorrentes de baixo grau, associadas a defeito na quimiotaxia neutrofílica e mobilidade adaptativa deficiente dos neutrófilos. **Lemieux-Neemeh s.** – s. de Lemieux-Neemeh; síndrome herdada de doença de Charcot-Marie-Tooth com surdez progressiva. **Leriche's s.** – s. de Leriche; fadiga nos quadris, coxas ou panturrilhas ao exercício, ausência de pulsação das artérias femorais, impotência e freqüentemente palidez e frieza das pernas, geralmente afetando os homens e devendo-se obstrução da aorta terminal. **Lesch-Nyhan s.** – s. de Lesch-Nyhan; distúrbio ligado ao cromossoma X do metabolismo purínico com retardamento físico e mental, automutilação compulsiva dos dedos e lábios por meio de mordedura, coreoatetose, paralisia cerebral espástica e deficiência da função renal, e também por síntese de purina extremamente excessiva e conseqüentemente hiperuricemia e secreção urinária excessiva de ácido úrico. **lethal multiple pterygium s.** – s. do pterígio múltiplo letal; distúrbio herdado letal caracterizado por pterígios múltiplos, hipoplasia pulmonar, contraturas de flexão dos membros, fácies característica e outras anormalidades. **Li-Fraumeni s.** – s. de Li-Fraumeni; síndrome familiar de carcinoma mamário precoce associado a sarcomas de tecido mole e outros tumores. **locked-in s.** – pseudocoma; quadriplegia e mutismo com consciência intacta e preservação de alguns movimentos oculares; geralmente devido a lesão vascular da ponte anterior. **long QT s.** – s. do QT longo; prolongamento do intervalo Q—T combinado com paroxismos de taquicardia ventricular ("torsades de pointes") com ondulação constante no eixo QRS com 5 a 20 batimentos e alterações progressivas de direção e manifestado em várias formas, tanto adquiridas como congênitas, sendo as últimas com ou sem surdez; pode levar à arritmia séria e morte súbita. **Lowe s., Lowe-Terry-MacLachlan s.** – s. de Lowe; s. de Lowe-Terry-MacLachlan; s. oculocerebrorrenal. **Lown-Ganong-Levine s.** – s. de Lown-Ganong-Levine; síndrome de pré-excitação de uma anormalidade eletrocardiográfica caracterizada por um intervalo P—R curto com um complexo QRS normal, acompanhado de taquicardia atrial. **Lutembacher's s.** – s. de Lutembacher; defeito septal atrial com estenose mitral (geralmente reumática). **lymphadenopathy s.** – s. de linfadenopatia; linfadenopatia inexplicada por 3 ou mais meses envolvendo locais extra-inguinais, que na biopsia revelam hiperplasia linfóide inespecífica; observada em muitos homossexuais masculinos e possivelmente correspondendo a um pródromo da síndrome de imunodeficiência adquirida. **Maffucci's s.** – s. de Maffucci; endocondromatose com hemangiomas cutâneos ou viscerais múltiplos. **malabsorption s.** – s. de má-absorção; um grupo de distúrbios marcados por absorção subnormal dos constituintes dietéticos e conseqüentemente perda excessiva de nutrientes nas fezes, podendo se dever a defeito digestivo, anormalidade da mucosa ou obstrução linfática. **Marfan s.** – s. de Marfan; síndrome hereditária de comprimento anormal das extremidades (especialmente dos dedos), com subluxação do cristalino, anormalidades cardiovasculares e outros defeitos. **Marie-Bamberger s.** – s. de Marie-Bamberger; osteoartropatia pulmonar hipertrófica. **meconium aspiration s.** – s. de aspiração do mecônio; complicações respiratórias resultantes da passagem e aspiração de mecônio antes ou durante o parto. **median cleft facial s.** – s. facial da fenda mediana; forma hereditária de desenvolvimento defeituoso da linha média da cabeça e face, incluindo hipertelorismo ocular, fendas nasal e maxilar oculta e algumas vezes retardamento mental ou outros defeitos. **megacystis-megaureter s.** – s. megacística-megauretérica; dilatação ureteral crônica (megaureter) associada a hipotonia e dilatação vesicais (megabexiga) e escancaramento dos orifícios ureterais, permitindo refluxo vesicoureteral de urina e resultando em pielonefrite crônica. **megacystis-microcolon-intestinal hypoperistalsis s. (MMIHS)** – s. megacística-microcólica-hipoperistáltica intestinal; síndrome herdada de dilatação vesical, microcólon

com o intestino delgado dilatado e hipoperistaltismo. **Meige's s.** – s. de Meige: 1. doença de Milroy; 2. distonia dos músculos facial e oromandibular com blefaroespasmo, movimentos bucais de esgar e protrusão da língua. **MELAS s.** – s. MELAS (*mitochondrial encephalopathy, lactic acidosis, and stroke-like episodes*); síndrome maternamente herdada de encefalopatia mitocondrial, acidose láctica e episódios semelhantes a ataques. **Menkes's.** – s. de Menkes; distúrbio recessivo ligado ao cromossoma X da absorção de cobre, marcado por degeneração cerebral e alterações arteriais severas (que resultam em morte na infância) e por cabelos esparsos e quebradiços no couro cabeludo. **Meretoja's s.** – s. de Meretoja; tipo de polineuropatia amilóide familiar. **MERRF s.** – s. MERRF (*myoclonus with epilepsy and with ragged red fibers*); síndrome maternamente herdada de mioclonia, com epilepsia e fibras vermelhas rasgadas. **methionine malabsorption s.** – s. de má-absorção da metionina; aminoacidopatia inata marcada por cabelos brancos, retardamento mental, convulsões, ataques de hiperpnéia e urina com odor semelhante ao de um forno de secagem de tabaco, devida ao ácido alfa-hidroxibutírico formado pela ação bacteriana na metionina não-absorvida. **middle lobe s.** – s. do lobo médio; atelectasia do lobo médio do pulmão direito, com pneumonite crônica. **Mikulicz's s.** – s. de Mikulicz; hipertrofia bilateral crônica das glândulas lacrimais, parótidas e salivares, associada a infiltração linfocítica crônica; pode se associar a outras doenças. **milk-alkali s.** – s. do leite-álcali; com hipercalcemia sem hipercalciúria ou hipofosfatemia e somente alcalose branda e outros sintomas atribuíveis à ingestão de leite e de uma base absorvível por longos períodos. **Milkman's s.** – s. de Milkman; osteopatia generalizada marcada por estrias transparentes múltiplas de absorção nos ossos longos e chatos. **Miller s.** – s. de Miller; síndrome herdada de defeitos extensos faciais e dos membros, algumas vezes acompanhados de defeitos cardíacos e perda de audição. **mitral valve prolapse (MVP)** – s. de prolapso da válvula mitral; prolapso da válvula mitral, freqüentemente com regurgitação; afecção comum, geralmente benigna e quase sempre assintomática, caracterizada por estalidos à sístole média e murmúrios à sístole posterior na auscultação. **Möbius' s.** – s. de Möbius; agenesia ou aplasia dos núcleos motores dos nervos cranianos marcadas por paralisia facial bilateral congênita, com paralisia uni ou bilateral dos músculos abdutores do olho, algumas vezes associadas ao envolvimento dos nervos cranianos e anomalias das extremidades. **Mohr s.** – s. de Mohr; s. orofaciodigital do tipo II. **Morquio's s.** – s. de Morquio; duas formas bioquimicamente distintas, mas clinicamente quase indistinguíveis de mucopolissacaridose, marcadas por joelho valgo, peito de pombo, achatamento progressivo dos corpos vertebrais, pescoço e tronco curtos, surdez progressiva, turvação corneana branda e excreção de sulfato de queratano na urina. **multiple glandular deficiency s.** – s. de deficiência glandular múltipla; falha de qualquer

STU

combinação de glândulas endócrinas, freqüentemente acompanhada de anormalidades auto-imunes não-endócrinas. **multiple pterygium s.** – s. do pterígio múltiplo; síndrome herdada caracterizada por pterígios no pescoço, axilas e áreas poplíteas, antecubitais e intercrurais, acompanhados de anormalidades faciais, esqueléticas e genitais. **Munchausen s.** – s. de Munchausen; busca habitual de tratamento hospitalar para uma enfermidade aguda aparente, em que o paciente fabrica uma história plausível e dramática completamente falsa. **Munchausen s. by proxy** – s. de Munchausen por procuração; forma de abuso infantil em que um pai fabrica ou induz distúrbios médicos em uma criança e/ou obtém um tratamento médico desnecessário ou causa danos à criança por meio de tentativas de fazer o tratamento do distúrbio em casa. **myelodysplastic s.** – s. mielodisplásica; distúrbio de um grupo de distúrbios da medula óssea relacionados e de duração variável, que precedem o desenvolvimento de leucemia mielógena aguda aberta; caracteriza-se por células precursoras hematopoiéticas anormais, anemia, neutropenia e trombocitopenia. **myeloproliferative s's** – síndromes mieloproliferativas; ver em *disorder*. **NAME s.** – s. NAME (*n*evi, *a*trial *m*yxoma and neurofibroma *e*phelides); síndrome de mixomas familiares com envolvimentos cutâneo, cardíaco e endócrino, manifestada como nevos, mixoma atrial e efélides neurofibromatosas. **Negri-Jacod s.** – s. de Negri-Jacod; s. de Jacod. **Nelson's s.** – s. de Nelson; desenvolvimento de um tumor hipofisário produtor de ACTH após adrenalectomia bilateral no caso de síndrome de Cushing; caracteriza-se pelo crescimento agressivo do tumor e hiperpigmentação da pele. **nephrotic s.** – s. nefrótica; doença de um grupo de doenças que envolvem glomérulos renais defeituosos, com proteinúria maciça, lipidúria com edema, hipoalbuminemia e hiperlipidemia. **nerve compression s.** – s. de compressão nervosa; neuropatia por captura. **Noonan's s.** – s. de Noonan; pescoço palmado, ptose, hipogonadismo e baixa estatura, ou seja, o fenótipo da síndrome de Turner sem a disgênese gonadal. **occipital horn s.** – s. do corno occipital; forma recessiva e ligada ao cromossoma X da cútis flácida. **oculocerebrorenal s.** – s. oculocerebrorrenal; distúrbio ligado ao cromossoma X marcado por raquitismo refratário à vitamina D, hidroftalmia, glaucoma e catarata congênitos, retardamento mental e disfunção tubular renal conforme evidenciado por hipofosfatemia, acidose e aminoacidúria. **ODD (oculodentodigital) s.** – s. ODD (oculodentodigital); displasia oculodentodigital. **Omenn's s.** – s. de Omenn; reticulose medular histiocítica. **Opitz s., Opitz-Frias s.** – s. de Opitz; s. de Opitz-Frias; síndrome familiar que consiste de hipertelorismo e hérnias, e em homens, também se caracteriza por hipospadia, criptorquidia e escroto bífido. Também podem se encontrar presentes anormalidades cardíacas, laringotraqueais, pulmonares, anais e renais. **oral-facial-digital (OFD) s.** – s. oral-facial-digital (OFD); s. orofaciodigital. **organic anxiety s.** – s. da ansiedade orgânica; síndrome mental marcada por crises de pânico proeminentes e recorrentes ou ansiedade generalizada causadas por fator orgânico específico e não-associado a delírio. **organic brain s.** – s. cerebral orgânica; s. mental orgânica. **organic delusional s.** – s. delirante orgânica; síndrome mental marcada por delírios e causada por um fator orgânico específico e não-associado ao delírio. **organic mental s.** – s. mental orgânica; constelação de sinais e sintomas psicológicos ou comportamentais associados a uma ou mais causas orgânicas, sendo agrupados de acordo com os sintomas e não com a etiologia. **organic mood s.** – s. orgânica de humor; síndrome mental marcada por distúrbio de humor maníaco ou depressivo causado por fator orgânico específico e não-associado ao delírio. **organic personality s.** – s. de personalidade orgânica; síndrome mental marcada por alteração acentuada no comportamento ou personalidade (por exemplo, labilidade emocional), causada por fator orgânico específico e não-associado ao delírio. **orofaciodigital s.** – s. orofaciodigital; síndrome de um grupo de síndromes congênitas caracterizadas por várias anomalias orais, faciais e digitais. O *tipo I* (distúrbio dominante ligado ao cromossoma X e letal aos homens) associa-se ao retardamento mental, tremores familiares, alopecia, seborréia e mílios; o *tipo II* (distúrbio recessivo autossômico) associa-se a distúrbios neuromusculares episódicos; o *tipo III* (distúrbio recessivo autossômico) associa-se ao retardamento mental profundo. **Ortner's s.** – s. de Ortner; paralisia laríngea associada a cardiopatia, devida a compressão do nervo laríngeo recorrente entre a aorta e uma artéria pulmonar dilatada. **ovarian vein s.** – s. da veia ovariana; obstrução do ureter devida a compressão por meio de uma veia ovariana aumentada de volume ou varicosa; tipicamente, a via aumenta de volume durante a gravidez. **overlap s.** – s. de sobreposição; distúrbio de um grupo de distúrbios do tecido conjuntivo que combinam esclerodermia com polimiosite ou lúpus eritematoso sistêmico ou combinam lúpus eritematoso sistêmico com artrite reumatóide ou polimiosite. **overwear s.** – s. de uso exagerado; fotofobia extrema, dor e lacrimejamento associados a lentes de contato, particularmente com lentes duras e impermeáveis a gases, geralmente causada pelo uso excessivo. **pacemaker s.** – s. do marca-passo; vertigem, síncope e hipotensão, freqüentemente acompanhadas de dispnéia, tosse, náusea, edema periférico e palpitações, todas exacerbadas ou causadas por marca-passos que estimulam o ventrículo e portanto não mantêm a sincronia atrioventricular normal. **pacemaker twiddler's s.** – s. do paciente com marca-passo cardíaco artificial. **Pancoast's s.** – s. de Pancoast: 1. dor neurítica no braço, atrofia dos músculos do braço e da mão e síndrome de Horner observadas em tumor próximo ao vértice do pulmão (tumores do sulco pulmonar); 2. osteólise na parte posterior de uma ou mais costelas e algumas vezes envolvendo também a vértebra correspondente. **paraneoplastic s.** – s. paraneoplásica; complexo de sintomas que surgem em paciente portador de câncer que não podem ser explicados pela metástase local ou distante do tumor. **Parinaud's s.** – s. de Parinaud; paralisia do movimento ascendente conjugado dos olhos sem paralisia de convergência; associada a tumores do cérebro médio. **Parinaud's oculoglandular s.** – s. oculoglandular de Parinaud; termo genérico aplicado à conjuntivite, geralmente unilateral e do tipo folicular, acompanhada de sensibilidade e aumento de volume do linfonodo pré-auricular; freqüentemente devida a leptotricose, mas pode se associar a outras infecções. **parkinsonian s.** – s. de Parkinson; forma de doença de Parkinson devida à degeneração idiopática do corpo estriado ou da substância negra; freqüentemente uma seqüela de encefalite letárgica. **PEP s.** – s. PEP; s. POEMS. **Pepper s.** – s. de Pepper; neuroblastoma com metástases no fígado. **Peutz-Jeghers s.** – s. de Peutz-Jeghers; polipose gastrointestinal familiar (especialmente no intestino delgado), associada a pigmentação mucocutânea. **pickwickian s.** – s. de Pickwick (alusão ao personagem Pickwick, de Dickens); obesidade, sonolência, hipoventilação e eritrocitose. **Pierre Robin s.** – s. de Pierre Robin; micrognatia que ocorre em associação a palato fendido, glossoptose e ausência do reflexo de engasgo. **plica s.** – s. da prega; dor, sensibilidade, tumefação e crepitação da articulação genicular, algumas vezes acompanhados de fraqueza ou travamento da articulação, causada por fibrose e calcificação das pregas sinoviais. **Plummer-Vinson s.** – s. de Plummer-Vinson; disfagia com glossite, anemia hipocrômica, esplenomegalia e atrofia da boca, faringe e extremidade superior do esôfago. **POEMS s.** – s. POEMS (*polyneurophaty, organonomegaly, endocrinopa-thy, M protein and skin changes*); polineuropatia, organomegalia, endocrinopatia, proteína M e alterações cutâneas, algumas vezes ligadas a disproteinemia (como a presença de proteínas monoclônicas incomuns e cadeias leves). **polyangiitis overlap s.** – s. de sobreposição de poliangiíte; forma de vasculite necrosante sistêmica que se assemelha à poliarterite nodular e à angiíte alérgica, mas também mostra características de vasculite de hipersensibilidade. **polysplenia s.** – s. de polisplenia; síndrome congênita caracterizada por massas esplênicas múltiplas, posição e desenvolvimento anormais dos órgãos viscerais, defeitos cardiovasculares complexos e pulmões anormais e geralmente bilobados. **postcardiac injury s.** – s. da lesão pós-cardíaca; febre, dor torácica, pleurite e pericardite várias semanas a meses após lesão cardíaca, incluindo as decorrentes de cirurgia (*postpericardiotomy s.*) e as resultantes de infarto do miocárdio (*postmyocardial infarction s.*). **postcardiotomy s.** – s. pós-cardiotomia; s. pós-pericardiotomia. **postcardiotomy psychosis s.** – s. da psicose da pós-cardiotomia; ansiedade, confusão e distúrbios de percepção que ocorrem três ou mais dias após cirurgia cardíaca de peito aberto. **postcommissurotomy s.** – s. pós-comissurotomia; s. da pós-pericardiotomia. **postgastrectomy s.** – s. pós-

gastrectomia, s. do esvaziamento rápido. **postlumbar puncture s.** – s. da punção pós-lombar; dor de cabeça na postura ereta, algumas vezes com dor nucal, vômito, diaforese e mal-estar, todos aliviados por recúbito, que ocorrem várias horas após punção lombar; é devida a queda da pressão intracraniana pelo vazamento de líquido cerebroespinhal através do trato da agulha. **postmyocardial infarction s.** – s. pós-infarto do miocárdio; pericardite com febre, leucocitose, pleurisia e pneumonia que ocorrem depois de infarto do miocárdio. **postpericardiotomy s.** – s. pós-pericardiotomia; reação pericárdica ou pleural que ocorre mais de uma semana após a abertura do pericárdio, caracterizada por febre, dores torácicas e sinais de inflamação pleural e/ou pericárdica. **preexcitation s.** – s. de pré-excitação; qualquer síndrome com sinais eletrocardiográficos de pré-excitação, como a síndrome de Wolff-Parkinson-White; termo algumas vezes utilizado como sinônimo desta. **pre-menstrual s.** – s. pré-menstrual; síndrome de causa desconhecida algumas vezes marcada por timpanismo, edema, labilidade emocional, cefaléia, alterações no apetite ou preferência por alimentos selecionados, tumefação e sensibilidade das mamas, constipação e redução da capacidade em se concentrar. **Putnam-Dana s.** – s. de Putnam-Dana; degeneração combinada subaguda da medula espinhal. **Raeder's s., Raeder's paratrigeminal s.** – s. de Raeder; s. paratrigeminal de Raeder; dor neurálgica paroxística unilateral na face associada à síndrome de Horner. **Ramsay Hunt s.** – s. de Ramsay Hunt: 1. paralisia facial acompanhada de otalgia e erupção vesicular que envolve o canal auditivo externo (algumas vezes estendendo-se ao pavilhão auricular), decorrente de infecção pelo vírus do herpes zóster do gânglio geniculado; 2. paralisia juvenil com agitação (de Hunt); 3. dissinergia cerebelar progressiva. **Reiter's s.** – s. de Reiter; a tríade de uretrite, conjuntivite e artrite não-gonocócicas, freqüentemente com lesões mucocutâneas. **respiratory distress s. of newborn** – s. da angústia respiratória do recém-nascido, afecção mais freqüentemente em bebês prematuros, de mães diabéticas e os nascidos por cesariana, marcada por dispnéia e cianose, e incluindo dois padrões: em caso da doença da membrana hialina (*disease, hyaline membrane*), os bebês afetados freqüentemente morrem de angústia respiratória nos primeiros dias de vida e na autopsia, apresentam uma membrana semelhante à hialina revestindo as passagens respiratórias terminais; em caso de angústia respiratória idiopática do recém-nascido (*distress, respiratory distress of new born*), os bebês afetados podem viver, mas naqueles que morrem, só se observa atelectasia de reabsorção. **Reye's s.** – s. de Reyes; encefalopatia rara, aguda e freqüentemente fatal da infância, marcada por tumefação cerebral aguda associado a hipoglicemia, infiltração gordurosa hepática, hepatomegalia e consciência perturbada e convulsões. Ela ocorre mais freqüentemente como seqüela da varicela ou de infecção viral do trato respiratório superior. **Rh-null s.** – s. do Rh nulo;

STU

anemia hemolítica crônica que afeta os indivíduos que não têm todos os fatores Rh (Rh_{nulo}); é marcada por esferocitose, estomatocitose e aumento da fragilidade osmótica. **Riley-Day s.** – s. de Riley-Day; disautonomia familiar. **Rosenberg-Bergstrom s.** – s. de Rosenberg-Bergstrom; síndrome herdada caracterizada por hiperuricemia, insuficiência renal, ataxia e surdez. **Rukavina's s.** – s. de Rukavina; tipo de polineuropatia amilóide familiar. **Rundles-Falls s.** – s. de Rundles-Falls; anemia sideroblástica hereditária. **Ruvalcaba's s.** – s. de Ruvalcaba; encurtamento anormal dos ossos metacárpicos ou metatársicos, hipoplasia da genitália e retardamentos mental e físico de etiologia desconhecida; presente desde o nascimento em homens. **salt-depletion s., salt-losing s.** – s. de depleção salina; s. da perda de sal, vômito, desidratação, hipotensão e morte súbita devido a perdas muito grandes de sódio do corpo. Pode ser observada no caso de perdas anormais de sódio na urina (como na hiperplasia adrenal congênita, insuficiência adrenocortical ou uma das formas de nefrite com perda de sal) ou no caso de grandes perdas de sal extra-renais, geralmente a partir do trato gastrointestinal. **Sanfilippo's s.** – s. de Sanfilippo; quatro formas bioquimicamente distintas, mas clinicamente indistinguíveis de mucopolissacaridose, caracterizadas por excreção urinária de sulfato de heparan, degeneração mental rápida e sintomas semelhantes aos de Hurler suaves, geralmente ocorrendo morte antes de 20 anos de idade. **scalded skin s., nonstaphylococcal** – s. da pele escaldada não-estafilocócica; necrólise epidérmica tóxica. **scalded skin s., staphylococcal** – s. da pele escaldada estafilocócica; doença infecciosa, que geralmente afeta lactentes e crianças pequenas, após infecção por determinadas cepas de *Staphylococcus aureus*, caracterizada por erupção bolhosa e descamação da pele localizadas a disseminadas, deixando áreas esfoladas e em carne viva que fazem com que a pele pareça escaldada. **scalenus s., scalenus anticus s.** – s. do escaleno; s. do escaleno anterior; tipo de síndrome da saída torácica devida à compressão dos nervos e vasos entre a costela cervical e o músculo escaleno anterior, com dor no ombro, freqüentemente estendendo-se para baixo no braço ou irradiando-se para as costas. **Schaumann's s.** – s. de Schaumann; sarcoidose. **Scheie's s.** – s. de Scheie; variante alélica relativamente leve da síndrome de Hurler, marcada por turvação corneana, mão em garra, envolvimento valvular aórtico, fácies boquiaberta, joelho valgo e pé cavo; estatura, inteligência e expectativa de vida permanecem normais. **Sertoli-cell-only s.** – s. "apenas" de células de Sertoli; ausência congênita do epitélio germinativo dos testículos, com os túbulos seminíferos que contêm somente células de Sertoli, marcada por testículos ligeiramente menores que o normal, azoospermia e títulos elevados de hormônio folículo-estimulante e algumas vezes de hormônio luteinizante. **Sézary s.** – s. de Sézary; uma forma de linfoma de célula T cutâneo manifestada por eritrodermia esfoliativa, prurido intenso, linfadenopatia perifé-

rica e células mononucleares hipercromáticas anormais na pele, linfonodos e sangue periférico. **Sheehan's s.** – s. de Sheehan; necrose hipofisária pós-parto. **short-bowel s., short-gut s.** – s. do intestino curto; uma das afecções de má-absorção resultantes de ressecção maciça do intestino delgado, em que o grau e o tipo de má-absorção dependem do lugar e da extensão da ressecção; caracteriza-se por diarréia, esteatorréia e mánutrição. **shoulder-hand s.** – s. do ombro e da mão; distrofia simpática reflexa limitada à extremidade superior. **Shprintzen's s.** – s. de Shprintzen; s. velocardiofacial. **Shwachman s., Shwachman-Diamond s.** – s. de Shwachman; s. de Shwachman-Diamond; insuficiência pancreática primária e insuficiência da medula óssea, caracterizadas por valores de cloreto normais no suor, insuficiência pancreática e neutropenia; pode se associar a nanismo e disostose metafisária dos quadris. **sick sinus s.** – s. do seio enfermo; bradicardia intermitente, algumas vezes com episódios de taquiarritmias atriais ou períodos de parada sinusal, devida a mau funcionamento que se origina na porção supraventricular do sistema condutor cardíaco. **Silver-Russell s.** – s. de Silver-Russell; síndrome de baixo peso ao nascimento (apesar da duração de gestação normal) e de baixa estatura, assimetria lateral e certa elevação na secreção de gonadotropina. **Sipple's s.** – s. de Sipple; neoplasia endócrina múltipla do tipo II. **Sjögren's s.** – s. de Sjögren; um complexo de sintomas geralmente em mulheres de meia-idade ou idosas, marcado por ceratoconjuntivite seca, xerostomia e aumento de volume das glândulas parótidas; associa-se freqüentemente à artrite reumatóide e algumas vezes ao lúpus eritematoso sistêmico, esclerodermia ou polimiosite. **sleep apnea s.** – s. da apnéia no sono; apnéia no sono. **Smith-Lemli-Opitz s.** – s. de Smith-Lemli-Opitz; síndrome hereditária, transmitida como característica recessiva autossômica, caracterizada por microcefalia, retardamento mental, hipotonia, desenvolvimento incompleto da genitália masculina, nariz curto com narinas antevertidas e sindactilia do segundo e terceiro dedos. **social breakdown s.** – s. de colapso social; sintomas de um paciente mental devidos à internação por tempo prolongado e não à enfermidade primária, incluindo passividade excessiva, adoção do papel de doente e atrofia das capacidades de trabalho e sociais. **stagnant loop s.** – s. da alça estagnada; s. de estase. **stasis s.** – s. de estase; supercrescimento de bactérias no intestino delgado semelhante ao de vários distúrbios que causam estase; caracteriza-se por má-absorção da vitamina B_{12}; esteatorréia e anemia. **Steele-Richardson-Olszewski s.** – s. de Steele-Richardson-Olszewski; distúrbio neurológico progressivo que tem início durante a sexta década de vida, caracterizado por oftalmoplegia supranuclear (especialmente paralisia do olhar descendente), paralisia pseudobulbar, disartria, rigidez distônica do pescoço e do tronco e demência. **Stein-Leventhal s.** – s. de Stein-Leventhal; oligomenorréia ou amenorréia, anovulação e hirsutismo associados a ovários policísticos bilaterais, mas com excreção normal de hormônio folículo-estimulante e de 17-cetoesteróides. **Stevens-Johnson s.** – s. de Stevens-Johnson; uma forma algumas vezes fatal de eritema multiforme que se apresenta com um pródromo semelhante ao resfriado e caracterizada por lesões mucocutâneas severas; podem ocorrer envolvimentos pulmonares, gastrointestinais, cardíacos e renais. **Stewart-Treves s.** – s. de Stewart-Treves; linfangiossarcoma que ocorre como complicação tardia de um linfedema severo do braço após excisão dos linfonodos, geralmente no caso de mastectomia radical. **stiff-man s.** – s. do homem rígido; afecção de etiologia desconhecida marcada por rigidez flutuante progressiva dos músculos axiais e dos membros na ausência de sinais de cerebropatia e de doença da medula espinhal, mas com atividade eletromiográfica contínua. **stroke s.** – s. do acidente vascular cerebral; ataque; afecção com início súbito devida a lesões vasculares aguda do cérebro (hemorragia, embolia, trombose e ruptura de aneurisma), que pode ser marcada por hemiplegia ou hemiparesia, vertigem, insensibilidade, afasia e disartria, e freqüentemente acompanhada de danos neurológicos permanentes. **Sturge's s., Sturge-Kalischer-Weber s., Sturge-Weber s.** – s. de Sturge; s. de Sturge-Kalischer-Weber; s. de Sturge-Weber; síndrome congênita que consiste de um tipo de coloração em vinho do Porto de nevo flâmeo distribuído sobre o nervo trigêmeo acompanhada de distúrbio vascular semelhante das meninges e córtex cerebral subjacentes. **subclavian steal s.** – s. do roubo subclávio; isquemia cerebral ou do tronco cerebral; resultando de diversão do fluxo sangüíneo da artéria basilar à artéria subclávia. **sudden infant death s.** – s. da morte súbita do lactente; morte súbita e inesperada de um bebê que anteriormente aparentava estar saudável e inexplicável pelo exame pós-morte cuidadoso. **Swyer-James s.** – s. de Swyer-James; pulmão hiperlúcido unilateral adquirido, com obstrução de vias aéreas severa durante a expiração, oligoemia e hilo pequeno. **tarsal tunnel s.** – s. do túnel do tarso; complexo de sintomas que resultam da compressão do nervo tibial posterior ou dos nervos plantares no túnel társico, com dor, insensibilidade e parestesia com formigamento da planta do pé. **Taussig-Bing s.** – s. de Taussig-Bing; transposição dos grandes vasos do coração e de defeito septal ventricular volumoso cavalgado por uma grande artéria pulmonar. **temporomandibular dysfunction s., temporomandibular joint s.** – s. da disfunção temporomandibular; s. da articulação temporomandibular; complexo de sintomas de surdez parcial, ouvidos obstruídos, zumbidos, estalidos na articulação temporomandibular e queimação no ouvido, garganta, língua e nariz; discutem-se etiologia e sua existência. **testicular feminization s.** – s. de feminilização testicular; uma forma extrema de pseudo-hermafroditismo masculino, com a genitália externa e as características sexuais secundárias típicas da mulher, mas com presença de testículos e ausência de útero e tubas uterinas;

deve-se à resistência do órgão-alvo à ação da testosterona. **thoracic outlet s.** – s. da saída do tórax; uma das várias síndromes devidas à compressão dos troncos nervosos do plexo braquial, com dor nos braços, parestesias digitais, sintomas vasomotores e fraqueza e emaciação dos músculos pequenos da mão; pode ser causada por inclinação da cintura escapular, costela ou faixa fibrosa cervicais, primeira costela anormal, hiperabdução contínua do braço (como durante o sono) ou compressão da borda do músculo escaleno anterior. **Tolosa-Hunt s.** – s. de Tolosa-Hunt; oftalmoplegia unilateral associada a dor atrás da órbita e na área suprida pela primeira divisão do nervo trigêmeo; acredita-se que se deva a inflamação inespecífica e a tecido de granulação na fissura orbitária superior ou no seio cavernoso. **TORCH s.** – s. TORCH (*t*oxoplasmosis, *o*ther agents, *r*ubella, *c*ytomegalovirus, *h*erpes simplex); toxoplasmose, outros agentes, rubéola, citomegalovírus, herpes simples; infecção de um grupo de infecções observadas nos neonatos como resultado do agente infeccioso ter atravessado a barreira placentária. **Tourette's s.** – s. de Tourette; s. de Giles da la Tourette. **Townes' s.** – s. de Townes; distúrbio herdado de anomalias auriculares, defeitos anais, anomalias dos membros e dedos, bem como deficiências renais, que inclui ocasionalmente cardiopatia, surdez ou cisto ovariano. **toxic shock s.** – s. do choque tóxico; enfermidade severa caracterizada por febre alta e vômito, diarréia e mialgia de início súbito, acompanhados de hipotensão e, nos casos graves, choque; durante a fase aguda, ocorre exantema semelhante a queimadura de sol com descamação da pele, especialmente das palmas das mãos e plantas dos pés. A síndrome afeta quase exclusivamente mulheres em menstruação que utilizam tampões, embora também afete algumas mulheres que não os utilizam e alguns homens. Acredita-se que seja causada por infecção por *Staphylococcus aureus*. **Treacher Collins s., Treacher Collins-Franceschetti s.** – s. de Treacher Collins; s. de Treacher Collins-Franceschetti; ver *dysostosis, mandibulofacial*. **trisomy 8 s.** – s. de trissomia do 8; síndrome associada a um cromossomo 8 extra, geralmente um mosaico (trissomia do 8/normal), caracterizada por retardamento mental brando a severo, testa proeminente, olhos fundos, lábios espessos, orelhas proeminentes e camptodactilia. **trisomy 11q s.** – s. de trissomia do 11q; síndrome variável resultante da presença de um braço longo extra do cromossoma 11, possivelmente incluindo fístulas pré-auriculares, hipoplasia da vesícula biliar, micropênis, útero bicorne, microftalmia, malformações cardíacas, pulmonares e cerebrais, ataques convulsivos e infecção recorrente. **trisomy 13 s.** – s. de trissomia do 13; holoprosencefalia devida a um cromossomo 13 extra, na qual os defeitos do sistema nervoso central se associam a retardamento mental, junto com lábio e palato fendidos, polidactilia e anomalias do padrão dérmico e ainda, anormalidades cardíacas, viscerais e genitais. **trisomy 18 s.** – s. de trissomia do 18; afecção

STU

caracterizada por hepatite neonatal, retardamento mental, escafocefalia ou outra anormalidade craniana, micrognatia, blefaroptose, orelhas de posicionamento baixo, opacidades corneanas, surdez, pescoço palmado, dedos curtos, defeitos septais ventriculares, divertículo de Meckel e outras deformidades. Deve-se à presença de um cromossoma 18 extra. **trisomy 21 s.** – s. de trissomia do 21; s. de Down. **Trousseau's s.** – s. de Trousseau; trombose venosa espontânea das extremidades superior e inferior que ocorre em associação com carcinoma visceral. **tumor lysis s.** – s. de lise tumoral; hiperfosfatemia, hipercalemia, hiperuricemia e hipocalcemia severas que ocorrem após quimioterapia de indução efetiva de neoplasias malignas de crescimento rápido. **Turcot's s.** – s. de Turcot; polipose familiar do cólon associada a gliomas do sistema nervoso central. **Turner's s.** – s. de Turner; uma forma de disgênese gonadal marcada por estatura baixa, gônadas indiferenciadas (traços) e anormalidades variáveis que podem incluir um pescoço palmado, linha de cabelo posterior baixa, aumento do ângulo de extensão do cotovelo, cúbito valgo e defeitos cardíacos. O genótipo é XO (45, X) ou um mosaico X/XX ou X/XXX. O fenótipo é feminino. **Turner's s., male** – s. de Turner masculino; s. de Noonan. **twiddler's s.** – s. do paciente com marca-passo artificial; desalojamento, colapso ou outro mau funcionamento de um dispositivo diagnóstico implantado como resultado de manipulação inconsciente ou habitual por parte do paciente. **urethral s.** – s. uretral; arqueamento e cãimbras suprapúbicos, freqüência urinária e queixas vesicais como disúria, tenesmo vesical e dor na região inferior das costas, sem evidência de infecção urinária. **Usher's s.** – s. de Usher; síndrome hereditária na qual a surdez congênita é acompanhada de retinite pigmentar, freqüentemente terminando em cegueira; também podem ocorrer retardamento mental e distúrbios de marcha. **velocardiofacial s.** – s. velocardiofacial; síndrome hereditária de defeitos cardíacos e anomalias craniofaciais características, freqüentemente associados a anormalidades do cromossoma 22; ocorrem freqüentemente incapacidade de aprendizado e várias outras anormalidades. **Vernet's s.** – s. de Vernet; paralisia dos nervos glossofaríngeo, vago e espinhal acessório decorrente de lesão na região do forame jugular. **Vogt-Koyanagi-Harada s.** – s. de Vogt-Koyanagi-Harada; uveíte bilateral com iridociclite, coroidite exsudativa, meningismo e descolamento retiniano, acompanhados de alopecia, vitiligo, poliose, perda da acuidade visual, dor de cabeça, vômito e surdez; possivelmente, distúrbio auto-imune inflamatório. **Waardenburg's s.** – s. de Waardenburg; distúrbio hereditário, transmitido como característica dominante autossômica, caracterizado por ponte nasal larga devida a deslocamento lateral dos cantos e pontos lacrimais internos, distúrbios pigmentares (incluindo topete branco, heterocromia da íris, cílios brancos, leucodermia e algumas vezes surdez coclear). **WAGR s.** – s. WAGR; (*W*ilms' tumor *a*nidiria, *g*enitourinary abnormalities or *g*onadoblastoma,

and mental *r*etardation) síndrome de tumor de Wilms; aniridia, anormalidades geniturinárias ou gonadoblastoma bem como retardamento mental devido à supressão do cromossoma 11. **Walker-Warburg s., Warburg's s.** – s. de Walker-Warburg; s. de Warburg; síndrome congênita geralmente fatal de hidrocefalia, agiria, várias anomalias oculares e algumas vezes, encefalocele. **Waterhouse-Friderichsen s.** – s. de Waterhouse-Friderichsen; a forma maligna ou fulminante de meningite cerebroespinhal epidêmica, com início súbito, curso breve, febre, colapso, coma, cianose, petéquias na pele e membranas mucosas e hemorragia adrenal bilateral. **Weber's s.** – s. de Weber; paralisia do nervo oculomotor no mesmo lado da lesão, causando ptose, estrabismo e perda do reflexo luminoso e de acomodação; também ocorre hemiplegia espástica do lado oposto da lesão com reflexos aumentados e perda dos reflexos superficiais. **Weil's s.** – s. de Weil; uma forma severa de leptospirose, marcada por icterícia, geralmente acompanhada de azotemia, hemorragia, anemia, distúrbios de consciência e febre contínua. **Werner's s.** – s. de Werner; envelhecimento precoce em um adulto, com embranquecimento prematuro e alguma queda de cabelos, catarata, hiperceratinização, atrofia muscular, alterações semelhantes à esclerodermia na pele dos membros e alta incidência de neoplasias. **Wernicke-Korsakoff s.** – s. de Wernicke-Korsakoff; distúrbio neuropsiquiátrico causado por deficiência de tiamina, mais freqüentemente devido ao abuso de álcool, combinando as características da encefalopatia de Wernicke e síndrome de Korsakoff. **whiplash shake s.** – s. de agito de chicote; hematomas subdurais, hemorragia retiniana e algumas vezes contusões cerebrais causadas pelo estiramento e rompimento dos vasos cerebrais e da substância cerebral que podem ocorrer quando se agita vigorosamente uma criança de menos de 3 anos de idade (e geralmente menos de 1 ano de idade) pelos membros ou tronco com a cabeça não-sustentada; podem ocorrer paralisia, distúrbios visuais, cegueira, convulsões e morte. **Wilson-Mikity s.** – s. de Wilson-Mikity; forma rara de insuficiência pulmonar em crianças de baixo peso ao nascimento, marcada por hiperpnéia e cianose de início insidioso durante o primeiro mês de vida e freqüentemente resultando em morte. Radiograficamente, existem focos cistiformes de hiperaeração múltiplos em todo o pulmão com espessamento grosseiro das estruturas de sustentação intersticiais. **Wiskott-Aldrich s.** – s. de Wiskott-Aldrich; afecção caracterizada por eczema crônico, otite média supurativa crônica, anemia e púrpura trombocitopênica; constitui uma síndrome de imunodeficiência transmitida como uma característica recessiva ligada ao cromossoma X, na qual ocorre má-resposta de anticorpos a antígenos polissacarídicos e disfunção da imunidade mediada por células. **Wolf-Hirschhorn s.** – s. de Wolf-Hirschhorn; síndrome associada à supressão parcial do braço curto do cromossoma 4, caracterizada por microcefalia, hipertelorismo ocular, epicanto, palato fendido, micrognatia, ore- lhas de posicionamento baixo e simplificadas quanto à forma, criptorquidia e hipospadia. **Wolff-Parkinson-White (WPW) s.** – s. de Wolff-Parkin-son-White; associação de taquicardia paroxística (ou fibrilação atrial) e pré-excitação, em que o eletrocardiograma apresenta um intervalo P–R curto e um complexo QRS largo que demonstra caracteristicamente um vetor QRS precoce (onda delta). **Wyburn-Mason's s.** – s. de Wyburn-Mason; aneurismas arteriovenosos em um ou ambos os lados do cérebro, com anomalias oculares, nevos faciais e algumas vezes retardamento mental. **s. X.** – s. X; angina do peito ou dor torácica semelhante à angina associada a aparência angiográfica normal das artérias coronárias. **Zollinger-Ellison s.** – s. de Zollinger-Ellison; tríade que compreende (1) úlce-ras pépticas atípicas, algumas vezes fulminantes, e intratáveis; (2) hiperacidez gástrica extrema; e (3) insulinomas gástricos (gastrinomas) pancreáti-cos benignos ou malignos.

syn·drom·ic (sin-drom'ik) – sindrômico; que ocorre como síndrome.

syn·drom·ol·o·gy (sin"drom-ol'ah-je) – sindromolo-gia; o campo relacionado à taxonomia, etiologia e padrões de malformações congênitas.

syn·ech·ia (sĭ-nek'e-ah) [Gr.] pl. *synechiae* – sinéquia; aderência, como da íris à córnea ou ao cristalino. **s. vul'vae** – s. vulvar; afecção congênita em que os lábios menores selam-se na linha média, com apenas uma pequena abertura abaixo do clitóris através da qual podem ocorrer a micção e a menstruação.

syn·echot·o·my (sin"ĕ-kot'ah-me) – sinequiotomia; incisão de uma sinéquia.

syn·en·ceph·a·lo·cele (-en-sef'ah-lo-sēl") – sinen-cefalocele; encefalocele com aderências às par-tes contíguas.

syn·er·e·sis (sĭ-nerʼĭ-sis) – sinérese; reunião das par-tículas da fase dispersa de um gel, ocorrendo sepa-ração de parte do meio disperso e contração do gel.

syn·er·gism (sin'er-jizm) – sinergismo; sinergia.

syn·er·gist (-er-jist) – sinergista; músculo ou agente que auxilia a ação de outro.

syn·er·gy (-er-je) – sinergia: 1. ação correlacionada ou cooperação por parte de duas ou mais estru-turas ou drogas; 2. em Neurologia, a faculdade através da qual se agrupam apropriadamente movimentos para o desempenho de ações que exigem ajustes especiais. **synerget'ic, syner'gic, synergis'tic** – adj. sinérgico; sinergístico.

syn·es·the·sia (sin"es-the'zhah) – sinestesia: 1. sen-sação secundária que acompanha uma percepção real; 2. disestesia em que o estímulo de um sentido é percebido como a sensação de um sentido dife-rente, como acontece quando um som produz sensação de cor; 3. disestesia em que se experi-menta um estímulo em uma parte do corpo como se fosse em uma localização diferente.

syn·es·the·si·al·gia (-es-the"ze-al'jah) – sinestesial-gia; sinestesia álgica; sinestesia dolorosa.

syn·ga·my (sing'gah-me) – singamia: 1. reprodução sexuada; 2. união de dois gametas para formar um zigoto na fertilização. **syn'gamous** – adj. singâmico.

syn·ge·ne·ic (sin"jĕ-ne'ik) – singênico; denota indi-víduos ou tecidos que apresentam genótipos idên-ticos, e conseqüentemente participam de um sinenxerto.

syn·gen·e·sis (sin-je'ĕ-sis) – singênese: 1. origem de uma forma individual de um germe derivado de ambos os genitores e não apenas de um; 2. a condição de descender de um ancestral comum.

syn·graft (sin'graft) – sinenxerto; enxerto entre indi-víduos geneticamente idênticos, tipicamente en-tre gêmeos idênticos ou entre animais de uma só linhagem altamente endogâmica.

syn·i·ze·sis (sin"ĭ-ze'sis) – sinizese: 1. oclusão; 2. estágio mitótico no qual a cromatina nuclear forma uma massa.

syn·ki·ne·sis (-kĭ-ne'sis) – sincinese; movimento involuntário que acompanha um movimento vo-luntário. **synkinet'ic** – adj. sincinético.

syn·ne·cro·sis (-nĕ-kro'sis) – sinecrose; simbiose na qual o relacionamento entre as populações (ou os indivíduos) é mutuamente prejudicial.

syn·oph·thal·mus (-of-thal'mus) – sinoftalmia; ciclope; ver *cyclops*.

syn·or·chism (sin'or-kizm) – sinorquismo; fusão congênita dos testículos em uma só massa.

syn·os·che·os (sin-os'ke-us) – sinósquio; aderência entre o pênis e o escroto.

syn·os·te·ot·o·my (sin"os-te-ot'ah-me) – sinosteo-tomia; dissecção das articulações.

syn·os·to·sis (-os-to'sis) pl. *synostoses* – sinostose: 1. união entre ossos ou partes de um só osso adjacentes formada por material ósseo; 2. união óssea de ossos normalmente distintos. **synos-tot'ic** – adj. sinostótico.

sy·no·tia (sĭ-no'she-ah) – sinotia; persistência das orelhas em sua posição horizontal abaixo da mandíbula.

syn·o·vec·to·my (sin"o-vek'tah-me) – sinovectomia; excisão de uma membrana sinovial.

sy·no·via (sĭ-no've-ah) – sinóvia; fluido transparente e viscoso secretado pela membrana sinovial e encontrado nas cavidades articulares, bursas e bainhas tendíneas. **syno'vial** – adj. sinovial.

sy·no·vi·a·lis (sĭ-no"ve-a'lis) [L.] – sinovial.

sy·no·vi·o·ma (sĭ-no"ve-o'mah) – sinovioma; tumor origem na membrana sinovial.

sy·no·vi·or·the·sis (sĭ-no"ve-or-the'sis) – sinovior-tese; irradiação da sinóvia por meio de injeção intra-articular de radiocolóides para destruir um tecido sinovial inflamado.

syn·o·vi·tis (sin"o-vi'tis) – sinovite; inflamação de uma membrana sinovial, geralmente dolorosa, particularmente ao movimento e caracterizada por tumefação flutuante e devida a derrame no saco sinovial. **dry s., s. sic'ca** – s. seca; sinovite com pouco derrame. **simple s.** – s. simples; sinovite com derrame claro, mas ligeiramente turvo. **tendinous s.** – s. tendínea; tenossinovite. **villonodular s.** – s. vilonodular; proliferação de tecido sinovial, especialmente da articulação genicular, composta de vilos sinoviais e nódulos fibrosos infiltrados por células gigantes e macró-fagos.

syn·te·ny (sin-tĕ-ne) – sintenismo; presença conjun-ta no mesmo cromossoma de dois ou mais *loci*

STU

gênicos em proximidade tal que possam estar sujeitos a ligação. **synten'ic** – adj. sintênico.

syn·thase (-thãs) – sintase; termo utilizado na denominação de algumas enzimas (particularmente as liases) quando a fase sintética da reação é dominante ou destacada.

syn·the·sis (-thĕ-sis) – síntese: 1. criação de um composto através da união dos elementos que o compõem, realizada artificialmente ou como resultado de processos naturais. 2. em Psiquiatria, a integração dos vários elementos da personalidade. **synthet'ic** – adj. sintético.

syn·the·tase (-thĕ-tãs) – sintetase; termo utilizado na denominação de algumas ligases, não mais utilizado devido à semelhança com sintase e pela ênfase nos produtos da reação.

Syn·throid (-throid) – Synthroid, marca registrada de preparação de levotireoxina sódica.

syn·thropho·blast (sin-trof'o-blast) – sintrofoblasto; sinciciotrofoblasto; ver *syncytiotrophoblast.*

syn·throp·ic (-trop'ĭk) – sintrópico: 1. que vira ou aponta na mesma direção; 2. denota a correlação de vários fatores, como a relação de uma doença com o desenvolvimento ou incidência de outra.

syn·tro·py (sin'trah-pe) – sintropia; condição de ser sintrópico.

syph·i·lid (sif'ĭ-lid) – sifílide; uma das lesões cutâneas da sífilis secundária.

syph·i·lis (sif'ĭ-lis) – sífilis; doença venérea causada pela *Treponema pallidum,* que leva a muitas lesões estruturais e cutâneas, e é transmitida pelo contato sexual direto ou no útero. Ver *primary s., secondary s.* e *tertiary s.* **syphilit'ic** – adj. sifilítico.

congenital s. – s. congênita; sífilis adquirida no útero, manifestada por qualquer das várias malformações características dos dentes ou ossos e por sífilis mucocutânea ativa ao nascimento ou logo em seguida e por alterações oculares ou neurológicas. **endemic s., nonvenereal s.** – s. endêmica; s. não-venérea; infecção inflamatória crônica causada por um treponema morfologicamente indistinguível da espécie *Treponema pallidum,* transmitida não-sexualmente; o estágio inicial é marcado por manchas mucosas e por pápulas úmidas nas axilas e nas dobras cutâneas; seguem-se um estágio latente e finalmente complicações posteriores, incluindo gomas. **primary s.** – s. primária; sífilis em seu estágio inicial, correspondendo à lesão primária a um cancro, que é infeccioso e indolor; os linfonodos próximos endurecem e incham. **secondary s.** – s. secundária; sífilis no segundo de três estágios, com febre, erupções cutâneas multiformes (sifílides), irite, alopecia, manchas mucosas e cefaléia, articulações e periósteo. **tertiary s.** – s. terciária; sífilis generalizada tardia, com envolvimento de muitos órgãos e tecidos, incluindo pele, ossos, articulações e sistemas nervoso e cardiovascular; ver também *tabes dorsalis.*

syph·i·lo·ma (sif'ĭ-lo'mah) – sifiloma; tumor de origem sifilítica; goma.

sy·ringe (sir'inj, sĭ-rinj'') – seringa; instrumento para injetar líquidos ou retirá-los de um frasco ou cavidade. **air s., chip s.** – s. de ar; seringa pequena e de bico fino, utilizada para orientar uma corrente de ar no interior de uma cavidade dentária que esteja sendo escavada, para remover pequenos fragmentos e/ou para secar a cavidade. **dental s.** – s. dentária; pequena seringa utilizada em Odontologia Cirúrgica, que contém uma solução anestésica. **hypodermic s.** – s. hipodérmica; seringa para introdução de líquidos por meio de agulha oca no interior de tecidos subcutâneos. **Luer's s., Luer-Lok s.** – s. de Luer; s. de Luer-Lok; seringa de vidro para usos endovenoso e hipodérmico.

syr·in·gec·to·my (sir''in-jek'tah-me) – siringectomia; fistulectomia.

syr·in·gi·tis (sir''in-ji'tis) – siringite; inflamação da tuba auditiva.

syring(o)- [Gr.] – siring(o)-, elemento de palavra, *tubo; fístula.*

sy·rin·go·ad·e·no·ma (sĭ-ring''go-ad''ĕ-no'-mah) – siringoadenoma; siringocistadenoma; ver *syringocystadenoma.*

sy·rin·go·bul·bia (-bul'be-ah) – siringobulbia; presença de cavidades na medula oblonga.

sy·rin·go·car·ci·no·ma (-kahr''sĭ-no'mah) – siringocarcinoma; câncer de uma glândula sudorípara.

sy·rin·go·cele (sĭ-ring'go-sĕl) – siringocele; mielocele; ver *myelocele.*

sy·rin·go·coele (sĭ-ring'go-sĕl) – siringocele; canal central da medula espinhal.

sy·rin·go·cys·tad·e·no·ma (sĭ-ring''go-sis''tad-ĕ-no'mah) – siringocistadenoma; tumor cístico benigno das glândulas sudoríparas.

sy·rin·go·cys·to·ma (-sis-to'mah) – siringocistoma; siringocistoadenoma; ver *syringocystadenoma.*

sy·rin·go·ma (sir''ing-go'mah) – siringoma; tumor benigno que se acredita originar-se da porção ductal das glândulas sudoríparas écrinas, caracterizado por ductos sudoríparos císticos dilatados em um estroma fibroso.

sy·rin·go·my·e·lia (sĭ-ring''go-mi-e'le-ah) – siringomielia; síndrome lentamente progressiva de etiologia variável, na qual ocorre cavitação nos segmentos centrais da medula espinhal, geralmente na região cervical, com defeitos neurológicos resultantes; freqüentemente se encontra presente uma escoliose torácica.

sy·rin·got·o·my (sir''ing-got'ah-me) – siringotomia; fistulotomia; ver *fistulotomy.*

syr·inx (sir'inks) [Gr.] – siringe: 1. tubo ou cano; 2. fístula; 3. nas aves, a parte inferior da traquéia onde se produzem sons vocais.

syr·up (sir'up) – xarope; solução concentrada de um açúcar (como a sacarose) em água ou outro líquido aquoso, algumas vezes com um agente medicinal acrescentado; geralmente utilizado como veículo aromatizado para drogas.

sys·tal·tic (sis-tal'tik) – sistáltico; que se contrai e dilata alternadamente; que pulsa.

sys·tem (sis'tim) – sistema: 1. grupo ou série de partes ou entidades (objetos, órgãos ou organismos) interconectadas ou interdependentes, que atuam em conjunto com um propósito comum ou produzem resultados impossíveis por meio da ação de somente uma delas; 2. escola ou método de prática baseados em um grupo específico de princípios. **alimentary s.** – s. alimentar; s. digestivo. **auditory s.** – s. auditivo; série de estruturas pelas quais se recebem os sons do ambiente e se conduzem os mesmos como sinais para o sistema nervoso central; ele consiste dos ouvidos externo, médio e interno e os tratos nas vias auditivas. **autonomic nervous s.** – s. nervoso autônomo; porção do sistema nervoso relacionada à regulação da atividade do músculo cardíaco, músculos lisos e glândulas, geralmente restrita aos sistemas nervosos simpático e parassimpático. **cardiovascular s.** – s. cardiovascular; coração e vasos sangüíneos, através dos quais o sangue é bombeado e circula pelo corpo. Ver Prancha VIII. **CD s.** – s. CD (cluster designation); designação de grupos; sistema para classificar os marcadores de superfície celular expressos por linfócitos com base em um agrupamento por análise de computador de anticorpos monoclônicos semelhantes criados contra antígenos de leucócitos humanos. **centimeter-gram-second s.** – s. centímetro-grama-segundo; ver CGS. **central nervous s. (CNS)** – s. nervoso central (SNC); cérebro e medula espinhal. **centrencephalic s.** – s. centrencefálico; neurônios no núcleo central do tronco cerebral do tálamo descendo para a medula oblonga, conectando os dois hemisférios cerebrais. **chromaffin s.** – s. cromafim; células cromafins do corpo (que caracteristicamente se coram fortemente com sais de cromo) consideradas coletivamente; elas ocorrem ao longo dos nervos simpáticos, supra-renais, carótidas e glândulas coccígeas e em vários outros órgãos. **circulatory s.** – s. circulatório; canais através dos quais os fluidos nutrientes corporais fluem; freqüentemente restritos aos vasos que transportam o sangue. **conduction s. of heart** – s. condutor do coração; um sistema de fibras musculares especializadas que geram e transmitem impulsos cardíacos e coordenam contrações, compreendendo os nódulos sinoatrial e atrioventricular, feixe de His e seus ramos de feixe e ramos subendocárdicos das fibras de Purkinje. **digestive s.** – s. digestivo; os órgãos relacionados à ingestão, digestão e absorção de alimentos ou elementos nutricionais; ver Prancha IV. **endocrine s.** – s. endócrino; sistema de glândulas e outras estruturas que elaboram secreções internas (hormônios) liberados diretamente no interior do sistema circulatório, influenciando o metabolismo e outros processos corporais; incluem-se entre elas as glândulas hipófise, tireóide, paratireóide e supra-renais, corpo pineal, gônadas, pâncreas e paragânglios. **enteric nervous s.** – s. nervoso entérico; plexo entérico, algumas vezes considerado separadamente do sistema nervoso autônomo por ter atividade reflexa local independente. **extrapyramidal s.** – s. extrapiramidal; unidade funcional em vez de anatômica que compreende os núcleos e as fibras (excluindo as do trato piramidal) envolvidas nas atividades motoras; eles controlam e coordenam especialmente os mecanismos posturais, estáticos, de sustentação e locomotores. O sistema inclui o corpo estriado, núcleo subtalâmico, substância negra e núcleo vermelho e suas interconexões com a formação

reticular, cerebelo e cérebro. **genitourinary s.** – s. geniturinário; s. urogenital. **haversian s.** – s. de Havers; canal de Havers e suas lamelas concentricamente dispostas, que constituem a unidade de estrutura básica do osso compacto (ósteon). **hematopoietic s.** – s. hematopoiético; tecidos relacionados à produção de sangue, que incluem a medula óssea e o tecido linfático. **heterogeneous s.** – s. heterogêneo; sistema ou estrutura constituída de partes mecanicamente separáveis, como uma emulsão ou suspensão. **His-Purkinje s.** – s. de His-Purkinje; porção do sistema condutor do coração, geralmente referindo-se especificamente ao segmento que começa com o feixe de His e termina na extremidade da rede de fibras de Purkinje dentro dos ventrículos. **homogeneous s.** – s. homogêneo; sistema ou estrutura constituídos de partes que não podem ser mecanicamente separadas, como uma solução. **hypophyseoportal s.** – s. porta hipofisário; as vênulas que conectam os capilares (gomitoli) na proeminência mediana do hipotálamo com os capilares sinusoidais da hipófise anterior. **immune s.** – s. imune; sistema complexo de componentes celulares e moleculares que têm as funções primárias de distinguir-se do que for estranho a si mesmos e proporcionar defesa contra organismos ou substâncias alheias. **International S. of Units** – s. Internacional de Unidades, ver SI unit, em unit. **keratinizing s.** – s. ceratinizante; células que compõem a maior parte do epitélio da epiderme, que têm origem ectodérmica e sofrem ceratinização e formam as camadas superficiais da pele. **limbic s.** – s. límbico; grupo de estruturas cerebrais (que incluem hipocampo, giro arqueado e amígdala) comuns a todos os mamíferos; associa-se à olfação, funções autônomas e determinados aspectos da emoção e do comportamento. **locomotor s.** – s. locomotor; estruturas de um organismo vivo responsáveis por sua locomoção; no homem correspondem aos músculos, articulações e ligamentos dos membros inferiores bem como às artérias e nervos que os suprem. **lymphatic s.** – s. linfático; vasos linfáticos e tecido linfóide, considerados coletivamente. **lymphoid s.** – s. linfóide; os tecidos linfóides do corpo, coletivamente; consiste de (a) um componente central (que inclui medula óssea, timo e uma porção não-identificada chamada de tecido equivalente bursal); e (b) componente periférico (que consiste dos linfonodos, baço e tecido linfóide associado ao intestino [tonsilas e placas de Peyer]). **lymphoreticular s.** – s. linforreticular; tecidos dos sistemas linfóide e reticuloendotelial considerados em conjunto com um sistema. **masticatory s.** – s. mastigatório; todas as estruturas ósseas e moles da face e da boca envolvidas na mastigação, e os vasos e os nervos que os suprem. **metric s.** – s. métrico; sistema decimal de pesos e medidas baseado no metro; ver Tabela de Pesos e Medidas. **mononuclear phagocyte s. (MPS)** – s. fagocítico mononuclear; grupo de células que consiste de macrófagos e seus precursores (os monócitos sangüíneos e suas células precursoras na medula óssea). O termo foi

STU

proposto para substituir o sistema reticuloendotelial, que não inclui todos os macrófagos e inclui outros tipos celulares não-relacionados. **muscular s.** – s. muscular; músculos do corpo considerados coletivamente; geralmente restrito aos músculos esqueléticos voluntários. **nervous s.** – s. nervoso; sistema de órgãos que, junto com o sistema endócrino, correlaciona os ajustes e as reações do organismo ao seu ambiente interno e externo, compreendendo os sistemas nervosos central e periférico. Ver Pranchas X e XI. **parasympathetic nervous s.** – s. nervoso parassimpático; porção craniossacral do sistema nervoso autônomo, suas fibras pré-ganglionares que viajam com os nervos cranianos III, VII, IX, X e XI e com as segundas a quartas raízes ventrais sacrais; o sistema inerva o coração, músculos lisos e glândulas da cabeça e pescoço, bem como vísceras torácicas, abdominais e pélvicas. **peripheral nervous s.** – s. nervoso periférico; todos os elementos do sistema nervoso (nervos e gânglios) exteriores ao cérebro e medula espinhal. **portal s.** – s. portal; disposição pela qual o sangue coletado a partir de um grupo de capilares passa por um grande vaso ou vasos e por outro grupo de capilares antes de retornar à circulação sistêmica, como acontece na glândula hipófise e no fígado. **Purkinje s.** – s. de Purkinje; porção do sistema de condução cardíaco, geralmente referindo-se especificamente à rede de Purkinje. **respiratory s.** – s. respiratório; órgãos tubulares e cavernosos que permitem que o ar atmosférico alcance as membranas através das quais os gases são trocados com o sangue. Ver Pranchas VI e VII. **reticular activating s.** – s. de ativação reticular; sistema de células da formação reticular da medula oblonga que recebe colaterais dos trajetos sensoriais ascendentes e se projeta para centros superiores; essas células controlam o grau global de atividade do sistema nervoso central, incluindo vigília, atenção e sono; abreviação RAS. **reticuloendothelial s. (RES)** – s. reticuloendotelial; um grupo de células que têm a capacidade de absorver e seqüestrar partículas inertes e corantes vitais, incluindo macrófagos e precursores de macrófagos, células endoteliais especializadas que revestem os sinusóides hepáticos, esplênicos e da medula óssea, assim como células reticulares do tecido linfático (macrófagos) e da medula óssea (fibroblastos). Ver também *mononuclear phagocyte s.* **stomatognathic s.** – s. estomatognático; estruturas da boca e das mandíbulas, consideradas coletivamente por se destinarem a promover as funções da mastigação, deglutição, respiração e fala. **sympathetic nervous s. (SNS)** – s. nervoso simpático; parte toracolombar do sistema nervoso autônomo, as fibras pré-ganglionares que surgem dos corpos celulares nos segmentos torácicos e nos primeiros três segmentos lombares da medula espinhal; as fibras pós-ganglionares se distribuem para o coração, músculos lisos e glândulas do corpo inteiro. **urogenital s.** – s. urogenital; os órgãos relacionados à produção e excreção de urina, junto com os órgãos da reprodução. **vascular s.** – s. vascular; os vasos do corpo, especialmente os vasos sangüíneos. **visual s.** – s. visual; série de estruturas através das quais se recebem as sensações visuais do ambiente e se conduzem as mesmas como sinais para o sistema nervoso central; o sistema consiste de fotorreceptores na retina e fibras aferentes no nervo, quiasma e trato ópticos.

sys·te·ma (sis-te'mah) [Gr.] – sistema.

sys·tem·ic (sis-tem'ik) – sistêmico; relativo ou que afeta o corpo como um todo.

sys·to·le (sis'to-le) – sístole; a contração ou o período de contração do coração, especialmente dos ventrículos. **systol'ic** – adj. sistólico. **aborted s.** – s. abortada; sístole fraca (geralmente prematura), não-associada à pulsação de uma artéria periférica. **atrial s.** – s. atrial; contração dos átrios através da qual o sangue é propelido para os ventrículos. **extra s.** – s. extra; extra-sístole. **ventricular s.** – s. ventricular; contração dos ventrículos cardíacos através da qual se força o sangue no interior da aorta e da artéria pulmonar.

sys·trem·ma (sis-trem'ah) – sistrema; câimbra nos músculos da panturrilha.

syz·y·gy (siz' -je) – sizígia; conjunção e fusão de órgãos sem perda de identidade.

T

T – tesla; tera-; thymine or thymidine; thoracic (T1-T12); intraocular tension (tesla; tera-; timina ou timidina; vértebras torácicas [T1-T12]; tensão intra-ocular).

2,4,5-T – a toxic chlorphenoxy herbicide – 2,4,5-trichlorophenoxyacetic acid, a component of Agent Orange (ácido 2,4,5-triclorofenoxiacético – herbicida clorfenoxi tóxico, componente do Agente Laranja).

T – absolute temperature (temperatura absoluta).

$T_{1/2}$ – half-life (meia-vida).

$t_{1/2}$ – half-life (meia-vida).

T_3 – triiodothyronine (triiodotireonina).

T_4 – thyroxine (tireoxina).

T_m – tubular maximum (of the kidneys) (máximo tubular [dos rins]); utilizado na descrição de estudos da função renal, com as letras inferiores representando a substância utilizada no teste, como T_{mPAH} – tubular maximum for *p*- aminohippuric acid (máximo tubular para o ácido *p*-amino-hipúrico).

t – translocation (translocação).

t – time; temperature (tempo; temperatura).

TA – toxin-antitoxin (toxina-antitoxina).

Ta – símbolo químico, tântalo (*tantalum*).

tab·a·nid (tab'ah-nid) – tabanídeo; qualquer moscardo da família Tabanidae, incluindo as moscas do cavalo e as moscas do cervo.

Ta·ba·nus (tah-ba'nus) – *Tabanus;* gênero de moscas picadoras e hematófagas (mutucas ou moscardos) que transmitem tripanossomas e antraz para vários animais.

ta·bes (ta'bēz) – tabes; tabe: 1. qualquer emaciação do corpo; atrofia progressiva do corpo ou parte dele; 2. tabes dorsal. **tabet'ic** – adj. tabético. **t. dorsa'lis** – t. dorsal; neurossífilis parenquimatosa marcada por degeneração das colunas e raízes posteriores e do gânglio da medula espinhal, paroxismos de dor intensa, crises viscerais, distúrbios de sensação e vários distúrbios tróficos, especialmente ossos e articulações. **t. mesente'rica** – t. mesentérica; tuberculose das glândulas mesentéricas em crianças.

ta·bes·cent (tah-bes'ent) – tabescente; progressivamente emaciado; emaciado.

ta·bet·i·form (tah-bet'ĭ-form) – tabetiforme; que se assemelha à tabes.

tab·la·ture (tab'lah-chur) – tablatura; separação dos ossos cranianos principais em tábuas interna e externa, separadas pela díploe.

ta·ble (ta'b'l) – tábua; camada ou superfície chata. **inner t.** – t. interna; camada compacta interna dos ossos que recobrem o cérebro. **outer t.** – t. externa; camada compacta externa dos ossos que recobrem o cérebro. **vitreous t.** – t. vítrea; t. interna.

tab·let (tab'let) – comprimido; tablete; pastilha; forma de dosagem sólida que contém uma substância medicinal com ou sem diluente adequado. **buccal t.** – c. oral; comprimido que se dissolve quando mantido entre as bochechas e a gengiva, permitindo absorção direta do ingrediente ativo através da mucosa oral. **enteric-coated t.** – c. entérico revestido; comprimido revestido com um material que retarda a liberação da medicação até que o mesmo deixe o estômago. **sublingual t.** – c. sublingual; comprimido que se dissolve quando mantido sob a língua, permitindo absorção direta do ingrediente ativo pela mucosa oral.

ta·bo·pa·re·sis (ta"bo-pah-re'sis) – taboparesia; paresia geral que ocorre concomitantemente com a tabes dorsal.

tache (tahsh) [Fr.] – mácula; mancha; sarda. **tachet'ic** – adj. manchado. **t. blanche** – m. branca; mancha branca no fígado no caso de determinadas doenças infecciosas. **t's bleuâtres** – máculas azuis; máculas cerúleas. **t. cérébrale** – m. cerebral; linha congesta produzida ao se correr a unha pela pele; presente em várias cerebropatias ou neuropatias. **t. motrice** – m. motriz; placa final motora. **t. noire** – úlcera coberta com uma crosta negra, reação local característica onde se presume ter ocorrido picada infecciosa, como em determinadas rickettsioses provocada por carrapatos.

ta·ch·og·ra·phy (tah-kog'rah-fe) – tacografia; registro do movimento e da velocidade da corrente sangüínea.

tachy- [Gr.] – taqui-, elemento de palavra, *rápido; veloz.*

tachy·ar·rhyth·mia (tak"e-ah-rith'me-ah) – taquiarritmia; qualquer distúrbio do ritmo cardíaco no qual a freqüência cardíaca se eleva anormalmente.

tachy·car·dia (-kahr'de-ah) – taquicardia; freqüência cardíaca anormalmente acelerada. **tachycar'diac** – adj. taquicárdico. **atrial t.** – t. atrial; freqüência cardíaca rápida (geralmente de 160-190 por minuto), que se origina de um local atrial. **atrioventricular (AV) junctional t., atrioventricular (AV) nodal t.** – t. originada na junção A-V; t. nodal atrioventricular. **atrioventricular nodal reentrant t.** – t. nodal reentrante atrioventricular; taquicardia que resulta de reentrada ao redor ou no nodo atrioventricular; por ser *antidrômica* na qual a condução é anterógrada na via acessória e retrógrada na via de condução normal, ou *ortodrômica* na qual a condução é anterógrada na via de condução normal e retrógrada na via acessória. **atrioventricular reciprocating t. (AVRT)** – t. atrioventricular alternante; taquicardia reentrante na qual o circuito reentrante contém tanto a via de condução normal como a via acessória como partes integrais. **chaotic atrial t.** – t. caótica atrial; taquicardia caracterizada por freqüências atriais de 100 a 130 batimentos por minuto, morfologia de onda P marcadamente variável e intervalos P–P irregulares, freqüentemente levando à fibrilação atrial. **circus movement t.** – t. de movimento circular; t. reentrante. **ectopic t.** – t. ectópica; ação cardíaca rápida em resposta a impulsos que surgem exteriormente ao nodo sinoatrial. **junctional t.** – originada na junção A-V; taquicardia que surge em resposta a impulsos que se originam na junção atrioventricular(ou seja, no nodo atrioventricular), com freqüência cardíaca maior que 75 batimentos por minuto. **multifocal atrial t. (MAT)** – t. atrial multifocal; t. atrial caótica. **nonparoxysmal junctional t.** – t. juncional não-paroxística; taquicardia juncional de início lento, com freqüência cardíaca de 70 a 130 batimentos por minuto; devida à potencialização da automaticidade do tecido juncional atrioventricular, freqüentemente secundária a uma enfermidade ou traumatismo. **paroxysmal t.** – t. paroxística; ação cardíaca rápida que começa e pára abruptamente. **paroxysmal supraventricular t. (PSVT)** – t. supraventricular paroxística; taquicardia supraventricular que ocorre em ataques de início e cessação rápidos, geralmente devido a circuito reentrante. **reciprocating t.** – t. alternante; taquicardia devida a mecanismo reentrante e caracterizada por ritmo alternante. **reentrant t.** – t. reentrante; qualquer taquicardia caracterizada por um circuito reentrante. **supraventricular t. (SVT)** – t. supraventricular; qualquer taquicardia regular na qual o ponto de estimulação se encontra acima dos ramos de feixe; também pode incluir as taquicardias que surgem de circuitos reentrantes grandes que englobam tanto locais atriais como ventriculares. **ventricular t.** – t. ventricular; ritmo ventricular anormalmente rápido com excitação ventricular aberrante (com geralmente mais de

STU

150 batimentos por minuto), gerada dentro do ventrículo, e mais freqüentemente associada a dissociação atrioventricular.

tachy·dys·rhyth·mia (-dis-rith'me-ah) – taquidisritmia; ritmo cardíaco anormal com freqüência maior que 100 batimentos por minuto em um adulto; o termo taquiarritmia (ver *tachyarrythmia)* é geralmente utilizado em vez desse.

tachy·gas·tria (-gas'tre-ah) – taquigastria; ocorrência de uma seqüência de potenciais elétricos em freqüências anormalmente altas no antro gástrico.

tachy·ki·nin (-ki'nin) – taquicinina; qualquer substância de uma família de peptídeos estrutural e funcionalmente semelhantes à substância P; todas são secretagogos potentes e de ação rápida e provocam contração e vasodilatação dos músculos lisos.

tachy·pha·gia (-fa'jah) – taquifagia; ingestão rápida.

tachy·phy·lax·is (-fĭ-lak'sis) – taquifilaxia: 1. imunização rápida contra o efeito de doses tóxicas de um extrato ou soro por meio de injeção anterior de pequenas doses das mesmas; 2. redução rápida da resposta a uma droga ou agente fisiologicamente ativo após a administração de algumas doses. **tachyphylac'tic** – adj. taquifilático.

tach·yp·nea (tak"ip-ne'ah) – taquipnéia; respiração muito rápida.

tachy·rhyth·mia (tak"e-rith'me-ah) – taquirritmia; taquicardia.

tach·ys·te·rol (tak-is'ter-ol) – taquisterol; isômero do ergosterol produzido por irradiação.

tac·rine (tak'rēn) – tacrina; inibidor da colinesterase utilizado para melhorar o desempenho cognitivo no tratamento da doença de Alzheimer.

tac·tom·e·ter (tak-tom'ĕ-ter) – tactômetro; instrumento para medir a sensibilidade tátil.

Tae·nia (te'ne-ah) – *Taenia;* gênero de tênias. **T. echinococ'cus** – *T. echinococcus; Echinococcus granulosus.* **T. sagina'ta** – *T. saginata;* espécies de 3,6 a 7,5 m de comprimento, encontrada em forma adulta no intestino humano e em estado larval nos músculos e outros tecidos de bovinos e outros ruminantes; infecção humana geralmente resulta da ingestão de carne bovina inadequadamente cozida. **T. so'lium** – *T. solium;* espécie de 0,9 a 1,8 m de comprimento, encontrada no intestino na forma adulta; a forma larval é mais freqüentemente encontrada nos músculos e outros tecidos dos suínos; a infecção humana resulta da ingestão de carne suína inadequadamente cozida.

tae·nia (te'ne-ah) [L.] pl. *taeniae* – tênia:1. faixa ou estria chata de tecido mole. 2. tênia do gênero *Taenia.* **tae'niae co'li** – tênias cólicas; três faixas espessadas formadas pelas fibras longitudinais na túnica muscular do intestino grosso e estendendo-se do apêndice vermiforme ao reto.

tae·ni·a·cide (-sĭd") – tenicida: 1. letal para tênias; 2. agente letal às tênias.

tae·ni·a·fuge (-fūj") – tenífugo; ver *teniafuge.*

tae·ni·a·sis (te-ni'ah-sis) – teníase; infecção por tênias do gênero *Taenia.*

Tag·a·met (tag'ah-met) – Tagamet, marca registrada de preparações de cimetidina.

tail (tāl) – cauda: 1. qualquer apêndice delgado; 2. apêndice que se estende a partir do tronco posterior dos animais. **t. of spermatozoon** – c. do espermatozóide; flagelo de um espermatozóide, que contém o axonema; possui quatro regiões: colo, porção média, porção principal e porção final.

tal·bu·tal (tal'bu-tal) – talbutal; barbitúrico de ação intermediária utilizado como hipnótico e sedativo.

talc (talk) – talco; pedra-sabão; silicato de magnésio hidratado natural, algumas vezes com pequena quantidade de silicato de alumínio; utilizado como pó de polvilhamento.

tal·co·sis (tal-ko'sis) – talcose; afecção devida à inalação ou implantação de um talco no corpo.

talcum (tal'kum) – talco; ver *talc.*

tal·i·pes (tal'ĭ-pēz) – talipe; pé torto; deformidade congênita do pé, que se flexiona fora da forma ou posição; o pé pode-se encontrar em dorsoflexão (*t. calcâneo)* ou flexão plantar (*t. eqüino),* abduzido e evertido (*t. valgo),* abduzido e invertido (*t. varo)* ou em várias combinações (*t. calcaneovalgo, t. calcaneovaro, t. eqüinovaro ou t. eqüinovalgo).*

tal·i·pom·a·nus (tal"ĭ-pom'ah-nus) – talipômano; mão torta.

ta·lo·cal·ca·neal (ta"lo-kal-ka'ne-al) – talocalcâneo; relativo ao talo e calcâneo.

ta·lo·cru·ral (-krōōr'al) – talocrural; relativo ao talo e ossos da perna.

ta·lo·fib·u·lar (-fib'u-ler) – talofibular; relativo ao talo e à fíbula.

ta·lo·na·vic·u·lar (-nah-vik'u-ler) – talonavicular; relativo ao talo e ao osso navicular.

ta·lus (ta'lus) [L.] pl. *tali.* – talo; osso do tornozelo; astrágalo; ver *Tabela de Ossos.*

tambour (tamb-oor') – tambor; aparelho com a forma de um tambor utilizado para transmitir movimentos em um instrumento de registro.

ta·mox·i·fen (tah-mok'sĭ-fen) – tamoxifeno; antiestrogênio oral não-esteróide utilizado como sal de citrato no tratamento paliativo do câncer de mama e para estimular a ovulação na infertilidade.

tam·pon (tam'pon) [Fr.] – tampão; compressa ou coxim feitos de algodão, esponja ou outro material, variavelmente utilizados em cirurgia para tamponar o nariz, vagina, etc., a fim de controlar hemorragia ou absorver secreções.

tam·pon·ade (tam"po-nād') – tamponamento: 1. uso cirúrgico de um tampão; 2. compressão patológica de uma parte. **balloon t.** – t. em balão; tamponamento esofagogástrico por meio de um dispositivo com sonda de lúmen triplo e dois balões infláveis, em que o terceiro lúmen proporciona a aspiração de coágulos sangüíneos. **cardiac t.** – t. cardíaco; compressão cardíaca por meio de elevação da pressão intrapericárdica devido ao acúmulo de sangue ou de fluido no pericárdio. **esophagogastric t.** – t. esofagogástrico; exercício de pressão direta contra sangramento de varizes esofágicas por meio da inserção de sonda com balão no esôfago e outra no estômago e então inflando-as.

Tan·de·a·ril (tan-de'ah-ril) – Tandearil, marca registrada de preparação de oxifembutazona.

tan·nate (tan'āt) – tanato; um dos sais do ácido tânico, sendo todos eles adstringentes.

tan·nic ac·id (-ik) – ácido tânico; tanino obtido a partir da casca da árvore e fruto de vários vegetais, geralmente obtido das nozes-de-galhas; utilizado como adstringente.

tan·nin (-in) – tanino; ácido tânico.

tan·ta·lum (tan'tah-lum) – tântalo; elemento químico (ver *Tabela de Elementos*), número atômico 73, símbolo Ta; metal não-corrosivo e maleável utilizado em placas ou discos para substituir defeitos cranianos, suturas de fio metálico e confecção de dispositivos protéticos.

tan·y·cyte (tan'ĭ-sīt) – tanicito; célula modificada do epêndima do infundíbulo do hipotálamo; desconhece-se sua função, mas pode ser o transporte de hormônios do líquido cerebroespinhal para a circulação hipofisária ou dos neurônios hipotalâmicos para o líquido cerebroespinhal.

tap (tap) – puncionar; golpear: 1. golpe rápido e leve; 2. retirar um líquido por meio de paracentese.
spinal t. – punção espinhal; punção lombar.

tape (tāp) – fita; faixa longa e estreita de tecido ou outro material flexível. **adhesive t.** – f. adesiva; esparadrapo, faixa de tecido ou outro material revestida uniformemente em um lado com material adesivo sensível à pressão.

tap·ei·no·ceph·a·ly (tap"ĭ-no-sef'ah-le) – tapinocefalia; achatamento do crânio, com um índice vertical abaixo de 72. **tapeinocephal'ic** – adj. tapinocefálico.

ta·pe·tum (tah-pe'tum) [L.] pl. *tapeta* – tapete: 1. estrutura ou camada de células de revestimento; 2. estrato de fibras do corpo caloso na face súpero-lateral do corno occipital do ventrículo lateral. **t. lu'cidum** – t. lúcido; epitélio iridescente da coróide dos animais, que confere aos olhos a propriedade de brilhar no escuro.

tape·worm (tāp'werm) – tênia; verme cestódeo parasita intestinal que tem forma achatada e semelhante a uma fita. **armed t.** – t. armada; *Taenia solium*. **beef t.** – t. da carne; *Taenia saginata*. **broad t.** – t. grande; *Diphyllobothrium latum*. **dog t.** – t. canina; *Dipylidium caninum*. **fish t.** – t. dos peixes; *Diphyllobothrium latum*. **hydatid t.** – t. hidátide; *Echinococcus granulosus*. **pork t.** – t. do porco; *Taenia solium*. **unarmed t.** – t. desarmada; *Taenia saginata*.

ta·pote·ment (tah-pōt-maw') [Fr.] – tapotagem; golpeamento; manipulação com golpes leves na massagem.

tar (tahr) – alcatrão; líquido viscoso marrom-escuro ou negro, obtido a partir de várias espécies de pinheiro ou do alcatrão betuminoso. **coal t.** – a. de hulha; subproduto obtido na destilação destrutiva do alcatrão betuminoso; utilizado como antieczematoso e antipsoriático tópicos. **juniper t.** – a. de zimbro; óleo volátil obtido da madeira do *Juniperus oxycedrus*; utilizado como antieczematoso tópico e como necessidade farmacêutica. **pine t.** – a. de pinheiro; produto da destilação destrutiva da madeira de vários pinheiros; utilizado como antieczematoso e rubefaciente locais.

ta·ran·tu·la (tah-ran'chu-lah) – tarântula; aranha venenosa cuja picada causa inflamação e dor locais que geralmente não são graves, compreendendo as espécies *Eurypelma hentzii* (t.

americana), *Sericopelma communis* (t. negra) do Panamá e *Lycosa tarentula* (t.européia).

tar·dive (tahr'div) [Fr.] – tardio; tarde; atrasado.

tare (tār) – tara: 1. peso do recipiente em que se pesa uma substância; 2. pesar um recipiente para descontar seu peso quando recipiente e substância são pesados juntos.

tar·get (tahr'gĭt) – alvo: 1. objeto ou área em direção à qual se orienta alguma coisa, como a área do ânodo de um tubo de raios X onde o feixe de elétrons colide, causando a emissão dos raios X; 2. célula ou órgão afetados por um agente particular (por exemplo, hormônio ou droga).

tar·ich·a·tox·in (tar"ik-ah-tok'sin) – taricatoxina; neurotoxina proveniente do tritão (*Taricha*), idêntica à tetrodotoxina.

tar·sad·e·ni·tis (tahr"sad-ĕ-ni'tis) – tarsadenite; inflamação do tarso palpebral e glândulas meibomianas.

tar·sal (tahr's'l) – társico; tarsal; relativo ao tarso.

tar·sal·gia (tahr-sal'le-ah) – tarsalgia; dor no tarso.

tar·sa·lia (tahr-sa'lis) – társico; qualquer osso do tarso.

tar·sa·lis (tahr-sa'lis) [L.] – társico; tarsal.

tar·sec·to·my (tahr-sek'tah-me) – tarsectomia: 1. excisão de um ou mais ossos do tarso; 2. excisão da cartilagem palpebral.

tar·si·tis (tahr-si'tis) – tarsite; inflamação do tarso palpebral; blefarite.

tars(o)- [Gr.] – elemento de palavra, *borda palpebral; tarso podal; peito do pé.*

tar·soc·la·sis (tahr-sok'la-sis) – tarsoclasia; fratura cirúrgica do tarso podal.

tar·so·ma·la·cia (tahr"so-mah-la'shah) – tarsomalacia; amolecimento do tarso palpebral.

tar·so·meta·tar·sal (-met"ah-tar'sal) – tarsometatársico; relativo ao tarso e metatarso.

tar·so·plas·ty (tahr'so-plas"te) – tarsoplastia; cirurgia plástica do tarso palpebral.

tar·sop·to·sis (tahr"sop-to'sis) – tarsoptose; queda do tarso; pé chato.

tar·sor·rha·phy (tahr-sor'ah-fe) – tarsorrafia; sutura parcial ou completa das pálpebras superiores e inferiores, para reduzir ou fechar completamente a fissura palpebral.

tar·sot·o·my (tahr-sot'ah-me) – tarsotomia; incisão cirúrgica do tarso ou da pálpebra.

tar·sus (tahr'sus) – tarso: 1. os sete ossos – talo, calcâneo, navicular, cuneiformes medial, intermediário e lateral e cubóide – que compõem a articulação entre o pé e a perna; o tornozelo ou o peito do pé; 2. placa cartilaginosa que forma a estrutura de cada uma das pálpebras (superior ou inferior).

tar·tar (tahr'ter) – tártaro: 1. bitartarato de potássio; 2. cálculo dentário.

tar·trate (tahr'trāt) – tartarato; um sal do ácido tartárico.

tas·tant (tās'tant) – aromatizante; condimento; qualquer substância (por exemplo, o sal) capaz de provocar excitação gustativa, ou seja, de estimular o sentido do paladar.

taste (tāst) – sabor; gosto; paladar: 1. o sentido efetuado pelos receptores gustatórios na língua. Distinguem-se quatro qualidades: doce, azedo, salgado e amargo; 2. o ato de sentir por meio desse sentido.

STU

tas·ter (tãs'ter) – provador; degustador; indivíduo capaz de sentir o gosto de uma substância-teste particular (como a feniltiouréia, utilizada em estudos genéticos).

Tat·lock·ia mic·da·dei (tat-lok'e-ah mik-da'-de-i) – *Tatlockia micdadei;* agente da pneumonia de Pittsburgh; microrganismo aquático semelhante a *Legionella,* que se considera como causa de pneumonia.

tat·too·ing (tah-too'ing) – tatuagem; tatuar; aplicação (por meio de perfurações) de cores permanentes na pele. **t. of cornea** – t. corneana; coloração permanente da córnea, principalmente para ocultar manchas leucomatosas.

tau·rine (taw'rēn) – taurina; amina oxidada que contém enxofre e ocorre conjugada na bile, geralmente como coliltaurina ou quenodesoxicoliltaurina; também pode ser um neurotransmissor ou neuromodulador do sistema nervoso central.

tau·ro·cho·late (taw"ro-ko'lãt) – taurocolato; um sal do ácido taurocólico.

tau·to·mer (taw'to-mer) – tautômero; um composto químico que manifesta ou é capaz de manifestar tautomerismo.

tau·tom·er·al (taw-tom'er-al) – tautomérico; relativo à mesma parte; diz-se especialmente de neurônios e neuroblastos que enviam processos para auxiliar na formação da substância branca no mesmo lado da medula espinhal.

tau·tom·er·ase (-ãs) – tautomerase; enzima que catalisa a interconversão de tautômeros.

tau·tom·er·ism (-izm) – tautomerismo; relacionamento que existe entre dois isômeros estruturais que se encontram em equilíbrio químico e mudam livremente de um para outro. **tautomer'ic** – adj. tautomérico.

tax·is (tak'sis) – taxia: 1. movimento de orientação de um organismo móvel em resposta a um estímulo; pode ocorrer tanto em direção a (positivo) como em sentido contrário (negativo) à fonte do estímulo; termo também utilizado como sufixo, afixado a um radical que denota a natureza do estímulo; 2. reposicionamento de um órgão ou parte deslocada impelindo-o manualmente.

Tax·ol (tak'sol) – Taxol, marca registrada de preparação de paclitaxel.

tax·on (tak'son) pl. *taxa* – táxon: 1. agrupamento taxonômico particular (como, espécie, gênero, família, ordem, classe, filo ou reino); 2. nome aplicado a um agrupamento taxonômico.

tax·on·o·my (tak-son'ah-me) – taxonomia; classificação ordenada de organismos em categorias apropriadas (táxons), com a aplicação de nomes adequados e corretos. **taxonom'ic** – adj. taxonômico. **numerical t.** – t. numérica; método de classificação de organismos somente com base no número de características fenotípicas em comum, cada característica recebendo geralmente um peso equivalente; utilizada primariamente em bacteriologia.

Tb – símbolo químico, térbio (*terbium*).

Tc – símbolo químico, tecnécio (*technetium*).

TD$_{50}$ – median toxic dose (dose tóxica média); dose que produz efeito tóxico em 50% de uma população.

Te – símbolo químico, telúrio (*tellurium*).

tears (tērz) – lágrimas; secreção aquosa e ligeiramente alcalina e salina das glândulas lacrimais, que umedece a conjuntiva.

tease (tēz) – retalhamento; separar suavemente com agulhas finas para permitir exame microscópico.

teat (tēt) – teta; mamilo da glândula mamária.

teb·u·tate (teb'u-tãt) – tebutato; contração da USAN para o acetato de butila terciário.

tech·ne·ti·um (tek-ne'she-um) – tecnécio; elemento químico (ver *Tabela de Elementos*), número atômico 43, símbolo Tc. **t. 99m** – tecnécio-99; ^{99m}Tc; radioisótopo mais freqüentemente utilizado em Medicina Nuclear, emissor de partículas gama que possui meia-vida de 6,03 h e energia fotônica primária de 140 keV.

tech·nic (tek'nik) – técnica.

tech·ni·cian (tek-nish'un) – técnico; pessoa capacitada ao desempenho de procedimentos técnicos.

tech·nique (tek-nēk) – técnica; método de procedimento e detalhes de um processo mecânico ou operação cirúrgica. **dot blot t.** – t. da mancha pontilhada; técnica para detecção, análise e identificação de proteínas semelhante ao teste de mancha ocidental, mas na qual as amostras são meramente pontilhadas diretamente sobre a membrana através de moldes circulares. **fluorescent antibody t.** – t. de anticorpo fluorescente; técnica de imunofluorescência em que se localiza o antígeno nos cortes teciduais por meio de um anticorpo homólogo marcado com fluorocromo ou por meio de tratamento do antígeno com um anticorpo não-marcado, seguido de segunda camada de antiglobulina marcada que reage ao anticorpo não-marcado. **isolation-perfusion t.** – t. de isolamento-perfusão; uma técnica para administrar doses altas de um agente quimioterápico em uma região enquanto se protege o paciente contra intoxicação; isola-se a região e perfunde-se a mesma com a droga por meio de bomba-oxigenador. **Jerne plaque t.** – t. de placa de Jerne; técnica hemolítica para detectar células produtoras de anticorpos; mistura-se uma suspensão de linfócitos pré-sensibilizados em ágar-gel com hemácias; após um período de incubação, acrescenta-se complemento e pode-se observar uma área clara de lise de hemácias ao redor de cada uma das células produtoras de anticorpos. **Mohs't.** – t. de Mohs; excisão microscopicamente controlada de cânceres cutâneos com que primeiro se fixa o tecido a ser excisado no local com uma pasta de cloreto de zinco – quimiocirurgia de Mohs *(chemosurgery, Mohs)* ou na qual só se utilizam excisões seriadas de tecido fresco para análise microscópica – cirurgia de Mohs *(surgery, Mohs).* **Northern blot t.** – t. da mancha do Norte; técnica análoga à técnica da mancha do Sul; mas realizada em fragmentos de RNA. **Southern blot t** – t. da mancha do Sul; técnica para transferir fragmentos de DNA separados por meio de eletroforese em um filtro, no qual se podem então detectar fragmentos específicos através de sua hibridização com sondas definidas. **Southwestern blot t.** – t. da mancha do Sudoeste; técnica análoga à técnica da mancha do Sul; mas na qual são separadas as proteínas por meio de eletroforese, transferidas para um filtro, e sondadas com fragmentos de DNA para se identificar a expressão de proteínas de ligação de DNA específicas. **Western blot t.** – t. da mancha Ocidental; técnica para análise de proteínas por meio de sua separação através de eletroforese, transferindo-as para um filtro ou membrana, e sondando-as com anticorpos específicos.

tec·to·ri·al (tek-tor'e-al) – tectorial; da natureza de um teto ou revestimento.

tec·to·ri·um (-um) [L.] pl. *tectoria* – tectório; membrana de Corti.

tec·to·spi·nal (tek"to-spi'n'l) – tetoespinhal; que se estende do teto do mesencéfalo à medula espinhal.

tec·tum (tek'tum) – teto; estrutura semelhante a um teto. **t. of mesencephalon** – t. do mesencéfalo; porção dorsal do cérebro médio.

teeth·ing (tēth'ing) – dentição; processo completo que resulta na erupção dos dentes.

Tef·lon (tef'lon) – Teflon, marca registrada de preparações de politef (politetrafluoroetileno).

teg·men (teg'men) [L.] pl. *tegmina* – tégmen; estrutura de revestimento ou teto. **t. tym'pani** – t. do tímpano: 1. camada fina de osso que separa o antro timpânico da cavidade craniana; 2. teto da cavidade timpânica, relacionado a uma parte da porção petrosa do osso temporal.

teg·men·tum (teg-men'tum) [L.] pl. *tegmenta* – tegmento: 1. revestimento. 2. t. mesencefálico. 3. parte dorsal de cada pedúnculo cerebral. **tegmen'tal** – adj. tegumentar. **t. of mesen·cephalon** – t. do mesencéfalo; parte dorsal do mesencéfalo, formada pela continuação das partes dorsais dos pedúnculos cerebrais através do plano mediano e estendendo-se em cada lado da substância negra ao nível do aqueduto mesencefálico.

Teg·re·tol (teg'rĕ-tol) – Tegretol, marca registrada de preparações de carbamazepina.

tei·cho·ic ac·id (ti-ko'ik) – ácido teicóico; substância de um grupo diverso de polímeros antigênicos dos fosfatos de glicerol ou de ribitol, que se encontram ligados às paredes celulares ou em associação intracelular com membranas de bactérias Gram-positivas; o ácido teicóico determina a especificidade de grupo de algumas espécies (como por exemplo, os estafilococos).

tei·chop·sia (ti-kop'se-ah) – teicopsia; a sensação visual de vislumbre luminoso, com um contorno em ziguezague e semelhante a uma parede. Pode constituir aura de enxaqueca.

tei·co·pla·nin (ti-ko-plan'in) – teicoplanina; antibiótico glicopeptídico produzido pela bactéria *Actinoplanes teichomyceticus*, utilizado no tratamento de infecções causadas por bactérias Gram-positivas resistentes à penicilina.

te·la (te'lah) [L.] pl. *telae* – tela; qualquer tecido semelhante a uma rede. **t. conjuncti'va** – t. conjuntiva; tecido conjuntivo. **t. elas'tica** – t. elástica; tecido elástico. **t. subcuta'nea** – t. subcutânea; tecido subcutâneo.

tel·al·gia (tel-al'jah) – telalgia; dor referida.

tel·an·gi·ec·ta·sia (tel-an"je-ek-ta'zhah) – telangiectasia; lesão vascular formada pela dilatação de um grupo de pequenos vasos sangüíneos. **telangiectat'ic** – adj. telangiectásico. **hereditary hemorrhagic t.** – t. hemorrágica hereditária; afecção hereditária marcada por pequenas telangiectasias múltiplas da pele, membranas mucosas e outros órgãos, associadas a episódios recorrentes de sangramento a partir dos locais afetados e de melena volumosa ou oculta.

tel·an·gi·ec·ta·sis (-ek'tah-sis) pl. *teleangiectases* – telangiectasia: 1. lesão produzida por telangiectasia, que pode se apresentar como uma linha vermelha fina ou grossa ou um ponto com ramos irradiantes (aranha); 2. telangiectasia. **spider t.** – t. aracniforme; aranha vascular.

tel·an·gi·o·sis (-o'sis) – telangiose; qualquer doença dos capilares.

Tel·drin (tel'drin) – Teldrin, marca registrada de preparação de maleato de clorfeniramina.

tele-[1] [Gr.] – elemento de palavra, *extremidade*.

tele-[2] [Gr.] – elemento de palavra, *que opera à distância; distante.*

tele·can·thus (tel"ĕ-kan'thus) – telecanto; distância anormalmente aumentada entre os cantos mediais palpebrais.

tele·car·di·og·ra·phy (-kahr"de-og'rah-fe) – telecardiografia; registro de um eletrocardiograma através da transmissão de impulsos para um local à distância do paciente.

tele·car·dio·phone (-kahr'de-o-fōn") – telecardiofone; aparelho para tornar as bulhas cardíacas audíveis à distância do paciente.

tele·cep·tor (tel'ĕ-sep"ter) – telerreceptor; terminal nervoso sensorial (como os dos olhos, ouvidos e nariz) que é sensível a estímulos distantes.

tele·di·ag·no·sis (tel"ĕ-di"ag-no'sis) – telediagnóstico; determinação da natureza de uma doença em à distância do paciente com base na transmissão de dados de telemonitoração ou teleconsulta em circuito fechado.

tele·flu·o·ros·co·py (-flōōr-os'ko-pe) – telefluoroscopia; transmissão televisiva de imagens fluoroscópicas para estudo à distância.

tele·ki·ne·sis (-kĭ-ne'sis) – telecinesia: 1. movimento de um objeto produzido sem contato; 2. capacidade de produzir tal movimento. **telekinet'ic** – adj. telecinético.

tele·med·i·cine (-med'ĭ-sin) – telemedicina; atuação de médicos à distância no sentido de proporcionar serviços de consulta a profissionais de assistência à saúde em transmissões por meio de circuito fechado de televisão.

te·lem·e·try (tĕ-lem'ĕ-tre) – telemetria; realizar medições distantes do indivíduo, transmitindo-se as evidências mensuráveis dos fenômenos sob investigação por meio de sinais de rádio, fios ou outros meios.

tel·en·ceph·a·lon (tel"en-sef'ah-lon) – telencéfalo; cérebro posterior: 1. vesículas cerebrais pareadas (que correspondem às evaginações ântero-laterais do cérebro anterior) em conjunto com a porção mediana e não-pareada (lâmina terminal do hipotálamo); 2. vesícula anterior dentre duas vesículas formadas por meio de especialização do cérebro anterior no desenvolvimento embrionário. **telencephal'ic** – adj. telencefálico.

STU

tele·neu·rite (tel"ĕ-noor'īt) – teleneurito; expansão terminal de um axônio.

tele·neu·ron (-noor'on) – teleneurônio; terminação nervosa.

tel·en·ze·pine (tel-en'zĕ-pēn) – telenzepina; antimuscarínico utilizado para inibir a secreção gástrica em caso de hiperacidez e úlcera péptica.

te·le·ol·o·gy (te"le-ol'ah-je) – teleologia; doutrina das causas finais ou adaptação a um propósito definido.

te·leo·mi·to·sis (tel"e-o-mi-to'sis) – teleomitose; mitose terminada.

tele·op·sia (-op'se-ah) – teleopsia; distúrbio visual no qual os objetos parecem mais distantes do que na realidade estão.

te·le·or·gan·ic (te"le-or-gan'ik) – teleorgânico; necessário à vida.

Tele·paque (tel'ĕ-pāk) – Telepaque, marca registrada de preparação de ácido iopanóico.

tele·pathol·o·gy (tel"ĕ-pah-thol'ŏ-je) – telepatologia; prática da patologia à distância por meio de câmeras de vídeo, monitores e um microscópio com controle remoto.

tele·ra·di·og·ra·phy (-ra"de-og'rah-fe) – telerradiografia; radiografia com uma fonte de radiação a 1,95 a 2,1 m do indivíduo para maximizar o paralelismo dos raios e minimizar a distorção.

tele·ther·a·py (-ther'ah-pe) – teleterapia; tratamento no qual a fonte do agente terapêutico (como a radiação) se encontra à distância do corpo.

tel·lu·ric (tĕ-lu'rik) – telúrico: 1. relativo ao telúrio; 2. relativo ou que se origina da terra.

tel·lu·ri·um (-re-um) – telúrio, elemento químico (ver *Tabela de Elementos*), número atômico 52, símbolo Te.

tel(o)- [Gr.] – elemento de palavra, *fim*.

telo·den·dron (tel"o-den'dron) – telodendro; um dos ramos finos terminais de um axônio.

tel·o·gen (tel'o-jen) – telógeno; fase quiescente ou de repouso do ciclo piloso (após o catágeno), quando o pêlo se torna firme e não cresce mais.

tel·og·no·sis (tel"og-no'sis) – telognose; diagnóstico baseado na interpretação de radiografias transmitidas por comunicação telefônica ou rádio.

telo·lec·i·thal (tel"o-les'ĭ-thal) – telolécito; que possui gema concentrada em um dos pólos.

telo·mere (tel'o-mēr) – telômero; extremidade de um cromossoma, que possui propriedades específicas, sendo uma delas a polaridade que impede a reunião com qualquer fragmento após ruptura de um cromossoma.

telo·phase (-fāz) – telófase; o último dos quatro estágios da mitose e das duas divisões da meiose, nos quais os cromossomas chegam aos pólos da célula e o citoplasma se divide; nos vegetais, também se forma a parede celular.

tem·per·a·ture (tem'per-ah-chur) – temperatura; expressão de calor ou frio nos termos de uma escala específica. Símbolo *t.* Ver a tabela respectiva. **absolute t.** – t. absoluta; temperatura considerada como zero absoluto (–273,15°C ou –459,67°F), expressa em uma escala absoluta. Símbolo *T.* **critical t.** – t. crítica; temperatura abaixo da qual pode-se converter um gás em líquido por meio de pressão. **normal t.** – t. normal; a temperatura do corpo humano em boas condições de saúde, cerca de 37°C, quando medida oralmente.

tem·plate (tem'plit) – modelo; matriz; molde: 1. padrão; 2. em Genética, filamento de DNA ou RNA (mRNA) que especifica a seqüência de bases de um filamento recém-sintetizado de DNA ou RNA; 3. em Odontologia, uma placa curva ou plana utilizada como auxílio no posicionamento dos dentes em uma dentadura.

tem·ple (tem'p'l) – têmpora; região lateral em cada lado da cabeça, acima do arco zigomático.

tem·po·ra (tem'po-rah) [L.] – têmporas.

tem·po·ral (-ral) – temporal: 1. relativo à têmpora; 2. relativo ao tempo; limitado em tempo; temporário.

tem·po·ro·man·dib·u·lar (tem"pah-ro-man-dib'u-ler) – temporomandibular; relativo ao osso temporal e à mandíbula.

tem·po·ro·max·il·lary (-mak'sĭ-lar"e) – temporomaxilar; relativo ao osso temporal e à maxila.

tem·po·ro·oc·cip·tal (-ok-sip'ĭ-t'l) – temporoccipital; relativo aos ossos temporal e occipital.

tem·po·ro·sphe·noid (-sfe'noid) – temporoesfenóide; relativo aos ossos temporal e esfenóide.

te·nac·u·lum (tĕ-nak'u-lum) – tenáculo; instrumento cirúrgico semelhante a um gancho para segurar e prender partes.

te·nal·gia (ten-al'jah) – tenalgia; dor em um tendão.

te·nas·cin (ten'ah-sin) – tenascina; glicoproteína da matriz extracelular, isolada de vários tecidos embrionários e adultos, incluindo locais epiteliais, músculos lisos e alguns tumores.

ten·der·ness (ten'der-nes) – sensibilidade; estado de sensibilidade incomum ao toque ou pressão. **rebound t.** – s. de rebote; estado no qual se percebe a dor à liberação da pressão sobre uma parte.

ten·di·ni·tis (ten"dĭ-ni'tis) – tendinite; inflamação de tendões e ligações tendão-músculo. **calcific t.** – t. calcífica; inflamação e calcificação da bursa subacromial ou subdeltóide, resultando em dor, sensibilidade e limitação de movimento no ombro.

ten·di·no·plas·ty (ten'dĭ-no-plas"te) – tendinoplastia; tenoplastia; ver *tenoplasty.*

ten·di·no·su·ture (ten"dĭ-no-su'chur) – tendinossutura; tenorrafia; ver *tenorrhaphy.*

ten·di·nous (ten'dĭ-nus) – tendíneo; tendinoso; relativo semelhante ou da natureza de um tendão.

ten·do (ten'do) [L.] pl. *tendines* – tendão. **t. Achillis, t. calca'neus** – t. de Aquiles.

ten·don (ten'don) – tendão; cordão fibroso de tecido conjuntivo contínuo com as fibras de um músculo e prendendo-o a um osso ou cartilagem. **Achilles t. calcaneal t.** – t. de Aquiles; t. do calcâneo; o poderoso tendão no dorso do tornozelo, que prende o músculo tríceps sural ao calcâneo. **t. of conus, t. of infundibulum** – t. do cone; t. do infundíbulo; faixa de colágeno que une a superfície posterior do ânulo pulmonar e o infundíbulo muscular à raiz da aorta.

ten·do·ni·tis (ten"dŏ-ni'tis) – tendonite; tendinite; ver *tendinitis.*

ten·do·vag·i·nal (ten"do-vaj'ĭ-n'l) – tendovaginal; relativo a um tendão ou bainha tendínea.

te·nec·to·my (tĕ-nek'tah-me) – tenectomia; excisão de uma lesão de um tendão ou de uma bainha tendínea.

EQUIVALENTES DE TEMPERATURA: CELSIUS PARA FAHRENHEIT

°C	°F	°C	°F	°C	°F	°C	°F
-40	-40,0	-3	26,6	34	93,2	71	159,8
-39	-38,2	-2	28,4	35	95,0	72	161,6
-38	-36,4	-1	30,2	36	96,8	73	163,4
-37	-34,6	0	32,0	37	98,6	74	165,2
-36	-32,8	+1	33,8	38	100,4	75	167,0
-35	-31,0	2	35,6	39	102,2	76	168,8
-34	-29,2	3	37,4	40	104,0	77	170,6
-33	-27,4	4	39,2	41	105,8	78	172,4
-32	-25,6	5	41,0	42	107,6	79	174,2
-31	-23,8	6	42,8	43	109,4	80	176,0
-30	-22,0	7	44,6	44	111,2	81	177,8
-29	-20,2	8	46,4	45	113,0	82	179,6
-28	-18,4	9	48,2	46	114,8	83	181,4
-27	-16,6	10	50,0	47	116,6	84	183,2
-26	-14,8	11	51,8	48	118,4	85	185,0
-25	-13,0	12	53,6	49	120,2	86	186,8
-24	-11,2	13	55,4	50	122,0	87	188,6
-23	-9,4	14	57,2	51	123,8	88	190,4
-22	-7,6	15	59,0	52	125,6	89	192,2
-21	-5,8	16	60,8	53	127,4	90	194,0
-20	-4,0	17	62,6	54	129,2	91	195,8
-19	-2,2	18	64,4	55	131,0	92	197,6
-18	-0,4	19	66,2	56	132,8	93	199,4
-17	+1,4	20	68,0	57	134,6	94	201,2
-16	3,2	21	69,8	58	136,4	95	203,0
-15	5,0	22	71,6	59	138,2	96	204,8
-14	6,8	23	73,4	60	140,0	97	206,6
-13	8,6	24	75,2	61	141,8	98	208,4
-12	10,4	25	77,0	62	143,6	99	210,2
-11	12,2	26	78,8	63	145,4	100	212,0
-10	14,0	27	80,6	64	147,2	101	213,8
-9	15,8	28	82,4	65	149,0	102	215,6
-8	17,6	29	84,2	66	150,8	103	217,4
-7	19,4	30	86,0	67	152,6	104	219,2
-6	21,2	31	87,8	68	154,4	105	221,0
-5	23,0	32	89,6	69	156,2	106	222,8
-4	24,8	33	91,4	70	158,0		

te·nes·mus (tĕ-nez'mus) – tenesmo; esforço ineficaz e doloroso à evacuação de fezes ou à micção.

tenes'mic – adj. tenêsmico.

te·nia (te'ne-ah) pl. *teniae* – tênia; ver *taenia*.

te·ni·a·cide (-sīd") – tenicida: 1. letal a tenias; 2. agente letal a tênias.

ten·i·a·fuge (-fūj") – tenífugo; agente que expulsa tênias.

te·nia·my·ot·o·my (te"ne-ah-mi-ot'ah-me) – teniamiotomia; operação que envolve uma série de incisões transversais das tênias cólicas, em caso de diverticulopatia.

te·ni·a·sis (te-ni'ah-sis) – teníase; ver *taeniasis*.

ten(o)-, tenont(o)- [Gr.] – elemento de palavra, *tendão*.

te·nod·e·sis (ten-od'ĕ-sis) – tenodese; sutura da extremidade de um tendão em um osso.

ten·odyn·ia (ten"o-din'e-ah) – tenodinia; tenalgia; ver *tenalgia*.

te·nol·y·sis (ten-ol'ĭ-sis) – tenólise; operação para liberar um tendão de aderências.

teno·myo·plas·ty (ten"o-mi'o-plas"te) – tenomioplastia; reparo plástico de um tendão e músculo.

teno·my·ot·o·my (-mi-ot'ah-me) – tenomiotomia; excisão de uma porção de um tendão e um músculo.

teno·nec·to·my (-nek'tah-me) – tenonectomia; excisão de uma parte de um tendão para encurtá-lo.

teno·ni·tis (-ni'tis) – 1. tenonite; tendinite; 2. inflamação da cápsula de Tenon.

teno·nom·e·ter (-nom'ĕ-ter) – tenonômetro; tonômetro.

ten·on·ti·tis (ten"on-ti'tis) – tenontite; tendinite; ver *tendinitis*.

tenont(o)- [Gr.] – elemento de palavra, *tendão*.

ten·on·to·dyn·ia (ten"on-to-din'e-ah) – tenontodinia; tenalgia; ver *tenalgia*.

ten·on·tog·ra·phy (ten"on-tog'rah-fe) – tenontografia; descrição ou delineamento dos tendões.

ten·on·tol·o·gy (ten"on-tol'ah-je) – tenontologia; soma do conhecimento sobre os tendões.

teno·phyte (ten'o-fīt) – tenófito; crescimento ou concreção em um tendão.

teno·plas·ty (-plas"te) – tenoplastia; reparo plástico de um tendão. **tenoplas'tic** – adj. tenoplástico.

teno·re·cep·tor (ten"o-re-sep'ter) – tenorreceptor; proprioreceptor em um tendão.

STU

EQUIVALENTES DE TEMPERATURA: FAHRENHEIT PARA CELSIUS

°F	°C	°F	°C	°F	°C	°F	°C
- 40	- 40,0	34	1,1	112	44,4	163	72,7
- 39	- 39,4	35	1,6	113	45,0	164	73,3
- 38	- 38,9	36	2,2	114	45,5	165	73,8
- 37	- 38,3	37	2,7	115	46,1	166	74,4
- 36	- 37,8	38	3,3	116	46,6	167	75,0
- 35	- 37,2	39	3,8	117	47,2	168	75,5
- 34	- 36,7	40	4,4	118	47,7	169	76,1
- 33	- 36,1	41	5,0	119	48,3	170	76,6
- 32	- 35,6	42	5,5	120	48,8	171	77,2
- 31	- 35,0	43	6,1	121	49,4	172	77,7
- 30	- 34,4	44	6,6	122	50,0	173	78,3
- 29	- 33,9	45	7,2	123	50,5	174	78,8
- 28	- 33,3	46	7,7	124	51,1	175	79,4
- 27	- 32,8	47	8,3	125	51,6	176	80,0
- 26	- 32,2	48	8,8	126	52,2	177	80,5
- 25	- 31,7	49	9,4	127	52,7	178	81,1
- 24	- 31,1	50	10,0	128	53,3	179	81,6
- 23	- 30,6	55	12,7	129	53,8	180	82,2
- 22	- 30,0	60	15,5	130	54,4	181	82,7
- 21	- 29,4	65	18,3	131	55,0	182	83,3
- 20	- 28,9	70	21,1	132	55,5	183	83,8
- 19	- 28,3	75	23,8	133	56,1	184	84,4
- 18	- 27,8	80	26,6	134	56,6	185	85,0
- 17	- 27,2	85	29,4	135	57,2	186	85,5
- 16	- 26,7	86	30,0	136	57,7	187	86,1
- 15	- 26,1	87	30,5	137	58,3	188	86,6
- 14	- 25,6	88	31,0	138	58,8	189	87,2
- 13	- 25,0	89	31,6	139	59,4	190	87,7
- 12	- 24,4	90	32,2	140	60,0	191	88,3
- 11	- 23,9	91	32,7	141	60,5	192	88,8
- 10	- 23,3	92	33,3	142	61,1	193	89,4
- 9	- 22,8	93	33,8	143	61,6	194	90,0
- 8	- 22,2	94	34,4	144	62,2	195	90,5
- 7	- 21,7	95	35,0	145	62,7	196	91,1
- 6	- 21,1	96	35,5	146	63,3	197	91,6
- 5	- 20,6	97	36,1	147	63,8	198	92,2
- 4	- 20,0	98	36,6	148	64,4	199	92,7
- 3	- 19,4	98,6	37,0	149	65,0	200	93,3
- 2	- 18,9	99	37,2	150	65,5	201	93,8
- 1	- 18,3	100	37,7	151	66,1	202	94,4
- 0	- 17,8	101	38,3	152	66,6	203	95,0
+ 1	- 17,2	102	38,8	153	67,2	204	95,5
5	- 15,0	103	39,4	154	67,7	205	96,1
10	- 12,2	104	40,0	155	68,3	206	96,6
15	- 9,4	105	40,5	156	68,8	207	97,2
20	- 6,6	106	41,1	157	69,4	208	97,7
25	- 3,8	107	41,6	158	70,0	209	98,3
30	- 1,1	108	42,2	159	70,5	210	98,8
31	- 0,5	109	42,7	160	71,1	211	99,4
32	0	110	43,3	161	71,6	212	100,0
33	+ 0,5	111	43,8	162	72,2	213	100,5

te·nor·rha·phy (tě-nor'ah-fe) – tenorrafia; sutura de um tendão.

teno·si·tis (ten"o-si'tis) – tenosite; tendinite; ver *tendinitis*.

ten·os·to·sis (ten"os-to'sis) – tenostose; conversão de um tendão em um osso.

teno·su·ture (ten"o-soo'chur) – tenossutura; tenorrafia (*tenorrhaphy*).

teno·syn·o·vec·to·my (-sin"o-vek'tah-me) – tenossinovectomia; excisão ou ressecção de uma bainha tendínea.

teno·syn·o·vi·tis (-sin"o-vi'tis) – tenossinovite; inflamação de uma bainha tendínea. **villonodular t.** – t. vilonodular; afecção marcada pela proliferação exagerada de células da membrana sinovial, produzindo uma massa sólida semelhante a um tumor, ocorrendo comumente em tecidos moles periarticulares e com menos freqüência em articulações.

te·not·o·my (ten-ot'ah-me) – tenotomia; transecção de um tendão.

teno·vag·i·ni·tis (ten"o-vaj"ĭ-ni'tis) – tenovaginite; tenossinovite; ver *tenosynovitis*.

ten·sion (ten'shun) – tensão: 1. ato de estirar ou condição de ser estirado ou estendido; 2. pressão parcial de um componente em uma mistura gasosa. **arterial t.** – t. arterial; pressão sangüínea dentro de uma artéria. **intraocular t.** – t. intraocular; ver em *pressure*. Símbolo T. **intravenous t.** – t. endovenosa; pressão venosa. **surface t.** – t. superficial; tensão ou resistência que age para preservar a integridade de uma superfície. **tissue t.** – t. tecidual; estado de equilíbrio entre os tecidos e as células que impede a superatividade de qualquer parte.

ten·sor (ten'ser) – tensor; qualquer músculo que estique ou produza tensão.

tent (tent) – tenda: 1. cobertura protetora destinada a fechar um espaço aberto, especialmente a que recobre o leito de um paciente para administrar oxigênio ou medicação vaporizada por meio de inalação; 2. tampão cônico e expansível de material mole para dilatar um orifício ou manter um ferimento aberto, de modo a impedir sua cicatrização exceto no fundo. **sponge t.** – tampão de esponja; dreno cônico feito de tampão comprimido utilizado para dilatar a abertura uterina.

ten·to·ri·um (ten-tor'e-um) [L.] pl. *tentoria* – tentório; parte anatômica semelhante a uma tenda ou cobertura. **tento'rial** – adj. tentorial. **t. cerebel'li, t. of cerebellum** – t. do cerebelo; processo da dura-máter que sustenta os lobos occipitais e recobre o cerebelo.

Ten·u·ate (ten'u-āt) – Tenuate, marca registrada de preparações de cloridrato de dietilpropiona.

tera- (Gr) – elemento de palavra, *monstro;* utilizado para nomear unidades de medida designando uma quantidade de 10^{12} (um trilhão) de vezes a unidade especificada pelo radical ao qual se une, como teracurie; símbolo T.

ter·a·tism (ter'ah-tizm) – teratismo; anomalia de formação ou desenvolvimento.

terat(o)- [Gr.] – elemento de palavra, *monstro; monstruosidade.*

ter·a·to·blas·to·ma (ter"ah-to-blas-to'mah) – teratoblastoma; teratoma; ver *teratoma.*

ter·a·to·car·ci·no·ma (-kahr"sĭ-no'mah) – teratocarcinoma; neoplasia maligna que consiste de elementos de teratoma e de um carcinoma embrionário ou um coriocarcinoma, ou ambos; ocorre mais freqüentemente no testículo.

ter·a·to·gen (ter'ah-to-jen) – teratógeno; agente ou influência que causa defeitos físicos no embrião em desenvolvimento. **teratogen'ic** – adj. teratogênico.

ter·a·to·gen·e·sis (ter"ah-to-jen'ĕ-sis) – teratogênese; produção de deformidade no embrião em desenvolvimento, ou a de um monstro. **teratogenet'ic** – adj. teratogenético; teratogênico.

ter·a·tog·e·nous (ter"ah-toj'ĕ-nus) – teratógeno; desenvolvido a partir de restos fetais.

ter·a·toid (ter'ah-toid) – teratóide; semelhante a um monstro.

ter·a·tol·o·gy (ter"ah-tol'ah-je) – teratologia; divisão da embriologia e patologia relacionado ao desen-

volvimento anormal e deformações congênitas. **teratolog'ic** – adj. teratológico.

ter·a·to·ma (ter"ah-to'mah) pl. *teratomata, teratomas* – teratoma; neoplasia verdadeira constituída de tipos diferentes de tecido, em que nenhuma delas é nativa da área onde ocorrem; geralmente encontrado no ovário ou testículo. **teratom'atous** – adj. teratomatoso. **malignant t.** – t. maligno: 1. tumor ovariano maligno e sólido que se assemelha a um cisto dermóide, mas é composto de elementos embrionários imaturos e/ou extra-embrionários derivados das três camadas germinativas; 2. teratocarcinoma; ver *teratocarcinoma.*

ter·a·to·sis (-sis) – teratose; teratismo; ver *teratism.*

ter·a·zo·sin (ter-a'zo-sin) – terazosin; bloqueador alfa-$_1$, utilizado como sal de cloridrato no tratamento da hipertensão.

ter·bi·um (ter'be-um) – térbio, elemento químico (ver *Tabela de Elementos)*, número atômico 65, símbolo Tb.

ter·bu·ta·line (ter-bu'tah-len) – terbutalina; antagonista de receptor β-adrenérgico; utiliza-se o sal de sulfato como broncodilatador.

ter·co·na·zole (ter-ko'nah-zōl) – terconazol; derivado imidazólico utilizado como antifúngico tópico no tratamento da candidíase vulvovaginal.

ter·e·bra·tion (ter"ĕ-bra'shun) – terebração; dor perfurante.

te·res (te'rēz) [L.] – redondo e longo.

ter in die (ter in de'a) [L.] – *ter in die;* três vezes ao dia.

term (term) – termo; um período definido, especialmente o período de gestação ou gravidez.

ter·mi·na·tio (ter"mĭ-na'she-o) [L.] pl. *terminationes* – terminação; local de interrupção de uma estrutura, como as terminações nervosas livres (*terminationes nervorum liberae*), nas quais a fibra periférica se divide em ramos finos que terminam livremente no tecido conjuntivo ou no epitélio.

ter·mi·nus (ter'mĭ-nus) pl. *termini* [L.] – término; termo; terminação.

ter·na·ry (ter'nah-re) – ternário: 1. terceiro em uma ordem; 2. constituído de três elementos químicos distintos.

ter·pene (ter'pēn) – terpeno; qualquer hidrocarboneto da fórmula $C_{10}H_{16}$.

ter·pin (-pin) – terpina; produto obtido pela ação do ácido nítrico em óleo de terebintina e álcool; utilizado como expectorante em forma de hidrato.

ter·tian (ter'shun) – terçã; que recidiva a cada três dias (contando-se o dia de ocorrência como o primeiro dia); ver em *malaria.*

ter·ti·ary (ter'she-ār"e) – terciário; terceiro em uma ordem.

ter·ti·grav·i·da (ter"shĭ-grav'ĭ-dah) – tercigrávida; uma mulher grávida pela terceira vez; grávida III.

ter·tip·a·ra (ter-tip'ah-rah) – tercípara; mulher que teve três gestações que resultaram em descendentes viáveis; para III.

tes·la (tes'lah) – unidade SI de densidade de fluxo magnético, equivalente a 1 weber por m². Símbolo T.

tes·sel·lat·ed (tes'ah-lāt"ed) – marchetado; quadriculado; dividido em quadrados, como um tabuleiro de xadrez.

test (test) – teste; prova: 1. exame ou experimento; 2. reação química significativa; 3. reagente. **abortus Bang ring (ABR) t.** – prova do anel de Bang do aborto; teste de aglutinação para brucelose nos bovinos, realizado através da mistura de uma gota de *Brucella* coradas com 1 ml de leite e incubando-as por 1h a 37°C; as bactérias aglutinadas sobem à superfície formando um anel colorido. **acid elution t.** – prova de elução ácida; fixam-se esfregaços sangüíneos secados a ar em metanol a 80% e imergem-se os mesmos em um tampão de pH 3,3; todas as hemoglobinas se eluem, exceto a hemoglobina fetal, que é vista nas hemácias após a coloração. **acidified serum t.** – prova do soro acidificado; incubação de hemácias em soro acidificado; após a centrifugação, examina-se o sobrenadante por meio de colorimetria quanto à hemólise, que indica hemoglobinúria noturna paroxística. **acoustic reflex t.** – prova do reflexo acústico; medição do limiar do reflexo acústico; utilizada para diferenciar da surdez condutiva e a surdez sensorineural assim como diagnosticar o neuroma acústico. **Adson's t.** – prova de Adson; teste para síndrome da saída torácica, em que o paciente assume a posição sentada e suas mãos descansam nas coxas, o examinador palpa ambos os pulsos radiais à medida que o paciente preenche rapidamente seus pulmões por meio de inspiração profunda, e prende a respiração, hiperestendendo o pescoço e virando a cabeça para o lado afetado. Se o pulso radial nesse lado se encontrar marcado ou completamente obliterado, o resultado será positivo. **agglutination t.** – prova de aglutinação; misturam-se células que contêm antígenos para um certo anticorpo na solução a ser testada quanto a um anticorpo particular, sendo a aglutinação indicativa da presença do anticorpo. **alkali denaturation t.** – prova de desnaturação de álcalis; método espectrofotométrico para determinar a concentração da hemoglobina fetal (F). **Ames t.** – prova de Ames; cultiva-se uma cepa de *Salmonella typhimurium* que não tem a enzima necessária à síntese de histidina na ausência de histidina e na presença de mutágeno suspeito, bem como de determinadas enzimas conhecidas por ativar procarcinógenos. Se a substância causar danos ao DNA que resultem em mutações, algumas das bactérias recuperarão a capacidade de sintetizar a histidina e proliferar-se-ão para formar colônias; quase todas as substâncias mutagênicas também são carcinogênicas. **anti-DNA t., anti-double-stranded DNA t.** – prova de anti-DNA; t. de anti-DNA de filamento duplo, um imunoensaio que utiliza o DNA de filamento duplo como antígeno para detectar e monitorar níveis séricos elevados de anticorpos anti-DNA; utilizado na detecção e tratamento do lúpus eritematoso sistêmico. **antiglobulin t. (AGT)** – prova de antiglobulina; teste para detectar a presença de anticorpos não-aglutinantes contra hemácias que utilizam o anticorpo antiglobulina humana para aglutinar hemácias revestidas com o anticorpo não-aglutinante. A *prova de antiglobulina direta* detecta os anticorpos ligados com hemácias circulantes *in vivo*. É utilizada para a avaliação da anemia auto-imune e anemia hemolítica induzida por drogas assim como a doença hemolítica do recém-nascido. A *prova de antiglobulina indireta* detecta anticorpos séricos que se ligam com hemácias em uma fase de incubação *in vitro*. É utilizada na tipificação dos antígenos eritrocíticos e no teste de compatibilidade (reação cruzada). **aptitude t's** – testes de aptidão; testes formulados para determinar a capacidade de realizar estudo ou treinamento em um campo específico. **association t.** – teste ou prova de associação; teste baseado em uma reação associativa, geralmente através de menção de palavras a um paciente e observando-se quais palavras o paciente responderá à medida que lhe ocorrem. **basophil degranulation t.** – prova de desgranulação basofílica; procedimento *in vitro* que testa a sensibilidade alérgica a um alérgeno específico em nível celular por meio da medição da coloração dos basófilos após exposição ao alérgeno; um número reduzido de células granulares constitui um resultado positivo. **Benedict's t.** – prova de Benedict; prova qualitativa ou quantitativa para determinar o teor de dextrose de soluções. **Binet's t., Binet-Simon t.** – prova de Binet; prova de Binet-Simon; método de avaliação da idade mental de uma criança ou jovem através de uma série de questões adaptadas e padronizadas à capacidade da criança normal nas várias idades. **Bing t.** – prova de Bing; mantém-se um diapasão em vibração no processo mastóide e fecha-se e abre-se alternadamente o meato auditivo; o ouvido normal percebe a elevação e redução no volume (Bing positivo)e também no caso de deficiência auditiva sensorineural, mas, no caso de deficiência auditiva condutiva, não se percebe diferença de volume (Bing negativo). **caloric t.** – prova calórica; a irrigação do ouvido normal com água morna produz nistagmo rotatório naquele lado; a irrigação com água fria produz nistagmo rotatório em sentido oposto. **chisquared t.** – prova do *x* ao quadrado; qualquer teste de hipótese estatística que empregue a distribuição do *x* ao quadrado (x^2); medindo a diferença entre as freqüências teóricas e observadas e formulado para determinar a distribuição (x^2) à medida que o tamanho da amostra aumenta. **chromatin t.** – prova da cromatina; determinação do sexo genético de um indivíduo por meio do exame das células somáticas quanto à presença da cromatina sexual. **cistrans t.** – t. *cis-trans*; teste de Genética microbiana para determinar se duas mutações que têm o efeito fenotípico (em célula haplóide ou célula com uma só infecção de fago) localizam-se no mesmo gene ou em genes diferentes; o teste depende do comportamento independente dos dois alelos de um gene em célula diplóide ou em célula infectada com dois fagos portadores de alelos diferentes. **complement fixation t.** – prova de fixação do complemento; ver em *fixation*. **contraction stress t.** – t. de estresse da contração; monitoração da resposta da freqüência cardíaca fetal a contrações espontâneas ou induzidas por meio de cardiotocografia, com desaceleração indicando uma possível hipoxia fetal. **Coombs t.** – prova de Coombs; prova de antiglobulina. **Denver Developmental Screening t.** – prova de de Triagem de Desenvolvimento de Denver; teste para a identificação de bebês e crianças pré-escolares com retardo de desenvolvimento. **Dick t.** – teste de Dick; teste intracutâneo para a determinação da suscetibilidade à escarlatina. **direct fluorescent antibody-Treponema pallidum (DFA-TP)** – prova do anticorpo fluorescente para *Treponema pallidum* direta; teste sorológico para sífilis utilizando a imunofluorescência direta. **disk diffusion t.** – prova de difusão em disco; teste para a sensibilidade a antibióticos nas bactérias; inoculam-se placas de ágar com uma suspensão padronizada de um microrganismo. Aplicam-se discos que contêm antibióticos na superfície do ágar. Após incubação durante a noite, interpretam-se os diâmetros das zonas de inibição como sensíveis (suscetíveis), indeterminados (intermediários) ou resistentes. **drawer t's** – provas da gaveta; testes para a integridade dos ligamentos cruzados geniculares; com o joelho flexionado a 90°, caso se possa puxar a tíbia bem para a frente, ocorre ruptura dos ligamentos anteriores (*prova da gaveta anterior)*; caso se possa puxar a tíbia bem para trás, então a ruptura ocorre nos ligamentos posteriores (*prova de gaveta posterior)*. **early pregnancy t.** – teste de gravidez precoce; teste imunológico do tipo faça-você-mesmo de gravidez, realizado o mais tardar um dia após o esperado para menstruação (período perdido); existem vários testes, todos baseados na elevação dos níveis urinários de gonadotropina coriônica humana após a fertilização. **erythrocyte protoporphyrin (EP) t.** – prova da protoporfirina eritrocítica; determinação dos níveis protoporfirínicos eritrocíticos como um teste de triagem quanto à intoxicação por chumbo; os níveis se elevam nos casos de envenenamento com chumbo e de deficiência de ferro. **exercise t's, exercise stress t's** – provas do exercício; provas do estresse do exercício; um dentre vários testes de estresse nos quais se utiliza o exercício na avaliação eletrocardiográfica da saúde e da função cardiovasculares, particularmente no diagnóstico da isquemia miocárdica. As formas largamente utilizadas são os testes de exercício em esteira rolante e em bicicleta ergométrica; são geralmente graduados, consistindo de uma série de cargas de trabalho gradualmente crescentes mantidas por intervalos definidos. **fabere t.** – teste de fabere (*flexion*, *abduction*, *external rotation* and *extension)*; manobra de Patrick (*Patrick's t.*). **FE$_{Na}$ t.** – prova da FE$_{Na}$; teste da fração excretada do sódio filtrado, uma medição da reabsorção tubular renal de sódio, calculada como (Na urinário × Cr plasmática) ÷ (Cr urinária × Na plasmático) × 100. **finger-nose t.** – prova do dedo-nariz teste de movimentos coordenados das extremidades; com o braço estendido em um lado, pede-se ao paciente que tente tocar a extremidade do nariz com a ponta do dedo indicador. **Finn chamber t.** – prova da câmara de Finn; um tipo de prova de mancha na qual se mantêm os materiais a serem testados em cálices de alumínio rasos (câmaras de Finn) presos por um esparadrapo contra a pele, geralmente por alguns dias. **Fishberg concentration t.** – prova de concentração de Fishberg; determinação da capacidade dos rins manterem a excreção de sólidos sob condições de redução do consumo de água e uma dieta rica em proteínas, na qual coletam-se e testam-se amostras urinárias quanto à densidade específica. **fluorescent antibody t.** – prova do anticorpo fluorescente; prova para a distribuição das células que expressam uma proteína específica por meio de sua ligação com um anticorpo específico para a proteína e detecção dos complexos pela marcação fluorescente do anticorpo. **gel diffusion t.** – prova de difusão em gel; ver *immunodiffusion*. **glucose tolerance t.** – prova de tolerância à glicose; teste da capacidade do corpo utilizar carboidratos através da medição do nível sangüíneo de açúcar a intervalos definidos após a ingestão ou injeção endovenosa de grande quantidade de glicose. **glycosylated hemoglobin t.** – prova da hemoglobina glicosilada; medição da porcentagem das moléculas de hemoglobina A que formam uma ligação ceto-amina estável entre sua posição aminoácida terminal das cadeias β e um grupo de glicose; nas pessoas normais, isso chega até a cerca de 7% do total; nos diabéticos, chega até a cerca de 14,5%. **guaiac t.** – prova de guáiaco; teste de sangue oculto; mistura-se ácido acético glacial e uma solução da resina guáiaco com a amostra; com o acréscimo de água oxigenada, a presença de sangue é indicada pela cor azul. **Ham's t.** – prova de Ham; prova do soro acidificado. **histamine t.** – prova da histamina: 1. injeção subcutânea de uma solução a 0,1% de histamina para estimular a secreção gástrica; 2. depois de uma injeção endovenosa rápida de fosfato de histamina, as pessoas normais sofrem queda breve da pressão sangüínea; mas, no caso das pessoas com feocromocitoma, após a queda, ocorre elevação acentuada da pressão sangüínea. **horse cell t.** – prova da célula do eqüino; modificação do teste de Paul-Bunnell-Davidsohn (q.v. *Paul-Bunnell-Davidsohn t.*) para anticorpos associados à mononucleose infecciosa, utilizando-se hemácias eqüinas em vez de hemácias ovinas. **Huhner t.** – prova de Huhner; determinação do número e condição dos espermatozóides no muco aspirado a partir do canal cervical logo após a relação sexual. **hydrogen breath t.** – prova da exalação de hidrogênio; prova de deficiência de lactase ou outras hidrolases ou de supercrescimento de bactérias, em que se capturam as exalações e medem-se as mesmas após a administração de carboidratos, com fermentação excessiva de carboidratos no cólon resultando em altos níveis de hidrogênio exalado. **immobilization t.** – prova de imobilização; detecção de um anticorpo com base em sua capacidade de inibir a motilidade de uma célula bacteriana ou um protozoário. **inkblot t.** – prova da mancha de tinta; teste de Rorschach. **intelligence t.** – teste de inteligência; conjunto de problemas ou tarefas destinados a avaliar a capacidade inata de um indivíduo julgar, compreender e raciocinar. **intradermal t.** – prova intradérmica; teste cutâneo no qual se injeta intradermicamente o antígeno. **Kveim t.** – prova de Kveim; teste intracutâneo para o diagnóstico de sarcoidose. **latex agglutination t.**, **latex fixation t.** – prova de aglutinação do látex; prova de fixação do látex; um tipo de prova de aglutinação em que o antígeno para um determinado anticorpo é adsorvido em partículas de látex e misturado a uma solução-teste para se observar quanto à aglutinação do látex. **limulus t.** – prova do límulo; expõe-se um extrato de células sangüíneas provenientes do caranguejo-ferradura (*Limulus polyphemus*) a uma amostra sangüínea proveniente de um paciente; caso se encontre presente na amostra uma endotoxina Gram-negativa, a amostra produzirá gelação do extrato de células sangüíneas. **Lundh t.** – prova de Lundh; teste de função pancreática no qual se medem as concentrações de tripsina no duodeno após uma refeição de prova, em que os níveis reduzidos de tripsina indicam baixa secreção pancreática. **lupus band t.** – prova da faixa lúpica; um teste de imunofluorescência para determinar a presença e a quantidade de depósitos de imunoglobulinas e complemento na junção dermoepidérmica de amostras de pele coletadas de pacientes com lúpus eritematoso. **McMurray's t.** – prova de McMurray; com o paciente deitado de bruços com um joelho completamente flexionado, o examinador executa a rotação do pé do paciente completamente para fora e o joelho se estende lentamente; um "clique" doloroso indica rasgo do menisco medial da articulação genicular; se o clique ocorrer quando se executa a rotação do pé para dentro, o rasgo é no menisco lateral. **Mantoux t.** – prova de Mantoux; um teste intracutâneo de tuberculina. **Master "two-step" exercise t.** – prova do exercício "de dois degraus" de Master; prova do exercício precoce de insuficiência coronária na qual se registraram eletrocardiogramas durante e depois do indivíduo subir e descer dois degraus. **migration inhibitory factor (MIF) t.** – teste do fator inibidor da migração; teste *in vitro* de produção de MIF por parte dos linfócitos em resposta a antígenos específicos; utilizado para avaliação da imunidade mediada por células. A produção de MIF encontra-se ausente em caso de determinadas doenças de imunodeficiência. **Moloney t.** – prova de Moloney; teste para a detecção de hipersensibilidade retardada ao toxóide da difteria. **multiple-puncture t.** – teste de punção múltipla; teste intradérmico no qual se introduz na pele o material utilizado (por exemplo, tuberculina) por meio de pressão de várias agulhas ou puas pontiagudas. **neostigmine t.** – t. de neostigmina; quando se injeta metilsulfato de neostigmina misturado com sulfato de atropina, a redução dos sintomas miastênicos indica miastenia grave. **neutralization t.** – prova de neutralização; prova de capacidade de neutralização de um anti-soro ou outra substância através do teste da sua ação nas propriedades patogênicas de um microrganismo, toxina, vírus, bacteriófago ou substância tóxica. **nonstress t. (NST)** – prova de não-estresse; monitoração da resposta da freqüência cardíaca fetal aos movimentos fetais por meio de cardiotocografia. **osmotic fragility t.** – prova da fragilidade osmótica; coloca-se sangue heparinizado ou desfibrinado em soluções de cloreto de sódio de concentrações variáveis; o aumento da fragilidade medido como hemólise indica esferocitose. **oxytocin challenge t. (OCT)** – prova do desafio ocitocínico; teste de estresse de contração no qual se estimulam as contrações uterinas por meio de infusão endovenosa de ocitocina. **Pap t.**, **Papanicolaou t.** – teste de Pap; t. de Papanicolaou; procedimento de coloração citológica esfoliativa para a detecção e o diagnóstico de várias afecções, particularmente de afecções malignas e pré-malignas do trato genital feminino; também utilizado na avaliação da função endócrina e diagnóstico das malignidades de outros órgãos. **patch t's** – testes do emplastro; testes de hipersensibilidade, realizados por meio de observação da reação à aplicação na pele de um papel-filtro ou gaze saturados com a substância em questão. **Patrick's t.** – manobra de Patrick; flexionam-se a coxa e o joelho do paciente em posição supina, com o maléolo externo repousando na patela da perna oposta e o joelho deprimido; a produção de dor indica artrite coxofemoral. Também conhecido como sinal de fabere *(sign, fabere)* a partir das letras iniciais dos movimentos necessários para desencadeá-lo, ou seja, flexão, abdução, rotação externa e extensão (*flexion*, *abduction*, *external rotation*, and *extension*). **Paul-Bunnell t.** – prova de Paul-Bunnell; determinação da diluição mais alta do soro do paciente que aglutinará hemácias ovinas; utilizado para detectar anticorpos heterófilos séricos no diagnóstico da mononucleose infecciosa. **Paul-Bunnell-Davidsohn t.** – prova de Paul-Bunnell-Davidsohn; uma modificação do teste de Paul-Bunnell que diferencia os três tipos de aglutininas ovinas heterófilas: as aglutininas associadas à mononucleose infecciosa, a enfermidade do soro e os anticorpos naturais contra o antígeno de Forssman. **precipitin t.** – teste da precipitina; qualquer teste sorológico baseado na reação da precipitina. **prothrombin consumption t.** – prova do consumo de protrombina; teste para medir a formação de tromboplastina intrínseca pela determinação da protrombina sérica residual após se completar a coagulação sangüínea. **psychological t.** – teste psicológico; qualquer teste para medir desenvolvimento, progresso, personalidade, inteligência, processos de pensamento etc., de um indivíduo. **psychomotor t.** – t. psicomotor; teste que avalia a capacidade de um indivíduo perceber instruções e realizar respostas motoras. **Queckenstedt's t.** – manobra de Queckenstedt; ver em *sign*. **Quick's t.** – prova de Quick: 1. teste de função hepática baseado na excreção de ácido hipúrico após a administração de benzoato de sódio; 2. tempo de protrombina. **radioallergosorbent t. (RAST)** – teste radioalergossorvente; teste de radioimunoensaio para medir o anticorpo IgE específico no soro, utilizando antígeno de um extrato do alérgeno fixados em uma matriz de fase sólida e de antígeno anti-IgE humana marcado; utilizado como alternativa de testes cutâneos para determinar a sensibilidade a antígenos específicos. **radioimmunosorbent t.** (RIST) – teste radioimunossorvente; técnica de radioimunoensaio para medir as imunoglobulinas IgE no soro, utilizando IgE marcadas e antígenos anti-IgE humana ligados a uma matriz insolúvel. **rapid plasma reagin (RPR) t's** – testes ou provas de reagina plasmática rápida; teste da RPR; um grupo de testes de floculação de triagem para sífilis, utilizando um antígeno VRDL (*Venereal Disease Research Laboratory*) modificado. **Rinne t.** – teste de Rinne; teste de audição feito com diapasões de 256, 512 e 1.024 Hz, comparando-se a duração da percepção pelo osso e pela condução aérea. **rollover t.** – t. de rolamento; comparação da pressão sangüínea de uma mulher grávida deitada de costas contra o seu lado; a elevação excessiva quando ela rola para a posição supina indica um risco elevado de pré-eclâmpsia. **Rorschach t.** – teste de Rorschach; técnica de associação para testar a personalidade, baseada na resposta do paciente a uma série de desenhos de mancha de tinta. **Rubin's t.** – prova de Rubin; teste para a desobstrução das tubas uterinas por meio de distensão transuterina com gás de dióxido de carbono. **Schick t.** – teste de Schick; teste intracutâneo para a determinação da suscetibilidade à difteria. **Schiller's t.** – prova de Schiller; teste para o carcinoma de células escamosas precoce da cérvix, realizado por meio de pincelagem da cérvix uterina com solução de iodo e iodeto de potássio, as áreas doentes revelam-se por não absorver o corante. **Schilling t.** – prova de Schilling; teste de absorção da vitamina B_{12} que emprega a cianocobalamina marcada com Co^{57}; utilizada no diagnóstico da anemia perniciosa e outros distúrbios do metabolismo da vitamina B_{12}. **Schirmer's t.** – prova de Schirmer; teste de produção de lágrimas na ceratoconjuntivite seca, realizado através da medição da área de umidade em um pedaço de papel-filtro inserido sobre o saco conjuntival da pálpebra inferior, com a extremidade do papel pendendo para o lado externo. **Schwabach's t.** – teste de Schwabach; teste de audição realizado (tampando-se o ouvido oposto) com diapasões de 256, 512, 1.024 e 2.048 Hz, colocando-se alternadamente o cabo do diapasão no processo mastóide do osso temporal do paciente e no do examinador. O resultado é expresso como "Schwabach prolongado" se ouvido por mais tempo pelo paciente (indicativo de deficiências de audição condutiva), como "Schwabach deficiente ou diminuída" se ouvido por mais tempo pelo examinador (indicativo de deficiência auditiva sensorineural) e como "Schwabach normal" se ouvido pelo mesmo período pelo dois. **scratch t.** – teste de arranhadura; teste cutâneo no qual se aplica o antígeno em uma arranhadura superficial. **sheep cell agglutination t. (SCAT)** – prova de aglutinação de células ovinas; qualquer teste de aglutinação que utiliza eritrócitos ovinos. **sickling t.** – prova de célula falciforme; um teste para a demonstração de hemoglobina anormal e do fenômeno das hemácias falciformes. **skin t.** – teste cutâneo; qualquer teste em que se aplica um antígeno à pele para observar a reação do paciente; utilizado para determinar a imunidade a doenças infecciosas, identificar alérgenos que produzem reações alérgicas e avaliar a capacidade de produzir resposta imune celular. **stress t's** – de estresse; um dos vários testes que avaliam a saúde e a função cardiovasculares após a aplicação de estresse, geralmente um exercício para o coração. **swinging flashlight t.** – prova do flash oscilante; prova em que os olhos fixam-se em um ponto adiante e uma luz forte incide no olho intacto; observa-se contração bilateral aguda da pupila; quando se move a luz para o olho afetado, ambas as pupilas se dilatam por um período curto, e ao movê-la de volta para o olho intacto, ambas as pupilas se contraem imediatamente e permanecem contraídas; indicativo de um dano mínimo ao nervo óptico ou à retina. **Thematic Apperception T. (TAT)** – teste de apercepção temática; teste de projeção no qual o indivíduo conta uma história com base em cada uma de uma série de figuras ambíguas padrão, de forma que as respostas reflitam algum aspecto de sua personalidade, bem como as preocupações e conflitos psicológicos atuais. **thyroid suppression t.** – prova de supressão da tireóide; após a administração de liotironina por vários dias, reduz-se o consumo de iodo radioativo em pessoas normais, mas não em pessoas com hipertireoidismo. **tine t.** – t. da agulha pontiaguda; prendem-se quatro puas pontiagudas de 2 mm de comprimento em um cabo e recobrem-se com tuberculina antiga secada a ar e pressiona-se o conjunto na pele da superfície volar do antebraço; 48 a 72 horas depois, confere-se a pele quanto ao endurecimento palpável ao redor dos ferimentos. **tuberculin t.** – t. da tuberculina; qualquer teste dentre um grande número de testes cutâneos para tuberculose que utilizam muitos tipos diferentes de tuberculina, bem como métodos de aplicação. **unheated serum reagin (USR) t.** – teste de reagina sérica não-aquecida; modificação do teste de VDRL que utiliza soro não-aquecido; utilizado primariamente para triagem. **VDRL t.** (*Veneral Disease Research Laboratory*) – teste de VRDL (Laboratório de Pesquisa de Doenças Venéreas); teste de floculação em lâmina para sífilis que utiliza o antígeno VDRL, que contém cardiolipina, colesterol e lecitina, para testar o soro inativado pelo calor. **Weber's t.** – t. de Weber; coloca-se o cabo de um diapasão em vibração no vértice ou na linha média da testa; caso se ouça melhor o som no ouvido afetado, a deficiência é provavelmente do tipo condutivo; caso se ouça melhor no ouvido normal, a deficiência é provavelmente do tipo sensorineural. **Widal's t.** – prova de Widal; teste para a presença de aglutininas para os antígenos O e H da *Salmonella typhi* e da *Salmonella paratyphi* no soro de pacientes com suspeita de infecção por *Salmonella*.

tes·tal·gia (tes-tal'jah) – testalgia; dor testicular.

STU

Tes-Tape (tes'tăp) – Tes-Tape, marca registrada de uma fita de teste impregnada com glicose-oxidase, peroxidase e ortotolidina; utilizada para determinar a concentração aproximada de glicose na urina.

test card (tes kahrd) – cartão de teste; um cartão impresso com várias letras ou símbolos, utilizado em teste de visão.

tes·tec·to·my (tes-tek'tah-me) – testectomia; orquiectomia; ver *orchiectomy*.

tes·ti·cle (tes'tĭ-k'l) – testículo; ver *testis*.

tes·tic·u·lar (tes-tik'u-lar) – testicular; relativo ao testículo.

tes·tis (tes'tis) [L.] pl. *testes* – testículo; gônada masculina; uma das glândulas ovóides pareadas normalmente situadas no escroto, onde se desenvolvem os espermatozóides. As células intersticiais especializadas (células de Leydig) secretam a testosterona. **Cooper's irritable t.** – t. irritável de Cooper; testículo afetado de neuralgia. **inverted t.** – t. invertido; testículo posicionado no escroto de forma que o epidídimo se prende anteriormente em vez de posteriormente. **retained t.** – t. retido; testículo que não desceu para o escroto, mas permanece dentro do abdômen ou do canal inguinal. **retractile t.** – t. retrátil; testículo que desceu completamente e se move livremente entre o escroto e o canal inguinal devido a reflexo cremastérico exagerado. **undescended t.** – t. não-descido; t. retido.

tes·ti·tis (tes-ti'tis) – testite; orquite; ver *orchitis*.

test meal (test měl) – refeição de prova; ver em *meal*.

tes·to·lac·tone (tes"to-lak'tōn) – testolactona; esteróide antineoplásico preparado a partir da testosterona ou progesterona por meio de síntese microbiana; é utilizada em algumas formas de câncer de mama em mulheres na pós-menopausa.

tes·tos·te·rone (tes-tos'tĕ-rōn") – testosterona; o hormônio androgênico principal, produzido pelas células intersticiais (de Leydig) dos testículos em resposta a estimulação por parte do hormônio luteinizante da glândula hipófise anterior; acredita-se que seja responsável pela regulação da secreção gonadotrópica, pela espermatogênese e pela diferenciação do ducto de Wolff. Também é responsável por outras características masculinas após sua conversão em diidrotestosterona. Além disso, a testosterona possui propriedades anabólicas protéicas. É utilizada no tratamento do hipogonadismo masculino, criptorquidismo e sintomas do climatério masculino, bem como na terapia paliativa dos cânceres de mama.

test type (test tīp) – optótipo; letras impressas em tamanhos variáveis, utilizado em teste de acuidade visual.

te·tan·ic (tĕ-tan'ik) – tetânico; relativo ao tétano.

te·tan·i·form (tĕ-tan'ĭ-form) – tetaniforme; semelhante ao tétano.

tet·a·nig·e·nous (tet"ah-nij'ĭ-nus) – tetanígeno; que produz espasmos tetânicos.

tet·a·nize (tet'ah-nīz) – tetanizar; induzir convulsões ou sintomas tetânicos.

tet·a·node (tet'ah-nōd) – tetanódio; estágio não-excitado que ocorre entre as contrações tetânicas no tétano.

tet·a·noid (tet'ah-noid) – tetanóide; que se assemelha ao tétano.

tet·a·nol·y·sin (tet"ah-nol'ĭ-sin) – tetanolisina; a fração hemolítica da exotoxina formada pelo bacilo tetânico (*Clostridium tetani*).

tet·a·no·spas·min (tet"ah-no-spaz'min) – tetanospasmina; componente neurotóxico da exotoxina (toxina tetânica) produzida pela *Clostridium tetani*, que causa espasmos musculares típicos do tétano.

tet·a·nus (tet'ah-nus) – tétano: 1. doença infecciosa aguda e freqüentemente fatal causada por uma neurotoxina (tetanospasmina) produzida pela espécie *Clostridium tetani*, cujos esporos entram no corpo através de ferimentos. Existem duas formas: o *tétano generalizado*, marcado por contrações musculares tetânicas e hiper-reflexia, resultando em trismo (mandíbula travada), espasmo glótico, espasmo muscular generalizado, opistótono, espasmo respiratório, convulsões e paralisia e o *tétano localizado* (marcado por contração e espasmo musculares localizados, que podem progredir para a forma generalizada); 2. estado de contração muscular sem períodos de relaxamento. **neonatal t., t. neonato'rum** – t. neonatal; tétano de recém-nascidos, geralmente devido a infecção umbilical.

tet·a·ny (-ne) – tetania; síndrome manifestada por flexão pronunciada das articulações do pulso e tornozelo (espasmo carpopedal), contração muscular, câimbras e convulsões, algumas vezes com ataques de estridor; devida à hiperexcitabilidade dos nervos e músculos causada pela redução na concentração de cálcio ionizado extracelular; ocorre nos casos de hipofunção paratireóidea, de deficiência de vitamina D e alcalose, e como resultado da ingestão de sais alcalinos. **duration t.** – t. de duração; contração tetânica contínua em resposta a uma corrente contínua forte, ocorrendo especialmente em músculos degenerados. **gastric t.** – t. gástrica; forma severa devida a distúrbio gástrico, acompanhada de respiração difícil e espasmos tônicos dolorosos das extremidades. **hyperventilation t.** – t. por hiperventilação; tetania produzida por inspiração e expiração forçadas contínuas por um tempo considerável. **latent t.** – t. latente; tetania desencadeada pela aplicação de estimulação elétrica e mecânica. **neonatal t., t. of newborn** – t. neonatal; tetania hipocalcêmica que ocorre nos primeiros dias de vida, freqüentemente marcada por irritabilidade, contrações musculares, irriquietabilidade, tremores e convulsões e, menos freqüentemente, por laringospasmo e espasmo carpopedal. **parathyroid t., parathyroprival t.** – t. paratireóidea; t. paratireopriva; tetania devida à remoção ou hipofuncionamento das paratireóides.

tet·ar·ta·no·pia (tet"ahr-tah-no'pe-ah) – tetartanopia: 1. quadrantanopia; 2. dicromasia rara de existência duvidosa, caracterizada pela percepção exclusiva de vermelho e verde, sendo o azul e o amarelo percebidos como uma faixa acromática (cinza).

tet·ar·ta·nop·sia (-nop'se-ah) – tetartanopsia; tetartanopia.

tetra- [Gr.] – elemento de palavra, *quatro.*

tet·ra·bra·chi·us (tet"rah-bra'ke-us) – tetrabráquio; feto duplo que possui quatro braços.

tet·ra·caine (tet'rah-kān) – tetracaína; anestésico local e espinhal, utilizado em forma de sal de cloridrato.

tet·ra·chlo·ro·eth·y·lene (tet"rah-klor"o-eth'ĭ-lēn) – tetracloretileno; organoclorado moderadamente tóxico utilizado como solvente de lavagem a seco e para outros usos industriais; também é utilizado como anti-helmíntico.

tet·ra·crot·ic (-krot'ik) – tetracrótico; que possui quatro elevações esfigmográficas em um batimento do pulso.

tet·ra·cy·cline (-si'klēn) – tetraciclina; antibiótico com amplo espectro de atividade antimicrobiana, isolado a partir de produtos de elaboração de determinadas espécies de *Streptomyces*; utilizam-se a base e o sal de cloridrato como antiamébicos, antibacterianos e anti-rickettsiais.

tet·rad (tet'rad) – tétrade; grupo de quatro entidades semelhantes ou relacionadas, como (1) qualquer elemento ou radical com valência ou poder de combinação igual a quatro, (2) um grupo de quatro elementos cromossômicos formados no estágio de paquíteno da primeira prófase meiótica; (3) um quadrado de células produzido pela divisão em dois planos de determinados cocos (*Sarcina*). **Fallot's t.** – t. de Fallot; tetralogia de Fallot.

tet·ra·dac·ty·ly (tet"rah-dak'tĭ-le) – tetradactilia; presença de apenas quatro dedos na mão ou no pé.

tet·ra·go·num (-go'num) [L.] – tetrágono; figura de quatro lados. **t. lumba'le** – t. lombar; quadrângulo limitado pelos quatro músculos lombares.

tet·ra·hy·dro·can·nab·i·nol (-hi"dro-kah-nab'ĭ-nol) – tetraidrocanabinol; princípio ativo de *Cannabis*, que ocorre em duas formas isoméricas, ambas consideradas psicomimeticamente ativas. Abreviação THC.

tet·ra·hy·dro·fo·lic ac·id (-hidro-fo'lik) – ácido tetraidrofólico; uma forma de ácido fólico em que o anel pteridínico se encontra completamente reduzido; é o composto original de várias coenzimas que servem como transportadoras de grupos de um carbono nas reações metabólicas; na forma dissociada, é chamado de *tetraidrofolato*. Abreviação TIF.

tet·ra·hy·droz·o·line (-hi-droz'ah-lēn) – tetraidrozolina; adrenérgico aplicado topicamente como sal de cloridrato à mucosa nasal e conjuntiva para produzir vasoconstrição.

te·tral·o·gy (tĕ-tral'ah-je) – tetralogia; grupo ou série de quatro. **t. of Fallot** – t. de Fallot; um complexo de defeitos cardíacos congênitos que consiste em estenose pulmonar, defeito septal interventricular, hipertrofia do ventrículo direito e dextroposição da aorta.

tet·ra·mer·ic (tet"rah-mer'ik) – tetramérico; que tem quatro partes.

tet·ran·op·sia (-nop'se-ah) – tetranopsia; quadrantanopia; ver *quadrantanopia.*

tet·ra·pa·re·sis (-pah-re'sis) – tetraparesia; fraqueza muscular que afeta as quatro extremidades.

tet·ra·pep·tide (-pep'tīd) – tetrapeptídeo; peptídeo que, à hidrólise, produz quatro peptídeos.

tet·ra·ple·gia (-ple-je'ah) – tetraplegia; quadriplegia; ver *quadriplegia.*

tet·ra·ploid (tet'rah-ploid) – tetraplóide: 1. caracterizado por tetraploidia; 2. indivíduo ou célula que possui quatro grupos de cromossomas.

tet·ra·pus (-pus) – tetrápode; feto com quatro pés.

tet·ra·pyr·role (-pĭ-rōl") – tetrapirrol; composto que contém quatro anéis de pirrol (como a heme ou clorofila).

te·tras·ce·lus (tĕ-tras'ah-lus) – tetráscelo; feto com quatro pernas.

tet·ra·so·my (tet'rah-so"me) – tetrassomia; presença de dois cromossomas extras de um tipo em uma célula diplóide sob outros aspectos. **tetraso'mic** – adj. tetrassômico.

tetravalent (tet"rah-va'lent) – tetravalente; que tem uma valência de quatro.

tet·ro·do·tox·in (tet"ro-do-tok'sin) – tetrodotoxina; neurotoxina altamente letal presente em várias espécies de baiacu (subordem Tetraodontoidea) e em tritões do gênero *Taricha* (nos quais é chamada de taricatoxina); a ingestão resulta, dentro de minutos, em mal-estar, tontura e formigamento ao redor da boca, que podem ser acompanhados de ataxia, convulsões, paralisia respiratória e morte.

tex·ti·form (teks'tĭ-form) – textiforme; formado de modo semelhante a uma rede.

TGF – transforming growth factor (fator de crescimento transformador).

T-group – grupo T; grupo de treinamento; ver *group, sensitivity training.*

Th – símbolo químico, tório (*thorium*).

thal·a·men·ceph·a·lon (thal"ah-men-sef'ah-lon) – talamoencéfalo; a parte do diencéfalo que compreende tálamo, metatálamo e epitálamo.

thal·a·mo·cor·ti·cal (thal"ah-mo-kor'tĭ-k'l) – talamocortical; relativo ao tálamo e córtex cerebral.

thal·a·mo·len·tic·u·lar (-len-tik'u-ler) – talamolenticular; relativo ao tálamo e núcleo lenticular.

thal·a·mot·o·my (thal"ah-mot'ah-me) – talamotomia; técnica cirúrgica estereotáxica para a destruição parcial de grupos específicos de células no interior do tálamo, a fim de aliviar a dor e tremores, assim como aliviar a rigidez da paralisia com agitação.

thal·a·mus (thal'ah-mus) [L.] pl. *thalami* – tálamo; uma das duas grandes massas ovóides que consistem principalmente de substância cinzenta e se situam uma em cada lado da parte que forma a parede lateral do terceiro ventrículo. Cada uma delas se divide nas partes dorsal e ventral; o termo *tálamo* sem um modificador geralmente se refere ao tálamo dorsal, que funciona como um centro de retransmissão de impulsos sensoriais ao córtex cerebral.

thal·as·se·mia (thal"ah-se'me-ah) – talassemia; um grupo heterogêneo de anemias hemolíticas hereditárias marcadas por redução da velocidade de síntese de uma ou mais cadeias polipeptídicas de hemoglobina, classificadas de acordo com a cadeia envolvida (α, β ou δ); as duas principais categorias são a α- e a β-talassemias. **α-t** – α-t.; talassemia causada por redução da síntese de

STU

cadeias alfa de hemoglobina. A forma *homozigótica* é incompatível com a vida, com o bebê natimorto apresentando hidropisia fetal severa. A forma *heterozigótica* pode ser assintomática ou marcada por anemia branda. **β-t.** – β-t.; talassemia causada por redução da síntese de cadeias beta de hemoglobina. A forma *homozigótica* (anemia de Cooley, mediterrânea ou eritroblástica; ou ainda t. maior), na qual a hemoglobina A encontra-se completamente ausente, aparece no período do de recém-nascido e é marcada por anemia hemolítica hipocrômica microcítica, hepatoesplenomegalia, deformação esquelética, fácies mongolóide e aumento de volume cardíaco. A forma *heterozigótica* (t. menor) é geralmente assintomática, mas algumas vezes ocorre anemia branda. **t. major** – t. maior; ver *β-t.* **t. minor** – t. menor; ver *β-t.* **sickle cell-t** – t. de células falciformes; anemia hereditária que envolve heterozigosidade simultânea para a hemoglobina S e talassemia.

tha·lid·o·mide (thah-lid'o-mīd) – talidomida; sedativo e hipnótico comumente utilizado na Europa no início dos anos 60 e que se descobriu ser causadora de anomalias congênitas sérias no feto, notavelmente amelia ou focomelia, quando tomada durante o início da gravidez; é hoje utilizada em pesquisas como imunossupressivo.

thal·li·um (thal'e-um) – tálio; elemento químico (ver *Tabela de Elementos)*, número atômico 81, símbolo Tl. Pode ser absorvido do intestino e a partir da pele intacta, causando vários sintomas neurológicos e psíquicos e danos hepáticos e renais. **t. -201** – t. -201; isótopo radioativo do tálio que possui meia-vida de 73,5 h. Utilizado na obtenção de imagens cardíacas como cloreto talioso de Tl-201.

thanat(o)- [Gr.] tanat(o) – elemento de palavra, *morte.*

than·a·to·gno·mon·ic (than"ah-to"no-mon'ik) – tanatognomônico; que indica a chegada da morte.

than·a·to·phid·ia (than"ah-to-fid'ē-ah) – tanatofídios; serpentes venenosas, coletivamente.

than·a·to·pho·ric (-for'ik) – tanatofórico; mortal; letal.

THC – tetrahydrocannabinol (tetraidrocanabinol).

the·baine (the-ba'in) – tebaína; alcalóide cristalino, venenoso e anódino proveniente do ópio, possuindo propriedades semelhantes às da estricnina.

the·ca (the'kah) [L.] pl. *thecae* – teca; cápsula ou bainha. **the'cal** – adj. tecal. **t. folli'culi** – t. do folículo; envoltório de tecido conjuntivo condensado que circunda um folículo ovariano vesicular, compreendendo uma camada vascular interna (*túnica interna*) e uma camada fibrosa externa (*túnica externa*).

the·ci·tis (the-si'tis) – tecite; tenossinovite; ver *tenosynovitis.*

the·co·ma (the-ko'mah) – tecoma; tumor de células da teca.

the·co·steg·no·sis (the"ko-steg-no'sis) – tecostegnosia; contração de uma bainha tendínea.

the·lal·gia (the-lal'jah) – telalgia; dor nos mamilos.

the·lar·che (the-lahr'ke) – telarca; telarquia; começo do desenvolvimento das mamas na puberdade.

The·la·zia (the-la'ze-ah) – *Thelazia*; gênero de vermes nematódeos parasitas dos olhos dos mamíferos, incluindo raramente o homem.

the·la·zi·a·sis (the"lah-zi'ah-sis) – telazíase; infecção ocular por *Thelazia.*

the·le·plas·ty (the'le-plas"te) – teleplastia; operação plástica do mamilo.

the·ler·e·thism (thē-ler'ē-thizm) – teleretismo; ereção do mamilo.

the·li·tis (the-li'tis) – telite, inflamação de um mamilo.

the·li·um (the'le-um) [L.] pl. *thelia* – télio: 1. papila; 2. mamilo.

the·lor·rha·gia (the"lo-ra'jah) – telorragia; hemorragia a partir do mamilo.

the·nar (the'ner) – tenar: 1. parte carnosa da mão na base do polegar; 2. relativo à palma.

the·o·bro·mine (the"o-bro'min) – teobromina; alcalóide preparado a partir da semente madura seca da árvore tropical americana *Theobroma cacao* ou fabricado sinteticamente a partir da xantina; possui propriedades semelhantes às da cafeína e é utilizado como relaxante muscular liso, diurético e estimulante e vasodilatador miocárdico.

the·oph·y·line (the-of'ī-lin) – teofilina; derivado xantínico encontrado nas folhas de chá e preparado sinteticamente; seus sais e derivados agem como relaxantes da musculatura lisa e estimulantes do sistema nervoso central e do músculo cardíaco e ainda como broncodilatadores. **t. cholinate** – colinato de t.; oxtrifilina.

the·o·ry (the'ah-re, thēr'e) – teoria: 1. doutrina ou princípios subjacentes a uma arte em oposição à prática dessa arte; 2. hipótese formulada ou, em termos gerais, qualquer hipótese ou opinião não-baseada em conhecimento real. **cell t.** – t. celular; toda a matéria orgânica consiste de células, e a atividade celular constitui o processo essencial da vida. **clonal deletion t.** – t. da deleção clonal; teoria de autotolerância imunológica segundo a qual os "clones proibidos" dos imunócitos (reativos aos auto-antígenos) são eliminados ao contato com o antígeno na vida fetal. **clonal selection t.** – t. da seleção clonal; existem vários milhões de clones de células produtoras de anticorpos em cada adulto, cada uma delas programada para fabricar um anticorpo de uma única especificidade e receptores de transporte de superfície celular para antígenos específicos; a exposição ao antígeno induz as células com receptores para esse antígeno a proliferarem e produzirem grandes quantidades de anticorpos específicos. **information t.** – t. da informação; sistema para analisar (principalmente por meio de métodos estatísticos) as características das mensagens comunicadas e os sistemas que as codificam, transmitem, distorcem, recebem ou decodificam. **overflow t.** – t. do derrame ou exsudato; teoria semelhante à teoria da hipovolemia, mas que propõe que o evento primário na formação de ascite é a retenção de sódio e água com hipertensão porta resultante; a expansão do volume plasmático até o ponto de transbordamento a partir dos sinusóides hepáticos causa depois a formação da ascite. **quantum t.** – t. do *quantum*; radiação e absorção de energia ocorrem em quantidades (quanta) que variam em tamanho com a freqüência da radiação. **recapitulation t.** – t. da recapitulação; a ontogenia recapitula a filogenia, ou seja, um organismo no curso de seu desenvolvimento passa pelos mesmos estágios sucessivos (em forma abreviada) pelos quais a espécie passou em seu desenvolvimento evolutivo. **underfilling t.** – t. da hipovolemia; a teoria de que ascite associada à hipertensão porta causa hipovolemia e depois, tanto redução da pressão porta como retenção de sódio e água. A concentração mais alta de sódio causa elevações no volume plasmático e na pressão porta, e a subseqüente formação da ascite recomeça o ciclo. **Young-Helmholtz t.** – t. de Young-Helmholtz; a visão colorida depende de três conjuntos de receptores retinianos, correspondentes às cores: vermelho, verde e violeta.

theque (těk) [Fr.] – teca; coleção ou ninho redondos ou ovais de células de nevo que contêm melanina que ocorrem na junção dermoepidérmica da pele ou derme propriamente dita.

ther·a·peu·tic (ther"ah-pu'tik) – terapêutico: 1. relativo à terapêutica ou terapia; 2. curativo.

ther·a·peu·tics (-pu'tiks) – terapêutica: 1. ciência e arte de curar; 2. terapia.

ther·a·pist (ther'ah-pist) – terapeuta; pessoa capacitada no tratamento de uma doença ou outro distúrbio. **physical t.** – t. fisioterapeuta; pessoa capacitada na técnica da fisioterapia e qualificada a administrar um tratamento prescrito por um médico. **speech t.** – fonoaudiólogo; pessoa especialmente treinada e qualificada a ajudar pacientes a superar distúrbios da fala e linguagem.

ther·a·py (-pe) – terapia; tratamento de uma doença; terapêutica. Ver também *treatment*. **ablation t.** – t. de ablação; destruição de pequenas áreas de tecido miocárdico, geralmente por meio da aplicação de energia elétrica ou química, no tratamento de algumas taquiarritmias. **antiplatelet t.** – t. antiplaqueta; uso de agentes modificadores de plaquetas para inibir a adesão ou agregação das plaquetas e assim evitar trombose, alterar o curso de aterosclerose ou prolongar a desobstrução de um enxerto vascular. **aversion t.** – t. de aversão; terapia direcionada à associação de um padrão comportamental indesejável com estimulação desagradável. **behavior t.** – t. comportamental; abordagem terapêutica que focaliza a modificação do comportamento observável do paciente, em vez de modificação dos conflitos e processos inconscientes que se presume sejam subjacentes ao comportamento. **biological t.** – t. biológica; tratamento de uma doença através de injeção de substâncias que produzam reação biológica no organismo. **cognitive behavior t., cognitive t.** – t. comportamental cognitiva; t. cognitiva; forma diretiva de psicoterapia baseada na teoria de que os problemas emocionais resultam de atitudes e formas de pensamento distorcidas que podem ser corrigidas; o terapeuta utiliza técnicas retiradas em parte da terapia comportamental para orientar o paciente. **electroconvulsive t. (ECT), electroshock t. (EST)** – t. eletroconvulsiva; t. por eletrochoque; tratamento para distúrbios mentais (primariamente a depressão) no qual induzem-se convulsões e perda de consciência através da aplicação de corrente alternada de baixa voltagem no cérebro por meio de eletrodos no couro cabeludo por uma fração de segundo; utiliza-se um relaxante muscular para evitar lesões durante o ataque convulsivo. **endocrine t.** – t. endócrina; endocrinoterapia; tratamento de uma doença através do uso de hormônios. **fibrinolytic t.** – t. fibrinolítica; uso de agentes fibrinolíticos (por exemplo, prouroquinase) para lisar trombos em pacientes com oclusão arterial periférica aguda, trombose venosa profunda, embolia pulmonar ou infarto do miocárdio agudo. **group t.** – t. de grupo; psicoterapia realizada com um grupo de pacientes sob a orientação de um só terapeuta. **hormonal t., hormone t.** – t. hormonal; hormonoterapia; t. endócrina. **immunosuppressive t.** – t. imunossupressiva; tratamento com agentes (como os raios X, corticosteróides e produtos químicos citotóxicos) que suprimem a resposta imune ao(s) antígeno(s); utilizada em várias afecções e situações, incluindo transplante de órgão, doença autoimune, alergia, mieloma múltiplo e nefrite crônica. **inhalation t.** – t. de inalação; termo fora de uso para cuidados respiratórios *(care, respiratory)*. **milieu t.** – t. do meio; tratamento (geralmente em hospital psiquiátrico) que enfatiza proporcionar um ambiente e atividades apropriadas às necessidades emocionais e interpessoais do paciente. **occupational t.** – t. ocupacional; uso terapêutico de atividades de auto-assistência, trabalho e lazer para aumentar a função, potencializar o desenvolvimento e evitar incapacitações. **photodynamic t.** – t. fotodinâmica; administração endovenosa de derivado hematoporfirínico, que se concentra seletivamente em um tecido tumoral metabolicamente ativo, seguida de exposição do tecido tumoral à luz de um laser vermelho para produzir radicais livres citotóxicos que destroem o tecido que contém hematoporfirina. **physical t.** – fisioterapia: 1. tratamento por meios físicos; 2. a profissão da área da saúde relacionada à promoção da saúde, à prevenção da incapacitação e à avaliação e à reabilitação de pacientes incapacitados por dor, doença ou lesão e com tratamento por meio de procedimentos terapêuticos físicos em oposição a procedimentos médicos, cirúrgicos ou radiológicos. **PUVA t.** – t. de PUVA; uma forma de fotoquimioterapia para dermopatias como psoríase e vitiligo; à administração oral de psoraleno é seguida duas horas mais tarde de exposição à luz ultravioleta. **replacement t.** – t. de reposição: 1. tratamento para repor deficiências nos produtos corporais através da administração de substitutos naturais ou sintéticos; 2. t. de substituição; tratamento que substitui ou compensa um órgão não-funcionante (por exemplo, hemodiálise). **substitution t.** – t. de substituição; t. de reposição; administração de um hormônio para compensar uma deficiência glandular. **thrombolytic t.** – t. trombolítica; t. fibrinolítica.

the·rio·gen·ol·o·gy (the"re-o-jen-ol'o-je) – teriogenologia; ramo da Medicina Veterinária que se ocupa da reprodução em todos os seus aspectos. **theriogenolog'ic** – adj. teriogenológico.

STU

therm (therm) – termo; unidade de calor. A palavra é utilizada como equivalente de (a) grande caloria; (b) pequena caloria; (c) 1.000 calorias grandes; e (d) 100.000 unidades térmicas britânicas.

ther·mal·ge·sia (ther"mal-je'zhah) – termalgesia; disestesia na qual a aplicação de calor causa dor.

ther·mal·gia (ther-mal'jah) – termalgia; causalgia; ver *causalgia.*

therm·an·al·ge·sia (therm"an-al-je'ze-ah) – termanalgesia; termoanestesia; ver *thermoanestesia.*

therm·an·es·the·sia (-an-es-the'zhah) – termanestesia; termoanestesia; ver *thermoanestesia.*

term·es·the·sia (-es-the'zhah) – termestesia; sensação da temperatura.

therm·es·the·si·om·e·ter (-es-the"ze-om'ĕ-ter) – termestesiômetro; instrumento para medir a sensibilidade ao calor.

therm·hy·per·es·the·sia (-hi"per-es-the'zhah) – termiperestesia; termo-hiperestesia; ver *thermohyperesthesia.*

therm·hy·pes·the·sia (-hi-pes-the'ze-ah) – termipestesia; termoipestesia; ver *thermohyperesthesia.*

ther·mic (ther'mik) – térmico; relativo ao calor.

therm(o)- [Gr.] – elemento de palavra, *calor.*

ther·mo·an·es·the·sia (ther"mo-an"es-the'-zhah) – termoanestesia; incapacidade de distinguir sensações de calor e de frio; perda ou ausência da sensação de temperatura.

ther·mo·cau·tery (-kaw'ter-e) – termocautério; cauterização com um fio metálico ou ponta aquecidos.

ther·mo·chem·is·try (-kem'is-tre) – termoquímica; o aspecto da fisicoquímica relacionado às alterações de temperatura que acompanham as reações químicas.

ther·mo·co·ag·u·la·tion (-ko-ag"u-la'shun) – termocoagulação; coagulação tecidual com correntes de alta freqüência.

ther·mo·dif·fu·sion (-dĭ-fu'zhun) – termodifusão; difusão influenciada por um gradiente de temperatura.

ther·mo·dy·nam·ics (-di-nam'iks) – termodinâmica; ramo da ciência relacionado ao calor e energia, sua interconversão e os problemas associados.

ther·mo·ex·ci·to·ry (-ek-si'ter-e) – termoexcitatório; que estimula a produção de calor corporal.

ther·mo·gen·e·sis (-jen'ĕ-sis) – termogênese; produção de calor, especialmente no corpo. **thermogenet'ic, thermogen'ic** – adj. termogênico.

ther·mo·gram (ther'mo-gram) – termograma: 1. registro gráfico de variações de temperatura; 2. registro visual obtido por meio de termografia.

ther·mo·graph (-graf) – termógrafo: 1. instrumento para registrar variações de temperatura; 2. aparelho utilizado na termografia; 3. termografia; termograma; ver *thermogram* (2).

ther·mog·ra·phy (ther-mog'rah-fe) – termografia; técnica na qual uma câmera infravermelha fotografa termicamente a temperatura da superfície corporal, com base na radiação infravermelha auto-emanante; algumas vezes utilizada como meio de diagnóstico de afecções patológicas subjacentes, como tumores de mama.

ther·mo·hy·per·al·ge·sia (ther"mo-hi"per-al-je'ze-ah) – termo-hiperalgesia; termoiperalgesia; termalgesia extrema.

ther·mo·hy·per·es·the·sia (-hi"per-es-the'-zhah) – termo-hiperestesia; termoiperestesia; disestesia com aumento de sensibilidade ao calor e ao frio.

ther·mo·hy·pes·the·sia (-hi"pes-the'zhah) – termoipestesia; disestesia com diminuição da sensibilidade ao calor e ao frio.

ther·mo·in·hib·i·to·ry (-in-hib'ĭ-tor"e) – termoinibitório; que retarda a geração de calor corporal.

ther·mo·la·bile (-la'bĭl) – termolábil; facilmente afetado pelo calor.

ther·mol·y·sis (ther-mol'ĭ-sis) – termólise: 1. dissociação química por meio do calor; 2. dissipação do calor corporal através da radiação, evaporação, etc. **thermolyt'ic** – adj. termolítico.

ther·mo·mas·sage (ther"mo-mah-sahzh') – termomassagem; massagem com calor.

ther·mom·e·ter (ther-mom'ĕ-ter) – termômetro; instrumento para determinar temperaturas, a princípio fazendo uso de uma substância com uma propriedade física variável segundo a temperatura e suscetível à medição por uma escala definida, ver tabela que acompanha temperatura (*temperature*). **clinical t.** – t. clínico; termômetro utilizado para determinar a temperatura do corpo humano. **infrared tympanic t.** – t. timpânico infravermelho; termômetro clínico inserido no interior do meato acústico externo para determinar a temperatura corporal através da medição da radiação infravermelha que emana da membrana timpânica. **oral t.** – t. oral; termômetro clínico colocado sob a língua. **recording t.** – t. registrador; instrumento sensível à temperatura através do qual se registra continuamente a temperatura a que é exposto. **rectal t.** – t. retal; termômetro clínico inserido no interior do reto. **tympanic t.** – t. timpânico; t. timpânico infravermelho.

ther·mo·phile (ther'mo-fĭl) – termófilo; organismo que se desenvolve melhor em temperaturas elevadas. **thermophil'ic** – adj. termofílico.

ther·mo·phore (-for) – termóforo; dispositivo ou aparelho para reter calor, utilizado no caso de aplicação local terapêutica.

ther·mo·plac·en·tog·ra·phy (ther"mo-plas"en-tog'rah-fe) – termoplacentografia; uso da termografia para determinar o local da ligação placentária.

ther·mo·ple·gia (-ple'jah) – termoplegia; choque térmico ou choque solar.

ther·mo·pol·yp·nea (-pol"ip-ne'ah) – termopolipnéia; respiração apressada devida a grande calor.

ther·mo·re·cep·tor (-re-sep'ter) – termorreceptor; uma terminação nervosa sensível a estimulação pelo calor.

ther·mo·reg·u·la·tion (-reg"u-la'shun) – termorregulação; regulação do calor, como o calor corporal de um animal de sangue quente.

ther·mo·sta·bile (-sta'b'l) – termostável; não afetado pelo calor.

ther·mo·sys·tal·tic (-sis-tal'tik) – termossistáltico; que se contrai sob o estímulo do calor.

ther·mo·tax·is (-tak'sis) – termotaxia: 1. ajuste normal da temperatura corporal; 2. movimento de um organismo em resposta à elevação de temperatura. **thermotac'tic, thermotax'ic** – adj. termotático.

ther·mo·ther·a·py (-ther'ah-pe) – termoterapia; uso terapêutico do calor.

ther·mo·to·nom·e·ter (-tom-nom'ĕ-ter) – termotonômetro; instrumento para medir a quantidade de contração muscular produzida pelo calor.

ther·mot·ro·pism (ther-mot'rah-pizm) – termotropismo; tropismo em resposta à elevação de temperatura. **thermotrop'ic** – adj. termotrópico.

THF – tetrahydrofolic acid (ácido tetraidrofólico).

thi(o)- [Gr.] – ti(o)-, elemento de palavra, *enxofre*.

thi·a·ben·da·zole (thi"ah-ben'dah-zōl) – tiabendazol; anti-helmíntico de amplo espectro utilizado no tratamento da enterobíase, estrongiloidíase, ascaridíase, uncinaríase e *larva migrans*.

thi·a·mine (thi'ah-min) – tiamina; vitamina B_1; componente hidrossolúvel do complexo de vitaminas B, encontrado particularmente na carne suína, vísceras, legumes, nozes e grãos integrais ou pães e cereais enriquecidos. A forma ativa é o pirofosfato de tiamina (TPP), que serve como coenzima em várias reações. A deficiência pode resultar no beribéri e constitui um fator na neurite alcoólica e síndrome de Wernicke-Korsakoff. Em inglês, tem também a grafia *thiamin*. **t. pyrophosphate (TPP)** – pirofosfato de t; forma ativa da tiamina, que serve como coenzima em várias reações, particularmente no metabolismo dos carboidratos.

thi·am·y·lal (thi-am'ĭ-lal) – tiamilal; barbitúrico de ação ultracurta; utiliza-se o sal sódico endovenosamente como anestésico geral.

thi·a·zide (thi'ah-zīd) – tiazida; qualquer substância de um grupo de diuréticos que age por meio da inibição da reabsorção de sódio no túbulo renal proximal e estimula a excreção de cloreto, com elevação resultante na excreção de água.

thickness (thik'nes) – espessura; medição da menor dimensão de um objeto. **triceps skinfold (TSF) t.** – e. da dobra de pele do tríceps; medição da gordura subcutânea obtida através da medição de uma dobra de pele que corre paralela ao comprimento do braço sobre o músculo tríceps a meio caminho entre o acrômio e o olécrano.

thi·emia (thi-e'me-ah) – tiemia; enxofre no sangue.

thigh (thi) – coxa; porção da perna acima do joelho; fêmur (*femur*).

thig·mes·the·sia (thig"mes-the'zhah) – tigmestesia; tato; ver *touch* (1).

thig·mo·tax·is (thig"mo-tak'sis) – tigmotaxia; taxia de um organismo em resposta ao contato ou ao toque. **thigmotac'tic, thigmotax'ic** – adj. tigmotático.

thig·mot·ro·pism (thig-mot'rah-pizm) – tigmotropismo; tropismo de um organismo desencadeado pelo toque ou contato com uma superfície sólida ou rígida. **thigmotrop'ic** – adj. tigmotrópico.

thi·mero·sal (thi-mer'o-sal) – timerosal; anti-séptico organomercurial que é antifúngico e bacteriostático para muitas bactérias não-esporuladas e é utilizado como anti-séptico tópico e preservativo farmacêutico.

think·ing (thingk'ing) – raciocínio; atividade mental ideacional (em oposição à atividade emocional). **dereistic t.** – r. dereístico; dereísmo.

thio·bar·bi·tu·ric ac·id (thi"o-bahr"bĭ-tu'rik) – ácido tiobarbitúrico; condensação do ácido malônico e da tiouréia, intimamente relacionada ao ácido barbitúrico. É o composto original de uma classe de drogas (tiobarbitúricos) análogas em seus efeitos aos barbitúricos.

thio·cy·a·nate (-si'ah-nāt) – tiocianato; sal análogo em composição ao cianato, mas que contém enxofre em vez do oxigênio.

thio·es·ter (-es'ter) – tioéster; ácido carboxílico e um grupo tiol em uma ligação éster (como acetilcoenzima-A).

thio·gua·nine (-gwah'nēn) – tioguanina; antineoplásico derivado da mercaptopurina; utilizado em caso de leucemia.

thio·ki·nase (-ki'nās) – tiocinase; uma das ligases que catalisam a formação de um tioéster em reação acoplada à clivagem de uma ligação de fosfato rica em energia.

thi·ol (thi'ol) – tiol: 1. sulfidrila; 2. qualquer composto orgânico que contenha o grupo –SH.

thi·o·nin (thi'o-nin) – tionina; pó verde-escuro, roxo em solução, utilizado como corante metacromático em microscopia.

thio·pen·tal (thi"o-pen'tal) – tiopental; barbitúrico de ação ultracurta; o sal sódico é utilizado endovenosamente para induzir anestesia geral, como anticonvulsivante e narcoanálise e narcossíntese.

thi·o·rid·a·zine (-rid'ah-zēn) – tioridazina; tranqüilizante com efeitos antipsicóticos e sedativos, utilizado como sal de cloridrato.

thio·sul·fate (-sul'fāt) – tiossulfato; o ânion $(SSO_3)_3{}^{2-}$ ou sal que contenha esse íons; produzido no metabolismo da cisteína.

thio·tepa (-tep'ah) – tiotepa; agente alcilante citotóxico, utilizado como antineoplásico para derrames pleural ou pericárdico malignos.

thio·thix·ene (-thik'sēn) – tiotixeno; tranqüilizante utilizado (como base ou sal de cloridrato) para o tratamento dos sintomas dos distúrbios psicóticos.

thio·xan·thene (-zan'thēn) – tioxanteno: 1. composto de três anéis estruturalmente relacionado à fenotiazina; 2. qualquer substância de uma classe de drogas neurolépticas estruturalmente relacionadas, incluindo o clorprotixeno e o tiotixeno; utilizada como agentes psicóticos.

thi·phen·a·mil (thi-fen'ah-mil) – tifenamil; anticolinérgico que possui propriedades antiespasmódicas e relaxantes musculares potentes; administrada oralmente como sal de cloridrato para aliviar a dor e o desconforto devidos aos espasmos musculares lisos dos distúrbios gastrointestinais.

thirst (therst) – sede; sensação (freqüentemente referida na boca e na garganta) associada a desejo de beber; ordinariamente interpretada como desejo por água.

thix·ot·ro·pism (thik-sot'rah-pizm) – tixotropismo; tixotropia.

thix·ot·ro·py (thik-sot'rah-pe) – tixotropia; a propriedade de determinados géis de se tornarem fluidos quando agitados e depois de se tornarem semi-sólidos novamente. **thixotrop'ic** – adj. tixotrópico.

thlip·sen·ceph·a·lus (thlip"sen-sef'ah-lus) – tlipsencéfalo; feto com crânio defeituoso.

STU

tho·ra·cal·gia (thor"ah-kal'je-ah) – toracalgia; dor na parede torácica.

tho·ra·cec·to·my (-sek'to-me) – toracectomia; toracotomia com ressecção de parte de uma costela.

tho·ra·cen·te·sis (-sen-te'sis) – toracentese; toracocentese; punção cirúrgica da parede torácica no interior da cavidade parietal para aspiração de fluidos.

tho·ra·ces (tho'rah-sēz) [Gr.] – plural de *thorax*.

tho·rac·ic (thah-ras'ik) – torácico; relativo ao tórax.

thorac(o)- [Gr.] – torac(o)-, elemento de palavra, *tórax; peito*.

tho·ra·co·acro·mi·al (thor"ah-ko-ah-kro'me-al) – toracoacromial; relativo ao tórax e acrômio.

tho·ra·co·ce·los·chi·sis (-se-los'kĭ-sis) – toracocelosquise; fissura congênita do tórax e abdome.

tho·ra·co·cyl·lo·sis (-sĭ-lo'sis) – toracocilose; deformidade do tórax.

tho·ra·co·cyr·to·sis (-sir-to'sis) – toracocirtose; curvatura anormal do tórax ou proeminência incomum do tórax.

tho·ra·co·delphus (-del'fus) – toracodelfo; feto duplo com uma cabeça, dois braços e quatro pernas, em que os corpos se reúnem acima do umbigo.

tho·ra·co·did·y·mus (-did'ĭ-mus) – toracodídimo; toracópago; ver *thoracopagus*.

tho·ra·co·dyn·ia (-din'e-ah) – toracodinia; dor no tórax.

tho·ra·co·gas·tros·chi·sis (-gas-tros'kĭ-sis) – toracogastrosquise; fissura congênita do tórax e abdome.

tho·ra·co·lum·bar (-lum'bar) – toracolombar; relativo às vértebras torácicas e lombares.

tho·ra·col·y·sis (thor"ah-kol'ĭ-sis) – toracólise; desprendimento de aderências da parede torácica.

tho·ra·com·e·lus (-kom'ah-lus) – toracômelo; feto com membro supranumerário ligado ao tórax.

tho·ra·com·e·ter (-kom'ah-ter) – toracômetro; estetômetro; ver *stethometer*.

tho·ra·co·my·odyn·ia (thor"ah-ko-mi"o-din'e-ah) – toracomiodinia; dor nos músculos torácicos.

tho·ra·cop·a·gus (-kop'ah-gus) – toracópago; gêmeos xifópagos unidos no tórax.

tho·ra·cop·a·thy (-kop'ah-the) – toracopatia; qualquer doença dos órgãos ou tecidos torácicos.

tho·ra·co·plas·ty (thor"ah-ko-plas"te) – toracoplastia; remoção cirúrgica das costelas, permitindo à parede torácica colapsar um pulmão doente.

tho·ra·cos·chi·sis (thor"ah-kos'kĭ-sis) – toracosquise; fissura congênita da parede torácica.

tho·raco·scope (thŏ-rak'o-skōp) – toracoscópio; endoscópio para examinar a cavidade pleural através de um espaço intercostal.

tho·ra·co·ste·no·sis (thor"ah-ko-stĕ-no'sis) – toracostenose; contração anormal do tórax.

tho·ra·cos·to·my (-kos'tah-me) – toracostomia; incisão da parede torácica, com manutenção da abertura para drenagem.

tho·ra·cot·o·my (-kot'ah-me) – toracotomia; incisão da parede torácica.

tho·rax (thor'aks) [Gr.] pl. *thoraces* – tórax; peito; parte do corpo entre o pescoço e o diafragma torácico, protegida pelas costelas. **Peyrot's t.** – t. de Peyrot; tórax obliquamente oval associado a derrames pleurais maciços.

Thor·a·zine (thor'ah-zēn) – Thorazine, marca registrada de preparações de clorpromazina.

tho·ri·um (thor'e-um) – tório, elemento químico (ver *Tabela de Elementos)*, número atômico 90, símbolo Th.

thor·ough·pin (thur'o-pin) – alifafe; distensão das bainhas sinoviais na porção superior e no dorso da articulação do jarrete de um eqüino.

thought broad·cast·ing (thawt brawd'kasting) – irradiação do pensamento; sensação alucinatória de que os pensamentos do indivíduo estão sendo irradiados para o ambiente.

thought in·ser·tion (in-ser'shun) – inserção do pensamento; sensação alucinatória de que os pensamentos do indivíduo não são dele, mas estão sendo inseridos em sua mente.

thought with·draw·al (with-draw'al) – retirada do pensamento; sensação alucinatória de que alguém ou algo remove os pensamentos da mente de um indivíduo.

thread·worm (thred'werm) – nematódeo; verme; nematódeo delgado e longo, especialmente a espécie *Enterobius vermicularis*.

thre·o·nine (thre'o-nin) – treonina; aminoácido de ocorrência natural essencial ao metabolismo humano.

thresh·old (thresh'old) – limiar; o nível que deve ser atingido para que se produza um efeito, como o grau de intensidade de um estímulo que produz imediatamente uma sensação ou a concentração que deve estar presente no sangue antes do rim excretar determinadas substâncias (*l. renal*).

thrill (thril) – frêmito; tremor; estremecimento; vibração sentida pelo examinador na palpação. **diastolic t.** – f. diastólico; frêmito sentido sobre o precórdio durante uma diástole ventricular em caso de insuficiência aórtica avançada. **hydatid t.** – f. hidático; frêmito algumas vezes sentido à percussão sobre um cisto hidático. **presystolic t.** – f. pré-sistólico; frêmito sentido imediatamente antes da sístole sobre o ápice cardíaco. **systolic s.** – f. sistólico; frêmito sentido sobre o precórdio durante uma sístole no caso de estenose aórtica, estenose pulmonar e defeito septal ventricular.

thrix (thriks) [Gr.] – cabelo; pêlo; ver *hair*.

-trix [Gr.] – elemento de palavra, *pêlo; cabelo*.

throat (thrōt) – garganta: 1. faringe; 2. fauces; 3. face anterior do pescoço. **sore t.** – inflamação da garganta; faringite; ver em *sore throat*.

throm·bas·the·nia (throm"bas-the'ne-ah) – trombastenia; anormalidade das plaquetas caracterizada por retração do coágulo defeituosa e agregação plaquetária induzida pelo ADP prejudicado; clinicamente manifestada por epistaxe, formação de lesão imprópria e sangramento pós-traumático excessivo. **Glanzmann's t.** – t. de Glanzmann; trombastenia.

throm·bec·to·my (throm-bek'tah-me) – trombectomia; remoção cirúrgica de um coágulo a partir de um vaso sangüíneo.

throm·bi (throm'bi) – plural de *thrombus*.

throm·bin (throm'bin) – trombina; trombosina; enzima resultante da ativação da protrombina, que catalisa a conversão do fibrinogênio em fibrina.

thromb(o)- [Gr.] – tromb(o)-, elemento de palavra, *coágulo; trombo.*

throm·bo·an·gi·itis (throm"bo-an"je-i'tis) – tromboangiíte; inflamação de um vaso sangüíneo, com trombose. **t. obli'terans** – t. obliterante; doença de Buerger; doença inflamatória e obliterativa dos vasos sangüíneos dos membros (primariamente das pernas) que leva à isquemia e gangrena.

throm·bo·ar·te·ri·tis (-ahr"ter-i'tis) – tromboarterite; trombose associada a arterite.

throm·boc·la·sis (throm-bok'lah-sis) – tromboclase; dissolução de um trombo. **thromboclas'tic** – adj. tromboclástico.

throm·bo·cyst (throm'bo-sist) – trombocisto; saco crônico formado ao redor de um trombo em caso de hematoma.

throm·bo·cys·tis (throm"bo-sis'tis) – trombocisto.

throm·bo·cy·ta·phe·re·sis (-sīt"ah-fē-re'sis) – trombocitaferese; separação e remoção seletivas de trombócitos (plaquetas) do sangue coletado, sendo o restante do sangue retransfundido para o doador.

throm·bo·cyte (throm'bo-sīt) – trombócito; plaqueta sangüínea. **thrombocyt'ic** – adj. trombocítico.

throm·bo·cy·the·mia (throm"bo-si-the'me-ah) – trombocitemia; elevação fixa do número de plaquetas sangüíneas circulantes. **essential s., hemorrhagic t.** – t. essencial; t. hemorrágica; síndrome clínica com hemorragias espontâneas repetidas, sejam externas ou no interior dos tecidos, e um número muito elevado de plaquetas circulantes.

throm·bo·cy·to·crit (-si'to-krit) – trombocitócrito; o volume de plaquetas sangüíneas acondicionadas em uma certa quantidade de sangue; também, o instrumento utilizado para medir o volume plaquetário.

throm·bo·cy·tol·y·sis (-si-tol'ĭ-sis) – trombocitólise; destruição das plaquetas sangüíneas.

throm·bo·cy·top·a·thy (-si-top'ah-the) – trombocitopatia; qualquer distúrbio qualitativo das plaquetas sangüíneas.

throm·bo·cy·to·pe·nia (-si"to-pe'ne-ah) – trombocitopenia; redução no número de plaquetas no sangue circulante. **immune t.** – t. imune; trombocitopenia associada à presença de anticorpos antiplaquetas (IgG).

throm·bo·cy·to·poi·e·sis (-si"to-poi-e'sis) – trombocitopoiese; produção de plaquetas sangüíneas. **thrombocytopoiet'ic** – adj. trombocitopoiético.

throm·bo·cy·to·sis (-si-to'sis) – trombocitose; número elevado de plaquetas no sangue circulante.

throm·bo·em·bo·lism (-em'bo-lizm) – tromboembolia; obstrução de um vaso sangüíneo com o material trombótico trazido pelo sangue do lugar de origem para tampar outro vaso.

throm·bo·end·ar·ter·ec·to·my (-end"ar-ter-ek'tah-me) – tromboendarterectomia; excisão de um trombo obstrutivo junto com uma porção do revestimento interno da artéria obstruída.

throm·bo·end·ar·ter·itis (-end"ahr-ter-i'tis) – tromboendarterite; inflamação do revestimento mais interno de uma artéria, com formação de trombo.

throm·bo·en·do·car·di·tis (-en"do-kahr-di'tis) – tromboendocardite; termo antigamente utilizado para

a endocardite trombótica não-bacteriana ou algumas vezes incorretamente para endocardite verrucosa não-bacteriana.

throm·bo·gen·e·sis (-jen'ĕ-sis) – trombogênese; formação de coágulo. **thrombogen'ic** – adj. trombogênico.

β-throm·bo·glob·u·lin (-glob'u-lin) – β-tromboglobulina; proteína plaquetária específica liberada com o fator plaquetário 4 na ativação das plaquetas; transmite várias reações da resposta inflamatória, liga e inativa a heparina e bloqueia a liberação celular endotelial de prostaciclina.

throm·boid (throm'boid) – trombóide; semelhante ao trombo.

throm·bo·ki·nase (throm"bo-ki'nās) – trombocinase; fator de coagulação X ativado.

throm·bo·ki·net·ics (-kī-net'iks) – trombocinética; dinâmica da coagulação sangüínea.

throm·bo·lym·phan·gi·tis (-lim"fan-ji'tis) – trombolinfangite; inflamação de um vaso linfático devida a trombo.

throm·bol·y·sis (throm-bol'ĭ-sis) – trombólise; dissolução de um trombo. **thrombolyt'ic** – adj. trombolítico.

throm·bo·phil·ia (throm"bo-fil'e-ah) – trombofilia; tendência à ocorrência de trombose.

throm·bo·phle·bi·tis (-flĕ-bi'tis) – tromboflebite; inflamação de uma veia associada à formação de um trombo. **iliofemoral t., postpartum** – t. iliofemoral pós-parto; tromboflebite da veia iliofemoral após um parto. **t. mi'grans** – t. migratória; tromboflebite recorrente que envolve vasos diferentes simultaneamente ou a intervalos.

throm·bo·plas·tic (-plas'tik) – tromboplástico; que causa ou acelera a formação de um coágulo no sangue.

throm·bo·plas·tin (-plas'tin) – tromboplastina; substância no sangue e tecidos que, à presença de cálcio ionizado, auxilia na conversão da protrombina em trombina. **tissue t.** – t. tecidual; fator de coagulação III.

throm·bo·poi·e·sis (-poi-e'sis) – trombopoiese: 1. trombogênese; 2. trombocitopoiese. **thrombopoiet'ic** – adj. trombopoiético.

throm·bosed (throm'bōzd) – trombosado; afetado por trombose.

throm·bo·sis (throm-bo'sis) – trombose; formação ou presença de um trombo. **thrombot'ic** – adj. trombótico. **cerebral t.** – t. cerebral; trombose de um vaso cerebral, que pode resultar em infarto cerebral. **coronary t.** – t. coronária; trombose de uma artéria coronária, geralmente associada à aterosclerose e freqüentemente causando morte súbita ou infarto do miocárdio.

throm·bo·spon·din (throm"bo-spon'din) – tromboespondina; glicoproteína que interage com ampla variedade de moléculas (incluindo heparina, fibrina, fibrinogênio, receptores da membrana celular das plaquetas, colágeno e fibronectina), bem como participa da agregação plaquetária, da metástase tumoral, da adesão da *Plasmodium falciparum,* do crescimento da musculatura lisa vascular e reparo tecidual na musculatura esquelética após lesão de esmagamento.

STU

throm·bos·ta·sis (throm-bos'tah-sis) – trombostase; estase sangüínea em uma parte com formação de trombo.

throm·box·ane (throm-bok'sān) – tromboxano; qualquer de dois compostos, sendo um deles designado de A_2 e o outro B_2. O tromboxano A_2 é sintetizado pelas plaquetas sendo um indutor de agregação plaquetária e das funções de liberação de plaquetas e ainda um vasoconstritor; é muito instável sendo hidrolisado em tromboxano B_2.

throm·bus (throm'bus) [L.] *pl. thrombi* – trombo; agregação de fatores sangüíneos (primariamente plaquetas e fibrina) com captura de elementos celulares, freqüentemente causando obstrução vascular no ponto de sua formação. **mural t.** – t. mural; trombo preso à parede do endocárdio em uma área doente ou à parede aórtica sobrejacente a uma lesão íntima. **occluding t., occlusive t.** – t. oclusivo; trombo que ocupa o lúmen inteiro de um vaso e obstrui o fluxo sangüíneo. **parietal t.** – t. parietal; trombo preso à parede de um vaso ou do coração.

thrush (thrush) – afta; sapinho; candidíase das membranas mucosas orais, geralmente afetando bebês fracos e doentes, indivíduos com má-saúde ou pacientes imunocomprometidos; caracteriza-se pela formação de placas brancas cremosas que se assemelham a coalhos de leite, e podem ser removidas, deixando superfícies hemorrágicas escoriadas.

thryp·sis (thrip'sis) – tripse; fratura cominutiva.

thu·li·um (thoo'le-um) – túlio; elemento químico (ver *Tabela de Elementos)*, número atômico 69, símbolo Tm.

thumb (thum) – polegar; dedo radial ou primeiro dedo da mão. **tennis t.** – p. de tenista; tendinite do tendão do músculo flexor longo do polegar, com calcificação.

thumb·print·ing (thum'print-ing) – impressão digital; sinal radiográfico que aparece como reentrâncias lisas no cólon preenchido por bário, como se fosse feito por uma depressão com o polegar.

thump·ver·sion (thump-ver'zhun) – golpeamento do tórax; administração de um ou dois golpes no peito no começo da ressuscitação cardiopulmonar, para iniciar um pulso ou converter uma fibrilação ventricular em ritmo normal.

thy·mec·to·mize (thi-mek'tah-mīz) – timectomizar; excisar o timo.

thy·mec·to·my (-me) – timectomia; excisão do timo.

thy·mel·co·sis (thi"mel-ko'sis) – timelcose; ulceração do timo.

-thymia [Gr.] – -timia, elemento de palavra, *condição da mente.* **-thy'mic** adj. -tímico.

thy·mic (thi'mik) – tímico; relativo ao timo.

thy·mi·co·lym·phat·ic (thi"mĭ-ko-lim-fat'ik) – timicolinfático; relativo ao timo e linfonodos.

thy·mi·dine (thi'mĭ-dēn) – timidina; timina ligada à ribose, uma base de ocorrência rara no rRNA e no tRNA; utilizado quase sempre incorretamente denotando a desoxitimidina. Símbolo T.

thy·min (thi'min) – timina; timopoietina; ver *thymopoietin.*

thy·mine (thi'mēn) – timina; base pirimidínica que, nas células animais, geralmente ocorre conden-

sada com desoxirribose para formar a desoxitimidina (um componente do DNA). O composto correspondente com ribose (timidina) é um constituinte raro do RNA. Símbolo T.

thy·mi·tis (thi-mi'tis) – timite; inflamação do timo.

thym(o)- [Gr.] – tim(o)-, elemento de palavra, *timo; mente, alma ou emoções.*

thy·mo·cyte (thi'mo-sīt) – timócito; linfócito que se origina no timo.

thy·mo·ki·net·ic (thi"mo-kĭ-net'ik) – timocinético; que tende a estimular o timo.

thy·mol (thi'mol) – timol; fenol obtido a partir do óleo de tomilho e outros óleos voláteis ou produzido sinteticamente; utilizado como estabilizador em preparações farmacêuticas.

thy·mo·lep·tic (thi"mo-lep'tik) – timoléptico; qualquer droga que modifique favoravelmente o humor em distúrbios afetivos sérios como depressão ou mania; as principais categorias de timolépticos incluem antidepressivos tricíclicos, inibidores da monoamina-oxidase e compostos de lítio.

thy·mo·ma (thi-mo'mah) – timoma; tumor derivado dos elementos epiteliais ou linfóides do timo.

thy·mop·a·thy (thi-mop'ah-the) – timopatia; qualquer doença do timo. **thymopath'ic** – adj. timopático.

thy·mo·poi·e·tin (thi"mo-poi'ĕ-tin) – timopoietina; hormônio polipeptídico secretado pelas células epiteliais tímicas que induz diferenciação dos linfócitos precursores em timócitos.

thy·mo·priv·ic (-priv'ik) – timoprivo.

thy·mop·ri·vous (thi-mo'rĭ-vus) – timoprivo; relativo ou resultante de remoção ou atrofia do timo.

thy·mo·sin (thi'mo-sin) – timosina; fator humoral secretado pelo timo, promovendo maturação dos linfócitos T.

thy·mus (thi'mus) – timo; órgão linfóide bilateralmente simétrico que consiste de dois lóbulos piramidais situados no mediastino superior anterior, consistindo cada lóbulo de um córtex externo, rico em linfócitos (timócitos), e de uma medula interna, rica em células epiteliais. O timo é o local de produção dos linfócitos T: as células precursoras migram para o córtex externo, onde se proliferam e depois se movem através do córtex interno, onde são adquiridos os marcadores de superfície das células T, e finalmente no interior da medula, onde se tornam células T maduras; a maturação é controlada por hormônios produzidos pelo timo, incluindo timopoietina e timosina. O timo atinge o desenvolvimento máximo ao redor da puberdade e depois sofre involução gradual.

thyr(o)- [Gr.] – tire(o)-, elemento de palavra, *tireóide.*

thy·ro·ad·e·ni·tis (thi"ro-ad"ĕ-ni'tis) – tireoadenite; inflamação da tireóide.

thy·ro·apla·sia (-ah-pla'zhah) – tireoaplasia; desenvolvimento defeituoso da tireóide com atividade deficiente de sua secreção.

thy·ro·ar·y·te·noid (-ar"ĭ-te'noid) – tireoaritenóide; relativo às cartilagens tireóide e aritenóide.

thy·ro·car·di·ac (-kahr'de-ak) – tireocardíaco; relativo à tireóide e ao coração.

thy·ro·cele (thi'ro-sēl) – tireocele; tumor da glândula tireóide; bócio; ver *goiter.*

thy·ro·chon·drot·o·my (thi'ro-kon-drot'ah-me) – tireocondrotomia; incisão cirúrgica da cartilagem tireóide.

thy·ro·cri·cot·o·my (-kri-kot'o-me) – tireocricotomia; incisão da membrana cricotireóide.

thy·ro·epi·glot·tic (-ep"ĭ-glot'ik) – tireoepiglótico; relativo à tireóide e à epiglote.

thy·ro·gen·ic (-jen'ik) – tireogênico; tireógeno.

thy·rog·e·nous (thi-roj-ĕ-nus) – tireógeno; que se origina na glândula tireóide.

thy·ro·glob·u·lin (thi"ro-glob'u-lin) – tiroglobulina: 1. glicoproteína que contém iodo de alto peso molecular, e que ocorre no colóide dos folículos da glândula tireóide; as porções de tireosina iodada da tireoglobulina formam os hormônios ativos tireoxina e triiodotireonina; 2. substância obtida por meio do fracionamento das glândulas tireóides provenientes do suíno; administrada oralmente como suplemento tireóideo no tratamento do hipotireoidismo.

thy·ro·glos·sal (-glos'al) – tireoglosso; relativo à tireóide e à língua.

thy·ro·hy·al (-hi'al) – tireoióide; relativo à cartilagem tireóide e ao osso hióide.

thy·ro·hy·oid (-hi-oid) – tireoióideo; relativo à glândula ou à cartilagem tireóide e ao osso hióide.

thy·roid (thi'roid) – tireóide: 1. que se assemelha a um escudo; 2. glândula tireóide; ver em *gland;* 3. preparação farmacêutica de glândula tireóide pulverizada, seca e limpa, obtida a partir de animais domesticados utilizados como alimento pelo homem.

thy·roid·ec·to·mize (thi"roid-ek'tah-mīz) – tireoidectomizar; excisar a tireóide.

thy·roid·ec·to·my (-ek'tah-me) – tireoidectomia; excisão da tireóide.

thy·roid·itis (-i'tis) – tireoidite; inflamação da tireóide. **Hashimoto's t.** – t. de Hashimoto; estroma linfomatoso.

thy·roid·ot·o·my (-ot'ah-me) – tireoidotomia; incisão da tireóide.

thy·ro·meg·a·ly (thi"ro-meg'ah-le) – tireomegalia; bócio; ver *goiter*.

thy·ro·mi·met·ic (-mi-met'ik) – tireomimética; que produz efeitos semelhantes aos dos hormônios tireóideos ou da glândula tireóide.

thy·ro·para·thy·roid·ec·to·my (-par"ah-thi"roi-dek'tah-me) – tireoparatireoidectomia; excisão da tireóide e paratireóides.

thy·ro·pri·val (-pri'val) – tireoprivo; relativo, marcado ou devido à privação ou perda da função tireóidea.

thy·ro·priv·ic (-priv'ik) – tireoprivo.

thy·rop·ri·vous (thi-rop'rĭ-vus) – tireoprivo.

thy·rop·to·sis (thi"rop-to'sis) – tireoptose; deslocamento descendente da glândula tireóide no interior do tórax.

thy·ro·ther·a·py (thi"ro-ther'ah-pe) – tireoterapia; tratamento com preparações da tireóide.

thy·rot·o·my (thi-rot'ah-me) – tireotomia: 1. divisão cirúrgica da cartilagem tireóide; 2. operação de corte da glândula tireóide; 3. biopsia da glândula tireóide.

thy·ro·tox·ic (thi"ro-tok'sik) – tireotóxico: 1. marcado pelos efeitos da apresentação de quantidades excessivas de hormônios tireóideos para os tecidos; 2. descreve um paciente que sofre de tireotoxicose.

thy·ro·tox·i·co·sis (-tok"sĭ-ko'sis) – tireotoxicose; afecção mórbida decorrente de superatividade da glândula tireóide; ver *Graves' disease,* em *disease.*

thy·ro·trope (thi'ro-trōp) – tireotropo; tireotrofo.

thy·ro·troph (-trōf) – tireotrofo; um dos basófilos (células beta) da adeno-hipófise que secretam tireotropina.

thy·ro·troph·ic (thi"ro-trōf'ik) – tireotrófico; tireotrópico.

thy·ro·troph·in (-trōf'in) – tireotrofina; tireotropina.

thy·ro·trop·ic (-trop'ik) – tireotrópico: 1. relativo ou marcado por tireotropismo; 2. que exerce influência sobre a glândula tireóide.

thy·rot·ro·pin (-trop'in) – tireotropina; hormônio da glândula hipófise anterior que tem afinidade e estimula especificamente a glândula tireóide.

thy·rox·ine (thi-rok'sin) – tireoxina; hormônio que contém iodo secretado pela glândula tireóide; sua função principal é a de aumentar a velocidade do metabolismo celular. A tireoxina é desiodada nos tecidos periféricos para formar a triiodotireonina, que possui uma atividade biológica maior. Utiliza-se uma preparação sintética no tratamento do hipotireoidismo. Símbolo T_4.

Ti – símbolo químico, titânio (*titanium*).

tib·ia (tib'e-ah) – tíbia; ver *Tabela de Ossos*. **tib'ial** – adj. tibial. **t. val'ga** – t. valga; arqueamento da perna no qual a angulação fica para fora da linha média. **t. va'ra** – t. vara; angulação medial da tíbia na região metafisária, devida a um distúrbio do crescimento da face medial da epífise tibial proximal.

tib·i·a·lis (tib"e-a'lis) [L.] – tibial.

tib·io·fem·or·al (tib"e-o-fem'o-ral) – tibiofemoral; relativo à tíbia e ao fêmur.

tib·io·fib·u·lar (-fib'u-ler) – tibiofibular; tibioperoneal; relativo à tíbia e à fíbula.

tib·io·tar·sal (-tar's'l) – tibiotarsal; relativo à tíbia e ao tarso.

tic (tik) – tique; movimento estereotipado repetitivo, compulsivo e involuntário, que geralmente envolve a face e os ombros. **t. douloureux** – t. doloroso; neuralgia trigeminal. **facial t.** – t. facial; ver em *spasm*. **habit t.** – t. habitual; qualquer tique que tenha origem psicogênica.

ti·car·cil·lin (ti"kahr-sil'in) – ticarcilina; penicilina semisintética, bactericida contra microrganismos tanto Gram-positivos como Gram-negativos; também utilizada como sais sódico cresílico e dissódico.

tick (tik) – carrapato; parasita acarídeo sugador de sangue da superfamília Ixodoidea, dividida em *carrapatos moles* e *carrapatos duros*. Alguns carrapatos são vetores e reservatórios de agentes causadores de doença.

t.i.d. [L.] – *ter in die* (três vezes ao dia).

tide (tīd) – onda; variação fisiológica ou aumento de um determinado constituinte nos fluidos corporais. **acid t.** – maré ácida; elevação temporária da acidez da urina, que algumas vezes acompanha o jejum. **alkaline t.** – maré alcalina; elevação temporária da alcalinidade da urina durante a digestão gástrica. **fat t.** – o. de gordura; aumento de gordura na linfa e no sangue após uma refeição.

STU

Ti·gan (ti'gan) – Tigan, marca registrada de preparação de trimetobenzamida.

tim·bre (tam'ber) [Fr.] – timbre; qualidade musical de um tom ou som.

time (tīm) – tempo; medida de duração. Símbolo *t*. **activated partial thromboplastin t. (APTT, aPTT, PTT)** – t. de tromboplastina parcial ativada; período exigido para a formação de coágulo em um plasma sangüíneo recalcificado após ativação de contato e adição de substitutos plaquetários; utilizado para dirigir as vias intrínseca e comum de coagulação. **bleeding t.** – t. de sangramento; duração de um sangramento após punção controlada e padronizada do lóbulo auricular ou do antebraço; uma medida relativamente inconsistente da função capilar e plaquetária. **circulation t.** – t. de circulação; tempo exigido para que o sangue flua entre dois pontos determinados. **clotting t., coagulation t.** – t. de coagulação; tempo exigido para o sangue coagular-se em um tubo de ensaio. **inertia t.** – t. de inércia; o tempo exigido para superar a inércia de um músculo após a recepção de um estímulo para um nervo. **one-stage prothrombin t.** – t. de protrombina de um estágio; t. de protrombina. **prothrombin t. (PT)** – t. de protrombina; taxa na qual a protrombina é convertida em trombina em sangue citratado com adição de cálcio; utilizado para avaliar o sistema sangüíneo de coagulação extrínseca. **reaction t.** – t. de reação; tempo decorrido entre a aplicação de um estímulo e a reação resultante. **stimulus-response t.** – t. de resposta a um estímulo; t. de reação. **thrombin t. (TT)** – t. de trombina; tempo exigido para o fibrinogênio plasmático formar trombina, medido como o tempo de formação de um coágulo após se adicionar trombina exógena a um plasma citratado.

ti·mo·lol (ti'mo-lol) – timolol; agente bloqueador beta-adrenérgico com propriedades anti-hipertensivas e anti-arrítmicas; o maleato de timolol é utilizado topicamente para abaixar a pressão intra-ocular caso de glaucoma.

tin (tin) – estanho, elemento químico (ver *Tabela de Elementos*), número atômico 50, símbolo Sn.

tinct. [L.] – abreviação de *tinctura*, tintura.

tinc·to·ri·al (tingk-tor'e-al) – tintorial; relativo à coloração ou tingimento.

tinc·ture (tingk'chur) – tintura; solução alcoólica ou hidroalcoólica preparada a partir de uma droga animal ou vegetal ou de uma substância química. **benzoin t., compound** – t. de benzoína composta; uma mistura de benzoína, babosa, estoraque e bálsamo-de-tolu em álcool; utilizada como protetor tópico. **iodine t.** – t. de iodo; mistura de iodo e iodeto de sódio em um mênstruo de álcool e água; anti-séptico para a pele. **sweet orange peel t.** – t. de casca de laranja doce; um agente aromatizante preparado por meio da maceração da casca externa do fruto maduro fresco e de coloração natural da *Citrus sinensis* em álcool.

tin·ea (tin'e-ah) – tinha; um nome aplicado para muitas infecções fúngicas superficiais diferentes da pele, sendo o tipo específico (dependente da aparência, da etiologia ou do local) geralmente designado por um termo modificador. **t. bar'bae** – t. da barba; infecção das partes barbadas da face e do pescoço causada por espécies de *Trichophyton*. **t. ca'pitis** – t. da cabeça; infecção fúngica do couro cabeludo, devida a espécies de *Trichophyton* e *Microsporum*. **t. circina'ta** – t. circinada; t. do corpo. **t. cor'poris** – t. do corpo; infecção fúngica da pele glabra, geralmente devida a espécies de *Trichophyton* ou *Microsporum*. **t. cru'ris** – t. crural; infecção fúngica que envolve virilha, períneo e regiões perineais e algumas vezes propaga-se para as áreas contíguas; acompanha mais freqüentemente a tinha do pé, de forma que o microrganismo causador é o mesmo para ambas as infecções. **t. fa'ciei** – t. facial; tinha da face que não a tinha da barba. **t. imbrica'ta** – t. imbricada; uma forma de tinha do corpo observada nos trópicos, devida à espécie *Trichophyton concentricum*; a lesão inicial é anular, com um círculo de escamas na periferia. **t. pe'dis** – t. pé-de-atleta; infecção fúngica superficial crônica da pele do pé, especialmente entre os dedos e plantas dos pés, devida a espécies de *Trichophyton* ou à *Epidermophyton floccosum*. **t. profun'da** – t. profunda; granuloma tricofítico. **t. syco'sis** – sicose tricofítica da barba; tipo inflamatório profundo de tinha da barba, devido à *Trichophyton violaceum* ou *T. rubrum*. **t. un'guium** – t. das unhas; tinha que envolve as unhas; envolvem-se primeiro a superfície e as bordas lateral e distal, seguidas do estabelecimento de uma infecção sob a placa ungueal. **t. versi'color** – t. versicolor; distúrbio não-inflamatório crônico e geralmente assintomático, marcado somente por manchas maculares múltiplas; geralmente observado em regiões tropicais e causado pela *Malassezia furfur*.

tin·gi·ble (tin'jib'l) – tingível, corável.

tin·ni·tus (tin'ī-tus, tĭ-ni'tus) [L.] – tinido; ruído nos ouvidos, como tinido, zumbido, ronco ou clique.

ti·o·co·na·zole (ti"o-ko'nah-zōl) – tioconazol; derivado imidazólico utilizado como antifúngico.

ti·o·pro·nin (ti-o'pro-nin) – tiopronina; um composto tiólico utilizado no tratamento da cistinúria.

tissue (tish'u) – tecido; agregado de células similarmente especializadas que juntas realizam determinadas funções especiais. **adenoid t.** – t. adenóide; t. linfóide. **adipose t.** – t. adiposo; tecido conjuntivo constituído de células gordurosas em uma trama de tecido areolar. **adipose t., brown** – t. adiposo marrom; um tipo termogênico de tecido adiposo que contém um pigmento escuro, e surge durante a vida embrionária em determinadas áreas específicas em muitos animais, incluindo o homem; é proeminente no recém-nascido. **adipose t., white, adipose t., yellow** – t. adiposo branco; t. adiposo amarelo; tecido adiposo que compreende a maior parte da gordura corporal. **areolar t.** – t. areolar; tecido conjuntivo constituído em grande parte de fibras entrelaçadas. **bony t.** – t. ósseo; osso. **bursa-equivalent t.** – t. equivalente à bursa; tecido hipotético nos vertebrados não-aviários equivalente à bursa de Fabricius nas aves; local de maturação dos linfócitos B. Parece atualmente que a maturação das células B ocorre primariamente na medula óssea. **cancellous t.** – t. esponjoso; tecido esponjoso ósseo. **cartilaginous t.** – t. cartilaginoso; substância da cartilagem. **chromaffin t.** – t. cromafim; tecido composto em grande parte de células cromafins, bem supridas com nervos e vasos; ocorre na medula suprarenal e também forma os paragânglios do corpo. **cicatricial t.** – t. cicatricial; tecido fibroso denso que forma uma cicatriz, derivado diretamente do tecido de granulação. **connective t.** – t. conjuntivo; tecidos estromatosos ou não-parenquimatosos do corpo; os tecidos que se ligam uns aos outros e constituem a substância basal das várias partes e órgãos corporais. **elastic t., elastic t., yellow** – t. elástico; t. elástico amarelo; tecido conjuntivo constituído de fibras elásticas amareladas, quase sempre reunidos em lâminas. **endothelial t.** – t. endotelial; endotélio. **epithelial t.** – t. epitelial; epitélio. **erectile t.** – t. erétil; tecido esponjoso que se expande e endurece quando preenchido com sangue. **extracellular t.** – t. extracelular; total de tecidos e fluidos corporais exterior às células. **fatty t.** – t. gorduroso; t. adiposo. **fibrous t.** – t. fibroso; tecido conjuntivo comum do corpo, composto de fibras paralelas amarelas ou brancas. **gelatinous t.** – t. gelatinoso; t. mucoso. **glandular t.** – t. glandular; agregado de células epiteliais que elaboram secreções. **granulation t.** – t. de granulação; tecido vascular recém-formado, normalmente produzido na cicatrização de ferimentos de tecido mole, basicamente formando a cicatriz. **gut-associated lymphoid t. (GALT)** – t. linfóide associado ao intestino; tecido linfóide associado ao intestino, que inclui tonsilas, placas de Peyer, lâmina própria do trato gastrointestinal e apêndice. **indifferent t.** – t. indiferente; tecido embrionário indiferenciado. **interstitial t.** – t. intersticial; tecido conjuntivo entre os elementos celulares de uma estrutura. **lymphadenoid t.** – t. linfadenóide; tecido semelhante ao dos linfonodos, encontrado no baço, medula óssea, tonsilas e outros órgãos. **lymphoid t.** – t. linfóide; treliça de tecido reticular, cujos interespaços contêm linfócitos. **mesenchymal t.** – t. mesenquimatoso; mesênquima. **mucous t.** – t. mucoso; tecido conjuntivo semelhante à gelatina, como o que ocorre no cordão umbilical. **muscle t., muscular t.** – t. muscular; substância muscular, que consiste de fibras musculares, células musculares, tecido conjuntivo e material extracelular. **myeloid t.** – t. mielóide; medula óssea vermelha. **nerve t., nervous t.** – t. nervoso; tecido especializado que constitui os sistemas nervosos central e periférico, consistindo de neurônios com seus processos, outras células especializadas ou de sustentação e material extracelular. **osseous t.** – t. ósseo; tecido especializado que forma os ossos. **reticular t., reticulated t.** – t. reticular; t. reticulado; tecido conjuntivo que consiste de células e fibras reticulares. **scar t.** – tecido cicatricial. **sclerous t's** – tecidos escleróticos; tecidos cartilaginoso, fibroso e ósseo. **skeletal t.** – t. esquelético; tecidos ósseo, ligamentoso, fibroso e cartilaginoso que formam o esqueleto e seus apêndices. **subcuta-**

neous t. – t. subcutâneo; camada de tecido conjuntivo frouxo diretamente sob a pele.

ti·ta·ni·um (ti-ta'ne-um) – titânio, elemento químico (ver *Tabela de Elementos)*, número atômico 22, símbolo Ti; utilizado na fixação de fraturas. **t. dioxide** – dióxido de t.; pó branco utilizado como protetor tópico contra queimaduras de sol, em outras preparações protetoras e como pigmento na fabricação de dentes artificiais.

ti·ter (ti'ter) – título; a quantidade de uma substância exigida para reagir com ou para corresponder a determinada quantidade ou a outra substância. **agglutination t.** – t. de aglutinação; a mais alta diluição de um soro que causa aglutinação de microrganismos ou de outros antígenos particulados.

ti·tra·tion (ti-tra'shun) – titulação; titulagem; determinação de um dado componente em uma solução por meio da adição de um reagente líquido de força desconhecida até que se atinja o ponto final, quando o componente foi consumido pela reação com o reagente.

tit·u·ba·tion (tit"u-ba'shun) – titubeação: 1. ato de cambalear ou oscilar; 2. tremor da cabeça e algumas vezes do tronco, comumente observado em cerebelopatias.

Tl – símbolo químico, tálio (*thallium)*.

TLC – total lung capacity; thin-layer chromatography (capacidade pulmonar total; cromatografia de camada fina).

Tm – símbolo químico, túlio (*thulium)*.

TNM – ver em *staging*.

TNT – trinitrotoluene (trinitrotolueno).

to·bac·co (tah-bak'o) – tabaco; folhas secas preparadas da planta *Nicotiana tabacum*, que constitui a origem de vários alcalóides, sendo o principal deles a nicotina.

to·bra·my·cin (to"brah-mi'sin) – tobramicina; antibiótico aminoglicosídico derivado de um complexo produzido pela *Streptomyces tenebrarius*, bactericida contra muitos microrganismos Gram-negativos e alguns Gram-positivos; também utilizado como sal de sulfato.

toc(o)- [Gr.] – elemento de palavra, *nascimento; parto;* ver também palavras com o prefixo *tok(o)-*.

to·col (to'kol) – tocol; unidade básica dos tocoferóis e tocotrienóis, hidroquinona com cadeia lateral saturada; é um antioxidante.

to·com·e·ter (to-kom'ĕ-ter) – tocômetro; tocodinamômetro; ver *tokodynamometer.*

to·coph·er·ol (to-kof"er-ol) – tocoferol; substância de uma série de compostos estruturalmente semelhantes, alguns deles possuindo atividade biológica de vitamina E. **α-t., alfa-t.** – t. α; alfa-t.; a forma mais prevalente de vitamina E no corpo e administrada como suplemento; freqüentemente utilizado sinonimamente com a vitamina E. Também utilizado como ésteres de acetato e succinato ácido.

toe (to) – dedo do pé; artelho. **claw t.** – dedo em garra; subluxação dorsal do segundo ao quinto dedos do pé, em que as cabeças metatársicas suportam o peso e tornam-se dolorosas ao andar, resultando em marcha arrastada; ocorre no caso de artrite reumatóide. **hammer t.** – d. em martelo;

deformidade de um dedo do pé (mais freqüentemente o segundo), em que a falange proximal se estende e as falanges segunda e distal se flexionam, conferindo uma aparência semelhante a uma garra. **Morton's t.** – d. de Morton; ver em *neuralgia*. **pigeon t.** – d. de pombo; posição permanente de pés virados para dentro **tennis t.** – d. de tenista; hálux dolorido associado a hematoma subungueal; assim chamado por se desenvolver geralmente após uma partida vigorosa de tênis. **webbed t's** – dedos palmados; dedos do pé anormalmente reunidos por faixas de tecido em sua base.

toe·nail (to'nāl) – unha do artelho; unha de qualquer dos dedos do pé. **ingrown t.** – unha encravada; ver em *nail*.

To·fra·nil (to-fra'nil) – Tofranil, marca registrada de preparações de imipramina.

to·ga·vi·rus (to'gah-vi"rus) – togavírus; um subgrupo de arbovírus, que inclui os vírus provenientes dos mosquitos e carrapatos que causam a febre hemorrágica; são vírus do RNA com envoltórios (ou "togas").

toi·let (toi'lit) [Fr.] – toalete; limpeza e aplicação de curativo em um ferimento.

tok(o)- [Gr.] – elemento de palavras; nascimento; parto; ver também palavras com o prefixo *toc(o)-*.

to·ko·dy·na·graph (to"ko-di'nah-graf) – tocodinágrafo; traçado obtido por meio de tocodinamômetro.

to·ko·dy·na·mom·e·ter (-di"nah-mom-ĕ-ter) – tocodinamômetro; instrumento para medir e registrar a força expulsiva das contrações uterinas.

tol·az·amide (tol-az'ah-mīd) – tolazamida; hipoglicêmico utilizado no tratamento do diabetes não-dependente de insulina.

tol·az·o·line (tol-az'o-lēn) – tolazolina; agente bloqueador adrenérgico e vasodilatador periférico; utilizado como sal de cloridrato no tratamento de distúrbios vasculares periféricos devidos a vasoespasmo e como vasodilatador na farmacoangiografia.

tol·bu·ta·mide (tol-bu'tah-mīd) – tolbutamida; agente hipoglicêmico oral utilizado como base ou sal monossódico no tratamento do diabetes não-dependente de insulina.

Tol·ec·tin (tol'ek-tin) – Tolectin, marca registrada de preparação de tolmetina sódica.

tol·er·ance (tol'er-ans) – tolerância; capacidade de resistir sem efeito ou lesão. **tol'erant** – adj. tolerante. **drug t.** – t. a drogas; redução da suscetibilidade aos efeitos de uma droga devido à sua administração continuada. **immunologic t.** – t. imunológica; não-reatividade específica dos tecidos linfóides a um antígeno particular capaz de, sob determinadas condições, induzir imunidade.

tol·ero·gen (tol'er-o-jen) – tolerogênico; antígeno que induz um estado de não-responsividade imunológica específica (tolerância) a doses estimulantes subseqüentes do antígeno.

Tol·in·ase (tōl'in-ās) – Tolinase, marca registrada de preparação de tolazamida.

tol·met·in (tol'met-in) – tolmetina; antiinflamatório, analgésico e antipirético utilizado como sal sódico no tratamento de determinados casos de artrite reumatóide.

tol·naf·tate (tol-naf'tāt) – tolnaftato; antifúngico tópico sintético, utilizado no tratamento da tinha.

tol·u·ene (tol'u-ēn) – tolueno; hidrocarboneto C_7H_8; é um solvente orgânico que pode causar envenenamento pela ingestão ou inalação de seus vapores.

to·mac·u·lous (to-mak'u-lus) – semelhante ao chouriço, devido a inchaço.

-tome [Gr.] – tomo, elemento de palavra, *instrumento para cortar; segmento*.

tom(o)- [Gr.] – elemento de palavra, *secção; corte*.

to·mo·gram (to'mo-gram) – tomograma; imagem de um corte tecidual produzida por tomografia.

to·mo·graph (-graf) – tomógrafo; aparelho para movimentar uma fonte de raios X em determinada direção à medida que se move o filme em direção oposta, mostrando conseqüentemente em detalhes um plano predeterminado enquanto embaça ou elimina detalhes em outros planos.

to·mog·ra·phy (to-mog'rah-fe) – tomografia; registro de imagens corporais internas em um plano predeterminado por meio de um tomógrafo. **computed t. (CT), computerized axial t. (CAT)** – t. computadorizada (TC); t. axial computadorizada; método de obtenção de imagens no qual se reconstrói uma imagem de corte transversal das estruturas em um plano corporal, através de um programa de computador, pela absorção de raios X dos feixes projetados através do corpo no plano da imagem. **positron emission t. (PET)** – t. com emissão de pósitrons; método de obtenção de imagens da Medicina Nuclear semelhante à tomografia computadorizada, exceto que a imagem demonstra a concentração tecidual de um radioisótopo emissor de pósitrons. **single-photon emission computed t. (SPECT)** – t. computadorizada com emissão de fóton único; um tipo no qual administram-se radionuclídeos emissores de fótons gama e depois detectam-se os mesmos por meio de uma ou mais câmeras gama giradas ao redor do paciente, utilizando-se a série de imagens bidimensionais para recriar uma visão tridimensional. **ultrasonic t.** – t. ultra-sônica; visualização ultra-sonográfica de um corte transversal de um plano predeterminado do corpo; ver *ultrasonics*.

-tomy [Gr.] – tomia, elemento de palavra, *incisão; corte*.

tone (tōn) – tônus; tono: 1. grau normal de vigor e tensão; nos músculos, a resistência a alongamento ou estiramento passivos; 2. um estado saudável de uma parte; ver *tonus*; 3. tom, qualidade particular de um som ou voz.

tongue (tung) – língua; órgão muscular móvel no soalho da boca; é o órgão principal do gosto e auxilia a mastigação, deglutição e fala. **bifid t.** – l. bífida; língua com fenda longitudinal anterior. **black t., black hairy t.** – l. negra; l. pilosa negra; língua pilosa na qual as papilas filiformes hipertrofiadas são castanhas ou negras. **cleft t.** – l. fendida; l. bífida. **coated t.** – l. coberta; língua revestida com uma camada esbranquiçada ou amarelada que consiste de epitélio descamado, resíduos, bactérias, fungos, etc. **fissured t., furrowed t.** – l. fissurada; l. sulcada; língua com sulcos numerosos na superfície dorsal, quase sempre irradiando-se a partir de um sulco na linha média; é algumas vezes uma afecção familiar. **geographic t.** – l. geográfica; glossite migratória benigna. **hairy t.** – l. pilosa; língua com papilas alongadas e piliformes. **raspberry t.** – l. de framboesa; língua vermelha e não-revestida, com papilas elevadas, conforme se observa alguns dias após o início do exantema na escarlatina. **scrotal t.** – l. escrotal; l. fissurada. **strawberry t., red** – l. de morango vermelho; l. de framboesa. **strawberry t., white** – l. de morango branca; língua revestida de branco com papilas vermelhas proeminentes características do estágio inicial da escarlatina.

tongue-tie (tung'ti) – anciloglossia; encurtamento anormal do frêmulo lingual, interferindo em seu movimento; língua presa; ver *ankyloglossia*.

ton·ic (ton'ik) – tônico: 1. que produz e restaura o tônus normal; 2. caracterizado por tensão contínua.

to·nic·i·ty (to-nis'ĭ-te) – tonicidade; estado de um tônus ou tensão teciduais; na fisiologia dos fluidos corporais, a pressão osmótica efetiva equivalente.

ton·i·co·clon·ic (ton"ĭ-ko-klon'ik) – tônico-clônico; tonoclônico; tanto tônico como clônico; diz-se de um espasmo ou ataque convulsivo que consiste de tremor convulsivo de músculos.

ton(o)- [Gr.] – elemento de palavra, *tônus; tensão.* **tono·clon·ic** (ton"o-klon'ik) – tonoclônico; tônico-clônico.

tono·fi·bril (ton'o-fi"bril) – tonofibrila; feixe de filamentos finos (tonofilamentos) em determinadas células (especialmente células epiteliais), com os fios individuais de cada uma atravessando o citoplasma em todas as direções e se estendendo no interior dos processos celulares para convergir e inserir-se nos desmossomas.

to·nog·ra·phy (to-nog'rah-fe) – tonografia; registro das alterações da pressão intra-ocular devidas à manutenção de pressão no globo ocular. **carotid compression t.** – t. de compressão carotídea; teste quanto à oclusão da artéria carótida por meio da medição da pressão e do pulso oculares antes, durante e depois de se comprimir a porção proximal da artéria carótida com os dedos.

to·nom·e·try (to-nom'ĕ-tre) – tonometria; medição da tensão ou da pressão (como a pressão intra-ocular). **digital t.** – t. digital; estimativa do grau da pressão intra-ocular através da pressão exercida no globo ocular pelo dedo do examinador.

tono·plast (ton'o-plast) – tonoplasto; membrana limitante de um vacúolo intracelular.

ton·sil (ton'sil) – tonsila; amígdala; pequena massa arredondada de tecido, especialmente de tecido linfóide; geralmente utilizado para designar apenas a tonsila palatina. **ton'sillar** – adj. tonsilar. **t. of cerebellum** – t. cerebelar; amígdala do cerebelo; massa arredondada de tecido que forma parte do lobo caudal do hemisfério cerebelar. **faucial t.** – t. das fauces; t. palatina. **lingual t.** – t. lingual; agregado de folículos linfáticos na raiz da língua. **Luschka's t.** – t. de Luschka; t. faríngea.

palatine t. – t. palatina; pequena massa de tecido linfóide entre os pilares das fauces em cada lado da faringe. **pharyngeal t.** – t. faríngea; amígdala faríngea; o tecido e folículos linfóides difusos na raiz e na parede posterior da nasofaringe.

ton·sil·la (ton-sil'ah) [L.] pl. *tonsillae* – tonsila; amígdala.

ton·sil·lec·to·my (ton"sĭ-lek'tah-me) – tonsilectomia; excisão de uma tonsila.

ton·sil·li·tis (-li'tis) – tonsilite; amigdalite; inflamação das tonsilas, especialmente as tonsilas palatinas. **follicular t.** – t. folicular; tonsilite que afeta especialmente as criptas. **parenchymatous t., acute** – t. parenquimatosa aguda; a tonsila que afeta toda a substância da tonsila.

ton·sil·lo·lith (ton-sil'o-lith) – tonsilólito; cálculo em uma tonsila.

ton·sil·lot·o·my (-lot'ah-me) – tonsilotomia; incisão de uma tonsila.

to·nus (to'nus) – tônus ou tonicidade; contração ligeira e contínua de um músculo, que no caso dos músculos esqueléticos auxilia a manutenção da postura e o retorno do sangue ao coração.

tooth (tooth) pl. em Inglês *teeth* – dente; uma das estruturas duras e calcificadas nos processos alveolares das mandíbulas para morder e mastigar o alimento. **accessional teeth** – dentes acessionais; dentes que não possuem predecessores decíduos: molares permanentes. **artificial t.** – d. artificial; dente feito de porcelana ou de outro composto sintético em imitação de um dente natural. **auditory teeth of Huschke** – dentes auditivos de Huschke; projeções dentiformes na cóclea. **bicuspid teeth** – dentes bicúspides; dentes pré-molares. **canine teeth, cuspid teeth** – dentes caninos ou dentes cúspides; o terceiro dente em cada lado da linha média em cada mandíbula. Símbolo C. **eye t.** – d. ocular; dente canino da mandíbula superior. **Hutchinson's teeth** – dentes de Hutchinson; incisivos permanentes chanfrados e de borda estreita; considerados como um sinal de sífilis congênita, mas nem sempre de tal origem. **impacted t.** – d. impactado; dente impedido de irromper por meio de uma barreira física. **incisor teeth** – dentes incisivos; quatro dentes frontais, dois em cada lado da linha média de cada mandíbula. Símbolo I. **milk t.** – d. de leite; dente decíduo. **molar teeth** – dentes molares; três dentes posteriores (na dentição permanente, dois na dentição decídua) em cada lado de cada mandíbula; ver Prancha XV. Símbolo M. **peg t., peg-shaped t.** – d. em cavilha; d. em forma de cavilha; dente cujos lados convergem ou se afilam juntos incisivamente. **permanent teeth** – dentes permanentes; os 32 dentes da segunda dentição. **premolar teeth** – dentes pré-molares; os dois dentes permanentes em cada lado de cada mandíbula, entre os dentes caninos e os molares. Símbolo P. **primary teeth** – dentes primários; dentes decíduos. **stomach t.** – d. do estômago; dente canino da mandíbula inferior. **succedaneous teeth, successional teeth** – dentes sucedâneos dentes permanentes que possuem predecessores decíduos. **temporary teeth** – dentes temporários; dentes decíduos.

STU

wisdom t. – d. do siso; último dente molar em cada lado de cada mandíbula.

top·ag·no·sia (top"ag-no'ze-ah) – topagnose: 1. atopognosia (*atopognosia*); 2. perda da capacidade de reconhecer arredores familiares.

to·pal·gia (tah-pal'je-ah) – topalgia; dor fixa ou localizada.

to·pec·to·my (tah-pek'tah-me) – topectomia; ablação de uma área pequena e específica do córtex frontal no tratamento de determinadas formas de epilepsia e distúrbios psiquiátricos.

top·es·the·sia (top"es-the'zhah) – topestesia; capacidade de reconhecer a localização do estímulo tátil.

to·pha·ceous (tha-fa'shus) – tofáceo; saibroso ou arenoso; relativo aos tofos.

to·phus (to'fus) [L.] pl. *tophi* – tofo; depósito de urato de sódio nos tecidos ao redor das articulações em caso de gota, produzindo uma resposta inflamatória crônica de corpo estranho.

top·i·cal (top'ĭ-k'l) – tópico; relativo a uma área específica, como um anti-séptico tópico aplicado a uma determinada área da pele e que afeta somente a área onde foi aplicado.

top(o)- [Gr.] – elemento de palavra, *lugar ou área específica.*

topo·an·es·the·sia (top"o-an"es-the'zhah) – topoanestesia; atopognosia; ver *atopognosia.*

to·pog·ra·phy (tah-pog'rah-fe) – topografia; descrição de uma região anatômica ou parte especial.

to·re·mi·fene (tor'ĕ-mĭ-fēn") – toremifena; um análogo do tamoxifeno que age como antagonista estrogênico; utilizada no tratamento paliativo do carcinoma mamário metastático.

tor·por (tor'per) [L.] – torpor; apatia. **tor'pid** – adj. tórpido. **t. re'tinae** – t. da retina; resposta apática da retina a um estímulo luminoso.

torque (tork) – torque: 1. força rotatória que faz com que uma parte ou estrutura gire ao redor de um eixo. Símbolo τ; 2. em Odontologia, a rotação de um dente em seu eixo longitudinal, especialmente o movimento das porções apicais dos dentes pelo uso de aparelhos ortodônticos.

tor·sion (tor'shun) – torção: 1. ato ou processo de ser girado ou rodado ao redor de um eixo; 2. um tipo de estresse mecânico, através do qual uma força externa gira um objeto ao redor de seu eixo; 3. em Oftalmologia, qualquer rotação dos meridianos corneanos verticais. **tor'sive** – adj. relativo a torção.

tor·si·ver·sion (tor"sĭ-ver-zhun) – torsiversão; giro de um dente em seu eixo longitudinal para fora da posição normal.

tor·so (tor'so) – torso; tronco; o corpo, excluindo-se a cabeça e os membros.

tor·ti·col·lis (tor"tĭ-kol'is) – torcicolo; estado contraído dos músculos cervicais, com torção do pescoço.

tor·ti·pel·vis (-pel'vis) – torcipelve; distonia muscular deformante.

tor·u·lus (tor'u-lus) [L.] pl. *toruli* – papila; pequena elevação; ver *papilla.* **to'ruli tac'tiles** – papilas táteis; pequenas elevações táteis na pele das palmas das mãos e plantas dos pés.

to·rus (tor'us) [L.] pl. *tori* – toro; proeminência inchada ou abaulada.

to·ti·po·ten·tial (to"tĭ-po-ten'shul) – totipotencial; que exibe totipotência; caracterizado pela capacidade de se desenvolver em qualquer direção; diz-se de células que podem dar origem a células de todos os tipos. **totip'otent** – adj. totipotente.

touch (tuch) – toque: 1. sensação tátil, sentido pelo qual o contato com os objetos dá evidências quanto a suas qualidades; 2. palpação com os dedos.

tour·ni·quet (toor'nĭ-kit) – torniquete; faixa destinada a circundar firmemente um membro para interrupção temporária da circulação em uma área distal.

Tox·as·ca·ris (tok-sas'kah-ris) – *Toxascaris;* gênero de nematódeos parasitas, que inclui a *T. leonina,* encontrada em leões, tigres e outros grandes Felidae, bem como nos cães e gatos.

tox·emia (tok-se'me-ah) – toxemia: 1. condição resultante de disseminação de produtos bacterianos (toxinas) pela corrente sangüínea; 2. afecção resultante de distúrbios metabólicos (como toxemia da gravidez). **toxe'mic** – adj. toxêmico.

tox·ic (tok'sik) – tóxico; venenoso: 1. relativo, decorrente ou da natureza de um veneno ou toxina; 2. que manifesta os sintomas de intoxicação severa.

tox·i·cant (tok'sĭ-kant) – toxicante; tóxico: 1. venenoso; 2. veneno.

tox·i·ci·ty (tok-sis'ĭ-te) – toxicidade; toxidez; a qualidade de ser venenoso, especialmente o grau de virulência de um micróbio tóxico ou de um veneno. **O₂ t., oxygen t.** – t. do O₂; t. do oxigênio; dano sério e algumas vezes irreversível ao endotélio capilar pulmonar associado a altas pressões parciais de oxigênio na respiração por períodos prolongados.

toxic(o)- [Gr.] – elemento de palavra, *veneno; venenoso.*

tox·i·co·gen·ic (tok"sĭ-ko-jen'ik) – toxicogênico; que produz ou elabora toxinas.

tox·i·col·o·gy (tok"sĭ-kol'ah-je) – Toxicologia; ciência ou estudo dos venenos. **toxicolog'ic** – adj. toxicológico.

tox·i·cop·a·thy (tok"sĭ-kop'ah-the) – toxicopatia; toxicose. **toxicopath'ic** – adj. toxicopático.

tox·i·co·pex·is (tok"sĭ-ko-pek'sis) – toxicopexia; fixação ou a neutralização de um veneno no corpo. **toxicopec'tic, toxicopex'ic** – adj. toxicopéctico.

tox·i·co·pho·bia (-fo'be-ah) – toxicofobia; toxifobia; medo irracional de ser envenenado.

tox·i·co·sis (tok"sĭ-ko'sis) – toxicose; qualquer afecção patológica devida a envenenamento.

tox·if·er·ous (tok-sif'er-us) – toxífero; que transporta ou produz veneno.

tox·i·ge·nic·i·ty (tok"sĭ-jĕ-nis'ĭ-te) – toxigenicidade; propriedade de produzir toxinas.

tox·in (tok'sin) – toxina; um veneno, especialmente uma proteína ou proteína conjugada produzida por algumas plantas superiores, determinados animais e bactérias patogênicas, e que é altamente venenosa para outros organismos vivos. **bacterial t's** – toxinas bacterianas; toxinas produzidas por bactérias, incluindo exotoxinas, as endotoxinas e enzimas tóxicas. **botulinal t., botulinum t., botulinus t.** – t. botulínica; exotoxina produzida pela *Clostridium botulinum*, que produz paralisia através do bloqueio da liberação de acetilcolina no sistema nervoso central; existem sete tipos imunologicamente distintos (A-G). **clostridial t.** – t. clostrídica; toxina produzida por espécies de *Clostridium*, incluindo as que causam botulismo, gangrena gasosa e tétano. **Dick t.** – t. de Dick; exotoxina pirogênica estreptocócica. **diphtheria t.** – t. diftérica; exotoxina protéica produzida pela *Corynebacterium diphtheriae* que é primariamente responsável pela patogênese de uma infecção diftérica; corresponde a uma enzima que ativa a transferase II do sistema sintetizador de proteínas dos mamíferos. **diphtheria t. for Schick test** – t. diftérica do teste de Schick; preparação padronizada de toxina diftérica, utilizada como indicador de reatividade dérmica. **erythrogenic t.** – t. eritrogênica; exotoxina pirogênica estreptocócica. **extracellular t.** – t. extracelular; exotoxina. **gas gangrene t.** – t. da gangrena gasosa; exotoxina produzida pela *Clostridium perfringens* que causa a gangrena gasosa; identificaram-se pelo menos 10 tipos. **intracellular t.** – t. intracelular; endotoxina. **tetanus t.** – t. tetânica; exotoxina potente produzida pela *Clostridium tetani*, que consiste de dois componentes: uma neurotoxina, a tetanoespasmina (*tetanospasmin*) e uma hemolisina, a tetanolisina (*tetanolysin*).

tox·in·an·ti·tox·in (TA) (tok"sin-an'tĭ-tok"sin) – toxina-antitoxina; mistura quase neutra da toxina diftérica com a sua antitoxina; utilizada para a imunização contra a difteria.

tox·in·ol·o·gy (-ol'ah-je) – Toxinologia; ciência relacionada às toxinas produzidas por determinados vegetais superiores e animais e por bactérias patogênicas.

tox·ip·a·thy (tok-sip'ah-the) – toxipatia; toxicose; ver *toxicosis*.

tox(o)- [Gr., L.] – elemento de palavra; *toxina; veneno*.

Tox·o·ca·ra (tok"so-kar'ah) – *Toxocara;* gênero de parasitas nematódeos encontrados no cão (*T. canis*) e no gato (*T. cati*); ambas as espécies são algumas vezes encontradas no homem.

tox·o·car·i·a·sis (-kah-ri'ah-sis) – toxocaríase; infecção por vermes do gênero *Toxocara*.

tox·oid (tok'soid) – toxóide; exotoxina modificada ou inativada que perdeu a toxicidade, mas retém a capacidade de se combinar ou estimular a produção de uma antitoxina. **diphtheria t.** – t. diftérico; preparação estéril da toxina da *Corynebacterium diphtheriae* tratada com formaldeído e utilizada como agente imunizante ativo. **tetanus t.** – t. tetânico; preparação estéril da toxina da *Clostridium tetani* tratada como formaldeído e utilizada como agente imunizante ativo.

toxo·phil·ic (tok"so-fil'ik) – toxófilo; facilmente suscetível a um veneno; que tem afinidade por toxinas.

toxo·phore (tok'so-for) – toxóforo; grupo de átomos de uma molécula de toxina que produzem o efeito tóxico. **toxoph'orous** – adj. toxofórico.

Toxo·plas·ma (tok"so-plaz'mah) – *Toxoplasma;* gênero de esporozoários parasitas intracelulares de

muitos órgãos e tecidos de aves e mamíferos, incluindo o homem. A espécie *T. gondii* é o agente etiológico da toxoplasmose.

tox·o·plas·mo·sis (-plaz-mo'sis) – toxoplasmose; doença disseminada, aguda ou crônica dos animais e do homem, causada pela *Toxoplasma gondii* e transmitida por meio de oocistos nas fezes dos gatos. A maioria das infecções humanas é assintomática; quando os sintomas ocorrem, eles variam de uma doença autolimitada e branda que se assemelha à mononucleose a uma doença disseminada fulminante, que pode danificar o cérebro, os olhos, os músculos, o fígado e os pulmões. As manifestações severas são observadas principalmente nos pacientes imunocomprometidos e nos fetos infectados transplacentariamente como resultado de infecção materna. Coriorretinite pode se associar a todas as formas, mas constitui geralmente uma seqüela final de uma doença congênita.

t-plas·min·o·gen ac·ti·va·tor (t-PA, TPA) (plaz-min'o-jen" ak'tĭ-va-ter) – ativador do t-plasminogênio; endopeptidase sintetizada pelas células endoteliais que se liga a coágulos de fibrina e catalisa a clivagem do plasminogênio; na forma ativa plasmina. Utiliza-se um t-PA produzido por tecnologia recombinante para trombólise terapêutica.

TPN – total parenteral nutrition (nutrição parenteral total).

tra·be·cu·la (trah-bek'u-lah) [L.] pl. *trabeculae* – trabécula; barra pequena; em Anatomia, termo genérico para cordão de tecido conjuntivo de sustentação ou do ancoragem, como o cordão que se estende de uma cápsula no interior da substância do órgão envolvido. **trabec'ular** – adj. trabecular. **trabeculae of bone** – trabéculas ósseas; espículas ósseas anastomosantes no osso de neutralização, formando uma rede de espaços intercomunicantes ocupados por medula óssea. **fleshy trabeculae of heart** – trabéculas carnosas cardíacas; feixes e faixas musculares irregulares que se projetam de uma grande parte das paredes interiores dos ventrículos cardíacos. **septomarginal t.** – t. septomarginal; feixe de músculos na extremidade apical do ventrículo cardíaco direito, conectando a base do músculo papilar anterior ao septo interventricular.

tra·bec·u·late (-lāt) – trabeculado; trabecular; caracterizado por barras ou trabéculas transversais ou irradiantes.

tra·bec·u·lo·plas·ty (trah-bek"u-lo-plas"te) – trabeculoplastia; cirurgia plástica de uma trabécula. **laser t.** – t. por laser; aplicação de queimaduras superficiais na rede trabecular do olho para reduzir a pressão intra-ocular em um glaucoma de ângulo aberto.

trac·er (trãs'er) – traçador; meio pelo qual se pode seguir alguma coisa, como *(a)* um dispositivo mecânico através do qual se pode traçar graficamente o contorno ou os movimentos de um objeto, ou *(b)* um material pelo qual se pode observar o curso de um composto pelo corpo. **radioactive t.** – t. radioativo; isótopo radioativo que substitui um elemento químico estável em um composto introduzido no corpo, permitindo que se acompanhe seu metabolismo, distribuição e eliminação.

tra·chea (tra'ke-ah) [L.] pl. *tracheae* – traquéia; tubo cartilaginoso e membranoso que desce da laringe e se ramifica nos brônquios principais esquerdo e direito. **tra'cheal** – adj. traqueal.

tra·che·al·gia (tra"ke-al'jah) – traquealgia; dor na traquéia.

tra·che·itis (-i'tis) – traqueíte; inflamação da traquéia.

tra·che·lec·to·my (-lek'tah-me) – traquelectomia; cervicectomia; ver *cervicectomy*.

tra·che·lem·a·to·ma (-lem"ah-to'mah) – traquelematoma; hematoma no músculo esternocleidomastóideo.

tra·che·lism, tra·che·lis·mus (tra'kah-lizm; tra"kah-liz'mus) – traquelismo; espasmo dos músculos do pescoço; retração espasmódica da cabeça na epilepsia.

tra·che·li·tis (tra"kĕ-li'tis) – traquelite; cervicite; ver *cervicitis*.

trachel(o)- [Gr.] – traquel(o)-, elemento de palavra, *pescoço; colo; estrutura semelhante ao pescoço* ou *colo*, especialmente a cérvix uterina.

tra·che·lo·cys·ti·tis (tra"kĕ-lo-sis-ti'tis) – traquelocistite; inflamação do colo vesical.

tra·che·lo·dyn·ia (-din'e-ah) – traquelodinia; dor no pescoço.

tra·che·lo·pexy (tra'kĕ-lo-pek"se) – traquelopexia; fixação da cérvix uterina.

tra·che·lo·plas·ty (-plas"te) – traqueloplastia; reparo plástico da cérvix uterina.

tra·che·lor·rha·phy (tra"kĕ-lor'ah-fe) – traquelorrafia; sutura da cérvix uterina.

tra·che·lot·o·my (-lot'ah-me) – traquelotomia; incisão da cérvix uterina.

trache(o)- [Gr.] traque(o)- – elemento de palavra; *traquéia*.

tra·cheo·aero·cele (tra"ke-o-ār'o-sēl") – traqueoaerocele; hérnia traqueal que contém ar.

tra·cheo·bron·chial (-brong'ke-al) – traqueobrônquico; relativo à traquéia e brônquios.

tra·cheo·bron·chi·tis (-brong-ki'tis) – traqueobronquite; inflamação da traquéia e brônquios.

tra·cheo·bron·chos·co·py (-brong-kos'kah-pe) – traqueobroncospia; inspeção do interior da traquéia e brônquios.

tra·cheo·cele (tra'ke-o-sēl") – traqueocele; protrusão herniária da membrana mucosa traqueal.

tra·cheo·esoph·a·ge·al (tra"ke-o-e-sof"ah-je'-al) – traqueoesofágico; relativo à traquéia e esôfago.

tra·cheo·la·ryn·ge·al (-lah-rin'je-al) – traqueolaríngeo; relativo à traquéia e laringe.

tra·cheo·ma·la·cia (-mah-la'shah) – traqueomalacia; amolecimento das cartilagens traqueais.

tra·cheo·op·a·thy (tra"ke-op'ah-the) – traqueopatia; doença da traquéia.

tra·cheo·pha·ryn·ge·al (tra"ke-o-fah-rin'je-al) – traqueofaríngeo; relativo à traquéia e faringe.

tra·cheo·oph·o·ny (tra"ke-of'ah-ne) – traqueofonia; som ouvido à auscultação sobre a traquéia.

tra·cheo·plas·ty (tra'ke-o-plas"te) – traqueoplastia; reparo plástico da traquéia.

tra·cheo·py·o·sis (tra"ke-o-pi-o'sis) – traqueopiose; traqueíte purulenta.

tra·che·or·rha·gia (-ra'jah) – traqueorragia; hemorragia da traquéia.

tra·che·os·chi·sis (tra"ke-os'kĭ-sis) – traqueoesquise; fissura da traquéia.

tra·che·os·co·py (-os-kah-pe) – traqueoscopia; inspeção do interior da traquéia. **tracheoscop'ic** – adj. traqueoscópico.

tra·cheo·ste·no·sis (tra"ke-o-stĕ-no'sis) – traqueoestenose; constrição da traquéia.

tra·che·os·to·my (tra"ke-os'tah-me) – traqueostomia; formação de abertura no interior da traquéia através do pescoço, sendo a mucosa traqueal colocada em continuidade com a pele; também, a abertura criada dessa forma.

tra·che·ot·o·my (-ot'ah-me) – traqueotomia; incisão da traquéia através da pele e músculos do pescoço. **inferior t.** – t. inferior; traqueotomia realizada por baixo do istmo tireóideo. **superior t.** – t. superior; traqueotomia realizada por cima do istmo tireóideo.

tra·cho·ma (trah-ko'mah) [Gr.] pl. *trachomata* – tracoma; doença contagiosa da conjuntiva e córnea, produzindo fotofobia, dor e lacrimejamento e causada por uma cepa da *Chlamydia trachomatis*. Clinicamente, progride de uma infecção com folículos minúsculos na conjuntiva palpebral até a invasão da córnea, com formação de cicatriz e contração que podem resultar em cegueira. **tracho'matous** – adj. tracomatoso.

tra·chy·onych·ia (trak"e-o-ni'ke-ah) – traquioníquia; aspereza das unhas, com quebras e divisões.

tra·chy·pho·nia (-fo'ne-ah) – traquifonia; aspereza da voz; rouquidão.

tract (trakt) – trato: 1. uma região, principalmente aquela com certa extensão; 2. feixe de fibras nervosas que possuem uma origem, função e terminação comuns; 3. vários órgãos, dispostos em série e que servem para uma função comum. **alimentary t.** – t. alimentar; ver em *canal*. **atriohisian t's** – tratos átrio-fasciculares (feixe de His); fibras miocárdicas que contornam a obstrução fisiológica do nódulo atrioventricular e conectam o átrio diretamente ao feixe de His, permitindo uma pré-excitação ventricular. **biliary t.** – t. biliar; os órgãos, ductos, etc., que participam da secreção (fígado), armazenamento (vesícula biliar) e fornecimento (ductos hepático e biliar) da bile no interior do duodeno. **digestive t.** – t. digestivo; canal alimentar. **dorsolateral t.** – t. dorsolateral; um grupo de fibras nervosas no funículo lateral da medula espinhal, próximas à coluna posterior. **extracorticospinal t., extrapyramidal t.** – t. extracorticoespinhal; extrapiramidal; sistema extrapiramidal. **Flechsig's t.** – t. de Flechsig; t. espinhocerebelar posterior. **gastrointestinal t.** – t. gastrointestinal; estômago e intestino em continuidade. **Gowers't.** – t. de Gowers; t. espinhocerebelar anterior. **iliotibial t.** – t. iliotibial; faixa longitudinal espessada da fáscia lata que se estende do músculo tensor, para baixo, até o côndilo lateral tibial. **intestinal t.** – t. intestinal; intestinos delgado e grosso em continuidade. **nigrostriate t.** – t. nigroestriado; feixe de fibras nervosas que se estendem da substância negra até o globo pálido e o putâmen no corpo estriado; uma lesão a ele pode constituir uma causa da doença de Parkinson. **optic t.** – t. óptico; trato nervoso que prossegue para trás a partir do quiasma óptico, ao redor do pedúnculo cerebral e se divide em uma raiz lateral e uma medial, que terminam no colículo superior e corpo geniculado lateral, respectivamente. **pyramidal t.** – t. piramidal; dois grupos de fibras nervosas que surgem no cérebro e descem através da medula espinhal até as células motoras nos cornos anteriores. **respiratory t.** – t. respiratório; órgãos que permitem a entrada de ar no interior dos pulmões e a troca de gases com o sangue, das passagens aéreas no nariz até os alvéolos pulmonares. Ver Prancha VI. **spinocerebellar t., anterior** – t. espinocerebelar anterior; um grupo de fibras nervosas no funículo lateral de medula espinhal, surgindo predominantemente na substância cinzenta do lado oposto, e subindo para o cerebelo através do pedúnculo cerebelar superior. **spinocerebellar t., posterior** – t. espinocerebelar posterior; um grupo de fibras nervosas no funículo lateral da medula espinhal que surgem predominantemente no núcleo torácico e ascendem ao cerebelo através do pedúnculo cerebelar inferior. **spinothalamic t.** – t. espinotalâmico; um grupo de fibras nervosas no funículo lateral da medula espinhal que surgem na substância cinzenta oposta e ascendem ao tálamo, transportando os impulsos sensoriais ativados pela dor e pela temperatura. **urinary t.** – t. urinário; órgãos relacionados à elaboração e excreção da urina: rins, ureteres, bexiga e uretra. **uveal t.** – t. uveal; a túnica vascular do olho, que compreende a coróide, o corpo ciliar e a íris.

trac·tion (trak'shun) – tração; ato tracionar ou de puxar. **axis t.** – t. axial; tração ao longo de um eixo, como a da pelve em obstetrícia. **elastic t.** – t. elástica; tração por meio de força elástica ou de dispositivo elástico. **skeletal t.** – t. óssea; tração aplicada diretamente sobre os ossos longos por meio de pinos, fios metálicos, etc. **skin t.** – t. cutânea; tração sobre uma parte corporal mantida por meio de aparelho afixado de curativos à superfície corporal.

trac·tot·o·my (trak-tot'ah-me) – tratotomia; rompimento ou incisão cirúrgicos de um trato nervoso.

tractus (trak'tus) [L.] pl. *tractus* – trato.

tra·gus (tra'gus) [L.] pl. *tragi* – trago; projeção cartilaginosa anterior à abertura externa do ouvido; utilizado também no plural para designar os pêlos que crescem no pavilhão auricular, especialmente no trago. **tra'gal** – adj. tragal.

train·a·ble (tra'nah-b'l) – treinável; capaz de ser treinado; o termo é utilizado com referência especial a pessoas com retardamento mental moderado (Q.I. de aproximadamente 36-51) que sejam capazes de realizar cuidados pessoais, de ajuste social em casa e ser economicamente útil sob supervisão próxima.

train·ing (trăn'ing) – treinamento; sistema de instrução ou de ensino; preparação por meio de instrução e prática. **assertiveness t.** – t. assertivo; uma forma de terapia comportamental em que os indivíduos aprendem respostas interpessoais apropriadas, envolvendo a expressão de seus sentimentos, tanto negativos como positivos. **bladder t.** – t. vesical; treinamento de uma criança ou adulto incontinente para aquisição de hábitos de continência urinária. **bowel t.** – t. intestinal; treinamento de uma criança ou adulto incontinente para aquisição de hábitos da continência fecal.

trait (trăt) – traço; característica: 1. qualquer característica geneticamente determinada; também, a situação que prevalece no estado heterozigótico de um distúrbio recessivo, como a característica de célula falciforme; 2. um padrão comportamental distinto. **sickle cell t.** – c. de célula falciforme; condição, geralmente assintomática, devida à heterozigosidade quanto à hemoglobina S.

trance (trans) – transe; estado alterado da consciência semelhante ao sono, que se caracteriza por aumento da consciência focal e redução da consciência periférica.

tran·qui·liz·er (tran'kwĭ-li'zer) – tranqüilizante; droga com efeito calmante e confortante. **major t.** – t. maior; agente antipsicótico; ver *antipsychotic*. **minor t.** – t. menor; agente antiansiedade; ver em *antianxiety*.

trans (tranz) – *trans*: 1. em Química Orgânica, que possui determinados átomos ou radicais em lados opostos de uma estrutura original não-rotável; 2. em Genética, que possui um de dois alelos mutantes de dois genes sintênicos em cada cromossoma homólogo.

trans- [L.] – elemento de palavra, *através de; além de*.

trans·ab·dom·i·nal (trans"ab-dom'ĭ-nal) – transabdominal; através da parede abdominal ou da cavidade abdominal.

trans·ac·e·tyl·a·tion (trans-as"ĕ-til-a'shun) – transacetilação; reação química que envolve a transferência de um radical acetil.

trans·ac·y·lase (-as"ĭ-lās) – transacilase; enzima que catalisa uma transacilação.

trans·ac·y·la·tion (-asĭ-la'shun) – transacilação; reação química que envolve a transferência de um radical acil.

trans·am·i·nase (-am'ĭ-nās) – transaminase; aminotransferase.

trans·am·i·na·tion (-am"ĭ-na'shun) – transaminação; a troca reversível de grupos amino entre aminoácidos diferentes.

trans·an·tral (-an'tr'l) – transantral; realizado através de um antro.

trans·aor·tic (trans"a-or'tik) – transaórtico; realizado através da aorta.

trans·au·di·ent (trans-aw'de-ent) – transaudiente; penetrável por meio de ondas sonoras.

trans·ax·i·al (-ak'se-al) – transaxial; orientado em ângulos retos com relação ao eixo longitudinal do corpo ou de uma parte.

trans·ba·sal (-ba's'l) – transbasal; através da base, como uma abordagem cirúrgica através da base do crânio.

trans·cal·lo·sal (trans"kah-lo's'l) – transcalosal; realizado através do corpo caloso.

trans·cal·va·ri·al (-kal-văr'e-al) – transcalvarial; através do calvário.

STU

trans·cath·e·ter (trans-kath'ĕ-ter) – transcateter; realizado através do lúmen de um cateter.

trans·co·bal·a·min (trans"ko-bal'ah-min) – transcobalamina; uma das três proteínas plasmáticas (transcobalaminas I, II e III) que ligam e transportam a cobalamina (vitamina B_{12}). Abreviação TC.

trans·cor·ti·cal (trans-kor'tĭ-k'l) – transcortical; que une duas partes do córtex cerebral.

trans·cor·tin (-kor'tin) – transcortina; α-globulina que liga e transporta o cortisol não-conjugado e biologicamente ativo no plasma.

trans·cra·ni·al (-kra'ne-al) – transcraniano; realizado através do crânio.

trans·crip·tase (-krip'tās) – transcriptase; RNA polimerase direcionada ao DNA; enzima que catalisa a síntese (polimerização) de RNA a partir de trifosfatos de ribonucleosídeos, com o DNA servindo como matriz. **reverse t.** – t. reversa; ver em *reverse transcriptase.*

trans·crip·tion (-krip'shun) – transcrição; síntese de RNA que utiliza uma matriz de DNA catalisada pela RNA polimerase; as seqüências básicas do RNA e do DNA são complementares.

trans·du·cer (-doo'ser) – transdutor; dispositivo que converte uma forma de energia em outra (como pressão, temperatura ou pulso em um sinal elétrico). **neuroendocrine t.** – t. neuroendócrino; neurônio (como um neurônio neuro-hipofisário) que, sob estimulação, secreta um hormônio, convertendo assim as informações nervosas em informações hormonais.

trans·du·cin (-doo'sin) – transducina; proteína G da membrana do disco dos bastonetes retinianos que interage com a rodopsina ativada e participa do disparo de um impulso nervoso visual.

trans·duc·tion (-duk'shun) – transdução: 1. método de recombinação genética nas bactérias, em que se transfere o DNA entre bactérias através de bacteriófagos; 2. a transformação de uma forma de energia em outra, como a que ocorre através de mecanismos sensoriais corporais. **sensory t.** – t. sensório; processo pelo qual um receptor sensório converte um estímulo proveniente do ambiente em um potencial de ação para a transmissão ao cérebro.

trans·du·ral (-dōōr'al) – transdural; através da duramáter.

tran·sec·tion (tran-sek'shun) – transecção; corte transversal; divisão por meio de um corte transversal.

trans·eth·moi·dal (trans-eth-moi'dal) – transetmoidal; realizado através do osso etmóide.

trans·fer·ase (trans'fer-ās) – transferase; uma classe de enzimas que transferem um grupo químico de um composto para outro.

trans·fer·ence (trans-fer'ens) – transferência; em Psicoterapia, tendência inconsciente do indivíduo a atribuir a outras pessoas presentes em seu ambiente os sentimentos e atitudes associadas a um significado passado em sua vida, especialmente a transferência do paciente de sentimentos e atitudes associados a um dos genitores para o terapeuta.

trans·fer·rin (-fer'in) – transferrina; globulina sérica que se liga com ferro e o transporta.

trans·fix·ion (-fik'shun) – transfixação; um corte de dentro para fora, como é o caso de amputação.

trans·for·ma·tion (trans"for-ma'shun) – transformação: 1. alteração de forma ou estrutura; conversão de uma forma em outra; 2. em Oncologia, alteração que uma célula normal sofre quando se torna maligna. **bacterial t.** – t. bacteriana; troca de material genético entre cepas de bactérias por meio da transferência de um fragmento de DNA "desnudo" de uma célula doadora a uma célula receptora, seguida de recombinação no cromossoma receptor.

trans·fron·tal (trans-frun'tal) – transfrontal; através do osso frontal.

trans·fu·sion (-fu'zhun) – transfusão; introdução de sangue completo ou dos componentes sangüíneos diretamente no interior da corrente sangüínea. **direct t.** – t. direta; t. imediata. **exchange t.** – t. de intercâmbio; remoção repetitiva de pequenas quantidades de sangue e substituição por sangue do doador, até que se tenha substituído uma grande proporção do volume original. **immediate t.** – t. imediata; transferência de sangue diretamente de um vaso do doador para um vaso do receptor. **indirect t., mediate t.** – t. indireta; t. mediata; introdução de sangue que foi armazenado em um recipiente adequado após a retirada do doador. **placental t.** – t. placentária; retorno do sangue contido na placenta para o bebê após o nascimento (através do cordão umbilical intacto) **replacement t., substitution t.** – t. de substituição; t. de intercâmbio. **twin-to-twin t.** – t. gêmeo-a-gêmeo; anormalidade intra-uterina da circulação fetal em gêmeos monozigóticos, na qual se desvia o sangue diretamente de um gêmeo a outro.

trans·glu·tam·in·ase (trans"gloo-tam'in-ās) – transglutaminase; forma ativada da protransglutaminase, que forma ligações covalentes estabilizadoras dentro de filamentos de fibrina.

trans·il·i·ac (trans-il'e-ak) – transilíaco; através dos dois ílios.

trans·il·lu·mi·na·tion (trans"ĭ-lu"mĭ-na'shun) – transiluminação; passagem de uma luz forte através de uma estrutura corporal, permitindo a inspeção por um observador do lado oposto.

tran·si·tion (tran-zĭ'shun) – transição; em Genética Molecular, mutação puntiforme na qual uma base purínica substitui uma base pirimidínica ou vice-versa.

trans·la·tion (trans-la'shun) – translação; metástase; transferência; em Genética, o processo pelo qual se sintetizam as cadeias polipeptídicas, sendo a seqüência de aminoácidos determinada pela seqüência de bases em um RNA mensageiro, que por sua vez é determinada pela seqüência de bases no DNA do gene a partir do qual foi transcrita. **nick t.** – processo através do qual se incorporam nucleotídeos marcados no interior do DNA duplo ou em pontos de clivagem monofilamentares, criados enzimaticamente ao longo de seus filamentos.

trans·lo·case (trans-lo'kās) – translocase; transportador; ver *carrier* (5).

trans·lo·ca·tion (trans"lo-ka'shun) – translocação; ligação de um fragmento de um cromossoma com um cromossoma não-homólogo. Abreviação t. **reciprocal t.** – t. recíproca; transferência completa de fragmentos entre dois cromossomas não-homólogos quebrados, unindo-se a parte de um à parte do outro. Abreviação rcp. **robertsonian t.** – t. robertsoniana; translocação que envolve dois cromossomas acrocêntricos, que se fundem na região do centrômero e perdem seus braços curtos.

trans·mem·brane (trans-mem'brãn) – transmembrana; que se estende de um lado a lado de uma membrana, geralmente se referindo a uma subunidade protéica exposta em ambos os lados da membrana celular.

trans·meth·y·la·tion (trans"meth-ĭ-la'shun) – transmetilação; transferência de um grupo metil (CH_3–) de um composto para outro.

trans·mis·sion (trans-mish'un) – transmissão; transferência (como a de uma doença) de uma pessoa a outra.

trans·mu·ral (-mu'ral) – transmural; através da parede de um órgão; que se estende através ou afeta toda a espessura da parede de um órgão ou cavidade.

trans·mu·ta·tion (trans"mu-ta'shun) – transmutação: 1. alteração evolutiva de uma espécie em outra; 2. alteração de um elemento químico em outro.

trans·phos·phor·y·la·tion (-fos-for"ĭ-la'shun) – transfosforilação: transferência de grupos fosfóricos entre fosfatos orgânicos, sem passar pelo estágio de fosfatos inorgânicos.

tran·spi·ra·tion (tran"spĭ-ra'shun) – transpiração; descarga de ar, vapor ou suor através da pele.

trans·pla·cen·tal (-plah-sen'tal) – transplacentário; através da placenta.

trans·plant (trans'plant) – transplante: 1. tecido utilizado em enxerto ou transplante; 2. transferir um tecido de uma parte a outra.

trans·plan·ta·tion (trans"plan-ta'shun) – transplantação; transplante; enxerto de tecidos coletados do próprio corpo do paciente ou de outro indivíduo.

trans·port (trans'port) – transporte; movimento de materiais em sistemas biológicos, particularmente para dentro e para fora das células e através das camadas epiteliais. **active t.** – t. ativo; movimento de materiais em sistemas biológicos que resulta diretamente de consumo de energia metabólica. **bulk t.** – t. de volume; entrada por meio de uma célula ou extrusão a partir de uma célula de fluido ou partículas, realizada por invaginação e formação de vacúolo (entrada) ou por evaginação (extrusão); inclui endocitose, fagocitose, pinocitose e exocitose.

trans·po·si·tion (trans"po-zish'un) – transposição: 1. deslocamento de uma víscera para o lado oposto; 2. operação de transporte de um retalho tecidual de uma condição a outra sem interromper completamente sua conexão até que se una em sua nova localização; 3. troca de posição de dois átomos dentro de uma molécula. **t. of great vessels** – t. dos grandes vasos; malformação cardiovascular congênita na qual se reverte a posição dos vasos sangüíneos principais do coração. A vida então depende de um fluxo cruzado de sangue entre os lados direito e esquerdo do coração, como aquele através de um defeito septal ventricular.

trans·po·son (trans-po'zon) – transposon; pequeno elemento genético (DNA) móvel que se movimenta ao redor do genoma ou para outros genomas dentro da mesma célula, geralmente por meio de cópia de si mesmo em um segundo lugar, mas algumas vezes através da própria reprodução de seu local original e inserção em nova localização. Os transposons eucarióticos são algumas vezes chamados de elementos transponíveis *(elements, transposable)*.

trans·pu·bic (-pu'bik) – transpúbico; realizado através do osso púbico após remoção de um segmento ósseo.

trans·seg·men·tal (trans"seg-men'tal) – transegmentar; que se estende através de segmentos.

trans·sep·tal (trans-sep'tal) – transeptal; que se estende ou se realiza através de um septo.

trans·sex·u·al·ism (-sek'shoo-al-izm") – transexualismo; distúrbio de identidade sexual no qual a pessoa afetada apresenta um desejo irresistível de alterar o sexo anatômico, proveniente da convicção de ser respectivamente um membro do sexo oposto; tais pessoas freqüentemente procuram tratamento hormonal e cirúrgico para transformar sua anatomia segundo essa convicção.

trans·tha·lam·ic (trans"thah-lam'ik) – transtalâmico; através do tálamo.

trans·tho·rac·ic (-thah-ras'ik) – transtorácico; através da cavidade torácica ou da parede torácica.

trans·tym·pan·ic (-tim-pan'ik) – transtimpânico; através da membrana ou cavidade timpânica.

tran·su·date (tran'su-dãt) – transudato; substância fluida que passou através de uma membrana ou foi extrudada de um tecido; ao contrário de um exsudato, tem alta fluidez e baixo teor de proteínas, células ou materiais sólidos derivados das células.

trans·ure·thral (trans"u-re'thral) – transuretral; realizado através da uretra.

trans·vag·i·nal (trans-vaj'ĭ-nal) – transvaginal; através da vagina.

trans·ve·nous (trans-ve'nus) – transvenoso; realizado ou inserido através de uma veia.

trans·ver·sa·lis (trans"ver-sa'lis) – transversal; transverso.

trans·ver·se (trans-vers') [L.] – transversal; transverso; que se estende de um lado para o outro; em ângulos retos com o eixo longitudinal.

trans·ver·sec·to·my (trans"ver-sek'tah-me) – transversectomia; excisão de um processo transversal vertebral.

trans·ver·sus (trans-ver'sus) [L.] – transverso; ver *transverse.*

trans·ves·i·cal (-ves'ĭ-kal) – transvesical; através da bexiga.

trans·ves·tism (-ves'tizm) – transvestismo: 1. a prática de usar artigos de vestuário do sexo oposto; 2. fetichismo transvestista.

Tran·xene (tran'zēn) – Tranxene, marca registrada de preparação de clorazepato dipotássico.

tran·yl·cy·pro·mine (tran"il-si'pro-mēn) – tranilcipromina; um inibidor da monoamina oxidase; o sal de sulfato é utilizado como antidepressivo.

tra·pe·zi·um (trah-pe'ze-um) [L.] – trapézio: 1. uma figura irregular de quatro lados; 2. ver *Tabela de Ossos*. **trape'zial** – adj. trapezóide.

trauma (traw'mah, trow'mah) [L.] pl. *traumas, traumata* – trauma; traumatismo; ferimento ou lesão, sejam estes físicos ou psíquicos. **traumat'ic** – adj. traumático. **birth t.** – t. ao nascimento; lesão ao bebê durante o processo do nascimento. Em algumas teorias psiquiátricas, o choque psíquico produzido em um bebê pela experiência de nascer. **psychic t.** – t. psíquico; choque emocional que produz distúrbio emocional ou mental.

trau·ma·tism (traw'mah-tizm) – traumatismo: 1. estado físico ou psíquico que resulta de lesão ou ferimento; 2. ferimento.

traumat(o)- [Gr.] – elemento de palavra, *trauma*.

trau·ma·tol·o·gy (traw"mah-tol'ah-je) – traumatologia; ramo da cirurgia relacionado aos ferimentos e incapacitação oriunda de lesões.

trau·ma·top·nea (-top-ne'ah) – traumatopnéia; asfixia parcial com colapso causado pela abertura traumática do espaço pleural.

tray (tra) – bandeja; receptáculo; utensílio de superfície plana para o transporte de vários objetos ou materiais. **impression t.** – moldeira de impressão; recipiente destinado a conter o material de impressão, a fim de realizar um molde dos dentes e estruturas associadas.

treat·ment (trēt'ment) – tratamento; tratamento e cuidados de um paciente ou combate a doença ou distúrbio. **active t.** – t. ativo; tratamento voltado imediatamente à cura da doença ou lesão. **causal t.** – t. causal; tratamento voltado à causa de uma doença. **conservative t.** – t. conservador; tratamento destinado a evitar medidas terapêuticas médicas radicais ou procedimentos operatórios. **empiric t.** – t. empírico; tratamento que a experiência provou ser benéfico. **expectant t.** – t. expectante; tratamento orientado ao alívio de sintomas refratários, deixando a cura da doença para as forças naturais. **palliative t.** – t. paliativo; tratamento destinado a aliviar a dor e o desconforto sem nenhuma tentativa de cura. **preventive t., prophylactic t.** – t. preventivo; t. profilático; tratamento cujo objetivo consiste em evitar a ocorrência da doença; profilaxia. **rational t.** – t. racional; tratamento baseado no conhecimento da doença e na ação dos remédios administrados. **shock t.** – t. de choque; terapia eletroconvulsiva. **specific t.** – t. específico; tratamento particularmente adaptado à doença a ser tratada. **supporting t.** – t. de apoio; tratamento que se volta principalmente à manutenção das forças do paciente. **symptomatic t.** – t. sintomático; t. expectante.

tree (tre) – árvore; estrutura anatômica com ramos que se assemelham a uma árvore. **bronchial t.** – a. brônquica; bronquios e suas estruturas ramificadas. **dendritic t.** – a. dendrítica; arranjo ramificado de um dendrito. **tracheobronchial t.** – a. traqueobrônquica; bronquios traqueais e suas estruturas ramificadas.

Trem·a·to·da (trem"ah-to'dah) – Trematoda; classe do filo Platyhelminthes que inclui os trematódeos; são parasitas do homem e dos animais, e a infecção geralmente resulta de ingestão de peixes inadequadamente cozidos, crustáceos ou vegetação que contenha suas larvas.

trem·a·tode (trem'ah-tōd) – trematódeo; indivíduo da classe Trematoda.

trem·bles (trem'b'lz) – paralisia agitante; intoxicação dos bovinos e ovinos que se alimentam de serpentária branca (*Eupatorium rugosum*) ou de vara-de-ouro sem raios (*Haplopappus heterophyllus*), em que o animal apresenta tremores musculares e torna-se fraco, podendo tropeçar e cair; ver também *sickness, milk* (1).

trem·or (trem'er, tre'mer) – tremor; tremor ou estremecimento involuntários. **action t.** – t. de ação; movimentos involuntários, oscilatórios e rítmicos do membro superior superestirado; também pode afetar a voz e outras partes. **coarse t.** – t. grosseiro; tremor no qual as vibrações são lentas. **fine t.** – t. fino; tremor no qual as vibrações são rápidas. **flapping t.** – t. adejante; asterixe; ver *asterixis*. **intention t.** – t. de intenção; t. de ação. **parkinsonian t.** – t. de Parkinson; tremor de repouso observado na doença de Parkinson, que consiste de movimentos regulares lentos das mãos e algumas vezes das pernas, pescoço, face ou mandíbula; pára tipicamente com o movimento voluntário da parte e se intensifica por meio de estímulos como frio, fadiga e emoções fortes. **physiologic t.** – t. fisiológico; tremor rápido de amplitude extremamente baixa encontrado nas pernas e algumas vezes no pescoço ou face de indivíduos normais; pode se acentuar e se tornar visível sob determinadas condições. **pill-rolling t.** – t. de rolamento de pílula; um tremor de Parkinson da mão que consiste de flexão e extensão dos dedos em conexão com adução e abdução do polegar. **rest t., resting t.** – t. de repouso; tremor que ocorre em um membro relaxado e sustentado ou em outra parte corporal; às vezes é anormal, como no caso da doença de Parkinson. **senile t.** – t. senil; o tremor devido às enfermidades da idade avançada. **volitional t.** – t. volitivo; t. de ação.

trem·u·lous (trem'u-lus) – trêmulo; relativo ou caracterizado por tremor.

trend·scrib·er (trend'skrīb-er) – aparelho usado para inscrição (em eletrocardiógrafo) direcionada.

trend·scrip·tion (trend"skrip'shun) – método programado de monitoração eletrocardiográfica contínua, pelo qual se condensa o traçado em um registrador em tambor rotatório e o programa permite a amostragem seletiva dos dados do ritmo (inscrição direcionada).

tre·pan (trah-pan") – trépano; trepanar.

treph·i·na·tion (tref"ĭ-na'shun) – trepanação; operação de trepanar.

tre·phine (trah-fīn', trah-fēn') – trépano: 1. serra cilíndrica rotatória para remover um disco circular de um osso, principalmente do crânio; 2. instrumento para remover uma área circular de córnea; 3. trepanar, remover com trépano.

trep·i·da·tion (trep"ĭ-da'shun) – trepidação: 1. tremor; 2. ansiedade e medo nervosos. **trep'idant** – adj. trepidante.

Trep·o·ne·ma (trep"o-ne'mah) – *Treponema;* gênero de bactérias (família Spirochaetaceae), sendo algumas delas patogênicas e parasitas do homem e dos animais, incluindo os agentes etiológicos da pinta (*T. carateum*), sífilis (*T. pallidum*) e bouba (*T. pertenue*).

trep·o·ne·ma (trep"o-ne'mah) – treponema; microrganismo do gênero *Treponema*. **trepone'mal** – adj. relativo a treponema.

trep·o·ne·ma·to·sis (-ne"mah-to'sis) – treponematose; infecção por microrganismos do gênero *Treponema*.

trep·o·ne·mi·ci·dal (-ne"mĭ-si'dal) – treponemicida; que destrói treponemas.

tre·pop·nea (tre"pop-ne'ah) – trepopnéia; respiração mais confortável em que o paciente vira-se em uma posição definida de decúbito.

trep·pe (trep'ĕ) [Al.] – fenômeno da escada; aumento gradual na contração muscular que acompanha uma estimulação repetida.

tret·i·no·in (tret'ĭ-no"in) – tretinoína; estereoisômero todo-*trans* do ácido retinóico, utilizado como ceratolítico tópico, especialmente no tratamento de determinados casos de acne vulgar.

TRH – thyrotropin-releasing hormone (hormônio liberador de tireotrofina).

tri- [Gr.] – elemento de palavra, *três*.

tri·ac·e·tin (tri-as"ĕ-tin) – triacetina; agente antifúngico utilizado topicamente.

tri·ad (tri'ad) – tríade: 1. qualquer elemento trivalente; 2. um grupo de três entidades ou objetos associados. **Beck's t.** – t. de Beck; elevação da pressão venosa, queda da pressão arterial e coração pequeno e sem ruídos; característica de compressão cardíaca. **Currarino's t.** – t. de Currarino; um complexo de anomalias congênitas na região anococcígea, em combinações e graus variáveis de gravidade; consiste de um sacro em cimitarra; meningocele, teratoma ou cisto anteriores présacrais; e malformações retais. **Hutchinson's t.** – t. de Hutchinson; ceratite intersticial difusa, labirintopatia e dentes de Hutchinson; observada no caso da sífilis congênita. **Saint's t.** – t. de Saint; hérnia hiatal, divertículos cólicos e colelitíase.

tri·age (tre-ahzh') [Fr.] – triagem; separação e classificação de baixas de guerra ou outro desastre para determinar a prioridade de necessidade e o local apropriado de tratamento.

tri·al (tri'al, trīl) – experimento; ensaio; tentativa; experiência ou teste. **clinical t.** – e. clínico; experimento realizado em seres humanos para avaliar a eficácia comparativa de duas ou mais terapias.

tri·am·cin·o·lone (tri"am-sin'o-lōn) – triancinolona; glicocorticóide antiinflamatório utilizado como base ou como ésteres acetonida, diacetato ou hexacetonida.

tri·am·ter·ene (tri-am'ter-ēn) – triantereno; diurético poupador de potássio que bloqueia a reabsorção de sódio nos túbulos contorcidos distais; utilizado no tratamento de edema e hipertensão.

tri·an·gle (tri'ang-g'l) – triângulo; objeto, figura ou área de três lados, como uma área na superfície do corpo que se pode definir como razoavelmente precisa. **carotid t., inferior** – t. carotídeo inferior; a parte do trígono carotídeo medial ao músculo omoióideo. **carotid t., superior** – t. carotídeo superior; a parte do trígono carotídeo lateral ao músculo omoióideo. **cephalic t.** – t. cefálico; triângulo no plano ântero-posterior do crânio, entre as linhas do occipúcio à testa e ao queixo e do queixo à testa. **Codman's t.** – t. de Codman; área triangular visível radiograficamente onde o periósteo, elevado por um tumor ósseo, reúne-se ao córtex do osso normal. **digastric t.** – t. digástrico; t. submandibular. **t. of elbow** – t. do cotovelo; em frente, ao músculo supinador longo no lado externo e o pronador redondo no lado interno, com base em direção ao úmero. **facial t.** – t. facial; triângulo cujas pontas são o básio e os pontos alveolar e nasal. **Farabeuf's t.** – t. de Farabeuf; triângulo na parte superior do pescoço, limitado pela veia jugular interna, nervo facial e nervo hipoglosso. **femoral t.** – t. femoral; área formada superiormente pelo ligamento inguinal, lateralmente pelo músculo sartório e medialmente pelo músculo adutor longo. **frontal t.** – t. frontal; triângulo limitado pelo diâmetro frontal máximo e pelas linhas para a glabela. **Hesselbach's t.** – t. de Hesselbach; t. inguinal (1). **iliofemoral t.** – t. iliofemoral; triângulo formado pela linha de Nélaton, outra linha através da espinha ilíaca superior, e uma terceira desta até o trocânter maior. **infraclavicular t.** – t. infraclavicular; triângulo formado pela clavícula acima, a borda superior do peitoral maior no lado interno e a borda anterior do deltóide no lado externo. **inguinal t.** – t. inguinal: 1. área na parede abdominal ínfero-anterior limitada pelo músculo reto abdominal, ligamento inguinal e vasos epigástricos inferiores; 2. t. femoral. **t. of Koch** – t. de Koch; área grosseiramente triangular na parede septal do átrio direito, entre a válvula tricúspide, o orifício do seio coronário e o tendão de Todaro, que marca o local do nódulo atrioventricular. **Langenbeck's t.** – t. de Langenbeck; triângulo cujo vértice é a espinha ilíaca superior anterior, sua base é o colo anatômico do fêmur, e seu lado externo é a base externa do trocânter maior. **Lesser's t.** – t. de Lesser; triângulo formado pelo nervo hipoglosso acima e pelos dois ventres do músculo digástrico nos dois lados. **lumbocostoabdominal t.** – t. lumbocostoabdominal; triângulo entre o oblíquo externo, o serrado posterior inferior, o eretor espinhal e o oblíquo interno. **Macewen's t.** – t. de Macewen; fossa mastóidea. **occipital t.** – t. occipital; triângulo que tem o esternomastóideo na frente, o trapézio atrás e o omoióideo por baixo. **occipital t., inferior** – t. occipital inferior; triângulo que possui uma linha entre os dois processos mastóides como base e o ínio como ápice. **omoclavicular t.** – t. omoclavicular; t. subclávio. **Pawlik's t.** – t. de Pawlik; área na parede vaginal anterior que corresponde ao trígono vesical. **Petit's t.** – t. de Petit; margem ínfero-lateral do grande dorsal e o músculo oblíquo externo abdominal. **Scarpa's t.** – t. –

STU

de Scarpa; t. femoral. **subclavian t.** – t. subclávio; região profunda do pescoço; área triangular limitada pela clavícula, pelo esternocleidomastóideo e pelo omoióideo. **submandibular t., submaxillary t.** – t. submaxilar; região triangular do pescoço limitada pela mandíbula, músculo estiloióideo e ventre posterior do músculo digástrico e pelo ventre anterior do músculo digástrico. **suboccipital t.** – t. suboccipital; triângulo entre os músculos reto posterior maior da cabeça e oblíquos superior e inferior. **supraclavicular t.** – t. supraclavicular; t. subclávio. **suprameatal t.** – t. suprameatal; fossa mastóidea.

tri·an·gu·la·ris (-ang"gu-la'ris) [L.] – triangular.

Tri·at·o·ma (tri"ah-to'mah) – *Triatoma;* gênero de insetos rastejantes (ordem Hemiptera), como os percevejos-de-nariz-cônico, importantes na Medicina como vetores da espécie *Trypanosoma cruzi.*

tri·atom·ic (-ah-tom'ik) – triatômico; que contém três átomos.

tribe (trīb) – tribo; categoria taxonômica subordinada a uma família (ou subfamília) e superior a um gênero (ou subtribo).

tri·ba·chi·us (trī-bra'ke-us) – tribráquio; feto com três braços.

TRIC – *trachoma inclusion conjunctivitis* (tracoma e conjuntivite de inclusão; grupo de microrganismos; ver *Chlamydia trachomatis.*

tri·ceph·a·lus (tri-sef'ah-lus) – tricéfalo; feto com três cabeças.

tri·ceps (tri'seps) – tríceps; com três cabeças, como o músculo tríceps. **t. su'rae** – t. sural; ver *Tabela de Músculos.*

tri·chi·a·sis (tri-ki-ah-sis) – triquíase: 1. afecção de pêlos encravados ao redor de um orifício ou cílios encravados; 2. aparecimento de filamentos semelhantes a pêlos na urina.

tri·ch·i·lem·mo·ma (trik"ĭ-lem-o'mah) – triquilemoma; neoplasia benigna da bainha da raiz externa inferior do pêlo.

tri·chi·na (trī-ki'nah) pl. *trichinae* – triquina; microrganismo individual do gênero *Trichinella.*

Trich·i·nel·la (trik"ĭ-nel'ah) – *Trichinella;* gênero de parasitas nematódeos que inclui a *T. spiralis,* agente etiológico da triquinose, encontrada nos músculos do rato, do suíno e do homem.

trich·i·no·sis (-no'sis) – triquinose; triquinelose; doença devida à ingestão de carne inadequadamente cozida infectada por *Trichinella spiralis,* acompanhada de diarréia, náuseas, cólica e febre e posteriormente por rigidez, dor, inchaço muscular, febre, sudorese, eosinofilia, edema circum-orbitário e hemorragias irregulares.

tri·chlor·me·thi·a·zide (tri-klor"mĕ-thi'ah-zid) – triclormetiazida; diurético tiazídico utilizado no tratamento da hipertensão e edema.

tri·chlo·ro·ace·tic ac·id (tri-klor"o-ah-se'tik) – ácido tricloroacético; ácido extremamente cáustico, utilizado na Medicina como cáustico tópico para a destruição local de lesões e em Química Clínica como agente precipitador de proteínas.

tri·chlo·ro·eth·y·lene (-eth'ĭ-lēn) – tricloroetileno; líquido móvel e claro utilizado como solvente industrial; antigamente utilizado como anestésico inalatório.

trich(o)- [Gr.] – tric(o)-, elemento de palavra, *pêlo.*

tricho·ad·e·no·ma (trik"o-ad"ĕ-no'mah) – tricoadenoma; tumor folicular benigno que ocorre na face ou no tronco, com grandes espaços císticos revestidos por epitélio escamoso e células escamosas.

tricho·an·es·the·sia (-an"es-the'zhah) – tricoanestesia; falta ou perda da sensibilidade dos pêlos.

tricho·be·zoar (-be'zor) – tricobezoar; bola de pêlo; um bezoar composto de pêlos.

tricho·dis·co·ma (-dis-ko'mah) – tricodiscoma; hamartoma da porção mesodérmica do disco piloso, geralmente ocorrendo como pápulas pequenas e múltiplas que se assemelham histologicamente a acrocórdons.

tricho·epi·the·li·o·ma (-ep"ĭ-the"le-o'mah) – tricoepitelioma; tumor cutâneo benigno que se origina nos folículos da lanugem, geralmente na face; pode ocorrer como uma afecção herdada marcada por tumores múltiplos (*t. múltiplo*), mas também pode ocorrer como lesão solitária não-herdada (*t. solitário*).

tricho·es·the·sia (-es-the'zhah) – tricoestesia; percepção de que um dos pêlos da pele foi tocado, causada pela estimulação de um receptor do folículo piloso.

tricho·fol·lic·u·lo·ma (-fŏ-lik"u-lo'mah) – tricofoliculoma; lesão nodular em forma de cúpula, geralmente solitária e benigna com um poro central que contém quase sempre um tufo lanoso semelhante a um pêlo; geralmente ocorre na cabeça ou no pescoço e deriva de um folículo piloso.

tricho·glos·sia (-glos'e-ah) – tricoglossia; língua pilosa.

tri·chome (tri'kōm) – tricoma; estrutura filamentosa ou semelhante a um pêlo.

tricho·meg·a·ly (trik"o-meg'ah-le) – tricomegalia; síndrome congênita que consiste de crescimento excessivo dos cílios e sobrancelhas associado a nanismo, retardamento mental e degeneração pigmentar retiniana.

tricho·mo·na·cide (-mo'nah-sīd) – tricomonacida; agente letal a tricomônadas.

tricho·mo·nad (-mo'nad) – tricomônada; parasita do gênero *Trichomonas.*

Tricho·mo·nas (-mo'nas) – *Trichomonas;* gênero de protozoários parasitas flagelados em vários invertebrados e vertebrados, incluindo o homem; o gênero inclui as espécies *T. hominis* (parasita intestinal comum do homem), *T. tenax* (espécie não-patogênica encontrada na boca humana) e *T. vaginalis* (encontrada na vagina e trato genital masculino, produzindo secreção vaginal e prurido refratários). **trichomo'nal** – adj. tricomonádico.

tricho·mo·ni·a·sis (-mo-ni'ah-sis) – tricomoníase; infecção por microrganismos do gênero *Trichomonas.*

tricho·my·co·sis (-mi-ko'sis) – tricomicose; qualquer doença dos pêlos causado por fungos. **t. axilla'ris** – t. axilar; infecção dos pêlos axilares, e algumas vezes dos pêlos púbicos, devida a *Corynebacterium tenuis* (microrganismo semelhante à nocárdia de filiação incerta), com desenvolvimento de agregados de bactérias nos pêlos, que aparecem como nódulos vermelhos, amarelos ou pretos.

tricho·no·do·sis (-no-do'sis) – triconodose; afecção caracterizada por emaranhamento aparente ou real do pêlo.

trich·op·a·thy (trĭ-kop'ah-the) – tricopatia; doença dos pêlos.

tri·choph·y·tid (trĭ-kof'ĭ-tid) – tricofítide; dermofítide associada à tricofitose; termo aplicado especialmente a manifestações alérgicas de tinha.

tri·choph·y·tin (trĭ-kof'ĭ-tin) – tricofitina; filtrado proveniente de culturas de *Trichophyton;* utilizado para testar a tricofitose.

tricho·phy·to·be·zoar (trik"o-fi"to-be'zor) – tricofitobezoar; bezoar composto de pêlos de animais e fibras vegetais.

Tri·choph·y·ton (trĭ-kof'ĭ-ton) – *Trichophyton;* gênero de fungos, cujas espécies podem atacar a pele, os pêlos e as unhas.

tricho·o·phy·to·sis (trik"o-fi-to'sis) – tricofitose; infecção por fungos do gênero *Trichophyton.*

trichophyt'ic – adj. tricofítico.

trich·op·ti·lo·sis (-tĭ-lo'sis) – tricoptilose; divisão dos pêlos na extremidade.

trich·or·rhex·is (-rek'sis) – tricorrexe; afecção na qual os pêlos se quebram. **t. nodo'sa** – t. nodosa; afecção marcada por fratura e divisão do córtex de um pêlo em cordões, dando-lhe a aparência de nódulos brancos nos quais o pêlo se rompe facilmente.

trich·os·chi·sis (trĭ-kos'kĭ-sis) – tricosquise; tricoptilose.

tri·chos·copy (trĭ-kos'kah-pe) – tricoscopia; exame do pêlo.

tri·cho·sis (trĭ-ko'sis) – tricose; qualquer doença ou crescimento anormal dos pêlos.

Tri·chos·po·ron (trĭ-kos'po-ron) – *Trichosporon;* gênero de fungos que constituem a flora normal dos tratos respiratório e digestivo do homem e dos animais e que podem infectar os pêlos.

tricho·spo·ro·sis (trik"o-spo-ro'sis) – tricosporose; infecção por *Trichosporon;* ver *piedra.*

tri·chos·ta·sis spin·u·lo·sa (trĭ-kos'tah-sis spin"u-lo'sah) – tricostase espinhosa; afecção na qual os folículos pilosos contêm um tampão córneo escuro que contém, por sua vez, um feixe de pêlos do velo.

tricho·stron·gy·li·a·sis (trik"o-stron"jĭ-li'ah-sis) – tricostrongilose; infecção por *Trichostrongylus.*

Tricho·stron·gy·lus (-stron'jĭ-lus) – *Trichostrongylus;* gênero de nematódeos parasitas dos animais e do homem.

tricho·thio·dys·tro·phy (-thi"o-dis'trŏ-fe) – tricotiodistrofia; pêlo quebradiço e ralo com um teor de enxofre incomumente baixo e com aparência listrada sob luz polarizada, freqüentemente acompanhado de baixa estatura e retardamento mental.

tricho·til·lo·ma·nia (-til"o-ma'ne-ah) – tricotilomania; compulsão de arrancar o próprio cabelo.

tri·chot·o·mous (trĭ-kot'ah-mus) – tricótomo; dividido em três partes.

tri·chro·ism (tri'kro-izm) – tricroísmo; exibição de três cores diferentes em três fases diferentes. **trichro'ic** – adj. tricróico.

tri·chro·ma·sy (tri-kro'mah-se) – tricromasia: 1. capacidade de distinguir as três cores primárias e as misturas dessas; 2. visão normal para cores. **anomalous t.** – t. anômala; visão colorida defeituosa em que o paciente possui os três pigmentos dos cones, mas um deles é deficiente ou anômalo, mas não ausente.

tri·chro·ma·top·sia (tri"kro-mah-top'se-ah) – tricromatopsia; tricromasia.

tri·chro·mic (tri-kro'mik) – tricrômico: 1. relativo a ou que exibe três cores; 2. capaz de distinguir somente três das sete cores do espectro.

trich·u·ri·a·sis (trik"u-ri'ah-sis) – tricuríase; infecção por *Trichuris.*

Trich·u·ris (trik-u'ris) – *Trichuris;* gênero de nematódeos parasitas intestinais, que inclui *T. trichiura,* espécie que infecta principalmente o homem.

tri·cip·i·tal (tri-sip'ĭ-tal) – tricipital: 1. com três cabeças; 2. relacionado ao músculo tríceps.

tri·clo·fos (tri-klo-fōs) – triclofos; hipnótico e sedativo utilizado como sal sódico no tratamento da insônia.

tri·cor·nute (tri-kor'nūt) – tricorne; tricornudo; que tem três cornos ou processos.

tri·cro·tism (tri'krot-izm) – tricrotismo; qualidade de possuir três ondas ou elevações esfigmográficas em um batimento do pulso. **tricrot'ic** – adj. tricrótico.

tri·cus·pid (tri-kus'pid) – tricúspide; que possui três pontas ou cúspides, como uma válvula cardíaca.

tri·cyc·lic (-sik'lik) – tricíclico; que contém três anéis fundidos na estrutura molecular; ver também em *antidepressant.*

tri·dac·ty·lism (-dak'tĭ-lizm) – tridactilismo; presença de somente três dedos na mão ou no pé.

tri·den·tate (den'tāt) – tridentado; tridente; que possui três pontas.

tri·der·mic (-der'mik) – tridérmico; derivado do ectoderma, endoderma e mesoderma.

tri·di·hex·eth·yl chlo·ride (tri"di-heks-eth'il) – cloreto tridiexetílico; anticolinérgico de amônio quaternário que inibe a hipermotilidade e os espasmos gastrointestinais e reduz a secreção de sucos gástricos; utilizado no tratamento da úlcera péptica e da síndrome do intestino irritável.

tri·fid (tri'fid) – trífido; dividido em três partes.

tri·flu·o·per·a·zine (tri-floo-o-per'ah-zēn) – trifluoperazina; agente antipsicótico fenotiazínico; seu sal de cloridrato é utilizado no tratamento dos sintomas de distúrbios psicóticos e para alívio da ansiedade a curto prazo.

tri·flu·pro·ma·zine (-pro'mah-zēn) – triflupromazina; derivado fenotiazínico; seu sal de cloridrato é utilizado como tranqüilizante maior.

tri·fur·ca·tion (tri"fer-ka'shun) – trifurcação; divisão ou o local de separação em três ramos.

tri·gem·i·ny (tri-jem'ĭ-ne) – trigeminismo: 1. que ocorre em triplos; 2. ocorrência de três batimentos de pulso em sucessão rápida. **ventricular t.** – ritmo trigeminal; arritmia que consiste da seqüência repetitiva de um complexo prematuro ventricular seguido de dois batimentos normais.

tri·glyc·er·ide (-glis'er-īd) – triglicerídeo; composto que consiste de três moléculas de ácido graxo esterificadas em glicerol; gordura neutra que é a forma de armazenamento normal dos lipídeos nos animais.

tri·go·nal (tri'go-nal) – trigonal: 1. triangular; 2. relativo a um trígono.

tri·gone (tri'gŏn) – trígono: 1. área triangular; 2. as primeiras três cúspides de um dente molar superior. **t. of bladder** – da bexiga; t. vesical. **carotid t.** – t. carotídeo; t. carótico; área triangular limitada pelo ventre posterior do músculo digástrico, pelo músculo esternocleidomastóideo e pela linha média anterior do pescoço. **olfactory t.** – t. olfatório; área triangular de substância cinzenta entre as raízes do trato olfatório. **vesical t.** – t. vesical; porção triangular lisa da mucosa na base da bexiga, limitado posteriormente pela dobra interuretérica, terminando na frente da úvula da bexiga.

tri·go·nec·to·my (tri"go-nek'tah-me) – trigonectomia; excisão do trígono vesical.

trig·o·ni·tis (tri"go-ni'tis) – trigonite; inflamação ou hiperemia localizada do trígono vesical.

trig·o·no·ceph·a·lus (trig"o-no-sef'ah-lus) – trigonocéfalo; indivíduo que exibe trigonocefalia.

trig·o·no·ceph·a·ly (-le) – trigonocefalia; forma triangular da cabeça devida a angulação clara para frente na linha média do osso frontal. **trigonocephal'ic** – adj. trigonocefálico.

tri·go·num (tri-go'num) [L.] pl. *trigona* – trígono; área de três lados; triângulo.

tri·hex·y·phen·i·dyl (tri-hek"sĭ-fen'ĭ-dil) – triexifenidil; anticolinérgico que possui ações semelhantes às da atropina; utilizado como sal de cloridrato na doença de Parkinson.

tri·io·do·thy·ro·nine (tri"i-o"do-thi'ro-nēn) – triiodotironina; um dos hormônios tireóideos; composto que contém iodo orgânico liberado a partir da tiroglobulina por meio de hidrólise. Possui várias vezes a atividade biológica da tireoxina. Símbolo T_3.

tri·lam·i·nar (tri-lam'ĭ-ner) – trilaminar; trilaminado; com três camadas.

tri·lo·bate (-lo'bāt) – trilobado; que possui três lobos.

tri·loc·u·lar (-lok'u-ler) – trilocular; que possui três compartimentos ou células.

tril·o·gy (tril'ah-je) – trilogia; grupo ou série de três. **t. of Fallot** – t. de Fallot; tríade de Fallot; termo algumas vezes aplicado à estenose pulmonar, ao defeito septal atrial e à hipertrofia ventricular direita intercorrentes.

tri·mep·ra·zine (tri-mep'rah-zēn) – trimeprazina; derivado fenotiazínico com ação depressora branda do sistema nervoso central, ações antiemética e anticonvulsiva moderadas e ação anti-histamínica poderosa; utilizada como antipruriginoso em forma de sal de tartarato.

tri·mes·ter (-mes'ter) – trimestre; período de três meses.

tri·meth·a·di·one (tri"meht-ah-di'ōn) – trimetadiona; anticonvulsivante com propriedades analgésicas, utilizado no controle de crises do pequeno mal.

tri·meth·a·phan cam·sy·late (tri-meth'ah-fan) – cansilato de trimetafano; agente bloqueador ganglionar de pequena duração utilizado como anti-hipertensivo para produzir hipotensão controlada durante uma cirurgia e para o tratamento de emergência de crises hipertensivas.

tri·meth·o·ben·za·mide (-meth"o-ben'zhah-mĭd) – trimetobenzamida; antiemético utilizado como sal de cloridrato.

tri·meth·o·prim (-meth'o-prim) – trimetoprim; antibacteriano intimamente relacionado à pirimetamina; administrado em combinação com uma sulfonamida pois essas drogas se potencializam entre si; utilizada primariamente para o tratamento de infecções do trato urinário.

tri·me·trex·ate (tri"mě-trek'sāt) – trimetrexato; antagonista do ácido fólico estruturalmente relacionado ao metotrexato, utilizado em combinação com leucovorina para tratar a pneumonia pela *Pneumocystis carinii* na síndrome de imunodeficiência adquirida.

tri·mor·phous (tri-mor'fus) – trimórfico; que existe em três formas diferentes.

tri·ni·tro·phe·nol (-ni"tro-fe'nol) – trinitrofenol; substância amarela utilizada como corante e fixador tecidual; pode ser detonada em uma percussão ou por meio de aquecimento acima de 300°C.

tri·ni·tro·tol·u·ene (-tol'u-ēn) – trinitrotolueno (TNT); derivado altamente explosivo do tolueno; algumas vezes causa envenenamento nos que trabalham com ele, marcado por dermatite, gastrite, dor abdominal, vômito, constipação e flatulência.

trio·ceph·a·lus (tri"o-sef'ah-lus) – triocéfalo; feto sem órgãos de visão, audição ou olfato.

tri·or·chi·dism (tri-or'kĭ-dizm) – triorquidismo; presença de três testículos.

tri·ose (tri'ōs) – triose; monossacarídeo que contém três átomos de carbono na molécula.

tri·ox·sa·len (tri-ok'sah-len) – trioxsaleno; psoraleno utilizado em conjunto com exposição ultravioleta no tratamento de vitiligo e psoríase e também como acelerador do bronzeamento e protetor.

tri·pe·len·na·mine (tri"pě-len'ah-min) – tripelenamina; anti-histamínico utilizado como sais de citrato e de monocloridrato no tratamento sintomático de vários distúrbios alérgicos.

tri·pep·tide (tri-pep'tīd) – tripeptídeo; peptídeo que, em uma hidrólise, produz três aminoácidos.

tri·phal·an·gism (-fal'an-jizm) – trifalangia; três falanges em um dedo que normalmente possui somente duas.

tri·pha·sic (-fa'zik) – trifásico; que possui três fases.

tri·phen·yl·meth·ane (-fen"il-meth'ān) – trifenilmetano; substância proveniente do alcatrão de hulha, base de vários corantes e tinturas (incluindo aurina, rosanilina, fucsina básica e violeta de genciana).

trip·le blind (trip'l blind) – triplo cego; relativo a um experimento clínico em que nem o paciente, nem a pessoa que administra o tratamento, nem aquela que avalia a resposta ao tratamento sabem qual tratamento o referido paciente está recebendo.

tri·ple·gia (tri-ple'jah) – triplegia; paralisia de três extremidades.

trip·let (trip'let) – tripleto: 1. uma de três crianças produzidas em um parto; 2. combinação de três objetos ou entidades que agem em conjunto, como três lentes ou três nucleotídeos; 3. descarga tripla.

tri·plex (tri'pleks) – triplex; triplo ou tríplice.

trip·loid (trĭp'loid) – triplóide; que possui três vezes o número haplóide de cromossomas (3n).

trip·lo·pia (tri-plo'pe-ah) – triplopia; visão tripla; percepção de três imagens de um só objeto.

tri·pro·li·dine (tri-po'lĭ-dēn) – triprolidina; anti-histamínico; utilizado como sal de cloridrato.

-tripsy [Gr.] – -tripsia, elemento de palavra, *esmagamento;* utilizado na designação de procedimento cirúrgico em que se esmaga intencionalmente uma estrutura.

trip·to·rel·in (trip"to-rel'in) – triptorelina; análogo sintético da gonadorelina utilizado como antineoplásico no tratamento do carcinoma ovariano avançado e do carcinoma prostático.

tri·pus (tri'pus) – trípodo; gêmeo-monstro conjugado que possui três pés.

tris (tris) – tris: 1. trometamina; 2. tris (2,3-dibromopropil) fosfato.

tris(2,3-di·bro·mo·pro·pyl)phos·phate (tris"-di-bro"mo-pro'p'l fos'făt) – tris (2,3-dibromopropil) fosfato; retardador de chama líquido de cor amarela, antigamente utilizado nas roupas de crianças, mas hoje com uso restrito por ser carcinogênico.

tris·mus (triz'mus) – trismo; distúrbio motor do nervo trigêmeo (especialmente espasmo dos músculos masticatórios) com dificuldade na abertura da boca (mandíbula travada); sintoma inicial característico do tétano.

tri·so·my (tri'so-me) – trissomia; presença de um cromossoma adicional (terceiro) de um tipo em uma célula diplóide (2n + 1). Ver também em *syndrome.* **triso'mic** – adj. trissômico.

tri·splanch·nic (tri-splangk'nik) – trisplâncnico; relativo às três grandes cavidades viscerais.

tri·sul·cate (-sul'kāt) – trissulcado; que possui três sulcos.

tri·sul·fa·py·rim·i·dines (-sul"fah-pi-rim'ĭ-dēnz) – trissulfapirimidinas; preparações que contêm uma mistura das sulfonamidas sulfadiazina, sulfamerazina e sulfametazina.

tri·sul·fide (-sul'fīd) – trissulfeto; composto sulfúrico que contém três átomos de enxofre para um da base.

tri·ta·nom·a·ly (tri"tah-nom'ah-le) – tritanomalia; tricromatismo anômalo raro em que os terceiros cones (sensíveis ao azul) apresentam redução da sensibilidade.

tri·ta·nope (tri'ah-nōp) – tritanope; pessoa que exibe tritanopia.

tri·ta·no·pia (tri"tah-no'pe-ah) – tritanopia; dicromatismo raro marcado por retenção do mecanismo sensorial para somente duas tonalidades (vermelho e verde), ficando ausentes o azul e o amarelo. **tritanop'ic** – adj. tritanópico.

trit·i·um (trit'e-um) – trício; ver *hydrogen.*

trit·ur·a·tion (trich"ĕ-ra'shun) – trituração: 1. redução a pó por meio de fricção ou moagem; 2. substância finamente pulverizada; 3. criação de um todo homogêneo através de mistura, como a combinação de partículas de uma liga com mercúrio para formar um amálgama dentário.

tri·va·lent (tri-va'lent) – trivalente; que possui uma valência de três.

tRNA – transfer RNA (RNA de transferência).

tro·car (tro'kar) – trocarte; instrumento pontiagudo afiado, equipado com uma cânula e utilizado para puncionar a parede de uma cavidade corporal e retirar fluido.

tro·chan·ter (tro-kan'ter) – trocânter; processo largo e chato no fêmur, na extremidade superior da sua superfície lateral (*t. maior*) ou um processo cônico curto na borda posterior da base do seu pescoço (*t. menor*). **trochanter'ic, trochanter'ian** – adj. trocantérico.

tro·che (tro'ke) – trocisco; pastilha; preparação medicinal para dissolução na boca, que consiste de um ingrediente ativo incorporado em uma massa feita de açúcar e mucilagem ou base de fruta.

troch·lea (trok'le-ah) [L.] pl. *trochleae* – tróclea; parte ou estrutura em forma de polia; termo utilizado na nomenclatura anatômica para designar várias estruturas ósseas ou fibrosas através ou por cima das quais os tendões passam ou com as quais outras estruturas se articulam. **troch'lear** – adj. troclear.

tro·cho·ceph·a·ly (tro"ko-sef'ah-le) – trococefalia; aparência arredondada da cabeça decorrente de sinostose dos ossos frontal e parietal.

tro·choid (tro'koid) – trocóide; semelhante a um pivô ou em forma de polia.

tro·choi·des (tro-koi'dēz) – trocóide; articulação em pivô (giratória).

Trog·lo·tre·ma (trog"lo-tre'mah) – *Troglotrema;* gênero de nematódeos, que inclui a *T. salmincola* (nematódeo-do-salmão), um parasita de vários peixes (especialmente do salmão e da truta) e vetor de *Neorickettsia helminthoeca.*

Trom·bic·u·la (trom-bik'u-lah) – *Trombicula;* gênero de ácaros (família Trombiculidae), que inclui as espécies *T. akamushi, T. deliensis, T. fletcheri, T. intermedia, T. pallida* e *T. scutellaris,* cujas larvas (bicho-do-pé) são os vetores da *Rickettsia tsutsugamushi* (a causa do tifo rural).

trom·bic·u·li·a·sis (trom-bik"u-li'ah-sis) – trombiculíase; infestação de ácaros do gênero *Trombicula.*

Trom·bic·u·li·dae (-de) – Trombiculidae; família de ácaros de distribuição cosmopolita, cujas larvas parasitas (bichos-do-pé) infestam os vertebrados.

tro·meth·amine (tro-meth'ah-mēn) – trometamina; agente alcalinizante utilizado endovenosamente no caso de acidose metabólica.

troph·ede·ma (trof"ĕ-de'mah) – trofedema; doença crônica com edema permanente dos pés ou das pernas.

troph·ic (trof'ik) – trófico; relativo à nutrição.

-trophic, -trophin [Gr.] – -trófico, -trofina, elementos de palavra, *que nutre; que estimula.*

troph(o)- [Gr.] – trof(o)-, elemento de palavra, *alimento; nutrição.*

tropho·blast (trof"o-blast) – trofoblasto; células periféricas do blastocisto, que prendem o óvulo fertilizado à parede uterina e constituem a placenta e as membranas que nutrem e protegem os organismos em desenvolvimento. **trophoblas'tic** – adj. trofoblástico.

tropho·der·ma·to·neu·ro·sis (-der"mah-to-nŏŏ-ro'sis) – trofodermatoneurose; acrodinia; ver *acrodynia*.

tropho·neu·ro·sis (-nŏŏ-ro'sis) – trofoneurose; qualquer doença funcional decorrente de falha de nutrição em uma parte em razão de seu suprimento nervoso encontrar-se defeituoso. **trophoneurot'ic** – adj. trofoneurótico.

troph·o·no·sis (-no'sis) – trofonose; qualquer doença devida a causas nutricionais.

tro·phont (tro'font) – trofonte; estágio ativo, móvel e que se alimenta no ciclo vital de determinados protozoários ciliados.

tro·phop·a·thy (tro-fop'ah-the) – trofopatia; qualquer desarranjo nutricional.

tropho·plast (trof"o-plast) – trofoplasto; corpo protoplasmático granular.

tropho·tax·is (trof"o-tak'sis) – trofotaxia; taxia em resposta a materiais nutritivos.

tropho·ther·a·py (-ther'ah-pe) – trofoterapia; tratamento de uma doença por meio de medidas dietéticas.

tropho·zo·ite (-zo'īt) – trofozoíta; estágio ativo, móvel e que se alimenta de um parasita esporozoário.

tro·pia (tro'pe-ah) – tropia; estrabismo; ver *strabismus*.

-tropic [Gr.] – -trópico, elemento de palavra, *que se vira em direção a; que se altera; que tende a se virar ou a se alterar.*

tro·pine (tro'pēn) – tropina; alcalóide cristalino proveniente da atropina e de vários vegetais.

tro·pism (tro'pizm) – tropismo; movimento de virar, encurvar, ou crescimento de um organismo ou parte de um organismo disparados por um estímulo externo, seja em direção a (*t. positivo*) ou contra (*t. negativo*) o estímulo; termo utilizado como elemento de palavra combinado com um radical para indicar a natureza do estímulo (como o fototropismo), ou o material ou a entidade pelos quais um organismo (ou substância) demonstram afinidade especial (como o neurotropismo). Geralmente se aplica a organismos imóveis.

tro·po·col·la·gen (tro"po-kol'ah-jen) – tropocolágeno; a unidade molecular de todas as formas de colágeno; corresponde a uma estrutura helicoidal de três polipeptídeos.

tro·po·my·o·sin (-mi'o-sin) – tropomiosina; proteína muscular da banda I que inibe a contração através do bloqueio da interação da actina e da miosina, exceto quando influenciada pela troponina.

tro·po·nin (tro'po-nin) – troponina; complexo de proteínas musculares que, quando combinado com o Ca^{2+}, influencia a tropomiosina para iniciar a contração.

trough (trof) – canal ou depressão longitudinal rasa. **synaptic t.** – depressão sináptica; invaginação da membrana de uma fibra muscular estriada, circundando uma placa final motora em uma junção neuromuscular.

trun·cate (trung'kāt) – truncar: 1. amputar; privar dos membros. 2. truncado, que possui a extremidade diretamente cortada.

trun·cus (-kus) [L.] pl. *trunci* – tronco.

trunk (trungk) – tronco: 1. parte principal do corpo à qual se unem a cabeça e os membros; 2. porção maior, não-dividida e geralmente curta de um nervo ou vaso sangüíneo ou linfático, ou ainda de outro ducto. **brachiocephalic t.** – t. braquiocefálico; vaso que surge a partir do arco aórtico e dá origem às artérias carótida comum direita e subclávia direita. **celiac t.** – t. celíaco; tronco arterial que surge a partir da aorta abdominal e dá origem às artérias gástrica esquerda, hepática comum e esplênica. **lumbosacral t.** – t. lombossacral; tronco formado pela união da parte inferior do ramo anterior do quarto nervo lombar com o ramo anterior do quinto nervo lombar. **lymphatic t's** – troncos linfáticos; vasos linfáticos que drenam a linfa proveniente de várias regiões do corpo nos ductos linfático direito ou torácico. **pulmonary t.** – t. pulmonar; vaso que surge a partir do cone arterial do ventrículo direito e se bifurca nas artérias pulmonares direita e esquerda. **sympathetic t.** – t. simpático; dois filamentos nervosos ganglionados e longos, um em cada lado da coluna vertebral e estendendo-se da base do crânio até o cóccix.

truss (trus) – funda; dispositivo elástico, metálico ou de lona para reter uma hérnia reduzida dentro da cavidade abdominal.

try·pano·ci·dal (tri-pan"o-si'dal) – tripanocida; que elimina tripanossomas.

try·pan·ol·y·sis (tri"pan-ol'ĭ-sis) – tripanólise; a eliminação de tripanossomas. **trypanolyt'ic** – adj. tripanolítico.

Try·pano·so·ma (tri"pan-o-so'mah) – *Trypanosoma;* gênero de protozoários flagelados do sangue e da linfa de invertebrados e vertebrados, inclusive o homem. As infecções tripanossômicas do homem incluem as formas gambiana e rodesiense da tripanossomíase africana (causadas pela *T. brucei gambiense* e *T. brucei rhodesiense,* respectivamente) e a doença de Chagas (causada pela *T. cruzi*). As outras espécies causam doenças sérias em animais domésticos, incluindo a *T. brucei, T. congolense, T. evansi,* etc.

try·pano·some (tri-pan'o-sōm) – tripanossoma; membro do gênero *Trypanosoma*. **trypanoso'mal** – adj. tripanossômico.

try·pano·so·mi·a·sis (tri-pan"o-so-mi'ah-sis) – tripanossomíase; infecção por tripanossomas. **African t.** – t. africana; tripanossomíase endêmica das áreas infestadas pela mosca tsé-tsé da África tropical, resultante de infecção pela *Trypanosoma gambiense* (t. gambiana) ou *T. rhodesiense* (t. rodesiana); é transmitida pela picada de várias espécies de *Glossina*, e no estágio avançado, envolve o sistema nervoso central, resultando em meningoencefalite que leva à letargia, tremores, convulsões e finalmente ao coma e morte. **South American t.** – t. sul-americana; doença de Chagas.

try·pano·so·mi·cide (-so'mĭ-sīd) – tripanossomicida: 1. letal para tripanossomas; 2. agente letal para tripanossomas.

try·pano·so·mid (-so'mid) – tripanossômide; erupção cutânea que ocorre na tripanossomíase.

tryp·sin (trip'sin) – tripsina; enzima da classe das hidrolases (secretada como tripsinogênio pelo pâncreas e convertida à forma ativa no intestino delgado) que catalisa a clivagem das ligações peptídicas que envolvem o grupo carboxila tanto da lisina como da arginina; utiliza-se uma preparação purificada derivada do pâncreas bovino devido a seu efeito proteolítico no debridamento e tratamento do empiema. **tryp'tic** – adj. tríptico.

tryp·sin·o·gen (trip-sin'o-jen) – tripsinogênio; precursor inativo da tripsina, secretado pelo pâncreas e ativado no duodeno por meio de clivagem por parte de enteropeptidase.

tryp·ta·mine (trip'tah-mēn) – triptamina; produto químico da descarboxilação do triptofano que efetua vasoconstrição por causar a liberação de noradrenalina nas terminações nervosas pósganglionares.

tryp·to·phan (trip'to-fan) – triptofano; aminoácido de ocorrência natural que existe nas proteínas e é essencial ao metabolismo humano. É um precursor da serotonina.

tryp·to·phan·uria (trip"to-fan-ūr'e-ah) – triptofanúria; excreção urinária excessiva de triptofano.

tset·se (tset'se) – tsé-tsé; mosca africana do gênero *Glossina,* que transmite a tripanossomíase.

TSH – thyroid-stimulating hormone (hormônio estimulador da tireóide).

TT – thrombin time (tempo de trombina).

TU – tuberculin unit (unidade de tuberculina).

tu·am·i·no·hep·tane (too"ah-me"no-hep'tān) – tuamino-heptano; tuaminoeptano; adrenérgico utilizado como descongestionante nasal na forma de base (para inalação) e de sal de sulfato (solução tópica).

tu·ba (too'bah) [L.] pl. *tubae* – tuba; trompa.

Tu·ba·dil (too'bah-dil) – Tubadil, marca registrada de preparação de tubocurarina.

Tu·ba·rine (-rin) – Tubarine, marca registrada de preparação de tubocurarina.

tube (tūb) – tubo; tuba; trompa; sonda; órgão cilíndrico e oco. **tu'bal** – adj. tubárico. **auditory t.** – t. auditiva; t. de Eustáquio; canal estreito que conecta o ouvido médio e a nasofaringe. **drainage t.** – tubo de drenagem; sonda utilizada na cirurgia para facilitar o escape de fluidos. **Durham's t.** – tubo de Durham; sonda de traqueotomia articulada. **endobronchial t.** – tubo endobrônquico; sonda de luz dupla inserida no interior do brônquio de um pulmão, permitindo a deflação completa do outro pulmão; utilizada em anestesia e cirurgia torácica. **endotracheal t.** – tubo endotraqueal; cateter de vias aéreas inserido na traquéia em caso de intubação endotraqueal. **eustachian t.** – trompa de Eustáquio; trompa auditiva. **fallopian t.** – trompa de Falópio; trompa uterina. **feeding t.** – tubo para alimentação; sonda para introduzir líquidos ricos em calorias no estômago. **Levin t.** – tubo de Levin; cateter gastroduodenal de calibre suficientemente pequeno para permitir a passagem transnasal. **Miller-Abbott t.** – tubo ou sonda de Miller-Abbott; sonda intestinal de canal duplo com um balão inflável em sua extremidade distal, para uso no tratamento de obstrução do intestino delgado e ocasionalmente como auxílio diagnóstico. **nasogastric t.** – tubo nasogástrico; sonda mole a ser inserida através de uma narina e no

interior do estômago, para instilar líquidos ou outras substâncias, ou retirar o conteúdo gástrico. **neural t.** – tubo neural; tuba epitelial produzida pela dobra da placa neural no embrião inicial. **otopharyngeal t.** – tuba otofaríngea; tuba auditiva. **Ryle's t.** – tubo de Ryle; sonda de borracha fina para fornecer uma refeição-teste. **Sengstaken-Blakemore t.** – tubo de Sengstaken-Blakemore; sonda multiluminal utilizada para o tamponamento de varizes esofágicas sangrantes. **stomach t.** – tubo estomacal; tubo gástrico; sonda passada através do esôfago até o estômago, para a introdução de nutrientes ou lavagem gástrica. **test t.** – tubo de teste; tubo de ensaio; sonda de vidro fino, fechada em uma extremidade; empregada em testes químicos e outros procedimentos laboratoriais. **tracheostomy t.** – tubo de traqueostomia; sonda curva inserida na traquéia pela abertura feita no pescoço em caso de traqueostomia. **uterine t.** – tuba uterina; tubo delgado que se estende lateralmente a partir do útero, em direção ao ovário no mesmo lado, transportando os óvulos para a cavidade uterina e permitindo a passagem dos espermatozóides em direção oposta. **vacuum t.** – tubo de vácuo; tubo de vidro de onde se evacua o conteúdo gasoso. **Wangensteen t.** – tubo de Wangensteen; pequena sonda nasogástrica conectada a um aparelho de sucção especial para manter a descompressão gástrica e duodenal. **x-ray t.** – tubo de raios X; tubo a vácuo utilizado para a produção de raios X; quando se aplica uma corrente adequada, os elétrons em alta velocidade deslocam-se do cátodo para o ânodo, onde páram subitamente, dando origem aos raios X.

tu·bec·to·my (too-bek'tah-me) – tubectomia; excisão de uma porção da tuba uterina.

tu·ber (too'ber) [L.] pl. *tubera, tubers* – tuberosidade; túber: 1. tumefação ou protuberância; 2. lesão essencial da esclerose tuberosa, que se apresenta como uma lesão cerebral hamartomatosa glial semelhante a uma lentilha nodular, firme e pálido. **t. cine'reum** – t. cinérea; camada de substância cinzenta que faz parte do assoalho do terceiro ventrículo, à qual se prende o infundíbulo hipotalâmico.

tu·ber·cle (-k'l) – tubérculo: 1. qualquer massa arredondada e pequena produzida por meio de infecção pela *Mycobacterium tuberculosis*; 2. nódulo ou pequena proeminência, especialmente aquelas sobre um osso para ligação de um tendão; 3. cúspide de um dente. **tuber'cular** – adj. tubercular. **anatomical t.** – t. anatômico; tuberculose verrucosa cutânea. **auricular t., darwinian t.** – t. auricular; t. de Darwin; pequena projeção algumas vezes encontrada na borda da hélice; considerada por alguns autores como um resíduo de ancestral simiesco. **Farre's t's** – tubérculos de Farre; massas sob a cápsula hepática em alguns casos de carcinoma hepatocelular. **fibrous t.** – t. fibroso; tubérculo de origem bacilar que contém elementos de tecido conjuntivo. **genial t.** – t. mentual; t. mentoniano. **t. de Ghon**; ver em *focus*. **gracile t.** – t. grácil; aumento de volume do fascículo grácil na medula oblonga, produzido pelo núcleo grácil subjacente. **intervenous t.** – t. intervenoso; crista através da superfície interna do átrio direito entre as aberturas das veias cavas. **Lisfranc's t.** – t. de Lisfranc; proeminência na primeira costela, para uma ligação do músculo escaleno anterior. **Lower's t.** – t. de Lower; t. intervenoso. **mental t.** – t. mentual; mentoniano; proeminência na borda interna de qualquer lado da protuberância mentual da mandíbula. **miliary t.** – t. miliar; tubérculo dentre muitos tubérculos diminutos em muitos órgãos no caso de tuberculose miliar aguda. **pubic t. of pubic bone** – t. púbico do osso púbico; tubérculo proeminente na extremidade lateral da crista púbica. **scalene t.** – t. escaleno; t. de Lisfranc. **supraglenoid t.** – t. supraglenóide; tubérculo na escápula para ligação da cabeça longa do bíceps.

tu·ber·cu·late, tu·ber·cu·lat·ed (too-ber'ku-lãt"; too-ber'ku-lãt"ed) – tuberculado; que possui tubérculos.

tu·ber·cu·lid (-lid) – tuberculide; erupções recorrentes da pele geralmente caracterizadas por involução espontânea; consideradas por alguns autores como reações hiperérgicas a micobactérias ou a seus antígenos. **papulonecrotic t.** – t. papulonecrótica; erupção simétrica agrupada de pápulas sem sintomas, aparecendo em levas sucessivas e cicatrizando espontaneamente com cicatrizes superficialmente deprimidas.

tu·ber·cu·lin (-lin) – tuberculina; líquido estéril que contém os produtos de crescimento do bacilo da tuberculose(ou de substâncias específicas extraídas a partir do mesmo); utilizado em várias formas no diagnóstico da tuberculose; ver também em *test.* **Old t. (O.T.)** – t. antiga; filtrado concentrado pelo calor de uma cultura do bacilo da tuberculose desenvolvida em um meio especial; utilizada para testes tuberculínicos. **purified protein derivative (PPD) t.** – derivado protéico purificado de t.; precipitado da fração protéica purificada solúvel proveniente de um filtrado de bacilo da tuberculose desenvolvido em meio especial; utilizado em testes tuberculínicos.

tu·ber·cu·li·tis (too-ber"ku-li'tis) – tuberculite; inflamação de ou próxima a um tubérculo.

tu·ber·cu·lo·cele (too-ber'ku-lo-sēl") – tuberculocele; doença tuberculosa de um testículo.

tu·ber·cu·loid (too-ber'ku-loid) – tuberculóide; que se assemelha a um tubérculo ou à tuberculose.

tu·ber·cu·lo·ma (too-ber"ku-lo'mah) – tuberculoma; massa semelhante a um tumor resultante do aumento de volume de um tubérculo caseoso.

tu·ber·cu·lo·sis (-sis) – tuberculose; qualquer das doenças infecciosas do homem e outros animais devidas a espécies de *Mycobacterium* e marcada por formação de tubérculos e necrose caseosa em tecidos de qualquer órgão; no homem, o pulmão é o principal local de infecção e o ponto de entrada normal através do qual uma infecção atinge outros órgãos. **avian t.** – t. aviária; forma que afeta várias aves, devida à *Mycobacterium avium*, que pode ser transmitida ao homem e outros animais. **bovine t.** – t. bovina; infecção dos bovinos devida à *Mycobacterium bovis*, transmissível ao homem e outros animais. **disseminated**

t. – t. disseminada; t. miliar aguda. **genital t.** – t. genital; tuberculose do trato genital (como a endometrite tuberculosa). **t. of lungs** – t. pulmonar; infecção dos pulmões devida à *Mycobacterium tuberculosis*, que se manifesta por pneumonia tuberculosa, formação de tecido de granulação tuberculoso, necrose caseosa, calcificação e formação de cavidade. Os sintomas incluem perda de peso, fadiga, sudorese noturna, esputo purulento, hemoptise e dor torácica. **miliary t.** – t. miliar; forma na qual se formam tubérculos diminutos em vários órgãos, devida à disseminação dos bacilos pelo corpo através da corrente sangüínea; pode variar de um curso progressivo crônico a um curso fulminante agudo. **open t.** – t. aberta: 1. tuberculose na qual ocorrem lesões a partir das quais os bacilos da tuberculose são descartados do corpo; 2. tuberculose dos pulmões com cavitação. **pulmonary t.** – t. pulmonar. **t. of spine** – t. espinhal; osteíte ou cárie das vértebras, que geralmente ocorre como complicação de tuberculose pulmonar. **t. verruco'sa cu'tis, warty t.** – t. verrucosa cutânea; t. verrucosa; afecção que geralmente resulta de inoculação externa de bacilos da tuberculose na pele, com pápulas semelhantes a verrugas que coalescem formando manchas distintamente verrucosas com uma borda eritematosa inflamatória.

tu·ber·cu·lo·stat·ic (too-ber"ku-lo-stat'ik) – tuberculostático: 1. que inibe o crescimento da *Mycobacterium tuberculosis;* 2. agente tuberculostático.

tu·ber·cu·lot·ic (too-ber"ku-lot'ik) – tuberculoso; relativo ou afetado de tuberculose.

tu·ber·cu·lous (too-ber'ku-lus) – tuberculoso; relativo ou afetado de tuberculose; causado pela *Mycobacterium tuberculosis.*

tu·ber·cu·lum (-lum) [L.] pl. *tubercula* – tubérculo; nódulo ou pequena proeminência; em Anatomia, termo utilizado principalmente para designar uma pequena proeminência em um osso. **t. arthri'ticum** – t. artrítico; concreção gotosa em uma articulação. **t. doloro'sum** – t. doloroso; nódulo ou tubérculo doloroso.

tu·ber·o·sis (too-ber-o'sis) – tuberose; afecção caracterizada pela presença de nódulos.

tu·be·ros·i·tas (too"bě-ros-ĭ-tas) [L.] pl. *tuberositates* – tuberosidade; em Anatomia, elevação em um osso ao qual se prende um músculo.

tu·be·ros·i·ty (-te) – tuberosidade; elevação ou protuberância.

tu·ber·ous (too"ber-us) – tuberoso; nodular; coberto com tuberosidades; coberto com nódulos. Ver também *sclerosis.*

tubo- [L.] – elemento de palavra, *tuba; trompa.*

tu·bo·cu·ra·rine (too"bo-kūr-ar'ĕn) – tubocurarina; alcalóide proveniente da casca e dos caules da *Chondrodendron tomentosum;* é o princípio ativo do curare, utilizado como relaxante muscular esquelético.

tu·bo·lig·a·men·tous (-lig"ah-men'tus) – tuboligamentoso; relativo à tuba uterina e ao ligamento largo.

tu·bo·ovar·i·an (o-var'e-an) – tubovariano; relativo à tuba uterina e ovário.

tu·bo·peri·to·ne·al (-per"ĭ-tah-ne'al) – tuboperitoneal; relativo à tuba uterina e peritônio.

tu·bo·plas·ty (too'bo-plas"te) – tuboplastia; reparo plástico de uma tuba, como da tuba uterina da tuba auditiva.

tu·bo·tym·pa·num (too"bo-tim'pah-num) – tubotimpânico; tuba auditiva e a cavidade timpânica consideradas em conjunto.

tu·bo·uter·ine (-u'ter-in) – tubouterino; relativo à tuba uterina e ao útero.

tu·bule (too'būl) – túbulo; tubo pequeno. **tu'bular** – adj. tubular. **collecting t.** – t. coletor; túbulo dos canais terminais dos néfrons, que se abre nos vértices das pirâmides renais nas papilas renais. **dental t's, dentinal t's** – túbulos dentários; túbulos dentinários; canalículos dentários. **Henle's t.** – t. de Henle; ver em *loop*. **mesonephric t's** – túbulos mesonéfricos; túbulos que compõem o mesonefro ou o rim temporário dos amniotas. **metanephric t's** – túbulos metanéfricos; túbulos que compõem o rim permanente dos amniotas. **renal t's** – túbulos renais; canais reabsortivos diminutos constituídos pela membrana basal e revestidos com epitélio, que compõem a substância renal e secretam, coletam e transportam a urina; ver também *nephron*. **seminiferous t's** – túbulos seminíferos; túbulos do testículo nos quais os espermatozóides se desenvolvem e através dos quais deixam a glândula. **T t's** – túbulos T; túbulos intracelulares transversais que invaginam a partir da membrana celular e circundam as miofibrilas do sistema T dos músculos esqueléticos e cardíaco, que servem como via de difusão da excitação elétrica dentro de uma célula muscular. **uriniferous t., uriniparous t.** – t. urinífero; t. uriníparo; túbulos renais.

tu·bu·lin (too'bu-lin) – tubulina; proteína constituinte dos microtúbulos.

tu·bu·lo·in·ter·sti·tial (too"bu-lo-in"ter-sti'̄-shal) – tubulointersticial; relativo aos túbulos renais e túbulos intersticiais.

tu·bu·lor·rhex·is (-rek'sis) – tubulorrexe; ruptura dos túbulos renais.

tu·bu·lo·ve·sic·u·lar (-vĕ-sik'u-lar) – tubulovesicular; composto de pequenos tubos e sacos; utilizado particularmente com as membranas citoplasmáticas da célula parietal em repouso.

tu·bu·lus (too'bu-lus) [L.] pl. *tubuli* – túbulo; canal diminuto.

tuft (tuft) – tufo; pequeno conglomerado ou cacho.

tuft·sin (tuft'sin) – tuftsina; tetrapeptídeo clivado a partir da IgG, que estimula a fagocitose por meio de neutrófilos.

tug·ging (tug'ing) – repuxamento; sensação de repuxamento, como a sensação de tração na traquéia (*p. traqueal*) devida a aneurisma do arco aórtico.

tu·la·re·mia (too"lah-re'me-ah) – tularemia; doença de roedores semelhante à peste bubônica, causada pela *Francisella* (*Pasteurella tularensis*), e transmissível ao homem. **oculoglandular t.** – t. oculoglandular; tularemia na qual o local primário de entrada do patógeno é no saco conjuntival, sendo marcada por conjuntivite, prurido, lacrimejamento, dor, lesões corneanas e aumento de volume dos linfonodos pré-auriculares. **pulmonary t., pulmonic t.** – t. pulmonar;

tularemia associada ao envolvimento dos pulmões através da disseminação de infecção primária ou inalação do patógeno, e marcada por tosse, dor de cabeça, febre, dor substernóide e esputo mucóide sanguinolento. **typhoidal t.** – t. tifóide; a forma mais séria de tularemia, causada pela deglutição de um inóculo do patógeno, e marcada por sintomas semelhante aos da febre tifóide. **ulceroglandular t.** – t. ulceroglandular; a forma mais comum de tularemia humana, que começa com uma pápula eritematosa dolorosa e inchada no ponto da inoculação, que se rompe formando uma úlcera superficial; também podem ocorrer linfadenopatia, hepatoesplenomegalia e pneumonia.

tu·me·fa·cient (too"mah-fa'shent) – tumefaciente; que produz tumefação.

tu·me·fac·tion (-fak'shun) – tumefação; inchação; o estado de estar inchado ou o ato de inchar; inflamento; edema.

tu·mes·cence (too-mes'ens) – tumescência; 1. condição de estar inchado; 2. turgescência.

tu·mid (too'mid) – túmido; túrgido; inchado; edematoso.

tu·mor (too'mer) – tumor; 1. tumefação; um dos sinais principais de inflamação; aumento de volume mórbido; 2. neoplasia; um novo crescimento tecidual no qual a multiplicação celular é descontrolada e progressiva. **adenomatoid odontogenic t.** – t. adenomatóide odontogênico; tumor odontogênico benigno com arranjos semelhantes a ductos ou glândulas das células epiteliais colunares, geralmente ocorrendo na região da mandíbula anterior. **Askin's t.** – t. de Askin; tumor de células pequenas maligno, de tecido mole, na região toracopulmonar em crianças; um dos tumores neuroectodérmicos periféricos. **benign t.** – t. benigno; tumor que não possui as propriedades de invasão e metástase e mostra um grau menor de anaplasia do que os tumores malignos; é geralmente circundado por uma cápsula fibrosa. **Brenner t.** – t. de Brenner; tumor raro e geralmente benigno do ovário caracterizado por grupos de células epiteliais situados em um estroma de tecido conjuntivo fibroso. **brown t.** – t. castanho; granuloma de célula gigante produzido no osso e que o substitui, ocorrendo no caso de osteíte fibrosa cística e devido a hiperparatireoidismo. **Buschke-Löwenstein t.** – t. de Buschke-Löwenstein; grande massa destrutiva, penetrante e semelhante a uma couve-flor, que ocorre no prepúcio (especialmente em homens incircuncisos) e também na região perianal. **carcinoid t.** – t. carcinóide; argentafinoma. **carcinoma ex mixed t.** – tumor misto (adenoma pleomorfo) malignizado de glândula salivar; adenoma-carcinoma ex-pleomórfico. **carotid body t.** – t. do corpo carótico; quimiodectoma do corpo carótico; massa firme e redonda na bifurcação da artéria carótida comum. **dermal duct t.** – t. do ducto dérmico; lesão écrina papular, intradérmica e pequena, que ocorre na cabeça e pescoço de adultos idosos. **desmoid t.** – t. desmóide; tumor fibromatoso não-capsulado localmente invasivo, que surge no tecido musculoaponeurótico (geralmente a parede abdominal)

STU

e que freqüentemente se parece com um fibrossarcoma. **diarrheogenic t.** – t. diarreiogênico; vipoma. **endodermal sinus t.** – t. do seio endodérmico; t. do saco vitelino. **erectile t.** – t. erétil; hemangioma cavernoso. **Ewing's t.** – t. de Ewing; ver em *sarcoma*. **false t.** – t. falso; aumento de volume estrutural devido a extravasamento, exsudação, equinococo ou retenção de material sebáceo. **feminizing t.** – t. feminizante; tumor funcional que produz feminização em meninos e homens ou um desenvolvimento sexual precoce em meninas (como o germinoma). **fibrohistiocytic t.** – t. fibro-histiocítico; tumor que contém células semelhantes a histiócitos e outras células que se parecem com fibroblastos; termo freqüentemente utilizado para denotar o significado mais geral de histiocitoma fibroso benigno ou maligno. **functional t., functioning t.** – t. funcional; tumor secretor de hormônios em uma glândula endócrina. **germ cell t.** – t. de células germinativas; tumor dentre um grupo de tumores que surgem a partir das células germinativas primárias, geralmente do testículo ou do óvulo. **giant cell t.** – t. de células gigantes: 1. tumor ósseo, que varia entre benigno e claramente maligno, composto de um estroma de células fusiformes que contém células gigantes multinucleadas que se parecem com osteoclastos; 2. pequeno nódulo amarelo benigno, semelhante a um tumor de origem na bainha tendínea, mais freqüentemente do pulso e dos dedos, ou do tornozelo e dedos do pé, carregado com lipófagos e contendo células gigantes multinucleadas. **glomus t.** – t. glômico: 1. tumor doloroso azul-avermelhado benigno, que envolve anastomose arteriovenosa glomeriforme (corpo do glomo); 2. quimiodectoma. **glomus jugulare t.** – t. glômico jugular; quimiodectoma que envolve o corpo timpânico (glomo jugular). **granular cell t.** – t. de células granulares; lesão semelhante a um tumor, circunscrita e geralmente benigna do tecido mole, particularmente da língua, composta de células grandes com citoplasma granular proeminente; a histiogênese é incerta, mas se favorece a derivação das células de Schwann. **granulosa t., granulosa cell t.** – t. de células granulosas; tumor ovariano que se origina nas células da membrana granulosa. **granulosa-theca cell t.** – t. de células granulosas da teca; tumor ovariano composto de células granulosas (foliculares) e células da teca; uma das formas pode predominar. **heterologous t., heterotypic t.** – t. heterólogo; t. heterotípico; tumor constituído de um tecido diferente do tecido onde se desenvolveu. **hilar cell t.** – t. de células hilares; neoplasia benigna rara do hilo do ovário, que se parece histologicamente com um tumor de células de Leydig do testículo. **homoiotypic t., homologous t.** – t. homoiotípico; t. homólogo; tumor semelhante às partes circundantes em sua estrutura. **Hürthle cell t.** – t. de células de Hürthle; crescimento novo da glândula tireóide composto predominantemente de células de Hürthle; é geralmente benigno (adenoma de células de Hürthle), mas pode ser localmente invasivo ou metastatizar (carcinoma de células de Hürthle ou tumor de células de

Hürthle maligno). **islet cell t.** – t. de células das ilhotas; tumor das ilhotas pancreáticas, que pode resultar em hiperinsulinismo. **Krukenberg's t.** – t. de Krukenberg; carcinoma ovariano, geralmente metastático a partir de câncer gastrointestinal, marcado por áreas de degeneração mucóide e presença de células semelhantes a um anel de sinete. **Leydig cell t.** – t. de células de Leydig: 1. tumor não-germinativo geralmente benigno das células de Leydig do testículo; 2. t. de células hilares. **lipoid cell t. of ovary** – t. de células lipóides ovarianas; tumor ovariano geralmente benigno, composto de células eosinófilas ou de células com vacúolos lipóides; causa masculinização. **malignant t.** – t. maligno; tumor que possui as propriedades de invasão e metástase e demonstra alto grau de anaplasia. **mast cell t.** – t. de mastócitos; mastocitose. **melanotic neuroectodermal t.** – t. neuroectodérmico melanótico; tumor escuro, de crescimento rápido e benigno da mandíbula e ocasionalmente de outros locais; observado quase que exclusivamente em bebês. **mixed t.** – t. misto; tumor composto de mais de um tipo de tecido neoplásico. **müllerian mixed t.** – t. misto de Müller; tumor misto maligno do útero que contém tanto células de adenocarcinoma endometrial como sarcomatosas que podem ser de origem uterina ou extra-uterina. **neuroendocrine t., neuroendocrine cell t.** – t. neuroendócrino; t. de células neuroendócrinas; tumor dentre um grupo diverso de tumores que contêm células neurossecretórias; a maioria é de carcinóides ou carcinomas. **nonfunctional t., nonfunctioning t.** – t. não-funcional; tumor localizado em uma glândula endócrina, mas que não secreta hormônios. **odontogenic t.** – t. odontogênico; lesão derivada de elementos mesenquimatosos ou epiteliais ou de ambos, associada ao desenvolvimento dos dentes; ocorre na mandíbula ou maxila ou, ocasionalmente, na gengiva. **papillary t.** – t. papilar; papiloma. **pearl t., pearly t.** – t. perláceo; colesteatoma. **peripheral neuroectodermal t.** – t. neuroectodérmico periférico; tumor neuroectodérmico primitivo que ocorre exteriormente ao sistema nervoso central em locais como a pelve, uma extremidade ou a parede torácica. **phyllodes t.** – t. filodes; fibroadenoma grande, localmente agressivo e algumas vezes metastático nos seios, com um estroma incomumente celular e semelhante a um sarcoma. **primitive neuroectodermal t. (PNET)** – t. neuroectodérmico primitivo; nome proposto para um grupo heterogêneo de neoplasias que se acredita derivem de células indiferenciadas da crista neural. **proliferating trichilemmal t.** – t. tricolemoma proliferativo; grande lesão multilobulada solitária do folículo piloso, que ocorre no couro cabeludo, geralmente em mulheres de meia-idade ou idosas; freqüentemente confundido com carcinoma de células escamosas. **sand t.** – t. arenoso; psamoma. **squamous odontogenic t.** – t. odontogênico escamoso; neoplasia epitelial odontogênica benigna que ocorre na mandíbula ou maxila e se acredita derive de uma transformação dos restos de Malassez. **stromal t's** – tumores estromais; grupo diverso de tumores derivados do estroma ovariano, muitos dos quais secretando hormônios sexuais. **teratoid t.** – t. teratóide; teratoma. **testicular t.** – t. testicular; termo genérico para qualquer tumor dos testículos; em adultos, esses tumores são quase sempre germinomas malignos, enquanto em crianças, a maioria é de tumores do saco vitelino ou variedades benignas como os teratomas ou androblastomas. **theca cell t.** – t. de células da teca; tumor ovariano semelhante a um tumor fibróide, que contém áreas amarelas de material lipóide derivado das células da teca. **turban t.** – t. de turbante; termo utilizado para descrever a aparência macroscópica dos cilindromas cutâneos múltiplos do couro cabeludo. **virilizing t.** – t. virilizante; tumor funcional que produz virilização em meninas e mulheres ou desenvolvimento sexual precoce nos meninos. **Warthin's t.** – t. de Warthin; adenolinfoma. **Wilms's t.** – t. de Wilms; tumor renal misto de desenvolvimento rápido e maligno, constituído de elementos embrionários, e geralmente afetando crianças antes de 5 anos de idade. **yolk sac t.** – t. do saco vitelino; tumor de células germinativas que representa a proliferação tanto do endoderma do saco vitelino como do mesênquima extra-embrionário; produz α-fetoproteína e ocorre mais freqüentemente nos testículos.

tu·mor·i·ci·dal (too"mer-ĭ-si'dal) – tumoricida; oncolítico.

tu·mor·i·gen·e·sis (-jen'ĕ-sis) – tumorigênese; produção de tumores. **tumorigen'ic** – adj. tumorigênico.

tu·mor·let (too'mer-let) – tumorículo; um tipo de neoplasia benigna muito pequena e freqüentemente microscópica que ocorre sozinha ou multiplamente na mucosa brônquica ou bronquiolar de pessoas de meia-idade ou idosas, freqüentemente em áreas de formação de cicatriz.

Tun·ga (tun'gah) – *Tunga;* gênero de pulgas, que inclui a *T. penetrans,* o bicho-do-pé (q.v. *chigoe*).

tung·sten (tung'sten) – tungstênio; elemento químico (ver *Tabela de Elementos),* número atômico 74, símbolo W.

tu·ni·ca (too'nĭ-kah) [L.] pl. *tunicae* – túnica; em Anatomia, termo genérico para uma membrana ou outra estrutura que recubra ou revista uma parte corporal ou órgão. **t. adventi'tia** – t. adventícia; revestimento externo de várias estruturas tubulares. **t. albugi'nea** – t. albugínea; bainha fibrosa branca e densa que envolve uma parte ou um órgão. **t. conjuncti'va** – t. conjuntiva; conjuntiva. **t. dar'tos** – t. dartos; t. carnosa; camada fina de tecido subcutâneo subjacente à pele do escroto. **t. exter'na** – t. externa; revestimento externo, especialmente o revestimento fibroelástico de um vaso sangüíneo. **t. fibro'sa** – t. fibrosa; revestimento fibroso; membrana fibrosa de revestimento. **t. inter'na** – t. interna; revestimento ou camada interna. **t. in'tima vaso'rum** – t. íntima vascular; revestimento mais interno dos vasos sangüíneos. **t. me'dia vaso'rum** – t. média vascular; revestimento médio dos vasos sangüíneos. **t. muco'sa** – t. mucosa; revestimento de membrana mucosa de várias estruturas tubulares. **t. muscula'ris** – t. muscular; revestimento ou camada muscular que

circunda a tela submucosa na maioria das porções dos tratos digestivo, respiratório, urinário e genital. **t. pro'pria** – t. própria; revestimento ou camada propriamente ditos de uma parte, distintos de uma membrana de revestimento. **t. sero'sa** – t. serosa; membrana que reveste as paredes externas das cavidades corporais e se reflete nas superfícies dos órgãos protrusos; ela secreta um exsudato aquoso. **t. vagina'lis tes'tis** – t. vaginal do testículo; membrana serosa que recobre a frente e os lados dos testículos e epidídimo. **t. vasculo'sa** – t. vasculosa; revestimento vascular ou camada bem-suprida com vasos sangüíneos.

tun·nel (tun'el) – túnel; via de passagem de extensão variável através de um corpo sólido, completamente fechado exceto quanto às extremidades abertas, permitindo a entrada e a saída. **carpal t.** – t. do carpo; passagem osteofibrosa para o nervo mediano e os tendões flexores, formada pelo retináculo flexor e pelos ossos cárpicos. **Corti's t.** – t. de Corti; t. interno. **flexor t.** – t. flexor; t. do carpo. **inner t.** – t. interno; canal que se estende pela extensão da cóclea, formado pelas células pilares do órgão de Corti. **tarsal t.** – t. társico; passagem osteofibrosa para os vasos tibiais posteriores, nervo tibial e tendões flexores, formada pelo retináculo flexor e ossos társicos.

tur·bi·dim·e·ter (ter"bĭ-dim'ĕ-ter) – turbidímetro; aparelho para medir a turvação de uma solução.

tur·bid·i·ty (ter-bid'ĭ-te) – turvação; turbidez; distúrbio de sólidos (sedimentos) em uma solução, de forma que esta não é clara. **tur'bid** – adj. turvo.

tur·bi·nal (ter'bĭ-n'l) – turbinal.

tur·bi·nate (-nāt) – turbinado: 1. com forma semelhante a uma ponta; 2. osso turbinado (concha nasal).

tur·bi·nec·to·my (-nek'tah-me) – turbinectomia; excisão de um osso turbinado (concha nasal).

tur·bi·not·o·my (-not'ah-me) – turbinotomia; incisão de um osso turbinado.

tur·ges·cence (ter-jes'ens) – turgescência; distensão ou tumefação de uma parte.

tur·gid (ter'jid) – túrgido; inchado e congesto.

tur·gor (-ger) – turgor; condição de tornar-se túrgido; normal ou outra plenitude.

tu·ris·ta (too-rēs'tah) – turista; nome mexicano para a diarréia dos viajantes.

turm·schä·del (toorm'sha-del) [Al.] – anomalia de desenvolvimento em que a cabeça fica alta e arredondada, devido à sinostose precoce das três suturas principais do crânio.

turn·over (tern'o-ver) – movimento em volta no interior, através e fora de um lugar; cifra que mede a relação entre depleção e reposição. **erythrocyte iron t. (EIT)** – relação entre o ferro da medula óssea e do eritrócito; velocidade na qual o ferro se movimenta da medula às hemácias circulantes. **plasma iron t. (PIT)** – relação entre o ferro liberado do plasma para a medula; velocidade na qual o ferro se movimenta do plasma sangüíneo à medula óssea ou a outros tecidos.

tur·ri·ceph·a·ly (tur"ĭ-sef'ah-le) – turricefalia; oxicefalia; ver *oxycephaly.*

tus·si·gen·ic (tus"ĭ-jen'ik) – tussigênico; que causa tosse.

tus·sis (tus'is) [L.] – tosse. **tus'sal, tus'sive** – adj. tussígeno; relativo à tosse.

tu·ta·men (too-ta'men) [L.] pl. *tutamina* – tutame; cobertura ou estrutura protetora. **tuta'mina o'culi** – tutame dos olhos; apêndices protetores dos olhos (como as pálpebras, cílios, etc.).

twig (twig) – ramo; ramificação final, como a dos ramos de um nervo ou vaso sangüíneo.

twin (twin) – gêmeo; um dos dois descendentes produzidos em uma gravidez. **allantoidoangiopagous t's** – gêmeos alantoidoangiópagos; gêmeos unidos somente pelos vasos umbilicais. **conjoined t's** – gêmeos unidos; gêmeos monozigóticos cujos corpos se encontram reunidos em uma extensão variável. **dizygotic t's** – gêmeos dizigóticos; gêmeos desenvolvidos a partir de dois óvulos separados fertilizados ao mesmo tempo. **enzygotic t's** – gêmeos enzigóticos; gêmeos monozigóticos. **fraternal t's, heterologous t's** – gêmeos fraternos; gêmeos heterólogos; gêmeos dizigóticos. **identical t's** – gêmeos idênticos; gêmeos monozigóticos. **impacted t's** – gêmeos impactados; gêmeos que se situam de tal forma durante o parto que a pressão de um contra o outro produz a sincronização simultânea incompleta de ambos. **monoamniotic t's** – gêmeos monoamnióticos; gêmeos que se desenvolvem dentro de uma cavidade amniótica única; são sempre monozigóticos. **monozygotic t's** – gêmeos monozigóticos; dois indivíduos desenvolvidos a partir de um óvulo fertilizado. **omphaloangiopagous t's** – gêmeos onfaloangiópagos; gêmeos alantoidoangiópagos. **Siamese t's** – gêmeos siameses; gêmeos reunidos. **similar t's** – gêmeos semelhantes; gêmeos monozigóticos. **uniovular t's** – gêmeos uniovulares; gêmeos monozigóticos.

twin·ning (twin'ing) – germinação: 1. produção de estruturas ou partes simétricas por meio de divisão; 2. produção intra-uterina simultânea de dois ou mais embriões.

twitch (twich) – contrair; contração; resposta contrátil breve de um músculo esquelético disparada por rajada máxima única de impulsos nos neurônios que o suprem.

ty·ba·mate (ti'bah-māt) – tibamato; tranqüilizante menor ($C_{13}H_{26}N_2O_4$).

ty·lec·to·my (ti-lek'tah-me) – tilectomia; lumpectomia; ver *lumpectomy.*

Ty·le·nol (ti'lĕ-nol) – Tylenol, marca registrada de preparações de acetaminofena.

tyl·i·on (til'e-on) – tílio; um ponto na borda anterior do sulco óptico na linha mediana.

ty·lo·ma (ti-lo'ma) – tiloma; calo ou calosidade.

ty·lo·sis (-sis) – tilose; formação de calosidades.

tylot'ic – adj. tilótico.

ty·lox·a·pol (ti-loks'ah-pol) – tiloxapol; polímero líquido não-iônico utilizado como surfactante para auxiliar a liquefação e a remoção de secreções broncopulmonares mucopurulentas, administrado por meio de inalação.

tym·pa·nal (tim'pah-n'l) – timpânico; relativo ao tímpano ou membrana timpânica.

tym·pa·nec·to·my (tim"pah-nek'tah-me) – timpanectomia; excisão da membrana timpânica.

tym·pan·ic (tim-pan'ik) – timpânico: 1. do ou relativo ao tímpano; 2. semelhante a um sino; ressonante.

tym·pa·nism (tim'pah-nizm) – timpanismo; meteorismo.

tym·pa·ni·tes (tim"pah-ni'tēz) – timpanismo; distensão anormal devida à presença de gás ou ar no intestino ou cavidade peritoneal.

tym·pa·nit·ic (-nit'ik) – timpanítico: 1. relativo ou afetado de timpanismo; 2. semelhante a um sino; timpânico.

tympan(o)- [Gr.] – timpan(o)-, elemento de palavra, *cavidade timpânica; membrana timpânica.*

tym·pa·no·cen·te·sis (tim"pah-no-sen-te'sis) – timpanocentese; punção cirúrgica da membrana timpânica ou tímpano.

tym·pa·no·gen·ic (-jen'ik) – timpanogênico; que surge do tímpano ou ouvido médio.

tym·pa·no·gram (tim"pah-no-gram") – timpanograma; representação gráfica da complacência e impedância relativas da membrana timpânica e ossículos do ouvido médio obtida através de timpanometria.

tym·pa·no·mas·toi·itis (tim"pah-no-mas"toi-di'tis) – timpanomastoidite; inflamação do ouvido médio e das células pneumáticas do processo mastóide.

tym·pa·nom·e·try (tim"pah-nom'ĕ-tre) – timpanometria; medição indireta da complacência (mobilidade) e impedância da membrana timpânica e ossículos do ouvido médio.

tym·pa·no·plas·ty (tim'pah-no-plas"te) – timpanoplastia; reconstrução cirúrgica da membrana timpânica e estabelecimento de uma continuidade ossicular da membrana timpânica até a janela oval. **tympanoplas'tic** – adj. timpanoplástico.

tym·pa·no·scle·ro·sis (tim"pah-no-sklĕ-ro'sis) – timpanoesclerose; afecção caracterizada pela presença de massas de tecido conjuntivo denso e duro ao redor dos ossículos auditivos na cavidade timpânica. **tympanosclerot'ic** – adj. timpanoesclerótico.

tym·pa·not·o·my (tim"ah-not'ah-me) – timpanotomia; miringotomia.

tym·pa·nous (tim'pah-nus) – timpânico; distendido com gás.

tym·pa·num (-num) – tímpano: 1. imprecisamente a membrana timpânica; 2. cavidade timpânica.

tym·pa·ny (-ne) – 1. timpanismo; 2. nota de percussão timpânica ou semelhante a um sino. **t. of the stomach** – t. gástrico; tipo de indigestão de bovinos e ovinos, marcada por acúmulo anormal de gás no primeiro estômago.

type (tīp) – tipo; característica geral ou prevalente de qualquer caso particular de doença, pessoa, substância, etc. **blood t's** – tipos sangüíneos; ver *blood group.* **constitutional t.** – t. constitucional; grupo de caracteres relacionados à constituição corporal. **mating t.** – t. de acasalamento; nos protozoários ciliados, determinadas bactérias e determinados fungos, o equivalente de um sexo. **phage t.** – t. de fago; um tipo intra-específico de bactéria demonstrado por meio de tipificação de fago.

typh·lec·ta·sis (tif-lek'tah-sis) – tiflectasia; distensão do ceco.

typhl(o)- [Gr.] – tifl(o)-, elemento de palavra, *ceco; cegueira.*

typh·lo·dic·li·di·tis (tif'lo-dik"lĭ-di'tis) – tiflodiclidite; inflamação da válvula ileocecal.

typh·lo·sis (tif-lo'sis) – tiflose; cegueira; ver *blindness*.

typh·lot·o·my (tif-lot'o-me) – tiflotomia; cecotomia.

ty·phoid (ti'foid) – tifóide: 1. semelhante ao tifo; 2. tifóide.

ty·phoid·al (ti-foi'dal) – tifóide; que se parece com a febre tifóide.

ty·phus (ti'fus) – tifo; um grupo de doenças rickettsiais agudas e intimamente relacionadas, oriundas dos artrópodos, e que diferem em intensidade de determinados sinais e sintomas, severidade e índice de fatalidade; todas se caracterizam por dor de cabeça, calafrios, febre, apatia e erupção macular, maculopapular, petequial ou papulovesicular. Freqüentemente, termo utilizado nos países de língua inglesa para se referir ao tifo epidêmico, e em várias línguas européias para se referir à febre tifóide. **ty'phous** – adj. tifoso. **endemic t.** – t. endêmico; t. murino. **epidemic t.** – t. epidêmico; forma clássica, devida à *Rickettsia prowazekii* e transmitida entre os humanos através de piolhos corporais. **murine t.** – t. murino; doença infecciosa, clinicamente semelhante ao tifo epidêmico, porém mais branda, devida à *Rickettsia typhi*, transmitida do rato para o homem através da pulga e piolho murinos. **Kenya tick t.** – t. dos carrapatos do Quênia; ver *boutonneuse fever*, em *fever*. **recrudescent t.** – t. recrudescente; doença de Brill. **scrub t.** – t. rural; doença infecciosa aguda e semelhante ao tifo, causada pela *Rickettsia tsutsugamuchi* e transmitida por bicho-do-pé, e caracterizada por lesão cutânea primária no local da inoculação e desenvolvimento de exantema, linfadenopatia regional e febre. **tropical t.** – t. tropical; t. rural.

ty·pol·o·gy (ti-pol'ah-je) – tipologia; estudo dos tipos; a ciência da classificação (como a de bactérias) de acordo com o tipo.

ty·ro·ma·to·sis (ti"ro-mah-to'sis) – tiromatose; afecção caracterizada por degeneração caseosa.

ty·ro·pa·no·ate (-pah-no'āt) – tiropanoato; um meio radiopaco utilizado como sal sódico na colecistografia oral.

ty·ro·sine (ti'ro-sēn) – tirosina; aminoácido de ocorrência natural presente na maioria das proteínas; corresponde a um produto do metabolismo fenilalanínico e precursor dos hormônios tireóideos, catecolaminas e melanina.

ty·ro·sin·e·mia (ti"ro-sĭ-ne'me-ah) – tirosinemia; aminoacidopatia do metabolismo da tirosina com elevação dos níveis sangüíneos de tirosina e excreção urinária de tirosina e metabólitos relacionados. O *Tipo I* mostra uma inibição de algumas enzimas hepáticas e da função tubular renal. O *Tipo II* é marcado por cristalização da tirosina acumulada na epiderme e córnea, sendo freqüentemente acompanhado de retardamento mental. A *t. neonatal* é assintomática e transitória e pode resultar em retardamento mental suave. O quarto tipo é a hawkinsinúria (*hawkinsinuria*).

ty·ro·sin·o·sis (-no'sis) – tirosinose; termo antigo para tirosinemia, particularmente do Tipo I.

ty·ro·sin·uria (-nu're-ah) – tirosinúria; presença de tirosina na urina.

ty·ro·syl·uria (ti"ro-sil-u're-ah) – tirosilúria; aumento da secreção urinária de compostos para-hidroxifenílicos derivados da tirosina, como no caso da tirosinemia.

ty·vel·ose (ti'vel-ōs) – tivelose; açúcar incomum que é um antígeno somático polissacarídico de determinados sorotipos de *Salmonella*.

tzet·ze (tset'se) – tsé-tsé.

U

U – uranium; uracil or uridine; international unit of enzyme activity; unit (urânio; uracil ou uridina; unidade internacional de atividade enzimática; unidade).

u – atomic mass unit (unidade de massa atômica).

ubiq·ui·nol (u-bik'wĭ-nol) – ubiquinol; ubiidroquinona; forma reduzida da ubiquinona.

ubiq·ui·none (u-bik'wĭ-nōn) – ubiquinona; derivado quinônico com uma cadeia lateral de hidrocarboneto ramificado insaturado que ocorre no núcleo lipídico das membranas mitocondriais internas e funciona na cadeia de transporte de elétrons. Símbolo Q ou Q_{10}.

UDP – uridine diphosphate (difosfato de uridina).

UK – urokinase (UQ, uroquinase).

ul·cer (ul'ser) – úlcera; defeito local ou excavação da superfície de um órgão ou tecido, produzidos pelo descolamento de tecido inflamatório necrótico. **corneal u.** – u. corneana; ceratite ulcerativa.

decubital u., **decubitus u.** – u. de decúbito; escara de decúbito; ulceração devida à pressão prolongada proveniente de imobilização no leito por um período muito longo. **duodenal u.** – u. do duodeno; úlcera péptica situada no duodeno. **gastric u.** – u. gástrica; u. do estômago; úlcera da mucosa gástrica. **Hunner's u.** – u. de Hunner; úlcera que envolve todas as camadas da parede vesical, ocorrendo no caso de cistite intersticial crônica. **jejunal u.** – u. do jejuno; uma úlcera do jejuno, quando se segue a uma cirurgia, é chamada de *u. do jejuno secundária*. **marginal u.** – u. marginal; úlcera gástrica na mucosa jejunal próxima ao local de uma gastrojejunostomia. **peptic u.** – u. péptica; ulceração da membrana mucosa do esôfago, estômago ou duodeno, devida à ação do suco gástrico ácido. **perforating u.** – u. perfurante; úlcera que envolve toda a espessura de um órgão ou parede de um órgão que cria uma

STU

abertura em ambas as superfícies. **phagedenic u.** – u. fagedênica: 1. lesão necrótica associada à destruição tecidual proeminente, decorrente de invasão bacteriana secundária de uma lesão cutânea existente ou de pele intacta em pessoa com resistência deficiente como resultado de doença sistêmica; 2. u. fagedênica tropical. **plantar u.** – u. plantar; úlcera neurotrófica profunda da planta do pé, resultante de lesão repetida devida à falta de sensação na parte; observado no caso de doenças como o diabetes melito e a lepra. **rodent u.** – u. corrosiva; carcinoma de células basais ulcerado da pele. **stercoraceous u., stercoral u.** – u. estercoral; u. do cólon; úlcera causada por pressão de fezes impactadas; também, úlcera fistulosa através da qual uma matéria fecal escapa. **stress u.** – u. de estresse; úlcera péptica, geralmente gástrica, resultante de estresse. **trophic u.** – u. trófica; úlcera devida a nutrição imperfeita da parte. **tropical u.** – u. tropical: 1. uma lesão de leishmaniose cutânea; 2. u. fagedênica tropical. **tropical phagedenic u.** – u. fagedênica tropical; úlcera fagedênica dolorosa crônica de causa desconhecida, que ocorre geralmente nas extremidades inferiores de crianças desnutridas nos trópicos. **varicose u.** – u. varicosa; úlcera devida a veias varicosas. **venereal u.** – u. venérea; termo inespecífico que se refere à formação de úlceras que se parecem com um cancro ou um cancróide ao redor da genitália externa.

ul·cer·ate (ul'ser-āt) – ulcerar; sofrer ulceração.

ul·cer·a·tion (ul"ser-a'shun) – ulceração: 1. formação ou desenvolvimento de uma úlcera; 2. úlcera.

ul'cerative – adj. ulcerativo.

ul·cer·o·gen·ic (ul"ser-o-jen'ik) – ulcerogênico; que causa ulceração; que leva à produção de úlceras.

ul·cero·mem·bra·nous (-mem'brah-nus) – ulceromembranoso; caracterizado por ulceração e exsudação membranosa.

ul·ce·rous (ul'ser-us) – ulceroso: 1. da natureza de uma úlcera; 2. afetado de ulceração.

ul·cus (ul'kus) [L.] pl. *ulcera* – úlcera.

ulec·to·my (u-lek'to-me) – ulectomia: 1. excisão de um tecido cicatricial; 2. gengivectomia.

uler·y·the·ma (u"ler-ĭ-the'mah) – uleritema; cutaneopatia eritematosa com formação de cicatrizes e atrofia. **u. ophryo'genes** – u. ofriógeno; forma hereditária na qual uma ceratose pilosa envolve os folículos pilosos das sobrancelhas.

ul·na (ul'nah) [L.] pl. *ulnae* – ulna; osso inferior e maior do antebraço; ver *Tabela de Ossos*.

ul·nad (ul'nad) – em direção à ulna.

ul·nar (ul'nar) – ulnar; relativo à ulna ou à face ulnar (medial) do braço quando comparada com a face radial (lateral).

ul·na·ris (ul-na'ris) [L.] – ulnar.

ul·no·car·pal (ul"no-kar'p'l) – ulnocarpal; relativo à ulna e ao carpo.

ul·no·ra·di·al (-ra'de-al) – ulnorradial; relativo à ulna e ao rádio.

ul(o)- [Gr.] – elemento de palavra, (1) *cicatriz*; (2) *gengiva*.

ulo·car·ci·no·ma (u"lo-kahr"sĭ-no'mah) – ulocarcinoma; carcinoma gengival.

ulor·rha·gia (-ra'jah) – ulorragia; descarga de sangue súbita ou profusa a partir da gengiva.

-ulose – sufixo que denota cetose.

ulot·o·my (u'lot-ah-me) – ulotomia: 1. incisão de um tecido cicatricial; 2. incisão da gengiva.

ultra- [L.] – elemento de palavra, *além de; excesso.*

ul·tra·cen·trif·u·ga·tion (ul"trah-sen-trif"u-ga'shun) – ultracentrifugação; sujeição de um material a uma força centrífuga excessivamente alta que separará e sedimentará as moléculas de uma substância.

ul·tra·di·an (ul-trah'de-an) – ultradiano; relativo a um período de menos de 24h; aplicado à repetição rítmica de determinados fenômenos nos organismos vivos que ocorrem em ciclos de menos de um dia; ou seja, o ritmo ultradiano (*rhythm, ultradian*).

ul·tra·fil·tra·tion (ul"trah-fil-tra'shun) – ultrafiltração; filtração através de um filtro capaz de remover partículas muito diminutas (ultramicroscópicas).

ul·tra·mi·cro·scope (-mi"kro-skōp") – ultramicroscópio; microscópio de campo escuro especial para o exame de partículas de tamanho coloidal.

ultramicroscop'ic – adj. ultramicroscópico.

ul·tra·son·ic (-son'ik) – ultra-sônico; além do limite superior de percepção do ouvido humano; relacionado às ondas sonoras que possuem uma freqüência de mais de 20.000 Hz.

ul·tra·son·ics (-son-iks) – ultra-acústica; ciência relacionada às ondas sonoras ultra-sônicas.

ul·tra·so·nog·ra·phy (-sŏ-nog'rah-fe) – ultra-sonografia; obtenção de imagens de estruturas profundas do corpo por meio de registro dos ecos dos pulsos das ondas ultra-sônicas direcionadas ao interior dos tecidos e refletidas pelos planos teciduais onde ocorre alteração de densidade. A ultra-sonografia diagnóstica utiliza ondas de 1-10MHz. **Doppler u.** – u. Doppler; ultra-sonografia na qual as alterações de freqüência entre as ondas ultra-sônicas emitidas e seus ecos são utilizadas para medir as velocidades de objetos em movimento, com base no princípio do efeito Doppler. As ondas podem ser contínuas ou em pulso; a técnica é freqüentemente utilizada para examinar o fluxo sangüíneo cardiovascular (ecocardiografia Doppler). **gray-scale u.** – u. de escala cinza; técnica de cintilografia B em que a força dos ecos é indicada por um brilho proporcional dos pontos exibidos.

ul·tra·sound (ul'trah-sound) – ultra-som: 1. energia radiante mecânica de freqüência maior que 20.000Hz; 2. ultra-sonografia.

ul·tra·struc·ture (-struk"chur) – ultra-estrutura; estrutura acima do poder de resolução do microscópio luminoso, ou seja, visível somente sob um ultramicroscópio ou microscópio eletrônico.

ul·tra·vi·o·let (ul"trah-vi'o-let) – ultravioleta; denota uma radiação eletromagnética entre a luz violeta e os raios X, possuindo comprimentos de onda de 200 a 400nm. **u. A (UVA)** – u. A (UVA); radiação ultravioleta com comprimentos de onda entre 320 e 400nm, compreendendo mais de 99% da radiação que atinge a superfície da Terra. Potencializa os efeitos prejudiciais do UVB, é responsável por algumas reações de fotossensibilidade, sendo utilizada terapeuticamente no tratamento de várias cutaneopatias. **u. B (UVB)** – u. B (UVB); radiação ultravioleta com comprimentos de onda entre 290 e 320nm, compreendendo 1% da radiação que atinge a superfície da Terra. ˹Causa queimaduras solares e várias alterações fotoquímicas danificadoras dentro das células, incluindo danos ao DNA que levam ao envelhecimento prematuro da pele, alterações pré-malignas e malignas e várias reações de fotossensibilidade; também é utilizada terapeuticamente no tratamento de cutaneopatias. **u. C. (UVC)** – u. C (UVC); radiação ultravioleta com comprimentos de onda entre 200 e 290nm, sendo totalmente filtrada pela camada de ozônio e não atingindo a superfície da Terra; é germicida e também utilizada em fototerapia ultravioleta.

um·bil·i·cal (um-bil'ĭ-k'l) – umbilical; onfálico; relativo ao umbigo.

um·bil·i·ca·tion (um-bil"ĭ-ka'shun) – umbilicação; depressão semelhante ao umbigo.

um·bil·i·cus (um-bil'ĭ-kus) [L.] – umbigo; ônfalo; cicatriz que marca o ponto de ligação do cordão umbilical no feto (*navel*).

um·bo (um'bo) [L.] pl. *umbones* – bossa: 1. elevação arredondada; 2. projeção ligeira no centro da superfície externa da membrana timpânica.

UMP – uridine monophosphate (monofosfato de uridina).

un·cal (un'kal) – uncal; de ou relativo ao unco.

un·ci·form (un'sĭ-form) – unciforme; em forma de gancho.

un·ci·nate (-nāt) – uncinado: 1. unciforme; 2. relativo ou que afeta o giro uncinado.

un·ci·pres·sure (-presh"ur) – uncipressão; pressão com um gancho para estancar uma hemorragia.

un·con·scious (un-kos'shus) – inconsciente: 1. insensível; incapaz de responder a estímulos sensoriais e de passar por experiências subjetivas; 2. parte da mente que não é facilmente acessível à consciência, mas cuja existência pode se manifestar na formação de sintomas, sonhos ou sob influência de drogas. **collective u.** – i. coletivo; a porção do inconsciente teoricamente comum à humanidade.

un·co·ver·te·bral (un"ko-ver'tah-bral) – uncovertebral; relativo aos processos uncinados de uma vértebra.

unc·tion (ungk'shun) [L.] – 1. unção; 2. aplicação de pomada ou de ungüento; unção (*inunction*).

un·cus (ung'kus) – processo em forma de gancho; extremidade anterior medialmente curva do giro para-hipocampal. **un'cal** – adj. uncal.

un·dec·yl·en·ic ac·id (un-des"ĭ-len'ik) – ácido undecilênico; ácido graxo insaturado utilizado como agente antifúngico tópico.

un·der·sens·ing (un'der-sen"ing) – subsensação; diminuição ou falha da percepção de sinais elétricos cardíacos pelo marca-passo artificial, resultando em fornecimento de estímulos demasiadamente freqüentes ou irregulares.

un·dif·fer·en·ti·at·ed (un-dif"er-en'she-āt-ed) – indiferenciado; não-diferenciado; sem um padrão identificável; geralmente refere-se ao arranjo celular de um tecido neoplásico.

un·dine (un'dēn) – undina; pequeno frasco de vidro para irrigar o olho; vibração.

ung. [L.] – *unguentum* (pomada).

un·gual (ung'gwal) – ungueal; relativo às unhas.

un·guent (ung'gwent) – ungüento; pomada (*ointment*).

un·gui·cu·late (ung-gwik'u-lāt) – unguiculado; que possui garras ou unhas; semelhante a garra.

un·guis (ung'gwis) pl. *ungues* – unha; ver *nail* (1).

uni- [L.] – elemento de palavra, *um*.

uni·ax·ial (u"ne-ak'se-al) – uniaxial: 1. que possui somente um eixo; 2. que se desenvolve em apenas uma direção axial.

uni·cam·er·al (u"nĭ-kam'er-al) – unicameral; que possui apenas uma cavidade ou compartimento.

uni·cel·lu·lar (-sel'u-ler) – unicelular; constituído de apenas uma célula, como as bactérias.

uni·cor·nous (-kor'nus) – unicórnio; que possui apenas um corno.

uni·glan·du·lar (-glan'du-ler) – uniglandular; que afeta somente uma glândula.

uni·lat·er·al (-lat'er-al) – unilateral; que afeta apenas um lado.

uni·loc·u·lar (-lok'u-ler) – unilocular; monolocular (*monolocular*).

uni·nu·cle·at·ed (-noo'kle-āt"ed) – uninucleado; uninuclear; mononuclear; ver *mononuclear*.

uni·oc·u·lar (u"ne-ok'u-ler) – uniocular; monocular (*monocular*).

un·ion (ūn'yun) – união; restauração da continuidade em um osso quebrado ou entre as bordas de um ferimento.

uni·ov·u·lar (u"ne-ov'u-ler) – uniovular; monozigótico e monovular.

unip·a·rous (u-nip'ah-rus) – uníparo: 1. que produz somente um óvulo ou descendente por vez; 2. primíparo.

uni·po·lar (u"nĭ-po'ler) – unipolar: 1. que possui apenas um pólo ou processo, como uma célula nervosa; 2. relativo aos distúrbios de humor em que só ocorrem episódios depressivos.

uni·po·tent (u-nip'o-tent) – unipotente; unipotencial.

uni·po·ten·tial (u"nĭ-po-ten'shul) – unipotencial; que tem somente uma capacidade, como dar origem a células de um só tipo.

unit (u'nit) – unidade: 1. uma coisa única; 2. uma quantidade presumida como um padrão de medida. Símbolo U. **Ångström u.** – u. de Ångström; ångström. **atomic mass u.** – u. de massa atômica; unidade de massa equivalente a $\frac{1}{12}$ da massa do nuclídeo do carbono-12. Também chamada dálton (*dalton*). Abreviação amu. Símbolo u. **Bethesda u.** – u. de Bethesda; medida do nível de inibidor do fator VIII; igual à quantidade de inibidor no plasma do paciente que inativará 50% do fator VIII em um volume equivalente de plasma normal após um período de incubação de 2h. **Bodansky u.** – u. de Bodansky; quantidade de fosfatase alcalina que libera 1 mg de íon de fosfato a partir do 2-fosfato de glicerol em 1h, sob condições padrão. **British thermal u.** – u. térmica britânica; unidade de calor que corresponde à quantidade necessária para elevar a temperatura de 1lb de água de 39° a 40°F; abreviação UTB. **CGS u.** – u. CGS (*centimeter-gram-second*); u. centímetro-

STU

UNIDADES SI

Quantidade	Unidade	Símbolo	Derivação
Unidades Básicas			
comprimento	metro	m	
massa	quilograma	kg	
tempo	segundo	s	
corrente elétrica	ampère	A	
temperatura	kelvin	K	
intensidade luminosa	candela	cd	
quantidade de substância	mol	mol	
Unidades Suplementares			
ângulo plano	radiano	rad	
ângulo sólido	esterorradiano	sr	
Unidades Derivadas			
força	newton	N	$kg \cdot m/s^2$
pressão	pascal	Pa	N/m^2
energia, trabalho	joule	J	$N \cdot m$
potência	watt	W	J/s
carga elétrica	coulomb	C	$A \cdot s$
potencial elétrico	volt	V	J/C
capacitância elétrica	farad	F	C/V
resistência elétrica	ohm	Ω	V/A
condutância elétrica	siemens	S	$Ω^{-1}$
fluxo magnético	weber	Wb	$V \cdot s$
densidade de fluxo magnético	tesla	T	Wb/m^2
indutância	henry	H	Wb/A
freqüência	hertz	Hz	s^{-1}
fluxo luminoso	lúmen	lm	$cd \cdot sr$
iluminação	lux	lx	lm/m^2
temperatura	grau celsius	°C	$K - 273,15$
radioatividade	becquerel	Bq	s^{-1}
dose absorvida	gray	Gy	J/kg
equivalente de dose absorvida	sievert	Sv	J/kg

MÚLTIPLOS E SUBMÚLTIPLOS DO SISTEMA MÉTRICO

Múltiplos e Submúltiplos	Prefixo	Símbolo
1.000.000.000.000 (10^{12})	tera-	T
1.000.000.000 (10^9)	giga-	G
1.000.000 (10^6)	mega-	M
1.000 (10^3)	quilo-	k
100 (10^2)	hecto-	h
10 (10)	deca-	da
0,1 (10^{-1})	deci-	d
0,01 (10^{-2})	centi-	c
0,001 (10^{-3})	mili-	m
0,000 001 (10^{-6})	micro-	μ
0,000 000 001 (10^{-9})	nano-	n
0,000 000 000 001 (10^{-12})	pico-	p
0,000 000 000 000 001 (10^{-15})	femto-	f
0,000 000 000 000 000 001 (10^{-18})	ato-	a

grama-segundo; qualquer unidade no sistema centímetro-grama-segundo. **coronary care u.** – u. de tratamento coronário; área hospitalar especialmente projetada e equipada que contém um pequeno número de quartos privados, com todas as instalações necessárias para a observação constante e possível tratamento de emergência de pacientes com cardiopatias severas. **intensive care u.** – u. de tratamento intensivo; unidade hospitalar na qual se concentram equipamento especial e pessoal habilitado para tratamento de pacientes seriamente doentes e que exigem atenção imediata e contínua; abreviação UTI. **International u. (IU)** – u. Internacional (UI); unidade de material biológico (como de enzimas, hormônios, vitaminas etc.), estabelecida pela Convenção Internacional para a Unificação das Fórmulas. **motor u.** – u. motora; unidade de atividade motora formada por uma célula nervosa motora e suas muitas fibras musculares inervadas. **SI u.** – u. SI; uma das unidades do Système International d'Unités (Sistema Internacional de Unidades), adotado em 1960 na Décima-Primeira Conferência de Pesos e Medidas. Ver as tabelas respectivas. **Somogyi u.** – u. Somogyi; quantidade de amilase que liberará equivalentes redutores iguais a 1mg de glicose por 30min, sob condições definidas. **Svedberg u.** – u. de Svedberg; unidade equivalente a 10^{-13}s utilizada para expressar os coeficientes de sedimentação das macromoléculas. Símbolo S. **terminal respiratory u.** – u. respiratória terminal; unidade anatômica e funcional do pulmão, que inclui um bronquíolo respiratório, ductos e sacos alveolares e alvéolos. Ver Prancha VII. **toxic u., toxin u.** – u. tóxica; u. de toxina; a menor dose de uma toxina que matará uma cobaia, que pese cerca de 250 g, em três a quatro dias. **USP u.** – u. USP; unidade utilizada na United States Pharmacopeia para expressar a potência de drogas e de outras preparações.

Unit·ed States Phar·ma·copeia – ver USP.

uni·va·lent (u"nĭ-va'lent) – univalente; que tem valência de um.

un·my·eli·nat·ed (un-mi'ĕ-lĭ-nāt"ed) – amielinizado; não-mielinizado; amielínico; amedular; que não possui bainha mielínica; diz-se de uma fibra nervosa.

un·phys·i·o·log·ic (un"fiz-e-o-loj'ik) – não-fisiológico; afisiológico; que não tem caráter fisiológico.

un·sat·u·rat·ed (un-sach'ur-āt"ed) – insaturado: 1. que não suportou todo o soluto que pode ser suportado em uma solução pelo solvente; 2. denota compostos nos quais se unem dois ou mais átomos por meio de ligações duplas ou triplas.

un·stri·at·ed (-stri'ăt-ed) – não-estriado; desprovido de estriação, como no caso da musculatura lisa.

u·plas·min·o·gen ac·ti·va·tor (plaz-min'o-jen ak'tĭ-va-ter) – ativador de u-plasminogênio; nome formal para a uroquinase (urokinase).

up·take (up'tāk) – captação; absorção e incorporação de uma substância por um tecido vivo.

ura·chus (u'rah-kus) – úraco; canal fetal que conecta a bexiga ao pedículo alantóico, persistindo por toda a vida como um cordão (ligamento umbilical mediano). **u'rachal** – adj. uracal.

ura·cil (ūr'ah-sil) – uracil; base pirimidínica que, nas células animais, ocorre geralmente condensada com uma ribose para formar o ribonucleosídeo uridina; o desoxirribonucleosídeo correspondente é a desoxiuridina. Símbolo U.

ura·cra·sia (u"rah-kra'zhah) – uracrasia; estado perturbado da urina.

ura·gogue (u'rah-gog) – uragogo; diurético (diuretic).

ura·nis·cus (u"rah-nis'kus) – uranisco; palato (palate).

ura·ni·um (u-ra'ne-um) – urânio; elemento químico (ver Tabela de Elementos), número atômico 92, símbolo U.

uran(o)- [Gr.] – elemento de palavra, palato.

u·ra·nor·rha·phy (u"rah-nor'ah-fe) – uranorrafia; estafilorrafia (staphylorrhaphy).

ura·nos·chi·sis (u"rah-nos'kĭ-sis) – uranosquise; palato fendido.

ura·no·staph·y·los·chi·sis (u"rah-no-staf"ĭ-los'kĭ-sis) – uranostafilosquise; fissura dos palatos mole e duro.

urar·thri·tis (u"rahr-thri'tis) – urartrite; artrite gotosa.

ura·to·ma (u"rah-to'mah) – uratoma; concreção constituída de uratos; tofo (tophus).

ura·tu·ria (u"rah-tu're-ah) – uratúria; uratos na urina.

ur·ce·i·form (er-se'ĭ-form) – urceiforme; em forma de ânfora.

urea (u-re'ah) – uréia: 1. produto final nitrogenado principal do metabolismo protéico, formado no fígado a partir dos aminoácidos e compostos de amônia; encontrada na urina, sangue e linfa; 2. preparação farmacêutica de uréia ocasionalmente utilizada para reduzir a pressão intracraniana ou intra-ocular. **ure'al** – adj. uréico. **u. nitrogen** – nitrogênio uréico; concentração de uréia do soro ou plasma, convencionalmente especificada em termos de teor de nitrogênio e chamada de uréia sangüínea (BUN, blood urea nitrogen); indicador importante da função renal.

Urea·plas·ma (u"re-ah-plaz'mah) – Ureaplasma; gênero de bactérias Gram-negativas, pleomórficas e imóveis (família Mycoplasmataceae), que não possuem uma parede celular e hidrólisam a uréia; a Ureaplasma urealyticum associa-se a uretrite inespecífica nos homens e a infecções do trato genital nas mulheres.

urea·poi·e·sis (-poi-e'sis) – ureopoiese; formação de uréia. **ureapoiet'ic** – adj. ureopoiético.

ure·ase (u're-ās) – urease; enzima que catalisa a hidrólise da uréia em amônia e dióxido de carbono; é uma proteína niquelada dos microrganismos e vegetais, utilizada em experimentos clínicos de concentração de uréia plasmática.

urec·chy·sis (u-rek'ĭ-sis) – urequise; derrame de urina no interior de um tecido celular.

ure·de·ma (u-rĕ-de'mah) – uredema; inchaço resultante de extravasamento de urina.

urel·co·sis (u"rel-ko'sis) – urelcose; ulceração do trato urinário.

ure·mia (u-re'me-ah) – uremia: 1. azotemia; excesso de produtos finais nitrogenados dos metabolismos protéico e de aminoácidos no sangue; 2. todos os sinais e sintomas de insuficiência renal crônica. **ure'mic** – adj. urêmico.

ure·mi·gen·ic (u-re"mĭ-jen'ik) – uremigênico: 1. causado por uremia; 2. que causa uremia.

ureo·tel·ic (u"re-o-tel'ik) – ureotélico; que tem a uréia como o produto excretório principal do metabolismo nitrogenado.

ure·si·es·the·sis (u-re"se-es-the'sis) – uriestesia; impulso normal de evacuar a urina.

ure·sis (u-re'sis) – urese; evacuação de urina; micção (urination).

-uresis [Gr.] – urese, elemento de palavra, excreção urinária de. **-uret'ic** – adj. -urético.

ure·ter (u-re'ter) – ureter; tubo fibromuscular através do qual a urina passa do rim para a bexiga. **ure'teral, ureter'ic** – adj. ureteral; uretérico.

STU

ure·ter·al·gia (u-re"ter-al'jah) – ureteralgia; dor no ureter.

ure·ter·ec·ta·sis (ek'tah-sis) – ureterectasia; distensão do ureter.

ure·ter·ec·to·my (-ek'tah-me) – ureterectomia; excisão de um ureter.

ure·ter·itis (-i'tis) – ureterite; inflamação de um ureter.

ureter(o)- [Gr.] – elemento de palavra, *ureter.*

ure·tero·cele (u-re'ter-o-sēl") – ureterocele; abaulamento intravesical da extremidade inferior do ureter.

ure·tero·ce·lec·to·my (u-re"ter-o-se-lek'tah-me) – ureterocelectomia; excisão de uma ureterocele.

ure·tero·co·los·to·my (-ko-los'tah-me) – ureterecolostomia; anastomose de um ureter ao cólon.

ure·tero·cys·ti·scope (-sis'to-skōp) – ureterocistoscópio; cistoscópio com um cateter para inserção no interior do ureter.

ure·tero·cys·tos·to·my (-sis-tos'tah-me) – ureterocistostomia; ureteroneocistostomia; ver *ureteroneocystostomy.*

ure·tero·di·al·y·sis (-di-al'ĭ-sis) – ureterodiálise; ruptura de um ureter.

ure·tero·en·ter·os·to·my (-en"ter-os'tah-me) – ureteroenterostomia; anastomose de um ou ambos os ureteres com a parede intestinal.

ure·ter·og·ra·phy (u-re"ter-og'rah-fe) – ureterografia; radiografia do ureter após injeção de um meio de contraste.

ure·tero·il·e·os·to·my (u-re"ter-o-il"e-os'tah-me) – ureteroileostomia; anastomose dos ureteres com uma alça isolada do íleo drenada através de um estoma na parede abdominal.

ure·tero·lith (u-re'ter-o-lith") – ureterólito; cálculo no ureter.

ure·tero·li·thi·a·sis (u-re"ter-o-lĭ-thi'ah-sis) – ureterolitíase; formação de um cálculo no ureter.

ure·tero·li·thot·o·my (-lĭ-thot'ah-me) – ureterolitotomia; incisão do ureter para a remoção de um cálculo.

ure·ter·ol·y·sis (u-re"ter-ol'ĭ-sis) – ureterólise: 1. ruptura do ureter; 2. paralisia do ureter; 3. operação de liberar o ureter de aderências.

ure·tero·neo·cys·tos·to·my (u-re"ter-o-ne"o-sistos'tah-me) – ureteroneocistostomia; transplante cirúrgico de um ureter em um local diferente na bexiga.

ure·tero·neo·py·elos·to·my (-pi"ē-los'tah-me) – ureteroneopielostomia; ureteropieloneostomia; ver *ureteropyeloneostomy.*

ure·tero·ne·phrec·to·my (-nĕ-frek'to-me) – ureteronefrectomia; excisão de um rim ou ureter.

ure·ter·op·a·thy (u-re"ter-op'ah-the) – ureteropatia; qualquer doença do ureter.

ure·tero·pel·vio·plas·ty (u-re"ter-o-pel've-o-plas"-te) – ureteropelvioplastia; reconstrução cirúrgica da junção do ureter e da pelve renal.

ure·tero·plas·ty (u-re'ter-o-plas"te) – ureteroplastia; reparo plástico de um ureter.

ure·tero·py·eli·tis (u-re"ter-o-pi"ĕ-li'tis) – ureteropielite; inflamação de um ureter e da pelve renal.

ure·tero·py·elog·ra·phy (-pi-ĕ-log'rah-fe) – ureteropielografia; radiografia do ureter e da pelve renal.

ure·tero·py·elo·ne·os·to·my (-pi"ĕ-lo-ne-os'tah-me) – ureteropieloneostomia; criação cirúrgica de nova comunicação entre um ureter e a pelve renal.

ure·tero·py·elo·ne·phri·tis (-nĕ-fri'tis) – ureteropielonefrite; inflamação do ureter, da pelve renal e do rim.

ure·tero·py·elo·plas·ty (-pi'ĕ-lo-plas"te) – ureteropieloplastia; reparo plástico de um ureter e da pelve renal.

ure·tero·py·elos·to·my (-pi"ĕ-los'tah-me) – ureteropielostomia; ureteropieloneostomia; ver *ureteropyeloneostomy.*

ure·tero·py·o·sis (-pi-o'sis) – ureteropiose; inflamação supurativa de um ureter.

ure·tero·re·no·scope (-re'no-skōp) – ureterorrenoscópio; endoscópio de fibra óptica utilizado em ureterorrenoscopia.

ure·tero·re·nos·co·py (-re-nos'kah-pe) – ureterorrenoscopia; inspeção visual do interior do ureter e do rim por meio de um endoscópio de fibra óptica para propósitos de biopsia, remoção ou ainda esmagamento de cálculos.

ure·ter·or·rha·gia (-ra'jah) – ureterorragia; descarga de sangue a partir de um ureter.

ure·ter·or·rha·phy (u-re"ter-or'ah-fe) – ureterorrafia; sutura do ureter.

ure·ter·os·copy (u-re"ter-os'kah-pe) – ureteroscopia; exame do ureter por meio de endoscópio de fibra óptica (ureteroscópio).

ure·tero·sig·moi·dos·to·my (u-re"ter-o-sig"-moidos'tah-me) – ureterossigmoidostomia; anastomose de um ureter com o cólon sigmóide.

ure·ter·os·to·my (u-re"ter-os'tah-me) – ureterostomia; criação de uma nova saída para o ureter.

ure·ter·ot·o·my (u-re"ter-ot'ah-me) – ureterotomia; incisão de um ureter.

ure·tero·ure·ter·os·to·my (u-re"ter-o-u-re"ter-os'tah-me) – ureteroureterostomia; anastomose extremidade-com-extremidade das duas porções de um ureter transeccionado.

ure·tero·vag·i·nal (-vaj'ĭ-n'l) – ureterovaginal; relativo ou que se comunica com um ureter e a vagina.

ure·tero·ves·i·cal (-ves'ĭ-k'l) – ureterovesical; relativo a um ureter e à bexiga.

ure·thra (u-re'thrah) – uretra; canal membranoso através do qual a urina é descarregada da bexiga para o exterior do corpo. **ure'thral** – adj. uretral.

ure·thral·gia (u"re-thral'jah) – uretralgia; dor na uretra.

ure·thra·tre·sia (u-re"thrah-tre'zhah) – uretratresia; não-perfuração da uretra.

ure·threc·to·my (u"re-threk'tah-me) – uretrectomia; excisão da uretra ou de parte dela.

ure·threm·phrax·is (u"re-threm-frak'sis) – uretrenfraxia; obstrução da uretra.

ure·thrism (u-re'thrizm) – uretrismo; uretroespasmo; irritabilidade ou espasmo crônico da uretra.

ure·thri·tis (u"re-thri'tis) – uretrite; inflamação da uretra. **u. cys'tica** – u. cística; inflamação da uretra com formação de cistos múltiplos na submucosa. **nongonococcal u., nonspecific u.** – u. não-gonocócica; u. inespecífica; uretrite sem evidências de infecção gonocócica. **u. petri'ficans** – u. petrificante; uretrite com formação de material calcário na parede uretral. **simple u.** – u. simples; u. não-gonocócica. **specific u.** – u. específica; uretrite devida a infecção gonorréica da uretra.

urethr(o)- [Gr.] – uretr(o)-, elemento de palavra, *uretra*.

ure·thro·bul·bar (u-re"thro-bul'ber) – uretrobulbar; relativo à uretra e bulbo peniano.

ure·thro·cele (u-re'thro-sēl) – uretrocele; prolapso da uretra feminina.

ure·thro·cys·ti·tis (u-re"thro-sis-ti'tis) – uretrocistite; inflamação da uretra e da bexiga.

ure·thro·dyn·ia (-din'e-ah) – uretrodinia; uretralgia; ver *urethralgia*.

ure·throg·ra·phy (u"re-throg'rah-fe) – uretrografia; radiografia da uretra.

ure·throm·e·try (u"re-throm'ĕ-tre) – uretrometria: 1. determinação da resistência de vários segmentos da uretra a um fluxo retrógrado de fluido; 2. medição da uretra.

ure·thro·pe·nile (u-re"thro-pe'nīl) – uretropeniano; relativo à uretra e pênis.

ure·thro·peri·ne·al (-per'ĭ-ne'al) – uretroperineal; relativo à uretra e períneo.

ure·thro·peri·neo·scro·tal (-per"ĭ-ne"o-skro'-t'l) – uretoperineoescrotal; relativo à uretra, períneo e escroto.

ure·thro·pexy (-pek'se) – uretropexia; fixação cirúrgica da uretra à sínfise púbica e à fáscia do músculo reto abdominal sobrejacentes; realizada para corrigir a incontinência por estresse na mulher.

ure·thro·phrax·is (-frak'sis) – uretrofraxia; obstrução da uretra.

ure·thro·phy·ma (-fi'mah) – uretrofima; tumor ou crescimento na uretra.

ure·thro·plas·ty (u-re'thro-plas"te) – uretroplastia; reparo plástico da uretra.

ure·thro·pros·tat·ic (u"re"thro-pros-tat'ik) – uretroprostático; relativo à uretra e à próstata.

ure·thro·rec·tal (-rek't'l) – uretrorretal; relativo à uretra e ao reto.

ure·thror·rha·gia (-ra'jah) – uretrorragia; fluxo de sangue a partir da uretra.

ure·thror·rha·phy (u"re-thror'ah-fe) – uretrorrafia; sutura de fístula uretral.

ure·thror·rhea (u-re"thro-re'ah) – uretorréia; descarga anormal a partir da uretra.

ure·thro·scope (u-re'thro-skōp) – uretroscópio; instrumento para visualizar o interior da uretra.

ure·thros·co·py (u"re-thros'ko-pe) – uretroscopia; inspeção visual da uretra. **urethroscop'ic** – adj. uretroscópico.

ure·thro·spasm (u-re'thro-spazm) – uretrospasmo; espasmo do tecido muscular uretral.

ure·thro·stax·is (u-re"thro-stak'sis) – uretrostaxe; exsudação de sangue a partir da uretra.

ure·thro·ste·no·sis (-stĕ-no'sis) – uretrostenose; constrição da uretra.

ure·thro·to·my (u"re-thros'tah-me) – uretrostomia; formação cirúrgica de uma abertura permanente da uretra na superfície perineal.

ure·thro·tome (u-rethro-tōm) – uretrótomo; instrumento para cortar uma estenose uretral.

ure·throt·o·my (u"re-throt'ah-me) – uretrotomia; incisão da uretra.

ure·thro·tri·go·ni·tis (u-re"thro-tri"go-ni'tis) – uretrotrigonite; inflamação da uretra e do trígono vesical.

ure·thro·vag·i·nal (-vaj'ĭ-n'l) – uretrovaginal; relativo à uretra e a vagina.

ure·thro·ves·i·cal (-ves'ĭ-k'l) – uretrovesical; relativo à uretra e à bexiga.

ur·gen·cy (ur'jen-se) – urgência; desejo compulsivo e repentino de urinar.

ur·hi·dro·sis (ūr"hĭ-dro'sis) – uridrose; presença de materiais urinários no suor, principalmente ácido úrico e uréia.

-uria [Gr.] – -úria, elemento de palavra, *característico da* ou *constituinte da urina*. **-u'ric** – adj. -úrico.

uric ac·id (u'rik) – ácido úrico; produto final hidrossolúvel do metabolismo purínico dos primatas; sua deposição como cristais nas articulações e nos rins causa gota.

uric·ac·i·de·mia (u"rik-as"ĭ-de'me-ah) – uricemia; litemia; hiperuricemia; ver *hyperuricemia*.

uric·ac·i·du·ria (-as"ĭ-du're-ah) – uricosúria; hipera-ciduria.

uri·ce·mia (u"rĭ-se'me-ah) – uricemia; hiperuricemia (*hyperuricemia*).

uri·com·e·ter (u"rĭ-kom'ĕ-ter) – uricômetro; instrumento para medir o ácido úrico na urina.

uri·co·su·ria (u"rĭ-ko-su're-ah) – uricosúria; excreção de ácido úrico na urina.

uri·co·su·ric (u"rĭ-ko-su'rik) – uricosúrico: 1. relativo, caracterizado, ou que promove uricosúria; 2. agente que promove uricosúria.

uri·dine (ūr'ĭ-dēn) – uridina; nucleosídeo pirimidínico que contém uracil e ribose; é um componente do ácido nucléico e seus nucleosídeos participam da biossíntese de polissacarídeos. Símbolo U. **u. diphosphate (UDP)** – difosfato de u.; nucleotídeo que contém pirofosfato e serve como transportador das hexoses, hexosaminas e ácidos hexurônicos na síntese de glicogênio, glicoproteínas e glicosaminoglicanos. **u. monophosphate (UMP)** – monofosfato de u.; nucleotídeo; o 5'-fosfato de uridina. Também chamado ácido uridílico (*uridylic acid*). **u. triphosphate (UTP)** – trifosfato de u.; nucleotídeo que participa da síntese de RNA.

uri·dyl·ic ac·id (u"rĭ-dil'ik) – ácido uridílico; uridina fosforilada; monofosfato de uridina a menos que seja especificado de outra forma.

uri·es·the·sis (u"re-es-the'sis) – uriestesia; ver *uresiesthesis*.

u·ri·nal (u"rĭ-n'l) – urinol; receptáculo para a urina.

uri·nal·y·sis (u"rĭ-nal'ĭ-sis) – urinálise; análise da urina.

uri·nate (u"rĭ-nāt) – urinar; eliminar a urina.

uri·na·tion (u"rĭ-na'shun) – micção; descarga de urina a partir da bexiga.

urine (u'rin) – urina; fluido excretado pelos rins, armazenado na bexiga e descarregado através da uretra. **u'rinary** – adj. urinário. **residual u.** – u. residual; urina que permanece na bexiga após a micção.

uri·nif·er·ous (u"rĭ-nif'er-us) – urinífero; que transporta urina.

uri·nip·a·rous (u"rĭ-nip'ah-rus) – uriníparo; que excreta urina.

urin(o)- [L.] – elemento de palavra, *urina*.

uri·nog·e·nous (u"rĭ-noj'ĕ-nus) – urinógeno; de origem urinária.

uri·no·ma (u"rĭ-no'mah) – urinoma; cisto que contém urina.

STU

uri·nom·e·ter (u"rĭ-nom'ĕ-ter) – urinômetro; instrumento para determinar a densidade específica urinária.

uri·nom·e·try (u"rĭ-nom'ĕ-tre) – urinometria; determinação da densidade específica urinária.

uri·nous (u'rĭ-nus) – urinoso; relativo ou da natureza da urina.

ur(o)- [Gr.] – elemento de palavra, *urina; trato urinário; micção.*

uro·bi·lin (u"ro-bi'lin) – urobilina; pigmento amarronzado formado pela oxidação do urobilinogênio, e encontrado nas fezes.

uro·bil·in·emia (-bil"ĭ-ne'me-ah) – urobilinemia; urobilina no sangue.

uro·bi·lino·gen (-bi-lin'o-jen) – urobilinogênio; composto incolor formado nos intestinos pela redução da bilirrubina.

uro·can·ic ac·id (-kan'ik) – ácido urocânico; metabólito intermediário da histamina, normalmente conversível em ácido glutâmico.

uro·cele (u'ro-sēl) – urocele; distensão do escroto com urina extravasada.

uro·che·zia (u"ro-ke'ze-ah) – uroquesia; descarga de urina nas fezes.

uro·chrome (u'ro-krōm) – urocromo; produto do desdobramento da hemoglobina relacionado aos pigmentos biliares, encontrado na urina e responsável por sua cor amarela.

uro·cys·ti·tis (u"ro-sis-ti'tis) – urocistite; inflamação da bexiga.

uro·dy·nam·ics (-di-nam'iks) – urodinâmica; dinâmica de propulsão e fluxo de urina no trato urinário. **urodynam'ic** – adj. urodinâmico.

uro·dyn·ia (-din'e-ah) – urodinia; dor na micção.

uro·ede·ma (-ĕ-de'mah) – uroedema; edema devido à infiltração urinária.

uro·gas·trone (-gas'trōn) – urogastrona; peptídeo urinário derivado do fator de crescimento epidérmico, com o qual reparte a homologia substancial e efeitos semelhantes no estômago.

uro·gen·i·tal (-jen'ĭ-tal) – urogenital; relativo ao aparelho urinário e à genitália.

urog·e·nous (u-roj'ĕ-nus) – urógeno: 1. que produz urina; 2. produzido na urina ou de origem na urina.

uro·gram (u'ro-gram) – urograma; registro radiográfico obtido por meio de urografia.

urog·ra·phy (u-rog'rah-fe) – urografia; radiografia de qualquer parte do trato urinário. **ascending u., cystoscopic u.** – u. ascendente; u. cistoscópica; u. retrógrada. **descending u., excretion u., excretory u., intravenous u.** – u. descendente; u. excretora; u. intravenosa; urografia após injeção endovenosa de um meio de contraste opaco rapidamente excretado na urina. **retrograde u.** – u. retrógrada; urografia após injeção de meio de contraste no interior da bexiga através da uretra.

uro·ki·nase (UK) (u"ro-ki'nās) – uroquinase; uroquinase; enzima na urina do homem e de outros mamíferos; é elaborada pelas células parenquimatosas do rim humano e funciona como ativador do plasminogênio. É utilizada como agente trombolítico (fibrinolítico) terapêutico.

uro·lith (u'ro-lith) – urólito; cálculo na urina ou no trato urinário. **urolith'ic** – adj. urolítico.

uro·li·thi·a·sis (u"ro-lĭ-thi'ah-sis) – urolitíase; formação de cálculos urinários ou a afecção associada a cálculos urinários.

urol·o·gy (u-rol'ah-je) – urologia; ramo da Medicina que se ocupa do sistema urinário na mulher e trato geniturinário no homem. **urolog'ic** – adj. urológico.

urom·e·try (u-rom'ĕ-tre) – urometria; medição e registro das alterações de pressão causadas pela contração do ureter durante o peristaltismo ureteral. **uromet'ric** – adj. urométrico.

uron·cus (u-rong'kus) – uronco; tumefação causada por retenção ou extravasamento de urina.

uro·ne·phro·sis (u"ro-nĕ-fro'sis) – uronefrose; distensão da pelve e dos túbulos renais com urina.

urop·a·thy (u-rop'ah-the) – uropatia; qualquer doença do trato urinário.

uro·phan·ic (u"ro-fan'ik) – urofânico; que aparece na urina.

uro·poi·e·sis (-poi-e'sis) – uropoiese; formação da urina. **uropoiet'ic** – adj. uropoiético.

uro·por·phyr·ia (-por-fir'e-ah) – uroporfiria; porfiria com excreção excessiva de uroporfirina.

uro·por·phy·rin (-por"fĭ-rin) – uroporfirina; uma das várias porfirinas produzidas pela oxidação do uroporfirinogênio; excreta-se em excesso uma ou mais delas na urina nas diversas porfirias.

uro·por·phy·rin·o·gen (-por"fĭ-rin'o-jen) – uroporfirinogênio; porfirinogênio formado a partir do porfobilinogênio; é um precursor da uroporfirina e do co-proporfirinogênio.

uro·psam·mus (-sam'us) – uropsamo; cálculo urinário.

uro·ra·di·ol·o·gy (-ra"de-ol'ah-je) – urorradiologia; radiologia do trato urinário.

uros·co·py (u-ros'kah-pe) – uroscopia; exame diagnóstico da urina. **uroscop'ic** – adj. uroscópico.

uro·sep·sis (u"ro-sep'sis) – urossépsis; envenenamento séptico oriundo da retenção e absorção de substâncias urinárias. **urosep'tic** – adj. urosséptico.

uro·ure·ter (-u-re'ter) – uroureter; distensão do ureter com urina.

ur·so·di·ol (ur"so-di'ol) – ursodiol; ácido biliar secundário utilizado como anticolelítico para dissolver cálculos biliares radiolucentes e não-calcificados.

ur·ti·cant (ur'tĭ-kant) – urticante; que produz urticária.

ur·ti·car·ia (ur"tĭ-kar'e-ah) – urticária; reação vascular da derme superior, marcada pelo aparecimento transitório de manchas ligeiramente elevadas (vergões) mais vermelhas ou mais pálidas que a pele circundante e freqüentemente acompanhadas de prurido severo; a causa da excitação pode incluir determinados alimentos ou drogas, infecção ou estresse emocional. **urticar'ial** – adj. urticariáceo. **u. bullo'sa, bullous u.** – u. bolhosa; urticária na qual bolhas se sobrepõem aos vergões. **cold u.** – u. do frio; urticária causada por ar, água ou objetos frios, ocorrendo em forma hereditária e adquirida. **giant u.** – u. gigante; angioedema. **u. medicamento'sa** – u. medicamentosa; urticária devida ao uso de droga. **papular t.** – u. papulosa; reação de hipersensibilidade a picadas de insetos, manifestada por grupos de pápulas e vergões pequenos, que podem se infectar ou se liquenificar devido a atrito e escoriação. **u. pigmento'sa** – u. pigmentosa; forma mais comum de mastocitose, caracterizada por pequenas máculas ou pápulas marrom-avermelhadas que ocorrem principalmente no tronco e tendem à urticação sob traumatismo mecânico ou irritação química suaves.

ur·ti·ca·tion (ur"tĭ-ka'shun) – urticação: 1. desenvolvimento ou formação de urticária; 2. sensação de queimação como a produzida pela urtiga.

uru·shi·ol (u-roo'she-ol) – urushiol; princípio irritante tóxico da hera venenosa e várias plantas relacionadas.

US – ultra-sound (ultra-som).

USAN – United States Adopted Names (Nomes Adotados nos Estados Unidos), designações não-patenteadas para compostos utilizados como drogas, estabelecidas por meio de negociação entre seus fabricantes e um conselho patrocinado conjuntamente pela American Medical Association, American Pharmaceutical Aassociation e United States Pharmacopeial Convention.

USP – United States Pharmacopeia (Farmacopéia dos Estados Unidos), compêndio legalmente reconhecido de padrões para drogas, editado pela United States Pharmacopeial Convention, Inc., e revisado periodicamente; também inclui experimentos e testes para a determinação de força, qualidade e pureza.

USPHS – United States Public Health Service (Serviço de Saúde Pública dos Estados Unidos).

us·ti·lag·i·nism (us'tĭ-laj'ĭ-nizm) – ustilaginismo; afecção semelhante ao ergotismo, devida à ingestão de milho que contém *Ustilago maydis* (fungo do carvão do milho).

uter·al·gia (u"ter-al'jah) – uteralgia; dor no útero.

uter·ine (u'ter-in) – uterino; relativo ao útero.

uter(o)- [L.] – elemento de palavra, *útero*.

utero·ab·dom·i·nal (u"ter-o-ab-dom'ĭ-n'l) – uteroabdominal; relativo ao útero e abdome.

utero·cer·vi·cal (-ser'vĭ-k'l) – uterocervical; relativo ao útero e à cérvix uterina.

utero·ges·ta·tion (-jes-ta'shun) – uterogestação; gestação uterina; gravidez normal.

utero·lith (u'ter-o-lith") – uterólito; histerólito; ver *hysterolith*.

uter·om·e·ter (u"ter-omĕ-ter) – uterômetro; histerômetro.

utero·ovar·ian (u"ter-o-o-va"re-an) – uterovariano; relativo ao útero e ao ovário.

utero·pla·cen·tal (-plah-sen'tal) – uteroplacentário; relativo à placenta e útero.

utero·plas·ty (u'ter-o-plas"te) – uteroplastia; qualquer operação plástica do útero e do ovário.

utero·rec·tal (u"ter-o-rek't'l) – uterorretal; relativo ou que se comunica com o útero e o reto.

utero·sa·cral (-sa'kr'l) – uterossacral; relativo ao útero e ao sacro.

utero·scle·ro·sis (-sklĕ-ro'sis) – uterosclerose; esclerose do útero.

utero·ton·ic (-ton'ĭk) – uterotônico: 1. aumento do tônus da musculatura uterina; 2. agente uterotônico.

utero·tu·bal (-too'b'l) – uterotubário; relativo ao útero e ovidutos.

uter·o·vag·i·nal (-vaj'ĭ-n'l) – uterovaginal; relativo ao útero e à vagina.

uter·o·ves·i·cal (-ves'ĭ-k'l) – uterovesical; relativo ao útero e à bexiga.

uter·us (u'ter-us) [L.] pl. *uteri* – útero; órgão muscular oco nas fêmeas dos mamíferos onde o óvulo fertilizado normalmente se incrusta e o embrião e o feto em desenvolvimento são nutridos. A sua cavidade se abre na porção inferior da vagina e no interior de uma tuba uterina em cada lado. **u. bicor'nis** – u. bicorne; u. bífido; útero com dois cornos. **u. cordifor'mis** – u. cordiforme; útero em forma de coração. **u. du'plex** – u. duplo; útero duplo, normal nos marsupiais, mas raramente observado no homem. **gravid u.** – u. grávido; útero que contém um feto em desenvolvimento. **u. masculi'nus** – u. masculino; utrículo prostático. **u. unicor'nis** – u. unicorne; útero com apenas um corno.

UTP – uridine triphosphate (trifosfato de uridina).

utri·cle (u'tri-k'l) – utrículo: 1. qualquer saco pequeno; 2. maior de duas divisões do labirinto membranoso do ouvido interno. **prostatic u., urethral u.** – u. prostático; u. uretral; pequena bolsa cega na substância prostática.

utric·u·lar (u-trik'u-ler) – utricular: 1. relativo ao utrículo; 2. semelhante à bexiga.

utric·u·li·tis (u-trik"u-li'tis) – utriculite; inflamação do utrículo prostático ou utrículo auditivo.

utric·u·lo·sac·cu·lar (u-trik"u-lo-sak'u-ler) – utriculossacular; relativo ao utrículo e sáculo do labirinto.

utric·u·lus (u-trik'u-lus) [L.] pl. *utriculi* – utrículo. **u. masculi'nus, u. prosta'ticus** – u. masculino; u. prostático.

UV – ultraviolet (ultravioleta).

uvea (u've-ah) – úvea; íris, corpo ciliar e coróide em conjunto. **u'veal** – adj. uveal.

uve·itis (u"ve-i'tis) – uveíte; inflamação de toda ou parte da úvea. **uveit'ic** – adj. uveítico. **heterochromic u.** – u. heterocrômica; ver em *iridocyclitis.* **sympathetic u.** – u. simpática; ver em *ophtalmia.*

uveo·scle·ri·tis (u"ve-o-skle-ri'tis) – uveosclerite; esclerite decorrente de extensão da uveíte.

uvi·form (u'vĭ-form) – uviforme; com forma semelhante à uva.

uvu·la (u'vu-lah) [L.] pl. *uvulae* – úvula; campainha; massa carnosa e pendente, especificamente a úvula palatina. **u'vular** – adj. uvular. **u. of bladder** – u. vesical. **u. cerebel'li, u. of cerebellum** – u. do cerebelo; u. do verme cerebelar. **u. palati'na, palatine u.** – u. palatina; pequena massa carnosa que pende do palato mole acima da raiz da língua. **u. ver'mis** – u. do verme cerebelar; u. do vérmis; a parte do verme cerebelar entre a pirâmide e o nódulo. **u. vesi'cae** – u. vesical; elevação arredondada no colo vesical, formado pela convergência das fibras musculares que termina na uretra.

uvu·lec·to·my (u"vu-lek'tah-me) – uvulectomia; excisão da úvula.

uvu·li·tis (u"vu-li'tis) – uvulite; inflamação da úvula.

uvu·lop·to·sis (u"vu-lop-to'sis) – uvuloptose; estado relaxado e pendular da úvula.

uvu·lot·o·my (u"vu-lot'ah-me) – uvulotomia; excisão da úvula ou de parte dela.

STU

V

V – vanadium; vision; volt; volume (vanádio; visão; volt; volume).

v. [L.] – *vena* (veia).

VAC – a regimen of vincristine, dactinomycin, and cyclophosphamide, used in cancer therapy (regime de vincristina, dactinomicina e ciclofosfamida, utilizado na terapia do câncer).

vac·ci·nal (vak'sĭ-n'l) – vacinal: 1. relativo à vacínia, vacina ou vacinação; 2. que possui propriedades protetoras quando utilizado através de inoculação.

vac·ci·na·tion (vak"sĭ-na'shun) – vacinação; inoculação de uma vacina no corpo a fim de produzir imunidade.

vac·cine (vak'sēn) – vacina; suspensão de microrganismos atenuados ou mortos (vírus, bactérias ou rickéttsias) ou de proteínas antigênicas deles derivadas, administrada para prevenção, melhora ou tratamento de doenças infecciosas. **acellular v. – v.** acelular; vacina sem células preparada a partir de compostos antigênicos purificados de microrganismos, acarretando menor risco que as preparações de células inteiras. **attenuated v. – v.** atenuada; vacina preparada a partir de microrganismos ou de vírus vivos cultivados sob condições adversas que levam à perda de sua virulência mas à retenção de sua capacidade de induzir imunidade protetora. **autogenous v. – v.** autógena; vacina bacteriana preparada a partir de culturas de material derivado de uma lesão do paciente a ser tratado. **BCG v. – v.** BCG; preparação utilizada como agente imunizante ativo contra a tuberculose e na imunoterapia do câncer (especialmente contra o melanoma maligno), consistindo de uma cultura avirulenta, viva e ressecada da cepa de Calmette-Guérin da *Mycobacterium bovis*. **cholera v. – v.** anticólera; preparação da *Vibrio cholerae* morta, utilizada na imunização contra a cólera. **Haemophilus influenzae b conjugate v. (HbCV) – v.** conjugada de *Haemophilus influenzae* b; preparação de polissacarídeo capsular da *Haemophilus influenziae* do tipo b covalentemente ligado ao toxóide de difteria; ela estimula respostas tanto dos linfócitos B como T, sendo utilizada como agente imunizante em crianças entre as idades de 18 meses e 5 anos que pertencem a determinados grupos de alto risco. **Haemophilus influenzae b polysaccharide v. (HbPV) – v.** de polissacarídeo da *Haemophilus influenzae* b; preparação estéril de polissacarídeo capsular altamente purificado derivado da *Haemophilus influenzae* do tipo b, que estimula uma resposta imune somente em linfócitos B; utilizada como agente imunizante em crianças entre as idades de 18 meses e 5 anos que pertencem a determinados grupos de alto risco. **hepatitis B v. – v.** contra hepatite B; antígeno de superfície da hepatite B derivado tanto a partir do plasma humano de portadores de hepatite B como da clonagem em células de levedura, designada *v.*

da *hepatite B* (recombinante); utilizada para a imunização de pessoas em alto risco de infecção. **heterologous v. – v.** heterólogo; vacina que confere imunidade protetora contra um patógeno que reparte antígenos de reação cruzada com os microrganismos na vacina (como anti-rábica, o vírus da vacínia protege contra a varíola). **human diploid cell v. (HDCV) – v.** anti-rábica preparada com células diplóides humanas. **influenza virus v. – v.** de vírus da influenza; vacina de vírus morto utilizada na imunização contra a gripe; geralmente bi ou trivalente, contendo uma ou duas cepas do vírus da influenza A e uma cepa do vírus da influenza B. **measles, mumps, and rubella (MMR) virus v. live – v.** anti-sarampo; anticaxumba e anti-rubéola vivos; combinação das vacinas vivas anti-sarampo, anti-caxumba e anti-rubéola. **measles and rubella virus v. live – v.** anti-sarampo e anti-rubéola vivos; combinação das vacinas vivas de sarampo e de rubéola. **live v. – v.** viva; vacina preparada a partir de microrganismo ou vírus vivos que foram atenuados, mas ainda retêm suas propriedades imunogênicas. **measles virus v. live – v.** anti-sarampo vivo; vacina de vírus atenuado vivo utilizada para imunização contra o sarampo; as crianças são geralmente imunizadas com a vacina combinada anti-sarampo, anti-caxumba, anti-rubéola. **mixed v. – v.** mista; v. polivalente. **mumps virus v. live – v.** anticaxumba vivo; vacina de vírus atenuado vivo utilizada na imunização contra a caxumba; as crianças são geralmente imunizadas com a vacina combinada de anti-sarampo, anti-caxumba, anti-rubéola (MMR). **pertussis v. – v.** anticoqueluche; preparação de bacilos de *Bordetella pertussis* mortos, utilizada para imunizar contra a coqueluche; geralmente utilizada em combinação com os toxóides de difteria e de tétano (DTP). **plague v. – v.** contra a peste; preparação de bacilos de *Yersinia pestis* mortos, utilizada como um agente imunizante ativo. **poliovirus v. inactivated (IPV) – v.** com poliovírus inativado; v. de Salk; suspensão de poliovírus inativados em formalina, utilizada para imunização contra a poliomielite. **poliovirus v. live oral (OPV) – v.** antipoliovírus vivo oral; v. de Sabin; preparação de um ou combinação de três tipos de poliovírus atenuados vivos, utilizada como agente imunizante ativo. **polyvalent v. – v.** polivalente; v. multivalente; vacina preparada a partir de mais de uma cepa ou espécie de microrganismo. **rabies v. – v.** anti-rábica; vacina de vírus inativado utilizada para imunização pré-exposição contra a raiva e, junto com a imunoglobulina da raiva, para profilaxia pós-exposição. **rabies v., adsorbed (RVA) – v.** anti-rábica adsorvida; vacina anti-rábica para profilaxia pré e pós-exposição no homem. É preparada a partir de vírus da raiva cultivados em culturas de pulmão fetal de macaco-rhesus, inativados e concentrados por meio de adsorção com fosfato de alumínio. **replicative v.** – v. replicativa; qualquer vacina que contenha organismos capazes de se reproduzir, incluindo vírus e bactérias vivos e atenuados. **rubella and mumps virus v. live** – v. de vírus da rubéola e caxumba vivos; combinação das vacinas vivas de rubéola e caxumba. **rubella virus v. live** – v. de vírus da rubéola vivo; vacina de vírus atenuado vivo, utilizada para imunização contra a rubéola; as crianças são geralmente imunizadas com a vacina combinada de anti-sarampo, anti-caxumba, anti-rubéola. **Sabin v.** – v. de Sabin; v. poliovírus vivo oral. **Salk v.** – v. de Salk, v. de poliovírus inativado. **smallpox v.** – v. antivariólica; vacina de vírus da vacínia vivo (cultivado por meio de vários métodos), utilizada para produzir imunidade contra a varíola. **subunit v.** – v. de subunidade; vacina produzida a partir de subunidades protéicas específicas de um vírus e conseqüentemente, com menor risco de reações adversas que as vacinas de vírus inteiro. **tuberculosis v.** – v. contra tuberculose; v. BCG. **typhoid v.** – v. antitífica; vacina de bactérias mortas, utilizada para a imunização contra a febre tifóide. **yellow fever v.** – v. contra febre amarela; preparação de vírus da febre amarela atenuado, utilizada para imunização contra a febre amarela.

vac·cin·ia (vak-sin'e-ah) – vacínia; reações cutâneas e algumas vezes sistêmicas associadas à inoculação da vacina antivariólica (cf. *cowpox*). **vaccin'ial** – adj. vacinial. **v. gangreno'sa** – v. gangrenosa; v. progressiva. **generalized v.** – v. generalizada; erupção cutânea geralmente auto-limitada semelhante à varíola, que ocorre algumas vezes após a vacinação contra varíola primária, causada por viremia transitória. **progressive v.** – v. progressiva; complicação rara, mas freqüentemente fatal, da vacinação contra varíola nos indivíduos com mecanismos imunes deficientes ou que recebem terapia imunossupressiva; marcada por necrose tecidual que se difunde a partir do local de inoculação, podendo resultar em metástase vacinial para a pele, ossos ou vísceras.

vac·cin·i·form (vak-sin'ĭ-form) – vaciniforme; que se assemelha à varíola.

vac·u·o·lar (vak'u-o"lar) – vacuolar; que contém ou é da natureza dos vacúolos.

vac·u·o·lat·ed (vak'u-o-lāt"ed) – vacuolado; que contém vacúolos.

vac·u·o·la·tion (vak"u-o-la'shun) – vacuolização; processo de formação de vacúolos; a condição de ser vacuolizado.

vac·u·ole (vak'u-ōl) – vacúolo; espaço ou cavidade no protoplasma de uma célula.

VAD – ventricular assist device (dispositivo de assistência ventricular).

va·gal (va'gal) – vagal; relativo ao nervo vago.

va·gi·na (vah-ji'nah) [L.] pl. *vaginae* – vagina: 1. bainha ou estrutura semelhante a bainha; 2. o canal na mulher (da vulva à cérvix uterina) que recebe o pênis na cópula. **vag'inal** – adj. vaginal.

vag·i·na·li·tis (vaj"ĭ-nah-li'tis) – vaginalite; inflamação da túnica vaginal do testículo.

vag·i·nate (vaj'ĭ-nāt) – invaginar; provido de bainha; embainhado.

vag·i·nec·to·my (vaj"ĭ-nek'tah-me) – vaginectomia; excisão da vagina.

vag·i·nis·mus (vaj"ĭ-niz'mus) – vaginismo; espasmo doloroso da vagina devido à contração muscular involuntária suficientemente severa para evitar a relação sexual; a causa pode ser orgânica ou psicogênica.

vag·i·ni·tis (vaj"ĭ-ni'tis) – vaginite: 1. inflamação da vagina; 2. inflamação de uma bainha. **adhesive v.** – v. adesiva; uma forma de vaginite atrófica marcada por formação de erosões superficiais (que freqüentemente se aderem às superfícies opostas), fechando o canal vaginal. **atrophic v.** – v. atrófica; vaginite com atrofia tecidual que ocorre em mulheres na pós-menopausa e se associa à deficiência de estrogênio. **desquamative inflammatory v.** – v. inflamatória descamativa; forma que se assemelha à vaginite atrófica, mas que afeta mulheres com níveis de estrogênio normais. **emphysematous v.** – v. enfisematosa; inflamação da vagina e cérvix adjacente caracterizada por várias lesões semelhantes a cistos, preenchidas com gás e assintomáticas. **senile v.** – v. senil; v. atrófica.

vag·i·no·ab·dom·i·nal (vaj"ĭ-no-ab-dom'ĭ-nal) – vaginoabdominal; relativo à vagina e abdome.

vag·i·no·cele (vaj"ĭ-no-sēl") – vaginocele: 1. hérnia no interior da vagina; 2. prolapso vaginal.

vag·in·odyn·ia (vaj"ĭ-no-din'e-ah) – vaginodinia; colpodinia.

vag·i·no·fix·a·tion (-fik-sa'shun) – vaginofixação; sutura da vagina na parede abdominal.

vag·i·no·la·bi·al (-la'be-al) – vaginolabial; relativo à vagina e lábios.

vag·i·no·my·co·sis (-mi-ko'sis) – vaginomicose; qualquer doença fúngica da vagina.

vag·i·nop·a·thy (vaj"ĭ-nop'ah-the) – vaginopatia; qualquer doença da vagina.

vag·i·no·per·i·ne·al (vaj"ĭ-no-per"ĭ-ne'al) – vaginoperineal; relativo à vagina e períneo.

vag·i·no·peri·ne·or·rha·phy (-per"ĭ-ne-or'ah-fe) – vaginoperineorrafia; reparo da vagina e períneo por meio de sutura.

vag·i·no·peri·ne·ot·o·my (-per"ĭ-ne-ot'o-me) – vaginoperineotomia; incisão paravaginal.

vag·i·no·peri·to·ne·al (-per"ĭ-to-ne'al) – vaginoperitoneal; relativo à vagina e peritônio.

vag·i·no·pexy (vah-ji'no-pek"se) – vaginopexia; vaginofixação (*vaginofixation*).

vag·i·no·plas·ty (-plas"te) – vaginoplastia; colpoplastia.

vagi·nos·co·py (vaj"ĭ-nos'kah-pe) – vaginoscopia; colposcopia.

vag·i·not·o·my (vaj"ĭ-not'ah-me) – vaginotomia; colpotomia (*colpotomy*).

vag·i·no·ves·i·cal (vaj"ĭ-no-ves'ĭ-k'l) – vaginovesical; relativo à vagina e à bexiga.

va·gi·tus (vah-ji'tus) [L.] – vagido; choro de um bebê. **v. uteri'nus** – v. uterino; choro do feto no útero.

va·gol·y·sis (va-gol'ĭ-sis) – vagólise; destruição cirúrgica do nervo vago.

va·go·lyt·ic (va"go-lit'ik) – vagolítico; que tem efeito semelhante ao produzido pela interrupção dos impulsos transmitidos pelo nervo vago.

va·go·mi·met·ic (-mi-met'ik) – vagomimético; que tem efeito semelhante ao produzido pela estimulação do nervo vago.

va·got·o·my (va-got'o-me) – vagotomia; interrupção dos impulsos conduzidos pelo nervo ou nervos vagos. **highly selective v.** – v. altamente seletiva; divisão somente das fibras vagais que suprem as glândulas secretoras de ácido do estômago, com preservação das fibras que suprem o antro, bem como dos ramos hepático e celíaco. **medical v.** – v. médica; vagotomia realizada através da administração de drogas adequadas. **parietal cell v.** – v. das células parietais; rompimento seletivo das fibras do nervo vago que suprem os dois terços proximais (área parietal) do estômago; feito no caso de úlcera duodenal. **selective v.** – v. seletiva; divisão das fibras vagais que suprem o estômago, com preservação dos ramos hepático e celíaco. **surgical v.** – v. cirúrgica; transecção do nervo vago por meio cirúrgico. **truncal v.** – v. do tronco; divisão cirúrgica dos dois troncos principais do nervo vago abdominal.

va·go·to·nia (va"go-to'ne-ah) – vagotonia; hiperexcitabilidade do nervo vago, particularmente com relação a seus efeitos parassimpáticos nos órgãos corporais, resultando em instabilidade vasomotora, sudorese, constipação e espasmos motores involuntários com dor. **vagoton'ic** – adj. vagotônico.

va·go·trop·ic (va"go-trop'ik) – vagotrópico; que produz efeito no nervo vago.

va·go·va·gal (-va'gal) – vagovagal; que surge como resultado de impulsos aferentes e eferentes mediados através do nervo vago.

va·gus (va'gus) [L.] pl. *vagi* – vago; nervo vago; ver *Tabela de Nervos*.

va·lence (va'lens) – valência: 1. um número positivo que representa o número de ligações que cada átomo de um elemento faz em um composto químico; hoje substituído pelo conceito de "número de oxidação", mas ainda utilizado para denotar *(a)* o número de ligações covalentes formadas por um átomo em um composto covalente ou *(b)* a carga de uma molécula mono ou poliatômica; 2. em Imunologia, o número de sítios de ligação dos antígenos ocupados por uma molécula de anticorpo.

val·gus (va'gus) [L.] – valgo; curvo; retorcido; denota deformidade na qual a angulação se encontra fora da linha média do corpo (como no caso do talipe valgo). Os significados de valgo e varo são freqüentemente revertidos.

val·ine (va'lēn) – valina; aminoácido de ocorrência natural, essencial para o metabolismo humano.

val·in·emia (val"ĭ-ne'me-ah) – valinemia; hipervalinemia (*hypervalinemia*).

Val·i·sone (val'ĭ-sōn) – Valisone, marca registrada de preparações de valerato de betametasona.

Val·i·um (val'e-um) – Valium, marca registrada de preparações de diazepam.

val·late (val'āt) – valado; que possui uma parede ou borda; em forma de cúpula.

val·lec·u·la (vah-lek'u-lah) [L.] pl. *valleculae* – valécula; depressão ou sulco. **vallec'ular** – adj. valecular. **v. cerebel'li** – v. do cerebelo; fissura

longitudinal no cerebelo inferior, onde a medula oblonga se situa. **v. syl'vii** – v. de Sylvius; depressão feita pela fissura de Sylvius na base do cérebro. **v. un'guis** – v. ungueal; sulco da matriz ungueal.

val·pro·ic ac·id (val-pro'ik) – ácido valpróico; anticonvulsivante (ácido 2-propilpentanóico), utilizado no controle de crises de ausência.

val·ue (val'u) – valor; medida de valor ou eficiência; medida quantitativa de atividade, concentração etc., de substâncias específicas. **normal v's** – valores normais; variação na concentração de substâncias específicas encontradas nos tecidos saudáveis normais, secreções etc. **reference v's** – valores de referência; conjunto de valores de uma quantidade medida em laboratório clínico, que caracterizam uma população especificada em um estado definido de saúde.

val·va (val'vah) [L.] pl. *valvae* – valva; válvula.

val·ve (valv) – valva; dobra membranosa em um canal ou passagem que impede o refluxo do material que passa através dele. **aortic v.** – v. aórtica; válvula que guarda a entrada da aorta a partir do ventrículo direito. **artificial cardiac v.** – v. cardíaca artificial; substituto (mecânico ou composto de um tecido biológico) para uma válvula cardíaca. **atrioventricular v's** – válvulas atrioventriculares; válvulas entre o átrio e o ventrículo direitos (v. tricúspide) e o átrio e entre ventrículo esquerdos (v. mitral). **Béraud's v.** – v. de Béraud; dobra de membrana mucosa que ocorre algumas vezes no começo do ducto nasolacrimal. **bileaflet v.** – v. bifolicular; prótese de válvula cardíaca que consiste de um anel de sutura circular ao qual se prendem dois discos de oclusão semicirculares que se fecham e se abrem para regular o fluxo sangüíneo. **bioprosthetic v.** – v. bioprotética; válvula cardíaca artificial composta de um tecido biológico, geralmente suíno. **caged-ball v.** – v. esférica; prótese de válvula cardíaca que compreende um anel de sutura preso a um porta-esferas composto de suportes curvos que contêm uma esfera de flutuação livre. **cardiac v's** – válvulas cardíacas; válvulas que controlam o fluxo de sangue através e a partir do coração. **coronary v.** – v. coronária; válvula na entrada do seio coronário no interior do átrio direito. **Houston's v's** – válvulas de Houston; dobras transversais permanentes (geralmente em número de três) no reto. **flail mitral v.** – v. mitral móvel; válvula cardíaca que possui uma cúspide que perdeu a sustentação normal (como no caso de rompimento dos cordões tendíneos) e se agita na corrente sangüínea. **ileocecal v., ileocolic v.** – v. ileocecal; v. ileocólica; válvula que guarda a abertura entre o íleo e o ceco. **mitral v.** – v. mitral; válvula entre o átrio e o ventrículo esquerdos, geralmente possuindo duas cúspides (anterior e posterior). **pulmonary v.** – v. pulmonar; válvula na entrada do tronco pulmonar a partir do ventrículo direito. **pyloric v.** – v. pilórica; dobra proeminente de membrana mucosa no orifício pilórico gástrico. **semilunar v.** – v. semilunar; válvula que possui cúspides semilunares (ou seja, as válvulas aórtica e pulmonar); termo algumas vezes utilizado para designar as cúspides semilunares que compõem essas válvulas. **thebesian v.** – v. de Thebesius; v. coronária. **tilting-disk v.** – v. cardíaca protética em disco suspenso; prótese de válvula cardíaca que consiste de um anel de sutura e uma armação valvular que contém um disco suspenso que oscila entre as posições aberta e fechada. **tricuspid v.** – v. tricúspide; válvula que guarda a abertura entre o átrio e o ventrículo direitos. **ureteral v.** – v. ureteral; dobra transversal congênita através do lúmen do ureter, composta de uma mucosa sobressalente tornada proeminente por fibras musculares circulares; geralmente desaparece com o tempo, mas pode eventualmente causar obstrução urinária.

val·vot·o·my (val-vot'ah-me) – valvulotomia; incisão em uma válvula.

val·vu·la (val'vu-lah) [L.] pl. *valvulae* – válvula; valva de pequeno tamanho.

val·vu·lar (val'vu-ler) – valvular; relativo, que afeta ou da natureza de uma válvula.

val·vule (val'vūl) – válvula; pequena valva.

val·vu·li·tis (val-vu-li'tis) – valvulite; inflamação de uma válvula, especialmente de uma válvula cardíaca.

val·vu·lo·plas·ty (val'vu-lo-plas"te) – valvuloplastia; reparo plástico de uma válvula, especialmente uma válvula cardíaca. **balloon v.** – v. com balão; dilatação de uma válvula cardíaca estenótica por meio de um cateter com um balão na ponta, que é introduzido no interior da válvula e inflado.

val·vu·lo·tome (-tōm) – valvulótomo; instrumento para seccionar uma válvula.

va·na·di·um (vah-na'de-um) – vanádio; elemento químico (ver *Tabela de Elementos*), número atômico 23, símbolo V. Os seus sais são utilizados no tratamento de várias doenças. A absorção de seus compostos (geralmente através dos pulmões) causa intoxicação crônica, cujos sintomas incluem irritação do trato respiratório, pneumonite, conjuntivite e anemia.

van·co·my·cin (van"ko-mi'sin) – vancomicina; antibiótico produzido pela *Streptomyces orientalis*, altamente eficaz contra bactérias Gram-positivas (especialmente contra estafilococos); utilizado como sal de cloridrato.

va·nil·lism (vah-nil'izm) – vanilismo; dermatite, coriza e mal-estar observados nos manipuladores de baunilha natural, devidos ao ácaro da espécie *Acarus siro*.

va·nil·lyl·man·del·ic ac·id (vah-nil"il-man-del'ik) – ácido vanililmandélico; produto excretório das catecolaminas; os níveis urinários são utilizados na triagem de pacientes quanto a um feocromocitoma. Abreviação VMA.

va·por·iza·tion (va"por-ĭ-za'shun) – vaporização; conversão de um sólido ou líquido em vapor sem alteração química; destilação (*distillation*).

va·po·ther·a·py (va"po-ther'ah-pe) – vapoterapia; uso terapêutico de um vapor ou spray.

var·i·a·tion (var"e-a'shun) – variação; ato ou processo de alterar; em Genética, desvio de características de indivíduo com relação ao grupo a que pertence ou do descendente com relação às características de seus genitores. **antigenic v.** – v. antigênica; mecanismo pelo qual os parasitas podem escapar da vigilância imune de um hospedeiro através de modificação ou alteração completa de seus antígenos superficiais. **microbial v.** – v. microbiana; variação de características no caso de uma espécie utilizada em identificação e diferenciação. **phenotypic v.** – v. fenotípica; variação total (quanto a quaisquer causas) observada em uma característica.

var·i·ca·tion (var"ĭ-ka'shun) – varicação: 1. formação de uma variz; 2. afecção varicosa; varicosidade (*varicosity*).

var·i·ce·al (var"ĭ-se'al) – varicoso; de ou relativo a uma variz.

var·i·cel·la (var"ĭ-sel'ah) [L.] – varicela; catapora (*chickenpox*).

Var·i·cel·la·vi·rus (-vi"rus) – *Varicellavirus*; vírus da varicela e semelhantes aos da equado-raiva; gênero de vírus da subfamília Alphaherpesvirinae (família Herpesviridae) que infecta tanto o homem como os animais, incluindo os herpesvírus da varicela zóster, da pseudo-raiva e o eqüino.

var·i·cel·li·form (var"i-sel'ĭ-form) – variceliforme; que se assemelha à varicela.

var·i·ces (var'ĭ-sēz) [L.] – plural de *varix*.

var·ic·i·form (vah-ris'ĭ-form) – variciforme; que se parece com uma variz; varicoso (*varicose*).

varic(o)- [L.] – elemento de palavra, *variz; inchado*.

var·i·co·bleph·a·ron (var"ĭ-ko-blef'ah-ron) – varicobléfaro; intumescimento varicoso da pálpebra.

var·i·co·cele (var'ĭ-ko-sēl) – varicocele; varicosidade do plexo pampiniforme do cordão espermático, formando um inchaço escrotal que produz a sensação de um "saco de vermes".

var·i·co·ce·lec·to·my (var"ĭ-ko-se-lek'tah-me) – varicocelectomia; ligação e excisão das veias aumentadas de volume em caso de varicocele.

var·i·cog·ra·phy (var"ĭ-kog'rah-fe) – varicografia; visibilização com raios X de veias varicosas.

var·i·com·pha·lus (var"ĭ-kom'fah-lus) – varicônfalo; tumor varicoso do umbigo.

var·i·co·phle·bi·tis (var"ĭ-ko-flē-bi'tis) – varicoflebite; veias varicosas com inflamação.

var·i·cose (var'ĭ-kōs) – varicoso; da natureza ou relativo a variz; não-natural e permanentemente distendido (diz-se de uma veia); variciforme.

var·i·cos·i·ty (var"ĭ-kos'ĭ-te) – varicosidade: 1. afecção varicosa; qualidade ou fato de ser varicoso; 2. variz ou veia varicosa.

var·i·cot·o·my (var"ĭ-kot'ah-me) – varicotomia; excisão de variz ou veia varicosa.

va·ric·u·la (vah-rik'u-lah) – varícula; variz da conjuntiva.

va·ri·e·ty (vah-ri'ĕ-te) – variedade; em taxonomia, a subcategoria de uma espécie.

va·ri·o·la (vah-ri'o-lah) – varíola. **vari'olar, vari'olous** – adj. variolar; variólico; relativo à varíola.

va·ri·o·late (var'e-o-lāt) – variolizar: 1. que tem a natureza ou a aparência da varíola; 2. inocular com o vírus da varíola.

va·ri·ol·i·form (var"e-o'lĭ-form) – varioliforme; que se assemelha à varíola.

va·rix (var'iks) [L.] pl. *varices* – variz; veia, artéria ou vaso linfático tortuosos e aumentados de volume. **aneurysmal v., aneurysmoid v.** – v. aneurismática; v. aneurismóide; vaso tortuoso acentuada-

V-Z

mente aumentado de volume. **arterial v.** – v. arterial; aneurisma racemoso ou artéria varicosa. **esophageal v.** – v. esofágica; varicosidades dos ramos da veia ázigo que se anastomosam com tributários da veia porta no esôfago inferior, devidas à hipertensão porta no caso de cirrose hepática. **lymph v., v. lympha'ticus** – v. linfática; inchaço lobulado e macio de um linfonodo, devido à obstrução dos vasos linfáticos.

va·ro·li·an (vah-ro'le-an) – varoliano; relativo à ponte de Varolio.

va·rus (var'us) [L.] – varo; curvado para dentro; denota a deformidade na qual a angulação da parte se encontra na direção da linha média do corpo (como é o caso do talipe varo). Os significados de *varo* e *valgo* são freqüentemente revertidos.

vas (vas) [L.] pl. *vasa* – vaso ou ducto. **va'sal** – adj. vasal. **va'sa aber'rans** – vasos aberrantes: 1. túbulo cego algumas vezes conectado ao epidídimo; túbulo mesonéfrico vestigial; 2. qualquer vaso anômalo ou incomum. **va'sa afferen'tia** – vasos aferentes; vasos que transportam fluido para uma estrutura ou parte. **va'sa bre'via** – vasos curtos; artérias gástricas curtas. **v. capilla're** – vaso capilar; um capilar. **va'sa de'ferens** – vaso deferente; ducto deferente. **va'sa efferen'tia** – vasos eferentes; vasos que transportam fluido para fora de uma estrutura ou parte. **va'sa lympha'tica** – vasos linfáticos. **va'sa prae'via** – vasos prévios; apresentação dos vasos sangüíneos do cordão umbilical local, onde entram na placenta à frente da cabeça fetal durante o parto. **va'sa rec'ta** – vasos retos; longos vasos em forma de U que surgem a partir das arteríolas glomerulares eferentes dos néfrons justamedulares e que suprem a medula renal. **va'sa vaso'rum** – vasos dos vasos; pequenas artérias e veias nutrientes nas paredes dos vasos sangüíneos maiores. **va'sa vortico'sa** – vasos vorticosos; veias vorticosas.

vas·cu·lar (vas'ku-ler) – vascular: 1. relativo a vasos, particularmente a vasos sangüíneos; 2. indicativo de suprimento sangüíneo abundante.

vas·cu·lar·iza·tion (vas"ku-ler-ĭ-za'shun) – vascularização; formação de novos vasos sangüíneos nos tecidos.

vas·cu·la·ture (vas"ku-lah-chur) – vasculatura; sistema vascular do corpo ou qualquer parte dele.

vas·cu·li·tis (vas"ku-li'tis) – vasculite; inflamação de um vaso; angiíte. **vasculit'ic** – adj. vasculítico. **necrotizing v.** – v. necrosante; distúrbio de um grupo de distúrbios caracterizados por inflamação e necrose das paredes dos vasos sangüíneos.

vas·cu·lo·gen·ic (vas"ku-lo-jen'ik) – vasculogênico; que induz vascularização.

vas·cu·lop·a·thy (vas"ku-lop'ah-the) – vasculopatia; qualquer distúrbio dos vasos sangüíneos.

va·sec·to·my (vah-sek'tah-me) – vasectomia; excisão do vaso (ducto) deferente ou de porção dele.

vas·i·form (vas'ĭ-form) – vasiforme; semelhante a um vaso.

va·si·tis (vah-si'tis) – vasite; inflamação do vaso (ducto) deferente.

vas(o)- [L.] – elemento de palavra, *vaso; ducto*.

vaso·ac·tive (vas"o-ak'tiv) – vasoativo; que exerce influência no calibre dos vasos sangüíneos.

vaso·con·stric·tion (-kon-strik'shun) – vasoconstrição; redução no calibre dos vasos sangüíneos. **vasoconstric'tive** – adj. vasoconstritivo.

vaso·de·pres·sion (-de-presh'un) – vasodepressão; redução na resistência vascular com hipotensão.

vaso·de·pres·sor (-de-pres'or) – vasodepressor: 1. que produz o efeito de diminuir a pressão sangüínea através de redução da resistência periférica; 2. agente que causa vasodepressão.

vaso·di·la·ta·tion (-dil"ah-ta'shun) – vasodilatação; estado de aumento do calibre dos vasos sangüíneos. **vasodi'lative** – adj. vasodilatador.

vaso·di·la·tor (-di'la-ter) – vasodilatador: 1. que causa dilatação dos vasos sangüíneos; 2. nervo ou agente que causa dilatação dos vasos sangüíneos.

vaso·epi·did·y·mog·ra·phy (-ep"ĭ-did"ĭ-mog'rah-fe) – vasoepididimografia; radiografia do vaso deferente e epidídimo após injeção de meio de contraste.

vaso·epi·did·y·mos·to·my (-ep"ĭ-did"ĭ-mos-tah-me) – vasoepididimostomia; anastomose do vaso (ducto) deferente e epidídimo.

vaso·for·ma·tive (-for'mah-tiv) – vasoformativo; relativo ou que promove a formação de vasos sangüíneos.

vaso·gan·gli·on (-gang'gle-on) – vasogânglio; gânglio ou rede vasculares.

va·sog·ra·phy (vas-og'rah-fe) – vasografia; radiografia dos vasos sangüíneos.

vaso·hy·per·ton·ic (vas"o-hi"per-ton'ik) – vaso-hipertônico; vasoconstritor.

vaso·hy·po·ton·ic (-hi"po-ton'ik) – vaso-hipotônico; vasodilatador; ver *vasodilator*.

vaso·in·hib·i·tor (-in-hib'ĭ-ter) – vasoinibidor; agente que inibe os nervos vasomotores. **vasoinhib'itory** – adj. vasoinibitório.

vaso·li·ga·tion (-lig-ga'shun) – vasoligadura; ligadura do vaso (ducto) deferente.

vaso·mo·tor (-mo'tor) – vasomotor: 1. que afeta o calibre dos vasos sangüíneos; 2. agente ou nervo vasomotor.

vaso·neu·rop·a·thy (-noo-rop'ah-the) – vasoneuropatia; afecção causada por defeitos vascular e neurológico combinados.

vaso·neu·ro·sis (-noo-ro'sis) – vasoneurose; angioneuropatia; ver *angioneuropathy*.

vaso·or·chid·os·to·my (-or"kĭ-dos'tah-me) – vasorquidostomia; anastomose do epidídimo com a extremidade rompida do vaso (ducto) deferente.

vaso·pa·re·sis (-pah-re'sis) – vasoparesia; paralisia parcial dos nervos vasomotores.

vaso·per·me·a·bil·i·ty (-per"me-ah-bil'ĭ-te) – vasopermeabilidade; em que grau um vaso sangüíneo é permeável.

vaso·pres·sin (-pres'in) – vasopressina; hormônio secretado por células dos núcleos hipotalâmicos e armazenado na hipófise posterior para liberação quando necessário; ela contrai os vasos sangüíneos, eleva a pressão sangüínea e aumenta o peristaltismo, exerce certa influência no útero na reabsorção de água por parte dos túbulos renais, resultando em concentração de urina. Também é preparada sinteticamente ou obtida a partir da hipófise posterior dos animais domésticos; utilizada como antidiurético, em testes de função hipotalâmica-neuro-hipofisária-renal na distinção entre diabetes insípido central e nefrogênico, e na estimulação do tecido muscular liso. Existe como forma arginínica (encontrada na maioria dos mamíferos, incluindo o homem) e como forma lisínica (encontrada nos suínos e utilizada no tratamento do diabetes insípido central).

vaso·pres·sor (-pres'er) – vasopressor: 1. que estimula a contração do tecido muscular dos capilares e artérias; 2. agente vasopressor.

vaso·punc·ture (-pungk'chur) – vasopunção; vasopunctura; vasopuntura; punção do vaso (ducto) deferente.

vaso·re·flex (-re'fleks) – vasorreflexo; reflexo que envolve um vaso sangüíneo.

vaso·re·lax·a·tion (-re"lak-sa'shun) – vasorrelaxamento; redução da pressão vascular.

vas·or·rha·phy (vah-sor'ah-fe) – vasorrafia; sutura do vaso (ducto) deferente.

vaso·sec·tion (vas"o-sek'shun) – vasossecção; ressecção do ducto (vaso) deferente.

vaso·sen·so·ry (-sen'sor-e) – vasossensorial; vasossensitivo; que supre os filamentos sensoriais para os vasos.

vaso·spasm (vas'o-spazm) – vasoespasmo; espasmo dos vasos sangüíneos, com redução de seu calibre. **vasospas'tic** – adj. vasoespástico.

vaso·stim·u·lant (vas"o-stim'u-lant) – vasoestimulante; que estimula a ação vasomotora.

va·sos·to·my (vah-sos'tah-me) – vasostomia; formação cirúrgica de uma abertura no ducto (vaso) deferente.

va·sot·o·my (vah-sot'ah-me) – vasotomia; incisão do vaso (ducto) deferente.

vaso·to·nia (vas"o-ton'ne-ah) – vasotonia tônus ou tensão dos vasos. **vasoton'ic** – adj. vasotônico.

vaso·throph·ic (-trof'ik) – vasotrófico; que afeta a nutrição através da alteração do calibre dos vasos sangüíneos.

vaso·trop·ic (trop'ik) – vasotrópico; que tende a agir nos vasos sangüíneos.

vaso·va·gal (-va'gal) – vasovagal; vascular e vagal; ver em *attack*.

vaso·va·sos·to·my (-vah-sos'tah-me) – vasovasostomia; anastomose das extremidades do vaso (ducto) deferente rompido.

vaso·ve·sic·u·lec·to·my (-ve̬-sik"u-lek'tah-me) – vasovesiculectomia; excisão do vaso (ducto) deferente e vesículas seminais.

vas·tus (vas'tus) [L.] – vasto; grande; descreve músculos.

VC – vital capacity (capacidade vital).

VCG – vector cardiogram (vetorcardiograma).

V-Cil·in (ve-sil'in) – v-Cillin, marca registrada de preparação de penicilina V.

VD – veneral disease (doença venérea).

VDH – valvular disease of the heart (valvulopatia cardíaca).

VDRL – Venereal Disease Research Laboratory (Laboratório de Pesquisa de Doenças Venéreas).

vec·tion (vek'shun) – vecção; transferência de germes patogênicos de uma pessoa infectada para uma pessoa saudável.

vec·tor (vek'ter) – vetor: 1. transportador, especialmente o animal (geralmente um artrópode) que transfere um agente infeccioso de um hospedeiro

a outro; 2. plasmídeo ou cromossoma viral no interior do qual se insere um fragmento de DNA estranho; utilizado na introdução de um DNA estranho no interior de uma célula hospedeira na clonagem de DNA; 3. quantidade que possui magnitude, direção e sentido (positividade ou negatividade). **vecto'rial** – adj. vetorial. **biological v.** – v. biológico; vetor artrópode em cujo corpo se desenvolve ou se multiplica o microrganismo infectante antes de se tornar infeccioso ao indivíduo receptor. **mechanical v.** – v. mecânico; vetor artrópodo que transmite um microrganismo infeccioso de um hospedeiro a outro, mas que não é essencial para o ciclo vital do parasita.

vec·tor·car·dio·gram (VCG) (vek"ter-kahr'de-o-gram") – vetorcardiograma; registro (geralmente uma fotografia) da curva formada no osciloscópio em uma vetorcardiografia.

vec·tor·car·di·og·ra·phy (-kahr"de-og'rah-fe) – vetorcardiografia; registro (geralmente através da formação de uma alça vetorial em um osciloscópio) da direção e magnitude das forças eletromotrizes do coração, momento a momento, durante um ciclo completo. **vectorcardiograph'ic** – adj. vetorcardiográfico.

ve·cu·ro·ni·um (vek"u-ro'ne-um) – vecurônio; agente bloqueador neuromuscular não-despolarizante utilizado como adjuvante na anestesia geral para induzir relaxamento da musculatura esquelética e facilitar a intubação endotraqueal e ventilação mecânica.

veg·an (vej'an, ve'gan) – um vegetariano que exclui da dieta todo o alimento de origem animal.

veg·e·tar·ian (vej"ĕ-tar'e-an) – vegetariano; indivíduo cuja dieta proíbe alguns ou todos os alimentos de origem animal, consumindo predominante ou completamente alimentos de origem vegetal.

veg·e·ta·tion (vej"ĕ-ta'shun) – vegetação; qualquer neoplasia ou crescimento fungóide semelhante a um vegetal; crescimento viçoso e semelhante a um fungo de tecido patológico. **marantic v's** – vegetações marânticas; pequenas excrescências fibrinosas, verrucosas e estéreis que ocorrem nas válvulas cardíacas ao lado esquerdo em caso de endocardite trombótica (marântica) não-bacteriana.

veg·e·ta·tive (vej"ĕ-ta'tiv) – vegetativo: 1. relacionado ao crescimento e à nutrição; 2. que funciona involuntária ou inconscientemente; 3. em repouso; denota a porção de um ciclo celular em que a célula não se replica; 4. dos, relativos ou característicos dos vegetais; 5. da ou relativo à reprodução assexuada, seja por brotamento ou fissão.

ve·hi·cle (ve̬'-k'l) – veículo; excipiente (*excipient*).

veil (vāl) – véu: 1. estrutura de cobertura; 2. coifa ou um pedaço do saco amniótico que ocasionalmente cobre a face de uma criança recém-nascida.

Veil·lon·el·la (va"yon-el'ah) – *Veillonella*; gênero de bactérias Gram-negativas (família Veillonellaceae) encontradas como parasitas não-patogênicos na boca, intestinos e tratos urogenitais e respiratórios do homem e outros animais.

vein (vān) – veia; vaso onde o sangue flui em direção ao coração, na circulação sistêmica que transporta o sangue que entregou a maior parte de seu oxigênio. Quanto aos nomes das

812

TABELA DE VEIAS

Nome Comum	Termo da Nomina Atomica	Região	Recebe Sangue de	Drena em
v. acompanhante do nervo hipoglosso	v. comitans nervi hypoglossi	acompanha o nervo hipoglosso	formada pela união das veias lingual profunda e sublingual	veias facial, lingual ou jugular interna
veias supra-renais. Ver veias supra-renais esquerda e direita				
v. anastomótica inferior	v. anastomotica inferior	interconecta a v. mesencefálica superficial e o seio transversal		continua inferiormente como v. facial
v. anastomótica superior	v. anastomotica superior	interconecta a v. mesencefálica superficial e o seio sagital superior		
v. angular	v. angularis	entre o olho e a raiz do nariz	formada pela união das veias supratroclear e supra-orbitária	v. cefálica e/ou v. basílica, ou v. cubital mediana
v. mediana antebraquial	v. intermedia antebrachii	antebraço, entre as veias cefálica e basílica	plexo venoso palmar	átrio direito
veias anteriores do ventrículo direito	vv. ventriculi dextri anteriores	superfície ventral do ventrículo direito		
v. apendicular	v. appendicularis	acompanha a artéria apendicular		junta-se às veias cecais anterior e posterior para formar a v. íleocólica
v. do aqueduto da cóclea	v. aqueductus cochleae	ao longo do aqueduto da cóclea	cóclea	bulbo superior da v. jugular interna
v. do aqueduto do vestíbulo	v. aqueductus vestibuli	passa através do aqueduto do vestíbulo	ouvido interno	seio petroso superior
veias arqueadas do rim	vv. arcuate renis	uma série de arcos completos através das bases das pirâmides renais, formados pela união das veias interlobulares e as vênulas retas do rim		veias interlobares
veias articulares	vv. articulares	plexo ao redor da articulação temporomandibular		v. retromandibular
v. lateral do átrio	vv. lateralis atrii	passa através da parede lateral do ventrículo lateral	lobos parietal e occipital	v. talamoestriada superior
v. medial do átrio	v. medialis atrii	passa através da parede medial do ventrículo lateral	lobos parietal e occipital	v. interna do cérebro ou v. magna do cérebro
veias auditivas internas. Ver veias do labirinto				
veias auriculares anteriores	vv. auriculares anteriores	parte anterior do pavilhão auricular	plexo no lado da cabeça	v. temporal superficial
v. auricular posterior	v. auricularis posterior	passa embaixo e por trás do pavilhão auricular		junta-se à v. retromandibular para formar a v. jugular externa
v. axilar	v. axillaris	membro superior		na borda lateral da primeira costela, torna-se continua com a v. subclávia
v. ázigo	v. azygos	intercepta o tronco para as veias intercostais direitas, bem como corresponde ao ramo conectante entre as veias cavas superior e inferior; sobe em frente e do lado direito das vértebras	formada na borda inferior do músculo redondo maior pela junção das veias basílica e braquial	v. cava superior
			v. lombar ascendente	

v. ázigo esquerda. Ver v. hemiázigo				
v. ázigo superior menor. Ver v. hemiázigo acessória				
v. basal	v. basalis	passa da substância perfurada anterior para trás e ao redor do pedúnculo cerebral	substância perfurada anterior	v. interna do cérebro
v. basílica	v. basilica		lado ulnar da rede dorsal da mão	junta-se às veias braquiais formando a v. axilar
v. basílica mediana	v. intermedia basilica	algumas vezes presente como ramo medial de uma bifurcação da v. antebraquial mediana		v. basílica
veias basivertebrais	vv. basivertebrales		seios venosos no tecido esponjoso dos corpos vertebrais, que se comunicam com o plexo venoso na superfície anterior das vértebras e com os plexos vertebrais externo e interno	
veias braquiais	v. brachiales		acompanham a artéria braquial	juntam-se à v. basílica para formar a v. axilar
veias braquiocefálicas	vv. brachiocephalicae (dextra et sinistra)		cabeça, pescoço e membros superiores; formadas pela união das veias jugular interna e subclávia ipsilaterais	unem-se para formar a v. cava superior
veias brônquicas	vv. bronchiales	tórax	subdivisões maiores dos brônquios	v. ázigo à esquerda; v. hemiázigo ou intercostal superior à direita
v. do bulbo do pênis	v. bulbi penis		bulbo do pênis	v. pudenda interna
v. do bulbo do vestíbulo	v. bulbi vestibuli		bulbo do vestíbulo vaginal	v. pudenda interna
veias cardíacas anteriores	v. ventriculi dextra anteriores		parede anterior do ventrículo direito	átrio direito cardíaco ou v. cardíaca mínima
v. cardíaca magna	v. cardiaca magna		superfície anterior dos ventrículos	seio coronário
v. cardíaca média	v. cardiaca média		superfície diafragmática dos ventrículos	seio coronário
v. cardíaca pequena	v. cardiaca parva		átrio e ventrículo direitos	seio coronário
veias cardíacas mínimas	vv. cardiacae minimae		veias pequenas numerosas que surgem no miocárdio, drenando independentemente no interior das cavidades cardíacas e mais facilmente observadas nos átrios	
v. carotídea externa. Ver v. retromandibular				
veias cavernosas do pênis	vv. cavernosae penis		corpos cavernosos	veias profundas do pênis e dorsal do pênis
veias centrais do fígado	vv. centrales hepatis	no meio dos lóbulos hepáticos	substância hepática	v. hepática
v. central da retina	v. centralis retinae	globo ocular	veias retinianas	v. oftálmica superior
v. central da glândula supra-renal	v. centralis glandulae suprarenalis	veia grande e única no interior da qual as várias veias dentro da substância da glândula se escoam, e que continua no hilo como v. supra-renal		

v. = veia.

v. = [L.] vena;
vv. = [L. pl.] venae.

(Continua)

V - Z

TABELA DE VEIAS

Nome Comum	Termo da Nomina Atômica	Região	Recebe Sangue de	Drena em
v. cefálica	v. cephalica	serpenteia anteriormente para passar ao longo da borda anterior do músculo braquiorradial; acima do cotovelo, sobe ao longo da borda lateral do músculo bíceps ou deltóide	lado radial da rede dorsal da mão	v. axilar
v. cefálica acessória	v. cephalica accessoria	antebraço	rede dorsal da mão	junta-se à v. cefálica, imediatamente acima do cotovelo
veias cefálicas medianas	v. intermedia cephalica	algumas vezes presentes como ramos laterais formados pela bifurcação da v. antebraquial mediana		v. cefálica
veias inferiores dos hemisférios do cerebelo	vv. inferiores hemispherii cerebelli		superfície inferior do cerebelo	seios transversal, sigmóide e petroso inferior ou seio occipital
veias superiores dos hemisférios do cerebelo	vv. superiores hemispherii cerebelli		superfície superior do cerebelo	seio reto e v. magna do cérebro, ou seios transversal e petroso superior
veias cerebrais anteriores	vv. anteriores cerebri	acompanham a artéria cerebral anterior		v. basal
v. magna do cérebro	v. magna cerebri	encurva-se ao redor do esplênio do corpo caloso	formado pela união das duas veias cerebrais internas	continua como seio reto ou drena em seu interior
veias cerebrais inferiores	vv. inferiores cerebri	veias que se ramificam na base e superfície infero-lateral do cérebro, sendo que as veias na superfície inferior do lobo frontal drenam no interior dos seios sagital inferior e cavernoso; as veias no lobo temporal drenam no interior dos seios petroso superior e transversal; e as veias no lobo occipital drenam no interior do seio reto		
veias internas do cérebro	vv. internae cerebri	formadas pela união das veias passam para trás a partir do forame interventricular, através da tela coróidea.	talamoestriada e coróide; coletam sangue a partir dos gânglios basais	unem-se ao esplênio ou corpo caloso para formar a v. magna do cérebro
v. média profunda do cérebro	v. media profunda cerebri	acompanha a artéria cerebral média no assoalho do sulco lateral		v. basal
v. média superficial do cérebro	v. cerebri superficialis media	acompanha a fissura cerebral lateral	superfície lateral do cérebro	seio cavernoso
veias superiores do cérebro	vv. superiores cerebri	cerca de 12 veias que drenam as superfícies súpero-lateral e medial do cérebro em direção à fissura longitudinal		seio sagital superior
v. cervical profunda	v. cervicalis profunda	acompanha a artéria cervical profunda ao longo do pescoço	plexo no triângulo suboccipital	veias vertebral ou braquiocefálica
veias cervicais transversais	vv. transversae cervicis	acompanham a artéria cervical transversal		v. subclávia
v. coróide inferior	v. choroidea inferior	corre por toda a extensão do plexo coróide	plexo coróide inferior	v. basal
v. coróide superior	v. choroidea superior		plexo coróide, hipocampo, fórnice e corpo caloso	junta-se à v. talamoestriada para formar a v. cerebral interna

Português	Latim			
veias ciliares	vv. ciliares	os vasos anteriores acompanham as artérias ciliares anteriores; os vasos posteriores acompanham as artérias ciliares posteriores	surgem no globo ocular por meio de ramos provenientes do músculo ciliar; as veias ciliares anteriores também recebem ramos provenientes do seio venoso, escleras, veias episclerais e da conjuntiva do globo ocular	v. oftálmica superior; as veias ciliares posteriores também se escoam na v. oftálmica inferior
veias femorais circunflexas laterais	vv. circumflexae laterales femoris	acompanham a artéria femoral circunscrita lateral		v. femoral ou femoral profunda
veias femorais circunflexas mediais	vv. circumflexae mediales femoris	acompanham a artéria femoral circunflexa medial		veias femoral ou femoral profunda
v. ilíaca circunflexa profunda	v. circumflexa ilium profunda	tronco comum formado pelas veias que acompanham a artéria ilíaca circunflexa profunda		v. ilíaca externa
v. ilíaca circunflexa superficial	v. circumflexa iliaca superficialis	acompanha a artéria ilíaca circunflexa superficial		v. safena magna
v. do canal coclear. Ver v. do aqueduto da cóclea				
v. cólica esquerda	v. colica sinistra	acompanha a artéria cólica esquerda		v. mesentérica inferior
v. cólica média	v. colica media	acompanha a artéria cólica média		v. mesentérica superior
v. cólica direita	v. colica dextra	acompanha a artéria cólica direita		v. mesentérica superior
veias conjuntivais	vv. conjunctivales		conjuntiva	v. oftálmica superior
v. coronária esquerda	v. coronaria sinistra	porção da v. cardíaca maior que se situa no sulco coronário		seio coronário
v. coronária direita	v. coronaria dextra		v. interventricular anterior	seio coronário
v. do corpo caloso posterior	v. posterior corporis callosi		v. interventricular posterior superfície posterior do corpo caloso	v. magna do cérebro
v. mediana cubital	v. intermedia cubiti	o grande ramo de ligação que passa em sentido oblíquo ascendentemente através da fossa cubital	v. cefálica, abaixo	v. basílica
v. cutânea	v. cutanea	uma das pequenas veias que começam nas papilas cutâneas, formam os plexos subpapilares e se abrem nas veias subcutâneas		
v. cística	v. cystica	dentro da substância hepática	vesícula biliar	ramo direito da veia porta
veias profundas do clitóris	vv. profundae clitoridis		clitóris	plexo venoso vesical
veias profundas do pênis	vv. profundae penis	acompanham a artéria profunda do pênis	pênis	v. dorsal do pênis
veias digitais dorsais do pé	vv. digitales dorsales pedis	superfícies dorsais dos dedos dos pés		unem-se em fendas para formar as veias metatársicas dorsais
veias digitais palmares	vv. digitales palmares	acompanham as artérias digital palmar e própria comum		arco venoso palmar superficial
veias digitais plantares	vv. digitales plantares	superfícies plantares dos dedos dos pés		unem-se em fendas para formar as veias metatársicas plantares

v. = [L.] vena;
vv. = [L. pl.] venae.

v. = veia.

(Continua)

V – Z

TABELA DE VEIAS

Nome Comum	Termo da Nomina Atomica	Região	Recebe Sangue de	Drena em
v. diplóica frontal	v. diploica frontalis		osso frontal	v. supra-orbitária (externamente) ou seio sagital superior (internamente)
v. diplóica occipital	v. diploica occipitalis		osso occipital	v. occipital ou seio transversal
v. diplóica temporal anterior	v. diploica temporalis anterior		porção lateral do osso frontal, parte anterior do osso parietal	seio esfenoparietal (internamente) ou uma v. temporal profunda (externamente)
v. diplóica temporal posterior	v. diploica temporalis posterior		osso parietal	seio transversal
veias diretas laterais	vv. directae laterales		ventrículo lateral	v. magna do cérebro
v. dorsal profunda do clitóris	v. dorsalis profunda clitoridis	acompanha a artéria dorsal do clitóris		plexo vesical
veias dorsais clitóricas superficiais	vv. dorsales superficiales clitoridis		clitóris, subcutaneamente	v. pudenda externa
v. dorsal do corpo caloso	v. dorsalis corporis callosi		superfície superior do corpo caloso	v. magna do cérebro
v. dorsal profunda do pênis	v. dorsalis profunda penis	a veia mediana única que se situa subfascialmente no pênis entre as artérias dorsais; começa nas pequenas veias ao redor da coroa da glande, junta-se às veias profundas do pênis à medida que segue proximalmente, e passa entre os ligamentos púbico arqueado e perineal transversal, onde se divide em uma veia esquerda e uma direita para se juntar ao plexo prostático		
veias dorsais superficiais do pênis	vv. dorsales superficiales penis		pênis, subcutaneamente	v. pudenda externa
veias dorsais da língua. Ver veias linguais dorsais	vv. dorsales linguae			
veias emissárias	vv. emissaria	forames craniais	seios venosos durais	veias do couro cabeludo e profundas, sob a base do crânio
v. emissária condilar	v. emissaria condyloidea	pequena veia que corre através do canal condilar cranial, ligando o seio sigmóide às veias vertebral ou jugular interna		
v. emissária mastóidea	v. emissaria mastoidea	pequena veia que passa através do forame mastóideo cranial, ligando o seio sigmóide às veias occipital ou auricular posterior		
v. emissária occipital	v. emissaria occipitalis	pequena veia ocasional que corre através de um forame diminuto na protuberância occipital do crânio, ligando a confluência dos seios à v. occipital		
v. emissária parietal	v. emissaria parietalis	pequena veia que passa através do forame parietal cranial, ligando o seio sagital superior às veias temporais superficiais		
v. epigástrica inferior	v. epigastrica inferior	acompanha a artéria epigástrica inferior		v. ilíaca externa
v. epigástrica superficial	v. epigastrica superficialis	acompanha a artéria epigástrica superficial		veias safena magna ou femoral
veias epigástricas superiores	vv. epigastricae superiores	acompanham a artéria epigástrica superior		v. torácica interna
veias episclerais	vv. episclerales	ao redor da córnea		veias vorticosas e ciliares

veias esofágicas	vv. oesophageales		esôfago	veias hemiázigo e ázigo ou braquiocefálica esquerda
veias etmoidais	vv. ethmoidales	acompanham as artérias etmoidais anterior e posterior e emergem dos forames etmoidais		v. oftálmica superior
v. facial	v. facialis	veia que começa no ângulo medial do olho como v. angular, descendo atrás da artéria facial, e geralmente terminando na v. jugular interna; algumas vezes se junta à v. retromandibular para formar um tronco comum		
v. facial profunda	v. profunda faciei		plexo pterigóide	v. facial
v. facial posterior. Ver v. retromandibular				
v. facial transversal	v. transversa faciei	que passa para trás com a artéria facial transversal imediatamente abaixo do arco zigomático		v. retromandibular
v. femoral	v. femoralis	acompanha o curso da artéria femoral nos dois terços proximais da coxa	continuação da v. poplítea	no ligamento inguinal, torna-se a v. ilíaca externa
v. femoral profunda	v. profunda femoris	acompanha a artéria femoral profunda		v. femoral
veias peroneais. Ver veias fibulares				
veias frontais	vv. frontales	veias cerebrais superiores superficiais que drenam o córtex frontal		
v. gástrica esquerda	v. gastrica sinistra	acompanha a artéria gástrica esquerda		v. porta
v. gástrica direita	v. gastrica dextra	acompanha a artéria gástrica direita		v. porta
veias gástricas curtas	vv. gastricae breves		porção esquerda da curvatura maior do estômago	v. esplênica
v. gastroepiplóica. Ver v. gastromental esquerda, v. gastroepiplóica direita. Ver v. gastromental direita.				
v. gastromental esquerda	gastro-omentalis sinistra	acompanha a artéria gastroepiplóica esquerda		v. esplênica
v. gastromental direita	gastro-omentalis dextra	acompanha a artéria gastroepiplóica direita		v. mesentérica superior
veias geniculares	vv. geniculares	acompanham as artérias geniculares		v. poplítea
veias glúteas inferiores	vv. gluteae inferiores	acompanham a artéria glútea inferior; unem-se a um vaso único e após passarem através do forame ciático maior	tecido subcutâneo do dorso da coxa, músculos das nádegas	v. ilíaca interna

v. = veia.

v. = [L.] vena;
vv. = [L. pl.] venae.

(Continua)

TABELA DE VEIAS

Nome Comum	Termo da Nomina Atomica	Região	Recebe Sangue de	Drena em
veias glúteas superiores	vv. gluteae superiores	acompanham a artéria glútea superior e passam através do forame ciático magno	músculos das nádegas	v. ilíaca interna
v. hemiázigo	v. hemiazygos	tronco interceptador para as veias intercostais posteriores esquerdas inferiores; ascende do lado esquerdo das vértebras até a oitava vértebra torácica, onde pode receber um ramo acessório e atravessa a coluna vertebral	v. lombar ascendente	v. ázigo
v. hemiázigo acessória	v. hemiazygos acessoria	tronco interceptador descendente para as veias intercostais posteriores superiores (quase sempre da quarta à oitava); situa-se do lado esquerdo e, na oitava vértebra torácica, junta-se à v. hemiázigo ou atravessa para o lado direito para se juntar à v. ázigo diretamente; acima, pode-se comunicar com a v. intercostal superior esquerda		
veias hemorroidais. Ver as entradas sobre as veias retais				
veias hepáticas	vv. hepaticae	duas ou três veias grandes em um grupo superior e seis a 20 veias pequenas em um grupo inferior, formando sucessivamente vasos maiores	veias centrais do fígado	cava inferior na face posterior do fígado
v. hipogástrica. Ver v. ilíaca interna				
veias ileais	vv. ileales		íleo	v. mesentérica superior
v. ileocólica	v. ileocolica	acompanha a artéria ileocólica		v. mesentérica superior
v. ilíaca comum	v. iliaca communis	sobe até o lado direito da quinta vértebra lombar	surge na articulação sacroilíaca pela união das veias ilíacas externa e interna	une-se a veia do lado oposto para formar a v. cava inferior
v. ilíaca externa	v. iliaca externa	estende-se do ligamento inguinal à articulação sacroilíaca	continuação da v. femoral	junta-se à v. ilíaca interna para formar a v. ilíaca comum
v. ilíaca interna	v. iliaca interna	estende-se da chanfradura ciática magna até a borda da pelve		junta-se à v. ilíaca externa para formar a v. ilíaca comum
v. iliolombar	v. iliolumbalis	acompanha a artéria iliolombar	formada pela união dos ramos parietais	v. ilíaca interna e/ou v. ilíaca comum
veias inominadas. Ver veias braquiocefálicas				
veias insulares	vv. insulares		ínsula	v. média profunda do cérebro

veias intercapitulares	vv. intercapitales manus	veias nas fendas dos dedos que passam entre as cabeças dos ossos metacárpicos e estabelecem comunicação entre os sistemas venosos dorsal e palmar da mão		
veias intercostais anteriores (12 pares)	vv. intercostales anteriores	acompanham as artérias torácicas anteriores		veias torácicas internas
v. intercostal suprema	v. intercostalis suprema	primeira veia intercostal posterior de cada lado, que passa através do vértice pulmonar		veias braquiocefálica, vertebral ou intercostal acessória
veias intercostais posteriores	vv. intercostales posteriores	acompanham as artérias intercostais posteriores	espaços intercostais	v. ázigo à direita; veias hemiázigo ou hemiázigo acessória à esquerda
v. intercostal superior esquerda	v. intercostalis superior sinistra	atravessa o arco aórtico	formada pela união da segunda, terceira e algumas vezes também da quarta veia intercostal posterior	v. braquiocefálica esquerda
v. intercostal superior direita	v. intercostalis superior dextra		formada pela união da segunda, terceira e algumas vezes também da quarta veia intercostal posterior	v. ázigo
veias interlobares do rim	vv. interlobares renis	passam descendentemente entre as pirâmides renais	arcadas venosas renais	unem-se para formar a v. renal
veias interlobulares do rim	vv. interlobulares renis		rede capilar do córtex renal	arcadas venosas renais
veias interlobulares do fígado	vv. interlobulares hepatis	surgem entre os lóbulos hepáticos	fígado	v. porta
veias interósseas anteriores	vv. interosseae anteriores	acompanham a artéria interóssea anterior		veias ulnares
veias interósseas posteriores	vv. interosseae posteriores	acompanham a artéria interóssea posterior		veias ulnares
veias interósseas dorsais do pé. Ver veias metatársicas dorsais				
v. interventricular anterior	v. interventricularis anterior	porção da v. cardíaca magna que ascende no sulco interventricular anterior		v. coronária esquerda
v. interventricular posterior	v. interventricularis posterior	porção da v. cardíaca média que ascende no sulco interventricular posterior		v. coronária direita
v. intervertebral	v. intervertebralis	coluna vertebral	plexos venosos vertebrais	no pescoço, v. vertebral; no tórax, veias intercostais; no abdome, veias lombares; na pelve, veias sacrais laterais
veias jejunais	vv. jejunales		jejuno	v. mesentérica superior

(Continua)

v. = veia. v. = [L.] vena;
vv. = [L. pl.] venae.

V–Z

TABELA DE VEIAS

Nome Comum	Termo da Nomina Atomica	Região	Recebe Sangue de	Drena em
v. jugular anterior	v. jugularis anterior	surge sob o queixo e passa sob o pescoço		veia jugular externa ou subclávia ou arco venoso jugular
v. jugular externa	v. jugularis externa	começa na glândula parótida, atrás do ângulo da mandíbula e passa sob o pescoço	formada pela união das veias retromandibular e auricular posterior	veias subclávia, jugular interna ou braquiocefálica
v. jugular interna	v. jugularis interna	a partir da fossa jugular, desce no pescoço junto com a artéria carótida interna e depois com a artéria carótida comum	começa como bulbo superior, drenando a parte da cabeça e do pescoço	junta-se à v. subclávia para formar a v. braquiocefálica
veias labiais anteriores	vv. labiales anteriores		face anterior dos lábios na mulher	v. pudenda externa
veias labiais inferiores	vv. labiales inferiores		região do lábio inferior	v. facial
veias labiais posteriores	vv. labiales posteriores		lábios na mulher	plexo venoso vesical
v. labial superior	vv. labiales superior		região do lábio superior	v. facial
veias do labirinto	vv. labyrinthinae	passam através do meato acústico interno	cóclea	seios petroso inferior ou transversal
v. lacrimal	v. lacrimalis		glândula lacrimal	v. oftálmica superior
v. laríngea inferior	v. laryngea inferior		laringe	v. tireóidea inferior
v. laríngea superior	v. laryngea superior		laringe	v. tireóidea superior
v. lingual	v. lingualis	veia profunda, que acompanha a distribuição da artéria lingual		v. jugular interna
v. lingual profunda	v. profunda linguae		face profunda da língua	junta-se à v. sublingual para formar a v. acompanhante do nervo hipoglosso
veias linguais dorsais	vv. dorsales linguae	veias que se unem a uma pequena veia que acompanha a artéria lingual e se junta ao tronco lingual principal		
veias lombares	vv. lumbales	quatro ou cinco veias de cada lado, que acompanham as artérias lombares correspondentes e drenam a parede posterior do abdome, o canal vertebral, a medula espinhal e as meninges; as quatro primeiras geralmente terminam na v. cava inferior, embora a primeira possa terminar na v. lombar ascendente; a quinta é geralmente tributária da v. ilíaca comum		
v. lombar ascendente	v. lumbalis ascendens	veia interceptadora ascendente para as veias lombares em cada lado; começa na região sacral lateral e ascende até a primeira vértebra lombar, onde através de união com a v. subcostal, torna-se a v. ázigo (do lado direito) e a v. hemiázigo (do lado esquerdo)		
v. marginal direita	v. marginalis dextra	sobe ao longo da margem direita do coração	ventrículo direito	átrio direito, veias cardíacas anteriores
veias maxilares	vv. maxillares	geralmente formam apenas um tronco curto com o plexo pterigóide		juntam-se à temporal superficial na glândula parótida para formar a v. retromandibular

Português	Latim		
veias mediastínicas	vv. mediastinales	mediastino anterior	veias braquiocefálica, ázigo ou cava superior
veias da medula oblonga	vv. medullae oblongatae	medula oblonga	veias da medula espinhal, seios venosos durais e petroso inferior, bulbo superior da v. jugular
veias meníngeas	vv. meningeae	acompanham as artérias meníngeas; dura-máter (também se comunicam com as lacunas laterais)	seios e veias regionais
veias meníngeas médias	vv. meningeae mediae	acompanham a artéria meníngea média	plexo venoso pterigóide
v. mesentérica inferior	v. mesenterica inferior	acompanha a distribuição da artéria mesentérica inferior	v. esplênica
v. mesentérica superior	v. mesenterica superior	acompanha a distribuição da artéria mesentérica superior	junta-se à v. esplênica para formar a v. porta
veias metacárpicas dorsais	v. metacarpales dorsales	veias que surgem a partir da união das veias dorsais de dedos adjacentes e passam proximalmente para se juntar na formação da rede venosa dorsal da mão	
veias metacárpicas palmares	vv. metacarpales palmares	acompanham as artérias metacárpicas palmares	arco venoso palmar profundo
veias metatársicas dorsais	vv. metatarsales dorsales	surgem das veias digitais dorsais dos dedos dos pés nas fendas dos dedos	arco venoso dorsal
veias metatársicas plantares	vv. metatarsales plantares	surgem das veias digitais plantares nas fendas dos dedos do pé	arco venoso plantar
veias musculofrênicas	vv. musculophrenicae	partes do diafragma e parede do tórax e do abdome	veias torácicas internas
veias nasais externas	vv. nasales externae	pequenos ramos que ascendem do nariz	veias angular e facial
v. nasofrontal	v. nasofrontalis	v. supra-orbitária	v. oftálmica superior
v. oblíqua do átrio esquerdo	v. obliqua atrii sinistri	átrio esquerdo do coração	seio coronário
veias obturatórias	vv. obturatoriae	entra na pelve através do canal obturatório; articulação coxofemoral e músculos regionais	veias ilíaca interna e/ou epigástrica inferior
v. occipital	v. occipitalis	couro cabeludo; acompanha a distribuição da artéria occipital	abre-se sob o músculo trapézio no plexo venoso suboccipital ou acompanha a artéria occipital para terminar na v. jugular interna
v. oftálmica inferior	v. ophthalmica inferior	veia formada pela confluência dos ramos muscular e ciliar, e que corre para trás tanto para se juntar à v. oftálmica superior como para se abrir diretamente no interior do seio cavernoso; emite um ramo comunicante através da fissura orbitária inferior para se juntar ao plexo venoso pterigóide	

v. = [L.] vena;
vv. = [L. pl.] venae.

v. = veia.

V – Z

(Continua)

TABELA DE VEIAS

Nome Comum	Termo da Nomina Atomica	Região	Recebe Sangue de	Drena em
v. oftálmica superior	v. ophthalmica superior	veia que começa no ângulo medial do olho, onde se comunica com as veias frontal, supra-orbitária e angular; ela acompanha a distribuição da artéria oftálmica e pode se juntar à v. oftálmica inferior na fissura orbitária superior antes de se abrir no interior do seio cavernoso		
v. ovárica esquerda	v. ovarica sinistra		plexo pampiniforme do ligamento largo à esquerda	v. renal esquerda
v. ovárica direita	v. ovarica dextra			v. cava inferior
v. palatina externa	v. palatina externa		tonsilas e palato mole	v. facial
veias palpebrais	vv. palpebrales	pequenos ramos a partir das pálpebras		v. oftálmica superior
veias palpebrais inferiores	vv. palpebrales inferiores		pálpebra inferior	v. facial
veias palpebrais superiores	vv. palpebrales superiores		pálpebra superior	v. angular
veias pancreáticas	vv. pancreaticae		pâncreas	v. esplênica ou v. mesentérica superior
veias pancreaticoduodenais	vv. pancreaticoduodenales	quatro veias que drenam sangue do pâncreas e duodeno, acompanhando proximamente as artérias pancreaticoduodenais, com uma veia superior e uma inferior originando-se de uma arcada venosa anterior e uma posterior; a v. superior anterior se junta à v. gastro-epiplóica direita e a v. superior posterior se junta à v. porta anterior, e as veias inferiores posteriores se juntam (algumas vezes como um tronco) mais superiormente às veias jejunal ou mesentérica superior		
veias paraumbilicais	vv. para-umbilicales	veias que se comunicam com a v. porta acima e descem para a parede abdominal anterior para se anastomosar com as veias epigástricas superior e inferior e vesical superior na região do umbigo; elas formam uma parte significativa da circulação colateral da v. porta no caso de obstrução hepática		
veias parotídeas	vv. parotideae		glândula parótida	v. temporal superficial
veias perfurantes	vv. perforantes	esvaziam-se na v. femoral profunda e estabelecem anastomoses entre as veias femoral profunda e poplítea (abaixo) e glútea inferior (acima)		
veias pericárdicas	vv. pericardiales		pericárdio	
veias pericardicofrênicas	vv. pericardiacophrenicae		pericárdio e diafragma	veias braquicefálica, tireóidea inferior e ázigo e v. cava superior
veias fibulares	vv. fibulares	acompanham a artéria fibular		v. braquiocefálica esquerda
veias faríngeas	vv. pharyngeales		plexo faríngeo	v. tibial posterior
				v. jugular interna

veias frênicas inferiores	vv. phrenicae inferiores	acompanham as artérias frênicas inferiores	
veias frênicas superiores. Ver veias pericardicofrênicas			à direita, entram na v. cava inferior; à esquerda, entram nas veias supra-renal esquerda ou renal ou na v. cava inferior
veias da ponte	vv. pontis	ponte	veias basal e cerebelares, seios petroso ou venosos ou plexo venoso do forame oval
v. poplítea	v. poplitea	acompanha a artéria poplítea	toma-se v. femoral no hiato adutor
v. porta	v. portae hepatis	tronco curto e espesso formado pela união das veias mesentérica superior e esplênica atrás do colo pancreático; ascende até a extremidade direita da porta do fígado, onde se divide em ramos sucessivamente menores, acompanhando os ramos da artéria hepática, até formar um sistema semelhante ao capilar de sinusóides que permeiam toda a substância hepática	formada pela união das veias tibiais anterior e posterior
v. posterior ventricular esquerda	v. ventriculi sinistri posterior	superfície posterior do ventrículo esquerdo	seio coronário
v. pré-pilórica	v. prepylorica	acompanha a artéria pré-pilórica, passando ascendentemente sobre a superfície anterior da junção entre o piloro e o duodeno	v. gástrica direita
profunda da coxa. Ver v. femoral profunda.			
profunda da língua. Ver v. lingual profunda.			
v. do canal pterigóide	v. canalis pterigoidei	passa através do canal pterigóide	plexo pterigóide
veias pudendas externas	vv. pudendae externae	acompanham a distribuição da artéria pudenda externa	v. safena magna
v. pudenda interna	v. pudenda interna	acompanha o curso da artéria pudenda interna	v. ilíaca interna
v. pulmonar inferior esquerda	v. pulmonalis sinistra inferior	lobo inferior do pulmão esquerdo	átrio esquerdo do coração
v. pulmonar inferior direita	v. pulmonalis dextra inferior	lobo superior do pulmão direito	átrio esquerdo do coração
v. pulmonar esquerda superior	v. pulmonalis sinistra superior	lobo superior do pulmão esquerdo	átrio esquerdo do coração
v. pulmonar direita superior	v. pulmonalis dextra superior	lobos superior e médio do pulmão direito	
v. pilórica. Ver v. gástrica direita			
veias radiais	vv. radiales	acompanham a artéria radial	veias braquiais

v. = veia.
v. = [L.] vena;
vv. = [L. pl.] venae.

(Continua)

V – Z

TABELA DE VEIAS

Nome Comum	Termo da Nomina Atomica	Região	Recebe Sangue de	Drena em
v. ranina. Ver v. sublingual				
veias retais inferiores	vv. rectales inferiores		plexo retal	v. pudenda interna
veias retais médias	vv. rectales mediae		plexo retal	veias ilíaca interna retal e retal superior
v. retal superior	v. rectalis superior	estabelece uma conexão entre os sistemas portal e sistêmico	parte superior do plexo retal	v. mesentérica inferior
v. retromandibular	v. retromandibularis	veia formada na parte superior da glândula parótida por trás do colo mandibular pela união das veias maxilar e temporal superficial; corre descendentemente através da glândula, comunica-se com a v. facial e, ao emergir da glândula, junta-se à v. jugular externa para formar a v. jugular externa		
veias sacrais laterais	vv. sacrales laterales	acompanham as artérias sacrais laterais		ajudam a formar o plexo sacral lateral; escoam-se nas veias ilíaca interna ou glútea superiores
v. sacral mediana	v. sacralis mediana	acompanha a artéria sacral mediana		v. ilíaca comum
v. safena acessória	v. safena accessoria		quando presente, partes superficiais medial e posterior da coxa	v. safena magna
veia safena magna	v. saphena magna	estende-se do dorso do pé até imediatamente abaixo do ligamento inguinal		v. femoral
v. safena pequena	v. saphena parva	a partir da porção posterior do tornozelo, corre para cima e para trás da perna até o joelho		v. poplítea
veias esclerais	vv. esclerales		esclera	veias ciliares anteriores
veias escrotais anteriores	vv. scrotales anteriores		face anterior do escroto	v. pudenda externa
veias escrotais posteriores	vv. scrotales posteriores	escroto		plexo venoso vesical
v. anterior do septo pelúcido	v. anterior septi pellucidi		septo pelúcido anterior	v. talamoestriada superior
v. posterior do septo pelúcido	v. posterior septi pellucidi		septo pelúcido	v. talamoestriada superior
veias sigmóides	vv. sigmoideae		cólon sigmóide	v. mesentérica inferior
veias espinhais anteriores e posteriores	vv. spinales anteriores vv. spinales posteriores	redes anastomosantes de pequenas veias que drenam sangue a partir da medula espinhal e da sua pia-máter nos plexos venosos vertebrais internos		
v. espiral do modíolo	v. spiralis modioli	modíolo		veias do labirinto
v. esplênica	v. splenica	passa da esquerda para a direita do colo pancreático	formada pela união de vários ramos no hilo esplênico	junta-se à v. mesentérica superior para formar a v. porta
veias estreladas do rim	venulae stellatae renis		partes superficiais do córtex renal	veias interlobulares do rim

v. esternocleidomastóidea	v. sternocleidomastoidea	acompanha o curso da artéria esternocleidomastóidea		v. jugular interna
veias estriadas	vv. striatae			
v. estilomastóidea	v. stylomastoidea	acompanha a artéria estilomastóidea		v. retromandibular
v. subclávia	v. subclavia	acompanha a artéria subclávia	continua a v. axilar como canal venoso principal do membro superior	junta-se à v. jugular interna para formar a v. braquiocefálica
v. subcostal	v. subcostalis	acompanha a artéria subcostal		junta-se à v. lombar ascendente para formar a v. ázigo à direita; v. hemiázigo à esquerda
veias subcutâneas abdominais	vv. subcutaneae abdominis	camadas superficiais da parede abdominal		
v. sublingual	v. sublingualis	acompanha a artéria sublingual		v. lingual
v. submentoniana	v. submentalis	acompanha a artéria submentoniana		v. facial
v. supra-orbitária	v. supraorbitalis	corre para baixo da testa, lateralmente à v. supratroclear		junta-se à v. supratroclear na raiz do nariz para formar a v. angular
v. supra-renal esquerda	v. suprarenalis sinistra		glândula supra-renal esquerda	v. renal esquerda
v. supra-renal direita	v. suprarenalis dextra		glândula supra-renal direita	v. cava inferior
v. supra-escapular	v. suprascapularis	acompanha a artéria supra-escapular (algumas vezes como duas veias que se unem)		geralmente na v. jugular externa, ocasionalmente na v. subclávia
veias supratrocleares	vv. supratrochleares		plexos venosos para cima até a testa	juntam-se à v. supra-orbitária na raiz do nariz para formar a v. angular
veias surais	vv. surales	acompanham as artérias surais	panturrilha	v. poplítea
veias temporais profundas	vv. temporales profundae		porções profundas do músculo temporal	plexo pterigóide
v. temporal média	v. temporalis media	desce profundamente até a fáscia e até o zigoma	surge na substância do músculo temporal	junta-se à v. temporal superficial
veias temporais superficiais	vv. temporales superficiales	veias que drenam a parte lateral do couro cabeludo nas regiões frontal e parietal, com os ramos formando uma v. temporal superficial única na frente da orelha, imediatamente acima do zigoma; essa veia descendente recebe as veias temporal média e facial transversal e, entrando na glândula parótida, une-se à v. maxilar, profundamente ao colo mandibular para formar a v. retromandibular		
v. testicular esquerda	v. testicularis sinistra		plexo pampiniforme esquerdo	v. renal esquerda
v. testicular direita	v. testicularis dextra		plexo pampiniforme direito	v. cava inferior
veias talamoestriadas inferiores	vv. thalamoestriatae inferiores		substância perfurada anterior do cérebro	junta-se às veias cerebrais média profunda e anterior para formar a v. basal

v. = veia.

v. = [L.] vena;
vv. = [L. pl.] venae.

(Continua)

V – Z

TABELA DE VEIAS

Nome Comum	Termo da Nomina Atomica	Região	Recebe Sangue de	Drena em
v. talamoestriada superior	v. thalamoestriata superior		corpo estriado e tálamo	junta-se à v. coróide para formar a v. cerebral interna
veias torácicas internas	v. thoracicae internae	duas veias formadas pela junção das veias que acompanham a artéria torácica interna em cada lado; cada uma delas continua ao longo da artéria para se abrir na v. braquiocefálica		
v. torácica lateral	v. thoracica lateralis	acompanha a artéria torácica lateral		v. axilar
v. toracoacromial	v. thoraco-acromialis	acompanha a artéria toracoacromial		v. subclávia
veias toracoepigástricas	v. thoraco-epigastricae	veias superficiais longitudinais longas no tecido subcutâneo ântero-lateral do tronco		superiormente na v. torácica lateral; inferiormente na v. femoral
veias tímicas	vv. thymicae		timo	v. braquiocefálica esquerda
veias tireóideas inferiores	vv. thyroideae inferiores	duas veias (esquerda e direita) que drenam o plexo tireóideo nas veias braquiocefálicas esquerda e direita; ocasionalmente, podem se unir em um tronco comum para se escoar, geralmente, na v. braquiocefálica esquerda		
veias tireóideas médias	vv. thyroideae mediae	surge do lado na porção superior da glândula tireóide	glândula tireóide	v. jugular interna
v. tireóidea superior	v. thyroidea superior		glândula tireóide	v. jugular interna, ocasionalmente em comum com a v. facial
veias tibiais anteriores	vv. tibiales anteriores	acompanham a artéria tibial anterior		juntam-se às veias tibiais posteriores para formar a v. poplítea
veias tibiais posteriores	vv. tibiales posteriores	acompanham a artéria tibial posterior		juntam-se às veias tibiais anteriores para formar a v. poplítea
veias traqueais	vv. tracheales		traquéia	v. braquiocefálica
veias timpânicas	vv. tympanicae	pequenas veias do ouvido médio que atravessam a fissura petrotimpânica e se abrem no plexo ao redor da articulação temporomandibular		v. retromandibular
veias ulnares	vv. ulnares	acompanham a artéria ulnar		juntam-se às veias radiais no cotovelo para formar as veias braquiais
v. umbilical	v. umbilicalis (antigamente)	no embrião inicial, uma das veias pareadas que transportam o sangue do córion para o seio venoso e coração; elas se fundem posteriormente e se tornam a v. umbilical fetal esquerda		
v. umbilical esquerda do feto	v. umbilicalis sinistra	veia formada pela fusão da v. umbilical direita atrofiada com a v. umbilical esquerda, que transporta todo o sangue da placenta para o ducto venoso		
v. do uncus	v. unci		unco	v. cerebral inferior ipsilateral
veias uterinas	vv. uterinae		plexo uterino	veias ilíacas internas

v. cava inferior	vena cava inferior	tronco venoso para os membros inferiores e as vísceras pélvicas e abdominais; ela começa no nível da quinta vértebra lombar pela união das veias ilíacas comuns e ascende à direita da aorta	átrio direito do coração
v. cava superior	vena cava superior	tronco venoso que drena sangue da cabeça, pescoço, membros superiores e tórax; começa pela união de duas veias braquiocefálicas e corre diretamente para baixo	átrio direito do coração
v. ventricular inferior	v. ventricularis inferior	lobo temporal	v. basal
v. vertebral anterior	v. vertebralis anterior	acompanha a artéria cervical ascendente	veia vertebral
v. inferior do verme	v. inferior vermis	superfície inferior do cerebelo	seio reto ou um dos seios sigmóides
veias de Vieussens	vv. cardiacae anteriores	parede anterior do ventrículo direito; ascende através da porção direita do sulco atrioventricular	átrio direito, cardíaco menor

v. = [L.] vena;
vv. = [L. pl.] venae.

v. = veia.

V – Z

veias do corpo, ver a tabela e Pranchas VIII e IX. **accompanying v.** – v. acompanhante; veia que acompanha intimamente a artéria do mesmo nome, ocorrendo especialmente nas extremidades. **afferent v's** – veias aferentes; veias que transportam sangue para um órgão.

allantoic v's – veias alantóicas; vasos pareados que acompanham o alantóide, originando-se do intestino posterior primitivo e entrando na haste corporal do embrião inicial. **cardinal v's** – veias cardeais; vasos embrionários que incluem as veias pré-cardeais e pós-cardeais e os ductos de Cuvier (*veias cardeais comuns*). **emissary v.** – v. emissária; veia que passa através de um forame cranial e drena sangue de um seio cerebral no interior de um vaso externo do crânio. **v's of orbit** – veias orbitárias; veias que drenam a órbita e suas estruturas, incluindo a veia oftálmica superior e suas tributárias e a veia oftálmica inferior. **postcardinal v's** – veias cardinais posteriores, vasos pareados no embrião inicial, caudalmente ao coração. **precardinal v's** – veias pré-cardinais; troncos venosos pareados no embrião, cranialmente ao coração. **pulp v's** – veias pulpares; vasos que drenam os seios venosos do baço. **subcardinal v's** – veias subcardinais; vasos pareados no embrião, substituindo as veias cardinais posteriores; e persistindo até certo ponto como vasos definitivos. **sublobular v's** – veias sublobulares; tributárias das veias hepáticas que recebem as veias centrais dos lóbulos hepáticos. **supracardinal v's** – veias supracardinais; vasos pareados no embrião, desenvolvendo-se posteriormente às veias subcardinais e persistindo principalmente como segmento inferior da veia cava inferior. **trabecular v's** – veias trabeculares; vasos que correm nas trabéculas esplênicas, formados por veias pulpares tributárias. **varicose v.** – v. varicosa; veia tortuosa e dilatada, geralmente nos tecidos subcutâneos da perna; associa-se à incompetência da válvula venosa. **vesalian v.** – v. de Vesalius; veia emissária que conecta o seio cavernoso ao plexo venoso pterigóide. **vitelline v's** – veias vitelinas; veias que retornam o sangue do saco vitelino para o coração primitivo do embrião inicial.

ve·la·men (ve-la'men) [L.] pl. *velamina* – velame; membrana, meninge ou véu.

vel·a·men·tous (vel"ah-men'tus) – velamentoso; membranoso e pendente; semelhante a um véu.

vel·lus (vel'us) [L.] – velo: 1. pêlos finos que sucedem a lanugem na maior parte do corpo; 2. estrutura que se parece com estes pêlos finos.

ve·lo·pha·ryn·ge·al (vel"o-fah-rin'je-al) – velofaríngeo; relativo ao palato mole e à faringe.

ve·lum (ve'lum) [L.] pl. *vela* – véu; estrutura de revestimento ou um véu. **ve'lar** – adj. velar. **v. interpo'situm ce'rebri** – v. interposto cerebral; teto membranoso do terceiro ventrículo. **medullary v.** – v. medular; uma das duas porções (*véu medular superior* e *véu medular inferior*) da subs-

tância branca que forma o teto do quarto ventrículo. **v. palati'num** – v. palatino; palato mole.

ve·na (ve'nah) [L.] pl. *venae* – veia. **ve'nae ca'vae** – veias cavas; ver *Tabela de Veias*.

ve·na·ca·vo·gram (ve"nah-ka'vo-gram) – venacavograma; registro radiográfico obtido por meio de venacavografia.

ve·na·ca·vog·ra·phy (-ka-vog'rah-fe) – venacavografia; radiografia de uma veia cava, geralmente a veia cava inferior.

ve·nec·ta·sia (ve"nek-ta'ze-ah) – venectasia; flebectasia; ver *phlebectasia*.

ve·nec·to·my (ve-nek'tah-me) – venectomia; flebectomia; ver *phlebectomy*.

ve·ne·re·al (vĕ-nēr'e-al) – venéreo; devido ou propagado por meio de relação sexual.

ve·ne·re·ol·o·gist (vĕ-nēr"e-ol'ah-jist) – venereologista; especialista em venereologia.

ve·ne·re·ol·o·gy (vĕ-nēr"e-ol'ah-je) – venereologia; estudo e tratamento das doenças venéreas.

vene·sec·tion (ven"ĕ-sek'shun) – venissecção; flebotomia; ver *phlebotomy*.

veni·punc·ture (ven"ĭ-pungk'chur) – venipuntura; venopuntura; venipunção; punção cirúrgica de uma veia.

veni·su·ture (-soo'chur) – venissutura; venossutura; fleborrafia; ver *phleborrhaphy*.

ven(o)- [L.] – elemento de palavra, *veia*.

ve·nog·ra·phy (ve-nog'rah-fe) – venografia; flebografia; ver *phlebography*.

ven·om (ven'om) – peçonha; veneno (especialmente uma substância tóxica normalmente secretada por serpente, inseto ou outro animal).

ve·no·mo·tor (ve"no-mo'ter) – venomotor; que controla a dilatação da constrição das veias.

ve·no·oc·clu·sive (-ŏ-kloo'siv) – venoclusivo; caracterizado por obstrução das veias.

ve·no·peri·to·ne·os·to·my (-per"ĭ-to"ne-os'tah-me) – venoperitoneostomia; anastomose da veia safena com o peritônio para drenagem de ascite.

ve·no·pres·sor (-pres'er) – venopressor: 1. relativo à pressão sangüínea venosa; 2. agente que causa constrição venosa.

ve·no·scle·ro·sis (-sklĕ-ro'sis) – venosclerose; flebosclerose; ver *phlebosclerosis*.

ve·nos·i·ty (ve-nos'ĭ-te) – venosidade: 1. excesso de sangue venoso em uma parte; 2. suprimento abundante de vasos sangüíneos ou de sangue venoso.

ve·no·sta·sis (ve"no-sta'sis) – venostase; retardamento do escoamento venoso em uma parte; ver *phlebostasis*.

ve·not·o·my (ve-not'ah-me) – venotomia; flebotomia (*phlebotomy*).

ve·nous (ve'nus) – venoso; relativo às veias.

ve·no·ve·nos·to·my (ve"no-ve-nos'tah-me) – venovenostomia; fleboflebostomia.

vent (vent) – fenda; abertura ou saída (como a abertura que descarrega pus), ou o ânus.

ven·ter (ven'ter) [L.] pl. *ventres* – ventre: 1. qualquer parte em forma de cavidade; a parte contrátil carnosa de um músculo; 2. abdômen ou estômago; 3. parte ou cavidade oca.

ven·ti·la·tion (ven"tĭ-la'shun) – ventilação: 1. processo ou ato de proporcionar ar fresco contínuo a uma casa ou sala; 2. processo de troca de ar entre os pulmões e o ar ambiente; 3. em Psiquiatria, verbalização dos problemas emocionais do indivíduo. **alveolar v.** – v. alveolar; quantidade de ar que atinge os alvéolos e se encontra disponível para troca gasosa com o sangue por unidade de tempo. **mechanical v.** – v. mecânica; ventilação realizada através de um meio extrínseco. **minute v.** – v. por minuto; quantidade total de gás (em litros) expelido dos pulmões por minuto. **positive pressure v.** – v. com pressão positiva; uma forma de ventilação mecânica na qual se administra ar às vias aéreas e pulmões sob pressão positiva, geralmente através de sonda endotraqueal, produzindo pressão de vias aéreas positiva durante a inspiração. **pulmonary v.** – v. pulmonar; medida da taxa de ventilação, referindo-se à troca total de ar entre os pulmões e o ar ambiente. **total v.** – v. total; v. por minuto.

ven·ti·la·tor (ven'tǐ-la-tor) – ventilador; aparelho destinado a qualificar o ar respirado através dele ou auxiliar ou controlar a ventilação pulmonar, tanto intermitente como continuamente.

ven·trad (ven'trad) – em direção à face ventral.

ven·tral (ven'tral) – ventral: 1. relativo ao abdômen ou a qualquer ventre; 2. orientado em direção ou situado na superfície ventral; oposto a dorsal.

ven·tra·lis (ven-tra'lis) [L.] – ventral.

ventri- – ver *ventr(o)-*.

ven·tri·cle (ven'trǐ-k'l) – ventrículo; pequena cavidade ou câmara, como ocorre no cérebro ou no coração. **ventric'ular** – adj. ventricular. **v. of Arantius** – v. de Arantius; fossa rombóide, especialmente sua extremidade inferior. **double-inlet v.** – v. de entrada dupla; anomalia congênita em que ambas as válvulas atrioventriculares ou apenas uma válvula atrioventricular comum se abrem no interior de um ventrículo, que geralmente se parece morfologicamente com o ventrículo esquerdo (*ventrículo esquerdo de entrada dupla*), mas pode se assemelhar ao direito (*ventrículo direito de entrada dupla*) ou nenhum ou ainda ambos os ventrículos. **double-outlet left v.** – v. esquerdo de saída dupla; anomalia rara em que ambas as grandes artérias surgem do ventrículo esquerdo, associando-se freqüentemente ao ventrículo direito hipoplásico, um defeito septal ventricular e outras malformações cardíacas. **double-outlet right v.** – v. direito de saída dupla; transposição incompleta dos grandes ventrículos em que tanto a aorta como a artéria pulmonar surgem do ventrículo direito, associando-se ao defeito septal ventricular. **fifth v.** – quinto v.; fenda mediana entre as duas lâminas do septo pelúcido. **fourth v. of cerebrum** – quarto v. cerebral; cavidade mediana no metencéfalo, que contém líquido cerebroespinhal. **v. of larynx** – v. laríngeo; espaço entre as cordas vocais verdadeiras e falsas. **lateral v. of cerebrum** – v. lateral do cerebro; cavidade em cada um dos hemisférios cerebrais, derivada da cavidade do tubo embrionário, e que contém líquido cerebroespinhal. **left v. of heart** – v. cardíaco esquerdo; câmara inferior do lado esquerdo do coração, que bombeia sangue oxigenado para fora através da aorta para todos os

tecidos do corpo. **Morgagni's v.** – v. de Morgagni; v. laríngeo. **pineal v.** – v. pineal; extensão do terceiro ventrículo no interior da haste da glândula pineal. **right v. of heart** – v. cardíaco direito; câmara inferior do lado direito do coração, que bombeia o sangue venoso através do tronco pulmonar e das artérias até os capilares pulmonares. **third v. of cerebrum** – terceiro v. cerebral; fenda estreita abaixo do corpo caloso, dentro do diencéfalo, entre os dois tálamos. **Verga's v.** – v. de Verga; espaço ocasional entre o corpo caloso e o fórnice.

ven·tric·u·li·tis (ven-trik"u-li'tis) – ventriculite; inflamação de um ventrículo, especialmente de um ventrículo cerebral.

ventricul(o)- [L.] – elemento de palavra, *ventrículo* (cardíaco ou cerebral).

ven·tric·u·lo·atri·os·to·my (ven-trik"u-lo-a"tre-os'tah-me) – ventriculoatriostomia; desvio ventriculoatrial.

ven·tric·u·log·ra·phy (ven-trik"u-log'rah-fe) – ventriculografia: 1. radiografia dos ventrículos cerebrais após a introdução de ar ou outro meio de contraste; 2. radiografia de um ventrículo cardíaco após injeção de um meio de contraste. **first pass v.** – v. de primeira passagem; ver em *angiocardiography*. **gated blood pool v.** – v. de reserva sangüínea controlada; angiocardiografia de equilíbrio.

ven·tric·u·lom·e·try (ven-trik"u-lom'ě-tre) – ventriculometria; medição da pressão intracranial.

ven·tric·u·lo·punc·ture (ven-trik"u-lo-pungk'chur) – ventriculopunção; ventriculopuntura; punção ventricular.

ven·tric·u·los·co·py (ven-trik"u-los'kah-pe) – ventriculoscopia; exame endoscópico ou citoscópico dos ventrículos cerebrais.

ven·tric·u·los·to·my (ven-trik"u-los'tah-me) – ventriculostomia; criação cirúrgica de uma comunicação livre ou desvio entre o terceiro ventrículo e a cisterna interpeduncular para alívio de hidrocefalia.

ven·tric·u·lo·sub·arach·noid (ven-trik"u-lo-sub"ah-rak'noid) – ventriculossubaracnóideo; relativo aos ventrículos cerebrais e ao espaço subaracnóide.

ven·tric·u·lot·o·my (ven-trik"u-lot'ah-me) – ventriculotomia; incisão de um ventrículo cerebral ou cardíaco.

ven·tric·u·lus (ven-trik'u-lus) [L.] pl. *ventriculi* – 1. ventrículo; 2. estômago.

ven·tri·duct (ven'trǐ-dukt) – ventriduzir; trazer ou transportar em direção ao ventre.

ventr(o)- [L.] – elemento de palavra, *ventre; face dianteira (anterior) do corpo; face ventral.*

ven·tro·fix·a·tion (ven"tro-fik-sa'shun) – ventrofixação; fixação de uma víscera (como o útero) à parede abdominal.

ven·tro·hys·tero·pexy (-his'ter-o-pek"se) – ventrohisteropexia; ventrofixação uterina.

ven·tro·lat·er·al (-lat'er-al) – ventrolateral; tanto ventral como lateral.

ven·tro·me·dian (-me'de-an) – ventromediano; tanto ventral como mediano.

ven·tro·pos·te·ri·or (-pos-tēr'e-or) – ventroposterior; tanto ventral como posterior (caudal).

ven·tros·co·py (ven-tros'kah-pe) – ventroscopia; peritoneoscopia (*peritoneoscopy*).

ven·trose (ven'trōs) – ventroso; que tem uma expansão semelhante a um ventre.

ven·tro·sus·pen·sion (ven"tro-sus-pen'shun) – ventrossuspensão; ventrofixação; ver *ventrofixation*.

ven·trot·o·my (ven-trot'ah-me) – ventrotomia; celiotomia (*celiotomy*).

ven·u·la (ven'u-lah) [L.] pl. *venulae* – vênula.

ven·ule (ven'ūl) – vênula; um dos pequenos vasos que coletam sangue a partir dos plexos capilares e se reúnem para formar veias. **ven'ular** – adj. venular. **postcapillary v's** – vênulas pós-capilares; capilares venosos. **stellate v's of kidney** – vênulas estelares renais; ver *Tabela de Veias*.

ven·u·li·tis (ven"u-li'tis) – venulite; inflamação das vênulas.

ver·big·er·a·tion (ver-bij"er-a'shun) – verbigeração; estereotipia oral; repetição estereotipada de palavras e frases sem sentido.

verge (verj) – borda; margem; circunferência ou anel. **anal v.** – b. anal; abertura do ânus na superfície corporal.

ver·gence (ver'jens) – vergência; rotação recíproca disjuntiva de ambos os olhos, de forma que os eixos de fixação não fiquem paralelos; o tipo de vergência é indicado por um prefixo (como convergência e divergência).

ver·mi·cide (ver'mĭ-sīd) – vermicida; agente letal a parasitas intestinais.

ver·mic·u·lar (ver-mik'u-ler) – vermicular; semelhante a um verme em forma ou aparência.

ver·mic·u·la·tion (ver-mik"u-la'shun) – vermiculação; movimento peristáltico; peristaltismo (*peristalsis*).

ver·mic·u·lous (ver-mik'u-lus) – vermiculoso: 1. vermiforme; 2. infestado de vermes.

ver·mi·form (ver'mĭ-form) – vermiforme; em forma de verme.

ver·mi·fuge (ver'mĭ-fūj) – vermífugo; agente que expele vermes ou parasitas intestinais; anti-helmíntico. **vermifu'gal** – adj. vermífugo.

ver·mil·ion·ec·to·my (ver-mil"yon-ek'tah-me) – vermilionectomia; excisão da borda vermelha do lábio.

ver·min (ver'min) – insetos parasitas; parasita externo; parasitas, coletivamente. **ver'minous** – adj. verminoso; verminal.

ver·mis (ver'mis) [L.] – verme: 1. verme ou estrutura semelhante a um verme; 2. v. cerebelar. **v. cerebel'li** – v. do cerebelo; parte mediana do cerebelo, entre os dois hemisférios laterais.

ver·nix (ver'niks) [L.] – verniz. **v. caseo'sa** – verniz caseoso; substância untuosa composta de sebo e células epiteliais descamadas que cobre a cabeça do feto.

ver·ru·ca (vĕ-roo'kah) [L.] pl. *verrucae* – verruga: 1. verruga comum; lesão epidérmica hiperplásica lobulada com superfície córnea, causada pelo papilomavírus humano, transmitida por contato ou auto-inoculação e, ocorrendo geralmente no dorso das mãos e nos dedos; 2. uma de várias proliferações epidérmicas verruciformes não-virais. **ver'rucose, verru'cous** – adj. verrucoso. **v. acumina'ta** – v. acuminada; condiloma acuminado. **v. necroge'nica** – v. necrogênica; cútis verrucosa tuberculosa. **v. perua'na, v. peruvia'na** – v. peruana; ver *bartonellosis*. **v. pla'na** – v. plana;

pequena verruga lisa, ligeiramente elevada e geralmente da cor da pele ou marrom-clara que algumas vezes ocorre em grande número; observada mais freqüentemente em crianças. **v. planta'ris** – v. plantar; tumor epidérmico viral na planta do pé.

ver·ru·ci·form (vĕ-roo'sĭ-form) – verruciforme; semelhante a uma verruga.

ver·ru·ga (vĕ-roo'gah) [Esp.] – verruga. **v. perua'na** – v. peruana; v. *bartonellosis*.

ver·sion (ver'zhun) – versão: 1. ato ou processo de virar ou mudar a direção; 2. situação de um órgão ou parte em relação à posição normal estabelecida; 3. em Ginecologia, mau alinhamento ou inclinação do útero; 4. em Obstetrícia, mudança de posição manual do feto; 5. em Oftalmologia, rotação dos olhos na mesma direção. **bimanual v.** – v. bimanual; versão por meio de manipulações externa e interna combinadas. **bipolar v.** – v. bipolar; mudança de posição efetuada por meio de atuação sobre ambos os pólos do feto, seja através de versão externa ou combinada. **cephalic v.** – v. cefálica; o feto é virado de forma que se apresente a cabeça. **combined v.** – v. combinada; v. bimanual. **external v.** – v. externa; mudança de posição efetuada por meio de manipulação externa. **internal v.** – v. interna; mudança de posição efetuada por meio da mão ou dedos inseridos através da cérvix dilatada. **pelvic v.** – v. pélvica; versão por meio de manipulação das nádegas. **podalic v.** – v. podálica; conversão de apresentação mais desfavorável em apresentação dos pés. **spontaneous v.** – v. espontânea; versão que ocorre sem auxílio de qualquer força estranha.

ver·te·bra (ver'tĕ-brah) [L.] pl. *vertebrae* – vértebra; um dos 33 ossos da coluna vertebral (espinhal), que compreendem 7 vértebras *cervicais*, 12 *torácicas*, 5 *lombares*, 5 *sacrais* e 4 *coccígeas*. Ver *Tabela de Ossos*. **ver'tebral** – adj. vertebral. **basilar v.** – v. basilar; a vértebra lombar mais inferior. **cervical vertebrae** – vértebras cervicais; as 7 vértebras mais próximas do crânio, que constituem o esqueleto do pescoço. Símbolos C1 a C7. **coccygeal vertebrae** – vértebras coccígeas; segmentos 3 a 5 da coluna vertebral mais distantes do crânio, que se fundem para formar o cóccix. **cranial vertebrae** – vértebras cranianas; segmentos do crânio e dos ossos faciais, considerados por alguns autores como vértebras modificadas. **v. denta'ta** – v. denteada; segunda vértebra cervical ou epistrofeu. **dorsal vertebrae** – vértebras dorsais; vértebras torácicas. **false vertebrae** – vértebras falsas; vértebras que normalmente se fundem com segmentos adjacentes; vértebras sacrais e coccígeas. **lumbar vertebrae** – vértebras lombares; os 5 segmentos da coluna vertebral entre a décima segunda vértebra torácica e o sacro. Símbolos L1 a L5. **v. mag'na** – v. magna; sacro. **odontoid v.** – v. odontóide; segunda vértebra cervical ou epistrofeu. **v. pla'na** – v. plana; afecção de espondilite na qual o corpo da vértebra se reduz a um disco esclerótico. **sacral vertebrae** – vértebras sacrais; segmentos (geralmente 5) abaixo da coluna vertebral, normalmente fundindo-se formando o sacro. Símbolos S1 a S5. **sternal v.** – v. esternal; esternebra. **thoracic vertebrae** – vértebras torácicas; os 12 segmentos da coluna vertebral entre as vértebras cervicais e as lombares, ligando-se às costelas e formando uma parte da parede posterior do tórax. Símbolos T1 a T12. **true vertebrae** – vértebras verdadeiras; segmentos da coluna vertebral que normalmente permanecem não-fundidos por toda a vida: vértebras cervicais, torácicas e lombares.

Ver·te·bra·ta (ver"tĕ-bra'tah) – Vertebrata; subfilo dos Chordata, que compreende todos os animais que possuem coluna vertebral (incluindo mamíferos, aves, répteis, anfíbios e peixes).

ver·te·brate (ver'tĕ-brāt) – vertebrado: 1. que possui coluna espinhal (vértebras); 2. animal com coluna vertebral; qualquer membro dos Vertebrata.

ver·te·brec·to·my (ver"tĕ-brek'tah-me) – vertebrectomia; excisão de uma vértebra.

vertebr(o)- [L.] – elemento de palavra, *vértebra; espinha.*

ver·te·bro·bas·i·lar (ver"tĕ-bro-bas'ĭ-ler) – vertebrobasilar; relativo ou que afeta as artérias vertebral e basilar.

ver·te·bro·chon·dral (-kon'dral) – vertebrocondral; relativo a uma vértebra e uma cartilagem costal.

ver·te·bro·cos·tal (-kos't'l) – vertebrocostal; relativo a uma vértebra e a uma costela.

ver·te·bro·gen·ic (-jen'ik) – vertebrogênico; que surge em uma vértebra ou na coluna vertebral.

ver·te·bro·ster·nal (-ster'n'l) – vertebroesternal; relativo a uma vértebra e ao esterno.

ver·tex (ver'teks) [L.] pl. *vertices* – vértice; cume ou topo da cabeça (*vértice cranial*). **ver'tical** – adj. vertical.

ver·ti·ca·lis (ver"tĭ-ka'lis) [L.] – vertical.

ver·tic·il·late (ver-tis'ĭ-lāt) – verticilado; disposto em espirais.

ver·ti·go (ver'tĭ-go) [L.] – vertigem; sensação de movimento giratório ou irregular do corpo (*vertigem subjetiva*) ou dos objetos ao redor (*vertigem objetiva*) em qualquer plano; termo algumas vezes utilizado erroneamente para significar qualquer forma de tontura. **vertig'inous** – adj. vertiginoso. **alternobaric v.** – v. alternobárica; vertigem espiral, verdadeira e transitória, que afeta algumas vezes os indivíduos sujeitos a grandes e rápidas variações da pressão barométrica. **benign paroxysmal positional v., benign paroxysmal postural v., benign positional v.** – v. posicional paroxística benigna; v. postural paroxística benigna; v. posicional benigna; vertigem e nistagmo recorrentes que ocorrem quando se coloca a cabeça em determinadas posições, geralmente não associada a lesões do sistema nervoso central. **cervical v.** – v. cervical; vertigem após lesão do pescoço como um "golpe de chicote". **disabling positional v.** – v. posicional incapacitante; vertigem posicional constante ou desequilíbrio e náuseas com a cabeça na posição ereta, sem distúrbios auditivos ou perda da função vestibular. **labyrinthine v.** – v. labiríntica; forma associada a labirintopatia auditiva. **objective v.** – v. objetiva; ver *vertigo.* **ocular v.** – v.

ocular; forma devida a oculopatia. **organic v.** – v. orgânica; vertigem devida à cerebropatia vestibular ou tabe dorsal. **positional v., postural v.** – v. posicional; v. postural; vertigem associada a uma posição específica da cabeça no espaço ou a alterações de posição da cabeça. **subjective v.** – v. subjetiva; ver *vertigo.* **vestibular v.** – v. vestibular; vertigem devida a distúrbios do sistema vestibular.

ve·ru·mon·ta·num (ver"u-mon-ta'num) – verumontano; colículo seminal (*colliculus, seminalis*).

ve·sa·li·a·num (vĕ-sa"le-a'num) – vesaliano; osso sesamóide no tendão de origem do músculo gastrocnêmio ou no ângulo entre o cubóide e o quinto metatársico.

ve·si·ca (vĕ-si-kah) [L.] pl. *vesicae* – vesícula. **v. bilia'ris, v. fel'lea** – vesícula de fel; vesícula biliar. **v. urina'ria** – vesícula urinária; bexiga.

ves·i·cal (ves"ĭ-k'l) – vesical; relativo à bexiga.

ves·i·cant (ves'ĭ-kant) – vesicante: 1. que produz vesículas; 2. agente produtor de vesículas.

ves·i·ca·tion (ves"ĭ-ka'shun) – vesicação: 1. processo de formação de vesículas; 2. mancha ou superfície vesiculadas.

ves·i·cle (ves'ĭ-k'l) – vesícula: 1. pequeno saco que contém líquido; 2. pequena elevação circunscrita da epiderme, que contém fluido seroso; pequena vesícula. **acrosomal v.** – v. acrossômica; estrutura vacuoliforme e limitada por uma membrana que se estende sobre os dois terços superiores da cabeça de um espermatozóide formando o capuz da cabeça. **allantoic v.** – v. alantóica; porção oca interna do alantóide; ver em *diverticulum.* **auditory v.** – v. auditiva; v. ótica. **blastodermic v.** – v. blastodérmica; blastocisto. **brain v's** – vesículas cerebrais; cinco divisões do tubo neural fechado no embrião em desenvolvimento, que incluem telencéfalo, diencéfalo, mesencéfalo, metencéfalo e mielencéfalo. **brain v's, primary** – vesículas cerebrais primárias; as três subdivisões iniciais do tubo neural embrionário, que incluem prosencéfalo, mesencéfalo e rombencéfalo. **brain v's, secondary** – vesículas cerebrais secundárias; as quatro vesículas cerebrais formadas pela especialização do cérebro anterior e do cérebro posterior no desenvolvimento embrionário posterior. **cephalic v's, cerebral v's** – vesículas cefálicas; vesículas cerebrais. **chorionic v.** – v. coriônica; córion dos mamíferos. **encephalic v's** – vesículas encefálicas; vesículas cerebrais. **germinal v.** – v. germinativa; núcleo preenchido pelo fluido de um óvulo na direção do final da prófase da sua divisão meiótica. **lens v.** – v. do cristalino; vesícula formada a partir do buraco do cristalino do embrião, desenvolvendo-se no cristalino propriamente dito. **matrix v's** – vesículas matriciais; pequenas estruturas limitadas por membrana nos locais de calcificação da matriz cartilaginosa. **olfactory v.** – v. olfatória: 1. vesícula no embrião que posteriormente se desenvolve no bulbo e trato olfatórios; 2. expansão bulbar na extremidade distal de uma célula olfatória, a partir da qual se projetam os pêlos olfatórios. **ophalmic v., optic v.** – v. oftálmica; v. óptica; evaginação em cada lado do cérebro anterior do embrião inicial, a partir da qual se desenvolvem as partes perceptivas oculares. **otic v.** – v. ótica; saco ovóide destacado formado pelo fechamento na depressão auditiva no desenvolvimento embrionário do ouvido externo. **seminal v.** – v. seminal; uma das duas bolsas saculares pareadas unidas à bexiga posterior; o ducto de cada uma delas se reúne ao ducto deferente do mesmo lado forma o ducto ejaculatório. **umbilical v.** – v. umbilical; expansão piriforme do saco vitelino que cresce para fora, no interior do córion, e reunida ao intestino médio por meio da haste vitelina.

vesic(o)- [L.] – elemento de palavra, *vesícula; bexiga.*

ves·i·co·cele (ves'ĭ-ko-sēl") – vesicocele; hérnia da bexiga.

ves·i·co·cer·vi·cal (ves"ĭ-ko-ser'vĭ-k'l) – vesicocervical; relativo à bexiga e à cérvix uterina ou que se comunica com a bexiga e o canal cervical.

ves·i·coc·ly·sis (ves"ĭ-kok'lĭ-sis) – vesicoclise; introdução de um fluido no interior da bexiga.

ves·i·co·en·ter·ic (ves"ĭ-ko-en-ter'ik) – vesicoentérico; vesicointestinal.

ves·i·co·in·tes·ti·nal (-in-tes'tĭ-n'l) – vesicointestinal; relativo ou que se comunica com a bexiga e intestino.

ves·i·co·pros·tat·ic (-pros-tat'ik) – vesicoprostático; relativo à bexiga e à próstata.

ves·i·co·pu·bic (-pu'bik) – vesicopúbico; relativo à bexiga e púbis.

ves·i·co·sig·moid·os·to·my (-sig"moi-dos'tah-me) – vesicossigmoidostomia; formação cirúrgica de uma comunicação permanente entre a bexiga e a flexura sigmóide.

ves·i·co·spi·nal (-spi'nal) – vesicoespinhal; relativo à bexiga e à espinha.

ves·i·cos·to·my (ves"ĭ-kos'tah-me) – vesicostomia; formação de uma abertura no interior da bexiga; cistostomia. **cutaneous v.** – v. cutânea; anastomose cirúrgica da mucosa vesical com uma abertura na pele abaixo do umbigo, criando um estoma para a drenagem vesical.

ves·i·cot·o·my (ves"ĭ-kot'ah-me) – vesicotomia; cistotomia.

ves·i·co·ure·ter·al, ves·i·co·ure·ter·ic (ves"ĭ-ko-ure're'ter·al; -u"rĕ-ter'ik) – vesicoureteral; vesicoureterico; relativo à bexiga e ureter.

ves·i·co·uter·ine (-u'ter-in) – vesicouterino; relativo à bexiga e útero.

ves·i·co·vag·i·nal (-vaj'ĭ-n'l) – vesicovaginal; relativo à bexiga e vagina.

ve·sic·u·la (vĕ-sik'u-lah) [L.] pl. *vesiculae* – vesícula (*vesicle*).

ve·sic·u·lar (vĕ-sik'u-ler) – vesicular: 1. composto ou relacionado a pequenos corpos saculiformes; 2. vesiculoso, vesiculado, relativo ou constituído de vesículas na pele.

ve·sic·u·lec·to·my (vĕ-sik"u-lek'tah-me) – vesiculectomia; excisão de uma vesícula, especialmente das vesículas seminais.

ve·sic·u·li·form (vĕ-sik'u-lĭ-form") – vesiculiforme; com forma semelhante à de uma vesícula.

ve·sic·u·li·tis (vĕ-sik"u-li'tis) – vesiculite; inflamação de uma vesícula, especialmente de uma vesícula seminal (*vesicle, seminal*).

ve·sic·u·lo·cav·er·nous (vĕ-sik"u-lo-kav'er-nus) – vesiculocavernoso; tanto vesicular como cavernoso.

ve·sic·u·log·ra·phy (vĕ-sik"u-log'rah-fe) – vesiculografia; radiografia das vesículas seminais.

ve·sic·u·lo·pap·u·lar (vĕ-sik"u-lo-pap'u-ler) – vesiculopapular; marcado por ou com características de vesículas e pápulas.

ve·sic·u·lo·pus·tu·lar (-pus'tu-ler) – vesiculopustular; marcado ou com características de vesículas e pústulas.

ve·sic·u·lot·o·my (vĕ-sik'u-lot'ah-me) – vesiculotomia; incisão no interior de uma vesícula, especialmente das vesículas seminais.

Ves·ic·u·lo·vi·rus (vĕ-sik'u-lo-vi"rus) – *Vesiculovirus;* vírus semelhantes aos da estomatite vesicular; gênero de vírus da família Rhabdoviridae que inclui os vírus que causam estomatite vesicular em suínos, bovinos e eqüinos e vírus relacionados que infectam o homem e outros animais.

ves·sel (ves"l) – vaso; qualquer canal para transportar um fluido, como o sangue ou a linfa. **absorbent v's** – vasos absorventes; vasos linfáticos. **blood v.** – v. sangüíneo; um dos vasos que transportam o sangue, compreendendo artérias, capilares e veias. **chyliferous v.** – v. quilífero; lactífero; ver *lacteal* (2). **collateral v.** – v. colateral: 1. vaso que corre em paralelo a outro vaso, nervo ou outra estrutura; 2. vaso importante no estabelecimento e manutenção de uma circulação colateral. **great v's** – grandes vasos; os grandes vasos que entram no coração, incluindo aorta, artérias e veias pulmonares e veias cavas. **lacteal v.** – v. lactífero; ver *lacteal* (2). **lymphatic v's** – vasos linfáticos; capilares, vasos coletores e troncos que coletam a linfa dos tecidos e a transportam para a corrente sangüínea. **nutrient v's** – vasos nutrientes; vasos que suprem os elementos nutritivos para tecidos especiais, como as artérias que entram na substância óssea ou nas paredes dos grandes vasos sangüíneos.

ves·ti·bule (ves'tĭ-būl) – vestíbulo; espaço ou cavidade na entrada de um canal. **vestib'ular** – adj. vestibular. **v. of aorta** – v. aórtico; pequeno espaço na raiz da aorta. **v. of ear** – v. auditivo; cavidade oval no meio do labirinto ósseo. **v. of mouth** – v. da boca; porção da cavidade oral limitada de um lado pelos dentes e gengiva ou pelas cristas alveolares residuais e no outro pelos lábios (*v. labial*) e bochechas (*v. bucal*). **nasal v., v. of nose** – v. do nariz; a parte anterior da cavidade nasal. **v. of pharynx** – v. faríngeo: 1. fauces; 2. orofaringe. **v. of vagina, v. of vulva** – v. vaginal; v. vulvar; o espaço entre os lábios menores no interior do qual se abrem a uretra e a vagina.

ves·tib·u·li·tis (ves-tib"u-li'tis) – vestibulite; inflamação do vestíbulo vulvar e estroma periglandular e subepitelial, resultando em sensação de queimação e dispareunia.

ves·tib·u·lo·gen·ic (ves-tib"u-lo-jen'ik) – vestibulogênico; que surge em um vestíbulo, como o auditivo.

ves·tib·u·lo·oc·u·lar (-ok'u-ler) – vestibulocular; relativo aos nervos vestibular e oculomotor; ou à manutenção da estabilidade visual durante os movimentos da cabeça.

ves·tib·u·lo·plas·ty (ves-tib'u-lo-plas"te) – vestibuloplastia; modificação cirúrgica do relacionamento gengiva e membrana mucosa no vestíbulo oral.

ves·tib·u·lot·o·my (ves-tib"u-lot'ah-me) – vestibulotomia; abertura cirúrgica do vestíbulo auditivo.

ves·tib·u·lo·ure·thral (ves-tib"u-lo-u-re'thral) – vestibulouretral; relativo ao vestíbulo vaginal e à uretra.

ves·tib·u·lum (ves-tib'u-lum) [L.] pl. *vestibula* – vestíbula; ver *vestibule.*

ves·tige (ves'tij) – vestígio; remanescente de uma estrutura que funcionava em um estágio prévio de desenvolvimento da espécie ou do indivíduo. **vestig'ial** – adj. vestigial.

ves·ti·gi·um (ves-ti'je-um) [L.] pl. *vestigia* – vestígio (*vestige*).

vet·er·i·nar·i·an (vet"er-ĭ-nar'e-an) – veterinário; pessoa treinada e autorizada a praticar a Medicina e a cirurgia veterinárias; licenciado em Medicina Veterinária.

vet·er·i·nary (vet'er-ĭ-nar"e) – veterinário: 1. relativo aos animais domésticos e suas doenças; 2. médico veterinário.

VF – vocal fremitus (frêmito vocal).

vf – visual field (campo visual).

VFib – ventricular fibrillation (fibrilação ventricular).

VFI – ventricular flutter (agitação ventricular).

VHDL – very-high-density lipoprotein (lipoproteína de alta densidade).

vi·a·ble (vi'ah-b'l) – viável; capaz de manter existência independente; capaz de viver após o nascimento.

vi·be·sate (vi'bĕ-sāt) – vibesato; plástico poliviniílico modificado aplicado topicamente como spray para formar um curativo oclusivo para ferimentos cirúrgicos e outras lesões superficiais.

vi·bex (vi'beks) pl. *vibices* – víbice; marca ou estria lineares estreitos; efusão subcutânea linear de sangue.

Vi·bra·my·cin (vi"brah-mi'sin) – Vibramicina, marca registrada de preparações de doxiciclina.

vi·bra·tile (vi'brah-til) – vibrátil; que se contorce ou se move para frente e para trás; vibratório.

vi·bra·tion (vi-bra'shun) – vibração: 1. movimento rápido para frente e para trás; oscilação; 2. massagem eletrovibratória.

vi·bra·tor (vi'bra-tor) – vibrador; instrumento para produzir vibrações.

Vib·rio (vib're-o) – *Vibrio;* gênero de bactérias Gram-negativas (família Spirillaceae). A *V. cholerae* (*V. comma*) ou vibrião da cólera é a causa da cólera asiática; *V. parahaemolyticus* causa gastroenterite devida ao consumo de frutos do mar crus ou malcozidos; e *V. vulnificus* causa septicemia e celulite em pessoas que consumiram frutos do mar crus.

vib·rio (vib're-o) pl. *vibriones, vibrios* – vibrião; microrganismo do gênero *Vibrio* ou outro microrganismo móvel espiral. **cholera v.** – v. da cólera; *Vibrio cholerae;* ver *Vibrio.* **El Tor v.** – v. El Tor; biótipo do *Vibrio cholerae;* ver *Vibrio.*

vib·rio·ci·dal (vib"re-o-si'dal) – vibriocida; que destrói o *Vibrio,* especialmente a espécie *V. cholerae.*

vi·bris·sa (vi-bris'ah) [L.] pl. *vibrissae* – vibrissa; pêlo áspero e longo, como o que cresce no vestíbulo do nariz no homem ou ao redor do focinho de um animal.

Vic·ia (vish'e-ah) – *Vicia;* gênero de ervas que inclui a *V. faba* (*V. fava*), o feijão-de-fava ou fava, cujos feijões ou pólen contêm um componente capaz de causar o favismo em pessoas suscetíveis.

vi·cine (vi'sin) – vicina; glicosídeo com base pirimidínica que ocorre nas espécies de *Vicia;* nos feijões-de-fava, ele se cliva para formar o composto tóxico divicina.

vi·dar·a·bine (vi-dar'ah-bēn) – vidarabina; adenina-arabinosídeo (ara-A), um análogo purínico que inibe a síntese de DNA; utilizado como um agente antiviral para tratar ceratite e encefalite do herpes simples.

vid·eo·den·si·tom·e·try (vid"e-o-den"sĭ-tom'ĕ-tre) – videodensitometria; densitometria que utiliza uma câmera de vídeo para registrar as imagens a serem analisadas.

vid·eo·flu·o·ros·co·py (-flōō-ros'kah-pe) – videofluoroscopia; registro em videoteipe das imagens que aparecem em uma tela fluoroscópica.

vid·eo·la·ser·os·co·py (-la-zer-os'kah-pe) – videolaseroscopia; modificação da laparoscopia a laser na qual se visualiza o interior da cavidade através de uma câmera de vídeo que projeta uma imagem aumentada de volume em um monitor de vídeo.

vig·il·am·bu·lism (vij"il-am'bu-lism) – vigilambulismo; automatismo ambulatório semelhante ao sonambulismo, mas ocorre no estado de vigília.

vil·li (vil'i) – plural de *villus.*

vil·lo·ma (vĭ-lo'mah) – viloma; papiloma (*papilloma*).

vil·lose (vil'ōs) – viloso; peludo com pêlos macios; coberto com vilos.

vil·lo·si·tis (vil"o-si'tis) – vilosite; doença bacteriana com alterações nos vilos placentários.

vil·los·i·ty (vĭ-los'ĭ-te) – vilosidade: 1. condição de ser coberto com vilos; 2. vilo.

vil·lus (vil'us) [L.] pl. *villi* – vilo; vilosidade; pequeno processo ou protrusão vascular, especialmente a partir da superfície livre de uma membrana. **arachnoid villi** – vilosidades aracnóides: 1. projeções microscópicas do aracnóide no interior de alguns dos seios venosos; 2. granulações aracnóideas. **chorionic v.** – vilosidade coriônica; uma das projeções filiformes que crescem em tufos na superfície externa do córion. **intestinal villi** – vilosidades intestinais; projeções filiformes numerosas que recobrem a superfície da membrana mucosa, revestindo o intestino delgado, e servindo como locais de absorção de fluidos e nutrientes. Ver Pranchas V e XV. **synovial villi** – vilosidades sinoviais; projeções delgadas da membrana sinovial a partir de sua superfície interna livre no interior da cavidade articular.

vil·lus·ec·to·my (vil"us-ek'tah-me) – vilosectomia; sinovectomia; ver *synovectomy.*

vi·men·tin (vĭ-men-tin) – vimentina; proteína que forma os filamentos vimentínicos, um tipo comum de filamento intermediário; utilizada como marcador para células derivadas do mesênquima embrionário.

V–Z

vin·blas·tine (vin-blas'tēn) – vimblastina; alcalóide antineoplásico extraído da *Cantharanthus roseus* (também conhecida como *Vinca rosea*); utilizado como sal de sulfato no tratamento paliativo de várias malignidades.

vin·cris·tine (vin-kris'tēn) – vincristina; alcalóide antineoplásico extraído a partir da *Cantharanthus roseus* (também conhecida como *Vinca rosea*); utilizado em quimioterapia, especialmente em caso da doença de Hodgkin, leucemia linfocítica aguda e linfoma não-Hodgkin.

vin·cu·lum (ving'ku-lum) [L.] pl. *vincula* – vínculo; faixa ou estrutura semelhante a uma faixa. **vin'cula ten'dinum** – vínculos dos tendões; vínculos tendíneos; filamentos que conectam as falanges e as articulações interfalângicas com os tendões flexores.

vi·nyl (vi'nil) – vinil ou vinila; o grupo univalente CH$_2$ = CH. **v. chloride** – cloreto vinículo; grupo vinil ao qual se liga a um átomo de cloro; o monômero que se polimeriza em cloreto de polivinila; é tóxico e carcinogênico.

vi·o·la·ce·ous (vi"o-la'se-us) – violáceo; que tem cor violeta, geralmente descreve a descoloração da pele.

Vi·o·form (vi'o-form) – Vioform, marca registrada de preparações de iodocloridroxiquina.

vi·o·let (vi'o-let) – violeta: 1. cor azul-avermelhada produzida pelos raios mais curtos do espectro visível; 2. corante violeta. **crystal v., gentian v., methyl v.** – cristal v.; v. de genciana; v. metílica; ver em *gentian*.

vi·per (vi'per) – víbora; qualquer cobra venenosa, especialmente qualquer membro das famílias Viperidae (víboras verdadeiras) e Crotalidae (cascavéis).

vi·po·ma, VIP·o·ma (vī-po'mah) – vipoma; VIP-oma; tumor endócrino (geralmente surgindo no pâncreas) que produz um polipeptídeo vasoativo, que é o mediador da síndrome de diarréia aquosa, hipocalemia e hipocloridria, levando à insuficiência renal e morte.

vi·ral (vi'ral) – viral; relativo ou causado por vírus.

vi·re·mia (vi-re'me-ah) – viremia; presença de vírus no sangue.

vir·gin (vir'jin) – virgem; pessoa que não teve relações sexuais.

vir·ile (vir'il) – viril: 1. peculiar aos homens ou ao sexo masculino; 2. que possui características masculinas, especialmente capacidade copulatória.

vir·i·les·cence (vir"ĭ-les'ens) – virilescência; desenvolvimento de características sexuais secundárias masculinas na mulher.

vir·i·lism (vir'ĭ-lizm) – virilismo; presença de características masculinas nas mulheres.

vi·ril·i·ty (vĭ-ril'ĭ-te) – virilidade; presença de características sexuais primárias normais em um homem.

vir·il·iza·tion (vir"ĭ-lĭ-za'shun) – virilização; indução ou desenvolvimento de características sexuais secundárias masculinas, especialmente o aparecimento dessas alterações na mulher.

vi·ri·on (vi're-on) – virion; a partícula viral completa, encontrada extracelularmente e capaz de sobreviver em forma cristalina e de infectar uma célula

viva; compreende o nucleóide (material genético) e o capsídeo.

vi·ro·lac·tia (vi"ro-lak'shah) – virolactia; secreção de vírus no leite.

vi·rol·o·gy (vi-rol'ah-je) – virologia; estudo dos vírus e doenças virais.

vi·ru·cide (vi'rŭ-sīd) – viricida; agente que neutraliza ou destrói um vírus. **viruci'dal** – adj. viricida.

vir·u·lence (vir'u-lens) – virulência; grau de patogenicidade de um microrganismo conforme o indicado pela severidade da doença produzida e pela capacidade de invadir os tecidos do hospedeiro; por extensão, a competência de qualquer agente infeccioso de produzir efeitos patológicos. **vir'ulent** – adj. virulento.

vir·u·lif·er·ous (vir"u-lif"er-us) – virulífero; que transporta ou produz um vírus ou outro agente nocivo.

vir·uria (vi-roo're-ah) – virúria; presença de vírus na urina.

vi·rus (vi'rus) [L.] – vírus; agente infeccioso diminuto que, com determinadas exceções, não é captado pelo microscópio luminoso, não tem metabolismo independente e é capaz de se replicar somente dentro de uma célula de um hospedeiro vivo; a partícula individual (virion) consiste de ácido nucléico (nucleóide) – DNA ou RNA (mas não ambos) – e de uma casca protéica (capsídeo), que contém e protege o ácido nucléico e pode ter camadas múltiplas. **attenuated v.** – v. atenuado; vírus cuja patogenicidade foi reduzida por meio de uma passagem seriada ou de outros meios. **BK v. (BKV)** – v. BK (BKV); poliomavírus humano que causa infecção disseminada na infância e permanece latente no hospedeiro; acredita-se que cause cistite hemorrágica e nefrite em pacientes imunocomprometidos. **canine distemper v.** – v. da cinomose; vírus do gênero *Morbillivirus* que é o agente etiológico da cinomose. **Central European encephalitis v.** – v. da encefalite centro-européia; um complexo proposto de vírus do gênero *Flavivirus* oriundos de carrapatos, que incluem os agentes da encefalite centro-européia e o vírus russo da encefalite da primavera-verão. **Coxsackie v.** – v. Coxsackie; coxsackievírus. **Crimean-Congo hemorrhagic fever v.** – v. da febre hemorrágica da Criméia-Congo; vírus do gênero *Nairovirus*, agente etiológico da febre hemorrágica da Criméia-Congo. **defective v.** – v. defeituoso; vírus que não pode se replicar completamente ou não pode formar um revestimento protéico; em alguns casos, pode ocorrer replicação se outros vírus suprirem as funções gênicas perdidas; ver *helper v.* **dengue v.** – v. da dengue; flavívirus que existe como quatro tipos distintos (designados 1, 2, 3 e 4) e causa a dengue. **DNA v.** – v. do DNA; vírus cujo genoma consiste de DNA. **eastern equine encephalomyelitis (EEE) v.** – v. da encefalomielite eqüina do leste (EEE); ver *equine encephalomyelitis* v. **Ebola v.** – v. Ebola; vírus do RNA quase idêntico ao vírus de Marburg, mas sorologicamente distinto; causa doença semelhante. **encephalomyocarditis v.** – v. da encefalomiocardite; enterovírus que causa meningite asséptica suave e encefalomiocardite. **enteric v's** – vírus entéricos; enterovírus. **enteric**

orphan v's – vírus órfãos entéricos; vírus órfãos isolados a partir do trato intestinal do homem e de vários outros animais; incluem os vírus isolados de bovinos (v. *ECBO* ou *v. órfão enterocitopatogênico bovino*), cães (v. *ECDO* ou *v. órfão enterocitopatogênico canino*), homem (*v. ECHO* ou *v. órfão enterocitopatogênico humano*), macacos (v. *ECMO* ou *v. órfão enterocitopatogênico do macaco*) e suínos (V. *ESO* ou *v. enterocitopatogêncico suíno*). **enveloped v.** – v. com envoltório; vírus que possui uma bicamada lipoprotéica externa adquirida de brotamento através da membrana da célula hospedeira. **Epstein-Barr v. (EB v., EBV)** – v. Epstein-Barr (v. EB); vírus semelhante ao do herpes que causa mononucleose infecciosa e se associa ao linfoma de Burkitt e carcinoma nasofaríngeo. **equine encephalomyelitis v.** – v. da encefalomielite eqüina; grupo de arbovírus que causa encefalomielite em cavalos; mulas e no homem, sendo transmitidos por mosquitos; existem três cepas: *oriental, ocidental* e *venezuelana*. **feline immunodeficiency v.** – v. da imunodeficiência felina; vírus do gênero *Lentivirus* que causa síndrome de emaciação com linfadenopatia e linfopenia em gatos. **feline panleukopenia v.** – v. da panleucopenia felina; vírus do gênero *Parvovirus* que causa panleucopenia em gatos e infecções em outros animais; é de modo antigênico intimamente relacionado ao parvovírus canino e vírus da enterite do arminho. **filterable v., filtrable v.** – v. filtrável; agente patogênico capaz de passar através de filtros finos de diatomita ou de porcelana desvitrificada; ultravírus. **v. fixé, fixed v.** – v. fixo; vírus da raiva cuja virulência e período de incubação foram estabilizados por meio de passagem seriada e que permanecem fixos durante transmissão posterior; utilizado para inocular animais a partir dos quais se prepara uma vacina anti-rábica. **foamy v's** – vírus espumosos: 1. Spumavirinae; 2. *Spumavirus*. **helper v.** – v. auxiliar; vírus que auxilia no desenvolvimento de um vírus defeituoso através do fornecimento ou restauração da atividade do gene viral ou permitindo que ele forme um revestimento protéico. **hepatitis v.** – v. da hepatite; agente etiológico da hepatite viral. Reconhecem-se cinco tipos: *vírus da hepatite A* (agente que causa hepatite infecciosa, adquirido por meio de inoculação parenteral ou de ingestão); *vírus da hepatite B* (agente que causa hepatite sérica, transmitido por meio de seringas e agulhas inadequadamente esterilizadas ou através de plasma sangüíneo infectado ou ainda por meio de determinados produtos sangüíneos); *vírus da hepatite C* (que causa a hepatite C); *vírus da hepatite D* (agente viral do RNA defeituoso que só pode se replicar em presença do vírus da hepatite B e é transmitido com o mesmo, causando-a hepatite D); e o *vírus da hepatite E* (calcivírus que transmite a hepatite E). **hepatitis B-like v's** – vírus semelhantes ao da hepatite B, *Hepadnavirus*. **herpes v.** – v. do herpes; herpesvírus. **herpes simplex v. (HSV)** – v. do herpes simples; vírus do gênero *Simplexvirus*, que é o agente etiológico do herpes simples no homem. É se-

parável em dois sorotipos, designados como 1 e 2 (também chamados *herpesvírus humano 1* e *herpesvírus humano 2*); o tipo 1 é transmitido pela saliva infectada e causa lesões primariamente não-genitais, e o tipo 2 é sexualmente transmitido e causa primariamente lesões genitais. **HIV-like v's** – vírus semelhantes ao HIV; *Lentivirus*. **human immunodeficiency v. (HIV)** – v. da imunodeficiência humana (HIV); um vírus de linfoma/leucemia de células T humano do gênero *Lentivirus*, com afinidade seletiva pelas células T auxiliares, e que é o agente da síndrome de imunodeficiência adquirida (AIDS). **human T-cell leukemia v.** – v. da leucemia de células T humano; v. linfotrópico T humano. **human T-cell leukemia/ lymphoma v., human T-cell lymphotrophic v. (HTLV)** – v. do linfoma/ leucemia de células T humano; v. linfotrópico T humano (HTLV); família de retrovírus que possui afinidade seletiva pelos linfócitos T auxiliares/indutores e isolada a partir de leucemias e linfomas de células T incomuns e epidemiologicamente distintos; ver também *human immunodeficiency v.* (antigamente HTLV-III). Acredita-se que o HTLV-I cause linfoma/leucemia de células T do adulto e se associe à paraparesia espástica tropical. O HTLV-II foi isolado a partir de uma variante atípica da célula T da leucemia de células pilosas e também de pacientes com outros distúrbios hematológicos. **igbo-ora v.** – v. igbo-ora; arbovírus do gênero *Alphavirus* que se associa a doença semelhante à dengue na Nigéria, na República Centro-Africana e Costa do Marfim. **influenza v.** – v. da influenza; qualquer vírus de um grupo de mixovírus que causam influenza, incluindo pelo menos três sorotipos (A, B e C). Os vírus do sorotipo A encontram-se sujeitos a alterações antigênicas maiores (desvios antigênicos), bem como a alterações antigênicas graduais menores (tendência antigênica), e causa as principais pandemias. **Jamestown Canyon v.** – v. do Jamestown Canyon; vírus do gênero *Bunyavirus* (sorologicamente relacionado ao vírus da encefalite da Califórnia) que ocasionalmente causa encefalite. **JC v. (JCV)** – v. JC (iniciais do paciente no qual foi isolado); poliomavírus que causa infecção disseminada na infância e permanece latente no hospedeiro; é a causa da leucoencefalopatia multifocal progressiva. **La Crosse v.** – v. de La Crosse; vírus do sorogrupo da Califórnia do gênero *Bunyavirus*, agente etiológico da encefalite de La Crosse. **lymphocyte-associated v.** – v. associado aos linfócitos; qualquer vírus da subfamília Gammaherpesvirinae, cujos membros são específicos tanto para os linfócitos B como para T; a infecção é freqüentemente detida em um estágio lítico ou prélítico, sem a produção de virions infecciosos, e pode-se demonstrar freqüentemente um vírus latente no tecido linfóide. **lytic v.** – v. lítico; vírus replicado na célula do hospedeiro e causa morte e lise da célula. **Marburg v.** – v. de Marburg; vírus do RNA que ocorre na África, transmitido por meio de picada de inseto e causa a doença de Marburg. **measles v.** – v. do sarampo; paramixovírus que é a causa do sarampo. **measles-like v's** – vírus semelhantes ao sarampo; *Morbillivirus*. **monkey-pox v.** – v. da varíola do macaco; ortopoxvírus que

V-N

produz uma doença exantematosa branda nos macacos e uma doença semelhante à varíola no homem. **naked v., nonenveloped v.** – v. desprotegido; vírus sem sem revestimento lipoprotéico; vírus que não possui a bicamada lipoprotéica externa. **Norwalk v.** – v. de Norwalk; vírus (provavelmente um membro do gênero *Calcivirus*) que é um agente comum de epidemias de gastroenterite aguda. **orphan v's** – vírus órfãos; vírus isolados em culturas teciduais, mas não encontrados especificamente associados a qualquer enfermidade. **Orungo v.** – v. Orungo; vírus do gênero *Orbivirus* oriundo dos mosquitos, que causa enfermidade febril na Nigéria e Uganda. **papilloma v.** – v. do papiloma; papilomavírus. **parainfluenza v.** – v. da parainfluenza; vírus de um grupo de vírus classificados em quatro tipos, isolados de pacientes com doenças do trato respiratório superior de severidade variável. **paravaccinia v.** – v. da paravacínia; vírus que produz lesões semelhantes às observadas no ectima contagioso e na varíola bovina nos úberes e tetas das vacas leiteiras; pode ser transmitido ao homem durante a ordenha. **pox v.** – poxvírus. **Puumala v.** – v. Puumala; ver *Hantavirus*. **rabies v.** – v. da raiva; vírus do RNA do grupo dos rabdovírus, que causa a raiva. **rabies-like v's** – vírus semelhantes ao da raiva, *Lyssavirus*. **respiratory v's** – vírus respiratórios; classe epidemiológica de vírus que são adquiridos por meio de inalação de fomitos e se replicam no trato respiratório, causando infecção local em vez de generalizada; são incluídos nas famílias Adenoviridae, Corononaviridae, Orthomyxoviridae, Paramyxoviridae e Picornaviridae. **respiratory syncytial v. (RSV)** – v. sincicial respiratório; vírus isolado de crianças com broncopneumonia e bronquite, que causa formação de sincício em cultura tecidual. **RNA v.** – vírus do RNA; vírus cujo genoma consiste de RNA. **RNA tumor v's** – vírus tumorais de RNA; Oncovirinae. **Rocio v.** – v. de Rocio; vírus do gênero *Flavivirus* oriundo dos mosquitos, que ocorre no Brasil e causa encefalite algumas vezes fatal. **Rous-associated v. (RAV)** – v. associado de Rous; vírus auxiliar em cuja presença um vírus do sarcoma de Rous defeituoso se torna capaz de formar um revestimento protéico. **Rous sarcoma v. (RSV)** – v. do sarcoma de Rous; ver *Rous sarcoma*, em *sarcoma*. **rubella v.** – v. da rubéola; a única espécie do gênero *Rubivirus*, agente etiológico da rubéola. **sandfly fever v's** – vírus da febre do mosquito-pólvora; *Phlebovirus*. **satellite v.** – v. satélite; uma cepa de vírus incapazes de se replicar, exceto quando na presença de um vírus auxiliar; considerado como deficiente na codificação da formação do capsídeo. **Seoul v.** – v. Seoul; ver *Hantavirus*. **simian immunodeficiency v. (SIV)** – v. da imunodeficiência do símio; vírus do gênero *Lentivirus* (intimamente relacionado ao vírus da imundeficiência humana) que causa uma infecção inaparente nos macacos-verdes africanos e uma doença semelhante à síndrome de imunodeficiência adquirida nos macacos. **street v.** – v. da rua; vírus da raiva proveniente de um animal naturalmente infectado, em oposição a uma cepa do vírus adaptada em laboratório. **swine influenza v.** – v. da influenza suína; vírus da influenza do tipo A que causa doença respiratória aguda e altamente contagiosa em suínos; em casos raros, a transmissão direta para o homem causa uma infecção algumas vezes fatal. **tanapox v.** – v. tanapox; vírus do gênero *Yatapoxvirus*, agente etiológico da tanavaríola. **tickborne v's** – vírus dos carrapatos; vírus transmitidos por carrapatos. **Toscana v.** – v. da Toscana; vírus do sorogrupo de Nápoles do gênero *Phlebovirus*, agente etiológico da febre do flebótomo. **varicella-zoster v.** – v. da varicela zóster; vírus do gênero *Varicellavirus*, agente etiológico da varicela. **variola v.** – v. da varíola; vírus virtualmente extinto (pertencente ao gênero *Orthopoxvirus*), o agente etiológico da varíola. Não ocorreu nenhuma infecção natural desde 1977 e não existe atualmente nenhum reservatório do vírus. **Venezuelan equine encephalomyelitis (VEE) v.** – v. da encefalomielite eqüina venezuelana; ver *equine encephalomyelitis v.* **western equine encephalomyelitis (WEE) v.** – v. da encefalomielite eqüina ocidental; ver *equine encephalomyelitis v.* **yabapox v.** – v. yabapox; vírus do gênero *Yatapoxvirus*, agente etiológico da varíola dita yabapox.

vis·ce·ra (vis'er-ah) – plural de *viscus*.

vis·cer·ad (vis'er-ad) – visceral; em direção a uma víscera.

vis·cer·al (vis'er-al) – visceral; relativo a uma víscera.

vis·cer·al·gia (vis"er-al'jah) – visceralgia; dor em qualquer víscera.

viscer(o)- [L.] – elemento de palavra, *víscera*.

vis·cero·meg·a·ly (vis"er-o-meg'ah-le) – visceromegalia; esplancnomegalia (*splanchnomegaly*).

vis·cero·mo·tor (-mo'ter) – visceromotor; que transporta ou se relaciona aos impulsos motores para as vísceras.

vis·cero·pa·ri·e·tal (-pah-ri'ah-tal) – visceroparietal; relativo às vísceras e à parede abdominal.

vis·cero·peri·to·ne·al (-per"ĭ-to-ne'al) – visceroperitoneal; relativo às vísceras e ao peritônio.

vis·cero·pleu·ral (-ploor'al) – visceropleural; pleurovisceral; relativo às vísceras e à pleura.

vis·cero·skel·e·tal (-skel'ah-tal) – visceroesquelético; relativo ao esqueleto visceral.

vis·cer·o·trop·ic (-trop'ik) – viscerotrópico; que age primariamente nas vísceras; que tem predileção pelas vísceras abdominais ou torácicas.

vis·cid (vis'id) – víscido; viscoso; adesivo; aglutinante.

vis·cos·i·ty (vis-kos'ĭ-te) – viscosidade; resistência ao fluxo; propriedade física de uma substância que depende da fricção de suas moléculas componentes à medida que deslizam entre si.

vis·cous (vis'kus) – viscoso; adesivo ou víscido; que apresenta alto grau de viscosidade.

vis·cus (vis'kus) [L.] pl. *viscera* – víscera; qualquer órgão interior grande em qualquer das três grandes cavidades corporais, especialmente os órgãos no abdome.

vi·sion (vizh'un) – visão: 1. sentido pelo qual se percebem os objetos no ambiente externo por meio da luz que eles emitem ou refletem; 2. ato de ver; 3. aparição; sensação subjetiva de visão não desencadeada por estímulos visuais reais; 4. acuidade visual. **vis'ual** – adj. visual. **achroma-**

tic v. – v. acromática; monocromatismo. **binocular v.** – v. binocular; uso de ambos os olhos simultaneamente sem diplopia. **central v.** – v. central; visão produzida por meio de estímulos que incidem diretamente na mácula retiniana. **chromatic v.** – v. cromática; v. colorida. **color v.** – v. colorida: 1. percepção das diferentes cores que constituem o espectro da luz visível; 2. cromatopsia. **day v.** – v. diurna; percepção visual à luz diurna ou sob condições de iluminação clara. **dichromatic v.** – v. dicromática; dicromasia. **direct v.** – v. direta; v. central. **double v.** – v. dupla; diplopia. **indirect v.** – v. indireta; v. periférica. **low v.** – v. inferior; visão deficiente como aquela em que existe incapacidade visual significativa, mas também ocorre uma visão residual útil. **monocular v.** – v. monocular; visão com apenas um olho. **multiple v.** – v. múltipla; poliopia. **night v.** – v. noturna; percepção visual na escuridão da noite ou sob condições de redução da iluminação. **oscillating v.** – v. oscilante; oscilopsia (*oscillopsia*). **peripheral v.** – v. periférica; visão produzida por estímulos em áreas da retina distantes da mácula. **solid v., stereoscopic v.** – v. sólida; v. estereoscópica; percepção do relevo de objetos ou de sua profundidade; visão em que os objetos são percebidos em três dimensões. **tunnel v.** – v. em túnel; visão em que os campos visuais se contraem severamente em cerca de 10 graus a partir do ponto de fixação.

Vis·ta·ril (vis'tah-ril) – Vistaril, marca registrada de preparações de hidroxizina.

vis·u·al·iza·tion (vizh"oo-al-ĭ-za'shun) – visualização; ato de ver ou obter impressão visual completa de um objeto.

vis·uo·au·di·to·ry (vizh"oo-o-aw'dĭ-tor"e) – visoauditivo; que estimula simultaneamente ou relativo à estimulação simultânea dos sentidos da audição e visão.

vis·uo·mo·tor (-mo'ter) – visuomotor; relativo a conexões entre os processos visual e motor.

vis·uo·sen·so·ry (-sen'sor-e) – visuossensorial; relativo à percepção de estímulos que dão origem a impressões visuais.

vis·uo·spa·tial (-spa'shal) – visuoespacial; relativo à capacidade de compreender representações visuais e suas relações espaciais.

Vi·tal·li·um (vi-tal'e-um) – Vitallium, marca registrada de uma liga de cobalto e alumínio utilizada para moldar dentaduras e aparelhos cirúrgicos.

vi·ta·min (vi'tah-min) – vitamina; substância de um grupo de substâncias orgânicas não-relacionadas que ocorrem em muitos alimentos em pequenas quantidades, bem como são necessárias em quantidades diminutas para o funcionamento metabólico normal do corpo; podem ser hidro ou lipossolúveis. **v. A** – v. A; retinol ou um dos vários compostos lipossolúveis com atividade biológica semelhante; a vitamina atua em todas as suas capacidades, particularmente no funcionamento da retina, crescimento e diferenciação do tecido epitelial, na reprodução e resposta imune. A deficiência causa cutaneopatias, aumento de sensibilidade a infecções, nictalopia, xeroftalmia e outras oculopatias, anorexia e esterilidade. Como a vitamina A é encontrada predominantemente no fígado, na gema do ovo e no componente gorduroso dos produtos lácteos, sua outra fonte dietética importante são os carotenóides provitamínicos A dos vegetais. Ela é tóxica quando consumida em excesso; ver *hypervitaminosis*. **v. A_1** – v. A_1; retinol. **v. A_2** – v. A_2; desidrorretinol. **v. B complex** – vitaminas do complexo B; grupo de substâncias hidrossolúveis que incluem tiamina, riboflavina, niacina (ácido nicotínico), niacinamida (nicotinamida), grupo de vitaminas B_6, biotina, ácido pantotênico, ácido fólico, possivelmente ácido para-aminobenzóico, inositol, vitamina B_{12} ou possivelmente a colina. **v. B_1** – v. B_1; tiamina. **v. B_2** – v. B_2; riboflavina. **v. B_6** – v. B_6; substância de um grupo de substâncias hidrossolúveis (que incluem piridoxina, piridoxal e piridoxamina) encontradas na maioria dos alimentos, especialmente em carnes, fígado, verduras e legumes, grãos integrais, cereais e gema de ovo, e relacionadas ao metabolismo dos aminoácidos, à degradação do triptofano e ao metabolismo do glicogênio. **V. B_{12}** – v. B_{12}; cianocobalamina pela definição química, mas geralmente qualquer derivado substituto da cobalamina com atividade biológica semelhante; é uma vitamina hematopoiética hidrossolúvel que ocorre em carnes e produtos animais. É necessária ao crescimento e replicação de todas as células corporais e, assim como ao funcionamento do sistema nervoso; sua deficiência causa anemia perniciosa e outras formas de anemia megaloblástica, e ainda lesões neurológicas. **v. C** – v. C; ácido ascórbico. **v. D** – v. D; um dos dois compostos lipossolúveis com atividade anti-raquítica ou ambos em conjunto: colecalciferol (que é sintetizado na pele sendo considerado um hormônio) e ergocalciferol (que é a forma geralmente utilizada como suplemento dietético). As fontes dietéticas incluem alguns óleos de fígado de peixes, gema de ovo e produtos lácteos fortificados. A deficiência pode resultar em raquitismo nas crianças e osteomalacia em adultos, enquanto a ingestão excessiva pode causar hipercalcemia, mobilização do cálcio a partir dos ossos e disfunção renal. **v. D_2** – v. D_2; ergocalciferol. **v. D_3** – v. D_3; colecalciferol. **v. E** – v. E; substância de um grupo de pelo menos oito compostos lipossolúveis relacionados à atividade antioxidante biológica semelhante, particularmente o α-tocoferol, mas também incluindo outros isômeros do tocoferol e o composto relacionado tocotrienol. É encontrada no óleo de germe de trigo, em germes de cereais, fígado, gema de ovo, vegetais verdes, gordura do leite e óleos vegetais e também é preparada sinteticamente. Em várias espécies, é importante para a reprodução normal, desenvolvimento muscular e resistência das hemácias à hemólise. **fat-soluble v's** – vitaminas lipossolúveis; vitaminas (A, D, E e K) solúveis em solventes gordurosos e absorvidas junto com as gorduras dietéticas; não são normalmente excretadas na urina e tendem a ser armazenadas no corpo em quantidades moderadas. **v. K** – v. K; qualquer substância de um grupo de compostos lipossolúveis estruturalmente semelhantes que promovem a coagulação sangüínea. Duas formas (fitonadiona e menaquinona) existem naturalmente, e existe uma forma provitamínica sintética (menadiona). As melhores fontes são verduras folhosas verdes, manteiga, queijo e gema de ovo. A deficiência só é geralmente observada em neonatos, em distúrbios de absorção ou durante antibioticoterapia, sendo caracterizada por hemorragia. **v. K$_1$** – v. K$_1$; fitonadiona. **v. K$_2$** – v. K$_2$; menaquinona. **v. K$_3$** – v. K$_3$; menadiona. **water-soluble v's** – vitaminas hidrossolúveis; vitaminas solúveis em água (ou seja, todas com exceção das vitaminas A, D, E e K); são excretadas na urina e não são armazenadas no corpo em quantidades apreciáveis.

vi·tel·lus (vi-tel'us) [L.] – vitelo; gema do ovo. **vitel'line** – adj. vitelino.

vit·i·lig·i·nes (vit"ĭ-lij'ĭ-nēz) [L.pl.] – vitiligo; áreas despigmentadas da pele.

vit·i·li·go (vit"ĭ-li'go) [L.sing.] – vitiligo; anomalia pigmentar crônica e geralmente progressiva da pele, manifestada por meio de manchas brancas despigmentadas que podem ser circundadas por uma borda hiperpigmentada. **vitilig'inous** – adj. vitiliginoso.

vi·trec·to·my (vĭ-trek'tah-me) – vitrectomia; excisão cirúrgica, geralmente através da parte plana, do conteúdo da câmara vítrea ocular.

vit·reo·ret·i·nal (vit"re-o-ret'ĭ-n'l) – vitreorretiniano; do ou relativo ao corpo vítreo e à retina.

vit·re·ous (vit're-us) – vítreo: 1. semelhante ao vidro ou hialino; 2. corpo vítreo. **primary persistent hyperplastic v.** – v. primário hiperplásico persistente; anomalia congênita (geralmente unilateral) devida à persistência de restos embrionários da túnica fibromuscular ocular e de parte do sistema vascular hialóide. Clinicamente, ocorre uma pupila branca, processos ciliares alongados e freqüentemente microftalmia; o cristalino, embora seja claro inicialmente, pode ficar completamente opaco.

vit·ro·nec·tin (vit"ro-nek'tin) – vitronectina; glicoproteína plasmática que media as reações inflamatórias e reparatórias que ocorrem nos locais de lesão tecidual.

vivi- [L.] – elemento de palavra, *vivo; vida.*

vivi·di·al·y·sis (viv"ĭ-di-al'ĭ-sis) – vividiálise; diálise através de uma membrana viva (peritônio).

vivi·dif·fu·sion (-dĭ-fu'zhun) – vividifusão; circulação do sangue através de um aparelho fechado onde passa através de uma membrana para remover as substâncias normalmente removidas pelos rins.

vi·vip·a·rous (vi-vip'ah-rus) – vivíparo; que dá à luz a descendentes vivos, com desenvolvimento dentro do corpo materno.

vivi·sec·tion (viv"ĭ-sek'shun) – vivissecção; procedimento cirúrgico realizado em um animal vivo com o propósito de investigação fisiológica ou patológica.

VLDL – lipoproteína de densidade muito baixa (*very-low-density lipoprotein*). β-**VLDL, beta-VLDL** – β-lipoproteína de densidade muito baixa; mistura de lipoproteínas com mobilidade eletroforética difusa aproximada à das β-lipoproteínas, mas que possuem densidade menor; constituem-se em resíduos derivados a partir de quilomícrons mutantes e de lipoproteínas de densidade muito baixa que não podem ser metabolizadas completamente e se acumulam no plasma. **pre-β-VLDL** – pré-β-VLDL; pré-β-lipoproteína de densidade muito baixa, destacando sua mobilidade eletroforética.

VMA – vanillylmandelic acid (AVM, ácido vanililmandélico).

VMD – Doctor of Veterinary Medicine (Doutor em Medicina Veterinária).

voice (vois) – voz; som produzido pelos órgãos da fala e emitido pela boca. **vo'cal** – adj. vocal.

void (void) – evacuar; eliminar um material inaproveitável, especialmente urina e fezes.

vo·la (vo'lah) [L.] pl. *volae* – superfície côncava ou oca. **v. ma'nus** – palma da mão (*palm*). **v. pe'dis** – planta do pé (*sole*).

vo·lar (vo'lar) – volar; palmar; referente à planta do pé ou palma da mão, punho ou mão.

vo·la·ris (vo-la'ris) – volar; palmar (*palmaris*).

vol·a·tile (vol'ah-til) – volátil; que se evapora rapidamente.

vol·a·til·iza·tion (vol"ah-til-ĭ-za'shun) – volatilização; conversão em vapor ou gás sem alteração química.

vol·ley (vol'e) – salva; um grupo de contrações musculares ou impulsos nervosos simultâneos causados pelo mesmo estímulo.

vol·sel·la (vol-sel'ah) – vulsela (*vulsella*).

volt (vōlt) – volt; unidade SI de força eletromotriz ou potencial elétrico, equivalente a 1 joule por coulomb ou ampère-ohm. Símbolo V. **electron v. (eV, ev)** – elétron-v. (eV ou ev); unidade de energia equivalente à energia adquirida por um elétron acelerado através de uma diferença de potencial de 1 volt; equivalente a 1,602 × 10^{-19} joule.

vol·ume (vol'ūm) – volume; medida da quantidade ou capacidade de uma substância. Símbolo V ou *V.* **expiratory reserve v.** – v. expiratório de reserva; a quantidade máxima de gás que pode ser expirada a partir de um nível expiratório final de repouso. Abreviação ERV. **forced expiratory v.** – v. expiratório forçado ; a fração da capacidade vital forçada exalada em um número específico de segundos. Abreviação FEV, com uma subscrição indicando quantos segundos durou a medição. **inspiratory reserve v.** – v. inspiratório de reserva; a quantidade máxima de gás que pode ser inspirada a partir de uma posição inspiratória final. **mean corpuscular v.** – v. corpuscular médio; ver *MCV.* **minute v.** – v. minuto; volume de ar expelido dos pulmões, por minuto. **packed-cell v. (PCV), volume of packed red cells (VPRC)** – v. globular; volume em mililitros de hemácias em uma amostra de 100 ml de sangue centrifugado; hematócritos venosos determinados pela centrifugação. **residual v.** – v. residual; quantidade de gás que permanece no pulmão ao final de uma expiração máxima. **stroke v.** – v. sistólico; débito sistólico; volume de sangue ejetado de um ventrículo em cada batimento cardíaco, equivalente à diferença entre o volume diastólico final e o volume sistólico final. **tidal v.** – v. corrente; volume de gás inspirado e expirado durante um ciclo respiratório.

vol·u·met·ric (vol"u-met'rik) – volumétrico; relativo ou acompanhado de medição em volumes.

vo·lute (vo-lūt') – voluto; espiral; espiralado; convoluto.

vol·vu·lo·sis (vol"vu-lo'sis) – volvulose; oncocercíase devida à *Onchocerca volvulus.*

vol·vu·lus (vol'vu-lus) [L.] – vólvulo; volvo; torção de uma alça intestinal, causando obstrução.

vo·mer (vo'mer) [L.] – vômer; ver *Tabela de Ossos.*

vo'merine – adj. vomeriano.

vo·mero·na·sal (vo"mer-o-na'z'l) – vomeronasal; relativo ao vômer e ao osso nasal.

vom·it (vom'it) – vomitar: 1. ejetar o conteúdo gástrico pela boca; 2. vômito, material expelido do estômago, pela boca. **black v.** – vômito negro; vômito que consiste de sangue que sofreu a ação do suco gástrico, observado na febre amarela e em outras afecções nas quais se coleta sangue no estômago. **coffee-ground v.** – vômito em borra de café; vômito que consiste de sangue alterado escuro misturado com o conteúdo gástrico.

vom·it·ing (-ing) – vômito; vomitação; ejeção forçada do conteúdo gástrico pela boca. **cyclic v.** – v. cíclico; ataques recorrentes de vômito. **dry v.** – vômito seco; tentativas de vômito; com ejeção de gás apenas. **pernicious v.** – v. pernicioso; vômito na gravidez; tão severo que ameaça a vida. **v. of pregnancy** – v. da gravidez; vômito que ocorre na gravidez, especialmente o vômito do início da manhã (enfermidade da manhã ou matinal). **projectile v.** – v. em jato; vômito com o material expelido com grande força. **stercoraceous v.** – v. estercoráceo; vômito de material fecal.

vom·i·to·ry (vom'i-tor"e) – vomitório; emético (*emetic*).

vom·it·u·ri·tion (vom"it-u-rish'un) – vomiturição; tentativas ineficazes e repetidas de vomitar; esforço de vômito.

vom·i·tus (vom'ĭ-tus) [L.] – 1. vômito; 2. material vomitado.

v–onc (*onc*ogene *v*iral – *v*iral *onc*ogene) – seqüência de ácido nucleico em um vírus, responsável pela oncogenicidade do mesmo; deriva do proto-

oncogene celular e é adquirida a partir do hospedeiro por meio de recombinação. Cf. *c-onc.*

vor·tex (vor'teks) [L.] pl. *vortices* – vórtice; disposição ou padrão espiralados (como o das fibras musculares ou das cristas ou pêlos da pele).

vox (voks) [L.] pl. *voces* – voz. **v. chole'rica** – v. colérica; a voz suprimida peculiar da cólera verdadeira.

vo·yeur·ism (voi'yer-izm) – voyeurismo; parafilia caracterizada por estímulos sexuais intensos e recorrentes ou fantasias sexualmente estimulantes que envolvem a observação insuspeita de pessoas nuas, despindo-se ou envolvendo-se em atividade sexual.

VR – vocal resonance (ressonância vocal).

VS – volumetric solution (solução volumétrica).

VT – ventricular tachycardia (taquicardia ventricular).

vu·er·om·e·ter (vu"er-om'ĕ-ter) – vuerômetro; instrumento para medir a distância entre as pupilas.

vul·ga·ris (vul-ga'ris) [L.] – vulgar; normal; comum.

vul·nus (vul'nus) [L.] pl. *vulnera* – lesão ou ferimento.

vul·sel·la, vul·sel·lum (vul-sel'ah; vul-sel'um) [L.] – vulsela; pinça com ganchos semelhantes a tenazes na extremidade de cada uma das lâminas.

vul·va (vul'vah) [L.] – vulva; órgãos genitais externos da mulher, incluindo o monte púbico, os grandes e pequenos lábios, o clitóris e o vestíbulo vaginal. **vul'val, vul'var** – adj. vulvar. **fused v.** – v. fundida; sinéquias vulvares.

vul·vec·to·my (vul-vek'tah-me) – vulvectomia; excisão da vulva.

vul·vi·tis (vul-vi'tis) – vulvite; inflamação da vulva. **atrophic v.** – v. atrófica; líquen esclerótico nas mulheres.

vul·vo·uter·ine (vul"vo-u'ter-in) – vulvouterino; relativo à vulva e ao útero.

vul·vo·vag·i·nal (-vaj'ĭ-n'l) – vulvovaginal; relativo à vulva e à vagina.

vul·vo·vag·i·ni·tis (-vaj"ĭ-ni'tis) – vulvovaginite; inflamação da vulva e da vagina.

vv. [L. pl.] – *venae* (veias).

v/v – volume (de soluto) por volume (de solvente).

W – *tungsten* (*wolfram*); watt; (símbolo químico, tungstênio [volfrâmio]; watt).

waist (wāst) – cintura; porção do corpo entre o tórax e os quadris.

walk·er (wawk'er) – andador; estrutura envolvente de tubulação metálica de peso leve, algumas vezes com rodas, para pacientes que precisam de mais sustentação na marcha do que aquela proporcionada por muleta ou bengala.

wall (wawl) – parede; estrutura que limita um espaço ou massa definitiva de material. **cell w.** – p. celular; estrutura rígida que se situa do lado externo e se encontra reunida à membrana plasmática das cé-

lulas vegetais e maioria das células procarióticas, que protege a célula e mantém sua forma. **nail w.** – p. ungueal; dobra de pele que se sobrepõe aos lados e à extremidade proximal de uma unha. **parietal w.** – p. parietal; somatopleura. **splanchnic w.** – p. esplâncnica; esplancnopleura.

wall·eye (wawl'i) – estrabismo divergente: 1. leucoma corneano; 2. exotropia.

ward (ward) – enfermaria; salão em um hospital com leitos para a acomodação de muitos pacientes.

war·fa·rin (wor'fah-rin) – warfarin (*Wisconsin Alumni Research Foundation* + couma*rin*); anticoagulante ($C_{19}H_{16}O_4$) geralmente utilizado como sal sódico.

wart (wort) – verruga; lesão epidérmica hiperplásica com superfície córnea, causada pelo papilomavírus humano; também genericamente aplicado a qualquer das várias proliferações epidérmicas semelhantes a verrugas de origem não-viral. **anatomical w.** – v. anatômica; verruga em caso de tuberculose verrucosa da pele. **genital w.** – v. genital; condiloma acuminado. **moist w.** – v. úmida; condiloma plano. **mosaic w.** – v. em mosaico; lesão de forma irregular na planta do pé, com superfície granular, formada por um agregado de verrugas plantares contíguas. **necrogenic w.** – v. necrogênica; tuberculose verrucosa da pele. **Peruvian w.** – v. peruana; nódulo semelhante ao hemangioma da bartonelose (q.v. bartonellosis). **pitch w's** – verruga do piche; tumores epidérmicos ceratóticos pré-cancerosos que ocorrem nas pessoas que trabalham com piche e derivados do alcatrão. **plantar w.** – v. plantar. **pointed w.** – v. pontuda; condiloma acuminado. **postmortem w., prosector's w.** – v. pós-morte; v. do prossector; v. do dissector; tuberculose verrucosa da pele. **soot w.** – v. da fuligem; lesão cancerosa dos limpadores de chaminé, que ocorre sob a verruga. **tuberculous w.** – v. tuberculosa; tuberculose verrucosa da pele. **venereal w.** – v. venérea; condiloma acuminado.

wash (wosh) – loção; solução utilizada para limpar ou banhar uma parte, como o olho ou a boca; lavar.

wa·ter (waht'er) – água: 1. líquido claro, incolor, inodoro e insípido (H_2O); 2. solução aquosa de uma substância medicinal; 3. a. purificada. **w. of crystallization** – a. de cristalização; água que é um ingrediente de muitos sais, formando a parte estrutural de um cristal. **distilled w.** – a. destilada; água purificada por meio de destilação. **w. for injection** – a. para injeção; água para uso parenteral, preparado através de destilação e preenchendo determinados padrões quanto à esterilidade e à clareza. **w. for injection, bacteriostatic** – a. para injeção bacteriostática; água estéril para injeção, que contém um ou mais agentes antimicrobianos adequados. **w. for injection, sterile** – a. para injeção estéril; água para injeção esterilizada. **purified w.** – a. purificada; água obtida tanto por meio de destilação como de desionização; utilizada quando se exige água sem minerais.

waters (waht'erz) – águas; nome popular para designar o líquido amniótico (fluid, amniotic).

watt (waht) – watt; unidade de força elétrica, correspondendo ao trabalho realizado na velocidade de 1 joule por segundo. Equivale a 1 ampère sob pressão de 1 volt. Símbolo W.

wave (wäv) – onda; distúrbio de avanço uniforme em que a parte movida sofre oscilação dupla; qualquer padrão ondulatório. **alpha w's** – ondas alfa; ver em rhythm. **beta w's** – ondas beta; ver em rhythm. **brain w's** – ondas cerebrais; flutuações de potencial elétrico no cérebro, como as registradas por meio de eletroencefalografia. **delta w.** – o. delta: 1. um vetor QRS precoce no eletrocardiograma em caso de pré-excitação; 2. (pl.) ondas eletroencefalográficas com freqüência de menos de 3,5 por segundo, típicas do sono profundo, da infância e de cerebropatias sérias. **electromagnetic w's** – ondas eletromagnéticas; espectro de ondas propagadas por meio de um campo magnético, possuindo uma velocidade de 3×10^{-8} m/s em um vácuo e incluindo em ordem descrescente de comprimento de onda, ondas de rádio, microondas, luz infravermelha, visível e ultravioleta, raios X, raios gama e raios cósmicos. **F w's** – ondas F: 1. ondas atriais rápidas em "dente de serra" (flutter), sem intervalos isoelétricos entre si; observadas no eletrocardiograma em caso de agitação atrial; 2. ondas f (f w's [1]). **f w's** – ondas f; ondas fibrilares: 1. pequenos desvios rápidos e irregulares no eletrocardiograma em caso de fibrilação atrial. Também chamadas ondas fibrilares; 2. ondas F (F w's). **fibrillary w's** – ondas fibrilares; ondas f (f w's [1]). **flutter w's** – ondas de agitação; ondas F (F w's [1]). **J w.** – o. J; desvio que ocorre no eletrocardiograma entre o complexo QRS e o início do segmento ST, ocorrendo predominantemente em casos de hipotermia e hipocalcemia. **P w.** – o. P; desvio no eletrocardiograma produzido por excitação atrial. **pulse w.** – o. de pulso; elevação do pulso sentida pelo dedo ou demonstrada graficamente em um registro de pressão de pulso. **Q w.** – o. Q; complexo QRS, deflexão descendente (negativa) inicial, relacionada à fase de despolarização inicial do miocárdio ventricular, a despolarização do septo interventricular. **R w.** – o. R; deflexão ascendente inicial do complexo QRS, seguindo-se à onda Q no eletrocardiograma normal e representando a despolarização ventricular inicial. **S w.** – o. S; deflexão descendente do complexo QRS que se segue à onda R no eletrocardiograma normal e representa a despolarização ventricular posterior. **T w.** – o. T; deflexão do eletrocardiograma normal que segue o complexo QRS; representa repolarização ou recuperação ventriculares. **Ta w.** – o. Ta; pequena onda assimétrica, de polaridade oposta à onda P, que representa a repolarização atrial; junto com a onda P, define uma sístole atrial. **theta w's** – ondas teta; ondas cerebrais no eletroencefalograma com uma freqüência de 4 a 7 por segundo, observadas principalmente em crianças e adultos emocionalmente estressados. **U w.** – o. U; ondulação potencial de origem desconhecida imediatamente após a onda T e freqüentemente neutralizada por ela; observada no eletrocardiograma normal e acentuada nas taquiarritmias e distúrbios eletrolíticos.

wave·length (wäv'length) – comprimento de onda; distância entre o pico de uma onda e a fase idêntica da onda sucessiva. Símbolo λ.

wax (waks) – cera; cera de abelhas; uma substância plástica secretada por abelhas ou obtida de vegetais. **wax'y** – adj. céreo ou ceroso. **dental w.** – c. dentária; mistura de duas ou mais ceras, resinas, agentes corantes e outros aditivos naturais e sintéticos; utilizada em Odontologia para moldar, construir bases de dentadura não-metálicas, registrar as relações mandibulares e como auxílio no trabalho laboratorial. **ear w.** – c. do ouvido;

cerume. **grave w.** – c. de sepultura; adipocera.

white w. – c. branca; cera purificada e alvejada proveniente do favo de mel da abelha *Apis mellifera*; utilizada como ingrediente de várias pomadas. **yellow w.** – c. amarela; cera de abelha; cera purificada proveniente do favo de mel da abelha *Apis mellifera*; utilizada como agente enrijecedor e ingrediente de pomada amarela.

wax·ing (wak'sing) – moldagem de um padrão céreo ou base cérea de uma prótese dentária experimental nos contornos desejados.

Wb – weber.

WBC – white blood cell; white blood (cell) count (leucócitos; glóbulos brancos; contagem de leucócitos).

wean (wēn) – desmamar; interromper a alimentação na mama e substituir por outros hábitos alimentares.

web (web) – teia; tecido ou membrana. **laryngeal w.** – rede laríngea; membrana que se estende entre as cordas vocais, próxima à comissura anterior; a má-formação congênita mais comum da laringe. **terminal w.** – rede terminal; trama de filamentos finos no citoplasma imediatamente sob a superfície livre de determinadas células epiteliais; acredita-se que tenha função de sustentação ou citoesquelética.

web·er (web'er) – weber; unidade SI de fluxo magnético que, ligando-se a um circuito de uma volta, produz no mesmo uma força eletromotriz de 1 volt que é reduzida a zero a uma velocidade uniforme em 1s.

wedge (wej) – cunha; pedaço de material espesso em uma extremidade e afilando-se em uma borda fina na outra. **step w.** – c. de fase; bloco de absorvedor (geralmente alumínio) projetado em fases de espessura crescente, utilizado para medir poder de penetração dos raios X.

weight (wāt) – peso: 1. grau em que um corpo é atraído em direção à terra pela gravidade. Ver *Tabela de Pesos e Medidas*; 2. em Estatística, o processo de atribuir maior importância a algumas observações do que a outras, ou um fator matemático utilizado para aplicar esse processo. **apothecaries' w.** – sistema de peso de farmácia; um sistema de pesos utilizado na composição de receitas (nos EUA) baseado no grão (equivalente a 64,8mg). As suas unidades são o escrúpulo (20 grãos), a dracma (3 escrúpulos), a onça (8 dracmas) e a libra (12 onças). **atomic w.** – p. atômico; soma das massas dos constituintes de um átomo; pode ser expressa em unidades de massa atômica, unidades SI ou como uma proporção adimensional baseada em seu valor relativo com relação ao isótopo C^{12} do carbono, definido como 12,00000. Abreviação at. wt. **avoirdupois w.** – p. de avoirdupois; sistema de peso comumente utilizado para artigos comuns nos países de língua inglesa; suas unidades são a dracma (27,344 grãos), a onça (16 dracmas) e a libra (16 onças). **equivalent w.** – p. equivalente; quantidade de uma substância que se combina com ou desloca 8 g de oxigênio (ou 1,008 g de hidrogênio); corresponde à proporção do peso molecular com relação ao número de prótons

(reações de ácido/base) ou de elétrons (reações de redução/oxidação) envolvidos na reação. **molecular w.** – p. molecular; o peso de uma molécula de uma substância quando comparado com o de um átomo de carbono 12; equivale à soma dos pesos atômicos de seus átomos constituintes e é adimensional. Abreviação mol. wt. ou MW. Embora seja largamente utilizado, não é tecnicamente correto; prefere-se a massa molecular relativa (M_r).

wen (wen) – lobinho: 1. cisto de inclusão epidérmica ou sebáceo; 2. cisto do pilar.

wheal (hwēl) – pápula; área localizada de edema na superfície corporal, frequentemente acompanhada de prurido severo e geralmente evanescente; é a lesão típica da urticária.

wheeze (hwēz) – ofegar; som respiratório sibilante.

whip·lash (hwip'lash) – chicote; ver em *injury*.

whip·worm (-werm) – nome genérico dos vermes intestinais; verme filiforme; *Trichuris trichiura*.

white·head (hwīt'hed) – 1. mílio; 2. comedão fechado.

whit·low (hwit'lo) – paroníquia; unheiro; panarício. **herpetic w.** – p. herpética; infecção primária por herpes simples do segmento terminal de um dedo, com destruição tecidual extensa, algumas vezes acompanhada de sintomas sistêmicos. **melanotic w.** – p. melanótico; melanoma subungueal.

WHO – World Health Organization (OMS, Organização Mundial da Saúde), agência internacional associada às Nações Unidas e sediada em Genebra.

whoop (hōōp) – estridor; inspiração ruidosa e convulsiva da coqueluche.

whoop·ing cough (hōōp'ing kawf) – coqueluche (*pertussis*).

win·dow (win'do) – janela: 1. abertura circunscrita em uma superfície plana; 2. os limites de voltagem que determinam quais pulsos um analisador de altura de pulso permitirá que sejam transmitidos. **aortic w.** – j. aórtica; região transparente debaixo do arco aórtico, formada pela bifurcação da traquéia, visível em uma radiografia oblíqua anterior esquerda do coração e dos grandes vasos. **oval w.** – j. oval; janela vestibular. **round w.** – j. redonda; janela coclear.

wind·pipe (wind'pīp) – traquéia (*trachea*).

wink·ing (wingk'ing) – piscar; pestanejar; abrir e fechar rapidamente as pálpebras. **jaw w.** – p. mandibular; síndrome de Gunn.

wire (wīr) – fio metálico; arame; estrutura metálica delgada, alongada e flexível. **Kirschner w.** – arame de Kirschner; fio de aço para transfixação esquelética de ossos fraturados e obtenção de tração esquelética em fraturas.

with·draw·al (with-drawl') – supressão; remoção: 1. retirada patológica do contato interpessoal e do envolvimento social; 2. síndrome cerebral orgânica específica que se segue à cessação do uso ou redução do consumo de uma substância psicoativa que tenha sido regularmente utilizada para induzir intoxicação.

Wohl·fahr·tia (vōl-fahr'te-ah) – *Wohlfahrtia*; gênero de moscas. As larvas da *W. magnifica* produzem

TABELA DE PESOS E MEDIDAS

MEDIDAS DE MASSA

Sistema de Peso Avoirdupois

Grãos	Dracmas	Onça	Libras	Equivalentes Métricos (gramas)
1	0,0366	0,0023	0,00014	0,647989
27,34	1	0,0625	0,0039	1,772
437,5	16	1	0,0625	28,350
7000	256	16	1	453,5924277

Sistema de Peso de Farmácia

Grãos	Escrópulos (3)	Dracmas (3)	Onças (3)	Libras (lb)	Equivalentes Métricos (gramas)
1	0,05	0,0167	0,0021	0,00017	0,0647989
20	1	0,333	0,042	0,0035	1,296
60	3	1	0,125	0,0104	3,888
480	24	8	1	0,0833	31,103
5760	288	96	12	1	373,24177

Peso Métrico

Micrograma	Miligrama	Centigrama	Decigrama	Grama	Decagrama	Hectograma	Quilograma	Tonelada Métrica	Equivalentes Sistema de Peso Avoirdupois	Equivalentes Sistema de Peso de Farmácia
1									0,000015 gr	0,000015 gr
10^3	1								0,015432 gr	0,015432 gr
10^4	10	1							0,154323 gr	0,154323 gr
10^5	100	10	1						1,543235 gr	1,543235 gr
10^6	1000	100	10	1					15,432356 gr	15,432356 gr
10^7	10^4	1000	100	10	1				5,6438 dr	7,7162 escr
10^8	10^5	10^4	1000	100	10	1			3,527 oz	3,215 oz
10^9	10^6	10^5	10^4	1000	100	10	1		2,2046 lb	2,6792 lb
10^{12}	10^9	10^8	10^7	10^6	10^5	10^4	1000	1	2204,6223 lb	2679,2285 lb

Sistema de Peso Troy

Grãos	Pennyweights	Onças	Libras	Equivalentes Métricos (gramas)
1	0,042	0,002	0,00017	0,0647989
24	1	0,05	0,0042	1,555
480	20	1	0,083	31,103
5760	240	12	1	373,24177

MEDIDAS DE CAPACIDADE

Medida de Farmácia (Vinho)

Mínimos	Dracmas Líquidas	Onças Líquidas	Gills (Medida Líquida = 1/4 pinta)	Pintas	Quartos	Galões	Polegadas Cúbicas	Equivalentes	
								Mililitros	Centímetros Cúbicos
1	0,0166	0,002	0,0005	0,00013	—	—	0,00376	0,06161	0,06161
60	1	0,125	0,0312	0,0078	0,0039	—	0,22558	3,6967	3,6967
480	8	1	0,25	0,0625	0,0312	0,0078	1,80468	29,5737	29,5737
1920	32	4	1	0,25	0,125	0,0312	7,21875	118,2948	118,2948
7680	128	16	4	1	0,5	0,125	28,875	473,197	473,179
15360	256	32	8	2	1	0,25	57,75	946,358	946,358
61440	1024	128	32	8	4	1	231	3785,434	3785,434

Medida Métrica

Microlitro	Mililitro	Centilitro	Decilitro	Litro	Decalitro	Hectolitro	Quilolitro	Megalitro	Equivalentes (Medidas Líquidas de Farmácia)
1	—	—	—	—	—	—	—	—	0,01623108 min
10^3	1	—	—	—	—	—	—	—	16,23 min
10^4	10	1	—	—	—	—	—	—	2,7 dr líq.
10^5	100	10	1	—	—	—	—	—	3,38 oz líq.
10^6	10^3	100	10	1	—	—	—	—	2,11 pintas
10^7	10^4	10^3	100	10	1	—	—	—	2,64 gal
10^8	10^5	10^4	10^3	100	10	1	—	—	26,418 gal
10^9	10^6	10^5	10^4	10^3	100	10	1	—	264,18 gal
10^{12}	10^9	10^8	10^7	10^6	10^5	10^4	10^3	1	26418 gal

1 litro = 2,113363738 pintas (Sistema de Peso de Farmácia)

MEDIDAS DE COMPRIMENTO

Medida Métrica

Micrômetro	Milímetro	Centímetro	Decímetro	Metro	Decâmetro	Hectômetro	Quilômetro	Megâmetro	Equivalentes
1	0,001	10^{-4}	—	—	—	—	—	—	0,000039 pol
10^3	1	10^{-1}	—	—	—	—	—	—	0,03937 pol
10^4	10	1	—	—	—	—	—	—	0,3937 pol
10^5	100	10	1	—	—	—	—	—	3,937 pol
10^6	1000	100	10	1	—	—	—	—	39,37 pol
10^7	10^4	1000	100	10	1	—	—	—	10,9361 yd
10^8	10^5	10^4	1000	100	10	1	—	—	109,361 yd
10^9	10^6	10^5	10^4	1000	100	10	1	—	1093,61212 yd
10^{10}	10^7	10^6	10^5	10^4	1000	100	10	—	6,2137 mi
10^{12}	10^9	10^8	10^7	10^6	10^5	10^4	1000	1	621,370 mi

TABELAS DE CONVERSÃO

Sistema de Peso Avoirdupois – Métrico

Onças	Gramas		Onças	Gramas		Libras	Gramas	Quilogramas
1/16	1,772		7	198,447		1 (16 oz)	453,59	
1/8	3,544		8	226,796		2	907,18	
1/4	7,088		9	255,146		3	1360,78	1,36
1/2	14,175		10	283,495		4	1814,37	1,81
1	28,350		11	311,845		5	2267,96	2,27
2	56,699		12	340,194		6	2721,55	2,72
3	85,049		13	368,544		7	3175,15	3,18
4	113,398		14	396,893		8	3628,74	3,63
5	141,748		15	425,243		9	4082,33	4,08
6	170,097		16 (1lb)	453,59		10	4535,92	4,54

Sistema de Peso Avoirdupois – Métrico

Gramas	Onças
0,001 (1 mg)	0,000035274
1	0,035274

Gramas	Libras
1000(1 kg)	2,2046

Sistema de Peso de Farmácia – Métrico

Grãos	Gramas
1/150	0,0004
1/120	0,0005
1/100	0,0006
1/90	0,0007
1/80	0,0008
1/64	0,001
1/60	0,0011
1/50	0,0013
1/48	0,0014
1/40	0,0016
1/36	0,0018
1/32	0,002
1/30	0,0022
1/25	0,0026
1/20	0,003
1/16	0,004
1/12	0,005
1/10	0,006
1/9	0,007
1/8	0,008
1/7	0,009
1/6	0,01
1/5	0,013
1/4	0,016
1/3	0,02

Grãos	Gramas
2/5	0,03
1/2	0,032
3/5	0,04
2/3	0,043
3/4	0,05
7/8	0,057
1	0,065
1 1/2	0,097 (0,1)
2	0,12
3	0,20
4	0,24
5	0,30
6	0,40
7	0,45
8	0,50
9	0,60
10	0,65
15	1,00
20 (1 Э)	1,30
30	2,00

Escrópulos	Gramas
1	1,296 (1,3)
2	2,592 (2,6)
3 (1 Э)	3,888 (3,9)

Dracmas	Gramas
1	3,888
2	7,776
3	11,664
4	15,552
5	19,440
6	23,328
7	27,216
8 (1 Э)	31,103

Onças	Gramas
1	31,103
2	62,207
3	93,310
4	124,414
5	155,517
6	186,621
7	217,724
8	248,828
9	279,931
10	311,035
11	342,138
12 (1 ℔)	373,242

Sistema de Peso de Farmácia – Métrico

Miligramas	Grãos	Gramas	Grãos	Gramas	Equivalentes
1	0,015432	0,1	1,5432	10	2,572 dracmas
2	0,030864	0,2	3,0864	15	3,858 "
3	0,046296	0,3	4,6296	20	5,144 "
4	0,061728	0,4	6,1728	25	6,430 "
5	0,077160	0,5	7,7160	30	7,716 "
6	0,092592	0,6	9,2592	40	1,286 oz
7	0,108024	0,7	10,8024	45	1,447 "
8	0,123456	0,8	12,3456	50	1,607 "
9	0,138888	0,9	13,8888	100	3,215 "
10	0,154320	1,0	15,4320	200	6,430 "
15	0,231480	1,5	23,1480	300	9,644 "
20	0,308640	2,0	30,8640	400	12,859 "
25	0,385800	2,5	38,5800	500	1,34 lb
30	0,462960	3,0	46,2960	600	1,61 "
35	0,540120	3,5	54,0120	700	1,88 "
40	0,617280	4,0	61,728	800	2,14 "
45	0,694440	4,5	69,444	900	2,41 "
50	0,771600	5,0	77,162	1000	2,68 "
100	1,543240	10,0	154,324		

Medida de Farmácia Líquida – Medida Métrica

Mínimos	Mililitros	Dracmas Líquidas	Mililitros	Onças Líquidas	Mililitros
1	0,06	1	3,70	1	29,57
2	0,12	2	7,39	2	59,15
3	0,19	3	11,09	3	88,72
4	0,25	4	14,79	4	118,29
5	0,31	5	18,48	5	147,87
10	0,62	6	22,18	6	177,44
15	0,92	7	25,88	7	207,01
20	1,23	8 (1 oz liq.)	29,57	8	236,58
25	1,54			9	266,16
30	1,85			10	295,73
35	2,16			11	325,30
40	2,46			12	354,88
45	2,77			13	384,45
50	3,08			14	414,02
55	3,39			15	443,59
60 (1 dr liq.)	3,70			16 (1 pt)	473,17
				32 (1 qt)	946,33
				128 (1 gal)	3785,32

Medida de Farmácia Líquida – Medida Métrica

Mililitros	Mínimos	Mililitros	Dracmas Líquidas	Mililitros	Onças Líquidas
1	16,231	5	1,35	30	1,01
2	32,5	10	2,71	40	1,35
3	48,7	15	4,06	50	1,69
4	64,9	20	5,4	500	16,91
5	81,1	25	6,76	1000 (1 L)	33,815
		30	7,1		

Medida de Comprimento EUA e Inglaterra – Métrica

Polegadas	Milímetros	Centímetros	Metros
1/25	1,00	0,1	0,001
1/8	3,18	0,318	0,00318
1/4	6,35	0,635	0,00635
1/2	12,70	1,27	0,00127
1	25,40	2,54	0,0254
12 (1 pé)	304,80	30,48	0,3048

Tabelas de Doses em Medidas Métricas com Equivalentes no Sistema de Peso de Farmácia

Estes equivalentes de dose *aproximados* representam as quantidades geralmente prescritas (sob condições idênticas) por médicos que utilizam, respectivamente, os Sistemas Métrico ou de Farmácia de Pesos e Medidas. Na qualificação das formas de dosagem, tanto nos Sistemas Métrico como de Farmácia, se uma for o equivalente aproximado da outra, deve-se colocar a cifra aproximada entre parênteses.

Ao se prescrever formas de dosagem preparadas, como comprimidos, cápsulas, pílulas, etc. no Sistema Métrico, o farmacêutico pode dispensar o equivalente *aproximado* correspondente no Sistema de Peso de Farmácia e vice-versa, conforme o indicado na tabela a seguir.

Para a conversão de quantidades específicas em fórmulas farmacêuticas conversoras, devem-se utilizar os equivalentes. Na composição das receitas, devem-se utilizar os equivalentes exatos, arredondados em três algarismos significativos.

MEDIDA LÍQUIDA

Métrica	Equivalentes Aproximados no Sistema de Peso de Farmácia		Métrica	Equivalentes Aproximados no Sistema de Peso de Farmácia	
1000 ml	1	quarto	3 ml	45	mínimos
750 ml	1 1/2	pintas	2 ml	30	mínimos
500 ml	1	pinta	1 ml	15	mínimos
250 ml	8	onças líquidas	0,75 ml	12	mínimos
200 ml	7	onças líquidas	0,6 ml	10	mínimos
100 ml	3 1/2	onças líquidas	0,5 ml	8	mínimos
50 ml	1 3/4	onças líquidas	0,3 ml	5	mínimos
30 ml	1	onça líquida	0,25 ml	4	mínimos
15 ml	4	dracmas líquidas	0,2 ml	3	mínimos
10 ml	2 1/2	dracmas líquidas	0,1 ml	1 1/2	mínimos
8 ml	2	dracmas líquidas	0,06 ml	1	mínimo
5 ml	1 1/4	dracmas líquidas	0,05 ml		3/4 mínimo
4 ml	1	dracma líquida	0,03 ml		1/2 mínimo

Os equivalentes *aproximados* de dose acima foram adotados pela *United States Pharmacopeia* e pelo *National Formulary*, e têm a aprovação da *Food and Drug Administration* federal.

PESO

Métrico	Equivalentes Aproximados no Sistema de Peso de Farmácia	Métrico	Equivalentes Aproximados no Sistema de Peso de Farmácia
30 g	1 onça	30 mg	1/2 grão
15 g	4 dracmas	25 mg	3/8 grão
10 g	2 1/2 dracmas	20 mg	1/3 grão
7,5 g	2 dracmas	15 mg	1/4 grão
6 g	90 grãos	12 mg	1/5 grão
5 g	75 grãos	10 mg	1/6 grão
4 g	60 grãos (1 dracma)	8 mg	1/8 grão
3 g	45 grãos (1/2 dracma)	6 mg	1/10 grão
2 g	30 grãos	5 mg	1/12 grão
1,5 g	22 grãos	4 mg	1/15 grão
1 g	15 grãos	3 mg	1/20 grão
750 mg	12 grãos	2 mg	1/30 grão
600 mg	10 grãos	1,5 mg	1/40 grão
500 mg	7 1/2 grãos	1,2 mg	1/50 grão
400 mg	6 grãos	1 mg	1/60 grão
300 mg	5 grãos	800 µg	1/80 grão
250 mg	4 grãos	600 µg	1/100 grão
200 mg	3 grãos	500 µg	1/120 grão
150 mg	2 1/2 grãos	400 µg	1/150 grão
125 mg	2 grãos	300 µg	1/200 grão
100 mg	1 1/2 grão	250 µg	1/250 grão
75 mg	1 1/4 grão	200 µg	1/300 grão
60 mg	1 grão	150 µg	1/400 grão
50 mg	3/4 grão	120 µg	1/500 grão
40 mg	2/3 grão	100 µg	1/600 grão

Os equivalentes aproximados de dose acima foram adotados pela United States Pharmacopeia e pelo National Formulary, e têm a aprovação da Food and Drug Administration federal.

miíase em ferimentos; as larvas da W. opaca e da W. vigil causam miíase cutânea.

wol·fram (wool'fram) – volfrâmio; tungstênio (tungsten).

work-up (werk'up) – processo crítico desenvolvido na elaboração de diagnóstico, incluindo a coleta da anamnese, testes laboratoriais, raios X etc.

worm (werm) – verme: 1. um dos invertebrados alongados, desnudos e de corpo mole dos filos Annelida, Acanthocephala, Aschelminthes e Platyhelminthes; 2. qualquer estrutura anatômica semelhante a um verme. **flat w.** – v. chato; qualquer verme dos Platyhelminthes. **spiny-headed w., thorny-headed w.** – v. de cabeça espinhosa; qualquer verme dos Acanthocephala.

wound (woōnd) – ferimento; ferida; lesão corporal causada por meios físicos, com interrupção da continuidade normal das estruturas. **contused w.** – f. contuso; ferimento no qual a pele não se rompe. **incised w.** – f. inciso; ferimento causado por instrumento de corte. **lacerated w.** – f. lacerado; ferimento em que os tecidos se encontram rasgados. **open w.** – f. aberto; ferimento com uma abertura externa livre. **penetrating w.** – f. pene-

trante; ferimento causado por objeto afiado e geralmente delgado, que atravessa a pele até os tecidos subjacentes. **perforating w.** – f. perfurante; ferimento penetrante que se estende no interior de uma víscera ou de uma cavidade corporal. **puncture w.** – f. puntiforme; f. penetrante.

wrist (rist) – punho; a região da articulação entre o antebraço e a mão; carpo. Também, a articulação correspondente ao antebraço nos quadrúpedes.

wrist-drop (rist'drop) – punho caído; mão caída; carpoptose; condição resultante de paralisia dos músculos extensores da mão e dos dedos.

wry·neck (ri'nek) – torcicolo (torticollis).

wt – weight (p, peso).

Wu·cher·e·ria (voo"ker-e're-ah) – Wuchereria; gênero de nematódeos filariais autóctones das regiões mais quentes do mundo, e que inclui a W. bancrofti (que causa elefantíase, linfangite e quilúria pela interferência na circulação linfática).

wu·cher·e·ri·a·sis (voo"ker-ĕ-ri'ah-sis) – wuchereríase; infestação de vermes do gênero Wuchereria.

w/v – weight (of solute) per volume (of solvent) (peso [do soluto] por volume [do solvente]).

X

X – xanthine or xanthosine (xantina ou xantosina).

x – abscissa (abscissa).

xan·thel·as·ma (zan"thah-laz'mah) – xantelasma; xantoma planar que afeta as pálpebras.

xan·thic (zan'thik) – xântico: 1. amarelo; 2. relativo à xantina.

xan·thine (-thēn) – xantina; base purínica encontrada na maioria dos tecidos e fluidos corporais, em determinados vegetais e em alguns cálculos urinários; é um intermediário na degradação de AMP em ácido úrico. Os compostos xantínicos metilados (como cafeína, teobromina e teofilina) são utilizados devido ao seu efeito broncodilatador. Abreviação X.

xan·thin·uria (zan"thin-ūr'e-ah) – xantinúria: 1. distúrbio hereditário do metabolismo purínico devido a deficiência da enzima xantina oxidase, que causa secreção urinária excessiva de xantina e hipoxantina e pode levar à formação de cálculos de xantina no trato urinário; 2. excreção de xantina na urina.

xanth(o)- [Gr.] – xant(o)-, elemento de palavra, *amarelo*.

xan·tho·chro·mat·ic (zan"tho-kro-mat'ik) – xantocromático; de cor amarela.

xan·tho·chro·mia (-kro'me-ah) – xantocromia; descoloração amarelada, como a da pele ou do líquido espinhal.

xan·tho·chro·mic (-kro'mik) – xantocrômico; que apresenta descoloração amarela; diz-se do líquido cerebroespinhal.

xan·tho·cy·a·nop·sia (-si"ah-nop'se-ah) – xantocianopsia; capacidade de discernir as cores azul e amarelo, mas não o vermelho ou o verde.

xan·tho·der·ma (-der'mah) – xantoderma; qualquer descoloração amarelada da pele.

xan·tho·gran·u·lo·ma (-gran"u-lo'mah) – xantogranuloma; tumor que possui características histológicas tanto de granuloma como de xantoma. **juvenile x.** – x. juvenil; distúrbio autolimitado benigno de bebês e crianças, manifestado por meio de uma ou múltiplas pápulas, ou nódulos amarelos, rosados, alaranjados ou marrom-avermelhados no couro cabeludo, face, extremidades proximais ou no tronco, com possível envolvimento das membranas mucosas, vísceras, olhos e outros órgãos.

xan·tho·ma (zan-tho'mah) – xantoma; tumor composto de células espumosas carregadas com gordura, que correspondem a histiócitos que contêm material lipídico citoplasmático. **diabetic x., x. diabetico'rum** – x. dos diabéticos; x. eruptivo. **disseminated x., x. dissemina'tum** – x. disseminado; uma forma normolipoproteinêmica rara manifestada através do desenvolvimento de pápulas e nódulos amarelo-avermelhados a marrons que podem coalescer para formar placas,

principalmente envolvendo vincos flexurais, membranas mucosas da boca e trato respiratório, córnea, esclera e o sistema nervoso central. **eruptive x., x. erupti'vum** – x. eruptivo; uma forma marcada por erupção súbita de grupos de pápulas amarelas ou laranja-amareladas circundadas por um halo eritematoso, especialmente nas nádegas, coxas posteriores e cotovelos, e causada por altas concentrações de triglicerídeos plasmáticos, especialmente as associadas ao diabetes melito não-controlado. **fibrous x.** – x. fibroso; histiocitoma fibroso benigno. **x. mul'tiplex** – x. múltiplo; x. disseminado; xantomatose. **planar x., plane x., x. pla'num** – x. plano; uma forma manifestada como máculas chatas ou placas ligeiramente elevadas vermelho-escuras, acastanhadas ou amareladas e macias, algumas vezes apresentando uma área branca central, que pode ser localizada ou generalizada, freqüentemente ocorrendo em associação com outros xantomas e determinadas hiperlipoproteinemias. **x. tendino'sum, tendinous x.** – x. tendíneo; uma forma manifestada através de pápulas ou nódulos móveis livres nos tendões, ligamentos, fáscia e periósteo, especialmente nos dorsos das mãos, nos dedos, cotovelos, joelhos e calcanhares, em associação com algumas hiperlipoproteinemias e determinados xantinomas. **x. tubero'sum, tuberous x.** – x. tuberoso; uma forma manifestada por grupos de nódulos amarelados ou alaranjados planos, ou elevados e arredondados na pele sobre as articulações, especialmente nos cotovelos e joelhos; pode se associar a determinados tipos de hiperlipoproteinemia, com cirrose e mixedema.

xan·tho·ma·to·sis (zan"tho-mah-to'sis) – xantomatose; xantoma múltiplo; afecção marcada pela presença de xantomas. **x. bul'bi** – x. do bulbo; degeneração gordurosa da córnea.

xan·tho·ma·tous (zan-tho'mah-tus) – xantomatoso; relativo ao xantoma.

xan·tho·phose (zan'tho-fōz) – xantofose; uma fose amarela.

xan·thop·sia (zan-thop'se-ah) – xantopsia; cromatopsia na qual os objetos são vistos como amarelos.

xan·tho·sine (zan'tho-sēn) – xantosina; nucleosídeo composto de xantina e ribose. Símbolo X.

xan·tho·sis (zan-tho'sis) – xantose; descoloração amarelada; degeneração com pigmentação amarelada.

xanth·u·ren·ic ac·id (zanth"u-ren'ik) – ácido xanturênico; composto aromático bicíclico formado como um catabólito menor do triptofano e presente em quantidades elevadas na urina em caso de deficiência de vitamina B_6 e de alguns distúrbios do catabolismo do triptofano.

Xe – símbolo químico, xenônio (*xenon*).

xen(o)- [Gr.] – elemento de palavra, *estranho*.

xeno·an·ti·gen (zen"o-an'tĭ-jen) – xenoantígeno; antígeno que ocorre em organismos de mais de uma espécie.

xeno·di·ag·no·sis (-di"ag-no'sis) – xenodiagnóstico; um método de inoculação animal que utiliza insetos e animais criados em laboratório no diagnóstico de determinadas infecções parasitárias quando o microrganismo infectante não pode ser demonstrado nos filmes sangüíneos; utilizado em caso de doença de Chagas (exame das fezes de percevejos limpos alimentados com o sangue do paciente) e da triquinose (exame de ratos alimentados com o tecido muscular do paciente). **xeno·diagnos'tic** – adj. xenodiagnóstico.

xeno·ge·ne·ic (-jen-e'ik) – xenogênico; em Biologia de transplante, denota indivíduos ou tecidos provenientes de espécies diferentes e, portanto, do tipo celular discrepante.

xeno·gen·e·sis (-jen'ĕ-sis) – xenogenia: 1. heterogênese; ver *heterogenesis* (1); 2. produção hipotética de descendentes não-semelhantes aos genitores.

xen·og·e·nous (ze-noj'ĕ-nus) – xenógeno; causado por um corpo estranho ou que se origina externamente ao organismo.

xeno·graft (zen'o-graft) – xenoenxerto; enxerto de tecido transplantado entre animais de espécies diferentes; pode ser *concordante* (que ocorre entre espécies intimamente relacionadas, nas quais o receptor não possui anticorpos naturais específicos para o tecido transplantado) ou *discordante* (que ocorre entre membros de espécies distantemente relacionadas, nas quais o receptor possui anticorpos naturais específicos para o tecido transplantado).

xenon (ze'non) – xenônio, elemento químico (ver *Tabela de Elementos*), número atômico 54, símbolo Xe. **Xe 133** – xenômio-133; ^{133}Xe; radioisótopo do xenônio, com peso molecular 133 e meiavida de 5,3 dias, emite raios gama, sendo utilizado na avaliação da perfusão respiratória e no traçado e avaliação do fluxo sangüíneo em órgãos como o cérebro, rins ou coração.

xeno·para·site (zen"o-par'ah-sīt) – xenoparasita; um organismo não necessariamente parasita de determinada espécie, mas que se torna parasita devido à condição enfraquecida do hospedeiro.

xeno·pho·bia (-fo'be-ah) – xenofobia; medo irracional de estranhos.

xeno·pho·nia (-fo'ne-ah) – xenofonia; alteração na qualidade da voz.

xen·oph·thal·mia (zen"of-thal'me-ah) – xenoftalmia; oftalmia causada por um corpo estranho no olho.

Xen·op·syl·la (zen"op-sil'ah) – *Xenopsylla*; gênero de pulgas, com muitas de suas espécies transmitindo patógenos; a *X. cheopis* (a pulga dos ratos) transmite a peste bubônica e o tifo murino.

xeno·trop·ic (zen"o-trop'ik) – xenotrópico; relativo a um vírus encontrado benignamente em células de uma espécie animal, mas que replicar-se-á em partículas virais completas somente quando infecta células de uma espécie diferente.

xer(o)- [Gr.] – elemento de palavra, *seco; ressecamento*.

xe·ro·der·ma (zēr"o-der'mah) – xerodermia; uma forma suave de ictiose, marcada por um estado descolorido, seco e áspero da pele. **x. pigmento'sum** – x. pigmentosa; doença recessiva autossômica atrófica e pigmentar rara na qual sensibilidade cutânea extrema à luz ultravioleta resulta de deficiência enzimática no reparo do DNA danificado pela luz ultravioleta. Ela começa na infância, com desenvolvimento inicial de sardas excessivas, telangiectasias, ceratomas, papilomas e malignidades na pele exposta ao sol, anormalidades oftalmológicas severas e, em alguns casos, distúrbios neurológicos. **xerodermat'ic** – adj. xerodermático.

xe·rog·ra·phy (ze-rog'rah-fe) – xerografia; xerorradiografia (*xeroradiography*).

xe·ro·ma (ze-ro'mah) – xeroma; ressecamento anormal da conjuntiva; xeroftalmia.

xe·ro·mam·mog·ra·phy (zēr"o-mă-mog'rah-fe) – xeromamografia; xerorradiografia da mama.

xe·ro·me·nia (-me'ne-ah) – xeromenia; ocorrência de sintomas constitucionais no período menstrual sem qualquer fluxo de sangue.

xe·roph·thal·mia (zēr"of-thal'me-ah) – xeroftalmia; ressecamento e espessamento anormais da conjuntiva e da córnea devidos à deficiência de vitamina A.

xe·ro·ra·di·og·ra·phy (zēr"o-ra"de-og'rah-fe) – xerorradiografia; xerografia; a realização de radiografias por meio de um processo seco e totalmente fotoelétrico, utilizando placas metálicas revestidas com um semicondutor (como o selênio).

xe·ro·si·a·log·ra·phy (-si"ah-log'rah-fe) – xerossialografia; sialografia na qual as imagens são registradas por meio de xerografia.

xe·ro·sis (ze-ro'sis) – xerose; ressecamento anormal (como do olho, pele ou boca). **xerot'ic** – adj. xerótico.

xe·ro·sto·mia (zēr"o-sto'me-ah) – xerostomia; ressecamento da boca devido a disfunção da glândula salivar.

xe·ro·to·mog·ra·phy (-to-mog'rah-fe) – xerotomografia; tomografia em que as imagens são registradas por meio de xerorradiografia.

xiphi·ster·num (zif"ĭ-ster'num) – xifoesterno; processo xifóide. **xiphister'nal** – adj. xifoesternal.

xiph(o)- [Gr.] – xif(o)-, elemento de palavra, *processo xifóide*.

xipho·cos·tal (zif"o-kos'tal) – xifocostal; relativo ao processo xifóide e às costelas.

xiph·oid (zif'oid, zi'foid) – xifóide: 1. em forma de espada; ensiforme; 2. processo xifóide.

xiph·oi·di·tis (zif"oi-di'tis) – xifoidite; inflamação do processo xifóide.

xi·phop·a·gus (zĭ-fop'ah-gus) – xifópago; gêmeos simétricos unidos na região do processo xifóide.

X-linked (eks'linkt) – ligado ao X; ligado ao cromossoma X; transmitido através dos genes no cromossoma X; ligado ao sexo.

x-ray (eks'ra) – raio X; ver em *ray*.

xy·lan (zi'lan) – xilana; qualquer substância de um grupo de pentosanas compostas de resíduos de xilose; os constituintes estruturais principais de madeira, palha e farelo.

xy·lene (zi'lēn) – xileno; dimetilbenzeno (C₈H₁₀); utilizado como solvente em microscopia.

Xy·lo·caine (zi'lo-kān) – Xilocaína, marca registrada de preparações de lidocaína.

xy·lo·met·a·zo·line (zi"lo-met"ah-zo'lēn) – xilometazolina; adrenérgico utilizado como descongestionante nasal tópico em forma de sal de cloridrato.

xy·lose (zi'lōs) – xilose; pentose encontrada nos vegetais em forma de xilanas; é utilizada em um teste diagnóstico da absorção intestinal.

xy·lu·lose (zi'lu-lōs) – xilulose; pentose epimérica com ribulose, que ocorre naturalmente como isômeros L e D. Os últimos são excretados na urina em caso de pentosúria essencial; os primeiros (em forma fosforilada) correspondem a intermediários no metabolismo do fosfato de pentose.

xys·ma (zis'mah) – material semelhante a fragmentos de membrana nas fezes diarréicas.

xys·ter (zis'ter) – xistra; instrumento semelhante a uma lima utilizado em cirurgia.

Y

Y – símbolo químico, ítrio (*yttrium*).

y – ordinate (ordenada).

yab·a·pox (yab'ah-poks) – yabapox; doença viral causada por um poxvírus, que causa crescimentos semelhantes a tumores subcutâneos em macacos africanos; tem ocorrido infecção humana acidental, caracterizada por nódulos cutâneos localizados que se resolvem espontaneamente.

Yat·a·pox·vi·rus (yat'ah-poks-vi"rus) – *Yatapoxvirus*; gênero proposto de vírus da subfamília Chordopoxvirinae (família Poxviridae), que compreende os vírus da yabapox e da tanapox.

yaw (yaw) – framboesioma; lesão da framboesia ou bouba. **mother y.** – bouba-mãe; lesão cutânea inicial da bouba.

yaws (yawz) – framboesia; bouba; doença tropical infecciosa endêmica causada pela *Treponema pertenue*, que geralmente afeta pessoas com menos de 15 anos de idade, difunde-se através de contato direto com lesões cutâneas ou por meio de fomitos contaminados. Manifesta-se inicialmente pelo aparecimento de um papiloma no local de inoculação; esse papiloma cicatriza deixando uma cicatriz, sendo seguido de grupos de lesões granulomatosas generalizadas que podem recidivar repetidamente. Podem ocorrer envolvimentos ósseo e articular.

Yb – símbolo químico, itérbio (*ytterbium*).

yeast (yēst) – levedura; levedo; fermento; termo genérico que inclui fungos unicelulares e geralmente arredondados que se reproduzem por brotamento; algumas leveduras se transformam em um estágio micelial sob determinadas condições ambientais, enquanto outras permanecem unicelulares. São fermentadoras de carboidratos, e umas poucas são patogênicas ao homem.

bakers' y., brewers' y. – levedura dos cervejeiros; fermento dos padeiros; *Saccharomyces cerevisiae*, utilizado na confecção da cerveja, na confecção de licores e panificação. **dried y.** – l. seca; células secas de qualquer cepa adequada da *Saccharomyces cerevisae*, geralmente um subproduto da indústria cervejeira; utilizado como fonte natural de proteínas e de vitaminas do complexo B.

yel·low (yel'o) – amarelo: 1. cor primária com um comprimento de onda de 571,5–578,5mμ; 2. corante ou tintura que produz a cor amarela.

Yer·sin·ia (yer-sin'e-ah) – *Yersinia*; gênero de bactérias Gram-negativas imóveis, ovóides ou em forma de bastonetes e não-encapsuladas (família Enterobacteriaceae); a *Y. enterocolitica* é uma espécie onipresente que causa gastroenterite e linfadenite mesentérica agudas nas crianças, assim como artrite, septicemia e eritema nodular em adultos; a *Y. pestis* causa a peste bubônica no homem e em roedores, transmitida de rato a rato e deste ao homem, através da pulga do rato, e de homem a homem através do piolho corporal humano; a *Y. pseudotuberculosis* causa a pseudotuberculose em roedores e linfadenite mesentérica no homem.

yoke (yōk) – jugo; canga; estrutura de conexão; depressão ou crista que liga duas estruturas.

yolk (yōk) – vitelo; gema do ovo; o nutriente armazenado do óvulo.

yt·ter·bi·um (ĭ-ter'be-um) – itérbio; elemento químico (ver *Tabela de Elementos*), número atômico 70, símbolo Yb.

yt·tri·um (ĭ-tre-um) – ítrio; elemento químico (ver *Tabela de Elementos*), número atômico 39, símbolo Y.

Z – atomic number; impedance (número atômico; impedância).

Za·ron·tin (zah-ron'tin) – Zarontin, marca registrada de preparação de etossuximida.

Za·rox·o·lyn (zah-rok'so-lin) – Zaroxolyn, marca registrada de preparação de metolazona.

ze·ro (zēr'o) – zero; ponto em um escala termométrica em que a graduação começa; o zero da escala Celsius (centígrada) é o ponto de congelamento e o da escala Fahrenheit é de 32° abaixo do ponto de congelamento. **absolute z.** – z. absoluto; a temperatura mais baixa possível, designada como zero nas escalas Kelvin ou Rankine, o equivalente a –273,15°C ou a –459,67°F.

zi·do·vu·dine (zi-do'vu-dēn) – zidovudina; um análogo sintético da timidina que inibe a replicação de alguns retrovírus, incluindo o vírus da imunodeficiência humana; utilizada no tratamento da síndrome da imunodeficiência adquirida e no complexo avançado relacionado à AIDS.

zig·zag·plas·ty (zig'zag-plas"te) – ziguezagueplastia; a técnica cirúrgica de minimização do impacto visual de uma longa cicatriz linear por meio de sua interrupção em segmentos irregulares curtos nos ângulos direito ou agudo entre si.

zinc (zingk) – zinco; elemento químico (ver *tabela*), número atômico 30, símbolo Zn; é um micronutriente presente em muitas enzimas. Seus sais são freqüentemente venenosos quando absorvidos pelo sistema, produzindo envenenamento crônico. **z. acetate** – acetato de z.; adstringente e estíptico. **z. chloride** – cloreto de z.; sal utilizado topicamente como adstringente, dessensibilizador para a dentina, anti-séptico cáustico e desodorante. **z. oxide** – óxido de z.; adstringente e protetor tópicos. **z. stearate** – estearato de z.; composto de zinco com os ácidos esteárico e palmítico, utilizado como pó protetor hidrorrepelente em dermatoses. **z. sulfate** – sulfato de z.; adstringente tópico para membranas mucosas, especialmente as do olho. **z. undecylenate** – undecilenato de z.; antifúngico utilizado topicamente em pomada.

zir·co·ni·um (zir-ko'ne-um) – zircônio, elemento químico (ver *tabela*), número atômico 40, símbolo Zr.

Zn – símbolo químico, zinco (*zinc*).

zo·ac·an·tho·sis (zo"ak-an-tho'sis) – zoacantose; dermatite causada por estruturas animais, como cerdas, ferrões ou pêlos.

zo·an·thro·py (zo-an'thro-pe) – zoantropia; sensação alucinatória de que o indivíduo se tornou um animal. **zoanthrop'ic** – adj. zoantrópico.

zo·na (zo'nah) [L.] pl. *zonae* – 1. zona; 2. herpes zóster. **zo'nal** – adj. zonal. **z. arcua'ta** – z. arqueada; túnel interno. **z. cartilagi'nea** – z. cartilaginosa; orla da lâmina espiral óssea. **z. denticula'ta** – z. denticulada; zona interna da lâmina basilar do ducto coclear com a orla da lâmina espiral óssea. **z. fascicula'ta** – z. fasciculada; camada média espessa do córtex supra-renal. **z. glomerulo'sa** – z. glomerular; camada mais externa e fina do córtex supra-renal. **z. hemorrhoida'lis** – z. hemorroidária; a parte do canal anal que se estende das válvulas anais até o ânus e contém o plexo venoso retal. **z. incer'ta** – z. incerta; faixa estreita de substância cinzenta entre o núcleo subtalâmico e o fascículo talâmico. **z. ophthal'mica** – z. oftálmica; infecção herpética da córnea. **z. orbicula'ris, articulatio'nis cox'ae** – z. orbicular da articulação do quadril; um anel ao redor do colo do fêmur formado por fibras circulares da cápsula articular da articulação coxofemoral. **z. pectina'ta** – z. pectínea; a parte externa da lâmina basilar do ducto coclear que corre dos bastonetes de Corti até o ligamento espiral. **z. pellu'cida** – z. pelúcida: 1. a camada secretada não-celular transparente que circunda um oócito; 2. área pelúcida. **z. perfora'ta** – z. perfurada; porção interna da lâmina basilar do ducto coclear. **z. radia'ta** – z. radiada; z. pelúcida; ver *zona pellucida* (1). **z. reticula'ris** – z. reticular; a camada mais interna do córtex supra-renal. **z. stria'ta** – z. estriada; z. pelúcida; ver *zona pellucida*. **z. tec'ta** – z. do teto; túnel interno. **z. vasculo'sa** – z. vascular; região na fossa supramastoídea que contém muitos forames para a passagem de vasos sangüíneos.

zone (zōn) – região ou área delimitada; por extensão, qualquer área com características ou limites específicos. **ciliary z.** – z. ciliar; a mais externa de duas regiões nas quais a superfície anterior da íris é dividida pela linha angular. **comfort z.** – z. de conforto; uma temperatura ambiental entre 13 e 21°C (55° – 70°F), com umidade de 30 a 55%. **epileptogenic z.** – z. epileptogênica; ver em *focus*. **erogenous z., erotogenic z.** – z. erógena; z. erotogênica; uma área do corpo cuja estimulação produz excitação erótica. **inner z. of renal medulla** – z. interna da medula renal; a parte da medula mais distante do córtex, que contém membros ascendentes e descendentes do túbulo fino, bem como a parte interna do ducto coletor medular. **Lissauer's marginal z.** – z. marginal de Lissauer; uma ponte de substância branca entre o ápice do corno posterior e a periferia da medula espinhal. **outer z. of renal medulla** – z. externa da medula renal; a parte da medula mais próxima do córtex; contém a porção medular do túbulo reto distal, bem como a parte externa do ducto coletor medular. **z. of partial preservation** – z. de preservação parcial; em caso de lesão da medula espinhal, uma região onde podem ocorrer somente danos parciais aos nervos, incluindo um a três segmentos espinhais abaixo do nível da lesão. **transitional z.** – z. de transição; qualquer região anatômica que marca o ponto em que os constituintes de uma estrutura se alteram de um tipo a outro.

zo·nes·the·sia (zo"nes-the'zhah) – zonestesia; disestesia que consiste de sensação de constrição, como a de uma cinta.

zo·nif·u·gal (zo-nif'u-g'l) – zonífugo; que se afasta de uma zona ou região.

zo·nip·e·tal (zo-nip'ah-t'l) – zonípeto; que segue em direção a uma zona ou região.

zo·nu·la (zo'nu-lah) [L.] pl. *zonulae* – zônula.

zo·nule (zŏn'ūl) – zônula; pequena zona. **zon'ular** – adj. zonular. **ciliary z., z. of Zinn** – z. ciliar; z. de Zinn; uma série de fibras que ligam o corpo ciliar e o cristalino oculares.

zo·nu·li·tis (-zŏn"u-li'tis) – zonulite; inflamação da zônula ciliar.

zo·nu·lol·y·sis (zŏn"u-lol'ĭ-sis) – zonulólise; dissolução da zônula ciliar pelo uso de enzimas para permitir a remoção cirúrgica do cristalino.

zon·u·lot·o·my (zŏn"u-lot'ah-me) – zonulotomia; incisão da zônula ciliar.

zo(o)- [Gr.] – elemento de palavra, *animal*.

zoo·der·mic (zo"o-der'mik) – zoodérmico; realizado com a pele de um animal, como é o caso de um enxerto cutâneo.

zo·og·e·nous (zo-oj'ĕ-nus) – zoógeno: 1. adquirido dos animais; 2. vivíparo (*viviparous*).

zoo·glea (zo"o-gle'ah) pl. *zoogleae* – zoogléia; colônia de bactérias incrustada em uma matriz gelatinosa.

zo·og·o·ny (zo-og'ah-ne) – zoogonia; produção de descendentes vivos pelo corpo. **zoog'onous** – adj. zoogônico.

zoo·graft·ing (zo'o-graf"ting) – zooenxerto; enxerto de um tecido animal.

zo·oid (zo'oid) – zoóide: 1. semelhante a um animal; 2. objeto ou forma semelhantes a um animal; 3. indivíduo em uma colônia unida de animais.

zoo·lag·nia (zo"o-lag'ne-ah) – zoolagnia; atração sexual por animais.

zo·ol·o·gy (zo-ol'ah-je) – Zoologia; a Biologia dos animais.

Zoo·mas·ti·go·pho·rea (zo"o-mas"tĭ-go-for'e-ah) – Zoomastigophorea; classe de protozoários (subfilo Mastigophora), que inclui todos os protozoários semelhantes a animais (em oposição àqueles semelhantes a vegetais).

zoo·no·sis (-no'sis, zo-on'ĕ-sis) pl. *zoonoses* – zoonose; doença de animais transmissível ao homem. **zoonot'ic** – adj. zoonótico.

zoo·para·site (zo"o-par'ah-sīt) – zooparasita; qualquer animal ou espécie parasita. **zooparasit'ic** – adj. zooparasitário.

zoo·pa·thol·o·gy (-pah-thol'ah-je) – zoopatologia; ciência das doenças dos animais.

zo·oph·a·gous (zo-of'ah-gus) – zoófago; carnívoro (*carnivore*).

zoo·phil·ia (zo"o-fil'e-ah) – zoofilia: 1. predileção anormal por animais; 2. parafilia na qual a relação sexual ou outra atividade sexual com animais constitui o método preferido de se obter excitação sexual.

zoo·pho·bia (-fo'be-ah) – zoofobia; medo irracional de animais.

zoo·plas·ty (zo'o-plas"te) – zooplastia; zooenxerto (*zoografting*).

zoo·spore (-spor) – zoosporo; esporo móvel e flagelado, sexuado ou assexuado, como o produzido por determinadas algas, fungos e protozoários.

zo·ot·o·my (zo-ot'ah-me) – zootomia; a dissecção ou a anatomia de animais.

zoo·tox·in (zo"o-tok'sin) – zootoxina; substância tóxica de origem animal (como o veneno das cobras, aranhas e escorpiões).

zos·ter (zos"ter) – zóster; herpes zóster (*herpes zoster*).

zos·ter·i·form (zos-ter'ĭ-form) – zosteriforme; que se assemelha ao herpes zóster.

zos·ter·oid (zos'ter-oid) – zosteróide; zosteriforme.

Z-plas·ty (ze'plas-te) – Z-plastia; zetaplastia; reparo de um defeito cutâneo através de transposição de dois retalhos triangulares, para relaxamento de contraturas cicatriciais.

Zr – símbolo químico, zircônio (ver *zirconium*).

zwit·ter·ion (tsvit'er-i"on) [Al.] – zwitterion; íon que possui tanto regiões de carga positivas como negativas.

zyg(o)- [Gr.] – zig(o)-, elemento de palavra, *jugo; junto; união; junção*.

zy·gal (zi'g'l) – zigal; com forma semelhante a um jugo ou zígon (*zygon*).

zy·ga·poph·y·sis (zi"gah-pof'ĭ-sis) pl. *zygapophyses* – zigoapófise; processo articular de uma vértebra.

zyg·i·on (zij'e-on) [Gr.] pl. *zygia* – zígio; o ponto mais lateral do arco zigomático.

zy·go·dac·ty·ly (zi"go-dak'tĭ-le) – zigodactilia; união de dedos por meio de tecidos moles (pele), sem fusão óssea das falanges.

zy·go·ma (zi'go-mah) – zigoma: 1. processo zigomático do osso temporal; 2. arco zigomático; 3. termo algumas aplicado ao osso zigomático. **zygomat'ic** – adj. zigomático.

zy·go·mat·i·co·fa·cial (zi"go-mat"ĭ-ko-fa'shul) – zigomaticofacial; relativo ao zigoma e à face.

zy·go·mat·i·co·tem·po·ral (-tem'pah-rul) – zigomaticotemporal; relativo ao zigoma e ao osso temporal.

zy·go·my·co·sis (zi"go-mi-ko'sis) – zigomicose; mucormicose; ficomicose; doença infecciosa do homem ou animais, causada por fungos da divisão Zygomycota.

Zy·go·my·co·ta (-tah) – Zygomycota; uma divisão dos fungos do solo que consiste de sapróbios do solo e parasitas de invertebrados. Os microrganismos podem causar infecção humana ou animal em indivíduos debilitados ou altamente estressados. Em alguns sistemas de classificação, a divisão Zygomycota é tratada como uma subdivisão (Zygomycotina), classificada sob a divisão Eumycota.

zy·gon (zi'gon) – zígon; haste que conecta os dois ramos de uma fissura zigal.

zy·gos·i·ty (zi-gos'ĭ-te) – zigosidade; condição relacionada à conjugação ou ao zigoto, como *(a)* o estado de uma célula ou indivíduo com relação aos alelos que determinam uma característica específica, sejam idênticos (homozigosidade) ou diferentes (heterozigosidade); ou *(b)* em caso de gêmeos, seja desenvolvendo-se a partir de um zigoto (monozigosidade) ou de dois zigotos (dizigosidade).

zy·gote (zi'gōt) – zigoto; célula que resulta da união de um gameta masculino e um feminino; o óvulo fertilizado. Mais precisamente, a célula após a sinapse no término da fertilização até a primeira clivagem. **zygot'ic** – adj. zigótico.

zy·go·tene (zi'go·tēn) – zigóteno; estágio sináptico da primeira prófase meiótica em que os dois cromossomas leptótenos sofrem pareamento pela formação de complexos sinaptonêmicos para formar uma estrutura bivalente.

Zy·lo·prim (zi'lo-prim) – Zyloprim, marca registrada de preparações de alopurinol.

zym(o)- [Gr.] – zim(o)-, elemento de palavra, *enzima; fermentação.*

Glossário

A

α; alfa: α; alpha
ab-reação: abreaction
aba de mordedura: bite-wing
abaixo da saliência: infrabulge
abarognose: abarognosis
abarticulação: abarthrosis; abarticulation
abartrose: abarthrosis
abdome: belly, abdomen
abdominocístico: abdominocystic
abdominoscopia: abdominoscopy
abducente: abducens
abduzir: abduct
aberração: aberration
abertura: apertura; aperture; opening; ostium
abetalipoproteinemia: abetalipoproteinemia
abiose: abiosis
abiotrofia: abiotrophy; hypotrophy
abirritante: abirritant
ablação: ablatio; ablation
ablactação: ablactation
ablefaria: ablepharia
abléfaro: ablepharous
ablepsia: ablepsia
abluente: abluent
abóbada: cope
abomaso: abomasum
aboral: aboral
abordagem: approach
abortar: abort
abortador: abortionist
abortamento: abortion; miscarriage
aborteiro: abortionist
abortifaciente: abortifacient
abortígeno: abortifacient
abortivo: abortifacient
aborto: abortion; abortus
abrandamento: lightening
abrasão: abrasio; abrasion
abrasão química: chemabrasion; chemexfoliation
abrupção: abruptio
abscesso: abscess
abscisar: abscise
abscissa: abscissa
abscopal: abscopal
absidia: absidia
absorbância: absorbance
absorção: absorption; sorption
absortividade: absorptivity
absorvente: absorbent
absorver: absorb
abstergente: abstergent
abstinência: abstinence
abstração: abstraction
abúlico: abulia
abuso: abuse
acácia: acacia
a cada hora: quaque hora (q.h.)
acalasia: achalasia
acalcicose: acalcicosis

acampsia: acampsia
acanta: acantha
acantamebíase: acanthamebiasis
acantestesia: acanthesthesia
acântion: acanthion
acanto: acanthion
acantócito: acanthocyte
acantocitose: acanthocytosis; acanthrocytosis
acantólise: acantholysis
acantolítico: acantholytic
acantoma: acanthoma
acantose: acanthosis
acantótico: acanthotic
acantrocitose: acanthrocytosis
ação: action
ação de embeber: blotting
acapnéico: acapnéico
acapnia: acapnia
acarbia: acarbia
acardia: acardia
acaríase: acariasis; acaridiasis; acarinosis
acaricida: acaricide; miticide
acarídeo: acarid
acaridíase: acaridiasis
acarinose: acarinosis
acariócito: akaryocyte
acariota: acaryote; akaryote
ácaro: acarid; mite
acarodermatite: acarodermatitis
acarologia: acarology
acasalamento: mating
acatalasemia: acatalasemia
acatalasia: acatalasia
acatéctico: acathetic
acatexia: acathexia
acatisia: akathisia
acaudado: acaudate
acedapsona: acedapsone
acéfalo: acephalous; acephalus
acefalocisto: acephalocyst
acelerador: accelerator
acelomado: acelomate; acoelomate
acelular: acellular
acêntrico: acentric
acepromazina: acepromazine
aceptor: acceptor
acervulino: acervuline
acessório: accessory
acetabular: acetabular
acetabulectomia: acetabulectomy
acetábulo: acetabulum
acetabuloplastia: acetabuloplasty
acetal: acetal
acetaldeído: acetaldehyde
p-acetaminofenol: acetaminophen
acetato: acetate
acetazolamida: acetazolamida
acético: acetic
acetil: acetyl
acetil-CoA carboxilase: acetylCoAcarboxylase

acetil-CoA: acetyl CoA
acetilação: acetylation
acetilador: acetylator
acetilcisteína: acetylcysteine
acetilcoenzima A: acetyl coenzyme A
acetilcolina: acetylcholine
acetilcolinesterase: acetylcholinesterase
N-acetilgalactosamina: N-acetylgalactosamine
N-acetilglicosamina: N-acetylglucosamine
acetileno: acetylene
acetiltransferase: acetyltransferase
acetoexamida: acetohexamide
acetofenazina: acetophenazine
acetona: acetone
acetonitrila: acetonitrile
acetonúria: acetonuria
acetoso: acetous
aceturato: aceturate
acianótico: acyanotic
aciclovir: acyclovir
acicular: acicular
acículo: aciculum
acidemia metilmalônica: methylmalonicacidemia
acidemia propiônica: propionic acid
acidemia: acidemia
acidente vascular cerebral: stroke
acidente: casualty
acidez na boca: brash
acidez: acidity
acidificador: acidifiable
acidificável: acidifiable
ácido: acid
ácido acético: acetic acid
ácido N-acetilneuramínico: N-acetylneuraminic acid
ácido acetilsalicílico: acetylsalicylic acid
ácido acetoacético: acetoacetic acid
ácido adenílico: adenylic acid
ácido aldárico: aldaric acid
ácido aldônico: aldonic acid
ácido algínico: alginic acid
ácido p-aminobenzóico: p-aminobenzoic acid
ácido γ-aminobutírico: γ-aminobutyric acid (GABA)
ácido ε-aminocapróico: ε-aminocaproic acid
ácido p-amino-hipúrico: p-aminohippuric acid (PAH, PAHA)
ácido Δ-aminolevulínico: Δ-aminolevulinic acid (ALA)
ácido 6-aminopenicilânico: 6-aminopenicillanic acid
ácido aminossalicílico: aminosalicylic acid
ácido 5-aminossalicílico (5-ASA): 5-aminosalicylic (5-ASA)
ácido p-aminossalicílico (PAS): p-aminosalicylic acid (PAS)
ácido aráquico: arachic acid
ácido araquídico: arachidic acid
ácido araquidônico: arachidonic acid
ácido argininossuccínico: argininosuccinic acid
ácido ascórbico: ascorbic acid
ácido aspártico: aspartic acid
ácido barbitúrico: barbituric acid
ácido benzóico: benzoic acid
ácido biliar: bile acid
ácido bórico: boric acid
ácido bromídrico: hydrobromic acid
ácido butírico: butyric acid
ácido cacodílico: cacodylic acid

ácido cáprico: capric acid
ácido caprílico: caprylic acid
ácido capróico: caproic acid
ácido carbâmico: carbamic acid
ácido carbólico: carbolic acid
ácido carbônico: carbonic acid
ácido carmínico: carminic acid
ácido cerebrônico: cerebronic acid
ácido β-cetobutírico: β-ketobutyric acid
ácido α-cetoglutárico: α-ketoglutaric acid
ácido cianídrico: hydrocyanic acid
ácido cistéico: cysteic acid
ácido citidílico: cytidylic acid
ácido cítrico: citric acid
ácido clorídrico: hydrochloric acid
ácido coléico: choleic acid
ácido cólico: cholic acid
ácido crômico: chromic acid
ácido crotônico: crotonic acid
ácido desidrocólico: dehydrocholic acid
ácido desoxicólico: deoxycholic acid
ácido desoxirribonucléico (DNA): deoxyribonucleic acid
ácido diidrofólico: dihydrofolic acid
ácido dimetilarsínico: cacodylic acid
ácido docosa-hexaenóico: docosahexaenoic acid
ácido edético: edetic acid
ácido esteárico: stearic acid
ácido etacrínico: ethacrynic acid
ácido fenilacético: phenylacetic acid
ácido fenílico: phenylic acid
ácido fenilpirúvico: phenylpyruvic acid
ácido fíbrico: fibric acid
ácido fitânico: phytanic acid
ácido fítico: phytic acid
ácido fluorídrico: hydrofluoric acid
ácido fólico: folic acid; pteroylglutamic acid
ácido folínico: folinic acid
ácido fórmico: formic acid
ácido formiminoglutâmico: formiminoglutamic acid
ácido fosfatídico: phosphatidic acid
ácido fosfórico: phosphoric acid
ácido fosforoso: phosphorous acid
ácido fumárico: fumaric acid
ácido glicérico: glyceric acid
ácido glicocólico: glycocholic acid
ácido glicólico: glycolic acid
ácido glicônico: gluconic acid
ácido glicurônico: glucuronic acid
ácido glioxílico: glyoxylic acid
ácido glutâmico: glutamic acid
ácido glutárico: glutaric acid
ácido graxo: fatty acid
ácido guanidinoacético: guanidinoacetic acid
ácido hexurônico: hexuronic acid
ácido hialurônico: hyaluronic acid
ácido hidroxibutírico: hydroxybutyric acid
ácido hidroxiglutárico: hydroxyglutaric acid
ácido 5-hidroxiindoleacético: 5-hydroxyindoleacetic acid
ácido 3-hidroxiisovalérico: 3-hydroxyisovaleric acid
ácido hipocloroso: hypochlorous acid
ácido hipofosforoso: hypophosphorous acid
ácido hipúrico: hippuric acid
ácido homogentísico: homogentisic acid

ácido homovanílico: homovanillic acid
ácido icosapentaenóico: eicosapentaenoic acid (EPA)
ácido idurônico: iduronic acid
ácido iocetâmico: iocetamic acid
ácido iódico: iodic acid
ácido iodídrico: hydriodic acid
ácido iopanóico: iopanoic acid
ácido isocítrico: isocitric acid
ácido isovalérico: isovaleric acid
ácido láctico: lactic acid
ácido láurico: lauric acid
ácido lignocérico: lignoceric acid
ácido linoléico: linoleic acid
ácido linolênico: linolenic acid
ácido lipóico: lipoic acid
ácido maléico: maleic acid
ácido málico: malic acid
ácido mandélico: mandelic acid
ácido metafosfórico: metaphosphoric acid
ácido metilmalônico: methylmalonic acid
ácido mirístico: myristic acid
ácido nalidíxico: nalidixic acid
ácido neuramínico: neuraminic acid
ácido nicotínico: nicotinic acid
ácido nítrico: nitric acid
ácido nitroso: nitrous acid
ácido nucleico: nucleic acid
ácido oléico: oleic acid
ácido ortofosfórico: orthophosphoric acid
ácido ósmico: osmic acid
ácido oxálico: oxalic acid
ácido oxaloacético: oxaloacetic acid
ácido oxolínico: oxolinic acid
ácido palmítico: palmitic acid
ácido palmitoléico: palmitoleic acid
ácido pantotênico: pantothenic acid
ácido *para*-aminobenzóico: *para*aminobenzoic acid
ácido penicílico: penicillic acid
ácido pentacético: diethylenetriamine pentaacetic (DTPA)
ácido pentético: diethylenetriamine pentaacetic; pentetic acid
ácido peracético: peracid
ácido perclórico: perchloric acid
ácido pícrico: picric acid
ácido pipecólico: pipecolic acid
ácido pirofosfórico: pyrophosphoric acid
ácido pirúvico: pyruvic acid
ácido poliláctico: polylactic acid
ácido propanóico: propanoic acid
ácido propiônico: propionic acid
ácido prússico: prussic acid
ácido pteroilglutâmico: pteroylglutamic acid
ácido quenodesoxicólico: chenodeoxycholic acid; chenodiol
ácido quinurênico: kynurenic acid
ácido ribonucléico: ribonucleic acid (RNA)
ácido salicílico: salicylic acid
ácido salicilúrico: salicyluric acid
ácido siálico: sialic acid
ácido sórbico: sorbic acid
ácido succínico: succinic acid
ácido sulfúrico: sulfuric acid
ácido sulfuroso: sulfurous acid
ácido tânico: tannic acid

ácido teicóico: teichoic acid
ácido tetraidrofólico: tetrahydrofolic acid
ácido tiobarbitúrico: thiobarbituric acid
ácido tricloroacético: trichloroacetic acid
ácido undecilênico: undecylenic acid
ácido úrico: uric acid
ácido uridílico: uridylic acid
ácido urocânico: urocanic acid
ácido valpróico: valproic acid
ácido vanililmandélico: vanillylmandelic acid
ácido xanturênico: xanthurenic acid
acidófilo: acidophil; acidophilic
acidorresistente: acid-fast
acidose: acidosis
acidótico: acidotic
acídulo: acidotic
acidúria: acidotic
acidúria metilmalônica: methylmalonicaciduria
acidúrico: aciduric
acil-CoA desidrogenase: acyl-CoA dehydrogenase
acilase: acylase
***N*-acilesfingosina:** *N*-acylsphingosine
acilglicerol: acylglycerol
aciltransferase: acyltransferase
acinesia: akinesia
acinestesia: akinesthesia; kinanesthesia
acinético: akinetic
aciniforme: aciniform
acinite: acinitis
ácino: acinus
acinoso: acinose; acinous
acivicina: acivicin
acladiose: acladiosis
aclasia: aclasis
aclimatação: acclimation
aclistocardia: acleistocardia
acloridria: achlorhydria
acme: acme
acne: acne
acne clorado: chloracne
acnegênico: acnegenic
acnite: acnitis
acolia: acholia
acólico: acholic
acolúria: acholuria
acomodação: accommodation; dumping
acomodômetro: accommodometer
acondrogenesia: achondrogenesis
acondroplasia: achondroplasia
acondroplásico: achondroplastic
aconitina: aconitine
acônito: aconite
acoplamento: copula; coupling
acoria: acorea; acoria
acral: acral
acresção: accretion
acridina: acridine
acriflavina: acriflavine
acrilamida: acrylamide
acrisorcina: acrisorcin
acroagnose: acroagnosis
acroanestesia: acroanesthesia
acroartrite: acroarthritis
acroblasto: acroblast
acrobraquicefalia: acrobrachycephaly

acrobraquicefálico: acrobrachycephalic
acrocefalia: acrocephalia
acrocefálico: acrocephalic
acrocefalopolissindactilia: acrocephalopolysyndactyly
acrocefalossindactilia: acrocephalosyndactyly
acrocêntrico: acrocentric
acroceratose: acrokeratosis
acrocianose: acrocyanosis
acrocinesia: acrokinesia
acrocontratura: acrocontracture
acrocórdon: acrochordon
acrodermatite: acrodermatitis
acrodermatose: acrodermatosis
acrodinia: acrodynia; trophodermatoneurosis
acrodolicomelia: acrodolichomelia
acroestesia: acroesthesia
acrofobia: acrophobia
acroipotermia: acrohypothermy
acroleína: acrolein
acromasia: achromasia
acromático: achromasia
acromatina: achromasia
acromatófilo: achromatophil
acromatólise: achromatolysis
acromatopsia: achromatopsia
acromatose: achromatosis
acromatoso: achromatous
acromatúria: achromaturia
acromegalia: acromegaly
acrometagênese: acrometagenesis
acromia: achromia
acromial: acromial
acrômico: achromic
acromicria: acromicria
acrômio: acromion
acromioclavicular: acromioclavicular
acromionectomia: acromionectomy
acromioplastia: acromioplasty
acromiotonia: acromyotonia
acromócito: achromocyte
acroneurose: acroneurosis
acrônfalo: acromphalus
acrônimo: acronym
acropaquia: acropachy
acropaquidermida: acropachyderma
acroparalisia: acroparalysis
acroparestesia: acroparesthesia
acropatia: acropathy
acropatologia: acropathology
acropostite: acroposthitis
acrosclerodermia: acroscleroderma
acrosclerose: acrosclerosis
acrospiroma: acrospiroma
acrossoma: acrosome
acrosteólise: acroosteolysis
acrótico: acrotic
acrotismo: acrotism
acrotrofoneurose: acrotrophoneurosis
actina: actin
actínico: actinic
actínio: actinium
actinobacilose: actinobacillosis
actinodermatite: actinodermatitis
actinomicina: actinomycin
actinomicose: actinomycosis

actinomicótico: actinomicotic
actinoterapia: actinotherapy
actomiosina: actomyosin
açúcar: sugar
acuidade: acuity
acuminado: acuminate
acupuntura: acupuncture
acústica: acoustics
acústico: acoustic
acustograma: acoustogram
adactilia: adactyly
adáctilo: adactilous
adamantino: adamantine
adamantinoma: adamantinoma
adamantoblasto: adamantoblast
adamantoma: adamantoma
adaptação: adaptation
adaptômetro: adaptometer
addisonismo: addisonism
adelomorfo: adelomorphous
adenacantoma: adenoacanthoma
adenalgia: adenalgia
adendrítico: adendritic
adenectomia: adenectomy
adenectopia: adenectopia
adenia: adenia
adenil: adenyl
adenilato: adenylate
adenilciclase: adenyl cyclase
adenilil: adenylyl
adenina: adenine
adenite: adenitis
adeno-hipofisário: adenohypophyseal
adeno-hipófise: adenohypophysis
adeno-hipofisectomia: adenohypophysectomy
adenoameloblastoma: adenoameloblastoma
adenoblasto: adenoblast
adenocarcinoma: adenocarcinoma
adenocele: adenocele
adenocelulite: adenocellulitis
adenocistoma: adenocystoma
adenócito: adenocyte
adenoepitelioma: adenoepithelioma
adenofaringite: adenopharyngitis
adenofibroma: adenofibroma
adenógeno: adenogenous
adenografia: adenography
adenóide: adenoid
adenoidite: adenoiditis
adenolinfite: adenolymphitis
adenolinfoma: adenolymphoma
adenolipoma: adenolipoma
adenoma: adenoma
adenomalacia: adenomalacia
adenomatóide: adenomatoid
adenomatose: adenomatosis
adenômero: adenomere
adenomiofibroma: adenomyofibroma
adenomioma: adenomyoma
adenomiomatose: adenomyomatosis
adenomiometrite: adenomyometritis
adenomiose: adenomyosis
adenomiossarcoma: adenomyosarcoma
adenonco: adenoncus
adenopatia: adenopathy

adenosclerose: adenosclerosis
adenose: adenosis
adenosilcobalamina: adenosylcobalamin
adenosina: adenosine
adenosina-desaminase: adenosine deaminase
adenossarcoma: adenosarcoma
adenótomo: adenotome
adenovírus: adenovirus
adequação: adequacy
aderência: adherence
adérmico: apellous
adermogênese: adermogenesis
adesão: adhesion
adesiotomia: adhesiotomy
adesivo: viscid; viscous
adiadococinesia: adiadochokinesia
adiaforia: adiaphoria
adiaspiromicose: adiaspiromycosis
adiasporo: adiaspore
adinamia: adynamia
adipocele: adipocele
adipocelular: adipocellular
adipócera: adipocere
adipocinese: adipokinesis
adipocinina: adipokinin
adipócito: adipocyte
adipogênico: adipogenic
adipólise: adipolysis
adipolítico: adipolytic
adiponecrose: adiponecrosis
adipopéctico: adipopectic
adipopexia: adipopexis
adipose: adiposis
adiposidade: adiposity
adiposite: adipositis
adiposúria: adiposuria
adipsia: adipsia
adito: aditus
adjuvante: adjuvant
adjuvanticidade: adjuvanticity
adneural: adnerval; adneural
adolescência: adolescence
adolescente: adolescent
adoral: adoral
adquirido: acquired
adrenal: adrenal
adrenalectomia: suprarenalectomy
adrenalina: adrenaline; epinephrine
adrenalinúria: adrenalinuria
adrenalismo: adrenalism; suprarenalism
adrenalite: adrenalitis
adrenérgico: adrenergic
adrenoceptivo: adrenoceptive
adrenoceptor: adrenoceptor
adrenocórtico-hiperplasia: adrenocorticohyperplasia
adrenocorticóide: adrenocorticoid
adrenocorticomimético: adrenocorticomimetic
adrenocorticotrófico: adrenocorticotrophic
adrenocorticotrofina: adrenocorticotrophin
adrenocorticotropina: adrenocorticotropin
adrenodoxina: adrenodoxin
adrenoleucodistrofia: adrenoleukodystrophy
adrenolítico: adrenolytic
adrenomegalia: adrenomegaly
adrenomieloneuropatia: adrenomyeloneuropathy

adrenomimético: adrenomimetic
adrenorreceptor: adrenoreceptor
adrenotoxina: adrenotoxin
adsorção: adsorption; sorption
adsorvente: adsorbent
adsorver: adsorb
adstringente: astringent
adtorção: adtorsion
adução: adduction
adulteração: adulteration
adulto: adult
aduzir: adduct
adventícia: adventitia
adventício: adventitious
aeração: aeration
aerenfisema: aeroemphysema
aeróbico: aerobic
aeróbio: aerobe; aerophilic
aerobiologia: aerobiology
aerobiose: aerobiosis
aerocele: aerocele
aerodermectasia: aerodermectasia
aerodontalgia: aerodontalgia
aeroembolia: aeroembolism
aerógeno: aerogen; airborne
aeropatia: aeropathy
aeroperitônio: aeroperitonia
aeropletismógrafo: aeroplethysmograph
aerosol: aerosol
aerossinusite: aerosinusitis
aerotaxia: aerotaxis
aerotite: aerootitis; aerotitis
aerotolerante: aerotolerant
afacia: aphakia
afácico: aphakic
afagia: aphagia
afalangia: aphalangia
afasia: aphasia
afásico: aphasic
afasiologia: aphasiology
afebril: afebrile
afeição: affection
aferente: afferent
aférese: apheresis; pheresis
afetivo: affective
afeto: affect
afibrinogenemia: afibrinogenemia
afilaxia: aphylaxis
afinidade: affinity
aflatoxina: aflatoxin
afogamento: drowning
afoiçamento: sickling
afonia: aphonia
afótico: aphotic
afrasia: aphrasia
afrodisíaco: aphrodisiac
afrouxamento: loosening
afta: aphtha; thrush
aftose: aphthosis
aftoso: aphthous
agalactia: agalactia
agamaglobulinemia: agammaglobulinemia
aganglionose: aganglionosis
ágar: agar
agárico: agaric

agástrico: agastric
agenesia: agenesia; agenesis
agenitalismo: agenitalism
agenossomia: agenosomia
agente: agent
ageusia: ageusia
agêusico: ageusic
agiria: agyria; lissencephaly
agitação: flutter
aglicemia: aglycemia
aglicona: aglycon; aglycone
aglutição: aglutition
aglutinação: agglutination; clumping; sludging
aglutinador: agglutinator
aglutinante: agglutinant; viscid
aglutinina: agglutinin
aglutinofílico: agglutinophilic
aglutinógeno: agglutinogen
agnogênico: agnogenic
agnosia: agnosia; pragmatagnosia
agonadismo: agonadism
agonia: agony
agônico: agonal
agonista: agonist
agorafobia: agoraphobia
agrafia: agraphia; anorthography
agráfico: agraphic
agranulócito: agranulocyte
agranulocitose: agranulocytosis
agranuloplástico: agranuloplastic
agregação: aggregation
agregado: acervuline
agressão: aggression
agrupamento: assortment
água: aqua; water
águas (líquido amniótico): waters
agudo: acute
ágüe: ague
agulha: acus; needle
ailurofobia: ailurophobia
ajuntamento: compaction
a jusante: downstream
ajuste: accommodation
akembe: onyalai; onyalia
alacrimia: alacrima
alactasia: alactasia
alado: alate
alanina: alanine
β-alanina: β-alanine
alanina transaminase: alanine transaminase
alantíase: allantiasis
alantoamida: inulin
alantocório: allantochorion
alantóico: allantoic
alantóide: allantoid; allantois
alantoína: allantoin
alaquestesia: allachesthesia
alar: alar
alba: alba
albedo: albedo
albicante: albicans
albidúria: albiduria; albinuria
albinismo: albinism
albinismo circunscrito: piebaldism
albino: albino

albinoidismo: albinoidism
albinúria: albinuria
albugínea: albuginea
albumina: albumin
albuminocolia: albuminocholia
albuminóide: albuminoid
albuminoptise: albuminoptysis
albuminurético: albuminuretic
albuminúria: albuminuria
alça: ansa; loop; snare
alcalemia: alkalemia
álcali: alkali
alcaligenes: alcaligenes
alcalinizante: alkalizer
alcalino: alkaline
alcalinúria: alkalinuria
alcalóide: alkaloid
alcalose: alkalosis
alcano: alkane
alcatrão: tar
alcavervir: alkavervir
alcilação: alkylation
alclometasona: alclometasone
álcool: alcohol
álcool etílico: ethanol
álcool fenílico: phenol
alcoólise: alcoholysis
alcoolismo: alcoholism
aldeído: aldehyde
aldeído acético: acetaldehyde
aldeído redutase: aldehyde reductase
aldeído-liase: aldehydelyase
aldesleucina: aldesleukin
aldolase: aldolase
aldopentose: aldopentose
aldose: aldose
aldosterona: aldosterone
aldosteronismo: aldosteronism; hyperaldosteronism
alécito: alecithal
aleidigismo: aleydigism
alélico: allelic
alelo: allele
aleloquímica: allelochemics
alelotaxia: allelotaxis
alergênico: allergenic
alérgeno: allergen
alergia: allergy
alérgico: allergic
alestesia: allesthesia
aleta: flange
aleucemia: aleukemia
aleucia: aleukia
aleucocitose: aleukocytosis
alexia: alexia
aléxico: alexic
alfalítico: alphalytic
alfamimético: alphamimetic
alfavírus: alphavirus
alfentanil: alfentanil
alga: alga
algáceo: algal
algas: algae
algefaciente: algefacient
algesia: algesia; algesthesis
algesímetro: algesimeter; odynometer

algesiogênico: algesiogenic; algogenic
algestesia: algesthesis
algicida: algicide
alginato: alginate
algodão: cotton
algodistrofia: algodystrophy
algogênico: algogenic
algoritmo: algorithm
alienia: alienia
alifafe: thoroughpin
alifático: aliphatic
aliforme: aliform
alimentação: alimentation; feeding
alinasal: alinasal
alinfocitose: alymphocytosis
alisfenóide: alisphenoid
alizarin: alizarin
almofariz: mortar
aloanticorpo: alloantibody
aloantígeno: allo antigen
alobarbital: allobarbital
alocórtex: alocortex
alocroísmo: allochroism
alocromasia: allochromasia
alodinia: allodynia
aloenxerto: allograft; hemograft
aloerotismo: alloeroticism
aloés: aloe
alogênico: allogeneic; allogenic
alogrupo: allogroup
aloimune: alloimmune
alomerismo: allomerism
alomorfismo: allomorphism
alopecia: alopecia; baldness
aloplasia: alloplasia
aloplástico: alloplastic
aloplasto: alloplast
alopsíquico: allopsychic
alopurinol: allopurinol
aloquiria: allocheiria
alorritmia: allorhythmia
alossensibilização: allosensitization
alossoma: allosome
alosteria: allosterism; allostery
alostérico: allosteric
alosterismo: allosterism
alotermo: allotherm
alotípico: allotypic
alótipo: allotype
alótopo: allotope
alotrópico: allotropic
alotropismo: allotropism
aloxana: alloxan
alseroxilona: alseroxylon
alteplase: alteplase
alteração: aliasing; change; shift
alternação: alternation
alternância: alternans
altretamina: altretamine
altura: height
alucinação: hallucination
alucinatório: hallucinatory
alucinogênico: hallucinogenic
alucinógeno: hallucinogen
alucinose: hallucinosis

alume: alum
alumina: alumina
alumínio: aluminum
aluminose: aluminosis
álveo: alveus
alveolar: alveolar
alveolite: alveolitis
alvéolo: alveolus; socket
alveoloclasia: alveoloclasia
alveoloplastia: alveoloplasty
alvo: target
amacrina: amacrine
amálgama: amalgam
amamentação: breastfeeding
amanita: amanita
amantadina: amantadine
amarelo: yellow
amártia: hamartia
amastia: amastia
amastigota: amastigote
amaurose: amaurosis
amaurose fugaz: blackout
amaurótico: amaurotic
ambenônio: ambenonium
ambiceptor: amboceptor
ambidestro: ambidextrous
ambilateral: ambilateral
ambílevo: ambilevous
ambiopia: ambiopia
ambissexual: ambisexual
ambivalência: ambivalence
ambivalente: ambivalent
ambliopia: amblyopia
amblioscópio: amblyoscope
ambom: ambon
ambulatório: ambulatory
ameba: ameba
amebíase: amebiasis
amebicida: amebicide
amébico: amebic
amebócito: amebocyte
amebóide: ameboid
ameboma: ameboma
amébula: amebula
amedular: unmyelinated
amelia: amelia
amelificação: amelification
amelo: amelus
ameloblasto: ameloblast
ameloblastoma: adamantinoma; adamantoma; ameloblastoma
amelogênese: amelogenesis
amelogenina: amelogenin
amenorréia: amennorrhea; menostasia: menostasis
amenorréico: amenorrheal
amensalismo: amensalism
amentia: amentia
amerício: americium
ametria: ametria
ametropia: ametropia
amicacina: amikacin
amículo: amiculum
amida: amide
amidina: amidine
amidineliase: amidinelyase

amido: starch
amidoligase: amidoligase
amielínico: amyelinic; unmyelinated
amielinizado: unmyelinated
amielônico: amyelonic
amígdala: amygdala; tonsil; tonsilla
amigdalina: amygdalin; amygdaline
amigdalite: tonsillitis
amila: amyl
amiláceo: amylaceous
amilase: amidase; amylase
amilo-1,6-glicosidase: amylo1,6-glucosidase
amilo: starch
amilóide: amyloid
amiloidose: amyloidosis
amilopectina: amylopectin
amilopectinose: amylopectinosis
amilorréia: amylorrhea
amilose: amylose
amilosúria: amyluria
amilúria: amyluria
amimia: amimia
amina: amine
aminação: amination
aminacrina: aminacrine
aminérgico: aminergic
amino: amino
aminoacidemia: aminoacidemia
aminoácido: amino acid
aminoacidopatia: aminoacidopathy
aminoacidúria: aminoaciduria
aminoacilase: aminoacylase
aminobenzoato: aminobenzoate
γ-aminobutirato: γ-aminobutyrate
p-aminofenol: p-aminophenol
aminofilina: aminophylline
aminoglicosídeo: aminoglycoside
aminoglutetimida: aminoglutethimide
p-amino-hipurato: p-aminohippurate
Δ-aminolevulinato: Δ-aminolevulinate
aminólise: aminolysis
aminopterina: aminopterin
aminoquinolina: aminoquinoline
aminossalicilato: aminosalicylate
aminotransferase: aminotransferase
aminúria: aminuria
amiodarona: amiodarone
amioestesia: amyoesthesia
amioplasia: amyoplasia
amiostasia: amyostasia
amiotonia: amyotonia; myatonia
amiotrofia: amyotrophy
amitose: amitosis
amitótico: amitotic
amitriptilina: amitriptyline
amixia: amyxia
amixorréia: amyxorrhea
amlodipina: amlodipine
amnésia: amnesia
âmnio: amnion
amniocele: amniocele
amniocentese: amniocentesis
amniogênese: amniogenesis
amniorrexe: amniorrhexis
amnioscópio: amnioscope

amniótico: amnionic
amniotomia: amniotomy
amoacidúria: ammoaciduria
amobarbital: amobarbital
amodiaquina: amodiaquine
amolecimento: mollities; softening
amônia: ammonia
amônio: ammonium
amoniólise: ammonolysis
amoniúria: ammoniuria
amorfia: amorphia
amorfo: amorph; amorphous
amorfossíntese: amorphosynthesis
amortecimento: damping
amostra: sampling; specimen
amostragem: sampling
amoxapina: amoxapine
amoxicilina: amoxicillin
ampère: ampere
amperômetro: ammeter
ampicilina: ampicillin
ampliação: magnification
amplificação: amplification
amplitude: amplitude
amplo: latus
ampola: ampule; ampulla
amputação: amputation
anabiose: anabiosis
anabiótico: anabiotic
anabólico: anabolic
anabolismo: anabolism
anabólito: anabolite
anacidez: anacidity
anáclise: anaclisis
anaclítico: anaclitic
anacorese: anachoresis
anacrótico: anacrotic
anacrotismo: anacrotism
anacusia: anakusis
anadipsia: anadipsia
anadrenalismo: anadrenalism
anaeróbico: anaerobic
anaeróbio: anaerobe
anaerobiose: anaerobiosis
anaerogênico: anaerogenic
anáfase: anaphase
anafia: anaphia
anafilactogênese: anaphylactogenesis
anafilactogênico: anaphylactogenic
anafilático: anaphylactic
anafilatoxina: anaphylatoxin
anafilaxia: anaphylaxis
anaforia: anaphoria
anafrodisíaco: anaphrodisiac
anagenia: anagen
anal: anal
analbuminemia: analbuminemia
analéptico: analeptic
analgesia: analgesia; analgia
analgésico: analgesic
analgia: analgia
análgico: analgic
analisador: analyzer
analisando: analysand
análise: analysis; assay

analítico: analytic
analogia: analogy
análogo: analogous; analogue
anamnese: anamnesis
anão: dwarf; nanoid; nanous
anão normal: midget
anaplasia: anaplasia
anaplasma: anaplasma
anaplasmodastático: anaplasmodastat
anaplasmose: anaplasmosis; gallsickness
anaplástico: anaplastic
anapófise: anapophysis
anáptico: anaptic
anartria: anarthria
anastomose: anastomosis
anastomótico: anastomotic
anatomia: anatomy
anatropia: anatropia
anatrópico: anatropic
anca: gaskin
anciblefaro: ankyloblepharon
anciloglossia: ankyloglossia; tongue-tie
ancilose: ankylosis
ancilostomíase: ancylostomiasis
ancilóstomo duodenal: hookworm
ancilótico: ankylotic
ancipital: ancipital
anciróide: ancyroid; ankyroid
anconagra: anconagra
ancôneo: anconad; anconeal
anconite: anconitis
ancoragem: anchorage
andador: walker
andinocilina: amdinocillin
androblastoma: androblastoma
androgênico: androgenic
androgênio: androgen
androstanediol: androstanediol
androstano: androstane
androstenediol: androstenediol
androstenediona: androstenedione
androsteno: androstene
androsterona: androsterone
anecóico: anechoic; sonolucent
anectasia: anectasis
anectente: annectent
anedonia: anhedonia
anel: anulus; ring
anelídeo: annelid
anemia: anemia
anencefalia: anencephaly
anergia: anergy
aneritroplasia: anerythroplasia
aneritropoiese: anerythropoiesis
anestesia: anesthesia
anestésico: anesthetic
anestesiologia: anesthesiology
anestesista: anesthetist
anetodermia: anetoderma
aneuplóide: aneuploidy
aneurisma: aneurysm
aneurismático: aneurysmal
aneurismoplastia: aneurysmoplasty
aneurismorrafia: aneurysmorrhaphy
anexos: adnexa; adnexal

anfetamina: amphetamine
anfiartrose: amphiarthrosis
anfibólico: amphibolic
anficêntrico: amphicentric
anfidiartrose: amphidiarthrosis
anfigonadismo: amphigonadism
anfistoma: amphistome
anfítrico: amphitrichous
anfócito: amphocyte
anfofílico: amphophilic
anfólito: ampholyte
anfórico: amphoric
anfotericina B: amphotericin B
anfotérico: amphoteric
anfotonia: amphotony
angiastenia: angiasthenia
angiectasia: angiectasis
angiectático: angiectatic
angiectomia: angiectomy
angiectopia: angiectopia
angiescotoma: angioscotoma
angiíte: angitis
angina: angina
anginoso: anginose
angioblástico: angioblastic
angioblasto: angioblast
angioblastoma: angioblastoma
angiocardiocinético: angiocardiokinetic
angiocardiografia: angiocardiography
angiocardite: angiocarditis
angiocêntrico: angiocentric
angioceratoma: angiokeratoma
angiocinético: angiokinetic
angiodisplasia: angiodysplasia
angioedema: angioedema
angioemofilia: angiohemophilia
angioendotelioma: angioendothelioma
angioendoteliomatose: angioendotheliomatosis
angioesclerose: angiosclerosis
angioescotometria: angioscotometry
angioespasmo: angiospasm
angioespástico: angiospastic
angioestenose: angiostenosis
angiofibroma: angiofibroma
angiofolicular: angiofollicular
angiogênese: angiogenesis
angiogênico: angiogenic
angiografia: angiography
angioialinose: angiohyalinosis
angióide: angioid
angioleiomioma: angioleiomyoma
angiolipoleiomioma: angiolipoleiomyoma
angiolipoma: angiolipoma
angiólise: angiolysis
angiologia: angiology
angiolupóide: angiolupoid
angioma: angioma
angiomatose: angiomatosis
angiomiolipoma: angiomyolipoma
angiomioma: angiomyoma
angiomiossarcoma: angiomyosarcoma
angioneuropatia: angioneuropathy; vasoneurosis
angioneuropático: angioneuropathic
angiônoma: angionoma
angioparalisia: angioparalysis

angioparesia: angioparesis
angiopatia: angiopathy
angioplastia: angioplasty
angiopoiese: angiopoiesis
angiopoiético: angiopoietic
angiopressão: angiopressure
angiorrafia: angiorrhaphy
angioscopia: angioscopy
angiossarcoma: angiosarcoma
angiosteose: angiosteosis
angiostrofia: angiostrophy
angióstrofo: angiostrophe
angiostrongilíase: angiostrongyliasis
angiotelectasia: angiotelectasis
angiotensina: angiotensin
angiotensinase: angiotensinase
angiotensinogênio: angiotensinogen
angiótomo: angiotome
angiotônico: angiotonic
angiótribo: angiotribe
angiotrófico: angiotrophic
ângström: ångström
angulação: angulation
ângulo: angle; angulus
angústia: distress
anidrase carbônica: carbonic anhydrase
anidremia: anhydremia
anidrido: anhydride
anidrótico: anhidrotic
anileridina: anileridine
anilida: anilide
anilidade: anility
anilina: aniline
anilinismo: anilinism; anilism
anilismo: anilism
anima: anima
animal: animal
ânimo: animus
ânion: anion
aniridia: aniridia
anisaquíase: anisakiasis
aniseiconia: aniseikonia
o-anisidina: o-anisidine
anisindiona: anisindione
anisocariose: anisokaryosis
anisocitose: anisocytosis
anisocoria: anisocoria
anisocromático: anisochromatic
anisogameta: anisogamete
anisogamético: anisogametic
anisometropia: anisometropia
anisometrópico: anisometropic
anisopecilocitose: anisopoikilocytosis
anisopiese: anisopiesis
anisospore: anisospore
anisostênico: anisosthenic
anisotônico: anisotonic
anisotropia: anisotropy
anisotrópico: anisotropic
anisotropina: anisotropine
anisto: acellular
anistreplase: anistreplase
anisúria: anisuria
anódico: anodal; anodyne
anódino: anodyne

ânodo: anode
anodontia: anodontia
anoftalmia: anophthalmia
anomalia: anomalad; anomaly; dysfunction
anômalo: anomalous
anômero: anomer
anoníquia: anonychia
anoplastia: anoplasty
anorético: anorectic
anorexia: anorexia
anorexigênico: anorexigenic
anormalidade: abnormality
anorquia: anorchism
anorquídico: anorchid
anortografia: anorthography
anortopia: anorthopia
anosmia: anosmia
anósmico: anosmic; anosmatic
anosognosia: anosognosia
anossigmoidoscopia: anosigmoidoscopy
anossigmoidoscópico: anosigmoidoscopic
anostose: anostosis
anotia: anotia
anovaria: anovarism
anovular: anovular; anovulatory
anovulatório: anovulatory
anoxemia: anoxemia
anoxia: anoxia
anóxico: anoxic
anquilosado: ankylosed
anquirina: ankyrin
ansiedade: anxiety
ansiolítico: anxiolytic
antagonismo: antagonism
antagonista: antagonist
antebraço: antebrachium; forearm
antebraquial: antebrachial
antecedente: antecedent
anteflexão: anteflexion
antena: antenna
anterior: anterior; anticus
ântero-consciência: foreconscious
ântero-lateral: anterolateral
ântero-posterior: anteroposterior
anteroclusão: anteroclusion
anterógrado: anterograde
antes da morte: ante mortem
antes do parto: ante partum
anteversão: anteversion
anti-D: anti-D
anti-hélice: anthelix
anti-helmíntico: anthelmintic; helminthagogue
anti-hemolisina: antihemolysin
anti-hemorrágico: antihemorrhagic
anti-hipercolesterolêmico: antihypercholestero-
lemic
anti-hiperlipoproteinêmico: antihyperlipoprotei-
nemic
anti-histamina: antihistamine
anti-retroviral: antiretroviral
anti-secretor: antisecretory
anti-senso: antisense
anti-séptico: antiseptic
anti-sialagogo: antisialagogue
anti-siálico: antisialic

anti-simpático: antisympathetic
anti-social: antisocial
anti-soro: antiserum
anti-sudorífico: antisudoral; antisudorific
antiabortivo: antiabortifacient
antiácido: antacid
antiadrenérgico: antiadrenergic
antiaglutinina: antiagglutinin
antiálgico: antalgic
antiamébico: antiamebic
antianafilaxia: antianaphylaxis
antiandrogênio: antiandrogen
antianêmico: antianemic
antianginoso: antianginal
antiansiedade: antianxiety
antianticorpo: antiantibody
antiarrítmico: antiarrhythmic
antiartrítico: antarthritic
antibacteriano: antibacterial
antibiose: antibiosis
antibiótico: antibiotic
anticalculoso: anticalculous
anticariogênico: anticariogenic
anticlinal: anticlinal
anticoagulação: anticoagulation
anticoagulante: anticoagulant
anticoagulina: anticoagulin
anticódon: anticodon
anticolelitogênico: anticholelithogenic
anticolesterêmico: anticholesteremic
anticolinérgico: anticholinergic
anticolinesterase: anticholinesterase
anticomplemento: anticomplement
anticonvulsivante: anticonvulsant; anticonvulsive
anticonvulsivo: anticonvulsive
anticorpo: antibody
antidepressivo: antidepressant
antidiscinético: antidyskinetic
antidiurético: antidiuretic
antídoto: antidote
antidrômico: antidromic
antiemético: antiemetic
antiescorbútico: antiscorbutic
antiespasmódico: antispasmodic
antifebril: antifebrile
antifibrinolisina: antifibrinolysin
antifibrinolítico: antifibrinolytic
antifibrótico: antifibrotic
antiflatulente: antiflatulent
antifúngico: antifungal
antigaláctico: antigalactic
antigenemia: antigenemia
antigenicidade: antigenicity
antígeno: antigen
antiglobulina: antiglobulin
antiinfeccioso: antiinfective
antiinflamatório: antiinflammatory
antileucocítico: antileukocytic
antilipêmico: antilipemic
antilise: antilysis
antilítico: antilithic; antilytic
antímero: antimere
antimetabólito: antimetabolite
antimetemoglobinêmico: antimethemoglobinemic
antimetropia: antimetropia

antimicótico: antymycotic
antimicrobiano: antimicrobial
antimongolismo: antimongolism
antimonial: antimonial
antimônio: antimony
antineoplásico: antineoplastic
antínion: antinion
antinociceptivo: antinociceptive
antioxidante: antioxidant
antiparalelo: antiparallel
antiparkinsoniano: antiparkinsonian
antipediculótico: antipediculotic
antiperistáltico: antiperistaltic
antiperistaltismo: antiperistalsis
antiperspirante: antisudoral; antisudorific
antipirético: antipyretic
antipirótico: antipyrotic
antiplasmina: antiplasmin
antiplástico: antiplastic
antiportar: antiport
antiprotozoário: antiprotozoal
antiprotrombina: antiprothrombin
antipruriginoso: antipruritic
antipsicótico: antipsychotic
antitenar: antithenar
antitireóide: antithyroid
antitóxico: antitoxic
antitoxina: antitoxin
antitrago: antitragus
antitricomonádico: antitrichomonal
α_1-antitripsina: α_1-antitrypsin
antitrombina: antithrombin
antitromboplastina: antithromboplastin
antitrópico: antitropic
antítropo: antitrope
antituberculina: antituberculin
antitussígeno: antitussive
antiurolítico: antiurolithic
antiveneno: antivenin
antixerótico: antixerotic
antraceno: anthracene
antracenodiona: anthracenedione
antraciclina: anthracycline
antracóide: anthracoid
antraconecrose: anthraconecrosis
antracose: anthracosis
antracossilicose: anthracosilicosis
antral: antral
antralina: anthralin
antraquinona: anthraquinone
antrite: antritis
antro: antrum
antrocele: antrocele
antronasal: antronasal
antropocêntrico: anthropocentric
antropofílico: anthropophilic
antropóide: anthropoid
antropologia: anthropology
antropometria: anthropometry
antropométrico: anthropometric
antropomorfismo: anthropomorphism
antroscópio: antroscope
antrotomia: antrotomy
anular: annular; circinate
ânulo: annulus

anuloplastia: annuloplasty
anulorrafia: annulorrhaphy
anurese: anuresis
anúria: anuria
anúrico: anuric
ânus: anus
aorta: aorta
aortite: aortitis
aortografia: aortography
aortopatia: aortopathy
aortoplastia: aortoplasty
aortorrafia: aortorrhaphy
aortosclerose: aortosclerosis
aortotomia: aortotomy
apalestesia: apallesthesia
apancreatismo: apancrea
aparelho: apparatus; splint
aparência: aspect
apatia: apathy; hebetude
apático: apathetic
apendectomia: appendectomya
apêndice: appendage; appendix
apendicite: appendicitis
apendicostomia: appendicostomy
apercepção: apperception
aperiente: aperient
aperistaltismo: aperistalsis
apertognacia: apertognathia
apetência: appestat
ápex: apex
apical: apical; apicalis
ápice: apex
apicecardiografia: apexcardiography
apicecardiograma: apexcardiogram
apicectomia: apicectomy; apicoectomy
apicite: apicitis
apiogênico: apyogenic
apirético: apyretic
apirexia: apyrexia
aplanamento: planing
aplanático: aplanatic
aplanômetro: applanometer
aplasia: aplasia
aplástico: aplastic
apnéia: apnea
apnéico: apneic
apneuse: apneusis
apócope: apocope
apocópico: apocoptic
apócrino: apocrine
apocromática: apochromat
apocromático: apochromatic
apoenzima: apoenzyme
apoferritina: apoferritin
apofisário: apophyseal
apófise: apophysis
apofisite: apophysitis
apolar: apolar
apolipoproteína: apolipoprotein
apomorfina: apomorphine
aponeurorrafia: aponeurorrhaphy
aponeurose: aponeurosis
aponeurótico: aponeurotic
apoplectiforme: apoplectiform
apoplético: apoplectic

apoplexia: apoplexy
apoproteína: apoprotein
aporrepressor: aporepressor
após a morte: post mortem
após a puberdade: postpubertal
após o parto: post partum
aposição: apposition
aposto: onlay
apractagnosia: apractagnosia
apraxia: apraxia
apreensão: apprehension; prehension
aprendizado: learning
apresentação: presentation
aprobarbital: aprobarbital
aproximação: approximation
aptialismo: aptyalism
apudoma: apudoma
aqueduto: aqueduct
aqueiria: acheiria
aquilia: achylia
aquilobursite: achillobursitis
aquilodinia: achillodynia
aquilorrafia: achillorrhaphy
aquilotenotomia: achillotenotomy
aquimia: achymia
aquisição: acquisition
aquoso: aqueous
ar: air
ara-C: cytarabine
aracnodactilia: arachnodactyly
aracnofobia: arachnophobia
aracnóide: arachnoid
aracnóide-máter: arachnoidea mater
aracnoidite: arachnoiditis
arame: wire
aranha: spider
arborização: arborization
arborvírus: arborvirus
arboviral: arboviral
arciforme: arciform
arco: arc; arch; arcus
arco facial: facebow
área: area
areia: sand
arejamento: aeration
arenavírus: arenavirus
arenoso: sabulous
aréola: areola
areolar: areolar
argas: argas
argasídeo: argasid
argentafim: argentaffin
argentafinoma: argentaffinoma
arginase: arginase
arginina: arginine
argininossuccinato: argininosuccinate
argininossuccinato-sintase: argininosuccinate synthase
argininossuccinicacidúria: argininosuccinicaciduria
argiria: argyria
argirófilo: argyrophil
argônio: argon
arilformamidase: arylformamidase
aritenóide: arytenoid

aritenoidopexia: arytenoidopexy
aroma: odor
aromatase: aromatase
aromático: aromatic
aromatizante: tastant
arqueado: arciform
arqueamento: arcuation
arquentério: archenteron; gastrocoele
arquétipo: archetype
arquicerebelo: archaeocerebelum
arquicórtex: archaeocortex; archipallium
arquiencéfalo: archencephalon
arquinéfron: archinephron
arquipálio: archipallium
arrafia: araphia
arráfico: araphic
arranjo: assortment
arrector: arrector
arredondado: orbicular
arrenoblastoma: arrhenoblastoma
arriboflavinose: ariboflavinosis
arrinia: arrhinia
arritmia: arrhythmia
arritmogênese: arrhythmogenesis
arritmogênico: arrhythmogenic
arroto: eructation
arseníase: arseniasis
arsenical: arsenic
arsênico: arsenic
arsina: arsine
artefato: artefact; artifact
artelho: digit; toe
arteralgia: arteralgia
artéria: arteria, artery
arterial: arterial
arteriectasia: arteriectasis
arteriografia: arteriography
arteríola: arteriola; arteriole
arteriólito: arteriolith
arterioloesclerose: arteriosclerosis
arterioloesclerótico: arteriolosclerotic
arteriolonecrose: arteriolonecrosis
arteriolopatia: arteriolopathy
arteriomiomatose: arteriomyomatosis
arteriomotor: arteriomotor
arteriopatia: arteriopathy
arterioplastia: arterioplasty
arteriorrafia: arteriorrhaphy
arteriorrexia: arteriorrhexis
arteriosclerose: arteriosclerosis
arteriosclerótico: arteriosclerotic
arteriostenose: arteriostenosis
arteriotonia: arteriotony
arterite: arteritis
articulação: articulatio; articulation; joint; junctura
articulado: articulate
articular: articular; articulare
artículo: articulo
artificial: factitial
artralgia: arthralgia
artrestesia: arthresthesia
artrite: arthritis
artrítide: arthritide
artrocalasia: arthrochalasis
artrocentese: arthrocentesis

artrocintigrama: arthroscintigram
artroclasia: arthroclasia
artrocondrite: arthrochondritis
artródia: arthrodia
artrodisplasia: arthrodysplasia
artroftalmopatia: arthroophthalmopathy
artrografia: arthrography
artrogripose: arthrogryposis
artrólito: arthrolith
artrologia: syndesmology
artroneuralgia: arthroneuralgia
artropatia: arthropathy
artropático: arthropathic
artropiese: arthroempyesis
artropiose: arthropyosis
artroplastia: arthroplasty
artrosclerose: arthrosclerosis
artroscopia: arthroscopy
artroscópio: arthroscope
artrose: arthrosis
artrossinovite: arthrosynovitis
artrostomia: arthrostomy
árvore: arbor; tree
árvore genealógica: pedigree
asa: ala
asbesto: asbestos
asbestose: asbestosis
ascaríase: ascariasis
ascaricida: ascaricide
ascarídeo: ascarid
áscaris: ascaris
ascite: ascites
ascítico: ascitic
asfixia: asphyxia; suffocation
asfixiante: asphyxial
asfixiar: choke
asma: asthma
asma eqüina: heaves
asmático: asthmatic
asparagina: asparagine
asparaginase: asparaginase
aspartato: aspartate
aspartato transaminase: aspartate transaminase
aspergiloma: aspergilloma
aspergilose: aspergillosis
aspergilotoxicose: aspergillustoxicosis
aspermia: aspermia
aspídio: aspidium
aspiração: aspiration
aspirina: aspirin
asplenia: asplenia
asquelmintos: aschelminthes
assemasia: asemasia
assemia: asemasia
assepsia: asepsis
asséptico: aseptic
assialia: asialia
assiderose: asiderosis
assimetria: asymmetry
assimétrico: asymmetrical
assimilação: assimilation
assinclitismo: asynclitism
assincronismo: asynchronism
assindese: asyndesis
assinéquia: asynechia

assinergia: asynergy
assistente: assistant
assistolia: asystole
assistólico: asystolic
assoalho: floor; solum
associação: association
assomatognosia: asomatognosia
astasia: astasia
astático: astatic
astatínio: astatine
asteatose: asteatosis
astemizol: astemizole
astenia: asthenia
astênico: asthenic
astenocoria: asthenocoria
astenopia: asthenopia
astenópico: asthenopic
astério: asterion
asterixe: asterixis
asteróide: asteroid
astigmático: astigmatic
astigmatismo: astigmatism
astrágalo: astragalus
astral: astral
astroblasto: astroblast
astroblastoma: astroblastoma
astrócito: astrocyte
astrocitoma: astrocytoma
astróglia: astroglia
astrovírus: astrovirus
atactiforme: atactiform
atadura de Esmarch: esmarch
ataque: attack; fit; seizure
ataráctico: ataractic
ataraxia: ataraxia
atávico: atavistic
atavismo: atavism
ataxia: ataxia
atelectasia: atelectasis
atelectásico: atelectatic
atelia: atelia; athelia
ateliótico: ateliotic
atelocardia: atelocardia
atendente: orderly
atenuação: attenuation; abatement
aterectomia: atherectomy
atérmico: athermic
atermossistáltico: athermosystaltic
ateroêmbolo: atheroembolus
aterogênese: atherogenesis
ateroma: atheroma
ateromatose: atheromatosis
aterosclerose: atherosclerosis
atetose: athetosis
ático: attic
aticoantrotomia: atticoantrotomy
atimia: athymia
atipia: atypia
atípico: atypical
atiréia: athyria
atireose: athyreosis
atireótico: athyreotic
atitude: attitude
ativação: activation
ativador: activator

ativador do plasminogênio: plasminogen activator
ativador do u-plasminogênio: u-plasminogen activator
ativador do t-plasminogênio: t-plasminogen activator
   (t-PA, TPA)
atividade: activity
ativina: activin
ativo: active
atlantoaxial: atlantoaxial
atlas: atlas
atloaxóide: atloaxoid
atlóide: atlantal
atmosfera: atmosphere
atmosférico: atmospheric
ato sexual: copulation
atocia: atocia
atômico: atomic
atomização: atomization
átomo: atom
atonia: atony
atônico: atonic
atopia: atopy
atópico: atopic
atopognosia: atopognosia; topoanesthesia
atóxico: atoxic
atração: attraction
atransferrinemia: atransferrinemia
atrasado: tardive
atraumático: atraumatic
através da vagina: per vaginam
através de um tubo: pertubam
atrepsia: athrepsia
atréptico: athreptic
atresia: atresia
atrésico: atretic
atrial: atrial
átrio: atrium
atriomegalia: atriomegaly
atriosseptopexia: atrioseptopexy
atriosseptoplastia: atrioseptoplasty
atrioventrículo comum: atrioventricularis communis
atrito: rub
atrofia: atrophy
atrofoderma: atrophoderma
atropina: atropine
atuação: acting out
aturdido: punchdrunk
aturdimento: stunning
audição: audition; hearing
audiogênico: audiogenic
audiologia: audiology
audiometria: audiometry
audiométrico: audiometric
aula: aula
aumento: enhancement
aura: aura
aural: aural
auréola: halation
auríase: chrysiasis
áurico: auric
aurícula: auricle; auricula; pinna
auricular: auriculare; auricularis
auriscópio: auriscope
aurotioglicose: aurothioglucose
auscultação: auscultation
ausência: petit mal

ausência epiléptica: petit mal
autécico: autecic; autecious; autoecious
autismo: autism
autista: autistic
auto-aglutinação: autoagglutination
auto-aglutinina: autoagglutinin
auto-amputação: autoamputation
auto-anticorpo: autoantibody
auto-antígeno: autoantigen; self-antigen
auto-eczematização: autoeczematization
auto-enxerto: autograft
auto-erótico: autoerotic
auto-erotismo: autoerotism
auto-esplenectomia: autosplenectomy
auto-hemaglutinina: autohemagglutinin
auto-hemaglutinação: autohemagglutination
auto-hemólise: autohemolysis
auto-hemolisina: autohemolysin
auto-hemolítico: autohemolytic
auto-hemoterapia: autohemotherapy
auto-hipnose: autohypnosis
auto-hipnótico: autohypnotic
auto-imune: autoimmune
auto-imunidade: autoimmunity
auto-imunização: autoimmunization
auto-inoculação: autoinoculação
auto-isolisina: autoisolysin
auto-oxidação: autooxidation; autoxidation
auto-radiografia: autoradiography; radioautograph
auto-regulação: autoregulation
auto-sensibilização: autosensitization
auto-septicemia: autosepticemia
auto-sugestão: autosuggestion
autocatálise: autocatalysis
autoceratoplastia: autokeratoplasty
autoclasia: autoclasis
autoclave: autoclave
autócrino: autocrine
autocrítica: insight
autóctone: autochthonous
autodigestão: autodigestion
autofagia: autophagia; autophagy
autofagossoma: autophagosome
autofarmacológico: autopharmacologic
autogamia: autogamy
autogênese: autogenesis
autogênico: autogenetic
autógeno: autogenous
autolesão: autolesion
autolimitado: self-limited
autólise: autodigestion; autolysis
autolisina: autolysin
autolítico: autolytic
autólogo: autologous
automaticidade: automaticity
automatismo: automatism
autônomo: autonomic
autonomotrópico: autonomotropic
autoplastia: autoplasty
autoplástico: autoplastic
autopsia: autopsia
autósito: autosite
autossoma: autosome
autossômico: autosomal
autotolerância: self-tolerance
autotomografia: autotomography

autotomográfico: autotomographic
autotransfusão: autotransfusion
autotransplante: autotransplantation
autotrófico: autotrophic
autótrofo: autotroph
autovacina: autovaccine
auxanografia: auxanography
auxanográfico: auxanographic
auxese: auxesis
auxético: auxetic
auxílio: aid
auxilítico: auxilytic
auxócito: auxocyte
auxotrófico: auxotrophic
avançamento: advancement
avascular: avascular
avascularização: avascularization
aversivo: aversive
aviar: dispense
aviário: avian
avidez: avidity
avirulência: avirulence
avirulento: avirulent
avulsão: avulsion
axênico: axenic
axiação: axiation
axial: axial; axialis
axila: axilla
axilar: axillary
axípeto: axipetal
axoaxônico: axoaxonic
axodendrítico: axodendritic
axófago: axophage
axolema: axolemma
axólise: axolysis
axonema: axoneme
axônio: axon
axonopatia: axonopathy
axonotmese: axonotmesis
axoplasma: axoplasm
axoplasmático: axoplasmic
axópodo: axopodium
axossomático: axosomatic
axóstilo: axostyle
axotomia: axotomy
5-azacitidina: 5-azacytidine
azatadina: azatadine
azatioprina: azathioprine
azia: brash; heartburn; pyrosis
azidotimidina: azidothymidine
azigografia: azygography
azigográfico: azygographic
ázigos: azygos
azlocilina: azlocillin
azol: pyrrole
azoospermia: azoospermia
azotemia: uremia
azoto: azote
azotúria: azoturia
azotúrico: azoturic
aztreonam: aztreonam
azul: blue
azur: azure
azurofilia: azurophillia
azurófilo: azurophil
azurresina: azuresin

B

babesíase: babesiasis
babesiose: babesiosis; piroplasmosis
baciforme: baccate
bacilina: bacillin
bacilo: bacille; bacillus
bacilúria: bacilluria
bacitracina: bacitracin
baclofeno: baclofen
baço: lien; spleen; splen
bactéria: bacterium
bacteriano: bacterial
bactericida: bactericidal
bactericidina: bactericidin
bactéride: bacterid
bacteriocidina: bacteriocidin
bacteriocina: bacteriocin
bacteriocinogênico: bacteriocinogenic
bacterioclorofila: bacteriochlorophyll
bacteriófago: bacteriophagic; phage
bacteriolisina: bacteriolysin
bacteriologia: bacteriology
bacteriológico: bacteriologic
bacteriopsonina: bacteriopsonin
bacteriostático: bacteriostatic
bacteróides: bacteroides
bagaçose: bagassosis
bainha: sheath
bala: shotty
balanço: balance
balanite: balanitis
balanopostite: balanoposthitis
balanorragia: balanorrhagia
balantidíase: balantidiasis
balantídio: balantidium
balismo: ballismus
baloteamento: ballottement
balsâmico: balsamic
bálsamo: balm; balsam; ointment
bálsamo da montanha: eriodictyon
bambermicinas: bambermycins
bandagem: bandage; sling
bandeja: tray
banho: bath
baqueteamento: clubbing
bar: bar
baragnosia: baragnosis
barbital: barbital
barbitúrico: barbiturate
barbotagem: barbotage
barestesiômetro: baresthesiometer
bariatria: bariatrics
barifonia: baryphonia
bário: barium
baroceptor: baroceptor
barofílico: barophilic
barognosia: abarognosis; barognosis
barorreceptor: baroceptor; baroreceptor;
   pressoreceptor
barorreflexo: baroreflex
barossinusite: aerosinusitis; barosinusitis
barotaxia: barotaxis
barotite: aerootitis; aerotitis; barotitis
barotrauma: barotrauma

barra: bar
barreira: barrier
bartonelíase: bartonelliasis
bartonelose: bartonelliasis; bartonellosis
basal: basad; basal; basalis; basial
básculo: bascule
base: base; basis
base ou corpo do osso hióide: basihyoid
basicidade: basicity
básico: basic
basídio: basidium
basidiomiceto: basidiomycete
basidiomicotina: basidiomycotina
basilema: basilemma
básion: basion
basípeto: basipetal
basisfenóide: basisphenoid
basofilia: basophilia; basophilism
basófilo: basophil
bastão: staff
bastonete: rod
bater: beat
bateria: battery
batida dupla: bisferious
batimento: beat
batimento cardíaco: heartbeat
batipnéia: bathypnea
batorrodopsina: bathorhodopsin
batrocefalia: bathrocephaly
bdelovibrião: bdellovibrio
bebê: baby
behaviorismo: behaviorism
beirada: rim
bel: bel
beladona: belladonna
belemnóide: belemnoid
belonóide: belonoid
benactizina: benactyzine
benazeprila: benazepril
bendroflumetiazida: bendroflumethiazide
benigno: benign
benoxinato: benoxinate
bentonita: bentonite
benzaldeído: benzaldehyde
benzeno: benzene
benzidina: benzidine
benzila: benzyl
benzilpenicilina: benzylpenicillin
benzilpeniciloilpolilisina: benzylpenicilloyl
   polylysine
benzina: benzin; benzine
benzoato: benzoate
benzocaína: benzocaine
benzodiazepina: benzodiazepine
benzofetamina: benzphetamine
benzoil: benzoyl
benzoilecgonina: benzoylecgonine
benzoína: benzoin
benzonatato: benzonatate
benzopurpurina: benzopurpurine
benzoquinamida: benzquinamide
benzoquinona: benzoquinone
benzotiadiazida: benzothiadiazide
benzotiadiazina: benzothiadiazine
benzotiazida: benzthiazide

benzotropina: benztropine
béquer: beaker
bequerel: becquerel
béquico: bechic
berçário: nursery
berço: cradle
beribéri: beriberi
berílio: beryllium
beriliose: berylliosis
berne: bot
berquélio: berkelium
besilato: besylate
besilato de atracúrio: atracurium besylate
besnoitia: besnoitia
besnoitíase: besnoitiosis
betacaroteno: betacarotene
betaína: betaine
betametasona: betamethasone
betanecol: bethanechol
betaxolol: betaxolol
betuminose: bituminosis
bexiga: bladder; pockmarck
biacromial: biacromial
bicamada: bilayer
bicameral: bicameral
bicarbonato: bicarbonate
bíceps: biceps
bicho-do-pé: chigger; chigoe
bicipital: bicipital
bico: burner
bicólico: bicollis
bicôncavo: biconcave; concavoconcave
biconvexo: biconvex
bicornado: bicornate
bicórneo: bicornuate
bicúspide: bicuspid
bíduo: biduous
bifenil: biphenyl
bífido: bifid
bifidobactérias: bifidobacterium
2,3-bifosfoglicerato: 2,3-bisphosphoglycerate
bifurcação: bifurcation; furcation
bigeminismo: bigeminy
bigorna: incus
bile: bile; gall
bilharzia: bilharzia
bilharzíase: bilharziasis
biliosidade: biliousness
bilirraquia: bilirachia
bilirrubina: bilirubinbb; biliverdin
bilocular: bilocular
biloma: biloma
binário: binary
binaural: binaural
binauricular: binauricular
binocular: binocular
binomial: binomial
binovular: binovular; biovular
binucleação: binucleation
bioaminérgico: bioaminergic
biocida: biocide
biociência: bioscience
biocinética: biokinetics
biocompatibilidade: biocompatibility
biocompatível: biocompatible

biodegradação: biodegradation
biodegradável: biodegradable
biodisponibilidade: bioavailability
bioensaio: bioassay
bioequivalência: bioequivalence
bioequivalente: bioequivalent
bioestatística: biostatistics
bioestereometria: biostereometrics
bioética: bioethics
biofeedback: biofeedback
biofísica: biophysics
biofísico: biophysical
biofisiologia: biophysiology
bioflavonóide: bioflavonoid
biogênese: biogenesis
bioimplante: bioimplant
bioincompatível: bioincompatible
biologia: biology
biológico: biological
bioluminescência: bioluminescence
bioma: biome
biomassa: biomass
biomaterial: biomaterial
biomedicina: biomedicine
biomédico: biomedical
biomembrana: biomembrane
biomembranoso: biomembranous
biometria: biometry
biomicroscópio: biomicroscope
biomodulação: biomodulation
biomodulador: biomodulator
biomolécula: biomolecule
biônica: bionics
biopsia: biopsy
biótomo: bioptome
bioquímica: biochemistry
biorretroalimentação: biofeedback
biorreversível: bioreversible
biosfera: biosphere
biosídeo: disaccharide
biossíntese: biosynthesis
biossintético: biosynthetic
biota: biota
biotelemetria: biotelemetry
bioterapia: biotherapy
biotina: biotin
biotipo: biotype
biotoxicologia: biotoxicology
biotransformação: biotransformation
biovular: biovular
bíparo: biparous
bipeniforme: bipenniform
biperfurado: biforate
biperideno: biperiden
bipotencialidade: bipotentiality
birramoso: biramous
birrefringência: birefringence
birrefringente: birefringent
bisacromial: bisacromial
bisilíaco: bisiliac
bismuto: bismuth
bismutose: bismuthosis
bissacodil: bisacodyl
bissecção: bisection
bissexuado: bisexual

bissexual: bisexual
bissinose: byssinosis
bissinótico: byssinotic
bissulfato: bisulfate
bisturi: bistoury; lance; scalpel
bitrocantérico: bitrochanteric
biureto: biuret
bivalente: bivalent; divalent
biventricular: biventricular
bizigomático: bizygomatic
blastema: blastema
blastêmico: blastemic
blasto: blast
blastocele: blastocoele
blastocélico: blastocoelic
blastocisto: blastocyst
blastócito: blastocyte
blastoderma: blastoderm
blastodisco: blastodisc
blastogênese: blastogenesis
blastogênico: blastogenetic; blastogenic
blastoma: blastoma
blastomatoso: blastomatous
blastômero: blastomere
blastomicose: blastomycosis
blastóporo: blastopore
blástula: blastula
blefaradenite: blepharadenitis
blefarite: blepharitis; palpebritis; tarsitis
blefaroateroma: blepharoatheroma
blefarocalasia: blepharochalasis
blefaroestenose: blepharostenosis
blefarofimose: blepharophimosis; blepharostenosis
blefaroncia: blepharoncus
blefaroplastia: blepharoplasty
blefaroplegia: blepharoplegia
blefaroptose: blepharoptosis
blefarorrafia: blepharorrhaphy
blefarossinéquia: blepharosynechia
blenadenite: blennadenitis
blenóide: blennoid
blenorragia: blennorrhagia
blenorréia: blennorrhagia; blennorrhea
blenorréico: blennorrheal
blenostase: blennostasis
blenostático: blennostatic
blenotórax: blennothorax
bleomicina: bleomycin
bloqueador: blocker
bloqueio: block; blockade; blocking
bloqueio cardíaco: heart block
boca: mouth; stoma
bochecha: bucca; cheek
bociado: goitrous
bócio: goiter; struma; thyrocele; thyromegaly
bola: ball; sphere
bola de pêlo: hairball
bolha: bulla; pimple
bolhoso: bullate; bullous
bolo: bolus
bolômetro: bolometer
bolor: mold
bolsa: bursa; pocket; pouch; sac
bolsa cega: cul-de-sac
bomba: pump

bombesina: bombesin
borato: borate
borato de sódio: borax
bórax: borax
borborigmo: borborygmus
borbulhação: burbulence
borda: border; rim; verge
borda de oclusão: bite-block
boro: boron
borrélia: borrelia
borreliose: borreliosis
bossa: boss; umbo
bota: boot
botão: bouton; button
botão terminal: endfoot
boticário: apothecary; druggist
botrióide: botryoid
botuliforme: botuliform
botulina: botulin
botulismo: botulism
bouba: frambesia; yaws
bovino: bovine
braço: arm; brachium
bradiarritmia: bradyarrhythmia
bradicardia: bradycardia
bradicárdico: bradycardiac
bradicinese: bradykinesia
bradicinético: bradykinetic
bradicinina: bradykinin
bradidiástole: bradydiastole
bradidisritmia: bradydysrhythmia
bradiestesia: bradyesthesia
bradipnéia: bradypnea
bradisfigmia: bradysphygmia
bradistalse: bradystalsis
braditaquicardia: bradytachycardia
braditocia: bradytocia
branca: alba
branco: albicans
branquial: branchial
braquialgia: brachialgia
braquibasia: brachybasia
braquidactilia: brachydactyly
braquifalangia: brachyphalangia
braquignatia: brachygnathia
braquiocefálico: brachiocephalic
braquiocubital: brachiocubital
braquiterapia: brachytherapy
bregma: bregma
brevicolo: brevicollis
broca: broach; bur; burr
bromelina: bromelain
brometo: bromide
brometo de cetrimônio: cetrimonium bromide
brometo de clidínio: clidinium bromide
brometo de metescopolamina: methscopolamine
  bromid
bromismo: brominism
bromo: bromine
bromocriptina: bromocriptine
bromodifenidramina: bromodiphenhydramine
bromofeniramina: brompheniramine
bromomenorréia: bromomenorrhea
broncadenite: bronchiadenitis
broncocandidíase: bronchocandidiasis

broncocele: bronchocele
broncoconstritor: bronchoconstrictor
broncodilatador: bronchodilator
broncoesofágico: bronchoesophageal
broncoesofagoscopia: bronchoesophagoscopy
broncofibroscópio: bronchofiberscope
broncofonia: bronchophony
broncogênico: bronchogenic
broncografia: bronchography
broncográfico: bronchographic
broncolitíase: broncholithiasis
broncologia: bronchology
broncológico: bronchologic
broncomalacia: bronchomalacia
broncomotor: bronchomotor
broncomucotrópico: bronchomucotropic
broncopancreático: bronchopancreatic
broncoplastia: bronchoplasty
broncoplegia: bronchoplegia
broncopleural: bronchopleural
broncopneumonia: bronchopneumonia
broncopulmonar: bronchopulmonary
broncorrafia: bronchorrhaphy
broncoscopia: bronchoscopy
broncoscópico: bronchoscopic
broncoscópio: bronchoscope
broncospasmo: bronchospasm
broncospirometria: bronchospirometry
broncostenose: bronchostenosis
broncostomia: bronchostomy
broncotraqueal: bronchotracheal
broncovesicular: bronchovesicular
bronquial: bronchial
brônquico: bronchial
bronquiectasia: bronchiectasis
brônquio: bronchus
bronquiocele: bronchiocele
bronquiolectasia: bronchiolectasis
bronquiolite: bronchiolitis
bronquíolo: bronchiole; bronchiolus
brônquios: bronchi
bronquiospasmo: bronchiospasm
bronquite: bronchitis; hoose
bronquítico: bronchitic
broto: bud
brucela: brucela
brucelar: brucellar
brucelose: brucellosis
bruxismo: bruxism
bubão: bubo
bubônico: bubonic
bubonocele: bubonocele
bucal: genal
bucardia: bucardia
buclizina: buclizine
bucoclusão: buccocclusion
bucoversão: buccoversion
buftalmia: megophthalmos
buftalmo: buphthalmos; megalophthalmos
buiatria: buiatrics
bulbar: bulbar
bulbite: bulbitis
bulbo: bulb; bulbus
bulbo terminal: end-bulb
bulboespiral: bulbospiral

bulbouretral: bulbourethral
bulha cardíaca na auscultação: dupp
bulimia: bulimia
bulímico: bulimic
bulose: bullosis
bupivacaína: bupivacaine
breta: buret: burette
bursa: bursa
bursal: bursal
bursite: bursitis
bursotomia: bursotomy
bussulfam: busulfan
butabarbital: butabarbital
butacaína: butacaine
butalbital: butalbital
butamben: butamben
butano: butane
butaperazina: butaperazine
butazolidina: butazolidin
butil p-hidroxibenzoato: butylparaben
butila: butyl
butirato: butyrate
butirofenona: butyrophenone
butiróide: butyroid
butoconazol: butoconazole
butorfanol: butorphanol

C

cabeça: caput; head
cabelo: capillus; hair; pilus; thrix
cacogeusia: cacogeusia
cacomelia: cacomelia
cadáver: cadaver
cadavérico: cadaveric: cadaverous
cadaverina: cadaverine
cadeia: chain
cadinho: crucible
cádmio: cadmium
caduceu: caduceus
caduquice: anility
cafeína: caffeine
caído: ptosed
câimbra: cramp
cal: calx
cal virgem: calx
calafrio: chill; rigor
calamina: calamine
cálamo: calamus
calasia: chalasia
calazar: kalazar
calázia: chalazion
calcâneo: calcaneus
calcaneoapofisite: calcaneoapophysitis
calcaneoastragalóide: calcaneoastragaloid
calcaneodinia: calcaneodynia
calcanhar: calx; heel
calcarino: calcarine
calcário: calcareous
calcemia: calcemia
calcibilia: calcibilia
cálcico: calcic
calciferol: calciferol
calcificação: calcification
calcificante: calcific

calcifilático: calciphylactic
calcifilaxia: calciphylaxis
calcinose: calcinosis
cálcio: calcium
calciopexia: calcipexis; calcipexy
calcipéxico: calcipectic; calcipexic
calciprivia: calciprivia
calciprívico: calciprivic
calcitonina: calcitonin
calcose: chalcosis
calcosferita: calcospherite
cálculo: calculus; gravel; stone
cálculo biliar: gallstone
calculose: calculosis
calculoso: calculous
calefaciente: calefacient
calibração: calibration
calibre: caliber
cálice: calix; cup
calicectasia: calicectasis
calicial: caliceal
calicivírus: calicivirus
calicose: chalicosis
calicreína: kallikrein
calicreinogênio: kallikreinogen
calículo: caliculus; calyculus
calidina: kallidin
califórnio: californium
caliopenia: kaliopenia
caliopênico: kaliopenic
calistenia: calisthenics
calmante: calmative
calmodulina: calmodulin
calo: callus; clavus; corn; heloma
calomelano: calomel
calônio: chalone
calor: calor; heat
caloria: calorie
calórico: caloric
calorigênico: calorigenic
calorímetro: calorimeter
calosidade: callosity
caloso: callosal; callosum
calseqüestrina: calsequestrin
calvária: calvaria; calvarium
calvário: calvarium
calvície: baldness
camada: coat; layer; stratum
câmara: camera; chamber
camecefalia: chamaecephaly
camecefálico: chamaecephalic
camisa-de-força: camisole; straitjacket
camisola: straitjacket
campímetro: campimeter
campo: field
campotomia: campotomy
camptocormia: camptocormia
camptodactilia: camptodactyly
camptomelia: camptomelia
camptomélico: camptomelic
camundongo: mouse
canabinóide: cannabinoid
canabis: cannabis
canal: canal; canalis; channel; trough
canalicular: canalicular

canalículo: ductule; canaliculus
canalização: canalization; recanalization
canamicina: kanamycin
cancelamento: effacement
câncer: cancer
canceremia: canceremia
cancerígeno: cancerigenic
canceroso: cancerous
cancriforme: cancriform
cancro: cancrum; canker;chancre
cancróide: cancroid; chancroid
candela: candela
candicidina: candicidin
candidíase: candidiasis; mycodermatitis
candidina: candidin
canela: shank; shin
cânfora: camphor
canga: yoke
cânhamo: cannabis
canhoto: sinistromanual
canície: canities
canino: canine
cansilato de trimetafano: trimethaphan camsylate
cantite: canthitis
canto: canthus
cantoplastia: canthoplasty
cantotomia: canthotomy
cânula: cannula
caolim: kaolin
caolinose: kaolinosis
capacidade: capacity
capacidade de dialisar: dialysance
capacitação: capacitation
capacitância: capacitance
capilar: capillary
capilária: Capillaria
capilarectasia: capillarectasia
capilaríase: capillariasis
capilaridade: capillarity
capilariomotor: capillariomotor
capitação: capitation
capitato: capitate; capitatum
capitonagem: capitonnage
capitular: capitular
capítulo: capitellum; capitulum
capnografia: capnography
capnógrafo: capnograph
capnograma: capnogram
capnometria: capnometry
capnômetro: capnometer
capreomicina: capreomycin
caprilato: caprylate
caproato: caproate
capsídeo: capsid
capsite: capsitis
capsômero: capsomer
cápsula: cachet; capsule
capsular: capsular
capsulectomia: capsulectomy
capsulite: capsulitis
capsuloplastia: capsuloplasty
capsulorrexe: capsulorrhexis
capsulotomia: capsulotomy
captação: uptake
captura: capture; entrapment

capturar: capture
capuz: cap; pileus
caquectina: cachectin
caquético: cachectic
caquexia: cachexia
caquinação: cachinnation
caracter: character
característica: character; trait
característico: characteristic
caramifeno: caramiphen
caráter: character
carbamato: carbamate
carbamazepina: carbamazepine
carbamida: carbamide
carbaminoemoglobina: carbaminohemoglobin
carbamoil: carbamoyl
carbamoiltransferase: carbamoyltransferase
carbenicilina: carbenicillin
carbidopa: carbidopa
carbinol: carbinol
carboidrato: carbohydrate
carbolfucsina: carbolfuchsin
carbolismo: carbolism
carbômero: carbomer
carbonato: carbonate
carbonila: carbonyl
carbono: carbon
carboplatina: carboplatin
carboxiemoglobina: carboxyhemoglobin
carboxilação: carboxylation
carboxilase: carboxylase
carboxilesterase: carboxylesterase
carboxiliase: carboxy-lyase
carboxiltransferase: carboxyltransferase
carboximioglobina: carboxymyoglobin
carboxipeptidase: carboxypeptidase
carbromal: carbromal
carbuncular: carbuncular
carbúnculo: blackleg; anthrax; carbuncle
carcinoembrionário: carcinoembryonic
carcinogenicidade: carcinogenicity
carcinogênico: carcinogenic
carcinógeno: carcinogen
carcinóide: carcinoid
carcinólise: carcinolysis
carcinolítico: carcinolytic
carcinoma: carcinoma
carcinomatose: carcinomatosis
carcinossarcoma: carcinosarcoma
cárdia: cardia
cardíaco: cardiac
cardialgia: cardialgia
cardiectasia: cardiectasis
cardioacelerador: cardioaccelerator
cardioangiologia: cardioangiology
cardiocalasia: cardiochalasia
cardiocele: cardiocele
cardiocentese: cardiocentesis
cardiocinético: cardiokinetic
cardiocirrose: cardiocirrhosis
cardiócito: cardiocyte
cardiodinâmica: cardiodynamics
cardiodinia: cardialgia; cardiodynia
cardiodiose: cardiodiosis
cardioesofágico: cardioesophageal

cardioespasmo: cardiospasm
cardiografia: cardiography
cardiograma: cardiogram
cardioinibidor: cardioinhibitor
cardiólise: cardiolysis
cardiologia: cardiology
cardiomalacia: cardiomalacia
cardiomegalia: cardiomegaly
cardiomelanose: cardiomelanosis
cardiomiolipose: cardiomyoliposis
cardiomiopatia: cardiomyopathy; myocardiopathy
cardiomotilidade: cardiomotility
cardiopatia: cardiopathy
cardiopericardiopexia: cardiopericardiopexy
cardioplastia: cardioplasty
cardioplegia: cardioplegia
cardioplégico: cardioplegic
cardiopneumático: cardiopneumatic
cardioptose: cardioptosis
cardioptosia: cardioptosis
cardioquimografia: cardiokymography
cardioquimográfico: cardiokymographic
cardiorrafia: cardiorrhaphy
cardiorrexia: cardiorrhexis
cardiosclerose: cardiosclerosis
cardiosseletivo: cardioselective
cardiotacômetro: cardiotachometer
cardioterapia: cardiotherapy
cardiotocografia: cardiotocography
cardiotomia: cardiotomy
cardiotônico: cardiotonic
cardiotopometria: cardiotopometry
cardiotóxico: cardiotoxic
cardiovalvulite: cardiovalvulitis
cardiovalvulótomo: cardiovalvulotome
cardioversão: cardioversion
cardioversor: cardioverter
cardite: carditis
carfenazina: carphenazine
carfologia: carphology
carga: loading
cariado: carious
cárie: caries
carina: carina
cariocinese: karyokinesis
cariocinético: karyokinetic
cariófago: karyophage
cariogamia: karyogamy
cariogênese: cariogenesis
cariolinfa: karyolymph
cariólise: karyolysis
cariolítico: karyolytie
cariomorfismo: karyomorphism
cárion: karyon
cariopicnose: karyopyknosis
cariopicnótico: karyopyknotic
carioplasma: karyoplasm
cariorréctico: karyorrhectic
cariorrexe: karyorrhexis
cariossoma: karyosome
cariótipo: karyotype
carisoprodol: carisoprodol
carmim: carmine
carminativo: carminative
carminófilo: carminophil

carmustina: carmustine
carne: flesh
carnitina: carnitine
carnívoro: carnivore; carnivorous; zoophagous
carnosina: carnosine
carnosinase: carnosinase
carnosinemia: carnosinemia
carnosinúria: carnosinuria
carotenemia: carotenemia
caroteno: carotene
carotenóide: carotenoid
carotenose: carotenosis
caroticotimpânico: caroticotympanic
carotídeo: carotid
carotidinia: carotdynia
carpectomia: carpectomy
cárpico: carpal
carpite: carpitis
carpo: carp; carpus
carpoptose: carpoptosis; wristdrop
carrapato: tick
carreador: carrier
carrinho: cart
cartão de teste: test card
cartilagem: cartilage; cartilago
carúncula: caruncle; caruncula
carvão: carbo; charcoal
casantranol: casanthranol
casca de cinchona: cinchona
casca peruana: cinchona
casca-dos-jesuítas: cinchona
cáscara: cascara
cascata: cascade
caseificação: caseation
caseína: casein
caseinogênio: caseinogen
caso: case
caso indicador: proband
caso médico: case history
caspa: dandruff
casquinada: cachinnation
castração: castration
castrar: castrate; geld; spay
casuística: casuistics
catábase: catabasis
catabásico: catabatic
catabiose: catabiosis
catabiótico: catabiotic
catabólico: catabolic; retrograde
catabolismo: catabolism
catabolizar: catabolize
catacrotismo: catacrotism
catacrótico: catacrotic
catácrotico: catacrotic
catadicrótico: catadicrotic
catadicrotismo: catadicrotism
catafasia: cataphasia
catafilático: cataphylactic
catafilaxia: cataphylaxis
catáfora: cataphora
cataforia: cataphoria
catafórica: cataphoric
catagênese: catagenesis
catagenético: catagenetic
catágeno: catagen

catal: katal
catalase: catalase
catalático: catalatic
catalepsia: catalepsy
cataléptico: cataleptic
catálise: catalysis
catalítico: catalytic
catamnese: catamnesis
cataplasia: cataplasia
cataplasma: poultice
cataplético: cataplectic
cataplexia: cataplexy
catapora: chickenpox; varicella
catarata: cataract; cataracta
cataratoso: cataractous
catarro: catarrh
catarse: catharsis; purgation
catártico: cathartic
catatonia: catatonia
catatônico: catatonic
catatricótico: catatricotic
catatricrotismo: catatricrotism
catecol: catechol
catecolamina: catecholamine
catecolaminérgico: catecholaminergic
categute: catgut
cateletrotônus: catelectrotonus
catepsina: cathepsin
cateter: catheter
cateterização: catheterization
catético: cathectic
catexia: cathexis
cátion: cation
catiônico: cationic
catódico: cathodic
catodo: cathode
católise: katolysis
cauda: cauda; tail
caudal: caudad; caudal
caudriose: heartwater
caulim: kaolin
causalgia: causalgia; thermalgia
cáustico: caustic; pyrotic
cautério: cautery
cauterizador: cauterant
cava: cava
caval: caval
cavéola: caveola
caverna: caverna
cavernilóquia: caverniloquy
cavernite: cavernitis
cavernoso: cavernous
cavidade: antrum
cavidade: cavitas; cavity; cavum
cavilha: dowel; peg
cavitário: cavitary
cavite: cavitis
cavo: cavum
caxumba: mumps
ceásmico: ceasmic
cecectomia: cecectomy
cecite: cecitis
ceco: cecum
cecocele: cecocele
cecocolostomia: cecocolostomy

cecoileostomia: cecoileostomy
cecoplicação: cecoplication
cecoplicatura: cecoplication
cecorrafia: cecorrhaphy
cecossigmoidostomia: cecosigmoidostomy
cecostomia: cecostomy
cecotomia: typhlotomy
cefadroxil: cefadroxil
cefalalgia: cephalalgia
cefaledema: cephaledema
cefaléia: headache
cefalematocele: cephalhematocele
cefalematoma: cephalhematoma
cefalexina: cephalexin
cefálico: cephalic
cefalocele: cephalocele
cefalocentese: cephalocentesis
cefalodactilia: cephalodactyly
cefalogírico: cephalogyric
cefaloglicina: cephaloglycin
cefalografia: cephalography
cefalograma: cephalogram
cefaloidrocele: cephalhydrocele
cefalometria: cephalometry
cefalômetro: cephalometer
cefalomotor: cephalomotor
cefalonia: cephalonia
cefalopatia: cephalopathy
cefalopélvico: cephalopelvic
cefalosporina: cephalosporin
cefalosporinase: cephalosporinase
cefalospório: cephalosporium
cefalostato: cephalostat
cefalotina: cephalothin
cefalotomia: cephalotomy
cefapirina: cephapirin
cefazolina: cefazolin
cefixima: cefixime
cefonicida: cefonicid
cefoperazona: cefoperazone
cefotaxima: cefotaxime
cefotetam: cefotetan
cefoxitina: cefoxitin
cefpodoxima proxetílica: cefpodoxime proxetil
cefradina: cephradine
ceftazidima: ceftazidime
ceftizoxima: ceftizoxime
ceftriaxona: ceftriaxone
cefuroxima: cefuroxime
cegueira: ablepsia; blindness; typhlosis
cegueira da neve: snowblindness
celenterado: coelenterate
celiectomia: celiectomy
celiocolpotomia: celiocolpotomy
celiogastrotomia: celiogastrotomy
celioma: celioma
celiomiosite: celiomyositis
celiopatia: celiopathy
celioscopia: celioscopy
celiotomia: celiotomy; ventrotomy
celite: celitis
celoblástula: coeloblastula
celoidina: celloidin
celoma: celom; coelom
celomado: coelomate

celômico: coelomic
celoníquia: koilonychia
celosquise: celoschisis
celossomia: celosomia; coelosomy
celosternia: koilosternia
celotomia: celotomy
celozóico: celozoic
célula: cell; cella; cellula
célula pequena: cellule
celularidade: cellularity
celulífugo: cellulifugal
celulípeto: cellulipetal
celulite: cellulitis
celulose: celulose
cemento: cementum
cenestesia: cenesthesia
cenestésico: cenesthesic; cenesthetic
cenose: cenosis
cenósito: cenosite
cenótico: cenotic
censor: censor
centese: centesis
centesimal: centesimal
centígrado: centigrade
centilitro: centiliter
centímetro: centimeter
centrencefálico: centrencephalic
centricipúcio: centriciput
centrífuga: centrifuge
centrifugação: centrifugation
centrifugado: centrifugate
centríolo: centriole
centrípeto: centripetal
centro: center; centrum
centroblasto: centroblast
centrócito: centrocyte
centrolobular: centrilobular
centromérico: centromeric
centrômero: centromere; kinetochore
centrosclerose: centrosclerosis
centrossoma: centrosome
cenuro: coenurus
cenurose: coenurosis; gid
cepa: strain
cera: wax
cera de abelhas: wax
cera do ouvido: cerumen; earwax
cerâmica: ceramics
ceramida: ceramide
ceramidase: ceramidase
cerasina: kerasin
ceratelcose: keratohelcosis
ceratíase: keratosis
cerático: keratectasia
ceratina: keratin
ceratinase: keratinase
ceratinóide: keratinoid
ceratinossoma: keratinosome
ceratinótico: keratinocyte
ceratite: keratitis
cerato-helcose: keratohelcosis
ceratoacantoma: keratoacanthoma
ceratocentese: keratocentesis; keratonyxis
ceratocisto: keratocyst
ceratocone: keratoconus

ceratoconjuntivite: keratoconjunctivitis
ceratoderma: keratoderma
ceratoectasia: keratectasia
ceratofaquia: keratophakia
ceratógeno: keratogenous
ceratoglobo: keratoglobus
ceratoialina: keratohyaline
ceratoialino: keratohyalin
ceratoirite: keratoiritis
ceratoleptinse: keratoleptynsis
ceratoleucoma: keratoleukoma
ceratólise: keratolysis
ceratoma: keratoma
ceratomalacia: keratomalacia
ceratometria: keratometry
ceratométrico: keratometric
ceratomicose: keratomycosis
ceratomileuse: keratomileusis
ceratonixe: keratonyxis
ceratopatia: keratopathy
ceratoplastia: keratoplasty
ceratorrexe: keratorhexis; keratorrhexis
ceratoscopia: keratoscopy
ceratose: keratosis
ceratossulfato: keratosulfate
ceratótico: keratotic
ceratotomia: keratotomy
ceratótomo: keratome
ceratotoro: keratotorus
cercária: cercaria
cerclagem: cerclage
cerebelífugo: cerebellifugal
cerebelípeto: cerebellipetal
cerebelo: cerebellum
cerebeloespinhal: cerebellospinal
cerebração: cerebration
cerebral: cerebral
cerebralgia: headache
cerebrífugo: cerebrifugal
cerebrípeto: cerebripetal
cérebro: brain; cerebrum
cérebro anterior: forebrain
cérebro médio: midbrain
cérebro posterior: telencephalon
cérebro terminal: endbrain
cerebroespinhal: cerebrospinant
cerebrofisiologia: cerebrophysiology
cerebromacular: cerebromacular
cerebromalacia: cerebromalacia
cerebromeningite: cerebromeningitis
cerebropatia: cerebropathia; cerebropathy
cerebropontino: cerebropontile
cerebrosclerose: cerebrosclerosis
cerebrose: cerebrosis
cerebrosídeo: cerebroside
cerebrotomia: cerebrotomy
céreo: waxy
cério: cerium
ceroplastia: ceroplasty
ceroso: waxy
ceruloplasmina: ceruloplasmin
cerume; cerúmen: earwax
ceruminólise: ceruminolysis
ceruminolítico: ceruminolytic
ceruminoso: ceruminal; ceruminous

cervicectomia: cervicectomy; trachelectomy
cervicite: cervicitis; trachelitis
cervicobraquialgia: cervicobrachialgia
cervicocolpite: cervicocolpitis
cervicovesical: cervicovesical
cérvix: cervix
césio: cesium
cessação: arrest
cesticida: cesticidal
cestódeo: cestode
cestóide: cestode
cetamina: ketamine
cetoácido: keto acid
cetoacidose: ketoacidosis
cetoacidúria: ketoaciduria
cetoaminoacidemia: ketoaminoacidemia
cetoesteróide: ketosteroid
cetogênese: ketogenesis
cetogênico: ketogenetic
α-cetoglutarato: α-ketoglutarate
cetólise: ketolysis
cetolítico: ketolytic
cetona: ketone
cetonúria: acetonuria; ketonuria
cetose: ketose; ketosis
cetótico: ketotic
chagásico: chagasic
chagoma: chagoma
chanfradura: notch
charlatanismo: quackery
charlatão: quack
cheiro: odor
chicote: whiplash
choque: shock
chumbagem: plombage
chumbo: lead; plumbum
cianemoglobina: cyanhemoglobin
cianeto: cyanide
cianobactérias: Cyanophyceae
cianocobalamina: cianocobalamin
cianofíceas: cyanophyceae
cianófilo: cyanophil
cianolábio: cyanolabe
cianometamioglobina: cyanmetmyoglobin
cianometemoglobina: cyanmethemoglobin
cianopsia: cyanopsia
cianose: cyanosis
cianótico: cyanosed; cyanotic
ciática: sciatica
ciático: sciatic
cíbalo: scybalum
cibaloso: scybalous
cibernética: cybernetics
cicasina: cycasin
cicatrectomia: cicatrectomy
cicatricial: cicatricial
cicatriz: cicatrix; scar
cicatrização: cicatrization
ciclamato: cyclamate
ciclandelato: cyclandelate
ciclase: cyclase
ciclectomia: cyclectomy
cíclico: cyclic
ciclite: cyclitis
ciclizina: cyclizine

ciclo: cycle
cicloartrose: cyclarthrosis
ciclobenzaprina: cyclobenzaprine
cicloceratite: cyclokeratitisc
ciclocoroidite: cyclochoroiditis
ciclocrioterapia: cyclocryotherapy
ciclodiálise: cyclodialysis
ciclodiatermia: cyclodiathermy
cicloducção: circumduction
cicloforia: cyclophoria
ciclofosfamida: cyclophosphamide
iclóide: cycloid
cíclope: cyclops; synophthalmus
ciclopia: cyclopia; cyclops; monophthalmus
cicloplegia: cycloplegia
ciclopropano: cyclopropane
ciclorrotação: cyclorotation
ciclorrotatório: cyclorotary
ciclose: cyclosis
ciclosporina A: cyclosporin A
ciclosporina: cyclosporin; cyclosporine
ciclosserina: cycloserine
ciclotato: cyclotate
ciclotiazida: cyclothiazide
ciclotimia: cyclothymia
ciclotomia: cyclotomy
ciclótron: cyclotron
ciclotropia: cyclotropia
cicrimina: cycrimine
cídico: cidal
ciência: science
científico: scientific
cieropia: scieropia
ciese: cyesis
ciético: cyetic
cifoescoliose: kyphoscoliosis
cifóide: scyphoid
cifose: humpback; kyphos; kyphosis
cifótico: kyphotic
ciguatoxina: ciguatoxin
cila: squill
cilectomia: ciliectomy
ciliado: ciliate
ciliar: ciliary
ciliarotomia: ciliarotomy
cilindro: cylinder
cilindroadenoma: cylindroma
cilindróide: cylindroid
cilindroma: cylindroma
cilindromatoso: cylindromatous
cílio: cilium; eyelash
cilócito: koilocyte
cilocitose: koilocytosis
cilocitótico: koilocytotic
cilorráquico: koilorrhachic
cilose: cillosis
cimbocefalia; escafocefalia: cymbocephaly
cimentículo: cementicle
cimento: cement
cimentoblasto: cementoblast
cimentoblastoma: cementoblastoma
cimentócito: cementocyte
cimentogênese: cementogenesis
cimentoma: cementoma
cimetidina: cimetidine

cinanestesia: kinanesthesia
cinanque: cynanche
cinase: kinase
cinase do ácido adenílico: adenylate kinase
cinchona: cinchona
cinchonismo: quininism; cinchonism
cineangiocardiografia: cineangiocardiography
cineangiografia: cineangiography
cinefluorografia: cineradiography
cineplastia: kineplasty
cinéreo: cinerea; cinereal
cinerradiografia: cineradiography
cinescópio: kinescope
cinese: kinesis
cinesia: kinesia
cinésica: kinesics
cinesigênico: kinesigenic
cinesímetro: kinesimeter
cinesiologia: kinesiology
cinesineurose: kinesineurosis
cinesioterapia: kinesitherapy
cinestesia: kinesthesia; kinesthesis
cinestésico: kinesthetic
cinética: kinetics
cinetocardiografia: kinetocardiography
cinetocardiograma: kinetocardiogram
cinetócoro: kinetochore
cinetogênico: kinetogenic
cinetoplasto: kinetoplast
cinetose: kinetosis
cingulado: cingulate
cingulectomia: cingulectomy
cíngulo: cingulum
cingulotomia: cingulumotomy
cinina: kinin
cininase II: kininase II
cininogênio: kininogen
cinocílio: kinocilium
cinofobia: cynophobia
cinomose: distemper
cinta: binder
cintigrama: scintigram; scintiscan
cintilação: scintillation
cintilografia: scintigraphy
cintilográfico: scintigraphic
cintilograma: scintigram; scintiscan
cinto: cingulum
cintura: girdle; waist
cinurenina: kynurenine
cinza: gray
cio: rut
ciotrofia: cyotrophy
cipionato: cypionate
ciproeptadina: cyproheptadine
ciprofloxacina: ciprofloxacin
circadiano: circadian
circinado: circinate
circuito: circuit
circulação: circulation
circular: circinate; orbicular
círculo: circle; circulus
circum-insular: circuminsular
circuncisão: circumcision
circunducção: circumduction
circunflexo: circumflex

circunlenticular: circumlental
circunrenal: circumrenal
circunscrito: circumscribed
circunstancialidade: circumstantiality
circunvalado: circumvallate
cirro: cirrus
cirróide: scirrhoid
cirrose: cirrhosis; scirrhous
cirrótico: cirrhotic
cirsectomia: cirsectomy
cirsóide: cirsoid
cirsônfalo: cirsomphalos
cirtômetro: cyrtometer
cirtorráquico: kyrtorrhachic
cirtose: cyrtosis
cirurgia: surgery
cirurgião: surgeon
cirúrgico: surgical
cisplatina: cisplatin
cistadenocarcinoma: cystadenocarcinoma
cistadenoma: cystadenoma
cistalgia: cystalgia
cistationase-γ: γ-cystathionase
cistationina: cystathionine
cistationina-β-sintase: cystathionine β-synthase
cistationinúria: cystathioninuria
cistectasia: cystectasia
cistectomia: cystectomy
cisteína: cysteine
cistelitroplastia: cystoelytroplasty
cisterna: cistern
cisternal: cisternal
cisternografia: cisternography
cisticerco: cysticercus
cisticercose: cysticercosis
cístico: cystic
cistígero: cystigerous
cistina: cystine
cistinose: cystinosis
cistinúria: cystinuria
cistitaxe: cystistaxis
cistite: cystitis
cistitomia: cystitomy
cisto: cyst
cistocele: cystocele
cistogastrostomia: cystogastrostomy
cistografia: cystography
cistóide: cystoid
cistojejunostomia: cystojejunostomy
cistolitectomia: cystolithectomy
cistolitíase: cystolithiasis
cistolitotomia: cystolithotomy
cistômetro: cystometer
cistometrografia: cystometrography
cistomorfo: cystomorphous
cistopexia: cystopexy
cistopielite: cystopyelitis
cistoplastia: cystoplasty
cistoplegia: cystoplegia
cistoproctostomia: cystoproctostomy
cistoptose: cystoptosis
cistorrafia: cystorrhaphy
cistorréia: cystorrhea
cistoscopia: cystoscopy
cistossarcoma: cystosarcoma

cistostomia: cystostomy; vesicotomy
cistoureterite: cystoureteritis
cistouretrografia: cystourethrography
cistouretroscópio: cystourethroscope
cístron: cistron
citaferese: cytapheresis
citarabina: cytarabine
citidina: cytidine
cito-histogênese: cytohistogenesis
cito-histologia: cytohistology
cito-histológico: cytohistologic
citoarquitetônico: cytoarchitectonic
citocalasina: cytochalasin
citocida: cytocidal; cytocide
citocina: cytokine
citocinese: cytokinesis
citoclasia: cytoclasis
citoclástico: cytoclastic
citocromo: cytochrome
citodiferenciação: cytodifferentiation
citodistal: cytodistal
citoesquelético: cytoskeletal
citoesqueleto: cytoskeleton
citoestoma: cytostome
citofagia: cytophagy; cytophagocytosis
citofagocitose: cytophagocytosis; cytophagy
citofilaxia: cytophylaxis
citófilo: cytophilic
citogenética: cytogenetics
citogenético: cytogenetical
citógeno: cytogenous
citoglicopenia: cytoglycopenia
citóide: cytoid
citólise: cytolysis
citolisina: cytolysin
citolisossoma: cytolysosome
citolítico: cylolytic
citologia: cytology
citológico: cytologic
citomegálico: cytomegalic
citomegalovírus: cytomegalovirus
citometaplasia: cytometaplasia
citometria: cytometry
citômetro: cytometer
citomorfologia: cytomorphology
citomorfose: cytomorphosis
citopático: cytopathic
citopatogênese: cytopathogenesis
citopatogenético: cytopathogenetic
citopatogênico: cytopathogenic
citopatologista: cytopathologist
citopenia: cytopenia
citopipeta: cytopipette
citoplasma: cytoplasm
citoplasmático: cytoplasmic
citoproximal: cytoproximal
citoquímica: cytochemistry
citorredutor: cytoreductive
citose: cittosis
citosina: cytosine
citosol: cytosol
citosólico: cytosolic
citossoma: cytosome
citostático: cytostatic
citotático: cytotactic

citotaxia: cytotaxis
citótese: cytothesis
citotoxina: cytotoxin
citotrofoblasto: cytotrophoblast
citotrópico: cytotropic
citotropismo: cytotropism
citozóico: cytozoic
citrato: citrate
citronela: citronella
citrulina: citrulline
citrulinemia: citrullinemia
citrulinúria: citrullinuria
citúria: cyturia
cladosporiose: cladosporiosis
clamidiose: chlamydiosis
clamidosporo: chlamydospore
clarificante: clarificant
claritromicina: clarithromycin
clarividência: clairvoyance
classe: class
classificação: classification
clástico: clastic
clastogênico: clastogenic
clastotrix: clastothrix
clatrato: clathrate
claudicação: claudication; limp
claustro: claustrum
claustrofilia: claustrophilia
claustrofobia: claustrophobia
clava: clava
clavicotomia: clavicotomy
clavícula: clavicle; clavicula
clavicular: clavicular
claviculotomia: claviculotomy
clavulanato: clavulanate
clemastina: clemastin
cleptomania: kleptomania
clidocranial: cleidocranial
clidotomia: cleidotomy
climatérico: climacteric
climatério: climacteric
climatologia: climatology
climatoterapia: climatotherapy
clímax: climax
clindamicina: clindamycin
clínica: clinic
clínico: clinical; clinician
clinicopatológico: clinicopathologic
clinocefalia: clinocephaly
clinodactilia: clinodactyly
clinóide: clinoid
clioquinol: clioquinol
clipe: clip
clise: clysis
clisiômetro: cliseometer
clíster: clyster
clítion: clition
clitoridectomia: clitoridectomy
clitoridotomia: clitoridotomy
clitorimegalia: clitorimegaly
clitóris: clitoris
clitorismo: clitorism
clitorite: clitoritis
clitoroplastia: clitoroplasty
clivagem: cleavage; splitting

clivo: clivus
clivografia: clivography
cloaca: cloaca
cloacal: cloacal
cloacogênico: cloacogenic
cloasma: chloasma
clobetasol: clobetasol
clofibrato: clofibrate
clomifeno: clomiphene
clonal: clonal
clonalidade: clonality
clonazepam: clonazepam
clone: clone
clônico: clonic
clonidina: clonidine
clonismo: clonism
clono: clonus
clonogênico: clonogenic
clonorquíase: clonorchiasis
clonorquiose: clonorchiasis
clonospasmo: clonospasm
clônus: clonus
cloracne: chloracne
clorado: chlorinated
cloral: chloral
clorambucil: chlorambucil
cloranfenicol: chloramphenicol
clorazepato: clorazepate
clorciclizina: chlorcyclizine
clordano: chlordane
clordiazepóxido: chlordiazepoxide
cloremia: chloremia
clorético: choretic
cloreto: chloride
cloreto de benzalcônio: benzalkonium chloride
cloreto de benzetônio: benzethonium chloride
cloreto de cetalcônio: cetalkonium chloride
cloreto de cetilpiridínio: cetylpyridinium chlorid
cloreto de edrofônio: edrophonium chloride
cloreto de fenarsazina: phenarsazine chloride
cloreto tridiexetílico: tridihexethyl chloride
cloretorréia: chloridorrhea
clorexidina: chlorhexidine
clorfenesina: chlorphenesin
clorfeniramina: chlorpheniramine
clorfenoxamina: chlorphenoxamine
clorfentermina: chlorphentermine
cloridrato: hydrochloride
cloridria: chlorhydria
clorito: chlorite
clormerodrina: chlormerodrin
clormezanona: chlormezanone
cloro: chlorine
p-clorofenol: p-chlorophenol
clorofentermina: chlorphentermine
clorofila: chlorophyll
clorofilina: chlorophyllin
clorofórmio: chloroform
cloroleucemia: chloroleukemia
cloroma: chloroma
cloroplasto: chloroplast
cloroprívico: chloroprivic
cloroprocaína: chloroprocaine
cloropromazina: chlorpromazine
cloropropamida: chlorpropamide

cloroprotixeno: chlorprothixene
cloropsia: chloropsia
cloroquina: chloroquine
clorose: chlorosis
clorotiazida: chlorothiazide
clorótico: chlorotics
clorotrianiseno: chlorotrianisene
cloroxina: chloroxine
clorpromazina: chlorpromazine
clorpropamida: chlorpropamide
clorprotixeno: chlorprothixene
clortalidona: chlorthalidone
clortermina: clortermine
clortetraciclina: chlortetracycline
clorurese: chloruresis
clorurético: chloruretic
clorúria: chloruria
clorzoxazona: chlorzoxazone
closilato: closylate
clostrídio: clostridium
clotrimazol: clotrimazole
cloxacilina: cloxacillin
cnêmico: cnemial
co-adaptação: coadaptation
co-aglutinação: coagglutination
co-dominância: codominance
co-dominante: codominant
co-fator: cofactor
co-polímero: copolymer
co-repressor: corepressor
co-transfecção: cotransfection
co-transporte: cotransport
co-trimoxazol: co-trimoxazole
co-tromboplastina: cothromboplastin
coacervação: coacervation
coagulabilidade: coagulability
coagulação: coagulation
coagulante: coagulant
coagular: coagulate
coagulase: coagulase
coágulo: clot; coagulum
coagulopatia: coagulopathy
coalescência: coalescence; coalition
coalho: coagulum
coana: choana
coaptar: coapt
coarctação: coarctation
coarctado: coarctate
coartação: coarctation
coartado: coarctate
cobalamina: cobalamin
cobalto: cobalt
cobertura: capping; coping
cobra: adder
cobre: copper
cocaína: cocaine
cocarcinogênese: cocarcinogenesis
cocarcinógeno: cocarcinogen
coccialgia: coccyalgia; coccygodynia
coccídio: coccidium
coccidioidina: coccidioidin
coccidioidoma: coccidioidoma
coccidioidomicose: coccidiomycosis
coccidiose: coccidiosis
coccigectomia: coccygectomy

coccigênico: coccigenic
coccígeo: coccygeal
coccigodinia: coccygodynia; coccyalgia
coccigotomia: coccygotomy
cóccix: coccyx
coceira: pruritus
cochonilha: cochineal
cócico: coccal
cóclea: cochlea
coclear: cochlear
cocleariforme: cochleariform
cocleossaculotomia: cochleosacculotomy
cocleotópico: cochleotopic
coco: coccus
cocobacilar: coccobacillary
cocobacilo: coccobacillus
cocobactérias: coccobacteria
coctoestável: coctostabile
coctolábil: coctolabile
codeína: codeine
código: code
códon: codon
coeficiente: coefficient
coenzima: coenzyme
coesão: cohesion
coesivo: cohesive
cognição: cognition
cognitivo: cognitive
coifa: caul; pileus
coinosito: cenosite; coinosite
coital: coital
coito: coitus
coitofobia: coitophobia
colagenação: collagenation
colagenase: collagenase
colagenite: collagenitis
colágeno: collagen
colagenoblasto: collagenoblast
colagenócito: collagenocyte
colagenogênico: collagenogenic
colagenólise: collagenolysis
colagenolítico: collagenolytic
colagenose: collagenosis
colagenoso: collagenous
colagogo: cholagogue; cholagogic
colangeíte: cholangeitis
colangiectasia: cholangiectasis
colângio-hepatoma: cholangiohepatoma
colangiocarcinoma: cholangiocarcinoma
colangioenterostomia: cholangioenterostomy
colangiogastrostomia: cholangiogastrostomy
colangiografia: cholangiography
colangiolar: cholangiolar
colangiolite: cholangiolitis
colangiolítico: cholangiolitic
colangíolo: cholangiole
colangioma: cholangioma
colangiossarcoma: cholangiosarcoma
colangiostomia: cholangiostomy
colangiotomia: cholangiotomy
colangite: cholangeitis; cholangitis
colangítico: cholangitic
colanopoiese: cholanopoiesis
colanopoiético: cholanopoietic
colapso: collapse

colapso nervoso: nervous breakdown
colar: collar; necklace
colateral: collateral
colato: cholate
colchicina: colchicine
colecalciferol: cholecalciferol
colecistagogo: cholecystagogue
colecistalgia: cholecystalgia
colecistectasia: cholecystectasia
colecistectomia: cholecystectomy
colecistenterostomia: cholecystenterostomy
colecístico: cholecystic
colecistite: cholecystitis
colecisto: cholecyst; cholecystis
colecistocinético: cholecystokinetic
colecistocinina: cholecystokinin
colecistocolostomia: cholecystocolostomy
colecistoduodenostomia: cholecystoduodenostomy
colecistogastrostomia: cholecystogastrostomy
colecistografia: cholecystography
colecistográfico: cholecystographic
colecistograma: cholecystogram
colecistojejunostomia: cholecystojejunostomy
colecistolitíase: cholecystolithiasis
colecistopexia: cholecystopexy
colecistorrafia: cholecystorrhaphy
colecistotomia: cholecystotomy
colectomia: colectomy
coledocectomia: choledochectomy
coledoco: choledochal; choledochus
coledocócico: choledochal
coledocoduodenostomia: choledochoduodenostomy
coledocoenterostomia: choledochoenterostomy
coledocogastrostomia: choledochogastrostomy
coledocojejunostomia: choledochojejunostomy
coledocolitíase: choledocholithiasis
coledocolitotomia: choledocholithotomy
coledocoplastia: choledochoplasty
coledocorrafia: choledochorrhaphy
coledocostomia: choledochostomy
coledocotomia: choledochotomy
coledoquectomia: choledochectomy
coledoquite: choledochitis
coléico: choleic
colelitíase: cholecystolithiasis; cholelithiasis
colélito: cholelith; gallstone
colelitotomia: cholelithotomy
colelitotripsia: cholelithotripsy
colêmese: cholemesis
colemia: cholemia
colêmico: cholemic
coleperitônio: choleperitoneum
colepoiese: cholepoiesis
colepoiético: cholepoietic
cólera: cholera
cólera asiática: cholera
colerágeno: choleragen
colerese: choleresis
colerético: choleretic
colérico: choleraic
coleróide: choleroid
colesiota: colesiota
colestasia: cholestasis
colestático: cholestatic
colesteatoma: cholesteatoma

colesteatose: cholesteatosis
colesteril: cholesteryl
colesterol: cholesterol
colesterol-esterase: cholesterol esterase
colesterolemia: cholesterolemia
colesterolose: cholesterolosis
colesterolúria: cholesteroluria
colesterose: cholesterosis
colestipol: colestipol
colete: brace; jacket
coleterapia: choletherapy
coleúria: choleuria
colheita: harvest
colibacilo: colibacillus
colibacilose: colibacillosis
cólica: colic; colica
colicativo: colicky
colicina: colicin
colicistite: colicystitis
colicistopielite: colicystopyelitis
cólico: colonic
colicoplegia: colicoplegia
coliculectomia: colliculectomy
coliculite: colliculitis
colículo: colliculus
colífago: coliphage
coliforme: coliform
colilglicina: cholylglycine
coliltaurina: cholyltaurine
colimação: collimation
colina: choline
colina acetilase: choline acetylase
colina acetiltransferase: choline acetyltransferas
colinérgico: cholinergic
colinesterase: cholinesterase
colinoceptivo: cholinoceptive
colinolítico: cholinolytic
colinomimético: cholinomimetic
colinorreceptor: cholinoceptor
colipéptico: colypeptic; kolypeptic
colipuntura: colipuncture
coliquativo: colliquative
colírio: collyrium
colistimetato: colistimethate
colistina: colistin
colite: colitis; colonitis
colites: colitides
colitoxemia: colitoxemia
colitoxina: colitoxin
colo: cervix; collum
coloboma: coloboma
colocentese: colipuncture; colocentesis
coloclíster: coloclyster
colocolecistostomia: colocholecystostomy
colocolostomia: colocolostomy
colocutâneo: colocutaneous
colodiafisário: collodiaphyseal
colódio: collodion
colofixação: colofixation
colóide: colloid
cólon: colon
colônia: colony
colônico: colonic
colonite: colonitis
colonopatia: colonopathy

colonoscopia: colonoscopy
colopexia: colopexy
coloplicação: coloplication
coloproctetomia: coloproctectomy
coloproctite: rectocolitis
coloproctostomia: coloproctostomy
coloptose: coloptosis
colopunção: colopuncture
coloração: staining
colorímetro: colorimeter
colorir: stain
colorrafia: colorrhaphy
colorretal: colorectal
colorreto: colorectum
colorretostomia: colorectostomy; coloproctostomy
colossigmoidostomia: colosigmoidostomy
colostomia: colostomy
colostro: colostrum
colotomia: colotomy
colovesical: colovesical
colpalgia: colpalgia
colpectasia: colpectasia
colpectomia: colpectomy
colpeurise: colpeurysis
colpite: colpitis
colpo-hiperplasia: colpohyperplasia
colpocele: colpocele
colpocistite: colpocystitis
colpocistocele: colpocystocele
colpocitograma: colpocytogram
colpocitologia: colpocytology
colpoclise: colpocleisis
colpodinia: vaginodynia
colpomicroscópio: colpomicrosscope
colpoperineoplastia: colpoperineoplasty
colpoperineorrafia: colpoperineorrhaphy
colpopexia: colpopexy
colpoplastia: vaginoplasty
colpoptose: colpoptosis
colporrafia: colporrhaphy
colporragia: colporrhagia
colporrexe: colporrhexis
colposcopia: vaginoscopy
colposcópio: colposcope
colpospasmo: colpospasm
colpostenose: colpostenosis
colpostenotomia: colpostenotomy
colpotomia: colpotomy; vaginotomy
colpoxerose: colpoxerosis
columela: columella
coluna: column; columna
colunização: columnization
colúria: choleuria; choluria
colúrico: choluric
colutório: collutory; mouthwash
coma: coma
comatoso: comatose
combustão: combustion
comedão: blackhead; comedo
comedão fechado: whitehead
comedogênico: comedogenic
comedomastite: comedomastitis
comensal: commensal
comensalismo: commensalism
cominuído: comminutted

cominutivo: comminutted
comissura: commissura; commissure
comissurorrafia: commissurorrhaphy
comissurotomia: commissurotomy
companheiro: comes
comparação: matching
compasso de calibre: calipers
compensação: compensation
compensador: compensatory
complacência: compliance
compleição: complexion
complementação: complementation
complemento: complement
complexo: complex
complicação: complication
componente: component
comportamento: behavior
composto: compound
compressa: compress
compressa quente: stupe
compressão: compression
comprimento: length
comprimento de onda: wavelength
comprimido: tablet
compulsão: compulsion
compulsivo: compulsive
comum: vulgaris
comunicante: communicans
comunicável: communicable
comunidade: community
conação: conation
conativo: coative
concanavalina A: concanavalin A
concavidade: socket
côncavo: concave
côncavo-côncavo: concavoconcave
côncavo-convexo: concavoconvex
conceber: conceive
conceito: concept; conception; conceptus
conceituação: conception
concentração: concentration
concentrar: concentrate
concepção: conception
concepto: conceptus
concha: concha
conclinação: conclination
concordância: concordance
concordante: concordant
concreção: concretio; concretion
concrescência: concrescence
concussão: disclination; concussion
condensação: condensation
condensador: condenser
condição: state
condicionado pelo sexo: sex-conditioned
condicionamento: conditioning
condilar: condylar
condílio: condylion
côndilo: condyle; condylus
condiloartrose: condylarthrosis
condiloma: condyloma
condilomatoso: condylomatous
condilotomia: condylotomy
condimento: tastant
condral: chondral

condralgia: chondralgia
condrectomia: chondrectomy
condrite: chondritis
condroangioma: chondroangioma
condroblasto: chondroblast; chondroplast
condroblastoma: chondroblastoma
condrocalcinose: chondrocalcinosis
condrócito: chondrocyte
condrocostal: chondrocostal
condrocrânio: chondrocranium
condrodermatite: chondrodermatitis
condrodinia: chondrodynia
condrodisplasia: chondrodysplasia
condrodistrofia: chondrodystrophia; chondrodys-
    trophy
condroepifisite: chondroepiphysitis
condroesternoplastia: chondrosternoplasty
condrofibroma: chondrofibroma
condrófito: chondrophyte
condrogênese: chondrogenesis
condróide: chondroid
condroitinossulfato: chondroitin sulfate
condrolipoma: chondrolipoma; lipochondroma
condroma: chondroma
condromalacia: chondromalacia
condromatose: chondromatosis
condrômero: chondromere
condrometaplasia: chondrometaplasia
condromioma: chondromyoma
condromixoma: chondromyxoma
condromixossarcoma: chondromyxosarcoma
condropatia: chondropathy
condroplasia: chondroplasia
condroplastia: chondroplasty
condroplasto: chondroplast
condroporose: chondroporosis
condrose: chondrosis
condrossarcoma: chondrosarcoma
condrósseo: chondroosseous
condrosteoma: chondrosteoma
condrotomia: chondrotomy
condroxifóide: chondroxiphoid
condução: conduction
condutância: conductance
conduto: conduit
cone: cone; conus
conecondroesterno: chonechondrosternon
conector: connector
conexão: conexus; connection
confabulação: confabulation
confecção: confection
confidencialidade: confidentiality
confinamento: lying-in
conflito: conflict
confluência: confluence
confluente: confluent
confusão: confusion
congelação: frost
congênere: congener
congenérico: congeneric; congenerous
congênico: congenic
congênito: congenital
congestão: congestion
congestivo: congestive
conglobação: conglobation

conglobado: conglobatec
conglutinação: conglutination
coniofibrose: coniofibrosis
coniose: coniosis
coniosporose: coniosporosis
coniotoxicose: coniotoxicosis
conização: conization
conjugação: conjugation
conjugado: conjugata; conjugate
conjuntiva: conjuctiva
conjuntival: conjuctival
conjuntivite: conjuctivitis; pinkeye
conjuntivoma: conjunctivoma
conjuntivoplastia: conjunctivoplasty
conóide: conoid
consangüíneo: consanguineous
consangüinidade: consanguinity
consciência: conscience; consciousness
consciente: conscious
cônscio: conscious
conservador: conservative
consolidação: consolidation
constante: constant
constipação: constipation
constipado: constipated; costive
constituição: constitution
constitutivo: constitutive
constrição: constriction
consulta: consultation
consumo: consumption; intake
contactante: contactant
contador: counter
contagem: count
contágio: contagion
contaminação: contamination
contaminante: contaminant
contato: contact
conteúdo: content
continência: continence
continente: continent
contorno: bypass
contra-abertura: contra-aperture; counteropening
contra-ângulo: contra-angle
contra-extensão: counterextension
contra-imunoeletroforese: counterimmunoelectro-
    phoresis
contra-incisão: contraincision; counterincision
contra-indicação: contraindication
contra-irritação: counterirritation
contração: contraction; twitch
contraceptivo: contraceptive
contrachoque: countershock
contracorante: counterstain
contracorrente: countercurrent
contrafissura: contrafissure
contragolpe: contrecoup
contraído: stenosed
contralateral: contralateral
contrapulsação: counterpulsation
contrapunção: counteropening
contrátil: contractile
contratilidade: contractility
contratração: countertraction
contratransferência: countertransference
contratransporte: countertransport

contratura: contracture
controle: control
contundir: contuse
contusão: contusion
convalescença: convalescence
convecção: convection
convergência: convergence
convergente: convergent
conversão: conversion
convertase: convertase
convertina: convertin
convexo-côncavo: convexoconcave
convexo-convexo: convexoconvex
convexo: convex
convolução: convolution
convoluto: volute
convulsão: convulsion
convulso: saccadic
cooperatividade: cooperativity
coordenação: coordination
coorte: cohort
copiopia: copiopia
copo de vidro: beaker
coproanticorpo: coproantibody
coprofobia: coprophobia
coprolalia: coprolalia
coprólito: coprolith
coproporfiria: coproporphyria
coproporfirina: coproporphyrin
coproporfirinúria: coproporphyrinuria
coprostase: coprostasis
coprozoários: coprozoa
cópula: copula; copulation
coqueluche: pertussis; whooping cough
cor: color
coração: coeur; cor; heart
coração bovino: bucardia
coracídio: coracidium
coracóide: coracoid
corante: dye; stain
corar: stain
corasma: corasthma
corável: tingible
corcova: kyphos
corcunda: hump; humpback; hunchback
corda: chord
corda venérea: chordee
cordado: chordate
cordal: chordal
cordão: chord; cord; funis
cordectomia: cordectomy
cordite: chorditis; corditis
cordocentese: cordocentesis
cordoesqueleto: chordoskeleton
cordoma: chordoma
cordotomia: chordotomy; cordotomy
coreclise: coreclisis
corectasia: corectasis
corectomediálise: corectomedialysis
coréctomo: corectome
corectopia: corectopia
corediálise: coredialysis
coréia: chorea
coréico: choreic
coreiforme: choreiform
corélise: corelysis
coremorfose: coremorphosis
coreoacantocitose: choreoacanthocytosis
coreoatesótico: choreoathetotic
coreoatetose: choreoathetosis
coreoplastia: coreoplasty
coriamirtina: coriamyrtin
corimbiforme: corymbiform
corindo: corundum
corineforme: coryneform
cório: derma; corium
corioadenoma: chorioadenoma
corioalantóico: chorioallantoic
corioalantóide: chorioallantois
corioamnionite: chorioamnionitis
corioangioma: chorioangioma
coriocapilar: choriocapillaris
coriocarcinoma: choriocarcinoma
coriocele: choriocele
corioepitelioma: chorioepithelioma
coriogênese: choriogenesis
corióide: chorioid
corioma: chorioma
coriomeningite: choriomeningitis
córion: chorion
coriônico: chorionic
corióptico: chorioptec
coriorretiniano: chorioretinal
coriorretinite: chorioretinitis
coriorretinopatia: chorioretinopathy
corista: chorista
coristoma: choristoma
coriza: coryza; snuffles
córnea: cornea
corneano: corneal
córneo: corneal; corneous; cornual; cornuate; horny
corneoesclera: corneosclera
cornículo: corniculum
cornificação: cornification
corno: cornu
coroa: corona; crown
coroação: crowning
coróide: choroid; choroidal; choroidea
coroideremia: choroideremia
coroidite: choroiditis
coroidociclite: choroidocyclitis
coronal: coronad; coronal
coronário: coronary
coronavírus: coronavirus
coronoidectomia: coronoidectomy
coroscopia: coroscopy
corotomia: corotomy
corpo: body; corpus
corpo caloso: callosum
corpulência: corpulency
corpuscular: corpuscular
corpúsculo: body; corpuscle; corpusculum
correção: correction
correlação: correlation
corrente: current
corrente de ar: draft
correspondência: correspondence
corrimento: gleet
corrina: corrin
corrosivo: corrosive

córtex: cortex
corticado: corticate
cortical: cortical
corticectomia: corticectomy
corticífugo: corticifugal
corticípeto: corticipetal
corticobulbar: corticobulbar
corticóide: corticoid
corticosteróide: corticosteroid
corticosterona: corticosterone
corticotensina: corticotensin
corticotrofina: corticotrophin
corticotrofo: corticotrope
corticotropina: corticotropin
cortilinfa: cortilymph
cortisol: cortisol
cortisona: cortisone
corundo: corundum
coruscação: coruscation
cosintropina: cosyntropin
cosmese: cosmesis
cosmético: cosmetic
costal: costal; costalis
costas: back
costela: costa; rib
costocondral: costochondral
costoescapular: costoscapularis
costoesternoplastia: costosternoplasty
costogênico: costogenic
costoscapular: costoscapularis
costosternoplastia: costosternoplasty
costotransversectomia: costotransversectomy
cotidiano: quotidian
cotilédone: cotyledon
cotilóide: cotyloid
coto: stump
cotovelo: elbow
couro cabeludo: scalp
covalência: covalence
covalente: covalent
covariância: covariance
cowperite: cowperitis
coxa: coxa; hip; thigh
coxalgia: coxalgia
coxartropatia: coxarthropathy
coxeadura: limp
coxim: cushion; pad
coxofemoral: coxofemoral
coxotuberculose: coxotuberculosis
coxsackievírus: coxsackievirus
cranial: craniad
crânio: cranium; skull
crânio em folha de trevo: kleeblattschädel
craniocele: craniocele
cranioesclerose: cranioesclerosis
cranioestenose: craniostenosis
craniofaringioma: craniopharyngioma
craniofenestria: craniofenestria
craniolacunia: craniolacunia
craniomalacia: craniomalacia
craniopatia: craniopathy
cranioplastia: cranioplasty
craniorraquisquise: craniorachischisis
craniosquise: cranioschisis
craniossinostose: craniostosis; craniosynostosis

craniostose: craniostosis
craniotabe: craniotabes
craniotomia: craniotomy
cratera: crater
craterização: saucerization
craurose: kraurosis
cravo: dowel; heloma; pin
creatina: creatine
creatinina: creatinine
creatinocinase: creatine kinase
cremastérico: cremasteric
creme: cream
crena: crena
crenação: crenation
crenado: crenate; crenated
crenócito: crenocyte
crepitação: crepitation; crepitus
crescente: crescent
crescimento: growth
cresol: cresol
cretinismo: cretinism
crevicular: crevicular
criação: genesis
crialgesia: cryalgesia
cribração: cribration
cribriforme: cribriform
criceto: hamster
cricóide: cricoid
cricotireotomia: cricothyreotomy; cricothyrotomy
cricotraqueotomia: cricotracheotomy
criestesia: cryesthesia
crimodinia: crymodynia
crinofagia: crinophagy
crioablação: cryoablation
crioanalgesia: cryoanalgesia
crioanestesia: cryanesthesia
criobanco: cryobank
criobiologia: cryobiology
criocirurgia: cryosurgery
crioextração: cryoextraction
crioextrator: cryoextractor
criofibrinogenemia: cryofibrinogenemia
criofibrinogênio: cryofibrinogen
criófilo: cryophilic
criogênico: cryogenic
crioglobulina: cryoglobulin
crioglobulinemia: cryoglobulinemia
crioipofisectomia: cryohipophysectomy
criopatia: cryopathy
crioprecipitado: cryoprecipitate
criopreservação: cryopreservation
crioproteína: cryoprotein
crioprotetor: cryoprotective
crioscopia: cryoscopy
crioscópico: cryoscopic
criossonda: cryoprobe
criostato: cryostat
criotalamectomia: cryothalamectomy
crioterapia: cryotherapy
cripta: crypt; crypta
criptestesia: cryptesthesia
criptite: cryptitis
criptococose: cryptococcosis
criptodeterminante: cryptodeterminant

criptoftalmia: ablepharia; cryptophthalmia; cryptophthalmos; cryptophthalmus
criptogênico: cryptogenic
criptólito: cryptolith
criptomenorréia: cryptomenorrhea
criptônio: krypton
criptópico: cryptopyic
criptorque: ridgling
criptorquidectomia: cryptorchidectomy
criptorquidismo: cryptorchism
criptorquidopexia: cryptorchidopexy
criptórquio: cryptorchid
criptorquismo: cryptorchism
criptosporidiose: cryptosporidiosis
crise: crisis; stroke
crisíase: chrysiasis
crisodermia: chrysoderma
crisótilo: chrysotile
crista: crest; crista; ridge
cristal: crystal
cristalino: crystalline
cristalúria: crystalluria
critério: rule
crocidolita: crocidolite
cromafim: chromaffin; pheochrome
cromafinoma: chromaffinoma
cromafinopatia: chromaffinopathy
cromático: chromatic
cromátide: chromatid
cromatina: chromatin
cromatina-negativo: chromatin-negative
cromatina-positivo: chromatin-positive
cromatismo: chromatism
cromato: chromate
cromatofílico: chromatophilic
cromatófilo: chromatophil
cromatóforo: chromatophore
cromatógeno: chromatogenous
cromatografia: chromatography
cromatográfico: chromatographic
cromatólise: chromatolysis
cromatopsia: chromatopsia
cromatoptometria: chromatoptometry
cromatúria: chromaturia
cromestesia: chromesthesia
cromidrose: chromhidrosis; chromidrosis
cromo: chromium
cromobactérias: Chromobacterium
cromoblasto: chromoblast
cromoblastomicose: chromoblastomycosis
cromocistoscopia: chromocystoscopy
cromócito: chromocyte
cromoclastogênico: chromoclastogenic
cromodacriorréia: chromodacryorrhea
cromófilo: chromophil; chromophilic; chromaffin
cromofobia: chromophobia
cromófobo: chromophobe; chromophobic
cromofórico: chromophoric
cromóforo: chromophore
cromofosia: chromophose
cromogênese: chromogenesis
cromógeno: chromogen
cromolina: cromolyn
cromômero: chromomere
cromomicose: chromomycosis

cromonema: chromonema
cromonêmico: chromonemal
cromoscopia: chromoscopy
cromossoma: chromosome
cromossômico: chromosomal
cronaxia: chronaxie; chronaxy
crônico: chronic
cronobiologia: chronobiology
cronobiológico: chronobiologic; chronobiological
cronognose: chronognosis
cronógrafo: chronograph
cronotaraxia: chronotaraxis
cronotrópico: chronotropic
cronotropismo: chronotropism
crosta: crust; crusta
crotáfio: crotaphion
crotalídeo: crotalid
crotamiton: crotamiton
cruciforme: cruciate; cruciform
crupal: croupous
crupe: croup
crural: crural
cruz: cross; crux
cruzamento: cross; crossing over
cruzamento reversível: back-cross
C-terminal: C-terminal
cuba: trough
cubeta: cuvette
cubital: cubital
cúbito: cubitus
cubóide: cuboid
cuidados: care
culdocentese: culdocentesis
culdoscopia: culdoscopy
culicida: culicide
culicídeos: culicine
culicífugo: culicifuge
cultivo: cultivation
cultura: culture
cultural: cultural
cumarina: coumarin
cume: culmen
cúmulo: cumulus
cuneiforme: cuneate; cuneiform
cúneo: cuneus
cunha: wedge
cunículo: cuniculus
cunilincção: cunnilingus
cunilíngua: cunnilingus
cuprofano: cuprophane
cuproso: cuprous
cuprurese: cupruresis
cuprurético: cupruretic
cúpula: cope; cupola; cupula
cupulolitíase: cupulolithiasis
cupulometria: cupulometry
cura: cure; healing
curare: curare
curarimimético: curarimimetic
curarização: curarization
curativo: dressing; remedial
cureta: curet
curetagem: curettage; curettement
cúrio: curium
curva: curve

curvatura: arcuation; bend; curvatura; curvature
curvo: valgus
curvularia: curvularia
cúspide: cusp; cuspid; cuspis
cutâneo: cutaneous
cutícula: cuticle; cuticula
cutirreação: cutireaction
cútis: cutis

D

dacarbazina: dacarbazine
dacrioadenalgia: dacryoadenalgia
dacrioadenectomia: dacryoadenectomy
dacrioblenorréia: dacryoblennorrhea
dacriocintilografia: dacryoscintigraphy
dacriocistectomia: dacryocystectomy
dacriocisto: dacryocyst
dacriocistoblenorréia: dacryocystoblennorrhea
dacriocistocele: dacryocystocele
dacriocistorrinostenose: dacryocystorhinostenosis
dacriocistorrinostomia: dacryocystorhinostomy
dacriocistostenose: dacryocystostenosis
dacriocistostomia: dacryocystostomy
dacrioemorréia: dacryohemorrhea
dacrioestenose: dacryostenosis
dacriólito: dacryolith
dacrioma: dacryoma
dacriopiose: dacryopyosis
dacriopo: dacryops
dacriossiringe: dacryosyrinx
dáctilo: dactylus
dactilografia: dactylography
dactilogripose: dactylogryposis
dactilólise: dactylolysis
dactilologia: dactylology; signing
dactiloscopia: dactyloscopy
dactinomicina: dactinomycin
dálton: dalton
daltonismo: daltonism
danazol: danazol
dantroleno: dantrolene
dapsona: dapsone
dartos: dartos
darwinismo: darwinism
dátilo: digitus
deanol-acetamidobenzoato: deanol acetamidobenzoate
débil: faint; infirm
debilidade: debility
débito: debt; output
debridamento: débridement
decametônio: decamethonium
decantação: decantation
decapitação: decapitation
decavitamina: decavitamin
decibel: decibel
decídua: decidua
decidual: decidual
deciduíte: decidutis
deciduose: deciduosis
decilitro: deciliter
decitabina: decitabine (DAC)
declinação: declination
declínio: decay

declive: declive; declivis
decompor: rot
decomposição: decomposition; rot
decrudescência: decrudescence
decubital: decubital
decúbito: decubitus
decussação: decussatio; decussation
dedaleira: digitalis
dedo: digit; digitus; finger
dedo do pé: toe
defecação: defecation
defecografia: defecography
defeito: defect; dysfunction
deferencial: deferential
deferente: deferens
deferentectomia: deferentectomy
deferentite: spermatitis
deferoxamina: deferoxamine
defervescência: defervescence
defesa: defense
deficiência: deficiency
deficiência de fosforilase *b* cinase: phosphorylase *b* kinase deficiency
deficiência de lactase: lactase deficiency
deficiência de sacarase-maltase: sucrase-isomaltas
déficit: deficit
deflexão: deflection
deflúvio: defluvium
defluxo: defluxion
deformabilidade: deformability
deformidade: deformity
degeneração: degeneration; retrogression
degenerado: degenerate
degenerar: degenerate
degenerativo: degenerative
deglutição: deglutition
degradação: degradation
degustação: degustation
degustador: taster
deiscência: dehiscence
deitado: recumbent
dejeção: dejection
deleção: deletion
deletério: deleterious
delinqüente: delinquent
deliquescência: deliquescence
deliquescente: deliquescent
delirante: delusional
delírio: delirium; delusion; dizziness
delmadinona: delmadinone
delomorfo: delomorphous
delta: delta
deltóide: deltoid
demecário: demecarium
demeclociclina: demeclocycline
demência: dementia
de mente sã: compos mentis
demo: deme
demografia: demography
demora: lag
demulcente: demulcent
dendrítico: dendritic
dendrito: dendrite; dendron
dendrodendrítico: dendrodendritic

dendrofagocitose: dendrophagocytosis
dendrom: dendron
dengue: dengue
denominação popular da gonorréia: clap
densidade: density
densitometria: densitometry
dentado: dentate
dentadura: denture
dentalgia: dentalgia
dente: dens; fang; tooth
denteado: serrated
dentes: dentes
dentibucal: dentibuccal
dentição: dentition; dentia; teething
dentículo: denticle
dentifrício: dentifrice
dentilabial: dentilabial
dentina: dentin; dentinum
dentinário: dentinal
dentinogênese: dentinogenesis
dentinogênico: dentinogenic
dentinoma: dentinoma
dentista: dentist
dentoalveolar: dentoalveolar
dentofacial: dentofacial
dentotrópico: dentotropic
deorsunvergência: deorsumvergence
deorsunversão: deorsumversion
dependência: dependence; dependency
dependente: dependent
depilação: epilation
depilatório: depilatory
depósito: deposit; depot
L-deprenil: L-deprenyl
depressão: depression; pit; socket;
depressor: depressant; depressor
depuração: clearance
dereísmo: dereism
dereístico: dereistic
derivação: bypass; lead; shunt
derivado: derivative
derma: corium
dermabrasão: dermabrasion
dermatesparaxe: dermatosparaxis
dermatite: dermatitis
dermatoautoplastia: dermatoautoplasty
dermatóbia: Dermatobia
dermatoeteroplastia: dermatoheteroplasty
dermatofarmacologia: dermatopharmacology
dermatofibrossarcoma: dermatofibrosarcoma
dermatofilose: dermatophilosis
dermatofítide: dermatophytid
dermatófito: dermatophyte
dermatofitose: dermatophytosis
dermatoglifo: dermatoglyphics
dermatográfico: dermatographic
dermatografismo: dermatographism
dermatólise: dermatolysis
dermatologia: dermatology
dermatômero: dermatomere
dermatomicose: dermatomycosis
dermatomioma: dermatomyoma
dermatomiosite: dermatomyositis
dermatomiótomo: dermomyotome
dermátomo: dermatome

dermatopatia: dermatopathy
dermatopático: dermatopathic
dermatoplastia: dermatoplasty
dermatoplástico: dermatoplastic
dermatose: dermatosis
dermatozoário: dermatozoon
derme: derma; dermis; corium
dérmico: dermal: dermic
dermoblasto: dermoblast
dermóide: dermoid
dermoidectomia: dermoidectomy
dermopatia: dermopathy
dermossinovite: dermosynovitis
dermovascular: dermovascular
desaceleração: deceleration
desacilase: deacylase
desaferenciação: deafferentation
desajuste: maladjustment
desamidase: deamidase
desamidização: deamidization
desaminação: deamination
desaminase: deaminase
desarticulação: disarticulation
desavolumamento: debulking
desbastamento: planing
descalcificação: decalcification
descamação: dander; desquamation; exfoliation;
  sphacelism
descamativo: desquamative; exfoliative
descanulação: decannulation
descarboxilase: decarboxylase
descarga: discharge
descemetocele: descemetocele
descerebrar: decerebrate
descida: descensus
descolamento: detachment; dyshesion
descolesterolização: decholesterolization
descoloração: decoloration
descompensação: decompensation
descompressão: decompression
descongestivo: decongestant
descontaminação: decontamination
descontrole: dyscontrol
descorticação: decortication
desdentado: edentulous
desdiferenciação: dedifferentiation
desembaraço: disengagement
desenluvar: degloving
desenvolvimento: development
desepicardialização: deepicardialization
desequilíbrio: disequilibrium
desequilíbrio: dizziness; imbalance
deserpidina: deserpidine
desespeciar: despeciate
desfeminização: defeminization
desferrioxamina: desferrioxamine
desfibrilação: defibrillation
desfibrilador: defibrillator
desfibrinação: defibrination
desfibrinogenação: defibrinogenation
desfiladeiro: col
desflurano: desflurane
desgaste: detrition
desidratase: dehydratase
7-desidrocolesterol: 7-dehydrocholesterol

11-desidrocorticosterona: 11-dehydrocorticos-terone
desidroemetina: dehydroemetine
desidroepiandrosterona: dehydroepiandrosterone
desidrogenase: dehydrogenase
desidrorretinol: dehydroretinol
desinfestação: disinfestation
desinfetante: disinfectant
desintegração: decomposition
desintegrante: disintegrant
desionização: deionization
desipramina: desipramine
deslaminação: delamination
deslanosídeo: deslanoside
deslizamento: effleurage
deslocação: dislocation
deslocamento: amotio; dislocation; displacement; luxation
desmaio: syncope
desmamar: wean
desmame: delactation
desmedular: emedullate
desmembramento: dismemberment
desmielinização: demyelination
desmineralização: demineralization
desmite: desmitis
desmocrânio: desmocranium
desmógeno: desmogenous
desmografia: desmography
desmóide: desmoid
desmolase: desmolase
desmopatia: desmopathy
desmoplasia: desmoplasia
desmoplástico: desmoplastic
desmossoma: desmosome
desmotomia: desmotomy
desnasalidade: denasality
desnaturação: denaturation
desnervação: denervation
desnidação: denidation
desnudação: denudation
desnutrição: malnutrition
desocluir: disocclude
desodorante: deodorant
desonida: desonide
desordem: derangement
desorganização: disorganization
desorientação: disorientation
desossificação: deossification
desoxicorticosterona: desoxycorticosterone
11-desoxicorticosterona: 11-deoxycorticosterone (DOC)
desoxiemoglobina: deoxyhemoglobin
desoximetasona: desoximetasone
desoxirribonuclease: deoxyribonuclease
desoxirribonucleoproteína: deoxyribonucleo-protein
desoxirribonucleosídeo: deoxyribonucleoside
desoxirribonucleotídeo: deoxyribonucleotide
desoxirribose: deoxyribose
desoxirribovírus: deoxyribovirus
desoxiuridina: deoxyuridine
despersonalização: depersonalization
despigmentação: dyspigmentation
despolarização: depolarization

despolimerização: depolymerization
desprendimento: detachment; dyshesion
desproporção: disproportion
desrepressão: derepression
dessaturação: desaturation
dessecamento a frio: freeze-drying
dessecante: desiccant
dessensibilização: desensitization
dessexualizar: desexualize
dessorver: desorb
dessulfidrase: desulfhydrase
destilação: distillation; vaporization
destoxificação: detoxification
destreza: handedness
destro: dexter; dextromanual
desvantagem: handicap
desvascularização: devascularization
desvio: deviation; disturbance; drift; bypass; shift; shunt; steal
desvio genicular: bowleg
desviômetro: deviometer
desvitalizar: devitalize
detector: detector
detergente: detergent
deterioração: retrogression
determinação: ascertainment; determination
determinante: determinant
determinismo: determinism
detoxicação: detoxification
detrito: detritus
detrusor: detrusor
detumescência: detumescence
deuteranomalia: deuteranomaly
deuteranômalo: deuteranomalous
deuteranope: deutan
deuteranopia: deuteranopia; deuteranopsia
deuteranópico: deuteranopic
deuteranopsia: deuteranopsia
deutério: deuterium
deuteropatia: deuteropathy
deuteroplasma: deuteroplasm; metaplasm
dexametasona: dexamethasone
dexbronfeniramina: dexbrompheniramine
dexclorfeniramina: dexchlorpheniramine
dexpantenol: dexpanthenol
dextralidade: dextrality
dextrana: dextran
dextranômero: dextranomer
dextrina: dextrin
α-dextrinase: α-dextrinase
dextrinase limite: limit dextrinase
dextrinose: dextrinosis
dextrinúria: dextrinuria
dextro: dextral
dextroanfetamina: dextroamphetamine
dextrocardia: dextrocardia
dextroclinação: dextroclination
dextroducção: dextroduction
dextrogastria: dextrogastria
dextrômano: dextromanual
dextrometorfano: dextromethorphan
dextroposição: dextroposition
dextrorrotação: dextrogyration
dextrorrotatório: dextrorotatory
dextrose: dextrose

dextrossinistro: dextrosinistral
dextrotiroxina: dextrothyroxine
dextroversão: dextroversion
diabetes: diabetes
diabétide: diabetid
diabetogênico: diabetogenic
diabetógeno: diabetogenous
diabrótico: diabrotic
diacetato de diflorasona: diflorasone diacetate
diacetato de etinodiol: ethynodiol diacetate
diacilglicerol: diacylglycerol; diglyceride
diacinese: diakinesis
diáclase: diaclasis
diácrise: diacrisis
díade: dyad
diadococinesia: diadochokinesia
diafemétrico: diaphemetric
diáfise: diaphysis; scapus; shaft
diafisectomia: diaphysectomy
diafisite: diaphysitis
diaforese: diaphoresis; sudoresis
diaforético: diaphoretic
diafragma: diaphragma; midriff
diafragmático: diaphragmatic
diafragmite: diaphragmitis
diagnosticar: diagnose
diagnóstico: diagnosis; diagnostic; diagnostics
diagrama: diagram
dialisador: dialyzer
diálise: dialysis
diâmetro: diameter
p-diaminodifenil: p-diaminodiphenyl
diamniótico: diamniotic
diapausa: diapause
diapedese: diapedesis
diapiese: diapyesis
diapiético: diapyetic
diapófise: diapophysis
diarréia: diarrhea
diarréico: diarrheal; diarrheic
diarticular: diarthric; diarticular
diartrose: diarthrosis
diascópio: diascope
diásquise: diaschisis
diastase: diastase; diastasis
diastema: diastema
diastematocrania: diastematocrania
diastematomielia: diastematomyelia
diastematopielia: diastematopyelia
diástole: diastole
diastólico: diastolic
diastrófico: diastrophic
diataxia: diataxia
diatermia: diathermy
diátese: diathesis
diatético: diathetic
diatomácea: diatom
diatomáceo: diatomaceous
diatrizoato: diatrizoate
diazepam: diazepam
diaziquona: diaziquone (AZQ)
diazotar: diazotize
diazóxido: diazoxide
dibásico: dibasic
dibenzazepina: dibenzazepine

dibenzociclo-heptadieno: dibenzocycloheptadiene
dibenzoxepina: dibenzoxepine
dibotriocefalíase: dibothriocephaliasis
dibotriocéfalo: dibothriocephalus
dibrometo de etileno: 1,2-dibromoethane
dibromocloropropano: dibromochloropropane
dibromodulcitol: dibromodulcitol
1,2-dibromoetano: 1,2-dibromoethane
dibucaína: dibucaine
dicélico: dicoelous
dicêntrico: dicentric
diciclomina: dicyclomine
diclonina: dyclonine
o-diclorobenzeno: o-dichlorobenzene
dicloxacilina: dicloxacilin
dicoriônico: dichorial; dichorionic
dicróico: dichroic
dicroísmo: dichroism
dicromático: dichromatic
dicromatismo: dichromatism
dicromato: dichromate
dicromatopsia: dichromasy; dichromatism; dichromatopsia
dicrótico: dicrotic
dicrotismo: dicrotism
dictioma: diktyoma
dictióteno: dictyotene
dicumarol: dicumarol
didelfia: didelphia
didermoma: bidermoma;l didermoma
2',3'-didesoxiadenosina: 2',3'-dideoxyadenosine
2',3'-didesoxicitidina: 2',3'-dideoxycytidine
2',3'-didesoxinosina: 2',3'-dideoxyinosine
didesoxinucleosídeo: dideoxynucleoside
didimite: didymitis; didymous; didymus
didrogesterona: dydrogesterone
diécio: diecious
dieldrina: dieldrin
diencéfalo: diencephalon
dienestrol: dienestrol
diérese: dieresis
dieta: diet
dietanolamina: diethanolamine
dietética: dietetics; sitology
dietético: dietetic
dietil do ácido lisérgico: lysergic acid diethyl
dietilcarbamazina: diethylcarbamazine
dietilestilbestrol: diethylstilbestrol (DES)
dietilpropiona: diethylpropion
dietiltoluamida: diethyltoluamide
dietiltriptamina (DET): diethyltryptamine
dietista: dietitian
dietoterapia: dietotherapy
difásico: diphasic
difemanil: diphemanil
difenidol: diphenidol
difenidramina: diphenhydramine
difenilamina-clorarsina (DM): diphenylamine chlorarsine
difenilpiralina: diphenylpyraline
difenoxilato: diphenoxylate
diferença: difference
diferenciação: differentiation
difilina: dyphylline
difilobotríase: diphyllobothriasis

difilobótrio: Diphyllobothrium
difiodonte: diphyodont
difosfatidilglicerol: diphosphatidylglycerol
difosfonato: diphosphonate
difração: diffraction
difteria: diphtheria
diftérico: diphtherial; diphtheric; diphtheritic
difteróide: diphtheroid
difundido: diffusate
difusão: diffusion
difuso: diffuse
digástrico: digastric
digenético: digenetic
digestão: digestion
digestivo: digestive
digitação: digitation
digitado: digitate
digital: digital; digitalis
digitalização: digitalization
digitígrado: digitigrade
dígito: digitus
digitonina: digitonin
digitoxigenina: digitoxigenin
digitoxina: digitoxin
diglicerídeo: diglyceride
digoxigenina: digoxigenin
digoxina: digoxin
didrico: dihydric
diidrocodeína: dihydrocodeine
diidroergotamina: dihydroergotamine
diidrofolato: dihydrofolate
diidropirimidina-desidrogenase: dihydropyrimidine dehydrogenase (NADP)
diidrotaquisterol: dihydrotachysterol
diidrotestosterona: dihydrotestosterone
diidroxi: dihydroxy
diidroxiacetona: dihydroxyacetone
diidroxialumínio: dihydroxyaluminum
diidroxicolecalciferol: dihydroxycholecalciferol
3,4-diidroxifenilalanina: dopa
1,25-diidroxivitamina D: 1,25-dihydroxyvitamin D
diidroxivitamina D_3: dihydroxyvitamin D_3
diiodotirosina: diiodotyrosine
diisocianato: diisocyanate
dilaceração: dilaceration
dilatação: dilatation; dilation
dilatado: patulous
dilatador: dilator; reamer
diluente: diluent
diluição: dilution
dimalgia: didymalgia
dimeglumina gadopentetática: gadopentetate dimeglumine
dimenidrinato: dimenhydrinate
dimercaprol: dimercaprol
dímero: dimer
dimeticona: dimethicone
dimetiltriptamina (DMT): dimethyltryptamine
dimetindeno: dimethindene
dimetisoquina: dimethisoquin
diminuto: minute
dimórfico: dimorphic; dimorphous
dimorfismo: dimorphism
dina: dyne
dinâmica: dynamics

dinamômetro: dynamometer
dineína: dynein
dinitro-o-cresol (DNOC): dinitro-o-cresol
dinitrotolueno: dinitrotoluene
dinoflagelado: dinoflagelate
dinorfina: dynorphin
dinucleotídeo: dinucleotide
diolamina: diolamine
dioptometria: dioptometry
dioptria: diopter
dióptrico: dioptric
diovulatório: diovulatory
dioxibenzona: dioxybenzone
dióxido: dioxide
dióxido de silício: silica
dioxilina: dioxyline
dioxina: dioxin
dipeptidase: dipeptidase
diperodon: diperodon
dipetalonema: dipetalonema
dipilídio: dipylidium
dipiridamol: dipyridamole
diplacusia: diplacusis
diplegia: diplegia
diplégico: diplegic
diplobacilo: diplobacillus
diploblástico: diploblastic
diplococo: diplococcus
díploe: diploë
diplóico: diploetic; diploic
diplóide: diploid
diplomielia: diplomyelia
diplopia: ambiopia; diplopia
diplossoma: diplosome
diplóteno: diplotene
dipólo: dipole
dipropionato de beclometasona: beclomethasone dipropionate
dipsese: dipsesis; dipsosis
dipsético: dipsetic
dipsia: dipsia
dipsogênico: dipsogenic
dipsógeno: dipsogen
dipsose: dipsesis; dipsosis
diptérico: dipterous
dípteros: diptera
dique de borracha: dam; rubber dam
direto: rectus
diretor: director
dirofilária: Dirofilaria; heartworm
dirofilaríase: dirofilariasis
disacusia: dysacusis
disafia: dysaphia
disarteriotonia: dysarteriotony
disartria: dysarthria
disartrose: dysarthrosis
disautonomia: dysautonomia
disbarismo: dysbarism
disbasia: dysbasia
disbetalipoproteinemia: dysbetalipoproteinemia
discariose: dyskaryosis
discariótico: dyskaryotic
discectomia: diskectomy
discefalia: dyscephaly
discefálico: dyscephalic

disceratoma: dyskeratoma
disceratose: dyskeratosis
disceratótico: dyskeratotic
discinesia: dyskinesia
discinético: dyskinetic
discissão: abscission; discission
discite: diskitis
disco: disc; discus; disk
discoblástula: discoblastula
discogênico: discogenic
discografia: diskography
discóide: discoid
discondroplasia: dyschondroplastia; chondrodysplasia
discopatia: discopathy
discoplacenta: discoplacenta
discordância: discordance
discordante: discordant
discoria: dyscoria
discrasia: dyscrasia
discromatopsia: dyschromatopsia
discromia: dyschromia
discussivo: discutient
disematopoiese: dyshematopoiesis
disematopoiético: dyshematolopoietic
disembrioma: dysembryoma
disencefalia esplancnocística: dysencephalia splanchnocystica
disenteria: dysentery
disentérico: dysenteric
disergia: dysergia
disestesia: dysesthesia
disfagia: aglutition; dysphagia
disfasia: dysphasia
disfonia: dysphonia
disfônico: dysphonic
disforia: dysphoria
disfunção: dysfunction
disgamaglobulinemia: dysgammaglobulinemia
disgamaglobulinêmico: dysgammaglobulinemic
disgênese: dysgenesis
disgenesia: dysgenesis
disgerminoma: disgerminoma; dysgerminoma
disgeusia: dysgeusia
disgnatia: dysgnathia
disgnático: dysgnathic
disgrafia: dysgraphia
disidrose: dyshidrosis
disjunção: disjunction
dislalia: dyslalia
dislexia: dyslexia
disléxico: dyslexic
dislipoproteinemia: dyslipoproteinemia
dislogia: dyslogia
dismaturidade: dysmaturity
dismelia: dysmelia
dismenorréia: dysmenorrhea; menorrhalgia
dismenorréico: dysmenorrheal
dismetabolismo: dysmetabolism
dismetria: dysmetria
dismimia: dysmimia
dismórfico: dysmorphic
dismorfismo: dysmorphism
disodontíase: dysodontiasis
disontogênese: dysontogenesis

disontogenético: dysontogenetic
disorexia: dysorexia
disosteogênese: dysosteogenesis
disostose: dysostosis; dysosteogenesis
dispareunia: dyspareunia
dispêndio: output
dispensário: dispensary
dispensatório: dispensatory
dispepsia: dyspepsia
dispéptico: dyspeptic
dispersão: dispersion
dispersar: disperse
displasia: dysplasia
displásico: dysplastic
dispnéia: dyspnea
dispnéico: dyspneic
dispositivo: appliance; device
dispraxia: dyspraxia
disprósio: dysprosium
disquezia: dyschezia
disquiria: dyschiria
disrafia: dysraphia; dysraphism; araphia
disrafismo: dysraphia; dysraphism
disritmia: dysrhythmia
dissacaridase: disaccharidase
dissacarídeo: disaccharide
dissebacia: dyssebacea
dissecar: dissect
dissecção: dissection; cutdown
disseminado: disseminated
dissinergia: dyssynergia; hyposynergia
dissociação: dissociation
dissolução: dissolution
dissolver: dissolve
dissulfiram: disulfiram
distal: distad; distal; distalis
distância: distance
distante: distal
distasia: dysstasia
distático: dysstatic
distaxia: dystaxia
distimia: dysthymia
distinto: discrete
distiquíase: distichiasis
distireóideo: dysthyroid; dysthyroidal
distobucoclusal: distobuccooclusal
distobucopulpar: distobuccopulpal
distocia: dystocia
distoclusão: distoclusion
distomíase: distomiasis
distomolar: distomolar
distonia: dystonia
distônico: dystonic
distopia: dystopia
distorção: distortion
distração: distraction
distribuição: distribution
distrofia: dystrophia; dystrophy
distrófico: dystrophic
distrofoneurose: dystrophoneurosis
distúrbio: derangement
distúrbio: disorder; disturbance; dysfunction; complaint
disúria: dysuria
diurético: diuretic; uragogue

diurno: diurnal
divalente: divalent
divalproex sódico: divalproex sodium
divergência: divergence
divergente: deviant; divergent
diverticulectomia: diverticulectomy
diverticulite: diverticulitis
divertículo: diverticulum
diverticulose: diverticulosis
divisão: division; splitting
divulsão: divulsion
divulsionar: divulse
divulsor: divulsor
dizigótico: dizygotic
doador: donor
dobra: fold; plica
dobra da pele: skinfold
dobrado: plicate
dobradura: buckling
docussate: docusate
docussato cálcico: dioctyl calcium sulfosuccinate
docussato sódico: dioctyl sodium sulfosuccinate
doença: disease; complaint; malady; malum; morbus; sickness
doença do astrágalo: loco
doente: ill; sick
dol: dol
dolicocéfalo: dolichocephalic
dolicopelve: dolichopellic; dolichopelvic
dolicopélvico: dolichopellic; dolichopelvic
dolorífico: dolorific; dolorogenic
dolorímetro: dolorimeter
dolorogênico: dolorogenic
doloroso: sore
dominância: dominance
dominante: dominant
domínio: domain
dopa: dopa
dopamina: dopamine
dopaminérgico: dopaminergic
doppler: doppler
dor: dolor; pain
dor de cabeça: headache
dor e rigidez em um músculo: charleyhorse
dorsal: dorsad; dorsal; dorsalis
dorsiflexão: dorsiflexion
dorso: dorsum
dorso do pé: hindfoot
dorsocefálico: dorsocephalad
dorsoducção: deorsumduction
dorsoventral: dorsoventral
dosagem: dosage
dose: dose
dosimetria: dosimetry
douglasite: douglasitis
doutor: doctor
doxacúrio: doxacurium
doxapram: doxapram
doxazosina: doxazosin
doxepina: doxepin
doxiciclina: doxycycline
doxilamina: doxylamine
doxorrubicina: doxorubicin
dracma: dram
dracma líquida: fluidrachm

dracunulíase: dracunculiasis; dracunculosis
dracunculose: dracunculosis
drenagem: drainage
dreno: drain
drepanocitose: drepanocytosis
drocarbila: drocarbil
droga: drug
dromógrafo: dromograph
dromotrópico: dromotropic
dronabinol: dronabinol
droperidol: droperidol
ducção: duction
ducção: duction
ducha: douche
ductal: ductal
dúctil: ductile
ducto: duct; ductus; canal
dúctulo: ductule; ductulus
duodenal: duodenal
duodenectomia: duodenectomy
duodenite: duodenitis
duodeno: duodenum
duodeno-hepático: duodenohepatic
duodenocoledocotomia: duodenocholedochotomy
duodenoenterostomia: duodenoenterostomy
duodenograma: duodenogram
duodenojejunostomia: duodenojejunostomy
duodenoscópio: duodenoscope
duodenostomia: duodenostomy
duplicação: duplication
duplo cego: double blind
dura-máter: dura mater
dural: dural
durapatita: durapatite
durável: fast
duroaracnite: duroarachnitis

E

eburnação: eburnation
ecaudado: ecaudate
ecbólico: ecbolic
ecgonina: ecgonine
echovírus: echovirus
eclâmpsia: eclampsia
eclâmptico: eclamptic
eclamptogênico: eclamptogenic
eco: echo
ecoacusia: echoacousia
ecocardiografia: echocardiography
ecodistribuição: echoranging
ecofonocardiografia: echophonocardiography
ecogenicidade: echogenicity
ecografia: echography; echography
ecolalia: echolalia
ecologia: ecology
ecológico: ecologic; ecological
ecoluminoso: echolucent
econdroma: ecchondroma
economia: economy
ecopatia: echopathy
eopraxia: echopraxia
ecossistema: ecosystem
ecotaxia: ecotaxis
écrino: eccrine

ecrise: eccrisis
ecrítico: eccritic
ectasia: ectasia
ectásico: ectatic
ectetmóide: ectethmoid
ectima: ecthyma; orf
ectoantígeno: ectoantigen
ectoblasto: ectoblast
ectocardia: ectocardia
ectocervical: ectocervical
ectocérvix: ectocervix
ectoderma: ectoderm; ectoblast
ectodermose: ectodermosis
ectoenzima: ectoenzyme
ectógeno: ectogenous
ectômero: ectomere
ectomia: ectomy
ectomorfia: ectomorphy
ectomórfico: ectomorphic
ectoparasita: dermatozoon
ectopia: ectopia
ectópico: ectopic
ectósteo: ectosteal
ectostose: ectostosis
ectótrico: ectothrix
ectrogenia: ectrogeny
ectrogênico: ectrojenic
ectromelia: ectromelia
ectromélico: ectromelic
ectrópico: ectropic
ectrópio: ectropion
ectrossindactilia: ectrosyndactyly
eczema: eczema
edema: dropsy; edema; hydrops
edemágeno: edemagen
edematoso: tumid
edentia: edentia
edetato: edetate
edisilato: edisylate
educável: educable
escafocefalia: scaphocephaly
efapse: ephapse
efáptico: ephaptic
efebiatria: ephebiatrics
efedrina: ephedrine
efeito: effect
efeito colateral: side effect
efélide: ephelis; freckle
efeminação: effemination
eferente: efferent
efetividade: effectiveness
efetor: effector
eficácia: efficacy
eflorescente: efflorescent
eflornitina: eflornithine
eflúvio: effluvium
efusão: effusion
egestão: egestion
ego: ego
egobroncofonia: egobronchophony
egocêntrico: egocentric
egodistônico: egoalien; egodystonic
egoísmo: egoism
egomania: egomania
egossintônico: egosyntonic

egotismo: egotism
eiconômetro: eiconometer; eikonometer
eidético: eidetic
eidoptometria: eidoptometry
einstênio: einsteinium
eixo: axis
ejaculação: ejaculatio; ejaculation
ejaculatório: ejaculatory
elaboração: elaboration
elação: elation
elastância: elastance
elastase: elastase
elastase pancreática: pancreatic elastase
elasticina: elasticin
elastina: elasticin; elastin
elastofibroma: elastofibroma
elastólise: elastolysis
elastoma: elastoma
elastometria: elastometry
elastorrexe: elastorrhexis
elastose: elastosis
elastótico: elastotic
eledoisina: eledoisin
elefantíase: elephantiasis
eleidina: eleidin
elemento: element
eletroafinidade: electroaffinity
eletroanalgesia: electroanalgesia
eletrobiologia: electrobiology
eletrocardiografia: electrocardiography
eletrocardiográfico: electrocardiographic
eletrocardiograma: electrocardiogram
eletrocautério: electrocautery
eletrochoque: electroshock
eletrocirurgia: electrosurgery
eletrocirúrgico: electrosurgical
eletrocisão: electroscission
eletrocoagulação: electrocoagulation
eletrococleografia: electrocochleography
eletrocontratilidade: electrocontractility
eletroconvulsivo: electroconvulsive
eletrocorticografia: electrocorticography
eletroculograma: electrooculogram
eletrodérmico: electrodermal
eletrodessecação: electrodesiccation
eletrodialisador: electrodialyzer
eletrodo: electrode
eletroemostase: electrohemostasis
eletroencefalografia: electroencephalography
eletroencefalográfico: electroencephalographic
eletroestriatograma: electrostriatogram
eletrofílico: electrophilic
eletrófilo: electrophile
eletrofisiologia: electrophysiolgy
eletrofocalização: electrofocusing
eletroforese: electrophoresis
eletroforético: eletrophoretic
eletroforetograma: electrophoretogram
eletrogastrografia: electrogastrography
eletrogastrográfico: electrogastrographic
eletrogênico: electrogenic
eletrograma: electrogram
eletrogustometria: electrogustometry
eletroimunodifusão: electroimmunodiffusion
eletroisterografia: electrohysterography

eletrolfatograma: electroolfactogram
eletrólise: electrolysis
eletrólito: electrolyte
eletromagnético: electromagnetic
eletromagneto: electromagnet
eletromiografia: electromyography (EMG)
eletromiográfico: electromyographic
elétron: electron
eletronarcose: electronarcosis
eletrondenso: electrondense
eletronegativo: electronegative
eletroneurografia: electroneurography
eletroneuromiografia: electroneuromyography
eletrônico: electronic
eletronistagmografia: electronystagmography
eletroquimografia: electrokymography
eletrorretinógrafo: electroretinograph
eletroscópio: electroscope
eletrotaxia: electrotaxis
eletroterapia: electrotherapy
eletroterapia do sono: electrosleep
eletrotônico: electrotonic
eletrótonus: electrotonus
eletrouretrografia: electroureterography
eletrovalência: electrovalence
eletrovalente: electrovalent
eletroverter: electrovert
eletuário: electuary
elevador: elevator; levator
eliminação: elimination
eliptocitose: elliptocytosis
elixir: elixir
elixir paregórico: paregoric
eluato: eluate
elução: elution
elutriação: elutriation
em direção à base: basilad
em direção à cabeça: cephalad
em direção à periferia: peripherad
em direção ao atlas: atlantad
em direção ao centro: centrad
em direção ao lado direito: dextrad
em direção ao sacro: sacrad
emaciação: emaciation
emaciado: tabescent
emasculação: emasculation
embainhado: vaginate
embainhamento: cuffing
embalsamamento: embalming
embaraçar: embarrass
embebição: imbibition
embolectomia: embolectomy
embolia: embolism
embolização: embolization
êmbolo: embolus
embotamento: obtundation
embotante: obtundent
embrasadura: embrasure
embriaguez: drunkenness
embrião: embryo
embriectomia: embryectomy
embriogenético: embryogenetic; embryogenic
embriogenia: embryogeny
embriogênico: embryogenetic; embryogenic
embriologia: embryology

embriológico: embryologic
embrioma: embryoma
embrionário: embryonal; embryonic
embriopatia: embryopathy
embrioplástico: embryoplastic
embriotomia: embryotomy
embriotoxo: embryotoxon
embriotrofia: embryotrophy
embriotrofo: embryotroph
emenagogo: emmenagogue
emênia: emmenia
emênico: emmenia
emenologia: emmenology
emergente: emergent
emese: emesis
emético: emetic; vomitory
emetina: emetine
emetocatártico: emetocathartic
emetropia: emmetropia
emetrópico: emmetropic
emigração: emigration
eminência: eminence; eminentia
emiocitose: emiocytosis
emissão: emission
emissário: emissary
emoção: emollient
emoliente: emollient
empatia: empathy
empático: empathic
empiema: empyema
empiêmico: empyemic
empírico: empiric; empirical
empirismo: empiricism
emplastro: plaster
empola: blister
emprostótono: emprosthotonos
emulgente: emulgent
emulsão: emulsion
emulsóide: emulsoid
enalapril: enalapril
enalaprilato: enalaprilat
enantato: enanthate
enantema: enanthema
enantiobiose: enantiobiosis
enantiomorfo: enantiomorph
enartrose: enarthrosis
encainida: encainide
encarceramento: incarceration
encastelado: hoof-bound
encatarrafia: enkatarrhaphy
encefalalgia: encephalalgia; headache
encefalatrofia: encephalatrophy
encefálico: encephalic
encefalina: enkephalin
encefalite: encephalitis
encefalitogênico: encephalitogenic
encefalmiocardite: encephalomyocarditis
encéfalo: brain; encephalon
encefalocele: cephalocele; craniocele; encephalocele
encefalocistocele: encephalocystocele
encefalografia: encephalography
encefalóide: encephaloid
encefalólito: encephalolith
encefaloma: encephaloma

encefalomalacia: encephalomalacia
encefalomeningite: encephalomeningitis
encefalomeningocele: encephalomeningocele
encefalômero: encephalomere
encefalômetro: encephalometer
encefalomielite: encephalomyelitis
encefalomieloneuropatia: encephalomyeloneuropathy
encefalomielorradiculite: encephalomyeloradiculitis
encefalomielorradiculopatia: encephalomyeloradiculopathy
encefalopatia: encephalopathy; encephalosis
encefalopiose: encephalopyosis
encefalorragia: encephalorrhagia
encefalose: encephalosis
encefalotomia: encephalotomy
enchimento: filling
enciese: encyesis
enciopielite: encyopyelitis
encistado: encysted
encondroma: enchondroma
encondromatose: enchondromatosis
encondromatoso: enchondromatous
encoprese: encopresis
encrave: enclave
endângio: endangium
endarterectomia: endarterectomy
endartéria: endartery
endarterite: endarteritis
endaural: endaural
endêmico: endemic
endemoepidêmico: endemoepidemic
endentado: crenate; crenated
endergônico: endergonic
endoaneurismorrafia: endoaneurysmorrhaphy
endoaortite: endoaortitis
endoapendicite: endoappendicitis
endoblasto: endoblast
endobronquite: endobronchitis
endocardíaco: endocardial; intracardiac
endocárdio: endocardium
endocardite: endocarditis
endocardítico: endocarditic
endocervical: endocervical
endocérvix: endocervix
endocistite: endocystitis
endocitose: endocytosis
endocolite: endocolitis
endocondral: endochondral
endocrânio: endocranium
endócrino: endocrine
endocrinologista: endocrinologist
endocrinopatia: endocrinopathy
endocrinopático: endocrinopathic
endoderma: endoderm
endodermófitos: Endodermophyton
endodontia: endodontics; endodontology
endodôntio: endodontium
endodontologia: endodontology
endoenterite: endoenteritis
endoesqueleto: endoskeleton
endofítico: endophytic
endófito: endophyte
endoftalmite: endophthalmitis

endogamia: endogamy; inbreeding
endógamo: endogamous
endógeno: endogenous
endolaríngeo: endolaryngeal
endolinfa: endolymph
endolinfático: endolymphatic
endolisina: endolysin
endometrial: endometrial
endométrio: endometrium
endometrioma: endometrioma
endometriose: endometriosis
endometriótico: endometriotic
endometrite: endometritis
endomiocárdico: endomyocardial
endomiocardite: endomyocarditis
endomísio: endomysium
endomitose: endomitosis
endomitótico: endomitotic
endomorfo: endomorph
endoneural: endoneurial
endoneurite: endoneuritis
endoneuro: endoneurium; epilemma
endonuclease: endonuclease
endopélvico: endopelvic
endopeptidase: endopeptidase
endopericardite: endopericarditis
endoperitonite: endoperitonitis
endopiplóide: endopolyploid
endoprótese: endoprosthesis
endorfina: endorphin
endorreduplicação: endoreduplication
endoscopia: endoscopy
endoscópico: endoscopic
endoscópio: endoscope
endosmose: endosmosis
endosmótico: endosmotic
endossalpingoma: endosalpingoma
endossoma: endosome
endósteo: endosteal
endosteoma: endosteoma
endotelial: endothelial
endotélio: endothelium
endotelioblastoma: endothelioblastoma
endoteliócito: endotheliocyte
endoteliocorial: endotheliochorial
endotelioma: endothelioma
endoteliomatose: endotheliomatosis
endoteliose: endotheliosis
endotendíneo: endotendineum
endotermia: endothermy
endotérmico: endothermic
endotoxemia: endotoxemia
endotoxina: endotoxin
endotraquelite: endotrachelitis
endotrix: endothrix
endourologia: endourology
endovasculite: endovasculitis
endrina: endrin
endurecimento: induration
eneloblastoma: enameloma
enema: clyster; enema
energia: energy
enervação: enervation
enfaixamento: banding
enfaixar: banding

enfermagem-obstetrícia: nurse-midwifery
enfermagem: nursing
enfermaria: infirmary; ward
enfermeira inscrita: registrant
enfermeira-parteira: nurse-midwife
enfermeiro: orderly
enfermidade: illness; malady; morbus
enfermo: infirm
enfisema: emphysema
enol: enol
enolase: enolase
enostose: enostosis
enrugado: plicate
ensaio: assay; trial
ensiforme: ensiform
enstrofia: enstrophe
entalhador: carver
entalhe: nicking
entalpia: enthalpy
entamebíase: entamebiasis
enteralgia: enteralgia
entérico: enteric
enterite: enteritis
enterobíase: enterobiasis
enterocele: enterocele
enterocentese: enterocentesis
enterocinese: enterokinesia
enterocinético: enterokinetic
enterocisto: enterocyst
enterocistoma: enterocystoma
enteróclise: enteroclysis
enterococo: enterococcus
enterocolectomia: enterocolectomy
enterocolite: enterocolitis
enterocutâneo: enterocutaneous
enteroenterostomia: enteroenterostomy
enteroepatite: enterohepatitis
enteroepatocele: enterohepatocele
enteroepiplocele: enteroepiplocele
enterogastrona: enterogastrone
enterógeno: enterogenous
enteroglucagon: enteroglucagon
enterografia: enterography
enteroidrocele: enterohydrocele
enterólise: enterolysis
enterólito: enterolith
enterologia: enterology
enteromerocele: enteromerocele
enteromicose: enteromycosis
ênteron: enteron
enteroparesia: enteroparesis
enteropatia: enteropathy
enteropatogênese: enteropathogenesis
enteropeptidase: enteropeptidase
enteropexia: enteropexy
enteroplastia: enteroplasty
enteroplegia: enteroplegia
enterorragia: enterorrhagia
enterorrexe: enterorrhexis
enteroscópio: enteroscope
enterossepse: enterosepsis
enterostaxe: enterostaxis
enterostenose: enterostenosis
enterostomia: enterostomy
enterostômico: enterostomal

enterotoxemia: enterotoxemia
enterotoxina: enterotoxin
enterotrópico: enterotropic
enterovaginal: enterovaginal
enterovenoso: enterovenous
enterovesical: enterovesical
enteroviral: enteroviral
enterovírus: enterovirus
enterozoário: enterozoon
enterozóico: enterozoic
entese: enthesis
entesopatia: enthesopathy
entetobiose: enthetobiosis
entipia: entypy
entoblasto: entoblast
entocórnea: entocornea
entocoróide: entochoroidea
entoderma: endoblast
entoderma: endoderm; entoderm
entodérmico: entodermal; entodermic
entômio: entomion
entomoftoramicose: entomophthoromycosis
entomologia: entomology
entópico: entopic
entóptico: entoptic
entoptoscopia: entoptoscopy
entorpecimento: numbness
entorretina: entoretina
entorse: sprain
entozoário: entozoon
entozóico: entozoic
entrada: inlet
entropia: entropy
entrópio: entropion
enucleação: enucleation
enurese: enuresis
enurético: enuretic
envelhecimento: aging
envenenamento: envenomation; poisoning
envoltório: pack
enxaqueca: hemicrania; migraine
enxerto: engraftment; graft
enxofre: sulfur
enzigótico: enzygotic
enzima: enzyme
enzima conversora da angiotensina: angiotensin converting enzyme
enzima desramificadora: debrancher enzyme
enzima ramificadora: brancher enzyme
enzimopatia: enzymopathy
enzoótico: enzootic
eosina: eosin
eosinófilo: eosinophil
eosinofilopoietina: eosinophilopoiethin
eosinofilotático: eosinophilotactic
eosinopenia: eosinopenia
epactal: epactal
epalobiose: epallobiosis
epaxial: epaxial
epêndima: ependyma
ependimário: ependymal
ependimoblasto: ependymoblast
ependimócito: ependymocyte
ependimoma: ependymoma
epiandrosterona: epiandrosterone

epiblástico: epiblastic; epiblast
epibléfaro: epiblepharon
epibolia: epiboly
epibulbar: epibulbar
epicantal: epicanthal
epicanto: epicanthus
epicárdia: epicardia
epicárdio: epicardium
epicistotomia: epicystotomy
epícito: epicyte
epiclerite: episcleritis
epicondilalgia: epicondylalgia
epicôndilo: epicondyle
epicórion: epichorion
epicrânio: epicranium
epicrise: epicrisis
epicrítico: epicritic
epidêmico: epidemic
epidemiologia: epidemiology
epiderme: epidermis
epidérmico: epidermic
epidermidalização: epidermidalization
epidermite: epidermitis
epidermodisplasia: epidermodysplasia
epidermofitose: epidermophytosis
epidermóide: epidermoid
epidermoidoma: epidermoidoma
epidermólise: epidermolysis
epidermomicose: epidermomycosis
epididimário: epididymal
epididimite: epididymitis
epidídimo: epididymis
epididimorquite: epididymoorchitis
epididimovasostomia: epididymovasostomy
epidural: epidural
epidurografia: epidurography
epiesterno: episternum
epiestriol: epiestriol
epifaringe: epipharynx
epifaríngeo: epipharyngeal
epifenômeno: epiphenomenon
epifisário: epiphyseal
epífise: epiphysis
epifisite: epiphysitis
epífita: epiphyte
epifítico: epiphytic
epífora: epiphora
epigástrico: epigastric
epigástrio: epigastrium
epigastrocele: epigastrocele
epigênese: epigenesis
epigenético: epigenetic
epiglote: epiglottis
epiglótico: epiglotic
epiglotidectomia: epiglottidectomy
epiglotidite: epiglottiditis
epilema: epilemma
epilepsia: epilepsia; epilepsy
epileptiforme: epileptoid
epileptogênico: epileptogenic
epileptóide: epileptoid
epimandibular: epimandibular
epimenorragia: epimenorrhagia
epimenorréia: epimenorrhea
epimerase: epimerase

epimerização: epimerization
epímero: epimer; epimere
epimísio: epimysium
epimisiotomia: epimysiotomy
epimórfico: epimorphic
epimorfose: epimorphosis
epinefrina: epinephrine
epinefro: epinephros
epineural: epineurial
epineuro: epineurium
epipia: epipia
epipial: epipial
epípigo: epipygus
epiplocele: epiplocele
epiploenterocele: epiploenterocele
epiplóico: epiploic
epiplomerocele: epiplomerocele
epíplon: epiploon
epiplonfalocele: epiplomphalocele
epiplosqueocele: epiploscheocele
epirrubicina: epirubicin
episclera: episclera
episioperineoplastia: episioperineoplasty
episioperineorrafia: episioperineorrhaphy
episiorrafia: episiorrhaphy
episiostenose: episiostenosis
episiotomia: episiotomy
episódio: episode
epispadia: epispadias
epissoma: episome
epistaxe: epistaxis; rhinorrhagia
epistrofeu: epistropheus
epitálamo: epithalamus
epitelial: epithelial
epitélio: epithelium
epiteliocorcônico: epitheliochorial
epiteliólise: epitheliolysis
epiteliolisina: epitheliolysin
epiteliolítico: epitheliolytic
epitelioma: epithelioma
epiteliomatoso: epitheliomatous
epitelite: epithelitis
epitelização: epithelialization
epitelizar: epithelialize
epitendíneo: epitendineum
epitimpânico: epitympanic
epitímpano: epitympanum
epítopo: epitope
epitríquio: epitrichium
epitróclea: epitrochlea
epizoótico: epizootic
epizootiologia: epizootiology
epoetina: epoetin
eponíquio: eponychium
epoóforo: epoöphoron
epóxi: epoxy
epúlide: epulis
equação: equation
equiaxial: equiaxial
equilíbrio: balance; equilibration; equilibrium
equimoma: ecchymoma
equimose: ecchymosis; suggillation
equimótico: ecchymotic
eqüino: equine
equinococo: caseworm

eqüinovalgo: equinovalgus
eqüinovarus: equinovarus
equipe: staff
eqüipotencial: equipotential
equivalente: equivalent
érbio: erbium
ereção: erection
eretor: erector
erg: erg
ergasia: ergasia
ergastoplasma: ergastoplam
ergocalciferol: ergocalciferol
ergômetro: dynamometer; ergometer
ergonomia: ergonomics
ergonovina: ergonovine
ergostático: ergostat
ergosterol: ergosterol
ergotamina: ergotamine
ergotismo: ergotism
erisipela: erysipelas
erisipelóide: erysipeloid
eritema: erythema
eritema pérnio: chilblain; chilblains; pernio
eritema solar: sunburn
eritrasma: erythrasma
eritremia: erythremia
eritritil: erythrityl
eritritol: erythritol
eritroblasto: erythroblast
eritroblastoma: erithroblastoma
eritroblastopenia: erythroblastopenia
eritroblastose: erythroblastosis
eritroblastótico: erythroblastotic
eritroceratodermia: erythrokeratodermia
eritrocianose: erythrocyanosis
eritrocinética: erythrokinetics
eritrocitaférese: erythrocytapheresis
eritrocitemia: erythrocythemia
eritrócito: erythrocyte
eritrocitofagia: erythrocytophagy
eritrocitólise: erythrocytolysis
eritrocitorrexia: erythrocytorrhexis; erythrorrhexis
eritrocitose: erythrocytosis
eritrocitosquise: erythrocytoschisis
eritroclasia: erythroclasis
eritroclástico: erythroclastic
eritrocromia: erythrochromia
eritroderma: erythroderma
eritrodontia: erythrodontia
eritrófago: erythrophage
eritrófilo: erythrophil
eritrofobia: erythrophobia
eritrofose: erythrophose
eritrogênese: erythrogenesis
eritrogênico: erythrogenic
eritróide: erythroid
eritrolábio: erythrolabe
eritroleucemia: erythroleukemia
eritromelalgia: erythromelalgia
eritromicina: erythromycin
éritron: erythron
eritroneocitose: erythroneocytosis
eritropenia: erythropenia
eritroplaquia: erythroplakia
eritroplasia: erythroplasia

eritropoiese: erythropoiesis
eritropoiético: erythropoietic
eritropoietina: erythropoietin
eritroprosopalgia: erythroprosopalgia
eritrorrexia: erythrorrhexis
eritrose: erythrosis
eritrosina sódica: erythrosine sodium
eritrostase: erythrostasis
erliquiose: ehrlichiosis
erógeno: erogenous
erosão: erosion
erosivo: erosive
erótico: erotic
erotismo: erotism
erotofobia: erotophobia
erotogênico: erotogenic
erotomania: erotomania
erupção: eruption
erutação: eructation
erva: herb
erva santa: eriodictyon
erva-moura: nightshade
escabicida: scabicide
escabiose: scabies
escabioso: scabietic
escafocefálico: scaphocephalic; scaphocephalous
escafóide: scaphoid
escafoidite: scaphoiditis
escala: scala; scale
escaldadura: scald
escaldar: scald
escaldo: scald
escalenectomia: scalenectomy
escalenotomia: scalenotomy
escalpelo: scalpel
escalpo: scalp
escama: scale; scute; squama; squame
escamado: squamate; squamous
escamoccipital: squamo-occipital
escamoparietal: squamoparietal; squamosoparietal
escamoso: squamous
escamosoparietal: squamosoparietal
escândio: scandium
escape: escape
escápula: peg; scapula; shoulder-blade
escapulalgia: scapulalgia
escapulectomia: scapulectomy
escapuloclavicular: scapuloclavicular
escapulopexia: scapulopexy
escapuloumeral: scapulohumeral
escara: bedsore; eschar
escarificação: scarification
escarificador: scaler; scarificator; scarifier
escarlatina: scarlatina
escarlatinela: scarlatinella
escarlatínico: scarlatinal
escarlatiniforme: scarlatiniform
escarótico: escharotic
escarro: expectoration; sputum
escatol: skatole
escatologia: scatology
escatológico: scatological
escatoscopia: scatoscopy
escavação: cupping; excavatio; excavation
escavações rasas em forma de pires: dellen

escavante: excavatio
esclera: sclera; sclerotica
escleradenite: scleradenitis
escleral: scleral
esclerectasia: sclerectasia
esclerectoiridectomia: sclerectoiridectomy
esclerectoiridodiálise: sclerectoiridodialysis
esclerectomia: sclerectomy
escleredema: scleredema
esclerema: sclerema
escleriritomia: scleriritomy
esclerite: scleritis
escleroblastema: scleroblastema
escleroblastêmico: scleroblastemic
escleroceratite: sclerokeratitis
esclerócio: sclerotium
esclerocórnea: sclerocornea
esclerocoroidite: sclerochoroiditis
esclerodactilia: sclerodactyly
esclerodermia: scleroderma
escleroftalmia: sclerophthalmia
esclerógeno: sclerogenous
escleroirite: scleroiritis
escleroma: scleroma
escleromalacia: scleromalacia
esclerômero: scleromere
escleromixedema: scleromyxedema
escleronixe: scleronyxis
esclerooforite: sclero-oophoritis
esclerosante: sclerosant
esclerose: sclerose; sclerosis
escleroso: sclerous
esclerostenose: sclerostenosis
esclerostomia: sclerostomy
escleroterapia: sclerotherapy
esclerótica: sclerotica
esclerótico: sclerotic
esclerotite: sclerotitis
esclerotomia: sclerotomy
esclerótomo: sclerotome
escólex: scolex
escólice: scolex
escoliocifose: scoliokyphosis
escoliose: scoliosis
escoliosiometria: scoliosiometry
escoliótico: scoliotic
escopofilia: scopophilia
escopofobia: scopophobia
escopolamina: hyoscine; scopolamine
escorbútico: scorbutic
escorbutigênico: scorbutigenic
escorbuto: scorbutus; scurvy
escorcina: escorcin
escordinema: scordinema
escore: score
escoriação: excoriation
escotocromogênico: scotochromogenic
escotocromógeno: scotochromogen
escotodinia: scotodinia
escotofilia: scotophilia
escotofobia: scotophobia
escotoma: scotoma
escotomatoso: scotomatous
escotometria: scotometry
escotomização: scotomization

escotomatógrafo: scotomagraph
escotopia: scotopia
escotópico: scotopic
escotopsina: scotopsin
escrobiculado: scrobiculate
escrófula: scrofula
escrofulodermia: scrofuloderma
escrópulo: scruple
escrotal: scrotal
escrotectomia: scrotectomy
escrotite: scrotitis
escroto: scrotum
escrotocele: scrotocele
escrotoplastia: scrotoplasty
escudo: escutcheon; scute; scutum; shield
Esculápio: Aesculapius
escutiforme: scutiform
escútulo: scutulum
esfacelado: sphacelous
esfacelamento: sphacelation
esfacelar: sphacelate
esfacelismo: sphacelism
esfacelo: slough; sphacelus
esfaceloderma: sphaceloderma
esfênio: sphenion
esfenoidal: sphenoidal
esfenóide: sphenoid
esfenoidite: sphenoiditis
esfenoidotomia: sphenoidotomy
esfera: sphere
esferocítico: spherocytic
esferócito: spherocyte
esferocitose: spherocytosis
esferóide: spheroid; spheroidal
esficteriano: sphincteral; sphincteric
esfígmico: sphygmic
esfigmodinamômetro: sphygmodynamometer
esfigmográfico: sphygmographic
esfigmógrafo: sphygmograph
esfigmograma: sphygmogram
esfigmóide: sphygmoid
esfigmomanômetro: sphygmomanometer
esfigmômetro: sphygmometer
esfigmoscópio: sphygmoscope
esfigmotonômetro: sphygmotonometer
esfíncter: sphincter
esfincteralgia: sphincteralgia
esfincterectomia: sphincterectomy
esfinctérico: sphincteral: sphincteric
esfincterismo: sphincterismus
esfincterite: sphincteritis
esfincterólise: sphincterolysis
esfincteroplastia: sphincteroplasty
esfincterotomia: sphincterotomy
esfinganina: sphinganine
esfingolipídeo: sphingolipid
esfingolipidose: sphingolipidosis
esfingolipodistrofia: sphingolipodystrophy
esfingomielina: sphingomyelin
esfingosina: sphingosine
esfolar: chafe
esforço: molimen
esforço ocular: eyestrain
esfregaço: smear
esmalte: enamel; enamelum; glaze

esmegma: smegma
esmegmático: smegmatic
esmeril: emery
esmolol: esmolol
esoesfenoidite: esosphenoiditis
esofagectasia: esophagectasia
esofágico: esophageal
esofagismo: esophagism
esofagite: esophagitis
esôfago: esophagus; gullet
esofagocele: esophagocele
esofagocoloplastia: esophagocoloplasty
esofagodinia: esophagodynia
esofagoesofagostomia: esophagoesophagostomy
esofagoestenose: esophagostenosis
esofagogástrico: esophagogastric
esofagogastroduodenoscopia: esophagogastro-
   duodenoscopy (EGD)
esofagogastroplastia: esophagogastroplasty
esofagogastrostomia: esophagogastrostomy
esofagojejunostomia: esophagojejunostomy
esofagomiotomia: esophagomyotomy
esofagoplicatura: esophagoplication
esofagorrespiratório: esophagorespiratory
esofagoscopia: esophagoscopy
esofagotomia: esophagotomy
esoforia: esophoria
esogastrite: esogastritis
esotropia: cross-eye; esotropia
esotrópico: esotropic
espacial: spatial
espaço: space; spatium
espalhado: disseminated
esparavão: spavin
espárgano: sparganum
esparganose: sparganosis
espasmo: spasm; spasmus
espasmo clônico: clonospasm
espasmódico: spasmodic
espasmólise: spasmolysis
espasmolítico: spasmolytic
espasticidade: spasticity
espástico: spastic
espátula: spatula
espatulado: spatulate
especialidade: specialty
especialista: specialist
espécie-específico: species-specific
especiação: speciation
espécie: species
especificidade: specificity
específico: specific
específico da espécie: species-specific
espécime: specimen
espectinomicina: spectinomycin
espectral: spectral
espectrina: spectrin
espectro: spectrum
espectrofotômetro: spectrophotometer
espectrometria: spectrometry
espectroscópio: spectroscope
espéculo: speculum
espelho: mirror
esperma: sperm
espermático: spermatic

espermátide: spermatid; spermatoblast
espermatite: spermatitis
espermatoblasto: spermatoblast
espermatocele: spermatocele
espermatocelectomia: spermatocelectomy
espermatocida: spermatocidal
espermatocistectomia: spermatocystectomy
espermatocistite: spermatocystitis
espermatocisto: spermatocyst
espermatocistotomia: spermatocystotomy
espermatócito: spermatocyte
espermatocitogênese: spermatocytogenesis
espermatogênese: spermatogenesis
espermatogênico: spermatogenic
espermatógeno: spermatogenic
espermatogônia: spermatogonium
espermatóide: spermatoid
espermatólise: spermatolysis
espermatolítico: spermatolytic
espermatopatia: spermatopathia
espermatorréia: spermatorrhea
espermatosquese: spermatoschesis
espermatozoicida: spermatozoicide
espermatozóico: spermatozoal
espermatozóide: spermatozoon
espermatúria: spermaturia
espermectomia: spermectomy
espermicida: spermatocidal; spermatozoicide;
   spermicidal; spermicide
espermiducto: spermiduct
espermiogênese: spermiogenesis
espermoflebectasia: spermophlebectasia
espermólito: spermolith
espermoneuralgia: spermoneuralgia
espessado: spissated
espessura: thickness
espícula: spicule; spiculum
espiga: spica; spike
espinha: acantha; spina; spine
espinhal: spinal
espinhoso: spinate; spinous
espinípeto: spinipetal
espinobulbar: spinobulbar
espinocerebelar: spinocerebellar
espiradenoma: spiradenoma
espiral: coil; spiral; volute
espiralado: volute
esprema: spireme
espirilicida: spirillicidal
espirilo: spirillum
espirilose: spirilosis
espirógrafo: pneumatograph; spirograph
espirograma: pneogram; spirogram
espiróide: spiroid
espirolactona: spirolactone
espirometria: spirometry
espirométrico: spirometric
espirômetro: pneometer; spirometer
espironolactona: spironolactone
espiroqueta: spirochete
espiroqueticida: spirocheticidal; spirocheticide
espiroquetólise: spirochetolysis
espiroquetolítico: spirochetolytic
espiroquetose: spirochetosis
espirrar: sneeze; ptarmus; sneeze

esplancnectopia: splanchnectopia
esplancnestesia: splanchnesthesia
esplancnestésico: splanchnesthetic
esplancnicectomia: splanchnicectomy
esplâncnico: splanchnic
esplancnicotomia: splanchnicotomy
esplancnocele: splanchnocele; splanchnocoele
esplancnodiastase: splanchnodiastasis
esplancnoesqueleto: splanchnoskeleton
esplancnografia: splanchnography
esplancnólito: splanchnolith
esplancnologia: splanchnology
esplancnomegalia: splanchnomegaly; visceromegaly
esplancnopatia: splanchnopathy
esplancnopleura: splanchnopleure
esplancnosclerose: splanchnosclerosis
esplancnotomia: splanchnotomy
esplancnótribo: splanchnotribe
esplenalgia: splenalgia
esplenectomia: splenectomy
esplenectopia: splenectopia; splenectopy
esplenepatomegalia: splenohepatomegaly
esplênico: lienal; splenic; splenium
esplenite: splenitis
esplenização: splenization
espleno-hepatomegalia: splenohepatomegaly
esplenocele: splenocele
esplenócito: splenocyte
esplenocólico: splenocolic
esplenografia: splenography
esplenóide: splenoid
esplenólise: splenolysis
esplenolisina: splenolysin
esplenoma: splenoma
esplenomalacia: splenomalacia
esplenomedular: splenomedullary
esplenomegalia: splenomegaly
esplenomielógeno: splenomyelogenous
esplenopancreático: splenopancreatic
esplenopatia: splenopathy
esplenopexia: splenopexy
esplenopneumonia: splenopneumonia
esplenoptose: splenoptosis
esplenorrafia: splenorrhaphy
esplenorragia: splenorrhagia
esplenotomia: splenotomy
esplenotoxina: lienotoxin
espodógeno: spodogenous
espondilalgia: spondylalgia
espondilartrite: spondylarthritis
espondilite: spondylitis
espondilítico: spondylitic
espondilizema: spondylizema
espondilocace: spondylocace
espondilodídimo: spondylodymus
espondilodinia: spondylalgia; spondylodynia
espondilólise: spondylolysis
espondilolistese: spondylolisthesis
espondilolistético: spondylolisthetic
espondilopatia: spondylopathy
espondilopiose: spondylopyosis
espondilose: spondylosis
espondilosquise: spondyloschisis
espondilossíndese: spondylosyndesis
espondilótico: spondylotic

espongiforme: spongiform
espongioblasto: spongioblast
espongioblastoma: spongioblastoma
espongiócito: spongiocyte
espongióide: spongioid
espongioplasma: spongioplasm
espongiose: spongiosis
espongiosite: spongiositis
esponja: sponge
esponjosaplastia: spongiosaplasty
esponjoso: spongiosa
esporádico: sporadic
esporângio: sporangium
esporão: calcar; spur
esporão do centeio: ergot
esporicida: sporicidal; sporicide
esporo: spore
esporoaglutinação: sporoagglutination
esporoblasto: sporoblast
esporocisto: sporocyst
esporogênico: sporogenic
esporogonia: sporogony
esporogônico: sporogonic
esporonte: sporont
esporoplasma: sporoplasm
esporotricose: sporotrichosis
esporozoário: sporozoan
esporozoíto: sporozoite
esporozoonte: sporozoon
esporulação: sporulation
espórulo: sporule
espru: sprue
esputo: sputum
esquelalgia: skelalgia
esquelético: skeletal
esqueletização: skeletization
esqueleto: skeleton
esqueletogênico: skeletogenous
esqueletogênio: skeletogenous
esqueneíte: skenitis
esquenite: skenitis
esquerdo: sinister
esquimência: quinsy
esquindilese: schindylesis
esquistocéfalo: schistocephalus
esquistocelia: schistocoelia
esquistócito: schistocyte
esquistocitose: schistocytosis
esquistocormo: schistocormus; schistosomus
esquistômelo: schistomelus
esquistoprosopo: schistoprosopus
esquistossoma: schistosome
esquistossomicida: schistosomicide
esquistossômica: schistosomal
esquistossomo: schistocormus; schistosomus
esquistossomose: schistosomiasis
esquistotórax: schistothorax
esquizâmnio: schizamnion
esquizofasia: schizophasia
esquizofrenia: schizophrenia
esquizofrênico: schizophrenic
esquizogênese: schizogenesis
esquizogênico: schizogenous
esquizogiria: schizogyria
esquizogonia: schizogony

esquizogônico: schizogonic
esquizóide: schizoid
esquizoníquia: schizonychia
esquizonte: schizont
esquizotípico: schizotypal
esquizotriquia: schizotrichia
essência: essence
essencial: essential
estacionário: stabile
estadiamento: staging
estádio: stadium
estado: state; status
estado de nutrição: nutriture
estafiledema: staphyledema
estafilina: staphyline
estafilite: staphylitis
estafilococcemia: staphylococcemia
estafilocócico: staphylococcal; staphylococcic
estafilococo: staphylococcus
estafilodermia: staphyloderma
estafilodiálise: staphylodialysis
estafilófitos: statoconia
estafilolisina: staphylolysin
estafiloma: staphyloma
estafilomatoso: staphylomatous
estafiloncose: staphyloncus
estafiloplastia: staphyloplasty
estafiloptose: staphyloptosia
estafilorrafia: staphylorrhaphy; uranorrhaphy
estafilosquise: staphyloschisis
estafilotomia: staphylotomy
estágio: stadium; stage
estalagmômetro: stalagmometer
estalido: click; snap
estanho: stannum; tin
estanhoso: stannous
estanozolol: stanozolol
estapedectomia: stapedectomy
estapedial: stapedial
estapédico: stapedial
estapédio: stapes; stirrup
estapediotenotomia: stapediotenotomy
estapediovestibular: stapediovestibular
estapedotomia: stapedotomy
estase: stasis
estático: static
estatística: statistics
estatoacústico: statoacoustic
estatocônios: statoconia
estatólito: statolith
estatômetro: statometer
estatura: stature
estável: stabile
estaxe: staxis
estearato: stearate
esteatite: steatitis
esteatocistoma: steatocystoma
esteatógeno: steatogenous
esteatólise: steatolysis
esteatolítico: steatolytic
esteatoma: steatoma
esteatomatose: steatomatosis
esteatonecrose: steatonecrosis
esteatopígia: steatopygia
esteatopígico: steatopygous

esteatorréia: steatorrhea
esteatose: steatosis
estefânico: stephanial
estefânio: stephanion
estegnose: stegnosis
estegnótico: stegnotic
estematologia: esthematology
estenia: sthenia
estênico: sthenic
estenocoria: stenochoria
estenocoríase: stenocoriasis
estenopéico: stenopeic
estenosado: stenosed
estenose: stenochoria; stenosis; stricture
estenoseplastia: strictureplasty
estenotérmico: stenothermal; stenothermic
estenótico: stenotic
estenotização: stricturization
estenotórax: stenothorax
estequiologia: stoichiology
estequiológico: stoichiologic
estequiometria: stoichiometry
estequiométrico: stoichiometric
ester: ester
esterase: esterase
esterco: stercus
estercobilina: stercobilin
estercobilinogênio: stercobilinogen
estercólito: stercolith; coprolith
estercoráceo: stercoraceous
estercoral: stercoral; stercorous
estercoroma: stercoroma
estercoroso: stercoral; stercorous
estereoartrólise: stereoarthrolysis
estereoauscultação: stereoauscultation
estereocampímetro: stereocampimeter
estereocinefluorografia: stereocinefluorography
estereoencefalotomia: stereoencephalotomy
estereoencefalótomo: stereoencephalotome
estereognosia: stereognosis
estereognóstico: stereognostic
estereoisomérico: stereoisomeric
estereoisomerismo: stereoisomerism
estereoisômero: stereoisomer
estereoquímica: stereochemistry
estereoquímico: stereochemical
estereoscópico: stereoscopic
estereoscópio: stereoscope
estereotático: stereotactic
estereotaxia: stereotaxis
estereotáxico: stereotaxic
estereotipia: stereotypy; verbigeration
estereotrópico: stereotropic
estereotropismo: stereotropism
estérico: steric
esterificar: esterify
estéril: sterile
esterilização: sterilization
esterilizador: sterilizer
esterilizante: sterilant
esternal: sternal
esternalgia: sternalgia
esternebra: sternebra
esterno: sternum
esternoclavicular: sternoclavicular

esternocleidomastóide: sternocleidomastoid
esternocostal: sternocostal
esternodídimo: sternodymus; sternopagus
esternóide: sternoid
esternoióideo: sternohyoid
esternomastóide: sternomastoid
esternopago: sternopagus
esternopericárdico: sternopericardial
esternósico: stenotic
esternosquise: sternoschisis
esternotireóideo: sternothyroid
esternotomia: sternotomy
esternutatório: ptarmic; sternutatory
esteróide: steroid
esteroidogênese: steroidogenesis
esteroidogênico: steroidogenic
esterol: sterol
esterólise: esterolysis
esterolítico: esterolytic
estertor: rale; stertor
estertoroso: stertorous
estesiologia: esthematology; esthesiology
estesódico: esthesodic
estetalgia: stethalgia
estética: esthetics
estetogoniômetro: stethogoniometer
estetômetro: stethometer; thoracometer
estetoscopia: stethoscopy
estetoscópico: stethoscopic; stethoscope
estetospasmo: stethospasm
estibialismo: stibialism
estíbio: stibium
estibocaptato: stibocaptate
estigma: stigma
estigmático: stigmatic
estilete: stilet; stylet
estiliforme: styloid
estilo: stylus
estilóide: styloid
estiloidite: styloiditis
estiloióide: stylohyoid
estilomastóide: stylomastoid
estilomaxilar: stylomaxillary
estimulação: stimulation
estimulador: stimulator
estimulante: stimulant
estimular: stimulate
estímulo: stimulus
estiolação: etiolation
estipsia: stypsis
estíptico: styptic
estivação: estivation
estolato: estolate
estoma: stoma
estomacal: stomachal; stomachic
estomacalgia: stomachalgia
estômago: gaster; stomach; ventriculus
estomal: stomal
estomatalgia: stomatalgia
estomatite: stomatitis
estomatodinia: stomatodynia
estomatognático: stomatognathic
estomatologia: stomatology
estomatológico: stomatologic
estomatomalacia: stomatomalacia

estomatomenia: stomatomenia
estomatomicose: stomatomycosis
estomatopatia: stomatopathy
estomatoplastia: stomatoplasty
estomatorragia: stomatorrhagia
estomocéfalo: stomocephalus
estomódico: stomodeal
estomódio: stomodeum
estrábico: strabismic
estrabismo: cross-eye; esotropia; squint; strabismus; tropia
estrabismo divergente: walleye
estrabismômetro: strabismometer
estrabotomia: strabotomy
estradiol: estradiol
estrangulado: strangulated
estrangulamento: strangulation
estrangúria: strangury
estratificação: delamination
estratiforme: stratiform
estratigrafia: stratigraphy
estratigráfico: stratigraphic
estrato: layer; stratum
estrefossimbolia: strephosymbolia
estreitado: stenosed
estreitamento: stricture
estreito: strait
estrelado: stellate
estrelectomia: stellectomy
estremecimento: thrill
estreptobacilo: streptobacillus
estreptocercíase: streptocerciasis
estreptocinase: streptokinase
estreptococcemia: streptococcemia
estreptocócico: streptococcal; streptococcic
estreptococo: streptococcus
estreptodornase: streptodornase
estreptolisina: streptolysin
estreptomicina: streptomycin
estreptossepticemia: streptosepticemia
estreptozocina: streptozocin
estresse: stress
estria: furrow; streak; stria
estriação: striation
estriado: striate; striated; striatum
estribo: stapes; stirrup
estricnina: strychnine
estridor: stridor; whoop
estrídulo: stridulous
estrina: estrin
estrinização: estrinization
estriocerebelar: striocerebellar
estriol: estriol
estritura: stricture
estro: estrus
estróbilo: strobila
estrofilina: estrophilin
estrófulo: strophulus
estrogênico: estrogenic
estrogênio: estrin; estrogen
estroma: stroma
estromal: stromal; stromatic
estrona: estrone
estrôncio: strontium
estrongiloidíase: strongyloidiasis; strongyloidosis

estrongilose: strongylosis
estrual: estrous; estrual
estruma: struma
estrume: stercus
estrumectomia: strumectomy
estrumite: strumitis
estrutura: frame
estupefaciente: stupefacient
estupor: stupor
etacrinato sódico: ethacrynate sodium
etanol: ethanol
etanolamina: ethanolamine
etaverina: ethaverine
etclorvinol: ethchlorvynol
éter: ether
etéreo: ethereal
etidocaína: etidocaine
etila: ethyl
etilcelulose: ethylcellulose
etileno: ethylene
etilenodiamina: ethylenediamine
etilenodiaminotetraacético: ethylenediaminetetraacetic
etilideno: ethylidene
etilnorepinefrina: ethylnorepinephrine
etinamato: ethinamate
etiologia: etiology
etiológico: etiologic; etiological
etmofrontal: ethmofrontal
etmóide: ethmoid
etmoidectomia: ethmoidectomy
etmoidotomia: ethmoidotomy
etmomaxilar: ethmomaxillary
etmoturbinado: ethmoturbinal
étnico: ethnic
etnobiologia: ethnobiology
etnologia: ethnology
etoeptazina: ethoheptazine
etologia: ethology
etológico: ethological
etopropazina: ethopropazine
etossuximida: ethosuximide
etotoína: ethotoin
etoxizolamida: ethoxzolamide
etretinato: etretinate
eucaliptol: eucalyptol
eucárion: eukaryon
eucariose: eukaryosis
eucariota: eukaryote
eucariótico: eukaryotic
eucloridria: euchlorhydria
eucolia: eucholia
eucrasia: eucrasia
eucromatina: euchromatin
euforia: euphoria
eufórico: euphoric
eugenol: eugenol
euglobulina: euglobulin
eugônico: eugonic
eulaminar: eulaminate
eumetria: eumetria
eunuco: eunuch
eunucoidismo: eunuchoidism
eupepsia: eupepsia
eupéptico: eupeptic

euplóide: euploid
eupnéia: eupnea
eupnéico: eupneic
euricefálico: eurycephalic
eurion: euryon
euritmia: eurhythmia
európio: europium
eutanásia: euthanasia
eutérmico: euthermic
eutocia: eutocia
eutrofia: eutrophia
eutroficação: eutrophication
eutrófico: eutrophic
evacuação: evacuation
evacuante: evacuant
evacuar: void
evaginação: outpocketing
eventração: eventration
eversão: eversion
evisceração: evisceration
evitação: avoidance
evocação: evocation
evocador: evocator
evolução: evolution
evolucionário: developmental
evulsão: evulsion
exalação: exhalation
exalar ar: expire
exame: examination
exame minucioso: work-up
exantema: exanthem; exanthema; rash
exantematoso: exanthematous
exarticulação: exarticulation
exaustão: exhaustion
excalação: excalation
excedente: excess
excêntrico: eccentric
excentrocondroplasia: eccentrochondroplasia
excesso: excess
excicloforia: excyclophoria
exciclotropia: excyclotropia
exciese: eccyesis
excipiente: excipient; vehicle
excisar: abscise; excise
excistação: excystation
excitação: excitation
excitante: excitor; stimulant
exclave: exclave
exclusão: exclusion
excocleação: excochleation
excreção na urina: delead
excreção: excretion
excremento: excrement
excrescência: excrescence
excrescente: excrescent
excretante: excernent
excretor: excernent
excretório: excretory
excursão: excursion
excursivo: excursive
exemplo: case
exenteração: exenteration
exenterativo: exenterative
exercício: exercise
exfetação: exfetation

exflagelação: exflagellation
exibicionismo: exhibitionism
exibicionista: exhibitionist
exocárdico: exocardial
exocíclico: exocyclic
exocitose: exocytosis
exócrino: exocrine
exodesvio: exodeviation
exodontia: exodontics
exoenzima: exoenzyme
exoeritrocítico: exoerythrocytic
exoesqueleto: exoskeleton
exofítico: exophytic
exoforia: exophoria
exofórico: exophoric
exoftalmia: exophthalmos; ophthalmocele
exoftálmico: exophthalmic
exoftalmometria: exophthalmometry
exoftalmométrico: exophthalmometric
exogamia: exogamy; outbreeding
exogástrula: exogastrula
exógeno: exogenous
exon: exon
exonfalia: exomphalos
exonuclease: exonuclease
exopeptidase: exopeptidase
exosmose: exosmosis
exostose: exostosis
exostótico: exostotic
exotérmico: exothermal; exothermic
exotóxico: exotoxic
exotoxina: exotoxin
exotropia: exotropia; walleye
exotrópico: exotropic
expansor: expander; extender
expectoração: expectoration; sputum
expectorante: expectorant
experimental: experimental
experimento: experiment; trial
expirado: expirate
expirar: expire
explantar: explant
exploração: exloration
explorador: pathfinder; searcher
exploratório: exploratory
exposição: exposure
expressão: expression; facies
expressividade: expressivity
exsanguinação: exsanguination
exsicação: exsiccation
exsorção: exsorption
exsudato: exudate
extensão: extension
extensor: expander; extensor
exteriorizar: exteriorize
externo: extern; external; externus
exteroceptivo: exteroceptive
exteroceptor: exteroceptor
extima: extima
extinção: extinction; quenching
extorsão: extorsion
extortor: extortor
extra-anatômico: extraanatomic
extra-embrionário: extraembryonic
extra-estímulo: extrastimulus

extra-sístole: extrasystole
extração: extraction
extramaléolo: extramalleolus
extramedular: extramedullary
extramural: extramural
extranuclear: extranuclear
extrapiramidal: extrapyramidal
extraplacentário: extraplacental
extrapolação: extrapolation
extrapulmonar: extrapulmonary
extrativo: extractive
extrato: extract
extrato fluido: fluid extract
extrator: extractor
extravasamento: extravasation
extraversão: extraversion
extremidade: brim; extremitas; extremity
extrínseco: extrinsic
extrofia: exstrophy
extroversão: extroversion
extraversão: extraversion
extrovertido: extrovert
extubação: extubation
exuberante: exuberant
exumbilicação: exumbilication

F

face: aspect; facies
faceta: facet
facetectomia: facetectomy
facial: facial
facilitação: facilitation
faciobraquial: faciobrachial
faciolingual: faciolingual
facioplastia: facioplasty
facioplegia: facioplegia
facioplégico: facioplegic
facoanafilaxia: phacoanaphylaxis
facocele: phacocele
facocistectomia: phacocystectomy
facocistite: phacocystitis
facoemulsificação: phacoemulsification
facoérise: phacoerysis
facoesclerose: phacosclerosis
facóide: phacoid
facoidite: phacoiditis
facoidoscópio: phacoidoscope
facólise: phacolysis
facolítico: phacolytic
facoma: phakoma
facomalacia: phacomalacia
facomatose: phakomatosis
facometacorese: phacometachoresis
facoscópio: phacoidoscope; phacoscope
facotóxico: phacotoxic
faculdade: faculty
facultativo: facultative
fadiga: fatigue
fago: phage
fagocítico: phagocytic
fagocitina: phagocytin
fagócito: phagocyte
fagocitólise: phagocytolysis
fagocitolítico: phagocytolytic

fagocitótico: phagocytotic
fagossoma: phagosome
fagótipo: phagotype
faixa: band; strap
fala: speech
falange: phalanx
falangectomia: phalangectomy
falângico: phalangeal
falangite: phalangitis
falcado: falcate
falcemia: sicklemia
falcial: falcial
falciforme: falcate; falciform; falcular
falcular: falcular
falectomia: phallectomy
fálico: phallic
falite: penitis; phallitis
falo: phallus
faloidina: phalloidin; phalloidine
falsificação: falsification
falso negativo: false-negative
falso positivo: false-positive
família: family
familiar: familial
famotidina: famotidine
fanerose: phanerosis
fantasia: fantasy
fantasma: ghost; phantasm; phantom
fantosmia: phantosmia
faquite: phacoiditis; phakitis
farad: farad
faraday: faraday
farcinose: farcy
fareláceo: pityroid
faringalgia: pharyngalgia
faringe: pharynx
faringectomia: pharyngectomy
faríngeo: pharyngeal
faríngico: pharyngeal
faringismo: pharyngismus
faringite: pharyngitis
faringítico: pharyngitic
faringocele: pharyngocele
faringoestenose: pharyngoperistole
faringomicose: pharyngomycosis
faringoparalisia: pharyngoplegia
faringoperístole: pharyngoperistole
faringoplegia: pharyngoplegia
faringorréia: pharyngorrhea
faringoscopia: pharyngoscopy
faringostenose: pharyngostenosis
faringotomia: pharyngotomy
farmacêutico: apothecary; druggist; pharmaceutical; pharmacist
farmácia: pharmacy
farmacoangiografia: pharmacoangiography
farmacocinética: pharmacokinetics
farmacocinético: pharmacokinetic
farmacodinâmica: pharmacodynamics
farmacodinâmico: pharmacodynamic
farmacogenética: pharmacogenetics
farmacognosia: pharmacognosy
farmacologia: pharmacology
farmacológico: pharmacologic
farmacopéia: pharmacopeia

farmacopéico: pharmacopeial
farmacopsicose: pharmacopsychosis
farmacoterapia: pharmacotherapy
fáscia: fascia
fascial: fascial
fasciculação: fasciculation
fasciculado: fasciculated
fascicular: fascicular
fascículo: fascicle; fasciculus
fasciite: fasciitis
fasciodese: fasciodesis
fascíola: fasciola
fasciolar: fasciolar
fasciolíase: fascioliasis
fasciolopsíase: fasciolopsiasis
fasciolopsis: fasciolopsis
fasciotomia: fasciotomy
fase: phase
fasmídeo: phasmid
fastigial: fastigial
fatigabilidade: fatigability
fator: factor
fauce: fauces
faucial: faucial
fauna: fauna
faveolado: faveolate
fávide: favid
favismo: favism
favos: favus
febre: febris; fever
febricida: febricide
febricidade: febricity
febrifaciente: febricant; febrifacient
febrífico: febrific
febrífugo: febrifugal
febril: febrile
fecal: fecal
fecalito: coprolith; fecalith; stercolith
fecalóide: fecaloid
fécula: fecula
feculento: feculent
fecundação: fecundation
fecundidade: fecundity
fedor: fetor
feixe: bundle
felação: fellatio
felodipina: felodipine
feminização: feminism; feminization
femoral: femoral
femorocele: femorocele
fempropionato: phenpropionate
fêmur: femur; thigh
fenacetina: phenacetin
fenantreno: phenanthrene
fenazopiridina: phenazopyridine
fenciclidina: phencyclidine
fenda: cleft; crena; crevice; rima; vent
fendimetrazina: phendimetrazine
fenelzina: phenelzine
fenenfraxia: phrenemphraxis
fenestração: fenestration
feneticilina: phenethicilin
fenfluramina: fenfluramine
fenila: phenyl
fenilalanina: phenylalanine

fenilbutazona: phenylbutazone
fenilcetonúria: phenylketonuria
fenilcetonúrico: phenylketonuric
fenilefrina: phenylephrine
p-fenilenodiamina: p-phenylenediamine
fenílico: phenylic
fenilmercúrico: phenylmercuric
fenilpropanolamina: phenylpropanolamine
feniltiouréia: phenylthiourea
feniltoloxamina: phenyltoloxamine
fenindamina: phenindamine
fenindiona: phenindione
feniramina: pheniramine
fenitoína: phenytoin
fenmetrazina: phenmetrazine
fenobarbital: phenobarbital
fenocópia: phenocopy
fenodivergente: phenodeviant
fenol: carbolic acid; phenol
fenolftaleína: phenolphthalein
fenolizar: phenolate
fenolsulfonftaleína: phenolsulfonphthalein
fenômeno: phenomenon
fenômeno da escada: treppe
fenoprocumona: phenprocoumon
fenoprofeno cálcico: fenoprofen calcium
fenotiazina: phenotiazine
fenotípico: phenotypic
fenótipo: phenotype
fenoxibenzamina: phenoxybenzamine
fensuximida: phensuximide
fentanil: fentanyl
fentermina: phentermine
fentolamina: phentolamine
feocromo: pheochrome
feocromoblasto: pheochromoblast
feocromócito: pheochromocyte
feocromocitoma: pheochromocytoma
feofomicose: phaeohyphomycosis
ferese: pheresis
ferida: sore; wound
ferimento: sore; vulnus; wound
fermentação: fermentation
fermento: ferment; yeast
férmio: fermium
feromona: pheromone
ferredoxina: ferredoxin
férrico: ferric
ferritina: ferritin
ferro: iron
ferrocinética: ferrokinetics
ferroproteína: ferroprotein
ferroso: ferrous
ferruginoso: ferruginous
fértil: fertile
fertilidade: fertility
fertilização: fecundation; fertilization
fervescência: fervescence
festão: festoon
festinação: festination
fetação: fetation
fetal: fetal
fetalização: fetalization
fetiche: fetish
fetichismo: fetishism

feticídio: feticide
fétido: fetid
feto: fetus
fetologia: fetology
fetometria: fetometry
α-fetoproteína: α-fetoprotein
fetoscópio: fetoscope
fezes: feces; stercus; stool
fiapos de tecido: lint
fibra: fiber; fibra
fibrila: fibril; fibrilla
fibrilação: fibrillation
fibrilar: fibrillar; fibrrillary
fibrina: fibrin
fibrinase: fibrinase
fibrinocelular: fibrinocellular
fibrinogênico: fibrinogenic
fibrinogênio: fibrinogen
fibrinogenólise: fibrinogenolysis
fibrinogenolítico: fibrinogenolytic
fibrinogenopenia: fibrinogenopenia
fibrinogenopênico: fibrinogenopenic
fibrinóide: fibrinoid
fibrinolisina: fibrinolysin
fibrinopenia: fibrinopenia
fibrinopeptídeo: fibrinopeptide
fibrinopurulento: fibrinopurulent
fibrinúria: fibrinuria
fibroadenoma: fibroadenoma
fibroadiposo: fibroadipose
fibroareolar: fibroareolar
fibroblástico: fibroblastic
fibroblasto: fibroblast; fibrocyte
fibroblastoma: fibroblastoma
fibrobronquite: fibrobronchitis
fibrocalcificado: fibrocalcific
fibrocarcinoma: fibrocarcinoma
fibrocartilagem: fibrocartilage; fibrocartilago
fibrocartilaginoso: fibrocartilaginous
fibrocístico: fibrocystic
fibrócito: fibrocyte
fibrocolagenoso: fibrocolagenous
fibrocondrite: fibrochondritis
fibrodisplasia: fibrodysplasia
fibrodontoma: fibroodontoma
fibroelástico: fibroelastic
fibroelastose: fibroelastosis
fibroepitelioma: fibroepithelioma
fibrofoliculoma: fibrofolliculoma
fibróide: fibroid
fibroidectomia: fibroidectomy
fibrolamelar: fibrolamellar
fibrolipoma: fibrolipoma; lipofibroma
fibrolipomatoso: fibrolipomatous
fibroma: fibroma
fibromatose: fibromatosis
fibromiite: fibromyitis
fibromioma: fibromyoma
fibromixoma: fibromyxoma
fibronectina: fibronectin
fibropapiloma: fibropapilloma
fibroplasia: fibroplasia
fibroplásico: fibroplastic
fibróptica: fiberoptics
fibrosado: sclerous

fibrose: fibrosis
fibrosite: fibrositis
fibrossarcoma: fibrosarcoma
fibrótico: fibrotic
fibrotórax: fibrothorax; pachypleuritis
fibroxantoma: fibroxanthoma
fibroxantossarcoma: fibroxanthosarcoma
fíbula: fibula
fibular: fibular
fibulocalcâneo: fibulocalcaneal
ficina: ficin
ficomicose: phycomycosis; zygomycosis
fígado: hepar; liver
figura: figure
filamento: filament; filamentum; filum
filamentoso: filamentous
filária: filaria
filarial: filarial
filaricida: filaricide
filaricídico: filaricidal
filete: fillet
filgrastima: filgrastim
filha: daughter
fílico: philic
filiforme: filiform
filme: film
filo: phylum
filogenia: phylogeny
filogênico: phylogenic
filópodio: filopodium
filopressão: filopressure
filtração: filtration
filtrado: filtrate
filtrável: filterable
filtro: filter; philtrum
fima: phymaf
fímbria: fimbria
fimbriado: fimbriated
fimbriocele: fimbriocele
fimose: phimosis
fimótico: phimotic
finasterida: finasteride
fio metálico: wire
fisiatra: physiatrist
fisiatria: physiatrics; physiatry
física: physic; physics
físico-químico: physicochemical
físico: physical; physique
fisiologia: physiology
fisiológico: physiologic; physiological
fisiologista: physiologist
fisionomia: physiognomy
fisiopatologia: pathophysiology
fisiopatológico: physiopathologic
fisioquímico: physicochemical
fisioterapeuta: physiotherapist
fisioterapia: physiatry; physiotherapy
fisoematometria: physohematometra
fisoidrometria: physohydrometra
fisometria: physometra
fisopiossalpinge: physopyosalpynx
fisostigmina: physostigmine
fissão: fission
fissíparo: fissiparous
fissura: cleft; crevice; fissura; fissure; rhegma

fissuras: rhagades
fístula: fistula
fistulação: fistulization
fistulátomo: fistulatome
fistulectomia: syringectomy
fistulização: fistulization
fistulotomia: fistulotomy; syringotomy
fita: tape
fitobezoar: phytobezoar
fitoemaglutinina: phytohemagglutinin
fitofotodermatite: phytophotodermatitis
fitol: phytol
fitonadiona: phytonadione
fitoparasita: phytoparasite
fitopatogênico: phytopathogenic
fitopatologia: phytopathology
fitoprecipitina: phytoprecipitin
fitormônio: phytohormone
fitose: phytosis
fitotóxico: phytotoxic
fitotoxina: phytotoxin
fixação: fixation
fixação por congelamento: freeze-etching
fixador: fixative
fixo: stabile
flácido: flaccid
flagelação: flagellation
flagelado: flagellate
flagelina: flagellin
flagelo: flagellum
flagelose: flagellosis
flagelósporo: flagellospore
flama: flame
flanco: flank; latus; loin
flavoenzima: flavoenzyme
flavonóide: flavonoid
flavoxato: flavoxate
flebangioma: phlebangioma
flebarteriectasia: phlebarteriectasia
flebectasia: phlebectasia; venectasia
flebectomia: phlebectomy; venectomy
flebenfraxe: phlebemphraxis
flebismo: phlebismus
flebite: phlebitis
flebítico: phlebitic
fleboclise: phleboclysis
flebofobostomia: venovenostomy
flebografia: phlebography; venography
flebolitíase: phlebolithiasis
flebomanômetro: phlebomanometer
fleborrafia: phleborraphy
fleborreografia: phleborheography
flebosclerose: phlebosclerosis; venosclerosis
flebostase: phlebostasis
flebotomia: phlebotomy; venesection; venotomy
flebotrombose: phlebothrombosis
flegma: phleg
flegmasia: phlegmasia
flegmático: phlegmatic
flegmonoso: phlegmonous
fleimão: phlegmon
flexão: flexion
flexibilidade: flexibility
flexibilidade cérea: cerea flexibilitas
flexor: flexor

flexura: flexura; flexure
flictena: bleb; phlyctena
flictenar: phlyctenar
flictênula: phlyctenule
flictenular: phlyctenular
flocilação: floccilation
flocose: floccose
floculação: flocculation
flocular: floccular
flóculo: flocculus
flogogênico: phlogogenic
flora: flora
florizina-hidrolase: phlorhizin hydrolase
floxuridina: floxuridine
flucitosina: flucytosine
fluconazol: fluconazole
fludrocortisona: fludrocortisone
flufenazina: fluphenazine
flumazenil: flumazenil
flúmen: flumen
flumetasona: flumethasone
fluocinolona acetonida: fluocinolone acetonide
fluocinonida: fluocinonide
flúor: fluorine
fluoresceína: fluorescein
fluorescência: fluorescence
fluorescente: fluorescent
fluoretação: fluoridation
fluorímetro: fluorimeter
fluorocromo: fluorochrome
fluorofotometria: fluorophotometry
fluorometolona: fluorometholone
fluorometria: fluorometry
fluorômetro: fluorimeter; fluorometer
fluoronefelômetro: fluoronephelometer
fluoroscopia: fluoroscopy; radioscopy; roentgenoscopy
fluoroscópio: fluoroscope; roentgenoscope
fluorose: fluorosis
fluorouracil: fluorouracil
fluoxetina: fluoxetine
fluoximesterona: fluoxymesterone
flupentixol: flupenthixol
flurandrenolida: flurandrenolide
flurazepam: flurazepam
flutter-fibrilação: flutter-fibrillation
flutuação: drift; fluctuation
flutuante: labile
fluxímetro: flowmeter
fluxo: flux
fluxo auxiliar: bypass
fobia: phobia
fóbico: phobic
focal: focal
focalização: focusing
focomelia: phocomelia
focomélico: phocomelic
focômelo: phocomelus
foice: falx
folato: folate
fôlego: breath
folha: foil; folium
folicular: follicular
foliculite: folliculitis
folículo: follicle

foliculose: folliculosis
fome: hunger
fomentação: fomentation
fomito: fomes; fomite
fonastenia: phonasthenia
fonendoscópio: phonendoscope
foniatria: phoniatrics
fonocardiografia: phonocardiography
fonocardiográfico: phonocardiographic
fonocateter: phonocatheter
fonoestetógrafo: phonostethograph
fonomioclonia: phonomyoclonus
fonomiografia: phonomyography
fonorrenograma: phonorenogram
fontanela: fontanel
fora do organismo vivo: ex vivo
forame: foramen
forbol: phorbol
força: force
forcipado: forcipate
forense: forensic
foria: phoria
forma: forme
formação: formatio; formation
formação de reação: reaction-formation
formaldeído: formaldehyde
formalina: formalin
formamidase: formamidase
formato: formate
formigamento: formication
formol: formol
fórmula: formula
formulação: formulation
formular: formulate
formulário: formulary
fórnice: fornix
fosfagênio: phosphagen
fosfatase: phosphatase
fosfatemia: phosphatemia
fosfático: phosphatic
fosfatidilcolina: phosphatidylcholine
fosfato: phosphate
fosfato de fludarabina: fludarabine phosphate
fosfato de poliestradiol: polyestradiol phosphate
fosfatúria: phosphaturia
fosfeno: phosphene
fosfocreatina: phosphocreatine
fosfodiesterase: phosphodiesterase
fosfoenolpiruvato: phosphoenolpyruvate
6-fosfofrutocinase: 6-phosphofrutokinase
fosfofrutocinase muscular: muscle phosphofructokinase
fosfoglicerato: phosphoglycerate
fosfoglicerídeo: phosphoglyceride
fosfoinositídeo: phosphoinositide
fosfolipase: phospholipase
fosfolipídeo: phospholipid
fosfonecrose: phosphonecrosis
fosfonoformato trissódico: foscarnet
fosfoproteína: phosphoprotein
fosforilação: phosphorylation
fosforilase: phosphorylase
fosforilase cinase: phosphorylase kinase
fosforilase hepática: hepatic phosphorylase; liver phosphorylase

fosforilase muscular: muscle phosphorylase
fosforilase-cinase hepática: liver phosphorylase kinase
fosforismo: phosphorism
fósforo: phosphorus
fosforólise: phosphorolysis
fosforoso: phosphorous
fosforúria: phosphoruria
fosfotransferase: phosphotransferase
fosgênio: phosgene
fossa: fossa
fosseta: fossette; fossula
fosso: sulcus
fotalgia: photalgia
fotoablação: photoablation
fotoalérgeno: photoallergen
fotoalergia: photoallergy
fotoalérgico: photoallergic
fotoativo: photoactive
fotobiologia: photobiology
fotobiológico: photobiologic; photobiological
fotobiótico: photobiotic
fotocatalisador: photocatalyst
fotocatálise: photocatalysis
fotocatalítico: photocatalytic
fotocintilografia: photoscan
fotocoagulação: photocoagulation
fotocromogênico: photochromogenic
fotocromogênio: photochromogen
fotocromógeno: photochromogen
fotodermatite: photodermatitis
fotoestável: photostable
fotoferese: photopheresis
fotofílico: photophilic
fotofluorografia: photofluorography
fotofobia: photophobia
fotofóbico: photophobic
fotoftalmia: photophthalmia
fotogênico: photogenic
fotólise: photolysis
fotolítico: photolytic
fotoluminescência: photoluminescence
fotometria: photometry
fotomicrógrafo: photomicrograph
fóton: photon
fotoparoxístico: photoparoxysmal
fotoperiódico: photoperiodic
fotoperiodismo: photoperiodism
fotoperíodo: photoperiod
fotopia: photopia
fotópico: photopic
fotopigmento: photopigment
fotopsia: photopsia
fotopsina: photopsin
fotoptarmose: photoptarmosis
fotoptômetro: photoptometer
fotoquímica: photochemistry
fotoquímico: photochemical
fotoquimioterapia: photochemotherapy
fotorreativação: photoreactivation
fotorreceptor: photoreceptor
fotorretinite: photoretinitis
fotossensibilização: photosensitization
fotossensível: photosensitive
fotossíntese: photosynthesis

fotossintético: photosynthetic
fototático: phototactic
fototaxia: phototaxis
fototerapia: phototherapy
fototóxico: phototoxic
fototrófico: phototrophic
fototrópico: phototropic
fototropismo: phototropism
fóvea: fovea
foveação: foveation
fovéola: foveola
fraco: flaccid; infirm
fragilidade: fragilitas; fragility
fragmentação: morcellation
fragmentografia de massa: fragmentography, mass
framboesia: frambesia; yaws
framboesioma: yaw; frambesioma
frâncio: francium
franjado: fimbriated
frasco: bottle; flask
fratura: rhegma
freio: frenum
frêmito: fremitus; hum; thrill
frenal: frenal
frenético: phrenetic
frenicectomia: phrenicectomy
freniclasia: phreniclasia
frênico: phrenic
frenicoexérese: phrenicoexeresis
frenicotomia: phrenicotomy
frenicotripsia: phrenicotripsy
frenocólico: phrenocolic
frenoepático: phrenohepatic
frenogástrico: phrenogastric
frenoplegia: phrenoplegia
frenosina: phrenosin; phrenosine
frenotrópico: phrenotropic
frênulo: frenulum
freqüência: frequency; rate
freudiano: freudian
friável: friable
fricção: frictio; frottage; rub
frieira: chilblain; chilblains; pernio
frigidez: frigidity
frigoestável: frigostable
frigolábil: frigolabile
frinodermia: phrynoderma
frio: cold
frito: frit
frontal: frontad; frontal; frontalis
fronte: forehead; frons
frontomaxilar: frontomaxillar
frontotemporal: frontotemporal
frouxidão: laxity
frouxo: flaccid
frugívoro: fructivorous
frutocinase: fructokinase
frutofuranose: fructofuranose
frutose: fructose
frutose-1,6-bifosfatase: fructose 1,6-bisphosphatase
frutosemia: fructosemia
frutosídeo: fructoside
frutosil: fructosyl
frutosúria: fructosuria
ftaleína: phthalein

ftalilsulfatiazol: phthalylsulfathiazole
ftiríase: phthiriasis
fucose: fucose
α-L-fucosidase: α-L-fucosidase
fucosidose: fucosidosis
fucsina: fuchsin
fucsinofilia: fuchsinophilia
fucsinófilo: fuchsinophilic
fuga: fugue
fugacidade: fugacity
fulgurar: fulgurate
fulminante: fulminant
fulminar: fulminate
fumagilina: fumagillin
fumarase: fumarase
fumarato: fumarate
fumigação: fumigation
fumo: fuming
função: functio
funcional: functional
funda: truss
fundação: foundation
fundamento: fundament
fúndico: fundal; fundic
fundiforme: fundiform
fundo: fundus; solum
fundo de saco: cul-de-sac; pouch
fundo do olho: eyeground
fundoplicação: fundoplication
fundoscópico: funduscopic
fundoscópio: funduscope; ophthalmoscope; ophthalmoscopy
fungicida: fungicidal; fungicide
fúngico: fungal
fungistase: fungistasis
fungistático: fungistatic
fungitóxico: fungitoxic
fungo: fungus; mycete
fungóide: fungoid
fungoma: fungoma
fungosidade: fungosity
fúnico: funic
funicular: funicular
funiculite: funiculitis
funículo: funicle; funiculus
funiculoepididimite: funiculoepididymitis
funiforme: funiform
furanose: furanose
furazolidona: furazolidone
fúrcula: fourchette
furfuráceo: furfuraceous; pityroid
furfural: furfural
furoato de mometasona: mometasone furoate
furor: furor
furosemida: furosemide
furuncular: furuncular
furúnculo: boil; furuncle; furunculus
furunculose: furunculosis
fusão: fusion
fuscina: fuscin
fusimotor: fusimotor
fusível: fusible
fuso: spindle
fusoespirilose: fusospirillosis
fusoespiroquético: fusocellular
fusoespiroquetose: fusospirochetosis

G

gadolínio: gadolinium
gaiola: cage
galactacrasia: galactacrasia
galactagogo: galactagogue; lactagogue
galactano: galactan
galactisquia: galactischia
galactocele: galactocele; lactocele
galactocerebrosídeo: galactocerebroside
galactocinase: galactokinase
galactoestasia: galactostasis
galactófago: galactophagous
galactófigo: galactophygous
galactóflise: galactophlysis
galactóforo: galactophore; galactophorous
galactografia: galactography
galactoplania: galactoplania
galactopoiético: galactopoietic
galactorréia: galactorrhea; lactorrhea
galactose: galactose; galactosis
galactosemia: galactosemia
galactosidase: galactosidase
galactosídeo: galactoside
galactosiltransferase: galactosyltransferase
galactúria: galacturia
galão: gallon
gálea: galea
galênicos: galenicals; galenics
gálio: gallium
galope: gallop
galvanocontratilidade: galvanocontractility
galvanômetro: galvanometer
galvanopalpação: galvanopalpation
gama: gamma
gamaglobulina: gammaglobuline
gamaglobulinopatia: gammaglobulinopaty
gameta: gamete
gamético: gametic
gametocida: gametocide
gametocídico: gametocidal
gametócito: gametocyte
gametogonia: gametogony
gamogênese: gamogenesis
gamogenético: gamogenetic
gamopatia: gammopathy; immunoglobulinopaty
gancho: clasp; hook
gangliforme: gangliform
gangliite: ganglitis
gânglio: ganglion
ganglioblasto: ganglioblast
gangliocitoma: gangliocytoma
ganglioforme: ganglioform
ganglioglioma: ganglioglioma
ganglioglioneuroma: ganglioglioneuroma
ganglioma: ganglioma
ganglionário: ganglial; ganglionic
ganglionectomia: ganglionectomy
ganglioneuroma: gangliocytoma; ganglioma; ganglioneuroma
gangliônico: ganglial; ganglionic
ganglionostomia: ganglionostomy
ganglioplégico: ganglioplegic
gânglios: drusen
gangliosídeo: ganglioside

gangliosidose: gangliosidose
gangrena: gangrene; mortification
gangrenar: sphacelate
gangrenose: gangrenosis
ganhar: gain
ganoblasto: ganoblast
ganociclovir: ganociclovir
gantológico: gnathologic
garfo: fork
garganta: gullet; pharynx; throat
garrafa: bottle
garrotilho: strangles
gás: gas
gasoso: gaseous
gasto: output
gastralgia: gastralgia
gastrectomia: gastrectomy
gástrico: stomachal; stomachic
gastricsina: gastricsin
gastrina: gastrin
gastrinoma: gastrinoma
gastrite: gastritis
gastroadenite: gastradenitis
gastroanastomose: gastroanastomosis
gastrocele: gastrocele; gastrocoele
gastrocistoplastia: gastrocystoplasty
gastrocolite: gastrocolitis
gastrocutâneo: gastrocutaneous
gastrodiafania: gastrodiaphany
gastrodinia: gastrodynia
gastroduodenite: gastroduodenitis
gastroduodenostomia: gastroduodenostomy
gastroenteralgia: gastroenteralgia
gastroenterite: gastroenteritis
gastroenteroanastomose: gastroenteroanastomosis
gastroenterologia: gastroenterology
gastroenteropatia: gastroenteropathy
gastroenterotomia: gastroenterotomy
gastroepiplóico: gastroepiploic
gastroesofagite: gastroesophagitis
gastroespasmo: gastrospasm
gastroestaxe: gastrostaxis
gastroestogavagem: gastrostogavage
gastroestolavagem: gastrostolavage
gastrofibroscópio: gastrofiberscope
gastrofrênico: gastrophrenic
gastrogastrostomia: gastroanastomosis; gastrogastrostomy
gastrogavagem: gastrogavage
gastro-hepatite: gastrohepatitis
gastroileíte: gastroileitis
gastroileostomia: gastroileostomy
gastrojejunocólico: gastrojejunocolic
gastrolienal: gastrolienal
gastrólise: gastrolysis
gastrolitíase: gastrolithiasis
gastromalacia: gastromalacia
gastromegalia: gastromegaly
gastromicose: gastromycosis
gastromixorréia: gastromyxorrhea
gastropatia: gastropathy
gastropexia: gastropexy
gastroplicadura: gastroplication
gastroptose: gastroptosis

gastrorragia: gastrorrhagia
gastrorréia: gastrorrhea
gastroscópico: gastroscopic
gastroscópio: gastroscope
gastrosquise: gastroschisis
gastrosseletivo: gastroselective
gastrostomia: gastrostomy
gastrotimpanite: gastrotympanites
gastrotomia: gastrotomy
gastrotonômetro: gastrotonometer
gastrotrópico: gastrotropic
gástrula: gastrula
gavagem: gavage
gavarro cutâneo dos cavalos: scratches
gaze: gauze
gel: gel
gelação: gelation
geladura: chilblain; chilblains; frostbite; pernio
gelasmo: gelasmus
gelatina: gelatin
geléia: jelly
gema do ovo: yolk
gemação: gemmation
gemelologia: gemellology
gêmeo: twin
geminado: geminate
gêmula: gemmule
genal: genal
genciana: gentian
gencianofílico: gentianophilic
gencianofóbico: gentianophobic
gene: gene
genealogia: pedigree
genérico: generic
gênero: gender; genus
gênese: genesis
genética: genetics
genético: genetic
genetotrófico: genetotrophic
gengibre: ginger
gengiva: gingiva
gengival: gingival
gengivalmente: gingivally
gengivectomia: gingivectomy
gengivite: gingivitis
gengivoestomatite: gingivostomatitis
gengivose: gingivosis
gênico: genic
geniculado: geniculate
genicular: genicular
genículo: geniculum
genital: genital
genitália: genitalia
genitografia: genitography
geniturinário: genitourinary
genodermatose: genodermatosis
genoma: genome
genômico: genomic
genotípico: genotypic
genótipo: genotype
gentamicina: gentamicin
geodo: geode
geofagia: geophagia
geomedicina: geomedicine
geotricose: geotrichosis

geotropismo: geotropism
geração: generation
geratologia: geratology
geriatria: geriatrics
geriátrico: geratic; geriatric
geriodontia: geriodontics
germânio: germanium
germe: germ
germicida: germicidal
germinação: germination; twinning
germinal: germinal
germinoma: germinoma
gerodermia: geroderma; gerodermia
gerodontia: gerodontics
gerodôntico: gerodontic
geromarasmo: geromarasmus
geromorfismo: geromorphism
gerontologia: gerontology
gerontopia: gerontopia
gerontoterapêutica: gerontotherapeutics
gerontoxon: gerontoxon
geropsiquiatria: geropsychiatry
gesso: gypsum
gestação: gestation
gestágeno: gestagen
gestaltismo: gestaltism
gestose: gestosis
giardíase: lambliasis; lambliosis
giba: gibbus
gibosidade: gibbosity
gigantismo: giantism; gigantism
gigantocelular: gigantocellular
gigantomastia: gigantomastia
ginandrismo: gynandrism
ginandromórfico: gynandromorphous
ginástica: gymnastics
ginécico: gynecic
ginecogênico: gynecogenic
ginecóide: gynecoid
ginecologia: gynecology
ginecológico: gynecologic
ginecomania: gynecomania
ginecomastia: gynecomastia
ginefobia: gynephobia
gínglimo: ginglymus
ginglimóide: ginglymoid
ginogênese: gynogenesis
ginoplastia: gynoplastics
ginoplástico: gynoplastic
giração: gyration
girectomia: gyrectomy
giro: gyrus
girose: gyrous
giroso: gyrose
girospasmo: gyrospasm
gitalina: gitalin
glabela: glabella
glabro: glabrous
gladíolo: gladiolus
glandilema: glandilemma
glândula: gland; glandula
glândula supra-renal: epinephros
glanular: glanular
glaucoma: glaucoma
glenóide: glenoid

glia: glia
gliadina: gliadin
glial: glial
glicano: glucan; glucosan; glycan
glicemia: glycemia
gliceptato: gluceptate
gliceraldeído: glyceraldehyde
glicerídeo: glyceride
gliceril: glyceryl
glicerina: glycerin
glicerol: glycerol
glicerolizar: glycerolize
glicina: glycine
glicirriza: glycyrrhiza
glicitol: glucitol
gliclazida: gliclazide
glico-hemoglobina: glycohemoglobin
glicoamilase: glucoamylase
glicocálice: glycocalyx
glicocerebrosídeo: glucocerebroside
glicocinase: glucokinase
glicocinético: glucokinetic
glicocolato: glycocholate
glicoconjugado: glycoconjugate
glicocorticóide: glucocorticoid
β-glicuronidase: β-glucuronidase
glicoesfingolipídeo: glycosphingolipid
glicofilia: glycophilia
glicoforina: glycophorin
glicoforo: glucophore
glicofuranose: glucofuranose
glicogênese: glycogenesis
glicogenético: glycogenetic
glicogênico: glycogenic
glicogênio: glycogen
glicogenólise: glycogenolysis
glicogenolítico: glycogenolytic
glicogenose: glycogenosis
glicogeusia: glycogeusia
glicol: glycol
glicolipídeo: glycolipid
glicólise: glycolysis
glicolítico: glycolytic
glicômetro: glucometer
gliconato: gluconate
gliconeogênese: gluconeogenesis; glyconeogenesis
glicopenia: glycopenia
glicopeptídeo: glycopeptide
glicopiranose: glucopyranose
glicopirrolato: glycopyrrolate
glicoproteína: glycoprotein
glicorregulação: glucoregulation
glicorréia: glycorrhea
glicosamina: glucosamine
glicosaminoglicano: glycosaminoglycan
glicosano: glucosan
glicose: glucose
glicose 6-fosfato desidrogenase: glucose-6-phosphate dehydrogenase
glicose-6-fosfatase: glucose-6-phosphatase
glicosidase: glucosidase; glycosidase
α-glicosidase lisossômica: lysosomal α-glucosidase
glicosídeo: glucoside; glycoside
glicosil: glycosyl
glicosilação: glycosylation
glicosilceramidase: glycosylceramidase

glicossecretor: glycosecretory
glicossialia: glycosialia
glicossialorréia: glycosialorrhea
glicostático: glycostatic
glicosúria: glycosuria
glicotrópico: glycotropic
glicurese: glycuresis
glicuronídeo: glucuronide
glioblastoma: glioblastoma
gliócito: gliacyte
glioma: glioma; neurospongioma
gliomatose: gliomatosis; neurogliosis
gliomatoso: gliomatous
gliose: gliosis
glissádico: glissadic
glissonite: glissonitis
globina: globin
globo: globus; sphere
globo ocular: eyeball
globosídeo: globoside
globular: globular
globulina: globulin
glóbulo: globule
glomangioma: glomangioma
glomerular: glomerular
glomérulo: glomerulus
glomeruloesclerose: glomerulosclerosis
glomerulonefrite: glomerulonephritis
glomerulopatia: glomerulopathy
glomerulosclerose: glomerulosclerosis
glomo: glomus
glossectomia: glossectomy
glossite: glossitis
glossocele: glossocele
glossógrafo: glossograph
glossologia: glossology
glossoplastia: glossoplasty
glossorrafia: glossorraphy
glossotriquia: glossotrichia
glote: glottis
glótico: glottal; glottic
glotografia: glottography
glucagon: glucagon
glucagonoma: glucagonoma
glutamato formiminotransferase: glutamate formiminotransferase
glutamato: glutamate
glutamina: glutamine
glutaminase: glutaminase
glutaraldeído: glutaraldehyde
glutaricacidemia: glutaricacidemia
glutaricacidúria: glutaricaciduria
glutationa-sintetase: glutathione synthetase
glutationa: glutathione
glúten: gluten
glúteo: cluneal; gluteal; pygal
glutetimida: glutethimide
glutinoso: glutinous
gnátio: gnathion
gnatite: gnathitis
gnatodinamômetro: gnathodynamometer
gnatologia: gnathology
gnatosquise: gnathoschisis
gnatostomíase: gnathostomiasis
gnose: gnosia

gnóstico: gnostic
gnotobiologia: gnotobiology
gnotobiota: gnotobiota
gnotobiótica: gnotobiology
gnotobiótico: gnotobiotic
gnotobioto: gnotobiote
goitrina: goitrin
goiva: gouge
golpe: coup; stroke; thumpversion
golpeamento: tapotement
golpear: tap
goma: gum; gumma
goma arábica: acacia
gônada: gonad
gônada feminina: ovary
gonadal: gonadal; gonadial
gonadorelina: gonadorelin
gonadotrofo: gonadotrope; gonadotroph
gonadotrópico: gonadotropic
gonadotropina: gonadotropin
gonadrotrófico: gonadotrophic
gonagra: gonagra
gonalgia: gonalgia
gonartrite: gonarthritis
gonartrócace: gonarthrocace
gonecistite: gonecystitis
gonecisto: gonecystis
gonecistopiose: gonecystopyosis
gonfose: gomphosis
gonial: gonial
gonicampsia: gonycampsis
goniocele: gonyocele
goniometria: goniometry
goniômetro: goniometer
gônion: gonion
gonionco: gonyoncus
goniopunção: goniopuncture
gonioscópio: gonioscope
goniotomia: goniotomy
gonocele: gonocele
gonócito: gonocyte
gonococcemia: gonococcemia
gonocócico: gonococcal; gonococcic
gonococo: gonococcus
gonóforo: gonophore
gonorréia: gonorrhea
gonorréico: gonorrheal
gordura: fat
gorduroso: fatty
gorjal: gorget
gosserrelina: goserelin
gosto: degustation; taste
gota: drop; gotta; gout
gota a gota: guttatim
gotejar: drip; drop
gotoso: gouty
grade: cancellus; grid
gradiente: gradient
graduado: graduated
gráfico: chart; graphic
Gram-negativo: gram-negative
Gram-positivo: gram-positive
grama: gram
gramicidina: gramicidin
graminívoro: graminivorous

grampo: clamp; clip
grande: vastus; latissimus
grande mal: grand mal
grandioso: grandiose
granulação: granulatio; granulation
grânulo: granule
granuloadiposo: granuloadipose
granuloblasto: granuloblast
granuloblastose: granuloblastosis
granulocítico: granulocytic
granulócito: granulocyte
granulocitopenia: granulocytopenia
granulocitopoiese: granulocytopoiesis
granulocitopoiético: granulocytopoietic
granulocitose: granulocytosis
granuloma: granuloma
granulomatose: granulomatosis
granulômero: granulomere
granulopenia: granulopenia
granuloplástico: granuloplastic
granulopoiese: granulopoiesis
granulopoiético: granulopoietic
granulopoietina: leukopoietin
granulose: granulosis
granuloso: granulosa
grão: grain; granum
gravata: cravat
grávida: gravida
gravidade: gravity
gravidez: cyesis; pregnancy
grávido: gravid
gravidocardíaco: gravidocardiac
gravimétrico: gravimetric
gripal: influenzal
gripe: grip; grippe; influenza
gripose: grypose
griseofulvina: griseofulvin
grumoso: grumous
grupo: group
grupo sangüíneo: blood group
guáiaco: guaiac
guaifenesina: guaifenesin
guaitilina: guaithylline
guanabenz: guanabenz
guanase: guanase
guanetidina: guanethidine
guanfacina: guanfacine
guanidina: guanidine
guanina: guanine
guanosina: guanosine
gubernáculo: gubernaculum
guilhotina: guillotine
gundu: goundou
gurnei: gurney
gustação: gustation
gustativo: gustatory
gustina: gustin
guta-percha: gutta-percha
gutural: guttural

H

habena: habena
habenal: habenal; habenar
habênula: habenula

hábitat: habitat
hábito: habit; habitus
habituação: habituation
háfnio: hafnium
halazona: halazone
halcinonida: halcinonide
halisterese: halisteresis
halisterético: halisteretic
hálito: halitus
halitose: halitosis
halmatogênese: halmatogenesis
halo: halation; halo
halodúrico: haloduric
halofantrina: halofantrine
halófilo: halophilic
halogênio: halogen
halômetro: halometer
haloperidol: haloperidol
haloprogina: haloprogin
halotano: halothane
hálux: hallux
hamartoma: hamartoma
hamato: hamate
hamular: hamular
hâmulo: hamulus
hânio: hahnium
haplóide: haploid
haploidêntico: haploidentical
haploidentidade: haploidentity
haploscópio: haploscope
haplótipo: haplotype
haptênico: haptenic
hapteno: hapten
háptica: haptics
haptoglobina: haptoglobin
haste: scapus
haste ou pedículo: petiole
haustral: haustral
hawkinsinúria: hawkinsinuria
haxixe: hashish
hebético: hebetic
hebetude: hebetude
hedonismo: hedonism
hélice: helix
helicina: helicine
helicoidal: helical
helicóide: helcoid
helicotrema: helicotrema
hélio: helium
helmintagogo: helminthagogue
helmintêmese: helminthemesis
helminto: helminth
helmintologia: helminthology
heloma: heloma
helotomia: helotomy
hemadsorção: hemadsorption
hemadsorvente: hemadsorbent
hemaférese: hemapheresis
hemaglutinina: hemagglutinin
hemal: hemal
hemalume: hemalum
hemanálise: hemanalysis
hemangioameloblastoma: hemangioameloblastoma
hemangioblasto: hemangioblast
hemangioblastoma: hemangioblastoma

hemangioendotelioblastoma: hemangioendothelio-
blastoma
hemangioendotelioma: hemangioendothelioma
hemangioendoteliossarcoma:
hemangioendotheliosarcoma
hemangioma: hemangioma
hemangiopericitoma: hemangiopericytoma; perithelioma
hemangiossarcoma: hemangioendotheliosarcoma;
hemangiosarcoma
hemartrose: hemarthrosis
hematêmese: hematemesis
hematérmico: hemathermous
hemático: hematic
hematidrose: hematidrosi
hematina: hematin
hematínico: hematinic
hematinúria: hematinuria
hematocele: hematocele
hematocelia: hematocoelia
hematocitúria: hematocyturia
hematocolpo: hematocolpos
hematocolpometria: hematocolpometra
hematócrito: hematocrit
hematofagia: hematophagia
hematófago: hematophagous
hematogênico: hematogenic
hematogênico: hematogenous
hematoidina: hematoidin
hematolinfangioma: hematolymphangioma
hematólise: hematolysis
hematolítico: hematolytic
hematologia: hematology
hematoma: hematoma
hematomediastino: hematomediastinum
hematometria: hematometry; hemometra
hematomielia: hematomyelia; hematorrhachis; myelapoplexy; myelorrhagia
hematomielite: hematomyelitis
hematomieloporo: hematomyelopore
hematopatologia: hematopathology
hematopoiese: hematopoiesis
hematopoiético: hematopoietic; hemoplastic; sanguifacient
hematoporfirina: hematoporphyrin
hematoquezia: hematochezia
hematoquilúria: hematochyluria
hematorraquia: hematorrhachis
hematorréia: hematorrhea; hemorrhea
hematospermatocele: hematospermatocele
hematossalpinge: hematosalpinx
hematósteo: hematosteon
hematotóxico: hematotoxic; hemotoxic
hematotrópico: hematotropic
hematoxilina: hematoxylin
hematúria: hematuria
heme: heme
hemeralopia: hemeralopia
hemi-hipalgesia: hemihypalpgesia
hemi-hiperestesia: hemihyperesthesia
hemi-hiperidrose: hemihyperidrosis
hemi-hipertrofia: hemipertrophy
hemi-hipoestesia: hemihypesthesia
hemi-hipotonia: hemihypotonia
hemiacromatopsia: hemiachromatopsia

hemiageusia: hemiageusiahemigeusia
hemiamiostenia: hemiamyosthenia
hemianalgesia: hemianalgesia
hemianestesia: hemianesthesia
hemianopia: hemianopia; hemiopia
hemiapraxia: hemiapraxia
hemiataxia: hemiataxia
hemiatetose: hemiathetosis
hemiatrofia: hemiatrophy
hemiaxial: hemiaxial
hemibalismo: hemiballismus
hemibexiga: hemibladder
hemibloqueio: hemiblock
hemicardia: hemicardia
hemicentro: hemicentrum
hêmico: hemal; hemic
hemicoréia: hemichorea
hemicrânia: hemicrania; migraine
hemicrânico: migrainous
hemicraniose: hemicraniosis
hemicromatopsia: hemichromatopsia
hemidesatenção: hemiinattention
hemidesmossoma: hemidesmosome
hemidiaforese: hemidiaphoresis
hemidisestesia: hemidysesthesia
hemidrose: hemihidrosis
hemiepilepsia: hemiepilepsy
hemiespasmo: hemispasm
hemifacial: hemifacial
hemigastrectomia: hemigastrectomy
hemigeusia: hemigeusia
hemiglossectomia: hemiglossectomy
hemiglossite: hemiglossitis
hemilaminectomia: hemilaminectomy
hemilaringectomia: hemilaryngectomy
hemilateral: hemilateral
hemina: hemin
heminefrectomia: heminephrectomy
hemiopia: hemiopia
hemióptico: hemioptic
hemiparaplegia: hemiparaplegia
hemiparesia: hemiparesis
hemiparético: hemiparetic
hemiplacenta: hemiplacenta
hemiplegia: hemiplegia
hemiplégico: hemiplegic
hemirraquiesquise: hemirachischisis
hemisfério: hemisphterium
hemissecção: hemisection
hemivértebra: hemivertebra
hemizigosidade: hemizygosity
hemizigótico: hemizygous
hemo-histioblasto: hemohistioblast
hemo-opsonina: hemopsonin
hemoaglutinina: hemagglutinin
hemoblasto: hemoblast
hemocaterese: hemocatheresis
hemocaterético: hemocatheretic
hemocianina: hemocyanin
hemocinese: hemokinesis
hemocinético: hemokinetic
hemócito: hemocyte
hemocitoblasto: hemoblast; hemocytoblast
hemocitoblastoma: hemocytoblastoma
hemocitocaterese: hemocytocatheresis

hemocitômetro: hemacytometer; hemocytometer
hemocitotripsia: hemocytotripsis
hemoconcentração: hemoconcentration
hemocônia: hemoconia
hemocoriônico: hemochorial
hemocromatose: hemochromatosis
hemocromatótico: hemochromatotic
hemodiagnóstico: hemodiagnosis
hemodialisador: hemodialyzer
hemodiálise: hemodialysis
hemodiluição: hemodilution
hemodinâmica: hemodynamics
hemodinâmico: hemodynamic
hemoendotelial: hemoendothelialh
hemofagócito: hemophagocyte
hemofilia: hemophilia
hemofílico: hemophillic
hemófilo: hemophil
hemofilóide: hemophilioid
hemofiltração: hemofiltration
hemoflagelado: hemoflagellate
hemofucsina: hemofucsin
hemoglobina: hemoglobin
hemoglobinemia: hemoglobinemia
hemoglobinólise: hemoglobinolysis
hemoglobinômetro: hemoglobinometer
hemoglobinopatia: hemoglobinopathy
hemoglobinúria: hemoglobinuria
hemoglobinúrico: hemoglobinuric
hemolinfa: hemolymph
hemolisar: hemolyze
hemólise: hematolysis; hemocytoatheresis; hemolysis
hemolisina: hemolysin
hemolítico: hemolytic
hemomediastino: hematomediastinum; hemomediastinum
hemometria: hemometra
hemopatia: hemopathy
hemopático: hemophatic
hemopatologia: hemopathology
hemopericárdio: hemopericardium
hemopexina: hemopexin
hemoplásico: hemoplastic
hemopneumopericárdio: hemopneumopericardium
hemopneumotórax: hemopneumothorax
hemoprecipitina: hemoprecipitin
hemoproteína: hemoprotein
hemoptise: hemoptysis
hemorragia: hemorrhage; staxis
hemorrágico: hemorragic
hemorragina: hemorrhagin
hemorréia: hemorrhea
hemorreologia: hemorrheology
hemorróida: hemorrhoid
hemorroidal: hemorrhoidal
hemorróidas: piles
hemorroidectomia: hemorrhoidectomy
hemossiderina: hemosiderin
hemossiderose: hemosiderosis
hemostasia: hemostasis
hemostato: hemostat
hemoterapia: hemotherapy
hemotórax: hemothorax
hemotóxico: hemotoxic

hemotoxina: hemotoxin
hemotrófico: hemotrophic
hemotrofo: hemotroph
heparina: heparin
heparinizar: heparinize
hepatatrofia: hepatatrophia
hepático: hepatic
hepaticoduodenostomia: hepaticoduodenostomy
hepaticogastrostomia: hepaticogastrostomy
hepaticolitotomia: hepaticolithotomy
hepaticostomia: hepaticostomy
hepatite: hepatitis
hepatização: hepatization
hepatoblastoma: hepatoblastoma
hepatocarcinoma: hepatocarcinoma
hepatocele: hepatocele
hepatocirrose: hepatocirrhosis
hepatócito: hepatocyte
hepatocolangiocarcinoma: hepatocholangiocarcinoma
hepatoduodenostomia: hepaticoduodenostomy
hepatogástrico: hepatogastric
hepatograma: hepatogram
hepatóide: hepatoid
hepatojugular: hepatojugular
hepatólise: hepatolysis
hepatolisina: hepatolysin
hepatolitíase: hepatolithiasis
hepatolítico: hepatolytic
hepatólito: hepatolith
hepatologia: hepatology
hepatoma: hepatoma
hepatomegalia: hepatomegaly
hepatomelanose: hepatomelanosis
hepatonfalocele: hepatomphalocele
hepatopexia: hepatopexy
hepatopneumônico: hepatopneumonic
hepatoporta: hepatoportal
hepatorrenal: hepatorenal
hepatorrexe: hepatorrhexis
hepatose: hepatosis
hepatosplenite: hepatosplenitis
hepatosplenomegalia: hepatosplenomegaly
hepatotóxico: hepatotoxic
hepatotoxina: hepatotoxin
heptacrômico: heptachromic
heptanoato: heptanoate
heptose: heptose
hera: poison ivy
herança: inheritance
herbívoro: herbivorous
hereditariedade: heredity; heritability
heredofamiliar: heredofamilial
hermafroditismo: hermaphroditism
hermético: hermetic
hérnia: hernia
herniação: herniation
herniário: hernial
hernioplastia: hernioplasty
herniorrafia: herniorrhaphy
herniotomia: herniotomy
heroína: heroin
herpangina: herpangina
herpes: herpes
herpes labial: cold sore

herpes zóster: shingles; zoster
herpesvírus: herpesvirus
herpético: herpetic
hesperidina: hesperidin
hetacilina: hetacillin
heterécio: heterecious
heterérgico: heterergic
heterestesia: heteresthesia
hetero-hemaglutinação: heterohemagglutination
hetero-hemolisina: heterohemolysin
heteroaglutinação: heteroagglutination
heteroanticorpo: heteroantibody
heteroantígeno: heteroantigen
heteroblástico: heteroblastic
heterocelular: heterocellular
heteroceratoplastia: heterokeratoplasty
heterocíclico: heterocyclic
heterocinese: heterokinesis
heterocitotrópico: heterocytotropic
heterócrino: heterocrine
heterocromatina: heterochromatin
heterocromia: heterochromia
heterodérmico: heterodermic
heterodonte: heterodont
heterodrômico: heterodromous
heteroenxerto: heterograft
heteroerotismo: heteroerotism
heterofagia: heterophagy
heterofagossoma: heterophagosome
heterofílico: heterophilic
heterófilo: heterophil
heteroforia: heterophoria
heterofórico: heterophoric
heteroftalmia: heterophthalmia
heterogametia: heterogamety
heterogamético: heterogametic
heterogamia: heterogamy
heterogamo: heterogamous
heterogêneo: heterogeneous
heterogênese: heterogenesis; heterogony
heterogenético: heterogenetic
heterogeusia: heterogeusia
heterogonia: heterogony
heteroimune: heteroimmune
heteroimunidade: heteroimmunity
heterólise: heterolysis
heterolítico: heterolytic
heterólogo: heterologous
heteromérico: heteromeric
heterometaplasia: heterometaplasia
heterometropia: heterometropia
heteromórfico: heteromorphous
heteromorfose: heteromorphosis
heterônimo: heteronymous
heterônomo: heteronomous
heteropicnose: heteropyknosis
heteropicnótico: heteropynotic
heteroplasia: alloplasia; heteroplasia
heteroplásico: heteroplastic
heteroplastia: heteroplasty
heteroploidia: heteroploidy
heteropsia: heteropsia
heterose: heterosis
heterósporo: heterosporous
heterossexual: heterosexual

heterossugestão: heterosuggestion
heterosteoplastia: heterosteoplasty
heterotípico: heterotypic; heterotypical
heterotonia: heterotonia
heterotônico: heterotonic
heterotopia: heterotopia
heterotópico: heterotopic
heterotransplante: heteroplasty; heterotransplantation
heterotrófico: heterotrophic; organotrophic
heterotropia: heterotropia; strabismus
heteroxeno: heteroxenous
heterozigosidade: heterozygosity
heterozigótico: heterozygous
heurístico: heuristic
hexacloreto de gamabenzeno: gamma benzene hexachloride
hexaclorofeno: hexachlorophene
hexadactilia: hexadactyly
hexametônio: hexamethonium
hexano: hexane
hexavalente: hexad
hexavitamina: hexavitamin
hexilcaína: hexylcaine
hexilressorcinol: hexylresorcinol
hexobarbital: hexobarbital
hexocinase: hexokinase
hexosamina: hexosamine
hexosaminidase: hexosaminidase
hexose: hexose
hialina: hyalin
hialino: hyaline
hialinose: hyalinosis
hialite: hyalitis
hialo-hifomicose: hyalohyphomycosis
hialofagia: hyalophagia
hialogênio: hyalogen
hialômero: hyalomere
hialomucóide: hyalomucoid
hialonixe: hyalonyxis
hialoplasma: hyaloplasm
hialose: hyalosis
hialosserosite: hyaloserositis
hialossoma: hyalosome
hialuronato: hyaluronate
hialuronidase: hyaluronidase
hiatal: hiatal
hiato: hiatus
hibenzato: hybenzate
hibernação: hibernation
hibernoma: hibernoma
hibridização: crossbreeding; hybridization
híbrido: hybrid
hibridoma: hybridoma
hiclato: hyclate
hidátide: hydatid
hidatidiforme: hydatidiform
hidatidose: hydatidosis
hidatidostomia: hydatidostomy
hidradenite: hidradenitis
hidradenocarcinoma: hidradenocarcinoma
hidradenóide: hidradenoid
hidradenoma: hidradenoma
hidragogo: hydragogue
hidralazina: hydralazine

hidrâmnio: polyhydramnios
hidranencefalia: hydraencephaly
hidranencefálico: hydranencephalic
hidrargério: hydrargyrum
hidrargiria: hydragyria; hydragyrism
hidrartrodial: hydrarthrodial
hidrartrose: hydrarthrosis
hidratação: hydration
hidratase: hydratase
hidrato: hydrate
hidráulica: hydraulics
hidrazina: hydrazine
hidrencefalomeningocele: hydrencephalomeningocele
hidroacantoma: hidroacanthoma
hidrocalicose: hydrocalycosis
hidrocarboneto: hydrocarbon
hidrocefálico: hydrocephalic
hidrocefalocele: hydrocephalocele
hidrocele: hydrocele
hidrocinética: hydrokinetics
hidrocinético: hydrokinetic
hidrocirsocele: hydrocirsocele
hidrocistoma: hidrocystoma
hidrocloridrotiazida: hydrochlorothiazide
hidrocodona: hydrocodone
hidrocoleciste: hydrocholecystis
hidrocolerese: hydrocholeresis
hidrocolóide: hydrocolloid
hidrocortisona: hydrocortisone
hidrodissecção: hydrodissection
hidroencefalocele: hydroencephalocele
hidrofílico: hydrophilic
hidroflumetiazida: hydroflumethiazide
hidrofobia: aquaphobia; hydrophobia
hidrofóbico: hydrophobic
hidroftalmia: hydrophthalmos; megophthalmos
hidrogênio: hydrogen
hidrolase: hydrolase
hidroliase: hydrolyase
hidrolinfa: hydrolymph
hidrolisado: hydrolysate
hidrólise: hydrolysis
hidrolítico: hydrolytic
hidroma: hydroma
hidromeningocele: hydromeningocele
hidrometria: hydrometry
hidrômetro: hydrometer
hidrometrocolpo: hydrometrocolpos
hidromicrocefalia: hydromicrocephaly
hidromielia: hydromyelia
hidromielomeningocele: hydromyelomeningocele
hidromioma: hydromyoma
hidromorfona: hydromorphone
hidronefrose: hydronephrosis
hidronefrótico: hydronephrotic
hidrônio: hydronium
hidropericardite: hydropericarditis
hidroperitônio: hydrophilic
hidrópico: hydropic
hidropisia: dropsy; hydrops
hidropneumatose: hydropneumatosis
hidropneumogonia: hydropneumogony
hidropneumoperitônio: hydropneumoperitoneum
hidropneumotórax: hydropneumothorax

hidropoiese: hidropoiesis
hidropoiético: hidropoietic
hidroquinona: hydroquinone
hidrorréia: hydrorrhea
hidrosquese: hidroschesis
hidrossarcocele: hydrosarcocele
hidrossol: hydrosol
hidrostática: hydrostatics
hidrostático: hydrostatic
hidrotaxia: hydrotaxis
hidrótico: hidrotic
hidrotionemia: hydrothionemia
hidrotórax: hydrothorax
hidrotropismo: hydrotropism
hidrotubação: hydrotubation
hidroureter: hydroureter
hidroxianfetamina: hydroxyamphetamine
hidroxianisol butilado: butylated hidroxyanisole
hidroxiapatita: hydroxyapatite
hidroxibutirato: hydroxybutyrate
4-hidroxibutiricacidúria: 4-hydroxybutyricaciduria
hidroxicloroquina: hydroxychloroquine
hidroxicobalamina: hydroxocobalamin
25-hidroxicolecalciferol: 25-hydroxycholecalciferol
hidroxicorticosteróide: hydroxycorticosteroid
hidróxido: hydroxide
hidroxiesteróide: hydroxysteroid
hidroxila: hydroxyl
hidroxilapatita: hydroxylapatite
hidroxilase: hydroxylase
hidroxipregnenolona: hydroxypregnenolone
hidroxiprogesterona: hydroxyprogesterone
hidroxiprolina: hydroxyproline
hidroxiprolinemia: hydroxyprolinemia
hidroxipropilmetilcelulose: hydroxypropylmethylcel
8-hidroxiquinolina: 8-hydroxyquinoline
hidroxitolueno butilado: butylated hydroxytoluene
5-hidroxitriptamina: 5-Hydroxytryptamine
hidroxiuréia: hydroxyurea
25-hidroxivitamina D: 25-hydroxyvitamin D
hidroxizina: hydroxyzine
hidrúria: hydruria
hifa: hypha
hifal: hyphal
hifema: hyphema; hyphemia
hifemia: hyphemia
hifidrose: hyphidrosis
hifomicose: hyphomycosis
higiene: hygiene
higiênico: higienic
higienista: hygienist
higroma: hydroma; hygroma
higromatoso: hygromatous
higrometria: hygrometry
higroscópico: hygroscopic
hilar: hilar
hilite: hilitis
hilo: hilum; hilus
hímen: hymen
himenal: hymenal
himenolepíase: hymenolepiasis
himenologia: hymenology
hioepiglótico: hyoepiglottic; hyoepiglottidean
hioglóssico: hyoglossal
hióide: hyoid

hiosciamina: hyoscyamine
hioscina: hyoscine
hipalgesia: hypalgesia
hipalgésico: hypalgesic
hipâmnio: hypamnios
hipanacinesia: hypanakinesis
hiparterial: hyparterial
hipaxial: hypaxial
hiper-reativo: hypereactive
hiper-reflexia: hyperreflexia
hiper-reninemia: hyperreninemia
hiper-ressonância: hyperresonance
hiperácido: hyperacid
hiperacidúria: uricaciduria
hiperacusia: hyperacusis
hiperadenose: hyperadenosis
hiperadiposidade: hyperadiposis
hiperadrenalismo: hyperadrenalism
hiperadrenocorticismo: hyperadrenocorticism; hypercorticism
hiperafia: hyperaphia
hiperáfico: hyperaphic
hiperaldosteronismo: hyperaldosteronism
hiperalfalipoproteinemia: hyperalphalipoproteinemia
hiperalgesia: hyperalgesia
hiperalgésico: hyperalgesic
hiperalimentação: hiperalimentation
hiperamonemia: hyperammonemia
hiperanacinese: hyperanakinesia
hiperatividade: drivenness; hyperactivity
hiperazotemia: hyperazotemia
hiperbárico: hyperbaric
hiperbarismo: hyperbarism
hiperbetalipoproteinemia: hyperbetalipoproteinemia
hiperbilirrubinemia: hyperbilirubinemia
hiperbradicininismo: hyperbradykininism
hipercalcemia: hypercalcemia
hipercalemia: hyperkalemia; potassemia
hipercalêmico: hyperkalemic
hipercapnéico: hypercapnic
hipercapnia: hypercapnia; hypercarbia
hipercarbia: hypercarbia
hipercarotenemia: hypercarotenemia
hipercatártico: hypercathartic
hipercelular: hypercellular
hipercelulização: hyperkeratinization
hiperceratose: hyperkeratosis
hiperceratótico: hyperkeratotic
hipercetonemia: hyperketonemia
hipercianótico: hypercyanotic
hipercinemia: hyperkinemia
hipercinêmico: hyperkinemic
hipercinese: hyperkinesia; hyperkinesis
hipercinesia: hyperkinesia
hipercinético: hyperkinemic
hipercitemia: hypercythemia
hipercitose: hypercytosis
hiperclorêmico: hyperchloremic
hipercloridria: hyperchlorydria
hipercolesterolemia: hypercholesterolemia
hipercolesterolêmico: hypercholesterolemic
hipercorticismo: hypercorticism
hipercrialgesia: hypercryalgesia
hipercriestesia: hypercryalgesia; hypercryesthesia
hipercromasia: hyperchromasia

hipercromático: hyperchromatic
hipercromatismo: hyperchromasia; hyperchromatism
hipercromia: hyperchromia
hipercupremia: hypercupremia
hiperdicrótico: hyperdicrotic
hiperdinamia: hyperdynamia
hiperdinâmico: hyperdynamic
hiperdistensão: hyperdistention
hiperedonia: hyperhedonia
hiperêmese: hyperemesis
hiperemético: hyperemetic
hiperemia: hyperemia
hiperêmico: hyperemic
hipereosinofilia: hypereosinophillia
hiperequema: hyperechema
hiperequilíbrio: hyperequilibrium
hiperesoforia: hyperesophoria
hiperestenia: hyperesthenia
hiperestênico: hypersthenic
hiperestesia: hyperesthesia
hiperestésico: hyperesthetic
hiperexcitação: hyperarousal
hiperexoforia: hyperexophoria
hiperfalangismo: hyperphalangism
hiperfenilalaninemia: hyperphenylalanimenia
hiperferremia: hyperferremia
hiperferrêmico: hyperferremic
hiperfibrinogenemia: hyperfibrinogenemia
hiperfiltração: hyperfiltration
hiperfonese: hyperphonesis
hiperforia: hyperphoria
hiperfosfatasemia: hyperphosphatasemia
hiperfosfatasia: hyperphosphatasia
hiperfosfatúria: hyperphosphaturia
hiperfracionamento: hyperfractionation
hiperfrenia: hyperphrenia
hiperfuncionamento: hyperfunctioning
hipergalactia: hypergalactia
hipergalactose: hypergalactosis
hipergamaglobulinêmico: hypergammaglobulinemic
hipergenesia: hypergenesis
hipergenético: hypergenetic
hipergeusestesia: hypergeusesthesia
hipergeusia: hypergeusia
hiperglicemia: hyperglycemia
hiperglicêmico: hyperglycemic
hipergliceridemia: hyperglyceridemia
hiperglicerolemia: hyperglycerolemia
hiperglicinemia: hyperglycinemia
hiperglicinúria: hyperglycinuria
hiperglicogenólise: hyperglycogenolysis
hiperglicorraquia: hyperglycorrhachia
hiperglucagonemia: hyperglucagonemia
hipergonadismo: hypergonadism
hiperidratação: hyperhydration
hiperidrose: hyperhidrosis; polyhidrosis
hiperidrótico: hyperhidrotic
hiperimune: hyperimmune
hiperimunoglobulinemia: hyperimmunoglobulinemia
hiperinsulinismo: hyperinsulinism
hiperinvolução: superinvolution
hiperirritabilidade: hyperirritability
hiperisotônico: hyperisotonic
hiperlactação: hyperlactation; superlactation

hiperlipemia: hyperlipemia
hiperlipidemia: hyperlipemia; hyperlipidemia; lipidemia
hiperlipidêmico: hyperlipidemic
hiperlipoproteinemia: hyperlipoproteinemia
hiperlisinemia: hyperlysinemia
hiperlitúria: hyperlithuria
hiperluminosidade: hyperlucency
hipermagnesemia: hypermagnesemia
hipermastia: hypermastia
hipermenorréia: hypermenorrhea
hipermetabolismo: hypermetabolism
hipermetria: hypermetria
hipermétrope: hypermetrope; hyperopic
hipermetropia: hypermetropia; hyperopia
hipermiotrofia: hypermyotrophy
hipermórfico: hypermorfic
hipermorfo: hypermorph
hipermotilidade: hypermotility
hipernasalidade: hypernasality
hipernatremia: hypernatremia
hipernatrêmico: hypernatremic
hipernefroma: hypernephroma
hiperneocitose: hyperneocytosis
hipernutrição: hypernutrition; supernutrition
hipérope: hypermetrope; hyperope; hyperopic
hiperopia: farsightedness; hypermetropia; hyperopia
hiperorexia: hyperorexia
hiperornitinemia: hyperornithinemia
hiperorquidismo: hyperorchidism
hiperortocitose: hyperorthocytosis
hiperosmolalidade: hyperosmolality
hiperosmolaridade: hyperosmolarity
hiperostótico: hyperostotic
hiperoxalúria: hyperoxaluria; oxaluria
hiperoxia: hyperoxia
hiperóxico: hyperoxic
hiperparasita: hyperparasite
hiperparasitário: hyperparasitic
hiperparatireoidismo: hyperparathyroidism
hiperperistaltismo: hyperperistalsis
hiperpigmentação: hyperpigmentation
hiperpirético: hyperpyrexial; hyperpyretic
hiperpirexia: hyperpyrexia
hiperpituitarismo: hyperpituitarism
hiperplasia: hyperplasia
hiperplásico: hyperplastic
hiperplasmia: hyperplasmia
hiperploidia: hyperploidy
hiperpnéia: hyperpnea; polypnea
hiperpnéico: hyperpneic
hiperpolarização: hyperpolarization
hiperponese: hyperponesis
hiperponético: hyperponetic
hiperposia: hyperposia
hiperpotassemia: hyperpotassemia
hiperpraxia: hyperpraxia
hiperprebetalipoproteinemia: hyperprebetalipoproteinemia
hiperproinsulinemia: hyperproinsulinemia
hiperprolinemia: hyperprolinemia
hiperprosexia: hyperprosexia
hiperproteose: hyperproteosis
hiperquilia: hyperchyliah
hiperquilomicronemia: hyperchylomicronemia

hipersalivação: hypersalivation
hipersarcosinemia: hypersarcosinemia
hipersecreção: hypersecretion
hipersensibilidade: hypersensitivity
hipersensível: hypersensitive
hipersomnia: hypersomnia
hipersonolência: hypersomnolence
hipertecose: hyperthecosis
hipertelia: hyperthelia
hipertelorismo: hypertelorism
hipertensão: hypertension
hipertensivo: hypertensive
hipertermia: hyperthermia
hipertérmico: hyperthermal; hiperthermic
hipertimia: hyperthymia
hipertimismo: hyperthymism
hipertireóideo: hyperthyroid
hipertireoidismo: hyperthyroidism
hipertirosinemia: hypertyrosinemia
hipertonia: hypertonia
hipertonicidade: hypertonicity
hipertônico: hypertonic
hipertricose: hypertrichosis; polytrichia
hipertrigliceridemia: hypertriglyceridemia
hipertrofia: hypertrophy
hipertrófico: hypertrophic
hipertropia: hypertropia
hiperuricemia: hyperuricemia; uricacidemia; uricemia
hiperuricêmico: hyperuricemic
hipervalinemia: hypervalinemia; valinemia
hiperventilação: hyperventilation; overventilation
hiperviscosidade: hyperviscosity
hipervitaminose: hypervitaminosis
hipervitaminótico: hypervitaminotic
hipervolemia: hypovolemia
hipestesia: hypesthesia
hipnagogo: hypnagogue
hipnalgia: hypnalgia
hipnoanálise: hypnoanalysis
hipnodontia: hypnodontics
hipnogênico: hipnogenic
hipnóide: hypnoid
hipnolepsia: hypnolepsy
hipnologia: hypnology
hipnose: hypnosis
hipnótico: hypnotic; somnifacient
hipnotismo: hypnotism; mesmerism
hipnotizar: hypnotize
hipo: hippus; hypo
hipoacusia: hypoacusis
hipoadrenalismo: hypoadrenalism
hipoadrenocorticismo: hypoadrenocorticism; hypocorticism
hipoalbuminose: hypoalbuminosis
hipoalfalipoproteinemia: hypoalphalipoproteinemia
hipoalimentação: hypoalimentation
hipoazotúria: hypoazoturia
hipobárico: hypobaric
hipobarismo: hypobarism
hipobaropatia: hypobaropathy
hipoblástico: hypoblastic
hipoblasto: hypoblast
hipocalcemia: hypocalcemia
hipocalcêmico: hypocalcemic
hipocalemia: hypokalemia

hipocalêmico: hypokalemic
hipocampal: hippocampal
hipocampo: hippocampus
hipocapnéico: hypocapnic
hipocapnia: acapnia; hypocapnia; hypocarbia
hipocarbia: hypocarbia
hipociclose: hypocyclosis
hipocinesia: hypanakinesis; hypokinesia
hipocinético: hypokinetic
hipocitemia: hypocythemia
hipocloremia: hypochloremia
hipoclorêmico: hypochloremic
hipocloreto: hypochlorite
hipocloridria: hypochlorhydria
hipoclorização: hypochlorization
hipocolesteremia: hypocholesteremia
hipocolesterolemia: hypocholesterolemia
hipocolesterolêmico: hypocholesterolemic
hipocomplementemia: hypocomplementemia
hipocondria: hypochondria; hypochondriasis
hipocondríaco: hypochondriac; hypochondriacal; hypochondrial
hipocôndrio: hypochondrium
hipocorticismo: hypocorticism
Hipócrates: Hippocrates
hipocrático: hippocratic
hipocromasia: hypochromasia
hipocromatismo: hypochromatism
hipocromatose: hypochromatosis
hipocromia: hypochromia
hipocrômico: hypochromic
hipoderme: hypodermis
hipodermíase: hypodermiasis
hipodérmico: hypodermic
hipodermóclise: hypodermoclysis
hipodinamia: hypodynamia
hipodinâmico: hypodynamic
hipodipsia: hypodipsia; oligodipsia
hipodontia: hypodontia
hipoecóico: hypoechoic
hipoecrisia: hypoeccrisia
hipoecrítico: hypoeccritic
hipoedonia: hyphedonia
hipoergia: hypoergia
hipoérgico: hypoergic
hipoesoforia: hypoesophoria
hipoesplenismo: hyposplenism
hipoestesia: hypesthesia; hypoesthesia
hipoestésico: hipoesthetic
hipoexoforia: hypoexophoria
hipofaringe: hypopharynx
hipoferremia: hypoferremia
hipofértil: hypofertile ·
hipofertilidade: hypofertility
hipofibrinogenemia: hypofibrinogenemia
hipofisário: hypophyseal
hipófise: hypophysis
hipofisectomia: hypophysectomy
hipofiseoportal: hypophyseoportal
hipofisioprivo: hypophysioprivic
hipofonese: hypophonesis
hipofonia: hypophonia
hipoforia: hypophoria
hipofosfatemia: hypophosphatemia
hipofosfatasia: hypophosphatasia

hipofosfatêmico: hypophosphatemic
hipofrenia: hypophrenia
hipofrênico: hypophrenic
hipogalácteo: hypogalactous
hipogalactia: hypogalactia
hipogamaglobulinemia: hypogammaglobulinemia
hipogamaglobulinêmico: hypogammaglobulinemic
hipoganglionose: hypoganglionosis
hipogástrio: hypogastrium
hipogastrosquise: hypogastroschisis
hipogênese: hypogenesis
hipogenético: hypogenetic
hipogenitalismo: hypogenitalism
hipogeusestesia: hypogeusesthesia
hipogeusia: hypogeusesthesia; hypogeusia
hipoglicemia: hypoglycemia
hipoglicêmico: hypoglycemic
hipoglicorraquia: hypoglycorrhachia
hipoglucagonemia: hypoglucagonemia
hipogonadismo: hypogenitalism; hypogonadism
hipogonadotrópico: hypogonadotropic
hipoidrose: hypohidrosis
hipoidrótico: hypohidrotic
hipolactasia: hypolactasia
hipoleidigismo: hypoleydigism
hipolipidêmico: hypolipidemic
hipomagnesemia: hypomagnesemia
hipomania: hypomania
hipomaníaco: hypomanic
hipomenorréia: hypomenorrhea
hipômero: hypomere
hipometria: hypometria
hipomixia: hipomyxia
hipomnésia: hypomnesis
hipomórfico: lypomorphic
hipomorfo: hypomorph
hiponasalidade: hyponasality
hiponatremia: hyponatremia
hiponeocitose: hyponeocytosis
hiponiquial: hyponychial
hiponíquio: hyponychium
hiponóia: hyponoia
hipoparatireoidismo: hypoparathyroidism
hipoperfusão: hypoperfusion
hipopiese: hypopiesis
hipopiético: hypopietic
hipópio: hypopyon
hipopituitarismo: hypopituitarism
hipoplasia: hypoplasia
hipoplásico: hypoplastic
hipopnéia: hypopnea
hipopnéico: hypopneic
hipoporose: hypoporosis
hipopotassemia: hypopotassemia
hipoprosódia: hypoprosody
hipopselafesia: hypopselaphesia
hipoptialismo: hypoptyalism; hyposalivation
hiportocitose: hypoorthocytosis
hiposmia: hyposmia
hipospádia: hypospadias
hipossalivação: hyposalivation
hipossecreção: hyposecretion
hipossensível: hyposensitive
hipossinergia: hyposynergia
hipossomatotropismo: hyposomatotropism

hipossonia: hyposomnia
hipóstase: hypostasis
hipostático: hypostatic
hipostenia: hyposthenia
hipostênico: hyposthenic
hipostipsia: hypostypsis
hipostíptico: hypostyptic
hipotalâmico: hypothalamic
hipotálamo: hypothalamus
hipotelorismo: hypotelorism
hipotenar: hypothenar
hipotensão: hypotension
hipotensivo: hypotensive
hipotermia: hypothermia
hipotérmico: hypothermal; hypothermic
hipótese: hypothesis
hipotimia: hypothymia
hipotimismo: hypothymism
hipotímpano: hypotympanum
hipotimpanotomia: hypotympanotomy
hipotireóideo: hypothyroid
hipotireoidismo: hypothyroidism
hipotonia: hypotonia
hipotônico: hypotonic
hipotricose: hipotrichosis
hipotrofia: hypotrophy
hipotropia: hypotropia
hipouricemia: hypouricemia
hipoventilação: hypoventilation
hipovolemia: hypovolemia
hipovolêmico: hypovolemic
hipovolia: hypovolia
hipoxantina: hypoxanthine
hipoxemia: anoxemia; hypoxemia
hipoxia: hypoxia
hipóxico: hypoxic
hipsarritmia: hypsarrhythmia
hipsocinese: hypsokinesis
hipúria: hippuria
hirco: hircus
hirsutismo: hirsutism
hirudicida: hirudicide
hirudicídico: hirudicidal
hirudina: hirudin
histamina: histamine
histaminérgico: histaminergic
histamínico: histaminic
histerectomia: hysterectomy
histerectomia abdominal: abdomino hysterectomy
histerese: hysteresis
histereurise: hystereurysis
histeria: hysteria
histérico: hysterical; hysterics
histerocele: hysterocele
histeroclise: hysterocleisis
histeroepilepsia: hysteroepilepsy
histerografia: hysterography
histeróide: hysteroid
histerólise: hysterolysis
histerólito: histerolith; uterolith
histerômetro: uterometer
histeromioma: hysteromyoma
histeromiomectomia: hysteromyomectomy
histeromiotomia: hysteromyotomy
histeropexia: hysteropexy

histeroptose: hysteroptosis
histerorrafia: hysterorrhaphy
histerorrexia: hysterorrhexis
histeroscópio: hysteroscope
histerospasmo: hysterospasm
histerossalpingectomia: hysterosalpingectomy
histerossalpingografia: hysterosalpingography
histerossalpingografia: hysterotubography; metrosalpingography
histerossalpingooforectomia: hysterosalpingoophorectomy
histerossalpingostomia: hysterosalpingostomy
histerotomia: hysterotomy
histerotraquelorrafia: hysterotrachelorrhaphy
histerotraquelotomia: hysterotrachelotomy
histerotubografia: hysterotubography
histidase: histidase
histidina: histidine
histidinemia: histidinemia
histidinúria: histidinuria
histiocítica: histiocytic
histiócito: histiocyte
histiocitoma: histiocytoma
histiocitose: histiocytosis
histiogênico: histiogenic
histoblasto: histoblast
histocinese: histokinesis
histoclínico: histoclinical
histocompatibilidade: histocompatibility
histocompatível: histocompatible
histodiferenciação: histodifferentiation
histofisiologia: histophysiology
histogênese: histogenesis
histogenético: histogenetic
histogênico: histogenous
histograma: histogram
históide: histoid
histoincompatibilidade: histoincompatibility
histoincompatível: histoincompatible
histólise: histolysis
histolítico: histolytic
histologia: histology; microanatomy
histológico: histologic; histological
histomoníase: histomoniasis
histona: histone
histoneurologia: neurohistology
histoplasmina: histoplasmin
histoplasmoma: histoplasmoma
histoplasmose: histoplasmosis
histoquímica: cytochemistry; histochemistry
histoquímico: histochemical
história: case history
histotomia: histotomy
histotóxico: histotoxic
histotrófico: histotrophic
histotrofo: histotroph
histotrombina: histothrombin
histotrópico: histotropic
histrelina: histrelin
histriônico: histrionic
histrionismo: histrionism
hodoneurômero: hodoneuromere
holismo: holism
holístico: holistic
holoândrico: holandric
holoblástico: holoblastic

holocrino: holocrine
holodiastólico: holodiastolic
holoendêmico: holoendemic
holoenzima: holoenzyme
holofítico: holophytic
holografia: holography
holoprosencefalia: holoprosencephaly
holorraquisquise: holorachischisis
holozóico: holozoih
homalúria: homaluria
homatropina: homatropine
homeopatia: homeopathy
homeopático: homeopathic
homeoplasia: homeoplasia
homeoplásico: homeoplastic
homeostasia: homeostasis
homeostático: homeostatic
homeoterapia: homeotherapy
homeotermia: homeothermy
homeotérmico: homeothermic
homérgico: homergic
homoaxial: homaxial
homobiotina: homobiotin
homocarnosina: homocarnosine
homocisteína: homocysteine
homocistina: homocystine
homocistinúria: homocystinuria
homocitotrópico: homocytotropic
homódromo: homodromous
homoenxerto: homograft
homofílico: homophilic
homogamético: homogametic
homogeneizado: homogenate
homogeneizar: homogenize
homogêneo: homogeneous
homogênese: homogenesis
homogenético: homogenetic
homolisina: homolysin
homólogo: homologous; homologue
homônimo: homonymous
homônomo: homonomous
homoplásico: homoplastic
homopolissacarídeo: homopolysaccharide
homorgânico: homorganic
homossexual: homosexual
homotérmico: hemathermous
homotípico: homotypic
homótipo: homotype
homotópico: homotopic
homozigose: homozygosis
hordéolo: hordeolum; stye
horizonte: horizon
hórmio: hormion
hormonal: hormonal
hormônio: hormone
hormonógeno: hormonogen
horóptero: horopter
horror: horror
hospedaria: hospice
hospedeiro: host
hospital: hospital
hospitalização: hospitalization
humor: mood
humoral:humoral

I

iatrogênico: iatrogenic
ibuprofeno: ibuprofen
ictal: ictal
ictamol: ichthammol
icterícia: icterus; jaundice
icterícia nuclear: kernicterus
ictérico: icteric
icteroepatite: icterohepatitis
icterogênico: icterogenic
ictióide: ichthyoid
ictiologia: ichthyology
ictiose: ichthyosis
ictiossarcotoxina: ichthyosarcotoxin
ictiossarcotoxismo: ichthyosarcotoxism
ictiótico: ichthyotic
icto: ictus
idade: age
idarrubicina: idarubicin
ideação: ideation
ideacional: ideational
ideal: ideal
idealização: idealization
idéia: idea
idéia fixa: idée fixe
identidade: identity
identificação: identification
ideogenético: ideogenetic; ideogenous
ideógeno: ideogenous
ideologia: ideology
ideomoção: ideomotion
ideomotor: ideomotor
idioglossia: idioglossia
idioglótico: idioglotic
idiograma: idiogram
idiopático: idiopathic
idiossincrasia: idiosyncrasy
idiossincrático: idiosyncratic
idiota: idiot
idiotia: idiocy
idiotrófico: idiotrophic
idioventricular: idioventricular
idoxuridina: idoxuridine
L-iduronidase: L-iduronidase
ileal: ileac
ileíte: ileitis
íleo: ileum; ileus
ileocecostomia: ileocecostomy
ileocistoplastia: ileocystoplasty
ileocistostomia: ileocystostomy
ileocolite: ileocolitis
ileocolostomia: ileocolostomy
ileoileostomia: ileoileostomy
ileorrafia: ileorrhaphy
ileossigmoidostomia: ileosigmoidostomy
ileostomia: ileostomy
ileotomia: ileotomy
ilha: island; islet
ilhota: islet
iliofemoral: iliofemoral
iliolombar: iliolumbar
iliopectíneo: iliopectineal
iluminação: illumination
iluminação por fibra: fiber-illuminated

ilusão: illusion
ilusório: illusional
ímã: magnet
imagem: image
imago: imago
imbecilidade: imbecility
imbricado: imbricated
imediatamente: simul
imersão: immersion
imida: imide
imidazol: imidazole
imidol: pyrrole
iminoestilbeno: iminostilbene
iminoglicinúria: iminoglycinuria
imipenem: imipenem
imipramina: imipramine
imiscível: immiscible
imobilização: immobilization; splinting
imortalização: immortalization
impactação: impaction
impactado: impacted
impalpável: impalpable
impedância: impedance
impedimento: retardation
imperfurado: imperforate
imperícia: malpractice
impermeável: impermeable
impetiginoso: impetiginous
impetigo: impetigo
implantação: implantation
implantar: implant
implante: implant
implosão: implosion
impotência: impotence
impregnação: fecundation; impregnation
impressão: impressio; impression; imprinting
impressão digital: fingerprint; thumbprinting
impulsão: impulsion
impulsividade: drivenness
impulso: impulse
imune: immune
imunidade: immunity
imunização: immunization
imunoadjuvante: immunoadjuvant
imunoadsorvente: immunoadsorbent
imunobiologia: immunobiology
imunobiológico: immunobiological
imunoblástico: immunoblastic
imunocintilografia: immunoscintigraphy; radioim-
    munoscintigraphy
imunócito: immunocyte
imunocitoaderência: immunocytoadherence
imunocompetência: immunocompetence
imunocompetente: immunocompetent
imunocomplexo: immunocomplex
imunocomprometido: immunocompromised
imunoconglutinina: immunoconglutinin
imunodeficiência: immunodeficiency
imunodeficiente: immunodeficient
imunodermatologia: immunodermatology
imunodifusão: immunodiffusion
imunodominância: immunodominance
imunoeletroforese: immunoelectrophoresis
imunoematologia: immunohematology
imunoensaio: immunoassay

imunoestimulação: immunostimulation
imunofenótipo: immunophenotype
imunofluorescência: immunofluorescence
imunogenética: immunogenetics
imunogenético: immunogenetic
imunogenicidade: immunogenicity
imunogênico: immunogenic
imunógeno: immunogen
imunoglobulina: immunoglobulin
imunoglobulinopatia: immunoglobulinopaty
imunoincompetente: immunoincompetent
imunoistoquímico: immunohistochemical
imunolinfocintilografia: immunolymphoscintigraphy
imunologia: immunology
imunológico: immunologic
imunomácula: immunoblot
imunomodulação: immunomodulation
imunopatogênese: immunopathogenesis
imunopatologia: immunopathology
imunopatológico: immunopathologic
imunopotência: immunopotency
imunopotenciação: immunopotentiation
imunoproliferativo: immunoproliferative
imunoquímica: immunochemistry
imunoquimioterapia: immunochemotherapy
imunorradiometria: immunoradiometry
imunorradiométrico: immunoradiometric
imunorregulação: immunoregulation
imunorresponsividade: immunoresponsiveness
imunossorvente: immunosorbent
imunossupressão: immunosupression
imunossupressivo: immunosupressive
imunoterapia: immunotherapy
imunotoxina: immunotoxin
imunotransfusão: immunotransfusion
inalação: inhalation
inalador: respirator
inalante: inhalant
inanição: inanition
inanimado: inanimate
inapetência: inappetence
inarticulado: inarticulate
inativação: inactivation
inato: inborn; innate
incapacidade: disability
incentivador: booster
incesto: incest
inchação: tumefaction
inchado: bloat; tumid
inchar: bloat
incicloforia: incyclophoria
inciclotropia: incyclotropia
incidência: incidence
incidente: incident
incisado: crenate; crenated
incisão: incision
incisor: incisor
incisura: crena; incisura; incisure
inclinação: inclinatio; inclination
inclusão: inclusion
incompatível: incompatible
incompetente: incompetent
inconsciente: unconscious
incontinência: incontinence; incontinentia
incontinente: incontinent

incoordenação: incoordination
incorporação: incorporation
incremental: incremental
incremento: increment
incrustação: embedding; incrustation; inlay
incubação: incubation
incubadora: incubator
incubar: incubate
íncubo: incubus
incudal: incudal
incudoestapedial: incudostapedial
incudomaleal: incudomaleal
incurável: incurable
indanediona: indanedione
indapamida: indapamide
indicação: signature
indicador: index; indicator
índice: rate
indiferenciado: undifferentiated
indigestão: indigestion
indigitação: indigitation
índigo: indigo
indigotina: indigotin
índio: indium
indisposição: distemper
individualização: individuation
indivíduo: subject
indol: indole
indolente: indolent
indometacina: indomethacin
indoxil: indoxyl
indução: induction
indurado: sclerous
indurativo: indurative
indúsio gríseo: indusium griseum
indutor: inducer; inductor
inebriação: inebriation
inédito: anecdotal
inércia: inertia
inerte: inert
inervação: innervation
infantilismo: infantilism
infartação: infarction
infarto: infarct; infarction
infecção: infection
infeccionar: fester
inferior: inferior
infértil: infertile
infertilidade: infertility
infestação: infestation
infibulação: infibulation
infiltração: infiltration
inflação: inflation
inflamação: inflammation
inflamatório: inflammatory
inflexão: inflection; inflexion
influenciado pelo sexo: sex-influenced
influenza: grippe; influenza
infra-espinhoso: infraspinous
infra-oclusão: infraclusion
infra-sônico: infrasonic
infradental: infradentale
infradiano: infradian
infradução: infraduction; deorsumduction

infravergência: deorsumvergence
infravermelho: infrared
infraversão: deorsumversion; infraversion
infundibular: infundibular
infundibulectomia: infundibulectomy
infundibuliforme: infundibuliform
infundíbulo: infundibulum
infundibuloma: infundibuloma
infusão: infusion
ingestante: ingestant
ingestão: ingestion
ingravescente: ingravescent
inguinal: inguinal
ingurgitamento: engorgement
inial: inial
inibição: inhibition
inibidor: inhibitor
inibitório: inhibitory
início: initiation
inidação: innidiation
ininterrupto: rectus
ínion: inio
inite: initis
injeção: injection
inocondrite: inochondritis
inoculação: inoculation
inoculável: inoculable
inóculo: inoculum
inodilatador: inodilator
inominado: innominate
inoperável: inoperable
inorgânico: inorganic
inoscopia: inoscopy
inosemia: inosemia
inosina: inosine
inositol: inositol
inotrópico: inotropic
inquérito: inquest
inquietação: dysphoria
insalubre: insalubrious
insanidade: folie; insanity
insano: insane
insaturado: unsaturated
inscrição: inscriptio; inscription
inseminação: insemination
insensível: insensible
inserção: insertion
inserção do pensamento: thought insertion
insetos parasitas: vermin
insidioso: insidious
insinuação: engagement
insolação: heatstroke; sunstroke
insolúvel: insoluble
insonar: insonate
insônia: insomnia
insorção: insorption
inspersão: inspersion
inspiração e expiração: breathing
inspiração: inspiration
inspiratório: inspiratory
inspissado: inspissated; spissaated
instalação para pacientes: halfway house
instar: instar
instável: labile

instilação: instillation
instinto: instinct
institucionalização: institutionalization
instrumentação: instrumentation
insudação: insudation
insudato: insudate
insuficiência: failure; insufficiency
insuficiência cardíaca: heart failure
insuflação: insufflation
ínsula: insula
insular: insular
insulina: insulin
insulinogênese: insulinogenesis
insulinoma: insulinoma
insulinopênico: insulinopenic
insulite: insulitis
insuscetibilidade: insusceptibility
integração: integration
integrina: integrin
integumentar: integumentary
integumento: integumentum
intelecto: intellect
intelectualização: intellectualization
intenção: intention
interação: interaction
intercalar: intercalary
intercâmbio: exchange
intercartilaginoso: intercartilaginous
intercéfalo: interbrain
intercinese: interkinesis
intercorrente: intercurrent
intercostal: intercostal
intercricotireotomia: intercricothyrotomy
intercrítico: intercritical
intercurso: intercourse
intercúspide: intercusping
interdentário: interdental; interdentium
interdigitação: interdigitation
interespaço: interspace
interface: interface
interfascicular: interfascicular
interfase: interphase
interfemoral: interfemoral
interferon: interferon
interictal: interictal
interleucina: interleukin
interlobite: interlobitis
interlobular: interlobular
intermediário: intermediate; mediate
intermedina: intermedin
intermédio: intermedius
intermitente: intermitent
intermural: intermural
internalização: internalization
internatal: internatal
interneurônio: interneuron
internista: internist
interno: intern; internal; internus
internuclear: internuclear
internuncial: internuncial
interoceptivo: interoceptive
interoceptor: interoceptor
interoclusal: interocclusal
interparietal: interparietal
interplante: interplant

interpolação: interpolation
interpretação: interpretattion
interproximal: interproximal
interrupção: arrest
intersecção: intersectio; intersection
intersexuado: intersex
intersexual: intersexual
intersexualidade: intersexuality
intersticial: interstitial
interstício: interstice; interstitium
intertransverso: intertransverse
intertrigo: intertrigo
interureteral: interureteral
interuretérico: interureteral; interureteric
intervaginal: intervaginal
intervalo: interval; lag
intervenção: intervention
interviloso: intervillous
intestinal: intestinal
intestino: bowel; gut; intestine; intestinum
intestino anterior: foregut
intestino médio: midgut
íntima: intima; intimal
intolerância: intolerance
intorção: intorsion
intoxicação: drunkenness; intoxication; poisoning
intra-espinhal: intraspinal
intra-operatório: intraoperative
intracanalicular: intracanalicular
intracardíaco: intracardiac
intracelular: intracelular
intracervical: intracervical
intracístico: intracystic
intradural: intradural
intrafusal: intrafusal
intragordura: intrafat
intralobular: intralobular
intramedular: intramedulary
intramuscular: intramuscular
intraparietal: intraparietal
intrapartal: intrapartal
intraparto: intrapartum
intrapsíquico: intrapsychic
intratável: intractable
intratecal: intrathecal
intratimpânico: intratympanic
intratraqueal: intratracheal
intravasamento: intravasation
intravital: intravital
intrínseco: intrinsic
introflexão: buckling
intróito: introitus
introjeção: introjection
intromissão: intromission
íntron: intron
introspecção: introspection
introspectivo: introspective
introssuscepção: introsusception
introversão: introversion
intubação: intubation
intumescência: intumescence; intumescentia
intumescente: intumescent
intussuscepção: indigitation; intussusception
intussuscepto: intussusceptum
intussuscipiente: intussuscipiens

inulina: inulin
inunção: inunction
invaginação: invagination; outpouching
invaginar: vaginate
invasão: invasion
invasividade: invasiveness
invasivo: invasive
inversão: inversion; reversion
invertebrado: invertebrate
inveterado: inveterate
inviável: nonviable
involução: involution
involucional: involutional
invólucro: envelope; involucrum
iodação: iodination
iodeto: iodide
iodeto de isopropamida: isopropamide iodide
iodeto de metocurina: metocurine iodide
iodeto ecotiofático: echothiophate iodide
iodipamida: iodipamide
iodismo: iodism
iodo: iodine
iododermia: iododerma
iodofilia: iodophilia
iodófilo: iodinophilous
iodofórmio: iodoform
iodoipurato sódico: iodohippurate sodium
iodometilnorcolesterol: iodomethylnorcholesterol
iodopsina: iodopsin
iodoquinol: iodoquinol
ioexol: iohexol
iofendilato: iophendylate
íon: ion
iônico: ionic
ionização: ionization
ionóforo: inophore
iontoforese: iontophoresis
iontoforético: iontophoretic
iotalamato: iothalamate
ioxaglato: ioxaglate
ipeca: ipecac
ipodato: ipodate
ipsilateral: ipsilateral
ira: rage
iridauxese: iridauxesis
iridectomesodiálise: iridectomesodialysis
iridectomia: iridectomy
iridectrópio: iridectropium
iridemia: iridemia
iridenclise: iridencleisis
iridentrópio: iridentropium
irideremia: irideremia
iridescência: iridescence
iridescente: iridescent
iridese: iridesis; iridodesis
irídico: iridic
irídio: iridium
iridoavulsão: iridoavulsion
iridocele: iridocele
iridoceratite: iridokeratitis
iridociclite: iridocyclitis
iridocinesia: iridokinesia; iridokinesis
iridocinético: iridokinetic; iridomotor
iridocistectomia: iridocystectomy
iridocoloboma: iridocoloboma

iridoconstritor: iridoconstrictor
iridodese: iridodesis
iridodiálise: iridodialysis
iridodilatador: iridodilator
iridodonese: iridodonesis
iridoleptinse: iridoleptynsis
iridomalacia: iridomalacia
iridomesodiálise: iridomesodialysis
iridonco: iridoncus
iridoperifacite: iridoperiphakitis
iridoperifaquite: iridoperiphakitis
iridoplegia: iridoplegia
iridoptose: iridoptosis
iridorrexe: iridorhexis
iridosquise: iridoschisis
iridosterese: iridosteresis
iridotase: iridotasis
iridotomia: iridotomy; iritomy; irotomy
iridótomo: corectome
íris: irides; iris; uvea
irite: iritis
iritoectomia: iritoectomy
iritomia: iritomy
irmã: sister
irmão ou irmã: sibling
irotomia: irotomy
irradiar: irradiate
irradiação do pensamento: thought broadcasting
irredutível: irreducible
irregular: atypical
irrigação: irrigation
irritabilidade: irritability
irritação: irritation
irritativo: irritative
irritável: irritable
iscurético: ischuretic
iscúria: ischuria
isetionato: isethionate
iso-hemaglutinina: isohemagglutinin
iso-hemolisina: isohemolysin
isoaglutinina: isoagglutinin
isoalelo: isoallele
isoanticorpo: alloantibody; isoantibody
isoantígeno: alloantigen; isoantigen
isóbaro: isobar
isocarboxazida: isocarboxazid
isocelular: isocellular
isocinético: isokinetic
isocitolisina: isocytolysin
isocitose: isocytosis
isocitrato: isocitrate
isocoria: isocoria
isocórtex: isocortex
isocromático: isochromatic
isocromossoma: isochromosome
isocrônico: isochronic
isócrono: isochronic; isochronous
isodactilismo: isodactylism
isodose: isodose
isoelétrico: isoelectric
isoemaglutinina: isohemagglutinin
isoemolisina: isohemolysin
isoenergético: isoenergetic
isoenxerto: isograft**

isoenzima: isoenzyme
isoetarina: isoetharine
isoflurofato: isoflurophate
isoforia: isophoria
isogamético: isogametic
isogametismo: isogamety
isogamia: isogamy
isógamo: isogamous
isogênese: isogenesis
isogênico: isogeneic; isogenic
isoiconia: iseikonia; isoiconia
isoicônico: iseikonic; isoiconic
isoimunização: isoimmunization
isolamento: insulation; isolation
isolar: isolate
isolécito: isolecithal
isoleucina: isoleucine
isolisina: isolysin
isólogo: isologous
isomaltase: isomaltase
isomerase: isomerase
isomérico: isomeric
isomerismo: isomerism
isomerização: isomerization
isômero: isomer
isometepteno: isomethepthene
isométrico: isometric
isometropia: isometropia
isomórfico: isomorphous
isomorfismo: isomorphism
isomorfo: isomorphous
isoniazida: isoniazid
isopicnose: isopyknosis
isopicnótico: isopyknotic
isoprecipitina: isoprecipitin
isopropanol: isopropanol
isoproterenol: isoproterenol
isóptero: isopter
isorréia: isorrhea
isorréico: isorrheic
isosmótico: isosmotic
isósporo: isospore
isossensibilização: isosensitization
isossexual: isosexual
isossorbida: isosorbide
isostenúria: isosthenuria
isotonia: isotonia
isotônico: isotonic
isótono: isotone
isótopo: isotope
isotretinoína: isotretinoin
isotrópico: isotropic
isovalericacidemia: isovalericacidemia
isovolumétrico: isovolumic
isozima: isoenzyme; isozyme
isquemia: ischemia
isquêmico: ischemic
isquiático: ischial; ischiatic
ísquio: ischium
isquiocapsular: ischiocapsular
isquiococcígeo: ischiococcygeal
isquiodinia: ischiodynia
isquiopubiano: ischiopubic
isradipina: isradipine

istmectomia: isthmectomy
ístmico: isthmian
istmo: isthmus
istmoparalisia: isthmoparalysis
istmoplegia: isthmoparalysis
iteral: iteral
itérbio: ytterbium
ítrio: yttrium
ixodíase: ixodiasis
ixodídio: ixodid

J

jactação: jactitation
janela: fenestra; window
jaqueta: jacket
jarrete: hamstring; hock
jato de água: flush
jejunal: jejunal
jejunectomia: jejunectomy
jejuno: jejunum
jejunocecostomia: jejunocecostomy
jejunoileíte: jejunoileitis
jejunojejunostomia: jejunojejunostomy
jejunostomia: jejunostomy
jejunotomia: jejunotomy
joanete: bunion
joanete de alfaiate: bunionette
joelho: genu; knee
joelho valgo: knock-knee
joule: joule
jugal: jugal
jugo: jugum; yoke
jugular: jugular
junção: junctio; junction; junctura; splicing
juncional: junctional
junta: joint; junctura
juramento: pledge
jurisprudência: jurisprudence
justaglomerular: juxtaglomerular
justaposição: juxtaposition
juvenil: juvenile

K

kafindo: onyalai; onyalia
kelvin: kelvin

L

labetalol: labetalol
labiação: lipping
labial: labial
labialmente: labially
lábil: labile
labilidade: lability
lábio: labium; lip
lábio leporino: harelip
labioalveolar: labioalveolar
labiocervical: labiocervical
labioclinação: labioclination
labiocolocação: labioplacement
labiocoréia: labiochorea
labiogengival: labiogingival
labiógrafo: labiograph
labiomentoniano: labiomental

labioversão: labioversion
labiríntico: labyrinthine
labirintite: labyrinthitis
labirinto: labyrinth; maze
laboratório: laboratory
laceração: laceration
lacerto: lacertus
laço: snare
lacrimejamento: lacrimation
lacrimejante: lacrimator
lacrimogênio: lacrimator
lacrimotomia: lacrimotomy
lactação: lactation
lactagogo: lactagogue
lactam: lactam
β-lactamase: β-lactamase
lactante: infant
lactase: lactase
L-lactato desidrogenase: L-lactate dehydrogenase
lactente: infant
lácteo: lacteal
lactescência: lactescence
láctico: lactic
lactífero: lactiferous lactigerous
lactífugo: lactifuge
lactígeno: lactigenous
lactígero: lactigerous
lactima: lactim
lactívoro: lactivorous
lactobacilo: lactobacillus
lactocele: lactocele
lactogênio: lactogen
lactoglobulina: lactoglobulin
lactona: lactone
lactorréia: lactorrhea
lactose: lactose
lactóside: lactoside
lactosúria: lactosuria
lactotrofina: lactotrophin; lactotropin
lactótrofo: lactotrope
lactotropina: lactotrophin; lactotropin
lactótropo: lactotrope
lactovegetariano: lactovegetarian
lactulose: lactulose
lacuna: lacuna
lacunar: lacunar
lacúnula: lacunule
lado: latus
lagena: lagena
lageniforme: lageniform
lago: lacus; lake
lagoftalmia: lagophthalmos
lágrimas: tears
laloplegia: laloplegia
lalorréia: lalorrhea
lambda: lambda
lambdóide: lambdoid
lamblíase: lambliasis; lambliosis
lamela: lamella
lamelar: lamellar
lamelipódios: lamellipodia
lâmina: lamina; layer; sheet; slide
laminectomia: laminectomy
laminografia: laminagraphy
laminoplastia: laminaplasty

laminotomia: laminotomy
lamínula: coverglass; coverslip
lâmpada: lamp
lâmpada de fenda: biomicroscope
lanatosídeo: lanatoside
lanceta: lancet
lancinante: lancinating
lanolina: lanolin
lanugo: lanugo
laparoscopia: laparoscopy
laparoscópio: laparoscope
laparossalpingostomia: laparosalpingostomy
laparotomia: laparotomy
lapinização: lapinization
laranjeira: orange
largo: latus
laringe: larynx
laríngeo: laryngeal
laringísmico: laryngismal
laringismo: laryngismus
laringite: laryngitis
laringítico: laryngitis
laringocele: laryngocele
laringoestenose: laryngostenosis
laringofaringe: hypopharynx; laryngopharynx
laringofaringectomia: laryngopharyngectomy
laringofissura: laryngofissure
laringofonia: laryngophony
laringografia: laryngography
laringologia: laryngology
laringopatia: laryngopathy
laringoplastia: laryngoplasty
laringoplegia: laryngoplegia
laringoptose: laryngoptosis
laringorrinologia: laryngorhinology
laringoscopia: laryngoscopy
laringoscópico: laryngoscopic
laringostomia: laryngostomy; laryngotomy
laringotraqueíte: laryngotracheitis
laringotraqueotomia: laryngotracheotomy
laringoxerose: laryngoxerosis
larva: larva; maggot
larváceo: larvate
laser: laser
lassitude: lassitude
latência: latency
lateral: laterad; lateral; lateralis
lateralidade: laterality
látero-ducção: lateroduction
látero-flexão: lateroflexion
látero-torção: laterotorsion
látero-versão: lateroversion
látex: latex
laticacidemia: lacticacidemia; lacticemia
laticemia: lacticemia
latirismo: lathyrism
latirítico: lathyritic
latrodectismo: latrodectism
laurato: laurate
laurêncio: lawrencium
lavagem: lavage
lavagem cerebral: brainwashing
lavar: wash
laxativo: laxative
lecítico: lecithal

lecitina: lecithin
lecitina colesterol aciltransferase: lecithin-cholesterol acyltranasferase
lecitoblasto: lecithoblast
lectina: lectin
legionelose: legionellosis
legume: legume
lei: law
leiodermia: leiodermia
leiomiofibroma: leiomyofibroma
leiomioma: leiomyoma; myofibroma
leiomiomatose: leiomyomatosis
leiomiossarcoma: leiomyosarcoma
leishmaniose: leishmaniasis
leite: lac; milk
leito: bed
leito portátil: stretcher
leitura: reading
lemnisco: lemniscus
lemoblástico: lemmoblastic
lençol: sheet
lêndea: nit
lente: lens
lenticone: lenticonus
lenticular: lenticular
lentiforme: lentiform
lentiginose: lentiginosis
lentiglobo: lentiglobus
lentigo: lentigo
lentivírus: lentivirus
leontíase: leontiasis
lepídico: lepidic
lepra: lepra; leprosy
leprechaunismo: leprechaunism
lépride: leprid
leproma: leproma
lepromatoso: lepromatous
lepromina: lepromin
leproso: leper
leprostático: leprostatic
leptocéfalo: leptocephalus
leptócito: leptocyte
leptomeníngeo: leptomeningeal
leptomeninges: leptomeninges
leptomeningite: leptomeningitis
leptomeningopatia: leptomeningopathy
leptomônada: leptomonad
leptopélico: leptopellic
leptospirose: leptospirosis
leptóteno: leptotene
leptotricose: leptothricosis; leptotrichosis
lesão: injury; lesion
lesbianismo: lesbianism
lesivo: deleterious; noxious
letal: thanatophoric
letargia: lethargy; stupor
leucaferese: leukapheresis
leucemia: leukemia; leukocythemia
leucêmico: leukemic
leucêmide: leukemid
leucemogênico: leukemogenic
leucemógeno: leukemogen; leukemoid
leucina: leucine; leukin
leucoaglutinina: leukoagglutinin
leucoblasto: leukoblast; leukocytoblast

leucoblastose: leukoblastosis
leucoceratose: leukokeratosis
leucocidina: leukocidin
leucocitário: leukocytic
leucocitemia: leukocythemia
leucocítico: leukocytic
leucócito: leukocyte
leucocitoblasto: leukocytoblast
leucocitogênese: leukocytogenesis
leucocitólise: leukocytolysis
leucocitolítico: leukocytolytic
leucocitoma: leukocytoma
leucocitopenia: leukocytopenia
leucocitoplania: leukocytoplania
leucocitopoiese: leukocytopoiesis
leucocitose: leukocytosis
leucocitotaxia: leukocytotaxis
leucocitotoxicidade: leukocytotoxicity
leucocoria: leukokoria
leucocraurose: leukokraurosis
leucócrito: leukocrit
leucodermia: leukoderma
leucodistrofia: leukodystrophy
leucoedema: leukoedema
leucoencefalite: leukoencephalitis
leucoencefalopatia: leukoencephalopathy
leucoeritroblastose: leukoerythroblastosis
leucoma: leukoma
leucomatoso: leukomatous
leucomielite: leukomyelitis
leuconecrose: leukonecrosis
leuconíquia: leukonychia
leucopatia: leukopathia
leucopedese: leukopedesis
leucopenia: aleukia; leukocytopenia; leukopenia
leucopênico: leukopenic
leucoplaquia: leukokeratosis; leukoplakia
leucopoiese: leukocytopoiesis
leucopoietina: leukopoietin
leucorréia: leukorrhea
leucose: leukosis
leucossarcoma: leukolymphosarcoma; leukosarcoma
leucotáctico: leukotactic
leucotaxia: leukocytotaxis; leukotaxis
leucótomo: leukotome
leucotoxina: leukotoxin
leucotrieno: leukotriene
leucotríquia: leukotrichia
leucovorina: leucovorin
leucocidina: leukocidin
levalorfano: levallorphan
levarterenol: levarterenol
leve fricção: frolement
levedo: yeast
levedura: yeast
levigação: levigation
levocardia: levocardia
levocarnitina: levocarnitine
levoclinação: levoclination; levotorsion
levodopa: levodopa
levonorgestrel: levonorgestrel
levopropoxifeno: levopropoxyphene
levorfanol: levorphanol
levorrotatório: levorotatory
levotireoxina: levothyroxine

levotorção: levotorsion
levoversão: levoversion
levulose: levulose
liase: lyase
liberação retardada: delayed-release
libidinoso: libidinal
libido: libido
libra: pound
licantropia: lycanthropy
licenciado: licentiate
licopeno: lycopene
licoperdonose: lycoperdonosis
lidocaína: lidocaine
lienal: lienal
lienocele: lienocele
lienotoxina: lienotoxin
lienteria: lientery
lientérico: lienteric
lienúnculo: lienunculus
liga: alloy
ligação: bond; linkage
ligado ao sexo: sex-linked
ligado ao X: X-linked
ligadura: ligature
ligamento: ligament; ligamentum
ligamentopexia: ligamentopexy
ligamentoso: ligamentous
ligando: ligand
ligante: ligand
ligase: ligase
límbico: limbic
limbo: limbus
limiar: limen; liminal; threshold
liminômetro: liminometer
limitado: circumscribed
limitado ao sexo: sex-limited
limitante: limitans
limite: limen
lincomicina: lincomycin
lindano: lindane
linear: linear
linfa: lymph; lympha
linfadenite: lymphadenitis; lymphnoditis
linfadenocele: lymphadenocele
linfadenografia: lymphadenography
linfadenóide: lymphadenoid
linfadenoma: lymphadenoma
linfadenopatia: lymphadenopathy
linfaferese: lymphapheresis
linfagogo: lymphagogue
linfangiectasia: lymphangiectasia; lymphangiectasis
linfangiectásico: lymphangiectatic
linfangioendotelioma: lymphangioendothelioma
linfangioflebite: lymphangiophlebitis
linfangiografia: lymphangiography
linfangioma: lymphangioma
linfangiomiomatose: lymphangiomyomatosis
linfangiossarcoma: lymphangiosarcoma
linfangite: lymphangitis
linfangítico: lymphangitic
linfático: lymphatic
linfatismo: lymphatism
linfatite: lymphatitis
linfatólise: lymphatolysis
linfatolítico: lymphatolytic

linfectasia: lymphectasia
linfedema: lymphedema
linfoangiologia: lymphangiology
linfoblástico: lymphoblastic
linfoblasto: lymphocytoblast
linfoblastoma: lymphoblastoma
linfoblastose: lymphoblastosis
linfocina: lymphokine
linfocinese: lymphokinesis
linfocintilografia: lymphoscintigraphy
linfocitaferese: lymphapheresis; lymphocytaphe-
    resis; lymphocytopheresis
linfocítico: lymphocytic
linfócito: lymphocyte
linfocitoblasto: lymphocytoblast
linfocitoma: lymphocytoma
linfocitopenia: lymphocytopenia
linfocitose: lymphocytosis
linfocitotoxicidade: leukocytotoxicity; lymphocyto-
    toxicity
linfoduto: lymphoduct
linfoepitelioma: lymphoepithelioma
linfógeno: lymphogenous
linfoglândula: lymphoglandula
linfografia: lymphography
linfogranuloma: lymphogranuloma
linfogranulomatose: lymphogranulomatosis
linfolítico: lympholytic
linfoma: lymphadenoma; lymphoma
linfomatose: lymphomatosis
linfomixoma: lymphomyxoma
linfonodite: lymphnoditis
linfonodo: lymphonodus
linfopatia: lymphopathia
linfopenia: lymphopenia
linfoplasmaferese: lymphoplasmapheresis
linfoproliferativo: lymphoproliferative
linforragia: lymphorrhagia
linforréia: lymphorrhagia; lymphorrhea
linforreticular: lymphoreticular
linforreticulose: lymphoreticulosis
linforróide: lymphorrhoid
linfossarcoma: lymphosarcoma
linfostase: lymphostasis
linfotaxia: lymphotaxis
linfotoxina: lymphotoxin
língua: tongue
língua de sinais: signing
linguagem: speech
lingual: lingua; lingual
língula: lingula
lingular: lingular
lingulectomia: lingulectomy
linguodistal: linguodistal
linguopapilite: linguopapillitis
linguoversão: linguoversion
linha: line; linea; streak
linha direta: hot line
linha-base: baseline
linimento: liniment
linite: linitis
linoleado: linoleate
linolenato: linolenate
liofílico: lyophilic
liofilização: lyophilization

liofóbico: lyophobic
lionização: lyonization
liotironina: liothyronine
liotrix: liotrix
liotrópico: lyotropic
lipase: lipase
lipase ácida: acid lipase
lipectomia: lipectomy
lipedema: lipedema
lipemia: lipemia
lipêmico: lipemic
lipidemia: lipidemia
lipídeo: lipid
lipidose: lipidosis
lipo-hipertrofia: lipohypertrophy
lipoacidúria: lipaciduria
lipoamida: lipoamide
lipoartrite: lipoarthritis
lipoatrofia: lipoatrophy
lipoblástico: lipoblastic
lipoblasto: lipoblast
lipoblastoma: lipoblastoma
lipoblastomatose: lipoblastomatosis
lipocardíaco: lipocardiac
lipócito: lipocyte
lipocondroma: lipochondroma
lipocromo: lipochrome
lipodistrofia: lipodystrophia; lipodystrophy
lipofagia: lipophagia; lipophagy
lipofágico: lipophagic
lipófago: lipophage
lipofibroma: lipofibroma
lipofilia: lipophilia
lipofílico: lipophilic
lipofuscina: lipofuscin
lipofuscinose: lipofuscinosis
lipogênese: lipogenesis
lipogenético: lipogenetic
lipogênico: lipogenic; steatogenous
lipogranuloma: lipogranuloma
lipogranulomatose: lipogranulomatosis
lipóide: lipoid
lipólise: adipolysis; lipolysis
lipolítico: lipolytic
lipoma: lipoma
lipomatose: lipomatosis; liposis
lipomeningocele: lipomeningocele
lipomielomeningocele: lipomyelomeningocele
lipomioma: lipomyoma
lipomixoma: lipomyxoma
lipopenia: lipopenia
lipoplastia: lipoplasty
lipopolissacarídeo: lipopolysaccharide
lipoproteína: lipoprotein
lipoproteína lipase: lipoprotein lipase
lipose: liposis
lipossarcoma: liposarcoma
lipossolúvel: liposoluble
lipossucção: lipoplasty; liposuction
lipotímia dos aviadores: blackout
lipotrofia: lipotrophy
lipotrófico: lipotrophic
lipotrópico: lipotropic
β-lipotropina: β-lipotropin
lipovacina: lipovaccine

lipoxidase: lipoxidase
lipoxigenase: lipoxidase; lipoxygenase
lipressina: lypressin
liquefação: liquefaction
liquefaciente: liquefacient
líquen: lichen
liquenificação: lichenification
líquido: liquid; liquor
lisar: lyse
lise: lyse; lysis; lyze
lisergida: lysergide
lisina: lysin; lysine
lisinogênio: lysinogen
lisinoprila: lisinopril
lisocinase: lysokinase
lisogenicidade: lysogenicity
lisógeno: lysinogen; lysogen
lisossoma: lysosome
lisossômico: lysosomal
lisozima: lysozyme
lissa: lyssa
lissencefalia: lissencephaly
lissencefálico: lissencephalic
líssico: lyssic
lissofobia: lyssophobia
listerismo: listerism
listra: line
litectasia: lithectasy
litectomia: lithotomy
litemia: uricacidemia
litíase: calculosis; lithiasis
lítico: lithous; lytic
lítio: lithium
litmo: litmus
litocistotomia: lithocystotomy
litoclasto: lithoclast
litodiálise: lithodialysis
litogênese: lithogenesis
litogênico: lithogenic; lithogenous
litolapaxia: litholapaxy
litólise: litholysis
litolítico: litholytic
litonefrite: lithonephritis
litoscópio: lithoscope
litotomia: lithotomy
litotricia: lithotrity
litotripsia: litholapaxy; lithotripsy; lithotrity
litotríptico: lithotriptic
litótrito: lithoclast
litro: liter
liturese: lithuresis
livedo: livedo
livedóide: livedoid
lívido: livid
livor: livor
lixiviação: lixiviation
lobação: lobation
lobado: lobate
lobar: lobar
lobectomia: lobectomy
lobinho: wen
lobo: lobe; lobus
lobopódio: lobopodium
lobotomia: lobotomy
lobulado: lobulated

lobular: lobular
lóbulo: lobule; lobulus
local: locus; site
localização: localization
localizador: locator
loção: lotio; lotion; wash
locomoção: locomotion
locomotivo: locomotive
locomotor: locomotive
locorregional: locoregional
locular: locular
lóculo: loculus
lodo: sludge
lofotríquio: lophotrichous
logadectomia: logadectomy
logafasia: logaphasia
logamnésia: logamnesia
logoespasmo: logospasm
logomania: logomania
logopatia: logopathy
logopedia: logopedics
logoplegia: laloplegia; logoplegia
logorréia: logomania; logorrhea
loíase: loiasis
lombar: lumbar
lombarização: lumbarization
lombo: lumbus; rump
lombodinia: lumbodynia
lomboinguinal: lumboinguinal
lombricida: lumbricide
lombriga: lumbricus
lomustina: lomustine
longitudinal: longitudinalis
longo: longus
loperamida: loperamide
loquial: lochial
loquioesquise: lochioschesis
loquiometria: lochiometra
loquiometrite: lochiometritis
loquiorragia: lochiorrhagia
loquiorréia: lochiorrhagia; lochiorrhea
lóquios: lochia
lorazepam: lorazepam
lordose: lordosis
lordótico: lordotic
loucura: folie
lovastatina: lovastatin
loxapina: loxapine
loxoscelismo: loxoscelism
loxotomia: loxotomy
lubrificante: lubricant
lucidez: lucidity
lúcido: lucid
lues: lues
luético: luetic
lugar: locum; locus; site
lumbago: lumbago; lumbodynia
lumbricóide: lumbricoid
lumbricose: lumbricosis
lúmen: lumen
luminal: luminal
luminescência: luminescence
luminóforo: luminophore
lumirrodopsina: lumirhodopsin
lumpectomia: lumpectomy; tylectomy

luniforme: lunate
lúnula: lunula
lupa: loupe
lupóide: lupoid
lúpus: lupus
lutécio: lutetium
luteína: lutein
luteinização: luteinization
lúteo: luteal
luteoma: luteoma
luteotrófico: luteotropic
luteotrópico: luteotropic
luxação: luxation
luxo: luxus
luz: light; lumen

M

má-absorção: malabsorption
má-apresentação: malpresentation
má-assimilação: malassimilation
má-erupção: maleruption
má-oclusão: malocclusion
má-posição: malposition
má-prática: malpractice
má-rotação: malrotation
má-união: malunion
maçã: apple; pomum
maçã do rosto: mala
maca: litter; stretcher
macaco-de-rosca: jackscrew
maçarico: blowpipe
macerado: pultaceous
macerar: macerate
macho: male
maconha: marihuana
macroadenoma: macroadenoma
macroamilase: macroamylase
macrobiota: macrobiota
macrobiótico: macrobiotic
macroblasto: macroblast; macronormoblast
macroblefaria: macroblepharia
macrocefalia: macrocephaly
macrocéfalo: bighead
macrochoque: macroshock
macrocitemia: macrocythemia; macrocytosis
macrocítico: macrocytic
macrócito: macrocyte
macrocitose: macrocytosis
macrocólon: macrocolon
macrocrânio: macrocrania
macrodactilia: macrodactyly
macroelemento: macroelement
macroencefalia: macrencephaly
macrófago: histiocyte; macrophage
macrofauna: macrofauna
macroflora: macroflora
macroftalmia: macrophthalmia
macrogameta: macrogamete
macrogametócito: macrogametocyte
macrogenitossomia: macrogenitosomia
macrogiria: macrogyria; pachygyria
macróglia: macroglia
macroglobulina: macroglobulin
macroglobulinemia: macroglobulinemia

macrognatia: macrognathia
macrognático: macrognathic
macrolídeo: macrolide
macromastia: macromastia
macromelia: macromelia
macrométodo: macromethod
macromieloblasto: macromyeloblast
macromolécula: macromolecule
macromolecular: macromolecular
macromonócito: macromonocyte
macroníquia: macronychia
macronormoblasto: macronormoblast
macronúcleo: macronucleus
macronutriente: macronutrient
macropolícito: macropolycyte
macropsia: macropsia; megalopia; megalopsia
macroquilia: macrocheilia
macroquiria: macrocheiria
macroscópico: macroscopic
macrossomia: macrosomatia
macrostomia: macrostomia
macrotia: macrotia
mácula: dot; macula; macule; tache
macular: macular; maculate
maculocerebral: maculocerebral
maculopatia: maculopathy
madarose: madarosis
maduromicose: maduromycosis
mafenida: mafenide
magaldrato: magaldrate
magenta: magenta
magma: magma
magnésia: magnesia
magnésio: magnesium
magneto: magnet
magnetropismo: magnetropism
magnificação: magnification
mal: mal; malum
mal dos mergulhadores: bends
mal-estar: dysphoria; malaise
malacia: malacia; malacosis
malacoma: malacoma
malacoplaquia: malacoplakia
malacose: malacosis
malacosteose: malacosteon
malar: malar
malária: malaria
malárico: malarial
malation: malathion
malato: malate
malaxação: malaxation; pétrissage
maleato: maleate
maleável: malleable
maleoincudal: malleoincudal
maleolar: malleolar
maléolo: malleolus
maleotomia: malleotomy
malformação: malformation
maligno: malignant
maltase ácida: acid maltase
maltase: maltase
maltose: maltose
mama: mamma
mamalgia: mammalgia
mamário: mammary

mamectomia: mammectomy
mamífero: mammal
mamilação: mamillation
mamilar: mamillary
mamilite: mamillitis; mammillitis
mamilo: mamila; nipple
mamiloplastia: mamilliplasty
mamite: mammitis
mamografia: mammography
mamograma: mammogram
mamoplasia: mammoplasia
mamoplastia: mammoplasty; mastoplasty
mamoso: mammose
mamotomia: mammotomy
mamotrófico: mammotrophic
mamotrópico: mammotropic
mamotropina: mammotropin
mancha: blot; macule; spot; tache
manchado: tachetic
mandíbula: jaw; mandible; mandibula
mandibular: mandibular
mandril: handpiece; mandrel; mandrin
manequim: manikin
manganês: manganese
manguito: cuff
mania: mania
maníaco: phrenetic; maniacal; manic
maníaco-depressivo: manic-depressive
manipulação: manipulation
manitol: mannitol
manobra: maneuver
manometria: manometry
manométrico: manometric
manômetro: manometer
manopla: gauntlet
manose: mannose
manosidose: mannosidosis
manto: mantle
manúbrio: manubrium
manutenção: maintenance
mão: hand; manus
mão caída: wristdrop
mão em garra: clawhand
mão torta: clubhand
mapa: map
maprotilina: maprotiline
máquina: machine
marásmico: marastic; marasmic
marasmo: marasmus
marca: mark
marca de nascença: birthmark
marca-passo: pacemaker
marcação: pacing
marcador: marker
marcha: march
marchetado: tessellated
marfanóide: marfanoid
margem: brim; margin; margo; ora; rim; verge
marginação: margination
marginal: marginal
marginoplastia: marginoplasty
marijuana: marihuana; marijuana
marsupial: marsupium
marsupialização: marsupialization
martelo: hammer; malleus

maruim: gnat
marulho: clapotement
máscara: mask
mascarar: mask
masculinização: masculinization
masculino: male; masculine
maser: maser
masoquismo: masochism
masoquista: masochistic
massa: mass; massa
massagem: massage
massagista: masseur; masseuse
masseter: masseter
massetérico: masseteric
mastadenite: mastadenitis
mastalgia: mammalgia; mastalgia
mastatrofia: mastatrophy
mastectomia: mammectomy; mastectomy
mastigação: mastication
mastigota: mastigote
mastite: mammitis; mastadenitis; mastitis
mastocirro: mastoscirrhus
mastócito: mastocyte
mastocitose: mastocytosis
mastoescamoso: mastosquamous
mastoidalgia: mastoidalgia
mastóide: mastoid
mastoideocentese: mastoideocentesis
mastoidite: mastoiditis
mastopatia: mastopathy
mastopexia: mastopexy; mazopexy
mastoplastia: mastoplasty
mastoptose: mastoptosis
mastotomia: mammotomy
masturbação: masturbation
matéria: materia; matter
maternidade: maternity
matriz: matrix; template
maturação: maturation
matutino: matutinal
mau alinhamento: malalignment
mau desenvolvimento: maldevelopment
maxila: maxilla
maxilar: maxilla; maxillary
maxiloetmoidectomia: maxilloethmoidectomy
maxilomandibular: maxillomandibular
maxilotomia: maxillotomy
máximo: maximal; maximum
mazindol: mazindol
mazopexia: mazopexy
mazoplasia: mazoplasia
meatal: meatal
meato: meatus
meatorrafia: meatorrhaphy
meatoscopia: meatoscopy
meatotomia: porotomy
mebendazol: mebendazole
mecamilamina: mecamylamine
mecânica: mechanics
mecanismo: mechanism
mecanorreceptor: mechanoreceptor
mecanossensorial: mechanosensory
mecha: pledget
meclizina: meclizine
mecloretamina: mechlorethamine

mecônio: meconium
média: mean; media
medial: medial; medialis
mediano: median; medianus
mediar: mediate
mediastinal: mediastinal
mediastinite: mediastinitis
mediastino: mediastinum
mediastinografia: mediastinography
mediastinopericardite: mediastinopericarditis
mediastinoscopia: mediastinoscopy
medicação: medication
medicado: medicated
medicamento: drug; medicament
medicável: medicable
Medicina: medicine
medicinal: medicinal
médico legista: coroner
médico: doctor; medical; physician
médico-legal: medicolegal
médico-social: medicosocial
medida: measure
médio: medius
mediolateral: mediolateral
medionecrose: medionecrosis
medo: fear
medroxiprogesterona: medroxyprogesterone
medula: marrow; medulla; medullary
medulado: medullated
medulização: medullization
meduloblasto: medulloblast
meduloepitelioma: medulloepithelioma
mefenitoína: mephenytoin
mefentermina: mephentermine
mefítico: mephitic
mefobarbital: mephobarbital
mega-hertz: megahertz
megacalicose: megacalycosis
megacarioblasto: megakaryoblast
megacariócito: megacaryocyte; megakaryocyte; megalokaryocyte
megacólon: macrocolon; megacolon
megaesôfago: megaesophagous
megalgia: megalgia
megaloblástico: megaloblastic
megaloblasto: megaloblast
megalocariócito: megalokaryocyte
megalocefalia: megalocephaly
megalocefálico: megalocephalic
megalócito: megalocyte
megalodactilia: macrodactyly; megalodactyly; megalodactylous
megaloesôfago: megaloesophagus
megaloftalmia: megalophthalmos
megalogastria: megalogastria
megalomania: megalomania
megalopênis: megalopenis
megalopia: megalopia
megalopodia: megalopodia
megalopsia: megalopsia
megaloqueiria: megalocheiria
megaloquiria: macrocheiria
megalossindactilia: megalosyndactyly
megaloureter: megaloureter
megavitamina: megavitamin

megavolt: megavolt
megestrol: megestrol
meglumina: meglumine; methylglucamine
megoftalmo: megophthalmos
megohm: megohm
meia-vida: half-life
meio: medium
meio ambiente: environment
meio de cultura: culture medium
meiótico: meiotic
mel: mel
melagra: melagra
melalgia: melalgia
melancolia: melancholiam
melanina: melanin
melanismo: melanism
melanoameloblastoma: melanoameloblastoma
melanoblasto: melanoblast
melanoblastoma: melanoblastoma
melanocarcinoma: melanocarcinoma
melanocítico: melanocytic
melanócito: melanocyte
melanocitoma: melanocytoma
melanoderma: melanoderma
melanodermatite: melanodermatitis
melanófago: melanophage
melanóforo: melanophore
melanogênese: melanogenesis
melanogênio: melanogen
melanoglossia: melanoglossia
melanóide: melanoid
melanoleucodermia: melanoleukoderma
melanoma: melanoma
melanoníquia: melanonychia
melanoplaquia: melanoplakia
melanose: melanosis
melanossoma: melanosome
melanótrofo: melanotroph
melanúria: melanuria
melanúrico: melanuric
melarsoprol: melarsoprol
melasma: chloasma; melasma
melatonina: melatonin
melena: melena
melfalan: melphalan
melioidose: melioidosis
melitoptialismo: melitoptyalism
meloplastia: meloplasty
melorreostose: melorheostosis
membrana: membrana; membrane; web
membrana timpânica: drumhead
membranocartilaginoso: membranocartilaginous
membranóide: membranoid
membranólise: membranolysis
membranoso: membranous
membro: limb; member; membra; membrum
membro inferior: leg
memória: memory
memória anterior: foreconscious
menacma: menacme
menadiol: menadiol
menadiona: menadione
menaquinona: menaquinone
menarca: menarche
menárquico: menarchial

mendelévio: mendelevium
meninge: meninges
meníngeo: meningeal
meningioma: meningioma
meningismo: meningism; meningismus
meningite: meningitis
meningítico: meningitic
meningo-osteoflebite: meningoosteophlebitis
meningocele: meningocele
meningócito: meningocyte
meningococcemia: meningococcemia
meningocócico: meningococcal; meningococcic
meningococo: meningococcus
meningoencefalite: meningoencephalitis; periencephalitis
meningoencefalocele: meningoencephalocele
meningoencefalopatia: meningoencephalopathy
meningogênico: meningogenic
meningomalacia: meningomalacia
meningomielite: meningomyelitis; myelomeningitis
meningomielorradiculite: meningomyeloradiculitis;
   radiculomeningomyelitis
meningopatia: meningopathy
meningorradicular: meningorradicular
meningorragia: meningorrhagia
meningose: meningosis
meniscal: meniscal
meniscite: meniscitis
menisco: meniscus
meniscócito: meniscocyte
meniscocitose: meniscocytosis
meniscossinovial: meniscosynovial
menolipse: menolipsis
menometrorragia: menometrorrhagia
menopausa: menopause
menopáusico: menopausal
menorralgia: menorrhalgia
menosquese: menoschesis
menostasia: menostasia; menostasis
menostaxia: menostaxis
menotropinas: menotropins
mensageiro: messenger
menstruação: emmenia; menses; menstruation
menstrual: menstrual
mênstruo: menstruum
mensuração: mensuration
mental: mental
mente: mind
mente sadia: compos mentis
mentira: falsification
mento: chin; mentum
mentol: menthol
mentoniano: genial
mentoplastia: mentoplasty
mepenzolato: mepenzolate
meperidina: meperidine
mepivacaína: mepivacaine
meprednisona: meprednisone
meprobamato: meprobamate
meralgia: meralgia
merbromina: merbromin
mercaptano: mercaptan
mercaptopurina: mercaptopurine
mercurial: mercurial
mercúrico: mercuric

mercúrio: mercury
mercuroso: mercurous
meretoxilina: merethoxylline
mericismo: merycism
meridiano: meridian; meridianus
meridional: meridional
meroblástico: meroblastic
merócrino: merocrine
merogênese: merogenesis
merogenético: merogenetic
merogonia: merogony
merogônico: merogonic
meromiosina: meromyosin
meropia: meropia
memorraquisquise: merorachischisis
merotomia: merotomy
merozoíta: merozoite
mesalamina: mesalamine; mesalazine
mesalazina: mesalazine
mesangial: mesangial
mesângio: mesangium
mesangiocapilar: mesangiocapillary
mesatipélico: mesatipellic
mesaxônio: mesaxon
mescalina: mescaline
mesectoderma: mesectoderm
mesencefálico: mesencephalic
mesencéfalo: mesencephalon; midbrain
mesencefalotomia: mesencephalotomy
mesênquima: mesenchyma; mesenchyme
mesenquimatoso: mesenchymal
mesenquimoma: mesenchymoma
mesentérico: mesenteric
mesentério: mesenterium; mesentery
mesenteriopexia: mesenteriopexy
mesenteriplicação: mesenteriplication
mesêntero: mesenteron
mesial: mesiad; mesial
mesialmente: mesially
mesilato: mesylate
mesilatos ergolóides: ergoloid mesylates
mésio: mesion
mesiobucal: messiobuccal
mesioclusão: anteroclusion; mesioclusion
mesiodente: mesiodens
mesion: mesion
mesioversão: mesioversion
mesmerismo: mesmerism
mesna: mesna
mesoapêndice: mesoappendix
mesobilirrubinogênio: mesobilirubinogen
mesoblastema: mesoblastema
mesoblasto: mesoblast
mesobronquite: mesobronchitis
mesocardia: mesocardia
mesocárdio: mesocardium
mesoceco: mesocecum
mesocólico: mesocolic
mesocólon: mesocolon
mesocolopexia: mesocolopexy
mesocoloplicação: mesocoloplication
mesocoloplicatura: mesocoloplication
mesocórdio: mesocord
mesocórtex: mesocortex
mesoderma: mesoblast; mesoderm

mesodérmico: mesodermal; mesodermic
mesodiastólico: mesodiastolic
mesoduodeno: mesoduodenum
mesoepidídimo: mesoepididymis
mesoesterno: mesosternum
mesofílico: mesophilic
mesófilo: mesophile
mesoflebite: mesophlebitis
mesófrio: mesophryon
mesogástrico: mesogastric
mesogluteal: mesogluteal
mesoglúteo: mesogluteus
mesoíleo: mesoileum
mesojejuno: mesojejunum
mesômero: mesomere
mesomesogástrio: gastrium
mesométrio: mesometrium
mesomorfo: mesomorph
méson: meson
mesonéfrico: mesonephric
mesonefro: mesonephros
mesonefroma: mesonephroma
mesopulmão: mesopulmonum
mesoridazina: mesoridazine
mesorquial: mesorchial
mesórquio: mesorchium
mesorreto: mesorectum
mesossalpinge: mesosalpinx
mesossigmóide: mesosigmoid
mesossigmoidopexia: mesosigmoidopexy
mesossomo: mesosome
mesotelial: mesothelial
mesotélio: mesothelium
mesotelioma: mesothelioma
mesotendíneo: mesotendineum
mesotímpano: mesotympanum
mesovário: mesovarium
mestranol: mestranol
metaanálise: metaanalysis
metábase: metabasis
metabiose: metabiosis
metabólico: metabolic
metabolismo: metabolism
metabólito: metabolite
metacárpico: metacarpal
metacárpio: metacarpus
metacêntrico: metacentric
metacercária: metacercaria
metaciclina: methacycline
metacone: metacone
metaconídio: metaconid
metacrilato: methacrylate
metacromasia: metachromasia
metacromático: metachromatic
metacromófilo: metachromophil
metacrose: metachrosis
metade: moiety; semis
metadona: methadone
metáfase: metaphase
metafisário: metaphyseal
metáfise: metaphysis
metagênese: metagenesis
metaiodobenzilguanidina: metaiodobenzylguanidine
metal: metal
metálico: metallic

metaloenzima: metalloenzyme
metaloporfirina: metalloporphyrin
metaloproteína: metalloprotein
metalurgia: metallurgy
metâmero: metamere
metamielócito: metamyelocyte
metamórfico: metamorphic
metamorfose: metamorphosis
metanal: methanal
metandrostenolona: methandrostenolone
metanéfrico: metanephric
metanefrina: metanephrine
metanefro: metanephros
metanfetamina: methamphetamine
metano: methane
metanógeno: methanogen
metanol: methanol
metantelina: methantheline
metapirileno: methapyrilene
metaplasia: metaplasia
metaplásico: metaplastic
metaplasma: metaplasm
metapneumônico: metapneumonic
metaproterenol: metaproterenol
metapsicologia: metapsychology
metaraminol: metaraminol
metarbital: metharbital
metarrubricito: metarubricyte
metástase: metastasis; translation
metastassectomia: metastasectomy
metastático: metastatic
metatálamo: metathalamus
metatarsalgia: metatarsalgia
metatársico: metatarsal
metatarso: metatarsus
metátese: metathesis
metatrófico: metatrophic
metaxalona: metaxalone
metazoário: metazoal; metazoan; metazoon
metedilazina: methdilazine
metemalbumina: methemalbumin
metemoglobina: methemoglobin
metenamina: methenamine
metencéfalo: afterbrain; hindbrain; metencephalon
meteorismo: meteorism; tympanism
meteorotrópico: meteorotropic
meteorotropismo: meteorotropism
meticilina: methicillin
meticlotiazida: methyclothiazide
metila: methyl
metilamina: methylamine
metilato: methylate
metilbenzetônio: methylbenzethonium
metilcelulose: methylcellulose
metilcobalamina: methylcobalamin
metildopa: methyldopa
metildopato: methyldopate
metileno: methylene
metilenodioxianfetamina: methylenedioxyamphetamine
metilergonovina: methylergonovine
metilfenidato: methylphenidate
metilglucamina: methylglucamine
metilprednisolona: methylprednisolone
metilsulfato de hexocíclio: hexocyclium methylsulfate

metiltestosterona: methyltestosterone
5-metiltetraidrofolato: 5-methyltetrahydrofolate
metiltransferase: methyltransferase
metimazol: methimazole
metionina: methionine
metiprilona: methyprylon
metirapona: metyrapone
metissergida: methysergide
metixeno: methixene
metmioglobina: metmyoglobin
metocarbamol: methocarbamol
método: method; procedure
método do X ao quadrado: chi-squared
metodologia: methodology
metoexital: methohexital
metolazona: metolazone
metópico: metopic
metópio: metopion
metoprolol: metoprolol
metossuximida: methsuximide
metotrexato: methotrexate
metotrimeprazina: methotrimeprazine
metoxamina: methoxamine
metóxeno: metoxenous
metoxifenamina: methoxyphenamine
metoxiflurano: methoxyflurane
metoxissaleno: methoxsalen
metra: metra
metralgia: metrodynia
metratonia: metratonia
metratrofia: metratrophia
metrectopia: metrectopia
metreurínter: metreurynter
métrico: metric
metrite: metritis
metrizamida: metrizamide
metro: meter
metrocele: metrocele
metrocistose: metrocystosis
metrócito: metrocyte
metrocolpocele: metrocolpocele
metrodinia: metrodynia
metroestenose: metrostenosis
metroflebite: metrophlebitis
metroleucorréia: metroleukorrhea
metromalacia: metromalacia
metronidazol: metronidazole
metroparalisia: metroparalysis
metropatia: metropathy
metropático: metropathic
metroperitonite: metroperitonitis
metroptose: hysteroptosis; metroptosis
metrorragia: metrorrhagia
metrorréia: metrorrhea
metrossalpingografia: metrosalpingography
metrostaxe: metrostaxis
mexiletina: mexiletine
mezlocilina: mezlocillin
miado de gato: cri du chat
mialgia: myalgia
miastenia: myasthenia
miastênico: myasthenic
miatonia: myatonia
miatrofia: myatrophy
micação: mication

micagem: mication
micção: urination
micelial: mycelial
micélio: mycelium
micetismo: mycetismus
miceto: mycete
micetoma: mycetoma
micobactéria: mycobacterium
micodermatite: mycodermatitis
micologia: mycology
micomiringite: mycomyringitis
miconazol: miconazole
micose: mycosis
micótico: mycotic
micotoxicose: mycotoxicosis
micotoxina: mycotoxin
micrencefalia: micrencephaly
microadenoma: microadenoma
microaerófilo: microaerophilic
microagregado: microaggregate
microagulha: microneedle
microalbuminúria: microalbuminuria
microambiente: microenvironment
microanálise: microanalysis
microanatomia: microanatomy
microaneurisma: microaneurysm
microangiopatia: microangiopathy
microangiopático: microangiopathic
microbiano: microbic
microbicida: microbicide
micróbio: microbe
microbiofotômetro: microbiophotometer
microbiologia: microbiology
microbiológico: microbiological
microbiota: microbiota
microbiótico: microbiotic
microblasto: microblast
microbléfaro: microblepharia
microbureta: microburet
microcardia: microcardia
microchoque: microshock
microcinematografia: microcinematography
microcirculação: microcirculation
microcirculatório: microcirculatory
microcirurgia: microsurgery
micrócito: microcyte; microerythrocyte
microcitotoxicidade: microcytotoxicity
micrococo: micrococcus
microcoria: microcoria
microcorpo: microbody
microcristalino: microcrystalline
microcurie: microcurie
microcurie-hora: microcurie-hour
microdeterminação: microdetermination
microdiscectomia: microdiskectomy
microdissecção: microdissection
microdrepanocítico: microdrepanocytic
microeritrócito: microerythrocyte
microesferócito: microspherocyte
microesferocitose: microspherocytosis
microesfigmia: microsphygmia
microespectroscópio: microspectroscope
microesplenia: microsplenia
micrófago: microphage
microfaquia: microphakia

microfarad: microfarad
microfauna: microfauna
microfilamento: microfilament
microfilária: microfilaria
microflora: microflora
microfone: microphone
microfônico: microphonic
microfotografia: microphotograph
microfratura: microfracture
microftalmia: microphthalmos
microgameta: microgamete
microgametócito: microgametocyte
microgiria: microgyria
microgiro: microgyrus
micróglia: microglia
microglial: microglial
microgliócito: microgliocyte
microglobulina: microglobulin
micrognatia: micrognathia
micrognático: micrognathic
microgonioscópio: microgonioscope
micrografia: micrographia
micrógrafo: micrograph
micrograma: microgram
microincineração: microincineration
microinfarto: microinfarct
microinjetor: microinjector
microinvasão: microinvasion
microinvasivo: microinvasive
microlitíase: microlithiasis
microlitro: microliter
micromanipulador: micromanipulator
micrômelo: nanomelus
micrômero: micromere
micrometástase: micrometastasis
micrométodo: micromethod
micrômetro: micrometer; micron
micromielia: micromyelia
micromieloblástico: micromyeloblastic
micromieloblasto: micromyeloblast
mícron: micron
microneurocirurgia: microneurosurgery
micronúcleo: micronucleus
microonda: microwave
micropatologia: micropathology
microperfusão: microperfusion
micrópila: micropyle
micropinocitose: micropinocytosis
micropipeta: micropipet
micropletismografia: microplethysmography
micropsia: micropsia
microquilia: microcheilia
microquímica: microchemistry
microquiria: microcheiria
microrganismo: microorganism
microrradiografia: microradiography
microrrefratômetro: microrefractometer
microrrespirômetro: microrespirometer
microscopia: microscopy
microscópio: microscope
microsmático: microsmatic
microssegundo: microsecond
microsseringa: microsyringe
microssoma: microsome
microssomal: microsomal

microssonda: microprobe
microtia: microtia
micrótomo: microtome
microtúbulo: microtubule
microvascular: microvascular
microvasculatura: microvasculature
microvilo: microvillus
microvilosidade: microvillus
microvolt: microvolt
microzoário: microzoon
micrurgia: micrurgy
micrúrgico: micrurgic
midazolam: midazolam
midriático: mydriatic
miectomia: myectomy
mielatelia: myelatelia
mielatrofia: myelatrophy
mielemia: myelemia
mielencéfalo: myelencephalon
mielina: myelin
mielínico: myelinic
mielinização: myelinization; myelogenesis
mielinizado: medullated
mielinólise: myelinolysis
mielinose: myelinosis
mielinotóxico: myelinotoxic
mielite: myelitis
mielítico: myelitic
mieloablação: myeloablation
mieloablativo: myeloablative
mieloapoplexia: myelapoplexy
mieloblastemia: myeloblastemia
mieloblasto: myeloblast
mieloblastoma: myeloblastoma
mielocele: myelocele; syringocele
mielocisto: myelocyst
mielocistocele: myelocystocele
mielocistomeningocele: myelocystomeningocele
mielocítico: myelocytic
mielócito: myelocyte
mielocitoma: myelocytoma
mielocitose: myelemia; myelocytosis
mielodisplasia: myelatelia; myelodysplasia
mieloencefalite: myeloencephalitis
mieloesclerose: myelosclerosis
mieloespôngio: myelospongium
mielofibrose: myelofibrosis
mielogênese: myelogenesis
mielógeno: myelogenous
mielogônico: myelogonic
mielogônio: myelogone
mielografia: myelography
mielóide: myeloid
mieloidose: myeloidosis
mielolipoma: myelolipoma
mieloma: myeloma
mielomalacia: myelomalacia
mielomatose: myelomatosis
mielomeningite: myelomeningitis
mielomeningocele: myelocystocele; myelocystomeningocele; myelomeningocele
mielômero: myelomere
mielopatia: myelopathy
mielopático: myelopathic
mieloperoxidase: myeloperoxidase

mielópeto: myelopetal
mieloplasto: myeloplast
mielopoiese: myelopoiesis
mielopoiético: myelopoietic
mieloproliferativo: myeloproliferative
mielorradiculite: myeloradiculitis
mielorradiculodisplasia: myeloradiculodysplasia
mielorradiculopatia: myeloradiculopathy
mielorragia: myelorrhagia
mielose: myelosis
mielossarcoma: myelosarcoma
mielossupressor: myelosuppressive
mielotísica: myelophthisis
miênteron: myenteron
miestesia: myesthesia
mietopia: myectopia
migração: migration
miíase: myiasis
milfose: milphosis
miliampère: milliampere
miliar: miliary
miliária: miliaria
milicurie: millicurie
miliequivalente: milliequivalent
miligrama: milligram
mililitro: milliliter
milímetro: millimeter
milimol: millimole
milio: milium
mílio: whitehead
miliosmol: milliosmole
milissegundo: millisecond
milivolt: millivolt
mimese: mimesis
mineral: mineral
mineralocorticóide: mineralocorticold
minilaparotomia: minilaparotomy
mínimo: minim
miniplaca: miniplate
minociclina: minocycline
minoxidil: minoxidil
mioarquitetônico: myoarchitectonic
mioatrofia: myoatrophy
mioblástico: myoblastic
mioblasto: myoblast
mioblastoma: myoblastoma
miocardia: miocardia
miocardíaco: myocardial
miocárdio: myocardium
miocardiopatia: myocardiopathy
miocardite: myocarditis
miocardose: myocardosis
miocele: myocele; myocoele
miocinase: myokinase; adenylate kinase
miocinese: myokinesis
miocinético: myokinetic
miócito: myocyte
miocitólise: myocytolysis
mioclonia: myoclonus
mioclônico: myoclonic
miodistonia: myodystoniam
miodistrofia: myodystrophy
mioedema: mounding; myoedema
mioentérico: myenteric
mioepitelial: myoepithelial; myoepithelium

mioepitelioma: myoepithelioma
mioesclerose: myosclerosis
mioespasmo: myospasm
miofacial: myofascial
miofascite: myofascitis
miofibra: myofiber
miofibrila: myofibril
miofibrilar: myofibrillar
miofibroblasto: myofibroblast
miofibroma: myofibroma
miofibrose: myofibrosis
miofibrosite: myofibrositis
miofilamento: myofilament
miofosforilase: myophosphorylase
miogênese: myogenesis
miogenético: myogenetic
miogênico: myogenous
mioglobina: myoglobin
mioglobulina: myoglobulin
miografia: myography
miográfico: myographic
miógrafo: myograph
mióide: myoid
miolipoma: lipomyoma; myolipoma
miólise: myolysis
miologia: myology
mioma: myoma
miomatose: myomatosis
miomatoso: myomatous
miomectomia: myomectomy
miomelanose: myomelanosis
miômero: myomere
miometrial: myometrial
miométrio: myometrium
miometrite: myometritis
miômetro: myometer
mionema: myoneme
mioneural: myoneural
miopalmo: myopalmus
mioparalisia: myoparalysis
mioparesia: myoparesis
miopatia: myopathy
miopático: myopathic
míope: myopic
miopericardite: myopericarditis
miopia: myopia; nearsightedness
mioplasma: myoplasm
mioplastia: myoplasty
mioplástico: myoplastic
mioquimia: kymatism; myokymia
miorrexe: myorrhexis
miose: miosis
miosina: myosin
miosite: myositis
miossarcoma: myosarcoma
miotase: myotasis
miotático: myotatic
miotátil: myotactic
miotenosite: myotenositis
miótico: miotic
miotômico: myotomic
miótomo: myomere; myotome
miotonia: myotonia
miotônico: myotonic
miotonóide: myotonoid

miotônus: myotonus
miotrofia: myotrophy
miotrófico: myotrophic
miotubular: myotubular
miotúbulo: myotubule
miracídio: miracidium
mirar: mire
miringe: myringa
miringectomia: myringectomy
miringite: myringitis
miringodectomia: myringectomy
miringomicose: mycomyringitis; myringomycosis
miringotomia: tympanotomy
misantropia: misanthropy
miscigenação: miscegenation
miscível: miscible
misofilia: mysophilia
misofobia: mysophobia
misogamia: misogamy
misoginia: misogyny
misoprostol: misoprostol
mistura: mixture
mitocôndria: mitochondria
mitocondrial: mitochondrial
mitogênico: mitogenic
mitógeno: mitogen
mitolactol: mitolactol
mitomicina: mitomycin
mitose: mitosis
mitotano: mitotane
mitótico: mitotic
mitoxantrona: mitoxantrone
mitral: mitral
mitralização: mitralization
mitramicina: mithramycin
mitridatismo: mithridatism
mivacúrio: mivacurium
mixadenite: myxadenitis
mixastenia: myxasthenia
mixedema: myxedema
mixedematoso: myxedematous
mixocondroma: myxochondroma
mixofibroma: fibromyxoma; myxofibroma
mixofibrossarcoma: myxofibrosarcoma
mixóide: myxoid
mixolipoma: lipomyxoma; myxolipoma
mixoma: myxoma
mixomatose: myxomatosis
mixomatoso: myxomatous
mixorréia: myxorrhea
mixossarcoma: myxosarcoma
mixovírus: myxovirus
mnemônica: mnemonics
mnemônico: mnemonic
mobilidade: flail
mobilização: mobilization
moda: mode
modalidade: modality
modelagem: molding; moulage
modelo: cast; model; template
modificação: change; modification
modificador: modifier
modíolo: modiolus
modulação: modulation
moela: gizzard

mofo: mildew; mold
mol: mole
mola: mole
molalidade: molality
molar: molal; molar
molaridade: molarity
moldagem: molding; moulage; waxing
molde: die; cast; mold; template
mole: mol
molécula: molecule
molibdato: molybdate
molibdênio: molybdenum
molindona: molindone
molusco: molluscum
moluscóide: molluscous
molibdoproteína: molybdoprotein
mônada: monad
monáster: monaster
monatetose: monathetosis
monécio: monecious; monoecious
monestético: monesthetic
mongolismo: mongolism
moniletrix: monilethrix
monilial: monilial
moniliforme: moniliform
monitor: monitor
monoacilglicerol: monoacylglycerol
monoamida: monoamide; monoamine
monoaminérgico: monoaminergic
monoamniótico: monoamniotic
monoarticular: monarticular
monoartrite: monarthritis
monoatômico: monatomic
monobactam: monobactam
monobásico: monobasic
monoblasto: monoblast
monoblepsia: monoblepsia
monocéfalo: syncephalusm
monocina: monokin
monocítico: monocytic
monócito: monocyte
monocitopenia: monocytopenia
monoclonal: monoclonal
monocoréia: monochorea
monocoriônico: monochorionic
monocrânio: syncephalus
monocromático: monochromatic
monocromatismo: achromatopsia; monochromatism
monocromatófilo: monochromatophil
monoctanoína: monooctanoin
monocular: monocular; uniocular
monodermoma: monodermoma
monoespasmo: monospasm
monoespecífico: monospecific
monoestrático: monostratal
monoetanolamina: monoethanolamine
monofasia: monophasia
monofásico: monophasic
monofenol monoxigenase: monophenol monooxygenase
monofilético: monophyletic
monoftalmo: cyclops; monophthalmus
monoglicerídeo: monoacylglycerol
monoinsaturado: monounsaturated
monoiodotirosina: monoiodotyrosine

monolocular: monolocular; unilocular
monomania: monomania
monômero: monomer; monomeric
monomolecular: monomolecular
monomórfico: monomorphic
mononeurite: mononeuritis
mononeuropatia: mononeuropathy
mononuclear: mononuclear; uninucleated
mononucleose: mononucleosis
mononucleotídeo: mononucleotide
monope: cyclops
monoplegia: monoplegia
monoplégico: monoplegic
monorquidismo: monorchidism
monorquismo: monorchidism; monorchism
monossacarídeo: monosaccharide
monossináptico: monosynaptic
monossomia: monosomy
monossômico: monosomic
monoterapia: monotherapy
monotermia: monothermia
monótoco: monotocous
monótrico: monotrichous
monovalente: monovalent
monoxênico: monoxenic
monoxeno: monoxenous
monóxido: monoxide
monozigótico: monozygotic
monozigoto: monozygotic
monstro: monster
montar: mount
monte: mons
montículo: monticulus
morbidade: morbidity
morbidez: morbidity
mórbido: morbid
morbiliforme: morbilliform
mordedura: bite; morsus
mordente: mordant
morder: bite
mordida: bite; morsus
mordida cruzada: crossbite
morféia: morphea
morfina: morphine
morfogênese: morphogenesis
morfogenético: morphogenetic
morfógeno: morphogen
morfologia: morphology
morfológico: morphologic
morfose: morphosis
morfótico: morphotic
morgue: morgue
moria: moria
moribundo: moribund
mormo: glanders
morrer: expire
morruato: morrhuate
mortal: mortal; thanatophoric
mortalidade: mortality
morte: death; mors
mortificação: mortification; sphacelation
morto: decedent
mórula: morula
mosaicismo: mosaicism
mosca: fly; musca

mosqueamento: mottling
mosquito: mosquito
mosquito-pólvora: sandfly
mostarda: mustard
mostra: show
motilidade: motility
motilina: motilin
motoneurônio: motoneuron
motor: motor
móvel: motile
movimentação: turnover
movimentador: mover
movimento: movement
movimento brusco: jerk
movimento em círculo: circling
moxalatam: moxalactam
mucífero: muciferous
mucígeno: mucigen
mucilagem: mucilage
mucilaginoso: mucilaginous
mucina: mucin
mucinóide: mucinoid
mucinose: mucinosis
mucinoso: mucinous
mucinúria: mucinuria
mucíparo: muciparous
muco: mucus
mucocele: mucocele
mucociliar: mucociliary
mucoenterite: mucoenteritis
mucoepidermóide: mucoepidermoid
mucogengival: mucogingival
mucóide: glairy; mucoid; myxoid
mucolipidose: mucolipidosis
mucopericondrial: mucoperichondrial
mucopericôndrio: mucoperichondrium
mucoperiósteo: mucoperiosteum
mucoperióstico: mucoperiosteal
mucopolissacarídeo: mucopolysaccharide
mucopolissacaridose: mucopolysaccharidosis
mucoproteína: mucoprotein
mucopurulento: mucopurulent
mucopus: mucopus
mucormicose: mucormycosis; zygomycosis
mucosa: mucosa
mucoso: mucosal; mucous
mucoviscidose: mucoviscidosis
mudo: dumb; mute
muleta: crutch
muliébria: muliebria
multífido: multifid
multiforme: multiform
multigrávida: multigravida
multiinfecção: multiinfection
multípara: multipara; multiparous
multiparidade: multiparity
multivalente: multivalent; polyvalent
mumificação: mummification
mupirocina: mupirocin
mural: mural
muramidase: muramidase
murexina: murexine
murino: murine
murmúrio: souffle
muromona-CD3: muromonab-CD3

muscarina: muscarine
muscarínico: muscarinic
muscular: muscularis
musculatura: musculature
músculo: muscle; musculus
musculoaponeurótico: musculoaponeurotic
musculoesquelético: musculoskeletal
musculofrênico: musculophrenic
mutação: mutation; sport
mutagênese: mutagenesis
mutagenicidade: mutagenicity
mutágeno: mutagen
mutante: mutant
mutarrotação: mutarotation
mutarrotase: mutarotase
mutase: mutase
mutilação: mutilation
mutismo: mutism
mutualismo: mutualism

N

nabumetona: nabumetone
nacarado: nacreous
nádegas: breech; buttock; clunis; rump
nadolol: nadolol
nafarelina: nafarelin
nafazolina: naphazoline
nafcilina: nafcillin
nafta: naphtha
naftifina: naftifine
nalorfina: nalorphine
naloxona: naloxone
nandrolona: nandrolone
nanico: midget
nanismo: dwarfism; nanism
nanocefalia: nanocephaly
nanocormia: nanocormia
nanoftalmia: nanophthalmia; nanophthalmos
nanograma: nanogram
nanóide: nanoid
nanômelo: nanomelus
nanômetro: nanometer
nanossegundo: nanosecond
não-registrado: anecdotal
não-celular: acellular
não-condutor: nonconductor
não-diferenciado: undifferentiated
não-disjunção: nondisjunction
não-eletrólito: nonelectrolyte
não-específico: nonspecific
não-estriado: unstriated
não-fisiológico: unphysiologic
não-heme: nonheme
não-mielinizado: unmyelinated
não-neuronal: nonneuronal
não-próprio: nonself
não-responsivo: nonresponder
não-secretor: nonsecretor
não-tóxico: atoxic
não-união: nonunion
napsilato: napsylate
narcisismo: narcissism
narcisista: narcissistic
narco-hipnose: narcohypnosis

narcoanálise: narcoanalysis
narcolepsia: narcolepsy
narcoléptico: narcoleptic
narcose: narcosis
narcótico: narcotic
narcotizar: narcotize
narina: nostril
narinas: nares
nariz: nasus; nose
nasal: nasal; nasalis
nascente: nascent
nascimento: accouchement; birth; delivery
násio: nasion
nasoantral: nasoantral
nasoantrostomia: nasoantrostomy
nasociliar: nasociliary
nasofaringe: nasopharynx
nasofaríngeo: nasopharyngeal
nasofaringite: nasopharyngitis
nasofaringolaringoscópio: nasopharyngolaryngos-
   cope
nasofrontal: nasofrontal
nasogástrico: nasogastric
nasolabial: nasolabial
nasolacrimal: nasolacrimal
nasopalatino: nasopalatine
nasosinusite: nasosinusitis
natal: natal
natalidade: natality
natimortalidade: natimortality
natimorto: stillbirth; stillborn
natriurese: natriuresis
natriurético: natriuretic
naturopatia: naturopathy
náusea: nausea
nauseante: nauseant
nausear: nauseate
nauseoso: nauseous
navícula: navicula
navicular: navicular; scaphoid
neartrose: nearthrosis
nébula: nebula
nebulização: fog; nebulization
nebulizador: nebulizer
necatoríase: necatoriasis
necrectomia: necrectomy
necrobacilose: necrobacillosis
necrobiose: necrobiosis
necrobiótico: necrobiotic
necrocitose: necrocytosis
necrófago: necrophagous
necrofilia: necrophilia
necrófilo: necrophilous
necrofobia: necrophobia
necrogênico: necrogenic; necrogenous
necrólise: necrolysis
necrologia: necrology
necropsia: necropsy
necrosado: necrotic
necrosante: necrotizing
necrosar: necrose
necrose: necrosis
necrospermia: necrospermia
necrospérmico: necrospermic
necrotério: morgue

necrótico: necrotic
necrotomia: necrotomy
nefelômetro: nephelometer
nefralgia: nephralgia
nefrectasia: nephrectasia
nefrectomia: nephrectomy
néfrico: nephric
nefrídio: nephridium
nefrite: nephritis
nefrítico: nephritic
nefritogênico: nephritogenic
nefroblastomatose: nephroblastomatosis
nefrocalcinose: nephrocalcinosis
nefrocapsectomia: nephrocapsectomy
nefrocele: nephrocele
nefrocistite: nephrocystitis
nefrocólico: nephrocolic
nefrocoloptose: nephrocoloptosis
nefrogênico: nephrogenic
nefrógeno: nephrogenous
nefrografia: nephrography
nefrólise: nephrolysis
nefrolítico: nephrolytic
nefrólito: nephrolith
nefrolitotomia: nephrolithotomy
nefrologia: nephrology
nefroma: nephroma
nefromegalia: nephromegaly
néfron: nephron
nefropatia: nephropaty; renopathy
nefropático: nephropathic
nefropexia: nephropexy
nefropielite: nephropyelitis; pyelonephritis
nefropielografia: nephropyelography
nefropiose: nephropyosis
nefroptose: nephroptosis
nefroptosia: nephroptosis
nefrorrafia: nephrorrhaphy
nefrorragia: nephrorrhagia
nefrosclerose: nephrosclerosis
nefroscópio: nephroscope
nefrose: nephrosis
nefrostomia: nephrostomy
nefrótico: nephrotic
nefrotísica: nephronophthisis
nefrotomia: nephrotomy
nefrótomo: nephrotome
nefrotomografia: nephrotomography
nefrotomográfico: nephrotomographic
nefrotóxico: nephrotoxic
nefrotoxina: nephrotoxin
nefrotrópico: nephrotropic
nefrotuberculose: nephrotuberculosis
negação: denial
negativismo: negativism
negligência: neglect
negra: nigra
neisseriano: neisserial
nemalino: nemaline
nematocida: nematocide
nematódeo: nematode; roundworm; threadworm
neo-antígeno: neoantigen
neoadjuvante: neoadjuvant
neoblástico: neoblastic
neocerebelo: neocerebelum

neocinético: neokinetic
neocórtex: neocortex; neopallium
neodímio: neodymium
neoglote: neoglottis
neoglótico: neoglotic
neologismo: neologism
neomembrana: neomembrane
neomicina: neomycin
neonatal: neonatal
neonato: neonate
neonatologia: neonatology
neônio: neon
neopálio: neopallium
neoplasia: neoplasia; neoplasm
neoplásico: neoplastic
neopterina: neopterin
neostigmina: neostigmine
neotálamo: neothalamus
neptúnio: neptunium
neuropilema: feltwork
nervo: nerve
nervoso: nervous
nesidiectomia: nesidiectomy
nesidioblasto: nesidioblast
netilmicina: netilmicin
neumatologia: rheumatology
neural: neural
neuralgia: neuralgia; neurodynia
neurálgico: neuralgic
neuranagênese: neuranagenesis
neurapófise: neurapophysis
neurapraxia: neurapraxia
neurastenia: neurasthenia
neurectasia: neurectasia
neurectomia: neurectomy
neurectopia: neurectopia
neurentérico: neurenteric
neurérgico: neurergic
neurilema: neurilemma
neurilemite: neurilemmitis
neurilemoma: neurilemoma; neurinoma
neurinoma: neurinoma
neuristologia: neurohistology
neurite: neuritis
neurítico: neuritic
neuro-hipofisário: neurohypophyseal
neuro-hipófise: neurohypophysis
neuro-histologia: neurohistology
neuro-hormônio: neurohormone
neuroaminidase: neuraminidase
neuroanastomose: neuroanastomosis
neuroanatomia: neuroanatomy
neuroartropatia: neuroarthropathy
neuroastrocitoma: neuroastrocytoma
neurobiologia: neurobiology
neuroblasto: neuroblast
neuroblastoma: neuroblastoma
neurocardíaco: neurocardiac
neurocentral: neurocentral
neurocentro: neurocentrum
neuroceratina: neurokeratin
neurocirculatório: neurocirculatory
neurocirurgia: neurosurgery
neurocisticercose: neurocysticercosis
neurocitolisina: neurocytolysin

neurocitoma: neurocytoma
neurocladismo: neurocladism
neurocomportamental: neurobehavioral
neurocomunicações: neurocommunications
neurocoriorretinite: neurochorioretinitis
neurocoroidite: neurochoroiditis
neurocraniano: neurocranial
neurocrânio: neurocranium
neurocristopatia: neurocristopathy
neurocutâneo: neurocutaneous
neurodermatite: neurodermatitis
neurodinia: neurodynia
neuroectoderma: neuroectoderm
neuroectodérmico: neuroectodermal
neuroefetor: neuroeffector
neuroencefalomielopatia: neuroencephalomyelo-
   pathy
neuroendócrino: neuroendocrine
neuroendocrinologia: neuroendocrinology
neuroepitélio: neuroepithelium
neuroepitelioma: neuroepithelioma
neuroespasmo: neurospasm
neuroesplâncnico: neurosplanchnic
neuroespongioma: neurospongioma
neurofarmacologia: neuropharmacology
neurofibrila: neurofibril
neurofibroma: neurofibroma
neurofibromatose: neurofibromatosis
neurofibrossarcoma: neurofibrosarcoma
neurofilamento: neurofilament
neurofisina: neurophysin
neurofisiologia: neurophysiology
neuroftalmologia: neuroophthalmology
neurogênese: neurogenesis
neurogênico: neurogenic
neurógeno: neurogenous
neuróglia: glia; neuroglia
neuroglial: neuroglial
neuroglicopenia: neuroglycopenia
neurogliócito: neurogliocyte
neuroglioma: neuroglioma
neurogliose: neurogliosis
neuroimunologia: neuroimmunology
neuroimunológico: neuroimmunologic
neuroleptanalgesia: neuroleptanalgesia
neuroléptico: neuroleptic
neurólise: neurolysis
neurolisina: neurolysin
neurolítico: neurolytic
neurologia: neurology
neurológico: neurologic
neuroma: neuroma
neuromalacia: neuromalacia
neuromatose: neuromatosis
neuromatoso: neuromatous
neurômero: neuromere
neuromielite: neuromyelitis
neuromiopatia: neuromyopathy
neuromiopático: neuromyopathic
neuromiosite: neuromyositis
neuromiotonia: neuromyotonia
neuromodulação: neuromodulation
neuromodulador: neuromodulator
neuromotor: nervimotor
neuromuscular: neuromuscular

neuronal: neuronal
neuronevo: neuronevus
neurônio: neuron
neuronite: neuronitis
neuronopatia: neuronopathy
neuropapilite: neuropapillitis
neuropatia: neuropathy
neuropático: neuropathic
neuropatogenicidade: neuropathogenicity
neuropatologia: neuropathology
neuropeptídeo: neuropeptide
neurópilo: neuropil
neuroplasma: neuroplasm
neuroplasmático: neuroplasmic
neuroplastia: neuroplasty
neuroporo: neuropore
neuropsicológico: neuropsychological
neuroquímica: neurochemistry
neurorradiologia: neurorradiology
neurorrafia: neurorrhaphy; neurosuture
neurorretinite: neuroretinitis
neurorretinopatia: neuroretinopathy
neurose: neurosis
neurossarcocleise: neurosarcocleisis
neurossarcoma: neurosarcoma
neurossecreção: neurosecretion
neurossecretor: neurosecretory
neurossífilis: neurosyphilis
neurossutura: neurosuture
neurotendinoso: neurotendinous
neurotensina: neurotensin
neurótico: neurotic
neurotização: neurotization
neurotmese: neurotmesis
neurotomia: neurotomy
neurótomo: neurotome
neurotomografia: neurotomography
neurotonia: neurotonyn
neurotoxicidade: neurotoxicity
neurotóxico: neurotoxic
neurotoxina: neurotoxin
neurotransdutor: neurotransducer
neurotransmissor: neurotransmitter
neurotrauma: neurotrauma
neurotrópico: neurotropic
neurotropismo: neurotropism
neurotúbulo: neurotubule
neurovacina: neurovacine
neurovascular: neurovascular
neurovisceral: neurovisceral
nêurula: neurula
neurulação: neurulation
neutro: neutral
neutrócito: neutrocyte
neutrofilia: neutrophilia
neutrofílico: neutrophilic
neutrófilo: neutrophil
nêutron: neutron
neutropenia: neutropenia
neve: snow
nevo: birthmark; mole; nevus
névoa: nebula
nevóide: nevoid
nevolipoma: nevolipoma
newton: newton

nexo: nexus
niacina: niacin; nicotinic acid
niacinamida: niacinamide
nicardipina: nicardipine
nicho: niche
nicotina: nicotine
nicotinamida: nicotinamide
nicotínico: nicotinic
nicotinismo: nicotinism
nictação: nictitation
nictalopia: nyctalopia
nictero-hemeral: nycto-hemeral
nictofilia: nyctophilia
nidação: nidation
nidal: nidal
nigroestriatal: nigrostriatal
nigrosina: nigrosin
nilidrina: nylidrin
nimodipina: nimodipine
ninfa: nymph; nympha
ninfectomia: nymphectomy
ninfite: nymphitis
ninfomania: nymphomania
ninfoncose: nymphoncus
ninfotomia: nymphotomy
ninho: nest; nidus
nióbio: niobium
níquel: nickel
niquetamida: nikethamide
nistágmico: nystagmic
nistagmiforme: nystagmiform
nistagmo: nystagmus
nistagmógrafo: nystagmograph
nistagmóide: nystagmoid
nistatina: nystatin
nitrato: nitrate
nítrico: nitric
nitrificação: nitrification
nitrito: nitrite
nitrocelulose: nitrocellulose
nitrofurano: nitrofuran
nitrofurantoína: nitrofurantoin
nitrofurazona: nitrofurazone
nitrogenado: nitrogenous
nitrogênio: nitrogen
nitroglicerina: nitroglycerin
nitromersol: nitromersol
nitroso: nitrous
nitrosouréia: nitrosourea
nizatidina: nizatidine
nó: knot; knuckle
nobélio: nobelium
nocardial: nocardial
nocardiose: nocardiosis
nociassociação: nociassociation
nocicepção: nociception
nociceptivo: nociceptive
nociceptor: nociceptor
nocipercepção: nociperception
nocivo: noxious
noctalbuminúria: noctalbuminuria
noctúria: nocturia
nodal: nodal
nodo: node
nodosidade: knuckle; nodosity

nodoso: nodose
nodoventricular: nodoventricular
nodular: nodular; tuberous
nódulo: nodule; nodulus; nodus
Nomenclatura Anatômica: Nomina Anatomica
nomenclatura: nomenclature
nomograma: nomogram
noradrenalina: noradrenaline
noradrenérgico: noradrenergic
norepinefrina: norepinephrine
noretindrona: norethindrone
noretinodrel: norethynodrel
norgestrel: norgestrel
norma: norm
normal: normal; vulgaris
normetanefrina: normetanephrine
normoblástico: normoblastic
normoblasto: normoblast; rubricyte
normoblastose: normoblastosis
normocalcemia: normocalcemia
normocalcêmico: normocalcemic
normocalemia: normokalemia
normocalêmico: normokalemic
normócito: normocyte
normocitose: normocytosis
normocromia: normochromia
normoglicemia: normoglycemia
normoglicêmico: normoglycemic
normospérmico: normospermic
normotenso: normotensive
normotermia: normothermia
normotérmico: normothermic
normovolemia: normovolemia
nortriptilina: nortriptyline
nosocomial: nosocomial
nosogenia: nosogeny
nosologia: nosology
nosológico: nosologic
nosoparasita: nosoparasite
nosotaxia: nosotaxy
nostro: nostrum
notalgia: notalgia
noto: notum
notocórdio: notochord
novobiocina: novobiocin
nuca: nape; nucha
nucal: nuchal
nucleado: nucleated
nuclear: nuclear
nuclease: nuclease
núcleo: nucleus
núcleo-histona: nucleohistone
nucleocapsídeo: nucleocapsid
nucleofagocitose: nucleophagocytosis
nucleofílico: nucleophilic
nucleófilo: nucleophile
nucleófugo: nucleofugal
nucleóide: nucleoid
nucléolo: nucleolus
nucleolonema: nucleolonema
nucleópeto: nucleopetal
nucleoplasma: karyoplasm; nucleoplasm
nucleoproteína: nucleoprotein
nucleosidase: nucleosidase

nucleosídeo: nucleoside
nucleossoma: nucleosome
nucleotidase: nucleotidase
nucleotídeo: mononucleotide; nucleotide
nucleotidila: nucleotidyl
nucleotoxina: nucleotoxin
nuclídeo: nuclide
nulípara: nullipara
nuliparidade: nulliparity
nulíparo: nulliparous
número: number
numular: nummular
nutação: nutation
nutrição: nutrition
nutricional: nutritional
nutriente: nutrient
nutrimento: nutriment
nutritivo: nutritive

O

obesidade: obesity
obeso: obese
óbex: obex
óbice: obex
objetivo: objective
obliqüidade: obliquity
obliteração: obliteration
oblonga: oblongata
oblongado: oblongatal
obrigatório: obligate
obscurecimento: clouding
obsessivo: obsessive
obsessivo-compulsivo: obsessive-compulsive
obstetra: obstetrician
obstetrícia: obstetrics
obstipação: obstipation
obstrução: barrier
obtundir: obtund
obturador: obturator; plugger
obtusão: obtusion
obtuso: dull
occipital: occipital
occipitalização: occipitalization
occipitocervical: occipitocervical
occipitofrontal: occipitofrontal
occipitomastóide: occipitomastoid
occipitomentoniano: occipitomental
occipitoparietal: occipitoparietal
occipitotalâmico: occipitothalamico
occipitotemporal: occipitotemporal
occipúcio: occiput
ocelo: ocellus
ocitocia: oxytocia
ocitócico: ecbolic; oxytocic
ocitocina: oxytocin
ocluir: occlude
oclusal: occlusal
oclusão: occlusion
oclusão de prova: check-bite
oclusivo: occlusive
ocorrência médica: case
ocrômetro: ochrometer
ocronose: ochronosis

ocronótico: ochronotic
octopamina: octopamine
octreotida: octreotide
ocular: ocular
oculista: oculist
oculística: opticianry
oculocutâneo: oculocutaneous
oculofacial: oculofacial
oculogiração: oculogyration
oculogírico: oculogyric; ophthalmogyric
oculomandibulodiscefalia: oculomandibulodysce-
    phaly
oculomicose: oculomycosis; ophthalmomycosis
oculomotor: oculomotor
oculonasal: oculonasal
oculopatia: ophthalmopathy
oculopupilar: oculopupillary
óculos: eyeglass; glasses; spectacles
oculozigomático: oculozygomatic
oculto: occult
odinofagia: odynophagia
odinômetro: odynometer
odontalgia: odontalgia
odontectomia: odontectomy
odôntico: odontic
odontite: pulpitis
odontoblasto: odontoblast
odontoblastoma: odontoblastoma
odontoclasto: odontoclast
odontogênese: odontogenesis
odontogenético: odontogenetic
odontogênico: odontogenic
odontóide: odontoid
odontólise: odontolysis
odontologia: dentistry; odontology
odontoma: odontoma
odontopatia: odontopathy
odontopático: odontopathic
odontotomia: odontotomy
odor: odor
odorante: odorant
ofegar: wheeze
ofíase: ophiasis
oficial: official
oficinal: officinal
ofidismo: ophidism
ofloxacina: ofloxacin
ófrio: ophryon
ofriose: ophryosis
oftalmagra: ophthalmagra
oftalmalgia: ophthalmalgia
oftalmectomia: ophthalmectomy
oftalmencéfalo: ophthalmencephalon
oftalmia: ophthalmia
oftálmico: ocular; ophthalmic
oftalmite: ophthalmitis
oftalmítico: ophthalmitic
oftalmoblenorréia: ophthalmoblennorrhea
oftalmocele: ophthalmocele
oftalmodinamometria: ophthalmodynamometry
oftalmodinia: ophthalmodynia
oftalmogírico: ophthalmogyric
oftalmografia: ophthalmography
oftalmoiconômetro: ophthalmoeikonometer
oftalmólito: ophthalmolith

oftalmologia: ophthalmology
oftalmológico: ophthalmologic
oftalmologista: oculist; ophthalmologist
oftalmomalacia: ophthalmomalacia
oftalmometria: ophthalmometry
oftalmomicose: ophthalmomycosis
oftalmomiotomia: ophthalmomyotomy
oftalmoneurite: ophthalmoneuritis
oftalmopatia: ophthalmopathy
oftalmoplastia: ophthalmoplasty
oftalmoplegia: ophthalmoplegia
oftalmoplégico: ophthalmoplegic
oftalmorragia: ophthalmorrhagia
oftalmorréia: ophthalmorrhea
oftalmorrexe: ophthalmorrhexis
oftalmoscopia: ophthalmoscopy
oftalmoscópio: ophthalmoscope
oftalmostase: ophthalmostasis
oftalmostato: ophthalmostat
oftalmotomia: ophthalmotomy
oftalmótropo: ophthalmotrope
ofuscação: glare
ôhmetro: ohmmeter
olamina: olamine
oleaginoso: oleaginous
oleato: oleate
olecranartrite: olecranarthritis
olecranartropatia: olecranarthropathy
olecraniano: olecranal
olecrânio: olecranon
olécrano: olecranon
oleína: olein
óleo: oil; oleum
oleorresina: oleoresin
oleoso: oleaginous
oleovitamina: oleovitamin
olfação: olfaction; osphresis
olfato: olfact
olfatologia: olfactology; osmics
olfatômetro: olfactometer
olfatório: olfactory
olhar fixo: gaze
olho: eye
oligemia: oligemia
oligêmico: oligemic
oligocístico: oligocystic
oligocromemia: oligochromemia
oligodactilia: oligodactyly
oligodendrócito: oligodendrocyte
oligodendróglia: oligodendroglia
oligodendroglioma: oligodendroglioma
oligodipsia: oligodipsia
oligodontia: oligodontia
oligofosfatúria: oligophosphaturia
oligogalactia: oligogalactia
oligoidrâmnio: oligohydramnios
oligoidrúria: oligohydruria
oligomeganefronia: oligomeganephronia
oligomeganefrônico: oligomeganephronic
oligomenorréia: oligomenorrhea
oligômero: oligomer
oligonucleotídeo: oligonucleotide
oligospermia: oligospermia; oligozoospermia
oligossacarídeo: oligosaccharide
oligossináptico: oligosynaptic
oligotrofia: oligotrophia

oligozoospermia: oligozoospermia
oligúria: oliguria
oligúrico: oliguric
oliva: oliva
olivar: olivary
oliveira: olive
olivífugo: olivifugal
olivípeto: olivipetal
olivopontocerebelar: olivopontocerebellar
olofonia: olophonia
olsalazina: olsalazine
omasite: omasitis
omaso: omasum
ombro: shoulder
omental: omental
omentectomia: omentectomy
omentite: omentitis
omento: omentum
omentopexia: omentopexy
omentorrafia: omentorrhaphy
omeprazol: omeprazole
omoclavicular: omoclavicular
omoióideo: omohyoid
onanismo: onanism
onça: ounce
oncocercíase: onchocerciasis
oncocercoma: onchocercoma
oncocercose: onchocerciasis
oncocítico: oncocytic
oncócito: oncocyte
oncocitoma: oncocytoma
oncocitose: oncocytosis
oncofetal: oncofetal
oncogênese: oncogenesis
oncogenético: oncogenetic
oncogênico: oncogenic; oncogenous
oncolisado: oncolysate
oncólise: oncolysis
oncolítico: oncolytic; tumoricidal
oncologia: oncology
oncose: oncosis
oncosfera: oncosphere
oncoterapia: oncotherapy
oncótico: oncotic
oncotomia: oncotomy
oncotrópico: oncotropic
oncovírus: oncovirus
onda: tide; wave
ondansetron: ondansetron
onfalectomia: omphalectomy
onfalelcose: omphalelcosis
onfálico: omphalic; umbilical
onfalite: omphalitis
ônfalo: umbilicus
onfalocele: omphalocele
onfaloflebite: omphalophlebitis
onfalomesentérico: omphalomesenteric
onfalorragia: omphalorrhagia
onfalorréia: omphalorrhea
onfalorrexe: omphalorrhexis
onfalósito: omphalosite
onfalotomia: omphalotomy
onicauxe: onychauxis
onicoatrofia: onychatrophia
onicocriptose: onychocryptosis

onicodistrofia: onychodystrophy
onicoeterotopia: onychoheterotopia
onicofagia: onychophagia; onychophagy
onicogênico: onychogenic
onicógrafo: onychograph
onicogrifose: onychogryphosis; onychogryposis
onicogripose: onychogryphosis; onychogryposis
onicólise: onycholysis; onychoschizia
onicomadese: onychomadesis
onicomalacia: onychomalacia
onicomicose: onychomycosis
onicopatia: onychopathy
onicopático: onychopathic
onicorrexe: onychorrhexis
onicose: onychosis
onicosquizia: onychoschizia
onicotilomania: onychotillomania
onicotomia: onychotomy
oniquectomia: onychectomy
oniquia: onychia; onychitis
oniquite: onychitis
onírico: oneiric
onirismo: oneirism
onomatomania: onomatomania
ontogênese: ontogenesis
ontogenia: ontogenesis; ontogeny
ontogênico: ontogenetic; ontogenic
ooblasto: ooblast
oocinesia: ookinesis
oocineto: ookinete
oocisto: oocyst
oócito: oocyte
ooforectomia: oophorectomy; ovariectomy
ooforite: oophoritis; ovaritis
oóforo-histerectomia: oophorohysterectomy
oóforo: oophoron
ooforocistectomia: oophorocystectomy
ooforocistose: oophorocystosis
ooforopexia: oophoropexy
ooforoplastia: oophoroplasty
ooforostomia: oophorostomy
ooforotomia: oophorotomy; ovariostomy; ovariotomy
oogamia: oogamy
oógamo: oogamous
oogênese: oogenesis; ovigenesis
oogenético: oogenetic
oogônio: oogonium
oolema: oolemma
ooplasma: ooplasm
oosperma: oosperm
oótide: ootid
opacidade: opacity
opacificação: opacification
opaco: opaque
opalescente: opalescent
operação: operation
operante: operant
operatório: operative
operável: operable
opercular: opercular
opérculo: operculum
opéron: operon
opiáceo: opiate
ópio: opium
opióide: opioid

opístio: opisthion
opistorquíase: opisthorchiasis
opistotônico: opisthotonic
opistótono: opisthotonos
oportunista: opportunistic
opsina: opsin
opsiúria: opsiuria
opsoclono: opsoclonia; opsoclonus
opsônico: opsonic
opsonina: opsonin
opsonização: opsonization
opsonocitofágico: opsonocytophagic
optestesia: optesthesia
óptica: optics
óptico: optic; optical; optician
opticociliar: opticociliary
opticopupilar: opticopupillary
opticoquiasmático: opticochiasmatic
optocinético: optokinetic
optograma: optogram
optometria: optometry
optometrista: optometrist
optômetro: optometer
optomiômetro: optomyometer
optótipo: test type
oral: oral
oralidade: orality
orbicular: orbicular; orbiculare
orbículo: orbiculus
órbita: orbit; orbita
orbitário: orbital; orbitale; orbitalis
orbitografia: orbitography
orbitonasal: orbitonasal
orbitonômetro: orbitonometer
orbitopatia: orbitopathy
orbitotomia: orbitotomy
orbivírus: orbivirus
orceína: orcein
orcinol: orcinol
orcotomia: orchiotomy
ordem: order
ordenha: milking
ordenada: ordinate
orelha: auris; ear
orexigênico: orexigenic
orfenadrina: orphenadrine
organela: organelle
orgânico: organic
organismo: organism
organização: organization
organizador: organizer
organizar: organize
organofosforado: organophosphorous; organo-
 phosphate
organogênese: organogenesis; organogeny
organogenia: organogeny
organóide: organoid
organomegalia: organomegaly
organomercurial: organomercurial
organometálico: organometallic
organotrófico: organotrophic
organotrópico: organotropic
organotropismo: organotropism
órgão: organ
órgão terminal: endorgan

orgasmo: orgasm
orientação: orientation
orificial: orificial
orifício: opening; orifice; ostium
origem: genesis; origin
orla: ora
ornitina: ornithine
ornitina carbamoiltransferase: ornithine carbamoyltransferase
ornitinemia: ornithinemia
ornitose: ornithosis
orofaringe: oropharynx
orolingual: orolingual
oronasal: oronasal
orquialgia: orchialgia
orquidectomia: orchidectomy; orchiectomy
orquídico: orchidic
orquidite: orchitis
orquidorrafia: orchidorrhaphy
orquiectomia: orchiectomy; testectomy
orquiepididimite: orchiepididymitis
orquiocele: orchiocele
orquiopatia: orchiopathy
orquiopexia: cryptorchidopexy; orchidorrhaphy;
 orchiopexy
orquioplastia: orchioplasty
orquiosqueocele: orchioscheocele
orquiotomia: orchiotomy
orquite: didymitis; orchitis; testitis
orquítico: orchitic
ortocoréia: orthochorea
ortocromático: orthochromatic
ortodesoxia: orthodeoxia
ortodontia: orthodontics
ortodôntico: orthodontic
ortodontista: orthodontist
ortodrômico: orthodromic
ortoforia: orthophoria
ortofórico: orthophoric
ortógrado: orthograde
ortômetro: orthometer
ortomixovírus: orthomyxovirus
ortomolecular: orthomolecular
ortopedia: orthopedics
ortopédico: orthopedic
ortopedista: orthopedist
ortopercussão: orthopercussion
ortopnéia: orthopnea
ortopneico: orthopneic
ortopraxe: orthopraxis
ortopraxia: orthopraxis; orthopraxy
ortóptica: orthoptic; orthoptics
ortoscópico: orthoscopic
ortoscópio: orthoscope
ortose: orthosis
ortostático: orthostatic
ortostatismo: orthostatism
ortótica: orthotics
ortótico: orthotic
ortotista: orthotist
ortótono: orthotonos; orthotonus
ortotópico: orthotopic
oscilação: bobbing; oscillatio
oscilômetro: oscillometer
oscilopsia: oscillopsia

osciloscópio: oscilloscope
ósculo: osculum
osfresiologia: osphresiology
osfrético: osphretic
osmático: osmatic
osmato: osmate
ósmica: osmics
osmio: osmium
osmoceptor: osmoreceptor
osmofílico: osmophilic
osmófilo: osmophilic
osmóforo: osmophore
osmol: osmole
osmolalidade: osmolality
osmolar: osmolar
osmolaridade: osmolarity
osmômetro: osmometer
osmorreceptor: osmoreceptor
osmorregulação: osmoregulation
osmorregulador: osmoregulatory
osmose: osmosis
osmostato: osmostat
osmótico: osmotic
osqueíte: oscheitis
osqueoma: oscheoma
osqueoplastia: oscheoplasty
osquite: oscheitis
osseína: ossein
ósseo: osseous
osseofibroso: osseofibrous
osseomucina: osseomucin
ossicular: ossicular
ossiculectomia: ossiculectomy
ossículo: ossicle; ossiculum
ossiculotomia: ossiculotomy
ossífero: ossiferous
ossificação: ossification
ossificante: ossifying
ossífico: ossific
osso: bone
ostealgia: ostealgia; osteocope; osteodynia
osteartrotomia: ostearthrotomy
ostectomia: ostectomy
ostectopia: osteectopia
osteíte: osteitis; ostitis
ostempiese: ostempyesis
osteoalisterese: osteohalisteresis
osteoanagênese: osteoanagenesis
osteoartrite: osteoarthritis; osteoarthrosis
osteoartrítico: osteoarthritic
osteoartropatia: osteoarthropathy
osteoartrose: osteoarthrosis
osteoartrotomia: osteoarthrotomy
osteoblasto: osteoblast
osteoblastoma: osteoblastoma
osteocampsia: osteocampsia
osteocartilaginoso: osseocartilaginous
osteocistoma: osteocystoma
osteócito: osteocyte
osteoclasia: diaclasis; osteoclasis
osteoclástico: osteoclastic
osteoclasto: osteoclast
osteoclastoma: osteoclastoma
osteocondral: osteochondral
osteocondrite: osteochondritis

osteocondrodisplasia: osteochondrodysplasia
osteocondrodistrofia: osteochondrodystrophy
osteocondrólise: osteochondrolysis
osteocondroma: osteochondroma
osteocondromatose: osteochondromatosis
osteocondrose: osteochondrosis
osteocópico: osteocopic
osteócopo: osteocope
osteocrânio: osteocranium
osteodiastase: osteodiastasis
osteodinia: ostealgia; osteodynia
osteodistrofia: osteodystrophy
osteoepífise: osteoepiphysis
osteoesclerótico: osteosclerotic
osteofibroma: osteofibroma
osteofima: osteophyma
osteófito: osteophyte
osteoflebite: osteophlebitis
osteogênese: osteogenesis
osteogênico: osteogenic
osteógeno: osteogen
osteóide: osteoid
osteoindução: osteoinduction
osteolipocondroma: osteolipochondroma
osteólise: osteolysis
osteolítico: osteolytic
osteologia: osteology
osteoma: osteoma
osteomalacia: malacosteon; osteomalacia
osteomalácico: osteomalacic
osteômero: osteomere
osteometria: osteometry
osteomielite: osteomyelitis
osteomielítico: osteomyelitic
osteomielodisplasia: osteomyelodysplasia
osteomixocondroma: osteomyxochondroma
ósteon: osteon
osteonecrose: osteonecrosis
osteoneuralgia: osteoneuralgia
osteopata: osteopath
osteopatia: osteopathia; osteopathy
osteopático: osteopathic
osteopecilótico: osteopoikilotic
osteopenia: osteopenia
osteopênico: osteopenic
osteoperióstico: osteoperiosteal
osteoperiostite: osteoperiostitis
osteopetrose: osteopetrosis
osteoplastia: osteoplasty
osteoplasto: osteoblast
osteoporose: osteoporosis
osteoporótico: osteoporotic
osteorradionecrose: osteoradionecrosis
osteorrafia: osteorrhaphy; osteosuture
osteorragia: osteorrhagia
osteosclerose: osteosclerosis
osteose: osteosis
osteossarcoma: osteosarcoma
osteossarcomatose: osteosarcomatosis
osteossarcomatoso: osteosarcomatous
osteossinovite: osteosynovitis
osteossíntese: osteosynthesis
osteossutura: osteosuture
osteotabes: osteotabes
osteotomia: osteotomy

osteótomo: osteotome
osteotrombose: osteothrombosis
ostial: ostial
óstio: opening; ostium
ostite: ostitis
ostomado: ostomate
ostomia: ostomy
otalgia: otalgia
ótico: otic
otite: otitis
otítico: otitic
otoacaríase: otoacariasis
otoantrite: otoantritis
otocefalia: otocephaly
otocisto: otocyst
otocônios: statoconia
otocraniano: otocranial
otocrânio: otocranium
otoencefalite: otoencephalitis
otoesclerose: otosclerosis
otoesclerótico: otosclerotic
otofaríngeo: otopharyngeal
otogênico: otogenic; otogenous
otolaringologia: otolaryngology
otólito: otolith
otologia: otology
otológico: otologic
otomicose: otomycosis
otomucormicose: otomucormycosis
otoneurologia: otoneurology
otoneurológico: otoneurologic
otopatia: otopathy
otopiorréia: otopyorrhea
otoplastia: otoplasty
otopólipo: otopolypus
otorragia: otorrhagia
otorréia: otorrhea
otorrinolaringologia: otorhinolaryngology
otorrinologia: otorhinolaryngology
otoscópio: auriscope; otoscope
otospongiose: otospongiosis
otossalpinge: otosalpinx
ototóxico: ototoxic
ouabaína: ouabain
ouro: aurum; gold
ouro coloidal: radiogold
ouvido: ear
ovariano: ovarian
ovariectomia: ovariectomy
ovário: oophoron; ovary
ovário-histerectomia: oophorohysterectomy
ovariocele: ovariocele
ovariocentese: ovariocentesis
ovariopexia: oophoropexy; ovariopexy
ovariorrexe: ovariorrhexis
ovariossalpingectomia: ovariosalpingectomy
ovariostomia: ovariostomy; ovariotomy
ovariotubárico: ovariotubal
ovarite: ovaritis
overdose: overdose
ovicida: ovicide
oviductal: oviducal; oviductal
oviduto: oviduct
ovífero: oviferous
oviforme: oviform

ovigênese: ovigenesis
ovíparo: oviparous
ovipositor: ovipositor
ovo: egg; ovum
ovocinesia: ookinesis
ovolactovegetariano: ovolactovegetarian
ovoplasma: ovoplasm
ovoteste: ovotestis
ovovegetariano: ovovegetarian
ovovivíparo: ovoviviparous
ovulação: ovulation
ovular: ovular
ovulatório: ovulatory
óvulo: ovule; ovum
oxacilina: oxacillin
oxalato: oxalate
oxalemia: oxalemia
oxalismo: oxalism
oxaloacetato: oxaloacetate
oxalose: oxalosis
oxalúria: oxaluria
oxandrolona: oxandrolone
oxazepam: oxazepam
oxibenzona: oxybenzone
oxibutinina: oxybutynin
oxicefalia: oxycephaly; turricephaly
oxicefálico: oxicephalic
oxicloroseno: oxychlorosene
oxicodona: oxycodone
oxidação-redução: oxidation-reduction
oxidação: oxidation
oxidante: oxidant
oxidar: oxidize
oxidase: oxidase
óxido: oxide
oxidorredutase: oxidoreductase
oxiematoporfirina: oxyhematoporphyrin
oxiemoglobina: oxyhemoglobin
oxifembutazona: oxyphenbutazone
oxifenciclimina: oxyphencyclimine
oxifenisatina: oxyphenisatin
oxifenônio: oxyphenonium
oxifílico: oxyphil; oxyphilic
oxífilo: oxyphil
oxigenação: oxygenation
oxigenador de bomba: pumpoxygenator
oxigenar: oxygenate
oxigenase: oxygenase
oxigênio: oxygen
oxima: oxim; oxime
oximetazolina: oxymetazoline
oximetolona: oxymetholone
oximetria: oximetry
oxímetro: oximeter
oximioglobina: oxymyoglobin
oximorfona: oxymorphone
oxiquinolina: oxyquinoline
oxitetraciclina: oxytetracycline
oxitocia: oxytocia
oxitócico: oxytocic
oxitocina: oxytocin
oxitrifilina: oxtriphylline
oxiuríase: oxyuriasis
oxiuricida: oxyuricide
oxiurídeo: oxyurid

oxiúro: pinworm; seatworm
ozena: ozena
ozônio: ozone

P

paciente externo: outpatient
paclitaxel: paclitaxel
padiola: litter
padrão: rate; rule; template
paladar: taste
paladar tardio: aftertaste
paládio: palladium
palanestesia: apallesthesia; pallanesthesia
palatal: palatal; palatine
palatite: palatitis
palato: palate; palatum
palato fendido: uranoschisis; uraniscus
palatognato: palatognathous
palatoplastia: palatoplasty
palatoplegia: palatoplegia
palatorrafia: palatorrhaphy
palatosquise: palatoschisis
paleocerebelar: paleocerebelar
paleocórtex: palaeocortex
paleocortical: palaeocortical
paleoestriado: paleostriatal; paleostriatum
paleopatologia: paleopathology
paleotálamo: paleothalamus
palestesia: pallesthesia
palestésico: pallesthetic
paliativo: palliative
palidectomia: pallidectomy
palidez: pallor
pálido: pallidum
palidoansotomia: pallidoansotomy
palidotomia: pallidotomy
palindromia: palindromia
palindrômico: palindromic
palinopsia: palinopsia
pálio: pallium
palma: palm; palma
palmar: palmar; palmaris; volar; volaris
palmitina: palmitin
palmitoleato: palmitoleate
palmo: palmus
palor: pallor
palpação: palpation
pálpebra: eyelid
palpebral: palpebra; palpebral
palpebrite: palpebritis
palpitação: palpitation
pamabrom: pamabrom
pamidronato: pamidronate
pamoato: pamoate
pampiniforme: pampiniform
pan-aglutinina: panagglutinin
pan-ansiedade: pananxiety
pan-arterite: panarteritis
pan-atrofia: panatrophy
pan-autônomo: panautonomic
pan-hipopituitarismo: panhypopituitarism
pan-histerossalpingectomia: panhysterosalpingectomy
pan-histerossalpingo-ooforectomia: panhysterosalpingo-oophorectomy

pan-mieloftise: panmyelophthisis
pan-oftalmia: panophthalmitis
pan-otite: panotitis
pan-retiniano: panretinal
panarício: felon; whitlow
pancardite: pancarditis
pancistite: pancystitis
pancitopenia: pancytopenia
pancolectomia: pancolectomy
pâncreas: pancreas
pancreatectomia: pancreatectomy
pancreático: pancreatic
pancreaticoduodenal: pancreaticoduodenal
pancreaticoduodenostomia: pancreaticoduodenostomy
pancreaticoenterostomia: pancreaticoenterostomy
pancreaticogastrostomia: pancreaticogastrostomy
pancreaticojejunostomia: pancreaticojejunostomy
pancreatina: pancreatin
pancreatite: pancreatitis
pancreatoduodenectomia: pancreatoduodenectomy
pancreatogênico: pancreatogenous
pancreatografia: pancreatography
pancreatólise: pancreatolysis
pancreatolitectomia: pancreatolithectomy
pancreatolitíase: pancreatolithiasis
pancreatolítico: pancreatolytic
pancreatolitotomia: pancreatolithotomy
pancreatotomia: pancreatotomy
pancreatotrópico: pancreatotropic
pancrelipase: pancrelipase
pancreoprivo: pancreoprivic
pancreozimina: pancreozymin
pancurônio: pancuronium
pandêmico: pandemic
panencefalite: panencephalitis
panendoscópio: panendoscope
panfobia: panphobia
pânico: panic
paniculectomia: panniculectomy
paniculite: panniculitis
panículo: panniculus
panleucopenia: panleukopenia
pano: pannus
panteteína: pantetheine
pantotenato: pantothenate
panturrilha: calf; sura
papaína: papain
papaverina: papaverine
papel: paper; role
papila: papilla; torulus
papilar: papillary
papiledema: papilledema
papilite: neuropapillitis; papillitis
papiloadenocistoma: papilloadenocystoma
papiloma: papilloma; villoma
papilomatose: papillomatosis
papilomatoso: papillomatous
papilomavírus: papillomavirus
papilorretinite: papillorretinitis
papilotomia: papillotomy
papiráceo: papyraceous
papovavírus: papovavirus
pápula: pimple; papule; wheal
papulação: papulation

papular: papular
papulose: papulosis
paquibléfaro: pachyblepharon
paquicefalia: pachycephaly
paquicefálico: pachycephalic
paquicromático: pachychromatic
paquidactilia: pachydactyly
paquidermatocele: pachydermatocele
paquidérmico: pachydermatous
paquidermoperiostose: pachydermoperiostosis
paquigiria: pachygyria
paquiglossia: pachyglossia
paquileptomeningite: pachyleptomeningitis
paquimeninge: pachymeninx
paquimeningite: pachymeningitis; perimeningitis
paquimeningopatia: pachymeningopathy
paquinse: pachynsis
paquíntico: pachyntic
paquioníquia: pachyonychia
paquiperiostite: pachyperiostitis
paquiperitonite: pachyperitonitis
paquipleurite: pachypleuritis
paquiqueilia: pachycheilia
paquissalpingite: pachysalpingitis
paquissalpingoovarite: pachysalpingoovaritis
paquíteno: pachytene
paquivaginalite: pachyvaginalitis
paquivaginite: pachyvaginitis
par: couplet; pair
para: para
para a esquerda: sinistrad
para o lado direito: dextrad
para-anestesia: paraanesthesia
parabiose: parabiosis
parabiótico: parabiotic
paracaseína: paracasein
paracentese: paracentesis
paracentético: paracentetic
paraceratose: parakeratosis
paracetamol: acetaminophen
paracinesia: parakinesia
paraclínico: paraclinical
paraclorofenol: parachlorophenol
paracoccidioidomicose: paracoccidioidomycosis
paracólera: paracholera
paracolite: paracolitis
paracoqueluche: parapertussis
parácrino: paracrine
paracusia: paracusis
parada: arrest; standstill
paradídimo: paradidymis
paradoxal: paradoxic; paradoxical
paradoxo: paradox
parafasia: paraphasia; paraphemia; paraphrasia
parafemia: paraphemia
parafia: dysaphia; paraphia; parapsis
parafilia: paraphilia
parafilíaco: paraphiliac
parafina: paraffin
parafinoma: paraffinoma
parafrasia: paraphrasia
paragânglio: paraganglion
paraganglioma: paraganglioma
parageusia: dysgeusia; cacogeusia; parageusia
paragonimíase: paragonimiasis

paragranuloma: paragranuloma
para-hemofilia: parahemophilia
para-hormônio: parahormone
paralagma: parallagma
paralalia: paralalia
paraldeído: paraldehyde
paralergia: parallergy
paralérgico: parallergic
paralisante: paralyzant
paralisia: palsy; paralysis
paralisia agitante: trembles
paralítico: paralytic
paramastigota: paramastigote
paramastite: paramastitis
paramécio: paramecium
paramenia: paramenia
parametadiona: paramethadione
parametasona: paramethasone
parametrial: parametrial
paramétrico: parametric
paramétrio: parametrium
parametrite: parametritis
parâmetro: parameter
paramiloidose: paramyloidosis
paramimia: dysmimia; paramimia
paramioclônus: paramyoclonus
paramiotonia: paramyotonia
paramixovírus: paramyxovirus
paramnésia: paramnesia
paramucina: paramucin
paranéfrico: paranephric
paranefrite: paranephritis
paranefro: paranephros
paraneoplásico: paraneoplastic
paranestesia: paranesthesia
paranóia: paranoia
paranóico: paranoic
paranomia: paranomia
paranuclear: paranuclear
paranúcleo: paranucleus
paraoccipital: paraoccipital
paraoóforo: paroöphoron
paraparesia: paraparesis
paraplasma: paraplasm
paraplasmático: paraplasmic
paraplegia: paraplegia
paraplégico: paraplectic; paraplegic
parapraxia: parapraxia; parapraxis
paraproteína: paraprotein
paraproteinemia: paraproteinemia
parapsia: parapsis
parapsoríase: parapsoriasis
pararritmia: pararhytmia
pararrosanilina: pararosaniline
parasita: parasite
parasitário: parasitic
parasitemia: parasitemia
parasitismo: parasitism
parasitogênico: parasitogenic
parasitologia: parasitology
parasitotrópico: parasitotropic
paraspadia: paraspadias
parassexual: parasexual
parassimpático: parasympathetic
parassimpatolítico: parasympatholytic

parassimpatomimético: parasympathomimetic
parassinapse: parasynapsis
parassístole: pararhytmia; parasystole
paratendão: paratenon
paratifóide: paratyphoid
paratimia: parathymia
parationa: parathion
paratireóide: parathyroid
paratireotrópico: parathyrotropic
parátopo: paratope
paratormônio: parathormone
paratrofia: paratrophy
paratuberculose: paratuberculosis
paravacínia: paravaccinia
paravaginite: paravaginitis
parazona: parazone
parede: paries; wall
parênquima: parenchyma
parenquimatoso: parenchymal
parente: sib
parenteral: parenteral
parentesco: kinship
parepidídimo: parepididymis
paresia: paresis
parestesia: paresthesia
parético: paretic
pargilina: pargyline
paridade: parity
parietal: parietal
parietofrontal: parietofrontal
parkinsoniano: parkinsonian
paroftalmia: parophthalmia
paromomicina: paromomycin
paroníquia: paronychial; whitlow
paroniquial: paronychial
parorquidia: parorchidium
parosteose: parostosis
parótida: parotid
parotidite: parotiditis
parotite: parotitis
parovariano: parovarian
paroxismo: paroxysm
paroxístico: paroxysmal
parte: pars
parteiro: midwife
partícula: particle
parto: accouchement; delivery; lying-in; parturition
parturição: parturition
parturiente: parturient; puerpera
parturiômetro: parturiometer
parúlia: parulis
parúlide: gumboil; parulis
parvicelular: parvicellular
parvovírus: parvovirus
pascal: pascal
pasteurelose: pasteurellosis
pasteurização: pasteurization
pastilha: lozenge; troche
pata dianteira: forefoot
patela: patella
patelar: patellar
patelectomia: patelectomy
patenteado: proprietary
patergia: pathergy
patérgico: pathergic

patoanatômico: pathoanatomical
patobiologia: pathobiology
patóclise: pathoclisis
patogênese: pathogenesis
patogenético: pathogenetic
patogênico: pathogenic
patógeno: pathogen
patognomônico: pathognomonic
patologia: pathology
patológico: pathologic
patomimese: pathomimesis
patomorfismo: pathomorphism
patose: pathosi
patrilinear: patrilineal
paucissináptico: paucisynaptic
pausa: pause
pavilhão auricular: pinna
pavor: pavor
pé: foot; pes
pé caído: foot drop
pé chato: splayfoot
pé em garra: clawfoot
pé plano: splayfoot
pé torto: clubfoot
pé-libra: foot-pound
peça nasal: nosepiece
peciloblasto: poikiloblast
pecilócito: poikilocyte
pecilocitose: poikilocytosis
pecilodermia: poikiloderma
pecilotermia: poikilothermy
pecilotérmico: poikilotherm; poikilothermal; poikilothermic
peciolotermo: poikilothermal; poikilothermic
pecíolo: petiole; petiolus
peçonha: venom
pécten: pecten
pectenose: pectenosis
péctico: pectic
pectina: pectin
pectinado: pectinate
pectíneo: pectineal
pectiniforme: pectiniform
pedal: pedal
pederastia: pederasty
pediatria: pediatrics
pediátrico: pediatric
pedicelação: pedicellation
pediculação: pediculation
pedicular: pedicular
pediculicida: pediculicide
pedículo: pedicel; pedicle; pediculus; stalk
pediculose: pediculosis
pediculoso: pediculous
pedite: peditis
pedodontia: pedodontics
pedofilia: pedophilia
pedofílico: pedophilic
pedortia: pedorthics
pedórtico: pedorthic
pedra: piedra; stone
pedra-pomes: pumice
pedra-sabão: talc
peduncular: peduncular
pedúnculo: pedunculus; peduncle

pegademase: pegademase
pegajoso: glairy
peiote: peyote
peito: breast; pectus; thorax
peito do pé: instep
peitoral: pectoral; pectoralis
pelagem: pelage
pelagra: pellagra
pelagra infantil: kwashiorkor
pelagróide: pellagroid
pelagroso: pellagrous
pele: skin
pele malhada: piebaldism
película: coat; pellicle
peliose: peliosis
pêlo: capillus; hair; thrix
pelúcido: pellucid
pelve: pelvis
pelvicalicial: pelvicaliceal; pelvicalyceal
pelvicefalometria: pelvicephalometry
pélvico: pelvic
pelviespondilite: pelvospondylitis
pelvifixação: pelvifixation
pelvimetria: pelvimetry
pelviotomia: pelviotomy
pemolina: pemoline
pendular: pendelluft; pendulous
peneira: cribrum
penetrância: penetrance
penetrômetro: penetrometer
pênfigo: pemphigus
penfigóide: pemphigoid
peniano: penile
penicilamina: penicillamine
penicilina G: benzylpenicillin
penicilina: penicillin
penicilinase: penicillinase
penicilo: penicillus
peniciloil polilisina: penicilloyl polylisine
peniforme: peniform
pênis: penis; phallus
penite: penitis; phallitis
penta-amido: pentastarch
pentaeritritol: pentaerythritol
pentagastrina: pentagastrin
pentazocina: pentazocine
pentilenotetrazol: pentylenotetrazol
pentobarbital: pentobarbital
pentose: pentose
pentosúria: pentosuria
peotilomania: peotillomania
peplômero: peplomer
pepsina: pepsin
pepsinogênio: pepsinogen
péptico: peptic
peptidase: peptidase
peptídeo: peptide
peptidérgico: peptidergic
peptidoglicano: peptidoglycan
peptogênico: peptogenic
peptólise: peptolysis
peptolítico: peptolytic
peptona: peptone
peptônico: peptonic
peptotoxina: peptotoxin

pequena atadura: bandelette
pequeno mal: petit mal
pequeno sinal ou mancha: dot
perácido: peracid
percepção: perception
perceptividade: perceptivity
perceptivo: perceptive
percepto: percept
percevejo: bedbug
percolação: percolation
percolar: percolate
percussão: percussion
percussor: percussor
percutâneo: percutaneous
perencefalia: perencephaly
perfenazina: perphenazine
perfil: profile
perfundido: perfusate
perfurante: perforans
perfusão: perfusion
peri-hepatite: perihepatitis
periacinoso: periacinal; periacinous
periadenite: periadenitis
periampular: periampullary
periapendicite: periappendicitis
periapical: periapical
periarterite: periarteritis
periarticular: periarticular
periartrite: periarthritis
periblasto: periblast
peribronquiolite: peribronchiolitis
peribronquite: peribronchitis
pericaloso: pericalosal
pericárdico: pericardial
pericardiectomia: pericardiectomy
pericárdio: pericardium
pericardiocentese: pericardiocentesis
pericardiofrênico: pericardiophrenic
pericardiólise: pericardiolysis
pericardiorrafia: pericardiorraphy
pericardiostomia: pericardiostomy
pericardiotomia: pericardiotomy
pericardite: pericarditis
pericardítico: pericarditic
pericário: perikaryon
pericecite: pericecitis
pericimentite: pericimentitis
pericimos: perikymata
pericitário: pericytial
perícito: pericyte
pericolangite: perichlangitis
pericolecistite: pericolecystitis
pericolite: pericolitis; pericolonitis
pericolonite: pericolonitis
pericolpite: pericolpitis; perivaginitis
pericondrial: perichondrial
pericôndrio: perichondrium
pericordal: perichordal
pericoroidal: perichoroidal
pericoronal: pericoronal
pericranial: pericranial
pericrânio: pericranium
pericranite: pericranitis
peridectomia: syndectomy
periderma: epitrichium; periderm

peridérmico: peridermal
peridésmio: peridesmium
perididimite: perididymitis
peridídimo: perididymis
peridiverticulite: peridiverticulitis
periduodenite: periduodenitis
periencefalite: periencephalitis
perienterite: perienteritis
periepatite: perihepatitis
periesofagite: periesophagitis
periespermatite: perispermatitis
periesplancnite: perisplanchnitis
periestafilino: peristaphyline
perifacite: periphacitis
periferia: periphery
periférico: peripheral
periflebite: periphlebitis
perifoliculite: perifolliculitis
periganglite: periganglitis
perigastrite: perigastritis
periilhota: periislet
perijejunite: perijejunitis
perilabirintite: perilabyrinthitis
perilaringite: perilaryngitis
perilinfa: perilymph
perilinfangite: perilymphangitis
perimeningite: perimeningitis
perimétrio: perimetrium
perimielite: perimyelitis
perimiosite: perimyositis
perimisial: perimysial
perimisiite: myofibrositis; perimysiitis
perimísio: perimysium
perinatal: perinatal
perinatologia: perinatology
perineal: perineal
perinefrial: perinephrial
perinéfrio: perinephrium
perinefrite: perinephritis
períneo: perineum
perineocele: perineocele
perineoplastia: perineoplasty
perineorrafia: perineorraphy
perineotomia: perineotomy
perineovaginal: perineovaginal
perineural: perineurial
perineurite: perineuritis
perineuro: perineurium
periodicidade: periodicity
período: period
periodontia: periodontics
periodontite: pericementitis; periodontitis
periodonto: periodontium
periodontose: periodontosis
perioftálmico: periophthalmic
perioníquio: perionychium
periooforite: perioophoritis
periooforossalpingite: perioophorosalpingitis
perioperatório: perioperative
perioplo: periople
perioptometria: perioptometry
periórbita: periorbita
periorbitário: periorbital
periorbitite: periorbititis
periorquite: periorchitis

periosteal: periosteal
periosteíte: periosteitis
periósteo: periosteum
periosteófito: periosteophyte
periosteoma: periosteoma
periosteomielite: periosteomyelitis
periosteotomia: periosteotomy
periostite: periosteitis; periostitis
periostose: periostosis
periótico: periotic
peripapilar: peripapillary
periparto: peripartum
peripileflebite: peripylephlebitis
periplasmático: periplasmic
periproctite: periproctitis; perirectitis
periprostatite: periprostatitis
perirretite: perirectitis
perisplenite: perisplenitis
perispondilite: perispondylitis
perissalpingite: perisalpingitis
perissigmoidite: perisigmoiditis
perissinusite: perisinusitis
peristáltico: peristaltic
peristaltismo: peristalsis; vermiculation
peritectomia: peritectomy
peritélio: perithelium
peritelioma: perithelioma
peritendíneo: peritendineum
peritendinite: peritendinitis
peritenonite: peritenonitis
peritireoidite: perithyroiditis
perito: coroner
peritomia: peritomy
peritoneal: peritoneal
peritonealgia: peritonealgia
peritoneocentese: peritoneocentesis
peritoneóclise: peritoneoclysis
peritoneoscopia: peritoneoscopy; ventroscopy
peritoneotomia: peritoneotomy
peritoneovenoso: peritoneovenous
peritônio: peritoneum
peritonite: peritonitis
peritonsilar: peritonsillar
peritonsilite: peritonsillitis
peritríquio: peritrichous
periumbilical: periumbilical
periureterite: periureteritis
perivaginite: perivaginitis
perivasculite: perivasculitis
perivesical: perivesical
perivesiculite: perivesiculitis
perlèche: perlèche
permanganato: permanganate
permear: permeate
permease: permease
permeável: patent; permeable
permetrina: permethrin
permosseletividade: permselectivity
perna: leg; shank
perna torta: bowleg
pernas: crura
pernicioso: noxious; pernicious
perocalicial: pericaliceal
pérola: pearl
peromelia: peromelia

peroneal: peroneal
peroneiro: peroneal
peroral: peroral
peroxidase: peroxidase
peróxido: peroxide
peroxissoma: peroxisome
peroxissomo: peroxisome
perseveração: perseveration
persona: persona
personalidade: personality
perspiração: perspiration; sweat
persulfato: persulfate
perturbação: dysphoria
pertussóide: pertussoid
perversão: perversion
pérvio: permeable
pesadelo: nightmare
pescoço: neck
peso: weight
pessário: pessary
pessoa: persona
pestanejar: winking
peste: pestilence; plague
peste bovina: rinderpest
pestilencial: pestilential
petéquia: petechia
petequial: petechial
petroccipital: petrooccipital
petroescamoso: petrosquamous
petroesfenóide: petrosphenoid
petrolato: petrolatum
petromastóide: petromastoid
petrosa: petrosal
petrosite: petrositis
pexia: pexis
péxico: pexic
pia-aracnite: piaarachnitis
pia-aracnóide: piaarachnoid; piarachnoid
pia-máter: pia mater
pial: pial
piartrose: pyarthrosis
pica: pica; cittosis
picada: bite; sting
piche: pitch
pícnico: pyknic
picnócito: pyknocyte
picnodisostose: pyknodysostosis
picnômetro: pyknometer
picnomorfo: pyknomorphous
picnose: pyknosis
picnótico: pyknotic
pico: spike
picograma: picogram
picornavírus: picornavirus
picrato: picrate
picrocarmim: picrocarmine
picrotoxina: picrotoxin
piedra: piedra
pielectasia: pyelectasis
pielite: pyelitis
pielítico: pyelitic
pielocaliectasia: pyelocaliectasis
pielocistite: pyelocystitis
pielografia: pyelography
pielointersticial: pyelointerstitial

pielolitotomia: pyelolithotomy
pielonefrite: nephropyelitis; pyelonephritis
pielonefrose: pyelonephrosis
pielopatia: pyelopathy
pieloplastia: pyeloplasty
pielostomia: pyelostomy
pielotomia: pyelotomy
pielovenoso: pyelovenous
piêmese: pyemesis
piemia: pyemia
piêmico: pyemic
piencefalia: pyencephalus
piese: pyesis
piesestesia: piesesthesia
piesímetro: piesimeter
piesômetro: piesimeter
pigalgia: pygalgia
pigmentação: pigmentation
pigmentado: pigmented
pigmentar: pigmentary
pigmento: pigment
pigmentófago: pigmentophage
pigmeu: midget
pigômelo: epipygus
pilão: pestle
pilar: pillar
pileflebectasia: pylephlebectasis
pileflebite: pylephlebitis
pilha: pile
piliáceo: piliate
pilífero: pilial
pilocarpina: pilocarpine
pilocístico: pilocystic
piloereção: piloerection
piloleiomioma: piloleiomyoma
pilomatrixoma: pilomatrixoma
pilomotor: pilomotor
pilonidal: pilonidal
piloralgia: pyloralgia
pilorectomia: pylorectomy
pilórico: pyloric
piloristenose: pyloristenosis
piloro: pylorus
pilorodiose: pylorodiosis
piloroduodenite: pyloroduodenitis
pilorogastrectomia: pylorogastrectomy
piloromiotomia: pyrolomyotomy
piloroplastia: pyloroplasty
piloroscopia: pyloroscopy
pilorostomia: pylorostomy
pilorotomia: pylorotomy
piloso: pilar; pilary; pilose
pilossebáceo: pilosebaceous
pílula: pill
pimelite: pimelitis
pimelopterígio: pimelopterygium
pimelose: pimelosis
pina: pinna
pinal: pinnal
pinça: clamp; forceps
pinçamento: clamping
pincelagem: paint
pineal: pineal
pinealectomia: pinealectomy
pinealismo: pinealism

pinealoblastoma: pinealoblastoma
pinealócito: pinealocyte
pinealoma: pinealoma
pinguécula: pinguecula
piniforme: piniform
pino: dowel; pin
pinocítico: pinocytic
pinócito: pinocyte
pinocitose: pinocytosis
pinocitótico: pinocytotic
pinossoma: pinosome
pinta: pint
pio-hemotórax: pyohemothorax
pio-hidronefrose: pyohydronephrosis
piocefalia: pyocephalus
piocele: pyocele
piocelia: pyoperitoneum
piocisto: pyocyst
piococo: pyococcus
piocolpocele: pyocolpocele
piodermatite: pyoderma
pioemotórax: pyohemothorax
piofisometra: pyophysometra
pioftalmia: pyophthalmitis
pioftalmite: pyophthalmitis
piogênese: pyogenesis; pyopoiesis
piogênico: pyogenic
pioglial: piaglia
pióide: pyoid
pioidronefrose: pyohydronephrosis
piolhento: pediculous
piolho: louse; pediculus
piometrite: pyometritis
piomiosite: pyomyositis
pionefrite: pyonephritis
pionefrolitíase: pyonephrolithiasis
pionefrose: pyonephrosis
piopericárdio: pyopericardium
pioperitônio: pyoperitoneum
piopielectasia: pyopyelectasis
piopneumo-hepatite: pyopneuhepatitis
piopneumocolecistite: pyopneumocholecystitis
piopneumoepatite: pyopneuhepatitis
piopneumopericárdio: pneumopyopericardium; pyopneumopericardium
piopneumoperitonite: pyopneumoperitonitis
piopneumotórax: pyopneumothorax
piopoiese: pyopoiesis
pioptise: pyoptysis
pioquesia: pyochezia
piorréia: pyorrhea
piorréico: pyorrheal
piossalpinge: pyosalpinx
piossalpingite: pyosalpingitis
piossalpingooforite: pyosalpingooophoritis
piostático: pyostatic
piotórax: pyothorax
pioúraco: pyourachus
pioureter: pyoureter
piovário: pyoovarium
pipazetato: pipazethate
piperacetazina: piperacetazine
piperazina: piperazine
piperocaína: piperocaine
pipeta: pipet; pipette

pipobromano: pipobroman
pirâmide: pyramid; pyramis
piranose: pyranose
pirantel: pyrantel
pirbuterol: pirbuterol
pirenzepina: pirenzepine
pirético: pyrectic; pyretic
piretogênese: pyretogenesis
piretogênico: pyretogenous
pirexia: pyrexia
pirexial: pyrexial
piridina: pyridine
piridostigmina: pyridostigmine
piridoxal: pyridoxal
piridoxamina: pyridoxamine
piridoxina: pyridoxine
piriforme: piriform
pirilamina: pyrilamine
pirimetamina: pyrimethamine
pirimidina: pyrimidine
pirofosfatase: pyrophosphatase
pirofosfato: pyrophosphate
pirogênico: pyrogenic
pirogênio: pyrogen
piroglobulinemia: pyroglobulinemia
piromania: pyromania
pironina: pyronin
piroplasmose: piroplasmosis
pirose: heartburn; pyrosis
pirótico: pyrotic
piroxilina: pyroxylin
pirrol: pyrrole
pirrolidina: pyrrolidine
piruvato: pyruvate
pirvínio: pyrvinium
piscar: winking
pisiforme: pisiform
pitecóide: pithecoid
pitiose: pythiosis
pitiríase: pityriasis
pitiróide: pityroid
pituícito: pituicyte
pituitária: pituitary
pituitarismo: pituitarism
piúria: pyuria
pivalato: pivalate
pivô: abutment
placa: dish; patch; plaque; plate
placa básica: baseplate
placa de mordedura: biteplate
placa terminal: end plate
placebo: placebo
placenta: placenta
placentação: placentation
placentário: placental
placentite: placentitis
placentografia: placentography
placentóide: placentoid
placóide: placode
plagiocefalia: plagiocephaly
plagiocefálico: plagiocephalic
planigrafia: planigraphy
planigráfico: planigraphic
plano: plane; planum
planocelular: planocellular

planocôncavo: planoconcave
planoconvexo: planoconvex
planta: sole
planta do pé: planta pedis
plantalgia: plantalgia
plantar: plantar; plantaris
plantígrado: plantigrade
plânula: planula
plaqueta: platelet
plaquetoferese: plateletpheresis
plasma: plasm; plasma
plasmablasto: plasmablast
plasmacitoma: plasmacytoma
plasmacitose: plasmacytosis
plasmaferese: plasmapheresis
plasmalema: plasmalemma
plasmalogênio: plasmalogen
plasmático: plasmatic
plasmídeo: plasmid
plasmina: plasmin
plasminogênio: plasminogen
plasmocítico: plasmacytic
plasmócito: plasmacyte; plasmocyte
plasmodial: plasmodial
plasmodicida: plasmodicidal
plasmódio: plasmodium
plasmólise: plasmolysis
plasmolítico: plasmolytic
plasmônio: plasmon
plasmorrexe: plasmorrhexis
plasmosquise: plasmoschisis
plástico: plastic
plataforma: foot plate
platelminto: platyhelminth
platibasia: platybasia
platicelo: platycelous
platicoria: platycoria
platiérico: platyhieric
platina: platinum
platipélico: platypellic
platipelóide: platypelloid
platipodia: platypodia
platisma: platysma
pleiotropia: pleiotropism; pleiotropy
pleiotrópico: pleiotropic
pleiotropismo: pleiotropism
pleocitose: pleocytosis
pleomórfico: pleomorphic; pleomorphous
pleomorfismo: pleomorphism
pleonosteose: pleonosteosis
plessestesia: plessesthesia
pletismografia: plethysmography
pletismógrafo: plethysmograph
pletora: plethora
pletórico: plethoric
pleura: pleura
pleuracotomia: pleuracotomy
pleural: pleural
pleuralgia: pleuralgia
pleurálgico: pleuralgic
pleurapófise: pleurapophysis
pleurectomia: pleurectomy
pleurisia: pleurisy; pleuritis
pleurite: pleurisy; pleuritis
pleurítico: pleuritic

pleuro-hepatite: pleurohepatitis
pleurocele: pleurocele
pleurocentese: pleurocentesis
pleurocentro: pleurocentrum
pleurodinia: pleurodynia
pleurogênico: pleurogenic; pleurogenous
pleurografia: pleurography
pleurólise: pleurolysis
pleuroparietopexia: pluroparietopexy
pleuropericardite: pleuropericarditis
pleuroperitoneal: pleuroperitoneal
pleuropneumonia: pleuropneumonia
pleurotomia: pleurotomy
pleurotótono: pleurothotonos
pleurovisceral: visceropleural
plexectomia: plexectomy
plexial: plexal
plexímetro: pleximeter
plexite: plexitis
plexo: plexus
plexogênico: plexogenic
plexopatia: plexopathy
plexor: plexor
plicamicina: plicamycin
plicotomia: plicotomy
plúmbico: plumbic
plumbismo: plumbism
pluripotencial: pluripotent; pluripotential
pluripotencialidade: pluripotentiality
pluripotente: pluripotent; pluripotential
plutônio: plutonium
pneógrafo: pneumometer
pneograma: pneogram
pneômetro: pneometer; pneumatometer
pneumartrografia: pneumarthrography; pneumoarthrography
pneumartrose: pneumarthrosis
pneumático: pneumatic
pneumatização: pneumatization
pneumatocele: pneumatocele
pneumatógrafo: pneumatograph
pneumatometria: pneumatometry
pneumatômetro: pneumatometer
pneumatose: pneumatosis
pneumatúria: pneumaturia
pneumo-hemopericárdio: pneumoemopericardium
pneumo-hemotórax: pneumohemothorax
pneumo-hidrometria: pneumohydrometra
pneumo-hidropericárdio: pneumohydropericardium
pneumo-hidrotórax: pneumohydrothorax
pneumoartrografia: pneumoarthrography
pneumobilia: pneumobilia
pneumocefalia: pneumocephalus; pneumocranium; pneumoencephalocele
pneumocistíase: pneumocystiasis
pneumocistografia: pneumocystography
pneumococcemia: pneumococcemia
pneumococcida: pneumococcidal
pneumocócico: pneumococcal
pneumococo: pneumococcus
pneumococose: pneumococcosis
pneumococosúria: pneumococcosuria
pneumoconiose: pneumoconiosis
pneumocrânio: pneumocranium
pneumoderma: pneumoderma

pneumoemopericárdio: pneumoemopericardium
pneumoemotórax: pneumohemothorax
pneumoencefalocele: pneumoencephalocele
pneumoencefalografia: pneumoencephalography
pneumoenterite: pneumoenteritis
pneumografia: pneumography
pneumoidrometria: pneumohydrometra
pneumoidropericárdio: pneumohydropericardium
pneumolitíase: pneumolithiasis
pneumomediastino: pneumomediastinum
pneumômetro: pneumometer
pneumomicose: pneumomycosis
pneumomielografia: pneumomyelography
pneumonectomia: pneumonectomy
pneumonia: pneumonia
pneumônico: pneumonic
pneumonite: pneumonitis; pulmonitis
pneumonocentese: pneumonocentesis
pneumonócito: pneumonocyte
pneumonólise: pneumonolysis
pneumonopatia: pneumonopathy
pneumonopexia: pneumonopexy
pneumonorrafia: pneumonorrhaphy
pneumonose: pneumonosis
pneumonotomia: pneumonotomy; pneumotomy
pneumopericárdio: pneumopericardium
pneumoperitônio: aeroperitonia; pneumoperitoneum
pneumoperitonite: pneumoperitonitis
pneumopielografia: pneumopyelography
pneumopiopericárdio: pneumopyopericardium
pneumopiotórax: pneumopyothorax
pneumopleurite: pneumopleuritis
pneumorradiografia: pneumoradiography
pneumorragia: pneumorrhagia
pneumorretroperitônio: pneumoretroperitoneum
pneumotacógrafo: pneumotachograph
pneumotacômetro: pneumotachometer
pneumotáxico: pneumotaxic
pneumoterapia: pneumotherapy
pneumotomia: pneumotomy
pneumotórax: pneumothorax
pneumoventriculografia: pneumoventriculography
podagra: podagra
podalgia: podalgia; pododynia
podálico: podalic
podartrite: podarthritis
poder: power
podiatra: chiropodist; chiropody
podiatria: podiatry; podology
podiátrico: podiatric
podócito: podocyte
pododinamômetro: pododynamometer
pododinia: pododynia
podofilina: podophyllin
podófilo: podophyllum
podologia: podology
podre: putrid
pogoníase: pogoniasis
pogônio: pogonion
poietina: poietin
poise: poise
polar: polar
polaridade: polarity
polarimetria: polarimetry
polarização: polarization

polarografia: polarography
polarográfico: polarographic
polegar: pollex; thumb
pólen: pollen
poli-hidrâmnio: polyhydramnios
poli-hídrico: polyhydric
poli-hidrose: polyhidrosis
poliadenite: polyadenitis
poliadenose: polyadenosis
poliamina: polyamine
poliangiíte: polyangiitis
poliarterite: panarteritis; polyarteritis
poliarticular: polyarthric; polyarticular
poliártrico: polyarthric
poliartrite: polyarthritis
poliatômico: polyatomic
polibásico: polybasic
policarbofila: polycarbophil
policial: policeman
policiese: polycyesis
policístico: polycystic
policitemia: polycythemia
policização: pollicization
policlínica: policlinic; polyclinic
policlonal: polyclonal
policolia: polycholia
policondrite: polychondritis
policoria: polycoria
policromasia: polychromasia
policromático: polychromatic
policromatócito: polychromatocyte
policromatofilia: polychromatophillia
policromatófilo: polychromatophil; polychromatophilic
policromemia: polychromemia
policrótico: polycrotic
policrotismo: polycrotism
polidactilia: polydactylism; polydactyly
polidactilismo: polydactylism
polidipsia: polydipsia
polidisplasia: polydysplasia
poliédrico: polyhedral
poliestesia: polyesthesia
poliestireno: polystyrene
polietileno: polyethylene
polifagia: polyphagia
polifalangia: polyphalangia; polyphalangism
polifalangismo: polyphalangism
polifarmácia: polypharmacy
poligalactia: polygalactia
poligelina: polygeline
poligene: polygene
poligênico: polygenic
poligiria: polygyria
poliglactina: polyglactin
poliglandular: polyglandular
polígrafo: polygraph
poliidrâmnio: polyhydramnios
poliídrico: polyhydric
poliidrose: polyhidrosis
poliinfecção: polyinfection
poliinsaturado: polyunsaturated
poliiônico: polyionic
poliléptico: polyleptic
polimastia: polymastia
polimastigota: polymastigote

polímelo: polymelus
polimenorréia: polymenorrhea
polimento: burnishing
polimerase: polymerase
polimérico: polymeric
polimerização: polymerization
polímero: polymer
polimetilmetacrilato: polymethylmethacrylate
polimialgia: polymyalgia
polimicrobiano: polymicrobial; polymicrobic
polimicrogiria: polygyria; polymicrogyria
polimioclonia: polymyoclonus
polimiopatia: polymyopathy
polimiosite: polymyositis
polimixina: polymyxin
polimórfico: polymorphic; polymorphous
polimorfismo: polymorphism
polimorfo: polymorph; polymorphous
polimorfocelular: polymorphocellular
polimorfonuclear: polymorphonuclear
polinésico: polynesic
polineural: polyneural
polineuralgia: polyneuralgia
polineurite: polyneuritis
polineuromiosite: polyneuromyositis
polineuropatia: polyneuropathy
polineurorradiculite: polyneuroradiculitis
polinose: pollinosis
polinucleado: polynucleate
polinuclear: polynuclear
polinucleotídeo: polynucleotide
pólio: polio
polioclástico: polioclastic
poliodistrofia: poliodystrophia; poliodystrophy
polioencefalite: polioencephalitis
polioencefalomeningomielite: polioencephalomeningomyelitis
polioencefalomielite: polioencephalomyelitis
polioencefalopatia: polioencephalopathy
poliomavírus: polyomavirus
poliomielite: poliomyelitis
poliomielopatia: poliomyelopathy
poliopia: polyopia
poliorquia: polyorchis
poliorquidismo: polyorchidism
poliose: poliosis
poliostótico: polyostotic
poliovírus: poliovirus
poliovular: polyovular
poliovulatório: polyovulatory
polioxil: polyoxyl
polipectomia: polypectomy
polipeptidemia: polypeptidemia
polipeptídeo: polypeptide
poliplástico: polyplastic
poliploidia: polyploidy
polipnéia: polypnea
polipo: polyp
pólipo: polyp; polypus
polipóide: polypoid
poliporoso: polyporous
polipose: polyposis
poliposo: polypous
polipropileno: polypropylene
polirradiculite: polyradiculitis

polirradiculoneurite: polyradiculoneuritis
polirradiculoneuropatia: polyradiculoneuropathy
polirribossoma: polyribosome; polysome
polispermia: polyspermy
polissacarídeo: polysaccharide
polisserosite: polyserositis
polissináptico: polysynaptic
polissindactilia: polysyndactyly
polissoma: polysome
polissomia: polysomy
polissonografia: polysomnography
polissorbato: polysorbate
politef: polytef
politelia: polythelia
politeno: polytene
politenossinovite: polytenosynovitis
politiazida: polythiazide
politiquial: polyptychial
politomografia: polytomography
politomograma: polytomogram
politraumatismo: polytrauma
politriquia: polytrichia
poliúria: polyuria
polivalente: polyvalent
polivinil: polyvinyl
polivinilpirrolidona: povidone; polyvinylpyrrolidone
pólo: pole; polus
polócito: polocyte
polônio: polonium
poloxâmero: poloxamer
polpa: pulp; pulpa
pomada: ointment; salve; unguent
pomo: pomum
ponfólige: pompholyx
ponta: apex
pontada: stitch
ponte: bridge; pons
ponte dentária: bridgework
ponteiro: pointer
pôntico: pontic
pontícula: ponticulus
ponticular: ponticular
pontilhado: punctate
pontilhado basófilo: stippling
pontino: pontine
ponto: point; punctum
ponto fixo: set-point
ponto jugal: jugale
pontobulbar: pontobulbar
pontocerebelar: pontocerebellar
pontomesencefálico: pontomesencephalic
poplíteo: popliteal
poradenite: poradenitis
porção: portio
porcino: porcine
porencefalia: porencephaly
porencefálico: porencephalic; porencephalous
porencefalite: porencephalitis
porfina: porphin
porfiria: porphyria
porfirina: porphyria
porfirinúria: porphyrinuria
porfobilinogênio: porphobilinogen
poro: pore; porus
poroceratose: porokeratosis

poroceratótico: porokeratotic
poroma: poroma
porose: porosis
porosidade: porosity
poroso: porous
porotomia: porotomy
por primeira intenção: per primam (intentionem)
por segunda intenção: per secundam (intentionem)
porta: porta
portacava: portacaval
portador: carrier
portal: portal
portoenterostomia: portoenterostomy
portografia: portography
portossistêmico: portosystemic
por via oral: per os
pós-auricular: postauricular
pós-axial: postaxial
pós-braquial: postbrachial
pós-carga: afterload
pós-cava: postcava
pós-caval: postcaval
pós-cibal: postcibal
pós-corno: postcornu
pós-despolarização: afterdepolarization
pós-diastólico: postdiastolic
pós-dicrótico: postdicrotic
pós-estenótico: poststenotic
pós-ganglionar: postganglionic
pós-hipnótico: posthypnotic
pós-íctico: postictal
pós-imagem: afterimage
pós-maduro: postmature
pós-maturidade: postmaturity
pós-morte: post mortem
pós-natal: postnatal
pós-parto: afterpains
pós-potencial: afterpotential
pós-prandial: postprandial
pós-puberal: postpuberal; postpubertal
pós-pubescente: postpubescent
pós-renal: postrenal
pós-sináptico: postsynaptic
pós-sinusoidal: postsinusoidal
pós-termo: post-term
pós-vacinal: postvaccinal
posição: lie; position; station
posição agachada: squatting
positivo: positive
pósitron: positron
posologia: posology
posológico: posologic
posterior: posterior
póstero-anterior: posteroanterior
póstero-externo: posteroexternal
póstero-inferior: posteroinferior
póstero-lateral: posterolateral
póstero-mediano: posteromedian
póstero-oclusão: posteroclusion
póstero-superior: posterosuperior
postioplastia: posthioplasty
postite: posthitis
postulado: postulate
potassa: potash
potassemia: potassemia

potássio: kalium; potassium
potável: potable
potência: potency
potenciação: potentialization; potentiation
potencial: potential
potencialização: potentialization
potente: potent
povidona: povidone
povidona-iodo: povidoneiodine
poxvírus: poxvirus
pragmatagnosia: pragmatagnosia
pragmatamnésia: pragmatamnesia
pralidoxima: pralidoxime
prandial: prandial
praseodímio: praseodymium
prata: argentum; silver
prática: practice
prato: dish
praxiologia: praxiology
prazosina: prazosin
pré-agônico: preagonal
pré-alimentação: feedforward
pré-anestésico: preanesthesic
pré-auricular: preauricular
pré-axial: preaxial
pré-betalipoproteinemia: prebetalipoproteinemia
pré-canceroso: premalignant
pré-capilar: precapillary
pré-cardíaco: precardiac
pré-carga: preload
pré-cava: precava
pré-caval: precaval
pré-clínico: preclinical
pré-coagulação: preclotting
pré-coma: precoma
pré-comatoso: precomatose
pré-consciente: foreconscious; preconscious
pré-cordal: prechordal
pré-costal: precostal
pré-cúneo: precuneus
pré-diabetes: prediabetes
pré-diástole: prediastole
pré-diastólico: prediastolic
pré-dicrótico: predicrotico
pré-digestão: predigestion
pré-diverticular: prediverticular
pré-eclâmpsia: preeclampsia
pré-ejeção: preejection
pré-embrião: preembryo
pré-esfenóide: presphenoid
pré-excitação: preexcitation
pré-frontal: prefrontal
pré-ganglionar: preganglionic
pré-genital: pregenital
pré-hálux: prehallux
pré-hióide: prehyoid
pré-hipófise: prehypophysis
pré-hormônio: prehormone
pré-ictal: preictal
pré-íctico: preictal
pré-invasivo: preinvasive
pré-leucemia: preleukemia
pré-leucêmico: preleukemic
pré-límbico: prelimbic
pré-maligno: premalignant

pré-maxilar: premaxilla; premaxillary
pré-medicação: premedication
pré-menárquico: premenarchal
pré-menstrual: premenstrual
pré-mênstruo: premenstruum
pré-mieloblasto: premyeloblast
pré-mielócito: premyelocyte
pré-molar: premolar
pré-monócito: premonocyte
pré-mórbido: premorbid
premunição: premunition
premunitivo: premunitive
pré-natal: prenatal
pré-neoplásico: preneoplastic
pré-óptico: preoptic
pré-pilórico: prepyloric
pré-proinsulina: preproinsulin
pré-proproteína: preproprotein
pré-protético: preprosthetic
pré-puberal: prepuberal
pré-púbere: prepubertal
pré-pubescente: prepubescent
pré-renal: prerenal
pré-senil: presenile
pré-sináptico: presynaptic
pré-sinusoidal: presinusoidal
pré-sístole: presystole
pré-sistólico: presystolic
pré-somito: presomite
pré-subículo: presubiculum
pré-tectal: pretectal
pré-vesical: prevesical
pré-zigótico: prezigotic
precipitação imunológica: immunoprecipitation
precipitante: precipitant
precipitar: precipitate
precipitina: precipitin
precipitinogênio: precipitinogen
precoce: precocious
precocidade: precocity
precognição: precognition
precordial: precordial
precórdio: precordium
precursor: antecedent; precursor
predisposição: predisposition
prednisolona: prednisolone
prednisona: prednisone
preênsil: prehensile
prega: crease; fold; plica
pregnano: pregnane
pregnanodiol: pregnanediol
pregnanotriol: pregnanetriol
pregnenolona: pregnenolone
pregueado: plicate
pregueamento: plication
prejudicial: deleterious
prelúdio: foreplay
prepucial: preputial
prepúcio: foreskin; prepuce; preputium
prepuciotomia: preputiotomy
presa: fang
presbiacusia: presbycusis
presbicardia: presbycardia
presbiopia: presbyopia

presbiópico: presbyopic
prescrição: prescription; recipe; signature
preservativo: condom
pressão: pressure
pressão sangüínea: blood pressure
pressor: pressor
pressorreceptivo: pressoreceptive
pressorreceptor: pressoreceptor
pressossensível: pressosensitive
prevalência: prevalence
preventivo: preventive
prezona: prozone
priapismo: priapism
prilocaína: prilocaine
primaquina: primaquine
primeiros socorros: first aid
primidona: primidone
primigrávida: primigravida
primípara: primipara; primiparous
primitivo: primitive; primordial
primordial: primordial
primórdio: primordium
principal: princeps
princípio: principle
priônio: prion
prisma: prism
prismosfera: prismosphere
privação: deprivation
pró-hormônio: prohormone
pró-medicamento: prodrug
proacelerina: proaccelerin
proarritmia: proarrhythmia
proarrítmico: proarrythmic
proativador: proactivator
proatlas: proatlas
probando: proband
probenecida: probenecid
procaína: procaine
procainamida: procainamide
procarbazina: procarbazine
procarboxipeptidase: procarboxypeptidase
procarcinógeno: procarcinogen
procarionte: prokaryon
procariota: prokaryote
procariótico: prokaryotic
procedimento: procedure
procefálico: procephalic
procélico: procelous
procentríolo: procentriole
procercóide: procercoid
processo: process; processus
prociclidina: procyclidine
procidência: procidentia
proclorperazina: prochlorperazine
procoagulante: procoagulant
procolágeno: procollagen
procondral: prochondral
proconvertina: proconvertin
procriação: procreation
proctalgia: proctalgia; rectalgia
proctatresia: proctatresia
proctectasia: proctectasia
proctectomia: proctectomy; rectectomy
procteurinter: procteurynter
proctite: proctitis; rectitis

proctocele: proctocele
proctocistoplastia: proctocystoplasty
proctocistotomia: proctocystotomy
proctocolpoplastia: proctocolpoplasty
proctódio: proctodeum
proctologia: proctology
proctológico: proctologic
proctoparalisia: proctoparalysis; proctoplegia
proctopexia: proctopexy; rectopexy
proctoplastia: proctoplasty; rectoplasty
proctoplegia: proctoplegia
proctoptose: proctoptosis
proctorrafia: proctorrhaphy
proctorréia: proctorrhea
proctoscópio: proctoscope; rectoscope
proctossigmoidite: proctosigmoiditis
proctossigmoidoscopia: proctosigmoidoscopy
proctostenose: proctostenosis
proctostomia: proctostomy; rectostomy
proctotomia: proctotomy
procumbente: procumbent
procursivo: procursive
prodrômico: prodromal; prodromic
pródromo: prodrome
produtivo: productive
produto: product
proeminência: eminence; mons; prominence
proenzima: proenzyme
proestro: proestrus
proestrogênio: proestrogen
profago: prophage
prófase: prophase
profilático: preventive; prophylactic
profilaxia: prophylaxis
profissional: professional; practitioner
profissional de medicina: doctor
proflavina: proflavine
profundaplastia: profundaplasty; profundoplasty
profundidade: depth
profundo: profundus
profundoplastia: profundoplasty
progastrina: progastrin
progeria: progeria
progestacional: progestational
progesterona: progesterone
progestina: progestin
progestogênio: progestogen
proglosse: proglossis
proglote: proglottid; proglottis
proglótide: proglottid; proglottis
prognático: prognathic; prognathous
prognóstico: prognosis; prognostic
prográvido: progravid
proinsulina: proinsulin
projeção: projection
prolábio: prolabium
prolactina: mammotropin; prolactin
prolactinoma: prolactinoma
prolapsado: ptosed
prolapso: prolapse; prolapsus
prolepse: prolepsis
proléptico: proleptic
prolidase: prolidase
proliferação: proliferation
proliferativo: proliferative; proliferous

prolífero: proliferative; proliferous
prolígero: proligerous
prolina: proline
prolinase: prolinase
prolinfócito: prolymphocyte
promastigoto: promastigote
promazina: promazine
promécio: promethium
promegacariócito: promegakaryocyte
promegaloblasto: promegaloblast
prometazina: promethazine
prometestrol: promethestrol
promielócito: premyelocyte; promyelocyte
promonócito: premonocyte; promonocyte
promontório: promontory
promotor: promoter
pronação: pronation
pronefro: pronephros
pronógrado: pronograde
pronormoblasto: pronormoblast; rubriblast
pronúcleo: pronucleus
proóptico: prootic
propafenona: propafenone
propagação: propagation
propagativo: propagative
propantelina: propantheline
proparacaína: proparacaine
propenso a acidentes: accident prone
properdina: properdin
propil: propyl
propileno: propylene
propilexedrina: propylhexedrine
propiliodona: propyliodone
propiltiouracila: propylthiouracil
propiolactona: propiolactone
propionato: propionate
propionato de dromostanolona: dromostanolone propionate
propósito: proband; propositus
propoxifeno: propoxyphene
propranolol: propranolol
propriedade: proprietary
propriocepção: proprioception
proprioceptivo: proprioceptive
proprioceptor: proprioceptor
proproteína: proprotein
proptômetro: proptometer
proptose: proptosis
propulsão: propulsion
prorrenina: prorennin
prorrubrícito: prorubricyte
prosencéfalo: forebrain; prosencephalon
prosodêmico: prosodemic
prosopagnosia: prosopagnosia
prosopectasia: prosopectasia
prosoplasia: prosoplasia
prosopoplegia: prosopoplegia
prosopoplégico: prosopoplegic
prosoposquise: prosoposchisis
prossecção: prosection
prossecretina: prosecretin
prostaciclina: prostacyclin
prostaglandina: prostaglandin
prostanóide: prostanoid
próstata: prostate

prostatectomia: prostatectomy
prostático: prostatic
prostatismo: prostatism
prostatite: prostatitis
prostatítico: prostatitic
prostatocistite: prostatocystitis
prostatocistotomia: prostatocystotomy
prostatolitotomia: prostatolithotomy
prostatomegalia: prostatomegaly
prostatorréia: prostatorrhea
prostatotomia: prostatotomy
prostatovesiculectomia: prostatovesiculectomy
prostatovesiculite: prostatovesiculitis
próstion: prosthion
prostodontia: prosthodontics
prostração: lassitude; prostration
protactínio: protactinium
protamina: protamine
protanopia: protanopia
protanópico: protanopic
protease: protease
proteína: protein
proteináceo: proteinaceous
proteinase: ancrod; proteinase
proteinemia: proteinemia
proteinocinase: proteinkinase
proteinose: proteinosis
proteinúria: proteinuria
proteinúrico: proteinuric
proteoglicano: proteoglycan
proteólise: proteolysis
proteolítico: proteolytic
proteometabolismo: proteometabolism
proteopéptico: proteopeptic
prótese: prosthesis
protetor: protectant; protective; protector
protetor solar: sunscreen
prótio: protium
protirelina: protirelin
protista: protist
protoblástico: protoblastic
protoblasto: protoblast
protocolo: protocol
protodiastólico: protodiastolic
protoduodeno: protoduodenum
protogáster: protogaster
próton: proton
protoncogene: protooncogene
protoplasma: protoplasm
protoplasmático: protoplasmic
protoplasto: protoplast
protoporfiria: protoporphyria
protoporfirina: protoporphyrin
protoporfirinogênio: protoporphyrinogen
protoporfirinúria: protoporphyrinuria
prototecose: protothecosis
prototrófico: prototrophic
protótrofo: prototroph
protovértebra: protovertebra; provertebra
protozoário: protozoan
protozoíase: protozoiasis
protozoicida: protozoacide
protozoófago: protozoophage
protozoologia: protozoology
protração: protraction

protrair: extrude
protransglutaminase: protransglutaminase
protrator: protractor
protriptilina: protriptyline
protrombina: prothrombin
protrombinase: prothrombinase
protrombinogênico: prothrombinogenic
protrusão: protrusion
protuberância: protuberance; protuberantia
prouroquinase: prourokinase
prova: test
provador: taster
provértebra: provertebra
provírus: provirus
provitamina: provitamin
proximal: proximad; proximal; proximalis
proximobucal: proximobuccal
prozona: prozone
prurido: itch; chilblain: chilblains; itching; pruritus
pruriginoso: pruriginous; pruritic
prurigo: prurigo
pruritogênico: pruritogenic
psaltério: psalterium
psamoma: psammoma
pseudalesqueríase: pseudallescheriasis
pseudartrose: pseudarthrosis
pseudo-acantose: pseudoacanthosis
pseudo-agrafia: pseudoagraphia
pseudo-alelos: pseudoalleles
pseudo-anemia: pseudoanemia
pseudo-aneurisma: pseudoaneurysm
pseudo-angina: pseudoangina
pseudo-efedrina: pseudoephedrine
pseudo-enfisema: pseudoemphysema
pseudo-epilepsia: pseudoepilepsy
pseudo-escarlatina: pseudoscarlatina
pseudo-esclerose: pseudosclerosis
pseudo-estesia: pseudoesthesia
pseudo-extrofia: pseudoexstrophy
pseudo-hematúria: pseudohematuria
pseudo-hemofilia: pseudohemophilia
pseudo-hermafroditismo: pseudohermaphroditism
pseudo-hérnia: pseudohernia
pseudo-hiperaldosteronismo: pseudohyperaldosteronism
pseudo-hipertensão: pseudohypertension
pseudo-hipertrofia: pseudohypertrophy
pseudo-hipertrófico: pseudohypertrophic
pseudo-hipoparatireoidismo: pseudohypoparathyroidism
pseudo-icterícia: pseudojaundice
pseudo-isocromático: pseudoisochromatic
pseudo-raiva: pseudorabies
pseudo-raquitismo: pseudorickets
pseudo-reação: pseudoreaction
pseudoalélico: pseudoallelic
pseudoapoplexia: pseudoapoplexy
pseudocele: pseudocele
pseudociese: pseudocyesis
pseudocilindro: pseudocast
pseudocilindróide: pseudocylindroid
pseudocisto: pseudocyst
pseudoclaudicação: pseudoclaudication
pseudocoartação: pseudocoarctation
pseudocolesteatoma: pseudocholesteatoma

pseudocolinesterase: pseudocholinesterase
pseudocolóide: pseudocolloid
pseudoconvulsão: pseudoseizure
pseudocoréia: pseudochorea
pseudocoxalgia: pseudocoxalgia
pseudocrise: pseudocrisis
pseudocromidrose: pseudochromidrosis
pseudocrupe: pseudocroup
pseudodemência: pseudodementia
pseudodifteria: pseudodiphtheria
pseudodominante: pseudodominant
pseudofoliculite: pseudofolliculitis
pseudofratura: pseudofracture
pseudoglioma: pseudoglioma
pseudoglote: pseudoglottis
pseudoglótico: pseudoglottic
pseudogota: pseudogout
pseudomania: pseudomania
pseudomelanose: pseudomelanosis
pseudomixoma: pseudomyxoma
pseudomucina: pseudomucin
pseudomucinoso: pseudomucinous
pseudoneurite: pseudoneuritis
pseudopapiledema: pseudopapilledema
pseudoparalisia: pseudoparalysis
pseudoparaplegia: pseudoparaplegia
pseudoparesia: pseudoparesis
pseudopelada: pseudopelade
pseudoplegia: pseudoplegia
pseudópode: pseudopodium
pseudopolimelia: pseudopolymelia
pseudopólipo: pseudopolyp
pseudopolipose: pseudopolyposis
pseudopsia: pseudopsia
pseudopsicose: pseudopsychosis
pseudopterígio: pseudopterygium
pseudoptose: pseudoptosis
pseudopuberdade: pseudopuberty
pseudostoma: pseudostoma
pseudotabes: pseudotabes
pseudotétano: pseudotetanus
pseudotronco arterial: pseudotruncus arteriosus
pseudotuberculose: pseudotuberculosis
pseudotumor: pseudotumor
pseudouridina: pseudouridine
pseudovertigem: pseudovertigo
pseudoxantoma elástico: pseudoxanthoma elasticum
psicalgia: psychalgia
psicálgico: psychalgic
psicanálise: psychoanalysis
psicanalítico: psychoanalytic
psicataxia: psychataxia
psicoacústica: psychoacoustics
psicoanaléptico: psychoanaleptic
psicoativo: psychoactive
psicobiologia: psychobiology
psicobiológico: psychobiological
psicocirurgia: psychosurgery
psicocirúrgico: psychosurgical
psicodélico: psychedelic
psicodinâmica: psychodynamics
psicodrama: psychodrama
psicoestimulante: psychostimulant
psicofarmacologia: psychopharmacology
psicofarmacológico: psychopharmacologic

psicofísica: psychophysics
psicofísico: psychophysical
psicofisiologia: psychophysiology
psicofisiológico: pychophysiologic
psicogênese: psychogenesis
psicogênico: psychogenic
psicográfico: psychograph
psicolepsia: psycholepsy
psicologia: psychology
psicológico: psychologic; psychological
psicometria: psychometry
psicométrico: psychometric
psicomotor: psychomotor
psiconeurose: psychoneurosis
psiconeurótico: psychoneurotic
psicopata: psychopath
psicopatia: psychopathy
psicopatologia: pathopsychology; psychopathology
psicoplégico: psychoplegic
psicose: folie; psychosis
psicossensorial: psychosensory
psicossexual: psychosexual
psicossocial: psychosocial
psicossomático: psychosomatic
psicoterapia: psychotherapy
psicótico: psychotic
psicotogênico: psychotogenic
psicotomimético: psychotomimetic
psicotrópico: psychotropic
psicroalgia: psychroalgia
psicrofílico: psychrophilic
psicrófilo: cryophilic; psychrophilic
psicróforo: psychrophore
psílio: psyllium
psilocibina: psilocybin
psilocina: psilocin
psique: mind; psyche
psiquiatria: psychiatry
psiquiátrico: psychiatric
psíquico: psychic
psitacose: psittacosis
psoralém: psoralen
psoríase: psoriasis
psoriático: psoriatic
pterígio: pterygium
pterigóide: pterygoid
pterigomandibular: pterygomandibular
pterigomaxilar: pterygomaxillary
pterigopalatino: pterygopalatine
ptério: pterion
ptialagogo: ptyalagogue
ptialectasia: ptyalectasis
ptialismo: hypersalivation; ptyalism; ptyalorrhea; sialismus; sialorrhea
ptialocele: ptyalocele
ptialogênico: ptyalogenic
ptialorréia: ptyalorrhea
ptilose: ptilosis
ptomaína: ptomaine
ptosado: ptosed
ptose: ptosis
ptótico: ptotic
pubarca: pubarche
puberdade: pubertas; puberty
púbere: puberal; pubertal

pubescente: pubescent
púbico: pubic
púbicos: pubes
pubiotomia: pubiotomy
púbis: pubis
pubovesical: pubovesical
pudendo: pudendum
pudico: pudendal; pudic
pueril: puerile
puérpera: puerpera
puerperal: puerperal
puerperalismo: puerperalism
puerpério: puerperium
pulga: flea
pulicida: pulicicide
pulmão: lung; pulmo
pulmoaórtico: pulmoaortic
pulmonar: pulmonary; pulmonic
pulmônico: pulmonic
pulmonite: pulmonitis
pulmotor: pulmotor
pulpar: pulpal
pulpectomia: pulpectomy
pulpite: pulpitis
pulpotomia: pulpotomy
pulsação: pulsation
pulsão: pulsion
pulsátil: pulsatile
pulso: pulse; pulsus
pultáceo: pultaceous
pululação: pullulation
pulverização: poudrage
pulverulento: pulverulent
pulvinar: pulvinar
punção: puncture
puncionar: tap
punctura: nyxis
punho: wrist
punho caído: wristdrop
puntiforme: punctiform
pupa: pupa
pupal: pupal
pupila: pupil; pupilla
pupilar: pupillary
pupiloestatômetro: pupillostatometer
pupilometria: pupillometry
pupiloplegia: pupilloplegia
pupiloscopia: pupilloscopy
purgação: purgation
purgativo: purgative
purina: purine
púrpura: peliosis; purple; purpura
purpúrico: purpuric
purpurinúria: purpurinuria
purulência: purulence
purulento: purulent
purulóide: puruloid
pus: pus
pústula: pock; pox; pustula; pustule
pustular: pustular
pustulose: pustulosis
putame: putamen
putâmen: putamen
putrefação: putrefaction
putrefativo: putrefactive

putrefato: putrid
putrescência: putrescence
putrescente: putrescent
putrescina: putrescine
pútrido: putrid
puxão abrupto: jerk

Q

quadrado: quadrate
quadrantanopia: quadrantanopia; tetranopsia
quadrante: quadrant
quadrantectomia: quadrantectomy
quadríceps: quadriceps
quadriculado: tessellated
quadrigêmeo: quadrigeminal; quadruplet
quadrigeminismo: quadrigeminy
quadril: hip
quadrípara: quadripara
quadriplegia: quadriplegia; tetraplegia
quadritubercular: quadritubercular
quadrúpede: quadruped
quadrúpleto: quadruplet
quantidade suficiente: quantum satis (q.s.)
quarentena: quarantine
quartã: quartan
quarto: quart; quarter
quartzo: quartz
quaternário: quaternary
quatro vezes ao dia: quater in die (q.i.d.)
queilectropia: cheilectropion
queilite: cheilitis
queilognatoprosoposquise: cheilognathoproso-
poschisis
queiloplastia: cheiloplasty
queilorrafia: cheilorrhaphy
queilose: cheilosis
queilosquise: cheiloschisis
queilostomatoplastia: cheilostomatoplasty
queimador: burner
queimadura: burn
queirartrite: cheirarthritis
queiroplastia: cheiroplasty
queixa: complaint
queixo: chin; mentum
quelar: chelate
queloidal: keloidal
quelóide: keloid
quelossomo: kelosomus
quemose: chemosis
quemótico: chemotic
querático: keratic
queratina: keratin
quérion: kerion
querubismo: cherubism
quiasma: chiasm; chiasma
quilangioma: chylangioma
quilectasia: chylectasia
quilectropia: cheilectropion
quilemia: chylemia
quilifaciente: chylifacient
quilífero: chyliferous
quilite: cheilitis
quilo: chyle
quilocaloria: kilocalorie

quilocele: chylocele
quilocisto: chylocyst
quilodálton: kilodalton
quilodermia: chyloderma
quilofórico: chylophoric
quilograma: kilogram
quilohertz: kilohertz
quilomediastino: chylomediastinum
quilômetro: kilometer
quilomícron: chylomicron
quilomicronemia: chylomicronemia
quiloníquia: koilonychia
quilopericárdio: chylopericardium
quiloperitônio: chyloperitoneum
quiloplastia: cheiloplasty
quilopneumotórax: chylopneumothorax
quilópodo: Chilopoda
quilorrafia: cheilorrhaphy
quilose: cheilosis
quiloso: chylous
quilosquise: cheiloschisis
quilostomatoplastia: cheilostomatoplasty
quilotórax: chylothorax
quilovolt: kilovolt
quilúria: chyluria; galacturia
quimatismo: kymatism
quimera: chimera
química: chemistry
químico: chemical; chemist
quimificação: chymification
químio-hormonal: chemohormonal
quimioatraente: chemoattractant
quimioautógrafo: chemoautotrophic
quimioautotrófico: chemoautotrophic
quimioautótrofo: chemoautotroph
quimiocautério: chemocautery
quimiocinese: chemokinesis
quimiocirurgia: chemosurgery
quimiodectoma: chemodectoma
quimiodescamação: chemexfoliation
quimioesterilizante: chemosterilant
quimiolitotrófico: chemolithotrophic
quimioluminescência: chemoluminescence
quimionucleólise: chemonucleolysis
quimioorganotrofo: chemo-organotroph
quimiopalidectomia: chemopallidectomy
quimioprofilaxia: chemoprophylaxis
quimiopsiquiatria: chemopsychiatry
quimiorradioterapia: chemoradiotherapy
quimiorreceptor: chemoreceptor
quimiossensível: chemosensitive
quimiossensorial: chemosensory
quimiossíntese: chemosynthesis
quimiossintético: chemosynthetic
quimiossoroterapia: chemoserotherapy
quimiotático: chemotactic
quimiotaxia: chemotaxis
quimiotaxina: chemotaxin
quimioterapia: chemotherapy
quimiotrófico: chemotrophic
quimiotropismo: chemotropism
quimo: chyme
quimógrafo: kymograph
quimopapaína: chymopapain
quimotripsina: chymotrypsin

quimotripsinogênio: chymotrypsinogen
quina: cinchona
quinacrina: quinacrine
quinaprila: quinapril
quinaquina: cinchona
quina régia: cinchona
quinestrol: quinestrol
quinetazona: quinethazone
quinidina: quinidine
quinina: quinine
quininismo: quininism
quinona: quinone
quintã: quintan
quintípara: quintipara
quíntuplo: quintuplet
quionoblepsia: chionablepsia
quirocinestesia: cheirrokinesthesia
quiroespasmo: cheirospasm
quiromegalia: cheiromegaly
quiropodia: chiropody; podiatry
quiropodista: chiropodist
quiroponfólix: cheiropompholyx
quiroprática: chiropractic
quitina: chitin
quociente: quotient

R

rabdoesfíncter: rhabdosphincter
rabdóide: rhabdoid
rabdomioblástico: rhabdomyoblastic
rabdomioblasto: rhabdomyoblast
rabdomioblastoma: rhabdomyoblastoma
rabdomiólise: rhabdomyolysis
rabdomioma: rhabdomyoma
rabdomiossarcoma: rhabdomyoblastoma; rhabdomyosarcoma; rhabdosarcoma
rabdossarcoma: rhabdosarcoma
rabdovírus: rhabdovirus
rábico: rabic; rabid
racemase: racemase
racemato: racemate
racêmico: racemic; racemose
racemização: racemization
racemoso: racemose
raciocínio: thinking
racionalização: rationalization
radectomia: radectomy
radiação: radiation
radiado: radiad
radial: radial; radialis
radical: radical
radicotomia: radicotomy; rhizotomy
radícula: radicle
radiculalgia: radiculalgia
radicular: radicular
radiculite: radiculitis
radiculoganglionite: radiculoganglionitis
radiculomeningomielite: radiculomeningomyelitis
radiculomielopatia: radiculomyelopathy
radiculoneurite: radiculoneuritis
radiculoneuropatia: radiculoneuropathy
radiculopatia: radiculopathy
rádio: radium
radioalergossorvente: radioallergosorbent

radioatividade: radioactivity
radioativo: radioactive
radioautografia: radioautograph
radiobicipital: radiobicipital
radiobiologia: radiobiology
radiobiológico: radiobiologic
radiocardiografia: radiocardiography
radiocárpico: radiocarpal
radiocirurgia: radiosurgery
radiocistite: radiocystitis
radiodensidade: radiodensity
radiodermatite: radiodermatitis
radiodiagnóstico: radiodiagnosis
radiodontia: radiodontics
radiodontista: radiodontist
radiofármaco: radiopharmaceutical
radiografia: radiogram; radiograph; radiography
radiografia do duodeno: duodenogram
radiográfico: radiographic
radiograma: radiogram
radioimunidade: radioimmunity
radioimunocintilografia: radioimmunoscintigraphy
radioimunodifusão: radioimmunodiffusion
radioimunoensaio: radioimmunoassay
radioimunoimagem: radioimmunoimaging
radioimunossorvente: radioimmunosorbent
radioiodo: radioiodine
radioisótopo: radioisotope
radioligante: radioligand
radiologia: radiology; roentgenology
radiológico: radiologic; radiological
radiologista: radiologist; roentgenologist
radiolucente: radiolucent; radiotransparent
radiômetro: radiometer
radionecrose: radionecrosis
radioneurite: radioneuritis
radionuclídeo: radionuclide
radiopacidade: radiodensity; radiopacity
radiopaco: radiopaque
radiopatologia: radiopathology
radioquímica: radiochemistry
radiorreceptor: radioreceptor
radiorresistência: radioresistance
radiorresistente: radioresistant
radioscopia: radioscopy
radiossensibilidade: radiosensitivity
radiossensível: radiosensitive
radioterapia: radiotherapy
radiotoxemia: radiotoxemia
radiotraçador: radiotracer
radiotransparente: radiotransparent
radiotrópico: radiotropic
radioulnar: radioulnar
radioumeral: radiohumeral
radônio: radon
rafe: raphe
rágades: rhagades
ragócito: ragocyte
raio: radius
raio X: x-ray
raiva: furor; hydrophobia; rabies; rage
raiz: radix; root
rajada: blast
ramal: ramal
ramificação: branch; ramification

ramificado: ramose
ramificar: ramify
ramiprila: ramipril
ramissecção: ramisection
ramite: ramitis
ramo: branch; ramus; twig
ramo do feixe: bundle branch
ramoso: ramose
rampa: scala
râmulo: ramulus
ranilha: pastern
ranitidina: ranitidine
rânula: ranula
ranular: ranular
raque: rachis
raquial: spinal
raquialgia: rachialgia
raquicentese: rachicentesis
raquidiano: rachidial; rachidian; spinal
raquígrafo: rachigraph
raquilise: rachilysis
raquiodinia: rachialgia; rachiodynia
raquiômetro: rachiometer
raquiotomia: rachiotomy
raquisquise: rachischisis
raquítico: rachitic
raquitismo: rachitis; rickets
raquitogênico: rachitogenic
rarefação: rarefaction
rasgo: rhegma
raspagem: grattage
razão: rate
reabilitação: rehabilitation
reabsorção: reabsorption; resorption
reabsorver: resorb
reação: reaction; retroaction
reação cruzada: crossmatching
reagente: reactant; reagent
reagina: reagin
reagínico: reaginic
reatividade cruzada: cross-reactivity
recaída: relapse
recanalização: recanalization
receita: prescription; recipe
recém-nascido: neonate; newborn
receptáculo: receptaculum; tray
receptor: receptor; recipient
receptor colinérgico: cholinoceptor
recessivo: recessive
recesso: recess; recessus
rechaço: ballottement
recidiva: recidivation; relapse; retrocession
recidivismo: recidivation; recidivism
recipiente de vidro raso: dish
recombinação: recombination
recombinante: recombinant
recompressão: recompression
reconhecimento: recognition
recorrência: recurrence; relapse
recorrente: recurrent
recrementício: recrementitious
recremento: recrement
recrudescência: recrudescence
recrudescente: recrudescent

recrutamento: recruitment
recúbito: recumbent
recumbente: recumbent
recuperação: recuperation; retrieval
recuperar: refresh
recurvação: recurvation
rede: rete
rédia: redia
redox: redox
redução: reduction
redução-oxidação: redox
reduplicação: reduplication
redutase: reductase
redutor: reductant
reduzir: reduce
reentrada: reentry
refazer: reconstruction
refeição: meal
refeição de prova: test meal
reflexão: reflection
reflexo: reflex
reflexogênico: reflexogenic; reflexogenous
reflexógeno: reflexogenous
reflexógrafo: reflexograph
reflexômetro: reflexometer
refluxo: back-flow; reflux
reforço: booster; reinforcement
refração: refraction
refracionista: refractionist
refrangível: refrangible
refratar: refract
refratário: refractive; refractory
refratômetro: refractometer
refrigeração: refrigeration
refusão: refusion
regeneração: regeneration
região: regio; region; zone
regime: regimen
regional: regional
registrador: registrar
registro: record; registration; registry
regma: rhegma
regmatógeno: rhegmatogenous
regra: rule
regressão: regression; retrogression; reversion
regressivo: regressive
regulação: regulation
regurgitação: regurgitation
regurgitante: regurgitant
reidratação: rehydration
reimplante: reimplantation
reinervação: reinnervation
reinfecção: reinfection
reinfusão: reinfusion
reinfuso: reinfusate
reino: kingdom
reintegração: redintegration; reintegration
rejeição: rejection
relação: rapport; rate; ratio; relation
relacionamento: sibship; rapport
relaxador: laxator
relaxante: relaxant
relaxina: relaxin
remédio: medicine; remedy
remineralização: remineralization

remissão: remission
remitente: remittent
remoção: withdrawal
remotivação: remotivation
renal: renal
reniforme: reniform
renina: renin; rennin
reninismo: reninism
rênio: rhenium
renipélvico: renipelvic
reniportal: reniportal
renogástrico: renogastric
renografia: renography
renointestinal: renointestinal
renopatia: renopathy
renoprivo: renoprival
renovar: refresh
renovascular: renovascular
reologia: rheology
reostose: rheostosis
reotaxia: rheotaxis
reovírus: reovirus
reoxigenação: reoxygenation
reparo: repair
repavimentar: reline
repercussão: repercussion
replicação: replication
replicase: replicase
repolarização: repolarization
repositor: repositor
repouso: rest
representação: imaging
repressão: repression
repressor: repressor
reprodução: reproduction
reprodutivo: reproductive
reptilase: reptilase
repugnante: mephitic
repulsa: repulsion
repuxamento: tugging
rescinamina: rescinnamine
reserpina: reserpine
reservar: reserve
reservatório: reservoir
resfriado: gravedo; cold
resgate: retrieval
residência: internship
residente: intern; resident
resíduo: residuum; residue; roughage
resina: resin
resinoso: resinous
resistência: resistance; fast
resistência cruzada: cross-resistance
resolução: resolution
resolutivo: discutient
resolvente: resolvent
resorcinol: resorcinol
respiração: breath; breathing; respiration
respirador: respirator
respiratório: respiratory
respirável: respirable
respirômetro: respirometer
resposta: response
ressecar: resect
ressecção: resection

ressectoscópio: resectoscope
ressonador: resonator
ressonância: resonance
ressuscitação: resuscitation
ressuscitador: resuscitator
restauração: restoration
restenose: restenosis
restiforme: restiform
restituição: restitution
restos: debris
restrição: restraint
retal: rectal
retalgia: rectalgia
retalhamento: tease
retalho: flap
retardado: retardate
retardamento: retardation
retardo: retardation
retectomia: rectectomy
retenção: retention
retentor: retainer
reticulação: reticulation
reticulado: reticulated
reticular: reticular; reticulated; retiform
reticulina: reticulin
reticulite: reticulitis
retículo: reticulum
reticulócito: reticulocyte
reticulocitopenia: reticulocytopenia; reticulopenia
reticulocitose: reticulocytosis
reticuloendotelial: reticuloendothelial
reticuloendotélio: reticuloendothelium; retothelium
reticuloendoteliose: reticuloendotheliosis
reticuloforme: retiform
reticuloistiocitoma: reticulohistiocytoma
reticuloistiocitose: reticulohistiocytosis
reticulopenia: reticulopenia
reticulópode: reticulopodium
reticulose: reticulosis
retificação: rectification
retiforme: retiform
retina: retina
retináculo: retinaculum
retiniano: retinal
retinite: retinitis
retinoblastoma: retinoblastoma
retinocoróide: chorioretinal
retinocoroidite: retinochoroiditis
retinóide: retinoid
retinol: retinol
retinomalacia: retinomalacia
retinopapilite: retinopapillitis
retinopatia: retinopathy
retinoscopia: pupilloscopy; retinoscopy
retinoscópio: retinoscope
retinose: retinosis
retinosquise: retinoschisis
retinotópico: retinotopic
retirada de pensamento: thought withdrawal
retite: rectitis
reto: rectum; rectus
retoabdominal: rectoabdominal
retocele: proctocele; rectocele
retocolite: rectocolitis
retocutâneo: rectocutaneous

retolabial: rectolabial
retopexia: rectopexy
retoplastia: rectoplasty
retorcido: valgus
retoscópio: rectoscope
retossigmóide: rectosigmoid
retossigmoidectomia: rectosigmoidectomy
retostomia: rectostomy
retotélio: retothelium
retotomia: proctectomy
retouretral: rectourethral
retouterino: rectouterine
retovaginal: rectovaginal
retovesical: rectovesical
retração: retraction
retrátil: retractile
retrator: retractor
retroação: retroaction
retroalimentação: feedback
retrobulbar: retrobulbar
retrocervical: retrocollic
retrocesso: retrocession
retroclear: retrocochlear
retrocolo: retrocollis
retrocursivo: retrocursive
retrodeslocamento: retrodisplacement
retrodesvio: retrodeviation
retrofaringite: retropharyngitis
retroflexão: retroflexion
retrogasseriano: retrogasserian
retrognatia: retrognathia
retrognático: retrognathic
retrógrado: retrograde
retrogressão: retrogression
retrolabiríntico: retrolabyrinthine
retromorfose: retromorphosis
retroperitoneal: retroperitoneal
retroperitônio: retroperitoneum
retroplasia: retroplasia
retroposição: retroposition
retroposto: retroposed
retropulsão: retropulsion
retrossigmoidal: retrosigmoidal
retrouterino: retrouterine
retroversão: retroversion
retrovesical: retrovesical
retrovírus: retrovirus
reuma: rheum; rheuma
reumartrite: rheumarthritis
reumatalgia: rheumatalgia
reumático: rheumatic
reumátide: rheumatid
reumatismo: rheumatism
reumatóide: rheumatoid
reumatologista: rheumatologist
revascularização: revascularization
reverberação: reverberation
reversão: reversion
revestimento: coat; facing; investment; liner; overlay
revulsão: revulsion
rexe: rhexis
riboflavina: riboflavin
ribonuclease: ribonuclease
ribonucleoproteína: ribonucleoprotein
ribonucleosídeo: ribonucleoside

ribonucleotídeo: ribonucleotide
ribose: ribose
ribosila: ribosyl
ribossoma: ribosome
ricina: ricin
rickettsiose: rickettsiosis
ricketsicida: rickettsicidal
rifampicina: rifampicin
rifampina: rifampicin; rifampin
rigidez: rigidity; rigor
rigor: rigor
rigose: rhigosis
rim: kidney; ren
rima: rima
rímula: rimula
rinal: rhinal
rinalgia: rhinalgia
rinencéfalo: rhinencephalon
rínio: rhinion
rínion: rhinion
rinite: rhinitis
rinoantrite: rhinoantritis
rinocantectomia: rhinocanthectomy
rinocefalia: rhinocephaly
rinocele: rhinocele; rhinocoele
rinocifose: rhinokyphosis
rinoclise: rhinocleisis
rinodacriólito: rhinodacryolith
rinodinia: rhinodynia
rinofaringite: rhinopharyngitis
rinoficomicose: rhinophycomycosis
rinofima: rhinophyma
rinofonia: rhinophonia
rinógeno: rhinogenous
rinolalia: rhinolalia
rinolaringite: rhinolaryngitis
rinolitíase: rhinolithiasis
rinólito: rhinolith
rinologia: rhinology
rinologista: rhinologist
rinomanometria: rhinomanometry
rinomectomia: rhinocanthectomy; rhinommectomy
rinomicose: rhinomycosis
rinonecrose: rhinonecrosis
rinopatia: rhinopathy
rinoplastia: rhinoplasty
rinoqueiloplastia: rhinocheiloplasty
rinorragia: rhinorrhagia
rinorréia: rhinorrhea
rinoscleroma: rhinoscleroma
rinoscopia: rhinoscopy
rinoscópio: rhinoscope
rinosporidiose: rhinosporidiosis
rinossalpingite: rhinosalpingitis
rinossinusite: rhinosinusitis
rinotomia: rhinotomy
rinovírus: rhinovirus
ripária: sordes
risca: line
riso: risus
riso histérico: gelasmus
ritidectomia: rhytidectomy; rhytidoplasty
ritidoplastia: rhytidoplasty
ritidose: rhytidosis
ritmicidade: rhythmicity

rítmico: rhythmic; rhythmical
ritmo: rhythm
rivalidade: rivalry
riziforme: riziform
rizólise: rhizolysis
rizomélico: rhizomelic
rizomeningomielite: rhizomeningomyelitis
rizotomia: radicotomy; rhizotomy
rodamina: rhodamine
rodenticida: rodenticide
ródio: rhodium
rodofilático: rhodophylactic
rodofilaxia: rhodophylaxis
rodogênese: rhodogenesis
rodopsina: rhodopsin
roentgenografia: roentgenography
roentgenográfico: roentgenographic
roentgenologia: roentgenology
roentgenologista: roentgenologist
roentgenoscopia: roentgenoscopy
roentgenoscópio: roentgenoscope
rolete: rouleau
rombencéfalo: hindbrain; rhombencephalon
rombergismo: rombergism
rombocele: rhombocoele
rompimento: brisement
roncar: snore
ronco: rhonchus; roaring; snore
rosácea: rosacea
rosanilina: rosaniline
rosário: rosary
roséola: roseola
roseta: rosette
rosina: rosin
rostelo: rostellum
rostrado: rostrate
rostral: orad; rostrad; rostral
rostro: rostrum
rotação: rotation
rotavírus: rotavirus
rotenona: rotenone
rubefaciente: rubefacient
rubéola: measles; rubella
rubeose: rubeosis
rubescente: rubescent
rubídio: rubidium
rubor: flare; flush; rubeosis; rubor
rubriblasto: rubriblast
rubricito: rubricyte
rubro: ruber
rubroespinhal: rubrospinal
rubrotalâmico: rubrothalamic
rudimentar: rudimentary
rudimento: rudiment; rudimentum
ruga: ruga
rugina: raspatory; rongeur
rugosidade: rugosity
rugoso: rugose
ruído: bruit; sound
rume: rumen
rúmen: rumen
rumenite: rumenitis
ruminação: rumination
ruminante: ruminant

rúpia: rupia
rupial: rupial
ruptura: disruption; rhegma; rupture
rutênio: ruthenium

S

sabão: soap; sapo
sabor: taste
sabuloso: sabulous
saburra: saburra
saburroso: saburral
sacádico: saccadic
sacarase: sucrase
sacarídeo: saccharide
sacarina: saccharin
sacarolítico: saccharolytic
sacarometabólico: saccharometabolic
sacarometabolismo: saccharometabolism
sacaromicético: saccharomycetic
sacaropina: saccharopine
sacaropinemia: saccharopinemia
sacaropinúria: saccharopinuria
sacarose: sucrose
sacarosúria: sucrosuria
saciforme: sacciform
saco: bag; sac; saccus
sacral: sacral
sacralgia: sacralgia; sacrodynia
sacralização: sacralization
sacrectomia: sacrectomy
sacro: sacrum
sacrociático: sacrosciatic
sacrococcígeo: sacrococcygeal
sacrodinia: sacrodynia
sacroespinhal: sacrospinal
sacroilíaco: sacroiliac
sacrolombar: sacrolumbar
sacrovertebral: sacrovertebral
saculação: sacculation
saculado: sacculated
sacular: saccate; sacciform; saccular
sáculo: saccule; sacculus
saculococlear: sacculocochlear
saculotomia: sacculotomy
sadio: compos mentis
sadismo: sadism
sadista: sadistic
sadomasoquismo: sadomasochism
sadomasoquista: sadomasochistic
safena: saphena
safeno: saphenous
sagital: sagitalis; sagittal
saída: outlet
sal: sal; salt
sala: room
salgado: saline
salicilamida: salicylamide
salicilato: salicylate
salicilismo: salicylism
salificável: salifiable
salino: saline
saliva: saliva
salivação: salivation
salivante: salivant

salivar: salivary
salmonela: salmonella
salmonelal: salmonellal
salmonelose: salmonellosis
salpinge: salpinx
salpingectomia: salpingectomy
salpingenfraxia: salpingemphraxis
salpingiano: salpingian
salpíngico: salpingitic
salpingite: salpingitis
salpingocele: salpingocele
salpingofaríngeo: salpingopharyngeal
salpingografia: salpingography
salpingólise: salpingolysis
salpingolitíase: salpingolithiasis
salpingooforectomia: salpingo-oophorectomy
salpingooforite: salpingo-oophoritis
salpingooforocele: salpingo-oophorocele
salpingopexia: salpingopexy
salpingoplastia: salpingoplasty
salpingostomia: salpingostomy
salpingotomia: salpingotomy
salsalato: salsalate
saltação: saltation
saltatório: saltatory
salto: jumping; saccade
salubre: salubrious
salurese: saluresis
salurético: saluretic
salva: volley
samambaia: ferning
samário: samarium
sanador: sanatory
sanativo: sanative
sanatório: sanatorium
saneamento: sanitation
sangrador: bleeder
sangramento: bleeding
sangue: blood; sanguis
sanguefaciente: sanguifacient
sanguessuga: leech
sangüíneo: sanguine; sanguinenous
sanguinolento: sanguinolent
sanguinopurulento: sanguinopurulent
sanidade: sanity
sânie: sanies
saniopurulento: saniopurulent
sanioso: sanious
saniosseroso: sanioserous
sanitário: sanitarium; sanitary
sanitarista: sanitarian
sanitização: sanitization
santuário: sanctuary
são: sane
sapinho: thrush
saponáceo: saponaceous
saponificação: saponification
saponina: saponin
saprófita: saprophyte
saprofítico: saprophytic
saprozóico: saprozoic
saralasina: saralasin
sarampo: measles; morbilli; rubeola
sarampo alemão: rubella
sarcoblasto: sarcoblast

sarcocele: sarcocele
sarcocisto: sarcocyst
sarcocistose: sarcocystosis; sarcosporidiosis
sarcóide: sarcoid
sarcoidose: sarcoidosis
sarcolema: sarcolemma
sarcolêmico: sarcolemmic; sarcolemmous
sarcoma: sarcoma
sarcomatóide: sarcomatoid
sarcomatose: sarcomatosis
sarcomatoso: sarcomatous
sarcômero: sarcomere
sarcoplasma: sarcoplasm
sarcoplásmico: sarcoplasmic
sarcoplasto: sarcoplast
sarcopoiético: sarcopoietic
sarcose: sarcosis
sarcosinemia: hypersarcosinemia; sarcosinemia
sarcoso: sarcous
sarcosporidiose: sarcosporidiosis
sarcostose: sarcostosis
sarcotúbulos: sarcotubules
sarda: freckle; tache
sargramostima: sargramostim
sarna: mange; scabies
satélite: comes; satellite
satelitismo: satellitism
satelitose: satellitosis
satiríase: satyriasis
satirismo: satyriasis
saturação: saturation
saturado: saturated
saúde: health
saxitoxina: saxitoxin
schwanoma: schwanoma
sebáceo: sebaceous
sebífero: sebiferous
sebíparo: sebiferous; sebiparous
sebo: sebum; suet
sebólito: sebolith
seborréia: seborrhea
seborréico: seborrheal; seborrheic
sebotrópico: sebotropic
secção: sectio
seco: siccus
secobarbital: secobarbital
secreção: secretion
secreções: secreta
secretagogo: secretagogue
secretar: secrete
secretina: secretin
secretoinibitório: secretoinhibitory
secretomotor: secretomotor; secretomotory
secretor: secretor; secretory
secretório: secretory
secundigrávida: secundigravida
secundina: afterbirth
secundinas: secundines
secundípara: secundipara
sedação: sedation
sedativo: sedative
sede: dipsia; thirst
sede excessiva: dipsesis; dipsosis
sedentário: sedentary
sedimentação: sedimentation

sedimento: sediment
segmentação: segmentation
segmentar: segmental
segmento: segment; segmentum
segregação: segregation
segregador: segregator
seio: sinus
seiva: juice
selar: sellar
seleção: selection
selegilina: selegiline
selênio: selenium
seletividade: selectivity
seletivo: selective
semelincidente: semelincident
sêmen: semen
semente: seed
semente de linho: flaxseed
semi-sintético: semisynthetic
semi-sulco: semisulcus
semi-supinação: semisupination
semicanal: semicanal
semicoma: semicoma
semicomatoso: semicomatose
semidominância: semidominance
semiflexão: semiflexion
semilunar: crescentic; semilunar
seminal: seminal; spermatic
seminífero: seminiferous
seminoma: seminoma
seminúria: seminuria; spermaturia
semiografia: semeiography
semiótica: semeiotics
semiótico: semeiotic
semipermeável: semipermeable
semiquantitativo: semiquantitative
sem mente sadia: non compos mentis
sena: senna
senescência: senescence
senil: senile
senilidade: senility
senilismo: senilism
senopia: senopia
senosídeo: sennoside
sensação: sensation; sense
sensibilidade: sense; sensibility; sensitivity; tenderness; sensitization
sensitivo: sensitive
sensível: sensible; sensitive
senso: sense
sensomotor: sensomotor; sensorimotor
sensomóvel: sensomobile
sensorial: sensitive; sensorial; sensory; sentient
sensorimotor: sensomotor; sensorimotor
sensorineural: sensorineural
sensório: sensorium
sentido: sense
separação: amotio; hersage
separado: discrete
sepse: sepsis
sépsis: sepsis
septado: septate
septal: septal
septectomia: septectomy
septicemia: septicemia

septicêmico: septicemic
séptico: septic
septicopiemia: septicopyemia
septicopiêmico: septicopyemic
septo: septum
septomarginal: septomarginal
septonasal: septonasal
septoplastia: septoplasty
septostomia: septostomy
septotomia: septotomy
séptulo: septulum
seqüela: sequel; sequela
seqüência: anomalad; sequence
seqüestração: sequestration
seqüestrante: sequestrant
seqüestrar: sequester
seqüestrectomia: sequestrectomy
seqüestro: sequester; sequestrum; steal
seqüestrotomia: sequestrectomy
sequoiose: sequoiosus
seriado: serial
série: series
serina: serine
seringa: syringe
serocolite: serocolitis
seroenterite: seroenteritis
serofibrinoso: serofibrinous
seroma: seroma
seromembranoso: seromembranous
seromucoso: seromucous
seromuscular: seromuscular
seropurulento: seropurulent
seropus: seropus
serorreação: seroreaction
serosa: serosa
serosite: serositis
seroso: serosal; serous
serossangüíneo: serosanguineous
serosseroso: seroserous
serossinovite: serosynovitis
serotonina: serotonin
serotoninérgico: serotoninergic
serovacinação: serovaccination
serpiginoso: serpiginous
serra: saw
serrilhado: serrated
serrilhamento: serration
sertralina: sertraline
sesamóide: sesamoid
sesamoidite: sesamoiditis
séssil: sessile
setáceo: setaceous
sétuplo: septuplet
sexo: gender; sex
sexodução: sexduction
sexologia: sexology
sêxtuplo: sextuplet
sexual: sexual
sexualidade: sexuality
shigelose: shigellosis
sialadenite: sialadenitis; sialoadenitis
sialadenopatia: sialadenopathy
sialagógico: sialagogic
sialagogo: siallagogue
sialectasia: sialectasia; sialoangiectasis

sialino: sialine
sialismo: sialismus
sialite: sialitis
sialoadenectomia: sialoadenectomy
sialoadenite: sialadenitis; sialadenosis; sialoadenitis
sialoadenoma: sialadenoma
sialoadenose: sialadenosis
sialoadenotomia: sialoadenotomy
sialoaerofagia: sialoaerophagia
sialoangiectasia: sialoangiectasis
sialoangiíte: sialoangiittis; sialodochitis; sialoductitis
sialoangiografia: sialoangiography; sialography
sialocele: sialocele
sialodocoplastia: sialodochoplasty
sialodoquite: sialodochitis
sialoductite: sialoductitis
sialógeno: sialogenous
sialografia: sialography
sialolitíase: sialolithiasis
sialólito: sialolith
sialolitotomia: sialolithotomy
sialometaplasia: sialometaplasia
sialomucina: sialomucin
sialorréia: sialorrhea
sialose: sialosis
sialosquese: sialoschesis
sialossiringe: sialosyrinx
sialostenose: sialostenosis
sialótico: sialotic
sibilante: sibilant
sicose: sycosis
sicosiforme: sycosiform
sideroblasto: sideroblast
siderócito: siderocyte
siderodermia: sideroderma
siderofibrose: siderofibrosis
siderofibrótico: siderofibrotic
siderófilo: sideroophilous; siderophil
sideróforo: siderophore
sideromicina: sideromycin
sideropenia: sideropenia
sideropênico: sideropenic
siderose: siderosis
sifão: siphon
sifílide: syphilid
sífilis: lues; syphilis
sifilítico: syphilitic
sifiloma: syphiloma
sifonagem: siphonage
sigmatismo: sigmatism
sigmóide: sigmoid
sigmoidectomia: sigmoidectomy
sigmoidite: sigmoiditis
sigmoidopexia: sigmoidopexy
sigmoidoproctostomia: sigmoidoproctostomy
sigmoidoscopia: sigmoidoscopy
sigmoidossigmoidostomia: sigmoidosigmoidostomy
sigmoidostomia: sigmoidostomy
sigmoidotomia: sigmoidotomy
sigmoidovesical: sigmoidovesical
signa: signa
sílica: silica
silício: silicon
silicoantracose: silicoanthracosis
silicone: silicone

silicose: silicosis
silicossiderose: silicosiderosis
silicótico: silicotic
siliquoso: siliquose
simbalofone: symballophone
simbionte: symbiont; symbiote
simbiose: symbiosis
simbiota: symbiote
simbiótico: symbiotic
simbléfaro: symblepharon
simblefaroptérigio: symblepharopterygium
simbolia: symbolia
simbolismo: symbolism
simbolização: symbolization
símbolo: badge
simelo: sirenomelus; symmelus
simeticona: simethicone
simetria: symmetry
simétrico: symmetrical
simiesco: pithecoid
símio: anthropoid
simpatectomia: sympathectomy
simpatia: sympathy
simpático: sympathetic
simpaticoblasto: sympathicoblast
simpaticoblastoma: sympathicoblastoma; sympathogonioma
simpaticotonia: sympathicotonia
simpaticotônico: sympathicotonic
simpaticotripsia: sympathicotripsy
simpaticotrópico: sympathicotropic
simpatoadrenal: sympathoadrenal
simpatoblasto: sympathicoblast; sympathoblast
simpatogonia: sympathogonia
simpatogonioma: sympathogonioma
simpatolítico: antisympathetic; sympatholytic
simpatomimético: sympathomimetic
simpodia: sympodia
simporte: symport
simptose: symptosis
simulador: malingering; simulator
simultanagnosia: simultanagnosia
simultâneo: simul
sinais de vida: quickening
sinais: signing
sinal: sign
sinapse: synapse; synapsis
sináptico: synaptic
sinaptossoma: synaptosome
sinartródia: synarthrodia
sinartrodial: synarthrodial
sinartrófise: synarthrophysis
sinartrose: synarthrosis
sincanto: syncanthus
sincéfalo: syncephalus
sincicial: syncytial
sincício: syncytium
sinciciioma: syncytioma
sinciciotrofoblasto: syncytiotrophoblast; synthrophoblast
sincinese: synkinesis
sincinético: synkinetic
sincipital: sincipital
sincipúcio: sinciput
sincliticismo: syncliticism

sinclítico: synclitic
sinclitismo: syncliticism; synclitism
síncolono: synclonus
sincondrose: synchondrosis
sincondrotomia: synchondrotomy
sincopal: syncopal; syncopic
síncope: coup; faint
sincrônico: synchronous
sincronismo: synchronism
síncrono: synchronous
sindactilia: syndactyly
sindáctilo: syndactylous
sindectomia: syndectomy
síndese: syndesis
sindesmectomia: syndesmectomia
sindesmectopia: syndesmectopia
sindesmite: syndesmitis
sindesmografia: syndesmography
sindesmologia: syndesmology
sindesmoplastia: syndesmoplasty
sindesmose: syndesmosis
sindesmotomia: syndesmotomy
síndrome: syndrome
sindrômico: syndromic
sindromologia: syndromology
sinecrose: synnecrosis
sinencefalocele: synencephalocele
sinenxerto: isograft; syngraft
sinéquia: synechia
sinequiotomia: synechotomy
sinérese: syneresis
sinergia: synergism; synergy
sinérgico: synergetic; synergic; synergistic
sinergismo: synergism
sinergista: synergist
sinergístico: synergetic; synergic; synergistic
sinestesia: synesthesia
sinestesialgia: synesthesialgia
sinfalangismo: symphalangia
sínfise: symphysis
sinfisial: symphyseal; symphysial
sinfisiorrafia: symphysiorrhaphy
sinfisiotomia: symphysiotomy
singamia: syngamy
singâmico: syngamous
singênese: syngenesis
singênico: isogeneic; syngeneic
singulto: singultus
sinistralidade: sinistrality
sinistraural: sinistraural
sinistro: sinistral; sinister
sinistrocerebral: sinistrocerebral
sinistrocular: sinistrocular
sinistrogiro: sinistrogyration
sinistromanual: sinistromanual
sinistropodálico: sinistropedal
sinistrotorção: sinistrotorsion
sinizese: synizesis
sinoatrial: sinoatrial
sinobronquite: sinobronchitis
sinoftalmia: cyclopia; synophthalmus
sinoftalmo: cyclopia
sinopulmonar: sinopulmonary
sinorquismo: synorchism
sinósquio: synoscheos

sinosteotomia: synosteotomy
sinostose: synostosis
sinostótico: synostotic
sinotia: synotia
sinovectomia: synovectomy; villusectomy
sinóvia: synovia
sinovial: synovialis; synovial
sinovioma: synovioma
sinoviortese: synoviorthesis
sinovite: synovitis
sinqueilia: synchilia
sinqueiria: synchiria
sinquilia: synchilia
sinquiria: synchiria
sínquise: synchysis
sintase: synthase
sintênico: syntenic
sintenismo: synteny
síntese: synthesis
sintetase: synthetase
sintético: synthetic
sintoma: complaint; symptom
sintomático: symptomatic
sintomatolítico: symptomatolytic
sintomatologia: semeiotics; symptomatology
sintrofoblasto: synthrophoblast
sintropia: syntropy
sintrópico: synthropic
sinuoso: sinuous
sinusal: sinusal
sinusite: sinusitis
sinusoidal: sinusoidal
sinusóide: sinusoid
sinusotomia: sinusotomy
sinvastatina: simvastatin
sirenômelo: sirenomelus; sympus
siringe: syrinx
siringectomia: syringectomy
siringite: syringitis
siringoadenoma: syringoadenoma
siringobulbia: syringobulbia
siringocarcinoma: syringocarcinoma
siringocele: syringocele; syringocoele
siringocistadenoma: syringocystadenoma
siringocistoma: syringocystoma
siringoma: syringoma
siringomielia: syringomyelia
siringotomia: syringotomy
sistáltico: systaltic
sistema: system; systema
sistêmico: systemic
sístole: systole
sistólico: systolic
sistrema: systremma
sítio: site; situs
sitologia: sitology
sitomania: sitomania
sitosterol: sitosterol
sitosterolemia: sitosterolemia
sitoterapia: sitotherapy
sitotropismo: sitotropism
situação: state
sizígia: syzygy
sobrancelha: brow; eyebrow; supercilia; supercilium
sobredentadura: overdenture

sobrejacente: superjacent
sobremordida: overbite
sobrenadante: supernatant
sobreosso: ringbone
socialização: socialization
sociobiologia: sociobiology
sociobiológico: sociobiologic; sociobiological
sociogênico: sociogenic
sociologia: sociology
sociometria: sociometry
sociopatia: sociopathy
sociopático: sociopathic
socioterapia: sociotherapy
soda: soda
sódio: sodium
sodomia: sodomy
sofrimento: distress
sola: sole
solação: solation
solar: solar
solubilidade: solubility
solução: solution
soluço: hiccough; hiccup; singultus
soluto: solute
solúvel: soluble
solvente: solvent
som: sound
som de agitação de água: clapotement
som de sussurro: frolement
soma: soma
somação: summation
somastenia: somasthenia
somatalgia: somatalgia
somatestesia: somatesthesia
somático: somatic
somatização: somatization
somatocromo: somatochrome
somatoforme: somatoform
somatogênico: somatogenic
somatognosia: somatesthesia; somatognosis; so-
    mesthesia
somatologia: somatology
somatomedina: somatomedin
somatometria: somatometry
somatópago: somatopagus
somatopatia: somatopathy
somatopático: somatopathic
somatoplasma: somatoplasm
somatopleura: somatopleure
somatopleural: somatopleural
somatopsíquico: somatopsychic
somatoscopia: somatoscopy
somatossensório: somatossensory
somatossexual: somatosexual
somatostatina: somatostatin
somatoterapia: somatotherapy
somatotipo: somatotype
somatotópico: somatotopic
somatotrófico: somatotrophic
somatotrofina: somatotrophin
somatotrofo: somatotrope; somatotroph
somatotrópico: somatotrophic; somatotropic
somatotropina: somatotropin
somatotropo: somatotrope
somestesia: somesthesia

somito: somite
sonambulismo: sleepwalking; somnambulism
sonda: probang; probe; stent; tube
sonifaciente: somnifacient
sonífero: somniferous
soniloqüência: somniloquism
soniloquismo: somniloquism
sono: sleep
sonografia: sonography
sonográfico: sonographic
sonolência: somnolentia; somnolence
sonolucente: sonolucent
sopor: sopor
soporífero: soporific
soporífico: soporific
soporoso: soporous
sopro: murmur; souffle
sorbefaciente: sorbefacient
sorbitano: sorbitan
sorbitol: glucitol; sorbitol
sorção: sorption
sordes: sordes
soro: serum
soroconversão: seroconversion
sorodiagnóstico: serodiagnosis; serodiagnostic
sorogrupo: serogroup
sorologia: serology
sorológico: serologic
soronegativo: seronegative
soropesquisa: serosurvey
soropositivo: seropositive
soropurulento: seropurulent
soropus: seropus
sororreação: seroreaction
sororresistente: serum-fast
sorossangüíneo: serosanguineous
soroterapia: serotherapy
sorotipo: serotype
sorovacinação: serovaccination
sorvente: sorbent
sorver: sorbs
sub-hepático: subhepatic
sub-hióide: subhyoid
sub-retiniano: subretinal
sub-rogado: surrogate
subabdominal: subabdominal
subacromial: subacromial
subagudo: subacute
subalimentação: subalimentation
subaponeurótico: subaponeurotic
subaracnóide: subarachnoid
subareolar: subareolar
subastragalar: subastragalar
subatômico: subatomic
subaural: subaural; subaurale
subcapsular: subcapsular
subcartilaginoso: subcartilaginous
subclasse: subclass
subclavicular: subclavicular
subclávio: subclavian; subclavicular
subclínico: subclinical
subclone: subclone
subconjuntival: subconjunctival
subconsciência: subconsciousness

subconsciente: subconscious
subcoracóide: subcoracoid
subcórtex: subcortex
subcortical: subcortical
subcostal: subcostal
subcraniano: subcranial
subcrepitante: subcrepitant
subcultura: subculture
subcutâneo: subcutaneous
subcuticular: subcuticular
subdelírio: subdelirium
subdiafragmático: subdiaphragmatic
subdural: subdural
subduzir: subduct
subendocárdico: subendocardial
subendotelial: subendothelial
subepicárdico: subepicardial
subepidérmico: subcuticular; subepidermal
subepitelial: subepithelial
subescapular: subscapular
subespécie: subspecies
subespinhal: subspinale
subesternal: substernal
subestrutura: substructure
subfamília: subfamily
subfaríngeo: subpharyngeal
subfascial: subfascial
subfilo: subphylum
subfrênico: subphrenic
subfrontal: subfrontal
subgênero: subgennus
subglenóide: subglenoid
subglosso: subglossal
subículo: subiculum
subilíaco: subiliac
subílio: subilium
subinvolução: subinvolution
subióideo: subhyoid
subjacente: subjacent
subjugal: subjugal
sublação retiniana: sublatio retinae
subletal: sublethal
sublimação: sublimation
sublimar: sublimate; sublime
sublimiar: subliminal
sublingual: subglossal; sublingual
sublingüite: sublinguitis
subluxação: subluxation
submamário: submammary
submandibular: submandibular
submaxila: submaxilla
submaxilar: submaxillary
submaxilarite: submaxillaritis
submental: submental
submentoniano: submental
submetacêntrico: submetacentric
submicroscópico: submicroscopic
submorfo: submorphous
submucosa: submucosa
submucoso: submucous
subnarcótico: subnarcotic
subnasal: subnasale
subneural: subneural
subnormal: subnormal
subnúcleo: subnucleus

suboccipital: suboccipital
suborbitário: suborbital
subordem: suborder
subpapular: subpapular
subpatelar: subpatellar
subpericárdico: subpericardial
subperiósteo: subperiosteal
subperitoneal: subperitoneal
subplacenta: subplacenta
subpleural: subpleural
subprepucial: subpreputial
subpúbico: subpubic
subpulmonar: subpulmonary
subscrição: subscription
subsensação: undersensing
subseroso: subserous
subsilviano: subsylvian
substância: matter; substance; substantia
substituição: substitution
substituinte: substituent
substituto: surrogate
substrato: substrate
subtalâmico: subthalamic
subtálamo: subthalamus
subtarsal: subtarsal
subtentorial: subtentorial
subtribo: subtribe
subtrocantérico: subtrochanteric
subungueal: subungual
suburetral: suburethral
subvaginal: subvaginal
subvertebral: subvertebral
subvolução: subvolution
sucção: suction
succímero: succimer
succinato: succinate
succinato-semialdeído desidrogenase: succinate-semialdehyde dehydrogenase
succinil-coA: succinyl CoA
succinilcolina: succinylcholine
succinimida: succinimide
suco: juice; succus
sucorréia: succorrhea
suctório: suctorial
sucussão: succussion
sudação: sudation
sudame: sudamen
sudanofilia: sudanophilia
sudanofílico: sudanophilic
Sudão: Sudan
sudomotor: sudomotor
sudorese: sudoresis
sudorífero: sudoriferous
sudorífico: sudorific
sudoríparo: sudoriparous
sufocação: suffocation
sufusão: suffusion
sugestão: suggestion
sugilação: suggillation
suicídio: suicide
suicidologia: suicidology
sujeitar: subject
sujeito: subject
sulbactama: sulbactam

sulcado: sulcate
sulco: furrow; groove; sulcus
sulfacetamida: sulfacetamide
sulfacitina: sulfacytine
sulfadiazina: sulfadiazine
sulfametizol: sulfamethizole
sulfametoxazol: sulfamethoxazole
sulfâmetro: sulfameter
sulfanilamida: sulfanilamide
sulfassalazina: sulfasalazine
sulfatase: sulfatase
sulfatida: sulfatide
sulfato: sulfate
sulfato de heparan: heparan sulfate
sulfato de mercaptomerina: mercaptomerin sulfate
sulfato de queratano: keratan sulfate; keratosulfate
sulfemoglobina: sulfhemoglobin
sulfemoglobinemia: sulfhemoglobinemia
sulfeto: sulfide; sulfite
sulfeto oxidase: sulfite oxidase
sulfidril: sulfhydryl
sulfinpirazona: sulfinpyrazone
sulfissoxazol: sulfisoxazole
sulfobromoftaleína: sulfobromophthalein
sulfometemoglobina: sulfhemoglobinemia; sulfmethemoglobin; sulfhemoglobin
sulfona: sulfone
sulfonamida: sulfonamide
sulfoniluréia: sulfonylurea
sulfossuccinato cálcico de dioctila: dioctyl calcium sulfosuccinate
sulfossuccinato sódico de dioctila: dioctyl sodium sulfosuccinate
sulfóxido de dimetila (DMSO): dimethyl sulfoxide
sulfoxona: sulfoxone
sulfurado: sulfurated; sulfureted
sulfuretado: sulfurated; sulfureted
sumagre: sumac
sumagre venenoso: poison oak; poison sumac
sumatriptan: sumatriptan
suor: sweat
superalcalinidade: superalkalinity
superalimentação: superalimentation
superciliar: superciliary
supercílio: brow; supercilium
superclasse: superclass
supercompensação: overcompensation
superdeterminação: overdetermination
superdosagem: overdosage
superdosar: overdose
superdose: overdose
superego: superego
superestrutura: superstructure
superexcitação: superexcitation
superfamília: superfamily
superfecundação: superfecundation
superfetação: superfetation
superficial: superficialis
superfície: superficies
superidratação: overhydration
superinduzir: superinduce
superinfecção: superinfection
superinvolução: superinvolution
superior: superior
superlactação: superlactation

supermotilidade: supermotility
supernutrição: supernutrition
súpero-lateral: superolateral
superóxido: superoxide
superposição: overjet
supersaturar: supersaturate
superscrição: superscription
supervascularização: supervascularization
superventilação: overventilation
supervoltagem: supervoltage
supinação: supinate
supinar: supinate
supino: supine
suplementar: accessory
suporte: brace; splint; sustentaculum
supositório: suppository
supra-acromial: supra-acromial
supra-auricular: supra-auricular
supra-epicondilar: supraepicondylar
supra-escapular: suprascapular
supra-escleral: suprascleral
supra-espinhal: supraspinal
supra-esternal: suprasternal
supra-hióide: suprahyoid
supra-oclusão: supraocclusion
supra-orbitário: supraorbital
supra-renal: suprarenal
supra-renalectomia: adrenalectomia; suprarenalectomy
supra-renalismo: suprarenalism
supra-selar: suprasellar
supracerebelar: supracerebellar
supraclavicular: supraclavicular
supraclusão: supraclusion; supraocclusion
supracondilar: supracondylar
supracoróide: suprachoroid
supracoróidea: suprachoroidea
supracostal: supracostal
supracotilóide: supracotyloid
supradiafragmático: supradiaphragmatic
supradução: supraduction; sursumduction
suprafarmacológico: suprapharmacologic
supralimiar: supraliminal
supralombar: supralumbar
supramaleolar: supramalleolar
supramaxilar: supramaxillary
supramentoniano: supramentale
supranumerário: supernumerary
suprapélvico: suprapelvic
suprapontino: suprapontine
suprapúbico: suprapubic
supratroclear: supratrochlear
supravaginal: supravaginal
supravalvar: supravalvar
supravalvular: supravalvar
supraventricular: supraventricular
supravergência: supravergence; sursumvergence
supraversão: supraversion
supressão: suppression; withdrawal
supressor: suppressant
supuração: suppuration
supurante: suppurant
supurativo: suppurative
sural: sural
surdez: deafness; hearing loss
surdo: deaf

surdo-mudo: deaf-mute
surfactante: surfactant
sursundução: sursumduction
sursunvergência: sursumvergence
sursunversão: sursumversion
suscetível: susceptible
suspensão: suspension
suspensóide: suspensoid
suspensor: suspensory
sustentacular: sustentacular
sustentáculo: sustentaculum
sutura: seam; sutura; suture
sutura labial: cheilorrhaphy
sutural: sutural

T

tabaco: tobacco
tabanídeo: tabanid
tabe: tabes
tabes: tabes
tabescente: tabescent
tabético: tabetic
tabetiforme: tabetifrm
tablatura: tablature
tablete: tablet
taboparesia: taboparesis
tábua: table
tacografia: tachography
tacrina: tacrine
tactômetro: tactometer
tala: splint
tálamo: thalamus
talamocortical: thalamocortical
talamoencéfalo: thalamencephalon
talamolenticular: thalamolenticular
talamotomia: thalamotomy
talar: astragalar
talassemia: thalassemia
talbutal: talbutal
talco: talc; talcum
talcose: talcosis
talidomida: thalidomide
tálio: thallium
talipe: talipes
talipe valgo: splayfoot
talipes no cavalo: knuckling
talipômano: talipomanus
talo: talus
talocalcâneo: talocalcaneal
talocrural: talocrural
talofibular: talofibular
talonavicular: talonavicular
tambor: tambour
tamoxifeno: tamoxifen
tampão: buffer; packer; pledget; plug; tampon
tamponador: packer
tamponamento: packing; tamponade
tanato: tannate
tanatofídeos: thanatophidia
tanatofórico: thanatophoric
tanatognomônico: thanatognomonic
tanicito: tanycyte
tanino: tannin
tântalo: tantalum

tapeinocefálico: tapeinocephalic
tapete: tapetum
tapinocefalia: tapeinocephaly
tapotagem: tapotement
taquiarritmia: tachyarrhythmia
taquicardia: tachycardia; tachyrhythmia
taquicárdico: tachycardiac
taquicinina: tachykinin
taquidisritmia: tachydysrhythmia
taquifagia: tachyphagia
taquifilático: tachyphylactic
taquifilaxia: tachyphylaxis
taquigastria: tachygastria
taquipnéia: tachypnea
taquirritmia: tachyrhythmia
taquisterol: tachysterol
tara: tare
tarântula: tarantula
tarde: tardive
tardio: tardive
taricatoxina: tarichatoxin
tarsadenite: tarsadenitis
tarsal: tarsal; tarsalis
tarsalgia: tarsalgia
tarsectomia: tarsectomy
társico: tarsal; tarsalis, tarsalia
tarsite: tarsitis
tarso: ankle; tarsus
tarsoclasia: tarsoclasis
tarsomalacia: tarsomalacia
tarsometatársico: tarsometatarsal
tarsoplastia: tarsoplasty
tarsoptose: tarsoptosis
tarsorrafia: tarsorrhaphy
tarsotomia: tarsotomy
tartamudez: stammering; stuttering
tartarato: tartrate
tártaro: tartar
tatuagem: tattooing
taurina: taurine
taurocolato: taurocholate
tautomerase: tautomerase
tautomérico: tautomeral; tautomeric
tautomerismo: tautomerism
tautômero: tautomer
taxa: rate
taxia: taxis
táxon: taxon
taxonomia: taxonomy
taxonômico: taxonomic
tebaína: thebaine
tebutato: tebutate
teca: theca; theque
tecal: thecal
tecido: tissue; web
tecite: thecitis
tecnécio: technetium
técnica: technic; technique
técnico: technician
tecoma: thecoma
tecostegnosia: thecostegnosis
tectorial: tectorial
tectório: tectorium
tégmen: tegmen
tegmento: tegmentum

tegumentar: tegmental
teia: web
ticoplanina: teicoplanin
teicopsia: teichopsia
tela: screen; tela
telalgia: telalgia; thelalgia
telangiectasia: telangiectasia; telangiectasis
telangiectásico: telangiectatic
telangiose: telangiosis
telarca: thelarche
telarquia: thelarche
telazíase: thelaziasis
telecanto: telecanthus
telecardiofone: telecardiophone
telecardiografia: telecardiography
telecinese: telekinesis
telecinético: telekinetic
telediagnóstico: telediagnosis
telefluoroscopia: telefluoroscopy
telemedicina: telemedicine
telemetria: telemetry
telencefálico: telencephalic
telencéfalo: telencephalon
teleneurito: teleneurite
teleneurônio: teleneuron
telenzepina: telenzepine
teleologia: teleology
teleomitose: teleomitosis
teleopsia: teleopsia
teleorgânico: teleorganic
telepatologia: telepathology
teleplastia: theleplasty
teleretismo: thelerethism
telerradiografia: teleradiography
telerreceptor: teleceptor
teleterapia: teletherapy
télio: thelium
telite: mamillitis; mammillitis; thelitis
telodendro: telodendron
telófase: telophase
telógeno: telogen
telognose: telognosis
telolécito: telolecithal
telômero: telomere
teloplastia: mamilliplasty
telorragia: thelorrhagia
telúrico: telluric
telúrio: tellurium
temperar: anneal
temperatura: temperature
tempestade: storm
tempo: time
têmpora: temple
temporal: temporal
têmporas: tempora
temporoccipital: temporooccipital
temporoesfenóide: temporosphenoid
temporomandibular: temporomandibular
temporomaxilar: temporomaxillary
tenáculo: tenaculum
tenalgia: tenalgia; tenodynia; tenontodynia
tenar: thenar
tenascina: tenascin
tenda: tent
tendão: sinew; tendo; tendon

tendíneo: tendinos
tendinite: tendinitis; tendonitis; tenonitis; tenontitis; tenositis
tendinoplastia: tendinoplasty
tendinoso: tendinos
tendinossutura: tendinosuture
tendonite: tendonitis
tendovaginal: tendovaginal
tenectomia: tenectomy
tenêsmico: tenesmic
tenesmo: tenesmus
tênia: taenia; tapeworm; tenia
teniamiotomia: teniamyotomy
teníase: taeniasis; teniasis
tenicida: taeniacide; teniacide
tenífugo: taeniafuge; teniafuge
tenodese: tenodesis
tenodinia: tenodynia
tenófito: tenophyte
tenólise: tenolysis
tenomioplastia: tenomyoplasty
tenomiotomia: tenomyotomy
tenonectomia: tenonectomy
tenonite: tenonitis
tenonômetro: tenonometer
tenontite: tenontitis
tenontodinia: tenontodynia
tenontografia: tenontography
tenontologia: tenontology
tenoplastia: tendinoplasty; tenoplasty
tenoplástico: tenoplastic
tenorrafia: tendinosuture; tenorrhaphy; tenosuture
tenorreceptor: tenoreceptor
tenosite: tenositis
tenossinovectomia: tenosynovectomy
tenossinovite: peritendinitis; peritenonitis; tenosynovitis; tenovaginitis; thecitis
tenossutura: tenosuture
tenostose: tenostosis
tenotomia: tenotomy
tenovaginite: tenovaginitis
tensão: stress; tension
tensor: tensor
tentativa: trial
tentorial: tentorial
tentório: tentorium
teobromina: theobromine
teofilina: theophyline
teoria: theory
terapeuta: therapist
terapêutica: therapeutics
terapêutico: remedial; therapeutic
terapia: therapy
teratismo: teratism; teratosis
teratoblastoma: teratoblastoma
teratocarcinoma: teratocarcinoma
teratogênese: teratogenesis
teratogenético: teratogenetic
teratogênico: teratogenic; teratogenetic
teratógeno: teratogen; teratogenous
teratóide: teratoid
teratologia: teratology
teratológico: teratologic
teratoma: dysembryoma; teratoma
teratomatoso: teratomatous

teratose: teratosis
terazosin: terazosin
térbio: terbium
terbutalina: terbutaline
terçã: tertian
terciário: tertiary
tercigrávida: tertigravida
tercípara: tertipara
terçol: hordeolum; stye
terconazol: terconazole
terebração: terebration
teriogenologia: theriogenology
teriogenológico: theriogenologic
termalgesia: thermalgesia
termalgia: thermalgia
termanalgesia: thermanalgesia
termanestesia: thermanesthesia
termestesia: termesthesia
termestesiômetro: thermesthesiometer
térmico: thermic
terminação: terminatio; terminus
término: terminus
término-corrente: endtidal
termiperestesia: thermhyperesthesia
termipestesia: thermhypesthesia
termo-hiperalgesia: thermohyperalgesia
termo-hiperestesia: thermhyperesthesia; thermohyperesthesia
termo: term; terminus; therm
termoanestesia: thermanalgesia; thermanesthesia; thermoanesthesia
termocautério: thermocautery
termocoagulação: thermocoagulation
termodifusão: thermodiffusion
termodinâmica: thermodynamics
termoexcitatório: thermoexcitory
termofílico: thermophilic
termófilo: thermophile
termóforo: thermophore
termogênese: thermogenesis
termogênico: thermogenetic; thermogenic
termografia: thermography
termógrafo: thermograph
termograma: thermogram
termoinibitório: thermoinhibitory
termoiperalgesia: thermohyperalgesia
termoiperestesia: thermohyperesthesia
termoipestesia: thermhypesthesia; thermohypesthesia
termolábil: thermolabile
termólise: thermolysis
termolítico: thermolytic
termomassagem: thermomassage
termômetro: thermometer
termoplacentografia: thermoplacentography
termoplegia: thermoplegia
termopolipnéia: thermopolypnea
termoquímica: thermochemistry
termorreceptor: thermoreceptor
termorregulação: thermoregulation
termossistáltico: thermosystaltic
termostável: thermostabile
termotático: thermotactic; thermotaxic
termotaxia: thermotaxis
termoterapia: thermotherapy

termotonômetro: thermotonometer
termotrópico: thermotropic
termotropismo: thermotropism
ternário: ternary
terpeno: terpene
terpina: terpin
terror: pavor
testa: frons
testalgia: testalgia
teste: test
testectomia: testectomy
testicular: testicular
testículo: testis; testicle
testite: testitis
testolactona: testolactone
testosterona: testosterone
teta: teat
tetania: tetany
tetânico: tetanic
tetaniforme: tetaniform
tetanígeno: tetanigenous
tetanizar: tetanize
tétano: lockjaw; tetanus
tétano dorsal: opisthotonos
tétano posterior: opisthotonos
tetanódio: tetanode
tetanóide: tetanoid
tetanolisina: tetanolysin
tetanospasmina: tetanospasmin
tetartanopia: tetartanopia; tetartanopsia
tetartanopsia: tetartanopsia
teto: tectum
tetoespinhal: tectospinal
tetrabráquio: tetrabrachius
tetracaína: tetracaine
tetraciclina: tetracycline
tetracloretileno: tetrachloroethylene
tetracrótico: tetracrotic
tetradactilia: tetradactyly
tétrade: tetrad
tetrágono: tetragonum
tetraidrocanabinol: tetrahydrocannabinol
tetraidrozolina: tetrahydrozoline
tetralogia: tetralogy
tetramérico: tetrameric
tetranopsia: tetranopsia
tetraparesia: tetraparesis
tetrapeptídeo: tetrapeptide
tetrapirrol: tetrapyrrole
tetraplegia: tetraplegia
tetraplóide: tetraploid
tetrápode: tetrapus
tetráscelo: tetrascelus
tetrassomia: tetrasomy
tetrassômico: tetrasomic
tetravalente: tetravalent
tetrodotoxina: tetrodotoxin
textiforme: textiform
tiabendazol: thiabendazole
tiamilal: thiamylal
tiamina: thiamine
tiazida: thiazide
tibamato: tybamate
tíbia: shank; tibia
tibial: tibial; tibialis

tibiofemoral: tibiofemoral
tibiofibular: tibiofibular
tibioperoneal: tibiofibular
tibiotarsal: tibiotarsal
ticarcilina: ticarcillin
tiemia: thiemia
tifenamil: thiphenamil
tiflectasia: typhlectasis
tiflodiclidite: typhlodicliditis
tiflose: typhlosis
tiflotomia: typhlotomy
tifo: typhus
tifóide: typhoid; typhoidal
tifoso: typhous
tigela: bowl
tigmestesia: thigmesthesia
tigmotático: thigmotactic; thigmotaxic
tigmotaxia: thigmotaxis
tigmotrópico: thigmotropic
tigmotropismo: thigmotropism
tilectomia: tylectomy
tílio: tylion
tiloma: tyloma
tilose: tylosis
tilótico: tylotic
tiloxapol: tyloxapol
timbre: timbre
timectomia: thymectomy
timectomizar: thymectomize
timelcose: thymelcosis
timerosal: thimerosal
tímico: thymic
timicolinfático: thymicolymphatic
timidina: thymidine
timina: thymin; thymine
timite: thymitis
timo: thymus
timocinético: thymokinetic
timócito: thymocyte
timol: thymol
timoléptico: thymoleptic
timolol: timolol
timoma: thymoma
timopatia: thymopathy
timopático: thymopathic
timopoietina: thymin; thymopoietin
timoprivo: thymoprivic; thymoprivous
timosina: thymosin
timpanectomia: tympanectomy
timpânico: tympanal; tympanic; tympanous
timpanismo: tympanism; tympanites; tympany
timpanite: meteorism
timpanítico: tympanitic
tímpano: drum; drumhead; tympanum
timpanocentese: tympanocentesis
timpanoesclerose: tympanosclerosis
timpanoesclerótico: tympanosclerotic
timpanogênico: tympanogenic
timpanograma: tympanogram
timpanomastoidite: tympanomastoiditis
timpanometria: tympanometry
timpanoplastia: tympanoplasty
timpanoplástico: tympanoplastic
timpanotomia: tympanotomy
tínea: ringworm

tingível: tingible
tinha: ringwort; tinea
tinha favosa: fatus
tinido: tinnitus
tintorial: tinctorial
tintura: tincture
tiocianato: thiocyanate
tiocinase: thiokinase
tioconazol: tioconazole
tioéster: cystathionine; thioester
tioguanina: thioguanine
tiol: thiol
tionina: thionin
tiopental: thiopental
tiopronina: tiopronin
tioridazina: thioridazine
tiossulfato: thiosulfate
tiotepa: thiotepa
tiotixeno: thiothixene
tioxanteno: thioxanthene
tipo: type
tipo sangüíneo: blood type
tipóia: sling
tipologia: typology
tique: tic
tira: strap; streak
tireoadenite: thyroadenitis
tireoaplasia: thyroaplasia
tireoaritenóide: thyroarytenoid
tireocardíaco: thyrocardiac
tireocele: thyrocele
tireocondrotomia: thyrochondrotomy
tireocricotomia: thyrocricotomy
tireoepiglótico: thyroepiglottic
tireogênico: thyrogenic
tireógeno: thyrogenic; thyrogenous
tireoglosso: thyroglossal
tireóide: thyroid
tireoidectomia: thyroidectomy
tireoidectomizar: thyroidectomize
tireoidite: strumitis; thyroiditist
tireoidotomia: thyroidotomy
tireoióide: thyrohyal
tireoióideo: thyrohyoid
tireomegalia: thyromegaly
tireomimética: thyromimetic
tireoparatireoidectomia: thyroparathyroidectomy
tireoprivo: thyroprival; thyroprivic; thyroprivous
tireoptose: thyroptosis
tireoterapia: thyrotherapy
tireotomia: thyrotomy
tireotóxico: thyrotoxic
tireotoxicose: thyrotoxicosis
tireotrófico: thyrotrophic
tireotrofina: thyrotrophin
tireotrofo: thyrotrope; thyrotroph
tireotrópico: thyrotropic
tireotropina: thyrotropin; thyrotrophin
tireotropo: thyrotrope
tireoxina: thyroxine
tiroglobulina: thyroglobulin
tiromatose: tyromatosis
tiropanoato: tyropanoate
tirosilúria: tyrosyluria
tirosina: tyrosine

tirosinemia: tyrosinemia
tirosinose: tyrosinosis
tirosinúria: tyrosinuria
tísica: phthisis
titânio: titanium
titubeação: titubation
titulação: titration
titulagem: titration
título: titer
tivelose: tyvelose
tixotropia: thixotropism; thixotropy
tixotrópico: thixotropic
tixotropismo: thixotropism
tlipsencéfalo: thlipsencephalus
toalete: toilet
tobramicina: tobramycin
tocodinágrafo: tokodynagraph
tocodinamômetro: tocometer; tokodynamometer
tocoferol: tocopherol
tocol: tocol
tocômetro: tocometer
todos os dias: quaque die (q.d.)
tofáceo: tophaceous
tofo: tophus
togavírus: togavirus
tolazamida: tolazamide
tolazolina: tolazoline
tolbutamida: tolbutamide
tolerância: tolerance
tolerante: tolerant
tolerógeno: tolerogen
tolmetina: tolmetin
tolnaftato: tolnaftate
tolueno: toluene
tomaculoso: tomaculous
tomografia: laminagraphy; stratigraphy; tomography
tomógrafo: tomograph
tomograma: tomogram
tonicidade: tonicity; tonus
tônico: tonic
tônico-clônico: tonicoclonic; tonoclonic
tono: tone
tonoclônico: tonoclonic; tonicoclonic
tonofibrila: tonofibril
tonografia: tonography
tonometria: tonometry
tonômetro: tenonometer
tonoplasto: tonoplast
tonsila: tonsil; tonsilla
tonsilar: tonsillar
tonsilectomia: tonsillectomy
tonsilite: tonsillitis
tonsilólito: tonsillolith
tonsilotomia: tonsillotomy
tontura: dizziness
tônus: tone; tonus
topagnose: topagnosia
topalgia: topalgia
topectomia: corticectomy; topectomy
topestesia: topesthesia
tópico: topical
topoanestesia: topoanesthesia
topografia: topography
toque: touch
toracalgia: thoracalgia

toracectomia: thoracectomy
toracentese: thoracentesis
torácico: thoracic
toracoacromial: thoracoacromial
toracocelosquise: thoracoceloschisis
toracocentese: pleurocentesis; thoracentesis
toracocilose: thoracocyllosis
toracocirtose: thoracocyrtosis
toracodelfo: thoracodelphus
toracodídimo: thoracodidymus
toracodinia: thoracodynia
toracogastrosquise: thoracogastroschisis
toracólise: thoracolysis
toracolombar: thoracolumbar
toracômelo: thoracomelus
toracômetro: thoracometer
toracomiodinia: thoracomyodynia
toracópago: thoracodidymus; thoracopagus
toracopatia: thoracopathy
toracoplastia: thoracoplasty
toracoscópio: thoracoscope
toracosquise: thoracoschisis
toracostenose: thoracostenosis
toracostomia: thoracostomy
toracotomia: thoracotomy
tórax: chest; thorax
torção: torsion
torcicolo: torticollis; wryneck
torcipelve: tortipelvis
toremifene: toremifene
tório: thorium
torniquete: tourniquet
tornozelo: ankle
toro: torus
tórpido: torpid
torpor: stupor; torpor
torque: torque
torsiversão: torsiversion
torso: torso
tosilato de bretílio: bretylium tosylate
tosse: cough; tussis
totipotencial: totipotential
totipotente: totipotent
toucinho: lard
toxemia: toxemia
toxêmico: toxemic
toxicante: toxicant
toxicidade: toxicity
tóxico: toxic; toxicant
toxicofobia: toxicophobia
toxicogênico: toxicogenic
toxicologia: toxicology
toxicológico: toxicologic
toxicopatia: toxicopathy
toxicopático: toxicopathic
toxicopéctico: toxicopectic; toxicopexic
toxicopexia: toxicopexis
toxicose: toxicopathy; toxicosis; toxipathy
toxidez: toxicity
toxífero: toxiferous
toxifobia: toxicophobia
toxigenicidade: toxigenicity
toxina: toxin
toxina-antitoxina: toxin-antitoxin (TA)
toxinologia: toxinology

toxipatia: toxipathy
toxocaríase: toxocariasis
toxofílico: toxophilic
toxófilo: toxophilic
toxofórico: toxophorous
toxóforo: toxophore
toxóide: toxoid
toxoplasmose: toxoplasmosis
trabalho de parto: accouchement; labor
trabécula: trabecula
trabeculado: trabeculate
trabecular: trabecular; trabeculate
trabeculoplastia: trabeculoplasty
traçador: tracer
tração: traction
traço: trait
tracoma: trachoma
tracomatoso: trachomatous
tragal: tragal
trago: tragus
trajeto: pathway
tranilcipromina: tranylcypromine
tranqüilizante: tranquilizer
transabdominal: transabdominal
transacetilação: transacetylation
transacilação: transacylation
transacilase: transacylase
transaminação: transamination
transaminase: transaminase
transantral: transantral
transaórtico: transaortic
transaudiente: transaudient
transaxial: transaxial
transbasal: transbasal
transcalosal: transcallosal
transcalvarial: transcalvarial
transcateter: transcatheter
transcobalamina: transcobalamin
transcortical: transcortical
transcortina: transcortin
transcraniano: transcranial
transcrição: transcription
transcriptase: transcriptase
transcriptase reversa: reverse transcriptase
transdução: transduction
transducina: transducin
transdural: transdural
transdutor: transducer
transe: trance
transecção: transection
transegmentar: transsegmental
transeptal: transeptal
transetmoidal: transethmoidal
transexualismo: transsexualism
transferase: transferase
transferência: shift; transference; translation
transferência de grupo: group-transfer
transferrina: transferrin
transfixação: transfixion
transformação: transformation
transfosforilação: transphosphorylation
transfrontal: transfrontal
transfusão: transfusion
transglutaminase: transglutaminase
transição: transition

transilíaco: transiliac
transiluminação: transillumination
translação: translation
translocação: translocation
translocase: translocase
translúcido: pellucid
transmembrana: transmembrane
transmetilação: transmethylation
transmissão: transmission
transmural: transmural
transmutação: transmutation
transpiração: sweat; transpiration
transplacentário: transplacental
transplantação: transplantation
transplante: transplant; transplantation
transportador: carrier; translocase
transporte: transport
transposição: transposition
transposon: transposon
transpúbico: transpubic
transtalâmico: transthalamic
transtimpânico: transtympanic
transtorácico: transthoracic
transudato: transudate
transuretral: transurethral
transvaginal: transvaginal
transvenoso: transvenous
transversal: transversalis; transverse
transversectomia: transversectomy
transverso: transversalis; transverse; transversus
transvesical: transvesical
transvestismo: transvestism
trapézio: trapezium
trapezóide: trapezial
traqueal: tracheal
traquealgia: trachealgia
traquéia: trachea; windpipe
traqueíte: tracheitis
traquelectomia: trachelectomy
traquelematoma: trachelematoma
traquelismo: trachelism; trachelismus
traquelite: trachelitis
traquelocistite: trachelocystitis
traquelodinia: trachelodynia
traquelopexia: trachelopexy
traqueloplastia: tracheloplasty
traquelorrafia: trachelorrhaphy
traquelotomia: trachelotomy
traqueoaerocele: tracheoaerocele
traqueobroncospia: tracheobronchoscopy
traqueobrônquico: tracheobronchial
traqueobronquite: tracheobronchitis
traqueocele: tracheocele
traqueoesofágico: tracheoesophageal
traqueoesquise: tracheoschisis
traqueoestenose: tracheostenosis
traqueofaríngeo: tracheopharyngeal
traqueofonia: tracheophony
traqueolaríngeo: tracheolaryngeal
traqueomalacia: tracheomalacia
traqueopatia: tracheopathy
traqueopiose: tracheopyosis
traqueoplastia: tracheoplasty
traqueorragia: tracheorrhagia
traqueoscopia: tracheoscopy

traqueoscópico: tracheoscopic
traqueostomia: tracheostomy
traqueotomia: tracheotomy
traquifonia: trachyphonia
traquioníquia: trachyonychia
tratamento: treatment
trato: tract; tractus
tratotomia: tractotomy
trauma: trauma
traumático: traumatic
traumatismo: trauma; traumatism
traumatologia: traumatology
traumatopnéia: traumatopnea
trava de mordedura: bitelock
treinamento: training
treinável: trainable
trematódeo: fluke; trematode
tremor: thrill; tremor; trepidation
trêmulo: tremulous
treonina: threonine
trepanação: trephination
trepanar: trepan
trépano: burr; trepan; trephine
trepidação: trepidation
trepidante: trepidant
treponema: treponema
treponematose: treponematosis
treponematoso: treponemal
treponemicida: treponemicidal
trepopnéia: trepopnea
três vezes ao dias: ter in die (t.i.d.)
tretinoína: tretinoin
triacetina: triacetin
tríade: triad
triagem: screening; triage
triancinolona: triamcinolone
triangular: triangularis; trigonal
triângulo: triangle; trigonum
triantereno: triamterene
triatômico: triatomic
tribo: tribe
tribráquio: tribachius
tricéfalo: tricephalus
tríceps: triceps
tricíclico: tricyclic
trício: tritium
tricipital: tricipital
triclofos: triclofos
triclormetiazida: trichlormethiazide
tricloroetileno: trichloroethylene
tricoadenoma: trichoadenoma
tricoanestesia: trichoanesthesia
tricobezoar: trichobezoar
tricodiscoma: trichodiscoma
tricoepitelioma: trichoepithelioma
tricoestesia: trichoesthesia
tricofítico: trichophytic
tricofítide: trichophytid
tricofitina: trichophytin
tricofitobezoar: trichophytobezoar
tricofitose: trichoophytosis
tricofoliculoma: trichofolliculoma
tricoglossia: trichoglossia
tricoma: trichome
tricomegalia: trichomegaly

tricomicose: trichomycosis
tricomonacida: trichomonacide
tricomônada: trichomonad
tricomonádico: trichomonal
tricomoníase: trichomoniasis
triconocéfalo: copperhead
triconodose: trichonodosis
tricopatia: trichopathy
tricoptilose: trichoptilosis; trichoschisis
tricorne: tricornute
tricornudo: tricornute
tricorrexe: trichorrhexis
tricoscopia: trichoscopy
tricose: trichosis
tricosporose: trichosporosis
tricosquise: trichoschisis
tricostase espinhosa: trichostasis spinulosa
tricostrongilose: trichostrongyliasis
tricotilomania: trichotillomania
tricotiodistrofia: trichothiodystrophy
tricótomo: trichotomous
tricróico: trichroic
tricroísmo: trichroism
tricromasia: trichromasy; trichromatopsia
tricromatopsia: trichromatopsia
tricrômico: trichromic
tricrótico: tricrotic
tricrotismo: tricrotism
tricuríase: trichuriasis
tricúspide: tricuspid
tridactilismo: tridactylism
tridentado: tridentate
tridente: tridentate
tridérmico: tridermic
triexifenidil: trihexyphenidyl
trifalangismo: triphalangism
trifásico: triphasic
trifenilmetano: triphenylmethane
trífido: trifid
trifluoperazina: trifluoperazine
triflupromazina: triflupromazine
trifurcação: trifurcation
trigeminismo: trigeminy
triglicerídeo: triglyceride
trigonal: trigonal
trigonectomia: trigonectomy
trigonite: trigonitis
trígono: trigone; trigonum
trigonocefalia: trigonocephaly
trigonocefálico: trigonocephalic
trigonocéfalo: trigonocephalus
triiodotironina: triiodothyronine
trilaminado: trilaminar
trilaminar: trilaminar
trilobado: trilobate
trilocular: trilocular
trilogia: trilogy
trimeprazina: trimeprazine
trimestre: trimester
trimetadiona: trimethadione
trimetobenzamida: trimethobenzamide
trimetoprim: trimethoprim
trimetrexato: trimetrexate
trimórfico: trimorphous
trinitrofenol: picric acid; trinitrophenol

trinitrotolueno (TNT): trinitrotoluene
triocéfalo: triocephalus
triorquidismo: triorchidism
triose: triose
trioxsaleno: trioxsalen
tripanocida: trypanocidal
tripanólise: trypanolysis
tripanolítico: trypanolytic
tripanossoma: trypanosome
tripanossomíase: trypanosomiasis
tripanossomicida: trypanosomicide
tripanossômico: trypanosomal
tripanossômide: trypanosomid
tripelenamina: tripelennamine
tripeptídeo: tripeptide
triplegia: triplegia
tripleto: triplet
triplex: triplex
tríplice: triplex
triplo: triplex
triplo cego: triple blind
triplóide: triploid
triplopia: triplopia
trípodo: tripus
triprolidina: triprolidine
tripse: thrypsis
tripsina: trypsin
tripsínico: tryptic
tripsinogênio: trypsinogen
triptamina: tryptamine
triptofano: tryptophan
triptofanúria: tryptophanuria
triptorelina: triptorelin
triquíase: trichiasis
triquilemoma: trichilemmoma
triquina: trichina
triquinelose: trichinosis
triquinose: trichinosis
tris: tris
trismo: lockjaw; trismus
trisplâncnico: trisplanchnic
trissomia: trisomy
trissômico: trisomic
trissulcado: trisulcate
trissulfapirimidinas: trisulfapyrimidines
trissulfeto: trisulfide
tritanomalia: tritanomaly
tritanopia: tritanopia
tritanópico: tritanopic
tritanopo: tritanope
trituração: trituration
trivalente: trivalent
trocador: exchanger
trocânter: trochanter
trocantérico: trochanteric; trochanterian
trocarte: trocar
trocisco: troche
tróclea: trochlea
troclear: trochlear
trococefalia: trochocephaly
trocóide: trochoid; trochoides
trofedema: trophedema
trófico: trophic
trofoblástico: trophoblastic
trofoblasto: trophoblast

trofodermatoneurose: trophodermatoneurosis
trofoneurose: trophoneurosis
trofoneurótico: trophoneurotic
trofonose: trophonosis
trofonte: trophont
trofopatia: trophopathy
trofoplasto: trophoplast
trofotaxia: trophotaxis
trofoterapia: trophotherapy
trofozoíta: trophozoite
trombastenia: thrombasthenia
trombectomia: thrombectomy
trombiculíase: trombiculiasis
trombina: thrombin
trombo: thrombus
tromboangiíte: thromboangiitis
tromboarterite: thromboarteritis
trombocinase: thrombokinase
trombocinética: thrombokinetics
trombocisto: thrombocyst; thrombocystis
trombocitaferese: thrombocytapheresis
trombocitemia: thrombocythemia
trombocítico: thrombocytic
trombócito: thrombocyte
trombocitócrito: thrombocytocrit
trombocitólise: thrombocytolysis
trombocitopatia: thrombocytopathy
trombocitopenia: thrombocytopenia
trombocitopoiese: thrombocytopoiesis
trombocitopoiético: thrombocytopoietic
trombocitose: thrombocytosis
tromboclase: thromboclasis
tromboclástico: thromboclastic
tromboembolia: thromboembolism
tromboendarterectomia: thromboendarterectomy
tromboendarterite: thromboendarteritis
tromboendocardite: thromboendocarditis
tromboespondina: thrombospondin
tromboflebite: thrombophlebitis
trombogênese: thrombogenesis
trombogênico: thrombogenic
β-tromboglobulina: β-thromboglobulin
trombóide: thromboid
trombolinfangite: thrombolymphangitis
trombólise: thrombolysis
trombolítico: thrombolytic
trombofilia: thrombophilia
tromboplástico: thromboplastic
tromboplastina: thromboplastin
trombopoiese: thrombopoiesis
trombopoiético: thrombopoietic
trombosado: thrombosed
trombose: thrombosis
trombosina: thrombin
trombostase: thrombostasis
trombótico: thrombotic
tromboxano: thromboxane
trometamina: tromethamine
trompa: tuba; tube
tronco: scapus; stem; truncus; trunk
tronco cerebral: brain stem
tropia: tropia
tropina: tropine
tropismo: tropism
tropocolágeno: tropocollagen

tropomiosina: tropomyosin
troponina: troponin
truncado: truncate
truncar: truncate
tsé-tsé: tsetse; tzetze
tuamino-heptano: tuaminoheptane
tuaminoeptano: tuaminoheptane
tuba: salpinx; tuba; tube
tubárico: tubal
tubectomia: tubectomy
túber: tuber
tuberculado: tuberculate; tuberculated
tubercular: tubercular
tuberculide: tuberculid
tuberculina: tuberculin
tuberculite: tuberculitis
tubérculo: tubercle; tuberculum
tuberculocele: tuberculocele
tuberculóide: tuberculoid
tuberculoma: tuberculoma
tuberculose: tuberculosis
tuberculoso: tuberculous; tuberculotic
tuberculostático: tuberculostatic
tuberose: tuberosis
tuberosidade: tuber; tuberositas; tuberosity
tuberoso: tuberous
tubo: tube
tubocurarina: tubocurarine
tuboligamentoso: tuboligamentous
tuboperitoneal: tuboperitoneal
tuboplastia: tuboplasty
tubotimpânico: tubotympanum
tubouterino: tubouterine
tubovariano: tubo-ovarian
tubular: tubular
tubulina: tubulin
túbulo: tubule; tubulus
tubulointersticial: tubulointerstitial
tubulorrexe: tubulorrhexis
tubulovesicular: tubulovesicular
tudo ou nada: all or none
tufo: tuft
tuftsina: tuftsin
tularemia: tularemia
túlio: thulium
tumefação: swelling; tumefaction
tumefaciente: tumefacient
tumescência: tumescence
túmido: tumid
tumor: tumor
tumoricida: tumoricidal
tumorículo: tumorlet
tumorigênese: tumorigenesis
tumorigênico: tumorigenic
túnel: tunnel
tungstênio: tungsten; wolfram
túnica: tunica
túnica íntima: endangium
turbidez: turbidity
turbidímetro: turbidimeter
turbinado: turbinate
turbinal: turbinal
turbinectomia: turbinectomy
turbinotomia: turbinotomy
turgescência: turgescence

túrgido: tumid; turgid
turgor: turgor
turista: turista
turricefalia: turricephaly
turvação: turbidity
turvo: turbid
tussigênico: tussigenic
tussígeno: tussal; tussive
tutame: tutamen
turvação: clouding

U

ubiidroquinona: ubiquinol
ubiquinol: ubiquinol
ubiquinona: ubiquinone
úlcera: sore; ulcer; ulcus
úlcera de decúbito: bedsore
ulceração: ulceration
ulcerar: ulcerate; fester
ulcerativo: ulcerative
ulcerogênico: ulcerogenic
ulceromembranoso: ulceromembranous
ulceroso: ulcerous
ulectomia: ulectomy
uleritema: ulerythema
ulna: cubitus; ulna
ulnar: ulnar; ulnaris
ulnocarpal: ulnocarpal
ulnorradial: ulnoradial
ulocarcinoma: ulocarcinoma
ulorragia: ulorrhagia
ulotomia: ulotomy
ultra-acústica: ultrasonics
ultra-estrutura: ultrastructure
ultra-som: ultrasound
ultra-sônico: ultrasonic
ultra-sonografia: ultrasonography
ultra-sonográfico: ultrasonographic
ultracentrifugação: ultracentrifugation
ultradiano: ultradian
ultrafiltração: ultrafiltration
ultramicroscópico: ultramicroscopic
ultramicroscópio: ultramicroscope
ultravioleta: ultraviolet
umbigo: navel; umbilicus
umbilicação: umbilication
umbilical: umbilical
umectante: humectant
úmero: humerus
uncal: uncal
unção: unction
unciforme: unciform; uncinate
uncinado: hamate; uncinate
uncipressão: uncipressure
uncovertebral: uncovertebral
undina: undine
ungueal: ungual
ungüento: ointment; unguent
unguiculado: unguiculate
unha: nail; onyx; unguis
unha do dedo do pé: toenail
unheiro: handnail; whitlow
união: bond; splicing; union
uniaxial: uniaxial

unicameral: unicameral
unicelular: unicellular
unicórneo: unicornous
unidade: unit
uniglandular: uniglandular
unilateral: unilateral
unilocular: unilocular
uninucleado: uninucleated
uninuclear: uninucleated
uniocular: uniocular
uniovular: uniovular
uníparo: uniparous
unipolar: unipolar
unipotencial: unipotent; unipotential
unipotente: unipotent
univalente: univalent
uracal: urachal
uracil: uracil
úraco: urachus
uracrasia: uracrasia
uragogo: uragogue
urânio: uranium
uranisco: uraniscus
uranorrafia: uranorrhaphy
uranosquise: uranoschisis
uranostafilosquise: uranostaphyloschisis
urartrite: urarthritis
uratoma: uratoma
uratúria: uraturia
urceiforme: urceiform
urease: urease
uredema: uredema
uréia: urea
uréico: ureal
urelcose: urelcosis
uremia: uremia
urêmico: uremic
uremigênico: uremigenic
ureopoiese: ureapoiesis
ureopoiético: ureapoietic
ureotélico: ureotelic
urequise: urecchysis
urese: uresis
ureter: ureter
ureteral: ureteral; ureteric
ureteralgia: ureteralgia
ureterecolostomia: ureterocolostomy
ureterectasia: ureterectasis
ureterectomia: ureterectomy
uretérico: ureteral; ureteric
ureterite: ureteritis
ureterocele: ureterocele
ureterocelectomia: ureterocelectomy
ureterocistoscópio: ureterocystiscope
ureterocistostomia: ureterocystostomy
ureterodiálise: ureterodialysis
ureteroenterostomia: ureteroenterostomy
ureterografia: ureterography
ureteroileostomia: ureteroileostomy
ureterólise: ureterolysis
ureterolitíase: ureterolithiasis
ureterólito: ureterolith
ureterolitotomia: ureterolithotomy
ureteronefrectomia: ureteronephrectomy
ureteroneocistostomia: ureterocystostomy; uretero-
    neocystostomy

ureteroneopielostomia: ureteroneopyelostomy
ureteropatia: ureteropathy
ureteropelvioplastia: ureteropelvioplasty
ureteropielite: ureteropyelitis
ureteropielografia: ureteropyelography
ureteropielonefrite: ureteropyelonephritis
ureteropieloneostomia: ureteroneopyelostomy;
   ureteropyeloneostomy; ureteropyelostomy
ureteropieloplastia: ureteropyeloplasty
ureteropielostomia: ureteropyelostomy
ureteropiose: ureteropyosis
ureteroplastia: ureteroplasty
ureterorrafia: ureterorrhaphy
ureterorragia: ureterorrhagia
ureterorrenoscopia: ureterorenoscopy
ureterorrenoscópio: ureterorenoscope
ureteroscopia: ureteroscopy
ureterossigmoidostomia: ureterosigmoidostomy
ureterostomia: ureterostomy
ureterotomia: ureterotomy
ureterovaginal: ureterovaginal
ureterovesical: ureterovesical
uretoperineoescrotal: urethroperineoscrotal
uretra: urethra
uretral: urethral
uretralgia: urethralgia; urethrodynia
uretratresia: urethratresia
uretrectomia: urethrectomy
uretrenfraxia: urethremphraxis
uretrismo: urethrism
uretrite: urethritis
uretrobulbar: urethrobulbar
uretrocele: urethrocele
uretrocistite: urethrocystitis
uretrodinia: urethrodynia
uretroespasmo: urethrism
uretrofima: urethrophyma
uretrofraxia: urethrophraxis
uretrografia: urethrography
uretrometria: urethrometry
uretropeniano: urethropenile
uretroperineal: urethroperineal
uretropexia: urethropexy
uretroplastia: urethroplasty
uretroprostático: urethroprostatic
uretrorrafia: urethrorrhaphy
uretrorragia: urethrorrhagia
uretrorréia: urethrorrhea
uretrorretal: urethrorectal
uretroscopia: urethroscopy
uretroscópico: urethroscopic
uretroscópio: urethroscope
uretrospasmo: urethrospasm
uretrostaxe: urethrostaxis
uretrostenose: urethrostenosis
uretrostomia: urethrostomy
uretrotomia: urethrotomy
uretrótomo: urethrotome
uretrotrigonite: urethrotrigonitis
uretrovaginal: urethrovaginal
uretrovesical: urethrovesical
urgência: urgency
uricemia: uricacidemia; uricemia
uricômetro: uricometer

uricosúria: uricaciduria; uricosuria
uricosúrico: uricosuric
uridina: uridine
uridrose: urhidrosis
uriestesia: uresiesthesis; uriesthesis
urina: urine
urinálise: urinalysis
urinar: micturate; urinate
urinário: urinary
urinífero: uriniferous
uriníparo: uriniparous
urinógeno: urinogenous
urinol: urinal
urinoma: urinoma
urinometria: urinometry
urinômetro: urinometer
urinoso: urinous
urobilina: urobilin
urobilinemia: urobilinemia
urobilinogênio: urobilinogen
urocele: urocele
urocinase: urokinase
urocistite: urocystitis
urocromo: urochrome
urodinâmica: urodynamics
urodinâmico: urodynamic
urodinia: urodynia
uroedema: uroedema
urofânico: urophanic
urogastrona: urogastrone
urogenital: urogenital
urógeno: urogenous
urografia: urography
urograma: urogram
urolitíase: urolithiasis
urolítico: urolithic
urólito: urolith
urologia: urology
urológico: urologic
urometria: urometry
urométrico: urometric
uronco: uroncus
uronefrose: uronephrosis
uropatia: uropathy
uropoiese: uropoiesis
uropoiético: uropoietic
uroporfiria: uroporphyria
uroporfirina: uroporphyrin
uroporfirinogênio: uroporphyrinogen
uropsamo: uropsammus
uroquesia: urochezia
uroquinase: urokinase
urorradiologia: uroradiology
uroscopia: uroscopy
uroscópico: uroscopic
urossépsis: urosepsis
urossepticêmico: uroseptic
uroureter: uroureter
ursodiol: ursodiol
urticação: urtication
urticante: urticant
urticária: urticaria
urticária papulosa: strophulus
uticariáceo: urticarial
urushiol: urushiol

ustilaginismo: ustilaginism
uteralgia: uteralgia
uterino: uterine
útero: uterus
uteroabdominal: uteroabdominal
uterocervical: uterocervical
uterogestação: uterogestation
uterólito: uterolith
uterômetro: uterometer
uteroplacentário: uteroplacental
uteroplastia: uteroplasty
uterorretal: uterorectal
uterosclerose: uterosclerosis
uterossacral: uterosacral
uterotônico: uterotonic
uterotubário: uterotubal
uterovaginal: uterovaginal
uterovariano: utero-ovarian
uterovesical: uterovesical
utricular: utricular
utriculite: utriculitis
utrículo: utricle; utriculus
utriculossacular: utriculosaccular
úvea: uvea
uveal: uveal
uveíte: uveitis
uveítico: uveitic
uveoesclerite: uveoscleritis
uviforme: botryoid; uviform
úvula: uvula
uvular: uvular
uvulectomia: uvulectomy
uvulite: staphylitis; uvulitis
uvuloptose: uvuloptosis
uvulotomia: uvulotomy

V

vacina: vaccine
vacinação: vaccination
vacinal: vaccinal
vacínia: cowpox; vaccinia
vacinial: vaccinial
vaciniforme: vacciniform
vacuolado: vacuolated
vacuolar: vacuolar
vacuolização: vacuolation
vacúolo: vacuole
vagal: vagal
vagido: vagitus
vagina: vagina
vaginal: vaginal
vaginalite: periorchitis
vaginectomia: vaginectomy
vaginismo: vaginismus
vaginite: vaginitis
vaginoabdominal: vaginoabdominal
vaginocele: vaginocele
vaginodinia: vaginodynia
vaginofixação: vaginofixation; vaginopexy
vaginolabial: vaginolabial
vaginomicose: vaginomycosis
vaginopatia: vaginopathy
vaginoperineal: vaginoperineal
vaginoperineorrafia: vaginoperineorrhaphy

vaginoperineotomia: vaginoperineotomy
vaginoperitoneal: vaginoperitoneal
vaginopexia: vaginopexy
vaginoplastia: vaginoplasty
vaginoscopia: vaginoscopy
vaginotomia: vaginotomy
vaginovesical: vaginovesical
vago: vagus
vagólise: vagolysis
vagolítico: vagolytic
vagomimético: vagomimetic
vagotomia: vagotomy
vagotonia: vagotonia
vagotônico: vagotonic
vagotrópico: vagotropic
vagovagal: vagovagal
vala: sulcus
valado: vallate
valécula: vallecula
valecular: vallecular
valência: valence
valgo: valgus
valina: valine
valinemia: valinemia
valor: value
valor médio: half-value
valva: valva; valve
válvula: valva; valve; valvula; valvule
valvular: valvular
valvulite: valvulitis
valvuloplastia: valvuloplasty
valvulotomia: valvotomy
valvulótomo: valvulotome
vanádio: vanadium
vancomicina: vancomycin
vanilismo: vanillism
vaporização: distillation; vaporization
vapoterapia: vapotherapy
variação: range; variation
varicação: varication
varicela: chickenpox; varicella
variceliforme: varicelliform
variciforme: variciform; varicose
varicobléfaro: varicoblepharon
varicocele: varicocele
varicocelectomia: varicocelectomy
varicoflebite: varicophlebitis
varicografia: varicography
varicônfalo: varicomphalus
varicosidade: varication; varicosity
varicoso: variceal; varicose
varicotomia: varicotomy
varícula: varicula
variedade: variety
varíola: smallpox; variola
varíola dos ovinos: sheep-pox
varíola eqüina: horse-pox
varíola modificada: milkpox
varíola por rickéttsia: rickettsialpox
variolar: variola; variolous
variólico: variolar; variolous
varioliforme: varioliform
variolizar: variolate
variz: varix
varo: varus

varoliano: varolian
varredura: scanning
vasal: vasal
vascolejo: clapotement
vascular: vascular
vascularização: vascularization
vasculatura: vasculature
vasculite: vasculitis
vasculítico: vasculitic
vasculogênico: vasculogenic
vasculopatia: vasculopathy
vasectomia: vasectomy
vasiforme: vasiform
vasite: vasitis
vaso: vas; vessel
vasoativo: vasoactive
vasoconstrição: vasoconstriction
vasoconstritivo: vasoconstrictive
vasodepressão: vasodepression
vasodepressor: vasodepressor
vasodilatação: vasodilatation
vasodilatador: vasodilative; vasodilator; vasohypotonic
vasoepididimografia: vasoepididymography
vasoepididimostomia: vasoepididymostomy
vasoespasmo: vasospasm
vasoespástico: vasospastic
vasoestimulante: vasostimulant
vasoformativo: vasoformative
vasogânglio: vasoganglion
vasografia: vasography
vaso-hipertônico: vasohypertonic
vaso-hipotônico: vasohypotonic
vasoinibidor: vasoinhibitor
vasoinibitório: vasoinhibitory
vasoligadura: vasoligation
vasomotor: vasomotor
vasoneuropatia: vasoneuropathy
vasoneurose: vasoneurosis
vasoparesia: vasoparesis
vasopermeabilidade: vasopermeability
vasopressina: vasopressin
vasopressor: vasopressor
vasopunção: vasopuncture
vasopunctura: vasopuncture
vasopuntura: vasopuncture
vasorquidostomia: vaso-orchidostomy
vasorrafia: vasorrhaphy
vasorreflexo: vasoreflex
vasorrelaxamento: vasorelaxation
vasossecção: vasosection
vasossensitivo: vasosensory
vasossensorial: vasosensory
vasostomia: vasostomy
vasotomia: vasotomy
vasotonia: vasotonia
vasotônico: vasotonic
vasotrófico: vasothrophic
vasotrópico: vasotropic
vasovagal: vasovagal
vasovasostomia: vasovasostomy
vasovesiculectomia: vasovesiculectomy
vasto: vastus
vazão: issue
vecção: vection

vecurônio: vecuronium
vegetação: vegetation
vegetariano: vegetarian
vegetativo: vegetative
veia: vein; vena
veículo: vehicle
vela: bougie
velame: velamen
velamentoso: velamentous
velar: velar
velo: fleece; vellus
velocidade: rate
velofaríngeo: velopharyngeal
venacavografia: venacavography
venacavograma: venacavogram
venectasia: venectasia
venectomia: venectomy
veneno: poison; toxicant; venom
venenoso: toxic; toxicant
venéreo: venereal
venereologia: venereology
venereologista: venereologist
venipunção: venipuncture
venissecção: venesection
venissutura: venisuture
venoclusivo: veno-occlusive
venografia: venography
venomotor: venomotor
venoperitoneostomia: venoperitoneostomy
venopressor: venopressor
venopuntura: venipuncture
venosclerose: venosclerosis
venosidade: venosity
venoso: venous
venossutura: venisuture
venostase: venostasis
venotomia: venotomy
venovenostomia: venovenostomy
ventilação: ventilation
ventilador: ventilator
ventral: ventral; ventralis
ventre: belly; venter
ventricular: ventricular
ventriculite: ventriculitis
ventrículo: ventricle
ventrículo: ventriculus
ventriculoatriostomia: ventriculoatriostomy
ventriculografia: ventriculography
ventriculometria: ventriculometry
ventriculopunção: ventriculopuncture
ventriculopuntura: ventriculopuncture
ventriculoscopia: ventriculoscopy
ventriculossubaracnóideo: ventriculosubarachnoid
ventriculostomia: ventriculostomy
ventriculotomia: ventriculotomy
ventriduzir: ventriduct
ventro-histeropexia: ventrohysteropexy
ventrofixação: ventrofixation; ventrosuspension
ventrolateral: ventrolateral
ventromediano: ventromedian
ventroposterior: ventroposterior
ventroscopia: ventroscopy
ventrose: ventrose
ventrossuspensão: ventrosuspension
ventrotomia: ventrotomy

vênula: venula; venule
venular: venular
venulite: venulitis
verbigeração: verbigeration
verde: green
vergência: vergence
verme: threadworm; vermis; worm
verme filiforme: whipworm
verme pulmonar: lungworm
vermelhidão: flare
vermelho: red; ruber; rubric
vermicida: vermicide
vermiculação: vermiculation
vermicular: vermicular
vermiculoso: vermiculous
vermiforme: vermiform
vermífugo: vermifugal; vermifuge
vermilionectomia: vermilionectomy
verminal: verminous
verminoso: verminous
verniz: vernix
verruciforme: verruciform
verrucoso: verrucose; verrucous
verruga: verruca; verruga; wart
versão: version
vértebra: vertebra
vertebrado: vertebrate
vertebral: vertebral
vertebrectomia: vertebrectomy
vertebrobasilar: vertebrobasilar
vertebrocondral: vertebrochondral
vertebrocostal: vertebrocostal
vertebroesternal: vertebrosternal
vertebrogênico: vertebrogenic
vertical: vertical; verticalis
vértice: vertex
verticilado: verticillate
vertigem: dizziness; vertigo
vertiginoso: vertiginous
verumontano: verumontanum
vesaliano: vesalianum
vesicação: vesication
vesical: vesical
vesicante: vesicant
vesicocele: vesicocele
vesicocervical: vesicocervical
vesicoclise: vesicoclysis
vesicoentérico: vesicoenteric
vesicoespinhal: vesicospinal
vesicointestinal: vesicoenteric; vesicointestinal
vesicoprostático: vesicoprostatic
vesicopúbico: vesicopubic
vesicossigmoidostomia: vesicosigmoidostomy
vesicostomia: vesicostomy
vesicotomia: vesicotomy
vesicoureteral: vesicoureteral; vesicoureteric
vesicouretérico: vesicoureteral; vesicoureteric
vesicouterino: vesicouterine
vesicovaginal: vesicovaginal
vesícula: bleb; blister; vesica; vesicle; vesícula
vesícula biliar: cholecyst; gallbladder
vesicular: vesicular
vesiculectomia: vesiculectomy
vesiculiforme: vesiculiform
vesiculite: vesiculitis

vesiculocavernoso: vesiculocavernous
vesiculografia: vesiculography
vesiculopapular: vesiculopapular
vesiculopustular: vesiculopustular
vesiculotomia: vesiculotomy
vestíbula: vestibulum
vestibular: vestibular
vestibulite: vestibulitis
vestíbulo: vestibule
vestibulocular: vestibulo-ocular
vestibulogênico: vestibulogenic
vestibuloplastia: vestibuloplasty
vestibulotomia: vestibulotomy
vestibulouretral: vestibulourethral
vestigial: vestigial
vestígio: vestigium; vestige
veterinário: veterinarian; veterinary
vetor: vector
vetorcardiografia: vectorcardiography
vetorcardiográfico: vectorcardiographic
vetorcardiograma: vectorcardiogram
vetorial: vectorial
véu: veil; velamen; velum
via: pathway
via aérea: airway
viável: viable
vibesato: vibesate
víbice: vibex
víbora: viper
vibração: vibration
vibrador: vibrator
vibrátil: vibratile
vibrião: vibrio
vibriocida: vibriocidal
vibrissa: vibrissa
vicina: vicine
vício: addiction
vida: life
vidarabina: vidarabine
videodensitometria: videodensitometry
videofluoroscopia: videofluoroscopy
videolaseroscopia: videolaseroscopy
vidro: glass
vigilambulismo: vigilambulism
vilo: villus
viloma: villoma
vilosectomia: villusectomy
vilosidade: villus; vilosity
vilosite: villositis
viloso: villose
vimblastina: vinblastine
vimentina: vimentin
vincristina: vincristine
vínculo: vinculum
vinila: vinyl
violáceo: violaceous
violeta: violet
vipoma: vipoma; VIPoma
viral: viral
viremia: viremia
virgem: virgin
viricida: virucidal; virucide
viril: virile
virilescência: virilescence

virilha: inguen
virilidade: virility
virilismo: virilism
virilização: virilization
virion: virion
virolactia: virolactia
virologia: virology
virulência: virulence
virulento: virulent
virulífero: viruliferous
virúria: viruria
vírus: virus
visão: sight; vision
visão borrada: blur
visão indistinta: blur
visão nublada: blur
víscera: viscus
visceral: viscerad; visceral
visceralgia: visceralgia
visceroesquelético: visceroskeletal
visceromegalia: organomegaly; visceromegaly
visceromotor: visceromotor
visceroparietal: visceroparietal
visceroperitoneal: visceroperitoneal
visceropleural: visceropleural
viscerotrópico: viscerotropic
víscido: viscid; viscous
viscosidade: viscosity
viscoso: glairy; viscid; viscous
visoauditivo: visuoauditory
visual: visual
visualização: visualization
visuoespacial: visuospatial
visuomotor: visuomotor
visuossensorial: visuosensory
vitamina: vitamin
vitamina B₁: thiamine
vitamina B₂: riboflavin
vitamina C: ascorbic acid
vitamina D₃: cholecalciferol
vitelino: vitelline
vitelo: vitellus; yolk
vitiliginoso: vitiliginous
vitiligo: vitiligines; vitiligo
vitrectomia: vitrectomy
vítreo: vitreous
vitreorretiniano: vitreoretinal
vitronectina: vitronectin
vividiálise: vividialysis
vividifusão: vividiffusion
vivíparo: viviparous
vivissecção: vivisection
vocal: vocal; volar; volaris
volátil: volatile
volatilização: volatilization
volfrâmio: wolfram
volume: volume
volumétrico: volumetric
voluto: volute
volvo: volvulus
vólvulo: volvulus
volvulose: volvulosis
vômer: vômer
vomeriano: vomerine
vomeronasal: vomeronasal
vomitação: vomiting

vomitar: vomit
vômito: emesis; vomiting; vomitus
vômito seco: retching
vomitório: vomitory
vomiturição: vomiturition
vórtice: vortex
voyeurismo: voyeurism
voz: voice; vox
vuerômetro: vuerometer
vulgar: vulgaris
vulno: vulnus
vulsela: volsella; vulsella; vulsellum
vulva: vulva
vulvar: vulval; vulvar
vulvectomia: vulvectomy
vulvite: vulvitis
vulvouterino: vulvouterine
vulvovaginal: vulvovaginal
vulvovaginite: vulvovaginitis

W

warfarin: warfarin
wuchereríase: wuchereriasis

X

xantelasma: xanthelasma
xântico: xanthic
xantina: xanthine
xantinúria: xanthinuria
xantocianopsia: xanthocyanopsia
xantocromático: xanthochromatic
xantocromia: xanthochromia
xantocrômico: xanthochromic
xantoderma: xanthoderma
xantofose: xanthophose
xantogranuloma: xanthogranuloma
xantoma: xanthoma
xantoma múltiplo: xanthomatosis
xantomatose: xanthomatosis
xantomatoso: xanthomatous
xantopsia: xanthopsia
xantose: xanthosis
xantosina: xanthosine
xarope: syrup
xenoantígeno: xenoantigen
xenodiagnóstico: xenodiagnosis; xenodiagnostic
xenoenxerto: heterograft; xenograft
xenofobia: xenophobia
xenofonia: xenophonia
xenoftalmia: xenophthalmia
xenogenia: xenogenesis
xenogênico: xenogeneic
xenógeno: xenogenous
xenônio: xenon
xenoparasita: xenoparasite
xenotrópico: xenotropic
xerodermático: xerodermatic
xerodermia: xeroderma
xeroftalmia: xerophthalmia
xerografia: xerography; xeroradiography
xeroma: xeroma
xeromamografia: xeromammography
xeromenia: xeromenia

xerorradiografia: xerography; xeroradiography
xerose: xerosis
xerossialografia: xerosialography
xerostomia: aptyalism; xerostomia
xerótico: xerotic
xerotomografia: xerotomography
xifocostal: xiphocostal
xifoesternal: xiphisternal
xifoesterno: xiphisternum
xifóide: xiphoid
xifoidite: xiphoiditis
xifópago: xiphopagus
xilana: xylan
xileno: xylene
xilometazolina: xylometazoline
xilose: xylose
xilulose: xylulose
xistra: xyster

Y

yabapox: yabapox

Z

Z-plastia: Z-plasty
zetaplastia: Z-plasty
zidovudina: zidovudine
zigal: zygal
zígio: zygion
zigoapófise: zygapophysis
zigodactilia: zygodactyly
zigoma: zygoma
zigomático: zygomaticz
zigomaticofacial: zygmaticofacial
zigomaticotemporal: zygomaticotemporal
zigomicose: zygomycosis
zígon: zygon
zigosidade: zygosity
zigóteno: zygotene
zigótico: zygotic
zigoto: zygote

ziguezagueplastia: zigzagplasty
zinco: zinc
zircônio: zirconium
zoacantose: zoacanthosis
zoantropia: zoanthropy
zoantrópico: zoanthropic
zona: zona
zonal: zonal
zonestesia: zonesthesia
zonífugo: zonifugal
zonípeto: zonipetal
zônula: zonula; zonule
zonular: zonular
zonulite: zonulitis
zonulólise: zonulolysis
zonulotomia: zonulotomy
zoodérmico: zoodermic
zooenxerto: zooplasty
zoófago: zoophagous
zoofilia: zoophilia
zoofobia: zoophobia
zoógeno: zoogenous
zoogléia: zooglea
zoogonia: zoogony
zoogônico: zoografting
zoóide: zooid
zoolagnia: zoolagnia
zoologia: zoology
zoonose: zoonosis
zoonótico: zoonotic
zooparasita: zooparasite
zooparasitário: zooparasitic
zoopatologia: zoopathology
zooplastia: zooplasty
zoósporo: flagellospore; zoospore
zootomia: zootomy
zootoxina: zootoxin
zóster: zoster
zosteriforme: zosteriform; zosteroid
zosteróide: zosteroid
zumbido: hum; sonitus

Impressão e Acabamento
Oesp Gráfica S.A (Com Filmes Fornecidos Pelo Editor)
Deptº Comercial Alameda Araguaia, 1901 - Barueri - Tamboré
Tel. 4195-1805 Fax 4195 - 1384